HACHETTE

Dictionnaire Hachette de la Langue Française Mini

35 000 MOTS

Le **Dictionnaire Hachette de la Langue Française Mini** est édité sous la direction d'Emmanuel Fouquet

Rédacteur en chef : Jean-Pierre Mével

Chef de projet : Véronique Chape

Rédaction : Jean Dubois, Françoise Dubois-Charlier, Alain Guillet, René Lagane, Anne Le Meur

Correction : Sylvie Hudelot

Couverture : Agence Pennel

Conception graphique : Philippe Latombe

Composition : MCP

Informatique éditoriale : Jean-Marc Destabeaux
Sébastien Pettoello

Fabrication : Bernard Degril
Cécile Masset

© HACHETTE LIVRE 2000, 43 quai de Grenelle, 75905 PARIS CEDEX 15

I.S.B.N. 2.01.280491.8

NOTE DE L'ÉDITEUR

Le **Dictionnaire Hachette de la Langue Française Mini** rassemble, eu égard à son format, une nomenclature exceptionnellement abondante : 35 000 mots de la langue, représentant quelque 55 000 sens et locutions.

Nous avons fait figurer tous les noms communs dont peut avoir besoin un lecteur dans toutes les circonstances de la vie quotidienne : c'est pourquoi nous avons fait une place aussi bien à des mots très contemporains ou à des termes techniques et scientifiques qu'à des mots de la langue littéraire. Nous n'avons pas exclu non plus les mots de la langue familière, pourvu qu'ils aient reçu une large diffusion dans la société contemporaine.

Le lecteur trouvera également des indications concernant la *prononciation* (quand celle-ci pose un problème particulier) et la *conjugaison* des verbes (le numéro placé après l'entrée renvoie aux tableaux p. 803). Les *pluriels* irréguliers et ceux des noms composés sont systématiquement mentionnés en fin d'article. Les *niveaux de langue* (familier, littéraire, vieux, etc.) ont été indiqués avec soin, de même que les rubriques des *vocabulaires scientifiques et techniques* (biologie, informatique, linguistique, médecine, etc.).

Les dernières pages du dictionnaire sont consacrées à un certain nombre de renseignements grammaticaux présentés de façon synoptique : conjugaison des verbes, accord du participe passé, préfixes et suffixes.

Ainsi conçu et réalisé, ce **Dictionnaire** pourra rendre de nombreux services aux lecteurs pressés, mais aussi curieux et exigeants.

IV

LES SONS DU FRANÇAIS

Nous n'avons indiqué la prononciation (entre crochets après l'entrée) que lorsqu'une difficulté se présentait par rapport aux règles générales du français. Dans ce cas, seul le point délicat a été mis en évidence : **abasourdir** [-zur-], **abdomen** [-men]. Les signes utilisés sont ceux de l'alphabet phonétique international.

CONSONNES

b	de bal	[bal]
d	de dent	[dã]
f	de foire	[fwar]
g	de gomme	[gɔm]
h	holà !	[hɔla]
	hourra !	[hura]
	(valeur expressive)	
k	de clé	[kle]
l	de lien	[ljẽ]
m	de mer	[mɛr]
n	de nage	[naʒ]
ɲ	de gnon	[ɲɔ̃]
ŋ	de dancing	[dãsiŋ]
p	de porte	[pɔrt]
R	de rire	[RiR]
s	de sang	[sã]
ʃ	de chien	[ʃjẽ]
t	de train	[trẽ]
v	de voile	[vwal]
x	de buch (all.)	[bux]
z	de zèbre	[zɛbr]
ʒ	de jeune	[ʒœn]

VOYELLES

a	de patte	[pat]
ɑ	de pâte	[pɑt]
ã	de clan	[klã]
e	de dé	[de]
ɛ	de belle	[bɛl]
ẽ	de lin	[lẽ]
ə	de demain	[dəmẽ]
i	de gris	[gri]
o	de gros	[gro]
ɔ	de corps	[kɔr]
ɔ̃	de long	[lɔ̃]
œ	de leur	[lœr]
œ̃	de brun	[brœ̃]
ø	de deux	[dø]
u	de fou	[fu]
y	de pur	[pyr]

SEMI-VOYELLES

j	de fille	[fij]
ɥ	de huit	[ɥit]
w	de oui	[wi]

Le *h* dit « aspiré », noté ['] devant la voyelle, ne se prononce pas mais empêche la liaison et l'élision.

V

ABRÉVIATIONS

Les catégories grammaticales, placées après l'entrée, sont en *italiques*, les marques de domaine scientifique ou technique sont en CAPITALES, les indications de niveau de langue sont en caractères étroits ; les autres abréviations apparaissent dans le courant du texte.

a .... **adjectif**
a, n .... **adjectif et nom**
abrév. .... **abréviation**
Abusiv .... **abusivement**
(le mot, bien que d'emploi courant, est critiqué par certains grammairiens)
ADMIN .... **administration**
AERON .... **aéronautique**
AGRIC .... **agriculture**
ANAT .... **anatomie**
Anc .... **ancien**
(la notion désignée par le mot est sortie de l'usage actuel)
anc. .... **ancien, anciennement**
ANTHROP .... **anthropologie**
ANTIQ .... **antiquité**
Ant .... **antonyme**
ARCHEOL .... **archéologie**
ARCHI .... **architecture**
Arg .... **argot**
ARITH .... **arithmétique**
ASTRO .... **astronomie**
AUDIOV .... **audiovisuel**
AUTO .... **automobile**
av .... **adverbe**
av. .... **avant**
BIOL .... **biologie**
BOT .... **botanique**
BX-A .... **beaux-arts**
CHIM .... **chimie**
CHIR .... **chirurgie**
CINE .... **cinéma**
COMM .... **commerce**
conj .... **conjonction**
CONSTR .... **construction**
COUT .... **couture**
CUIS .... **cuisine**
dém .... **démonstratif**
Didac .... **didactique**

(terme savant commun à plusieurs disciplines)
DR .... **droit**
E. .... **est**
ECOL .... **écologie**
ECON .... **économie**
ELECTR .... **électricité**
ELECTRON .... **électronique**
ELEV .... **élevage**
EMBRYOL .... **embryologie**
env. .... **environ**
EQUIT .... **équitation**
ETHNOL .... **ethnologie**
Fam .... **familier**
(le terme est courant dans la langue parlée mais on l'évite dans la langue écrite formelle)
FEOD .... **féodalité**
FIN .... **finances**
FISC .... **fiscalité**
FORTIF .... **fortification**
GEOGR .... **géographie**
GEOL .... **géologie**
GEOM .... **géométrie**
GRAM .... **grammaire**
HERALD .... **héraldique**
HIST .... **histoire**
HYDROL .... **hydrologie**
h .... **habitants**
impers .... **impersonnel**
IMPRIM .... **imprimerie**
ind .... **indicatif**
indéf .... **indéfini**
INFORM .... **informatique**
inf .... **infinitif**
interj .... **interjection**
inv .... **invariable**
J.-C. .... **Jésus-Christ**
km .... **kilomètres**
lat. .... **latin**

VI

LING	**linguistique**	prép	**préposition**
LITTER	**littérature**	PSYCHAN	**psychanalyse**
Litt	**littéraire**	PSYCHIAT	**psychiatrie**
LITURG	**liturgie**	PSYCHO	**psychologie**
Loc	**locution**	qqch	**quelque chose**
LOG	**logique**	qqn	**quelqu'un**
m	**mètres**	qq part	**quelque part**
majusc	**majuscule**	Reg	**régionalisme**
MAR	**marine**		(l'usage du mot est limité à une région de la France ou de la francophonie)
MATH	**mathématiques**		
MED	**médecine**		
MILIT	**militaire**	RELIG	**religion**
MINER	**minéralogie**	rel	**relatif**
MUS	**musique**	RHET	**rhétorique**
MYTH, myth.	**mythologie**	S., S.-E., S.-O.	**sud, sud-est, sud-ouest**
N., N.-E., N.-O.	**nord, nord-est, nord-ouest**		
		SC NAT	**sciences naturelles**
n	**nom**	SEXOL	**sexologie**
n, a	**nom et adjectif**	SOCIOL	**sociologie**
nf	**nom féminin**	spécial.	**spécialement**
nfpl	**nom féminin pluriel**	SPORT	**sports**
nm	**nom masculin**	STATIS	**statistique**
nmpl	**nom masculin pluriel**	subj	**subjonctif**
num	**numéral**	SYLVIC	**sylviculture**
O.	**ouest**	Syn	**synonyme**
oppos.	**opposition**	TECH	**technique, technologie**
PALEONT	**paléontologie**	TEXT	**textile**
part.	**participe**	THEOL	**théologie**
partic.	**particulièrement**	V.	**voir (renvoi)**
PEINT	**peinture**	v.	**ville ou (avant une date) vers**
Péjor	**péjoratif**	v	**verbe**
pers	**personnel**	VEN	**vénérie**
PHARM	**pharmacie**	VERSIF	**versification**
PHILO	**philosophie**	VETER	**médecine vétérinaire**
PHON	**phonétique**	Vieilli	**vieilli**
PHOTO	**photographie**		(le terme tend à sortir de l'usage actuel)
PHYS	**physique**		
PHYSIOL	**physiologie**	VITIC	**viticulture**
pl	**pluriel**	vi	**verbe intransitif**
POLIT	**politique**	vpr	**verbe pronominal**
Pop.	**populaire**	vt	**verbe transitif**
	(le terme est jugé contraire à la politesse ou fait l'objet d'un tabou)	vti	**verbe transitif indirect**
		Vx	**vieux**
poss	**possessif**		(le terme n'est plus utilisé dans la langue actuelle)
PREHIST	**préhistoire**		
pr	**pronom**	ZOOL	**zoologie**

a

a *nm* Première lettre (voyelle) de l'alphabet. **Loc** *De A à Z :* du début à la fin.

à *prép* (à *le* se contracte en au et à *les* en aux). **1** Introduit les compléments exprimant la direction, la position, le moment, la simultanéité, l'origine, l'attribution, la manière, l'instrument, le moyen, le prix, l'évaluation. **2** S'emploie devant l'objet indirect d'un verbe et devant certains compléments de nom et devant le complément de certains adjectifs.

abaisser *vt* **1** Placer à un niveau inférieur. **2** Mener une perpendiculaire à une droite, à un plan. **3** Avilir, humilier. ■ *vpr* S'humilier. *S'abaisser à des compromissions.*

abandon *nm* **1** Fait d'abandonner. **2** État de la chose, de l'être abandonné.

abandonner *vt* **1** Renoncer à. *Abandonner un projet.* **2** Laisser qqch à qqn. **3** Ne pas conserver, délaisser. *Abandonner sa voiture sur la voie publique.* **4** Manquer, faire défaut. *Ses forces l'abandonnent.* **5** Se séparer volontairement de. *Abandonner sa famille.* ■ *vi* Quitter une compétition. ■ *vpr* Se livrer à une émotion, un sentiment. *S'abandonner à la tristesse.*

abaque *nm* **1** Graphique qui donne la valeur d'une fonction. **2** Boulier compteur.

abasourdir [-zur-] *vt* **1** Rendre sourd ; étourdir par un grand bruit. **2** Frapper de stupeur. *Nouvelle qui abasourdit.*

abâtardir *vt* Faire dégénérer. ■ *vpr* Dégénérer.

abat-jour *nm inv* Réflecteur qui rabat la lumière.

abats *nmpl* Viscères comestibles des volailles ou des animaux de boucherie.

abattage *nm* **1** Action de faire tomber ce qui est dressé. **2** Mise à mort d'un animal de boucherie.

abattant *nm* Partie d'un meuble qui se lève ou s'abaisse.

abattement *nm* **1** Affaiblissement physique ou moral. **2** FISC Partie des revenus imposables exonérée d'impôt.

abattis *nmpl* Abats de volaille.

abattoir *nm* Établissement où se fait l'abattage des animaux de boucherie.

abattre *vt* **77** **1** Mettre à bas, faire tomber ce qui est dressé. *Abattre un mur.* **2** Tuer un animal. **3** Tuer qqn avec une arme à feu. **4** Déprimer, affaiblir qqn. *Cette maladie l'a abattu.* ■ *vpr* Tomber brutalement.

abbatial, ale, aux [-sjal] *a* De l'abbaye. ■ *nf* Église d'une abbaye.

abbaye [abei] *nf* **1** Communauté placée sous l'autorité d'un abbé ou d'une abbesse. **2** Bâtiments de cette communauté.

abbé *nm* **1** Supérieur d'une abbaye. **2** Membre du clergé séculier.

abbesse *nf* Supérieure d'une abbaye.

abc [abese] *nm* Connaissances de base. *Apprendre l'abc du métier.*

abcès *nm* Accumulation de pus.

abdication *nf* Action d'abdiquer.

abdiquer *vt, vi* **1** Abandonner le pouvoir souverain. **2** Renoncer à. *Abdiquer tous ses droits.*

abdomen [-mɛn] *nm* Partie inférieure du tronc qui contient l'appareil digestif, le foie, la rate et une partie de l'appareil génito-urinaire.

abdominal, ale, aux *a* De l'abdomen. ■ *nmpl* Les muscles de l'abdomen.

abducteur *a, nm* ANAT Muscle qui effectue le mouvement d'abduction. Ant. adducteur.

abduction *nf* ANAT Mouvement par lequel un membre s'écarte de l'axe du corps.

abécédaire *nm* Livre d'apprentissage de la lecture.

abeille *nf* Insecte hyménoptère social vivant dans des ruches et produisant le miel.

aber [abɛr] *nm* Petite ria, en Bretagne.

aberrant, ante *a* Contraire à la raison, au bon sens. *Raisonnement aberrant.*

aberration *nf* **1** ASTRO, PHYS Déformation provoquée par des paramètres secondaires. **2** BIOL Anomalie de la constitution ou du nombre des chromosomes. **3** Écart de l'imagination, erreur de jugement ; absurdité.

abêtir *vt* Rendre bête, stupide.

abhorrer

abhorrer vt Litt Détester.

abîme nm 1 Gouffre très profond. 2 Différence très importante. *Un abîme sépare ces deux propositions.*

abîmer vt Endommager. *Abîmer ses affaires.* ■ vpr Litt S'engloutir.

abject, ecte a Ignoble, infect.

abjection nf État d'abaissement méprisable.

abjurer vt 1 Renier publiquement une religion. 2 Litt Renoncer à une opinion, une pratique.

ablatif nm GRAM Cas de la déclinaison exprimant l'origine, la séparation.

ablation nf CHIR Enlèvement d'un membre, d'un organe, d'un tissu, d'une tumeur.

ablette nf Petit poisson d'eau douce aux écailles argentées.

ablution nf Toilette purificatrice rituelle.

abnégation nf Renoncement, sacrifice de soi.

aboiement nm Cri du chien.

abois nmpl Loc *Bête aux abois* : cernée par les chiens qui aboient.

abolir vt Faire cesser la validité de.

abolition nf Action d'abolir.

abolitionnisme nm Doctrine prônant l'abolition de l'esclavage ou de la peine de mort.

abominable a 1 Qui inspire l'horreur. 2 Très désagréable. *Un temps abominable.*

abomination nf Litt Ce qui inspire l'horreur, le dégoût.

abominer vt Litt Avoir en horreur.

abondamment av En grande quantité.

abondance nf 1 Grande quantité. 2 Richesse, ressources considérables. *Vivre dans l'abondance.*

abondant, ante a Qui abonde, qui est en très grande quantité. *Récolte abondante.*

abonder vi Être, exister en très grande quantité. Loc *Abonder dans le sens de qqn* : soutenir la même opinion que lui.

abonné, ée a, n Qui a un abonnement.

abonnement nm Convention qu'un client passe avec un fournisseur pour bénéficier d'un service régulier.

abonner vt Prendre un abonnement pour qqn. ■ vpr Prendre un abonnement pour soi.

abord nm Loc *D'un abord facile* : qui fait bon accueil, avenant. *D'abord, tout d'abord* : avant toute chose, en premier lieu. ■ pl Environs, alentours. *Les abords de la ville.*

abordable a Accessible.

abordage nm 1 Action de prendre d'assaut un navire. 2 Collision de deux navires.

aborder vt 1 Accoster un navire pour lui donner l'assaut. 2 Heurter un navire accidentellement. 3 Arriver à un endroit. *Aborder un virage.* 4 S'approcher de qqn pour lui parler. 5 Commencer à parler de qqch.

aborigène a, n Né dans le pays qu'il habite.

abortif, ive a, nm Qui fait avorter.

aboucher vt Appliquer un tube à un autre par l'extrémité. ■ vpr Entrer en relation avec qqn. *Il s'est abouché avec un grossiste.*

aboulie nf PSYCHO Absence totale de volonté.

abouter vt Joindre par le bout.

abouti, ie a Mené à bien, réussi. *Une œuvre aboutie.*

aboutir vti Arriver en bout de parcours à un lieu. *Cette route aboutit à la mer.* ■ vi Arriver à un résultat, réussir. *Ses démarches ont abouti.*

aboutissants nmpl Loc *Les tenants et les aboutissants d'une affaire* : ses implications.

aboutissement nm Résultat.

aboyer vi 22 Crier (chien).

abracadabrant, ante a Invraisemblable.

abraser vt User par abrasion.

abrasif, ive a, nm Qui use par frottement.

abrasion nf Usure par frottement.

abrégé nm 1 Discours, écrit réduit à l'essentiel. 2 Petit ouvrage exposant une science, une technique.

abrègement nm Action d'abréger.

abréger vt 13 Rendre plus court.

abreuver vt Faire boire un animal ou, fam, une personne. ■ vpr Boire (animaux).

abreuvoir nm Lieu conçu pour faire boire les animaux ; auge destinée à cet usage.

abréviatif, ive a Utilisé pour abréger.

abréviation nf 1 Retranchement de lettres dans un mot, de mots dans une phrase. 2 Mot, groupe de mots abrégés.

abri nm Lieu de protection, de refuge contre les intempéries ou le danger.

abribus nm (n déposé) Édicule servant d'abri à un arrêt de bus et comportant des panneaux publicitaires.

abricot nm Fruit de l'abricotier, comestible, jaune, à noyau.

abricotier nm Arbre fruitier à fleurs roses.

abri-sous-roche nm PRÉHIST Cavité naturelle à la base d'une falaise. Des abris-sous-roche.

abriter vt 1 Mettre à l'abri. 2 Servir d'habitation à. ■ vpr Se mettre à l'abri des intempéries, du danger.

abrogation nf Action d'abroger.

abroger vt 11 Rendre légalement nul. Abroger une loi.

abrupt, upte a 1 À pic. Falaises abruptes. 2 Rude, direct. Manières abruptes.

abruti, ie a, n Stupide.

abrutir vt Rendre stupide, hébété. Le bruit nous abrutit.

abscisse nf MATH Nombre qui permet de définir la position d'un point sur une droite orientée.

abscons, onse a Litt Peu compréhensible.

absence nf 1 Défaut de présence, fait de ne pas être en un lieu donné. 2 Inexistence, manque. Absence de goût. 3 Défaillance de l'attention. Avoir des absences.

absent, ente a, n Qui n'est pas présent qqpart. ■ a 1 Qui manque. 2 Distrait.

absentéisme nm Fait d'être souvent absent du travail.

absenter (s') vpr S'éloigner momentanément.

abside nf Extrémité d'une église, derrière le chœur.

absinthe nf 1 Plante à la saveur amère et aromatique. 2 Liqueur extraite de cette plante.

absolu, ue a 1 Sans limite. Pouvoir absolu. 2 Total, entier. Impossibilité absolue. 3 Intran-

sigeant. Un caractère absolu. ■ a, nm Considéré en soi, sans référence à autre chose. Ant. relatif.

absolument av 1 Totalement, entièrement. Je suis absolument décidé. 2 Sans faute, de toute nécessité. 3 Abusiv Oui. **Loc** GRAM Verbe transitif employé absolument : sans complément d'objet.

absolution nf Pardon accordé au nom de Dieu par le confesseur.

absolutisme nm Exercice sans contrôle du pouvoir politique.

absorbant, ante a 1 Qui absorbe. Les poils absorbants des racines. 2 Qui occupe entièrement l'attention.

absorber vt 1 Laisser pénétrer et retenir un fluide, un rayonnement. 2 Ingérer. Absorber de la nourriture. 3 Consommer entièrement. Ces travaux ont absorbé ses crédits. 4 Captiver, occuper totalement. Ses activités l'absorbent.

absorption nf Action d'absorber.

absoudre vt 51 Accorder son pardon à qqn.

abstenir (s') vpr 35 1 Se garder de faire qqch. S'abstenir de répondre. 2 Ne pas prendre part à un scrutin. 3 Se priver volontairement de. S'abstenir de fumer.

abstention nf Action de s'abstenir, de ne pas participer à un scrutin.

abstentionnisme nm Refus de voter.

abstentionniste a, n Qui s'abstient à un vote.

abstinence nf Fait de se priver de qqch, pour des motifs religieux ou médicaux.

abstraction nf 1 Opération par laquelle l'esprit isole dans un objet une qualité particulière pour la considérer à part. 2 Idée difficile à comprendre.

abstraire vt 74 Faire abstraction de qqch. ■ vpr S'isoler du réel.

abstrait, aite a, nm 1 Considéré par abstraction. Ant. concret. 2 Difficile à comprendre. **Loc** Art abstrait : qui ne cherche pas à représenter le réel (par oppos. à figuratif).

abstrus, use a Litt Difficile à comprendre.

absurde a Contre le sens commun, la logique. Une conduite absurde. ■ nm Ce qui est

absurdité

absurde. Loc *Démonstration par l'absurde :* qui établit la vérité de qqch en montrant que son contraire ne peut être vrai.

absurdité nf 1 Caractère de ce qui est absurde. 2 Conduite, propos absurde.

abus nm 1 Mauvais usage ou usage excessif. 2 Injustice. *Combattre les abus.*

abuser vti 1 Faire un usage excessif. *Abuser du tabac, de la patience de qqn.* 2 Violer. *Abuser d'une femme.* ■ vpr Litt Se tromper.

abusif, ive a Qui constitue un abus, excessif.

abusivement av De façon abusive.

abyssal, ale, aux a 1 Des abysses. 2 Fam Considérable. *Une bêtise abyssale.*

abysse nm Fosse océanique.

acabit [-bi] nm Loc Péjor *De cet acabit, du même acabit :* de ce genre, du même genre.

acacia nm Arbre épineux à fleurs blanches.

académicien, enne n Membre d'une académie, spécialement de l'Académie française.

académie nf 1 Société réunissant des savants, des artistes, des hommes de lettres. 2 École où l'on s'exerce à la pratique d'un art. 3 Circonscription universitaire. 4 Dessin, peinture exécutés d'après un modèle nu.

académique a 1 D'une académie, spécialement de l'Académie française. 2 Péjor Conventionnel.

académisme nm Attachement rigoureux aux traditions, aux conventions.

acadien, enne a, n De l'Acadie.

acajou nm Bois dur, de teinte brun rougeâtre, d'un arbre d'Afrique et d'Amérique.

acalculie nf MED Perte de la capacité de calculer.

acalorique a Qui ne contient pas de calories.

acanthe nf Plante ornementale à feuilles longues et découpées.

acanthoptérygien nm ZOOL Poisson à nageoire dorsale épineuse, tel le maquereau.

a cappella ou **a capella** av MUS Sans accompagnement instrumental.

acariâtre a De caractère querelleur.

acarien nm ZOOL Petit arachnide, à huit pattes (tiques, aoûtats, etc.).

accablant, ante a Qui accable.

accablement nm Abattement.

accabler vt 1 Faire supporter une chose fatigante, pénible. 2 Surcharger de. *Accabler d'impôts.*

accalmie nf Calme momentané dans une tempête, dans une activité.

accaparer vt 1 Acquérir en grande quantité une marchandise pour faire monter son prix. 2 Prendre, conserver pour son usage exclusif.

accastillage nm MAR Partie du gréement d'un voilier nécessaire à la manœuvre.

accédant, ante n Loc *Accédant à la propriété :* qui est en train de l'acquérir.

accéder vti 121 Parvenir à. *On accède à la cuisine par un couloir.* 2 Consentir à. *Accéder aux désirs de qqn.*

accélérateur, trice a Qui accélère, qui communique une vitesse élevée. ■ nm 1 Pédale qui commande l'admission du mélange combustible dans un moteur. 2 PHYS Dispositif qui permet d'étudier la structure de la matière en accélérant les particules élémentaires.

accélération nf Augmentation de vitesse.

accéléré nm Procédé cinématographique donnant l'illusion de mouvements plus rapides.

accélérer vt 121 Augmenter la rapidité de. *Accélérer la marche.* 2 Faire évoluer plus rapidement. *Accélérer la décision.* ■ vi Agir sur l'accélérateur d'une automobile.

accent nm 1 Accroissement de l'intensité d'un son de la parole. 2 Signe graphique qui précise la valeur d'une lettre. 3 Modification expressive de la voix. 4 Prononciation particulière d'une langue. *L'accent du Midi.*

accentuation nf Action d'accentuer.

accentuer vt 1 Accroître l'intensité de la voix en prononçant. 2 Mettre un accent sur une lettre. 3 Renforcer. *Sa haute taille accentuait sa maigreur.*

acceptable a Qui peut être accepté.

acceptation nf Consentement.

accepter vt 1 Prendre, recevoir volontairement ce qui est proposé. 2 Supporter, admettre.

acception nf Sens particulier d'un mot.

accès nm 1 Voie pour se rendre dans, passage vers un lieu. 2 Possibilité de parvenir à. *Village d'un accès difficile.* 3 Brusque manifestation d'un phénomène pathologique ou émotionnel. *Accès de fièvre.*

accessible a 1 Que l'on peut atteindre. 2 Que tout le monde peut acheter, bon marché. 3 Qui se laisse toucher par un sentiment.

accession nf Action d'accéder à.

accessit [-sit] nm Distinction attribuée aux élèves les plus proches des premiers prix.

accessoire a Subordonné à ce qui est essentiel ; secondaire. ■ nm 1 Pièce qui ne fait pas partie intégrante d'un ensemble. 2 Petit objet conçu pour un usage précis. 3 Objet, élément mobile du décor, dans un spectacle.

accessoirement av De façon accessoire.

accessoiriste n Personne qui, au théâtre, au cinéma, s'occupe des accessoires.

accident nm 1 Simple péripétie, épisode sans réelle importance. 2 Événement imprévu, qui entraîne des dommages. **Loc** *Accident de terrain :* dénivellation.

accidenté, ée a Inégal, varié. *Terrain accidenté.* ■ a, n Qui a subi un accident. *Voiture accidentée.*

accidentel, elle a Fortuit, dû au hasard.

accidentellement av Fortuitement.

accidentologie nf Étude scientifique des accidents.

accises nfpl Impôt indirect sur les alcools.

acclamation nf Cri collectif en faveur de qqn.

acclamer vt Saluer par des acclamations.

acclimatation nf Action d'acclimater ou de s'acclimater à un nouveau milieu.

acclimatement nm Résultat de l'acclimatation.

acclimater vt Adapter à un climat, à un milieu différent, à de nouvelles conditions d'existence.

accointances nfpl Péjor Fréquentation peu recommandable, liaison familière.

accolade nf 1 Action de mettre les bras autour du cou pour accueillir ou honorer. 2 Signe typographique ({) utilisé pour réunir plusieurs lignes.

accoler vt Joindre étroitement.

accommodant, ante a D'humeur facile.

accommodation nf PHYSIOL Variation de la courbure du cristallin qui permet la vision à des distances différentes.

accommodement nm Arrangement, accord à l'amiable.

accommoder vt 1 Préparer des aliments. 2 Adapter à. *Accommoder sa vie aux circonstances.* ■ vpr Se faire à, s'adapter à.

accompagnateur, trice n 1 Musicien qui assure l'accompagnement instrumental. 2 Qui accompagne, guide ou dirige un groupe.

accompagnement nm 1 Ce qui accompagne. 2 MUS Soutien de la mélodie d'une voix ou d'un instrument par un instrument secondaire.

accompagner vt 1 Aller avec qqn. 2 Joindre, ajouter. *Accompagner ses paroles d'un sourire.* 3 Soutenir le chant, un instrument par un accompagnement. ■ vpr Advenir en même temps.

accompli, ie a 1 Parfait en son genre. 2 Révolu. *Il a dix-huit ans accomplis.*

accomplir vt Exécuter, réaliser entièrement.

accomplissement nm Fait d'accomplir, de s'accomplir.

accord nm 1 Entente entre les personnes. 2 Convention. *Signer un accord.* 3 Concordance de choses, d'idées entre elles. 4 Assentiment, approbation. *Donner son accord.* 5 MUS Combinaison d'au moins trois notes jouées simultanément. 6 Réglage d'un instrument de musique à un ton donné. 7 Concordance entre certains mots dans une phrase. **Loc** *D'accord :* manifeste l'approbation.

accordéon nm Instrument de musique portatif à soufflet et à anches métalliques, muni de touches.

accordéoniste n Qui joue de l'accordéon.

accorder vt 1 Faire concorder. 2 Octroyer, concéder. *Accorder une autorisation.* 3 Régler un instrument de musique. 4 Appliquer les règles d'accord entre les mots. ■ vpr S'entendre pour. *Tout le monde s'accorde à le féliciter.*

accordeur *nm* Qui accorde certains instruments de musique.

accostage *nm* Action d'accoster.

accoster *vt* **1** Aborder qqn pour lui parler. **2** Se ranger le long d'un quai, d'un autre bateau.

accotement *nm* Espace sur le côté d'une route, entre la chaussée et le fossé.

accoter *vt* Faire prendre appui contre. ■ *vpr* S'appuyer contre.

accotoir *nm* Partie d'un siège qui sert à accoter la nuque, la tête.

accouchement *nm* Action de mettre au monde un enfant.

accoucher *vi* Mettre au monde un enfant. ■ *vt* Aider une femme à mettre un enfant au monde.

accoucheur, euse *n* Spécialiste des accouchements.

accouder (s') *vpr* S'appuyer sur le coude.

accoudoir *nm* Appui pour s'accouder.

accouplement *nm* **1** Acte sexuel entre le mâle et la femelle. **2** Dispositif destiné à rendre solidaires deux pièces.

accoupler *vt* **1** Unir, réunir par deux. **2** Rendre solidaire une pièce, une machine d'une autre. ■ *vpr* S'unir sexuellement (animaux).

accourir *vi* **25** [aux *être* ou *avoir*] Venir en courant, en hâte.

accoutrement *nm* Habillement étrange ou grotesque.

accoutrer *vt* Habiller bizarrement.

accoutumance *nf* **1** Fait de s'accoutumer. **2** MÉD Phénomène se traduisant par la nécessité d'augmenter les doses d'une substance.

accoutumée (à l') *av* Litt D'habitude.

accoutumer *vt* Faire prendre une habitude à qqn, à un animal. ■ *vpr* S'habituer à.

accouvage *nm* Incubation des œufs par couveuse artificielle.

accréditation *nf* Action d'accréditer qqn.

accréditer *vt* Faire reconnaître officiellement la qualité de qqn.

accro *a, n* Fam **1** Qui est sous la dépendance d'une drogue. **2** Qui est passionné par qqch.

accroc [akʀo] *nm* **1** Déchirure faite en s'accrochant. **2** Difficulté imprévue.

accrochage *nm* **1** Action d'accrocher. **2** Accident matériel sans gravité entre deux véhicules. **3** Fam Querelle. **4** Exposition de peintures.

accroche *nf* Partie d'une annonce publicitaire qui est destinée à attirer l'attention.

accroche-cœur *nm* Boucle de cheveux plaquée sur la tempe. *Des accroche-cœurs.*

accrocher *vt* **1** Suspendre à un crochet. **2** Retenir au moyen d'un objet crochu. *Il a accroché ma veste avec son hameçon.* **3** Heurter un véhicule avec un autre. **4** Obliger des ennemis au combat. **5** Aborder et retenir qqn. ■ *vpr* **1** Se cramponner. **2** Fam Faire preuve de ténacité. **3** Fam Se disputer.

accrocheur, euse *a* Qui retient l'attention. ■ *a, n* Fam Tenace, obstiné.

accroire *vt* Loc Litt *En faire accroire à qqn* : le tromper.

accroissement *nm* Fait d'augmenter.

accroître *vt* **59** Augmenter, rendre plus grand. ■ *vpr* Aller en augmentant.

accroupir (s') *vpr* Fléchir les genoux comme pour s'asseoir sur ses talons.

accu Fam Accumulateur.

accueil *nm* **1** Façon de recevoir qqn. **2** Lieu où l'on reçoit un client, un groupe.

accueillant, ante *a* Qui fait bon accueil.

accueillir *vt* **26** Recevoir d'une certaine manière.

acculer *vt* Pousser dans un endroit où il est impossible de reculer.

acculturation *nf* SOCIOL Changements résultant du contact entre des groupes de cultures différentes.

acculturer *vt* Adapter à une nouvelle culture.

accumulateur *nm* Appareil qui accumule l'énergie électrique et la restitue sous forme de courant.

accumulation *nf* Action d'accumuler.

accumuler *vt* Mettre ensemble en grande quantité, en grand nombre. ■ *vpr* S'amasser, s'entasser.

accusateur, trice *a, n* Qui accuse.

accusatif *nm* GRAM Cas de la déclinaison qui sert à exprimer l'objet direct.

accusation *nf* **1** Imputation d'un défaut, d'une faute. **2** Action en justice par laquelle on accuse qqn d'une infraction.

accusé, ée *n* À qui l'on impute une infraction aux lois. ■ *nm* Loc *Accusé de réception* : avis que l'envoi a été reçu par le destinataire.

accuser *vt* **1** Présenter qqn comme coupable. **2** Faire ressortir, accentuer.

ace [es] *nm* Au tennis, service imparable.

acéphale *a* Sans tête.

acerbe *a* Caustique, blessant.

acéré, ée *a* **1** Tranchant ou pointu. **2** Blessant, caustique.

acétate *nm* Sel ou ester de l'acide acétique.

acétique *a* Loc *Acide acétique* : qui donne la saveur du vinaigre.

acétone *nf* Liquide incolore, très volatil.

acétylcholine [-kɔ-] *nf* Médiateur chimique transmettant l'influx nerveux.

acétylène *nm* Hydrocarbure gazeux utilisé pour la chaleur qu'il dégage.

acétylsalicylique *a* Loc *Acide acétylsalicylique* : aspirine.

achalandé, ée *a* **1** Abusiv Qui offre un grand choix de marchandises. **2** Vx Qui attire de nombreux clients.

achards *nmpl* Condiment fait de légumes et de fruits macérés dans du vinaigre.

acharnement *nm* Ardeur opiniâtre, vive et soutenue.

acharner (s') *vpr* **1** Continuer à exercer des violences sur. **2** S'attacher avec opiniâtreté, avec excès à. *S'acharner à réussir.*

achat *nm* **1** Action d'acheter. **2** Ce qui est acheté.

acheminement *nm* Action d'acheminer.

acheminer *vt* Faire avancer, diriger vers un lieu, un but. *Acheminer du courrier.* ■ *vpr* Se diriger vers un lieu.

acheter *vt* **17 1** Acquérir avec de l'argent. **2** Corrompre qqn avec de l'argent.

acheteur, euse *n* Qui achète.

achevé, ée *a* Accompli, parfait dans son genre. *Un hypocrite achevé.*

achèvement *nm* Réalisation complète.

achever *vt* **15 1** Mener à bonne fin, terminer ce qui est commencé. **2** Donner le coup de grâce. **3** Ôter tout courage à qqn. *Ce coup du sort l'a achevé.* ■ *vpr* Finir. *La nuit s'achève.*

achoppement *nm* Loc *Pierre d'achoppement* : cause d'échec.

achopper *vi* Être arrêté par une difficulté. *Il achoppe toujours sur ce mot.*

achromatique *a* PHYS Qui laisse passer la lumière sans la décomposer.

achromatopsie *nf* MED Non-perception des couleurs.

acide *a* **1** De saveur aigre, piquante. **2** Désagréable. *Ton acide.* ■ *nm* Composé hydrogéné qui fait virer au rouge la teinture de tournesol, réagit sur les bases et attaque les métaux.

acidifier *vt* CHIM Transformer en acide.

acidité *nf* Saveur acide. *L'acidité d'un citron.*

acidulé, ée *a* Acide au goût, aigrelet.

acier *nm* Alliage de fer et de carbone contenant moins de 2 % de ce dernier.

aciérie *nf* Usine qui produit de l'acier.

acmé *nm* MED Période d'une maladie où les symptômes sont les plus aigus.

acné *nf* Maladie de la peau se traduisant par des boutons sur le visage.

acolyte *n* Péjor Compère, complice.

acompte *nm* Paiement partiel à valoir sur une somme due.

aconit *nm* Plante vénéneuse à fleurs bleues en grappes.

a contrario *av* Loc *Raisonnement a contrario* : qui, d'une opposition dans les hypothèses, conclut à une opposition dans les conséquences.

acoquiner (s') *vpr* Péjor Se lier avec qqn.

à-côté *nm* **1** Ce qui est secondaire, par rapport à l'essentiel. **2** Gain d'appoint. *Des à-côtés.*

à-coup *nm* Secousse, discontinuité dans un mouvement.

acouphène *nm* MED Sensation auditive (bourdonnement, sifflement, etc.) qui n'est pas provoquée par une excitation extérieure.

acoustique *a* Relatif au son, à sa propagation. ■ *nf* 1 Branche de la physique qui étudie les vibrations sonores. 2 Qualité d'un lieu à laisser entendre les vibrations sonores qu'on y émet.

acquéreur *nm* Qui acquiert un bien.

acquérir *vt* 34 1 Devenir possesseur de. *Acquérir une maison.* 2 Arriver à avoir. *J'ai acquis la certitude qu'il a menti.*

acquêt *nm* DR Bien acquis après le mariage.

acquiescement *nm* Consentement.

acquiescer *vti* 10 Manifester son consentement à une proposition, à une requête.

acquis, ise *a* 1 Dont on est devenu possesseur. 2 BIOL Qui n'est ni congénital ni héréditaire. *Les caractères acquis.* ■ *nm* 1 Connaissances acquises. 2 Avantages obtenus.

acquisition *nf* Achat.

acquit *nm* DR Quittance, décharge. **Loc** *Par acquit de conscience* : pour ne pas avoir de doute ou de regret.

acquit-à-caution *nm* Bulletin permettant de faire circuler des marchandises avant d'en avoir payé les taxes. *Des acquits-à-caution.*

acquittement *nm* 1 Action de payer son dû. 2 Fait pour un accusé d'être déclaré non coupable par un tribunal.

acquitter *vt* 1 Payer ce qui est dû. 2 Déclarer juridiquement un accusé non coupable. ■ *vpr* Se libérer d'une obligation, d'une dette.

acra *nm* Boulette de morue frite.

acre *nf* Mesure agraire qui valait 50 ares.

âcre *a* Piquant et irritant au goût, à l'odorat.

âcreté *nf* Caractère âcre.

acridien *nm* Criquet, sauterelle.

acrimonie *nf* Amertume qui s'exprime par des paroles blessantes.

acrimonieux, euse *a* Amer, blessant.

acrobate *n* Artiste qui exécute des tours de force et d'adresse.

acrobatie *nf* 1 Exercice qu'exécute un acrobate. 2 Procédé ingénieux et risqué.

acrobatique *a* De l'acrobatie.

acronyme *nm* Sigle que l'on prononce comme un mot, sans l'épeler, par ex. Unesco [ynɛsko].

acropole *nf* Partie fortifiée des cités grecques de l'Antiquité.

acrostiche *nm* Petit poème où les lettres initiales de chaque vers composent un mot.

acrylique *a, nm* Composé chimique servant à la préparation de fibres textiles, de peinture.

acte *nm* 1 Ce qui est fait par une personne. *Acte volontaire.* 2 DR Document qui constate légalement un fait. *Acte d'état civil.* 3 Chacune des divisions principales d'une pièce de théâtre. ■ *pl* Comptes rendus des séances d'une assemblée.

acteur, trice *n* 1 Comédien qui joue un rôle dans une pièce, un film. 2 Qui prend une part active à un événement, à un processus social ou économique.

actif, ive *a* 1 Qui agit, qui a la propriété d'agir. *Produit actif.* 2 Vif, diligent, efficace. **Loc** *Population active* : qui a une profession. *Verbe à la voix active* : dont le sujet est l'agent de l'action. ■ *nm* Ensemble des biens constituant un patrimoine. **Loc** *Avoir à son actif* : avoir réalisé.

actinidia *nm* Arbuste grimpant fournissant le kiwi.

actinie *nf* Anémone de mer, vivant fixée sur les roches.

action *nf* 1 Ce que fait une personne qui réalise une volonté, une pulsion. 2 Le fait d'agir (par oppos. à la pensée, à la parole). 3 Affrontement, lutte. *L'action a été chaude.* 4 Opération, fait dû à un agent quelconque et qui produit un effet. *L'action chimique d'un acide.* 5 Poursuite en justice. *Intenter une action.* 6 Déroulement des événements qui forment la trame d'une fiction. *L'action d'un roman.* 7 Titre négociable émis par une société.

actionnaire *n* Qui possède des actions émises par une société.

actionnariat *nm* Ensemble des actionnaires.

actionner *vt* Faire fonctionner une machine, un mécanisme.

activation *nf* 1 Accélération. *Activation des travaux.* 2 PHYS Action de communiquer à une substance des propriétés radioactives.

activement *av* De manière active.

activer *vt* **1** Rendre plus rapide. *Activer des travaux.* **2** Rendre plus vif, plus intense. *Activer un feu.* ■ *vpr* S'affairer.

activisme *nm* **1** Attitude politique qui prône le recours à l'action violente. **2** Attitude qui privilégie l'action par rapport à la réflexion.

activiste *n, a* Partisan de l'activisme.

activité *nf* **1** Vivacité, diligence dans l'action. **2** Ensemble d'opérations humaines visant un but déterminé. *L'activité industrielle d'une région.* **3** Exercice d'une fonction, d'un emploi. ■ *pl* Occupations. *Avoir de multiples activités.*

actuaire *n* Spécialiste chargé des calculs de statistique dans les finances, les assurances.

actualisation *nf* Action d'actualiser.

actualiser *vt* Donner un caractère actuel à. *Actualiser un dictionnaire, les prix.*

actualité *nf* **1** Nature de ce qui est actuel. *L'actualité d'un problème.* **2** Ensemble des événements récents. ■ *pl* Informations sur les événements récents au cinéma.

actuel, elle *a* **1** Qui existe dans le présent. **2** Qui concerne les événements contemporains.

actuellement *av* À l'heure actuelle.

acuité *nf* **1** Qualité de ce qui est aigu. *L'acuité d'un son.* **2** Pouvoir de discrimination. *Acuité visuelle.*

acupuncteur ou **acuponcteur, trice** *n* Médecin qui pratique l'acupuncture.

acupuncture ou **acuponcture** *nf* Procédé médical qui consiste à piquer avec des aiguilles certains points de la surface du corps.

acutangle *a* Loc *Triangle acutangle :* dont les trois angles sont aigus.

adage *nm* Maxime populaire, sentence.

adagio *av, nm* MUS D'un mouvement lent.

adamantin, ine *a* Litt Qui évoque le diamant.

adaptateur, trice *n* Qui adapte une œuvre littéraire. ■ *nm* Dispositif qui permet à un appareil de fonctionner dans des conditions particulières.

adaptation *nf* Action d'adapter ou de s'adapter.

adapter *vt* **1** Appliquer, ajuster. *Adapter un manche à un outil.* **2** Harmoniser, rendre conforme à. *Adapter sa conduite aux circonstances.* **3** Modifier une œuvre littéraire pour un usage différent. ■ *vpr* S'habituer.

addenda *nm inv* Addition à la fin d'un ouvrage, d'un texte.

additif *nm* Substance ajoutée à une autre pour en modifier les propriétés.

addition *nf* **1** Opération qui ajoute des quantités arithmétiques. **2** Total des sommes dues, au restaurant, au café. **3** Fait d'ajouter qqch ; ce qui est ajouté. *Addition d'une clause à un contrat.*

additionnel, elle *a* Qui est ajouté.

additionner *vt* **1** Effectuer une addition. **2** Ajouter en mêlant.

adducteur *nm* ANAT Muscle qui effectue un mouvement d'adduction. Ant. abducteur.

adduction *nf* **1** ANAT Mouvement qui rapproche un membre de l'axe du corps. **2** Action de conduire des eaux d'un point à un autre.

adénite *nf* Inflammation des ganglions lymphatiques.

adénocarcinome *nm* Tumeur maligne d'une glande.

adénome *nm* Tumeur développée aux dépens d'une glande.

adéquat, ate [-kwa] *a* Bien adapté à son usage.

adéquation [-kwa-] *nf* Fait d'être adéquat.

adhérence *nf* **1** Fait, pour une chose, d'adhérer à une autre. **2** MED Réunion de deux organes normalement séparés. **3** Force de frottement qui s'oppose au glissement.

adhérent, ente *a, n* Qui adhère à une organisation.

adhérer *vti* **12 1** Coller, être collé fortement à qqch. **2** Approuver une idée. **3** Devenir membre d'une organisation.

adhésif, ive *a* Qui adhère. *Bande adhésive.* ■ *nm* Tissu, papier collant.

adhésion *nf* Action d'adhérer à une organisation, à une opinion.

ad hoc *a inv* Qui convient à une situation.

adieu *interj* Formule de congé. ■ *nm* Séparation d'avec qqn, qqch.

adipeux, euse *a* **1** De nature graisseuse. **2** Gras, obèse.

adjacent, ente *a* Situé auprès de, contigu.

adjectif *nm* Mot variable adjoint à un nom, qu'il qualifie ou détermine.

adjoindre *vt 62* Associer une personne, une chose à une autre comme auxiliaire.

adjoint, ointe *a, n* Associé comme auxiliaire. *Adjoint au maire.*

adjonction *nf* Action d'adjoindre.

adjudant *nm* Sous-officier de grade intermédiaire entre celui de sergent-chef et celui d'adjudant-chef.

adjudant-chef *nm* Militaire du grade le plus élevé des sous-officiers. *Des adjudants-chefs.*

adjudication *nf* DR Attribution d'un bien vendu aux enchères.

adjuger *vt 11* **1** Attribuer par adjudication. **2** Attribuer qqch à qqn. *vpr* S'attribuer. *Il s'est adjugé les meilleurs morceaux.*

adjuration *nf* Prière pressante, supplication.

adjurer *vt* Prier instamment de faire qqch.

adjuvant *nm* Ce qui renforce l'action de qqch.

ad libitum [-tɔm] *av* À volonté.

admettre *vt 64* **1** Recevoir, laisser entrer qqn. *Admettre un adhérent dans une société.* **2** Accepter qqch pour valable, pour vrai ; tolérer. *Admettre une hypothèse.*

administrateur, trice *n* Personne chargée d'administrer des biens.

administratif, ive *a* Relatif à l'administration. ■ *n* Membre du personnel d'administration d'une entreprise.

administration *nf* **1** Gestion. *L'administration des biens d'un mineur.* **2** (avec majusc) Direction des affaires publiques. *Entrer dans l'Administration.* **3** Service public. *L'administration des Finances.* **4** Action de donner. *Administration des sacrements, des preuves.*

administrativement *av* Suivant les formes administratives.

administré, ée *n* Qui dépend d'une administration.

administrer *vt* **1** Gérer. *Administrer des biens.* **2** Diriger au moyen d'une administration. **3** Donner. *Administrer des preuves, une correction, les sacrements.*

admirable *a* Qui suscite l'admiration.

admirablement *av* De façon admirable.

admirateur, trice *a* Qui admire.

admiratif, ive *a* Qui exprime l'admiration.

admiration *nf* Sentiment que fait éprouver ce qui est beau, ce qui est grand.

admirer *vt* Considérer avec approbation, enthousiasme.

admis, ise *a, n* Reçu dans un groupe.

admissibilité *nf* Situation d'un candidat admissible.

admissible *a* Qu'on peut admettre. *Conduite peu admissible.* ■ *a, n* Reçu à la première partie d'un examen ou d'un concours.

admission *nf* **1** Fait d'admettre, d'être admis. **2** Fait d'être reçu définitivement à un examen ou à un concours. **3** TECH Entrée des gaz dans le cylindre d'un moteur à explosion.

admonestation *nf* Litt Réprimande.

admonester *vt* Litt Faire une remontrance à qqn.

a.d.n. *nm* Acide désoxyribonucléique, constituant fondamental de la cellule vivante.

ado *n* Fam Adolescent.

adolescence *nf* Âge compris entre la puberté et l'âge adulte.

adolescent, ente *a* Jeune garçon, jeune fille dans l'adolescence.

adonis [-nis] *nm* **1** Litt Jeune homme particulièrement beau. **2** Papillon diurne bleu vif.

adonner (s') *vpr* Se livrer à une activité, une pratique.

adoptant, ante *a, n* Qui adopte un enfant.

adopté, ée *a, n* Qui a été l'objet d'une adoption.

adopter *vt* **1** Prendre qqn pour fils ou pour fille dans les formes légales. **2** Choisir, admettre une idée. **3** En parlant d'une assemblée, approuver une proposition.

adoptif, ive *a* **1** Qui a été adopté. *Fils adoptif.* **2** Qui a légalement adopté. *Père adoptif.*

adoption nf Action d'adopter.

adorable a Qui plaît pour sa beauté, sa gentillesse, etc.

adorateur, trice n 1 Qui adore une divinité. 2 Qui est épris avec passion.

adoration nf 1 Culte rendu à une divinité. 2 Passion, attachement extrême.

adorer vt 1 Rendre un culte à un dieu. 2 Aimer avec passion.

adosser vt Faire prendre appui à. vpr S'appuyer avec le dos contre.

adoubement nm HIST Cérémonie d'investiture du chevalier au Moyen Âge.

adouber vt HIST Au Moyen Âge, armer chevalier un bachelier.

adoucir vt 1 Rendre doux. Le sucre adoucit le café. 2 Atténuer l'âcreté, le piquant, la rudesse de. 3 Atténuer, tempérer. 4 Atténuer la teneur d'une eau en calcaire. ■ vpr Devenir plus doux. Le temps s'adoucit.

adoucissant, ante a, nm 1 Qui calme l'irritation. 2 Qui assouplit le linge.

adoucissement nm 1 Action d'adoucir ; état d'une chose adoucie. L'adoucissement de la température. 2 Atténuation, soulagement. Adoucissement d'une peine.

adoucisseur nm Appareil pour adoucir l'eau.

adrénaline nf Hormone sécrétée par les surrénales, qui accélère le rythme cardiaque.

1. adresse nf 1 Habileté dans les gestes. 2 Habileté à obtenir un résultat.

2. adresse nf 1 Indication du domicile d'une personne. Je n'habite plus à cette adresse. 2 INFORM Numéro d'ordre d'une information dans une mémoire, permettant d'y accéder.

adresser vt 1 Dire, exprimer qqch à l'intention de qqn. 2 Envoyer vers qqn, faire parvenir à. 3 Envoyer une personne à une autre. ■ vpr 1 Parler à qqn. 2 Être destiné à. 3 Aller trouver, avoir recours à. Adressez-vous au concierge.

adret [-dʀɛ] nm GEOGR Versant d'une montagne exposé au soleil. Ant. ubac.

adroit, oite a 1 Qui a de l'adresse, habile. 2 Qui est fait avec habileté.

adroitement av Avec adresse.

adulation nf Louange excessive.

aduler vt Multiplier les éloges, les louanges, à l'adresse de qqn.

adulte a, n Arrivé au terme de sa croissance.

adultère a, n Qui a des rapports sexuels avec qqn d'autre que son conjoint. ■ nm Fait d'être adultère.

adultérin, ine a Né d'un adultère.

advenir vi 35 [aux être] Arriver, se produire. Il advint que...

adventiste n Membre d'une secte chrétienne qui attend une seconde venue du Christ.

adverbe nm Mot invariable qu'on joint à un verbe, à un adjectif, à un autre adverbe pour en compléter ou en modifier le sens.

adversaire n Personne contre qui on lutte.

adverse a Contraire, opposé.

adversité nf Sort contraire ; malheur.

aède nm Poète de la Grèce antique.

aérateur nm Appareil qui sert à renouveler l'air d'un local.

aération nf Action d'aérer.

aérer vt 12 Renouveler l'air de. ■ vpr Respirer, prendre l'air.

aérien, enne a 1 Qui appartient à l'air, à l'atmosphère. 2 Relatif au transport par air. Lignes aériennes. 3 Léger comme l'air. Grâce aérienne.

aérobic nm Gymnastique intensive.

aérodrome nm Terrain aménagé pour le décollage et l'atterrissage des avions.

aérodynamique nf Science des phénomènes physiques liés au déplacement des corps solides dans l'atmosphère. ■ a Construit de façon à opposer à l'air une résistance minimale.

aérodynamisme nm Forme aérodynamique.

aérofrein nm Dispositif de freinage d'un avion utilisant la résistance de l'air.

aérogare nf Ensemble des installations d'un aéroport destinées aux voyageurs et au fret.

aéroglisseur nm Véhicule qui se déplace sur un coussin d'air.

aérogramme nm Lettre expédiée par avion.

aérolithe nf Météorite pierreuse.

aéronautique nf Science de la navigation aérienne ; technique de la construction des aéronefs. ■ a De l'aéronautique.

aéronaval, ale, als a De l'aviation et de la marine.

aéronef nm Appareil capable de voler (avions, hélicoptères, aérostats, etc.).

aérophagie nf MED Déglutition d'air qui pénètre dans l'estomac et provoque des douleurs.

aéroplane nm Vx Avion.

aéroport nm Ensemble d'installations aménagées pour le trafic aérien.

aéroporté, ée a MILIT Transporté par voie aérienne et parachuté sur l'objectif.

aéropostal, ale, aux a De la poste aérienne.

aérosol nm 1 Dispersion de particules microscopiques dans un gaz. 2 Système permettant la vaporisation de ces particules.

aérospatial, ale, aux a Qui relève à la fois de l'aéronautique et de l'astronautique. ■ nf Construction d'engins aérospatiaux.

aérostat nm Appareil qui se maintient en l'air au moyen d'un gaz.

aérostatique nf Science de l'équilibre des gaz. ■ a De l'aérostatique.

aérotransporté, ée a MILIT Transporté par avion ou hélicoptère.

affabilité nf Qualité de qqn d'affable.

affable a Qui accueille les autres avec amabilité, douceur.

affabulation nf Mensonge, invention.

affabuler vt Se livrer à des affabulations.

affadir vt Rendre fade, insipide.

affaiblir vt Rendre faible. La maladie l'a affaibli. ■ vpr Devenir faible.

affaiblissement nm Diminution de la force.

affaire nf 1 Ce qui concerne l'intérêt personnel de qqn. 2 Ensemble de circonstances où des intérêts sont en jeu. 3 Ensemble de difficultés entre lesquelles une personne est aux prises. 4 Ensemble de faits dont la justice a à s'occuper. 5 Conflit. L'affaire de Suez. 6 Entreprise industrielle ou commerciale. **Loc** Avoir affaire à qqn : lui parler, négocier avec lui ; l'avoir comme adversaire. ■ pl 1 Objets personnels. Ranger ses affaires. 2 Opérations financières, commerciales. Chiffre d'affaires. 3 Ce qui concerne l'Administration et le gouvernement. Les affaires de l'État.

affairement nm Fait de s'affairer.

affairer (s') vpr S'empresser, se montrer actif dans l'exécution d'une tâche.

affairisme nm Préoccupation exclusive de gagner de l'argent, de faire des affaires.

affaissement nm Fait de s'affaisser ; état de ce qui est affaissé.

affaisser (s') vpr 1 Plier, baisser de niveau sous l'effet d'un poids, d'une pression. Le mur s'est affaissé. 2 Tomber lourdement, sans forces (êtres vivants).

affaler vt MAR Faire descendre rapidement. ■ vpr Fam Se laisser tomber.

affamer vt Priver de nourriture.

affect nm PSYCHO Charge affective, base de la névrose ou de l'angoisse.

affectation nf 1 Manque de naturel. Parler avec affectation. 2 Destination d'une chose à un usage. 3 Désignation à un poste, une fonction.

affecté, ée a 1 Qui manque de naturel, de simplicité. 2 Ému, affligé.

affecter vt 1 Feindre. Affecter la modestie. 2 Destiner qqch à un usage. 3 Donner un poste, une fonction à qqn. 4 Causer une impression pénible, de la peine.

affectif, ive a PSYCHO Relatif aux émotions.

affection nf 1 Attachement, tendresse. 2 MED Maladie.

affectionner vt Avoir de l'affection, du goût pour qqch.

affectivité nf Ensemble des phénomènes affectifs (émotions, sentiments).

affectueusement av De façon affectueuse.

affectueux, euse a Qui manifeste de l'affection.

afférent, ente a 1 DR Qui revient à chacun dans un partage. 2 ANAT Qui arrive à un organe (vaisseau, nerf). Ant. efférent.

affermer vt DR Donner ou prendre à bail.

affermir, vt 1 Rendre ferme, stable, solide. 2 Rendre plus fort, plus assuré. *Affermir sa voix.* ■ vpr Devenir plus ferme.

affermissement nm Action d'affermir.

affichage nm Action d'afficher.

affiche nf Feuille fixée sur un mur et destinée à informer le public.

afficher vt 1 Publier, annoncer au moyen d'affiches. 2 Montrer ostensiblement, faire étalage de. 3 INFORM Présenter des données sur un écran. ■ vpr Se montrer avec ostentation.

affilée (d') av À la suite, sans discontinuer. *Dix heures d'affilée.*

affiler vt Aiguiser. *Affiler un rasoir.*

affiliation nf Action d'affilier ou de s'affilier.

affilier vt Faire entrer dans une association. ■ vpr Adhérer. *S'affilier à un parti.*

affinage nm 1 Action de rendre plus fin, de débarrasser des impuretés. 2 Dernière phase de la fabrication du fromage.

affiner vt 1 Purifier. 2 Améliorer, rendre plus fin. *Affiner l'esprit.* 3 Faire subir l'affinage à un fromage.

affinité nf 1 Attirance, sympathie. 2 Analogie ; rapport d'harmonie. 3 CHIM Tendance qu'ont des corps à réagir les uns sur les autres.

affirmatif, ive a Qui exprime l'affirmation.

affirmation nf 1 Action d'affirmer. 2 Chose affirmée. *Des affirmations inexactes.*

affirmativement av De façon affirmative.

affirmer vt Soutenir qu'une chose est vraie. ■ vpr Se manifester nettement, avec autorité.

affixe nm LING Élément qui s'ajoute au commencement (préfixe) ou à la fin (suffixe) d'un mot pour en modifier le sens.

affleurement nm État de ce qui affleure.

affleurer vi Arriver au niveau de. *L'eau affleure le quai.* ■ vi Être au niveau de la surface de l'eau, du sol. *Les rochers affleurent.*

affliction nf Peine morale, douleur profonde.

affligeant, ante a Qui cause de l'affliction.

affliger vt 11 Causer de l'affliction à. ■ vpr Ressentir de l'affliction.

affluence nf Rassemblement d'un grand nombre de personnes dans un lieu.

affluent nm Cours d'eau qui se jette dans un autre.

affluer vi 1 Couler en abondance vers (sang). 2 Arriver en abondance, en nombre (personnes).

afflux [-fly] nm Fait d'affluer.

affolant, ante a Qui affole, provoque une émotion violente.

affolement nm Fait de s'affoler ; état d'une personne affolée.

affoler vt Troubler profondément, faire perdre la tête. ■ vpr Perdre la tête.

affranchi, ie a 1 Libéré de la servitude, de l'esclavage. 2 Libéré des traditions, des préjugés. ■ n ANTIQ Esclave affranchi.

affranchir vt 1 Rendre libre, indépendant. 2 Pop Renseigner, mettre au courant. 3 Payer le port d'un envoi postal.

affranchissement nm 1 Action d'affranchir, de rendre libre. 2 Paiement du port d'un objet contre la poste.

affres nfpl Lit Angoisse, tourment.

affrètement nm Action d'affréter.

affréter vt 12 Louer un véhicule.

affreusement av De façon affreuse.

affreux, euse a 1 Qui suscite la répulsion, l'effroi. 2 Désagréable. *Un temps affreux.*

affriolant, ante a Qui excite le désir sexuel.

affrioler vt Attirer, séduire.

affront nm Insulte publique.

affrontement nm Action d'affronter ou de s'affronter.

affronter vt Aller avec courage au-devant d'un ennemi, d'un danger. ■ vpr Combattre l'un contre l'autre.

affubler vt Habiller avec un vêtement ridicule. ■ vpr S'habiller de façon ridicule.

affût nm 1 Support d'une pièce d'artillerie. 2 Endroit où l'on se poste pour tirer le gibier.

affûtage nm Action d'affûter.

affûter vt Aiguiser un outil.

afghan, ane a, n De l'Afghanistan.

aficionado nm Amateur de courses de taureaux.

afin de, afin que prép, conj Marquent l'intention, le but.

a fortiori [-jɔʀi] *av* À plus forte raison.

africain, aine *a, n* De l'Afrique.

africanisme *nm* Tournure propre au français parlé en Afrique.

africaniste *n* Spécialiste des langues africaines.

afrikaans [-kans] *nm* Langue néerlandaise parlée en Afrique du Sud.

afrikaner ou **afrikander** *n* Habitant de l'Afrique du Sud parlant l'afrikaans.

after-shave [aftœʀʃev] *nm inv* Après-rasage.

agacement *nm* Énervement, irritation.

agacer *vt 10* Énerver et impatienter, taquiner.

agaceries *nfpl* Manières coquettes et provocantes.

agami *nm* Oiseau d'Amérique du Sud, au plumage noir à cri éclatant.

agapes *nfpl* Banquet entre amis.

agar-agar *nm* Substance extraite de certaines algues, utilisée comme produit d'encollage. *Des agars-agars.*

agaric *nm* Champignon sans volve ni anneau, à lamelles colorées.

agate *nf* 1 Minéral formé de silice en couches concentriques colorées. 2 Bille d'agate, ou de verre imitant l'agate.

agave *nm* Plante grasse qui produit le sisal et dont la sève donne une boisson alcoolisée.

âge *nm* 1 Période écoulée depuis la naissance ou le début de l'existence. *Quel âge avez-vous ?* 2 Période de l'histoire de l'humanité. *L'âge de pierre.*

âgé, ée *a* 1 Vieux. *Un homme âgé.* 2 Qui a l'âge de. *Âgé de vingt ans.*

agence *nf* 1 Établissement commercial qui propose un ensemble de services. 2 Succursale d'une société commerciale ou bancaire. 3 Organisme administratif. *Agence pour l'emploi.*

agencement *nm* Action d'agencer ; disposition, arrangement.

agencer *vt 10* Disposer, arranger (les éléments d'un ensemble).

agenda [-ʒɛ̃-] *nm* Carnet sur lequel on note, jour par jour, les choses que l'on veut faire.

agenouiller (s') *vpr* Se mettre à genoux.

agent *nm* 1 Phénomène qui a une action déterminée. 2 Personne chargée d'agir pour le compte d'une autre ou pour le compte d'une administration, d'une société. **Loc Agent secret** : espion. **Agent de change** : chargé de certaines transactions financières. **Agent de police** (ou simplem. **agent**) : fonctionnaire chargé du maintien de l'ordre. **Complément d'agent** : complément d'un verbe à la voix passive, désignant la personne effectuant l'action.

aggiornamento *nm* Adaptation au progrès, au monde actuel.

agglomérat *nm* 1 Agrégat naturel de minéraux. 2 Assemblage hétéroclite.

agglomération *nf* 1 Action d'agglomérer. 2 Ensemble d'une ville et de sa banlieue.

aggloméré *nm* 1 Combustible formé de poussières de charbon réunies par un liant. 2 Bois reconstitué, fait de copeaux agrégés. 3 Matériau de construction moulé, prêt à l'emploi.

agglomérer *vt 12* Former une masse compacte, de divers éléments. ■ *vpr* Se rassembler en une masse compacte.

agglutination *nf* Action d'agglutiner ; fait de s'agglutiner.

agglutiner *vt* Assembler de manière à former une masse compacte.

aggravant, ante *a* Qui rend plus grave. *Circonstances aggravantes.*

aggravation *nf* Action d'aggraver ; fait de s'aggraver.

aggraver *vt* Rendre plus grave, plus pénible. ■ *vpr* Devenir plus grave, empirer.

agile *a* Dont les mouvements sont rapides, aisés.

agilité *nf* Légèreté, facilité à se mouvoir.

agio *nm* FIN Ensemble des taux de retenue (intérêt, commission, change) sur un compte.

a giorno *a inv* Se dit d'un éclairage proche de la lumière du jour.

agiotage *nm* Spéculation sur les valeurs boursières.

agir *vi* 1 Faire qqch, accomplir une action. 2 Produire un effet. 3 Se comporter. *Agir en* gentleman. ■ *vpr* Loc *Il s'agit de qqn, qqch :* il est question de. *Il s'agit de* (+ inf) : il faut, il importe de.

agissements *nmpl* Façons d'agir, procédés condamnables.

agitateur, trice *n* Qui suscite des troubles politiques ou sociaux.

agitation *nf* 1 État de ce qui est parcouru de mouvements irréguliers. 2 Nervosité, émotion. 3 Mécontentement politique ou social.

agiter *vt* 1 Remuer, secouer par des mouvements irréguliers. 2 Causer du trouble à. ■ *vpr* 1 Remuer, aller et venir. *Un malade ne doit pas s'agiter.* 2 Manifester du mécontentement.

agneau *nm* 1 Petit de la brebis. 2 Viande d'agneau.

agnelage *nm* Mise bas, chez la brebis.

agnelet *nm* Petit agneau.

agnelle *nf* Agneau femelle.

agnosie [-gnɔ-] *nf* MÉD Trouble de la reconnaissance des objets, dû à une perturbation des fonctions cérébrales.

agnostique [-gnɔs-] *a, n* Qui pense que la religion est inutile.

agonie *nf* 1 Moment qui précède immédiatement la mort. 2 Lente disparition.

agonir *vt* Loc *Agonir qqn d'injures :* l'accabler d'injures.

agoniser *vi* 1 Être à l'agonie. 2 Décliner, toucher à sa fin.

agora *nf* Place publique et marché des anciennes villes grecques.

agoraphobie *nf* MÉD Crainte des espaces ouverts, des foules.

agrafage *nm* Action d'agrafer.

agrafe *nf* 1 Crochet qu'on passe dans un anneau pour fermer un vêtement. 2 Pièce en plastique ou en métal permettant de réunir des papiers. 3 Petite lame de métal servant à joindre les bords d'une plaie.

agrafer *vt* Fixer à l'aide d'agrafes.

agrafeuse *nf* Machine à agrafer.

agraire *a* Des champs, de l'agriculture.

agrandir *vt* Rendre plus grand. *Agrandir une maison, une photographie.* ■ *vpr* Devenir plus grand, se développer, s'étendre.

agrandissement *nm* 1 Action d'agrandir. 2 PHOTO Épreuve plus grande que le négatif original.

agrandisseur *nm* Appareil qui permet d'agrandir des photographies.

agraphie *nf* Incapacité pathologique d'écrire.

agrarien, enne *a, n* Se dit des partis politiques qui défendent les propriétaires fonciers.

agréable *a* 1 Qui plaît. 2 Sympathique, avenant.

agréablement *av* De façon agréable.

agréer *vt* Accepter qqch. ■ *vti* Litt. Être au gré, à la convenance de.

agrégat *nm* Assemblage de diverses parties qui forment masse. *Un agrégat de molécules.*

agrégatif, ive *n* Qui prépare l'agrégation.

agrégation *nf* 1 Réunion de parties homogènes qui forment un tout. 2 Concours assurant le recrutement de professeurs du secondaire.

agrégé, ée *a, n* Reçu(e) à l'agrégation.

agréger *vt* 13 Réunir des solides en un bloc.

agrément *nm* 1 Approbation qui vient d'une autorité. 2 Qualité qui rend agréable. 3 Plaisir. *Voyage d'agrément.*

agrémenter *vt* Enjoliver par des ornements.

agrès *nmpl* Appareil de gymnastique.

agresser *vt* Attaquer de façon brutale.

agresseur *nm* Qui attaque brusquement qqn.

agressif, ive *a* 1 Qui a le caractère d'une agression. 2 Provocant. *Maquillage agressif.* 3 Qui recherche le conflit, l'affrontement.

agression *nf* 1 Attaque brusque et violente. 2 Atteinte à l'intégrité physique ou psychique des personnes par des agents nuisibles.

agressivement *av* De façon agressive.

agressivité *nf* Caractère agressif.

agreste *a* Litt. Champêtre, rustique.

agricole *a* De l'agriculture. *Matériel agricole.*

agriculteur, trice *n* Personne dont le métier est de cultiver la terre, de pratiquer l'élevage.

agriculture nf Travail de la terre pour la production de denrées alimentaires.

agripper vt Saisir avec force en s'accrochant. ■ vpr S'accrocher avec force.

agroalimentaire a, nm Se dit de l'industrie de transformation des produits agricoles.

agrochimie nf Chimie appliquée à l'agriculture.

agro-industrie nf Ensemble des industries dont l'agriculture est le fournisseur ou le client.

agronome n Spécialiste de l'agronomie.

agronomie nf Science de l'agriculture.

agropastoral, ale, aux a Qui pratique à la fois l'agriculture et l'élevage.

agrume nm Nom donné aux citrons, oranges, mandarines, clémentines, pamplemousses.

aguerrir vt Accoutumer à des choses pénibles, endurcir.

aguets nmpl Loc Être aux aguets : guetter, être attentif et sur ses gardes.

aguichant, ante ou **aguicheur, euse** a Qui aguiche.

aguicher vt Chercher à séduire par des agaceries, des manières provocantes.

ah ! interj 1 Exprime une vive émotion. 2 Renforce une négation, une affirmation.

ahuri, ie a Frappé de stupeur, hébété.

ahurir vt Rendre stupéfait.

ahurissant, ante a Qui ahurit.

aï nm Mammifère arboricole, végétarien de la forêt brésilienne. Syn. paresseux.

aide nf 1 Action d'aider, d'unir ses efforts à ceux d'une autre personne. 2 Secours ou subside accordé aux personnes démunies. Loc À l'aide de : au moyen de. ■ n Personne qui en aide une autre. Loc Aide de camp : officier attaché à un chef militaire. Syn. officier d'ordonnance.

aide-mémoire nm inv Résumé des renseignements sur un sujet déterminé.

aider vt Faciliter les actions, les entreprises d'une personne ; assister qqn. ■ vti Faciliter. Aider à la manœuvre. ■ vpr Se servir de, utiliser. S'aider de ses mains.

aide-soignant, ante n Qui seconde les infirmières dans un hôpital. Des aides-soignant(e)s.

aïe ! [aj] interj Exclamation de douleur, de désagrément.

aïeul, eule n 1 (pl aïeuls) Grand-père, grand-mère. 2 Litt (pl aïeux) Ancêtre.

aigle nm Oiseau rapace de grande envergure. ■ nf 1 Femelle de l'aigle. 2 Emblème héraldique figurant un aigle.

aiglefin. V. églefin.

aiglon, onne n Petit de l'aigle.

aigre a 1 Qui a une acidité désagréable au goût. 2 Perçant, criard (sons). 3 Froid et vif. 4 Revêche, acrimonieux. Un ton aigre.

aigre-doux, -douce a 1 Dont la saveur est à la fois douce et aigre. 2 Dont l'aigreur perce sous une apparente douceur. Paroles aigres-douces.

aigrefin nm Individu sans scrupule, escroc.

aigrelet, ette a Légèrement aigre.

aigrette nf 1 Héron blanc dont la tête est pourvue de longues plumes. 2 Faisceau de plumes sur la tête de certains oiseaux. 3 Ornement qui rappelle l'aigrette des oiseaux.

aigreur nf Caractère aigre.

aigri, ie a, n Que les épreuves de la vie ont rendu amer.

aigrir vt 1 Rendre aigre. 2 Rendre qqn aigre, amer. ■ vpr, vi Devenir aigre.

aigu, uë a 1 Terminé en pointe ou en tranchant. 2 D'une fréquence élevée. 3 Vif, intense. Une douleur aiguë. Loc Accent aigu : placé sur certains e (ex. : été, fée). Angle aigu : inférieur à 90°.

aigue-marine nf Pierre fine apparentée au béryl. Des aigues-marines.

aiguière nf Vase à anse et à bec.

aiguillage [-gɥi-] nm 1 Appareil reliant deux ou plusieurs voies de chemin de fer et permettant à un convoi de passer de l'une à l'autre. 2 Orientation dans une direction précise.

aiguille [egɥij] nf 1 Tige de métal fine et pointue servant à coudre, à tricoter. 2 MED Fine tige métallique creuse, utilisée pour les piqûres et les ponctions. 3 Tige qui se déplace devant le cadran d'un appareil de mesure et qui sert d'index. **4** Sommet très aigu d'un massif montagneux. **5** Feuille étroite et pointue d'un conifère. *Aiguilles de sapin.*

aiguillée [-gɥi-] *nf* Longueur de fil sur laquelle une aiguille est enfilée.

aiguiller [-gɥi-] *vt* **1** Diriger un train sur une voie par la manœuvre de l'aiguillage. **2** Orienter qqn dans une direction, vers un but.

aiguillette [-gɥi-] *nf* **1** Ornement militaire. **2** Tranche mince et longue de viande, de volaille.

aiguilleur [-gɥi-] *nm* Employé qui manœuvre les aiguillages d'une voie ferrée. *Loc Aiguilleur du ciel :* contrôleur de la navigation aérienne.

aiguillon [-gɥi-] *nm* **1** Dard d'insecte. **2** Bâton pointu pour piquer les bœufs. **3** Stimulant.

aiguillonner [-gɥi-] *vt* Stimuler.

aiguisage *nm* Action d'aiguiser.

aiguiser *vt* **1** Rendre tranchant, pointu. **2** Rendre plus vif, plus fin.

aïkido [aj-] *nm* Sport de combat japonais.

ail [aj] *nm* Plante dont le bulbe est utilisé comme condiment. *Des ails ou des aulx.*

aile *nf* **1** Partie du corps de certains animaux, qui leur permet de voler. **2** Morceau d'une volaille. **3** Partie d'un avion qui sert à voler. **4** Partie latérale d'un édifice, d'une armée, d'une équipe de football. **5** Élément de carrosserie recouvrant une roue. *Loc Ailes du nez :* parties latérales inférieures des narines.

ailé, ée *a* Pourvu d'ailes. *Insecte ailé.*

aileron *nm* **1** Extrémité de l'aile d'un oiseau. **2** Nageoire d'un requin. **3** Volet mobile situé sur le bord de l'aile d'un avion. **4** Quille latérale sur certains bateaux.

ailette *nf* Petite branche proéminente de certains mécanismes.

ailier *nm* Au football, au rugby, joueur dont la place est à l'aile.

ailler *vt* Garnir, assaisonner, frotter d'ail.

ailleurs *av* En un autre lieu. *Loc D'ailleurs :* de plus, en outre.

ailloli ou **aïoli** *nm* **1** Mayonnaise à l'ail. **2** Plat de morue et de légumes servi avec cette sauce.

aimable *a* Affable, courtois.

aimablement *av* De façon aimable.

1. aimant *nm* Corps attirant le fer ou l'acier.

2. aimant, ante *a* Affectueux.

aimantation *nf* Action d'aimanter.

aimanter *vt* Communiquer des propriétés magnétiques à un corps.

aimer *vt* **1** Éprouver de l'affection, de l'attachement, de l'amitié, de l'amour, de la passion pour qqn. **2** Avoir un penchant, du goût pour qqch. **3** (+ inf) Prendre plaisir à. *Il aime rire.* **4** (+ subj) Trouver bon. *J'aime que vous veniez me voir.*

aine *nf* Partie du corps comprise entre le bas-ventre et le haut de la cuisse.

aîné, ée *a, n* **1** Né le premier (parmi les enfants d'une famille). **2** Plus âgé qu'un autre.

aînesse *nf Loc Droit d'aînesse :* succession privilégiant l'aîné des enfants mâles.

ainsi *av* **1** De cette façon. **2** De même, de la même façon.

aïoli. V. ailloli.

1. air *nm* Mélange gazeux qui constitue l'atmosphère. *Loc En l'air :* vers le haut ; sans fondement ; sens dessus dessous. *Tête en l'air :* personne étourdie.

2. air *nm* Apparence, allure générale. *Avoir un drôle d'air.*

3. air *nm* Suite de notes formant une mélodie.

airain *nm Litt* Bronze.

aire *nf* **1** Surface de terrain. **2** Domaine d'activité, d'influence. **3** Superficie. *Aire d'un triangle.* **4** Nid des grands oiseaux de proie.

airelle *nf* Arbrisseau portant des baies comestibles rouges ou d'un noir bleuté ; ces baies.

aisance *nf* **1** État de fortune qui permet une vie agréable. **2** Liberté de corps ou d'esprit dans la manière d'être.

aise *nf Loc Être à l'aise :* ne pas être gêné ; avoir suffisamment d'argent. *Être mal à l'aise :* être gêné. ◼ *pl Loc Prendre ses aises :* s'installer sans se soucier d'autrui.

aisé, ée *a* **1** Facile, qui ne fait pas peine. *Un travail aisé.* **2** Qui vit dans l'aisance.

aisément *av* Facilement.

aisselle *nf* Cavité située au-dessous de la jonction du bras avec le torse.

ajonc [aʒɔ̃] nm Arbrisseau épineux à fleurs jaunes.

ajourer vt Percer de trous, orner de jours.

ajournement nm Action d'ajourner.

ajourner vt Renvoyer à une date ultérieure.

ajout [aʒu] nm Élément ajouté à un ensemble.

ajouter vt 1 Mettre en plus. 2 Dire en plus. ■ vti Augmenter qqch. *En parler ne ferait qu'ajouter au malaise.* ■ vpr Se joindre, s'additionner.

ajustage nm Action d'ajuster avec précision les pièces d'une machine.

ajustement nm Fait d'être ajusté ; adaptation.

ajuster vt 1 Réaliser l'adaptation d'une chose à une autre. 2 Mettre à une dimension donnée. 3 Viser. *Ajuster la cible.* 4 Arranger un vêtement.

ajusteur nm Ouvrier spécialisé dans les travaux d'ajustage.

alaise ou **alèse** nf Pièce de toile, souvent imperméable, qui protège le matelas.

alambic nm Appareil de distillation de l'alcool.

alambiqué, ée a Compliqué, confus, maniéré.

alanguir vt Affaiblir, rendre languissant.

alarmant, ante a Inquiétant. *Des rumeurs alarmantes.*

alarme nf 1 Signal pour annoncer un danger. *Donner l'alarme.* 2 Dispositif qui produit ce signal. 3 Frayeur subite à l'approche d'un danger.

alarmer vt Inquiéter par l'annonce d'un danger. ■ vpr S'effrayer.

alarmiste a, n Qui répand délibérément des bruits alarmants.

albanais, aise a, n De l'Albanie. ■ nm Langue indo-européenne parlée en Albanie.

albâtre nm Pierre blanche, utilisée pour sculpter de petits objets.

albatros [-tros] nm Grand oiseau marin muni d'un bec robuste et de longues ailes.

albigeois, oise n, a Qui est une secte hérétique du midi de la France (XIIe s). *Syn.* cathare.

albinisme nm Absence héréditaire de pigmentation de la peau, des cheveux.

albinos [-nos] a, n Atteint d'albinisme.

album [-bɔm] nm 1 Cahier destiné à recevoir des cartes postales, des photos, des timbres. 2 Livre de grand format illustré. 3 Disque.

albumen [-mɛn] nm 1 BOT Tissu nourricier entourant la graine. 2 ZOOL Blanc de l'œuf.

albumine nf Substance organique contenue dans le lait, le blanc d'œuf, le sang.

albuminurie nf MED Présence d'albumine dans l'urine.

alcali nm Oxyde des métaux alcalins.

alcalin, ine a CHIM Syn de *basique*. *Loc Métaux alcalins :* famille de métaux, dont le sodium et le potassium.

alcaloïde nm CHIM Substance organique d'origine végétale (caféine, morphine, nicotine).

alcarazas [-zas] nm Vase de terre poreuse où l'eau reste fraîche.

alchimie nf Science occulte du Moyen Âge, qui cherchait la transmutation des métaux.

alchimiste n Qui s'occupe d'alchimie.

alcool [-kɔl] nm 1 Liquide obtenu par la distillation de jus sucrés fermentés (raisin, fruits, betterave, céréales). 2 Boisson alcoolisée, eau-de-vie.

alcoolat nm PHARM Préparation obtenue par distillation de l'alcool sur des substances aromatiques.

alcoolémie nf Taux d'alcool dans le sang.

alcoolique a Qui est à base d'alcool. ■ a, n Qui abuse de l'alcool, est atteint d'alcoolisme.

alcooliser vt Mêler de l'alcool à. ■ vpr Consommer trop d'alcool ; être alcoolique.

alcoolisme nm Toxicomanie à l'alcool.

alcoologie nf Étude scientifique de l'alcoolisme.

alcoomètre nm Instrument mesurant la teneur des liquides en alcool.

alcootest nm (n déposé) Appareil servant au dépistage de l'alcool chez les conducteurs.

alcôve nf Renfoncement pratiqué dans une chambre pour y placer un lit.

aldéhyde nm CHIM Liquide dérivé d'un alcool.

al dente [aldɛnte] a, av Se dit d'un aliment cuit légèrement croquant (pâtes, légumes).

ale [ɛl] nf Bière anglaise légère.

aléa nm Risque, tournure hasardeuse que peuvent prendre les événements.

aléatoire a 1 Conditionné par le hasard, la chance ; incertain. 2 MATH Soumis aux lois de probabilités.

alémanique a De la Suisse germano-phone.

alène nf Poinçon d'acier pour percer le cuir.

alentour av Tout autour, dans les environs.

alentours nmpl Lieux environnants.

1. alerte a Vif, agile. *Vieillard alerte.*

2. alerte nf Signal qui avertit d'un danger imminent. ■ interj Attention !

alerter vt 1 Avertir d'un danger. 2 Attirer l'attention. *Alerter l'opinion publique.*

alésage nm TECH Diamètre d'un cylindre de moteur à explosion.

alèse. V. alaise.

aléser vt 12 Opérer l'alésage de.

alevin nm Jeune poisson destiné à peupler les étangs et les rivières.

aleviner vt Peupler avec des alevins.

alexandrin nm Vers de 12 syllabes.

alexie nf Incapacité pathologique à lire.

alezan, ane a De couleur fauve (cheval).

alfa nm Herbe d'Afrique du Nord dont on fait de la pâte à papier.

algarade nf Querelle, altercation.

algèbre nf Partie des mathématiques qui a pour objet la généralisation du calcul des nombres représentés par des lettres affectées des signes + ou −.

algébrique a Qui appartient à l'algèbre.

algérien, enne a, n De l'Algérie.

algérois, oise a, n D'Alger.

algie nf MED Douleur.

algologie nf BOT Étude des algues.

algonkin, ine a, n Des Algonkins.

algorithme nm MATH Méthode de résolution d'un problème utilisant un nombre fini d'applications d'une règle.

algue nf Végétal aquatique pourvu de chlorophylle.

alias [aljas] av Autrement appelé.

alibi nm 1 DR Défense qui consiste à invoquer le fait qu'on se trouvait ailleurs qu'à l'endroit où un délit a été commis. 2 Ce qui permet de se disculper.

aliénable a DR Qui peut être cédé ou vendu.

aliénation nf 1 DR Transmission à autrui d'un bien ou d'un droit. 2 Asservissement de l'homme à des contraintes extérieures. Loc *Aliénation mentale :* démence.

aliéné, ée a, n Malade mental, fou.

aliéner vt 12 DR Céder ou vendre qqch. *Aliéner une terre.* ■ vpr Perdre la sympathie, l'affection de qqn.

alignement nm 1 Action d'aligner ; disposition sur une ligne droite. *Un alignement de chaises.* 2 Fait de s'aligner, de se conformer à une politique.

aligner vt Disposer, ranger sur une même ligne droite. ■ vpr 1 Se mettre sur la même ligne. 2 Se conformer à la politique d'un parti, d'un État.

aligot nm CUIS Purée de pommes de terre au fromage.

aligoté nm Cépage blanc de Bourgogne.

aliment nm Substance qui sert à la nutrition des êtres vivants.

alimentaire a 1 Propre à servir d'aliment. *Denrées alimentaires.* 2 Relatif à l'alimentation. *Régime alimentaire.*

alimentation nf 1 Manière de fournir ou de prendre de la nourriture. *Surveiller son alimentation.* 2 Commerce et industrie des denrées alimentaires. 3 Approvisionnement. *L'alimentation en gaz.*

alimenter vt 1 Fournir les aliments nécessaires à. 2 Approvisionner. ■ vpr Se nourrir.

alinéa nm Commencement en retrait de la première ligne d'un paragraphe.

alise nf Fruit rouge, comestible de l'alisier.

alisier nm Arbre qui fournit un bois très dur.

alitement nm Fait de rester au lit.

aliter vt Faire garder le lit à. ■ vpr Garder le lit par suite d'une maladie.

alizé

alizé nm Vent régulier soufflant toute l'année dans la zone intertropicale.

allaitement nm Action d'allaiter.

allaiter vt Nourrir de lait, de son lait, d'un nouveau-né, un petit.

allant nm Vivacité dans l'action, entrain.

alléchant, ante a Qui attire. *Offre alléchante.*

allécher vt 12 Attirer par le goût, l'odeur, les promesses.

allée nf 1 Chemin de parc, de forêt, de jardin. 2 Avenue plantée d'arbres dans une ville. **Loc** *Allées et venues :* fait de marcher alternativement dans un sens et dans l'autre, déplacements.

allégation nf 1 Citation d'une autorité. 2 Ce que l'on affirme. *Réfuter des allégations.*

allégé, ée a, nm Qui contient peu de graisse ou de sucre (aliment).

allégeance nf HIST Fidélité de l'homme lige envers son suzerain.

allégement ou **allègement** nm Action d'alléger ; diminution d'une charge, d'un poids.

alléger vt 13 1 Rendre plus léger, diminuer le poids de. *Alléger un fardeau.* 2 Rendre moins pénible. *Alléger une douleur.*

allégorie nf Expression d'une idée par une histoire imagée.

allégorique a De l'allégorie. *Récit allégorique.*

allègre a Vif, plein d'entrain.

allègrement ou **allégrement** av De façon allègre, vivement.

allégresse nf Joie très vive. *Cris d'allégresse.*

allégro av, nm MUS D'un mouvement vif et rapide.

alléguer vt 12 1 Citer une autorité pour se défendre, se justifier. 2 Mettre en avant comme excuse. *Alléguer de bonnes raisons.*

alléluia [-luja] interj Marque l'allégresse dans la liturgie juive et chrétienne. ■ nm Pièce liturgique de la messe.

allemand, ande a, n De l'Allemagne. ■ nm Langue germanique parlée en Allemagne, en Autriche, en Suisse et en Belgique. ■ nf Air à quatre temps ; danse sur cet air.

aller vi 8 [aux être] 1 Se mouvoir. *Aller à pied.* 2 Se rendre qqpart. *Aller à la campagne.* 3 Mener. *La route va à Orléans.* 4 Se porter du point de vue de la santé ; fonctionner. *Comment allez-vous ? Les affaires vont mal.* 5 S'adapter, convenir à. *Ce manteau lui va bien.* 6 (suivi d'un inf) Marque le futur proche. *Je vais crier.* ■ vpr **Loc** *S'en aller :* partir, disparaître. ■ nm Parcours effectué pour se rendre dans un lieu précis ; billet de transport valable pour une seule direction.

allergène nm MED Substance provoquant une allergie.

allergie nf 1 MED Réaction anormale d'un organisme au contact d'une substance. 2 Fig Antipathie.

allergique a De l'allergie.

allergologie nf MED Étude de l'allergie.

allergologue n Spécialiste de l'allergologie.

alleu nm HIST Au Moyen Âge, terre franche de toute redevance.

alliage nm Corps obtenu par incorporation de plusieurs éléments à un métal.

alliance nf 1 Pacte entre plusieurs partis ou puissances. 2 Union par mariage. 3 Anneau de mariage porté à l'annulaire. 4 Rapport de parenté établi par le mariage. *Neveu par alliance.*

allié, ée a, n Uni par un traité d'alliance ou par des liens familiaux, par un mariage.

allier vt 1 Unir par une alliance. 2 Combiner des métaux. 3 Réunir des qualités. ■ vpr Contracter une alliance.

alligator nm Reptile proche du crocodile.

allitération nf Répétition d'une consonne ou d'un groupe de consonnes dans une phrase.

allô ! interj Appel ou réponse initiale dans une communication téléphonique.

allocataire n Qui bénéficie d'une allocation.

allocation nf 1 Action d'allouer. 2 Somme allouée.

allocution nf Bref discours.

allogène a Se dit de populations étrangères mêlées récemment à la population du pays.

allonge nf 1 Pièce servant à allonger qqch. 2 Longueur des bras chez un boxeur.

allongé, ée a Dont la longueur l'emporte sur les autres dimensions.

allongement nm Action d'allonger.

allonger vt 11 1 Augmenter la longueur ou la durée de qqch. 2 Fam Donner de l'argent. Allonger cent francs. 3 Diluer avec un liquide. Allonger une sauce. ■ vi Devenir plus long. Les jours allongent. ■ vpr 1 Devenir plus long. 2 S'étendre. S'allonger sur le sol.

allopathie nf Médecine qui emploie des médicaments tendant à contrarier les symptômes (par oppos. à homéopathie).

allotropie nf CHIM Propriété d'un corps qui peut exister sous plusieurs formes.

allouer vt Attribuer, accorder de l'argent.

allumage nm 1 Inflammation du combustible dans les moteurs à explosion. 2 Action d'allumer.

allume-cigare nm Dispositif pour allumer les cigares, les cigarettes dans une voiture. Des allume-cigares.

allume-gaz nm inv Appareil pour allumer le gaz d'une cuisinière.

allumer vt 1 Mettre le feu. 2 Faire fonctionner des lumières, le chauffage, un appareil. Allumer ses phares. 3 Litt Faire naître, provoquer. Allumer la colère de qqn.

allumette nf Petite tige de bois, dont une extrémité est enduite d'un produit inflammable par frottement, qui sert à mettre le feu.

allumeur nm 1 Dispositif destiné à mettre le feu à une charge explosive. 2 Système d'allumage d'un moteur à explosion.

allumeuse nf Fam Femme qui aguiche.

allure nf 1 Vitesse. 2 Aspect, apparence. 3 MAR Orientation d'un navire par rapport au vent.

allusif, ive a Qui contient une allusion.

allusion nf Évocation non explicite d'une personne ou d'une chose.

alluvial, ale,aux a Produit par des alluvions.

alluvions nfpl Dépôts de matériaux détritiques charriés par les eaux.

almanach [-na] nm Calendrier illustré.

aloès nm Plante des pays chauds qui fournit un purgatif.

aloi nm Loc Litt De bon aloi, de mauvais aloi : de bonne, de mauvaise qualité.

alopécie nf Chute des cheveux ou des poils.

alors av 1 Dans ce temps-là, à ce moment-là. 2 Dans ce cas-là. 3 Fam Ponctue une exclamation. Ça alors !

alose nf Poisson marin à chair fine qui remonte les fleuves pour frayer.

alouette nf Oiseau passereau, au plumage terne, habitant les champs.

alourdir vt Rendre plus lourd. ■ vpr Devenir plus lourd.

alourdissement nm État de ce qui devient plus lourd.

aloyau [alwajo] nm Quartier de bœuf situé le long des reins et comprenant le filet.

alpaga nm 1 Lama dont on exploite la laine. 2 Tissu fait avec cette laine.

alpage nm Pâturage de haute montagne.

alpestre a Des Alpes.

alpha nm Première lettre de l'alphabet grec.

alphabet nm Ensemble ordonné des lettres servant à transcrire les sons d'une langue.

alphabétique a Selon l'ordre de l'alphabet.

alphabétisation nf Enseignement de l'écriture et de la lecture des analphabètes.

alphabétiser vt Procéder à l'alphabétisation.

alphanumérique a INFORM Qui utilise à la fois des chiffres et des lettres.

alpin, ine a Des Alpes. Loc Plissement alpin : plissement de l'écorce terrestre pendant l'ère tertiaire. Chasseurs alpins : soldats des formations opérant en montagne.

alpinisme nm Sport des ascensions en montagne.

alpiniste n Qui pratique l'alpinisme.

alsace nm Vin d'Alsace, le plus souvent blanc.

alsacien, enne a, n De l'Alsace. ■ nm Dialecte germanique d'Alsace.

altération nf 1 Modification qui dénature qqch. 2 MUS Signe qui modifie la hauteur d'une note (dièse, bémol, bécarre).

altercation nf Dispute, discussion vive.

alter ego *[-tɛrego]* nm Ami inséparable.

altérer vt 1 Provoquer la modification, le changement. 2 Modifier en mal. 3 Exciter la soif. ■ *vpr* Se modifier en mal.

altérité nf Caractère de ce qui est autre.

alternance nf Action d'alterner ; état de ce qui est alterné.

alternateur nm Machine qui produit des courants alternatifs.

alternatif, ive a 1 Qui propose un choix ou qui résulte d'un choix. 2 Qui change périodiquement de sens. *Courant alternatif.* 3 Qui propose une issue à ceux qui refusent la société moderne. ■ nf 1 Situation dans laquelle on ne peut choisir qu'entre deux solutions. 2 Solution de remplacement. 3 Cérémonie solennelle d'investiture d'un torero.

alternativement av Tour à tour.

alterne Loc BOT *Feuilles alternes :* insérées sur une tige, à raison d'une seule par nœud.

alterner vi Se succéder à tour de rôle. ■ vt Faire se succéder.

altesse nf Titre donné aux princes, aux princesses.

altier, ère a Qui marque de l'orgueil.

altimètre nm Appareil mesurant les altitudes.

altiport nm Aérodrome aménagé en montagne.

altiste n Qui joue de l'alto.

altitude nf Élévation d'un lieu par rapport au niveau de la mer.

alto nm 1 Instrument de musique proche du violon. 2 La plus grave des voix de femme et la plus aiguë des voix d'homme.

altocumulus nm Nuage à gros flocons.

altostratus nm Nuage en forme de voile.

altruisme nm Propension à aimer et à aider son prochain.

altruiste a, n Inspiré par l'altruisme.

alumine nf Oxyde d'aluminium.

aluminium *[-njɔm]* nm Métal qui entre dans la composition d'alliages légers.

alun *[alœ̃]* nm Sel de certains métaux utilisé en teinture, en tannerie, etc.

alunir vi *Abusiv* Se poser sur la Lune.

alunissage nm *Abusiv* Action d'alunir.

alvéole nf et nm 1 Petite cellule de cire construite par les abeilles. 2 Cavité des maxillaires où se logent les racines des dents. 3 Cavité pulmonaire au niveau de laquelle s'effectuent les échanges gazeux avec le sang. 4 Petite cavité en général.

alvéolé, ée a Creusé d'alvéoles.

alvéolite nf MED Inflammation des alvéoles pulmonaires ou dentaires.

Alzheimer (maladie d') nf Atrophie cérébrale accompagnée de démence.

a.m. Abrév. de *ante meridiem* : avant midi.

amabilité nf Caractère d'une personne aimable ; manifestation de caractère.

amadou nm Combustible spongieux qu'on tire d'un champignon.

amadouer vt Flatter qqn pour obtenir qqch.

amaigrir vt Rendre maigre.

amaigrissant, ante a Qui fait maigrir.

amaigrissement nm Fait de maigrir, d'être plus maigre.

amalgame nm 1 Mélange hétéroclite. 2 Mélange du mercure avec un autre métal. 3 Assimilation abusive.

amalgamer vt Faire un amalgame.

amande nf Fruit de l'amandier, riche en huile. 2 Graine contenue dans un noyau.

amandier nm Arbre fruitier dont le fruit est l'amande.

amandine nf Tartelette aux amandes.

amanite nf Champignon dont certaines espèces sont comestibles, d'autres vénéneuses (*amanite tue-mouches*), d'autres mortelles (*amanite phalloïde*).

amant nm Homme qui a des relations sexuelles avec une femme qui n'est pas son épouse.

amarante nf Plante ornementale à fleurs pourpres. ■ a inv De couleur pourpre.

amareyeur nm Ouvrier chargé de l'entretien des parcs à huîtres.

amaril, ile a Relatif à la fièvre jaune.

amarrage nm Action d'amarrer.

amarre nf Cordage pour amarrer.

amarrer vt Fixer avec une amarre.

amaryllidacée nf BOT Plante telle que l'amaryllis, la perce-neige, la jonquille.

amaryllis nf Plante à grandes fleurs rouges.

amas nm 1 Accumulation de choses. 2 ASTRO Groupement d'étoiles.

amasser vt Faire un amas, accumuler, entasser. Amasser du sable, de l'argent.

amateur nm 1 Qui aime, qui a un goût pour qqch. 2 Qui pratique un sport, un art sans en faire sa profession. 3 Qui manque de compétence, de sérieux. 4 Disposé à acheter qqch.

amateurisme nm 1 Statut du sportif amateur. 2 Caractère d'une personne qui effectue une tâche avec négligence.

amazone nf Cavalière. Loc Monter en amazone : les deux jambes du même côté de la selle.

amazonien, enne a De l'Amazonie.

ambages nfpl Loc Parler sans ambages : sans détour ni faux-fuyants, franchement.

ambassade nf 1 Fonction d'un ambassadeur. 2 Mission diplomatique d'un gouvernement étranger. 3 Résidence, bureaux d'un ambassadeur.

ambassadeur, drice n 1 Personne qui représente un État auprès d'un autre. 2 Personne chargée d'une mission quelconque.

ambiance nf 1 Milieu physique ou moral. 2 Gaieté, entrain.

ambiant, ante a Qui entoure de toutes parts. Air ambiant.

ambidextre a Qui se sert des deux mains avec une égale facilité.

ambigu, uë a Dont le sens est incertain, qui peut avoir plusieurs sens. Réponse ambiguë.

ambiguïté nf Caractère ambigu.

ambitieux, euse a, n Qui a de l'ambition.

ambition nf 1 Désir de réussite sociale. 2 Aspiration, volonté marquée.

ambitionner vt Rechercher ardemment.

ambivalence nf Caractère de ce qui a deux valeurs opposées. Ambivalence des sentiments.

ambivalent, ente a Doué d'ambivalence.

amble nm Allure de certains quadrupèdes qui se déplacent en levant simultanément les deux membres d'un même côté.

ambre nm Loc Ambre gris : substance parfumée fournie par le cachalot. Ambre jaune : résine fossile utilisée en bijouterie. ■ a inv Jaune.

ambré, ée a Qui a le parfum ou la couleur de l'ambre.

ambroisie nf MYTH Nourriture des dieux de l'Olympe, qui rendait immortel.

ambulance nf Véhicule pour le transport des malades, des blessés.

ambulancier, ère n, a Qui conduit une ambulance.

ambulant, ante a Qui se déplace. Marchand ambulant.

ambulatoire a MED Pratiqué sans hospitalisation. Traitement ambulatoire.

âme nf 1 En religion et en philosophie, principe de pensée qui s'oppose au corps. L'immortalité de l'âme. 2 Habitant. Village de cent âmes. 3 Élément essentiel. L'âme d'une entreprise. 4 Principe des qualités morales. Loc Rendre l'âme : mourir.

amélioration nf Action d'améliorer ; fait de s'améliorer.

améliorer vt Rendre meilleur, perfectionner. ■ vpr Devenir meilleur.

amen [amɛn] interj Mot qui termine une prière. Loc Dire amen : consentir.

aménagement nm Action d'aménager. Loc Aménagement du territoire : mise en valeur harmonieuse du territoire national.

aménager vt 11 Préparer, organiser, rendre plus confortable.

aménageur nm Qui s'occupe de l'aménagement du territoire.

amende nf Sanction pécuniaire. Payer une amende. Loc Faire amende honorable : présenter des excuses.

amendement nm 1 Modification à un projet de loi. 2 AGRIC Substance mise dans le sol pour améliorer sa fertilité.

amender vt 1 Modifier un texte. 2 AGRIC Modifier par amendement. ■ vpr Se corriger.

amène a Litt Agréable, courtois.

amener vt 15 1 Mener, conduire qqn qq-part. 2 Occasionner. *Un malheur en amène un autre.* 3 Pousser à, entraîner à. *Cet incident l'a amené à partir.* 4 Tirer à soi. *Amener les voiles.* ■ vpr Pop Venir, arriver.

aménité nf Litt Amabilité, charme.

aménorrhée nf MED Absence de menstruations.

amenuisement nm Fait de s'amenuiser.

amenuiser vt Rendre plus menu, moindre. ■ vpr Devenir moins fort, diminuer.

1. amer, ère a 1 Qui a une saveur âpre, désagréable. 2 Pénible, douloureux.

2. amer nm MAR Point (clocher, balise) servant de repère.

amèrement av Avec amertume.

américain, aine a, n 1 De l'Amérique. 2 Des États-Unis. ■ nm Anglais parlé aux États-Unis.

américaniser vt Donner un caractère américain.

américanisme nm 1 Civilisation propre aux États-Unis. 2 Tournure anglaise spéciale aux Américains.

amérindien, enne a, n Des Indiens d'Amérique. *Langues amérindiennes.*

amerrir vi Se poser sur un plan d'eau.

amerrissage nm Action d'amerrir.

amertume nf 1 Goût amer. 2 Aigreur, mélancolie, déception.

améthyste nf Variété violette de quartz, utilisée en joaillerie.

ameublement nm Ensemble du mobilier et des objets d'une pièce, d'une maison.

ameublir vt Rendre une terre plus meuble, plus légère.

ameuter vt Attrouper des personnes dans l'intention de susciter des réactions hostiles.

amharique nm Langue sémitique officielle de l'Éthiopie.

ami, ie n 1 Personne à laquelle on est lié par une affection réciproque. *Des amis d'enfance.* 2 Personne animée de bonnes intentions. *Venir en ami.* 3 Qui a du goût pour. *Ami de la vérité.* ■ a 1 D'un ami. *Une maison amie.* 2 Allié. *Des pays amis.*

amiable a Qui se fait de gré à gré. *Vente amiable.* ■ nf Loc À l'amiable : par voie de conciliation.

amiante nf Silicate de calcium et de magnésium, résistant au feu.

amibe nf Protozoaire aquatique dont une espèce est parasite de l'homme.

amical, ale, aux a Inspiré par l'amitié. ■ nf Association regroupant des personnes ayant une même activité.

amicalement av De façon amicale.

amide nm CHIM Composé organique dérivant de l'ammoniac ou des amines.

amidon nm Substance végétale glucidique, dont les granules fournissent un empois.

amidonner vt Enduire d'amidon.

amincir vt 1 Rendre plus mince. 2 Faire paraître plus mince. *Cette robe l'amincit.* ■ vpr Devenir plus mince.

amincissant, ante a Qui amincit.

amincissement nm Action d'amincir ; fait de s'amincir.

amine nf CHIM Composé organique dérivant de l'ammoniac.

aminé, ée a Loc *Acide aminé* : acide organique indispensable à la vie. Syn. aminoacide.

aminoacide nm Acide aminé.

amiral, aux nm Officier général de la marine militaire.

amirauté nf 1 État et office d'amiral ; résidence, services et bureaux de l'amiral. 2 Corps des amiraux.

amitié nf 1 Affection mutuelle liant deux personnes. 2 Témoignage d'affection bienveillante.

ammoniac nm Gaz incolore et d'odeur suffocante.

ammoniacal, ale, aux a Qui contient de l'ammoniac ou a ses propriétés.

ammoniaque nf Solution d'ammoniac.

ammonite nf GEOL Mollusque fossile, à coquille spiralée.

amnésie nf Perte de la mémoire.

amnésique a, n Frappé d'amnésie.

amniocentèse [-sɛ-] nf MED Prélèvement de liquide amniotique.

amnios [-njos] nm BIOL Poche emplie de liquide dans lequel baigne le fœtus. Syn. poche des eaux.

amnioscopie nf MED Examen du liquide amniotique.

amniotique a BIOL De l'amnios.

amnistie nf Acte législatif qui annule des condamnations et leurs conséquences pénales.

amnistier vt Accorder une amnistie à.

amocher vt Pop Abîmer, blesser.

amoindrir vt Diminuer, rendre moindre. ■ vpr Devenir moindre.

amoindrissement nm Diminution, affaiblissement.

amollir vt 1 Rendre mou. 2 Rendre plus faible, enlever de la force. ■ vpr Devenir mou.

amollissement nm Action d'amollir.

amonceler vt 18 1 Entasser. Amonceler des cailloux. 2 Réunir, accumuler. Amonceler des preuves. ■ vpr S'accumuler.

amoncellement nm Choses amoncelées.

amont nm 1 Partie d'un cours d'eau comprise entre sa source et un point donné. 2 Partie d'un processus, d'une activité, qui se situe vers l'origine. La sidérurgie est à l'amont de la métallurgie. ■ av, a inv Vers l'amont. Virer amont à skis. Industries amont. Ant. aval.

amoral, ale, aux a Qui ignore les principes de la morale.

amorçage nm Action d'amorcer.

amorce nf 1 Appât jeté dans l'eau ou disposé autour d'un piège pour attirer le poisson, le gibier. 2 Capsule servant à mettre à feu une charge d'explosif. 3 Pastille de fulminate servant de jeu. 4 Ébauche, début de qqch.

amorcer vt 10 1 Garnir une amorce à un hameçon, une charge de poudre. 2 Déclencher le fonctionnement d'une pompe. 3 Ébaucher, commencer. Amorcer une affaire.

amorphe a 1 Sans caractère, sans énergie. 2 PHYS Non cristallisé (corps).

amorti nm Fait d'arrêter le ballon ou la balle en accompagnant son mouvement.

amortie nf Balle résultant d'un amorti.

amortir vt 1 Diminuer la force, l'intensité d'un bruit. 2 Échelonner une dépense sur une certaine durée. 3 Utiliser jusqu'à récupérer l'achat d'un bien.

amortissable a Qu'on peut rembourser de façon échelonnée.

amortissement nm Action d'amortir. Amortissement d'un emprunt.

amortisseur nm Dispositif réduisant l'amplitude des oscillations d'une machine.

amour nm 1 Affection passionnée, attirance affective et sexuelle d'un être humain pour un autre. 2 Personne aimée. 3 Divinité antique qui avait le pouvoir de faire aimer. 4 Affection que ressentent les membres d'une même famille. 5 Attachement à un idéal moral, philosophique, religieux. 6 Goût, enthousiasme pour une chose, une activité. Travailler avec amour. Loc Faire l'amour : avoir des rapports sexuels. ■ nfpl Litt Passion, tendresse. Les premières amours.

amouracher (s') vpr S'éprendre soudainement de qqn.

amourette nf 1 Aventure sentimentale sans conséquence. 2 Graminée à groupes d'épis mobiles. ■ pl Moelle épinière des animaux de boucherie.

amoureusement av Avec amour.

amoureux, euse a, n Qui éprouve de l'amour. Décevoir son amoureux. ■ a Qui dénote l'amour. Regards amoureux.

amour-propre nm Sentiment que qqn a de sa propre valeur. Des amours-propres.

amovible a 1 Qui peut être déplacé, muté (fonctionnaire, magistrat). 2 Qui peut être démonté, enlevé (objet).

ampélographie nf Étude de la vigne, des cépages.

ampère nm Unité d'intensité électrique.

ampèremètre nm Appareil de mesure de l'intensité d'un courant.

amphétamine nf Excitant du système nerveux central.

amphi nm Fam Amphithéâtre.

amphibie *a* **1** Qui vit dans l'air et dans l'eau. **2** Qui peut se déplacer sur terre et sur l'eau (véhicule).

amphibien *nm* ZOOL Vertébré à peau nue, ovipare, faisant partie d'une classe comprenant les grenouilles et les tritons. Syn. batracien.

amphibole *nf* Minéral composé de silicates, des roches éruptives et métamorphiques.

amphibologie *nf* GRAM Construction qui donne un double sens à une phrase.

amphithéâtre *nm* **1** ANTIQ Vaste enceinte à gradins où se tenaient les jeux du cirque. **2** Salle de cours, garnie de gradins.

amphitryon *nm* Litt Hôte chez qui on dîne.

amphore *nf* Vase antique en terre cuite, à deux anses.

ample *a* Vaste, large. *Un vêtement ample.*

amplement *av* Abondamment.

ampleur *nf* **1** Caractère ample. **2** Importance, étendue.

ampli *nm* Fam Amplificateur.

amplificateur *nm* Appareil qui amplifie un signal électrique, en particulier dans une chaîne haute-fidélité.

amplification *nf* Action d'amplifier.

amplifier *vt* Augmenter la quantité, le volume, l'étendue, l'importance de. *Amplifier le courant, le son, les échanges commerciaux.* ■ *vpr* Devenir plus important.

amplitude *nf* Écart entre deux valeurs extrêmes d'un signal, de la température, d'un mouvement.

ampoule *nf* **1** Tube de verre, terminé en pointe et soudé, contenant un médicament liquide ; son contenu. **2** Enveloppe de verre enfermant le filament des lampes à incandescence et remplie d'un gaz inerte. **3** Petit gonflement de l'épiderme, rempli de sérosité.

ampoulé, ée *a* Emphatique, pompeux.

amputation *nf* Ablation d'un membre.

amputer *vt* **1** Pratiquer l'amputation d'un membre. **2** Retrancher un passage d'un texte.

amulette *nf* Petit objet que l'on porte sur soi et auquel on attribue un pouvoir magique de protection.

amure *nf* Cordage maintenant au vent le coin inférieur d'une voile.

amusant, ante *a* Qui divertit.

amuse-gueule ou **amuse-bouche** *nm inv* Fam Petit hors-d'œuvre servi avec l'apéritif.

amusement *nm* Ce qui amuse ; distraction.

amuser *vt* Distraire, divertir. ■ *vpr* **1** Se distraire, se divertir. **2** Se moquer de qqn.

amygdale [amidal] *nf* ANAT Organe situé au fond de la gorge.

amygdalite *nf* Inflammation des amygdales.

amyotrophie *nf* MED Atrophie des muscles.

an *nm* Période correspondant à la durée d'une révolution de la Terre autour du Soleil ; année. Loc *Le jour de l'an* : le 1er janvier.

anabaptiste *n* Protestant qui dénie toute valeur au baptême des enfants et réserve ce sacrement aux adultes.

anableps *nm* Poisson de la mangrove respirant hors de l'eau.

anabolisant, ante *a, nm* MED Qui favorise l'assimilation.

anacarde *nm* Syn de *noix de cajou.*

anacardier *nm* Arbrisseau d'Amérique tropicale, qui donne la *noix de cajou.*

anachorète [-kɔ-] *nm* RELIG Ascète qui vit seul, retiré du monde.

anachronique *a* Entaché d'anachronisme.

anachronisme *nm* **1** Faute contre la chronologie. **2** Usage retardataire.

anacoluthe *nf* Changement de construction au milieu d'une phrase.

anaconda *nm* Serpent des marais d'Amérique tropicale.

anagramme *nf* Mot obtenu en transposant les lettres d'un autre mot (ex. : *chien, niche, chine*).

anal, ale, aux *a* De l'anus.

analgésique *a, nm* Qui supprime la douleur.

anallergique *a* MED Qui ne provoque pas d'allergie.

analogie nf Rapport de ressemblance entre deux ou plusieurs objets.

analogique a Fondé sur l'analogie.

analogue a Qui présente une analogie.

analphabète a, n Qui ne sait ni lire ni écrire.

analphabétisme nm État de l'analphabète.

analysable a Qu'on peut analyser.

analyse nf 1 Opération par laquelle l'esprit, pour parvenir à la connaissance d'un objet, le décompose en ses éléments. Ant. synthèse. 2 Partie des mathématiques comprenant le calcul infinitésimal et ses applications. 3 Détermination de la composition d'une substance. 4 GRAM Décomposition d'une phrase en propositions (analyse logique), d'une proposition en mots (analyse grammaticale), dont on établit la nature et la fonction. 5 Psychanalyse.

analyser vt Procéder à l'analyse de.

analyseur nm Appareil servant à analyser un phénomène.

analyste n 1 Spécialiste de l'analyse. 2 Psychanalyste.

analyste-programmeur nm INFORM Spécialiste de l'analyse et de la programmation. Des analystes-programmeurs.

analytique a Qui procède par analyse. Table analytique des matières.

anamorphose nf PHYS Image d'un objet déformée par un dispositif optique.

ananas [-na] nm 1 Plante des pays chauds. 2 Gros fruit sucré de cette plante.

anaphore nf 1 RHET Reprise d'un mot dans une série de phrases successives. 2 LING Fonction assurée dans l'énoncé par les anaphoriques.

anaphorique a, nm LING Qui renvoie à un mot apparu dans une phrase antérieure.

anaphylaxie nf MED Réaction violente d'un organisme sensibilisé à une substance.

anar n, a Pop Anarchiste.

anarchie nf 1 État de désorganisation qu'entraîne la faiblesse de l'autorité politique. 2 Désordre, confusion. 3 Anarchisme.

anarchique a Désorganisé, chaotique.

anarchiquement av De façon anarchique.

anarchisme nm Doctrine politique qui prône la suppression de l'État.

anarchiste a, n Partisan de l'anarchisme.

anastomose nf ANAT Communication entre deux conduits anatomiques.

anatexie nf GEOL Fusion des roches, donnant naissance à un magma.

anathème nm 1 Sentence d'excommunication. 2 Litt Réprobation, blâme solennel.

anatife nm Crustacé marin fixé par un pédoncule. Syn. pouce-pied.

anatomie nf 1 Science qui étudie la structure des organes et des tissus chez les êtres organisés. 2 Fam Aspect extérieur du corps.

anatomique a De l'anatomie.

anatomopathologie nf Étude des lésions provoquées par les maladies.

anatoxine nf Toxine atténuée, à propriétés immunisantes.

ancestral, ale, aux a Des ancêtres, transmis par les ancêtres.

ancêtre n 1 Personne de qui l'on descend, antérieure au grand-père. 2 Initiateur lointain. ■ pl Les hommes qui vécurent avant nous.

anche nf Languette placée dans le bec de certains instruments à vent (clarinette, saxophone).

anchois nm Poisson de mer de petite taille.

ancien, enne a 1 Qui existe depuis longtemps. Coutume ancienne. 2 Qui a de l'ancienneté dans un emploi, une fonction, un grade. Être ancien dans une profession. 3 (av. le n) Qui a cessé d'être ce qu'il était. Un ancien juge. ■ nm 1 Prédécesseur dans un métier, un service, une école, un régiment, etc. 2 Personne âgée (le plus souvent au pl). 3 (avec majusc) Les peuples, les auteurs de l'Antiquité.

anciennement av Autrefois.

ancienneté nf 1 Caractère de ce qui est ancien. 2 Temps passé dans une fonction, un grade.

ancolie nf Plante aux fleurs diversement colorées, à pétales en éperon.

ancrage nm Fixation, attache à un point fixe.

ancre nf **1** Instrument de métal qui, au bout d'un câble ou d'une chaîne, accroche le navire au fond de l'eau. **2** Pièce réglant un mouvement d'horlogerie. **3** Pièce métallique bloquant deux éléments de construction.

ancrer vt **1** Retenir, fixer avec une ancre. **2** Fixer. On a ancré cette idée en lui.

andalou, ouse a, n De l'Andalousie.

andante av, nm MUS D'un mouvement modéré.

andésite nf Roche volcanique noire.

andin, ine a Des Andes.

andorran, ane a, n D'Andorre.

andouille nf **1** Boyau de porc farci de tripes et de chair. **2** Pop Individu stupide.

andouiller nm Ramification des bois de cervidés (cerf, daim, etc.).

andouillette nf Petite andouille que l'on mange cuite.

androgène a, nm Se dit d'une hormone qui provoque l'apparition de caractères sexuels mâles.

androgyne a, n Qui tient des deux sexes ; hermaphrodite.

androïde nm Automate à forme humaine.

andrologie nf Étude de l'appareil génital masculin.

andrologue n Spécialiste d'andrologie.

andropause nf Chez l'homme, diminution des activités génitales après un certain âge.

androstérone nf Hormone sexuelle mâle.

âne nm **1** Mammifère domestique à longues oreilles, plus petit que le cheval. **2** Homme sot, borné et ignorant. Loc **Dos d'âne** : élévation arrondie, bosse.

anéantir vt **1** Réduire qqch à néant. **2** Plonger qqn dans un état d'abattement.

anéantissement nm **1** Destruction totale. **2** Abattement profond.

anecdote nf Bref récit d'un fait curieux.

anecdotique a Qui tient de l'anecdote.

anémie nf Affaiblissement dû à la diminution du nombre des globules rouges.

anémier vt Rendre anémique.

anémique a, n Atteint d'anémie.

anémomètre nm Appareil servant à mesurer la vitesse du vent.

anémone nf Plante aux fleurs de couleurs vives. Loc **Anémone de mer** : actinie.

ânerie nf Acte ou propos stupide.

ânesse nf Femelle de l'âne.

anesthésie nf MED Suppression plus ou moins complète de la sensibilité.

anesthésier vt Rendre momentanément insensible à la douleur.

anesthésiste n Médecin spécialiste qui dirige l'anesthésie.

aneth [anɛt] nm Plante aromatique, communément appelée fenouil.

anévrisme nm MED Dilatation localisée d'une artère.

anfractuosité nf Cavité sinueuse et profonde.

ange nm **1** Créature spirituelle, intermédiaire entre l'homme et Dieu. **2** Personne dotée de toutes les qualités. Loc **Être aux anges** : ravi. Fam **Faiseuse d'anges** : avorteuse.

1. angélique a Digne d'un ange.

2. angélique nf **1** Plante aromatique. **2** Tige confite de cette plante.

angélisme nm Attitude idéaliste, candide.

angelot nm Petit ange.

angélus nm **1** Prière qui commence par ce mot. **2** Son de cloche annonçant cette prière.

angevin, ine a, n De l'Anjou ou d'Angers.

angine nf Inflammation aiguë du pharynx et des amygdales. Loc **Angine de poitrine** : trouble cardiaque, insuffisance coronarienne.

angiographie nf MED Radiographie des vaisseaux sanguins.

angiologie nf Étude des vaisseaux sanguins et lymphatiques.

angiologue n Spécialiste d'angiologie.

angiome nm MED Malformation vasculaire. Syn. tache de vin.

angiosperme a BOT Plante phanérogame dont les ovules sont protégés par un ovaire clos.

anglais, aise a, n De l'Angleterre. ■ nm Langue germanique, la plus répandue dans le monde. ■ nf Écriture cursive penchée. ■ nfpl Longues boucles de cheveux en spirale.

angle nm 1 Coin. *L'angle d'un mur.* 2 GÉOM Figure formée par deux demi-droites de même origine, mesurée en degrés.

anglican, ane a, n De l'anglicanisme.

anglicanisme nm Église officielle de l'Angleterre.

angliciser vt Donner un aspect anglais.

anglicisme nm 1 Locution propre à l'anglais. 2 Mot emprunté à l'anglais.

angliciste n Spécialiste de la civilisation et de la langue anglaises.

anglophone a, n De langue anglaise.

anglo-saxon, onne a, n De la communauté culturelle de langue anglaise. *Des Anglo-Saxon(ne)s.*

angoisse nf Appréhension, inquiétude profonde.

angoisser vt Causer de l'angoisse à.

angolais, aise a, n De l'Angola.

angora a inv 1 À poils longs (chats, lapins, chèvres). 2 Se dit de la laine faite de ces poils.

angström [-stRœm] nm Unité de mesure de longueur d'onde.

anguille nf Poisson d'eau douce, effilé, à peau visqueuse.

angulaire a Qui forme un ou plusieurs angles. Loc *Pierre angulaire* : qui est à l'angle d'un édifice ; fondement, base de qqch.

anguleux, euse a Qui a des angles vifs.

anhydre a CHIM Dépourvu d'eau.

anhydride nm CHIM Corps qui donne un acide par combinaison avec l'eau.

anicroche nf Petite difficulté, contretemps.

animal, ale, aux a 1 Propre à l'animal. 2 Bestial. *Une fureur animale.* ■ nm 1 Être vivant, doué de sensibilité et de mouvement (opposé aux végétaux). 2 Être vivant privé du langage (opposé à l'homme). 3 Personne stupide ou grossière.

animalerie nf 1 Annexe d'un laboratoire où l'on garde les animaux réservés aux expériences. 2 Magasin qui vend des animaux de compagnie.

animalier, ère a Relatif aux animaux. ■ nm Peintre ou sculpteur d'animaux.

animalité nf Caractère propre à l'animal.

animateur, trice n 1 Responsable des activités d'un organisme culturel. 2 Présentateur de radio ou de télévision.

animation nf 1 Caractère de ce qui vit, bouge ; activité. 2 Fait de créer dans un groupe une atmosphère vive, dynamique. 3 Procédé de cinéma simulant le mouvement à partir de dessins.

animé, ée a Où il y a de la vie. *Un quartier animé.* Loc *Être animé* : être vivant.

animer vt 1 Donner de l'animation. 2 Être l'élément moteur d'une organisation, une entreprise. 3 Pousser à agir. *La passion l'anime.* ■ vpr Devenir vif, mouvementé.

animisme nm Croyance attribuant une âme aux choses.

animosité nf Volonté de nuire à qqn, malveillance.

anion nm PHYS Ion possédant une ou plusieurs charges électriques négatives.

anis [ani] nm Plante aromatique utilisée pour parfumer certaines boissons (pastis).

aniser vt Parfumer à l'anis.

anisette nf Liqueur à l'anis.

anjou nm Vin d'Anjou.

ankylose nf Diminution plus ou moins complète de la mobilité d'une articulation.

ankyloser vt Causer l'ankylose. *Le froid ankylose les doigts.*

annal, ale, aux a DR Qui ne dure qu'un an. ■ nfpl 1 Ouvrage, récit qui rapporte les événements année par année. 2 Litt Histoire. *Il restera dans les annales.*

annamite a, n De l'Annam.

anneau nm 1 Cercle de matière dure qui sert à attacher. 2 Cercle de métal qu'on porte au doigt ; bague. 3 Ce qui a une forme circulaire. *Les anneaux des serpents.* ■ pl Agrès de gymnastique.

année nf 1 Durée d'une révolution de la Terre autour du Soleil. 2 Période de douze mois commençant le 1er janvier et finissant le 31 décembre. 3 Chacune de ces périodes datées. *L'année 1950.* **4** Période d'activité de moins de douze mois. *L'année scolaire, universitaire.*

année-lumière *nf* **1** Distance parcourue par la lumière en un an (env. 9 461 milliards de km). **2** *Fam* Distance considérable. *Des années-lumière.*

annelé, ée *a* Composé d'anneaux distincts.

annexe *a* Uni à la chose principale. *Les pièces annexes du dossier.* ■ *nf* Ce qui est adjoint à la chose principale. *L'annexe d'un groupe scolaire.*

annexer *vt* **1** Joindre, rattacher. *Annexer une procuration à un acte.* **2** Réunir à son territoire. *Annexer une province.*

annexion *nf* Action d'annexer ; chose annexée.

annexionnisme *nm* Politique visant à l'annexion de territoires voisins.

annihiler *vt* **1** Réduire qqch à néant. *Annihiler un droit.* **2** Anéantir, briser qqn. *Le chagrin l'annihile.*

anniversaire *a* Qui rappelle le souvenir d'un événement antérieur arrivé à pareille date. ■ *nm* Jour anniversaire, en partic. celui de la naissance de qqn.

annonce *nf* **1** Avis par lequel on informe. *Annonce publicitaire, radiophonique.* **2** Signe, présage. *Le retour des hirondelles est l'annonce du printemps.* *Loc Petite annonce :* offre ou demande d'emploi, de location, etc.

annoncer *vt* **10 1** Faire savoir, donner connaissance de qqch. **2** Publier. *Le journal a annoncé la nouvelle.* **3** Dire le nom d'un visiteur qui désire être reçu. **4** Faire connaître par avance, prédire. *Les astronomes ont annoncé le retour de cette comète.* **5** Être l'indice de, présager. *Nuages qui annoncent un orage.* **6** Signaler. *La cloche annonce la fin des cours.* ■ *vpr* Se présenter. *L'affaire s'annonce mal.*

annonceur *nm* Qui fait passer des annonces publicitaires.

annonciateur, trice *a* Qui annonce, présage.

Annonciation *nf* **1** Annonce faite à la Vierge Marie par l'ange Gabriel pour lui ap-

prendre qu'elle serait mère de Jésus-Christ. **2** Fête commémorant cette annonce (25 mars).

annotation *nf* Remarque explicative ou critique accompagnant un texte.

annoter *vt* Ajouter des annotations.

annuaire *nm* Recueil annuel de listes de noms. *Annuaires du téléphone, des avocats.*

annualiser *vt* Rendre annuel.

annualité *nf* Caractère annuel. *Annualité de l'impôt.*

annuel, elle *a* **1** Qui dure un an seulement. **2** Qui revient tous les ans. *Fête annuelle.*

annuellement *av* Chaque année.

annuité *nf* Paiement annuel.

annulaire *a* En forme d'anneau. ■ *nm* Quatrième doigt de la main.

annulation *nf* Suppression.

annuler *vt* **1** Rendre nul qqch. *Annuler un verdict.* **2** Supprimer. *Annuler une réception.* ■ *vpr* Se neutraliser. *Des forces contraires s'annulent.*

anoblir *vt* Conférer à qqn un titre de noblesse.

anoblissement *nm* Action d'anoblir.

anode *nf* PHYS Électrode positive d'un générateur électrique.

anodin, ine *a* Sans gravité, insignifiant. *Une grippe anodine.*

anomalie *nf* Bizarrerie, particularité.

ânon *nm* Petit de l'ânesse.

anone *nf* Arbre tropical à fruits comestibles (corossol).

ânonner *vi, vt* Parler, réciter avec peine, en balbutiant, en hésitant.

anonymat *nm* Caractère de ce qui est anonyme. *L'anonymat d'un don.*

anonyme *a, n* Dont on ignore le nom. ■ *a* **1** Sans nom d'auteur. *Lettre anonyme.* **2** Sans personnalité. *Décor anonyme.*

anonymement *av* De façon anonyme.

anophèle *nm* Moustique dont la femelle transmet le paludisme.

anorak *nm* Veste de sport à capuchon.

anorexie *nf* MED Absence, perte d'appétit.

anorexigène *a, nm* MED Qui coupe l'appétit.

anorexique *a, n* MED Atteint d'anorexie.

anormal, ale, aux *a* Contraire aux règles. *Un froid anormal.* ■ *a, n* Qui présente des troubles psychiques ou physiques.

anormalement *av* De façon anormale.

anoure *n* ZOOL Amphibien dépourvu de queue au stade adulte (crapauds, grenouilles).

anoxie *nf* MED Privation d'oxygène.

anse *nf* **1** Partie saillante courbe par laquelle on saisit un objet (vase, panier). **2** GEOGR Petite baie.

antagonique *a* Contraire, opposé.

antagonisme *nm* Opposition, rivalité.

antagoniste *a, n* Adversaire, ennemi. ■ *a* Dont les effets, les actions s'opposent. *Muscles antagonistes. Substances antagonistes.*

antalgique *a, nm* Qui atténue la douleur.

antan (d') *a* Vx D'autrefois.

antarctique *a* Des régions polaires australes.

antécambrien *nm* Syn de *précambrien*.

antécédent *nm* Mot qui précède et auquel se rapporte le pronom relatif. ■ *pl* Actes du passé de qqn. *Avoir de fâcheux antécédents.*

Antéchrist *nm* Faux messie qui, d'après l'Apocalypse, paraîtra à la fin du monde pour prêcher une religion hostile au Christ.

antédiluvien, enne *a* **1** Antérieur au Déluge. **2** Fam Très ancien, démodé.

antenne *nf* **1** Organe situé sur la tête des insectes et des crustacés. **2** Conducteur capable d'émettre et de recevoir un signal radioélectrique. **3** Service dépendant d'un organisme principal. *Antenne chirurgicale.* Loc *Passer à l'antenne* : à la radio.

antépénultième *a, nf* Qui précède la pénultième, l'avant-dernière syllabe.

antéposer *vt* Placer devant. *Antéposer un adjectif.*

antérieur, eure *a* Qui précède dans le temps ou dans l'espace.

antérieurement *av* Précédemment.

antériorité *nf* Caractère de ce qui est antérieur.

anthère *nf* BOT Terminaison renflée de l'étamine, qui contient le pollen.

anthologie *nf* Recueil de pièces choisies d'œuvres littéraires ou musicales.

anthracite *nm* Charbon à combustion lente, qui brûle sans flamme. ■ *a inv* Gris foncé.

anthrax [ɑ̃traks] *nm* MED Grave inflammation cutanée due à plusieurs furoncles.

anthropocentrisme *nm* Doctrine qui fait de l'homme le centre de l'univers.

anthropoïde *a, nm* ZOOL Qui ressemble à l'homme. *Singe anthropoïde.*

anthropologie *nf* **1** Étude de l'espèce humaine. **2** Étude des cultures humaines (institutions, structures familiales, croyances, technologies, etc.).

anthropologique *a* De l'anthropologie.

anthropologue *n* Spécialiste d'anthropologie.

anthropométrie *nf* Procédé de mensuration des diverses parties du corps appliqué à l'identification des délinquants.

anthropomorphe *a* De forme humaine.

anthropomorphisme *nm* Tendance à attribuer aux animaux des sentiments humains.

anthropophage *a, n* Qui mange de la chair humaine, cannibale.

anthropophagie *nf* Cannibalisme.

anthropozoïque *a* GEOL De l'ère quaternaire.

antiadhésif, ive *a* Qui empêche les produits alimentaires de coller lors de la cuisson.

antiaérien, enne *a* Qui combat les attaques aériennes.

antialcoolique [-kɔ-] *a* Qui lutte contre l'alcoolisme.

antibactérien, enne *a, nm* Qui détruit les bactéries.

antibiogramme *nm* Test de sensibilité d'un germe microbien à divers antibiotiques.

antibiotique *nm* Substance qui détruit les bactéries ou empêche leur multiplication.

antibrouillard *a inv* Qui améliore la visibilité dans le brouillard.

antibruit *a* Qui protège du bruit.

anticalcique a, nm MED Qui combat la tension artérielle.

anticancéreux, euse a, nm Qui lutte contre le cancer.

antichambre nf 1 Pièce qui est à l'entrée d'un appartement. 2 Salle d'attente dans un bureau.

antichar a inv Qui combat les chars.

antichoc a Qui amortit les chocs.

anticipation nf Action d'anticiper, de faire par avance. Payer par anticipation.

anticiper vt Faire par avance. Anticiper un paiement. ■ vti Faire qqch à l'avance. Anticiper sur l'avenir.

anticlérical, ale, aux a, n Opposé au clergé.

anticlinal, aux nm GEOL Partie en relief d'un pli. Ant. synclinal.

anticoagulant, ante a, nm Qui empêche la coagulation du sang.

anticonceptionnel, elle a Qui évite la grossesse.

anticoncurrentiel, elle a Opposé au libre jeu de la concurrence.

anticonformiste a, n Opposé au conformisme.

anticonjoncturel, elle a Qui vise à modifier une conjoncture économique défavorable.

anticonstitutionnel, elle a Contraire à la Constitution.

anticonstitutionnellement av Contrairement à la Constitution d'un pays.

anticorps nm BIOL Substance de défense, synthétisée par l'organisme en présence d'une substance étrangère (antigène).

anticyclique a Qui combat les effets des cycles économiques.

anticyclonal, ale, aux ou **anticyclonique** a D'un anticyclone.

anticyclone nm Centre de hautes pressions atmosphériques.

antidater vt Mettre une date antérieure à la date réelle.

antidépresseur nm Médicament contre la dépression.

antidopage a inv Opposé au dopage.

antidote nm 1 Substance qui s'oppose aux effets d'un poison. 2 Ce qui atténue une souffrance morale.

antiéconomique a Contraire aux lois de l'économie.

antienne nf 1 RELIG Verset chanté avant et après un psaume. 2 Litt Phrase répétée continuellement, de façon lassante.

antifongique a Antimycosique.

antigel nm Additif qui empêche l'eau de geler.

antigène nm BIOL Substance étrangère (microbes, toxines) pouvant déclencher la formation d'anticorps spécifiques.

antigénémie nf Présence d'un antigène dans le sang.

antigrippal, ale, aux a, nm Qui protège de la grippe.

antihéros nm Héros de roman, hors des normes habituelles.

antiinflammatoire a, nm Qui combat l'inflammation.

antijeu nm Fait de ne pas se conformer à la règle ou à l'esprit du jeu.

antillais, aise a, n Des Antilles.

antilope nf Mammifère ruminant des steppes d'Afrique.

antimatière nf PHYS Ensemble d'antiparticules.

antimilitarisme nm Opinion, doctrine antimilitariste.

antimilitariste a, n Hostile à l'esprit ou aux institutions militaires.

antimite a, nm Qui détruit les mites.

antimitotique a, nm MED Qui entrave la prolifération des cellules (mitose).

antimoine nm Métal blanc, cassant, proche de l'arsenic.

antimycosique a, nm Qui agit contre les mycoses. Syn. antifongique.

antinauséeux, euse a, nm Qui combat les nausées.

antinévralgique a, nm Qui combat les névralgies.

antinomie nf Contradiction entre deux systèmes, deux concepts.

antinomique *a* Qui présente une antinomie.

antinucléaire *a, n* Hostile à l'utilisation de l'énergie nucléaire.

antioxydant, ante *a, nm* Qui combat l'oxydation des cellules, des matériaux.

antiparasite *a, nm* Qui réduit les parasites radioélectriques.

antiparlementaire *a, n* Hostile au Parlement, aux députés.

antiparticule *nf* PHYS Particule de même masse que la particule homologue de charge électrique contraire.

antipathie *nf* Aversion à l'égard de qqn.

antipathique *a* Qui suscite l'antipathie.

antipelliculaire *a* Qui agit contre les pellicules des cheveux.

antipersonnel *a inv* Se dit d'une arme visant les personnes. *Mines antipersonnel.*

antiphrase *nf* Figure de style qui consiste à dire le contraire de ce qu'on pense par euphémisme ou ironie.

antipode *nm* Lieu de la Terre diamétralement opposé à un autre.

antipoison *a inv* Qui agit contre les empoisonnements.

antipollution *a inv* Actif contre la pollution.

antipyrétique *a, nm* Actif contre la fièvre.

antiquaire *n* Marchand d'objets anciens.

antique *a* 1 Très ancien. *Une chose démeure.* 2 Qui date de l'Antiquité. *Une statuette antique.* 3 Vieux, démodé.

antiquité *nf* 1 Grande ancienneté d'une chose. 2 Vieille chose démodée. 3 (avec majusc) Époque des plus anciennes civilisations, spécialement grecque et romaine. ■ *pl* 1 Monuments de l'Antiquité. 2 Objets d'art anciens.

antirabique *a* Contre la rage.

antiraciste *a, n* Hostile au racisme.

antireflet *a inv* Qui évite les reflets.

antirétroviral, ale, aux *a, nm* Qui s'oppose à l'action des rétrovirus.

antirides *a, nm* Qui combat les rides.

antirouille *a inv, nm* Qui préserve de la rouille.

antisèche *nf* Fam Notes destinées à frauder à un examen.

antisémite *a, n* Hostile aux Juifs.

antisémitisme *nm* Racisme à l'égard des Juifs.

antisepsie *nf* Ensemble des méthodes de destruction des bactéries.

antiseptique *a, nm* Qui détruit les bactéries.

antisismique *a* Qui résiste aux séismes.

antisocial, ale, aux *a* 1 Contraire à l'ordre social. 2 Contraire aux intérêts des travailleurs.

antispasmodique *a, nm* Qui combat les spasmes.

antisportif, ive *a* Contraire à l'esprit du sport.

antistatique *a, nm* Qui s'oppose à l'électricité statique.

antitabac *a inv* Opposé à l'usage du tabac.

antithèse *nf* 1 Rapprochement de deux termes opposés. 2 Opposé de. *Il est l'antithèse de son frère.* 3 PHILO Deuxième temps du raisonnement dialectique (thèse, antithèse, synthèse).

antithétique *a* Qui forme antithèse.

antitussif, ive *a, nm* Qui calme la toux.

antiulcéreux, euse *a, nm* Qui combat les ulcères gastriques.

antivenimeux, euse *a, nm* Qui combat les effets d'un venin.

antiviral, ale, aux *a, nm* Qui détruit les virus.

antivol *nm* Dispositif contre le vol.

antonomase *nf* Emploi d'un nom commun ou d'une périphrase à la place d'un nom propre ou inversement (ex. : *un Néron pour un tyran cruel*).

antonyme *nm* Mot de sens opposé à un autre. *Grand et petit sont des antonymes.* Syn. contraire.

antre *nm* Litt Cavité naturelle, servant de repaire à un fauve.

anus *nm* Orifice du tube digestif par où sortent les excréments.

anxiété *nf* Grande inquiétude.

anxieux, euse a Qui exprime l'anxiété. *Regard anxieux.* ■ a, n Qui éprouve de l'anxiété.

anxiogène a Qui provoque l'angoisse.

anxiolytique a, nm MED Qui apaise l'anxiété.

aoriste nm Temps de la conjugaison grecque indiquant un passé indéfini.

aorte nf Artère principale de l'organisme, à la base du cœur.

août [u] ou [ut] nm Huitième mois de l'année.

aoûtat [auta] nm Acarien, dont la piqûre provoque de vives démangeaisons.

aoûtien, enne [ausjɛ̃] n Qui prend ses vacances au mois d'août.

apaisant, ante a Qui calme.

apaisement nm Retour à la quiétude, à la paix. *Politique d'apaisement.*

apaiser vt 1 Ramener qqn au calme. 2 Rendre qqch moins violent, moins vif. *Apaiser une douleur, sa soif.*

apanage nm 1 HIST Portion du domaine royal attribué par le roi à ses fils puînés. 2 Ce qui est propre à qqn ou à qqch.

aparté nm 1 Ce qu'un acteur dit à part soi et qui est censé n'être entendu que des spectateurs. 2 Bref entretien particulier dans une réunion.

apartheid [-tɛd] nm Ségrégation raciale qui fut institutionnalisée en Afrique du Sud.

apathie nf Manque d'énergie, indolence, indifférence.

apathique a, n Sans énergie, indolent.

apatride a, n Personne sans nationalité.

apercevoir vt 43 Distinguer, entrevoir. *On aperçoit la côte.* ■ vpr Remarquer. *Je me suis aperçu qu'il était absent, de son absence.*

aperçu nm 1 Coup d'œil rapide. 2 Exposé sommaire.

apéritif, ive a Qui ouvre l'appétit. ■ nm Boisson prise avant les repas.

apesanteur nf PHYS Absence de pesanteur.

à-peu-près nm inv Approximation.

apeurer vt Effaroucher, effrayer.

apex nm 1 ANAT Extrémité d'un organe. 2 ASTRO Point de l'espace vers lequel le système solaire se dirige.

aphasie nf MED Perte de la parole ou trouble du langage consécutif à une lésion cérébrale.

aphasique a, n Atteint d'aphasie.

aphélie nm ASTRO Point de l'orbite d'une planète le plus éloigné du Soleil.

aphérèse nf LING Chute d'un ou de plusieurs sons au début d'un mot (ex. : *bus* pour *autobus*). Ant. apocope.

aphone a Qui n'a plus de voix.

aphorisme nm Phrase sentencieuse d'une concision frappante.

aphrodisiaque a, nm Qui stimule les désirs sexuels.

aphte nm MED Petite ulcération de la muqueuse buccale.

aphteux, euse a MED Accompagné d'aphtes.

api nm Loc *Pomme d'api :* petite pomme dont une face est rouge vif.

à-pic nm Pente abrupte. *Des à-pics.*

apical, ale, aux a, nf PHON Prononcé avec la pointe de la langue contre le palais.

apicole a De l'apiculture.

apiculteur, trice n Éleveur d'abeilles.

apiculture nf Art d'élever les abeilles pour le miel.

apitoyer vt 22 Toucher de pitié. ■ vpr Éprouver de la pitié.

aplanir vt 1 Rendre plan, uni. 2 Atténuer. *Aplanir les difficultés.*

aplat nm Surface d'une seule teinte dans un tableau, une gravure.

aplatir vt Rendre plat. ■ vpr 1 Plaquer son corps contre qqch. *S'aplatir au sol.* 2 Faire des bassesses. *S'aplatir devant son chef.*

aplomb nm 1 Direction verticale indiquée par le fil à plomb. 2 Position d'équilibre du corps. *Perdre l'aplomb.* 3 Grande assurance proche de l'effronterie. *Ne pas manquer d'aplomb.* Loc *D'aplomb :* exactement vertical ; en bonne santé.

apnée nf Arrêt des mouvements respiratoires.

apocalypse nf Catastrophe épouvantable.

apocalyptique *a* Épouvantable et fantastique.

apocope *nf* LING Chute de sons à la fin d'un mot (ex. : *auto* pour *automobile*). Ant. aphérèse.

apocryphe *a, nm* Se dit d'un texte faussement attribué à un auteur. Ant. authentique.

apogée *nm* 1 ASTRO Point le plus éloigné de la Terre où l'orbite d'un astre, d'un satellite. 2 Degré le plus élevé. *L'apogée d'une civilisation.*

apolitique *a, n* Qui se situe en dehors de la lutte politique.

apologétique *a* Qui constitue une apologie.

apologie *nf* Justification ou éloge de qqn ou de qqch.

aponévrose *nf* ANAT Membrane fibreuse qui enveloppe les muscles.

apophtegme *nm* Litt Maxime, sentence mémorable.

apophyse *nf* ANAT Partie saillante d'un os.

apoplectique *a, n* Relatif ou prédisposé à l'apoplexie.

apoplexie *nf* Brusque perte de connaissance, due le plus souvent à une hémorragie cérébrale.

aporie *nf* PHILO Contradiction sans issue.

apostasie *nf* Abandon public d'une religion, d'une doctrine, d'un parti.

apostat *nm* Qui a fait acte d'apostasie.

a posteriori *a, inv* 1 À partir de l'expérience, des faits. Ant. a priori.

apostille *nf* DR Annotation en marge d'un acte.

apostolat *nm* 1 Mission d'un apôtre. 2 Tâche exigeant une générosité exceptionnelle.

apostolique *a* 1 Qui est propre à un apôtre. 2 Qui émane du Saint-Siège.

apostrophe *nf* 1 Interpellation brusque et désobligeante. 2 Signe qui marque l'élision d'une voyelle. *S'il le faut, j'irai.*

apostropher *vt* Interpeller qqn brutalement et sans égards.

apothème *nm* GEOM Perpendiculaire abaissée du centre d'un polygone régulier sur un des côtés ou hauteur d'un des triangles formant les faces d'une pyramide régulière.

apothéose *nf* 1 HIST Déification des empereurs romains après leur mort. 2 Honneurs extraordinaires rendus à qqn. 3 Partie finale la plus brillante de qqch.

apothicaire *nm* Vx Pharmacien. Loc *Comptes d'apothicaire* : très compliqués ou fortement majorés.

apôtre *nm* 1 Chacun des douze disciples que Jésus-Christ choisit pour prêcher l'Évangile. 2 Ardent propagateur d'une idée, d'une doctrine.

apparaître *vi* 55 [aux être ou avoir] 1 Devenir visible, se manifester. 2 Se faire jour, se découvrir. *Son hypocrisie apparaît enfin.* 3 (avec attribut) Sembler. *Le problème apparaît insoluble.*

apparat *nm* Faste solennel. Loc *Apparat critique* : ensemble des notes et des variantes d'un texte.

apparatchik *nm* Membre de l'appareil d'un parti, d'un syndicat.

appareil *nm* 1 Ensemble de pièces organisées pour fonctionner ensemble. *Appareil photographique.* 2 Téléphone. 3 Avion. *L'appareil s'est écrasé.* 4 Ensemble des cadres administratifs d'un parti, d'une organisation. 5 Ensemble d'organes qui remplissent une fonction dans le corps. *Appareil respiratoire, digestif.* 6 Disposition des pierres dans un ouvrage de maçonnerie.

appareillage *nm* 1 Ensemble d'appareils, de dispositifs. *Appareillage électrique.* 2 Ensemble des manœuvres d'un navire qui appareille.

appareiller *vt* 1 Mettre ensemble des choses pareilles. 2 Pourvoir qqn d'une prothèse. ■ *vi* MAR Faire les manœuvres nécessaires pour quitter le mouillage.

apparemment [-Ramã] *av* Selon les apparences.

apparence *nf* 1 Aspect extérieur de qqch ou de qqn. 2 Ce que qqch ou qqn semble être, par oppos. à la réalité.

apparent, ente *a* 1 Qui apparaît clairement. *Un détail apparent.* 2 Qui n'est pas tel qu'il paraît être. *Un calme apparent.*

apparentement nm Alliance électorale permettant des reports de voix d'une liste sur une autre.

apparenter (s') vpr 1 S'allier par un mariage. 2 Conclure un apparentement. 3 Avoir des points communs, une ressemblance avec.

apparier vt Assortir par paires, par couples.

appariteur nm Huissier d'une université.

apparition nf 1 Action d'apparaître. 2 Vision d'un être surnaturel.

appartement nm Logement de plusieurs pièces dans un immeuble collectif.

appartenance nf Fait d'appartenir.

appartenir vti 35 1 Être la propriété de qqn en vertu d'un droit, d'une autorité. 2 Faire partie d'un ensemble, d'un groupe. Loc Il vous appartient de (+ inf) : il est de votre rôle de.

appas nmpl Litt Charmes d'une femme.

appât nm 1 Pâture employée pour attirer les animaux qu'on veut prendre. 2 Ce qui attire. L'appât du gain.

appâter vt 1 Attirer avec un appât. 2 Séduire par des offres alléchantes.

appauvrir vt Rendre pauvre. ■ vpr Devenir pauvre.

appauvrissement nm Action d'appauvrir ; fait de s'appauvrir.

appeau nm Instrument pour attirer les oiseaux en imitant leur cri.

appel nm 1 Action d'appeler par la voix, par un geste. 2 Action de convoquer des militaires. 3 Incitation à, invitation. Appel à la révolte. Faire appel au bon sens. 4 DR Recours à un tribunal supérieur. Loc Appel d'air : courant d'air facilitant la combustion. Prix, produit d'appel : destinés à attirer la clientèle.

appelé nm Jeune homme convoqué pour faire son service militaire.

appeler vt 18 1 Inviter à venir par la voix ou le geste. 2 Désigner qqn pour qu'il occupe un poste. 3 Téléphoner à. Je vous appellerai demain. 4 Rendre nécessaire, entraîner. Cette question appelle une réponse. 5 Nommer, donner un nom à. J'appellerai mon fils Jean. ■ vti Loc En appeler à : recourir à, se réclamer de. ■ vpr Avoir pour nom. Il s'appelle Jean.

appellatif nm LING Mot pouvant servir à interpeller qqn (ex. : monsieur, maman).

appellation nf 1 Façon de nommer qqn ou qqch. Une appellation injurieuse. 2 Dénomination garantissant l'origine d'un produit. Un vin d'appellation contrôlée.

appendice [-pē-] nm 1 Prolongement d'une partie principale. 2 ANAT Petite poche allongée, au bout du gros intestin. 3 Supplément placé à la fin d'un livre.

appendicectomie [-pē-] nf CHIR Ablation de l'appendice.

appendicite [-pē-] nf Inflammation aiguë ou chronique de l'appendice.

appentis [apāti] nm 1 Toit d'un seul versant reposant sur des piliers. 2 Petite construction s'appuyant contre un bâtiment.

appenzell nm Variété de gruyère suisse.

appertisation nf Stérilisation de la chaleur des aliments dans un récipient clos.

appesantir vt Rendre plus pesant. ■ vpr 1 Devenir plus pesant. 2 Insister sur. S'appesantir sur un sujet.

appétence nf Litt Inclination qui pousse à satisfaire un désir, un besoin.

appétissant, ante a Qui excite l'appétit, le désir.

appétit nm 1 Désir de manger. 2 Désir impérieux de qqch. Appétit de savoir.

applaudir vt Approuver en battant des mains. ■ vti Approuver qqch avec enthousiasme. Applaudir à une initiative.

applaudissement nm (surtout au pl) Battement répété des mains l'une contre l'autre en signe d'approbation, d'enthousiasme.

applicable a Qui doit ou peut être appliqué. Loi difficilement applicable.

applicateur nm Instrument qui permet d'appliquer un produit.

application nf 1 Action d'appliquer une chose sur une autre. 2 Emploi de qqch à une destination particulière. 3 Mise en pratique. 4 Attention soutenue à l'étude.

applique nf Appareil d'éclairage qui se fixe au mur.

appliqué, ée a Studieux, attentif. Loc Sciences appliquées : qui recherchent les applications des découvertes.

appliquer vt **1** Mettre une chose au contact d'une autre, de façon qu'elle la recouvre. **2** Réaliser, mettre en pratique. *Appliquer une théorie, un conseil.* ■ vpr **1** S'adapter à, être applicable. *La règle s'applique à tous.* **2** Mettre tout son soin à faire qqch. *S'appliquer au travail.*

appoint nm Complément exact en menue monnaie d'une somme que l'on doit. Loc *D'appoint* : qui s'ajoute à qqch, qui complète.

appointements nmpl Salaire attaché à un emploi.

appointer vt Rétribuer.

appontage nf Prise de contact d'un avion avec le pont d'un porte-avions.

appontement nm Construction qui permet l'accostage des bateaux.

apport nm **1** Action d'apporter. **2** Ce qui est apporté. *L'apport de la science à la technique.*

apporter vt **1** Porter à qqn. *Apportez-moi ce livre.* **2** Porter soi-même en venant. *Apporter ses outils.* **3** Fournir pour sa part. *Apporter des capitaux.* **4** Employer, mettre. *Apporter tous ses soins à une affaire.* **5** Causer, produire. *L'électricité a apporté de grands changements.*

apposer vt Appliquer, mettre qqch sur.

apposition nf **1** Action d'apposer. **2** GRAM Mot ou groupe de mots qui, placé à côté d'un nom ou d'un pronom, lui donne une qualification sans l'intermédiaire d'un verbe (ex. : *Paris, capitale de la France*).

appréciable a Dont on peut donner une estimation. **2** Important, digne d'estime.

appréciation nf **1** Estimation, évaluation. **2** Cas que l'on fait d'une chose.

apprécier vt **1** Estimer, évaluer le prix d'une chose. **2** Évaluer approximativement une grandeur. **3** Avoir de l'estime pour. *Apprécier qqn.* ■ vpr Prendre de la valeur. *Le franc s'est apprécié.*

appréhender vt **1** Prendre, arrêter qqn. *Appréhender un voleur.* **2** Craindre par avance, redouter. **3** Saisir par l'esprit. *Appréhender la réalité.*

appréhension nf Crainte, anxiété vague.

apprenant, ante n Qui apprend.

apprendre vt **70** **1** Acquérir des connaissances sur, étudier. **2** Se mettre dans la mémoire. *Apprendre une leçon.* **3** Acquérir les connaissances nécessaires pour. *Apprendre à lire.* **4** Être informé de. *J'apprends votre arrivée.* **5** Faire connaître, enseigner qqch à qqn. *Il lui apprend l'anglais.*

apprenti, ie n **1** Qui apprend un métier. **2** Personne qui est malhabile. Loc *Apprenti sorcier* : celui qui provoque des événements graves qu'il ne peut plus maîtriser.

apprentissage nm **1** Acquisition d'une formation professionnelle. **2** Litt Première expérience. *L'apprentissage de la vie.*

apprêt nm **1** Préparation des étoffes, des peaux pour leur donner un bel aspect. **2** Matériau dont on enduit un support avant de le peindre. **3** Litt Recherche, affectation du style, des manières.

apprêté, ée a Peu naturel, maniéré.

apprêter vt **1** Préparer, mettre en état. **2** Donner l'apprêt à un cuir, une étoffe. ■ vpr **1** Se préparer à, être sur le point de. *S'apprêter à partir.* **2** S'habiller, revêtir une toilette.

apprivoisement nm Action d'apprivoiser.

apprivoiser vt **1** Rendre un animal moins farouche, plus familier. **2** Rendre qqn plus sociable, plus doux. ■ vpr Devenir moins farouche, plus sociable.

approbateur, trice a, n Qui approuve.

approbatif, ive a Qui exprime l'approbation.

approbation nf **1** Agrément, consentement que l'on donne. **2** Jugement favorable, marque d'estime.

approchable a Dont on peut s'approcher.

approchant, ante a Qui se rapproche de qqch, qui lui est comparable.

approche nf **1** Action de s'approcher ; mouvement par lequel on se dirige vers qqn, qqch. *Approcher une table du mur.* **2** Abusiv Manière d'aborder une question, premier aperçu. **3** Arrivée, venue de qqch. *À l'approche de la vieillesse.* ■ pl Ce qui est à proximité ; les parages.

approcher vt **1** Mettre près de qqn ou de qqch. *Approcher une table du mur.* **2** Venir près de qqn. *Ne m'approchez pas.* **3** Avoir libre accès auprès de qqn. ■ *vti, vi* **1** Venir près de qqn, de qqch. *Nous approchons de Dijon.* **2** Être près de. *Approcher du but.* ■ *vpr* **1** Se mettre auprès de. **2** Avoir de la ressemblance avec.

approfondir *vt* **1** Rendre plus profond. **2** Étudier plus à fond. *Approfondir une question.* ■ *vpr* Devenir plus profond.

approfondissement *nm* Action d'approfondir.

appropriation *nf* **1** Action de rendre propre à une utilisation. **2** Action de s'attribuer qqch.

approprier *vt* Rendre propre ou conforme à. ■ *vpr* S'emparer de, s'attribuer.

approuver *vt* **1** Donner son consentement à qqch. **2** Juger louable, digne d'estime.

approvisionnement *nm* **1** Action d'approvisionner. **2** Ensemble des provisions réunies.

approvisionner *vt* Fournir en provisions, en choses nécessaires.

approximatif, ive *a* Qui résulte d'une approximation ; peu précis.

approximation *nf* Estimation, évaluation peu rigoureuse.

approximativement *av* De façon approximative.

appui *nm* **1** Ce qui sert de soutien, de support. **2** Assistance matérielle, aide.

appuie-tête *nm* Dispositif réglable sur le dossier d'un siège pour maintenir la tête. *Des appuie-têtes.*

appuyer *vt 21* Soutenir par un appui. ■ *vti* **1** Exercer une pression sur. *Appuyer sur l'accélérateur.* **2** Insister avec force sur. *Appuyer sur un argument.* ■ *vpr* **1** Se servir de qqch comme d'un appui. *S'appuyer sur son coude.* **2** Se fonder sur. *S'appuyer sur sa théorie.* **3** Fam Accomplir une tâche désagréable.

apraxie *nf* MED Incapacité de coordonner des mouvements volontaires.

âpre *a* **1** Désagréable par sa rudesse. *Un froid âpre. Un goût âpre.* **2** Rude, violent. *Une discussion âpre.*

âprement *av* Avec âpreté.

après *prép* À la suite de, dans le temps, l'espace ou le rang. **Loc** *D'après :* selon, suivant. ■ *av* Ensuite. *Il est arrivé après.*

après-demain *av* Le second jour après aujourd'hui.

après-guerre *nm* et *nf* Période qui suit une guerre. *Des après-guerres.*

après-midi *nm inv* ou *nf inv* Période de temps comprise entre midi et le soir.

après-rasage *nm* Produit de toilette (lotion, crème) destiné à adoucir la peau après le rasage. *Des après-rasages.*

après-ski *nm inv* Chaussure de repos à tige montante, que l'on met aux sports d'hiver quand on ne skie pas.

après-soleil *nm* Produit cosmétique que l'on applique après l'exposition au soleil.

après-vente *a inv* **Loc** *Service après-vente :* assuré à un client après l'achat d'une machine ou d'un appareil.

âpreté *nf* Caractère de ce qui est âpre.

a priori *av* **1** D'après des principes antérieurs à l'expérience. **2** À première vue. Ant. a posteriori. ■ *nm inv* Position de principe, préjugé.

à-propos *nm inv* Ce qui convient bien aux circonstances.

apte *a* Propre à, qui réunit les conditions requises pour. *Apte à un emploi.*

aptère *a* ZOOL Dépourvu d'ailes.

aptéryx *nm* Nom scientifique du kiwi (oiseau).

aptitude *nf* **1** Don naturel. *Des aptitudes pour le dessin.* **2** Capacité, compétence acquise. *Certificat d'aptitude professionnelle.*

apurer *vt* Vérifier un compte, s'assurer qu'il est en règle.

aquacole [-kwa-] ou **aquicole** [-kɥi-] *a* De l'aquaculture.

aquaculture [-kwa-] ou **aquiculture** *nf* Élevage et culture des êtres vivants aquatiques (animaux et végétaux).

aquafortiste [-kwa-] *n* Graveur à l'eau-forte.

aquaplanage ou **aquaplaning** [akwa-planiŋ] *nm* Perte d'adhérence des roues d'une automobile sur sol mouillé.

aquaplane [-kwa-] *nm* Sport consistant à se tenir sur une planche tirée par un canot.

aquarelle [-kwa-] *nf* Peinture sur papier avec des couleurs délayées dans l'eau.

aquarellé, ée [-kwa-] *a* Colorié à l'aquarelle.

aquarelliste [-kwa-] *n* Peintre d'aquarelles.

aquariophilie [-kwa-] *nf* Élevage de poissons d'ornement en aquarium.

aquarium [akwaʀjɔm] *nm* Bassin ou bocal à parois transparentes où l'on élève des animaux et des plantes aquatiques.

aquatinte [-kwa-] *nf* Gravure à l'eau-forte imitant le lavis, l'aquarelle.

aquatique [-kwa-] *a* Qui vit dans l'eau ou au bord de l'eau. *Plantes aquatiques.*

aqueduc *nm* Canal destiné à conduire l'eau d'un lieu à un autre.

aqueux, euse *a* Qui contient de l'eau. *Des fruits aqueux.*

aquifère [-kɥi-] *a* Qui contient de l'eau. ■ *nm* Nappe aquifère souterraine.

aquilin *am* Loc *Nez aquilin :* courbé en bec d'aigle.

aquilon *nm* Litt Vent du nord.

ara *nm* Perroquet d'Amérique du Sud.

arabe *a, n* D'Arabie et des pays qui parlent l'arabe. Loc *Chiffres arabes :* les chiffres de la numération usuelle (1, 2, 3, etc.) par opposition aux chiffres romains. ■ *nm* Langue sémitique parlée de l'Afrique du Nord au Proche-Orient.

arabesque *nf* 1 Ornement formé de combinaisons capricieuses de fleurs, de fruits, de lignes, etc. 2 Ligne sinueuse, irrégulière.

arabica *nm* Variété de café très appréciée.

arabique *a* D'Arabie.

arabiser *vt* Donner le caractère arabe, des mœurs arabes à.

arabisme *nm* 1 Tournure propre à la langue arabe. 2 Nationalisme arabe.

arable *a* Labourable, cultivable.

arabophone *a, n* De langue arabe.

arachide *nf* Plante des pays chauds cultivée pour ses graines (cacahuètes) dont on extrait une huile.

arachnéen, enne [arak-] *a* Fin et léger comme une toile d'araignée.

arachnide [arak-] *nm* ZOOL Arthropode faisant partie d'une classe comprenant les araignées, les scorpions, etc.

arachnoïde [arak-] *nf* ANAT Une des membranes du cerveau.

araignée *nf* 1 Arthropode qui tisse des toiles, pièges à insectes. 2 Grand filet de pêche rectangulaire. 3 Morceau du bœuf utilisé en biftecks. Loc *Araignée de mer :* grand crabe à la carapace épineuse et aux pattes longues.

araire *nm* Charrue simple, dépourvue d'avant-train.

araméen, enne *a* Relatif aux Araméens. ■ *nm* Langue sémitique ancienne.

aramon *nm* Cépage rouge du Midi.

araser *vt* 1 Mettre de niveau un mur, un terrain. 2 Réduire à ses dimensions exactes une pièce d'assemblage.

aratoire *a* Qui sert au labourage.

araucaria *nm* Conifère tropical, à usage ornemental en France.

arbalète *nf* Arc puissant monté sur un fût et bandé à l'aide d'un mécanisme.

arbalétrier *nm* 1 Qui était armé d'une arbalète. 2 Poutre inclinée supportant un toit.

arbitrage *nm* 1 Action d'arbitrer. 2 Règlement d'un différend par un arbitre. 3 Opération boursière de vente et d'achat simultanés, qui permet de réaliser un profit fondé sur la différence des cotes.

arbitragiste *n* Spécialiste des arbitrages en Bourse.

arbitraire *a* 1 Qui est laissé à la volonté de chacun. *Choix arbitraire.* 2 Qui dépend uniquement du caprice d'un homme ; despotique. ■ *nm* Autorité que ne borne aucune règle.

arbitrairement *av* De façon arbitraire.

arbitre *nm* 1 Personne choisie d'un commun accord par les parties intéressées pour régler le différend qui les oppose. 2 Qui veille à

arbitrer

la régularité d'une compétition sportive. **Loc Libre arbitre :** pouvoir qu'a la raison humaine de se déterminer librement.

arbitrer vt Régler en qualité d'arbitre. *Arbitrer un conflit.*

arbois nm Vin du Jura.

arboré, ée a Planté d'arbres dispersés.

arborer vt 1 Hisser un drapeau, le faire voir. 2 Porter sur soi avec fierté. *Arborer un insigne.*

arborescence nf État arborescent.

arborescent, ente a Dont la forme rappelle un arbre, qui présente des ramifications.

arboretum [-Retɔm] nm Parc botanique planté de nombreuses espèces d'arbres.

arboricole a Qui vit dans les arbres.

arboriculteur, trice n Spécialiste de la culture des arbres.

arboriculture nf Culture des arbres.

arborisation nf Dessin de forme arborescente.

arbouse nf Fruit de l'arbousier.

arbousier nm Arbrisseau du Midi.

arbovirus nm Virus transmis par une piqûre d'insecte.

arbre nm 1 Végétal ligneux de grande taille, dont la tige (tronc), simple à la base, ne se ramifie qu'à partir d'une certaine hauteur. 2 Axe entraîné par un moteur et transmettant le mouvement de rotation à un organe, à une machine. **Loc Arbre généalogique :** figure arborescente dont les rameaux, partant d'une souche commune, représentent la filiation des membres d'une famille.

arbrisseau nm Petit arbre au tronc ramifié dès la base.

arbuste nm Petit arbrisseau.

arc nm 1 Arme formée d'une tige de bois ou de métal, courbée par une corde tendue entre ses extrémités et servant à lancer des flèches. 2 Courbure d'une voûte, du sommet d'une baie. 3 GEOM Portion de courbe. **Loc Arc de triomphe :** portique monumental consacrant le souvenir d'un personnage ou d'un événement glorieux.

arcade nf ARCHI Ouverture en forme d'arc dans sa partie supérieure. **Loc Arcade sourcilière :** partie courbe de l'os frontal, à l'endroit des sourcils. **Jeu d'arcade :** jeu vidéo installé dans un lieu public. ■ **pl** Galerie couverte.

arcanes nmpl Litt Secrets, mystères.

arc-boutant nm ARCHI Maçonnerie en arc, qui sert de soutien extérieur à un mur ou à une voûte. *Des arcs-boutants.*

arc-bouter vt Soutenir par un arc-boutant. ■ **vpr** Se caler solidement pour exercer un effort.

arceau nm 1 Partie cintrée d'une voûte. 2 Tige courbe formant un petit arc.

arc-en-ciel nm Phénomène lumineux en forme d'arc apparaissant dans le ciel et présentant les sept couleurs du spectre. *Des arcs-en-ciel.*

archaïque [-ka-] a 1 Qui n'est plus en usage ; démodé. 2 Qui a un caractère primitif.

archaïsme [-ka-] nm 1 Caractère de ce qui est désuet. 2 Mot, expression sortis de l'usage contemporain.

archange [-kɑ̃ʒ] nm Ange d'un rang supérieur.

arche nf 1 Voûte en arc soutenant le tablier d'un pont. 2 Vaisseau construit par Noé, selon la Bible, pour échapper au Déluge.

archéologie [-ke-] nf Étude des civilisations anciennes par leurs vestiges matériels.

archéologique [-ke-] a De l'archéologie.

archéologue [-ke-] n Spécialiste d'archéologie.

archéoptéryx [-ke-] nm GEOL Le plus ancien oiseau fossile connu, de l'ère secondaire.

archer nm Tireur à l'arc.

archet nm Baguette flexible tendue de crins, et qui sert à faire vibrer les cordes de certains instruments (violon, etc.).

archèterie nf Fabrication des archets.

archétype [-ke-] nm Type primitif ou idéal ; modèle originel.

archevêché nm 1 Étendue de la juridiction d'un archevêque. 2 Résidence d'un archevêque.

archevêque nm Prélat placé à la tête d'une circonscription ecclésiastique comprenant plusieurs diocèses.

archiduc, archiduchesse n HIST Prince, princesse de la maison d'Autriche.

archiépiscopal, ale,aux *a* De l'archevêque.

archipel *nm* Groupe d'îles.

archiprêtre *nm* Titre donnant une prééminence honorifique à certains curés.

architecte *nm* Professionnel qui conçoit des plans d'édifices et en dirige la construction.

architectonique *nf* Structure, organisation générale de qqch.

architectural, ale,aux *a* De l'architecture.

architecture *nf* **1** Art de construire des édifices. *Diplôme d'architecture.* **2** Disposition, ordonnance, style d'un bâtiment. *Architecture baroque.* **3** Structure, organisation de qqch. *Architecture d'un ordinateur.*

architrave *nf* ARCHI Partie inférieure de l'entablement reposant directement sur les chapiteaux des colonnes.

archivage *nm* Action d'archiver.

archiver *vt* Classer dans les archives une pièce, un écrit, un document.

archives *nfpl* **1** Documents anciens concernant une famille, une société, une entreprise, un lieu, un État. **2** Lieu où l'on conserve ces documents.

archiviste *n* Chargé de la conservation des archives.

arçon *nm* **1** Armature d'une selle. **2** Rameau de vigne courbé en arc.

arctique *a* Situé vers le pôle Nord.

ardéchois, oise *a, n* De l'Ardèche.

ardemment [-damã] *av* Avec ardeur.

ardennais, aise *a, n* Des Ardennes.

ardent, ente *a* **1** Qui brûle, qui chauffe vivement. **2** Plein d'ardeur, enthousiaste, fougueux. **3** Vif, violent.

ardeur *nf* **1** Chaleur vive. **2** Vivacité, entrain. *Travailler avec ardeur.*

ardillon *nm* Pointe de métal d'une boucle pour arrêter la courroie.

ardoise *nf* **1** Schiste à grain fin, habituellement gris foncé, qui se clive en plaques minces utilisées pour les toitures. **2** Tablette sur laquelle on écrit ou dessine. **3** Fam Total des sommes dues pour des marchandises achetées à crédit.

ardoisière *nf* Carrière d'ardoise.

ardu, ue *a* Difficile à résoudre.

are *nm* Unité de surface pour les mesures de terrains, valant 100 m².

arec ou **aréquier** *nm* Palmier qui fournit le chou-palmiste, le bétel, le cachou.

aréique *a* GEOGR Qui n'a pas d'écoulement régulier des eaux.

arène *nf* **1** Partie sablée au centre d'un amphithéâtre romain. **2** GEOL Sable grossier. ■ *pl* **1** Amphithéâtre romain. **2** Amphithéâtre où se déroulent des courses de taureaux.

arénicole *a* SC NAT Qui vit dans le sable.

aréole *nf* ANAT Cercle coloré qui entoure le mamelon du sein.

aréomètre *nm* Instrument indiquant la densité d'un liquide.

aréopage *nm* **1** HIST (avec majusc) Tribunal athénien qui siégeait sur la colline consacrée au dieu Arès. **2** Litt Assemblée de savants, de personnes compétentes.

aréquier. V. arec.

arête *nf* **1** Os long et mince propre aux poissons. **2** Ligne formée par la rencontre de deux versants, de deux plans.

argent *nm* **1** Métal précieux blanc et peu oxydable. **2** Toute espèce de monnaie : billets de banque, pièces, etc. **3** Richesse.

argenté, ée *a* **1** Recouvert d'argent. **2** Qui évoque la couleur de l'argent.

argenter *vt* Couvrir d'une couche d'argent.

argenterie *nf* Vaisselle, ustensiles d'argent.

argentier *nm* HIST Surintendant des Finances royales.

argentifère *a* Qui contient de l'argent.

1. argentin, ine *a* Qui a le même son clair que l'argent.

2. argentin, ine *a, n* De l'Argentine.

argenture *nf* **1** Couche d'argent appliquée sur un objet. **2** Action d'argenter.

argile *nf* Roche terreuse (glaise), donnant une pâte plastique imperméable lorsqu'elle est imprégnée d'eau et qui, après cuisson, donne des poteries, des tuiles, etc.

argileux, euse *a* Qui contient de l'argile.

argon *nm* Gaz rare de l'air, incolore et inodore.

argonaute *nm* Mollusque céphalopode.

argot *nm* Langage particulier à une catégorie sociale ou professionnelle, en partic. langage des malfaiteurs, du milieu.

argotique *a* De l'argot.

argotisme *nm* Expression argotique.

arguer [-gɥe] *vt, vti* Tirer un argument, un prétexte, une conclusion de qqch. *Que voulez-vous arguer de ce fait. Arguer de sa bonne foi.*

argument *nm* **1** Raisonnement tendant à établir une preuve, à fonder une opinion. **2** Résumé succinct du sujet d'un ouvrage littéraire, dramatique.

argumentaire *nm* Liste d'arguments.

argumentation *nf* **1** Le fait, l'art d'argumenter. **2** Ensemble d'arguments tendant à une conclusion.

argumenter *vi* Exposer des arguments. ■ *vt* Justifier qqch par des arguments.

argus [-gys] *nm* Publication qui fournit des renseignements spécialisés.

argutie [-si] *nf* Raisonnement exagérément subtil et minutieux.

1. aria *nf* Air, mélodie, accompagné par un ou plusieurs instruments.

2. aria *nm* Litt Souci, tracas, embarras.

arianisme *nm* Hérésie d'Arius qui niait le dogme de la Sainte-Trinité.

aride *a* **1** Sec, stérile, sans végétation. *Sol aride.* **2** Dépourvu de tendresse, de sensibilité. **3** Dépourvu d'attrait, peu engageant.

aridité *nf* **1** Sécheresse. **2** Manque d'attrait.

ariégeois, oise *a, n* De l'Ariège.

arien, enne *n, a* Partisan de l'arianisme.

ariette *nf* Petite mélodie, air de style léger, aimable ou tendre.

aristocrate *n, a* Membre de l'aristocratie.

aristocratie *nf* **1** Classe des nobles. **2** Ensemble de ceux qui constituent l'élite dans un domaine quelconque.

aristocratique *a* De l'aristocratie.

aristoloche *nf* Plante grimpante aux fleurs en forme de cornet.

aristotélicien, enne *a, n* Qui concerne ou professe l'aristotélisme.

aristotélisme *nm* Doctrine d'Aristote.

arithmétique *nf* Partie des mathématiques consacrée à l'étude des nombres. ■ *a* Qui repose sur les nombres.

arlequin *nm* Personnage comique au costume bigarré.

arlésien, enne *a, n* D'Arles. Loc Fam *L'Arlésienne :* personne qu'on ne voit jamais.

armada *nf* Grande quantité de personnes, de véhicules.

armagnac *nm* Eau-de-vie de vin.

armateur *nm* Qui équipe et exploite un navire de commerce ou de pêche.

armature *nf* **1** Ensemble d'éléments destinés à accroître la rigidité d'une pièce, d'un ouvrage ou d'un matériau. **2** Ce qui constitue l'élément essentiel, le soutien, le cadre d'une organisation. **3** MUS Ensemble des altérations (dièses et bémols) placées à la clef et indiquant la tonalité d'un morceau de musique.

arme *nf* **1** Instrument qui sert à attaquer ou à se défendre. **2** Moyen employé pour combattre un adversaire. **3** Chacune des grandes divisions de l'armée correspondant à une activité spécialisée. ■ *pl* Armoiries. Loc *Maître d'armes :* professeur d'escrime.

armé, ée *a* **1** Muni d'une arme. **2** Pourvu d'une armature. *Béton armé.*

armée *nf* **1** Ensemble des forces militaires d'un État. **2** Grande unité réunissant plusieurs corps. **3** Grand nombre, foule. *Une armée d'admirateurs.* Loc *Corps d'armée :* partie d'une armée comprenant plusieurs divisions avec des troupes de toutes armes.

armement *nm* **1** Action d'armer. **2** Ensemble des armes équipant qqn, qqch. **3** Action d'armer un navire.

arménien, enne *a, n* De l'Arménie. ■ *nm* Langue indo-européenne du Caucase.

armer *vt* **1** Pourvoir d'armes. **2** Garnir d'une armature. **3** Mettre en état de fonctionnement certains mécanismes. **4** Équiper un navire de tout ce qui lui est nécessaire pour naviguer. **5** Munir de qqch. ■ *vpr* **1** Se munir d'armes. **2** Se munir de qqch. *Armez-vous de patience !*

armistice *nm* Suspension des hostilités après accord entre les belligérants.

armoire *nf* Meuble haut destiné au rangement, fermé par une ou plusieurs portes.

armoiries *nfpl* Emblèmes propres à une famille noble, à une collectivité.

armoise *nf* Plante aromatique.

armoricain, aine *a, n* De l'Armorique.

armorier *vt* Orner d'armoiries.

armure *nf* 1 Ensemble des pièces métalliques qui protégeaient autrefois les guerriers. 2 Mode d'entrecroisement des fils d'un tissu.

armurerie *nf* 1 Technique de la fabrication des armes. 2 Boutique, atelier d'un armurier.

armurier *nm* Qui fabrique ou vend des armes.

a.r.n. *nm* Sigle désignant l' *acide ribonucléique* qui joue un rôle dans le message génétique.

arnaque *nf* Pop Escroquerie, tromperie.

arnaquer *vt* Pop Escroquer, duper.

arnaqueur, euse *n* Pop Qui arnaque.

arnica *nf* Plante à usage médicinal.

arobase ou **arobas** *nf* Signe @ du clavier du micro-ordinateur, utilisé dans les adresses électroniques.

aromate *nm* Substance végétale odoriférante.

aromatique *a* Qui dégage un parfum.

aromatisant, ante *a, nm* Qui sert à aromatiser.

aromatiser *vt* Parfumer avec une substance aromatique.

arôme *nm* Odeur agréable qui se dégage de certaines substances.

arpège *nm* MUS Exécution successive de toutes les notes d'un accord.

arpent *nm* Ancienne mesure agraire qui valait de 20 à 50 ares.

arpenter *vt* 1 Mesurer la superficie d'un terrain. 2 Parcourir à grands pas.

arpenteur *nm* Spécialiste de la mesure des terrains et du calcul des surfaces.

arquebuse *nf* Ancienne arme à feu portative.

arquebusier *nm* Soldat armé d'une arquebuse.

arquer *vt* Courber en arc. ■ *vi* 1 Devenir courbe. 2 Pop Marcher.

arrachage *nm* Action d'arracher.

arraché *nm* Mouvement de l'haltérophile qui soulève l'haltère d'un seul mouvement.

arrachement *nm* Douleur morale intense due à une séparation, à un sacrifice.

arrache-pied (d') *av* Avec acharnement.

arracher *vt* 1 Déraciner, extraire avec effort. *Arracher une dent.* 2 Ôter de force à une personne, à une bête, ce qu'elle retient. 3 Obtenir difficilement qqch de qqn. *Arracher une promesse.* ■ *vpr* 1 Se séparer à regret, se détacher avec effort. *S'arracher du lit.* 2 Se disputer la compagnie de qqn.

arracheur, euse *a* Qui arrache. ■ *nf* Machine qui arrache les plantes, les tubercules.

arraisonnement *nm* Action d'arraisonner.

arraisonner *vt* Arrêter un navire en mer et contrôler son équipage et sa cargaison, etc.

arrangeant, ante *a* Disposé à la conciliation.

arrangement *nm* 1 Action d'arranger ; état de ce qui est arrangé. 2 Adaptation d'une œuvre musicale à d'autres instruments que ceux pour lesquels elle a été écrite. 3 Conciliation, convention amiable.

arranger *vt* 11 1 Placer dans l'ordre qui convient. 2 Régler à l'amiable. *Arranger un conflit.* 3 Convenir à. *Cela m'arrange.* 4 Remettre en état. ■ *vpr* 1 Revenir en meilleur état, aller mieux. 2 S'accorder à l'amiable.

arrangeur *nm* Adaptateur d'une œuvre musicale.

arrérages *nmpl* Termes échus d'une rente, d'une pension.

arrestation *nf* 1 Action de se saisir d'une personne pour l'emprisonner ou la garder à vue. 2 État de qqn qui est arrêté.

arrêt *nm* 1 Action d'arrêter ; fait de s'arrêter. 2 Endroit où s'arrête un véhicule de transports en commun. 3 Décision d'une juridiction supérieure. **Loc** *Mandat d'arrêt* : ordre d'arrestation. *Maison d'arrêt* : prison. ■ *pl* Sanction prise contre un officier ou un sous-officier.

arrêté, ée *a* Décidé, définitif, irrévocable. *Une volonté bien arrêtée.* ■ *nm* Décision écrite d'une autorité administrative.

arrêter *vt* 1 Empêcher d'avancer. 2 Empêcher d'agir. 3 Interrompre, faire cesser.

une hémorragie. **4** Appréhender qqn. **5** Déterminer par choix, fixer. *Arrêter une date.* ■ **vi 1** Cesser d'avancer. *Chauffeur, arrêtez !* **2** Cesser d'agir ou de parler. *Il n'arrête jamais.* ■ **vpr 1** Cesser d'aller, d'agir, de fonctionner. *Ma montre s'est arrêtée.* **2** Fixer son attention sur. *S'arrêter à l'essentiel.*

arrhes nfpl Somme donnée comme gage ou dédit de l'exécution d'un contrat.

arriération nf Loc *Arriération mentale :* faiblesse intellectuelle par rapport à la norme.

arrière nm **1** Partie postérieure d'un véhicule. **2** Territoire, population d'un pays en guerre, qui se trouve hors de la zone des combats. **3** Au football, joueur placé derrière les autres joueurs de son équipe. ■ pl Zone située derrière le front, où se trouvent les réserves et où l'on peut se replier. ■ a inv **1** Qui est à l'arrière. *Les roues arrière.* **2** Qui va vers l'arrière. *La marche arrière.*

arriéré, ée a Qui appartient à un passé révolu. *Idées arriérées.* ■ a, n Retardé dans son développement mental. ■ nm Ce qui reste dû.

arrière-ban. V. ban. *Des arrière-bans.*

arrière-boutique nf Pièce située derrière une boutique. *Des arrière-boutiques.*

arrière-cour nf Cour située à l'arrière d'un bâtiment. *Des arrière-cours.*

arrière-garde nf Partie d'une armée en mouvement chargée de protéger les arrières. *Des arrière-gardes.*

arrière-goût nm **1** Goût que laisse dans la bouche l'absorption de certains aliments, de certaines boissons. **2** Impression laissée par un événement. *Des arrière-goûts.*

arrière-grand-père nm, **arrière-grand-mère** nf Père, mère du grand-père ou de la grand-mère. *Des arrière-grands-pères, des arrière-grands-mères.*

arrière-grands-parents nmpl L'arrière-grand-père et l'arrière-grand-mère.

arrière-pays nm inv Partie d'un pays située en retrait de la zone côtière.

arrière-pensée nf Pensée, intention dissimulée, et différente de ce qu'on exprime. *Des arrière-pensées.*

arrière-petit-neveu nm, **arrière-petite-nièce** nf Fils, fille d'un petit-neveu ou d'une petite-nièce. *Des arrière-petits-neveux, des arrière-petites-nièces.*

arrière-petits-enfants nmpl, **arrière-petit-fils** nm, **arrière-petite-fille** nf Enfants, fils ou fille, d'un petit-fils ou d'une petite-fille. *Des arrière-petits-fils, des arrière-petites-filles.*

arrière-plan nm Plan d'une perspective le plus éloigné du spectateur. *Des arrière-plans.*

arrière-saison nf Fin de l'automne. *Des arrière-saisons.*

arrière-train nm **1** L'arrière du tronc et les membres postérieurs d'un animal. **2** Fam Fesses de qqn. **3** Partie postérieure d'un véhicule à quatre roues. *Des arrière-trains.*

arrimage nm Action d'arrimer.

arrimer vt **1** Répartir et fixer un chargement dans la cale d'un navire, d'un avion, etc. **2** Abusiv Assujettir une charge, amarrer.

arrivage nm **1** Arrivée de marchandises sur le lieu où elles seront vendues. **2** Ces marchandises elles-mêmes.

arrivant, ante n Qui vient d'arriver.

arrivée nf **1** Action d'arriver. **2** Lieu ou moment où l'on arrive.

arriver vi [aux être] **1** Parvenir en un lieu. **2** S'élever socialement, réussir dans sa carrière, son métier. **3** Survenir, se produire. *Ce genre de choses arrive rarement.* ■ vti Parvenir à qqch, à faire qqch.

arriviste n, a Qui vise à la réussite sociale par tous les moyens.

arrogance nf Orgueil, morgue, manières hautaines et méprisantes.

arrogant, ante a Qui a de l'arrogance.

arroger (s') vpr 11 S'attribuer illégitimement un droit, un pouvoir. *Les fonctions qu'il s'est arrogées.*

arrondir vt **1** Doter d'une forme ronde. **2** Augmenter sa fortune. **3** Supprimer les fractions pour faire une somme ronde, un poids rond. ■ vpr **1** Prendre une forme ronde. **2** Devenir plus important.

arrondissement nm 1 Action d'arrondir. 2 Division territoriale administrative d'un département, d'une ville.

arrosage nm Action d'arroser.

arroser vt 1 Humecter en répandant de l'eau ou un autre liquide. 2 Couler à travers. *La Loire arrose la Touraine.* 3 Fam Célébrer en buvant. *Arroser sa promotion.* 4 Fam Donner de l'argent à qqn pour obtenir de lui un avantage.

arroseur, euse n Qui arrose. ■ nf Véhicule qui sert au nettoyage des voies publiques.

arrosoir nm Récipient muni d'une anse et d'un bec, qui sert à arroser.

arsenal, aux nm 1 Lieu où se fabriquent, se conservent ou se réparent les navires de guerre. 2 Grande quantité d'armes. 3 Vaste ensemble de moyens d'action. *L'arsenal des lois.*

arsenic nm Élément chimique à la base d'un poison violent.

art nm 1 Activité aboutissant à la création d'œuvres de caractère esthétique (musique, peinture, sculpture, architecture, etc.) 2 Ensemble des œuvres artistiques d'une époque, d'un pays. 3 Ensemble des règles d'une activité professionnelle. 4 Manière de faire qqch, talent. *L'art de plaire.* Loc **Le septième art** : le cinéma. ■ nmpl Syn de *beaux-arts.* Loc **Arts décoratifs** ou **arts appliqués** : qui ont pour fin la décoration, l'embellissement des objets utilitaires. **Arts ménagers** : techniques concernant l'entretien de la maison.

artéfact nm Phénomènes artificiels apparaissant lors d'une expérience scientifique.

artère nf 1 Vaisseau sanguin conduisant le sang du cœur vers les organes et les tissus. 2 Grande voie de circulation.

artériel, elle a ANAT Des artères.

artériosclérose nf MED Sclérose des artères.

artérite nf MED Épaississement de la paroi artérielle.

artésien, enne a, n De l'Artois. Loc **Puits artésien** : duquel l'eau jaillit sous l'effet de la pression de la nappe souterraine.

arthrite nf Inflammation aiguë ou chronique des articulations.

arthropode nm ZOOL Animal invertébré faisant partie de l'embranchement comprenant les insectes, les arachnides, les crustacés, etc.

arthrose nf Affection chronique dégénérative non inflammatoire des articulations.

artichaut nm Plante dont on mange le cœur (ou fond), une fois qu'on a ôté les feuilles. Loc Fam **Cœur d'artichaut** : personne volage.

article nm 1 Chaque partie d'une loi, d'une convention. 2 Texte formant un tout dans un journal, un dictionnaire, etc. 3 Marchandise vendue dans un magasin. 4 GRAM Mot précédant un nom qu'il détermine et dont il indique le genre et le nombre. « Le » est un article défini. Loc **À l'article de la mort** : au dernier moment de la vie. **Faire l'article** : vanter un produit.

articulaire a ANAT Des articulations.

articulation nf 1 Mode de jonction de pièces osseuses. 2 Assemblage de deux pièces permettant leur mouvement relatif. 3 LING Manière de prononcer.

articuler vt 1 Joindre une pièce mécanique à une autre par un dispositif qui permet le mouvement. 2 Prononcer distinctement. ■ vpr 1 Être joint par une articulation. 2 Se rattacher à un ensemble complexe.

artifice nm Moyen peu naturel, visant à faire illusion. Loc **Feu d'artifice** : spectacle obtenu par la mise à feu de pièces pyrotechniques (fusées, feux de Bengale, etc.)

artificiel, elle a 1 Qui est le produit de l'activité humaine. *Fleurs artificielles.* Ant. naturel. 2 Qui manque de simplicité.

artificiellement av Par un moyen artificiel.

artificier nm Qui confectionne des pièces pour feux d'artifice ou les met en œuvre.

artificieux, euse a Litt Empreint d'artifice, de ruse.

artillerie nf 1 Matériel de guerre comprenant les canons et leurs munitions. 2 Ensemble du personnel servant ces armes.

artilleur nm Militaire de l'artillerie.

artimon nm MAR Le plus petit des mâts, situé à l'arrière d'un navire.

46

artisan, ane *n* 1 Qui exerce pour son propre compte. 2 Auteur, cause de qqch.

artisanal, ale,aux *a* Relatif à l'artisan.

artisanalement *av* De façon artisanale.

artisanat *nm* 1 Profession d'artisan. 2 Ensemble des artisans.

artiste *n* Créateur ou interprète d'œuvres d'art. ■ *n, a* Qui a du goût pour les arts, pour la beauté.

artistique *a* 1 Relatif aux arts. 2 Fait, présenté avec art.

artothèque *nf* Organisme qui prête des œuvres d'art.

arum [aʀɔm] *nm* Plante dont la fleur est entourée d'un cornet.

aryen, enne *a, n* Des Aryens.

arythmie *nf* MED Irrégularité du rythme cardiaque ou respiratoire.

as *nm* 1 Carte à jouer, face de dé, domino portant un seul symbole, un seul point. 2 Qui excelle dans un domaine, une activité. *Un as de l'aviation.* 3 Le numéro 1 au tiercé, au loto, etc.

ascendance *nf* Ensemble des ancêtres directs d'un individu, d'une lignée.

ascendant, ante *a* Qui va en montant. *Mouvement ascendant.* ■ *nm* Influence dominante, autorité exercée sur la volonté de qqn. ■ *nmpl* Les parents dont on descend.

ascenseur *nm* Appareil à déplacement vertical, servant au transport des personnes dans un immeuble.

ascension *nf* 1 Action de s'élever, de monter. *Ascension de l'air chaud.* 2 Élévation vers la réussite sociale.

ascensionnel, elle *a* Qui tend à monter, à faire monter.

ascèse *nf* Ensemble d'exercices de mortification visant à une libération spirituelle.

ascète *n* Personne qui s'impose des exercices d'ascèse.

ascidie *nf* Petit animal marin en forme d'outre, qui filtre l'eau.

ascii [aski] *nm inv* INFORM Code standardisé de représentation des caractères alphanumériques.

ascomycète *nm* BOT Champignon tel que les morilles, les truffes, les levures, etc.

ascorbique *a* Loc *Acide ascorbique* : constituant de la vitamine C.

asepsie *nf* Ensemble des procédés utilisés pour éviter toute infection microbienne.

aseptique *a* Exempt de tout microbe.

aseptisé, ée *a* Impersonnel, sans originalité.

aseptiser *vt* Rendre aseptique.

asexué, ée *a* Privé de sexe.

ashkénaze *n, a* Juif originaire d'Europe centrale, par oppos. à séfarade.

ashram *nm* En Inde, lieu où vit une communauté groupée autour d'un maître spirituel.

asiatique *a, n* De l'Asie.

asilaire *a* De l'hôpital psychiatrique.

asile *nm* 1 Lieu inviolable où l'on est à l'abri des poursuites de la justice, des persécutions, des dangers. 2 Demeure, habitation. 3 Ancien nom de l'hôpital psychiatrique.

asocial, ale,aux *a, n* Qui n'est pas adapté à la vie en société.

asparagus [-gys] *nf* Feuillage ornemental utilisé dans la confection des bouquets.

aspartam *nm* Succédané acalorique du sucre.

aspect [aspɛ] *nm* 1 Manière dont qqn ou qqch s'offre à la vue. 2 Point de vue sous lequel on peut considérer qqch. 3 LING Façon d'envisager l'action exprimée par le verbe, dans son déroulement temporel.

asperge *nf* 1 Plante potagère aux pousses comestibles. 2 Fam Personne grande et mince.

asperger *vt* 11 Arroser légèrement.

aspérité *nf* Petite saillie qui rend une surface inégale, rude.

aspersion *nf* Action d'asperger.

asphalte *nm* Bitume utilisé pour le revêtement des chaussées.

asphodèle *nm* Plante herbacée à fleurs blanches.

asphyxie *nf* 1 Arrêt ou ralentissement de la respiration. 2 Diminution, arrêt de l'activité économique.

asphyxier *vt* Causer l'asphyxie.

aspic *nm* 1 Vipère brun-rouge. 2 Viande moulée dans une gelée.

aspidistra *nm* Plante d'appartement à grandes feuilles vert foncé.

aspirant, ante *a* Qui aspire. ■ *nm* Grade des élèves officiers.

aspirateur *nm* Appareil qui sert à absorber des poussières ou des vapeurs.

aspiration *nf* 1 Action d'aspirer. 2 Mouvement de l'âme vers un idéal.

aspiré, ée *a* Loc H *aspiré* : la lettre *h* empêchant la liaison.

aspirer *vt* 1 Attirer un liquide par un vide partiel. 2 Faire pénétrer de l'air dans les poumons. 3 Émettre un son en expirant. ■ *vti* Désirer fortement, ambitionner. *Aspirer au repos.*

aspirine *nf* Médicament utilisé contre la douleur, la fièvre, etc.

assagir *vt* Rendre sage. ■ *vpr* Devenir sage.

assaillant, ante *a, n* Qui assaille.

assaillir *vt* 27 1 Attaquer vivement à l'improviste. 2 Harceler qqn par des questions, des réclamations.

assainir *vt* Rendre sain ou plus sain.

assainissement *nm* Action d'assainir.

assainisseur *nm* Appareil ou produit qui combat les odeurs désagréables.

assaisonnement *nm* 1 Action et manière d'assaisonner. 2 Ce qui sert à relever le goût.

assaisonner *vt* 1 Accommoder des aliments de façon à en relever le goût. 2 Litt Rendre plus vif, plus agréable. 3 Fam Maltraiter qqn.

assassin, ine *a* Qui blesse perfidement ; qui provoque. ■ *nm* Qui assassine, commet un assassinat.

assassinat *nm* Homicide volontaire.

assassiner *vt* Tuer avec préméditation.

assaut *nm* Attaque pour emporter de force une position.

assèchement *nm* Action d'assécher.

assécher *vt* 12 Mettre à sec.

assemblage *nm* 1 Action d'assembler, de monter. 2 Réunion de choses diverses qui forment un tout. 3 Mélange de vins dans la cuve.

assemblée *nf* 1 Réunion de plusieurs personnes en un même lieu. 2 Corps délibérant.

assembler *vt* 1 Mettre ensemble, réunir. 2 Réunir par convocation. 3 Joindre des pièces pour en former un tout. ■ *vpr* Se réunir.

assembleur, euse *n* Qui assemble. ■ *nf* Machine qui assemble les feuilles imprimées.

assener ou **asséner** *vt* 15 ou 12 Porter, donner un coup violent.

assentiment *nm* Accord, consentement.

asseoir *vt* 40 1 Placer sur son séant. 2 Établir solidement. *Asseoir sa réputation.* ■ *vpr* Se mettre sur son séant, sur un siège.

assermenté, ée *a* Qui a prêté serment.

assertion *nf* Proposition avancée comme vraie.

asservir *vt* Rendre esclave, assujettir.

asservissement *nm* 1 Action d'asservir. 2 État de ce qui est asservi ; servitude.

assesseur *nm* 1 DR Magistrat adjoint à un juge principal. 2 Personne qui en seconde une autre dans ses fonctions.

assez *av* 1 Autant qu'il faut, suffisamment. 2 Passablement, moyennement.

assidu, ue *a* 1 Qui se trouve constamment auprès de qqn ou dans un lieu. 2 Qui s'applique avec persévérance. *Élève assidu.* 3 Constant, fréquent. *Soins assidus.*

assiduité *nf* Qualité de qqn qui est assidu. ■ *pl* Empressement auprès d'une femme.

assidûment *av* De façon assidue.

assiéger *vt* 13 1 Mettre le siège devant une place, une forteresse. 2 Se rassembler devant. 3 Litt Poursuivre, obséder.

assiette *nf* 1 Pièce de vaisselle dans laquelle on mange. 2 Syn de *assiettée.* 3 Manière d'être assis, de reposer sur sa base. 4 Répartition, base de calcul de l'impôt.

assiettée *nf* Contenu d'une assiette.

assignat *nm* HIST Papier-monnaie émis pendant la Révolution française.

assignation *nf* DR Citation à comparaître en justice à un jour déterminé.

assigner *vt* 1 Attribuer qqch à qqn. 2 Fixer, déterminer. *Assigner une date de livraison.* 3 Affecter des fonds à un paiement. 4 Sommer à comparaître devant un tribunal.

assimilable *a* Qui peut être assimilé.

assimilation *nf* Action d'assimiler, de s'assimiler. Loc BOT *Assimilation chlorophyllienne* : absorption du gaz carbonique par les végétaux.

assimiler *vt* 1 Présenter, considérer comme semblable. 2 Faire adopter à un immigré les mœurs d'une population d'accueil. 3 Incorporer un aliment à son organisme. 4 Comprendre et retenir des faits, des connaissances. ■ *vpr* Se rendre semblable ; s'intégrer.

assis, ise *a* 1 Posé sur son séant. 2 Solidement établi. *Réputation bien assise.* ■ *nf* 1 Rang de pierres qu'on pose horizontalement pour construire un mur. 2 Base, fondement. ■ *nfpl* Congrès. *Assises de cardiologie.* Loc *(Cour d')assises* : tribunal qui juge les crimes.

assistant *nm* 1 Fonction d'assistant. 2 Fait d'être assisté.

assistance *nf* 1 Le fait d'assister, d'être présent. 2 Assemblée, auditoire. 3 Aide apportée à qqn. Loc *Assistance publique* : administration qui gère les établissements hospitaliers et l'aide sociale. *Société d'assistance* : qui assure dépannage et secours aux personnes qui voyagent.

assistant, ante *n* 1 Qui est présent en un lieu. 2 Qui seconde qqn. Loc *Assistant(e) social(e)* : personne dont le rôle est d'apporter une aide aux individus et aux familles dans le cadre des lois sociales. *Assistante maternelle* : nourrice.

assister *vti* Être présent. *Assister à un mariage.* ■ *vt* Aider, seconder qqn.

associatif, ive *a* Relatif aux associations.

association *nf* 1 Action d'associer des choses. *Association d'idées.* 2 Union de personnes dans un intérêt commun.

associationnisme *nm* PHILO Doctrine selon laquelle tous les phénomènes psychologiques résultent d'associations d'idées.

associé, ée *a, n* Lié par association avec une ou plusieurs personnes.

associer *vt* 1 Unir, joindre des choses. 2 Réunir des personnes dans une entreprise commune. 3 Faire participer qqn à. *On l'a as-*

socié à notre entreprise. ■ *vpr* 1 S'unir à qqn dans une entreprise commune. 2 Former une association.

assoiffer *vt* Donner soif à.

assolement *nm* AGRIC Alternance des cultures sur un terrain.

assombrir *vt* 1 Rendre sombre. 2 Attrister. ■ *vpr* 1 Devenir sombre. 2 Devenir triste, prendre une expression triste.

assombrissement *nm* Le fait de s'assombrir ; état de ce qui est assombri.

assommer *vt* 1 Étourdir, faire perdre connaissance par des coups sur la tête. 2 Accabler. *La chaleur m'assomme.* 3 Fam Ennuyer, importuner.

assommoir *nm* Vx Débit de boissons alcoolisées.

assonance *nf* VERSIF Retour du même son dans la dernière syllabe accentuée de deux vers.

assorti, ie *a* 1 En harmonie. *Couple bien assorti.* 2 Pourvu en marchandises.

assortiment *nm* Ensemble de choses, de marchandises diverses unies en un tout.

assortir *vt* Mettre ensemble des choses, des personnes qui se conviennent.

assoupir *vt* Provoquer l'engourdissement. ■ *vt* Commencer à s'endormir.

assoupissement *nm* État de demi-sommeil.

assouplir *vt* Rendre souple, flexible. ■ *vpr* Devenir souple.

assouplissement *nm* Action d'assouplir ; fait de s'assouplir.

assouplisseur *nm* Produit de rinçage qui donne de la souplesse au linge.

assourdir *vt* 1 Causer une surdité passagère à qqn. 2 Rendre moins sonore, moins éclatant.

assourdissant, ante *a* Qui assourdit.

assourdissement *nm* Action d'assourdir.

assouvir *vt* Litt Satisfaire. *Assouvir ses désirs.*

assouvissement *nm* Action d'assouvir.

assuétude *nf* MED Dépendance d'un toxicomane à une drogue.

assujettir vt 1 Litt Asservir, ranger sous sa domination. 2 Soumettre à. *Assujettir à l'impôt.* 3 Fixer solidement, immobiliser qqch. *Assujettir un chargement.* ▪ vpr Litt S'astreindre, se soumettre.

assujettissement nm Litt Action d'assujettir ; asservissement.

assumer vt Prendre la charge, la responsabilité de qqch. ▪ vpr S'accepter comme on est.

assurage nm Dispositif visant à préserver l'alpiniste ou le spéléologue en cas de chute.

assurance nf 1 Comportement confiant et ferme. *Agir avec assurance.* 2 Garantie certaine. *Donner des assurances.* 3 Contrat passé entre une personne et une société (compagnie d'assurances) qui la garantit contre des risques éventuels.

assuré, ée a 1 Hardi, sans crainte. 2 Certain, inévitable, infaillible. 3 Garanti par un contrat d'assurance. ▪ n Qui a contracté une assurance.

assurément av Certainement, sûrement.

assurer vt 1 Donner pour certain, garantir. 2 Garantir le maintien, le fonctionnement, la réalisation de qqch. 3 Garantir ou faire garantir d'un risque par contrat. 4 Préserver un alpiniste par une corde des risques de chute. ▪ vi Pop Être à la hauteur de la situation. ▪ vpr 1 Vérifier, contrôler. *S'assurer que tout va bien.* 2 Contracter une assurance couvrant tel ou tel risque.

assureur nm Qui garantit contre un risque par un contrat d'assurance.

assyrien, enne a, n De l'Assyrie.

assyriologie nf Étude de l'Orient ancien.

aster [-tɛʀ] nm Plante ornementale, à petites fleurs en forme d'étoiles.

astérie nf Étoile de mer.

astérisque nm Signe typographique (*) indiquant le plus souvent un renvoi.

astéroïde nm Petite planète.

asthénie nf MED Fatigue générale.

asthénique a, n MED Atteint d'asthénie.

asthmatique [asma-] a, n Sujet à l'asthme.

asthme [asm] nm Maladie caractérisée par des crises de suffocation.

asti nm Vin blanc mousseux d'Italie.

asticot nm Larve de la mouche à viande.

asticoter vt Fam Tracasser ; agacer.

astigmate a, n Atteint d'astigmatisme.

astigmatisme nm Défaut de vision dû à une mauvaise courbure du cristallin.

astiquer vt Frotter pour faire reluire.

astragale nm 1 ANAT Os du tarse. 2 ARCHI Moulure qui sépare le fût d'une colonne de son chapiteau.

astrakan nm Fourrure à laine frisée d'agneau nouveau-né.

astral, ale, aux a Relatif aux astres.

astre nm Corps céleste (Soleil, Lune, étoiles). ▪ pl Corps célestes, considérés comme influant sur la destinée des hommes.

astreignant, ante a Qui astreint.

astreindre vt 69 Obliger, soumettre, assujettir. ▪ vpr S'imposer qqch comme discipline.

astreinte nf 1 Obligation rigoureuse. 2 DR Obligation de payer une certaine somme par jour de retard. 3 Obligation d'être disponible à certaines heures pour les urgences (médecins, gendarmes, etc.).

astringent, ente a, nm MED Qui resserre les tissus vivants.

astrolabe nm Instrument qui permet de déterminer la latitude d'un lieu en observant la hauteur des étoiles.

astrologie nf Étude de l'influence attribuée aux astres sur les hommes et leur destinée.

astrologique a De l'astrologie.

astrologue n Spécialiste d'astrologie.

astrométrie nf Étude de la position des astres déterminée par des mesures d'angles.

astronaute n Pilote ou passager d'un véhicule spatial américain.

astronautique nf Ensemble des sciences et des techniques qui permettent à des engins propulsés de sortir de l'atmosphère terrestre. ▪ a De l'astronautique.

astronef nm Véhicule spatial.

astronome n Spécialiste d'astronomie.

astronomie nf Étude scientifique des astres, de la structure de l'Univers.

astronomique a 1 De l'astronomie. 2 Fam Exagéré, démesuré. *Des sommes astronomiques.*

astrophysique nf Partie de l'astronomie qui étudie la nature physique des astres. ■ a De l'astrophysique.

astuce nf 1 Esprit d'ingéniosité. 2 Procédé ingénieux. 3 Fam Trait d'esprit, jeu de mots.

astucieux, euse a Plein d'ingéniosité.

asymétrie nf Absence de symétrie.

asymétrique a Qui manque de symétrie.

asymptomatique a MED Qui ne présente pas de symptômes.

asymptote nf MATH Droite dont la distance à une courbe tend vers zéro quand cette droite s'éloigne vers l'infini.

asynchrone a Qui n'est pas synchrone.

asyndète nf Procédé stylistique consistant à supprimer des mots de liaison d'une phrase.

ataraxie nf PHILO Quiétude de l'esprit que rien ne peut troubler.

atavique a Qui a trait à l'atavisme.

atavisme nm Ensemble des caractères héréditaires.

ataxie nf MED Manque de coordination des mouvements dû à une lésion organique.

atelier nm 1 Local où qqn exerce une activité technique ou artistique. 2 Subdivision d'une usine où s'exécute un type déterminé de travail.

atemporel, elle a Hors du temps.

atermoiement nm Action d'atermoyer.

atermoyer vi 22 Chercher des délais, remettre à plus tard une décision.

athanée nm Syn de funérarium.

athée a, n Qui nie l'existence de Dieu.

athéisme nm Opinion des athées.

athénien, enne a, n D'Athènes.

athérome nm MED Lésion de la tunique interne des artères.

athérosclérose nf MED Sclérose artérielle secondaire à l'athérome.

athlète n 1 Qui s'adonne à l'athlétisme. 2 Homme fort, bien bâti.

athlétique a 1 Relatif à l'athlétisme. 2 Propre à l'athlète.

athlétisme nm Ensemble des sports individuels de compétition (lancers, courses, sauts).

atlantique a 1 De l'océan Atlantique. 2 Du Pacte atlantique.

atlas [-las] nm 1 Recueil de cartes géographiques ou astronomiques. 2 Recueil de planches, de tableaux. 3 ANAT La première vertèbre cervicale, qui supporte la tête.

atmosphère nf 1 Enveloppe gazeuse qui entoure le globe terrestre ou une autre planète. 2 Air que l'on respire. 3 Milieu, ambiance morale et intellectuelle.

atmosphérique a De l'atmosphère. Loc *Moteur atmosphérique :* qui fonctionne à la pression atmosphérique normale.

atoll nm Île corallienne en forme d'anneau, entourant une lagune.

atome nm 1 La plus petite quantité d'un corps simple. 2 Quantité infime. 3 Énergie atomique.

atomicité nf PHYS Nombre d'atomes contenus dans une molécule.

atomique a Qui a trait à l'atome, au noyau de l'atome, aux réactions nucléaires.

atomiser vt 1 Réduire en particules extrêmement fines. 2 Détruire, ravager au moyen d'armes atomiques. 3 Morceler à l'extrême.

atomiseur nm Appareil servant à pulvériser très finement un liquide.

atomiste n Spécialiste de physique atomique.

atonal, ale, aux a MUS Qui n'obéit pas aux règles du système tonal de l'harmonie classique.

atonalité nf MUS Caractère de l'écriture musicale atonale.

atone a 1 Qui manque d'énergie, d'expressivité. 2 LING Dépourvu d'accent tonique.

atonie nf Manque de vigueur, d'énergie.

atours nmpl Éléments de la parure féminine.

atout nm 1 Dans les jeux de cartes, couleur qui l'emporte sur les autres au cours d'une partie ; carte de cette couleur. 2 Moyen de succès.

atrabilaire a, n Litt Coléreux.

âtre nm Litt Foyer d'une cheminée.

atrium [atrijɔm] *nm* ANTIQ Pièce centrale de la maison romaine, dont le toit ouvert permettait de recueillir l'eau de pluie.

atroce *a* 1 D'une cruauté horrible. 2 Extrêmement douloureux, désagréable.

atrocement *av* De façon atroce.

atrocité *nf* 1 Caractère de ce qui est atroce. 2 Action atroce.

atrophie *nf* 1 Diminution du volume ou du poids d'un tissu, d'un organe. 2 Affaiblissement d'une faculté, d'un sentiment.

atrophier *vt* 1 Diminuer ou faire disparaître par atrophie. 2 Empêcher de se développer, intellectuellement ou moralement. ■ *vpr* Cesser de se développer, se dégrader.

atropine *nf* Alcaloïde de la belladone, utilisé surtout comme dilatateur de la pupille.

attabler (s') *vpr* S'asseoir à table.

attachant, ante *a* Qui inspire un intérêt mêlé de bienveillance. *Un enfant attachant.*

attache *nf* Ce qui sert à attacher. ■ *pl* 1 Les poignets et les chevilles. *Avoir des attaches fines.* 2 Relations, liens.

attaché, ée *n* Qui appartient à une ambassade, à un ministère, etc.

attaché-case [ataʃɛkɛs] *nm* Mallette plate qui sert de porte-documents. *Des attachés-cases.*

attachement *nm* 1 Sentiment d'affection durable. 2 Goût persistant pour qqch.

attacher *vt* 1 Joindre, fixer à une chose à l'aide d'un lien. 2 Réunir les bouts d'un lien, les pans d'un vêtement, etc. 3 Lier qqn par de voir, sentiment, intérêt. 4 Attribuer, accorder. *Attribuer de l'importance à qqch.* ■ *vi* Rester collé au fond d'un récipient (aliment). ■ *vpr* 1 S'appliquer, s'intéresser fortement, se consacrer à qqch. 2 Éprouver une affection durable pour qqn, un intérêt soutenu pour qqch.

attaquant, ante *n* Qui attaque.

attaque *nf* 1 Action d'attaquer. 2 Accès soudain d'un mal. *Une attaque d'épilepsie.*

attaquer *vt* 1 Agir avec violence contre qqn, contre une armée, une position, etc. ; engager le combat contre. 2 Critiquer âprement. 3 Ronger, détériorer, exercer une action néfaste ou corrosive sur qqch. 4 Commencer

d'exécuter. 5 Intenter une action judiciaire contre qqn. ■ *vpr* 1 Engager une attaque contre. *S'attaquer aux abus.* 2 Détériorer, frapper. *Maladie qui s'attaque au bétail.*

attardé, ée *a*, *n* 1 Qui est en retard. 2 En retard par rapport à la norme, dans son évolution physiologique ou intellectuelle. 3 Qui a du retard sur son époque.

attarder (s') *vpr* 1 Se mettre en retard. 2 Prolonger sa présence qqpart. 3 Insister sur une question.

atteindre *vt* 69 1 Toucher de loin avec un projectile, toucher un but. 2 Parvenir qqpart. 3 Porter atteinte à, léser. ■ *vti* Litt Parvenir avec effort à qqch.

atteinte *nf* Effet nuisible, dommage, préjudice. *Loc Porter atteinte à qqn* : lui nuire. *Hors d'atteinte* : impossible à atteindre.

attelage *nm* 1 Action ou manière d'atteler. 2 Ensemble d'animaux attelés.

atteler *vt* 18 Attacher des animaux de trait à une charrue, à une voiture ; attacher un wagon, une remorque à ce qui les tire. ■ *vpr* S'appliquer avec ardeur et persévérance à un travail.

attelle *nf* Lame rigide qui sert à maintenir immobile un membre fracturé.

attenant, ante *a* Contigu. *Son jardin est attenant au mien.*

attendre *vt* 71 1 Rester en place pour la venue de qqn ou de qqch. 2 Différer d'agir jusqu'à un temps fixé. 3 Compter que qqn fera qqch. 4 Être prévu ou prévisible ; menacer. *Des ennuis vous attendent.* ■ *vti* Loc *Attendre après qqch* : en avoir besoin. ■ *vpr* Compter sur, se tenir assuré de. *Je m'attends à le voir.*

attendrir *vt* 1 Rendre tendre. *Attendrir un bifteck.* 2 Émouvoir, exciter la sensibilité de. ■ *vpr* Être ému, ressentir de la pitié.

attendrissant, ante *a* Qui attendrit.

attendrissement *nm* 1 Action d'attendrir. 2 État d'une personne attendrie.

attendu, ue *a* Espéré, escompté. ■ *prép* Étant donné. *Attendu les circonstances.*

attentat *nm* Entreprise criminelle contre une personne, une institution.

attentatoire *a* Qui porte atteinte à qqch.

attente nf 1 Le fait d'attendre. 2 Temps pendant lequel on attend. 3 Espérance, prévision.

attenter vti Commettre un attentat sur. Attenter à la vie de qqn.

attentif, ive a Qui montre de l'attention.

attention nf 1 Tension de l'esprit qui s'applique à quelque objet. 2 Marque de prévenance. Une attention délicate.

attentionné, ée a Qui est plein d'attentions, de prévenances.

attentisme nm Politique d'attente et de temporisation.

attentivement av Avec attention.

atténuant, ante a Propre à atténuer. Circonstances atténuantes .

atténuation nf Diminution de la force, de la gravité. Atténuation de la douleur.

atténuer vt Rendre moins fort, moins grave. Atténuer la gravité d'une faute.

atterrant, ante a Consternant.

atterrer vt Accabler, consterner.

atterrir vi Se poser sur le sol.

atterrissage nm Action d'atterrir.

attestation nf Certificat, témoignage écrit confirmant la vérité, l'authenticité de qqch.

attester vt 1 Affirmer, certifier la vérité d'une chose. 2 Servir de preuve à. 3 Litt Prendre à témoin. J'en atteste le ciel.

attiédir vt Rendre tiède.

attifer vt Fam Habiller d'une façon bizarre.

attique a D'Athènes ou de l'Attique.

attirail, ails nm Équipement compliqué, bagage encombrant ou inutile.

attirance nf Force qui attire moralement, affectivement.

attirant, ante a Qui exerce un attrait.

attirer vt 1 Faire venir à soi. Attirer les mouches. 2 Provoquer l'intérêt, le désir ; séduire. ■ vpr Être l'objet de. S'attirer des reproches.

attiser vt 1 Aviver, activer le feu. 2 Exciter, aviver. Attiser la haine.

attitré, ée a 1 Chargé nommément, par un titre, d'une fonction ou d'un office. 2 Que l'on préfère, habituel. Marchand attitré.

attitude nf 1 Manière de tenir son corps. 2 Conduite que l'on adopte en des circonstances déterminées.

attouchement nm Action de toucher avec la main.

attractif, ive a Qui attire.

attraction nf 1 Action d'attirer ; effet produit par ce qui attire. Attraction terrestre. 2 Élément d'un spectacle, d'une exposition, spécialement destiné à attirer le public. Parc d'attractions.

attrait nm Ce qui attire, séduit.

attrape nf 1 Tromperie, mystification. 2 Objet destiné à mystifier.

attrape-nigaud nm Ruse grossière. Des attrape-nigauds.

attraper vt 1 Prendre à un piège. Attraper un lapin. 2 Atteindre et saisir. 3 Tromper, mystifier. 4 Être atteint par, subir. Attraper la grippe. 5 Fam Réprimander vivement.

attrayant, ante a Qui exerce de l'attrait.

attribuer vt 1 Conférer, accorder, concéder. 2 Admettre, supposer chez qqn. On lui attribue du courage. 3 Rapporter à qqn ou à qqch considéré comme auteur, comme cause. Attribuer un incendie à la malveillance. ■ vpr S'adjuger plus ou moins abusivement.

attribut nm 1 Caractère particulier d'un être, d'une chose. 2 Emblème, signe distinctif d'une fonction, d'un personnage allégorique. 3 GRAM Mot exprimant une qualité, une manière d'être, attribuée à un nom (sujet ou complément d'objet direct) par l'intermédiaire d'un verbe comme être, sembler.

attribution nf Action d'attribuer. Loc GRAM **Complément d'attribution :** complément d'objet introduit par à (ex. : Donner un livre à l'enfant). ■ pl Droits et devoirs attachés à certaines charges ; compétence.

attrister vt Rendre triste, affliger.

attroupement nm Action de s'attrouper. 2 Groupe de personnes attroupées.

attrouper (s') vpr S'assembler en foule.

atypique a Différent du type normal.

au, aux art Forme contractée de l'article défini, pour à le, à les ; s'emploie au devant des noms commençant par une consonne ou un h aspiré.

aubade nf Concert donné à l'aube sous les fenêtres de qqn pour l'honorer.

aubaine nf Avantage inespéré.

aube nf 1 Premières lueurs de l'aurore. 2 Litt Débuts, naissance. *À l'aube du siècle.* 3 Ample tunique liturgique de toile blanche. 4 Palette fixée sur une roue qui tourne dans un fluide.

aubépine nf Arbrisseau épineux à fleurs blanches ou roses, donnant des fruits rouges.

aubère, a, n Cheval dont la robe est faite de poils blancs et alezans.

auberge nf Petit hôtel et restaurant de caractère rustique.

aubergine nf Légume violet de forme allongée. ■ a inv Couleur violet cramoisi.

aubergiste n Qui tient une auberge.

aubier nm BOT Partie tendre du tronc et des branches d'un arbre qui se trouve entre le cœur du bois et l'écorce.

auburn [obœRn] a inv Brun-roux (cheveux).

aucun, une pr indéf, a indéf 1 Nul, pas un seul. *Aucune erreur n'est permise.* 2 N'importe quel. *Il fait cela mieux qu'aucun autre.*

aucunement av Nullement.

audace nf 1 Tendance à oser des actions hardies en dépit des dangers ou des obstacles. 2 Innovation qui brave les habitudes.

audacieusement av Avec audace.

audacieux, euse a Qui a, qui dénote de l'audace.

au-dedans. V. dedans.

au-dehors. V. dehors.

au-delà av Plus loin. ■ nm inv L'autre monde, après la mort.

au-dessous. V. dessous.

au-dessus. V. dessus.

au-devant. V. devant.

audible a Susceptible d'être entendu.

audience nf 1 Intérêt que suscite auprès d'un public une œuvre, une personne, etc. 2 Entretien accordé par un personnage de haut rang à des visiteurs. 3 Séance d'un tribunal.

audimat [-mat] nm (n déposé) Mesure de l'audience des émissions de télévision.

audio a Qui concerne l'enregistrement et la reproduction du son.

audiogramme nm 1 MED Courbe évaluant la finesse de l'audition. 2 Disque ou cassette audio.

audiologie nf MED Science de l'audition.

audiomètre nm Appareil qui sert à mesurer l'acuité auditive.

audiométrie nf Mesure de l'acuité auditive.

audionumérique a Se dit d'un disque sur lequel le son est enregistré par des méthodes informatiques.

audiophone nm Amplificateur acoustique utilisé par les malentendants.

audioprothésiste n Spécialiste des prothèses auditives.

audiovisuel, elle a, nm Se dit des techniques de communication qui associent les images, les films, les enregistrements sonores.

audit [odit] nm 1 Opération consistant à contrôler la bonne gestion d'une entreprise. 2 Personne chargée de ce contrôle.

auditer vt Procéder à un audit.

auditeur, trice n 1 Qui écoute. 2 Fonctionnaire du Conseil d'État, de la Cour des comptes.

auditif, ive a Propre à l'ouïe, à l'audition.

audition nf 1 Perception des sons par l'oreille. 2 Présentation par un artiste, à titre de démonstration, d'un morceau de musique, d'un tour de chant, etc.

auditionner vi Présenter un échantillon de son répertoire. ■ vt Assister au numéro d'un artiste pour le juger.

auditoire nm Ensemble des auditeurs.

auditorium [-Rjɔm] nm Salle équipée pour l'écoute, l'enregistrement, la reproduction d'œuvres sonores.

auge nf 1 Bassin de pierre, de bois ou de métal servant à donner à boire ou à manger aux animaux. 2 Récipient utilisé par les maçons pour délayer le plâtre ou le ciment.

augment nm GRAM En grec, élément préfixé à certains temps verbaux du passé.

augmentatif, ive a GRAM Se dit d'un préfixe ou d'un suffixe renforçant le sens d'un mot (par ex. : *archi-*, *super-*).

augmentation nf 1 Action, fait d'augmenter. 2 Majoration d'appointements.

augmenter vt **1** Rendre plus grand, plus considérable. **2** Rémunérer davantage qqn. ■ vi Devenir plus important, croître en quantité, en prix, etc.

augure nm **1** ANTIQ A Rome, devin qui tirait présage du chant et du vol des oiseaux. **2** Personne qui prétend prédire l'avenir. **3** Ce qui semble présager l'avenir.

augurer vt Tirer des conjectures sur l'avenir.

auguste a Vénérable et solennel. ■ nm Type de clown au maquillage bariolé.

aujourd'hui av **1** Au jour où l'on est. **2** Au temps où nous sommes, à notre époque.

aulne ou **aune** nm Arbre des terrains humides.

aulx [o] nmpl V. ail.

aumône nf **1** Ce qu'on donne aux pauvres par charité. **2** Faveur parcimonieuse.

aumônerie nf **1** Charge d'aumônier. **2** Local où se tient un aumônier.

aumônier nm Prêtre, pasteur, rabbin qui exerce son ministère auprès d'une collectivité.

aumônière nf Vx Bourse attachée à la ceinture.

aune. V. aulne.

auparavant av Avant, antérieurement.

auprès de prép **1** Près de, à côté de. **2** Par comparaison, avec. **3** Aux yeux de, de l'avis de. ■ av Dans le voisinage, non loin.

auquel. V. lequel.

aura nf Influence mystérieuse qui semble émaner d'une personne.

auréole nf **1** Couronne lumineuse dont les peintres entourent la tête du Christ. **2** Prestige, gloire. **3** Trace circulaire laissée par une tache qu'on a nettoyée.

auréoler vt Parer d'une auréole.

auriculaire a De l'oreille ou de l'oreillette du cœur. Loc **Témoin auriculaire** : qui rapporte ce qu'il a entendu. ■ nm Le plus petit doigt de la main.

aurifère a Qui contient de l'or.

aurochs [-ok] nm Bovidé de grande taille qui vécut en Europe, à l'état sauvage.

aurore nf **1** Lumière rosée qui précède le lever du Soleil. **2** Litt Origine, début. Loc **Aurore**

polaire ou **boréale** : phénomène lumineux observable dans le ciel des régions polaires.

auscultation nf Action d'ausculter.

ausculter vt Écouter, directement ou à l'aide d'un stéthoscope, les bruits de l'intérieur du corps, en vue d'un diagnostic.

auspice nm ANTIQ Présage tiré de l'observation des oiseaux. Loc **Sous les auspices de qqn** : sous sa protection.

aussi av **1** Également, de même. **2** Devant un adjectif ou un adverbe dans une comparaison, exprime l'égalité. **3** C'est pourquoi, en conséquence.

aussitôt av Immédiatement, sans attendre.

austère a **1** Qui présente un penchant pour la gravité, la sévérité morale. **2** Dénué d'agréments ou de fantaisie.

austérité nf Caractère austère.

austral, ale, als ou **aux** a Qui se trouve dans l'hémisphère Sud. Ant. boréal.

australien, enne a, n De l'Australie.

australopithèque nm PALÉONT Hominidé fossile d'Afrique australe.

autan nm Vent du sud-est, dans le Midi.

autant av (suivi de que) Marque l'égalité entre deux quantités. Loc **D'autant plus** : à plus forte raison. **Pour autant** : malgré cela, néanmoins. **(Pour) autant que** : dans la mesure où (avec indic ou subj).

autarcie nf Système économique d'une région qui peut suffire à tous ses besoins.

autarcique a De l'autarcie.

autel nm **1** ANTIQ Table destinée aux sacrifices. **2** RELIG Table consacrée sur laquelle se célèbre la messe.

auteur nm **1** Qui est la cause première de qqch. **2** Personne qui a fait un ouvrage de littérature, de science ou d'art.

authenticité nf Qualité de ce qui est authentique.

authentification nf Action d'authentifier.

authentifier vt Certifier authentique, conforme, certain.

authentique a **1** Se dit d'une œuvre qui émane effectivement de l'auteur auquel on l'attribue. **2** D'une vérité, d'une sincérité incontestables.

authentiquement av De façon authentique.

autisme nm PSYCHIAT Repliement sur soi-même et perte du contact avec la réalité extérieure.

autiste a, n Atteint d'autisme.

auto nf Fam Automobile.

autoadhésif, ive a Autocollant.

autoallumage nm Allumage spontané du mélange détonant d'un moteur.

autobiographie nf Biographie d'une personne écrite par elle-même.

autobiographique a De l'autobiographie.

autobronzant, ante a, nm Qui permet de bronzer sans soleil.

autobus nm Véhicule automobile pour transports en commun urbains.

autocar nm Véhicule automobile destiné au transport collectif interurbain ou de tourisme.

autocaravane nf Syn de camping-car.

autocariste n Entrepreneur de transports en autocar.

autocassable a Se dit d'une ampoule médicamenteuse qui peut se casser sans lime.

autocensure nf Censure préventive exercée par un auteur sur ses propres œuvres.

autochenille nf Automobile montée sur chenilles.

autochtone [-kton] a, n Se dit des populations originaires des pays qu'elles habitent.

autoclave nm Récipient fermé hermétiquement, pour cuire, stériliser sous pression des substances diverses.

autocollant, ante a, nm Qui peut être collé par simple pression.

autoconsommation nf Consommation des produits par leur producteur.

autocontrôle nm 1 Contrôle sur soi-même. 2 FIN Contrôle exercé par une société sur son propre capital grâce à des filiales.

autocorrection nf Dispositif de contrôle des erreurs par le sujet lui-même.

autocrate nm 1 Souverain dont le pouvoir n'est limité par aucun contrôle. 2 Personne autoritaire, tyrannique.

autocratie nf Système politique dans lequel le monarque possède une autorité absolue.

autocritique nf Aveu de ses torts.

autocuiseur nm Autoclave de ménage pour la cuisson rapide des aliments.

autodafé nm 1 HIST Exécution solennelle d'une sentence prononcée par l'Inquisition. 2 Destruction par le feu.

autodéfense nf Défense assurée par ses propres moyens.

autodérision nf Faculté de rire de soi-même.

autodestruction nf Destruction de soi-même.

autodétermination nf Action, pour un peuple, de déterminer librement son statut politique et administratif.

autodidacte a, n Qui s'est instruit seul, sans maître.

autodiscipline nf Maintien de la discipline au sein d'une collectivité par ses propres membres.

autodissolution nf Le fait pour une organisation de se dissoudre spontanément.

auto-école nf Entreprise qui dispense des cours de conduite automobile. Des auto-écoles.

autoérotisme nm Recherche solitaire d'une satisfaction sexuelle.

autofinancement nm Financement d'une entreprise par ses propres ressources.

autofinancer (s') vpr 10 Pratiquer l'autofinancement.

autofocus [-kys] a, nm PHOTO Se dit d'un système de mise au point automatique.

autogène a Se dit de la soudure de pièces d'un même métal sans apport d'un métal étranger.

autogestion nf Gestion d'une entreprise par les travailleurs eux-mêmes.

autogestionnaire a De l'autogestion.

autographe a, nm Écrit de la propre main de l'auteur.

autogreffe nf CHIR Greffe faite à partir d'un greffon prélevé sur le sujet.

autoguidage nm Système qui permet à un engin de se diriger automatiquement.

autoguidé, ée *a* Dirigé par autoguidage.

autolyse *nf* BIOL Destruction d'un tissu par ses propres enzymes.

automate *nm* 1 Appareil présentant l'aspect d'un être animé et capable d'en imiter les gestes. 2 Personne dénuée d'initiative, de réflexion. 3 Appareil exécutant certaines tâches sans intervention humaine.

automaticité *nf* Caractère automatique.

automatique *a* 1 Se dit des mouvements du corps humain exécutés sans l'intervention de la volonté, de la conscience. 2 Se dit d'un dispositif qui s'exécute de lui-même certaines opérations définies à l'avance. *Distributeur automatique.* 3 Qui a lieu d'office. *Promotion automatique.* ■ *nm* Pistolet automatique. ■ *nf* Science et technique de l'automatisme.

automatiquement *av* De façon automatique.

automatisation *nf* Ensemble des procédés automatiques visant à supprimer l'inte

automatiser *vt* Doter d'un fonctionnement automatique.

automatisme *nm* 1 Comportement qui échappe à la volonté ou à la conscience réfléchie. 2 Dispositif dont le fonctionnement ne nécessite pas l'intervention de l'homme.

automédication *nf* Prise de médicaments sans avis médical.

automitrailleuse *nf* Véhicule blindé puissamment armé (canon, mitrailleuse).

automnal, ale, aux [ɔtɔnal] *a* De l'automne.

automne [ɔtɔn] *nm* Saison qui succède à l'été et qui précède l'hiver.

automobile *nf* Véhicule terrestre à moteur pour transporter des personnes. ■ *a* De l'automobile. *Industrie automobile.*

automobiliste *n* Conducteur d'automobile.

automoteur, trice *a* Se dit d'un véhicule équipé d'un moteur qui lui permet de se déplacer. ■ *nf* Voiture de chemin de fer à moteur.

autonettoyant, ante *a* Qui se nettoie automatiquement. *Four autonettoyant.*

autonome *a* 1 Se dit d'une collectivité qui s'administre librement. 2 Qui fait preuve d'indépendance.

autonomie *nf* 1 Indépendance dont jouit un groupe, un pays autonome. 2 Liberté, indépendance de comportement. 3 Distance maximale parcourue par un véhicule sans nouveau ravitaillement.

autonomisme *nm* Mouvement politique des autonomistes.

autonomiste *n, a* Partisan de l'autonomie d'un pays, d'une région.

autopompe *nf* Véhicule automobile portant une pompe.

autoportrait *nm* Portrait d'un artiste exécuté par lui-même.

autoproclamer (s') *vpr* Déclarer de sa propre autorité que l'on accède à un poste.

autopropulsé, ée *a* Qui possède son propre système de propulsion.

autopsie *nf* Dissection d'un cadavre en vue de déterminer les causes de la mort.

autopsier *vt* Faire l'autopsie de.

autoradio *nm* Poste de radio conçu pour être monté dans une voiture.

autorail *nm* Automotrice pour le transport des voyageurs.

autorégulation *nf* Régulation d'un système par lui-même.

autoreverse *nm* Dispositif qui permet d'écouter sans interruption les deux pistes d'une cassette.

autorisation *nf* 1 Action d'autoriser. 2 Permis délivré par une autorité.

autoriser *vt* 1 Doter du droit de. 2 Permettre, légitimer. ■ *vpr* Prendre qqch comme justification, qqn comme autorité.

autoritaire *a* 1 Qui veut toujours imposer son autorité. 2 Fondé sur l'autorité. *Un régime autoritaire.*

autoritairement *av* De façon autoritaire.

autoritarisme *nm* Caractère autoritaire d'un pouvoir, d'une personne.

autorité *nf* 1 Pouvoir de commander, d'obliger à qqch. 2 Crédit, influence. 3 Personne, ouvrage dont on reconnaît la compétence, la valeur. ■ *pl* Les dirigeants.

autoroute *nf* Route à deux chaussées séparées, sans carrefour à niveau, pour la circulation rapide.

autoroutier, ère *a* De l'autoroute.

autosatisfaction nf Contentement de soi.

autos-couchettes a inv Qui assure le transport des voyageurs en couchettes et celui de leur voiture.

autostop nm Pratique consistant à demander par signes à un véhicule de s'arrêter et de vous transporter gratuitement.

autostoppeur, euse n Qui pratique l'autostop.

autosuffisance nf Autonomie de ressources ou de moyens qui dispense d'une aide extérieure.

autosuggestion nf Suggestion exercée sur soi-même.

autotransfusion nf Transfusion pratiquée avec le propre sang du sujet.

1. autour (de) av, prép 1 Dans l'espace qui environne, qui entoure. 2 (Suivi d'une quantité, d'une date.) Environ.

2. autour nm Oiseau de proie diurne.

autovaccin nm Vaccin issu du germe prélevé sur le sujet atteint.

autre a, pr indéf 1 Différent, dissemblable. 2 Second par la ressemblance. Un autre moi-même. 3 Opposé, dans un groupe de deux. Loc Autre part : ailleurs. D'autre part : d'un autre côté, en outre. Entre autres : notamment. L'un dans l'autre : en compensant une chose par une autre.

autrefois av Dans un temps plus ou moins lointain ; jadis.

autrement av 1 D'une autre façon. 2 Sans quoi, sinon.

autrichien, enne a, n D'Autriche.

autruche nf Grand oiseau coureur des savanes africaines.

autrui pr indéf Litt Les autres, le prochain. Le bien d'autrui.

auvent nm Petit toit incliné sur une porte.

auvergnat, ate a, n D'Auvergne.

aux. V. au.

auxiliaire a, n Qui aide accessoirement ou provisoirement. Loc Maître auxiliaire : professeur non titulaire. ■ a, nm GRAM Se dit des verbes avoir et être qui servent à former les temps composés.

auxiliariat nm Fonction de maître auxiliaire.

auxquels, auxquelles. V. lequel.

avachir vt Amollir ou déformer. ■ vpr Se déformer, se laisser aller.

1. aval nm 1 Engagement pris par un tiers de payer une somme au cas où le débiteur principal serait défaillant. 2 Caution, assentiment. Donner son aval. Des avals.

2. aval nm 1 Partie d'un cours d'eau comprise entre un point donné et son embouchure. 2 Partie d'une activité, d'un processus qui est la plus proche du point d'aboutissement. ■ av, a inv Vers l'aval. Ski aval. Ant. amont.

avalanche nf 1 Glissement d'une grande masse de neige sur la pente d'une montagne. 2 Grande quantité de choses.

avaler vt 1 Faire descendre par le gosier. 2 Lire avidement. 3 Croire naïvement.

à-valoir vt Donner son aval à qqch.

à-valoir nm inv Règlement partiel d'une somme due.

avance nf 1 Progression. 2 Espace parcouru avant qqn. 3 Temps gagné sur qqn. 4 Somme d'argent donnée ou reçue à titre d'acompte. Loc À l'avance, d'avance, en avance, par avance : de façon anticipée, avant le moment fixé. ■ pl Premières démarches pour nouer ou renouer des relations.

avancé, ée a 1 Qui est en avant, en avance. 2 Arrivé à un certain degré de perfection. 3 Dont une grande partie est écoulée ou qui touche à son terme. 4 Se dit d'un aliment proche de la décomposition.

avancée nf 1 Ce qui est en avant, qui fait saillie. 2 Progrès. L'avancée des négociations. 3 Partie terminale de la ligne de pêche.

avancement nm 1 Progrès, développement. 2 Promotion. Obtenir de l'avancement.

avancer vi 10 1 Aller en avant, progresser. 2 Indiquer une heure plus avancée que l'heure réelle (montres). 3 Faire saillie, dépasser l'alignement. ■ vt 1 Porter en avant. Avancer un fauteuil. 2 Faire progresser. Avancer son travail. 3 Payer par anticipation. 4 Mettre en avant, faire valoir. Avancer des arguments. 5 Faire advenir plus tôt une date.

Avancer son départ. ■ *vpr* **1** Se porter en avant. **2** Faire saillie. **3** S'engager trop avant dans ses propos ou ses démarches.

avanie *nf* Vexation, affront public.

avant *av, prép* Marque l'antériorité, la priorité dans le temps, l'espace, le rang. **Loc** *Avant que* (+ subj) : avant le moment où. ■ *nm* **1** Partie antérieure d'un véhicule, d'un navire, etc. Ant. arrière. **2** Front des combats. **3** Joueur placé devant tous les autres. **Loc** *Aller de l'avant* : progresser vivement. ■ *a inv* Placé à l'avant. *Les roues avant.*

avantage *nm* **1** Ce dont on peut tirer un profit, un succès ; supériorité. **2** Au tennis, point marqué par un joueur lorsque la marque est à quarante partout.

avantager *vt* **11** Favoriser.

avantageusement *av* De façon avantageuse.

avantageux, euse *a* **1** Qui procure des avantages. *Produit avantageux.* **2** Vain, présomptueux. *Air avantageux.*

avant-bras *nm inv* Segment du membre supérieur compris entre le coude et le poignet.

avant-centre *nm* Au football, au handball, etc., joueur qui occupe la partie centrale de la ligne des avants. *Des avants-centres.*

avant-coureur *a* Précurseur. *Les signes avant-coureurs de la maladie.*

avant-dernier, ère *a, n* Qui précède immédiatement le dernier. *Des avant-derniers.*

avant-garde *nf* **1** Ensemble des éléments de reconnaissance qu'une troupe détache en avant d'elle. **2** Ensemble de ceux qui sont à la tête des innovations en matière littéraire, artistique. *Des avant-gardes.*

avant-gardiste *a, n* Qui est à l'avant-garde politique, culturelle. *Des avant-gardistes.*

avant-goût *nm* Impression, sensation qu'on a par avance. *Des avant-goûts.*

avant-guerre *nm* et *f* Période qui a précédé la guerre. *Des avant-guerres.*

avant-hier *av* Le jour qui a précédé la veille. *Je l'ai vu avant-hier.*

avant-port *nm* Partie d'un port ouverte sur la mer. *Des avant-ports.*

avant-poste *nm* Poste militaire avancé. *Des avant-postes.*

avant-première *nf* Spectacle donné à l'intention des critiques avant la première représentation publique. *Des avant-premières.*

avant-projet *nm* Étude préliminaire d'un projet. *Des avant-projets.*

avant-propos *nm inv* Courte préface.

avant-scène *nf* **1** Partie de la scène comprise entre le rideau et la rampe. **2** Loge proche de la scène. *Des avant-scènes.*

avant-veille *nf* Jour qui précède la veille. *Des avant-veilles.*

avare *a, n* Qui a la passion de l'argent et l'accumule sans vouloir l'utiliser. ■ *a* Qui n'accorde pas facilement qqch.

avarice *nf* Amour excessif de l'argent pour lui-même.

avarie *nf* **1** MAR Dommage arrivé à un navire ou à sa cargaison. **2** Dommage, détérioration subie par un objet.

avarié, ée *a* **1** Qui a subi une avarie. **2** Détérioré, gâté. *Fruits avariés.*

avarier *vt* Endommager, abîmer.

avatar *nm* **1** RELIG Incarnation d'un dieu, dans le brahmanisme. **2** Métamorphose. **3** Abusiv Tracas, malheur, accident. **4** INFORM Représentation d'un être humain en deux ou trois dimensions.

à vau-l'eau *av* À l'abandon, à la ruine.

Ave ou **Ave Maria** *nm inv* Prière à la Vierge.

avec *prép, av* Indique l'accompagnement, la relation, le moyen, la manière, l'opposition, la simultanéité.

aveline *nf* Fruit de l'avelinier.

avelinier *nm* Variété de noisetier.

aven [avɛn] *nm* Gouffre naturel creusé par les eaux d'infiltration.

1. avenant, ante *a* Affable.

2. avenant *nm* Addition, modification à un contrat en cours. **Loc** *À l'avenant* : à proportion, en conformité.

avènement *nm* **1** Venue du Messie. **2** Accession à la souveraineté.

avenir *nm* **1** Le temps à venir, les événements futurs. **2** Situation de qqn dans le

aventure nf 1 Événement imprévu, extraordinaire. 2 Intrigue amoureuse. 3 Entreprise risquée. Loc *D'aventure, par aventure* : par hasard. *Dire la bonne aventure* : prédire l'avenir.

aventurer vt Litt Risquer, hasarder. ■ *vpr* Se risquer à.

aventureux, euse a 1 Qui aime le risque. *Esprit aventureux.* 2 Qui comporte des aventures, des risques. *Vie aventureuse.*

aventurier, ère n 1 Qui cherche les aventures. 2 Individu sans scrupules.

aventurisme nm Tendance à prendre des mesures aventureuses.

avenu, ue a Loc *Nul et non avenu* : considéré comme n'ayant jamais existé.

avenue nf Voie, rue large.

avéré, ée a Reconnu pour certain.

avérer (s') vpr 12 Se révéler, apparaître. *Il s'avère que cela est faux.*

avers nm Face d'une monnaie. Ant. revers.

averse nf Pluie soudaine et abondante.

aversion nf Violente antipathie.

averti, ie a 1 Informé, sur ses gardes. 2 Expérimenté, compétent.

avertir vt Attirer l'attention de qqn, le prévenir. *Avertir qqn d'un danger.*

avertissement nm 1 Appel à l'attention. 2 Courte préface. 3 Remontrance, rappel à l'ordre avant la sanction.

avertisseur nm Dispositif sonore qui avertit.

aveu nm Action d'avouer. *L'aveu d'un crime.*

aveuglant, ante a 1 Éblouissant. 2 Qu'on ne peut nier. *Vérité aveuglante.*

aveugle a, n Privé du sens de la vue. Loc MED *Test en aveugle* : avec des produits ne portant aucune mention. ■ a 1 Manquant de clairvoyance et de discernement. 2 Qui ne souffre ni l'examen ni la discussion. *Obéissance aveugle.*

aveuglement nm Manque de discernement.

aveuglément av Sans réflexion.

aveugler vt 1 Rendre aveugle, éblouir. 2 Priver de discernement. 3 Obstruer, boucher. *Aveugler une voie d'eau.* ■ *vpr* Se faire illusion, se cacher volontairement la vérité.

aveuglette (à l') av 1 Sans voir. 2 Au hasard.

aviaire a Des oiseaux. *Peste aviaire.*

aviateur, trice n Pilote d'un avion.

aviation nf 1 Navigation aérienne par avion. 2 Ensemble des avions.

avicole a De l'aviculture.

aviculteur, trice n Qui pratique l'aviculture.

aviculture nf Élevage des oiseaux et de la volaille.

avide a Qui désire ardemment se procurer qqch, cupide.

avidement av De manière avide.

avidité nf Désir immodéré, cupidité.

avilir vt 1 Déprécier. *Avilir une monnaie.* 2 Rendre méprisable. *Avilir son nom.* ■ *vpr* Se déprécier, se dégrader.

avilissant, ante a Qui avilit.

avilissement nm Action d'avilir ; état de ce qui est avili.

aviné, ée a 1 Ivre. 2 Qui dénote l'ivresse. *Démarche avinée.*

avion nm Aéronef plus lourd que l'air, pourvu d'ailes et d'un ou de plusieurs moteurs qui lui permettent de voler.

avion-citerne nm Avion transporteur de carburant. *Des avions-citernes.*

avionique nf Électronique appliquée à l'aéronautique.

avionnerie nf Usine de construction aéronautique.

avionneur nm Constructeur d'avions.

aviron nm 1 Rame d'une embarcation. 2 Sport du canotage.

avis nm 1 Opinion. *Donner son avis.* 2 Conseil. *C'est un avis amical.* 3 Annonce d'un fait qu'on porte à la connaissance du public.

avisé, ée a Prudent, judicieux.

aviser vt 1 Informer par un avis. *Aviser la population.* 2 Litt Apercevoir. *Aviser un nain dans la foule.* ■ vi Prendre une décision. *Il va* *falloir aviser.* ■ *vpr* **1** Se rendre compte de qqch. *S'aviser de l'arrivée de qqn.* **2** Être assez audacieux pour. *Ne t'avise pas de me tromper.*

aviso *nm* Navire de guerre, d'escorte ou de lutte contre les sous-marins.

avitaminose *nf* MÉD Carence en vitamines.

aviver *vt* **1** Rendre plus vif, plus éclatant. **2** Exciter, irriter. *Aviver une douleur.*

1. avocat, ate *n* **1** Qui fait profession de défendre des causes en justice. **2** Personne qui prend fait et cause pour qqn, qqch. Loc *Avocat général* : magistrat du ministère public. *Avocat du diable* : personne qui prend la défense d'une mauvaise cause pour susciter des réfutations à ses objections.

2. avocat *nm* Fruit comestible de l'avocatier.

avocatier *nm* Arbre originaire d'Amérique du Sud dont le fruit est l'avocat.

avoine *nf* Céréale utilisée notamment pour la nourriture des chevaux.

avoir *vt* **7 1** Posséder. **2** Bénéficier, jouir de. **3** Être doté de. **4** Fam Duper, dominer. **5** Éprouver, ressentir. *Avoir faim, chaud.* **6** Auxiliaire des formes composées actives de tous les verbes transitifs et de quelques verbes intransitifs. *J'ai écrit, j'ai eu, j'ai été.* Loc *Il y a* : il existe. *Il y a cinq minutes* : cela fait cinq minutes. *Il n'y a qu'à* : il suffit de. ■ *nm* **1** Biens, possession. **2** Somme due à une personne, crédit.

avoisinant, ante *a* Proche, voisin.

avoisiner *vt* Être voisin, proche de.

avorté, ée *a* Qui a échoué. *Plan avorté.*

avortement *nm* Action d'avorter.

avorter *vi* **1** Expulser le fœtus avant qu'il soit viable. **2** Ne pas aboutir, ne pas avoir le succès prévu.

avorton *nm* Individu difforme et chétif.

avouable *a* Qu'on peut avouer sans honte.

avoué *nm* Officier ministériel qui représentait les plaideurs devant certains tribunaux.

avouer *vt* Confesser, reconnaître. *Avouer ses erreurs.*

avril *nm* Le quatrième mois de l'année. Loc *Poisson d'avril* : plaisanterie, farce faite traditionnellement le 1ᵉʳ avril.

avunculaire [-vɔ̃-] *a* D'un oncle, d'une tante.

axe *nm* **1** Droite autour de laquelle un corps tourne. **2** Pièce cylindrique autour de laquelle tourne un corps. *Axe d'une roue.* **3** MATH Droite qui sert de référence. *Axe des abscisses.* **4** Ligne centrale. *L'axe d'une rue.* **5** Grande voie de communication. **6** Ligne directrice d'un projet, d'un plan. *Les axes d'une politique.*

axer *vt* **1** Diriger selon un axe. **2** Orienter un projet, une action selon telle direction.

axial, ale, aux *a* D'un axe.

axiologie *nf* PHILO Théorie des valeurs, plus partic. des valeurs morales.

axiomatique *a* PHILO **1** De l'axiome. **2** Qui raisonne sur des symboles, indépendamment de leur contenu. ■ *nf* Branche de la logique qui étudie les systèmes d'axiomes.

axiome *nm* PHILO Proposition générale reçue et acceptée comme vraie sans démonstration.

axis *nm* Deuxième vertèbre cervicale.

axone *nm* ANAT Prolongement du neurone qui conduit l'influx nerveux.

ayant droit *nm* Qui a droit ou qui est intéressé à qqch. *Dès ayants droit.*

ayatollah *nm* Dignitaire musulman chiite.

azalée *nf* Arbuste ornemental cultivé pour ses fleurs colorées.

azéri, ie *a, n* De l'Azerbaïdjan. ■ *nm* Langue turque de ce pays.

azimut *nm* ASTRO Angle compris entre le plan vertical passant par l'axe de visée et le plan du méridien de l'observateur.

azoïque *nm* Composé utilisé comme colorant alimentaire.

azote *nm* Gaz incolore et inodore, peu réactif et peu soluble dans l'eau.

AZT *nm* Médicament antiviral utilisé pour le traitement du sida.

aztèque *a* Relatif aux Aztèques.

azulejo [azulexo] *nm* Revêtement décoratif bleu au Portugal.

azur *nm* Litt Couleur bleu clair limpide.

azyme *a* Loc *Pain azyme* : pain sans levain.

b

b nm Deuxième lettre (consonne) de l'alphabet.

B.A. [bea] nf Fam Bonne action.

b.a.-ba [beaba] nm inv Fam Notions élémentaires. *Le b.a.-ba du ski.*

1. baba a inv Fam Stupéfait.

2. baba nm Gâteau imbibé de rhum.

baba cool [babakul] ou **baba** n, a Qui reste attaché à la mode hippie. *Des babas cool.*

babeurre nm Liquide qui reste quand on fait le beurre.

babil nm Bavardage enfantin.

babiller vi Bavarder futilement.

babines nfpl Lèvres pendantes de certains animaux. Loc Fam *S'en lécher les babines :* s'en délecter à l'avance.

babiole nf Fam Chose de peu de valeur, de peu d'importance.

bâbord nm Côté gauche du navire lorsqu'on regarde vers l'avant. Ant tribord.

babouche nf Pantoufle en cuir, sans talon.

babouin nm Singe cynocéphale d'Afrique, au museau allongé.

baby-boom [bebibum] nm Accroissement brusque de la natalité.

baby-foot [bebifut] nm inv Jeu constitué d'une table qui représente un terrain de football et de figurines fixées sur des tringles.

babylonien, enne a, n De Babylone.

baby-sitter [bebisitœr] n Personne qui garde un jeune enfant en l'absence des parents. *Des baby-sitters.*

baby-sitting [bebisiting] nm Activité de baby-sitter. *Des baby-sittings.*

1. bac nm 1 Bateau fluvial à fond plat transportant sur l'autre rive personnes et véhicules. 2 Cuve destinée à divers usages variés.

2. bac nm Fam Baccalauréat.

baccalauréat nm Examen et diplôme sanctionnant la fin des études secondaires.

baccara nm Jeu de hasard qui se joue avec des cartes, entre un banquier et des joueurs (pontes).

bacchanale [-ka-] nf Litt Débauche bruyante. ■ *pl* Fêtes religieuses dédiées à Bacchus.

bacchante [-kât] nf Femme participant au culte de Bacchus. ■ *pl* Fam Moustache.

bâche nf Forte toile imperméable ou plastifiée pour la protection des voitures, des chargements, des récoltes, etc.

bachelier, ère n Titulaire du baccalauréat.

bachique a De Bacchus.

bachot nm Fam Baccalauréat.

bachoter vi Fam Préparer un examen, un concours par un travail intensif.

bacille [-sil] nm Bactérie en forme de bâtonnet.

backgammon [-mɔn] nm Jeu de dés proche du jacquet.

bâcler vt Fam Faire un travail trop rapidement et sans application.

bacon [bekɔn] nm Tranche mince de viande de porc, salée et fumée.

bactéricide a, nm Qui tue les bactéries.

bactérie nf Être vivant unicellulaire se reproduisant par scissiparité.

bactérien, enne a Des bactéries.

bactériologie nf Étude des bactéries.

bactériostatique a, nm MED Qui bloque la multiplication bactérienne.

badaud nm Qui regarde en flânant le moindre spectacle de la rue.

baderne nf Loc Fam *Vieille baderne :* homme aux idées rétrogrades.

badge nm 1 Insigne publicitaire ou d'appartenance à un groupe, fixé sur un vêtement. 2 Document d'identité magnétique.

badiane nf Arbuste dont le fruit, l'anis étoilé, est aromatique.

badigeon nm Enduit liquide dont on revêt le murs ou les plafonds.

badigeonner vt 1 Recouvrir d'un badigeon. 2 Enduire d'un liquide médicamenteux.

badin, ine a Enjoué, plaisant. *Ton badin.*

badine nf Baguette mince et souple.

badiner

badiner vi Parler de manière enjouée et légère.

badinerie nf Ce qu'on dit, ce qu'on fait en badinant.

badminton [-minton] nm Jeu qui se joue avec des raquettes et un volant.

baffe nf Pop Gifle. *Une paire de baffes.*

baffle nm Syn de *enceinte acoustique.*

bafouer vt Traiter avec mépris ; ridiculiser.

bafouiller vi, vt Fam S'exprimer de façon embarrassée et incohérente.

bâfrer vi Pop Manger goulûment.

bagage nm 1 Objet qu'on transporte avec soi en déplacement. 2 Ensemble des connaissances acquises. Loc *Plier bagage :* partir.

bagagiste nm 1 Préposé aux bagages dans un hôtel, une gare. 2 Industriel du bagage.

bagarre nf Fam Rixe, querelle, lutte.

bagarrer (se) vpr Fam Se battre, lutter.

bagarreur, euse a, n Fam Qui aime se bagarrer.

bagatelle nf 1 Objet de peu de valeur. 2 Somme insignifiante. 3 Chose futile. 4 Fam L'amour, le plaisir physique.

bagnard nm Forçat.

bagne nm 1 Lieu où étaient détenus les condamnés aux travaux forcés. 2 Endroit où on est maltraité.

bagnole nf Fam Automobile.

bagou ou **bagout** nm Fam Grande facilité de parole pour amuser, duper.

bague nf 1 Anneau qu'on porte au doigt. 2 Objet en forme d'anneau.

baguenauder vi, vpr Fam Flâner.

baguer vt Garnir d'une bague.

baguette nf 1 Bâton mince. 2 Pain de 250 g, de forme allongée. 3 Moulure de menuiserie. Loc *Mener à la baguette :* avec fermeté.

bah ! interj Marque l'indifférence, le doute.

bahut nm 1 Grand coffre. 2 Buffet bas. 3 Fam Camion, taxi. 4 Fam Lycée, collège.

bai, baie a Rouge-brun, en parlant de la robe d'un cheval.

1. baie nf Fruit charnu à pépins.

2. baie nf 1 Partie rentrante d'une côte occupée par la mer. 2 Large ouverture pratiquée dans un mur, servant de porte ou de fenêtre.

baignade nf 1 Action de prendre un bain. 2 Lieu où l'on se baigne.

baigner vt 1 Mettre dans un bain. 2 Toucher (mer, fleuves). *La Manche baigne le Cotentin.* ■ vi Être entièrement plongé dans un liquide. Loc Pop *Ça baigne :* tout va pour le mieux. ■ vpr Prendre un bain.

baigneur, euse n Personne qui se baigne. ■ nm Poupée nue représentant un bébé.

baignoire nf 1 Cuve servant à prendre des bains. 2 Loge de théâtre.

bail nm 1 Contrat de location pour une durée déterminée. 2 Fam Long espace de temps. *Ça fait un bail. Des baux.*

bâillement nm Action de bâiller.

bâiller vi 1 Faire, en ouvrant largement la bouche, une inspiration profonde. 2 Être entrouvert, mal joint.

bailleur, bailleresse n Qui cède un bien à bail. Loc *Bailleur de fonds :* qui fournit des capitaux.

bailli nm HIST Officier qui remplissait des fonctions judiciaires, militaires et financières.

bailliage nm HIST 1 Partie du territoire qui dépendait d'un bailli. 2 Tribunal du bailli.

bâillon nm 1 Étoffe qu'on met dans ou devant la bouche de qqn pour l'empêcher de crier. 2 Entrave à l'expression de la pensée.

bâillonner vt 1 Mettre un bâillon à qqn. 2 Forcer au silence. *Bâillonner la presse.*

bain nm 1 Immersion du corps ou d'une partie du corps dans l'eau, dans un liquide. 2 L'eau, le liquide dans lequel on se baigne. 3 Solution, liquide dans lequel on plonge un objet. Loc *Bain de soleil :* exposition du corps à l'action des rayons du soleil. ■ pl Établissement public où l'on peut prendre des bains.

bain-marie nm Eau bouillante dans laquelle on met un récipient contenant ce qu'on veut faire chauffer lentement. *Des bains-marie.*

baïonnette nf Arme blanche qui s'adapte au canon d'un fusil. Loc *Culot à baïonnette :* culot d'ampoule électrique muni d'ergots.

baisemain nm Geste de politesse consistant à saluer une dame en lui baisant la main.

baiser vt 1 Poser les lèvres sur. 2 Pop Avoir des relations sexuelles avec. 3 Pop Tromper, posséder. ■ nm Action de poser les lèvres sur.

baisse nf 1 Abaissement du niveau. 2 Diminution du prix, de la valeur.

baisser vt 1 Mettre plus bas. Baisser un store. 2 Diminuer la hauteur, l'intensité. Baisser le son. ■ vi 1 Aller en diminuant de hauteur. 2 Aller en diminuant d'intensité. 3 Perdre ses forces. 4 Diminuer de prix, de valeur. ■ vpr Se courber vers l'avant.

bajoue nf 1 Joue, chez les animaux. 2 Fam Joue pendante, chez l'homme.

bakchich nm Fam Pourboire ou pot-de-vin.

bakélite nf (n déposé) Matière plastique.

baklava nm Gâteau oriental au miel et aux amandes.

bal nm 1 Réunion consacrée à la danse. 2 Local où se donnent des bals publics.

balade nf Fam Promenade.

balader vt Promener. ■ vpr Fam Se promener.

baladeur, euse n, a Fam Qui se balade, qui aime à se balader. ■ nm Lecteur de cassettes portatif relié à un casque d'écoute. ■ nf Lampe électrique munie d'un long fil souple qui permet de la déplacer.

baladin nm Comédien de place publique.

balafon nm Xylophone d'Afrique.

balafre nf Longue entaille faite au visage.

balafrer vt Blesser en faisant une balafre.

balai nm 1 Ustensile de ménage destiné au nettoyage du sol, composé d'une brosse ou d'un faisceau de brins et d'un manche. 2 Pièce qui, par frottement, transmet ou recueille le courant électrique sur un rotor.

balai-brosse nm Brosse dure montée sur un manche. Des balais-brosses.

balaise. V. balèze.

balalaïka nf Petit luth à caisse triangulaire et à trois cordes (musique russe).

balance nf 1 Instrument qui sert à peser. 2 Filet rond et creux pour pêcher les petits crustacés. 3 ÉCON Bilan du crédit et du débit, des achats et des ventes.

balancé, ée a Loc Phrase balancée : harmonieuse. Fam Bien balancé : bien bâti (personne).

balancement nm Mouvement d'oscillation d'un corps de part et d'autre de son centre d'équilibre.

balancer vt 10 1 Mouvoir, agiter par balancement. 2 Faire un examen comparatif de. 3 Réaliser l'équilibre entre débits et crédits d'un compte. 4 Compenser. 5 Pop Lancer ou jeter qqch. 6 Pop Renvoyer qqn. ■ vi Être en suspens, hésiter. ■ vpr 1 Être agité d'un balancement. 2 Faire de la balançoire.

balancier nm 1 Pièce oscillante réglant le mouvement d'une horloge ou d'une montre. 2 Longue perche utilisée par les funambules pour garder l'équilibre. 3 Flotteur placé sur le côté d'une embarcation pour la stabiliser.

balançoire nf 1 Siège suspendu au bout de deux cordes et sur lequel on se balance. 2 Planche posée en équilibre, aux deux bouts de laquelle deux personnes se balancent.

balayer vt 20 1 Nettoyer avec un balai. 2 Chasser, écarter. Balayer une objection. 3 Parcourir méthodiquement les points d'une surface ou un faisceau lumineux ou électronique.

balayette nf Petit balai à manche court.

balayeur, euse n Qui balaie. ■ nf Véhicule destiné au nettoiement de la voie publique.

balayures nfpl Ce qu'on enlève avec un balai.

balbutiement [-simɑ̃] nm Action de balbutier ; paroles balbutiées.

balbutier [-sje] vi, vt Articuler les mots avec difficulté ou hésitation, bredouiller.

balbuzard nm Grand oiseau de proie.

balcon nm 1 Terrasse entourée d'une balustrade, suspendue en encorbellement sur la façade d'un édifice. 2 Galerie d'une salle de spectacle.

baldaquin nm Tenture suspendue au-dessus d'un trône, d'un lit, etc.

baleine nf 1 Grand mammifère marin de l'ordre des cétacés. 2 Lame ou tige flexible servant d'armature (gaines, parapluies, etc.)

baleinier, ère a Relatif aux baleines. ■ nm Navire équipé pour la chasse à la baleine. ■ nf Petit canot à bord de tous les bâtiments de commerce et de guerre.

balénoptère nm Mammifère cétacé voisin des baleines.

balèze ou **balaise** a, n Pop Très fort, puissant.

balisage nm Action de baliser ; ensemble de balises.

1. balise nf 1 Marque apparente destinée à faciliter la navigation maritime ou aérienne. 2 Appareil émettant des signaux pour guider les navires ou les avions. 3 Signal qui matérialise le tracé d'une route.

2. balise nf Fruit du balisier.

baliser vt Munir de balises.

balisier nm Arbuste ornemental à belles fleurs jaunes ou rouges.

balistique a 1 Relatif au mouvement des projectiles. 2 Se dit d'un missile fonctionnant sous l'effet de la gravitation seule. ■ nf Science du mouvement des corps lancés dans l'espace, en partic. des projectiles d'armes à feu.

baliveau nm Jeune arbre réservé lors de la coupe d'un taillis.

baliverne nf Propos frivole ; sornette.

balkanique a Des Balkans.

balkanisation nf Fractionnement, éclatement d'un pays en unités autonomes.

ballade nf 1 Poème de trois strophes terminées par un refrain, clos par une strophe plus courte (envoi). 2 MUS Pièce vocale ou instrumentale.

ballant, ante a Qui pend et se balance. ■ nm Mouvement de balancement.

ballast nm 1 Réservoir de plongée d'un sous-marin. 2 Lit de pierres sur lequel reposent les traverses d'une voie ferrée.

ballastière nf Carrière d'où on extrait les pierres de ballast.

balle nf 1 Petite sphère de matière élastique qui sert dans certains jeux. 2 Projectile des armes à feu portatives. 3 Gros paquet de marchandises, souvent enveloppé et lié de cordes. 4 Fam Figure, physionomie. 5 Enveloppe du grain des céréales. **Loc** Enfant de la balle :

personne élevée dans un milieu de comédiens, d'artistes, etc. ■ pl Fam Francs. T'as pas cent balles ?

ballerine nf 1 Danseuse qui fait partie d'un ballet. 2 Chaussure légère de femme, sans talon.

ballet nm 1 Spectacle donné par un ensemble chorégraphique. 2 Troupe de danseurs et de danseuses.

ballon nm 1 Grosse balle gonflée d'air servant à jouer, à pratiquer certains sports. 2 Vessie gonflée d'un gaz plus léger que l'air, qui sert de jouet aux enfants. 3 Aéronef constitué par une enveloppe contenant un gaz plus léger que l'air. 4 Verre à boire hémisphérique. 5 Montagne au sommet arrondi, dans les Vosges.

ballonnement nm État du ventre ballonné.

ballonner vt Gonfler le ventre, l'estomac.

ballon-sonde nm Ballon équipé d'appareils de mesure pour explorer la haute atmosphère. Des ballons-sondes.

ballot nm 1 Petite balle, petit paquet de marchandises. 2 Fam Niais, lourdaud.

ballottage nm Résultat d'un scrutin où aucun candidat n'a obtenu le nombre de voix nécessaire pour être élu au premier tour.

ballotter vi Aller d'un côté et de l'autre, être secoué en tous sens. ■ vt Agiter en secouant de côté et d'autre.

ballottine nf Rouleau de viande, de gibier.

ball-trap nm Appareil à ressort lançant des disques d'argile sur lesquels on s'exerce au tir. Des ball-traps.

balluchon ou **baluchon** nm Fam Petit paquet.

balnéaire a De bains de mer.

balnéothérapie nf Cure médicale par les bains.

1. balourd nm Défaut d'équilibrage d'une pièce tournant autour d'un axe.

2. balourd, ourde n, a Qui est sans finesse ; lourdaud.

balourdise nf Caractère ou action d'un balourd.

balsa nm Bois exotique très léger, utilisé notamment en modélisme.

balsamine nf Plante dont les fruits, à maturité, éclatent dès qu'on les touche.

balsamique a Qui a la propriété d'un baume.

balte a, n De la Baltique, des pays riverains.

baluchon. V. balluchon.

balustrade nf Rampe supportée par de petits piliers ou de colonnettes.

balzacien, enne a Relatif à Balzac.

balzane nf Tache blanche circulaire au-dessus du sabot et au-dessous du genou d'un cheval.

bambin, ine n Fam Petit enfant.

bamboche nf Fam Ripaille, joyeuse vie.

bambou nm 1 Plante arborescente aux longues tiges flexibles. 2 Canne, bâton fait avec une de ces tiges. Loc Fam **Coup de bambou :** brusque accès de fatigue, ou de folie.

ban nm HIST Au Moyen Âge, convocation de tous ses vassaux par le seigneur ; ensemble de ces vassaux. Loc **Être au ban de la société :** être déclaré indigne d'y vivre. ■ pl Publication à la mairie, à l'église d'une promesse de mariage.

1. banal, ale, aux a HIST Dont l'usage était imposé aux vassaux d'un seigneur moyennant une redevance. Four banal.

2. banal, ale, als a Sans originalité, ordinaire.

banalisation nf Action de banaliser.

banalisé, ée a Loc **Véhicule banalisé :** voiture de police sans marque distinctive.

banaliser vt Rendre banal, dépouiller de son originalité.

banalité nf 1 Caractère banal. 2 Propos banal. Débiter des banalités.

banane nf 1 Fruit comestible du bananier, de forme allongée et courbe. 2 Sacoche oblongue portée à la ceinture. 3 Fam Grosse mèche enroulée au-dessus du front. Loc Fam **Peau de banane :** procédé déloyal.

bananeraie nf Plantation de bananiers.

bananier, ère a De la banane. Cultures bananières. Loc **République bananière :** État d'Amérique centrale dont les exploitations sont aux mains de compagnies étrangères.

■ nm 1 Plante à très grandes feuilles des pays chauds, qui produit les bananes. 2 Navire équipé pour le transport des bananes.

banc nm 1 Long siège sur lequel plusieurs personnes peuvent prendre place. 2 Couche naturelle, plus ou moins régulière et horizontale, de matières minérales. 3 Plateau sous-marin. 4 Masse de poissons qui se déplacent ensemble. Loc **Banc d'essai :** appareillage qui permet de procéder aux essais d'un matériel ; ce par quoi on évalue les capacités de qqn.

bancaire a De la banque. Crédit bancaire.

bancal, ale, als a Dont les jambes sont d'inégale longueur, boiteux. Loc Fam **Phrase bancale :** mal construite.

bancariser vt Équiper une région, une population d'un réseau bancaire.

banco nm Loc **Faire banco :** tenir seul l'enjeu contre la banque, au baccara ; décider de prendre un risque important.

bandage nm 1 Application d'une bande sur une partie du corps lésée. 2 Bande ou appareil maintenant un pansement, contenant une hernie. 3 Bande de métal, de caoutchouc entourant la jante d'une roue.

bandana nm Petit foulard de couleurs vives.

1. bande nf 1 Morceau d'étoffe, de papier, de cuir, etc., beaucoup plus long que large. 2 Partie allongée et bien délimitée d'une chose. 3 Chacun des quatre côtés intérieurs d'un billard garni d'une substance élastique. 4 Ruban en matière plastique qui sert de support à des informations ou à l'enregistrement de sons ou des images. Loc **Bande dessinée :** suite d'images dessinées racontant une histoire.

2. bande nf Groupe de personnes, compagnie. Loc **Faire bande à part :** rester à l'écart.

3. bande nf Inclinaison permanente d'un navire sur un côté. Donner de la bande sur tribord.

bande-annonce nf Sélection d'extraits d'un film pour la publicité. Des bandes-annonces.

bandeau

bandeau nm 1 Bande qui couvre les yeux ou le front. 2 Coiffure qui applique les cheveux de chaque côté du front.

bandelette nf Bande longue et très mince.

bander vt 1 Entourer d'une bande ou d'un bandeau. 2 Tendre avec effort. *Bander un arc, un ressort.* ■ vi Pop Être en érection.

banderille nf Petite lance ornée de rubans, que plante le torero dans la chair du taureau.

banderole nf 1 Étendard long et mince. 2 Longue étoffe qui sert à décorer ou porte une inscription.

bandit nm 1 Malfaiteur dangereux. 2 Homme sans scrupules.

banditisme nm Activités des bandits.

bandonéon nm Petit accordéon.

bandoulière nf Loc *En bandoulière :* se dit d'une arme, d'un sac tenus par une bretelle qui barre le corps en diagonale.

bang nm Bruit violent provoqué par un avion franchissant le mur du son.

bangladais, aise a, n Du Bangladesh.

banjo nm Sorte de guitare ronde.

banlieue nf Ensemble des agglomérations qui entourent une grande ville.

banlieusard, arde n Fam Habitant d'une banlieue, spécialement de la banlieue de Paris.

banne nf 1 Grande malle d'osier. 2 Auvent en toile, qui protège des intempéries la devanture d'une boutique.

banneton nm Petit panier d'osier.

bannière nf Étendard, drapeau. Loc Fam *C'est la croix et la bannière :* c'est une entreprise compliquée, difficile.

bannir vt 1 Condamner qqn à quitter son pays ou son lieu de résidence. 2 Litt Repousser, exclure. *Bannir toute inquiétude.*

bannissement nm Peine de l'exil.

banque nf 1 Entreprise qui se consacre au commerce de l'argent en recevant et gérant des fonds, en fournissant des prêts, etc. 2 Secteur économique constitué par ces entreprises. 3 Somme que l'un des joueurs tient devant lui pour payer les gagnants, à certains jeux de hasard. Loc *Banque du sang, d'organes :* établissements qui recueillent et conservent du sang, des organes, pour les transfusions ou les greffes. INFORM *Banque de données :* ensemble d'informations réunies dans des fichiers.

banqueroute nf 1 Faillite frauduleuse ou due à l'imprudence. 2 Échec total d'une action.

banquet nm Festin, repas solennel.

banquette nf 1 Banc rembourré. 2 Siège à plusieurs places dans une automobile, un train.

banquier nm 1 Qui dirige une banque. 2 Qui tient la banque, dans certains jeux de hasard.

banquise nf Amas de glaces permanentes, formé par la congélation des eaux marines.

bantou, oue a Relatif aux Bantous. ■ nm Ensemble de langues apparentées parlées dans le sud de l'Afrique.

banyuls [banjuls] nm Vin doux du Roussillon.

baobab nm Arbre au tronc énorme des régions tropicales.

baptême [batɛm] nm Sacrement chrétien, le premier des sept sacrements de l'Église catholique. Loc *Nom de baptême :* prénom conféré lors du baptême. *Baptême d'une cloche, d'un navire :* cérémonie qui consiste à les bénir en leur donnant un nom. *Baptême du feu :* débuts d'un soldat au combat. *Baptême de l'air :* premier voyage en avion.

baptiser [batize] vt 1 Conférer le baptême à. 2 Donner un nom, un sobriquet, à. 3 Couper d'eau. *Baptiser du vin, du lait.*

baptismal, ale, aux [batis-] a Du baptême. *L'eau baptismale.*

baptisme [batism] nm Doctrine religieuse selon laquelle le baptême doit être administré aux adultes par immersion complète.

baptistère [batis-] nm Petit édifice construit autrefois pour conférer le baptême.

baquet nm 1 Petit cuvier, généralement en bois. 2 Siège de voiture emboîtant bien les reins.

1. bar nm 1 Débit de boissons où le client consomme au comptoir. 2 Le comptoir lui-même. 3 Petit meuble contenant des bouteilles de boisson.

2. bar nm PHYS Unité de pression.

3. bar nm Poisson de l'Atlantique et de la Méditerranée, à chair estimée. Syn. loup.

baragouin nm Fam Langage incompréhensible.

baragouiner vt, vi Fam Parler une langue incorrectement, de façon inintelligible.

baraka nf Fam Chance qui semble due à une protection surnaturelle.

baraque nf 1 Construction légère et temporaire. 2 Fam Maison mal bâtie, mal agencée ou mal tenue.

baraqué, ée a Pop De forte carrure.

baraquement nm Ensemble de baraques servant de logement provisoire à des soldats, des ouvriers, etc.

baratin nm Fam Discours abondant pour enjôler ou abuser.

baratiner vi Fam Faire du baratin. ■ vt Fam Essayer de séduire par un baratin. *Baratiner une fille.*

baratte nf Machine à baratter.

baratter vt Agiter de la crème dans une baratte pour en faire du beurre.

barbare a, n 1 Étranger, chez les Grecs et les Romains. 2 Cruel, féroce. 3 Grossier, qui choque le goût. 4 Incorrect. *Un mot barbare.*

barbaresque a Se disait des régions d'Afrique du Nord placées sous la suzeraineté ottomane.

barbarie nf 1 État d'un peuple qui n'est pas civilisé. 2 Cruauté, inhumanité.

barbarisme nm Forme fautive d'un mot, d'une locution.

1. barbe nf 1 Poils du menton et des joues. 2 Tige très fine terminant l'enveloppe de chaque grain dans certains épis. Loc Fam *La barbe ! Quelle barbe !* : exclamations marquant l'ennui, l'impatience. ■ pl Filaments que portent les tuyaux des plumes d'oiseaux.

2. barbe nm Cheval d'Afrique du Nord.

barbeau nm Poisson d'eau douce qui ressemble à une carpe.

barbecue [barbakju] nm Appareil à charbon de bois avec une grille pour la cuisson en plein air.

barbe-de-capucin nf 1 Chicorée sauvage comestible, blanchie en cave. 2 Syn de usnée. *Des barbes-de-capucin.*

barbelé, ée a, n Loc *Fil de fer barbelé* ou *barbelés* : fil de fer garni de pointes, employé pour les clôtures.

barber vt Fam Ennuyer.

barbet nm Chien d'arrêt, griffon à poils longs.

barbiche nf Barbe qu'on laisse pousser à la pointe du menton.

barbichu, ue a, n Qui porte une petite barbe.

barbier nm Anc Celui qui par profession rasait, taillait la barbe.

barbillon nm ZOOL Filament tactile de la bouche de certains poissons.

barbiturique nm Médicament utilisé comme hypnotique, sédatif, anesthésique, anticonvulsif.

barbon nm Litt Homme d'âge mûr, peu séduisant.

barboter vi S'ébattre dans l'eau ; patauger. ■ vt Pop Voler, subtiliser. *On m'a barboté ma montre.*

barboteuse nf Vêtement pour enfants, d'une seule pièce, fermé entre les jambes et laissant celles-ci nues.

barbouillage ou **barbouillis** nm 1 Enduit de couleur fait rapidement à la brosse. 2 Fam Mauvaise peinture. 3 Écriture peu lisible.

barbouiller vt, vi 1 Salir, tacher grossièrement. 2 Fam Peindre grossièrement. Loc Fam *Barbouiller du papier* : écrire beaucoup. *Barbouiller le cœur, l'estomac* : donner des nausées.

barbouze nf Pop Agent plus ou moins officiel d'un service de renseignements.

barbu, ue a, n Qui a de la barbe.

barbue nf Poisson de mer plat voisin du turbot.

barda nm Fam Équipement, bagage encombrant.

bardane nf Plante à fleurs roses des lieux incultes, qui s'accroche aux vêtements.

1. barde nm 1 Poète celte. 2 Poète national épique et lyrique.

2. barde nf Tranche mince de lard dont on enveloppe certaines viandes à rôtir.

bardeau nm Planchette servant au revêtement des toits, des façades.

1. barder vt 1 Entourer de bardes. *Barder une volaille.* 2 Recouvrir d'une plaque métallique.

2. barder v imp Fam Tourner mal, se gâter, devenir violent. *Ça va barder.*

bardot nm Hybride d'un cheval et d'une ânesse.

barème nm Répertoire de données chiffrées ; liste de tarifs.

barge nf Embarcation à fond plat et à faible tirant d'eau.

barigoule nf Loc *Artichauts à la barigoule :* farcis de lard et de jambon hachés, puis braisés.

baril nm 1 Petit tonneau. 2 Unité de mesure du pétrole (0,159 m³).

barillet nm Dispositif mécanique de forme cylindrique. *Barillet d'un revolver.*

bariolé, ée a Dont les couleurs sont variées, vives et mal assorties.

barjo ou **barjot** a, n Fam Cinglé, toqué, fou.

barmaid [-mɛd] nf Serveuse d'un bar.

barman [-man] nm Serveur d'un bar.

bar-mitsva nf inv Dans le judaïsme, célébration de la majorité religieuse des garçons (treize ans).

barnum [-nɔm] nm Petit kiosque à journaux.

barographe nm Baromètre enregistreur.

barolo nm Vin rouge italien, très réputé.

baromètre nm 1 Appareil servant à mesurer la pression atmosphérique. 2 Ce qui sert à mesurer, à estimer un phénomène variable. *Les sondages, baromètre de l'opinion publique.*

barométrique a Relatif aux variations de la pression atmosphérique.

baron, onne n Titre nobiliaire immédiatement inférieur à celui de vicomte. ■ nm Personnage important dans le monde de la politique, de la finance, etc.

baronnet nm Titre de noblesse honorifique en Grande-Bretagne.

baronnie nf 1 HIST Seigneurie d'un baron. 2 Domaine réservé d'un personnage important.

baroque a D'une originalité qui étonne, qui choque. Loc *Perle baroque :* perle irrégulière. ■ a, nm Se dit d'un style très chargé d'ornements qui s'est développé surtout aux XVII° et XVIII° s.

baroquisant, ante a, n Qui tend vers le baroque.

baroud nm Pop Bataille, bagarre. Loc *Baroud d'honneur :* combat qu'on sait perdu d'avance, livré pour l'honneur.

barouf nm Pop Grand bruit, tapage.

barque nf Petit bateau non ponté.

barquette nf 1 Tartelette en forme de barque. 2 Petit récipient. *Une barquette de fraises.*

barracuda nm Grand poisson très vorace.

barrage nm 1 Ce qui barre une voie. 2 Action de barrer une voie. 3 Ouvrage disposé en travers d'un cours d'eau pour créer une retenue. Loc *Tir de barrage :* tir d'artillerie destiné à interdire un accès.

barre nf 1 Pièce allongée et rigide de bois, de métal, etc. 2 Trait droit de plume ou de crayon pour biffer, souligner, séparer. 3 Niveau considéré comme une limite. 4 Levier ou mécanisme commandant le gouvernail d'un bateau. 5 Zone de hautes vagues qui viennent se briser en avant de certaines côtes. 6 Emplacement réservé dans les salles d'audience judiciaire aux dépositions des témoins, parfois aux plaidoiries. Loc Fam *Coup de barre :* fatigue brutale.

barreau nm 1 Barre de bois, de fer qui sert d'assemblage, de clôture, etc. 2 Emplacement réservé aux avocats dans les salles d'audience judiciaire. 3 La profession d'avocat, le corps, l'ordre des avocats.

barrer vt 1 Fermer au moyen d'une barrière ; interdire à la circulation. 2 Tirer un trait sur ; biffer, rayer. 3 Tenir la barre d'un bateau, le diriger. ■ vpr Pop S'en aller, se sauver.

barrette nf 1 Petite barre formant un bijou, une broche. 2 Ruban de décoration monté sur une petite barre. 3 Petite pince pour tenir les cheveux.

barreur, euse n **1** Qui tient la barre d'une embarcation. **2** En aviron, personne qui rythme la cadence des rameurs.

barricade nf Retranchement élevé hâtivement avec des moyens de fortune pour barrer un passage, une rue.

barricader vt **1** Obstruer une voie de communication par des barricades. **2** Fermer solidement. ■ vpr S'enfermer.

barrière nf **1** Assemblage de pièces de bois ou de métal interdisant un passage. **2** Obstacle naturel important.

barrique nf Tonneau contenant 200 à 250 litres.

barrir vi Crier (éléphant, rhinocéros).

barrissement ou **barrit** nm Cri de l'éléphant, du rhinocéros.

bartavelle nf Perdrix du Jura et des Alpes.

baryton nm **1** Voix intermédiaire entre le ténor et la basse. **2** Chanteur qui a cette voix.

baryum nm Métal blanc et mou analogue au calcium.

barzoï nm Lévrier russe à poil long.

bas, basse a **1** Qui a peu de hauteur, de valeur, d'élévation sociale. *Table basse. Les bas salaires. Le peuple. Le bas. Proche de la côte. La basse Normandie.* **3** D'une époque relativement récente. *Le Bas-Empire.* **4** Grave. *Une note basse.* **5** Vil, méprisable. *De basses calomnies.* Loc **Ciel bas :** ciel couvert de nuages. *Ce bas monde :* le monde terrestre. *Messe basse :* messe non chantée. *Faire main basse sur qqch :* le dérober. ■ av Sans élever la voix. *Parler bas.* Loc **Mettre plus bas :** faire des petits (animaux). **Mettre à bas :** renverser. **À bas !** : cri d'hostilité. ■ nm **1** La partie inférieure. **2** Vêtement qui couvre le pied et la jambe.

basalte nm Roche éruptive noire, compacte, très dure.

basaltique a Formé de basalte.

basane nf Cuir très souple obtenu à partir d'une peau de mouton tannée.

basané, ée a Brun, hâlé (teint, peau).

bas-bleu nm Femme pédante. *Des bas-bleus.*

bas-côté nm **1** Galerie ou nef latérale d'une église. **2** Accotement d'une route entre la chaussée et le fossé. *Des bas-côtés.*

bascule nf **1** Pièce de bois ou de métal, qui oscille librement autour de son axe. **2** Balançoire faite d'une seule pièce en équilibre. **3** Machine à peser les lourdes charges.

basculer vi **1** Avoir un mouvement de bascule. **2** Perdre l'équilibre et tomber. ■ vt Renverser, faire tomber.

base nf **1** Partie inférieure d'un corps, sur laquelle le corps repose. **2** Ensemble des militants d'un parti politique, d'un syndicat (par opposition aux dirigeants). **3** Principal ingrédient d'un mélange. **4** Principe, donnée fondamentale. **5** CHIM Corps qui, combiné avec un acide, le neutralise. **6** Dans un triangle, côté opposé au sommet ; dans un trapèze, chacun des côtés parallèles. **7** MATH Nombre de chiffres utilisés dans un système de numération. **8** MILIT Zone où sont rassemblés les équipements et les services nécessaires à une action offensive ou défensive.

base-ball [bɛzbol] nm Jeu de balle opposant deux équipes, pratiqué surtout aux États-Unis.

baser vt **1** Prendre ou donner pour base. **2** Établir une unité dans une base militaire. Loc **Être basé qqpart :** y avoir son point d'attache. ■ vpr S'appuyer, se fonder.

bas-fond nm **1** Terrain plus bas que ceux qui l'entourent. **2** Endroit peu profond dans un cours d'eau, un lac, une mer. ■ pl Couches les plus misérables, les plus dépravées d'une société. *Des bas-fonds.*

basic nm Langage de programmation informatique.

basidiomycète nm Champignon membre d'une classe très importante comprenant les champignons les plus courants.

basilic nm Plante aromatique, employée comme condiment.

basilique nf **1** Dans l'Antiquité romaine, vaste édifice servant de tribunal et de lieu de commerce. **2** Église chrétienne des premiers siècles. **3** Titre concédé par le pape à certaines grandes églises.

basique

basique *a* 1 Fondamental, de base. *Français basique.* 2 Restreint à l'essentiel, rudimentaire. 3 CHIM Qui a les caractères d'une base. ■ *nm* Vêtement présent dans toute garde-robe.

basket ou **basket-ball** [basketbol] *nm* Sport d'équipe consistant à lancer un ballon dans un panier surélevé. ■ *nf* Chaussure de sport à lacet et montante.

basketteur, euse *n* Joueur de basket.

basmati *nm* Riz d'origine indienne, à grain long.

basque *a, n* Du Pays basque. ■ *nm* Langue parlée au Pays basque.

basques *nfpl* Pans de vêtement qui partent de la taille. Loc Litt *Se pendre aux basques de qqn* : le suivre partout.

bas-relief *nm* Sculpture faisant peu saillie sur le bloc qui lui sert de support. *Des bas-reliefs.*

basse *nf* 1 Partie la plus grave d'un morceau de musique polyphonique. 2 Chanteur capable de chanter ces parties. 3 Instrument de musique servant à exécuter la basse.

basse-cour *nf* 1 Partie d'une exploitation rurale, où l'on élève la volaille et les lapins. 2 Ensemble de ces animaux. *Des basses-cours.*

basse-fosse *nf* Cachot souterrain d'un château fort. *Des basses-fosses.*

bassement *av* De façon vile.

bassesse *nf* 1 Dégradation morale. 2 Action vile. *Faire des bassesses.*

basset *nm* 1 Chien aux pattes très courtes, le plus souvent torses.

bassin *nm* 1 Grand plat creux, généralement rond ou ovale. 2 Pièce d'eau dans un jardin, un parc. 3 Partie plus ou moins profonde d'une piscine. 4 Plan d'eau d'un port, bordé de quais. 5 Territoire dont les eaux de ruissellement vont se concentrer vers un cours d'eau, un fleuve ou un lac. *Le bassin de la Loire.* 6 Vaste région en forme de cuvette. *Le Bassin parisien.* 7 Gisement de minerai de grande étendue. 8 Structure osseuse en forme de ceinture, qui constitue la base du tronc. Loc *Bassin d'em-*

ploi, d'audience : zone géographique où l'on cherche un emploi, qui peut être touchée par un média.

bassine *nf* Grande cuvette servant à divers usages domestiques.

bassiner *vt* 1 Chauffer avec une bassinoire. 2 Humecter légèrement. 3 Pop Fatiguer, ennuyer.

bassinet *nm* Loc Fam *Cracher au bassinet* : contribuer à quelque dépense, en général à contrecœur.

bassinoire *nf* Récipient métallique destiné à recevoir des braises pour chauffer un lit.

bassiste *n* Syn. de contrebassiste.

basson *nm* 1 Instrument à vent en bois, la basse de la famille des bois. 2 Qui joue du basson.

basta ! *interj* Fam Marque l'impatience.

bastide *nf* 1 Ville médiévale fortifiée. 2 En Provence, maison de campagne.

bastille *nf* 1 Au Moyen Âge, ouvrage de fortification détaché en avant d'une enceinte. 2 Litt Symbole du pouvoir arbitraire.

bastingage *nm* Garde-corps sur le pont d'un navire.

bastion *nm* 1 Ouvrage fortifié formant saillie. 2 Solide point de résistance.

baston *nm* et *nf* Pop Bagarre, rixe.

bastonnade *nf* Coups de bâton.

bastringue *nm* 1 Fam Tapage, vacarme. 2 Fam Attirail.

bas-ventre *nm* Partie inférieure du ventre. *Des bas-ventres.*

bât *nm* Harnachement des bêtes de somme pour le transport des fardeaux.

bataclan *nm* Fam Attirail embarrassant.

bataille *nf* 1 Combat général entre deux forces militaires. 2 Combat violent. *Bataille politique.* 3 Jeu de cartes très simple qui se joue à deux. Loc *Cheval de bataille* : idée favorite, sur laquelle on revient souvent.

batailler *vi* 1 Discuter avec âpreté ; contester. 2 Mener une lutte incessante.

bataillon *nm* 1 Subdivision d'un régiment d'infanterie, groupant plusieurs compagnies. 2 Troupe nombreuse et peu disciplinée.

bâtard, arde *a, n* 1 Se dit d'un enfant illégitime. 2 Qui n'est pas d'une race pure. *Lé-*

vrier bâtard. ■ **a** Qui tient de genres, de types différents. ■ **nm** Pain court. ■ **nf** Écriture intermédiaire entre l'anglaise et la ronde.

batavia **nf** Variété de laitue.

bâté **a** Loc *Âne bâté* : ignorant, imbécile.

bateau **nm 1** Engin conçu pour naviguer. **2** Fam Lieu commun, banalité souvent ressassée. **3** Abaissement de la bordure d'un trottoir devant une porte cochère. Loc Fam *Mener qqn en bateau* : tenter de le tromper. ■ **a** *inv* Fam Banal, rebattu. *Idée bateau.*

bateau-mouche **nm** Bateau de promenade sur la Seine, à Paris. *Des bateaux-mouches.*

bateleur, euse **n** Anc Comédien de place publique qui fait des tours, des pitreries, etc.

batelier, ère **n** Dont le métier est de conduire les bateaux sur les cours d'eau.

batellerie **nf 1** Ensemble des bateaux assurant les transports sur les cours d'eau. **2** Industrie relative à ces transports.

bat-flanc **nm inv 1** Planche de séparation entre deux chevaux dans une écurie. **2** Lit de planches.

bathyal, ale, aux **a** GÉOL Se dit des fonds océaniques compris entre 300 et 3 000 m de profondeur.

bathyscaphe **nm** Appareil autonome pour l'exploration des grandes profondeurs marines.

bâti, ie **a** Se dit d'un terrain sur lequel on a édifié un bâtiment. Loc *Être bien (mal) bâti* : être robuste (contrefait). ■ **nm 1** Cadre d'une porte ou d'une croisée. **2** Ensemble de montants et de traverses servant de support à une machine. **3** Assemblage provisoire des pièces d'un vêtement avant couture.

batifoler **vi** Fam Folâtrer, s'ébattre.

batik **nm** Procédé de teinture utilisant de la cire pour masquer certaines parties du tissu ; tissu teint par ce procédé.

bâtiment **nm 1** Toute construction à usage d'habitation ou d'abri. **2** L'ensemble des corps de métiers de la construction. **3** Bateau de dimensions assez importantes.

bâtir **vt 1** Construire, édifier. **2** Établir, fonder. **3** Assembler à grands points les parties d'un vêtement.

bâtisse **nf** Grand bâtiment sans caractère.

bâtisseur, euse **n** Qui fait construire de nombreux bâtiments.

batiste **nf** Toile de lin très fine.

bâton **nm 1** Morceau de bois long et mince, souvent fait d'une branche d'arbre. **2** Objet en forme de bâton. *Bâton de dynamite.* **3** Trait, barre que fait un enfant qui apprend à écrire, à compter.

bâtonnet **nm** Petit bâton.

bâtonnier **nm** Chef et représentant de l'ordre des avocats, élu chaque ressort de chaque barreau.

batracien **nm** Vx Syn de *amphibien.*

battage **nm 1** Action de battre (les céréales, les tapis, l'or, etc.). **2** Fam Publicité tapageuse.

battant, ante **a** Loc *Pluie battante* : abondante et violente. *Porte battante* : qui se referme d'elle-même. *Tambour battant* : vivement, avec détermination. ■ **n** Personne énergique, combative. ■ **nm 1** Marteau intérieur d'une cloche. **2** Vantail d'une porte, d'une fenêtre.

batte **nf** Bâton à bout renflé qui sert à renvoyer la balle au base-ball, au cricket.

battement **nm 1** Choc, bruit de ce qui bat. **2** Mouvement de ce qui bat. **3** Intervalle de temps, délai.

batterie **nf 1** Réunion de pièces d'artillerie. **2** Ensemble de piles, d'accumulateurs électriques associés. **3** Ensemble des instruments de percussion réunis dans l'orchestre. Loc *Batterie de cuisine* : ensemble des ustensiles d'une cuisine. *Élevage en batterie* : élevage industriel. ■ **pl** Plans, projets habiles.

batteur **nm 1** Qui joue de la batterie dans un orchestre de jazz. **2** Instrument pour battre les œufs, la crème, etc.

batteuse **nf** Machine servant à séparer les grains de la balle et de la paille.

battle-dress [batal-] **nm** *inv* Blouson de toile d'un uniforme militaire.

battre **vt 1** 1 Donner des coups à, frapper. **2** Vaincre, surpasser. **3** Agiter vivement. *Battre des œufs en neige, la crème.* **4** Parcourir en tous sens. *Battre la chemins.* Loc *Battre les cartes* : les mélanger. *Battre la mesure* : indiquer la cadence, le rythme. *Battre mon-*

naie : émettre des pièces de monnaie. *Battre pavillon français, etc* : arborer au mât de pavillon de nationalité. **Battre son plein** : être en pleine activité. ■ *vi* Être animé de mouvements répétés (cœur, balancier, etc). Loc **Battre de l'aile** : aller mal, péricliter. *Battre en retraite* : se retirer, céder. ■ *vpr* Combattre, lutter.

battu, ue *a* Loc *Yeux battus* : cernés, qui marquent la fatigue. *Terre battue* : sol durci, foulé aux pieds. *Suivre les sentiers battus* : agir comme tout le monde, sans originalité.

battue *nf* Action de battre le terrain pour en faire sortir le gibier et le rabattre vers les chasseurs.

baud *nm* INFORM Unité de mesure valant une impulsion par seconde.

baudet *nm* Âne.

baudrier *nm* 1 Bande de cuir ou d'étoffe portée en écharpe et soutenant une arme, un tambour. 2 Harnais servant à un alpiniste, un spéléologue pour s'encorder.

baudroie *nf* Poisson marin à gueule énorme. Syn. lotte.

baudruche *nf* 1 Mince pellicule de caoutchouc dont on fait des ballons légers. 2 Fam Personne vaine et sotte.

bauge *nf* 1 Lieu fangeux où gîte le sanglier. 2 Habitation sale, mal tenue.

baume *nm* 1 Substance résineuse et odorante qui coule de certains végétaux. 2 Médicament à odeur balsamique pour l'usage externe. 3 Litt Apaisement, consolation.

bauxite *nf* Minerai d'aluminium.

bavard, arde *a, n* 1 Qui parle beaucoup, qui aime parler. 2 Qui commet des indiscrétions.

bavardage *nm* 1 Action de bavarder. 2 Propos vains ou indiscrets.

bavarder *vi* 1 Parler familièrement avec qqn, causer abondamment. 2 Divulguer ce qu'on devrait taire.

bavarois, oise *a, n* De Bavière. ■ *nm* ou *nf* Entremets froid à base de crème anglaise et de gélatine.

bave *nf* Salive visqueuse qui s'échappe de la bouche ou de la gueule d'un animal.

baver *vi* 1 Laisser couler de la bave. 2 Présenter des bavures. Loc Fam *En baver* : passer par de rudes épreuves.

bavette *nf* 1 Syn vieilli de *bavoir*. 2 Partie supérieure d'un tablier de femme. 3 En boucherie, morceau situé au-dessous de l'aloyau. Loc Fam *Tailler une bavette* : bavarder.

baveux, euse *a* 1 Qui bave. 2 Se dit d'une omelette peu cuite.

bavoir *nm* Pièce de lingerie qui protège la poitrine des jeunes enfants.

bavure *nf* 1 Trace d'encre ou de couleur débordant d'un trait peu net. 2 Action policière, militaire comportant des incidents regrettables.

bayadère *nf* Danseuse sacrée de l'Inde.

bayer *vi* 20 Loc Fam *Bayer aux corneilles* : regarder en l'air niaisement.

bayou *nm* Partie de méandre occupée par un lac, ou bras mort d'un delta, en Louisiane.

bazar *nm* 1 Marché public, en Orient. 2 Magasin où l'on vend toutes sortes d'objets. 3 Fam Objets en désordre.

bazarder *vt* Fam 1 Vendre à bas prix. 2 Se débarrasser de, jeter.

bazooka [-zu-] *nm* Lance-roquettes antichar portatif.

B.C.B.G. [besebeʒe] *a, n* Fam Abrév de *bon chic bon genre*, qui est d'une élégance classique, de bon ton.

B.C.G. *nm* (n déposé) Vaccin antituberculeux.

B.D. *nf* Fam Abrév de *bande dessinée*.

beagle [bigl] *nm* Basset à jambes droites.

béant, ante *a* Largement ouvert.

béarnais, aise *a, n* Du Béarn. ■ *nf* Sauce à base de beurre et d'œufs.

béat, ate *a* Qui exprime un contentement exagéré, un peu niais.

béatification *nf* Acte du pape béatifiant une personne décédée.

béatifier *vt* Mettre au rang des bienheureux dignes d'un culte public.

béatitude *nf* 1 État de très grand bonheur. 2 Bonheur parfait de l'élu au ciel.

beatnik [bit-] *a* Jeune qui, vers 1960, manifestait par la singularité de sa tenue un certain refus de l'organisation sociale.

beau ou **bel, belle a 1** Qui plaît à la vue, à l'oreille. *Un beau visage. Un bel homme.* **2** Qui plaît à l'esprit. *Beau roman.* **3** Qui mérite l'estime, l'approbation. *Belle action.* **4** Qui est important. *Belle fortune.* **5** Agréablement ensoleillé. *Belle journée.* **Loc Le beau monde** : la haute société. **Un beau parleur** : qqn qui séduit par la parole. **Un beau joueur** : qqn qui sait perdre avec bonne grâce. ■ **av Loc Avoir beau faire, dire** : faire, dire inutilement. ■ **nm** Ce qui est beau. **Loc Vieux beau** : homme âgé qui cherche à séduire. **Faire le beau** : en parlant d'un chien, se dresser sur les pattes de derrière. ■ **nf** Partie décisive entre des joueurs à égalité. **Loc Pop Se faire la belle** : s'évader. **Fam En faire de belles** : faire de grosses sottises.

beauceron, onne a, n De Beauce.

beaucoup av Une grande quantité, un grand nombre. *Beaucoup de personnes.* Un grand nombre de personnes. *Beaucoup l'ont cru.* **3** En grande quantité ; très notablement. *Il a beaucoup plu.*

beau-fils nm 1 Fils que la personne qu'on a épousée a eu d'un précédent lit. **2** Gendre. *Des beaux-fils.*

beaufort nm Fromage de Savoie, voisin du gruyère.

Beaufort (échelle de) nf Échelle de 0 à 12 mesurant la vitesse du vent.

beau-frère nm 1 Frère du conjoint. **2** Mari d'une sœur ou d'une belle-sœur. *Des beaux-frères.*

beaujolais nm Vin du Beaujolais.

beau-père nm 1 Père du conjoint. **2** Second mari de la mère pour les enfants d'un premier lit. *Des beaux-pères.*

beaupré nm Mât oblique ou horizontal, à l'avant d'un navire.

beauté nf 1 Qualité de qqn ou de qqch qui est beau. **2** Femme très belle. ■ **pl** Les éléments de la beauté, les parties belles d'une chose.

beaux-arts nmpl 1 Les arts plastiques : peinture, sculpture, architecture, gravure, etc. **2** Les arts en général.

beaux-parents nmpl Les parents du conjoint.

bébé nm 1 Tout petit enfant. **2** Fam Problème embarrassant. *Se repasser le bébé.*

bébête a Fam Niais.

be-bop [bibɔp] **nm inv** Style de jazz marqué par des irrégularités rythmiques, des dissonances.

bec nm 1 Partie cornée et saillante qui tient lieu de bouche aux oiseaux. **2** Fam Bouche. **3** Partie pointue ou saillante de certains objets. **4** Pointe de terre au confluent de deux rivières. **Loc Bec de gaz** : autrefois lampadaire d'éclairage public. **Lutter bec et ongles** : de toute son énergie. **Avoir une prise de bec avec qqn** : se quereller. **Rester le bec dans l'eau** : rester déçu, dans l'incertitude. **Clouer le bec à qqn** : le réduire au silence par des arguments péremptoires.

bécane nf Fam **1** Bicyclette, vélomoteur. **2** Appareil, machine, en général.

bécarre nm Signe de notation musicale qui annule l'effet d'un dièse ou d'un bémol.

bécasse nf 1 Oiseau migrateur échassier à long bec. **2** Fam Femme sotte.

bécassine nf 1 Oiseau migrateur plus petit que la bécasse. **2** Fam Fille sotte et naïve.

bec-de-cane nm Poignée de porte en forme de levier horizontal. *Des becs-de-cane.*

bec-de-lièvre nm Malformation congénitale caractérisée par une fente de la lèvre supérieure. *Des becs-de-lièvre.*

béchamel nf Sauce blanche faite de beurre, de farine et de lait.

bêche nf Outil de jardinage constitué d'un fer plat, large et tranchant et d'un manche.

bêcher vt Couper et retourner la terre avec une bêche. ■ **vi** Fam Se montrer hautain.

bêcheur, euse n, a Fam Hautain et prétentieux.

bécot nm Fam Petit baiser.

bécoter vt Fam Donner des bécots.

becquée nf Quantité de nourriture qu'un oiseau peut prendre avec son bec pour nourrir ses petits.

becquerel nm PHYS Unité d'activité radioactive.

becqueter vt 19 Piquer à coups de bec. ■ **vi, vt** Pop Manger.

bedaine nf Fam Panse, gros ventre.

bedeau nm Laïc employé par une église.

bédéphile n Fam Amateur de bandes dessinées.

bedon nm Fam Ventre rebondi.

bedonner vi Fam Prendre du ventre.

bédouin, ine a Relatif aux Bédouins.

bée af Loc *Rester bouche bée* : être frappé de surprise, d'admiration, etc.

beffroi nm Tour, clocher d'où l'on sonnait autrefois l'alarme.

bégaiement nm Façon de parler de qqn qui bégaie.

bégayer vi 20 Parler avec un débit irrégulier, en répétant certaines syllabes. ■ vt Balbutier, bredouiller.

bégonia nm Plante ornementale aux fleurs blanches ou vivement colorées.

bègue a, n Qui bégaie.

bégueule nf, a Femme d'une pruderie exagérée, ridicule.

béguin nm 1 Bonnet pour les enfants. 2 Fam Passion passagère ; personne qui en est l'objet.

béguinage nm Communauté de béguines.

béguine nf Religieuse vivant en communauté sans prononcer de vœux.

bégum [-gɔm] nf Princesse indienne.

béhaviorisme nm Doctrine fondant la psychologie sur l'étude du comportement.

beige a, nm Brun très clair tirant sur le jaune.

beigne nf Pop Coup, gifle.

beignet nm Pâte frite, seule ou enveloppant un petit morceau de fruit, de viande, etc.

béké n Créole martiniquais ou guadeloupéen.

bel. V. beau.

bel canto nm inv Technique du chant dans la tradition lyrique italienne.

bêlement nm Cri des moutons et des chèvres.

bélemnite nf GÉOL Mollusque fossile du secondaire.

bêler vi 1 Faire entendre un bêlement. 2 Fam Chanter ou s'exprimer sur un ton mal assuré ou plaintif.

belette nf Petit carnivore brun sur le dessus, avec le ventre blanc.

belge a, n De Belgique.

belgicisme nm Tournure propre au français parlé en Belgique.

bélier nm 1 Mouton non castré. 2 Machine de guerre d'autrefois constituée d'une grosse poutre, pour abattre les murailles. Loc *Bélier hydraulique* : appareil élévateur d'eau.

belladone nf Plante à fleurs pourpres, à baies noires, très toxiques.

belle. V. beau.

belle-de-jour nf Liseron dont la fleur se ferme au coucher du soleil. *Des belles-de-jour.*

belle-de-nuit nf 1 Plante ornementale dont les fleurs ne s'ouvrent que le soir. Syn. mirabilis. 2 Prostituée. *Des belles-de-nuit.*

belle-famille nf Famille du conjoint. *Des belles-familles.*

belle-fille nf 1 Fille née d'un précédent mariage de la personne que l'on a épousée. 2 Bru, femme d'un fils. *Des belles-filles.*

belle-mère nf 1 Mère du conjoint. 2 Seconde épouse du père, pour les enfants du premier lit. *Des belles-mères.*

belles-lettres nfpl La littérature.

belle-sœur nf 1 Sœur du conjoint. 2 Épouse d'un frère ou d'un beau-frère. *Des belles-sœurs.*

belliciste n, a Partisan de la guerre.

belligérance nf Situation d'un pays, d'un peuple en état de guerre.

belligérant, ante a, n Qui est en guerre.

belliqueux, euse a 1 Qui aime la guerre, pousse à la guerre. 2 Qui aime engager des polémiques, agressif.

belon nf Huître à coquille plate et ronde.

belote nf Jeu de cartes qui se joue avec 32 cartes.

béluga ou **bélouga** nm Cétacé des mers arctiques, appelé aussi *baleine blanche*.

belvédère nm 1 Petit pavillon construit au sommet de, à l'angle d'un édifice. 2 Lieu élevé offrant une vue dégagée.

bémol nm 1 Signe musical baissant une note d'un demi-ton. 2 Fam Atténuation de la violence, de l'ampleur de qqch.

bénédicité nm Prière dite avant le repas.

bénédictin, ine n Religieux, religieuse de l'ordre de saint Benoît. ■ a Relatif à l'ordre bénédictin.

bénédiction nf Action de bénir.

bénéfice nm 1 Gain constitué par l'excédent des recettes sur les dépenses. 2 Avantage tiré d'une action, d'une situation. *Être élu au bénéfice de l'âge.*

bénéficiaire n, a Qui tire un avantage de qqch. ■ a Qui produit un bénéfice.

bénéficier vti Tirer un avantage, un profit d'une chose.

bénéfique a Dont l'action, l'influence est favorable.

benêt n, am Niais, sot.

bénévolat nm Service assuré à titre bénévole.

bénévole a, n Qui fait qqch sans y être obligé et gratuitement. *Faire appel à des bénévoles.* ■ a Fait sans obligation, à titre gratuit. *Service bénévole.*

bengali, ie a, n Du Bengale. ■ nm 1 Langue du Bengale, du Bangladesh. 2 Petit oiseau exotique au plumage coloré.

bénignité nf Litt Caractère bénin.

bénin, igne a 1 Qui est sans gravité. *Maladie bénigne.* 2 Litt Doucereux.

béninois, oise a, n Du Bénin.

béni-oui-oui nm inv Fam Approbateur empressé et inconditionnel.

bénir vt 1 Appeler la protection, la bénédiction divine sur. 2 Louer, rendre grâce avec reconnaissance à. *Bénir la mémoire de qqn.* 3 Se féliciter, se réjouir de. *Je bénis cette rencontre.*

bénit, ite a Qui a reçu une bénédiction liturgique. *Pain bénit, eau bénite.*

bénitier nm 1 Récipient à eau bénite. 2 Syn de *tridacne.* Loc Fam *Se démener comme un diable dans un bénitier :* faire tous ses efforts pour sortir d'une situation difficile. Fam *Grenouille de bénitier :* bigote.

benjamin, ine n Le plus jeune enfant d'une famille ; le plus jeune membre d'un groupe.

benjoin nm Résine utilisée en parfumerie et en pharmacie.

benne nf 1 Caisson pour la manutention des matériaux en vrac. 2 Cabine de téléphérique.

benoît, oîte a Litt Qui affecte une mine doucereuse.

benthique a GEOL Du fond des mers.

benzène nm Liquide incolore extrait des goudrons de houille.

benzine nf Mélange d'hydrocarbures utilisé comme solvant.

benzodiazépine nf Substance utilisée comme tranquillisant.

benzol nm Liquide obtenu par distillation du goudron de houille.

béotien, enne a, n 1 De la Béotie. 2 Lourdaud, ignorant sot.

B.E.P. nm Brevet d'études professionnelles.

béquille nf 1 Support passant sous l'aisselle et muni d'une poignée pour aider un infirme à marcher. 2 Pièce destinée à soutenir, à étayer.

berbère a, n Relatif aux Berbères. ■ nm Langue sémitique des Berbères.

bercail nm Loc Rentrer au bercail, ramener qqn au bercail : parmi les siens.

berceau nm 1 Petit lit d'enfant en bas âge. 2 Lieu d'origine de qqch. 3 Voûte à simple courbure.

bercer vt 1 Balancer doucement un enfant. 2 Apaiser, calmer, endormir. *Bercer qqn de promesses.* ■ vpr Loc *Se bercer d'illusions :* se leurrer.

berceuse nf Chanson destinée à endormir les enfants.

béret nm Coiffure en étoffe, ronde et plate.

bergamote nf 1 Agrume dont on tire une essence parfumée. 2 Bonbon à la bergamote.

berge nf 1 Bord d'un cours d'eau. *Les berges de la Seine.* 2 Pop An, année.

berger, ère n 1 Qui garde les moutons. 2 Litt Chef, guide. Loc *L'étoile du berger :* la planète Vénus. ■ nm Nom de diverses races de chiens.

bergère nf Fauteuil large et profond, garni d'un épais coussin.

bergerie nf Lieu où on parque les moutons.

bergeronnette nf Petit oiseau, dont la longue queue s'agite sans arrêt.

béribéri nm Maladie due à une carence en vitamines B1.

berk ! interj Pop Exprime le dégoût.

berline nf 1 Automobile à quatre portes. 2 Wagonnet assurant le transport des minerais.

berlingot nm 1 Bonbon de sucre en forme de tétraèdre. 2 Conditionnement (plastique ou carton) de certains liquides.

berlinois, oise a, n De Berlin.

berlue nf Loc Avoir la berlue : être victime d'une illusion.

bermuda nm Short à jambes étroites descendant jusqu'aux genoux.

bernard-l'ermite nm inv Syn de pagure.

berne nf Loc Drapeau en berne : hissé à mi-mât ou non déployé, en signe de deuil.

berner vt Tromper et ridiculiser.

bernique ou **bernicle** nf Syn de patelle.

bernois, oise a, n De Berne.

berrichon, onne a, n Du Berry.

béryl nm Pierre précieuse de couleur variable.

béryllium [-ljɔm] nm Métal utilisé dans des alliages et dans l'industrie nucléaire.

besace nf Sac à deux ouvertures, avec une ouverture au milieu.

bésicles nfpl Fam Lunettes.

besogne nf Travail, ouvrage.

besogneux, euse a, n 1 Qui est dans la gêne. 2 Qui fait un travail rebutant et peu rétribué.

besoin nm 1 Manque de ce qui est ressenti comme désirable ou nécessaire. 2 État de pauvreté. Loc Avoir besoin de qqch, de qqn : ressentir comme nécessaire qqch, la présence ou l'aide de qqn ; nécessiter qqch. ■ pl Ce qui est indispensable à l'existence quotidienne. Loc Fam Faire ses besoins : uriner, déféquer.

bestiaire nm Recueil, traité sur les animaux, souvent illustré.

bestial, ale,aux a Qui ravale l'être humain au niveau de la bête.

bestialité nf État de qqn qui a les instincts grossiers de la bête.

bestiaux nmpl Troupeaux d'une exploitation agricole.

bestiole nf Petite bête ; insecte.

best-seller [-sɛlɛr] nm Livre à succès, qui a une grosse vente. Les best-sellers de l'été.

1. bêta nm inv Deuxième lettre de l'alphabet grec correspondant au b. ■ a inv Loc Rayons bêta : rayonnement constitué d'électrons produits par des corps radioactifs.

2. bêta, asse a, n Fam Sot, niais.

bêtabloquant nm Médicament qui bloque certains récepteurs du système sympathique.

bétail nm Animaux de pâture, dans une exploitation agricole.

bétaillère nf Camion utilisé pour transporter le bétail.

bête nf 1 Tout être animé, à l'exception de l'être humain. 2 Personne qui se livre à ses instincts. Loc Bête à bon Dieu : coccinelle. Bête noire : personne ou chose détestée. Fam Chercher la petite bête : faire preuve d'une minutie tatillonne. ■ nfpl Le bétail. ■ a Stupide, sot.

bêtement av De façon stupide.

bêtifier vi Dire des niaiseries.

bêtise nf 1 Défaut d'intelligence, de jugement. 2 Propos bête. 3 Chose sans importance, futile. 4 Action imprudente, dangereuse, maladroite. Loc Bêtise de Cambrai : berlingot à la menthe.

bêtisier nm Recueil de bêtises amusantes.

bétoine nf Plante à fleurs mauves.

béton nm Matériau de construction constitué de ciment, de sable, de gravier et d'eau. Loc Béton armé : coulé autour d'armatures métalliques. Jouer le béton : bétonner (football).

bétonner vt 1 Construire, recouvrir ou renforcer avec du béton. 2 Fam Bloquer qqch, l'immobiliser. ■ vi 1 Au football, grouper les joueurs d'une équipe en défense. 2 Fam Faire de l'obstruction.

bétonneuse nf Abusiv Bétonnière.

bétonnière nf Machine servant à préparer le béton.

bette ou **blette** nf Plante comestible voisine de la betterave, aux feuilles amples, aux côtes épaisses et tendres.

betterave nf Plante cultivée pour sa racine charnue, de forte taille.

betteravier, ère a Relatif à la betterave. ■ nm Producteur de betteraves.

beuglante nf Pop Chanson chantée d'une voix assourdissante.

beuglement nm 1 Cri des animaux qui beuglent. 2 Son intense et prolongé qui assourdit.

beugler vi Mugir, en parlant du taureau, du bœuf et de la vache. ■ vi, vt Fam Crier, chanter très fort.

beur n, a Jeune né en France de parents maghrébins immigrés.

beurre nm 1 Substance alimentaire onctueuse obtenue à partir de la crème du lait. 2 Substance grasse extraite de divers végétaux. *Beurre de cacao.*

beurré nm Variété de poire à chair fondante.

beurrer vt Recouvrir de beurre. Loc Pop *Être beurré :* être ivre.

beurrier nm Récipient servant à conserver ou à servir le beurre.

beuverie nf Réunion où on boit avec excès.

bévue nf Erreur grossière, commise par ignorance ou faute de jugement.

bey nm HIST Haut dignitaire de l'empire Ottoman ou vassal du sultan.

bhoutanais, aise a, n Du Bhoutan.

biais nm 1 Ligne oblique. 2 Moyen détourné et ingénieux.

biaisé, ée a Fam Décalé, trompeur. *Une réponse biaisée.*

biaiser vi 1 Être, aller de biais. 2 User de détours.

biathlon nm Épreuve olympique combinant le ski de fond et le tir.

bibelot nm Petit objet de décoration.

biberon nm Petite bouteille munie d'une tétine, avec laquelle on fait boire un nourrisson.

biberonner vi Pop Boire avec excès.

bibi pr Pop Moi. *Ça, c'est à bibi.*

bibine nf Fam Mauvaise boisson.

bible nf 1 Manifeste, ouvrage fondamental d'une doctrine. 2 Ouvrage qu'on consulte souvent. Loc *Papier bible :* très mince et opaque.

bibliobus [-bys] nm inv Véhicule servant de bibliothèque itinérante.

bibliographe n Auteur de bibliographies.

bibliographie nf Liste des écrits d'un auteur ou se rapportant à un sujet.

bibliophile n Qui aime les livres précieux et rares.

bibliothécaire n Personne préposée à l'entretien d'une bibliothèque.

bibliothèque nf 1 Meuble permettant de ranger des livres. 2 Pièce ou édifice où sont conservés les livres, mis à la disposition du public. 3 Collection de livres.

biblique a De la Bible.

bic nm (n déposé) Stylo à bille.

bicamérisme ou **bicaméralisme** nm Système politique fondé sur un Parlement composé de deux chambres.

bicarbonate nm Carbonate acide.

bicentenaire nm Deuxième centenaire.

bicéphale a Qui a deux têtes.

biceps nm Muscle long fléchisseur du bras.

biche nf Femelle du cerf.

bichon, onne nm Petit chien à poil frisé.

bichonner vt Parer avec soin ; entourer de soins. ■ vpr Se parer avec coquetterie.

bicolore a Qui est de deux couleurs.

bicoque nf Fam Petite maison ou maison peu solide, inconfortable.

bicorne nm Chapeau à deux pointes.

bicross nm Vélo tout-terrain.

biculturalisme nm Coexistence de deux cultures nationales dans un même pays.

bicyclette nf Cycle à deux roues d'égal diamètre, dont la roue arrière est mise en mouvement par un pédalier.

bidasse nm Fam Soldat.

bide nm Pop 1 Ventre. 2 Échec.

bidet nm 1 Petit cheval de selle. 2 Cuvette utilisée pour la toilette intime.

bidoche nf Pop Viande.

bidon *nm* **1** Récipient métallique portatif destiné à contenir un liquide. **2** Pop Ventre. Loc Pop *Du bidon :* qqch de faux. ■ *a* Mensonger.

bidonner (se) *vpr* Pop Rire, bien s'amuser.

bidonville *nm* Agglomération d'habitations précaires, construites en matériaux de récupération, à la périphérie de certaines villes.

bidouiller *vt* Fam Bricoler.

bidule *nm* Fam Chose, objet quelconque.

bief *nm* **1** Canal conduisant l'eau sur la roue d'un moulin. **2** Espace entre deux écluses.

bielle *nf* Pièce de certains mécanismes qui transmet un mouvement.

biélorusse *a, n* De Biélorussie. ■ *nm* Langue slave parlée en Biélorussie.

bien *av* **1** De manière satisfaisante, agréable, habile. *Je dors bien. Une lettre bien tournée.* **2** De manière juste, honnête. *Il a bien agi.* **3** Beaucoup de. *Il manque bien des choses.* **4** Très, tout à fait ; beaucoup. *C'est bien long.* **5** Au moins. *Il y a bien dix ans.* **6** Certes, sans doute. *Cela se peut bien.* ■ *interj* Marque la satisfaction. Loc *Et bien ! eh bien ! :* marquent la surprise, l'interrogation. ■ *a inv* **1** Satisfaisant, convenable. *C'est un garçon bien.* **2** En bonne santé. ■ *conj* Loc *Bien que :* exprime la concession (quoique). *Si bien que :* introduit une conséquence (de sorte que). ■ *nm* **1** Ce qui est louable moralement. *Discerner le bien et le mal.* **2** Ce qui est profitable, avantageux. *Il a agi pour votre bien.* **3** Ce qu'on possède. *Léguer tous ses biens à qqn.* **4** Ce qui est produit par le travail. *Les biens de consommation.* Loc *Mener qqch à bien :* le conduire heureusement, réussir. *En tout bien tout honneur :* sans mauvaise intention.

bien-aimé, ée *a, n* Qui est tendrement aimé, particulièrement chéri. *Des bien-aimés.*

bien-être *nm inv* **1** État agréable du corps et de l'esprit. **2** Situation aisée financièrement.

bienfaisance [-fə-] *nf* Action de faire du bien aux autres ; le bien qu'on fait dans un intérêt social. *Société de bienfaisance.*

bienfaisant, ante [-fə-] *a* Qui fait du bien, qui a une influence salutaire.

bienfait [-fɛ-] *nm* **1** Service rendu à qqn. **2** Avantage, utilité. *Les bienfaits de la science.*

bienfaiteur, trice *n* Qui fait du bien.

bien-fondé *nm* **1** DR Conformité d'une demande, d'un acte, à la justice et au droit. **2** Conformité à la raison. *Des bien-fondés.*

bien-fonds *nm* Bien immobilier. *Des biens-fonds.*

bienheureux, euse *a* Très heureux. ■ *n* Dans l'Église catholique, personne qui a été béatifiée.

biennal, ale, aux *a* **1** Qui dure deux ans. **2** Qui a lieu tous les deux ans. ■ *nf* Manifestation artistique, culturelle, etc. qui a lieu tous les deux ans.

bien-pensant, ante *a, n* Attaché aux valeurs traditionnelles. *Des bien-pensants.*

bienséance *nf* Litt Conduite publique en conformité avec les usages.

bienséant, ante *a* Litt Décent, convenable.

bientôt *av* **1** Dans peu de temps. **2** Rapidement. *Ce fut bientôt fait.*

bienveillance *nf* Disposition favorable à l'égard de qqn.

bienveillant, ante *a* Plein de bienveillance.

bienvenu, ue *a, n* Qui arrive à propos, qui est accueilli avec plaisir.

bienvenue *nf* Loc *Souhaiter la bienvenue à qqn :* le saluer à son arrivée avec des mots accueillants.

1. bière *nf* Boisson alcoolique à base d'orge et de houblon.

2. bière *nf* Cercueil.

biface *nm* Outil préhistorique fait d'une pierre taillée sur deux faces.

biffer *vt* Rayer, barrer ce qui est écrit.

bifidus *nm* Bactérie utilisée comme additif dans les produits laitiers.

bifteck *nm* Tranche de bœuf. Loc Fam *Gagner son bifteck :* gagner de quoi vivre.

bifurcation *nf* Endroit où une ligne, une voie se divise en deux parties.

bifurquer *vi* **1** Se diviser en deux branches. **2** Changer de direction à un croisement. **3** Prendre une orientation.

bigame a, n Qui est marié à deux personnes à la fois.

bigarade nf Orange amère.

bigarreau nm Cerise rouge et blanche à chair ferme et sucrée.

bigarrer vt Revêtir de couleurs en opposition violente.

big bang nm inv ASTRO Gigantesque explosion qui serait à l'origine de l'Univers.

bigler vi Fam Loucher. ■ vt Fam Regarder.

bigleux, euse a, n 1 Fam Qui louche. 2 Qui ne voit pas bien.

bignonia nm Arbrisseau à fleurs orangées.

bigophone nm Pop Téléphone.

bigorneau nm Petit mollusque comestible à coquille en spirale.

bigot, ote n, a D'une dévotion étroite et pointilleuse.

bigoterie nf Dévotion de bigot.

bigouden, ène [-dɛ̃, -dɛn] a, n De la région de Pont-l'Abbé (Finistère).

bigoudi nm Rouleau, cylindre utilisé pour boucler les cheveux.

bigre ! interj Fam Marque la surprise.

bigrement av Fam Très, beaucoup. *Il était bigrement content.* Syn. bougrement.

bigue nf Appareil de levage pour charges importantes.

biguine nf Danse d'origine antillaise.

bihebdomadaire a Qui a lieu, qui paraît deux fois par semaine. ■ nm Publication bihebdomadaire.

bihoreau nm Petit héron de mœurs nocturnes.

bijou nm 1 Petit objet de parure plus ou moins précieux (bague, collier, bracelet, broche, etc.). *Des bijoux en or.* 2 Chose très jolie, fabriquée avec grand soin.

bijouterie nf 1 Fabrication, commerce des bijoux. 2 Les bijoux, en tant qu'objets d'industrie, de commerce. 3 Magasin où l'on vend des bijoux.

bijoutier, ère n Fabricant ou marchand de bijoux.

bikini nm (n déposé) Costume de bain pour femme, composé d'un slip et d'un soutien-gorge de dimensions très réduites.

bilan nm 1 État comparatif de l'actif et du passif d'une entreprise. 2 Résultats d'ensemble, positifs ou négatifs, d'une action, d'une situation. Loc *Dépôt de bilan :* déclaration au tribunal de commerce de cessation de paiements.

bilatéral, ale, aux a 1 Des deux côtés. *Stationnement bilatéral.* 2 Établi directement entre deux partenaires. *Accord bilatéral.*

bilboquet nm Jouet formé d'une boule percée d'un trou et reliée par une ficelle à un manche à bout pointu qu'il faut faire pénétrer dans le trou de la boule lancée en l'air.

bile nf Liquide amer sécrété par le foie. Loc Fam *Se faire de la bile :* s'inquiéter.

biler (se) vpr Fam S'inquiéter.

bilharziose nf Maladie parasitaire.

biliaire a Relatif à la bile.

bilieux, euse a, n 1 Coléreux. 2 D'un tempérament inquiet, anxieux.

bilingue a Écrit en deux langues différentes. *Un dictionnaire bilingue.* ■ a, n Qui parle deux langues.

bilinguisme [-gɥism] nm État de qqn, d'un pays bilingue.

billard nm 1 Jeu qui se joue avec des billes d'ivoire ou de plastique, que l'on frappe avec un bâton appelé queue, sur une table spéciale. 2 Table rectangulaire, recouverte d'un tapis de drap, sur laquelle on joue au billard. 3 Fam Table d'opération. 3 Salle où on joue au billard.

bille nf 1 Boule pour jouer au billard. 2 Petite boule de pierre, de verre, d'acier, d'argile, avec laquelle jouent les enfants. 3 Pop Tête, figure. 4 Pièce de bois de toute la grosseur du tronc, destinée à être équarrie et débitée. Loc *Roulement à billes :* muni de sphères métalliques qui réduisent le frottement d'un axe tournant. *Crayon, stylo à bille :* muni d'une petite bille de métal en contact avec de l'encre très grasse.

billet nm 1 Lettre très courte. 2 Engagement écrit de payer une somme d'argent. 3 Papiermonnaie. *Un billet de cent francs.* 4 Petit papier imprimé établissant un droit (entrée, parcours, etc.). *Un billet de théâtre. Billet de train.*

billetterie nf **1** Lieu où on vend des billets. **2** Distributeur automatique de billets de banque.

billevesée [bil-] nf Litt Chose, propos frivole.

billion nm Mille milliards (10^{12}).

billot nm **1** Bloc de bois posé verticalement et qui présente une surface plane à sa partie supérieure. **2** Pièce de bois sur laquelle le condamné à la décapitation posait la tête.

bimbeloterie nf **1** Fabrication, commerce de bibelots. **2** Ensemble de bibelots.

bimensuel, elle a Qui a lieu, paraît deux fois par mois. ■ nm Publication bimensuelle.

bimestriel, elle a Qui a lieu, paraît tous les deux mois.

bimétallisme nm Système monétaire à double étalon, or et argent.

bimoteur a, n Qui a deux moteurs.

binaire a **1** Composé de deux éléments. **2** MATH Se dit de la numération à base deux. **3** MUS Se dit d'un rythme à deux temps.

binational, ale, aux a, n Qui a une double nationalité.

binationalité nf Double nationalité.

binaural, ale, aux a Des deux oreilles (audition).

biner vt Ameublir le sol avec une binette.

binette nf **1** Petite pioche à manche court et fer large et plat. **2** Fam Visage, tête.

bingo [bingo] nm Sorte de loto.

biniou nm Cornemuse bretonne.

binocles nfpl Fam Lunettes.

binoculaire a **1** Des deux yeux. *Vision binoculaire.* **2** Muni de deux oculaires.

binôme nm **1** MATH Somme algébrique de deux monômes. **2** Ensemble de deux éléments.

binominal, ale, aux a Loc SC NAT *Nomenclature binominale :* qui utilise deux noms latins pour désigner chaque être vivant.

bintje [bintʃ] nf Variété de pomme de terre.

bioactif, ive a BIOL Qui est doué d'une activité biologique.

biocarburant nm Carburant d'origine végétale.

biochimie nf Science qui étudie les propriétés chimiques de la matière vivante.

biochimiste n Spécialiste de biochimie.

biocide a, nm Qui détruit les microbes.

bioclimat nm Conditions climatiques d'une région dans ses rapports avec la santé.

biodégradable a Qui peut être décomposé par l'action de microorganismes.

bioénergie nf Énergie renouvelable par transformation de la biomasse.

bioéthique nf Étude des principes moraux qui doivent présider aux pratiques médicales et biologiques concernant l'être humain.

biogenèse nf BIOL Apparition de la vie sur la Terre.

biogéographie nf Science qui étudie la répartition géographique des espèces vivantes.

biographe n Auteur d'une biographie.

biographie nf Histoire de la vie d'une personne.

biographique a De la biographie.

biologie nf Science de la vie, des êtres vivants.

biologique a **1** De la biologie. **2** Propre aux êtres vivants. **3** Obtenu sans engrais ni pesticides. Loc *Arme biologique :* utilisant les toxines, des microbes.

biologiste nm Spécialiste de biologie.

biomasse nf Masse totale des organismes vivant dans un biotope délimité.

biomatériau nm Substance susceptible de remplacer un organe, un tissu vivant.

biomédical, ale, aux a Qui concerne à la fois la biologie et la médecine.

bionique nf Étude des phénomènes et des mécanismes biologiques en vue de leurs applications industrielles.

biophysique nf Science qui applique les méthodes de la physique à la biologie.

biopsie nf BIOL Prélèvement d'un fragment de tissu vivant, aux fins d'examen histologique.

biorythme nm MED Variation périodique régulière du niveau d'énergie d'un individu.

biosciences nfpl Sciences de la vie.

biosphère *nf* Zone de la terre et de l'atmosphère où existe la vie.

biotechnologie ou **biotechnique** *nf* Ensemble des techniques appliquant la biochimie à des fins agricoles ou industrielles.

biotique *a* BIOL 1 Qui a pour origine un être vivant. 2 Qui permet la vie.

biotope *nm* BIOL Milieu physique propre au développement de telle ou telle espèce.

bip *nm* Signal acoustique bref et répété.

biparti, ie ou **bipartite** *a* 1 Divisé en deux parties. 2 Composé par l'union de deux partis politiques.

bipartisme *nm* Régime politique où deux partis seulement peuvent alterner au pouvoir.

bipède *a, nm* Qui a deux pieds.

biplace *nm* Avion à deux places.

biplan *nm* Avion dont les ailes sont formées de deux plans superposés.

bipolaire *a* Qui a deux pôles.

bipolarisation *nf* Tendance des courants politiques à se rassembler en deux blocs opposés.

bipolarité *nf* Caractère bipolaire.

bique *nf* Fam Chèvre.

biquet, ette *n* Fam Petit de la chèvre.

birbe *nm* Loc Pop *Vieux birbe* : vieil homme ennuyeux.

biréacteur *a, nm* Avion qui a deux réacteurs.

biréfringent, ente *a* PHYS Se dit d'un cristal qui produit une double réfraction.

birman, ane *a* De Birmanie. ■ *nm* Langue parlée en Birmanie.

1. bis, bise *a* Gris tirant sur le brun.

2. bis [bis] *av* Indique qu'un numéro d'une série est répété. *Il habite au 15 bis.* ■ *inv* Qui double qqch. *Itinéraire bis.* ■ *interj* Cri qui demande à un artiste, un orchestre de redonner un morceau.

bisaïeul, eule *n* Litt Arrière-grand-père, arrière-grand-mère. *Des bisaïeuls.*

bisannuel, elle *a* 1 Qui a lieu tous les deux ans. 2 BOT Dont le cycle évolutif dure deux ans.

bisbille *nf* Fam Petite querelle pour des motifs futiles.

biscornu, ue *a* 1 De forme irrégulière. 2 Fam Surprenant, extravagant. *Quelle idée biscornue.*

biscotte *nf* Tranche de pain de mie recuite au four.

biscuit *nm* 1 Pâtisserie à base de farine, d'œufs, de sucre, de matières grasses. 2 Porcelaine ayant subi deux cuissons et laissée sans peinture.

biscuiterie *nf* Industrie et commerce des biscuits, des gâteaux ; usine de biscuits.

bise *nf* 1 Vent froid du nord. 2 Fam Baiser.

biseau *nm* Face oblique au bord d'une plaque dont une arête a été abattue.

biseauter *vt* 1 Tailler en biseau. 2 Faire une marque en biais sur une carte, pour pouvoir la reconnaître et tricher.

biset *nm* Pigeon sauvage gris.

bisexualité *nf* 1 BIOL État des organismes bisexués. 2 Comportement des personnes bisexuelles.

bisexué *a, a* BIOL Qui possède les organes sexuels mâles et femelles.

bisexuel, elle *a, n* Qui est à la fois hétérosexuel et homosexuel.

bismuth *nm* Métal voisin de l'antimoine, utilisé dans l'industrie et en médecine.

bison *nm* Grand bovin sauvage, bossu, à collier laineux.

bisou ou **bizou** *nm* Fam Baiser.

bisque *nf* Potage fait d'un coulis de crustacés ou de volaille.

bisquer *vi* Fam Éprouver du dépit.

bissectrice *nf* Demi-droite qui partage un angle en deux parties égales.

bisser *vt* 1 Crier « bis » à un artiste, un orchestre, etc. 2 Jouer un air une deuxième fois.

bissextile *af* Se dit de l'année de 366 jours, qui revient tous les quatre ans (29 jours en février).

bistouri *nm* Petit couteau ou appareil électrique pour incisions chirurgicales.

bistre *n, a* Couleur intermédiaire entre le brun et le jaune rouille.

bistro ou **bistrot** *nm* Fam Café, petit bar.

bit *nm* INFORM Unité de la numérotation binaire.

bitte

82

bitte *nf* **1** Pièce fixée sur le pont d'un navire qui sert à tourner les aussières. **2** Borne d'amarrage placée sur un quai. **3** Pop Pénis.

bitter [-tɛʀ] *nm* Boisson apéritive au goût amer.

biture ou **biture** *nf* Loc Pop Prendre une biture : s'enivrer.

bitume *nm* Mélange visqueux utilisé pour le revêtement des chaussées et des trottoirs.

bitumineux, euse *a* Qui contient du bitume.

bivalent, ente *a* **1** Qui a deux fonctions, deux rôles. **2** CHIM Qui possède la valence 2.

bivalve *a, nm* ZOOL Se dit d'un mollusque dont la coquille a deux valves.

bivouac *nm* Campement temporaire en plein air (militaires, alpinistes, etc.).

bivouaquer *vi* Camper en plein air.

bizarre *a* Étrange, surprenant.

bizarrerie *nf* **1** Caractère bizarre. **2** Action, chose bizarre.

bizarroïde *a* Fam Assez bizarre.

bizness. V. business.

bizou. V. bisou.

bizut ou **bizuth** [bizy] *nm* Arg Élève de première année dans une grande école.

bizutage *nm* Arg Action de bizuter.

bizuter *vt* Arg Soumettre les nouveaux à des brimades traditionnelles.

blablabla ou **blabla** *nm* Fam Verbiage, bavardage oiseux.

black *a, n* Fam Qui est de race noire.

blackbouler *vt* Fam **1** Faire échouer lors d'une élection. **2** Refuser à un examen.

black-jack [-dʒak] *nm* Jeu de cartes américain.

black-out [blakut] *nm inv* Suppression de toute lumière extérieure, pour éviter qu'un objectif soit repéré par l'ennemi. Loc Faire le black-out sur : garder le secret à propos de.

blafard, arde *a* D'une couleur pâle, terne.

blague *nf* **1** Histoire plaisante, à ne pas prendre au sérieux. **2** Bêtise, erreur. Il a fait une blague. **3** Petit sac pour le tabac.

blaguer *vi* Fam Dire des blagues, des plaisanteries. ■ *vt* Se moquer de qqn sans méchanceté.

blagueur, euse *a, n* Fam Qui dit des blagues.

blaireau *nm* **1** Mammifère carnivore à la fourrure épaisse. **2** Gros pinceau pour savonner la barbe avant de se raser.

blairer *vt* Loc Pop Ne pas pouvoir blairer qqn : avoir de l'antipathie pour lui.

blâme *nm* **1** Jugement défavorable. **2** Réprimande officielle administrative.

blâmer *vt* **1** Désapprouver. **2** Sanctionner d'un blâme officiel.

blanc, blanche *a* **1** De la couleur commune à la neige, à la craie, au lait, etc. **2** De couleur claire. **3** Innocent. Loc Arme blanche : poignard, sabre, etc. (par oppos. à arme à feu). Examen blanc : passé pour préparer l'examen définitif. Nuit blanche : passée sans dormir. Voix blanche : sans timbre. Vers blancs : en poésie, vers non rimés. Mariage blanc : non consommé. ■ *nm* **1** La couleur blanche. **2** Substance colorante blanche. **3** Espace sans inscriptions dans une page manuscrite ou imprimée. Laisser une ligne en blanc. **4** Partie blanche de certaines choses. **5** Moment de silence. Un blanc dans la conversation. **6** Linge de maison. Loc Blanc d'œuf : l'albumine de l'œuf. Le blanc de l'œil : la cornée. Blanc de baleine : graisse extraite de la tête des cachalots. De but en blanc : directement. Tirer à blanc : avec une cartouche sans balle. Chauffer à blanc : jusqu'à l'incandescence. ■ *n* Personne de race blanche. ■ *nf* Note de musique dont la durée est égale à la moitié de celle de la ronde.

blanc-bec *nm* Péjor Jeune homme sans expérience. Des blancs-becs.

blanchâtre *a* D'un blanc indécis, sale.

blancheur *nf* Qualité de ce qui est blanc.

blanchiment *nm* Action de blanchir.

blanchir *vt* **1** Rendre blanc. **2** Donner aux légumes une première cuisson dans l'eau avant de les apprêter. **3** Rendre propre. Blanchir le linge. **4** Disculper. Blanchir un accusé. **5** Dissimuler la provenance d'argent gagné de façon illicite. ■ *vi* Devenir blanc.

blanchissage *nm* Action de blanchir le linge, de le rendre propre.

blanchisserie nf Entreprise spécialisée dans le blanchissage.

blanchisseur, euse n Qui blanchit le linge.

blanc-seing [blɑ̃sɛ̃] nm Papier signé en blanc, que peut remplir à sa convenance la personne à qui il est remis. *Des blancs-seings.*

blanquette nf 1 Vin blanc mousseux. 2 Ragoût de viande blanche à la sauce blanche.

blaser vt Rendre incapable d'émotions, de sentiments par l'abus de jouissance.

blason nm 1 Ensemble des pièces qui constituent un écu héraldique. 2 Science des armoiries, héraldique.

blasphématoire a Qui contient un blasphème.

blasphème nm 1 Parole qui outrage la divinité, qui insulte la religion. 2 Paroles injurieuses.

blasphémer vi, vt 12 Proférer des blasphèmes, des imprécations.

blastomère nm BIOL Première cellule de la division de l'œuf fécondé.

blastula nf BIOL Un des stades du développement de l'embryon.

blatte nf Insecte nocturne vivant dans les cuisines et les lieux où se trouvent des détritus. Syn. cafard, cancrelat.

blazer [-zɛʀ] nm Veste légère, bleue ou noire.

blé nm 1 Plante graminée dont le grain fournit la farine dont on fait le pain. 2 Les grains de cette plante. 3 Pop Argent. Loc *Blé noir* : sarrasin.

bled nm 1 Pays, région de l'intérieur, en Afrique du Nord. 2 Fam Endroit isolé à la campagne.

blême a Pâle, livide.

blêmir vi Devenir blême.

blêmissement nm Fait de blêmir.

blennie nf Poisson à grosse tête et à corps allongé.

blennorragie nf Maladie vénérienne due au gonocoque.

blesser vt 1 Donner un coup qui fait une plaie, une fracture. 2 Causer une gêne douloureuse, une irritation de la peau. *Ses chaussures*

neuves *la blessent.* 3 Causer une impression désagréable (à la vue, à l'ouïe). 4 Choquer, froisser, outrager.

blessure nf 1 Lésion comportant une plaie. 2 Atteinte morale. *Blessure d'amour-propre.*

blet, blette a Se dit des fruits trop mûrs.

blette. V. bette.

blettir vi Devenir blet.

bleu, eue a D'une couleur analogue à celle d'un ciel sans nuages, de la mer, etc. Loc *Zone bleue* : à stationnement réglementé. *Peur bleue* : grande frayeur. *Maladie bleue* : malformation cardiaque. ■ nm 1 La couleur bleue. 2 Matière colorante bleue. 3 Fam Recrue nouvellement incorporée. 4 Meurtrissure ayant déterminé un épanchement sanguin sous-cutané. 5 Fromage à moisissure bleue. 6 Vêtement de travail, en grosse toile. Loc *Bleu de méthylène* : antiseptique de couleur bleue.

bleuâtre a Qui tire sur le bleu.

bleuet nm Plante à fleurs bleues.

bleuir vt Rendre bleu. ■ vi Devenir bleu.

bleuissement nm Passage à la couleur bleue.

bleuté, ée a Teinté de bleu.

blindage nm 1 Action de blinder. 2 Épais revêtement métallique qui protège un navire, un véhicule, une porte.

blindé nm Véhicule militaire muni d'un blindage.

blinder vt 1 Protéger par un blindage. 2 Endurcir moralement, fortifier.

blini nm Mets russe, crêpe salée épaisse, de petit diamètre.

blister [-tɛʀ] nm Coque de plastique collée sur un carton, servant d'emballage.

blizzard nm Vent très froid du grand Nord.

bloc nm 1 Masse, gros morceau pesant et dur. 2 Carnet de feuilles de papier détachables. 3 Assemblage d'éléments homogènes. 4 Ensemble de bâtiments, d'ouvrages. 5 Union politique, coalition. 6 Fam Prison.

blocage nm 1 Action de bloquer. 2 *Le blocage des freins, des prix.* 3 Inhibition psychologique, incapacité de surmonter une difficulté.

blockhaus [blɔkos] nm Réduit fortifié.

bloc-notes nm Carnet de feuilles de papier détachables. *Des blocs-notes.*

blocus nm **1** Dispositif militaire en vue d'isoler par un siège une place forte, un port, un pays. **2** Mesures visant à l'isolement d'un pays sur le plan économique.

blond, blonde a Qui est d'une couleur proche du jaune, entre le doré et le châtain clair. *Des cheveux blonds. Bière blonde. Tabac blond.* ■ n Personne dont les cheveux sont blonds.

blondeur nf Couleur blonde.

blondinet, ette n Enfant blond.

blondir vi Devenir blond.

bloquer vt **1** Mettre en bloc. **2** Fermer par un blocus. **3** Obstruer. *La route est bloquée.* **4** Empêcher de bouger. *Bloquer un écrou.* **5** Arrêter net le ballon. **6** Empêcher, interdire toute variation, toute disponibilité. *Bloquer les salaires.* ■ vpr Se figer dans un refus systématique.

blottir (se) vpr Se ramasser sur soi-même.

blouse nf **1** Vêtement de travail en toile. **2** Corsage de femme en tissu léger.

blouser vi Avoir une ampleur donnée par des brusques retenues par une ceinture. ■ vt Fam Tromper, duper.

blouson nm Veste courte qui blouse.

blue-jean [bludʒin] nm Syn de jean. *Des blue-jeans.*

blues [bluz] nm **1** Chant populaire des Noirs américains, d'inspiration souvent mélancolique. **2** Fam Mélancolie, cafard.

bluff [blœf] nm Parole, action visant à faire illusion en impressionnant.

bluffer [blœfe] vt Fam Tromper. ■ vi Se vanter, faire du bluff.

bluter vt Séparer la farine du son par tamisage.

boa nm Grand serpent non venimeux d'Amérique.

boat people [botpipœl] nm Réfugié qui quitte son pays sur un bateau de fortune.

bob nm Petit chapeau rond en toile.

bobard nm Fam Histoire fantaisiste, mensonge.

bobèche nf Disque de verre ou de métal adapté sur un chandelier pour recevoir les gouttes de bougie fondue.

bobine nf **1** Cylindre à rebords qui sert à enrouler du fil, un film, etc. **2** ELECTR Enroulement de fil conducteur. **3** Fam Tête, figure.

bobineau ou **bobinot** nm Rouleau supportant un film ou une bande vidéo.

bobiner vt Mettre sur une bobine.

bobineuse nf ou **bobinoir** nm TECH Machine à bobiner.

bobo nm Fam Douleur, blessure bénigne.

bobsleigh [-slɛ] nm Sorte de luge à plusieurs places pour glisser sur la glace.

bocage nm GEOGR Paysage de prairies et de cultures coupées de haies vives.

bocager, ère a Du bocage.

bocal, aux nm Récipient en verre ou en grès à large goulot.

boche n, a Pop, péjor Allemand.

bock nm Verre à bière, d'un quart de litre environ.

bodhisattva nm Dans le bouddhisme, individu sur la voie de la perfection.

body-building nm inv Syn. de *culturisme.*

bœuf [bœf, au pl bø] nm **1** Bovin castré. **2** Viande de bœuf ou de vache. *Un filet de bœuf.* ■ a inv Fam Énorme. *Un effet bœuf.*

bof ! interj Exprime l'indifférence.

bogie nm Chariot à plusieurs essieux supportant un wagon, une locomotive.

1. bogue nf Enveloppe épineuse de la châtaigne.

2. bogue nm INFORM Syn de *bug.*

bohème n, a Qui mène une vie vagabonde, au jour le jour. ■ nf Artistes, écrivains qui mènent une vie désordonnée.

bohémien, enne n, a De Bohême. **2** Nomade vivant dans une roulotte.

boire vt **52 1** Avaler un liquide. **2** Absorber, s'imprégner de. *La terre boit l'eau.* ■ vi Absorber avec excès du vin, de l'alcool.

bois nm **1** Espace couvert d'arbres. **2** Substance solide et fibreuse qui compose les racines, la tige et les branches des arbres. ■ pl **1** MUS Instruments à vent en bois. **2** Os pairs ramifiés du front des cervidés mâles.

boisage nm Action de munir un chantier, une galerie de mine d'un soutènement ; ce soutènement.

boisé, ée a Planté d'arbres.

boisement nm Plantation d'arbres.

boiserie nf Revêtement d'un mur intérieur en menuiserie.

boisseau nm Élément à emboîtement, pour les conduits de fumée ou de ventilation.

boisson nf 1 Tout liquide que l'on peut boire. 2 Boisson alcoolique. *Débit de boissons.* 3 Alcoolisme.

boîte nf 1 Récipient généralement à couvercle ; son contenu. 2 Fam École, lieu de travail. *Loc Boîte noire :* dispositif qui enregistre les circonstances du pilotage d'un avion, de la conduite d'un camion. *Boîte de vitesses :* organe qui sert à modifier le rapport entre la vitesse du moteur et celle des roues motrices. *Boîte de nuit :* cabaret ouvert la nuit, qui présente des spectacles et où l'on danse.

boiter vi 1 Incliner le corps plus d'un côté que de l'autre en marchant. 2 Être défectueux, en parlant d'un raisonnement, d'un plan.

boiteux, euse a, n 1 Qui boite. 2 Qui manque d'équilibre, de régularité.

boîtier nm Partie extérieure du corps d'une montre, d'un appareil, renfermant le mécanisme, les piles, etc.

boitiller vi Boiter légèrement.

bol nm Récipient hémisphérique, destiné à contenir des liquides ; son contenu. *Loc Bol alimentaire :* quantité d'aliments avalés en une fois.

bolchevik ou **bolchevique** a, n Partisan des positions radicales de Lénine.

bolée nf Contenu d'un bol.

boléro nm 1 Danse espagnole de rythme ternaire ; air sur lequel elle se danse. 2 Veste sans manches, courte et ouverte.

bolet nm Champignon dont le dessous du chapeau est garni de tubes accolés.

bolide nm Véhicule allant à grande vitesse.

bolivien, enne a Bolivie.

bombance nf Bonne chère, ripaille.

bombarde nf 1 Ancienne pièce d'artillerie à boulets de pierre. 2 Instrument à vent à anche double, ancêtre du hautbois.

bombardement nm Action de bombarder.

bombarder vt 1 Attaquer à coups de bombes. 2 Lancer des projectiles en grand nombre sur qqn, qqch. 3 Fam Assaillir, accabler. *Bombarder qqn de réclamations.* 4 Fam Nommer soudainement à un poste d'autorité. *On l'a bombardé président.*

bombardier nm Avion de bombardement.

bombe nf 1 Projectile explosif largué par avion. 2 Engin explosif. 3 Récipient contenant un liquide à pulvériser maintenu sous pression par un gaz. 4 Projection volcanique solidifiée. 5 Casquette rigide de cavalier. *Loc Bombe glacée :* glace moulée. Fam *Faire la bombe :* festoyer.

1. bomber vt 1 Rendre convexe. 2 Écrire, dessiner sur les murs avec une peinture en bombe. ■ vi 1 Devenir convexe. 2 Fam Aller à toute allure.

2. bomber [-bœr] nm Blouson d'aviateur, porté par les jeunes.

bombyx nm Papillon nocturne. *La chenille du bombyx du mûrier tisse le ver à soie.*

bôme nf Longue pièce de bois horizontale à la base d'une voile, pivotant autour du mât.

bon, bonne a 1 Qui aime faire le bien, qui est bien disposé, bienveillant. *Un homme bon. Un bon accueil.* 2 Qui réussit bien dans son travail. *Un bon élève. Un bon ouvrier.* 3 Qui est d'une qualité satisfaisante. *Une bonne voiture. De bons yeux.* 4 Conforme aux règles morales ou sociales. *La bonne société.* 5 Agréable, savoureux. *La bonne cuisine.* 6 Favorable. *Une bonne journée.* 7 Juste, correct, approprié. *La bonne réponse. Au bon moment.* 8 Qui est important. *Attendre un bon moment.* 9 Qui est mot spirituel. *Être bon pour :* ne pas pouvoir échapper à. ■ av Loc *Sentir bon :* avoir une odeur agréable. *Tenir bon :* résister fermement. *Il fait bon :* le temps, la température est agréable ; il est agréable de... *À quoi bon ? :* à quoi cela servirait-il ? *Pour de bon :* réellement. ■ interj Marque la satisfaction, le consentement, la surprise. ■ nm 1 Ce qui est bon. 2 Qui fait le bien. *Les bons et les méchants.* 3 Autorisation écrite permettant à qqn de toucher de l'argent, de recevoir un objet.

bonasse *a* Bon jusqu'à la niaiserie.

bonbon *nm* Petite friandise à base de sucre.

bonbonne *nf* Grosse bouteille servant à garder et à transporter les liquides.

bonbonnière *nf* **1** Boîte à bonbons. **2** Petit appartement charmant.

bond *nm* **1** Saut brusque. **2** Rebondissement d'un corps. **Loc** *Faire faux bond* : manquer à une promesse.

bonde *nf* **1** Ouverture par laquelle s'écoule l'eau d'un étang, d'un réservoir ; pièce qui obture cet orifice. **2** Trou fait à un tonneau pour le remplir et le vider ; le bouchon en bois qui sert à le boucher.

bondé, ée *a* Rempli de gens.

bondieuserie *nf* Fam **1** Dévotion outrée. **2** Objet pieux de mauvais goût.

bondir *vi* **1** Faire des bonds. **2** S'élancer. **3** Tressaillir. *Bondir de joie.*

bondissement *nm* Action de bondir.

bongo *nm* Instrument de percussion composé de deux petits tambours.

bonheur *nm* **1** État de bien-être, de félicité. **2** Événement heureux, hasard favorable, chance. **Loc** *Au petit bonheur* : au hasard.

bonhomie *nf* Bonté et simplicité ; bienveillance.

bonhomme *nm* **1** Fam Homme. **2** Terme d'affection (en parlant à un petit garçon). *Mon petit bonhomme.* **3** Fam Figure humaine grossièrement dessinée. *Des bonshommes.* ■ *a inv* Simple, doux, naïf. *Un air bonhomme.*

boni *nm* Bénéfice, économie par rapport à la dépense prévue.

bonification *nf* **1** Avantage accordé sur le taux d'intérêt d'un emprunt. **2** SPORT Avantage accordé à un concurrent. **3** Amélioration. *Bonification d'une terre.*

bonifier *vt* **1** Accorder une bonification sur un taux d'intérêt. **2** Améliorer. ■ *vpr* Devenir meilleur.

boniment *nm* **1** Discours tenu en public par les camelots, les bateleurs, etc. **2** Fam Propos mensonger.

bonimenteur, euse *n* Qui fait des boniments.

bonite *nf* Thon de petite taille.

bonjour *nm* Mot de salutation adressé à qqn qu'on rencontre. **Loc** *Facile, simple comme bonjour* : très facile.

bon marché *a inv* Peu cher.

bonne *nf* Employée de maison nourrie, logée.

bonne-maman *nf* Terme affectueux pour grand-mère. *Des bonnes-mamans.*

bonnement *av* Simplement.

bonnet *nm* **1** Coiffure souple et sans rebord. *Bonnet en laine.* **2** ZOOL Deuxième estomac d'un ruminant. **3** Chacune des poches d'un soutien-gorge. **Loc** Fam *Un bonnet de nuit* : une personne triste, ennuyeuse. Fam *Un gros bonnet* : un personnage important. Fam *Avoir la tête près du bonnet* : être prompt à se fâcher. Fam *C'est bonnet blanc et blanc bonnet* : il n'y a pas de différence.

bonneteau *nm* Jeu prohibé consistant à faire deviner une carte à un adversaire.

bonneterie *nf* **1** Industrie ou commerce des articles en tissu à mailles (lingerie, sous-vêtements, chaussettes, etc.). **2** Marchandise vendue par le bonnetier. **3** Boutique d'un bonnetier.

bonnetier, ère *n* Qui fabrique ou vend de la bonneterie. ■ *nf* Petite armoire.

bon-papa *nm* Fam Grand-père. *Des bons-papas.*

bonsaï *nm* Arbre ornemental miniaturisé.

bonsoir *nm* Salutation employée le soir.

bonté *nf* Qualité qui pousse à faire le bien ; bienveillance. ■ *pl* Actes de bienveillance.

bonus *nm* **1** Réduction de la prime d'une assurance automobile accordée à de bons conducteurs. **2** Fam Chose accordée en plus ; amélioration.

bonze *nm* **1** Moine bouddhiste. **2** Fam Homme d'une solennité ridicule.

boogie-woogie [bugiwogi] *nm* Style de jazz proche du be-bop.

bookmaker [bukmɛkœR] *nm* Celui qui prend les paris sur les courses de chevaux.

boom [bum] *nm* Forte hausse soudaine.

boomer [bumœR] *nm* Haut-parleur de graves.

boomerang [bumʀãg] nm Lame de bois recourbée qui revient vers celui qui l'a lancée si elle ne rencontre pas d'obstacle.

booster [bustœʀ] nm Propulseur auxiliaire d'une fusée spatiale.

bootlegger [butlegœʀ] nm HIST Contrebandier d'alcool, aux États-Unis lors de la prohibition.

boots [buts] nfpl Bottes courtes.

boqueteau nm Petit bois.

borate nm Sel de l'acide borique.

borax nm Borate de soude.

borborygme nm Gargouillement intestinal. ■ pl Paroles incompréhensibles.

bord nm 1 Extrémité, limite d'une surface. 2 Ce qui borde. Une capeline à larges bords. 3 Le côté du navire. 4 Parti, opinion. Être du même bord. Loc Virer de bord : changer de direction. À bord : sur le bateau, dans l'avion.

bordeaux nm Vin de la région de Bordeaux. ■ a inv Rouge foncé.

bordée nf MAR Chemin que parcourt un navire qui louvoie entre deux virements de bord. Loc Bordée d'injures : flot d'injures violentes.

bordel nm Pop 1 Lieu de prostitution. 2 Grand désordre.

bordelais, aise a, n De Bordeaux ou de sa région.

bordélique a Pop Très désordonné.

border vt 1 Servir de bord, longer. Le quai borde la rivière. 2 Garnir le bord. 3 Rentrer le bord des draps et des couvertures sous le matelas.

bordereau nm État détaillé d'articles, de pièces d'un dossier.

bordure nf Ce qui orne, marque, renforce le bord. Loc En bordure de : au bord de.

bore nm Corps simple ayant certaines analogies avec le carbone.

boréal, ale, aux a Du Nord. Ant. austral.

borgne n, a Qui n'a qu'un œil valide. ■ a Sans aucune ouverture. Mur borgne. Loc Hôtel borgne : hôtel mal famé.

bornage nm 1 Délimitation des propriétés au moyen de bornes. 2 Navigation côtière.

botte

borne nf 1 Marque qui matérialise les limites d'un terrain. 2 Pierre indiquant les distances en kilomètres sur les routes. 3 Fam Kilomètre. 4 Pierre à l'angle d'un bâtiment pour le protéger des roues des voitures. 5 ELECTR Pièce de connexion. Bornes d'une batterie. ■ pl Limites, frontières.

borné, ée a 1 Limité, restreint. 2 Peu intelligent. Un esprit borné.

borner vt 1 Délimiter par des bornes. 2 Limiter. 3 Modérer, restreindre. ■ vpr Se contenter de ; se limiter à. Se borner au nécessaire.

borsalino n (déposé) Chapeau d'homme, en feutre mou, à larges bords.

bortch nm Potage russe.

bosco nm MAR Maître de manœuvre.

boskoop [-kɔp] nf Variété de pomme.

bosniaque a, n De Bosnie.

bosquet nm Petit groupe d'arbres.

boss nm inv Fam Patron.

bossage nm ARCHI Pierre en saillie sur un mur, servant d'ornement.

bosse nf 1 Tuméfaction due à une contusion. 2 Grosseur dorsale anormale. 3 Protubérance sur le dos de certains animaux. 4 Relief sur une surface. Loc Fam Avoir la bosse des mathématiques, etc. : être doué pour cette discipline.

bosseler vt 18 Marquer de bosses.

bosselure nf Déformation d'une surface par des bosses.

bosser vi Pop Travailler.

bosseur, euse n Fam Qui travaille dur.

bossoir nm MAR Appareil de levage des embarcations à bord d'un navire.

bossu, ue a, n Qui a une ou plusieurs bosses. Loc Fam Rire comme un bossu : très fort.

bot, bote a MED Contrefait. Un pied bot.

botanique nf Science des végétaux. ■ a Qui concerne cette science.

botaniste n Qui étudie les végétaux.

1. botte nf Réunion de végétaux de même nature liés ensemble.

2. botte nf 1 Chaussure qui enferme le pied et la jambe. 2 En escrime, coup porté avec un fleuret ou une épée.

botteler

botteler vt 18 Lier en bottes.

botter vt 1 Chausser de bottes. 2 Pop Convenir. *Ça me botte !* 3 Fam Donner un coup de pied.

botteur nm Au rugby, joueur tirant les pénalités, transformant les essais.

bottier nm Qui fait les bottes, des chaussures sur mesure.

bottillon nm Chaussure à tige montante, souvent fourrée.

bottine nf Chaussure montante serrée à la cheville.

botulisme nm Intoxication due à certaines conserves et charcuteries avariées.

boubou nm Tunique africaine ample et longue.

bouc nm 1 Mâle de la chèvre. 2 Barbe portée seulement au menton. Loc *Bouc émissaire* : personne que l'on charge des fautes commises par d'autres.

boucan nm Fam Tapage, vacarme.

boucaner vt Fumer de la viande, du poisson.

boucanier nm HIST Chasseur de bœufs sauvages dans les Antilles au XVIIᵉ s.

bouche nf 1 Ouverture mobile du visage permettant de manger, de parler, etc. 2 Organe analogue de certains animaux. 3 Personne à nourrir. 4 Ouverture d'une cavité, d'une canalisation. *Bouche d'égout.* Loc *Bouche d'incendie* : prise d'eau pour les pompiers. *Bouche à feu* : pièce d'artillerie. *De bouche à oreille* : oralement. ■ pl Embouchure d'un fleuve.

bouché, ée a 1 Fermé, obstrué, encombré. 2 Fam Peu intelligent. Loc *Cidre bouché* : en bouteille et pétillant.

bouche-à-bouche nm inv Méthode de respiration artificielle consistant à insuffler de l'air par la bouche à un asphyxié.

bouchée nf 1 Morceau qu'on met dans la bouche en une seule fois. 2 Petit vol-au-vent garni. Loc *Pour une bouchée de pain* : pour une somme dérisoire. *Mettre les bouchées doubles* : redoubler d'activité. *Bouchée au chocolat* : gros chocolat fourré.

---

1. boucher vt Fermer une ouverture, un passage. *Boucher un trou, un tonneau. Boucher un chemin.* Loc *Boucher la vue* : empêcher de voir.

2. boucher, ère n 1 Qui vend de la viande crue au détail. ■ nm Litt Homme sanguinaire.

boucherie nf 1 Commerce de la viande des bestiaux. 2 Boutique où se vend de la viande. 3 Massacre, carnage.

bouche-trou nm Personne, objet servant seulement à combler un vide. *Des bouche-trous.*

bouchon nm 1 Ce qui sert à fermer une bouteille, une carafe, un flacon. *Bouchon de liège, de cristal.* 2 Poignée de paille, d'herbe, de chiffon tortillé. 3 Jeu d'adresse où l'on emploie un bouchon et des palets. 4 Flotteur d'une ligne de pêche. 5 Ce qui obstrue ; embouteillage de voitures.

bouchonné, ée a Qui sent le bouchon (vin).

bouchonner vt 1 Mettre en bouchon, chiffonner. 2 Frotter un cheval avec un bouchon de paille. ■ vi Former un embouteillage.

bouchot nm Ensemble de pieux servant à l'élevage des moules.

bouclage nm 1 Action de boucler. 2 Encerclement d'une région, d'une ville, d'un quartier par des troupes ou la police.

boucle nf 1 Agrafe, anneau, muni d'une ou plusieurs pointes mobiles (ardillons), servant à tendre une ceinture, une courroie. 2 Bijou porté à l'oreille. 3 Spirale formée par les cheveux frisés. 4 Courbe accentuée d'un cours d'eau. 5 Acrobatie aérienne, cercle vertical effectué par un avion. 6 INFORM Séquence d'instruction qui se répète cycliquement.

boucler vt 1 Attacher par une boucle. *Boucler sa ceinture.* 2 Fam Fermer. *Boucler une chambre.* 3 Fam Enfermer. 4 Mettre en boucles des cheveux. 5 Achever, terminer. *Boucler un dossier.* ■ vi 1 Prendre la forme de boucles (cheveux). 2 INFORM Entrer dans un processus qui recommence indéfiniment.

bouclier nm 1 Grande plaque de protection portée au bras pour parer les coups. 2 Protection, défense. Loc *Levée de boucliers* : manifestation collective de protestation.

bouddha nm 1 Dans le bouddhisme, sage parvenu à la perfection. 2 Représentation du Bouddha.

bouddhisme nm Religion prêchée par le Bouddha.

bouddhiste n Adepte du bouddhisme.

bouder vi Témoigner de la mauvaise humeur par une mine renfrognée. ■ vt Laisser de côté par indifférence ou par dépit.

bouderie nf Action de bouder.

boudin nm Boyau rempli de sang et de graisse de porc, qu'on mange cuit. Loc **Boudin blanc** : boyau farci avec du lait et du blanc de volaille.

boudiné, ée a 1 En forme de boudin. Doigts boudinés. 2 Serré dans ses vêtements.

boudoir nm 1 Salon intime d'une habitation. 2 Petit biscuit allongé, saupoudré de sucre.

boue nf 1 Mélange de terre ou de poussière et d'eau. 2 Dépôt épais. Loc **Traîner qqn dans la boue** : le couvrir de propos infamants.

bouée nf 1 Engin flottant qui sert à signaler une position, à baliser un chenal ou à repérer un corps immergé. 2 Engin flottant qui maintient une personne à la surface de l'eau.

boueux, euse a Plein de boue. ■ nm Abusiv Éboueur.

bouffant, ante a Qui bouffe, qui gonfle.

bouffarde nf Fam Pipe.

1. bouffe a Loc **Opéra bouffe** : opéra sur un thème de comédie.

2. bouffe nf Pop Nourriture, repas.

bouffée nf 1 Souffle, exhalaison. 2 Accès passager. Bouffées d'orgueil.

bouffer vi Se gonfler. Cheveux qui bouffent. ■ vt Pop Manger.

bouffir vt, vi Rendre, devenir enflé.

bouffissure nf Enflure des chairs. Loc **Bouffissure du style** : affectation, emphase.

bouffon, onne a Ridicule, grotesque. Histoire bouffonne. ■ nm 1 Anc Personnage grotesque chargé de divertir un seigneur. 2 Qui pratique un comique outré.

bouffonnerie nf Plaisanterie de bouffon.

bougainvillée [-ile] nf ou **bougainvillier** nm Plante grimpante, ornementale, aux bractées rouges ou violettes.

bouge nm Petit logement obscur et sale ; café mal famé.

bougé nm Mouvement intempestif de l'appareil photo, produisant une image floue.

bougeoir nm Petit chandelier.

bougeotte nf Fam Manie de bouger, de voyager.

bouger vi 11 1 Faire un geste ; remuer. 2 Changer de place. 3 S'agiter de manière hostile. Bouger un meuble. ■ vpr Fam Se remuer, s'activer.

bougie nf 1 Cylindre de cire, de stéarine, de paraffine, qui brûle en éclairant grâce à une mèche noyée dans la masse. 2 Dispositif d'allumage électrique d'un moteur à explosion.

bougnat nm Fam Marchand de charbon.

bougnoule n Mot raciste désignant un travailleur immigré maghrébin ou noir.

bougon, onne a, n Grognon.

bougonner vi, vt Murmurer entre ses dents, dire en grondant des choses désagréables.

bougre, esse n Fam Individu, gaillard. Loc Fam **Un bon bougre** : un brave homme. Fam **Bougre de** : espèce de. ■ interj Pop Exprime la surprise, l'admiration.

bougrement av Pop Bigrement.

boui-boui nm Fam Café, restaurant de qualité médiocre. Des bouis-bouis.

bouillabaisse nf Mets provençal, à base de poissons.

bouillant, ante a 1 Qui bout. 2 Très chaud. 3 Plein d'une ardeur impatiente.

bouille nf Pop Figure, tête.

bouilleur nm Loc **Bouilleur de cru** : propriétaire qui distille sa propre récolte.

bouilli, ie a 1 Porté à ébullition. 2 Cuit dans un liquide qui bout. ■ nm Viande bouillie. Loc **Un bon bouilli** : 1 Aliment constitué de farine cuite dans du lait. 2 Substance ayant perdu toute consistance.

bouillir vi 30 1 Être en ébullition. 2 Cuire dans un liquide qui bout. 3 Être dans un état d'emportement violent. Bouillir d'impatience.

bouilloire nf Récipient à bec et à anse servant à faire bouillir de l'eau.

bouillon nm 1 Aliment liquide obtenu en faisant bouillir dans de l'eau viande, poisson ou légumes. 2 Bulles d'un liquide en ébullition. 3 Remous à la surface d'un liquide. 4 Fronces d'étoffe bouffante. 5 Exemplaires invendus d'une publication. Loc **Bouillon de culture :** milieu favorable au développement de microorganismes ; terrain où peut se développer un phénomène néfaste.

bouillon-blanc nm Plante à fleurs jaunes, à feuilles velues. Syn. molène. *Des bouillons-blancs.*

bouillonné nm COUT Ornement d'étoffe froncé en bouillons.

bouillonnement nm État de qqch ou de qqn qui bouillonne.

bouillonner vi 1 Former des bouillons. 2 S'agiter sous le coup d'une émotion forte. 3 Avoir une partie du tirage d'un journal invendue. ■ vt COUT Froncer un tissu en bouillons.

bouillotte nf Récipient rempli d'eau chaude pour chauffer un lit.

1. boulanger, ère n Qui fait, vend du pain.

2. boulanger vi 11 Pétrir et faire cuire le pain.

boulangerie nf 1 Fabrication du pain. 2 Boutique du boulanger.

boule nf 1 Objet sphérique. 2 Fam Tête. *Coup de boule.* Loc **Jeu de boules :** jeu d'adresse où l'on lance des boules. Fam **Mettre qqn en boule :** le mettre en colère.

bouleau nm Arbre à l'écorce blanche.

boule-de-neige nf Nom courant de la viorne obier. *Des boules-de-neige.*

bouledogue nm Chien aux pattes courtes et torses, au museau plat.

bouler vi Fam **Envoyer bouler qqn :** le renvoyer brutalement.

boulet nm 1 Projectile sphérique dont on chargeait les canons. 2 Personne ou chose ressentie comme une charge. 3 Charbon aggloméré en boules. 4 Articulation de la jambe du cheval. Loc **Tirer à boulets rouges :** attaquer par des propos violents.

boulette nf 1 Petite boule. 2 Fam Sottise, bévue.

boulevard nm 1 Large voie urbaine. 2 Genre théâtral, illustré par des comédies légères.

boulevardier, ère a Dans l'esprit du théâtre de boulevard.

bouleversant, ante a Qui trouble, qui émeut profondément. *Un récit bouleversant.*

bouleversement nm Changement profond, perturbation radicale.

bouleverser vt 1 Mettre dans une confusion extrême. 2 Modifier totalement.

boulier nm Cadre contenant des boules glissant sur des tringles, et servant à compter.

boulimie nf Faim pathologique.

boulimique a, n Atteint de boulimie.

bouline nf MAR Cordage servant à manœuvrer une voile.

boulingrin nm Parterre de gazon.

bouliste n Joueur de boules.

boulocher vi Former de petites boules (lainage).

boulodrome nm Terrain aménagé pour le jeu de boules.

boulon nm Vis munie d'un écrou.

boulonnais, aise a, nm Race de chevaux puissants.

boulonner vt Fixer avec des boulons. ■ vi Fam Travailler beaucoup.

1. boulot nm Fam Travail. Loc **Petit boulot :** travail non qualifié, précaire, peu payé.

2. boulot, otte a Petit et grassouillet.

boulotter vi Fam Manger.

boum interj Indique le bruit d'un choc, d'une détonation. ■ nm Bruit d'une explosion.

bouquet nm 1 Assemblage de fleurs, d'herbes liées ensemble. 2 Parfum, arôme d'un vin, d'une liqueur. 3 Gerbe de fusées qui termine un feu d'artifice. 4 Ensemble de chaînes de télévision diffusées depuis un même satellite. 5 Crevette rose. Loc Fam **C'est le bouquet :** c'est le comble.

bouquetière nf Marchande de fleurs.

bouquetin nm Chèvre sauvage des montagnes.

bouquin nm 1 Fam Livre. 2 Lièvre mâle.

bouquiner vi, vt Fam Lire.

bourrique

bouquiniste n Marchand de livres d'occasion.

bourbe nf Boue des eaux croupies.

bourbeux, euse a Plein de bourbe.

bourbier nm 1 Lieu boueux. 2 Situation embarrassante et fâcheuse.

bourbillon nm MED Masse blanchâtre au centre d'un furoncle.

bourbon nm Whisky américain.

bourbonien, enne a Des Bourbons. **Loc** *Nez bourbonien* : long et busqué.

bourdaine nf Arbrisseau dont l'écorce a des propriétés laxatives.

bourde nf Fam Grosse erreur, bévue.

bourdon nm 1 Insecte hyménoptère velu. 2 Grosse cloche à son grave. 3 MUS Jeu de l'orgue rendant les sons graves. 4 IMPRIM Omission d'un passage lors de la composition. **Loc** *Faux bourdon* : mâle de l'abeille. Fam *Avoir le bourdon* : avoir le cafard.

bourdonnement nm 1 Bruit du vol de certains insectes. 2 Bruit qui rappelle le son de ce vol.

bourdonner vi Faire un bruit sourd.

bourg nm Gros village.

bourgade nf Village isolé.

bourgeois, oise n 1 De la bourgeoisie. 2 Qui est de mœurs rangées, d'opinions conservatrices. ■ a 1 Simple, familial. *Cuisine, maison bourgeoise.* 2 Traditionaliste, conservateur, conformiste. *Préjugés bourgeois.*

bourgeoisie nf Classe sociale vivant dans une plus ou moins grande aisance, distincte de la paysannerie et de la classe ouvrière.

bourgeon nm Petite excroissance d'une plante, qui contient les organes embryonnaires (feuilles, fleurs, tige) de la prochaine végétation.

bourgeonnement nm Formation et développement des bourgeons.

bourgeonner vi 1 Produire des bourgeons. 2 Se couvrir de boutons (visage).

bourgeron nm Blouse de toile portée autrefois par les ouvriers.

bourgmestre nm Principal magistrat de certaines villes de Belgique, de Suisse.

bourgogne nm Vin de Bourgogne.

bourgueil nm Vin rouge de Touraine.

bourguignon, onne a, n De Bourgogne. ■ nm Ragoût de bœuf au vin rouge.

bourlinguer vi 1 MAR En parlant d'un navire, rouler et tanguer violemment. 2 Fam Naviguer beaucoup. 3 Fam Mener une vie aventureuse.

bourrache nf Plante à fleurs bleues utilisées en infusion.

bourrade nf Coup de poing, de coude, d'épaule. *Une bourrade amicale.*

bourrage nm Action de bourrer.

bourrasque nf Brusque coup de vent tourbillonnant.

bourratif, ive a Fam Qui bourre l'estomac (aliments).

bourre nf 1 Amas de poils, de fils, de chiffons, etc. qu'on tasse pour obstruer, combler un vide, protéger, etc. 2 Duvet couvrant de jeunes bourgeons. **Loc** Pop *À la bourre* : en retard.

bourré, ée a 1 Plein à l'excès. 2 Pop Ivre.

bourreau nm 1 Qui met à mort des condamnés. 2 Homme cruel, inhumain. **Loc** *Bourreau des cœurs* : séducteur. *Bourreau de travail* : travailleur forcené.

bourrée nf Danse régionale du centre de la France.

bourrelé, ée a **Loc** *Bourrelé de remords* : torturé par le remords.

bourrelet nm 1 Bande de feutre, de plastique, servant à calfeutrer, à préserver d'un choc. 2 Excès de chair, de graisse qui renfle la peau.

bourrelier nm Qui fabrique, vend ou répare des harnachements et autres articles en cuir.

bourrellerie nf Activité du bourrelier.

bourrer vt 1 Garnir de bourre. 2 Remplir complètement. *Bourrer une pipe.* **Loc** *Bourrer de coups* : frapper.

bourriche nf Panier servant à transporter des huîtres, du poisson, du gibier.

bourricot nm Petit âne.

bourrin nm Pop Cheval.

bourrique nf 1 Âne, ânesse. 2 Fam Personne têtue et stupide.

bourru

bourru, ue *a* D'humeur peu accommodante. Loc *Vin bourru :* qui est encore en train de fermenter.

1. bourse *nf* **1** Petit sac destiné à contenir de l'argent, de la monnaie. **2** Pension versée à un élève, à un étudiant, pendant ses études. ■ *pl* ANAT Scrotum.

2. Bourse *nf* **1** Lieu public où s'assemblent les négociants, les agents de change, les courtiers, pour des opérations financières. **2** Marché de valeurs. Loc *Bourse du travail :* lieu où les syndicats ouvriers peuvent se réunir.

boursicoter *vi* Jouer à la Bourse par petites opérations.

boursier, ère *n* **1** Élève, étudiant qui bénéficie d'une bourse. **2** Professionnel de la Bourse. ■ *a* De la Bourse. *Marché boursier.*

boursouflé, ée *a* **1** Enflé, bouffi. **2** Ampoulé, emphatique. *Style boursouflé.*

boursouflure *nf* Enflure.

bousculade *nf* **1** Action de bousculer. **2** Mouvement produit par le remous d'une foule.

bousculer *vt* **1** Renverser, faire basculer. **2** Pousser, heurter qqn. *On se bouscule à l'entrée.* **3** Activer, presser. *Ne me bousculez pas.*

bouse *nf* Fiente des ruminants.

bouseux, euse *n* Fam, péjor Paysan.

bousier *nm* Coléoptère qui fait des boulettes d'excréments et y pond ses œufs.

bousiller *vt* Fam **1** Faire précipitamment et sans soin. **2** Abîmer, démolir qqch, tuer qqn.

boussole *nf* Instrument contenant une aiguille aimantée qui pivote librement en indiquant le nord.

boustifaille *nf* Pop Nourriture.

bout *nm* **1** Extrémité d'un corps ; limite d'un espace. *Le bout des doigts. Au bout de la ville.* **2** Ce qui garnit l'extrémité de certaines choses. **3** Petite partie, morceau. *Un bout de ruban, un bout de pain.* **4** Terme, fin. *Le bout de l'année.* Loc *Au bout du compte :* tout bien considéré. *À bout :* sans ressource, épuisé. *Venir à bout de :* réussir, vaincre. Pop *Mettre les bouts :* s'en aller, se sauver. Fam *Joindre les deux bouts :* boucler son budget.

boutade *nf* Plaisanterie originale.

bout-dehors *nm* MAR Espar servant à établir des voiles en saillie. *Des bouts-dehors.*

boute-en-train *nm* inv Qui sait amuser une assemblée.

boutefeu *nm* Litt Celui qui excite la discorde.

bouteille *nf* **1** Récipient à col étroit et à goulot destiné à contenir des liquides ; son contenu. **2** Récipient métallique pour gaz liquéfiés.

bouteur *nm* Bulldozer.

boutique *nf* Magasin de détail ou local d'un artisan.

boutiquier, ère *n* Qui tient une boutique.

boutoir *nm* Groin du sanglier. Loc *Coup de boutoir :* coup violent ; trait d'humeur, mots blessants.

bouton *nm* **1** Bourgeon. **2** Petite pièce, le plus souvent ronde, qui sert à attacher ensemble les parties d'un vêtement. **3** Pièce saillante et arrondie. *Bouton de porte.* **4** Petite pièce ou touche servant à la commande d'un appareil, d'un mécanisme. **5** Petit gonflement rouge de la peau.

bouton-d'or *nm* Renoncule des prés. *Des boutons-d'or.*

boutonner *vt* Attacher un vêtement avec des boutons.

boutonneux, euse *a, n* Qui a des boutons sur la peau, sur le visage.

boutonnière *nf* Fente dans laquelle on passe le bouton.

bouton-pression *nm* Bouton qui se fixe par pression dans une petite pièce métallique. *Des boutons-pression.*

boutre *nm* Petit navire à voile utilisé sur la côte orientale d'Afrique.

bout-rimé *nm* Pièce de vers composée sur des rimes imposées. *Des bouts-rimés.*

bouture *nf* Fragment d'un végétal mis en terre pour y développer des racines.

bouvier, ère *n* Qui garde les bœufs. ■ *nm* Chien de berger.

bouvillon *nm* Jeune bœuf.

bouvreuil *nm* Oiseau au plumage gris et noir, avec la poitrine rose vif.

bouzouki *nm* Luth grec à long manche.

bovidé nm ZOOL Mammifère ruminant tel que les bovins, les ovins et les caprins.

bovin, ine a Relatif aux bœufs. ■ nmpl Les bœufs, les vaches, les veaux.

bowling [buliŋ] nm 1 Jeu de quilles d'origine américaine. 2 Établissement où l'on joue.

bow-window [bowindo] nm Balcon vitré en saillie sur une façade. Des bow-windows.

box nm 1 Stalle d'écurie pour un seul cheval. 2 Compartiment de garage pour une automobile.

boxe nf Sport du combat à coups de poing.

1. boxer vi Pratiquer la boxe. ■ vt Fam Frapper qqn à coups de poing.

2. boxer [bɔksɛr] nm Chien de garde.

boxeur nm Qui boxe.

box-office nm Cote de succès d'un artiste, d'un spectacle. Des box-offices.

boy nm Domestique indigène dans les pays autrefois colonisés.

boyard nm Seigneur, dans l'ancienne Russie.

boyau nm 1 Intestin. 2 Corde faite avec des intestins de chat ou de mouton pour garnir les violons, guitares, etc., et les raquettes de tennis. 3 Conduit souple en cuir, en toile caoutchoutée. 4 Corridor long et étroit. 5 Chambre à air de bicyclette enfermée dans un mince enveloppe de caoutchouc.

boycottage ou **boycott** nm 1 Refus d'acheter des marchandises provenant d'une firme, d'un pays. 2 Refus collectif de participer à une manifestation, un événement publics.

boycotter vt Appliquer le boycott à.

boy-scout nm Syn anc. de scout. Des boy-scouts.

brabançon, onne a, n Du Brabant.

bracelet nm Ornement qui se porte autour du poignet, du bras.

bracelet-montre nm Montre que l'on porte attachée au poignet. Des bracelets-montres.

brachial, ale,aux [-kjal] a ANAT Du bras.

brachycéphale [-ki-] a, n ANTHROP Qui a le crâne arrondi, et non allongé.

braconner vi Chasser ou pêcher en contrevenant aux lois ou règlements. '

braconnier nm Qui braconne.

bractée nf BOT Petite feuille simple fixée au pédoncule floral.

brader vt Vendre à vil prix.

braderie nf Vente au rabais.

bradycardie nf Lenteur du rythme cardiaque.

braguette nf Ouverture sur le devant d'un pantalon d'homme.

brahmane nm Membre de la caste sacerdotale hindoue.

brahmanisme nm Système religieux et social de l'Inde, caractérisé par une division de la société en castes.

brai nm Résidu de la distillation du pétrole.

braillard, arde ou **brailleur, euse** a, n Qui braille.

braille nf Écriture en relief à l'usage des aveugles.

braillement nm Cri de qqn qui braille.

brailler vi, vt Parler, crier, chanter trop fort.

braiment nm Cri de l'âne.

brainstorming [brɛnstɔrmiŋ] nm Recherche d'idées originales dans un groupe.

braire vi 74 Pousser son cri (âne).

braise nf Charbons ardents.

braiser vt Faire cuire à feux doux et à l'étouffée. Une viande braisée.

brame ou **bramement** nm Cri du cerf, du daim.

bramer vi Pousser son cri (cerf, daim).

brancard nm 1 Chacune des deux barres entre lesquelles on attelle une bête de trait. 2 Civière à bras.

brancardier nm Porteur de brancard.

branchage nm Ensemble des branches d'un arbre. ■ pl Amas de branches coupées.

branche nf 1 Ramification du tronc d'un arbre, d'une plante. 2 Division, ramification. Les branches d'une science. 3 Domaine d'activité. 4 L'une des familles issues d'un ascendant commun. Loc Être comme l'oiseau sur la branche : dans une situation précaire.

branché, ée a, n Fam À la mode.

branchement nm 1 Action de brancher. 2 Organe de raccordement, canalisation. *Branchement de gaz.*

brancher vt 1 Relier à un circuit principal ; connecter. 2 Fam Mettre quelqu'un en rapport avec qqn, l'orienter vers qqch, l'intéresser.

branchie nf Organe de la respiration des animaux aquatiques.

brandade nf Morue pochée pilée avec de l'ail, de l'huile.

brandebourg nm Ornement de broderie ou de galon de certains vêtements.

brandir vt 1 Agiter en l'air. 2 Présenter comme une menace.

brandon nm Corps enflammé. Loc Litt *Brandon de discorde :* provocateur, cause de querelles.

brandy nm Eau-de-vie, en Angleterre.

branle nm Mouvement oscillant d'un corps. Loc *Mettre en branle :* donner une impulsion, faire démarrer.

branle-bas nm inv Loc *Branle-bas de combat :* dispositions prises en vue d'un combat naval ; bouleversement, agitation.

branler vi Bouger, être mal assuré, fixé. *Dent qui branle.* Loc Fam *Branler dans le manche :* être peu stable, peu sûr (situation, fortune).

braquage nm 1 Action de braquer. 2 Fam Attaque à main armée.

braque nm Chien de chasse d'arrêt à poil court. ■ a Fam Un peu fou.

braquer vt 1 Diriger une arme, un appareil vers un point. 2 Fam Menacer d'une arme à feu ; attaquer à main armée. 3 Orienter de côté les roues avant d'un véhicule. 4 Provoquer l'opposition têtue de qqn. ■ vi Tourner à droite ou à gauche (véhicule). ■ vpr S'obstiner dans son opposition.

braquet nm Développement d'une bicyclette.

braqueur, euse n Pop Qui fait une attaque à main armée.

bras nm 1 Membre supérieur de l'homme. 2 Partie du membre supérieur comprise entre l'épaule et le coude. 3 Ce qui évoque plus ou moins un bras humain. *Les bras d'une croix. Bras de levier.* Loc *Bras de fer :* épreuve de

force. *Bras de fauteuil :* accotoir. *Bras de mer :* étendue de mer resserrée entre les terres. *Bras d'un cours d'eau :* division de cours d'eau.

brasero [-zero] nm Récipient qu'on remplit de braises pour se chauffer.

brasier nm Feu très vif, violent incendie.

bras-le-corps (à) av En serrant fortement entre les bras.

brassard nm Ornement ou signe de reconnaissance fixé au bras.

brasse nf 1 Nage sur le ventre dans laquelle les mouvements des bras et des jambes sont symétriques. 2 Distance parcourue par le nageur à chaque cycle de mouvement.

brassée nf Ce que peuvent contenir les deux bras. *Une brassée de bois.*

brasser vt 1 Opérer les mélanges pour la fabrication de la bière. 2 Remuer pour mélanger. Loc *Brasser des affaires :* traiter beaucoup d'affaires.

brasserie nf 1 Industrie de la bière. 2 Fabrique de bière. 3 Café-restaurant.

brasseur, euse n Fabricant ou marchand de bière. Loc *Brasseur d'affaires :* qui traite beaucoup d'affaires.

brassière nf Petite chemise de bébé en toile fine ou en tricot.

brasure nf Soudure faite avec un métal ou un alliage plus fusible.

bravache a, nm Faux brave.

bravade nf Défi, provocation.

brave a, n Vaillant, courageux. ■ a Honnête, bon, serviable.

braver vt Résister à, affronter.

bravo ! interj Exprime l'approbation. ■ nm Cri d'approbation.

bravoure nf Courage, vaillance. Loc *Morceau de bravoure :* de virtuosité.

break [bʀɛk] nm 1 Automobile qui possède un hayon et dont la banquette arrière se rabat à plat. 2 Interruption momentanée.

brebis nf Mouton femelle. Loc *Brebis galeuse :* personne indésirable dans un groupe. ■ nm Fromage au lait de brebis.

brèche nf 1 Ouverture faite à un mur, une haie, etc. 2 Partie brisée d'un tranchant, du bord de qqch.

bréchet nm ZOOL Crête osseuse du sternum d'un oiseau.

bredouillage, bredouillement ou **bredouillis** nm 1 Action de bredouiller. 2 Paroles indistinctes.

bredouille a Qui n'a rien pris (à la chasse, à la pêche) ; qui a échoué.

bredouiller vi, vt Parler de manière précipitée et confuse.

bref, brève a 1 Qui dure peu. 2 Qui s'exprime en peu de mots, concis. ■ av En peu de mots, pour résumer. ■ nm Lettre du pape. ■ nf 1 Syllabe brève. 2 Information courte ou peu importante.

brelan nm Réunion de trois cartes ou coups de dés de même valeur.

breloque nf Menu bijou attaché à une chaîne, à un bracelet.

brème nf 1 Poisson d'eau douce. 2 Pop Carte à jouer.

brésilien, enne a Du Brésil.

bretelle nf 1 Sangle passée sur les épaules, servant à porter certains fardeaux. 2 (surtout pl) Bande passée sur chaque épaule et retenant un pantalon, une jupe, etc. 3 Tronçon de route reliant une voie à une autoroute.

breton, onne a, n De Bretagne. ■ nm Langue celtique parlée en Bretagne.

bretonnant, ante a Qui conserve la langue et les traditions bretonnes.

bretzel nm ou f Pâtisserie alsacienne salée.

breuvage nm Boisson quelconque.

brève. V. bref.

brevet nm Titre, diplôme officiel reconnaissant une qualification. Loc Brevet d'invention : titre protégeant une invention contre la concurrence.

breveter vt 19 Protéger par un brevet.

bréviaire nm Livre contenant les prières que les prêtres catholiques doivent lire chaque jour.

briard, arde a De la Brie. ■ nm Grand chien de berger à poils longs.

bribe nf Petit morceau, fragment.

bric-à-brac nm inv Amas d'objets de peu de valeur et de toutes provenances.

bric et de broc (de) av De pièces et de morceaux, au hasard.

brick nm Voilier à deux mâts carrés.

bricolage nm 1 Action de bricoler. 2 Installation, réparation de fortune.

bricole nf Fam Petite chose sans valeur ; occupation futile.

bricoler vi Exécuter de menus travaux de réparation, d'agencement, etc. ■ vt Fabriquer, réparer avec des moyens de fortune.

bricoleur, euse n, a Qui aime bricoler.

bride nf 1 Harnais de tête du cheval servant à le conduire. 2 Rêne. 3 Pièce servant à attacher, à retenir. 4 Anneau de fil, de cordonnet, servant à boutonner, à agrafer. Loc À bride abattue : très vite.

bridé, ée a Loc Yeux bridés : dont les paupières semblent former une fente horizontale plus grande que la moyenne.

brider vt 1 Mettre la bride à un cheval, un mulet. 2 Serrer trop. Ce veston le bride. 3 Contenir, réfréner.

bridge nm 1 Jeu de cartes. 2 Appareil de prothèse dentaire fixé par chacune de ses extrémités sur une dent saine.

brie nm Fromage de vache, fermenté, à pâte molle.

briefer [brife] vt Fam Informer brièvement.

briefing [brifiŋ] nm Courte réunion d'information.

brièvement av En peu de mots.

brièveté nf Courte durée.

brigade nf 1 Unité militaire composée de plusieurs régiments. 2 Unité spécialisée de la police. 3 Groupe d'ouvriers.

brigadier nm Chef d'une brigade.

brigand nm 1 Malfaiteur qui vole, pille, commet des crimes. 2 Homme malhonnête.

brigandage nm Action de brigands.

brigue nf Litt Manœuvres pour s'assurer un avantage.

briguer vt Litt Convoiter, solliciter.

brillamment av De façon brillante.

brillance nf Luminosité.

brillant, ante a Qui brille ; éclatant, remarquable. ■ nm 1 Éclat, lustre. Le brillant d'une réception. 2 Diamant taillé à facettes.

brillantine nf Huile parfumée utilisée pour lustrer les cheveux.

briller *vi* 1 Jeter une lumière éclatante, avoir de l'éclat. *Le soleil brille.* 2 Attirer l'attention, provoquer l'admiration ; exceller.

brimade *nf* 1 Épreuve plus ou moins vexatoire imposée aux nouveaux par des élèves, des soldats plus anciens. 2 Mesure désobligeante, mesquine.

brimbaler *vi, vt* Litt Brinquebaler.

brimborion *nm* Colifichet, babiole.

brimer *vt* Soumettre à des brimades.

brin *nm* 1 Mince pousse, tige d'une plante. *Brin d'herbe.* 2 Chacun des fils d'un cordage, d'un câble électrique, etc. 3 Très petite quantité. *Ajoutez un brin de sel.*

brindille *nf* Branche mince et courte.

1. bringue *nf* Loc Pop *Grande bringue :* femme dégingandée.

2. bringue *nf* Pop Beuverie, fête, bombance.

bringuebaler ou **bringuebaler** *vt* Fam Ballotter. ■ *vi* Fam Cahoter, osciller.

brio *nm* Virtuosité.

brioche *nf* 1 Pâtisserie levée plus ou moins sphérique. 2 Fam Ventre rebondi.

brioché, ée *a* Confectionné comme la brioche.

brique *nf* 1 Parallélépipède rectangle de terre argileuse cuite. 2 Emballage en forme de parallélépipède. 3 Pop Un million de centimes. ■ *a inv* De la couleur rougeâtre de la brique.

briquer *vt* Faire briller en frottant.

briquet *nm* 1 Appareil servant à produire du feu. 2 Anc. Sabre court d'infanterie.

briqueterie *nf* Fabrique de briques.

briquette *nf* Aggloméré en forme de brique, fait de débris de combustibles.

bris *nm* Fracture de vitre, de clôture, etc.

brisant *nm* Écueil sur lequel la mer brise et écume.

brise *nf* Vent modéré et régulier.

brisé, ée *a* Loc *Être brisé de fatigue :* être épuisé. *Ligne brisée :* composée de segments de droites consécutifs qui forment des angles.

brisées *nfpl* Loc *Aller sur les brisées de qqn :* lui faire concurrence.

brise-glace *nm* Navire à étrave renforcée, construit pour briser la glace. *Des brise-glace.*

brise-jet *nm inv* Dispositif adapté à un robinet, afin d'atténuer le jet.

brise-lames *nm inv* Ouvrage qui amortit les vagues devant un port.

briser *vt* 1 Rompre, casser. 2 Détruire, anéantir. 3 Fatiguer, abattre qqn. ■ *vi* Loc *Mer qui brise :* qui déferle.

brise-tout *n inv* Fam Maladroit.

briseur, euse *n* Loc *Briseur de grève :* qui ne s'associe pas à une grève.

bristol *nm* Carton mince utilisé notam. pour les cartes de visite.

britannique *a, n* De Grande-Bretagne.

broc [bʀo] *nm* Récipient à anse à bec évasé ; son contenu.

brocante *nf* Activité du brocanteur.

brocanteur, euse *n* Qui achète et revend des objets d'occasion.

brocard *nm* 1 Jeune chevreuil. 2 Litt Raillerie blessante.

brocarder *vt* Litt Railler, dénigrer.

brocart *nm* Étoffe de soie brodée d'or, d'argent.

broccio [-tʃjo] *nm* Fromage corse, au lait de chèvre ou de brebis.

broche *nf* 1 Tige pointue sur laquelle on fait rôtir de la viande. 2 Bijou de femme muni d'un fermoir à épingle. 3 Tige servant à maintenir des os fracturés. 4 Tige conductrice d'un contact électrique.

broché, ée *a* Se dit d'un livre ayant une couverture souple au dos de laquelle les feuilles sont collées. ■ *nm* Étoffe présentant des dessins réalisés par un tissage spécial.

brocher *vt* 1 Assembler, coudre et coller les feuilles d'un livre. 2 Tisser des dessins sur une étoffe pendant sa fabrication.

brochet *nm* Poisson d'eau douce très vorace.

brochette *nf* 1 Petite broche à rôtir. 2 Les morceaux enfilés sur la brochette. 3 Petite broche qui réunit plusieurs décorations. 4 Fam Groupe de personnes alignées.

brochure *nf* 1 Dessin broché sur une étoffe. 2 Publication mince brochée.

brocoli *nm* Variété de chou-fleur vert.

brodequin nm Grosse chaussure à tige.

broder vt Orner une étoffe de dessins à l'aiguille. ■ vi Amplifier, embellir un récit.

broderie nf Ornement exécuté en brodant.

brodeur, euse n Qui brode.

broker [-kœʀ] nm Dans les pays anglo-saxons, courtier en valeurs mobilières.

brome nm Corps simple liquide proche du chlore.

bromure nm Combinaison du brome avec un métal ou une base.

bronche nf Chacun des conduits qui amènent l'air aux poumons.

broncher vi Trébucher (cheval). 2 Manifester sa désapprobation ou son impatience.

bronchiole nf Ramification fine des bronches.

bronchite nf Inflammation de la muqueuse des bronches.

bronchitique a De la bronchite. ■ a, n Atteint de bronchite.

bronchopneumonie [bʀɔ̃ko-] nf Inflammation des bronches et des poumons.

bronchoscopie [bʀɔ̃ko-] nf MED Examen visuel des bronches au moyen d'un tube muni d'une source lumineuse.

brontosaure nm GEOL Le plus grand des dinosaures.

bronzage nm 1 Action de bronzer. 2 Hâle.

bronze nm 1 Alliage de cuivre et d'étain. 2 Objet sculpté, moulé en bronze. Loc **Âge du bronze** : époque où les hommes savaient fabriquer des outils en bronze mais non en fer.

bronzer vt 1 Donner l'aspect du bronze à un objet. 2 Hâler, brunir la peau. ■ vi Brunir de la peau.

bronzette nf Fam Action de se faire brunir.

brosse nf 1 Ustensile fait d'une plaque garnie de poils durs, de fils, etc., pour nettoyer ou lisser. 2 Pinceau pour étendre les couleurs. Loc **Cheveux en brosse** : courts et dressés sur la tête.

brosser vt 1 Frotter, nettoyer avec une brosse. 2 Décrire à grands traits.

brou nm Écale verte et charnue des noix fraîches. Loc **Brou de noix** : teinture brun foncé faite avec l'écale des noix.

brouette nf Petit tombereau à une roue et deux brancards.

brouettée nf Charge d'une brouette.

brouetter vt Transporter dans une brouette.

brouhaha nm Bruit confus qui s'élève dans une assemblée nombreuse.

brouillage nm Perturbation d'une émission radiophonique.

brouillamini nm Fam Désordre, confusion.

brouillard nm Nuage de vapeur d'eau près du sol gênant la visibilité.

brouillasse nf Pluie très fine, comme du brouillard.

brouille ou **brouillerie** nf Fâcherie.

brouillé, ée a Loc **Œufs brouillés** : dont on a mélangé les blancs et les jaunes pendant la cuisson.

brouiller vt 1 Mettre pêle-mêle ; mélanger, mêler. Brouiller des papiers. 2 Troubler. Brouiller la vue. 3 Empêcher par le brouillage d'entendre clairement une émission de radio. 4 Désunir, mettre en désaccord des personnes. ■ vpr 1 Se troubler. 2 Se fâcher avec qqn. Loc **Le temps se brouille** : le ciel se couvre.

brouillon, onne a, n Qui n'a pas d'ordre, qui embrouille tout. ■ nm Ce qu'on écrit d'abord, avant de mettre au net.

broussaille nf Végétation inculte d'arbustes, de ronces, etc. entremêlés.

broussailleux, euse a Plein de broussailles.

broussard nm Personne qui vit dans la brousse.

brousse nf 1 Végétation clairsemée, caractéristique de l'Afrique tropicale. 2 Fam Rase campagne. 3 Fromage frais de chèvre ou de brebis.

broutard nm Veau sevré.

brouter vt Paître de l'herbe, des feuilles vertes. ■ vi Fonctionner de façon saccadée (embrayage, frein, etc.).

broutille nf Chose insignifiante.

browning [bʀɔniŋ] nm Pistolet automatique à charpeur.

broyer vt 22 Réduire en poudre ou en pâte, écraser.

broyeur, euse n, a Qui broie. ■ nm Appareil à broyer.

brrr ! *interj* Exprime une sensation de froid, un sentiment de peur.

bru *nf* Femme du fils, belle-fille.

bruant *nm* Passereau, tel que l'ortolan.

brucellose *nf* Maladie infectieuse du bétail, transmissible à l'homme. Syn. fièvre de Malte.

bruche *nf* Coléoptère dont les larves dévorent les pois.

brugnon *nm* Hybride de pêche à peau lisse.

bruine *nf* Petite pluie fine.

bruiner *v impers* Pleuvoir en bruine.

bruire *vi* Litt Rendre un son confus et prolongé. *Le feuillage bruissait.*

bruissement *nm* Bruit confus et continu.

bruit *nm* 1 Sensation perçue par l'oreille. 2 Nouvelle qui circule, rumeur. Loc *Faire du bruit* : provoquer l'intérêt, l'émotion du public.

bruitage *nm* Reconstitution artificielle des bruits d'une scène (cinéma, radio, télévision).

bruiteur *nm* Qui fait les bruitages.

brûlage *nm* 1 Action de brûler. 2 Traitement des cheveux dont on brûle les pointes.

brûlant, ante *a* 1 Qui brûle, qui dégage une chaleur intense. 2 Ardent, fervent. *Désir brûlant.* 3 Qui risque de déchaîner les passions.

brûlé, ée *a* 1 Qui a brûlé. *Une tête, une cervelle brûlée* : un esprit exalté, téméraire. 3 Démasqué, découvert. ■ *nm* Loc *Sentir le brûlé* : avoir l'odeur de ce qui a brûlé ; être dangereux.

brûle-gueule *nm inv* Pipe à tuyau court.

brûle-parfum *nm inv* Vase, réchaud dans lequel on brûle des parfums.

brûle-pourpoint (à) *av* Sans préambule, brusquement.

brûler *vt* 1 Consumer, détruire par le feu. 2 Utiliser comme combustible ou comme luminaire. 3 Causer une altération, une douleur, sous l'effet du feu, de la chaleur, d'un corrosif. 4 Torréfier le café. 5 Ne pas s'arrêter à un signal. ■ *vi* 1 Être consumé par le feu. 2 Subir une cuisson trop prolongée. 3 Être ardent, possédé d'un grand désir. *Brûler d'impatience.* 4 Fam Dans un jeu, être tout près du but.

brûlerie *nf* Lieu où on torréfie le café.

brûleur *nm* Appareil destiné à assurer une combustion.

brûlis *nm* Terrain dont on brûle la végétation pour la défricher ou la fertiliser.

brûlot *nm* 1 Navire que l'on chargeait de matières inflammables pour incendier les vaisseaux ennemis. 2 Écrit violemment polémique. 3 Punch flambé.

brûlure *nf* 1 Lésion tissulaire produite par le feu, par un corps très chaud ou par une substance corrosive. 2 Sensation douloureuse. *Brûlure d'estomac.*

brumaire *nm* Deuxième mois du calendrier républicain (octobre-novembre).

brumasser *v impers* Être un peu brumeux (temps).

brume *nf* Brouillard léger.

brumeux, euse *a* Marqué par la brume.

brumisateur *nm* (nom déposé) Appareil qui pulvérise très finement un liquide.

brun, brune *a* 1 De couleur jaune sombre tirant sur le noir. ■ *a, n* Dont les cheveux sont bruns. ■ *nm* Couleur brune. ■ *nf* Bière brune ; cigarette de tabac brun.

brunch [brœnʃ] *nm* Petit déjeuner copieux, pris en fin de matinée.

brunet, ette *a, n* Qui a les cheveux bruns.

brunir *vt* 1 Rendre brun. *Le soleil l'a bruni.* 2 Polir un métal. ■ *vi* Devenir brun.

brushing [brœʃiŋ] *nm* (nom déposé) Mise en plis des cheveux mouillés avec une brosse ronde et en les séchant au séchoir.

brusque *a* 1 Qui a une vivacité rude, sans ménagement ; brutal. *Geste brusque.* 2 Subit, inopiné. *Changement brusque.*

brusquer *vt* 1 Traiter sans ménagement. 2 Hâter, précipiter.

brusquerie *nf* Manières brusques.

brut, brute *a* 1 Qui est encore dans son état naturel, n'a pas été façonné. 2 Grossier, sauvage. Loc *Pétrole brut* : non raffiné. *Champagne brut* : très sec. *Salaire brut* : qui n'a subi aucune retenue. *Poids brut* : qui comprend le poids de l'emballage. ■ *nm* Pétrole non raffiné. ■ *av* Sans aucune défalcation. *Colis qui pèse brut vingt kilos.*

brutal, e, aux a **1** Violent, dénué de ménagement. *Geste brutal. Franchise brutale.* **2** Rude et inopiné. *Chute brutale de la Bourse.*

brutaliser vt Traiter avec brutalité.

brutalité nf Caractère brutal. *Agir avec brutalité.* ■ pl Actes brutaux.

brute nf Personne grossière, violente.

bruxellois, oise [-sɛlwa] a, n De Bruxelles.

bruyamment av Avec grand bruit.

bruyant, ante a **1** Qui fait du bruit. **2** Où il se fait beaucoup de bruit.

bruyère nf Plante à fleurs violacées poussant sur des landes ou dans des sous-bois siliceux. Loc *Terre de bruyère* : terre formée de sable siliceux mélangé aux produits de décomposition des bruyères. *Coq de bruyère* : tétras.

B.T.P. nm Secteur économique constitué par le bâtiment et les travaux publics.

B.T.S. nm Brevet de technicien supérieur.

buanderie nf Lieu où on fait la lessive.

bubon nm MED Tuméfaction ganglionnaire.

buccal, ale, aux a De la bouche.

buccin [byksɛ̃] nm **1** ANTIQ Trompette romaine. **2** Mollusque à coquille hélicoïdale.

bûche nf Morceau de bois de chauffage. Loc *Bûche de Noël* : pâtisserie en forme de bûche que l'on fait pour Noël.

1. bûcher nm **1** Lieu où on range le bois à brûler. **2** Amas de bois sur lequel on brûle un corps.

2. bûcher vt, vi Fam Travailler avec ardeur.

bûcheron, onne n Qui abat des arbres dans une forêt.

bûchette nf Menu morceau de bois.

bûcheur, euse a, n Fam Qui bûche.

bucolique a De la poésie pastorale.

budget nm **1** État prévisionnel des dépenses et recettes, généralement pour une année. **2** Somme disponible pour qqn, un groupe.

budgétaire a Du budget.

budgétiser vt Inscrire au budget.

buée nf Vapeur qui se condense sur un corps froid.

buffet nm **1** Meuble où on range la vaisselle, l'argenterie. **2** Table couverte de mets,

de rafraîchissements. **3** Restaurant de gare. **4** Ouvrage de menuiserie qui renferme un orgue.

buffle nm Grand bœuf d'Europe du Sud, d'Afrique et d'Asie.

bug [bœg] nm INFORM Erreur de programmation entraînant des anomalies de fonctionnement. Syn. bogue.

bugle nm Instrument à vent, en cuivre, à pistons.

building [bildiŋ] nm Vaste immeuble comptant de nombreux étages.

buis nm Arbrisseau toujours vert, à bois jaunâtre, dur et à grain fin.

buisson nm Touffe d'arbustes ou d'arbrisseaux épineux. Loc *Buisson d'écrevisses* : écrevisses disposées en pyramide dans un plat.

buissonneux, euse a Couvert de buissons.

buissonnier, ère a Loc *Faire l'école buissonnière* : aller jouer, se promener au lieu d'aller à l'école, au travail.

bulbe nm **1** Oignon d'une plante. **2** ANAT Organe renflé ou globuleux. **3** ARCHI Coupole en forme de bulbe. Loc *Bulbe rachidien* : partie supérieure de la moelle épinière.

bulbeux, euse a **1** Pourvu d'un bulbe. **2** En forme de bulbe.

bulgare a, n De la Bulgarie. ■ nm Langue slave parlée en Bulgarie.

bulldog [buldɔg] nm Chien anglais proche du bouledogue, aux oreilles tombantes.

bulldozer [byldozɛr] nm Engin de terrassement. Syn. bouteur.

bulle nf **1** Globule de gaz dans un liquide ou dans une matière fondue ou coulée. **2** Dans une bande dessinée, ligne courbe enfermant le texte des paroles des personnages. **3** Lettre publique du pape. Loc *Bulle de savon* : sphère remplie d'air dont la paroi est une pellicule d'eau savonneuse. *Bulle financière* : maintien des cours boursiers à la hausse, du caractère sujet à la spéculation. ■ a inv Loc *Papier bulle* : papier grossier, beige ou jaune pâle.

bulletin nm **1** Avis communiqué par une autorité et destiné au public. **2** Rapport périodique sur la scolarité d'un élève. **3** Attestation, récépissé. *Bulletin de bagages.* **4** Revue périodique d'une administration, d'une société. **5** Papier spécialement destiné à exprimer un vote.

bull-finch *nm* Obstacle de steeple-chase (talus surmonté d'une haie). *Des bull-finchs.*

bulot *nm* Buccin comestible. Syn. escargot de mer.

bungalow [bœgalo] *nm* **1** Habitation basse entourée d'une véranda. **2** Petite maison sans étage en matériaux légers.

bunker [bunkœr] *nm* **1** Casemate. **2** Fosse remplie de sable aménagée sur un parcours de golf.

bunraku [-ku] *nm* Marionnettes japonaises.

Bunsen (bec) *nm* Brûleur à gaz.

bupreste *nm* Coléoptère dont les larves rongent le bois.

buraliste *n* **1** Préposé à un bureau de recette, de poste, etc. **2** Qui tient un bureau de tabac.

bure *nf* Étoffe de laine, généralement brune.

bureau *nm* **1** Table de travail, ou meuble à tiroirs, à casiers, comportant une table pour écrire. **2** Pièce où se trouve la table de travail. **3** Lieu de travail des employés, des gens d'affaires, etc. **4** Établissement d'administration publique. *Bureau d'aide sociale.* **5** Subdivision dans un ministère, un état-major. **6** L'ensemble des membres directeurs élus d'une assemblée, d'une association.

bureaucrate *n* Péjor Employé de bureau, d'une administration.

bureaucratie *nf* **1** Pouvoir excessif des bureaucrates. **2** L'Administration publique.

bureaucratique *a* De la bureaucratie.

bureaucratiser *vt* Augmenter le poids de la bureaucratie.

bureautique *nf* (n déposé) INFORM Ensemble des techniques qui visent à automatiser les activités de bureau.

burette *nf* **1** Petit flacon à bec verseur. **2** Récipient à tubulure effilée, servant au graissage de pièces mécaniques.

burin *nm* Outil d'acier qui sert à entailler les matériaux durs.

buriné, ée *a* Loc *Visage buriné* : très ridé.

buriner *vt* Travailler au burin.

burkinabé, a, n Du Burkina.

burlat *nf* Variété de bigarreau.

burlesque *a* D'une bouffonnerie outrée ; extravagant. ■ *nm* Genre, style burlesque.

burnous *nm* **1** Grand manteau de laine à capuchon porté par les Arabes. **2** Manteau à capuchon pour bébés.

bus *nm inv* Fam Autobus.

busard *nm* Oiseau rapace, diurne.

buse *nf* **1** Canalisation, tuyau. **2** Rapace courant en Europe, voisin du faucon. **3** Fam Personne ignorante et stupide.

bush [buʃ] *nm* Formation végétale broussailleuse des régions tropicales sèches.

business [biznes] ou **bizness** *nm inv* Fam **1** Les affaires. **2** Chose compliquée, situation embrouillée. **3** Chose quelconque, truc.

businessman [biznesman] *nm* GB Homme d'affaires.

busqué, ée *a* Arqué (nez).

buste *nm* **1** La tête et la partie supérieure du corps humain. **2** La poitrine d'une femme. **3** Sculpture représentant un buste.

bustier *nm* Soutien-gorge ou corsage couvrant partiellement le buste.

but [by] ou [byt] *nm* **1** Point que l'on vise. *Toucher le but.* **2** Terme où l'on s'efforce de parvenir. *Le but du voyage.* **3** Fin que l'on se propose. *Avoir un but dans la vie.* **4** Endroit où il faut envoyer le ballon. **5** Point marqué en envoyant le ballon au but. *Gagner par trois buts à deux.* Loc *De but en blanc* : brusquement.

butane *nm* Gaz combustible.

buté, ée *a* Obstiné, entêté.

butée *nf* **1** Massif de pierre aux extrémités d'un pont. **2** Pièce empêchant ou limitant le mouvement d'un organe mécanique.

buter *vi* Heurter du pied, trébucher contre un obstacle. ■ *vt* **1** Provoquer l'opposition têtue de. **2** Pop Assassiner. ■ *vpr* S'obstiner, s'entêter.

buteur *nm* SPORT Joueur qui marque des buts.

butin *nm* **1** Ce que l'on a pris à l'ennemi après une victoire. **2** Ce que rapporte un vol. **3** Ce qu'on amasse à la suite de recherches.

butiner *vi* En parlant des abeilles, recueillir sur les fleurs le nectar et le pollen.

butoir *nm* **1** Pièce contre laquelle vient buter une partie mobile. **2** Obstacle à l'extrémité d'une voie pour arrêter les locomotives.

butor *nm* **1** Échassier des marais. **2** Homme grossier, malappris.

butte *nf* **1** Petite élévation de terre. **2** Colline. **Loc** *Être en butte à* : être exposé à.

butter *vt* AGRIC Entourer de terre le pied d'un arbre, d'une plante.

buvable *a* **1** Qui peut être bu. **2** Fam Acceptable.

buvard *nm* Papier qui absorbe l'encre.

buvette *nf* Endroit où on vend à boire, dans certains lieux publics.

buveur, euse *n* **1** Qui boit. **2** Qui s'adonne avec excès à la boisson.

byzantin, ine *a, n* De Byzance. ■ *a* Qui fait preuve de byzantinisme.

byzantinisme *nm* Goût des discussions oiseuses, subtiles à l'excès.

C

c nm 1 Troisième lettre (consonne) de l'alphabet. 2 C : chiffre romain qui vaut 100.

ça pr dém 1 Cela. *Donne moi ça !* 2 Renforce une interrogation. *Où ça ?* **Loc Sans ça** : sinon. *Comme ci, comme ça* : médiocrement.

çà av **Loc Çà et là** : de côté et d'autre. ■ interj Marque l'impatience, l'étonnement, etc.

cabale nf Menées concertées, intrigues occultes.

cabalistique a Mystérieux, obscur.

caban nm Veste de marin en drap.

cabane nf 1 Petite construction servant d'abri. 2 Pop Prison.

cabanon nm 1 Petite cabane. 2 Cellule où on enfermait les déments.

cabaret nm Établissement qui présente un spectacle et où le public peut consommer.

cabas nm Panier à provisions.

cabernet nm Cépage rouge très répandu.

cabestan nm Treuil à tambour vertical.

cabiai nm Rongeur d'Amérique du Sud.

cabillaud nm Morue fraîche.

cabine nf 1 Chambre, à bord d'un navire. 2 Local exigu servant à divers usages. *Cabine téléphonique.* 3 Enceinte, espace aménagé pour le transport des personnes, pour un équipage, etc.

cabinet nm 1 Bureau destiné au travail. 2 Local où les membres des professions libérales reçoivent leurs clients. 3 Ensemble des ministres. 4 Meuble servant à ranger des bijoux. ■ pl Lieux d'aisance, W.-C.

câblage nm 1 Action de câbler. 2 Ensemble de conducteurs électriques.

câble nm 1 Gros cordage résistant. 2 Conducteur électrique ou servant aux télécommunications. 3 Dépêche télégraphique.

câbler vt 1 Réunir par torsion des cordes. 2 Connecter électriquement. 3 Équiper un lieu avec la télévision par câbles. 4 Télégraphier.

câblodistributeur ou **câblo-opérateur** nm Entreprise qui met en œuvre la télévision par câbles.

cabochard, arde a, n Fam Entêté.

caboche nf Fam Tête.

cabochon nm Pierre précieuse non taillée.

cabosser vt Déformer par des bosses.

cabot nm Fam 1 Chien. 2 Cabotin.

cabotage nm Navigation à faible distance des côtes.

caboteur nm Navire qui fait du cabotage.

cabotin, ine n, a 1 Mauvais comédien prétentieux. 2 Vaniteux qui aime attirer l'attention.

cabotiner vi Faire le cabotin.

cabrer vt 1 Faire se dresser un cheval sur ses pattes. 2 Provoquer l'opposition, la révolte.

cabri nm Chevreau.

cabriole nf Gambade, pirouette.

cabrioler vi Faire des cabrioles.

cabriolet nm 1 Automobile décapotable. 2 Fauteuil à dossier incurvé.

caca nm Fam Excrément. ■ a inv **Loc Caca d'oie** : verdâtre.

cacahuète ou **cacahouète** nf 1 Fruit de l'arachide, très riche en corps gras. 2 Graine de fruit, consommée torréfiée.

cacao nm Graine de cacaoyer, qui sert à fabriquer le chocolat.

cacaoté, ée a Contenant du cacao.

cacaoyer ou **cacaotier** nm Arbre cultivé sur ses fruits, les fèves de cacao.

cacatoès ou **kakatoès** nm Perroquet à plumage blanc rosé à huppe érectile.

cachalot nm Grand mammifère marin carnassier.

cache nf Lieu où on peut cacher qqch, se cacher. ■ nm Feuille opaque pour soustraire partiellement une surface à la lumière.

cache-cache nm inv Jeu d'enfants où un des joueurs doit trouver les autres qui se sont cachés.

cache-col nm inv Écharpe portée autour du cou.

cachemire nm Laine mêlée de poil de chèvre.

cache-misère *nm inv* Fam Vêtement ample cachant des habits usagés.

cache-nez *nm inv* Longue écharpe pour se préserver du froid.

cache-pot *nm inv* Vase cachant un pot de fleurs.

cacher *vt* 1 Soustraire à la vue. 2 Taire. *Cacher son âge.* ■ *vpr* 1 Se soustraire à la vue. 2 Cacher à qqn ce qu'on fait. *Se cacher de ses parents.*

cachère. V. casher.

cache-sexe *nm inv* Vêtement couvrant le bas-ventre.

cachet *nm* 1 Pièce gravée appliquée sur de la cire pour y faire une empreinte. 2 Marque imprimée apposée avec un tampon. 3 Caractère distinctif, original. *Village plein de cachet.* 4 Comprimé. *Cachet d'aspirine.* 5 Rétribution d'un artiste pour une séance de travail.

cache-tampon *nm* Jeu où un des joueurs cache un objet que les autres doivent découvrir.

cacheter *vt* 19 1 Fermer à la cire. 2 Fermer un pli par collage.

cachetier *nm* Artiste payé au cachet.

cachette *nf* Endroit où on peut se cacher, cacher qqch. Loc **En cachette :** en se cachant.

cachexie *nf* MED Altération profonde des fonctions de l'organisme.

cachot *nm* Cellule de prison, étroite et sombre.

cachotterie *nf* Mystère pour cacher des choses sans importance.

cachottier, ère *a, n* Qui fait des cachotteries.

cachou *nm* Substance brune extraite de la noix d'arec ; petite pastille de cette substance.

cacique *nm* 1 Chef de tribu, chez les Indiens d'Amérique. 2 Fam Élève reçu premier à un concours.

cacophonie *nf* Rencontre de sons désagréables à l'oreille.

cactacée *nf* ou **cactée** *nf* BOT Plante grasse à tige charnue servant de réserve d'eau.

cactus *nm* Plante grasse épineuse.

c.-à-d. Abrév de *c'est-à-dire.*

cadastral, ale, aux *a* Du cadastre.

cadastre *nm* Répertoire des propriétés foncières d'une commune.

cadavérique *a* D'un cadavre.

cadavre *nm* Corps d'un mort.

caddie *nm* 1 Qui, au golf, porte les clubs des joueurs. 2 (n. déposé) Petit chariot pour transporter les bagages, les achats dans les magasins.

cadeau *nm* Objet offert.

cadenas *nm* Serrure mobile.

cadenasser *vt* Fermer avec un cadenas.

cadence *nf* 1 Succession rythmique de mouvements, de sons. 2 Rythme de production dans le travail. Loc **En cadence :** en mesure ; avec un rythme régulier.

cadencé, ée *a* Rythmé. *Musique cadencée.*

cadet, ette *a, n* 1 Enfant né après l'aîné ou après un autre enfant de la famille. 2 Moins âgé qu'un autre. 3 Sportif entre 13 et 16 ans.

cadi *nm* Juge musulman.

cadmium *nm* Métal blanc aux propriétés proches de celles du zinc.

cadrage *nm* Action de cadrer, de placer dans le champ d'un appareil.

cadran *nm* 1 Surface graduée sur laquelle se déplace l'aiguille d'un appareil de mesure. 2 Partie du téléphone qui porte les numéros. Loc **Cadran solaire :** où l'ombre portée donne l'heure.

cadre *nm* 1 Bordure entourant un tableau, un miroir, etc. 2 Assemblage rigide de pièces formant un châssis, une armature. *Cadre de bicyclette.* 3 Ce qui délimite. *Cela sort du cadre de mes fonctions.* 4 Environnement ; décor. 5 Qui assure une fonction de direction, d'encadrement dans une entreprise, à l'armée.

cadrer *vt* Placer dans le champ d'un appareil photo, d'une caméra, etc. ■ *vti* Concorder avec. *Ceci cadre avec mon projet.*

cadreur, euse *n* Chargé des prises de vues d'un film.

caduc, uque *a* Désuet, périmé. Loc **Feuilles caduques :** qui se renouvellent chaque année.

caducée *nm* Baguette entourée de deux serpents, emblème des pharmaciens et des médecins.

cæcum [sekɔm] nm ANAT Partie initiale du gros intestin.

cafard, arde n Fam Dénonciateur. ■ nm 1 Fam Idées noires, dépression. 2 Blatte.

cafarder vi Fam 1 Dénoncer. 2 Avoir des idées noires.

cafardeux, euse a Fam Qui a ou donne le cafard ; mélancolique.

café nm 1 Graine du caféier. 2 Infusion de cette graine torréfiée et préparée. 3 Lieu public où on consomme des boissons. ■ a inv Loc Café au lait : brun clair, beige.

café-concert nm Music-hall où on peut consommer. Des cafés-concerts.

caféier nm Arbuste qui produit le café.

caféine nf Alcaloïde du café, stimulant.

cafetan ou **caftan** nm Long manteau oriental, parfois richement brodé.

cafétéria nf Local dans un établissement, où on peut consommer des boissons, des repas légers.

café-théâtre nm Petit théâtre où on peut consommer. Des cafés-théâtres.

cafetier, ère n Qui tient un café. ■ nf Récipient dans lequel on prépare le café.

cafouillage ou **cafouillis** nm Fam Confusion, désordre.

cafouiller vi Fam Agir de façon brouillonne ; mal fonctionner.

cafter vi Pop Moucharder.

cage nf 1 Loge garnie de grillage ou de barreaux pour enfermer des oiseaux, des animaux. 2 Les buts, au football. 3 Espace à l'intérieur duquel se trouve un escalier, un ascenseur. Loc Cage thoracique : thorax.

cageot nm Petite caisse à claire-voie.

cagibi nm Fam Débarras.

cagneux, euse a Qui a les genoux tournés vers l'intérieur.

cagnotte nf 1 Boîte où on conserve les mises des joueurs. 2 Argent économisé par les membres d'un groupe.

cagoule nf 1 Vêtement de moine à capuchon et sans manches. 2 Capuchon percé à la hauteur des yeux. 3 Passe-montagne.

cahier nm Feuilles de papier réunies et liées ensemble. Loc Cahier des charges : conditions d'un marché.

cahin-caha av Fam Tant bien que mal.

cahors nm Vin rouge du Sud-Ouest.

cahot nm Saut d'un véhicule sur un terrain inégal.

cahotement nm Secousse.

cahoter vt, vi Secouer.

cahoteux, euse a Qui cahote.

cahute nf Bicoque, cabane.

caïd nm Pop Chef de bande.

caillasse nf Accumulation de gros cailloux.

caille nf Oiseau proche d'une petite perdrix.

caillé nm Lait caillé.

caillebotis nm Treillis posé sur le sol, laissant passer l'eau.

cailler vi 1 Coaguler, se figer (lait, sang). 2 Pop Avoir froid. 3 Pop Faire froid.

caillette nf ZOOL Quatrième poche de l'estomac des ruminants.

caillot nm Petite masse de sang coagulé.

caillou nm Petite pierre.

caillouteux, euse a Plein de cailloux.

cailloutis nm Amas de petits cailloux.

caïman nm Crocodile d'Amérique, aux mâchoires très larges.

caïque nm Embarcation du Moyen-Orient.

cairn nm Monticule de pierres élevé pour jalonner un itinéraire (alpinistes).

cairote a, n Du Caire.

caisse nf 1 Grande boîte en bois ; coffre. 2 Appareil où est déposé l'argent perçu pour chaque vente ; la recette elle-même. 3 Guichet où se font les paiements. 4 Établissement où des fonds sont déposés. 5 TECH Dispositif qui protège certaines pièces ; carrosserie d'une automobile. 6 MUS Corps d'un instrument à cordes. Loc Grosse caisse : gros tambour.

caissette nf Petite caisse.

caissier, ère n Qui tient la caisse dans un magasin, une banque.

caisson nm Grande caisse étanche immergée pour travailler sous l'eau.

cajoler vt Avoir des paroles, des gestes tendres pour qqn.

cajolerie nf Parole tendre, caresse.

cajou nm Loc *Noix de cajou :* fruit de l'acajou à pommes ou anacardier.

cajun n, a Francophone de Louisiane.

cake [kɛk] nm Gâteau contenant des raisins secs et des fruits confits.

cal nm 1 Induration, durillon. 2 Cicatrice d'un os fracturé.

calamar. V. calmar.

calamine nf Résidu charbonneux encrassant les cylindres d'un moteur à explosion.

calamistrer vt Friser les cheveux.

calamité nf Malheur irréparable, désastre.

calamiteux, euse a Litt Piteux.

calandre nf 1 Machine composée de cylindres servant à lisser les étoffes ou à glacer du papier. 2 Garniture de tôle ou de plastique placée devant le radiateur d'une automobile.

calanque nf Crique rocheuse.

calao nm Oiseau d'Asie à gros bec.

calcaire a Qui renferme du carbonate de calcium. *Eau calcaire.* ■ nm Roche essentiellement faite de carbonate de calcium.

calcanéum [-neɔm] nm ANAT Os du talon.

calcédoine nf Quartz cristallisé (agate, cornaline, jaspe, etc.) utilisé en joaillerie.

calcification nf Dépôt de sels calcaires intervenant dans la formation de l'os.

calciner vt Brûler, carboniser.

calcite nf Carbonate de calcium.

calcium nm Métal blanc très abondant dans la nature.

calcul nm 1 Opération portant sur les combinaisons de nombres, sur des grandeurs. 2 Technique de la résolution des problèmes d'arithmétique. 3 Moyens prémédités pour le succès d'une affaire. 4 Concrétion pierreuse, qui se forme dans la vessie, la vésicule biliaire, etc.

calculateur, trice a, n 1 Qui sait calculer. 2 Habile à combiner. ■ nm Machine à calculer utilisée en informatique. ■ nf Machine à calculer électronique de petite dimension.

calculer vt 1 Déterminer par le calcul. 2 Prévoir, combiner. 3 Apprécier, supputer.

calculette nf Calculatrice de poche.

caldoche n, a Européen de Nouvelle-Calédonie.

cale nf 1 Partie du navire sous le pont le plus bas. 2 Ce qui sert à maintenir d'aplomb. Loc *Cale sèche :* fosse pour mettre les navires à sec.

calé, ée a Fam 1 Qui a beaucoup de connaissances. 2 Difficile.

calebasse nf Fruit d'une courge qui, vidé, sert de récipient.

calèche nf Voiture à cheval, à quatre roues, munie, à l'arrière, d'une capote repliable.

caleçon nm Sous-vêtement masculin à jambes courtes ou longues.

calembour nm Jeu de mots fondé sur une différence de sens entre les termes de même prononciation.

calembredaine nf Propos dénué de bon sens.

calendaire a Du calendrier. *Fêtes calendaires.*

calendes nfpl Premier jour de chaque mois chez les Romains. Loc *Renvoyer aux calendes grecques :* remettre à une date qui n'arrivera pas.

calendrier nm 1 Système de division du temps. 2 Tableau des jours de l'année. 3 Emploi du temps fixé à l'avance.

cale-pied nm Butoir maintenant le pied sur la pédale d'une bicyclette. *Des cale-pieds.*

calepin nm Petit carnet.

caler vt 1 Mettre qqch de niveau ou d'aplomb à l'aide d'une cale ; immobiliser. 2 Bloquer un moteur. ■ vi 1 S'arrêter brusquement. *Moteur qui cale.* 2 Fam Reculer, céder. *Il a calé devant la menace.*

calfater vt Boucher hermétiquement.

calfeutrer vt Boucher les fentes pour empêcher l'air de pénétrer. ■ vpr S'enfermer qqpart.

calibre nm 1 Diamètre d'un tube, d'un projectile, d'un objet cylindrique. 2 Pop Revolver. 3 Fam Importance, qualité, état. *Deux individus du même calibre.*

calibrer vt 1 Donner, mesurer le calibre. 2 Classer selon le calibre. *Calibrer des œufs.* 3 Évaluer la longueur d'un texte.

calice nm 1 Coupe contenant le vin du sacrifice de la messe. 2 Partie d'une fleur, constituée par les sépales. **Loc** *Boire le calice jusqu'à la lie* : endurer une douleur jusqu'au bout.

calicot *nm* 1 Toile de coton, moins fine que la percale. 2 Banderole.

califat *nm* Territoire gouverné par un calife.

calife ou **khalife** *nm* HIST Dirigeant de la communauté musulmane, successeur de Mahomet.

californien, enne *a, n* De Californie.

califourchon (à) *av* Assis avec une jambe de chaque côté de ce qu'on chevauche.

câlin, ine *a* Doux, caressant. ■ *nm* Caresse affectueuse.

câliner *vt* Caresser, cajoler.

câlinerie *nf* Tendre caresse.

calisson *nm* Friandise à la pâte d'amandes.

calleux, euse *a* Qui a des callosités. **Loc** ANAT *Corps calleux* : bande de substance blanche unissant les deux hémisphères cérébraux.

call-girl [kɔlgœʀl] *nf* Prostituée qu'on appelle par téléphone. *Des call-girls.*

calligramme *nm* Poème dont la typographie forme un dessin.

calligraphie *nf* Art de bien tracer l'écriture.

calligraphier *vt* Bien tracer l'écriture.

callosité *nf* Épaississement et durcissement d'une partie de l'épiderme.

calmant, ante *a, nm* Qui calme la douleur, la nervosité.

calmar *nm* ou **calamar** *nm* Mollusque céphalopode comestible. Syn. encornet.

calme *nm* 1 Absence de bruit, d'agitation, de mouvement. 2 Sérénité, absence d'énervement chez qqn. ■ *a* 1 Sans agitation, sans perturbation, de faible activité. *Avoir une vie calme.* 2 Tranquille, maître de soi.

calmer *vt* 1 Apaiser qqn. *Calmer un bébé.* 2 Atténuer qqch. *Calmer une douleur.* **Loc** Fam *Calmer le jeu* : tenter d'atténuer les tensions.

calomnie *nf* Accusation mensongère.

calomnier *vt* Accuser à tort.

calomnieux, euse *a* Qui calomnie.

calorie *nf* Unité de valeur énergétique des aliments.

calorifère *nm* Appareil de chauffage.

calorifique *a* Qui fait de la chaleur.

calorifuger *vt* 11 Protéger contre la déperdition de chaleur.

calorique *a* De la calorie ; de la chaleur.

calot *nm* 1 Coiffure militaire. 2 Grosse bille.

calotte *nf* 1 Petit bonnet rond. 2 Fam Petite tape donnée sur la tête. **Loc** *Calotte glaciaire* : région recouverte de glace. **Pop** *La calotte* : le clergé.

calque *nm* 1 Copie d'un dessin avec un papier transparent ; ce papier. 2 Imitation exacte d'un modèle.

calquer *vt* Faire le calque de.

calumet *nm* Pipe à long tuyau des Indiens d'Amérique.

calvados ou **calva** *nm* Eau-de-vie de cidre.

calvaire *nm* 1 Monument commémorant la Passion. 2 Suite d'épreuves douloureuses.

calville *nf* Pomme blanche ou rouge.

calvinisme *nm* Doctrine religieuse de Calvin.

calvitie [-si] *nf* Absence de cheveux.

camaïeu *nm* Pierre fine taillée, de même couleur avec des nuances différentes.

camarade *n* Compagnon, ami.

camaraderie *nf* Familiarité, solidarité.

camarilla *nf* Coterie influente.

cambiste *n* Qui s'occupe du change des devises.

cambodgien, enne *a, n* Du Cambodge.

cambouis *nm* Huile, graisse des moteurs, noircies par les poussières.

cambrer *vt* Courber, arquer. *Cambrer la taille.* ■ *vpr* Redresser le torse.

cambrien *nm* GÉOL Première période de l'ère primaire.

cambriolage *nm* Action de cambrioler.

cambrioler *vt* Voler en s'introduisant dans une maison.

cambrioleur, euse *n* Qui cambriole.

cambrousse *nf* Pop Campagne.

cambrure *nf* Courbure. *Cambrure du pied.*

cambuse *nm* Magasin à vivres d'un navire.

came *nf* 1 Pièce arrondie avec une encoche pour imprimer un mouvement. 2 Pop Drogue.

camée *nm* Pierre fine sculptée.

caméléon nm 1 Reptile changeant de couleur. 2 Qui change souvent d'opinion.

camélia nm Plante à fleurs blanches ou rouges.

camélidé nm ZOOL Mammifère ruminant tel que le chameau, le lama.

camelot nm Vendeur de menus objets.

camelote nf Fam Mauvaise marchandise.

camembert nm Fromage au lait de vache.

camer (se) vpr Pop Se droguer.

caméra nf Appareil de prises de vues.

cameraman [-man] nm Syn de cadreur.

camériste nf Litt Femme de chambre.

camerlingue nm Cardinal gérant les affaires de l'Église durant la vacance du Saint-Siège.

camerounais, aise a, n Du Cameroun.

caméscope nm (n déposé) Caméra munie d'un magnétoscope intégré.

camion nm Véhicule automobile pour le transport de grosses charges.

camionnage nm Transport par camion.

camionnette nf Petit camion.

camionneur nm Qui conduit un camion.

camisard nm HIST Protestant révolté des Cévennes sous Louis XIV.

camisole nf Loc Camisole de force : combinaison servant à immobiliser les déments.

camomille nf Plante utilisée en infusion.

camorra nf Mafia napolitaine.

camoufler vt Rendre méconnaissable ou moins visible.

camouflet nm Litt Mortification, affront.

camp nm 1 Lieu de stationnement des troupes. 2 Lieu d'internement. 3 Lieu de camping. 4 Parti. Changer de camp. 5 Équipe opposée à une autre.

campagnard, arde a, n De la campagne.

campagne nf 1 Étendue de pays plat. 2 Régions rurales, par opposition à la ville. 3 Expédition, opérations militaires. 4 Opérations faites selon un programme. Campagne électorale.

campagnol nm Rat des champs.

campanile nm Clocher d'église isolé de celle-ci.

campanule nf Plante à fleurs en forme de clochettes.

campé, ée a Loc Bien campé : vigoureux.

campement nm Action de camper ; lieu où on campe.

camper vi [aux avoir ou être] 1 Établir un camp. 2 Faire du camping. 3 S'installer provisoirement. ■ vt 1 Poser hardiment. Camper sa casquette sur l'oreille. 2 Représenter avec relief. Camper un personnage. ■ vpr Se placer fièrement devant.

campeur, euse n Qui pratique le camping.

camphre nm Substance antiseptique et stimulante extraite du camphrier.

camphrier nm Laurier d'Asie.

camping [-piŋ] nm 1 Activité touristique qui consiste à vivre en plein air, sous la tente. 2 Terrain aménagé spécialement pour cela.

camping-car nm Véhicule automobile habitable. Des camping-cars.

camping-gaz nm inv (n déposé) Réchaud portatif à gaz butane.

campus [-pys] nm Université comprenant des bâtiments d'enseignement et des logements.

camus, use a Court et plat (nez).

canada nf inv Pomme reinette.

canadair nm (n déposé) Avion de lutte contre les incendies de forêts.

canadianisme nm Terme propre au français parlé au Canada.

canadien, enne a, n Du Canada. ■ nf Veste doublée de fourrure.

canaille nf 1 Litt Ramassis de gens méprisables. 2 Individu malhonnête. ■ a Débraillé, polisson. Un air canaille.

canaillerie nf Acte méprisable.

canal, aux nm 1 Voie navigable artificielle. 2 Espace de mer assez étroit. Canal de Mozambique. 3 Tranchée pour la circulation des eaux. 4 Conduit, tuyauterie. 5 Voie par laquelle transitent les informations. 6 ANAT Conduit naturel. Canal cholédoque. Loc Par le canal de : par l'intermédiaire de.

canalisation nf Conduit destiné à la circulation d'un fluide.

canaliser vt **1** Aménager un cours d'eau pour le rendre navigable. **2** Diriger dans le sens choisi. *Canaliser la circulation.*

canapé nm **1** Long siège à dossier. **2** Tranche de pain de mie avec garniture.

canaque ou **kanak, e** a Relatif aux Canaques.

canard nm **1** Oiseau aquatique palmipède. **2** Morceau de sucre trempé dans le café ou l'eau-de-vie. **3** Fausse note. **4** Fausse nouvelle. **5** Fam Journal. Loc *Froid de canard :* froid intense.

canarder vt Fam Faire feu sur.

canari nm Serin au plumage jaune.

canasson nm Pop Cheval.

canasta nf Jeu de cartes.

cancan nm Fam Bavardage malveillant. Loc *French cancan :* quadrille acrobatique de girls.

cancaner vi Fam Médire.

cancanier, ère, a, n Fam Qui aime à cancaner.

cancer nm Tumeur maligne caractérisée par la prolifération anarchique des cellules. *Cancer du sein.*

cancéreux, euse a, n Atteint d'un cancer.

cancérigène ou **cancérogène** a Qui provoque le cancer. Syn oncogène.

cancérisation nf MED Transformation en cellules cancéreuses.

cancérologie nf Étude du cancer.

cancérologue n Spécialiste du cancer.

cancoillotte nf Fromage à pâte molle.

cancre nm Fam Mauvais élève.

cancrelat nm Blatte, cafard.

candela nf PHYS Unité d'intensité lumineuse.

candélabre nm Grand chandelier.

candeur nf Naïveté, innocence.

candi am Loc *Sucre candi :* en gros cristaux.

candidat, ate n Qui postule un emploi, une fonction ou se présente à un examen.

candidature nf Fait d'être candidat.

candide a Naïf, pur.

cane nf Femelle du canard.

caner vi Pop **1** Reculer, céder. **2** Mourir.

caneton nm Petit du canard.

canette nf **1** Petite cane. **2** Bobine de fil introduite dans la navette d'une machine à coudre. **3** Petite bouteille de bière.

canevas nm **1** Grosse toile pour les ouvrages de tapisserie. **2** Plan, ébauche.

caniche nm Chien à poil bouclé.

caniculaire a Très chaud. *Été caniculaire.*

canicule nf Période de fortes chaleurs.

canidé nm ZOOL Mammifère carnivore tel que le chien, le loup, le renard, etc.

canif nm Petit couteau de poche.

canin, ine a Du chien. *Races canines.* ■ nf Dent pointue entre les incisives et les prémolaires.

canisse. V. cannisse.

caniveau nm Rigole au bord de la chaussée pour l'écoulement des eaux.

cannabis nm Chanvre indien.

cannage nm Fond canné d'un siège.

canne nf **1** Bâton léger sur lequel on s'appuie en marchant. **2** Roseau, bambou. Loc *Canne anglaise :* munie d'un support pour l'avant-bras. *Canne blanche :* canne d'aveugle. *Canne à pêche :* gaule. *Canne à sucre :* graminée dont la sève donne le sucre.

cannelé, ée a Qui a des cannelures.

cannelle nf **1** Écorce aromatique d'un laurier (cannelier). **2** Robinet adapté à un tonneau.

cannelloni nm Pâte alimentaire farcie.

cannelure nf Rainure, sillon longitudinal. *Meuble décoré de cannelures.*

canner vt Garnir de jonc tressé un siège.

cannibale nm, a Qui mange ses semblables.

cannibalisme nm Habitude de manger ses semblables.

cannisse ou **canisse** nf Claie de roseau.

canoë nm Canot léger conduit à la pagaie.

canoë-kayak nm Discipline sportive sur canoë et sur kayak.

1. canon nm **1** Pièce d'artillerie servant à lancer des obus. **2** Tube d'une arme à feu.

2. canon nm **1** Règle religieuse ; liturgie de la messe. **2** Modèle idéal sur le plan esthétique. **3** Mélodie reprise successivement par une ou plusieurs voix.

cañon [kanjɔn] ou **canyon** nm Gorge profonde en terrain calcaire.

canonique a Conforme aux règles. **Loc Âge canonique :** âge assez avancé.

canoniser vt Faire figurer au catalogue des saints.

canonnade nf Feu de canons.

canonnier nm Servant d'un canon.

canonnière nf Petit navire armé de canons.

canope nm ANTIQ Urne funéraire égyptienne.

canopée nf BIOL Partie supérieure de la forêt tropicale humide.

canot nm Embarcation légère et non pontée.

canoter vi Manœuvrer un canot.

canotier nm **1** Qui manœuvre un canot. **2** Chapeau de paille à bords et à fond plats.

cantal nm Fromage à pâte ferme.

cantaloup nm Melon à côtes rugueuses et à chair rouge-orangé.

cantate nf Pièce musicale à une ou plusieurs voix avec orchestre.

cantatrice nf Chanteuse de chant classique et d'opéra.

cantilène nf Poème épique et lyrique du Moyen Âge.

cantine nf **1** Réfectoire pour des collectivités. **2** Malle robuste.

cantinier, ère n Qui tient une cantine.

cantique nm Chant religieux.

canton nm **1** Subdivision administrative d'un arrondissement. **2** Chacun des 23 États de la Confédération helvétique.

cantonade nf Loc **Parler à la cantonade :** sans s'adresser à un interlocuteur précis.

cantonais, aise a, n De Canton. **Loc Riz cantonais :** riz sauté à la chinoise. ■ nm Dialecte de la Chine du Sud.

cantonal, ale, aux a Du canton.

cantonner vt Établir des troupes dans une localité. ■ vpr Se borner, se limiter à.

cantonnier nm Chargé de l'entretien des routes.

canular nm Fam Mystification, farce.

canule nf MED Petit tube pour introduire ou drainer un liquide dans le corps.

canyoning [kanjoniŋ] nm Descente sportive de cañons.

caoutchouc nm **1** Substance élastique provenant du latex de certains végétaux ou du traitement d'hydrocarbures. **2** Bracelet élastique. **3** Syn de ficus.

caoutchouté, ée a Enduit de caoutchouc.

caoutchouteux, euse a De la consistance du caoutchouc. *Viande caoutchouteuse.*

cap nm **1** Partie d'une côte qui s'avance dans la mer. **2** Direction de l'axe d'un navire ou d'un aéronef. **Loc Passer le cap :** franchir une étape décisive. **De pied en cap :** des pieds à la tête.

C.A.P. nm Sigle de *Certificat d'aptitude professionnelle*, diplôme de l'enseignement technique.

capable a **1** Susceptible d'avoir, apte à faire. *Il est capable de gentillesse.* **2** Habile, compétent.

capacité nf **1** Contenance d'un récipient ; quantité, volume. **2** Habileté, compétence.

caparaçon nm Housse d'ornement pour les chevaux.

caparaçonner vt Recouvrir entièrement.

cape nf Manteau ample et sans manche. **Loc Roman, film de cape et d'épée :** roman, film d'aventures. **Rire sous cape :** en cachette.

capeline nf Chapeau de femme à bords larges.

CAPES nm Sigle de *Certificat d'aptitude professionnelle à l'enseignement secondaire.*

capésien, enne n Titulaire du CAPES.

capétien, enne a Relatif aux Capétiens.

capharnaüm [-naɔm] nm Endroit en désordre.

capillaire a Relatif aux cheveux. *Lotion capillaire.* ■ nm **1** ANAT Très fin vaisseau des artères et des veines. **2** Fougère.

capillarité nf PHYS Phénomène d'ascension des liquides dans les tubes fins.

capitaine nm 1 Officier des armées de terre et de l'air, au-dessus du lieutenant et au-dessous du commandant. 2 Commandant d'un navire, d'un port. 3 Chef d'une équipe sportive. **Loc Capitaine de vaisseau, de frégate, de corvette :** grades successifs des officiers de marine.

capitainerie nf Bureau du capitaine d'un port.

1. capital, ale, aux a Principal, essentiel. *Découverte capitale.* **Loc Peine capitale :** peine de mort. ■ nf **1** Ville où siègent les pouvoirs publics d'un État. **2** Centre principal d'activité industrielle, commerciale. **3** Majuscule.

2. capital, aux nm **1** Biens, fortune. **2** Moyens financiers et techniques dont dispose une entreprise industrielle ou commerciale. ■ pl Fonds disponibles ou en circulation, liquidités.

capitaliser vt **1** Accroître un capital par les intérêts. **2** Accumuler des avantages en vue d'une utilisation ultérieure. ■ vi Accumuler de l'argent.

capitalisme nm Régime économique et social fondé sur les capitaux privés.

capitaliste a Du capitalisme. ■ a, n **1** Qui détient des capitaux. **2** Fam Qui est riche.

capital-risque nm ÉCON Investissement dans un secteur de pointe, à risques et à profits élevés.

capiteux, euse a Qui enivre. *Un parfum capiteux.*

capiton nm **1** Rembourrage piqué à intervalles réguliers. **2** Amas graisseux sous-cutané.

capitonner vt Rembourrer.

capitulation nf **1** Reddition d'une troupe. **2** Cessation de toute résistance.

capitule nm BOT Inflorescence formée de nombreuses fleurs.

capituler vi Se rendre, se reconnaître vaincu.

caporal, aux nm Militaire qui a le grade le moins élevé.

caporal-chef nm Militaire du grade entre caporal et sergent. *Des caporaux-chefs.*

1. capot nm Tôle protectrice recouvrant un moteur.

2. capot a inv Qui n'a fait aucune levée, aux cartes.

capote nf **1** Grand manteau militaire. **2** Couverture mobile d'une voiture. **Loc Fam Capote anglaise :** préservatif masculin.

capoter vi **1** Se retourner par accident. **2** Échouer. *L'entreprise a capoté.*

cappuccino [-putʃino] nm Café au lait mousseux.

câpre nf Bouton du câprier qui, confit dans le vinaigre, sert de condiment.

caprice nm Fantaisie, volonté soudaine et irréfléchie. ■ pl Changements imprévisibles. *Les caprices de la météo.*

capricieux, euse a, n Qui a des caprices, fantasque.

capricorne nm Coléoptère aux antennes très longues.

câprier nm Arbuste épineux à grandes fleurs odorantes.

caprin, ine a De la chèvre.

capsule nf **1** BOT Fruit sec déhiscent contenant des graines. **2** Couvercle en métal ou en plastique d'une bouteille. **3** ANAT Enveloppe membraneuse de certains organes. **Loc Capsule spatiale :** habitacle hermétique d'un engin spatial.

capsuler vt Boucher avec une capsule.

captation nf DR Fait de s'emparer illégalement d'un héritage.

capter vt **1** Obtenir par ruse. *Capter la confiance.* **2** Recueillir une énergie, un fluide, canaliser des eaux. **3** Recevoir une émission sur un poste récepteur.

capteur nm Dispositif capable d'analyser une grandeur physique.

captieux, euse a Litt Qui tend à tromper.

captif, ive a, n Litt Prisonnier. ■ a Exclusif. *Marché captif.* **Loc Ballon captif :** aérostat retenu au sol par un câble.

captiver vt Séduire, charmer.

captivité nf État d'un prisonnier de guerre.

capture nf Fait de capturer ; ce qu'on a capturé.

capturer vt Prendre vivant qqn, un animal.

capuche nf Capuchon amovible d'un vêtement.

capuchon nm 1 Bonnet fixé à un vêtement, pouvant se rabattre sur la tête. 2 Bouchon d'un tube, d'un stylo.

capucin, ine n 1 Religieux franciscain réformé. ■ nm Singe d'Amérique du Sud.

capucine nf Plante aux fleurs très colorées.

capverdien, enne a, n Du Cap-Vert.

caque nf Baril pour les harengs salés.

caquet nm 1 Gloussement de la poule. Loc Fam *Rabattre le caquet :* faire taire.

caqueter vi 19 1 Glousser (poules). 2 Fam Bavarder à tort et à travers.

1. car conj Indique la raison de qqch.

2. car nm Autocar.

carabe nm Coléoptère noir carnassier.

carabin nm Fam Étudiant en médecine.

carabine nf Fusil à canon court.

carabiné, ée a Fam Violent. *Rhume carabiné.*

carabinier nm Gendarme, en Italie.

caraco nm Corsage féminin.

caracoler vi Cabrioler. Loc Fam *Caracoler en tête :* se placer nettement devant ses concurrents.

caractère nm 1 Signe d'une écriture. 2 Signe d'imprimerie. 3 Marque distinctive, particulière, de qqn, de qqch. 4 Personnalité, originalité. *Avoir du caractère.* 5 Manière d'être, d'agir de qqn. *Avoir bon caractère.*

caractériel, elle a, n Qui présente des troubles du caractère.

caractériser vt 1 Décrire avec précision. 2 Constituer la caractéristique de. ■ vpr Avoir pour trait distinctif.

caractéristique a Qui distingue d'autre chose. ■ nf Caractère distinctif, trait particulier.

carafe nf Bouteille de verre à base élargie et à col étroit. Loc Fam *Rester en carafe :* rester en panne.

carafon nm Petite carafe.

carambolage nm Série de chocs répétés.

caramboler vt Heurter, bousculer, renverser.

caramel nm 1 Sucre fondu au feu. 2 Bonbon au caramel.

caraméliser vt Transformer en caramel.

carapace nf 1 Tégument très dur qui protège le corps de certains animaux. 2 Ce qui protège de l'extérieur. *Carapace d'indifférence.*

carapater (se) vpr Fam S'enfuir.

carat nm 1 Vingt-quatrième partie d'or fin dans un alliage d'or. 2 Unité de masse pour les diamants (0,2 g). Loc Fam *Dernier carat :* jusqu'à la dernière limite.

caravane nf 1 Groupe de voyageurs pour franchir une contrée. 2 Roulotte de tourisme.

caravanier nm 1 Conducteur d'une caravane. 2 Utilisateur d'une caravane.

caravaning [-niŋ] nm Camping itinérant.

caravansérail nm Abri réservé aux caravanes, en Orient.

caravelle nf Navire de faible tonnage, utilisé au XVe et XVIe s.

carbochimie nf Chimie industrielle de la houille.

carbonaro nm Membre d'une société secrète, en Italie au XIXe s. *Des carbonari.*

carbonate nm CHIM Sel de l'acide carbonique.

carbone nm 1 Corps simple non métallique, constituant fondamental de la matière vivante. 2 Papier pour exécuter des doubles.

carbonifère a GÉOL Période de l'ère primaire, pendant laquelle se constitua la houille.

carbonique a Loc *Anhydride* ou *gaz carbonique :* combinaison de carbone et d'oxygène. *Neige carbonique :* gaz carbonique solidifié.

carboniser vt Réduire en charbon par la chaleur ; brûler complètement.

carbonnade nf Ragoût de viande de bœuf.

carburant nm Combustible utilisé dans les moteurs à explosion.

carburateur nm Appareil servant à la carburation.

carburation nf Mélange de l'air et du carburant d'un moteur à explosion.

carbure nm CHIM Combinaison du carbone avec un métal.

carburer vi 1 Effectuer la carburation. 2 Pop Aller bien, fonctionner.

carcan nm 1 Collier attachant un criminel au poteau. 2 Ce qui entrave la liberté.

carcasse nf 1 Ossements d'un animal. 2 Fam Corps humain. 3 Assemblage, armature rigide.

carcéral, ale,aux a De la prison.

cardamome nf Plante d'Asie utilisée comme condiment.

cardan nm Dispositif à deux axes de rotation, constituant une liaison mécanique.

carde nf 1 Côte comestible de la bette. 2 Instrument pour carder.

carder vt Peigner le coton, la laine.

cardiaque a Du cœur. ■ a, n Qui souffre d'une maladie de cœur.

cardigan nm Veste tricotée, à manches longues, boutonnée sur le devant.

1. cardinal, ale,aux a Très important, principal. Idée cardinale. Loc **Points cardinaux :** nord, est, sud et ouest. **Nombres cardinaux :** désignant une quantité. Ant. ordinal.

2. cardinal, aux nm Membre du Sacré Collège, électeur du pape.

cardiologie nf Étude du cœur.

cardiopathie nf Affection du cœur.

cardiotonique a, nm Qui stimule le cœur.

cardio-vasculaire a Qui concerne le cœur et les vaisseaux sanguins. Maladie cardio-vasculaire.

cardon nm Plante à cardes comestibles.

carême nm Période de pénitence de quarante jours, du mercredi des Cendres à Pâques, pour les catholiques et les orthodoxes.

carénage nm MAR Nettoyage, réparation de la carène.

carence nf 1 DR Fait de manquer à ses obligations. 2 Manque d'éléments indispensables ; insuffisance. Carence en vitamines.

carène nf Coque d'un navire en dessous de la ligne de flottaison.

caréner vt 12 1 Procéder au carénage d'un navire. 2 Donner une forme aérodynamique.

carentiel, elle [-sjɛl] a Dû à une carence.

caresse nf Attouchement tendre ou sensuel.

caresser vt 1 Faire des caresses. 2 Frôler, effleurer avec douceur. 3 Cultiver complaisamment. Caresser une idée.

caret nm Grande tortue des mers chaudes.

car-ferry nm Navire aménagé pour le transport des véhicules et des passagers. Des car-ferrys.

cargaison nf Marchandises dont est chargé un navire, un avion ou un camion.

cargo nm Navire destiné au transport des marchandises.

cari, cary ou **curry** nm 1 Assaisonnement indien constitué d'un mélange d'épices. 2 Plat préparé avec cet assaisonnement.

cariatide ou **caryatide** nf Statue de femme soutenant une corniche sur la tête.

caribéen, enne a, n De la région de la mer des Caraïbes.

caribou nm Renne du Canada.

caricatural, ale,aux a Qui relève de la caricature.

caricature nf 1 Dessin satirique et outré de qqn. 2 Représentation déformée de la réalité.

caricaturer vt Faire en caricature.

caricaturiste n Artiste qui fait des caricatures.

carie nf Altération de la dent.

carié, ée a Atteint par la carie.

carignan nm Cépage rouge du Languedoc.

carillon nm 1 Cloches accordées à différents tons ; sonnerie de ces cloches. 2 Sonnerie d'une horloge ; l'horloge elle-même.

carillonner vi 1 Sonner en carillon. 2 Faire résonner bruyamment la sonnette d'une porte. ■ vt Annoncer, répandre à grand bruit.

carillonneur nm Chargé du carillon d'une église.

carioca a, n De Rio de Janeiro.

caritatif, ive a Qui se consacre à l'aide des plus démunis. Association caritative.

carlin nm Chien à poil ras.

carlingue nf Cabine d'un avion et poste de pilotage.

carme nm Religieux du Carmel.

carmélite *nf* Religieuse du Carmel.

carmin *nm, a inv* Rouge éclatant.

carminé, ée *a* Proche du carmin.

carnage *nm* Tuerie, massacre.

carnassier, ère *a, nm* Animal qui se nourrit de chair ; carnivore. ■ *nf* Sac pour porter le gibier.

carnation *nf* Teint, couleur de la peau.

carnaval, als *nm* 1 Période précédant le carême et commençant à l'Épiphanie. 2 Réjouissances pendant cette période.

carnavalesque *a* Du carnaval ; grotesque.

carne *nf* Pop Viande dure.

carné, ée *a* Qui est à base de viande.

carnet *nm* 1 Cahier de petit format pour des notes, des adresses. 2 Feuillets, tickets assemblés et détachables.

carnier *nm* Carnassière.

carnivore *a* Qui se nourrit de viande. ■ *nm* Mammifère carnassier.

carolingien, enne *a, n* De la dynastie de Charlemagne.

carotène *nm* Pigment jaune ou rouge des végétaux (carotte) et des animaux.

carotide *nf* Artère irriguant la face et le cerveau.

carotte *nf* 1 Plante à racine pivotante rouge, comestible. 2 Enseigne rouge des bureaux de tabac. 3 Échantillon prélevé d'un sol par sondage.

carotter *vt* Fam Escroquer par ruse.

caroube *nf* Fruit sucré du caroubier.

caroubier *nm* Arbre méditerranéen à bois dur.

carpaccio [-patʃjo] *nm* Fine tranche de bœuf arrosé d'huile et de citron.

1. carpe *nf* Poisson d'eau douce. Loc *Être muet comme une carpe* : ne pas dire un mot.

2. carpe *nm* ANAT Os du poignet.

carpelle *nm* BOT Pièce florale du pistil.

carpette *nf* Petit tapis.

carquois *nm* Étui à flèches.

carre *nf* 1 Coin, angle saillant d'un objet. 2 Baguette de métal le long des bords d'un ski.

carré, ée *a* 1 De la forme d'un carré. 2 Dont les angles sont bien marqués. 3 Tranché, catégorique. ■ *nm* 1 Quadrilatère plan à quatre angles droits et à côtés égaux. 2 Partie de jardin où on cultive la même plante. 3 Salle à manger des officiers sur un navire. 4 Réunion de quatre cartes de même niveau. 5 Produit de deux facteurs égaux. 6 Côtelettes d'agneau.

carreau *nm* 1 Pavé plat pour le revêtement des sols, des murs. 2 Vitre. 3 Une des couleurs rouges des jeux de cartes. Loc Fam *Sur le carreau* : au sol, à terre, en parlant d'une personne vaincue ou tuée. Fam *Se tenir à carreau* : sur ses gardes.

carrée *nf* Pop Chambre.

carrefour *nm* 1 Endroit où se croisent plusieurs chemins, rues. 2 Réunion en vue d'un échange d'idées.

carrelage *nm* Surface carrelée.

carreler *vt* 18 Paver avec des carreaux.

carrelet *nm* 1 Poisson de mer plat. 2 Filet de pêche carré.

carreleur *nm* Qui pose le carrelage.

carrément *av* Sans détours, franchement.

carrier *nm* Qui extrait la pierre.

carrière *nf* 1 Lieu d'où on extrait des matériaux pour la construction. *Carrière de marbre.* 2 Activité professionnelle impliquant des étapes. *Faire une brillante carrière.* Loc *Donner carrière à* : donner libre cours à.

carriérisme *nm* Activité professionnelle dictée par la seule ambition personnelle.

cariole *nf* Petite charrette.

carrossable *a* Praticable pour les voitures.

carrosse *nm* Voiture de luxe à quatre chevaux. Loc *La cinquième roue du carrosse* : personne inutile.

carrosser *vt* Munir d'une carrosserie.

carrosserie *nf* Caisse recouvrant le châssis d'un véhicule.

carrossier *nm* Qui fabrique, répare les carrosseries.

carrousel [-zel] *nm* 1 Parade où des cavaliers exécutent des exercices. 2 Appareil transportant des objets en circuit fermé.

carrure nf 1 Largeur du dos aux épaules. 2 Envergure de qqn. *Une carrure d'homme d'État.*

cartable nm Sacoche d'écolier.

carte nf 1 Carton mince. 2 Carton portant une figure sur une face. 3 Document officiel à caractère de preuve. 4 Représentation conventionnelle d'un espace géographique, de données physiques, démographiques, etc. 5 Liste des plats. 6 Matériel adaptable à un microordinateur. **Loc** *À la carte :* selon un choix libre. *Carte grise :* récépissé d'un véhicule. *Carte postale :* dont un côté est illustré. *Carte de visite :* qui porte le nom et l'adresse. *Tirer les cartes :* prédire l'avenir.

cartel nm 1 Union entre des organisations industrielles ou politiques.

carter [-tɛʀ] nm Enveloppe métallique protégeant un mécanisme.

cartésianisme nm Rationalisme cartésien.

cartésien, enne a, n De Descartes ou du cartésianisme.

carthaginois, oise a, n De Carthage.

cartilage nm Tissu conjonctif dur, élastique.

cartilagineux, euse a Du cartilage.

cartographe n Spécialiste de la cartographie.

cartographie nf Établissement de cartes, de plans, de schémas représentant une réalité géographique ou autre.

cartographier vt Établir la carte de.

cartomancie nf Divination par les cartes à jouer.

cartomancien, enne n Qui pratique la cartomancie.

carton nm 1 Feuille rigide, épaisse de pâte à papier. 2 Boîte, emballage de carton fort. 3 Modèle dessiné pour être reproduit (tapisserie, vitrail). **Loc** *Fam Faire un carton :* tirer sur une cible ; gagner facilement.

cartonnage nm 1 Emballage en carton. 2 Reliure en carton d'un livre.

cartonner vt 1 Garnir, relier avec du carton. 2 *Fam* Critiquer violemment. ■ vi *Fam* Obtenir un résultat remarquable.

carton-pâte nm Carton à base de fibres hachées. *Des cartons-pâtes.*

cartothèque nf Lieu où on conserve les cartes géographiques.

1. cartouche nm Ornement sculpté portant une inscription, des armoiries.

2. cartouche nf 1 Étui de carton ou de métal contenant la charge d'une arme à feu. 2 Petit étui cylindrique, contenant un produit qui nécessite une certaine protection. 3 Emballage contenant plusieurs paquets de cigarettes.

cartoucherie nf Fabrique de cartouches.

cartouchière nf Sac ou ceinture pour porter les cartouches.

carvi nm Plante aromatique proche du cumin.

cary. V. cari.

caryatide nf . cariatide

caryotype nm BIOL Nombre de chromosomes contenus dans les cellules humaines.

cas nm 1 Ce qui arrive ou est arrivé ; problème, situation. *Juger cas par cas.* 2 Manifestation d'une maladie. 3 LING Chacune des formes prises par un mot dans une langue à déclinaisons selon sa fonction. **Loc** *Faire cas de :* accorder de l'importance à. *Cas de conscience :* difficulté sur ce que la conscience ou la foi permet ou défend. *Dans le cas où, pour le cas où :* s'il arrivait que.

casanier, ère a, n Qui aime rester chez soi.

casaque nf Veste de jockey. **Loc** *Tourner casaque :* changer d'opinion.

casbah nf Quartier ancien des villes d'Afrique du Nord.

cascade nf 1 Chute d'eau. 2 Numéro périlleux d'acrobatie. **Loc** *En cascade :* en série.

cascadeur, euse n Comédien spécialiste des scènes dangereuses.

case nf 1 Habitation des pays chauds. 2 Compartiment d'un tiroir, d'un meuble. 3 Division sur une surface. *Les 64 cases de l'échiquier.*

caséine nf Protéine du lait.

casemate nf Abri contre les tirs d'artillerie et les attaques aériennes.

caser vt Mettre à une place qui convient. ■ vpr Fam Trouver une place, un emploi, un conjoint.

caserne nf Bâtiment pour loger les troupes.

casernement nm Locaux d'une caserne.

cash [kaʃ] nm Argent liquide. ■ av Loc Fam Payer cash : comptant.

casher [-ʃɛʀ] ou **cachère** a Conforme aux prescriptions du judaïsme concernant les aliments. Boucherie casher.

cash-flow [kaʃflo] nm Capacité d'autofinancement. Des cash-flows.

casier nm 1 Meuble de rangement ; compartiment d'un tel meuble. 2 Nasse de pêche aux crustacés. Loc Casier judiciaire : relevé des condamnations de qqn.

casino nm Établissement de jeux, de spectacles.

casoar nm 1 Grand oiseau coureur d'Australie. 2 Plumet du shako des saint-cyriens.

casque nm 1 Coiffure rigide de protection. 2 Appareil constitué de deux écouteurs. 3 Appareil pour sécher les cheveux.

casqué, ée a Coiffé d'un casque.

casquette nf 1 Coiffure à visière. 2 Fam Fonction sociale incarnée par un individu.

cassant, ante a 1 Qui se casse facilement. 2 Autoritaire.

cassate nf Crème glacée aux fruits confits.

cassation nf 1 MIL Sanction privant du grade. 2 Annulation d'une décision juridique. Loc Cour de cassation : juridiction suprême.

casse nf Action de casser ; dommages en résultant. ■ nm Pop Cambriolage.

cassé, ée a Usé, informe. Loc Blanc cassé : teinté de jaune, de gris. Voix cassée : éraillée.

casse-cou nm inv, a inv Qui prend des risques.

casse-croûte nm inv Fam Repas sommaire.

casse-gueule nm inv, a inv Endroit, entreprise qui présente des risques.

casse-noisette nm Instrument pour casser les noisettes. Des casse-noisettes.

casse-noix nm inv Instrument pour casser les noix.

casse-pieds a, n inv Fam Qui ennuie, dérange.

casse-pipes nm inv Pop La guerre, le front.

casser vt 1 Briser, réduire en morceaux, mettre hors d'usage. 2 Annuler un décret, un arrêt. 3 Priver qqn de son grade. ■ vi, vpr Se rompre, se briser. Le bois casse, se casse facilement. ■ vpr Pop S'enfuir.

casserole nf 1 Ustensile de cuisine. 2 Fam Instrument désaccordé. Loc Pop Passer à la casserole : subir un traitement désagréable.

casse-tête nm inv 1 Massue. 2 Bruit fatigant. 3 Travail, problème difficile.

cassette nf 1 Coffret pour objets précieux. 2 Annuler enregistrer sur magnétophone ou magnétoscope.

casseur, euse n 1 Qui casse les objets pour les revendre au poids. 2 Pop Cambrioleur. 3 Qui se livre à des déprédations (au cours d'une manifestation).

1. cassis [-sis] nm Arbuste à baies noires comestibles ; ces baies ; liqueur tirée de ces fruits.

2. cassis [-si] nm Rigole, enfoncement, dans le sol d'une route.

cassolette nf 1 Brûle-parfum. 2 Petit récipient utilisé pour servir certains mets ; ces mets.

cassonade nf Sucre brut de canne.

cassoulet nm Ragoût aux haricots blancs.

cassure nf 1 Endroit cassé. 2 Rupture. Une cassure dans la vie de qqn.

castagne nf Pop Bagarre.

castagnettes nfpl Instrument fait de deux pièces attachées aux doigts, et qu'on fait résonner en les frappant l'une contre l'autre.

caste nf 1 Classe sociale dans la société hindoue. 2 Groupe social fermé qui cherche à maintenir ses privilèges.

castillan, ane n De Castille. ■ nm Langue officielle de l'Espagne. Syn. espagnol.

casting [-tiŋ] nm Ensemble des acteurs d'un film. Syn. distribution.

castor nm 1 Rongeur aquatique. 2 Fourrure de cet animal.

castrat nm Chanteur castré pour garder une voix aiguë.

castrateur, trice a, n Très autoritaire.

castration nf Ablation des glandes génitales mâles.

castrer vt Pratiquer la castration ; châtrer.

casuistique nf RELIG Morale subtile portant sur les cas de conscience.

casus belli [kazysbeli] nm inv Fait pouvant provoquer une guerre.

cataclysmal, ale,aux ou **cataclysmique** a Du cataclysme.

cataclysme nm Grand bouleversement de la surface terrestre.

catacombes nfpl Cavités souterraines ayant servi de sépulture.

catafalque nm Estrade destinée à recevoir un cercueil.

catalan, ane a, n De Catalogne. ■ nm Langue romane parlée en Catalogne.

catalepsie nf Perte du mouvement volontaire, avec conservation des attitudes.

catalogue nm 1 Liste énumérative. 2 Brochure d'objets à vendre.

cataloguer vt 1 Enregistrer et classer. 2 Classer qqn dans une catégorie.

catalyse nf Accélération d'une réaction chimique due à la présence de certains corps qui restent inchangés.

catalyser vt 1 Accélérer par catalyse une réaction chimique. 2 Entraîner une réaction par sa présence.

catamaran nm Embarcation faite de deux coques accouplées.

cataplasme nm Bouillie médicinale appliquée sur une partie du corps enflammée.

catapulte nf 1 Machine de guerre pour lancer des pierres ou des traits. 2 Appareil pour le lancement d'un avion sur le pont d'un navire.

catapulter vt 1 Lancer avec une catapulte. 2 Fam Envoyer qqn ou qqch avec force.

cataracte nf 1 Chute à grand débit sur le cours d'un fleuve. 2 Opacité du cristallin.

catarrhe nm Rhume de cerveau.

catastrophe nf Événement désastreux.

catastrophé, ée a Consterné, atterré.

catastrophique a Qui constitue une catastrophe. Inondation catastrophique.

catastrophisme nm Pessimisme excessif.

catch nm Spectacle de lutte où tous les coups sont permis.

catcheur, euse n Qui pratique le catch.

catéchèse nf Enseignement religieux.

catéchiser vt 1 Enseigner la doctrine chrétienne à. 2 Faire la leçon.

catéchisme nm 1 Enseignement de la doctrine chrétienne. 2 Livre qui contient cet enseignement. 3 Principes d'une doctrine.

catéchiste n Qui enseigne le catéchisme.

catéchumène [-ky-] n Néophyte qui se prépare au baptême.

catégorie nf Classe d'objets, de personnes ayant des caractères communs.

catégoriel, elle a Qui concerne une catégorie. Revendications catégorielles.

catégorique a Clair, net, sans équivoque.

catégoriser vt Ranger par catégories.

caténaire nf Câble distribuant le courant aux locomotives électriques.

catgut nm MED Lien pour suturer les plaies.

cathare n, a HIST Membre d'une secte du Moyen Âge.

cathédrale nf Église du siège de l'évêque.

catherinette nf Ouvrière de la mode, encore célibataire à 25 ans.

cathéter [-tɛʀ] nm MED Tube introduit dans un organe naturel, un vaisseau sanguin.

cathode nf Électrode reliée au pôle négatif d'un générateur électrique.

cathodique a 1 De la cathode. 2 Fam De la télévision. Loc Tube cathodique : tube à vide avec écran fluorescent.

catholicisme nm Religion des chrétiens reconnaissant l'autorité du pape.

catholicité nf Ensemble des catholiques.

catholique a Du catholicisme. Culte catholique. Loc Fam Pas catholique : louche. ■ n Adepte du catholicisme.

catimini (en) av Fam En cachette.

cation [katjɔ̃] nm PHYS Ion de charge électrique positive.

catogan nm Nœud retenant les cheveux sur la nuque.

cattleya nm Orchidée tropicale à grandes fleurs.

caucasien, enne a, n Du Caucase.

cauchemar *nm* **1** Rêve angoissant. **2** Chose obsédante, insupportable.

cauchemarder *vi* Fam Faire des cauchemars.

cauchemardesque *a* Du cauchemar.

caulerpe *nf* Algue tropicale verte, toxique.

causal, ale,aux *a* Qui implique une cause.

causalité *nf* Rapport de cause à effet.

causant, ante *a* Fam Qui cause volontiers.

cause *nf* **1** Ce qui fait que qqch est ou se fait ; raison, motif. *Les causes d'une guerre.* **2** Parti à soutenir ; procès, intérêts. *Défendre sa cause.* Loc *À cause de* : par l'action de, en tenant compte de. Fam *Et pour cause !* : pour de bonnes raisons. *Être cause de* : être responsable de. *Être en (hors de) cause* : être (n'être pas) concerné. *La bonne cause* : la cause juste. *Faire cause commune* : s'allier. *Prendre fait et cause* : défendre.

causer *vt* Être cause de, occasionner. ■ *vi* **1** Parler familièrement. *Causer avec ses voisins.* **2** Fam Parler inconsidérément.

causerie *nf* Exposé familier.

causette *nf* Fam Bavardage familier.

causeur, euse *n* Qui cause. *Un brillant causeur.* ■ *nf* Canapé à deux places.

causse *nm* GÉOGR Plateau calcaire, dans le sud de la France.

causticité *nf* Caractère caustique.

caustique *a,* Corrosif, qui attaque les substances. ■ *a* Satirique et mordant.

cauteleux, euse *a* Rusé et hypocrite.

cautère *nm* MÉD Instrument porté à haute température ou produit pour brûler les tissus organiques. Loc *Cautère sur une jambe de bois* : remède inutile.

cautériser *vt* Appliquer un cautère sur.

caution *nf* Garantie d'un engagement ; personne qui en répond. Loc. *Sujet à caution* : douteux, suspect.

cautionnement *nm* Garantie.

cautionner *vt* **1** Se porter caution pour qqch ou qqn. **2** Donner son appui.

cavalcade *nf* Course bruyante et tumultueuse.

cavale *nf* Pop Évasion.

cavalerie *nf* **1** Troupes à cheval, aujourd'hui motorisées. **2** Fraude financière.

cavalier, ère *n* **1** Qui monte à cheval. **2** Avec qui on forme un couple dans un bal. ■ *nm* **1** Militaire qui sert dans la cavalerie. **2** Pièce du jeu d'échecs. **3** Pièce de métal en U. Loc *Faire cavalier seul* : agir seul. ■ *a* **1** Réservé aux cavaliers. *Allée cavalière.* **2** D'une liberté excessive ; inconvenant. *Attitude cavalière.*

1. cave *nf* **1** Local souterrain servant de débarras. **2** Vins que l'on a dans sa cave. **3** Coffret à liqueurs, à cigares. **4** Argent au jeu. ■ *a* Loc *Veines caves* : qui aboutissent au cœur.

2. cave *nm* Arg Qui n'appartient pas au milieu.

caveau *nm* Construction souterraine servant de sépulture.

caverne *nf* **1** Cavité naturelle dans le roc. **2** Cavité pathologique dans le poumon.

caverneux, euse *a* Grave et sonore. *Voix caverneuse.*

cavernicole, *a, nm* ZOOL Animal qui habite dans les cavernes.

caviar *nm* Œufs d'esturgeon.

caviarder *vt* Censurer un texte.

caviste *nm* Chargé d'une cave à vins.

cavité *nf* Partie creuse à l'intérieur d'un corps, d'un organe.

C.C.P. *nm* Sigle de *compte courant postal.*

CD [sede] *nm* Abrév de compact-disque.

cd-rom *nm* Disque compact à grande capacité de mémoire. Syn. cédérom.

1. ce, cet, cette,ces *a* dém **1** Désignent qqn ou qqch. **2** Peuvent être renforcés par *-ci* ou *-là. Ce livre-ci. Ce cahier-là.*

2. ce *pr dém* **1** Réfère à ce dont on parle. **2** Joue un rôle présentatif. *C'est mon frère. Ce sont eux qui me l'ont dit.* Loc *Est-ce que... ?* : interroge.

céans *av* Loc Litt *Maître de céans* : maître de maison.

ceci *pr dém* La chose la plus proche.

cécité *nf* État de qqn aveugle.

céder *vt* 12 Laisser, vendre. Loc *Le céder à* : être inférieur à. ■ *vti* Ne pas résister, ne pas s'opposer, se soumettre à. ■ *vi* Rompre, s'affaisser. *La branche a cédé.*

cédérom nm Syn. de cd-rom.

cédétiste a, n De la C.F.D.T.

cedex [se-] nm Mention des distributions postales spéciales (administrations, entreprises).

cédille nf Signe placé sous la lettre c devant a, o, u, quand elle doit être prononcée [s] (par ex. : garçon).

cédrat nm Gros citron que l'on consomme confit.

cèdre nm Conifère de grande taille.

cégétiste a, n De la C.G.T.

ceindre vt 69 Litt Entourer une partie du corps.

ceinture nf 1 Bande dont s'entoure la taille. 2 La taille elle-même. 3 Niveau atteint par qqn pratiquant les arts martiaux. 4 Ce qui entoure. Ceinture de murailles. **Loc** Ceinture de sauvetage : qui soutient sur l'eau. Ceinture de sécurité : sangle destinée à retenir sur son siège le passager.

ceinturer vt 1 Saisir avec ses bras pour maîtriser. 2 Entourer qqch.

ceinturon nm Large ceinture solide.

cela pr dém Cette chose-là. Cela dit. **Loc** Comment cela ? : marque l'étonnement. C'est cela : marque l'acquiescement.

céladon a inv Vert pâle.

célébrant nm Qui célèbre la messe.

célébration nf Action de célébrer.

célèbre a De grand renom.

célébrer a 121 Fêter avec éclat. 2 Accomplir un office liturgique. 3 Litt Louer, exalter.

célébrité nf 1 Grande renommée. 2 Personne célèbre.

céleri ou **cèleri** nm Plante potagère.

célérité nf Promptitude, diligence.

célesta nm Instrument de musique à percussion à clavier.

céleste a 1 Du ciel. 2 De Dieu, divin.

célibat nm État de qqn non marié.

célibataire a, n Non marié.

celle, celle-ci, celle-là. V. celui, celui-ci, celui-là.

cellier nm Pièce où on conserve le vin et les provisions.

cellophane nf (n déposé) Pellicule cellulosique transparente.

cellulaire a De la cellule. **Loc** Régime cellulaire : isolement des détenus. **Fourgon cellulaire** : servant au transport des prisonniers.

cellule nf 1 Local étroit pour les prisonniers. 2 Petite chambre de religieux, de religieuse. 3 Alvéole d'une ruche. 4 BIOL Le plus petit élément organisé de tout être vivant. 5 Unité constitutive sociale, politique. 6 Groupement de base de certains partis politiques. 7 TECH Les ailes et le fuselage d'un avion. 8 Dispositif transformant un flux lumineux.

cellulite nf Inflammation du tissu cellulaire sous-cutané.

celluloïd nm (n déposé) Matière plastique.

cellulose nf Substance des parois cellulaires végétales.

celte ou **celtique** a Des Celtes. ■ nm Langue indo-européenne parlée par les Celtes.

celui, celle, ceux, celles pr dém Désignent personnes et choses.

celui-ci, celle-ci, ceux-ci, celles-ci pr dém Désignent personnes et choses proches.

celui-là, celle-là, ceux-là, celles-là pr dém Désignent personnes et choses éloignées.

cément nm Couche osseuse recouvrant la racine des dents.

cénacle nm Cercle d'écrivains, d'artistes.

cendre nf Résidu de matières brûlées. ■ pl Restes des morts.

cendré, ée a Grisâtre. ■ nm Fromage affiné dans la cendre.

cendrier nm 1 Récipient pour la cendre du tabac. 2 Partie inférieure d'un foyer.

cène nf Dernier repas de Jésus-Christ avec ses apôtres, la veille de la Passion.

cénobite nm Moine en communauté.

cénotaphe nm Tombeau à la mémoire d'un mort, ne contenant pas ses restes.

cénozoïque a, nm GEOL Du tertiaire et du quaternaire.

cens [sɑ̃s] nm HIST Au Moyen Âge, redevance en argent payée au seigneur.

censé, ée *a* Supposé (suivi d'un infinitif). *Nul n'est censé ignorer la loi.*

censément *av* Apparemment.

censeur *nm* **1** Qui est d'une commission de censure. **2** Qui s'érige en critique implacable. **3** Chargé de la discipline dans les lycées.

censitaire *a* Loc *Suffrage censitaire :* vote réservé à ceux qui payaient un montant donné d'impôts.

censure *nf* **1** Contrôle exercé par un gouvernement sur les publications, les films pour les autoriser ou les interdire. **2** Désapprobation, votée par le Parlement, de la politique du gouvernement. **3** Contrôle des désirs inconscients.

censurer *vt* Exercer la censure sur ou contre qqch.

1. cent *num* (Prend un s au pl sauf s'il est suivi d'un autre a num cardinal.) **1** Dix fois dix (100). *Cent francs. Deux cents ans. Deux cent cinquante moutons.* **2** Nombre indéterminé, assez élevé. *Je l'ai dit cent fois.* **3** Centième. *Page cent.*

2. cent [sɛnt] *nm* Centième du dollar.

centaine *nf* Nombre de cent ou environ.

centaure *nm* Monstre moitié homme (tête et torse) et moitié cheval.

centaurée *nf* Plante à fleurs bleues (bleuet).

centenaire *a, n* Qui a cent ans. ■ *nm* Centième anniversaire.

centésimal, ale,aux *a* Divisé en cent parties égales.

centième *a num* Au rang, au degré cent. ■ *a, nm* Contenu cent fois dans le tout.

centigrade *nm* Centième partie du grade (symbole : cgr).

centigramme *nm* Centième partie du gramme (symbole : cg).

centilitre *nm* Centième partie du litre (symbole : cl).

centime *nm* Centième partie du franc.

centimètre *nm* **1** Centième partie du mètre (symbole : cm). **2** Ruban divisé en centimètres.

centrafricain, aine *a, n* De la République centrafricaine.

central, ale,aux *a* Au centre. *Place centrale. Pouvoir central.* ■ *nm* Poste assurant la centralisation des communications. ■ *nf* **1** Usine productrice d'énergie. **2** Établissement pénitentiaire.

centralisation *nf* Action de centraliser.

centraliser *vt* Réunir en un même centre, sous une même autorité.

centralisme *nm* Tendance à centraliser l'autorité, les décisions.

centre *nm* **1** Point situé à égale distance de tous les points d'une circonférence, d'une sphère. **2** Milieu d'un espace quelconque. **3** Partie d'une assemblée qui siège entre la droite et la gauche. **4** Point principal. *Centre d'intérêt.* **5** Point caractérisé par une activité déterminée ou importante ; organisme, service, ville, etc. *Centre commercial, culturel.*

centrer *vt* **1** Déterminer le centre d'un objet. **2** Ramener au centre. **3** Orienter sur qqch.

centre-ville *nm* Quartier central d'une ville, le plus ancien et le plus animé. *Des centres-villes.*

centrifugation *nf* Séparation des constituants d'un corps par la force centrifuge.

centrifuge *a* Qui tend à éloigner du centre.

centrifuger *vt* **11** Soumettre à la centrifugation.

centrifugeur *nm* ou **centrifugeuse** *nf* Appareil utilisé pour faire du jus de fruits.

centripète *a* Qui tend à rapprocher du centre.

centrisme *nm* Position politique intermédiaire entre conservatisme et progressisme.

centuple *a* Qui vaut cent fois. ■ *nm* Quantité cent fois plus importante.

centupler *vt* Multiplier par cent. ■ *vt, vi* Rendre ou devenir beaucoup plus important.

centurie *nf* HIST À Rome, groupe de cent citoyens ou unité militaire de cent soldats.

centurion *nm* HIST Officier d'une centurie.

cep *nm* Pied de vigne.

cépage *nm* Variété de vigne cultivée.

cèpe *nm* Bolet comestible.

cependant *av* Néanmoins, toutefois.

céphalée ou **céphalalgie** *nf* Mal de tête.

céphalopode

céphalopode nm ZOOL Mollusque tel que la seiche, le poulpe, dont le pied est découpé en tentacules garnis de ventouses.

céramique nf 1 Art de façonner des objets en terre cuite (faïence, grès, porcelaine). 2 Matière dont sont faits ces objets. 3 TECH Matériau qui n'est ni organique ni métallique. ■ a De la céramique.

céramiste n Fabricant de céramique.

cerbère nm Litt Gardien intraitable.

cerceau nm Cercle de bois, de plastique, de métal servant de jouet ou d'armature.

cerclage nm Action de cercler.

cercle nm 1 Courbe plane fermée, dont tous les points sont à égale distance d'un point appelé centre ; surface délimitée par cette courbe. 2 Objet de forme circulaire. 3 Personnes ou choses disposées en rond. 4 Réunion de personnes, association. *Cercle littéraire.* 5 Enceinte. *Le cercle de mes connaissances.* Loc *Cercle vicieux* : raisonnement défectueux ; situation sans issue.

cercler vt Garnir, entourer de cercles.

cercopithèque nm Singe d'Afrique à longue queue grêle.

cercueil nm Caisse dans laquelle on enferme un cadavre pour l'ensevelir.

céréale nf Graminée cultivée pour la production de grains (blé, maïs, etc.).

céréaliculture nf Culture des céréales.

céréalier, ère a De céréales. ■ nm Producteur de céréales.

cérébral, ale, aux a Du cerveau. *Hémorragie cérébrale.* ■ a, n Chez qui l'intellect prime la sensibilité.

cérébrospinal, ale, aux a Du cerveau et de la moelle épinière.

cérémonial nm Usage que l'on observe lors de certaines cérémonies.

cérémonie nf 1 Formes extérieures réglées pour donner de l'éclat à une solennité religieuse ou à un événement de la vie sociale. 2 Politesse exagérée, importune. Loc *Sans cérémonie* : en toute simplicité.

cérémoniel, elle a Relatif aux cérémonies.

cérémonieux, euse a Qui fait trop de cérémonies, affecté.

cerf [sɛʀ] nm Cervidé mâle.

cerfeuil nm Plante à feuilles aromatiques.

cerf-volant nm 1 Jouet de toile ou de papier qu'on fait planer dans le vent en le tirant contre le vent avec une ficelle. 2 Lucane. *Des cerfs-volants.*

cerisaie nf Plantation de cerisiers.

cerise nf Fruit du cerisier. ■ a inv Rouge vif.

cerisier nm Arbre cultivé pour ses fruits et son bois rosé.

cerne nm 1 Cercle bleu ou bistre, qui entoure les yeux fatigués. 2 Cercle concentrique visible sur la section du tronc, des branches d'un arbre.

cerné, ée a Entouré d'un cerne.

cerneau nm Amande de la noix.

cerner vt 1 Entourer, encercler. 2 Préciser les limites d'une question, l'appréhender.

certain, aine a 1 Sûr, assuré, indubitable. *Une nouvelle certaine.* 2 Qui a la certitude de qqch. *Je suis certain de réussir.* 3 Indique une quantité ou une connaissance vagues. *Un certain temps. Un certain M. Dupont.* ■ pr indéf pl Quelques personnes. *Certains ont refusé.*

certainement av De façon certaine ; assurément, sûrement.

certes av Oui, assurément.

certificat nm 1 Écrit qui fait foi d'un fait, d'un droit. 2 Attestation, diplôme prouvant la réussite à un examen ; cet examen lui-même.

certification nf Action de certifier.

certifié, ée n, a Titulaire du *Certificat d'aptitude* à l'enseignement secondaire.

certifier vt Assurer, garantir la vérité, la validité de qqch.

certitude nf 1 Qualité de ce qui est certain. 2 Conviction qu'a l'esprit d'être dans la vérité.

cérumen [-mɛn] nm Matière jaune sécrétée par le conduit auditif externe.

cerveau nm 1 Substance nerveuse contenue dans la boîte crânienne. 2 Facultés mentales, esprit. 3 Fam Personne très intelligente. 4 Centre intellectuel ; centre de direction.

cervelas nm Saucisson cuit, gros et court, assaisonné d'ail.

cervelet nm Partie de l'encéphale située au-dessous des hémisphères cérébraux et en arrière du bulbe.

cervelle nf 1 Substance nerveuse qui constitue le cerveau. 2 Facultés mentales, esprit.

cervical, ale a ANAT Du cou.

cervidé nm ZOOL Ruminant tel que le cerf, caractérisé par les bois pleins, caducs, portés sur le front.

cervoise nf Bière que les Anciens fabriquaient avec de l'orge ou du blé.

ces. V. ce.

C.E.S. nm Collège d'enseignement secondaire.

césar nm 1 Empereur romain. 2 Récompense cinématographique.

césarienne nf Extraction du fœtus vivant par incision de l'abdomen et de l'utérus.

cessant, ante a Loc **Toutes affaires cessantes :** immédiatement.

cessation nf Le fait de mettre fin à qqch ; arrêt, suspension.

cesse nf Loc **N'avoir (point, pas) de cesse que... :** ne pas s'arrêter avant un... **Sans cesse :** continuellement.

cesser vt Arrêter, interrompre. Cesser le combat. ■ vi Prendre fin, s'arrêter. Le combat a cessé.

cessez-le-feu nm inv Armistice, suspension des hostilités.

cessible a Qui peut être cédé.

cession nf Action de céder un droit, un bien, une créance.

c'est-à-dire conj Annonce une explication (abrév : c.-à-d.). Un mille marin, c'est-à-dire 1 852 mètres.

césure nf Coupe, repos qui divise le vers après une syllabe accentuée.

cet, cette. V. ce.

cétacé nm Grand mammifère marin appartenant à un ordre qui comprend les baleines, les dauphins, les cachalots, etc.

céteau nm Petite sole (poisson).

cétone nf CHIM Composé organique ayant des propriétés voisines de celles des aldéhydes.

ceux. V. celui.

cévenol, ole a, n Des Cévennes.

cf. Abrév de confer.

C.F.A. nm Loc **Franc C.F.A. :** unité monétaire de nombreux pays africains francophones.

C.F.C. nm Abrév de chlorofluorocarbone.

C.G.S. Système d'unités fondé sur le centimètre, le gramme et la seconde.

chabichou nm Fromage de chèvre.

chablis nm Bourgogne blanc réputé.

chacal nm Canidé d'Asie et d'Afrique se nourrissant surtout des restes laissés par les grands fauves. Des chacals.

cha-cha-cha [tʃatʃatʃa] nm inv Danse dérivée de la rumba.

chacun, une pr indéf Toute personne, toute chose faisant partie d'un ensemble. Loc **Tout un chacun :** n'importe qui.

1. chagrin, ine a Litt Porté à la tristesse ; maussade. Esprit chagrin. ■ nm Peine morale, affliction, tristesse. Un chagrin d'amour.

2. chagrin nm Cuir grenu de chèvre ou de mouton, utilisé en reliure. Loc **Peau de chagrin :** chose qui se réduit de plus en plus.

chagriner vt Causer du chagrin, contrarier.

chah. V. schah.

chahut nm Tapage, agitation, notamment en milieu scolaire.

chahuter vi Faire du chahut. ■ vt 1 Importuner qqn par des manifestations tapageuses. 2 Agiter qqch, le traiter sans ménagement.

chahuteur, euse a, n Qui aime chahuter, tapageur.

chai nm Entrepôt de fûts de vin, d'eau-de-vie.

chaîne nf 1 Suite d'anneaux, de maillons, généralement métalliques, servant de lien ou d'ornement, ou transmettant un mouvement. 2 Enchaînement, continuité, succession. La chaîne des événements. 3 Groupe d'établissements commerciaux. Chaîne de supermarchés. 4 Réseau d'émetteurs de radio ou de télévision diffusant simultanément les mêmes programmes. 5 Ensemble d'appareils de reproduction des sons. Chaîne haute-fidélité. 6 Suite de montagnes se succédant dans une direction donnée. La chaîne des Pyrénées. 7 Ensemble des fils longitudinaux d'un tissu. Ant. trame. Loc **Réaction en chaîne :** succession de phénomènes dont chacun déclenche le suivant. *Chaîne de montage :* organisation de production industrielle programmant une série d'opérations successives. *Travail à la chaîne :* travail d'un ouvrier exécutant une seule opération sur chaque pièce de la chaîne de montage qui défile devant lui ; travail sans relâche, astreignant et monotone. ■ *pl* Dispositif articulé qu'on fixe aux pneus des voitures pour rouler dans la neige.

chaînette nf Petite chaîne.

chaînon nm 1 Anneau d'une chaîne. 2 Élément d'un ensemble.

chair nf 1 Substance fibreuse, irriguée de sang, située entre la peau et les os. 2 Viande hachée. *Chair à saucisses.* 3 Pulpe des fruits. 4 Le corps humain, par opps. à l'âme. 5 Instinct sexuel. **Loc** *Chair de poule :* aspect grenu que prend la peau sous l'effet du froid, de la peur.

chaire nf 1 Dans une église, tribune élevée réservée au prédicateur. 2 Bureau surélevé d'un professeur. 3 Poste d'un professeur d'université.

chaise nf Siège sans bras, à dossier. **Loc** *Chaise longue :* siège à dossier inclinable où on peut s'allonger. *Chaise électrique :* mode d'exécution de condamnés à mort.

1. chaland nm Bateau à fond plat pour le transport des marchandises.

2. chaland, ande n Vx Acheteur, client.

chalandise nf **Loc** *Zone de chalandise :* zone d'attraction commerciale d'un magasin.

châle nm Grande pièce d'étoffe dont les femmes se couvrent les épaules.

chalet nm Maison de bois des régions montagneuses.

chaleur nf 1 Qualité, nature de ce qui est chaud ; sensation produite par ce qui est chaud. 2 État des femelles de certains animaux quand elles recherchent l'approche du mâle. 3 Ardeur, impétuosité, véhémence. *Défendre qqn avec chaleur.* 4 Exagération de cordialité. *La chaleur du son accueil.* ■ *pl* Saison où la temps est chaud.

chaleureux, euse a Plein d'ardeur, d'animation, de cordialité.

châlit nm Bois de lit ou cadre métallique d'un lit.

challenge nm 1 Épreuve sportive où un titre est mis en jeu. 2 Fam Défi, gageure.

challenger [ʃalɑ̃dʒœʁ] ou **challengeur** nm Concurrent disputant son titre à un champion.

chaloir vi **Loc** Litt *Peu me chaut, peu m'en chaut :* peu m'importe.

chaloupe nf Grosse embarcation non pontée. *Chaloupe de sauvetage.*

chalouper vi Marcher en se balançant.

chalumeau nm 1 Appareil destiné à produire une flamme à haute température à partir de gaz sous pression. 2 Flûte champêtre.

chalut nm Filet de pêche traîné sur le fond de la mer ou entre deux eaux par un ou deux bateaux.

chalutage nm Pêche au chalut.

chalutier nm Bateau équipé pour la pêche au chalut.

chamade nf **Loc** *Cœur qui bat la chamade :* qui bat précipitamment.

chamailler (se) vpr Fam Se disputer.

chamaillerie nf Fam Querelle bruyante.

chamailleur, euse a, n Fam Qui aime se chamailler.

chaman [-man] nm Prêtre, sorcier, guérisseur, principalement en Asie.

chamanisme nm Pratiques magiques du chaman.

chamarré, ée a Surchargé d'ornements.

chambard nm Fam Vacarme accompagné de désordre.

chambardement nm Fam Bouleversement, désordre général.

chambarder vt Fam Apporter des modifications profondes à, bouleverser.

chambellan nm HIST Officier chargé du service de la chambre d'un prince.

chambertin nm Bourgogne rouge, très estimé.

chamboulement nm Fam Bouleversement.

chambouler vt Fam Bouleverser.

chambranle nm Encadrement de porte, de fenêtre, de cheminée.

chambre nf 1 Pièce où l'on peut coucher. 2 (avec majusc) Assemblée politique, professionnelle, syndicale. 3 Section d'un tribunal. 4 Enceinte close dans divers appareils. Loc *Musique de chambre* : musique classique écrite pour petites formations musicales. *Chambre froide* : pièce dotée d'installations frigorifiques. *Chambre à air* : tube de caoutchouc qu'on gonfle d'air dans un pneu.

chambrée nf 1 Ensemble des occupants d'une même chambre dans une caserne. 2 Cette pièce elle-même.

chambrer vt 1 Donner au vin la bonne température de dégustation. 2 Fam Se moquer de qqn.

chameau nm 1 Mammifère ruminant d'Asie à bosses dorsales graisseuses. 2 Fam Personne méchante, d'humeur désagréable.

chamelier nm Chargé de conduire et de soigner les chameaux.

chamelle nf Femelle du chameau.

chamois nm 1 Mammifère ruminant des montagnes d'Europe, à cornes recourbées vers l'arrière, à robe gris-beige en été ou noire en hiver. 2 Épreuve de ski servant de test de niveau. Loc *Peau de chamois* : cuir de chamois ou peau de mouton spécialement traités pour le nettoyage. ■ a inv D'un jaune clair, légèrement ocre.

chamoisage nm Tannage de peaux à l'huile de poisson.

champ nm 1 Pièce de terre cultivable. 2 Terrain. *Champ de bataille. Champ de foire, de courses.* 3 Domaine d'action. *Le champ d'une science, d'une recherche.* 4 Portion d'espace vue par l'œil immobile, ou visible à travers un instrument d'optique. 5 PHYS Portion de l'espace où s'exerce une action. *Champ électrique.* Loc *À tout bout de champ* : à chaque instant, à tout propos. ■ pl La campagne. *Les fleurs des champs.*

champagne nm Vin blanc effervescent produit en Champagne.

champagniser vt Traiter un vin à la manière du champagne, pour le rendre mousseux.

champenois, oise a, n De la Champa-

champêtre a Propre à la campagne. *Plaisirs champêtres.*

champignon nm 1 Végétal sans chlorophylle, au pied souvent surmonté d'un chapeau, qui pousse dans les lieux humides. 2 Fam Pédale de l'accélérateur d'une automobile. Loc *Champignon atomique* : nuage lumineux qui accompagne une explosion nucléaire.

champignonnière nf Lieu souterrain (cave, carrière), où l'on cultive des champignons.

champion, onne n 1 Défenseur d'une cause. 2 Vainqueur d'un championnat. 3 Sportif ou personne d'une qualité exceptionnelle. ■ a Fam Hors pair, imbattable.

championnat nm Épreuve sportive organisée pour décerner un titre au vainqueur.

chance nf 1 Éventualité heureuse ou malheureuse. *Souhaiter bonne chance.* 2 Probabilité, possibilité. *Il a une chance sur deux de réussir.* 3 Hasard heureux. *Quelle chance !*

chanceler vi 18 Être peu ferme sur ses pieds, sur sa base ; osciller.

chancelier nm 1 Titre de plusieurs grands dignitaires et de certains fonctionnaires dépositaires de sceaux. 2 Premier ministre, en Allemagne et en Autriche. Loc *Chancelier de l'Échiquier* : ministre des Finances, en Grande-Bretagne.

chancellerie nf 1 Bureaux, services d'un chancelier. 2 Administration centrale du ministère de la Justice. Loc *Grande chancellerie* : organisme chargé de l'administration de l'ordre de la Légion d'honneur.

chanceux, euse a, n Qui a de la chance.

chancre nm 1 MED Ulcération qui marque le début de certaines infections. 2 BOT Maladie des arbres qui provoque la pourriture. 3 Lit Ce qui dévore, détruit. *Le chancre du chômage.*

chandail nm Gros tricot de laine.

Chandeleur nf Fête catholique de la purification de la Vierge (2 février).

chandelier nm Support servant à porter une ou plusieurs bougies.

chandelle nf 1 Bougie. *Dîner aux chandelles.* 2 Figure d'acrobatie aérienne. 3 Ballon envoyé presque à la verticale.

chanfrein nm 1 Partie de la tête du cheval comprise entre les sourcils et le naseau. 2 Surface obtenue en abattant l'arête d'une pièce.

change nm 1 Action d'échanger. 2 Conversion d'une monnaie en une autre ; taux de cette conversion. 3 Couche jetable pour bébé. Loc *Lettre de change* : écrit par lequel un souscripteur enjoint à une autre personne, dont il est créancier, de payer une somme à telle personne. *Donner le change* : mettre sur une fausse piste, tromper.

changement nm 1 Fait de changer, de passer d'un état à un autre ; modification, variation. 2 Transformation de ce qui est changé.

changer vt 11 1 Convertir. *Changer des francs en dollars.* 2 Remplacer qqch, qqn par qqch, qqn d'autre. 3 Changer les couches d'un bébé. 4 Rendre différent. *Changer ses plans.* ■ vti 1 Quitter un lieu pour un autre. *Changer de place.* 2 Quitter une chose pour une autre. *Changer de chaussures.* ■ vi Évoluer, se modifier. *La situation a changé.* ■ vpr Changer de vêtements.

changeur nm 1 Personne qui change de l'argent. 2 Appareil qui, contre des pièces, des billets, fournit la même somme en pièces de valeur inférieure.

chanoine nm Dignitaire ecclésiastique faisant partie d'un chapitre.

chanson nf 1 Petite composition chantée ; texte mis en musique, divisé en couplets. 2 Propos futiles, sornettes. 3 LITTER Au Moyen Âge, poème épique.

chansonnette nf Petite chanson légère ou frivole.

chansonnier, ère n Auteur ou interprète de sketches satiriques.

1. chant nm 1 Succession de sons musicaux produits par l'appareil vocal ; musique vocale. 2 Composition musicale destinée à être chantée. 3 Ramage des oiseaux. *Le chant du rossignol.* 4 Chacune des divisions d'un poème épique.

2. chant nm Partie la plus étroite d'une pièce.

chantage nm 1 Manière d'extorquer de l'argent par la menace de révélations scandaleuses. 2 Pression morale exercée sur qqn.

chantant, ante a 1 Qui chante. 2 Qui se chante aisément. 3 Mélodieux.

chanter vi 1 Former avec la voix une suite de sons musicaux. 2 Produire des sons harmonieux (oiseaux). Loc *Faire chanter qqn* : exercer sur lui un chantage. ■ vt Exécuter une partie ou un morceau de musique vocale. *Chanter des chansons.*

chanterelle nf 1 MUS La corde d'un instrument qui a le son le plus aigu. 2 Syn de *girolle.*

chanteur, euse n Qui chante. Loc *Maître chanteur* : qui pratique le chantage.

chantier nm 1 Lieu où l'on entrepose des matériaux de construction, du bois de chauffage, etc. 2 Lieu où s'effectue la construction ou la démolition d'un ouvrage, d'un bâtiment. 3 Fam Lieu où règne le désordre.

chantilly nf Crème fouettée sucrée.

chantonner vi,vt Chanter à mi-voix.

chantoung. V. shantung.

chantourner vt TECH Découper une pièce selon un profil déterminé.

chantre nm 1 Qui a pour fonction de chanter aux offices, dans une église. 2 Litt Laudateur.

chanvre nm Plante cultivée pour ses fibres textiles. Loc *Chanvre indien* : plante dont on tire le haschisch. Syn. cannabis.

chaos [kao] nm 1 Désordre, confusion extrême. 2 GÉOL Amoncellement désordonné de blocs rocheux.

chaotique [ka-] a Confus, désordonné.

chaource nm Fromage au lait de vache.

chaparder vt Fam Dérober de menus objets.

chapardeur, euse a, n Fam Qui chaparde.

chape nf 1 Long manteau sans manches, porté à l'occasion de certaines cérémonies religieuses. 2 Couche de ciment ou de mortier appliquée sur un sol pour le rendre uni. 3 Bande de roulement d'un pneu.

chapeau nm 1 Coiffure de matière variable, de consistance plus ou moins ferme, portée surtout au-dehors. 2 Partie de certains champignons, supportée par le pied. 3 Petit texte qui présente un article de journal, de revue. Loc Fam *Porter le chapeau* : endosser les responsabilités pour les autres.

chapeauter vt 1 Coiffer d'un chapeau (surtout pp). 2 Fam Contrôler, avoir sous sa responsabilité.

chapelain nm Prêtre qui dessert une chapelle privée.

chapelet nm 1 Objet de dévotion composé de grains enfilés que l'on fait passer entre les doigts, en récitant une prière. 2 Prières récitées en égrenant un chapelet. 3 Série, suite.

chapelier, ère n, a Qui fabrique ou vend des chapeaux.

chapelle nf 1 Partie d'une église comprenant un autel secondaire. 2 Petite église qui n'a pas rang d'église paroissiale. 3 Groupement fermé de personnes ayant les mêmes idées ; coterie, clan. Loc **Chapelle ardente :** salle où l'on veille un mort.

chapelure nf Miettes de pain séché, dont on saupoudre des plats.

chaperon nm 1 Capuchon. 2 Personne qui accompagnait une jeune fille quand elle sortait.

chaperonner vt Servir de chaperon à une jeune fille.

chapiteau nm 1 Partie supérieure d'une colonne, posée sur le fût. 2 Tente d'un cirque ambulant.

chapitre nm 1 Division d'un livre, d'un traité, d'un registre. 2 Matière, sujet dont il est question. 3 Corps des chanoines d'une église cathédrale ou collégiale.

chapitrer vt Adresser une remontrance à, sermonner.

chapka nf Coiffure en fourrure à rabats.

chapon nm Jeune coq châtré et engraissé.

chaptalisation nf Opération consistant à sucrer le moût pour élever le degré d'alcool du vin.

chaque a indéf 1 Indique que tout élément d'un ensemble est envisagé en soi, isolément. Une place pour chaque chose. 2 Abusiv Chacun, chacune. Ces roses coûtent dix francs chaque.

char nm 1 ANTIQ Voiture à deux roues tirée par des chevaux. 2 Voiture à traction animale servant dans les campagnes. 3 Voiture décorée pour les cortèges de carnaval. 4 Véhicule blindé, armé et monté sur chenilles.

charabia nm Fam Parler confus, inintelligible, incorrect.

charade nf Énigme constituée par une suite de mots à deviner formant phonétiquement un autre mot ou une phrase.

charançon nm Petit coléoptère qui ronge les graines, les fruits, etc.

charbon nm 1 Combustible solide, de couleur noire, contenant une forte proportion de carbone. 2 Morceau de charbon constituant un balai de dynamo, de moteur. 3 Maladie des céréales. 4 Maladie infectieuse, contagieuse, commune à certains animaux et à l'homme.

charbonnage nm Exploitation d'une houillère.

charbonneux, euse a Qui a l'aspect du charbon.

charbonnier, ère n Qui vit du commerce du charbon. ■ a Relatif au charbon.

charcuter vt Fam Opérer maladroitement un patient (chirurgien).

charcuterie nf 1 Commerce, boutique du charcutier. 2 Spécialité à base de porc faite par le charcutier.

charcutier, ère n Qui prépare et vend de la viande de porc, des boudins, des saucisses, du pâté, etc.

chardon nm Plante à tige et à feuilles épineuses.

chardonnay nm Cépage blanc très répandu.

chardonneret nm Petit oiseau au plumage très coloré (rouge et jaune).

charentais, aise a Des Charentes. ■ nf Chausson en étoffe.

charge nf 1 Ce qui est porté ; ce que peut porter une personne, un animal, un véhicule, un navire, etc. 2 Quantité de poudre, d'explosif qui propulse un projectile ou qui le fait exploser. 3 Quantité d'électricité portée par un corps, par une particule. 4 Attaque impétueuse d'une troupe. 5 Ce qui embarrasse, incommode. Imposer une charge à qqn. 6 Tout ce qui impose des dépenses. 7 Fonction d'officier ministériel. 8 Responsabilité, fonction, mission, travail donné à accomplir. 9 Indice, preuve qui s'élève contre un accusé. 10 Représentation caricaturale.

chargé

chargé, ée n Loc Chargé de cours : professeur non titularisé de l'enseignement supérieur. Chargé d'affaires : diplomate qui assure l'intérim d'une ambassade.

chargement nm 1 Action de charger. 2 Ensemble de ce qui est chargé, embarqué.

charger vt 11 1 Mettre une certaine quantité d'objets sur un homme, un animal, un véhicule. 2 Placer comme charge. Charger des bagages. 3 Couvrir avec abondance, avec excès. Charger les murs de tableaux. 4 Approvisionner une arme en munitions, un appareil photographique en pellicules, etc. 5 Fournir à un accumulateur une charge électrique. 6 Peser sur, alourdir. Plat qui charge l'estomac. 7 Attaquer avec impétuosité. Sanglier qui charge le chasseur. 8 Faire des déclarations contre qqn. Charger un accusé. 9 Confier à qqn le soin, la responsabilité de qqch. ■ vpr Prendre le soin, la responsabilité de qqch. Je me charge de le prévenir, du ravitaillement.

chargeur nm 1 Celui qui charge. 2 Dispositif approvisionnant en cartouches une arme à répétition. 3 Appareil servant à la recharge d'une batterie d'accumulateurs.

charia nf Loi canonique de l'Islam, touchant tous les domaines de la vie humaine.

chariot nm 1 Voiture à quatre roues pour le transport des fardeaux. 2 Pièce d'une machine qui se déplace sur des rails, des guides, etc.

charismatique [ka-] a Du charisme.

charisme [ka-] nm 1 RELIG Grâce imprévisible et passagère accordée par Dieu à un chrétien. 2 Prestige, ascendant extraordinaire d'un chef.

charitable a 1 Qui a de la charité pour son prochain. 2 Qui part d'un principe de charité.

charité nf 1 Amour de Dieu et du prochain, l'une des trois vertus théologales. 2 Bonté, indulgence. 3 Acte de bonté, de générosité envers autrui. Faire la charité.

charivari nm Bruit discordant, tapage.

charlatan nm 1 Guérisseur qui se vante de guérir toutes sortes de maladies. 2 Exploiteur de la crédulité d'autrui.

charleston [-tɔn] nm Danse d'origine américaine.

charlot nm Pop Homme qui manque de sérieux.

charlotte nf Entremets fait de fruits ou de crème, et de biscuits ramollis dans un sirop.

charmant, ante a Plein de charme.

1. charme nm 1 Vx Enchantement magique. 2 Effet d'attirance, de séduction, produit sur qqn par une personne ou une chose. Loc Fam Se porter comme un charme : jouir d'une santé parfaite.

2. charme nm Arbre à bois blanc et dense.

charmer vt Plaire beaucoup, ravir par son charme.

charmeur, euse n, a Qui plaît, qui séduit.

charmille nf Allée bordée de charmes.

charnel, elle a Qui a trait à l'instinct sexuel.

charnier nm Amoncellement de cadavres.

charnière nf 1 Assemblage mobile de deux pièces enclavées l'une dans l'autre, jointes par une tige qui les traverse et forme pivot. 2 Point d'articulation, de jonction.

charnu, ue a 1 Formé de chair. Les parties charnues du corps. 2 Bien fourni de chair. Loc Fruit charnu : fruit à la pulpe épaisse.

charognard nm 1 Vautour. 2 Personne toujours prête à tirer parti du malheur d'autrui.

charogne nf 1 Cadavre en décomposition. 2 Pop Individu ignoble.

charolais, aise a, n Du Charolais.

charpente nf 1 Assemblage de pièces de bois ou de métal servant de soutien à une construction. 2 Ensemble des parties osseuses du corps humain. 3 Structure, plan d'un ouvrage. La charpente d'un roman.

charpenter vt Structurer, agencer.

charpentier nm Qui fait des travaux de charpente.

charpie nf Loc Mettre en charpie : mettre en pièces, déchiqueter.

charretée nf Charge d'une charrette.

charretier nm Conducteur de charrette. Loc Jurer comme un charretier : très grossièrement.

charrette nf Voiture à deux roues servant à porter des fardeaux.

charriage nm 1 Action de charrier. 2 GÉOL Déplacement horizontal d'une partie d'un pli de terrain.

charrier vt 1 Transporter. *Charrier du fumier.* 2 Entraîner dans son courant, en parlant d'un cours d'eau. 3 Fam Tourner qqn en dérision. ■ vi Pop Exagérer.

charrue nf Instrument servant à labourer la terre.

charte nf Écrit solennel établissant des droits ou servant de constitution.

charter [-tɛʀ] nm Avion spécialement affrété pour transporter un groupe à un tarif inférieur à celui d'un vol régulier.

chartreux, euse n Religieux, religieuse de l'ordre de saint Bruno. ■ nm Chat à poil gris cendré. ■ nf 1 Couvent de chartreux. 2 Liqueur fabriquée par les chartreux.

chas [ʃa] nm Trou d'une aiguille.

chasse nf 1 Action de chasser. 2 Domaine réservé au chasseur. 3 Le gibier pris ou tué. 4 Action de poursuivre. *Chasse à l'homme. Faire la chasse aux abus.* Loc *Aviation de chasse,* ou *la chasse* : aviation militaire chargée d'intercepter les avions ennemis, d'attaquer des objectifs terrestres, etc. *Chasse d'eau* : dispositif libérant une masse d'eau pour nettoyer un appareil sanitaire.

châsse nf 1 Coffre d'orfèvrerie où sont gardées les reliques d'un saint. 2 Cadre servant à enchâsser ou à protéger divers objets.

chassé-croisé nm Mouvement de personnes qui se cherchent et se croisent sans se rencontrer. *Des chassés-croisés.*

chasselas nm Raisin de table blanc.

chasse-neige nm inv 1 Engin qui sert à déblayer les routes ou les voies ferrées couvertes de neige. 2 Position des skis en V vers l'avant pour freiner en descente.

chasser vt 1 Poursuivre des animaux pour les tuer ou les prendre vivants. 2 Mettre dehors avec force ; congédier. 3 Repousser, écarter qqch. *Chasser les soucis.* ■ vi Déraper.

chasseresse nf, a Litt Chasseuse.

chasseur, euse n Qui pratique la chasse. Loc *Chasseur d'images* : photographe, reporter. *Chasseur de têtes* : professionnel qui se charge, pour le compte d'une entreprise,

du recrutement des cadres. ■ nm 1 Groom qui fait les commissions dans un hôtel, un restaurant. 2 Soldat de certains corps d'infanterie ou de cavalerie. 3 Avion de chasse. ■ a inv CUIS Garni de champignons. *Du lapin chasseur.*

chassie nf Matière visqueuse qui s'amasse sur le bord des paupières.

chassieux, euse a Qui a de la chassie.

châssis nm 1 Assemblage en métal ou en bois qui sert à encadrer ou à soutenir un objet, un vitrage. 2 Assemblage métallique rigide servant à supporter la carrosserie, le moteur.

chaste a Qui pratique la chasteté, plein de pudeur.

chasteté nf Vertu qui consiste à s'abstenir des plaisirs charnels jugés illicites.

chasuble nf Ornement liturgique que le prêtre met par-dessus l'aube et l'étole pour dire la messe. Loc *Robe chasuble* : sans manches et de forme évasée.

chat, chatte n 1 Petit mammifère domestique au sauvage au pelage soyeux, aux pattes garnies de griffes rétractiles. 2 Jeu de poursuite enfantin. Loc *Donner sa langue au chat* : déclarer que l'on renonce à trouver la solution d'une énigme.

châtaigne nf 1 Fruit du châtaignier. 2 Pop Coup de poing.

châtaigneraie nf Lieu planté de châtaigniers.

châtaignier nm Arbre des régions tempérées produisant les châtaignes.

châtain, aine a Brun clair. *Cheveux châtains.*

château nm 1 Forteresse entourée de fossés et défendue par de gros murs flanqués de tours ou de bastions. 2 Habitation royale ou seigneuriale. 3 Demeure belle et vaste, à la campagne. 4 Superstructure dominant le pont d'un navire. Loc *Château en Espagne* : projets irréalisables. *Château d'eau* : réservoir surélevé d'un réseau de distribution d'eau.

chateaubriand ou **châteaubriant** nm Morceau de filet de bœuf grillé très épais.

châteauneuf-du-pape nm inv Cru réputé de la vallée du Rhône méridionale.

châtelain, aine n Propriétaire d'un château.

chat-huant nm Hulotte. *Des chats-huants.*

châtier vt 1 Litt Punir. *Châtier les coupables.* 2 Rendre plus pur. *Langage châtié.*

chatière nf Ouverture au bas d'une porte pour le passage des chats.

châtiment nm Correction, punition.

chatoiement nm Reflet brillant et changeant.

chaton nm 1 Jeune chat. 2 Bourgeon duveteux allongé de certains arbres. *Des chatons de noisetier.* 3 Partie saillante d'une bague, marquée d'un chiffre ou portant une pierre précieuse.

chatouillement nm 1 Action de chatouiller. 2 Picotement désagréable.

chatouiller vt 1 Causer, par attouchement léger, un tressaillement qui provoque un rire nerveux. 2 Produire une impression agréable. 3 Exciter. *Chatouiller la curiosité.*

chatouilleux, euse a 1 Sensible au chatouillement. 2 Susceptible.

chatoyer vi 22 Avoir des reflets changeants.

châtrer vt Syn de *castrer.*

chatterton [-ɔ̃n] nm Ruban adhésif employé comme isolant en électricité.

chaud, chaude a 1 Qui a une température plus élevée que celle du corps humain. *De l'eau trop chaude.* 2 Récent. *Une nouvelle toute chaude.* 3 Ardent, sensuel, passionné. 4 Se dit d'une voix animée, bien timbrée. 5 Se dit de coloris qui évoquent le feu (rouge, orangé, etc.). ■ nm Chaleur. *Il ne craint ni le chaud ni le froid.* **Loc Avoir eu chaud :** avoir échappé de bien peu à un désagrément. **Il fait chaud :** on sent la chaleur. ■ av **Loc À chaud :** en pleine crise.

chaudement av 1 De façon à avoir chaud. 2 Avec ardeur, vivacité. *Il m'a chaudement défendu.*

chaud-froid nm Volaille ou gibier cuit, servi froid, en gelée. *Des chauds-froids.*

chaudière nf Appareil destiné à porter un fluide (généralement de l'eau ou de la vapeur) à une température élevée.

chaudron nm Petit récipient, muni d'une anse, destiné aux usages culinaires.

chaudronnerie nf 1 Industrie concernant la fabrication d'objets en métal. 2 Produit de cette industrie.

chaudronnier, ère n Qui fabrique ou vend des articles de chaudronnerie.

chauffage nm 1 Action de chauffer ; production de chaleur. 2 Mode de production de chaleur ; appareil destiné à chauffer.

chauffagiste nm Installateur de chauffage central.

chauffard nm Automobiliste maladroit ou imprudent.

chauffe-eau nm inv Appareil de production d'eau chaude domestique.

chauffe-plat nm Plaque chauffante, réchaud de table. *Des chauffe-plats.*

chauffer vt 1 Rendre chaud, plus chaud ; donner une sensation de chaleur. 2 Mener vivement, activer qqch ; exciter, stimuler qqn. *Chauffer une affaire. Un chanteur qui chauffe son public.* ■ vi 1 Devenir chaud. 2 Dégager de la chaleur. ■ vpr 1 S'exposer à la chaleur. 2 Chauffer son habitation.

chaufferette nf Appareil, dispositif pour chauffer les pieds.

chaufferie nf Local où sont installés les appareils de production de chaleur.

chauffeur nm 1 Ouvrier chargé de l'alimentation d'un foyer. 2 Conducteur d'un véhicule automobile.

chauffeuse nf Siège bas à dossier pour s'asseoir auprès du feu.

chauler vt 1 Amender un sol en y incorporant de la chaux. 2 Enduire de chaux.

chaume nm 1 Tige herbacée des graminées (blé, avoine, etc.). 2 Partie des céréales qui reste dans un champ après la moisson. 3 Paille qui sert de toiture.

chaumière nf Maison couverte de chaume.

chaussée nf Partie d'une route aménagée pour la circulation.

chausse-pied nm Lame incurvée, dont on se sert pour chausser plus facilement une chaussure. *Des chausse-pieds.*

chausser vt 1 Mettre à ses pieds des chaussures. *Chausser des bottes.* 2 Être de

sures de telle pointure. *Chausser du 41.*
3 Munir de pneumatiques un véhicule.
4 S'adapter de telle ou telle façon. *Ce modèle vous chausse bien.*

chausses *nfpl* Culotte en tissu, portée jusqu'au XVIIᵉ s.

chausse-trappe ou **chausse-trape** *nf* **1** Trou recouvert où est dissimulé un piège pour attraper les animaux sauvages. **2** Piège que l'on tend à qqn. *Des chausse-trap(p)es.*

chaussette *nf* Bas court porté par les deux sexes. Loc *Pop Jus de chaussette :* mauvais café.

chausseur *nm* Commerçant en chaussures, généralement sur mesure.

chausson *nm* **1** Chaussure d'intérieur souple et légère. **2** Chaussure souple de danse. **3** Chaussette tricotée pour nouveau-né. **4** Pâtisserie de pâte feuilletée fourrée de compote.

chaussure *nf* Partie de l'habillement qui sert à couvrir et à protéger le pied (sandales, souliers, bottes, etc.).

chaut. V. chaloir.

chauve *a, n* Qui n'a plus de cheveux.

chauve-souris *nf* Mammifère muni d'ailes membraneuses, dont le corps rappelle celui d'une souris. Syn. chiroptère. *Des chauves-souris.*

chauvin, ine *a* **1** Qui professe un patriotisme exagéré. **2** Qui a une admiration exclusive pour sa ville, sa région, etc.

chauvinisme *nm* Sentiments chauvins.

chaux *nf* Oxyde de calcium anhydre (*chaux vive*) ou hydraté (*chaux éteinte*) qui a de nombreuses applications dans l'industrie.

chavirer *vi* Se renverser. *Le voilier a chaviré.* ■ *vt* **1** Renverser, culbuter. **2** Émouvoir profondément, bouleverser. *Ce spectacle l'a chaviré.*

chéchia *nf* Calotte de laine portée dans certains pays d'islam.

check-list [tʃɛk-] *nf* Liste de contrôle des manœuvres à effectuer au décollage et à l'atterrissage d'un avion. *Des check-lists.*

check-up [tʃɛkœp] *nm inv* Bilan de santé.

cheddar *nm* Fromage anglais, à pâte dure jaune.

chef *nm* **1** Qui exerce le commandement suprême ou qui a une autorité subalterne. **2** Responsable de la cuisine d'un restaurant. Loc *En chef :* en qualité de chef suprême. *De son propre chef :* de sa propre initiative, de sa seule autorité. *Au premier chef :* au plus haut point. *Chef d'accusation :* point sur lequel porte une accusation.

chef-d'œuvre [ʃedœvR] *nm* Œuvre capitale, parfaite en son genre. *Des chefs-d'œuvre.*

chefferie *nf* Territoire dirigé par un chef coutumier.

chef-lieu *nm* Localité qui est le siège d'une division administrative. *Des chefs-lieux.*

cheftaine *nf* Dans le scoutisme, jeune fille chargée de la conduite d'un groupe.

cheik, cheikh ou **scheikh** *nm* Chef de tribu dans certains pays arabes.

chelem ou **schelem** [ʃlɛm] *nm* **1** Réalisation de toutes les levées (*grand chelem*) ou de toutes les levées moins une (*petit chelem*), par un seul joueur ou une seule équipe, à certains jeux de cartes (tarot, bridge). **2** Suite ininterrompue de victoires, dans une série de compétitions.

chemin *nm* **1** Voie par laquelle on peut aller d'un point à un autre, généralement à la campagne. **2** Itinéraire à emprunter. *Ne pas retrouver son chemin.* **3** Distance, trajet. *Choisir le plus court chemin.* **4** Ce qui mène à une fin. *Les chemins de la réussite.* Loc *Chemin de table :* napperon long et étroit.

chemin de fer *nm* **1** Moyen de transport qui utilise les voies ferrées. **2** Administration qui exploite ce moyen de transport. **3** Jeu de casino, variante du baccara. *Des chemins de fer.*

cheminée *nf* **1** Construction à l'intérieur d'une habitation, aménagée en foyer et dans laquelle on fait du feu. **2** L'extrémité du conduit d'évacuation de la fumée qui dépasse du toit ; ce conduit lui-même. **3** Tuyau servant à l'évacuation des fumées dans les machines et dans certains foyers industriels. **4** Étroite fente rocheuse verticale.

cheminement *nm* **1** Action de cheminer. **2** Évolution, progression d'une idée, d'un sentiment.

cheminer vi **1** Faire du chemin ; aller à pied. **2** Évoluer, progresser, en parlant d'une idée, d'un sentiment.

cheminot nm Employé de chemin de fer.

chemise nf **1** Vêtement surtout masculin de tissu léger qui couvre le torse. **2** Couverture en papier ou en carton, renfermant des documents divers. **3** TECH Enveloppe métallique d'une pièce, destinée à la protéger. Loc *Chemise de nuit :* long vêtement de nuit. Fam *Changer de qqch comme de chemise :* en changer très souvent. Fam *Se soucier de qqch comme de sa première chemise :* ne pas s'en soucier du tout.

chemiser vt Garnir d'un revêtement. *Chemiser les cylindres d'un moteur.*

chemiserie nf Fabrique, magasin de chemises.

chemisette nf Chemise d'homme légère à manches courtes.

chemisier, ère n **1** Qui confectionne ou vend des chemises. ■ nm Vêtement féminin analogue à la chemise d'homme.

chênaie nf Forêt plantée de chênes.

chenal, aux nm Passage étroit permettant la navigation entre des terres, des écueils.

chenapan nm Vaurien, garnement.

chêne nm Grand arbre forestier à feuilles lobées et à bois dur.

chéneau nm Conduit placé à la base d'un toit pour recueillir les eaux de pluie.

chêne-liège nm Variété de chêne qui fournit le liège. *Des chênes-lièges.*

chenet nm Support métallique sur lequel on place le bois, dans une cheminée.

chènevis nm Graine de chanvre que l'on donne à manger aux oiseaux.

chenil nm Lieu où on garde, où on élève des chiens.

chenille nf **1** Larve des papillons. **2** Bande métallique articulée, permettant aux véhicules automobiles de circuler sur tous terrains. **3** Cordon tors, de soie veloutée, utilisé en passementerie.

chénopodiacée [ke-] nf BOT Plante sans pétales, tel l'épinard et la betterave.

chenu, ue a Litt Que l'âge a rendu blanc.

cheptel nm Ensemble des troupeaux d'une propriété rurale, d'un pays. *Cheptel bovin.*

chèque nm Mandat de paiement servant au titulaire d'un compte à effectuer des retraits de fonds. Loc Fam *Chèque en bois :* sans provision. *Chèque en blanc :* signé sans indication de somme.

chéquier nm Carnet de chèques.

cher, chère a **1** Tendrement aimé, auquel on tient beaucoup. **2** S'emploie dans les formules par lesquelles on commence une lettre. *Cher Monsieur.* **3** Qui coûte un prix élevé. *La viande est chère.* **4** Qui vend à haut prix. *Un couturier cher.* ■ av À haut prix. *Acheter, payer cher.*

chercher vt **1** S'efforcer de trouver, de découvrir ou de retrouver. **2** Tâcher de se procurer. *Chercher un emploi.* **3** S'efforcer de trouver par la réflexion, par l'analyse. *Chercher la solution d'un problème.* **4** S'efforcer de, essayer de parvenir à. *Chercher à nuire.* **5** Quérir, aller prendre. *Va chercher le médecin.* **6** Pop Provoquer qqn.

chercheur, euse n **1** Qui cherche. **2** Qui s'adonne à des recherches scientifiques. ■ a Loc *Tête chercheuse :* dispositif dirigeant automatiquement un missile vers l'objectif.

chère nf Litt Nourriture de qualité.

chèrement av Au prix de lourds sacrifices. *Un succès chèrement acquis.*

chéri, ie a, n Que l'on chérit.

chérifien, enne a Du Maroc.

chérir vt **1** Aimer tendrement. **2** Être très attaché à. *Chérir la liberté.*

cherry nm Liqueur de cerise.

cherté nf Prix élevé.

chérubin nm **1** Ange tutélaire des lieux sacrés. **2** Enfant beau et doux.

chester [-tɛʀ] nm Fromage de vache anglais à pâte dure.

chétif, ive a Faible, maigre et maladif.

chevaine. V. chevesne.

cheval, aux nm **1** Animal domestique utilisé comme monture ou comme bête de trait. **2** Équitation. *Faire du cheval.* **3** Syn de cheval-vapeur. Loc *À cheval :* monté sur un cheval ; à califourchon ; à la fois sur deux domaines, deux périodes ; très strict. Fam *Monter sur ses*

grands chevaux : s'emporter. *Cheval de bois :* manège de fête foraine. *Chevaux de frise :* obstacles mobiles garnis de pieux ou de barbelés. *Cheval d'arçons :* appareil qui sert pour les exercices de gymnastique.

chevaleresque *a* Digne d'un chevalier ; noble, généreux.

chevalerie *nf* HIST Institution militaire féodale propre à la noblesse ; ensemble des chevaliers. **Loc** *Ordre de chevalerie :* distinction honorifique instituée par un État (ex. : Légion d'honneur).

chevalet *nm* **1** Support en bois, sur pieds, que les peintres utilisent pour poser leur toile. **2** Pièce de bois qui soutient les cordes tendues de certains instruments de musique.

chevalier *nm* **1** Qui appartient à l'ordre de la chevalerie. **2** Titulaire du grade le plus bas d'un décoration, d'un ordre de chevalerie. **3** Oiseau échassier à long bec.

chevalière *nf* Bague large et épaisse ornée d'un chaton gravé.

chevalin, ine *a* Du cheval. *Races chevalines.*

cheval-vapeur *nm* **1** Unité de puissance valant 736 watts. **2** Unité prise en compte pour taxer les automobiles en fonction de leur puissance fiscale (abrév : CV). *Des chevaux-vapeurs.*

chevauchée *nf* Course, promenade à cheval.

chevauchement *nm* Disposition de pièces, d'objets qui se chevauchent.

chevaucher *vi* Litt Aller à cheval. ■ *vt* **1** Être à cheval sur. *Chevaucher une mule.* **2** Empiéter sur, recouvrir partiellement. *Poutre qui chevauche un mur.*

chevêche *nf* Chouette de petite taille.

chevelu, ue *a, n* Dont les cheveux sont longs et fournis.

chevelure *nf* **1** Ensemble des cheveux d'une personne. **2** Queue d'une comète.

chevesne, chevaine ou **chevenne** *nm* Poisson d'eau douce, très vorace.

chevet *nm* **1** Tête du lit. **2** Partie semi-circulaire qui constitue l'extrémité du chœur d'une église.

cheveu *nm* Poil du crâne, dans l'espèce humaine.

cheville *nf* **1** Petite pièce de bois, de métal ou de matière plastique, servant à réaliser un assemblage, à boucher un trou, etc. **2** Mot ou groupe de mots inutile quant au sens, servant de remplissage dans un vers. **3** Articulation de la jambe et du pied. **Loc** *Cheville ouvrière :* agent principal, indispensable, dans une affaire.

cheviller *vt* Assembler avec des chevilles.

cheviotte *nf* Laine d'Écosse.

chèvre *nf* Mammifère ruminant à cornes recourbées en arrière, élevé pour son lait et son poil ; la seule femelle, par oppos. au *bouc.* ■ *nm* Fromage au lait de chèvre.

chevreau *nm* **1** Petit de la chèvre, cabri. **2** Le cuir de cet animal.

chèvrefeuille *nm* Liane aux fleurs odorantes, très répandue en France.

chevrette *nf* **1** Petite chèvre. **2** Femelle du chevreuil.

chevreuil *nm* Cervidé européen au pelage brun-roux l'hiver, plus gris en été.

chevrier, ère *n* Qui mène, qui garde les chèvres. ■ *nm* Haricot à grains verts.

chevron *nm* **1** Pièce de bois équarrie qui supporte les lattes d'une toiture. **2** Galon en forme de V renversé, insigne de grade militaire subalterne, ou d'ancienneté. **3** Motif décoratif en forme de V.

chevronné, ée *a* Ancien et compétent dans une activité. *Pilote chevronné.*

chevroter *vi* Parler ou chanter d'une voix tremblotante.

chevrotine *nf* Plomb de chasse de fort calibre pour le gros gibier.

chewing-gum [ʃwiŋɡɔm] *nm* Gomme à mâcher. *Des chewing-gums.*

chez *prép* **1** Dans la maison de. **2** Dans tel groupe de gens, d'animaux. *Chez les Anglais, chez les mammifères.* **3** En, dans la personne de, dans l'œuvre de. *C'est sa manie chez lui.*

chez-soi *nm inv* Domicile, lieu où l'on habite.

chiader *vi* Pop Étudier à fond.

chialer *vi* Pop Pleurer.

chiant, ante *a* Pop Très ennuyeux.

chianti

chianti [kjɑ̃ti] *nm* Vin rouge d'Italie (Toscane).

chiasme [kjasm] *nm* RHET Figure disposant en sens inverse les mots de deux propositions (ex. : *riche en qualités, de défauts exempt*).

chiasse *nf* Pop Diarrhée.

chic *nm* **1** Habileté, savoir-faire. *Il a le chic pour esquiver les réponses difficiles.* **2** Ce qui est élégant, de bon goût. ■ *a inv* **1** Élégant, distingué. *Un dîner très chic.* **2** Amical et serviable. ■ *interj* Exprime la joie.

chicagoan, ane a, n De Chicago.

chicane *nf* **1** Querelle sans fondement, tracasserie déplacée. **2** Passage en zigzag installé sur une route.

chicaner *vi* Contester sans fondement et avec malveillance. ■ *vt* Critiquer, contredire qqn sur des vétilles.

1. chiche a Parcimonieux, avare.

2. chiche *am* Loc *Pois chiche :* plante fournissant des graines ressemblant à de gros pois.

3. chiche *interj* Fam Marque le défi. ■ *a* Loc Fam *Tu n'es pas chiche de le faire ! :* tu n'en es pas capable !

chiche-kebab *nm* Brochette de mouton préparée à l'orientale.

chichement *av* Avec parcimonie.

chichi *nm* Fam Comportement maniéré.

chicorée *nf* **1** Nom de diverses variétés de salade. **2** Poudre de racines torréfiées de chicorée que l'on mélange au café.

chicot *nm* **1** Reste dressé du tronc d'un arbre brisé ou coupé. **2** Reste d'une dent cariée ou cassée.

chien, chienne *n* Quadrupède domestique de la famille des canidés. ■ *nm* Pièce d'une arme à feu portative, qui assure la percussion.

chiendent *nm* Herbe envahissante et difficile à détruire.

chienlit *nf* Fam Agitation, désordre, pagaille.

chien-loup *nm* Chien de berger qui ressemble au loup. *Des chiens-loups.*

chier *vi* Pop Déféquer. Loc Pop *Faire chier qqn :* l'ennuyer.

chiffe *nf* Personne sans énergie.

chiffon *nm* Morceau de vieux tissu.

chiffonner *vt* **1** Froisser. *Chiffonner sa robe.* **2** Fam Contrarier, chagriner.

chiffonnier, ère *n* Qui ramasse les chiffons, les vieux papiers, la ferraille. ■ *nm* Petit meuble à tiroirs, haut et étroit.

chiffrable *a* Qu'on peut évaluer.

chiffrage *nm* Action de chiffrer.

chiffre *nm* **1** Caractère dont on se sert pour représenter les nombres. *Chiffres romains. Chiffres arabes.* **2** Somme totale. *Le chiffre des dépenses.* **3** Code utilisé pour la transmission de messages secrets. **4** Initiales du nom de qqn artistiquement disposées. Loc *Chiffre d'affaires :* montant total des ventes effectuées au cours d'une seule année.

chiffrer *vt* **1** Évaluer, fixer le montant de. **2** Numéroter. **3** Traduire en signes cryptographiques. ■ *vi* Fam Atteindre un coût élevé.

chignole *nf* **1** Perceuse mécanique. **2** Fam Mauvaise voiture.

chignon *nm* Masse de cheveux roulés au-dessus de la nuque.

chihuahua *nm* Petit chien d'origine mexicaine.

chiisme *nm* Courant musulman né du schisme provoqué par l'assassinat d'Ali, gendre de Mahomet.

chiite *a, n* Qui se réclame du chiisme.

chilien, enne *a, n* Du Chili.

chimère *nf* **1** Monstre fabuleux à tête de lion, corps de chèvre et queue de dragon. **2** Imagination vaine, illusion, projet sans consistance. **3** BIOL Organisme constitué de cellules ayant des origines génétiques différentes.

chimérique *a* **1** Qui se complaît dans des chimères. *Esprit chimérique.* **2** Qui a un caractère illusoire. *Projets chimériques.*

chimie *nf* Science des caractéristiques et des propriétés des corps, de leurs actions mutuelles et des transformations qu'ils peuvent subir.

chimiorésistance *nf* MED Résistance à la chimiothérapie d'un microorganisme ou d'une tumeur.

chimiosynthèse *nf* BIOL Synthèse organique réalisée par certaines bactéries.

chimiothérapie nf Traitement des maladies par des substances chimiques.

chimique a De la chimie.

chimiste n Spécialiste de chimie.

chimpanzé nm Singe anthropoïde d'Afrique.

chinchard nm Poisson marin, proche du maquereau.

chinchilla [-la] nm 1 Petit rongeur des Andes. 2 Fourrure de cet animal.

chiné, ée a Dont le fil est de plusieurs couleurs. *Laine chinée*. ■ nm Tissu moucheté.

chiner vi Rechercher des objets d'occasion, des curiosités, soit en amateur, soit pour en faire commerce. ■ vt Fam Se moquer de qqn sans malveillance.

chineur, euse n Qui aime chiner.

chinois, oise a, n 1 De la Chine. 2 Fam Formaliste, minutieux à l'excès. ■ nm 1 Langue parlée en Chine. 2 Passoire à grille très fine, utilisée en cuisine.

chinoiserie nf 1 Meuble, bibelot venant de Chine, ou de style chinois. 2 Fam Complication, chicane mesquine.

chiot nm Très jeune chien.

chiottes nfpl Pop Cabinets d'aisances.

chiourme nf HIST Ensemble des forçats.

chiper vt Fam Dérober un objet sans valeur.

chipie nf Fam Jeune fille ou femme capricieuse, acariâtre ou malveillante.

chipolata nf Saucisse de porc mince et longue.

chipoter vi Fam 1 Manger peu et sans appétit. 2 Contester pour des vétilles.

chips nfpl Rondelle de pomme de terre frite très mince.

chique nf Tabac que l'on mâche.

chiqué nm Fam Feinte, simulation. Loc *Faire du chiqué* : faire des manières.

chiquenaude nf Petit coup donné par la détente brusque d'un doigt. Syn. pichenette.

chiquer vt, vi Mâcher du tabac.

chiromancie [-ki-] nf Divination d'après les lignes de la main.

chiromancien, enne [-ki-] n Qui pratique la chiromancie.

chiropracteur [-ki-] nm Qui pratique la chiropraxie.

chiropraxie ou **chiropractie** [-ki-] nf Traitement des douleurs par manipulation de la colonne vertébrale.

chiroptère [-ki-] nm ZOOL Syn de *chauve-souris*.

chirurgical, ale, aux a De la chirurgie. *Intervention chirurgicale*.

chirurgie nf Pratique médicale nécessitant des incisions dans la chair.

chirurgien, enne n Spécialiste de la chirurgie.

chirurgien-dentiste nm Praticien diplômé qui soigne les dents. *Des chirurgiens-dentistes*.

chistéra nm Gouttière d'osier recourbée, que l'on fixe solidement au poignet pour jouer à la pelote basque.

chitine [-ki-] nf ZOOL Substance qui constitue les téguments des arthropodes.

chiure nf Excrément de mouche.

chlamydia [kla-] nf Bactérie responsable de diverses infections transmissibles.

chlorate nm Sel des acides dérivés du chlore.

chlore [klɔR] nm Gaz à l'odeur suffocante.

chloré, ée a Qui renferme du chlore.

chlorhydrique a Loc *Acide chlorhydrique* : gaz constitué de chlore et d'hydrogène, qui attaque les métaux.

chlorofluorocarbone nm Composé dont la présence dans certains aérosols est jugée nocive pour l'atmosphère. Syn. C.F.C.

chloroforme [klɔ-] nm Composé utilisé autrefois comme anesthésique général.

chlorophylle nf Pigment végétal vert qui confère aux végétaux la fonction d'assimilation du carbone.

chloroplaste nm BOT Élément cellulaire contenant la chlorophylle.

chloroquine nf Médicament antipaludéen.

chlorose [klɔRoz] nf Maladie des plantes, caractérisée par la décoloration des feuilles.

chlorure nm Sel ou ester de l'acide chlorhydrique et de dérivés du chlore.

134

choc nm **1** Heurt d'un corps contre un autre. **2** Conflit, opposition. **3** Émotion violente causée par un événement brutal. ■ a Qui surprend, étonne. *Des prix chocs.*

chochotte nf Fam Femme maniérée.

chocolat nm **1** Substance comestible à base de cacao et de sucre. **2** Bonbon de chocolat. **3** Boisson au chocolat. ■ a inv De couleur brun foncé.

chocolaté, ée a Contenant du chocolat.

chocolaterie nf Fabrique de chocolat.

chocolatier, ère n Qui fait, qui vend du chocolat. ■ nf Récipient, à couvercle et bec verseur, pour servir le chocolat.

chocottes nfpl Loc Pop Avoir les chocottes : avoir peur.

chœur [kœʀ] nm **1** Groupe de chanteurs qui exécutent une musique. **2** Morceau de musique interprété par ce groupe. **3** Réunion de personnes qui expriment la même chose. *Le chœur des créanciers.* **4** Partie de l'église où se trouve le maître-autel. Loc **En chœur** : tous ensemble, d'un commun accord. **Enfant de chœur** : enfant qui assiste le prêtre pendant la messe ; personne très naïve.

choir vi 50 (surtout à l'inf et pp) Litt Tomber.

choisi, ie a Recherché, raffiné, de première qualité. *S'exprimer en termes choisis.*

choisir vt Adopter selon une préférence.

choix nm **1** Action de choisir. **2** Pouvoir, faculté, liberté de choisir. **3** Ensemble de choses choisies ou données à choisir.

cholédoque [kɔ-] a Loc **Canal cholédoque** : canal par lequel s'écoule la bile.

choléra [kɔ-] nm Infection intestinale aiguë, très contagieuse.

cholestérol [kɔ-] nm Substance présente dans le corps humain et dont l'excès est nocif.

cholestérolémie [kɔ-] nf MED Présence de cholestérol dans le sang.

chômage nm État d'une personne privée d'emploi, d'une entreprise interrompant son activité.

chômé, ée a Se dit d'un jour où l'on ne travaille pas et qui est payé.

chômer vi **1** Cesser de travailler les jours fériés. **2** Être privé d'emploi.

chômeur, euse n Personne privée d'emploi.

chope nf Verre à bière muni d'une anse.

choper vt Fam Prendre, attraper, voler.

chopine nf Fam Bouteille de vin.

chopsuey nm Plat chinois de légumes et de viande émincés et sautés.

choquer vt **1** Donner un choc à, heurter. **2** Heurter moralement, offenser, offusquer.

choral, ale, als [kɔ-] a Relatif à un chœur. *Chant choral.* ■ nm **1** Chant liturgique protestant. **2** Composition musicale pour clavecin ou orgue. ■ nf Groupe de chanteurs.

chorège [kɔ-] nm ANTIQ Citoyen qui, à Athènes, assumait les frais d'une représentation théâtrale.

chorégraphe [kɔ-] n Qui compose et règle les ballets.

chorégraphie [kɔ-] nf **1** Art de composer, de régler des ballets. **2** Ensemble des figures de danse qui composent un ballet.

choriste [kɔ-] n Qui chante dans un chœur, dans une chorale.

chorizo nm Saucisson plus ou moins pimenté.

chorus [kɔ-] nm Loc **Faire chorus** : répéter en chœur ; joindre son approbation aux autres.

chose nf Tout objet concret, toute représentation abstraite. ■ pl Ce qui existe, se fait, a lieu. *Laissez les choses suivre leurs cours.* ■ a inv Fam Souffrant, fatigué. *Je me sens toute chose.*

chott nm Lac temporaire salé, en Afrique du Nord.

1. chou nm **1** Légume qui comprend de nombreuses variétés. **2** Pâtisserie soufflée. *Des choux.*

2. chou, choute n Fam Mot de tendresse. *Mon chou.* ■ a inv Fam Gentil, mignon.

chouan nm Insurgé royaliste de l'ouest de la France, sous la Révolution.

choucas nm Oiseau voisin du corbeau.

chouchou, oute n Fam Préféré, favori.

chouchouter vt Fam Traiter en favori, dorloter.

choucroute nf 1 Chou haché et fermenté dans la saumure. 2 Ce chou, cuit et accompagné de charcuterie et de pommes de terre.

1. chouette nf Oiseau rapace nocturne sans aigrette.

2. chouette a Fam Beau, agréable. ■ interj Marque la satisfaction.

chou-fleur nm Chou dont on consomme les inflorescences blanches. Des choux-fleurs.

chouia nm Loc Pop Un chouia : un petit peu.

chou-rave nm Crucifère dont les racines sont comestibles. Des choux-raves.

chow-chow [ʃoʃo] nm Chien chinois à long poil. Des chows-chows.

choyer vt 22 Soigner avec tendresse, entourer de prévenances.

chrême nm Huile consacrée, servant à certaines onctions sacramentelles.

chrétien, enne a, n Qui est baptisé et, à ce titre, disciple du Christ. ■ a Relatif au christianisme. Église chrétienne.

chrétienté nf Ensemble des chrétiens ou des pays chrétiens.

christ nm Représentation de Jésus crucifié.

christianiser vt Rendre chrétien, convertir à la foi chrétienne.

christianisme nm Religion fondée sur l'enseignement de Jésus-Christ.

christique a Du Christ.

chromatique a 1 Qui se rapporte aux couleurs. 2 MUS Qui procède par demi-tons consécutifs ascendants ou descendants.

chromatisme nm Ensemble de couleurs.

chromatographie nf CHIM Méthode d'analyse de substances en solution ou en suspension dans un liquide.

chrome nm Métal blanc, composant des aciers inoxydables.

chromer vt Recouvrir de chrome.

chromolithographie nf Impression lithographique en couleurs ; image ainsi obtenue.

chromosome nm BIOL Chacun des bâtonnets apparaissant dans le noyau de la cellule.

chroniciser (se) vpr MED Devenir chronique.

chronicité nf Caractère chronique.

1. chronique nf 1 Recueil de faits historiques rédigés suivant l'ordre chronologique. 2 Ensemble de rumeurs qui circulent. 3 Article périodique dans un journal.

2. chronique a Se dit d'une maladie, d'un mal qui dure longtemps.

chroniqueur nm Auteur de chroniques.

chrono nm Fam Abrév de chronomètre.

chronologie nf 1 Science de l'ordre des périodes et des dates. 2 Liste d'événements par ordre de dates.

chronologique a De la chronologie.

chronologiquement av Par ordre chronologique.

chronomètre nm Instrument de précision destiné à mesurer le temps en minutes, secondes, fractions de seconde.

chronométrer vt 12 Mesurer à l'aide d'un chronomètre. Chronométrer une course.

chrysalide nf ZOOL État transitoire entre la chenille et le papillon.

chrysanthème nm Plante dont on cultive diverses variétés ornementales.

C.H.S. nm Sigle de centre hospitalier spécialisé, nom officiel de l'hôpital psychiatrique.

C.H.U. nm Sigle de centre hospitalo-universitaire.

chuchotement nm Action de chuchoter ; le bruit qui en résulte.

chuchoter vi Parler bas en remuant à peine les lèvres. ■ vt Dire à voix basse.

chuintement nm Action de chuinter ; bruit de ce qui chuinte.

chuinter vi 1 Pousser son cri, en parlant de la chouette. 2 Prononcer les [s] et [z] comme [ʃ] et [ʒ]. 3 Produire un son qui ressemble au son [ʃ]. Un gaz qui chuinte en s'échappant.

chut ! interj Silence ! Taisez-vous !

chute nf 1 Action de tomber ; mouvement de ce qui tombe. 2 Masse d'eau qui se précipite d'une certaine hauteur. 3 Action de s'écrouler, de s'effondrer. La chute d'un empire. 4 Litt Pensée, formule brillante qui termine un texte. 5 Déchet, reste inutilisé d'une matériau que l'on a découpé. **Loc** *La chute des reins* : le bas du dos. *La chute d'un toit* : sa pente. *Point de chute* : lieu d'arrivée.

chuter *vi* Tomber ; baisser brusquement.

chutney [t∫ɛtnɛ] *nm* Condiment fait de légumes cuits avec du vinaigre et des épices.

chypriote ou **cypriote** *a, n* De Chypre.

ci *av* 1 (avec un participe) Dans cette lettre. *Ci-joint la facture. Ci-joint la facture. Ci-inclus la facture. Les observations ci-incluses.* 2 Avec un démonstratif, exprime la proximité. *Ce livre-ci. Celui-ci.* **Loc** *Ci-après* : plus loin. *Ci-contre* : tout à côté. *Ci-dessus* : plus haut, supra. *Ci-dessous* : plus bas, infra. *De-ci, de-là, par-ci, par-là* : de côté et d'autre, en divers endroits. *Comme ci, comme ça* : moyennement, tant bien que mal.

cible *nf* 1 Disque, panneau qui sert de but pour le tir. 2 Personne visée ; but qu'on cherche à atteindre.

cibler *vt* Définir la cible, le but.

ciboire *nm* RELIG Vase où l'on conserve les hosties consacrées.

ciboule *nf* Plante voisine de l'oignon, utilisée comme condiment.

ciboulette *nf* Plante proche de la ciboule, utilisée comme condiment.

ciboulot *nm* Pop Tête.

cicatrice *nf* 1 Trace laissée par une plaie après guérison. 2 Trace laissée par une blessure morale.

cicatrisable *a* Qui peut se cicatriser.

cicatrisation *nf* Guérison d'une plaie.

cicatriser *vt* 1 Guérir une plaie. 2 Adoucir, calmer. ■ *vi, vpr* Se refermer, guérir. *La plaie a cicatrisé, s'est cicatrisée.*

cicérone *nm* Guide qui fait visiter une ville.

cicindèle *nf* Coléoptère à élytres verts.

ci-contre, ci-dessous, ci-dessus.
V. ci.

ci-devant *a inv* Nom donné aux nobles pendant la Révolution française.

cidre *nm* Boisson alcoolique obtenue par fermentation du jus de pomme.

cidrerie *nf* Établissement où l'on fait du cidre.

ciel *nm* 1 (pl *cieux*) Partie de l'espace que nous voyons au-dessus de nos têtes. 2 (pl *ciels*) Aspect de l'air, de l'atmosphère selon le temps qu'il fait. *Ciel clair, nuageux.* 3 (pl *cieux*) Le séjour de Dieu et des bienheureux, le paradis. 4 (pl *cieux*) La divinité, la providence. *Grâce au ciel, j'ai réussi.* **Loc** *Ciel de lit* : partie supérieure d'un baldaquin. *À ciel ouvert* : à l'air libre. *Être au septième ciel* : dans un état de ravissement. ■ *interj* Marque la stupéfaction, la douleur. *Ciel ! mes bijoux.*

cierge *nm* Longue bougie de cire à l'usage des églises.

cigale *nf* Insecte du Midi qui produit un bruit strident.

cigare *nm* Rouleau de tabac à fumer formé de feuilles non hachées.

cigarette *nf* Petit rouleau de tabac haché, enveloppé dans du papier.

cigarillo [-ʀijo] *nm* Petit cigare.

ci-gît *av* Ici est enterré (formule d'épitaphe).

cigogne *nf* Grand oiseau échassier migrateur.

ciguë *nf* Plante vénéneuse.

ci-joint, ci-jointe. V. ci.

cil *nm* Poil du bord des paupières.

cilice *nm* RELIG Chemise de crin portée sur la peau, par mortification.

ciller *vt* Fermer et ouvrir rapidement les yeux.

cimaise *nf* Dans une galerie de peinture, partie d'un mur destinée à recevoir des tableaux.

cime *nf* Sommet, faîte.

ciment *nm* 1 Poudre formant avec l'eau et le sable une pâte qui se solidifie et sert dans le bâtiment. 2 Ce qui lie ou rapproche.

cimenter *vt* 1 Lier, enduire avec du ciment. 2 Confirmer, affermir. *Cimenter une amitié.*

cimenterie *nf* Fabrique de ciment.

cimeterre *nm* Sabre oriental à lame large recourbée.

cimetière *nm* Terrain où l'on enterre les morts.

cinabre *nm* 1 Sulfure rouge de mercure. 2 Couleur rouge vermillon.

ciné *nm* Fam Cinéma.

cinéaste *n* Metteur en scène de cinéma

ciné-club [-klœb] nm Association d'amateurs de cinéma. Des ciné-clubs.

cinéma nm 1 Procédé d'enregistrement et de projection de vues photographiques animées. 2 L'art de réaliser des films. 3 Salle de spectacle où l'on projette des films. 4 Fam Façon d'agir pleine d'affectation, comédie.

cinémascope nm (n déposé) Procédé cinématographique qui donne une vue panoramique avec effet de profondeur.

cinémathèque nf Endroit où l'on conserve les films de cinéma.

cinématique nf PHYS Partie de la mécanique qui étudie le mouvement.

cinématographe nm Anc Appareil d'enregistrement et de projection des vues animées.

cinématographique a Du cinéma.

cinéphile n Amateur de cinéma.

cinéraire a Loc Urne cinéraire : qui renferme les cendres d'un mort incinéré. ■ nf Plante ornementale à feuilles gris cendré.

cinétique a PHYS Relatif au mouvement. ■ nf Partie de la physique qui étudie le mouvement.

cinghalais nm Langue officielle du Sri Lanka.

cinglé, ée a, n Fam Un peu fou.

cingler vi Litt Naviguer rapidement vers. ■ vt 1 Frapper avec un objet flexible. 2 Fouetter, en parlant du vent, de la pluie. 3 Critiquer qqn d'une façon mordante.

cinoche nm Fam Cinéma.

cinq a num 1 Quatre plus un (5). 2 Cinquième. Loc Fam Recevoir qqn cinq sur cinq : parfaitement. ■ nm inv Chiffre, nombre cinq.

cinquantaine nf 1 Nombre de cinquante ou environ. 2 Âge de cinquante ans.

cinquante a num 1 Cinq fois dix (50). 2 Cinquantième. Chapitre cinquante. ■ nm inv Le nombre cinquante.

cinquantenaire n Cinquantième anniversaire.

cinquantième a num Au rang, au degré cinquante. ■ a, nm Contenu cinquante fois dans le tout.

cinquième a num Au rang, au degré cinq. ■ a, nm Contenu cinq fois dans le tout. ■ nf Deuxième année de l'enseignement secondaire.

cinquièmement av En cinquième lieu.

cintrage nm Action de cintrer.

cintre nm 1 Support pour les vêtements, qui a une forme incurvée. 2 Courbure concave et continue d'une voûte ou d'un arc. Loc Arc plein cintre : qui a la forme d'un demi-cercle régulier. ■ pl Espace situé au-dessus de la scène d'un théâtre.

cintrer vt 1 Courber en arc. 2 Resserrer un vêtement à la taille.

cirage nm 1 Action de cirer. 2 Produit que l'on applique sur les cuirs pour les rendre brillants.

circadien, enne a Se dit du rythme biologique de 24 heures.

circaète nm Oiseau proche de l'aigle.

circoncire vt 79 Pratiquer la circoncision.

circoncis am, nm Qui a subi la circoncision.

circoncision nf Excision du prépuce.

circonférence nf 1 Ligne courbe enfermant une surface plane. 2 Pourtour d'un cercle.

circonflexe a Loc Accent circonflexe : placé sur certaines voyelles (ex. : âme, être, île).

circonlocution nf Litt Façon détournée d'exprimer la pensée.

circonscription nf Division d'un territoire (administrative, militaire, etc.).

circonscrire vt 61 1 Tracer une ligne autour de qqch. 2 Retenir dans des limites.

circonspect, ecte [-pε, -pεkt] a Qui se tient dans une prudente réserve.

circonspection nf Prudence, retenue, discrétion. Agir avec circonspection.

circonstance nf 1 Ce qui accompagne un fait, un événement. 2 Ce qui caractérise la situation présente.

circonstancié, ée a Détaillé.

circonstanciel, elle a Qui dépend des circonstances. Loc GRAM Complément circonstanciel : qui marque les circonstances.

circonvenir vt 35 Tenter de manœuvrer qqn pour obtenir qqch.

circonvolution nf Tour décrit autour d'un centre.

circuit nm 1 Itinéraire qui oblige à des détours. 2 Itinéraire touristique ou sportif ramenant au point de départ. 3 Cheminement effectué par des produits, des services ; réseau. *Circuit économique.* 4 Ensemble de conducteurs électriques ou électroniques reliés entre eux.

circulaire a 1 Qui a la forme d'un cercle, qui décrit un cercle. 2 Qui ramène au point de départ. *Voyage circulaire.* ■ nf Lettre en plusieurs exemplaires destinée à plusieurs personnes.

circularité nf Caractère circulaire.

circulation nf 1 Mouvement de ce qui circule. 2 Mouvement de personnes, de véhicules.

circuler vi 1 Se mouvoir dans un circuit. *Le sang circule dans l'organisme.* 2 Aller et venir. *Les automobiles circulent.* 3 Passer de main en main. *La monnaie circule.* 4 Se propager, se répandre. *Un bruit circule.*

circumpolaire a Autour du pôle.

cire nf 1 Matière avec laquelle les abeilles construisent les alvéoles de leurs ruches. 2 Substance analogue produite par certains végétaux. 3 Produit à base de cire pour divers usages. *Cire à cacheter. Cire à parquet.*

ciré, ée a Enduit de cire, de stéarine, etc. Loc *Toile cirée :* enduite d'une préparation qui la rend imperméable. ■ nm Vêtement de mer imperméable.

cirer vt Enduire ou frotter de cire ou de cirage.

cireur, euse n Personne qui cire. ■ nf Appareil pour cirer les parquets.

cireux, euse a Qui a la couleur jaune pâle de la cire.

cirque nm 1 Lieu destiné chez les Romains à la célébration de certains jeux. 2 Enceinte circulaire, où l'on donne en spectacle des exercices d'adresse, des numéros de clowns, etc. 3 Dépression en cuvette circonscrite par des montagnes. 4 Fam Agitation, désordre.

cirrhose nf Grave maladie du foie.

cirrus [-rys] nm Nuage en filaments.

cisaille nf Gros ciseaux pour couper des tôles, tailler des arbustes, etc.

cisailler vt Couper avec des cisailles.

cisalpin, ine a En deçà des Alpes (vu d'Italie).

ciseau nm Outil plat, taillé en biseau servant à travailler le bois, le métal, la pierre, etc. ■ pl Instrument formé de deux branches mobiles articulées, tranchantes en dedans.

ciseler vt 16 Travailler, tailler, orner avec un ciseau.

ciselure nf Ornement ciselé.

ciste nm Plante méditerranéenne à fleurs blanches.

cistercien, enne a, n De l'ordre de Cîteaux.

cistude nf Tortue d'eau douce.

citadelle nf 1 Forteresse protégeant une ville. 2 Centre important de qqch.

citadin, ine n Habitant d'une ville. ■ a De la ville. *Vie citadine.*

citation nf 1 DR Sommation de comparaître devant une juridiction. 2 Passage cité d'un propos, d'un écrit. 3 Récompense spéciale pour une action d'éclat.

cité nf 1 Centre urbain, ville. 2 Partie la plus ancienne d'une ville. 3 Groupe de logements. Loc Loc *Avoir droit de cité :* être admis.

cité-dortoir nf Agglomération surtout résidentielle. *Des cités-dortoirs.*

citer vt 1 DR Appeler à comparaître en justice. 2 Rapporter, alléguer, à l'appui de ce qu'on dit. 3 Nommer, désigner, mentionner. 4 Décerner une citation à.

citerne nf 1 Réservoir d'eau pluviale. 2 Réservoir destiné au stockage d'un liquide. *Citerne à mazout.*

cithare nf Instrument de musique à cordes pincées.

citoyen, enne n Ressortissant d'un État.

citoyenneté nf Qualité de citoyen.

citrique am Loc *Acide citrique :* acide existant dans les fruits tels que le citron.

citron nm Fruit du citronnier, jaune pâle de saveur acide. ■ a inv De couleur jaune pâle.

citronnade nf Boisson préparée avec du jus ou du sirop de citron.

citronnelle nf Plante exhalant une odeur de citron.

citronnier nm Arbre qui produit les citrons.

citrouille nf 1 Grosse courge. 2 Syn de potiron.

civelle nf Jeune anguille.

civet nm Ragoût de gibier au vin rouge.

civette nf 1 Ciboulette. 2 Petit mammifère carnivore au corps allongé.

civière nf Toile tendue entre deux barres pour transporter les blessés.

civil, ile a 1 Relatif à l'État, aux citoyens, aux rapports entre les citoyens. 2 Litt Qui observe les convenances, poli. ■ a, nm Qui n'est ni militaire, ni religieux. ■ nm 1 La vie civile (par oppos. à la vie militaire). 2 DR Juridiction civile (par oppos. aux juridictions criminelle, pénale). Loc En civil : sans uniforme.

civilement av 1 Sans cérémonie religieuse. 2 Litt Avec politesse. Répondre civilement. 3 DR Au civil. Être civilement responsable.

civilisateur, trice a, n Qui civilise.

civilisation nf 1 Action de civiliser ; état de ce qui est civilisé. 2 Ensemble des phénomènes sociaux, religieux, intellectuels, artistiques, scientifiques et techniques propres à un peuple.

civiliser vt Améliorer l'état intellectuel, moral, matériel d'un pays, d'un peuple.

civilité nf Politesse, courtoisie. ■ pl Témoignages de politesse.

civique a Du citoyen. Devoir civique.

civisme nm Dévouement de l'individu pour la collectivité.

cladistique nf SC NAT Étude des parentés entre espèces vivantes.

clafoutis nm Pâtisserie faite d'une pâte à flan contenant des cerises.

claie nf 1 Ouvrage d'osier, de bois léger, à claire-voie. 2 Treillage servant de clôture.

clair, claire a 1 Lumineux. Une flamme claire. Une pièce claire. 2 Transparent. Eau claire. 3 Peu foncé ; peu consistant. 4 Net et distinct (sons). Une voix claire. 5 Facile à comprendre. Une démonstration claire. ■ nm

Loc Clair de lune : clarté de la lune. Le plus clair de : la plus grande partie de. ■ av Loc Voir clair : distinctement ; être clairvoyant.

claire nf 1 Bassin à huîtres clair peu profond. 2 Huître de claire.

clairement av De façon claire.

clairet, ette a Peu coloré, peu épais. Soupe clairette. ■ nf Cépage blanc du Midi.

claire-voie (à) av Qui présente des espaces entre ses éléments. Persiennes à claire-voie.

clairière nf Partie dégarnie d'arbres dans un bois, une forêt.

clair-obscur nm 1 Combinaison de lumière et d'ombre dans un tableau. 2 Lumière faible, douce. Des clairs-obscurs.

clairon nm 1 Instrument à vent en cuivre à son clair. 2 Qui joue du clairon.

claironner vt Annoncer bruyamment.

clairsemé, ée a Peu dense.

clairvoyance nf Pénétration d'esprit, lucidité, perspicacité.

clairvoyant, ante a Qui est lucide, qui a un jugement perspicace.

clam nm Mollusque marin comestible.

clamer vt Manifester par des cris.

clameur nf Ensemble de cris tumultueux et confus.

clamp nm Instrument de chirurgie servant à pincer un vaisseau ou un canal.

clamser vi [aux avoir ou être] Pop Mourir.

clan nm 1 Groupe d'individus issus d'un ancêtre commun. 2 Groupe fermé de personnes se soutenant mutuellement.

clandestin, ine a Qui se fait en cachette. ■ a, n Qui vit en marge, en situation illégale.

clandestinement av De façon clandestine.

clandestinité nf 1 Caractère clandestin. 2 État de clandestin.

clapet nm 1 Soupape qui ne laisse passer un fluide que dans un sens. 2 Pop Bouche, langue.

clapier nm Cage à lapins.

clapotement ou **clapotis** nm Bruit des vagues qui s'entrechoquent.

clapoter vi Produire un clapotement.

claquage nm Rupture de fibres musculaires lors d'un violent effort.

claque nf Coup du plat de la main, gifle. **Loc** Pop *En avoir sa claque* : en avoir assez.

claquement nm Bruit de choses qui claquent.

claquemurer vt Renfermer dans un endroit étroit.

claquer vi 1 Produire un bruit sec et net. 2 Éclater. 3 Pop Mourir. ■ vt 1 Gifler. 2 Faire claquer. *Claquer les portes.* 3 Pop Dépenser, dissiper. 4 Fam Fatiguer, épuiser. ■ vpr **Loc** *Se claquer un muscle* : se faire un claquage.

claquette nf Instrument produisant un claquement. ■ pl Danse rythmée par des coups secs donnés avec les pieds.

clarification nf Action de clarifier.

clarifier vt Rendre clair. ■ vpr Devenir clair.

clarinette nf Instrument à vent, à clés et à anche.

clarinettiste n Joueur de clarinette.

clarté nf 1 Lumière largement répandue. 2 Transparence. 3 Qualité de ce qui est clair. ■ pl Connaissances, aperçus.

clash [klaʃ] nm Fam Heurt brutal, rupture.

classe nf 1 Ensemble des personnes appartenant à un même groupe social. 2 SC NAT Unité systématique contenue dans l'embranchement et subdivisée en ordres. 3 Catégorie hiérarchique de personnes, de choses. 4 Qualité, valeur. *Un spectacle de classe.* 5 Groupe d'élèves ayant un même maître. 6 Enseignement du professeur. 7 Salle où se donne l'enseignement ; école. 8 Ensemble des jeunes gens nés la même année, appelés au service militaire.

classement nm 1 Action de classer. 2 Rang où qqn est classé.

classer vt Mettre dans un certain ordre. **Loc** *Classer une affaire* : ne pas lui donner suite.

classeur nm Chemise, carton, meuble où l'on classe des papiers.

classicisme nm 1 Caractère de ce qui est classique. 2 Production littéraire et artistique conforme à la doctrine classique.

classification nf Distribution méthodique par classes, par catégories.

classifier vt Établir une classification.

classique a 1 Qui fait autorité. 2 Conforme à l'usage courant. *Vêtements classiques.* 3 Se dit des écrivains français du XVIIe s., de leur doctrine et de leurs œuvres. **Loc** *Langues classiques* : le latin et le grec. *Musique classique* : celle des grands compositeurs esthétiques traditionnels. *Danse classique* : qui fait l'objet de l'enseignement chorégraphique. *Armes classiques* : syn de *armes conventionnelles.* ■ nm 1 Écrivain classique. 2 Œuvre classique. 3 Œuvre d'une grande notoriété, qui sert de modèle. 4 Musique classique, danse classique.

claudication nf Litt Fait de boiter.

claudiquer vi Litt Boiter.

clause nf Disposition particulière d'un traité, d'un contract, etc. **Loc** *Clause de style* : qu'il est d'usage d'insérer dans les contrats de même genre ; disposition formelle sans importance.

claustra nm Clôture ajourée d'une baie, d'une pièce.

claustration nf État de qqn qui est enfermé.

claustrophobe a, n Atteint de claustrophobie.

claustrophobie nf Angoisse éprouvée dans un lieu clos.

clavaire nf Champignon en forme de touffe.

clavecin nm Instrument à cordes pincées et à clavier.

claveciniste n Joueur de clavecin.

clavette nf Cheville, goupille destinée à assembler deux pièces.

clavicule nf Os pair allongé, qui s'articule avec le sternum et l'omoplate.

clavier nm Ensemble des touches d'un orgue, d'un piano, d'une machine à écrire, etc.

claviste n Qui compose des textes d'imprimerie sur un clavier.

clayère nf Parc à huîtres.

clayette nf 1 Dans un réfrigérateur, étagère amovible à claire-voie. 2 Cageot.

clebs nm Pop Chien.

clef ou **clé** nf 1 Instrument métallique destiné à faire fonctionner une serrure, à établir un contact, etc. 2 Ce dont dépend un fonctionnement de qqch. *Des industries clés.* **3** Ce qui permet de comprendre, d'interpréter. *La clé du problème.* **4** MUS Signe placé au commencement de la portée pour indiquer l'intonation. **5** Outil qui sert à serrer les écrous. **6** Ce qui commande les trous du tuyau d'un instrument à vent. **7** Prise immobilisante de judo ou de lutte. **Loc** *Clef de voûte* : pierre en forme de coin placée au sommet de l'arc ou de la voûte ; élément essentiel dont tout dépend.

clématite *nf* Liane grimpante à fleurs.

clémence *nf* **1** Litt Indulgence. **2** Douceur du temps, du climat.

clément, ente *a* **1** Porté à la clémence. **2** Doux, peu rigoureux.

clémentine *nf* Fruit d'un hybride de l'oranger doux et du mandarinier.

clemenvilla *nf* Hybride de la clémentine et du tangelo.

clenche ou **clenchette** *nf* Pièce principale d'un loquet de porte.

clepsydre *nf* Horloge antique à eau.

cleptomane, cleptomanie. V. kleptomane, kleptomanie.

clerc *nm* **1** Qui est entré dans l'état ecclésiastique. **2** Employé d'une étude de notaire, d'huissier.

clergé *nm* Ensemble des ecclésiastiques.

clergyman [-man] *nm* Pasteur anglican.

clérical, ale,aux *a* Du cléricalisme.

cléricalisme *nm* Attitude favorable à la participation active du clergé à la politique.

cléricature *nf* Condition d'ecclésiastique.

clic INFORM Action de cliquer.

cliché *nm* **1** Plaque qui permet le tirage d'une épreuve typographique. **2** Plaque ou pellicule photographique impressionnée par la lumière. **3** Idée, phrase toute faite et banale.

client, ente *n* Qui achète qqch à un commerçant, à une société de services.

clientèle *nf* **1** Ensemble des clients d'un commerçant, d'un avocat, d'un médecin, etc. **2** Ensemble de personnes qui soutiennent un homme ou un parti politique.

clientélisme *nm* Recherche démagogique d'une clientèle politique.

clignement *nm* Action de cligner les yeux.

cligner *vt* **1** Fermer les yeux à demi. **2** Fermer et ouvrir rapidement les yeux.

clignotant, ante *a* Qui clignote. ■ *nm* **1** Feu clignotant d'un véhicule, indicateur de changement de direction. **2** Indicateur d'une évolution économique.

clignotement *nm* Fait de clignoter.

clignoter *vi* **1** Cligner fréquemment. **2** S'allumer et s'éteindre alternativement (lumières).

climat *nm* **1** Ensemble des éléments qui caractérisent l'état moyen de l'atmosphère en un lieu. **2** Atmosphère, ambiance.

climatique *a* Du climat.

climatisation *nf* Création ou maintien, dans un local, de conditions déterminées de température, d'humidité et de pureté de l'air.

climatiser *vt* Réaliser la climatisation.

climatiseur *nm* Appareil de climatisation.

climatologie *nf* Étude du climat.

clin d'œil *nm* Signe que l'on fait discrètement à qqn par un mouvement rapide des paupières. *Des clins d'œil.*

clinicien, enne *n* Qui pratique la médecine clinique.

clinique *a* Effectué auprès du malade, sans appareils ni examens de laboratoire. **Loc** *Signe clinique* : décelé au simple examen. ■ *nf* Établissement de soins médicaux, public ou privé. **Loc** *Chef de clinique* : médecin ayant un rôle d'enseignant dans son service.

clinquant *nm* **1** Mauvaise imitation de matières précieuses. **2** Faux brillant, éclat artificiel. ■ *a* Qui brille d'un faux éclat.

clip *nm* **1** Bijou monté sur une pince à ressort. **2** Court-métrage à but promotionnel.

clipper [-pœr] *nm* Voilier de transport de marchandises (XIXᵉ s.).

clique *nf* **1** Péjor Groupe, coterie. **2** Ensemble des tambours et des clairons d'un régiment.

cliquer *vi* INFORM Appuyer sur la touche de souris d'un microordinateur.

cliques *nfpl* **Loc** Fam *Prendre ses cliques et ses claques* : déguerpir, filer.

cliquet *nm* Ergot mobile bloquant dans un sens une roue dentée.

cliqueter *vi* **19** Faire entendre un cliquetis.

cliquetis *nm* Bruit sec et léger de corps sonores qui s'entrechoquent.

clitoris *nm* Petit organe érectile situé à la partie antérieure de la vulve.

clivage *nm* 1 Action et art de cliver. 2 Division, séparation. *Clivages politiques.*

cliver *vt* Fendre un minéral selon la structure de ses couches. ■ *vpr* Se fendre, se diviser.

cloaque *nm* 1 Amas d'eau croupie. 2 Endroit malpropre. 3 ZOOL Chez les oiseaux, débouché de voies intestinales, urinaires et génitales.

1. clochard, arde *n* Fam Personne sans domicile et sans travail.

2. clochard *nf* Variété de pomme reinette.

cloche *nf* 1 Instrument sonore de bronze, en forme de vase renversé, muni d'un battant (à l'intérieur) ou d'un marteau (à l'extérieur) qui le met en vibration. 2 Ustensile, appareil en forme de cloche, servant à couvrir, à protéger. 3 Fam Personne stupide, incapable. 4 Fam Le monde des clochards.

cloche-pied (à) *av* Sur un seul pied.

1. clocher *nm* Construction dominant une église et où sont suspendues des cloches.

2. clocher *vi* Fam Être défectueux.

clocheton *nm* Petit clocher.

clochette *nf* 1 Petite cloche. 2 Fleur en forme de petite cloche.

cloison *nf* 1 Mur peu épais séparant deux pièces d'une habitation. 2 ANAT Ce qui divise une cavité. 3 Ce qui empêche la communication.

cloisonné *nm* Émail coulé entre des cloisons de métal formant un motif décoratif.

cloisonnement ou **cloisonnage** *nm* 1 Ensemble de cloisons ; leur disposition. 2 État de ce qui est cloisonné ; séparation, division.

cloisonner *vt* Séparer par des cloisons ; compartimenter.

cloître *nm* 1 Couvent d'où les religieux ne sortent pas. 2 Galerie couverte, entourant une cour ou un jardin, dans un monastère.

cloîtré, ée *a* Qui vit dans un couvent. Loc *Monastère cloîtré :* dont les religieux ne sortent pas.

cloîtrer *vt* Enfermer étroitement. ■ *vpr* Mener une vie très retirée.

clonage *nm* BIOL Obtention de clones.

clone *nm* 1 BIOL Ensemble des cellules dérivant d'une seule cellule initiale dont elles sont la copie exacte. 2 Fam Copie conforme, imitation.

clope *nm* et *f* Pop Mégot ; cigarette.

clopin-clopant *av* Fam En clopinant.

clopiner *vi* Marcher en boitant.

clopinettes *nfpl* Loc Pop *Des clopinettes :* rien.

cloporte *nm* Crustacé terrestre vivant dans les lieux humides.

cloque *nf* 1 Ampoule de la peau. 2 Boursouflure. 3 Maladie du pêcher.

cloquer *vi* Se boursoufler.

clore *vt* 53 Litt Arrêter, terminer ou déclarer terminé. *Clore un débat.*

clos, close *a* 1 Entouré d'une clôture. 2 Terminé, achevé. Loc *Maison close :* maison de prostitution. *En vase clos :* sans contact avec le monde extérieur. ■ *nm* 1 Terrain cultivé entouré d'une clôture. 2 Vignoble délimité.

clôture *nf* 1 Ce qui enclôt un espace. 2 Enceinte d'un couvent cloîtré. 3 Action d'arrêter, de terminer une chose.

clôturer *vt* 1 Entourer de clôtures. 2 Abusiv Arrêter, déclarer terminé.

clou *nm* 1 Petite tige de métal, pointue, et ordinairement dotée d'une tête, servant à fixer ou à pendre qqch. 2 Attraction principale. *Le clou du programme.* 3 Furoncle. ■ *pl* Passage clouté. *Traverser entre les clous.*

clouer *vt* 1 Fixer, assembler avec des clous. 2 Obliger qqn à rester qqpart.

clouté, ée *a* Garni de clous. Loc *Passage clouté :* passage protégé au travers des rues, délimité et réservé aux piétons.

clovisse *nf* Syn de palourde.

clown [klun] *nm* Acteur bouffon de cirque.

club [klœb] *nm* 1 Groupe de personnes qui se rassemblent en un local déterminé, dans une certaine intention (politique, sportif, amical, mondain). 2 Crosse servant à jouer au golf.

cnidaire nm ZOOL Animal muni de cellules urticantes (méduse, anémone).

coach [kotʃ] nm Entraîneur d'une équipe sportive, d'un joueur professionnel.

coacquéreur nm Qui acquiert avec qqn un bien.

coagulation nf Fait de se coaguler ; état d'une substance coagulée.

coaguler vt Transformer un liquide organique en une masse semi-solide. ■ vi, vpr Prendre une consistance semi-solide.

coalisé, ée a, n Ligué dans une coalition.

coaliser (se) vpr S'unir en une coalition.

coalition nf Réunion momentanée de puissances, de partis, de personnes pour lutter contre un adversaire commun.

coassement nm Cri de la grenouille.

coasser vi Pousser des coassements.

coauteur nm Auteur avec un ou plusieurs autres d'un ouvrage, d'une infraction.

coaxial, ale, aux a ELECTR Se dit d'un câble fait de deux conducteurs concentriques.

cobalt nm Métal blanc voisin du fer et du nickel.

cobaye nm 1 Petit rongeur, très utilisé comme animal de laboratoire. Syn. cochon d'Inde. 2 Sujet d'expérience.

cobra nm Grand serpent venimeux qui peut gonfler son cou.

coca nm Arbuste du Pérou dont les feuilles renferment de la cocaïne. ■ nf Substance extraite des feuilles de coca.

coca-cola nm inv (n déposé) Boisson gazeuse aromatisée.

cocagne nf Loc Pays de cocagne : où se trouve tout en abondance. *Mât de cocagne* : mât enduit de savon au haut duquel on s'essaie à grimper pour décrocher des lots.

cocaïne nf Stupéfiant et anesthésique extrait des feuilles de coca.

cocarde nf Insigne circulaire aux couleurs nationales.

cocardier, ère a, n Qui aime l'armée, l'uniforme ; chauvin.

cocasse a Fam Qui fait rire.

cocasserie nf Fam Caractère cocasse.

coccinelle [kɔksi-] nf Petit coléoptère à élytres orangés ou rouges tachetés de noir. Syn. bête à bon Dieu.

coccyx [kɔksis] nm Os situé à l'extrémité du sacrum.

1. coche nm Grande voiture qui servait au transport des voyageurs, avant les diligences.

2. coche nf Entaille, marque.

cochenille nf Insecte parasite des végétaux.

1. cocher nm Conducteur d'une voiture à cheval. *Le cocher d'une diligence.*

2. cocher vt Marquer d'une coche.

cochère af Loc Porte cochère : par laquelle une voiture peut passer.

cochlée [-kle] nf Limaçon de l'oreille interne.

1. cochon nm Animal domestique omnivore, élevé pour sa chair. Syn. porc. Loc Cochon de lait : cochon encore à la mamelle. *Cochon d'Inde* : cobaye.

2. cochon, onne n Fam 1 Personne malpropre. 2 Personne indélicate, malfaisante. ■ a Fam Licencieux, pornographique. *Un film cochon.*

cochonnaille nf Fam Charcuterie.

cochonner vt Fam Faire qqch salement.

cochonnerie nf Fam 1 Action, parole obscène. 2 Chose qui ne vaut rien ; saleté.

cochonnet nm 1 Jeune cochon. 2 Petite boule servant de but au jeu des boules.

cocker [-kɛʀ] nm Chien d'arrêt à poil long et à grandes oreilles tombantes.

cockpit [-pit] nm 1 Creux à l'arrière d'un bateau de plaisance. 2 Poste de pilotage d'un avion.

cocktail [-tɛl] nm 1 Boisson alcoolisée résultant d'un mélange. 2 Mélange quelconque. *Un cocktail d'humour et de tendresse.* 3 Réunion mondaine avec buffet. Loc *Cocktail Molotov* : bouteille remplie d'un liquide explosif. MED *Cocktail lytique* : mélange médicamenteux supprimant les réactions de l'organisme.

coco nm Fruit comestible du cocotier appelé aussi *noix de coco.*

cocon nm Enveloppe soyeuse que filent un grand nombre de chenilles, dont le ver à soie.

cocorico nm Cri du coq.

cocoter vi Pop Sentir mauvais.

cocotier nm Palmier des régions tropicales.

cocotte nf 1 Poule (langage enfantin). 2 Vx Femme de mœurs légères. 3 Terme affectueux à l'adresse d'une femme. 4 Marmite en fonte, de hauteur réduite, avec un couvercle.

cocotte-minute nf (n déposé) Autocuiseur. Des cocottes-minute.

cocu, ue a, n Fam Qui est trompé par son conjoint.

codage nm Fait de coder.

code nm 1 Recueil de lois, de règlements. Code pénal. Code de la route. 2 Système conventionnel de signes ou de signaux. 3 Ce qui est prescrit. Code de l'honneur. 4 Feux de croisement d'une automobile. Loc Code postal : code permettant le tri automatique du courrier. Code barres : identificateur inscrit sur l'emballage d'un produit.

codéine nf Dérivé de la morphine.

coder vt Transcrire à l'aide d'un code secret.

codétenu, ue n Détenu avec d'autres personnes.

codification nf Action de codifier.

codifier vt 1 Réunir en un code. 2 Soumettre à des règles.

coédition nf Édition d'un ouvrage par des éditeurs associés.

coefficient nm 1 Nombre qui multiplie une quantité. 2 Dans les examens, nombre par lequel on multiplie la note attribuée dans une matière. 3 Pourcentage non déterminé.

cœlacanthe [se-] nm Poisson resté à un stade très ancien d'évolution.

cœlioscopie [se-] nf Endoscopie pratiquée dans l'abdomen.

coenzyme nf BIOL Partie non protéique d'une enzyme.

coépouse nf Chacune des femmes d'un polygame.

coéquipier, ère n Qui fait partie de la même équipe que d'autres.

coercitif, ive a Qui contraint.

coercition nf Action de contraindre.

cœur nm 1 Organe musculaire creux contenu dans la poitrine, agent principal de la circulation du sang. 2 Poitrine. Presser qqn sur son cœur. 3 Siège des émotions, des sentiments : ardeur, courage, amour, amitié, bonté, pitié, etc. 4 Partie la plus centrale. Cœur de laitue. Au cœur de l'hiver. 5 Une des couleurs rouges des jeux de cartes. Loc Avoir mal au cœur : avoir la nausée. Par cœur : de mémoire, très fidèlement. De bon cœur : très volontiers.

cœur-de-pigeon nm Cerise à chair ferme. Des cœurs-de-pigeon.

coexistence nf Fait de coexister.

coexister vi Exister ensemble, simultanément.

cofacteur nm Facteur agissant avec d'autres.

coffrage nm 1 Moule en bois ou en métal, dans lequel est mis en place le béton frais. 2 Charpente maintenant la terre d'une tranchée, etc. 3 Habillage d'un appareil, d'un conduit, etc.

coffre nm 1 Meuble de rangement en forme de caisse, muni d'un couvercle. 2 Partie d'une voiture réservée aux bagages. 3 Syn de coffrefort. 4 Fam Cage thoracique ; puissance vocale.

coffre-fort nm Armoire blindée à serrure spéciale, destinée à enfermer des objets précieux. Des coffres-forts.

coffrer vt 1 Fam Emprisonner. 2 Mouler au moyen d'un coffrage.

coffret nm 1 Petit coffre orné. 2 Emballage cartonné de livres, de disques, etc.

cofondateur, trice n Qui fonde qqch avec d'autres.

cogérance nf Gérance exercée à plusieurs.

cogestion nf 1 Gestion, administration en commun. 2 Système de participation des travailleurs à la gestion de leur entreprise.

cogitation nf Fam Méditation, réflexion.

cogiter vi Fam Penser, réfléchir.

cognac nm Eau-de-vie de vin réputée, fabriquée dans la région de Cognac.

cognassier nm Arbre fruitier qui produit le coing.

cognée nf Forte hache.

cogner *vi, vt* Frapper fort à coups répétés. ■ *vpr* Se heurter.

cogniticien, enne *n* Spécialiste d'intelligence artificielle.

cognitif, ive *a* Didac De la connaissance. Loc *Sciences cognitives* : qui étudient l'intelligence (humaine, animale, artificielle).

cohabitation *nf* 1 État de personnes qui habitent ensemble. 2 Coexistence d'un chef de l'État et d'un Premier ministre de tendances politiques différentes.

cohabiter *vi* Habiter, vivre ensemble.

cohérence *nf* Rapport logique entre des idées, des propos.

cohérent, ente *a* Dont les parties sont liées entre elles.

cohéritier, ère *n* Associé à d'autres dans un héritage.

cohésion *nf* Union intime des parties d'un ensemble.

cohorte *nf* 1 ANTIQ Corps d'infanterie romaine. 2 Troupe nombreuse.

cohue *nf* Foule tumultueuse.

coi, coite *a* Litt Silencieux, tranquille.

coiffe *nf* Coiffure féminine régionale.

coiffer *vt* 1 Couvrir la tête d'une coiffure. 2 Arranger les cheveux. 3 Réunir sous son autorité, contrôler. *Coiffer un service.*

coiffeur, euse *n* Qui fait le métier de couper, d'arranger les cheveux. ■ *nf* Table de toilette munie d'un miroir.

coiffure *nf* 1 Ce qui couvre ou orne la tête. 2 Action, manière de disposer les cheveux.

coin *nm* 1 Angle saillant ou rentrant. 2 Parcelle. *Un coin de terre.* 3 Endroit retiré, non exposé à la vue. 4 Pièce qui présente une extrémité en biseau dont on se sert à fendre, à caler, etc. 5 Pièce d'acier gravée en creux servant à frapper les monnaies.

coincer *vt* 10 1 Fixer, serrer, empêcher de bouger. 2 Acculer, immobiliser. 3 Mettre dans l'embarras en questionnant.

coïncidence *nf* 1 État de ce qui coïncide. 2 Concours de circonstances.

coïncider *vi* MATH Se superposer point à point. 2 Se produire en même temps, correspondre exactement. *Leurs goûts coïncident.*

coing [kwɛ̃] *nm* Fruit jaune du cognassier, en forme de poire, au goût âpre.

coït [kɔit] *nm* Union sexuelle, accouplement.

1. coke *nm* Combustible résultant de la distillation de la houille.

2. coke *nf* Fam Cocaïne.

cokéfaction *nf* Transformation de la houille en coke.

cokerie *nf* Usine de coke.

col *nm* 1 Partie rétrécie. *Le col d'une bouteille.* 2 Partie d'un vêtement qui entoure le cou. 3 Dépression dans un relief faisant communiquer deux versants. Loc *Col blanc* : employé de bureau. *Faux col* : col amovible.

cola. V. kola.

colchique *nm* Plante vénéneuse des prés aux fleurs en cornet.

coléoptère *nm* ZOOL Insecte ayant une paire d'ailes rigides (élytres) recouvrant des ailes membraneuses (hanneton, scarabée, etc.).

colère *nf* Réaction violente due à un profond mécontentement.

coléreux, euse ou **colérique** *a, n* Prompt à la colère.

colibacille *nm* Bacille qui peut provoquer des infections urinaires et intestinales.

colibri *nm* Très petit oiseau aux couleurs vives et au long bec. Syn. oiseau-mouche.

colifichet *nm* Petit objet, petit ornement sans grande valeur.

coliforme *nm* Bacille d'origine fécale responsable de la pollution des eaux.

colimaçon *nm* Escargot. Loc *En colimaçon* : en spirale, en hélice.

colin *nm* Poisson marin estimé.

colin-maillard *nm* Jeu où l'un des joueurs, les yeux bandés, cherche à attraper les autres.

colinot ou **colineau** *nm* Petit colin.

colique *nf* 1 MED Violente douleur abdominale. 2 Fam Diarrhée. ■ *a* Du côlon.

colis *nm* Objet emballé expédié par un moyen de transport public ou privé.

colistier, ère *n* Candidat inscrit sur la même liste que d'autres.

colite nf Inflammation du côlon.

collaborateur, trice n Qui partage la tâche de qqn d'autre.

collaboration nf Action de collaborer, participation à une tâche.

collaborer vi Travailler en commun à un ouvrage.

collage nm 1 Action de coller. 2 Œuvre d'art réalisée en collant sur la surface peinte divers matériaux.

collagène nm BIOL Protéine fibreuse, constituant essentiel du tissu conjonctif.

collant, ante a 1 Qui colle, qui adhère. 2 Qui moule, dessine les formes (vêtements). 3 Fam Qui importune, dont on ne peut pas se débarrasser. ■ nm Maillot moulant ; sous-vêtement très ajusté, couvrant le bas des pieds à la taille. ■ nf Fam Convocation à un examen.

collapsus [-psys] nm Violent malaise dû généralement à une brusque défaillance cardiaque.

collatéral, ale, aux a, n Se dit de la parenté hors de la ligne directe.

collation nf Repas léger.

collationner vt Vérifier, comparer entre eux des textes. ■ vi Prendre un repas léger.

colle nf 1 Matière utilisée pour faire adhérer deux surfaces. 2 Fam Question difficile, délicate. 3 Fam Punition, retenue.

collecte nf Action de recueillir des dons.

collecter vt Faire une collecte.

collecteur, trice n Qui recueille de l'argent, des dons. ■ a Qui recueille. Égout collecteur.

collectif, ive a Qui réunit, qui concerne simultanément plusieurs personnes, plusieurs choses. ■ nm Groupe de personnes qui agissent en commun.

collection nf 1 Réunion d'objets de même nature. 2 Série d'ouvrages de même genre. 3 Série de modèles de couture.

collectionner vt 1 Réunir en collection. 2 Accumuler. Collectionner les erreurs.

collectionneur, euse n Qui fait une collection.

collectivisation nf Attribution des moyens de production à la collectivité.

collectivisme nm Doctrine qui réserve la propriété des moyens de production à la collectivité.

collectivité nf Ensemble d'individus ayant entre eux des rapports organisés.

collège nm 1 Établissement d'enseignement secondaire du premier cycle. 2 Groupe déterminé de personnes. Collège électoral.

collégial, ale, aux a Fait, assuré par un collège, en commun. Direction collégiale. ■ nf Église ayant ou ayant eu un chapitre de chanoines.

collégialité nf Organisation collégiale du pouvoir.

collégien, enne n Élève d'un collège.

collègue n Qui remplit la même fonction qu'un autre ou une fonction analogue.

coller vt 1 Assembler, fixer avec de la colle. Coller une affiche. 2 Appliquer, mettre contre. Coller son visage à la vitre. 3 Fam Poser à qqn une question à laquelle il ne peut répondre. 4 Fam Refuser à un examen. 5 Fam Punir d'une retenue. ■ vi 1 Adhérer. 2 S'ajuster exactement, convenir.

collerette nf 1 Garniture plissée d'une encolure. 2 Bord rabattu d'une tuyauterie.

collet nm 1 Pèlerine qui s'arrête au milieu du dos. 2 Lacet pour piéger le gibier. 3 Partie de la dent entre la couronne et la racine. Loc Collet monté : prude, guindé.

colleter (se) vpr 191 1 Se prendre au collet pour se battre. 2 Se débattre avec des difficultés.

colleur, euse n Qui colle.

colley nm Chien de berger écossais.

collier nm 1 Bijou, ornement de cou. 2 Barbe courte qui, partant des tempes, garnit le menton. 3 Lanière ou armature dont on entoure le cou des animaux pour les retenir, les atteler, etc. 4 Pièce métallique de fixation.

collimateur nm Appareil d'optique de visée.

colline nf Relief de faible hauteur, à sommet arrondi.

collision nf Choc de deux corps.

colloïde nm Substance qui, dissoute dans un solvant, forme des particules très fines.

colloque nm Entretien, conférence, débat entre plusieurs spécialistes.

collusion nf Entente secrète pour tromper un tiers, lui causer préjudice.

collutoire nm Médicament liquide destiné à la cavité buccale.

collyre nm Médicament que l'on applique sur la conjonctive.

colmater vt Combler, boucher.

colocataire n Locataire avec d'autres dans une même maison.

cologarithme nm Logarithme de l'inverse du nombre considéré.

colombage nm Charpente verticale garnie de plâtre, de torchis, etc., utilisée autrefois pour les murs.

colombe nf Pigeon blanc.

colombien, enne a, n De Colombie.

colombier nm Pigeonnier.

colombophilie nf Élevage des pigeons voyageurs.

colon nm 1 Qui habite, exploite une colonie. 2 Enfant d'une colonie de vacances.

côlon nm ANAT Gros intestin.

colonel nm Officier supérieur dont le grade vient au-dessous de celui de général de brigade.

colonial, ale, aux a Relatif aux colonies. ■ n Habitant ou originaire des colonies.

colonialisme nm Politique d'exploitation des colonies.

colonialiste a, n Qui relève du colonialisme.

colonie nf 1 Territoire étranger à la nation qui l'administre et l'entretient dans un rapport de dépendance. 2 Ensemble de personnes appartenant à une même nation et résidant à l'étranger. 3 Rassemblement d'animaux, généralement d'une même espèce. Loc **Colonie de vacances** : groupe d'enfants conduit en villégiature, sous la surveillance de moniteurs.

colonisateur, trice a, n Qui colonise.

colonisation nf Action de coloniser.

coloniser vt 1 Transformer en colonie par invasion. 2 Peupler de colons.

colonnade nf Alignement de colonnes.

colonne nf 1 Support vertical de forme cylindrique. 2 Monument commémoratif en forme de colonne. 3 Chacune des divisions verticales des pages d'un livre, d'un journal. 4 Suite d'individus, de véhicules les uns derrière les autres. Loc **Colonne vertébrale** : ensemble des vertèbres, articulées en un axe osseux ; rachis. **Colonne montante** : canalisation alimentant les différents niveaux d'un bâtiment.

colopathie nf Affection du côlon.

colophane nf Résine solide.

coloquinte nf Cucurbitacée grimpante qui donne un fruit jaune et dur.

colorant, a, nm Substance utilisée pour colorer.

coloration nf Action de colorer ; état de ce qui est coloré.

coloré, ée a Qui a une couleur et, partic., des couleurs vives ; brillant.

coloriage nm 1 Action de colorier. 2 Image à colorier.

colorier vt Appliquer des couleurs sur une estampe, un dessin, etc.

colorimétrie nf CHIM Analyse fondée sur l'absorption de la lumière par une substance.

coloris nm 1 Nuance résultant du mélange des couleurs. 2 Coloration, éclat naturel.

coloriste n Peintre qui excelle dans l'emploi des couleurs.

colossal, ale, aux a De grandeur exceptionnelle, gigantesque.

colosse nm Homme de haute stature, très robuste.

colostomie nf CHIR Anus artificiel par abouchement du côlon à la peau.

colporter vt 1 Présenter des marchandises comme colporteur. 2 Répandre une nouvelle, une rumeur, etc.

colporteur, euse n 1 Marchand ambulant qui transporte ses marchandises avec lui et va les proposer à domicile. 2 Qui propage des nouvelles, etc.

colposcopie nf MED Examen du col de l'utérus.

colt nm Pistolet à chargement automatique.

coltiner vt Porter sur le cou, les épaules un fardeau pesant. ■ vpr Fam Faire une chose pénible.

columbarium [-lɔbarjɔm] nm Édifice qui reçoit les urnes cinéraires.

colvert nm Canard sauvage à la tête verte.

colza nm Plante oléagineuse à fleurs jaunes.

coma nm État morbide caractérisé par la perte de la conscience, de la sensibilité, de la motricité. Loc *Coma dépassé :* irréversible.

comateux, euse a, n Qui relève du coma ; qui est dans le coma.

combat nm 1 Action de personnes, d'animaux qui combattent. 2 Lutte, opposition à qqch.

combatif, ive, a, n Porté à la lutte ; agressif.

combativité nf Ardeur au combat.

combattant, ante n, a Qui prend part à un combat.

combattre vt, vi 77 1 Attaquer qqn ou se défendre contre lui. 2 Lutter contre qqch de mauvais, de dangereux. *Combattre un incendie.*

combien av À quel point, à quel degré. *Il m'a dit combien il vous estime.* Loc **Combien de :** quelle quantité, quel nombre de. ■ nm Loc Abusiv **Le combien ? :** interroge sur le quantième du mois.

combinaison nf 1 Assemblage de plusieurs choses dans un certain ordre. 2 CHIM Formation d'un composé à partir de plusieurs corps. 3 Mesures, calculs faits pour réussir. 4 Sous-vêtement féminin, en tissu léger. 5 Vêtement de travail, de sport, etc., réunissant pantalon et veste en une seule pièce. 6 Ensemble de chiffres ou de lettres à composer pour faire jouer un système de fermeture (cadenas, serrure, etc.).

combinatoire a Relatif aux combinaisons. Loc MATH *Analyse combinatoire :* analyse des différentes manières dont les éléments d'un ensemble sont combinés. ■ nf 1 Combinaison d'éléments qui interagissent entre eux. 2 MATH Analyse combinatoire.

combine nf Fam Moyen détourné, tricherie adroite pour arriver à ses fins.

combiné nm 1 Partie d'un appareil téléphonique comprenant l'écouteur et le microphone. 2 Compétition regroupant plusieurs disciplines.

combiner vt 1 Arranger plusieurs choses d'une manière déterminée. 2 Calculer, préparer, organiser.

1. comble nm Le maximum, le degré le plus élevé. ■ pl Partie d'un édifice se trouvant directement sous la toiture.

2. comble a Rempli au maximum. *Salle comble.*

combler vt 1 Remplir un vide, un trou, un creux. *Combler un puits.* 2 Satisfaire pleinement. 3 Gratifier en abondance de. *Combler qqn de bienfaits.*

combustible a Qui peut brûler. ■ nm Substance qui peut entrer en combustion et produire de la chaleur. Loc **Combustible nucléaire :** matière susceptible de fournir de l'énergie par fission ou fusion.

combustion nf Le fait de brûler.

come-back nm inv Réapparition d'une vedette ou d'une personnalité après une période de retrait.

comédie nf 1 Pièce de théâtre ou film qui fait rire, qui distrait agréablement. 2 Caprice, feinte, mensonge. 3 Complication, embarras. *Quelle comédie !*

comédien, enne n Acteur de théâtre ou de cinéma. ■ n, a Enclin à feindre, hypocrite.

comédon nm Point noir de sébum à la surface de la peau.

comestible a Qui convient à la nourriture de l'homme. ■ pl Produits alimentaires.

comète nf Corps céleste suivi d'une traînée lumineuse.

comices nmpl Loc **Comices agricoles :** assemblée de cultivateurs, de propriétaires ruraux pour améliorer la production.

comics [-iks] nmpl Bandes dessinées.

comique a 1 Qui appartient à la comédie. 2 Qui fait rire, drôle. ■ nm 1 Acteur ou auteur de comédies. 2 Ce qui fait rire.

comité nm Groupe restreint de personnes chargées d'examiner certaines affaires, de donner un avis.

commandant nm 1 Officier situé immédiatement au-dessous du capitaine. 2 Officier qui commande un bâtiment de guerre ou un navire de commerce. **Loc Commandant de bord** : pilote chef de l'équipage d'un avion.

commande nf 1 Demande de marchandise ou de travail à fournir. 2 La marchandise commandée. 3 Mécanisme qui permet la mise en marche, l'arrêt ou la manœuvre d'un organe.

commandement nm 1 Action de commander. 2 Ordre, injonction. 3 Autorité, pouvoir de celui qui commande.

commander vt, vti 1 User de son autorité en indiquant à autrui ce qu'il doit faire. 2 Être le chef. ■ vt 1 Appeler, exiger. *La situation commande la prudence.* 2 Faire une commande de. 3 Dominer, en parlant d'un lieu. 4 Faire marcher, faire fonctionner. ■ vpr S'ouvrir l'une sur l'autre, en parlant des pièces d'un appartement.

commandeur nm Dans l'ordre de la Légion d'honneur, grade au-dessus de celui d'officier.

commanditaire nm 1 Bailleur de fonds dans une société en commandite. 2 Sponsor.

commandite nf 1 Forme de société dans laquelle certains associés (bailleurs de fonds) ne prennent pas part à la gestion. 2 Fonds versés par chaque associé. 3 Sponsoring.

commanditer vt 1 Verser des fonds dans une société en commandite. 2 Financer.

commando nm Groupe de combat chargé d'exécuter une opération rapidement et par surprise.

comme av Marque la quantité, la manière. *Comme c'est beau !* ■ conj 1 Indique la cause, le temps. 2 Indique la manière, la comparaison, la qualité ; de même que, ainsi que, en tant que. **Loc Comme tout :** extrêmement. *Comme quoi :* ce qui montre que.

commedia dell'arte [kɔmedjadelarte] nf inv Comédie jouée par des acteurs qui improvisent le dialogue sur un scénario donné.

commémoratif, ive a Qui commémore.

commémoration nf Cérémonie à la mémoire de qqn ou d'un événement.

commémorer vt Rappeler le souvenir de qqn, d'un événement.

commencement nm Premier moment dans l'existence d'une chose ; début, origine.

commencer vi 10 Débuter. *Le film a commencé.* ■ vt 1 Faire le commencement, la première partie de qqch. *Commencer un ouvrage.* 2 Être au début de. ■ vti 1 Se mettre à. *Commencer à (ou de) travailler.* 2 Faire qqch en premier lieu. *Commencer par la conclusion.*

comment av Indique la manière ; de quelle façon. ■ interj Exprime la surprise, l'indignation, etc.

commentaire nm 1 Remarques faites pour faciliter la compréhension d'un texte. 2 Observation, remarque sur un événement, une situation.

commentateur, trice n Auteur de commentaires.

commenter vt 1 Expliquer un texte par des remarques. 2 Éclairer par des commentaires.

commérage nm Fam Racontar, cancan.

commerçant, ante n Qui fait du commerce. ■ a Où se trouvent de nombreux commerces. *Une rue commerçante.*

commerce nm 1 Achat et vente de marchandises, de biens. 2 Boutique, magasin. *Tenir un commerce.* 3 Litt Manière d'être en société ; relations humaines. *Il est d'un commerce agréable.*

commercer vi 10 Faire du commerce.

commercial, ale, aux a 1 Relatif au commerce. 2 Réalisé dans le seul but lucratif. ■ n Qui travaille dans le secteur commercial d'une entreprise.

commercialisation nf Action de commercialiser.

commercialiser vt Mettre qqch sur le marché.

commère nf Femme curieuse et cancanière.

commettre vt 64 1 Accomplir un acte répréhensible. 2 Préposer qqn à, charger qqn de. ■ vpr Se compromettre, s'exposer.

commis nm Employé subalterne. **Loc Grand commis de l'État :** haut fonctionnaire.

commisération nf Compassion.

commissaire nm 1 Personne remplissant des fonctions généralement temporaires. 2 Membre d'une commission. Loc **Commissaire de police** : fonctionnaire chargé, dans les villes, du maintien de l'ordre et de la sécurité.

commissaire-priseur nm Officier ministériel chargé des ventes publiques. Des commissaires-priseurs.

commissariat nm Bureaux, services d'un commissaire.

commission nf 1 Somme rémunérant l'activité d'un intermédiaire. 2 Message, objet confié à une personne chargée de le transmettre. 3 Réunion de personnes chargées du contrôle ou du règlement de certaines affaires. ■ pl Achat des produits ménagers courants.

commissionnaire n 1 Qui fait des opérations commerciales pour le compte d'autrui. 2 Chargé d'une commission.

commissionner vt Charger qqn d'acheter ou de vendre des marchandises.

commissure nf Point de jonction des parties d'un organe. La commissure des lèvres.

commode a 1 Pratique, qui répond à l'usage qu'on veut en faire. 2 Qui a un caractère agréable ; facile à vivre. ■ nf Meuble de rangement à hauteur d'appui, pourvu de larges tiroirs.

commodité nf Qualité de ce qui est commode. ■ pl Facilités offertes par qqch.

commotion nf Choc nerveux ou émotionnel brutal.

commotionner vt Frapper d'une commotion.

commuer vt DR Transformer une peine en une peine moindre.

commun, une a 1 Qui est partagé par plusieurs personnes, par plusieurs choses. 2 Répandu, général. 3 Qui manque de distinction. Loc **Nom commun** : celui des êtres ou des choses d'une même catégorie. **Droit commun** : ensemble de normes juridiques applicables sur un territoire donné. **En commun** : tous ensemble. ■ nm L'ensemble, la majorité

du groupe considéré. Le commun des mortels. ■ pl Bâtiments réservés au service dans une grande propriété.

communal, ale, aux a De la commune. ■ nf École primaire.

communard, arde n, a Partisan de la Commune de Paris en 1871.

communautaire a D'une communauté, en partic. de la Communauté européenne.

communauté nf 1 Caractère de ce qui est commun à plusieurs personnes. 2 Groupe de personnes vivant ensemble et partageant des intérêts, une culture, ou un idéal commun. 3 DR Régime matrimonial dans lequel les époux mettent en commun tout ou partie de leurs biens.

commune nf La plus petite division administrative de France, dirigée par un maire.

communément av Suivant l'usage le plus courant.

communiant, ante n Qui reçoit l'eucharistie.

communicant, ante a, n Qui communique.

communicateur nm Qui est habile à communiquer par le canal des médias.

communicatif, ive a 1 Qui se communique facilement. 2 Qui se confie facilement.

communication nf 1 Action de communiquer. 2 Avis, information. 3 Moyen de liaison entre deux points. Porte de communication. 4 Conversation téléphonique. 5 Diffusion d'informations par les médias.

communier vi 1 Recevoir le sacrement de l'eucharistie. 2 Être en parfait accord d'idées, de sentiments.

communion nf 1 Union de personnes dans une même foi, dans les mêmes idées. 2 Réception du sacrement de l'eucharistie.

communiqué nm Avis transmis au public par la presse, la radio, etc.

communiquer vt 1 Transmettre. Communiquer une réclamation. 2 Faire partager. Communiquer sa joie. 3 Faire connaître, publier. ■ vi 1 Être en relation. Communiquer par téléphone. 2 Être en communication. Le salon communique avec la chambre. 3 Être connu dans le public grâce aux médias.

communisme nm Organisation sociale fondée sur l'abolition de la propriété privée des moyens de production.

communiste a, n Qui relève du communisme.

commutable a Qu'on peut commuter.

commutateur nm Appareil permettant de fermer ou d'ouvrir un circuit électrique.

commutation nf 1 Changement, substitution. 2 DR Fait de changer une peine en une peine moindre.

commuter vt Didac Transférer, substituer des éléments.

comorien, enne a, n Des Comores.

compacité nf Caractère compact.

compact, acte a 1 Dont les parties sont fortement resserrées et forment une masse très dense. 2 Qui tient relativement peu de place. *Un appareil photo compact.* ■ nm 1 Appareil compact. 2 Disque compact.

compactage nm 1 Compression maximale de qqch (sol, ordures). 2 INFORM Réduction de la longueur des données.

compact-disque nm Disque audionumérique de 12 cm de diamètre. (Abrév CD) *Des compacts-disques.*

compacter vt Soumettre au compactage.

compagne nf Celle qui partage les activités, la vie de qqn.

compagnie nf 1 Fait d'être présent auprès de qqn. 2 Assemblée de personnes. 3 Association commerciale ou corporative. 4 Troupe théâtrale. 5 Unité d'infanterie commandée par un capitaine. 6 Bande d'animaux de même espèce vivant en colonie. Loc Fam *Et compagnie* : et tous les autres ; tout ce qui s'ensuit.

compagnon nm 1 Qui accompagne qqn. 2 Qui partage la vie de qqn. 3 Ouvrier qui travaille pour le compte d'un entrepreneur.

compagnonnage nm Association d'instruction professionnelle et de solidarité entre ouvriers de même métier.

comparable a Qui peut être comparé.

comparaison nf 1 Action de comparer. 2 Figure par laquelle on rapproche deux éléments en vue d'un effet stylistique. Loc *Degrés de comparaison* : positif, comparatif, superlatif d'un adjectif ou d'un adverbe.

comparaître vi 55 Se présenter devant la justice, une autorité compétente.

comparatif, ive a Qui sert à comparer ; qui exprime une comparaison. ■ nm GRAM Un des trois degrés de comparaison de l'adverbe ou de l'adjectif. *Comparatif d'égalité* (ex. : *aussi beau*), *d'infériorité* (ex. : *moins beau*), de *supériorité* (ex. : *plus beau*).

comparativement av Par comparaison.

comparer vt 1 Examiner les rapports entre des choses, des êtres en vue de dégager leurs différences et leurs ressemblances. 2 Présenter comme semblable, analogue.

comparse n Qui joue un rôle secondaire.

compartiment nm 1 Chacune des divisions pratiquées dans un espace, un meuble. 2 Partie d'une voiture de chemin de fer limitée par des cloisons.

compartimenter vt Diviser en compartiments, en espaces clos.

comparution nf Fait de comparaître devant un juge, un notaire.

compas nm 1 Instrument fait de deux branches reliées par une charnière, servant à tracer des cercles, à prendre certaines mesures. 2 Instrument de navigation indiquant le cap.

compassé, ée a D'une retenue, d'une régularité affectée.

compassion nf Sentiment de sympathie éprouvé pour les maux d'autrui.

compassionnel, elle a Inspiré par la compassion. *Traitement compassionnel.*

compatibilité nf Caractère compatible.

compatible a Susceptible de s'accorder.

compatir vti Éprouver de la compassion. *Compatir à la douleur de qqn.*

compatissant, ante a Qui a de la compassion.

compatriote n Qui est de la même patrie qu'un autre.

compensateur, trice ou **compensatoire** a Qui apporte une compensation.

compensation nf 1 Action de compenser. 2 Dédommagement qui compense une perte, un inconvénient.

compensé, ée a Loc *Semelle compensée :* semelle épaisse qui fait corps avec le talon.

compenser vt Rétablir un équilibre entre deux ou plusieurs éléments.

compère nm Fam Camarade, complice.

compère-loriot nm Syn de *orgelet*. *Des compères-loriots.*

compétence nf 1 Aptitude d'une autorité administrative ou judiciaire à procéder à certains actes dans les conditions déterminées par la loi. 2 Connaissance, expérience qu'une personne a acquise dans tel ou tel domaine.

compétent, ente a 1 Dont la compétence juridique est reconnue. 2 Qui a de la compétence dans un domaine.

compétiteur, trice n Qui est en compétition.

compétitif, ive a Capable de supporter la concurrence en matière économique.

compétition nf 1 Concurrence de personnes qui visent un même but. 2 SPORT Match, épreuve.

compétitivité nf Caractère compétitif.

compilation nf 1 Action de compiler. 2 Recueil sans originalité, fait d'emprunts. 3 Sélection de succès musicaux.

compiler vt 1 Rassembler des extraits de divers auteurs pour composer un ouvrage. 2 INFORM Traduire un langage de programmation en un langage utilisable par l'ordinateur.

complainte nf Chanson populaire plaintive sur un sujet tragique.

complaire vti 68 Litt Se comporter de façon à plaire à qqn. ■ vpr Se délecter, trouver du plaisir.

complaisance nf 1 Disposition à se conformer aux goûts, à acquiescer aux désirs d'autrui. 2 Péjor Contentement de soi. Loc *Attestation, certificat de complaisance :* établi en faveur de qqn qui n'y a pas droit.

complaisant, ante a 1 Prévenant, qui aime rendre service. 2 Qui a trop d'indulgence.

complément nm 1 Ce qui s'ajoute ou doit être ajouté à une chose pour la compléter. 2 Mot ou groupe de mots relié à un autre afin d'en compléter le sens.

complémentaire a Qui sert à compléter. Loc *Arcs, angles complémentaires :* dont la somme égale 90 degrés. *Couleurs complémentaires :* dont le mélange donne du blanc.

complémentarité nf Caractère complémentaire.

complet, ète a 1 Auquel rien ne manque, qui contient tous les éléments nécessaires. 2 Qui ne peut contenir davantage. 3 À qui aucune qualité ne manque. *Un artiste complet.* Loc *Pain complet :* auquel on a laissé le son. ■ nm Vêtement masculin en deux ou trois pièces de même tissu.

complètement av Tout à fait.

compléter vt 12 Rendre complet. ■ vpr Former un ensemble complet, un tout.

complétive nf GRAM Subordonnée sujet, complément d'objet ou attribut.

complexe a 1 Qui contient plusieurs éléments combinés, emmêlés. 2 Compliqué. ■ nm 1 Ensemble de sentiments, de souvenirs plus ou moins inconscients qui conditionnent le comportement. 2 Sentiment d'infériorité, manque de confiance en soi. 3 Ensemble d'industries groupées dans une région. 4 Ensemble d'édifices aménagés pour un usage déterminé.

complexer vt Fam Provoquer des complexes chez qqn.

complexité nf Caractère complexe.

complication nf 1 État de ce qui est compliqué. 2 Concours de faits, de circonstances susceptibles de perturber le bon fonctionnement de qqch. 3 MED Nouveau trouble lié à un état pathologique préexistant.

complice n Qui prend part à une action blâmable. ■ a Qui est de connivence.

complicité nf 1 Participation à la faute d'un autre. 2 Connivence.

compliment nm 1 Paroles de félicitations, obligeantes ou affectueuses. 2 Paroles de civilité.

complimenter vt Faire des compliments à.

compliqué, ée a 1 Difficile à analyser, à comprendre. 2 Qui manque de simplicité dans son comportement.

compliquer vt Rendre moins simple ; rendre difficile à comprendre.

complot nm Machination concertée entre plusieurs personnes.

comploter vi Préparer un complot.

comportement nm Manière d'agir, de se comporter. *Un comportement étrange.*

comportemental, ale, aux a PSYCHO Du comportement.

comporter vt Comprendre, contenir, se composer de. ■ vpr Se conduire, agir.

composant, ante a Qui entre dans la composition d'un ensemble. ■ nm Élément faisant partie de la composition de qqch. ■ nf Élément, facteur à prendre en compte.

composé, ée a Constitué de plusieurs éléments. Loc GRAM *Temps composé* : temps verbal comportant un auxiliaire. ■ nm Tout, ensemble formé de plusieurs parties. ■ nf BOT Plante à fleurs groupées en capitule.

composer vt 1 Former par assemblage de plusieurs éléments. 2 Entrer dans la composition d'un ensemble. 3 Produire une œuvre littéraire ou musicale. 4 Litt Contrôler son expression, son comportement dans une intention déterminée. 5 Assembler des caractères qui formeront un texte destiné à être imprimé. ■ vi 1 Transiger, trouver un accord de compromis. 2 Faire une composition scolaire.

composite a Composé d'éléments très différents. ■ nm Matériau très résistant constitué de fibres.

compositeur, trice n 1 Qui écrit des œuvres musicales. 2 Qui compose un texte avec des caractères d'imprimerie.

composition nf 1 Action ou manière de composer ; résultat de cette action. 2 Assemblage de caractères d'imprimerie pour constituer un texte. 3 Art d'écrire la musique. 4 Rédaction, dissertation. 5 Épreuve scolaire en vue d'un classement.

compost nm Mélange de matières organiques et minérales, destiné à fertiliser le sol.

compostage nm 1 Action de marquer au composteur. 2 Préparation du compost.

composter vt 1 Marquer au composteur. 2 Transformer des déchets en compost.

composteur nm Appareil automatique qui sert à pointer ou à marquer, à dater, à numéroter un document, un billet.

compote nf Fruits entiers ou en morceaux, cuits avec du sucre.

compotier nm Grande coupe pour les compotes, les entremets, les fruits.

compréhensible a Qui peut être compris.

compréhensif, ive a Qui comprend autrui ; tolérant, indulgent.

compréhension nf 1 Faculté de comprendre, aptitude à concevoir clairement. 2 Aptitude à admettre le point de vue d'autrui.

comprendre vt 70 1 Contenir, renfermer en soi. 2 Faire entrer dans un tout, une catégorie. 3 Pénétrer, saisir le sens de. *Comprendre une question.* 4 Se représenter qqch, concevoir. 5 Admettre, se montrer tolérant pour.

compresse nf Pièce de gaze utilisée pour nettoyer, panser une plaie, etc.

compresser vt Serrer, presser, comprimer.

compresseur nm Qui comprime, sert à comprimer. ■ nm Appareil servant à comprimer un gaz.

compressible a Qui peut être comprimé, réduit.

compressif, ive a Qui sert à comprimer.

compression nf 1 Action de comprimer ; résultat de cette action. 2 Restriction, réduction.

comprimé, ée a Dont le volume est réduit sous l'effet de la pression. ■ nm Pastille de médicament.

comprimer vt 1 Presser un corps pour en diminuer le volume. 2 Réduire. *Comprimer un budget.*

compris, ise a Contenu, inclus. *Service compris.*

compromettant, ante a Qui peut compromettre, nuire à la réputation.

compromettre vt 64 1 Exposer à des difficultés, mettre en péril. 2 Nuire à l'honneur, à la réputation de. ■ vpr Faire une acte préjudiciable à sa propre réputation.

compromis nm 1 Accord dans lequel on se fait des concessions mutuelles. 2 État intermédiaire, moyen terme.

compromission nf Action par laquelle qqn se compromet.

comptabiliser vt Inscrire dans une comptabilité ; prendre en compte.

comptabilité nf 1 Technique de l'établissement des comptes. 2 Ensemble des comptes ainsi établis. 3 Service, personnel qui établit les comptes.

comptable a 1 Responsable, tenu de se justifier. 2 Relatif à la comptabilité. *Pièce comptable.* ■ n Qui a la charge de tenir une comptabilité.

comptage nm Action de compter pour dénombrer.

comptant am, nm Loc *Argent comptant :* compté, débité sur-le-champ, en espèces. ■ av Avec de l'argent comptant.

compte nm 1 Action de compter, d'évaluer : résultat de cette action. 2 État des recettes et des dépenses, de ce que l'on doit et de ce qui est dû. 3 Ce qui est dû à qqn. Loc *Au bout du compte, en fin de compte, tout compte fait :* tout bien considéré. Fam *Régler son compte à qqn :* le punir, le tuer, lui faire un mauvais parti. *Règlement de comptes :* vengeance, explication violente. *À bon compte :* à bon marché, à peu de frais. *Tenir compte de, faire entrer, mettre en ligne de compte :* prendre en considération. *Être à son compte :* travailler pour soi, de manière indépendante. *Sur le compte de :* au sujet de. *Demander, rendre des comptes :* exiger, fournir une justification. *Rendre compte de :* faire un rapport sur, expliquer. *Se rendre compte de, que :* comprendre.

compte-chèques nm Compte postal ou bancaire permettant d'utiliser les chèques. *Des comptes-chèques.*

compte-fils nm inv Instrument comportant une loupe pour examiner de près qqch.

compte-gouttes nm inv Petite pipette destinée à verser un liquide goutte à goutte.

compter vt 1 Dénombrer, calculer le nombre, le montant de. 2 Comprendre, inclure dans un compte, un ensemble. 3 Comporter. 4 Estimer à un certain prix. 5 Calculer, mesu-

rer parcimonieusement. 6 Se proposer de, avoir l'intention de. *Compter payer qqn. Compter une somme à qqn.* ■ vi 1 Dénombrer, calculer. *Savoir lire et compter.* 2 Entrer en ligne de compte, être pris en considération. 3 Être important. ■ vti Tenir compte de qqch. *Compter avec la chance.* Loc *Compter sur :* avoir confiance en s, s'appuyer sur. *À compter de :* à dater de, à partir de.

compte rendu nm Exposé d'un fait, d'un événement, d'une œuvre. *Des comptes rendus.*

compte-tours nm inv Appareil qui compte le nombre de tours effectués pendant un temps donné.

compteur nm Appareil servant à mesurer différentes grandeurs (vitesse, distance parcourue, énergie consommée ou produite, etc.) pendant un temps donné.

comptine nf Court texte, chanté ou récité par des enfants, utilisé pour choisir le rôle des participants à un jeu.

comptoir nm 1 Table longue et étroite sur laquelle un commerçant étale sa marchandise, reçoit de l'argent, sert des consommations. 2 Établissement commercial installé à l'étranger.

compulser vt Examiner, consulter. *Compulser des documents.*

compulsion nf PSYCHO Force intérieure irrésistible.

comte nm Personne dotée d'un titre de noblesse intermédiaire entre marquis et vicomte.

comté nm 1 Terre qui donnait au possesseur le titre de comte. 2 Fromage de Franche-Comté, proche du gruyère.

comtesse nf 1 Femme qui possédait un comté. 2 Femme d'un comte.

con, conne n, a Pop Stupide, idiot.

concasser vt Broyer, réduire en fragments relativement gros.

concaténation nf Didac Enchaînement d'éléments entre eux.

concave a Qui présente une surface courbe en creux. *Miroir concave.*

concavité nf État de ce qui est concave ; cavité, creux.

concéder vt 12 1 Accorder, octroyer comme une faveur. 2 Admettre, reconnaître que, qqch.

concentration nf 1 Action de concentrer. 2 CHIM Grandeur caractérisant la richesse d'un mélange en un de ses constituants. 3 Fait de concentrer son esprit. Loc *Camp de concentration :* camp où l'on regroupe des prisonniers de guerre, des déportés, etc.

concentré, ée a 1 Que l'on a concentré. *Lait concentré.* 2 Dont l'esprit est tendu. ■ nm Substance concentrée.

concentrer vt 1 Réunir, faire converger en un point. 2 CHIM Augmenter la concentration de. 3 Appliquer sur un objet unique. ■ vpr Réfléchir intensément.

concentrique a Qui a le même centre de courbure.

concept nm 1 PHILO Représentation mentale abstraite et générale. 2 Projet d'un nouveau produit industriel ou commercial.

concepteur, trice n Qui conçoit des projets de publicité.

conception nf 1 Acte par lequel un être vivant est produit par fécondation d'un ovule. 2 Action, façon de concevoir une chose ; création de l'imagination. Loc *Immaculée Conception :* dogme catholique selon lequel la Vierge Marie a été préservée du péché originel.

conceptuel, elle a Relatif aux concepts.

concernant prép Au sujet de.

concerner vt Intéresser, avoir rapport à.

concert nm 1 Exécution d'une œuvre musicale. 2 Ensemble de sons, de bruits. *Concert de louanges.* Loc *De concert :* d'un commun accord.

concertation nf Action de se concerter.

concerter (se) vt Préparer ensemble un projet, s'entendre pour agir.

concertiste n Musicien qui se produit en concert.

concerto nm Œuvre pour un ou plusieurs instruments et orchestre.

concessif, ive a GRAM Qui marque l'idée de concession (ex. : *bien que, quoique,* etc.).

concession nf 1 Action d'accorder un droit, un privilège, un bien. 2 Chose concédée ; terrain loué ou vendu pour une sépulture. 3 Ce que l'on accorde à qqn dans un litige.

concessionnaire n 1 Qui a obtenu une concession. 2 Représentant exclusif d'une marque dans une région.

concevable a Qui peut se concevoir.

concevoir vt 431 1 Devenir enceinte. 2 Former dans son esprit, créer. 3 Comprendre, avoir une idée de. 4 Éprouver. *Concevoir de la jalousie.*

conchyliculture [-ki-] nf Élevage des coquillages comestibles.

conchyliologie [-ki-] nf Étude des coquillages.

concierge n Qui a la garde d'un immeuble.

conciergerie nf Logement de concierge d'un bâtiment administratif.

concile nm Assemblée d'évêques et de théologiens sur des questions de dogme, de liturgie, de discipline.

conciliable a Qu'on peut concilier avec qqch d'autre.

conciliabule nm Conversation secrète.

conciliant, ante a Accommodant.

conciliateur, trice a, n Qui concilie. ■ nm DR Chargé de régler à l'amiable des conflits privés.

conciliation nf Action de concilier.

concilier vt Accorder ensemble des personnes divergentes, des choses contraires. ■ vpr Disposer favorablement, gagner à soi.

concis, ise a Qui s'exprime en peu de mots.

concision nf Qualité de ce qui est concis.

concitoyen, enne n Citoyen de la même ville, d'un même État.

conclave nm Assemblée de cardinaux réunis pour l'élection d'un pape.

concluant, ante a Qui apporte une preuve ; décisif. *Démonstration concluante.*

conclure vt 541 1 Déterminer par un accord les conditions de. 2 Écrire, prononcer une conclusion. ■ vti Déduire après examen. *Conclure à la démence.*

conclusion nf 1 Action de conclure, accord final. 2 Solution finale, issue. 3 Fin d'un discours, péroraison. 4 Conséquence tirée d'un raisonnement.

concocter vt Fam Préparer en pensée, remuer dans sa tête.

concombre nm Plante potagère dont le gros fruit oblong et aqueux est consommé surtout en salade.

concomitance nf Simultanéité.

concomitant, ante a Qui accompagne une chose, qui l'ait.

concordance nf Fait de s'accorder, d'être en conformité avec une autre chose.

concordant, ante a Qui concorde.

concordat nm Accord entre le pape et un gouvernement à propos d'affaires religieuses.

concorde nf Union de cœurs, de volontés, bonne intelligence.

concorder vi Être en accord, en conformité.

concourir vti 25 Contribuer à produire un effet. ■ vi 1 GEOM Se rencontrer. 2 Être en compétition.

concours nm 1 Participation à une action. 2 Compétition sélectionnant les meilleurs candidats. Loc *Concours de circonstances :* coïncidence d'événements.

concret, ète a 1 Qui exprime, désigne ce qui est perçu par les sens. 2 Qui est réel, matériel. 3 Qui a le sens des réalités.

concrètement av D'une manière concrète.

concrétion nf Didac Agrégat de particules en un corps solide.

concrétisation nf Fait de concrétiser, de se concrétiser.

concrétiser vt Rendre concret, réel. ■ vpr Se réaliser, prendre corps.

concubin, ine n Qui vit en concubinage.

concubinage nm Situation d'un homme et d'une femme vivant en couple sans être mariés.

concupiscence nf Litt Vive inclination pour les plaisirs sensuels.

concupiscent, ente a Litt Qui manifeste de la concupiscence.

concurrence nf 1 Rivalité d'intérêts économiques. 2 Ensemble des concurrents. Loc *Jusqu'à concurrence de :* jusqu'à la limite de.

concurrencer vt 10 Faire concurrence à.

concurrent, ente a, n Qui fait concurrence à. ■ n Qui participe à un concours, à une compétition sportive.

concurrentiel, elle a De la concurrence.

concussion nf Délit consistant à exiger des sommes non dues, dans l'exercice d'une fonction publique.

condamnable a Qui mérite d'être condamné.

condamnation nf 1 Décision d'une juridiction de sanctionner un coupable. 2 Blâme, critique.

condamné, ée a, n Qui s'est vu infliger une peine. ■ a 1 Dont la maladie est mortelle. 2 Obligé, astreint à.

condamner vt 1 Prononcer une peine contre. 2 Astreindre qqn à, réduire. *Son accident le condamne à l'immobilité.* 3 Blâmer, désapprouver. 4 Barrer un passage, supprimer une ouverture.

condensateur nm Appareil capable d'emmagasiner une charge électrique.

condensation nf Action de condenser, de se condenser.

condensé, ée a Réduit de volume par évaporation. *Lait condensé.* ■ nm Bref résumé.

condenser vt 1 Rendre plus dense, resserrer dans un moindre espace. 2 Faire passer de l'état gazeux à l'état liquide. 3 Exprimer avec concision. ■ vpr Passer de l'état gazeux à l'état liquide.

condescendance nf Attitude de bienveillance marquée de supériorité.

condescendant, ante a Marqué par la condescendance.

condescendre vi 71 Daigner. *Il a condescendu à me répondre.*

condiment nm Substance ajoutée à un aliment pour en relever le goût.

condisciple n Compagnon, compagne d'études.

condition nf 1 État, situation d'une personne, d'une chose. *La condition humaine.* 2 Rang social. 3 Ce dont qqch dépend. 4 Convention à la base d'un accord. **Loc À condition, sous condition :** avec certaines réserves. ■ pl Ensemble de circonstances qui déterminent une situation.

conditionné, ée a Soumis à des conditions. **Loc Air conditionné :** air d'une pièce, etc., maintenu dans les conditions voulues de température, d'hygrométrie.

conditionnel, elle a Subordonné à un fait incertain. ■ nm Mode verbal indiquant que l'action ou l'état dépend d'une condition.

conditionnement nm 1 Action de conditionner qqn, qqch. 2 Action d'emballer un produit pour le vendre ; l'emballage de ce produit.

conditionner vt 1 Mettre qqn en condition. 2 Procéder au conditionnement d'un produit. 3 Constituer la condition de.

condoléances nfpl Témoignage de sympathie à la douleur d'autrui.

condom nm Préservatif masculin.

condor nm Vautour des Andes.

conducteur, trice a Qui conduit, guide. ■ n Qui est aux commandes d'un véhicule. ■ nm Corps qui transmet l'électricité, la chaleur.

conduction nf Didac Transmission de l'électricité, de la chaleur, de l'influx nerveux.

conductivité nf PHYS Capacité à transmettre l'électricité.

conduire vt 67 1 Mener, guider, transporter qqpart. 2 Aboutir à. *Conduire à l'échec.* 3 Commander, être à la tête de. 4 Être aux commandes d'un véhicule. 5 PHYS Transmettre la chaleur, l'électricité. ■ vpr Se comporter.

conduit nm Canal, tuyau.

conduite nf 1 Action de conduire, de diriger. 2 Action de conduire un véhicule. 3 Manière de se comporter, d'agir. 4 Canalisation.

cône nm 1 GEOM Surface engendrée par une droite (la génératrice) passant par un point fixe (le sommet) et s'appuyant sur une courbe fixe (la directrice) ; volume déterminé par cette surface et un plan d'intersection. 2 BOT Fleur ou inflorescence de forme conique. *Cônes de pin.* 3 Mollusque gastéropode à coquille conique.

confection nf 1 Action de fabriquer, de préparer qqch. 2 Industrie des vêtements vendus tout faits.

confectionner vt Préparer, fabriquer.

confectionneur, euse n Qui fabrique des vêtements de confection.

confédération nf 1 Association d'États qui, tout en conservant leur souveraineté, sont soumis à un pouvoir central. 2 Groupement d'associations, de fédérations, de syndicats, etc.

confédéré, ée a, n Réuni en confédération.

confer [-fɛʀ] Indication d'avoir à se reporter à un autre passage. (Abrév : cf.)

conférence nf 1 Réunion où plusieurs personnes examinent ensemble une question. 2 Discours prononcé en public dans un but didactique. **Loc Conférence de presse :** où les journalistes interrogent une ou plusieurs personnalités.

conférencier, ère n Qui fait une conférence.

conférer vt 12 Accorder, donner. ■ vi Être en conversation, s'entretenir.

confesse nf **Loc Aller à confesse :** se confesser.

confesser vt 1 Déclarer ses péchés en confession. 2 Entendre en confession. 3 Avouer. ■ vpr Reconnaître ses péchés, ses fautes.

confesseur nm Prêtre qui entend qqn en confession.

confession nf 1 Aveu de ses péchés fait à un prêtre en vue de recevoir l'absolution. 2 Aveu, déclaration d'une faute. 3 Appartenance à une religion.

confessionnal, aux nm Lieu où le prêtre entend les confessions.

confessionnel, elle a Relatif à la religion. **Loc École confessionnelle :** destinée aux élèves d'une religion déterminée.

confetti nm Petite rondelle de papier de couleur qu'on se lance par poignées pendant une fête.

confiance nf 1 Espérance ferme en une personne, une chose. 2 Assurance, hardiesse. Loc **Question de confiance :** demande faite à l'Assemblée nationale d'approuver la politique du gouvernement.

confiant, ante a Qui a confiance.

confidence nf Communication d'un secret personnel.

confident, ente n À qui on confie ses pensées intimes.

confidentialité nf Caractère confidentiel.

confidentiel, elle a Dit, écrit, fait en confidence, en secret.

confier vt 1 Remettre qqch, qqn au soin de qqn d'autre. 2 Dire confidentiellement. ■ vpr Faire des confidences.

configuration nf Forme extérieure, disposition d'ensemble.

confiné, ée a Loc **Air confiné :** insuffisamment renouvelé.

confinement nm Action de confiner ; fait d'être confiné.

confiner vt Reléguer en un lieu, isoler. ■ vti Toucher aux limites de qqch.

confins nmpl Limites d'un pays, d'une terre.

confire vt 79 Mettre des aliments dans une substance qui les conserve.

confirmation nf 1 Action de confirmer. 2 Sacrement de l'Église catholique qui confirme le baptême. 3 Dans l'Église protestante, profession publique de la foi chrétienne.

confirmer vt 1 Maintenir, ratifier. 2 Conforter. *Il m'a confirmé dans mon opinion.* 3 Assurer la vérité de qqch, l'appuyer par de nouvelles preuves. 4 Administrer le sacrement de la confirmation.

confiscation nf Action de confisquer.

confiserie nf 1 Lieu où l'on fabrique, où l'on vend des friandises à base de sucre. 2 Fabrication, commerce de ces produits. 3 Ces produits mêmes ; sucreries.

confiseur, euse n Qui fabrique, qui vend de la confiserie.

confisquer vt Saisir qqch par acte d'autorité.

confit, ite a Conservé dans du vinaigre, de la graisse, du sucre. ■ nm Viande cuite et conservée dans sa propre graisse.

confiture nf Conserve de fruits cuits avec du sucre.

conflictuel, elle a Relatif à un conflit.

conflit nm 1 Antagonisme. 2 Opposition entre deux États qui se disputent un droit.

confluent nm Lieu où deux cours d'eau se réunissent.

confluer vi Se réunir (cours d'eau).

confondant, ante a Qui remplit d'étonnement.

confondre vt 71 1 Remplir d'étonnement, troubler. 2 Réduire qqn au silence en lui prouvant sa faute, son erreur. 3 Prendre une chose, une personne pour une autre. ■ vpr Se mêler. Loc **Se confondre en excuses, etc. :** multiplier les excuses, etc.

conformation nf Manière dont un corps organisé est conformé, dont ses parties sont disposées.

conforme a 1 De même forme que, semblable à un modèle. 2 Qui s'accorde, qui convient.

conformément av De façon conforme.

conformer vt Rendre conforme. ■ vpr Agir selon. *Se conformer aux coutumes du pays.*

conformisme nm Soumission aux opinions généralement admises.

conformiste n, a Qui fait preuve de conformisme.

conformité nf Accord, adéquation.

confort nm Bien-être matériel, commodités de la vie quotidienne.

confortable a 1 Qui offre du confort. 2 Important. *Revenus confortables.*

confortablement av De façon confortable.

conforter vt Rendre plus ferme, plus solide, renforcer.

confraternel, elle a De confrère.

confrère nm Qui appartient à la même profession intellectuelle, à la même compagnie, à la même clientèle qu'un autre.

confrérie nf Association pieuse.

confrontation nf Action de confronter des personnes, des choses.

confronter vt 1 Mettre des personnes en présence les unes aux autres, pour comparer leurs opinions. 2 Comparer deux choses.

confucéen, enne a Du confucianisme.

confucianisme nm Doctrine et enseignement de Confucius.

confus, use a 1 Dont les éléments sont brouillés, mêlés. 2 Embarrassé, gêné.

confusion nf 1 Embarras, honte. 2 Fait de confondre, de prendre une personne, une chose, pour une autre.

confusionnisme nm État de confusion dans les esprits.

congé nm 1 Permission de se retirer, de quitter momentanément son travail. 2 Période où l'on ne travaille pas ; vacances. Congés payés. 3 Attestation de paiement des droits de circulation frappant certaines marchandises. Loc **Donner congé à un locataire** : lui faire savoir qu'il doit quitter les lieux.

congédier vt Renvoyer qqn, lui dire de se retirer.

congélateur nm Appareil qui sert à congeler des denrées alimentaires.

congélation nf Action de congeler.

congeler vt 16 1 Faire passer de l'état liquide à l'état solide par l'action du froid. 2 Soumettre à l'action du froid pour conserver.

congénère n Qui est de la même espèce, du même genre.

congénital, ale, aux a Qui existe à la naissance.

congère nf Neige amassée par le vent.

congestion nf 1 Excès de sang dans les vaisseaux d'un organe ou d'une partie d'organe. 2 Encombrement. Congestion urbaine.

congestionner vt Déterminer la congestion.

conglomérat nm 1 Roche formée de blocs agglomérés. 2 Ensemble d'entreprises aux productions variées.

conglomérer vt 12 Réunir en boule, en pelote, en masse.

congolais, aise a, n Du Congo. ■ nm Petit gâteau à la noix de coco.

congratulations nfpl Félicitations.

congratuler vt Féliciter.

congre nm Poisson de mer, allongé comme une anguille.

congrégation nf Association religieuse.

congrès nm 1 Rassemblement de personnes pour traiter d'intérêts communs, d'études spécialisées.

congressiste n Membre d'un congrès.

congru, ue a Loc **Portion congrue** : attribution à peine suffisante de qqch à qqn.

conifère nm Arbre produisant des cônes (pin, sapin, etc.).

conique a Qui a la forme d'un cône.

conjecture nf Opinion fondée sur des présomptions, des probabilités.

conjecturer vt Juger en fonction de conjectures.

conjoint, ointe a Lié. Questions conjointes. ■ n Chacun des époux.

conjointement av Ensemble, de concert.

conjonctif, ive a Loc **Locution conjonctive** : qui réunit deux mots, deux propositions. **Tissu conjonctif** : tissu de liaison entre les différents tissus et organes.

conjonction nf GRAM Mot invariable qui unit deux mots, deux propositions.

conjonctive nf ANAT Membrane qui tapisse l'œil et la paupière.

conjonctivite nf Inflammation de la conjonctive.

conjoncture nf 1 Situation résultant d'un ensemble d'événements. 2 Ensemble des conditions déterminant l'état de l'économie à un moment donné.

conjoncturel, elle a Qui dépend de la conjoncture. Ant. structurel.

conjoncturiste n Spécialiste de l'étude de la conjoncture économique.

conjugaison nf 1 Didac Action d'unir, de coordonner. 2 GRAM Ensemble des formes que possède un verbe.

conjugal, ale, aux a Qui concerne l'union du mari et de la femme.

conjuguer vt 1 Unir. Conjuguer ses efforts. 2 Réciter, donner la conjugaison d'un verbe.

conjuration nf Association en vue d'exécuter un complot contre l'État, le souverain.

conjurer vt **1** Écarter, repousser un danger, une menace, des maléfices. **2** Prier avec instance, supplier.

connaissance nf **1** Le fait de connaître. **2** Personne avec qui on est en relation. *C'est une vieille connaissance.* **Loc En connaissance de cause :** en se rendant compte de ce que l'on fait, dit. **Perdre connaissance, rester, tomber sans connaissance :** avoir une syncope. **Faire connaissance avec qqn :** entrer en relation avec lui. ■ *pl* Notions acquises ; ce que l'on a appris d'un sujet.

connaisseur, euse a, n Expert en une chose.

connaître vt **55 1** Avoir une idée pertinente de ; être informé de. **2** Avoir la pratique, l'expérience de. **3** Avoir. *Son ambition ne connaît pas de limites.* **4** Savoir l'identité de qqn. **5** Comprendre le caractère, la personnalité de qqn. ■ vpr Avoir une juste notion de soi-même. **Loc** S'y connaître : être compétent.

connecter vt TECH Joindre.

connecteur nm Dispositif de connexion électrique ou électronique.

connectique nf Industrie des connecteurs.

connerie nf Pop Bêtise, stupidité.

connétable nm HIST Premier officier de la maison du roi, commandant l'armée.

connexe a Lié avec qqch.

connexion nf **1** Liaison logique entre des choses. **2** ELECTR Liaison de conducteurs ou d'appareils entre eux.

connivence nf Complicité par complaisance ou tolérance ; accord secret.

connotation nf LING Évocation affective ou intellectuelle accompagnant la signification propre d'un mot, d'un énoncé.

connoter vt Exprimer comme connotation.

connu, ue a **1** Dont on a connaissance. **2** Célèbre.

conque nf Coquille de gros gastéropodes.

conquérant, ante a, n Qui fait des conquêtes.

conquérir vt **34 1** Prendre par les armes. **2** Gagner, séduire, s'attacher.

conquête nf **1** Action de conquérir. **2** Ce qui est conquis. **3** Fam Personne dont on a conquis les bonnes grâces.

conquistador nm HIST Conquérant espagnol du Nouveau Monde (XVIe s.).

consacré, ée a **1** Qui a reçu une consécration religieuse. **2** Sanctionné par l'usage.

consacrer vt **1** Dédier à Dieu ; rendre sacré. **2** Prononcer les paroles sacramentelles de l'eucharistie. *Consacrer le pain et le vin.* **3** Sanctionner, faire accepter de tous. *L'usage a consacré ce mot.* **4** Destiner à qqch. *Consacrer ses loisirs à la musique.* ■ vpr Se vouer. Se consacrer à un travail.

consanguin, uine a, n Parent du côté paternel. **Loc** *Mariage consanguin :* entre proches parents.

consanguinité [-gɥi-] nf **1** Parenté du côté du père. **2** Parenté proche entre conjoints.

consciemment av De façon consciente.

conscience nf **1** Sentiment, perception que l'être humain a de lui-même, de sa propre existence. **2** Siège des convictions, des croyances. *Liberté de conscience.* **3** Sentiment par lequel l'être humain juge de la moralité de ses actions. **Loc** *Avoir qqch sur la conscience :* avoir qqch à se reprocher.

consciencieux, euse a **1** Qui remplit scrupuleusement ses obligations. **2** Fait avec soin.

conscient, ente a **1** Qui a la conscience de soi-même, d'un fait, de l'existence d'une chose. **2** Qui est perçu par la conscience.

conscription nf Recrutement annuel de soldats selon la classe d'âge.

consécration nf **1** Action de consacrer. **2** Action du prêtre qui consacre, pendant la messe, le pain et le vin. **3** Sanction, confirmation. *C'est la consécration de son succès.*

consécutif, ive a **1** Qui se suit sans interruption. *Trois années consécutives.* **2** Qui suit, comme résultat. *Accident consécutif à une imprudence.* **Loc** GRAM *Proposition consécutive :* subordonnée exprimant la conséquence.

conseil nm **1** Avis donné à qqn sur ce qu'il convient qu'il fasse. **2** Personne dont on prend avis. **3** Assemblée ayant pour mission de donner son avis, de statuer sur certaines affaires.

Loc *Conseil des ministres :* réunion des ministres, présidée par le chef de l'État. *Conseil général :* assemblée composée de membres élus de chaque département. *Conseil municipal :* composé de membres élus pour s'occuper des affaires communales.

1. conseiller *vt* Donner un conseil à qqn, lui recommander qqch.

2. conseiller, ère *n* **1** Qui donne des conseils. **2** Membre d'un conseil, d'un tribunal, etc.

consensuel, elle *a* Issu d'un consensus.

consensus [-sys] *nm* Consentement, accord entre des personnes.

consentant, ante *a* Qui consent, qui donne son adhésion.

consentement *nm* Approbation, adhésion donnée à un projet.

consentir *vti* **29** Donner son consentement à. ■ *vt* Accorder qqch. *Consentir un rabais.*

conséquence *nf* **1** Résultat, suite d'une action, d'un fait. **2** Effet important. *Cela ne tire pas à conséquence.*

conséquent, ente *a* **1** Qui agit d'une manière logique. **2** *Abusiv* Considérable, important. **Loc** *Par conséquent :* donc.

conservateur, trice *a* Du conservatisme. *Journal conservateur.* **Loc** *Chirurgie conservatrice :* qui vise à conserver les organes dans leur état. ■ *n* **1** Personne chargée de garder qqch ; titre de certains fonctionnaires. **2** Hostile ou réservé à l'égard des innovations politiques, sociales, etc. **3** Membre d'un des principaux partis politiques britanniques. ■ *nm* **1** Produit qui assure la conservation des aliments. **2** Appareil utilisé pour la conservation des produits congelés.

conservation *nf* **1** Action de conserver. **2** État de ce qui est conservé.

conservatisme *nm* Attitude des conservateurs ; traditionalisme.

conservatoire *a* DR Qui conserve un droit. ■ *nm* Établissement public d'enseignement de la musique, de la danse, de l'art dramatique.

conserve *nf* Substance alimentaire qui peut se garder longtemps dans un récipient clos. ■ *av* **Loc** *De conserve :* ensemble, en accord.

conserver *vt* **1** Ne pas se défaire de, garder. **2** Maintenir en bon état ; faire durer.

considérable *a* Puissant, important.

considérablement *nf* Beaucoup, très.

considération *nf* **1** Examen attentif que l'on fait d'une chose avant de se décider. **2** Motif, raison d'une action. **3** Estime, déférence. **Loc** *En considération de :* à cause de. ■ *pl* Réflexions.

considérer *vt* **12** **1** Regarder attentivement, examiner. **2** Tenir compte de ; estimer, faire cas de.

consignation *nf* DR Dépôt d'une somme entre les mains d'un tiers ou d'un officier public ; somme déposée.

consigne *nf* **1** Instruction donnée à une sentinelle, à un surveillant, à un gardien, etc. **2** Punition infligée à un soldat, à un élève consistant en une privation de sortie. **3** Endroit où l'on met les bagages en dépôt dans une gare, un aéroport. **4** Somme rendue en retour d'un emballage.

consigner *vt* **1** Mettre en dépôt chez un tiers. **2** Mettre par écrit. **3** Priver de sortie. **4** Facturer un emballage, une bouteille qui, une fois rendus, seront remboursés.

consistance *nf* **1** État plus ou moins solide, ferme d'une matière. **2** Sérieux, solidité. *La nouvelle prend de la consistance.*

consistant, ante *a* Qui a une consistance ferme, épais, solide. *Soupe consistante.*

consister *vti* **1** Être composé de. *Sa fortune consiste en actions.* **2** Se limiter à, avoir pour nature de. *Votre travail consiste à trier ces papiers.*

consistoire *nm* **1** Réunion des cardinaux sur convocation du pape. **2** Direction administrative de certaines communautés religieuses.

consœur *nf* Femme appartenant au même corps, à la même compagnie qu'une autre.

consolateur, trice *a, n* Qui console.

consolation nf 1 Soulagement apporté à la douleur morale de qqn. 2 Chose, personne qui console.

console nf 1 Table à deux ou quatre pieds en forme de S, appuyée contre un mur. 2 Pièce encastrée dans une paroi, servant de support. 3 INFORM Périphérique ou terminal permettant de communiquer avec l'unité centrale.

consoler vt Soulager qqn dans sa douleur, son affliction. ■ vpr Oublier son chagrin.

consolider vt Affermir, rendre plus solide.

consommable a Qui peut être consommé.

consommateur, trice n 1 Qui achète des produits pour les consommer. 2 Qui boit ou mange dans un café.

consommation nf 1 Action de consommer. 2 Boisson prise dans un café. Loc **Société de consommation** : société où la production entraîne le surconsommation.

consommé nm Bouillon de viande.

consommer vt 1 Employer comme aliment. 2 Utiliser pour fonctionner. Ce moteur consomme du gazole. ■ vi Prendre une consommation dans un café.

consonance nf 1 Ressemblance de sons dans la terminaison de deux ou plusieurs mots. 2 Suites de sons. Des consonances harmonieuses.

consonantisme nm LING Système des consonnes d'une langue.

consonne nf Phonème formant une syllabe avec une voyelle.

consorts nmpl Qui sont du même genre. Escrocs et consorts. ■ am Loc **Prince consort** : époux d'une reine, qui n'est pas roi lui-même.

consortium [-sjɔm] nm Association d'entreprises.

conspirateur, trice n Qui conspire.

conspiration nf Complot, conjuration.

conspirer vi Comploter. ■ vti Litt Tendre au même but. Tout conspire à votre bonheur.

conspuer vt Manifester bruyamment son hostilité à qqn.

constamment av Toujours, très souvent.

constance nf 1 Persistance, persévérance dans ses actions ou ses goûts. 2 État de ce qui ne change pas.

constant, ante a 1 Qui ne change pas ; persévérant. Constant en amour. 2 Qui dure ; ininterrompu. Pluie constante. ■ nf 1 Tendance durable. 2 Grandeur invariable.

constat nm 1 Procès-verbal d'huissier constatant un fait. 2 Constatation. Un constat d'échec. Loc **Constat amiable** : déclaration d'accident faite par les parties.

constatation nf 1 Action de constater. 2 Fait constaté et rapporté.

constater vt 1 Certifier la réalité d'un fait. 2 Remarquer, s'apercevoir de.

constellation nf Groupement d'étoiles.

constellé, ée a 1 Parsemé d'étoiles. 2 Parsemé abondamment. Texte constellé de fautes.

consternation nf Stupeur causée par un événement pénible.

consterner vt Jeter dans l'accablement.

constipation nf Retard dans l'évacuation des selles.

constiper vt Causer la constipation.

constituant, ante a, nm Qui entre dans la constitution de qqch. ■ a Loc **Assemblée constituante** : qui élabore une Constitution.

constitué, ée a Loc **Corps constitués** : organismes établis par la Constitution.

constituer vt 1 Former un tout, par la réunion d'éléments. 2 Représenter. Le loyer constitue le quart de ses dépenses. 3 Établir qqn comme. Il a constitué son neveu son héritier. 4 Établir qqch pour qqn. Constituer une dot à qqn. ■ vpr Loc **Se constituer prisonnier** : se livrer à la justice.

constitutif, ive a Qui constitue.

constitution nf 1 Ensemble des éléments constitutifs de qqch ; composition. 2 Nature, état physique. Être de constitution délicate. 3 Création, fondation. Constitution d'une société. 4 (avec majusc) Ensemble des lois fondamentales d'un État.

constitutionnel, elle a 1 Régi par une constitution. 2 Conforme à la Constitution de l'État.

constricteur *am* Loc *Muscle constricteur* : qui resserre certains orifices. *Boa constrictor* ou *constrictor* : qui se contracte autour de sa proie pour l'étouffer.

constructeur, trice *n, a* Qui construit.

constructible *a* Où on peut construire.

constructif, ive *a* Qui contribue à construire, positif. *Des propositions constructives.*

construction *nf* 1 Action de construire. 2 Édifice. 3 Branche particulière de l'industrie. *Construction mécanique, navale, aéronautique.* 4 Arrangement des mots dans la phrase.

constructivisme *nm* Courant artistique du XXe s. privilégiant les formes géométriques.

construire *vt* 67 1 Bâtir. *Construire un pont.* 2 Assembler. *Construire une automobile.* 3 Concevoir. *Construire un raisonnement.*

consubstantiel, elle *a* Didac De la même substance, inséparable.

consul *nm* 1 Magistrat dans la Rome antique. 2 Titre des trois magistrats suprêmes de la République française de 1789 à 1804. 3 Diplomate chargé, à l'étranger, des ressortissants de son pays.

consulaire *a* 1 Propre aux consuls romains. 2 Relatif à un consulat à l'étranger. Loc *Juge consulaire* : membre des tribunaux de commerce.

consulat *nm* 1 Dans la Rome antique, charge de consul. 2 Charge ou résidence d'un consul à l'étranger.

consultable *a* Que l'on peut consulter.

consultant, ante *a* 1 Qui donne avis et conseil. 2 Qui vient consulter un médecin.

consultatif, ive *a* Qui donne un avis, sans pouvoir de décision.

consultation *nf* 1 Action de consulter, de donner un avis. 2 Examen d'un malade par un médecin.

consulter *vt* 1 S'adresser à qqn pour avis. *Consulter un avocat, un médecin, un expert.* 2 Examiner pour information. *Consulter un dictionnaire.* ■ *vi* Recevoir des malades (médecin).

consumer *vt* Détruire par le feu. ■ *vpr* 1 Être détruit par le feu. 2 Litt Dépérir, s'épuiser.

consumérisme *nm* Doctrine économique des organisations de consommateurs.

contact *nm* 1 État de corps qui se touchent. 2 Liaison, relation. *Prendre contact, être en contact avec qqn.* 3 Proximité permettant le combat. 4 Liaison de deux conducteurs électriques assurant le passage d'un courant. Loc *Lentille, verre de contact* : lentille correctrice appliquée directement sur le globe oculaire.

contacter *vt* Établir un contact avec qqn.

contacteur *nm* Appareil ouvrant et fermant un circuit électrique.

contagieux, euse *a, n* Transmissible par contagion. ■ *a* Qui se communique facilement. *Un rire contagieux.*

contagion *nf* Transmission d'une maladie par contact direct ou indirect.

container [-nɛʀ] *nm* Conteneur.

contamination *nf* Souillure par des germes pathogènes ou des substances radioactives.

contaminer *vt* Souiller par contamination.

conte *nm* 1 Récit, généralement bref, d'aventures imaginaires. 2 Histoire peu vraisemblable.

contemplatif, ive *a, n* Qui s'adonne à la contemplation.

contemplation *nf* 1 Action de contempler. 2 Profonde méditation.

contempler *vt* Regarder attentivement, avec admiration.

contemporain, aine *a, n* 1 De la même époque. 2 De notre époque.

contenance *nf* 1 Capacité, quantité contenue. 2 Attitude. Loc *Perdre contenance* : être embarrassé.

contenant *nm* Ce qui contient qqch.

conteneur *nm* Récipient métallique pour le transport des marchandises. Syn. container.

contenir *vt* 35 1 Avoir une capacité de. *Cette cuve contient cent litres.* 2 Renfermer. *Ce verre contient de l'eau.* 3 Maintenir, retenir. *Les gardes contiennent la foule.* ■ *vpr* Se maîtriser.

content, ente a Satisfait, joyeux. ■ nm Loc *Avoir son content :* avoir ce que l'on désirait.

contentement nm État d'une personne contente ; satisfaction.

contenter vt Rendre content, satisfaire. ■ vpr Se borner à. *Il s'est contenté de rire.*

contentieux nm Litige, contestation.

contention nf Immobilisation d'un membre, d'un animal afin de le soigner.

contenu nm 1 Ce qui est renfermé dans qqch. *Le contenu d'une boîte.* 2 Substance. *Le contenu d'une lettre.*

conter vt Litt Faire le récit de, narrer.

contestable a Qui peut être contesté.

contestataire a, n Qui conteste l'ordre établi.

contestation nf 1 Objection, discussion. 2 Action de contester. 3 Remise en cause de l'ordre établi. *La contestation étudiante.*

conteste (sans) av Incontestablement.

contester vt Refuser de reconnaître la légalité ou la réalité d'un fait. *Contester un testament.* ■ vi Discuter, pratiquer la contradiction.

conteur, euse n 1 Qui conte, qui fait des récits. 2 Auteur de contes.

contexte nm 1 Cadre dans lequel se place un mot, une expression, une phrase. 2 Ensemble des circonstances d'un événement.

contexture nf Liaison, agencement des différentes parties d'un tout.

contigu, uë a Attenant à un autre lieu.

contiguïté nf Proximité immédiate.

continence nf Abstention volontaire de tout plaisir charnel.

continent nm Vaste étendue de terre émergée. *Les cinq continents.* Loc *Ancien Continent :* Europe. *Nouveau Continent :* Amérique.

continental, ale, aux a D'un continent. Loc *Climat continental :* marqué par l'éloignement de la mer. *État continental :* sans accès à la mer.

contingence nf Possibilité qu'une chose arrive ou non. ■ pl Choses sujettes à variation.

contingent, ente nm 1 Ensemble des jeunes effectuant leur service militaire pendant une même période. 2 Ensemble de choses reçues ou fournies. 3 Quantité maximale de marchandises.

contingenter vt Fixer un contingent à.

continu, ue a Qui n'est pas interrompu.

continuation nf Action de continuer.

continuel, uelle a 1 Qui dure sans interruption. 2 Qui se répète constamment.

continuer vt Poursuivre. *Continuer son chemin, ses études.* ■ vti Ne pas cesser. *Il continue à (de) pleuvoir.* ■ vi Durer. *La séance continue.* ■ vpr Être continué, se prolonger. *Des traditions qui se continuent avec les générations.*

continuité nf Caractère continu. Loc *Solution de continuité :* interruption.

continuum [-nɔm] nm Didac Suite d'états entre lesquels le passage est continu.

contondant, ante a Qui fait des contusions.

contorsion nf Contraction, mouvement volontaire ou non des membres. *Les contorsions d'un acrobate.*

contorsionner (se) vpr Faire des contorsions.

contorsionniste n Acrobate qui fait des contorsions.

contour nm 1 Limite extérieure d'un corps, d'une surface. 2 Aspect général de qqch. 3 Courbe, sinuosité.

contourné, ée a 1 D'un contour compliqué. 2 Maniéré.

contourner vt Faire partiellement le tour de. *Contourner une ville.*

contraceptif, ive a, nm Propre à la contraception.

contraception nf Méthode pour empêcher la grossesse.

contractant, ante a, n DR Qui s'engage par contrat.

1. contracter vt 1 DR S'engager par un contrat à qqch. 2 Prendre, acquérir une habitude, attraper une maladie.

2. contracter vt 1 Diminuer le volume de. *Le froid contracte le corps.* 2 Durcir. *Contracter ses muscles.* 3 Rendre nerveux. *L'attente* me contracte. **4** Réunir deux syllabes. *Contracter « de le » en « du »*. ■ *vpr* Diminuer de volume.

contractile *a* Qui peut se contracter.

contraction *nf* Action de contracter, de se contracter. **Loc** *Contraction de texte* : résumé qui respecte la forme et le contenu.

contractuel, elle *a* Stipulé par contrat. ■ *a, n* **1** Agent d'un service public non titulaire. **2** Auxiliaire de police qui relève les infractions de stationnement.

contracture *nf* Contraction involontaire et prolongée d'un muscle.

contradiction *nf* **1** Action de contredire, de se contredire. **2** Désaccord, incompatibilité.

contradictoire *a* Qui comporte une contradiction. **Loc** *Jugement contradictoire* : rendu en présence des parties intéressées.

contraignant, ante *a* Qui contraint, qui gêne.

contraindre *vt 57* Obliger, forcer qqn à agir contre son gré.

contraint, ainte *a* Gêné, qui manque de naturel. *Il a un air contraint*.

contrainte *nf* **1** Violence, pression exercée sur qqn. *Céder à la contrainte*. **2** Obligation, règle. *Les contraintes du métier*.

contraire *a* **1** Opposé. *Des goûts contraires. Vent contraire*. **2** Qui nuit à. *Un régime contraire à la santé*. ■ *nm* Ce qui est inverse. *Froid est le contraire de chaud*. **Syn.** antonyme.

contrairement à *prép* À l'inverse de.

contralto *nm* La plus grave des voix de femme. ■ *nf* Femme qui a cette voix.

contrarier *vt* **1** S'opposer à. *Contrarier les projets de qqn*. **2** Mécontenter, dépiter. *Tes paroles l'ont contrarié*.

contrariété *nf* Dépit, déplaisir créé par un obstacle imprévu.

contraste *nm* Opposition prononcée entre deux choses, chacune mettant l'autre en relief.

contraster *vi* Être en contraste. ■ *vt* Mettre en contraste. *Contraster les couleurs*.

contrat *nm* **1** Convention qui lie plusieurs personnes. **2** Acte qui enregistre cette convention. **3** Au bridge, dernière annonce du camp déclarant.

contravention *nf* **1** Infraction aux lois et aux règlements. **2** Amende dont est punie cette infraction. **3** Procès-verbal dressé pour cette infraction.

contre *prép* Marque l'opposition, l'hostilité, le contact, la proximité, la défense. ■ *av* **Loc** *Par contre* : en revanche. *Tout contre* : en contact. *Ci-contre* : en face. ■ *nm* **1** Ce qui est défavorable. *Le pour et le contre*. **2** Dans les sports de combat, contre-attaque.

contre-allée *nf* Allée latérale, parallèle à une voie principale. *Des contre-allées*.

contre-amiral *nm* Officier général de la marine. *Des contre-amiraux*.

contre-attaque *nf* Action offensive répondant à une attaque. *Des contre-attaques*.

contre-attaquer *vt* Effectuer une contre-attaque.

contrebalancer *vt* Égaler, compenser. ■ *vpr* **Loc Fam** *S'en contrebalancer* : s'en moquer.

contrebande *nf* Importation clandestine de marchandises ; marchandise de contrebande.

contrebandier, ère *n* Qui se livre à la contrebande.

contrebas (en) *av* À un niveau inférieur.

contrebasse *nf* Le plus grave des instruments de la famille des violons.

contrecarrer *vt* S'opposer à qqn ; contrarier, empêcher qqch.

contrechamp *nm* Prise de vues effectuée dans un sens opposé à celui de la précédente.

contrecœur (à) *av* À regret.

contrecoup *nm* **1** Rebond d'un objet, répercussion d'un choc. **2** Conséquence indirecte. *Les contrecoups de la guerre*.

contre-courant *nm* Courant allant en sens inverse du courant principal. *Des contre-courants*.

contredire *vt 60* **1** Dire le contraire. **2** Être en contradiction avec. *Cette nouvelle contredit vos prévisions*. ■ *vpr* Tenir des propos contradictoires.

contrée nf Étendue de pays, région.

contre-enquête nf Enquête destinée à compléter une enquête précédente. Des contre-enquêtes.

contre-espionnage nm Service chargé de repérer et de contrôler les espions d'une nation étrangère. Des contre-espionnages.

contre-expertise nf Nouvelle expertise pratiquée pour contrôler la précédente. Des contre-expertises.

contrefaçon nf Reproduction frauduleuse de l'œuvre d'autrui.

contrefacteur nm Faussaire, copieur.

contrefaire vt 9 1 Imiter, singer. 2 Simuler. Contrefaire la folie. 3 Déguiser. Contrefaire sa voix. 4 Reproduire frauduleusement.

contrefait, aite adj Difforme.

contre-feu nm Feu allumé pour créer une zone vide qui arrête un incendie de forêt. Des contre-feux.

contrefort nm 1 Pilier, mur servant d'appui à un autre mur. 2 Pièce de cuir renforçant l'arrière d'une chaussure. ■ pl Chaîne montagneuse plus basse, latérale à la chaîne principale.

contre-indication nf Circonstance interdisant un traitement, une médication. Des contre-indications.

contre-indiquer vt Déconseiller.

contre-jour nm Éclairage d'un objet qui reçoit la lumière du côté opposé à celui du regard. Loc À contre-jour : face à la lumière. Des contre-jours.

contre-la-montre nm inv Course cycliste chronométrée avec départs séparés.

contremaître, contremaîtresse n Qui dirige une équipe d'ouvriers.

contremarche nf Face verticale d'une marche d'escalier.

contremarque nf 1 Seconde marque apposée sur les marchandises. 2 Billet délivré aux spectateurs sortant pendant l'entracte, et qui leur permet de rentrer dans la salle.

contre-offensive nf Offensive qui contrecarre une offensive ennemie. Des contre-offensives.

contrepartie nf 1 Ce qui est demandé en échange ; compensation. 2 Opinion, sentiment contraires. Loc En contrepartie : en revanche.

contre-performance nf Mauvaise performance de qqn dont on attendait mieux. Des contre-performances.

contrepèterie nf Permutation comique de lettres ou de sons à l'intérieur d'un groupe de mots. (La fesse du pion pour la pièce du fond.)

contre-pied nm Opinion, comportement contraire. Loc Prendre à contre-pied : diriger l'action du côté opposé à celui de l'adversaire. Des contre-pieds.

contreplaqué nm Bois constitué de minces feuilles collées en alternant le sens des fibres.

contrepoids nm 1 Poids qui contrebalance une force opposée. 2 Ce qui contrebalance une qualité, un sentiment.

contrepoint nm Art d'écrire de la musique en superposant des lignes mélodiques.

contrepoison nm Substance qui neutralise l'effet d'un poison.

contre-pouvoir nm Force politique, économique ou sociale qui contrebalance le pouvoir en place. Des contre-pouvoirs.

contre-productif, ive a Qui obtient le résultat opposé à celui qui était escompté.

contrer vt 1 Au bridge, mettre l'adversaire au défi de gagner. 2 Contrecarrer, se dresser contre.

contrescarpe nf Paroi extérieure du fossé d'une fortification.

contreseing [-së] nm Signature de qqn qui contresigne.

contresens nm Interprétation d'un mot, d'une phrase contraire à la signification. Loc À contresens : en sens interdit.

contresigner vt Signer à la suite de qqn pour authentifier son acte.

contretemps nm 1 Circonstance imprévue qui dérange. 2 En musique, attaque sur un temps faible. Loc À contretemps : mal à propos.

contre-torpilleur nm Petit bateau de guerre rapide utilisé contre les torpilleurs. Des contre-torpilleurs.

contretype nm Copie d'une photo.

contre-valeur nf Valeur donnée en échange de qqch que l'on reçoit. *Des contre-valeurs.*

contrevenant, ante n Qui enfreint une loi, un règlement.

contrevenir vti 35 Agir contrairement à une loi, à un règlement.

contrevent nm Volet extérieur.

contrevérité nf Affirmation contraire à la vérité.

contribuable n Qui paie des impôts.

contribuer vti 1 Prendre part à. *Contribuer au progrès.* 2 Payer sa part d'une dépense, d'une charge commune.

contribution nf 1 Part payée par chacun dans une dépense, une charge commune. 2 Impôt. *Contributions directes, indirectes.* 3 Concours apporté à une œuvre.

contrit, ite a Qui a le regret de ses fautes ; penaud.

contrition nf Repentir sincère d'avoir péché.

contrôlable a Qui peut être contrôlé.

contrôle nm 1 Vérification, surveillance. *Contrôle d'identité.* 2 Lieu où se tiennent les contrôleurs. 3 Organisme chargé du contrôle. 4 Maîtrise. *Perdre le contrôle de son véhicule.* Loc *Contrôle continu des connaissances :* interrogations échelonnées sur l'année scolaire. *Contrôle des naissances :* planning familial.

contrôler vt 1 Effectuer un contrôle sur. *Contrôler les billets d'entrée.* 2 Être maître de. *L'armée contrôle le pays.* ■ vpr Être maître de soi.

contrôleur, euse n Chargé d'un contrôle, surveillance.

contrordre nm Révocation d'un ordre donné.

controverse nf Débat suivi, contestation.

controversé, ée a Qui est l'objet d'une controverse.

contumace nf Non-comparution d'un prévenu devant la cour d'assises.

contusion nf Lésion des chairs sans déchirure.

conurbation nf Groupement de plusieurs villes rapprochées.

convaincre vt 75 Amener à reconnaître la vérité d'un fait ; persuader.

convalescence nf Rétablissement progressif de la santé.

convalescent, ente a En convalescence.

convenable a 1 Adapté, qui a les qualités requises. 2 Conforme aux convenances.

convenablement av De façon convenable.

convenance nf Loc *À sa convenance :* à son goût. ■ pl Bienséance. Loc *Pour convenances personnelles :* pour des raisons personnelles.

convenir vti 35 1 [aux avoir ou être] S'accorder sur. *Nous sommes convenus d'un prix. Ils ont convenu d'une date.* 2 Reconnaître. *Il convient de son erreur.* 3 [aux avoir] Être approprié. *Le mot convient à la chose.* 4 Plaire, agréer. *Cette solution me convient.* ■ v impers Il est utile de. *Il convient de partir.*

convention nf 1 Accord, pacte, contrat. *Convention collective.* 2 Ce qu'il convient d'admettre. *Les conventions sociales.* 3 Aux É.-U., congrès d'un parti réuni pour désigner un candidat à la présidence.

conventionné, ée a Qui a passé une convention avec la Sécurité sociale. *Clinique conventionnée.*

conventionnel, elle a 1 Qui résulte d'une convention. *Signe conventionnel.* 2 Conforme aux conventions sociales. *Formule conventionnelle.* Loc *Armes conventionnelles :* autres que nucléaires, biologiques et chimiques. Syn. armes classiques.

conventuel, elle a Du couvent.

convenu, ue a Conforme à un accord. *Il est arrivé à l'heure convenue.* Loc *Langage convenu :* code.

convergence nf Action, fait de converger.

convergent, ente a Qui converge.

converger vi 11 1 Se diriger vers un même lieu. 2 Avoir le même but.

conversation nf 1 Entretien libre, familier. 2 Matière, sujet de cet entretien. Loc *Avoir de la conversation :* parler facilement sur tout.

conversationnel, elle a INFORM Qui permet le dialogue homme-machine.

converser vi S'entretenir avec.

conversion nf 1 Transformation d'une chose en une autre. 2 Changement de religion, de parti, d'opinion.

converti, ie a, n Qui a changé de religion ou qui a été amené à la religion.

convertible a Qui peut être converti, échangé ou transformé.

convertir vt 1 Changer, transformer. 2 Amener qqn à changer de religion, de parti, d'opinion. ■ vpr Adopter une religion.

convertisseur nm Appareil qui transforme.

convexe a Bombé, courbé en dehors. Miroir convexe.

convexité nf Rondeur, courbure sphérique.

conviction nf Certitude intime et ferme. ■ pl Idées, opinions auxquelles on est attaché.

convier vt Inviter à.

convive n Qui participe à un repas.

convivial, ale,aux a 1 Chaleureux. Atmosphère conviviale. 2 INFORM Simple pour l'utilisateur. Logiciel convivial.

convivialité nf 1 Chaleur dans les relations entre personnes. 2 Caractère convivial d'un système informatique.

convocation nf Action de convoquer ; document par lequel on convoque.

convoi nm 1 Réunion de véhicules cheminant vers une même destination. 2 Cortège funèbre.

convoiter vt Désirer avidement.

convoitise nf Désir immodéré de possession.

convoler vi Litt Se marier.

convoquer vt 1 Appeler à se réunir. Convoquer le Parlement. 2 Mander. Convoquer à un examen.

convoyer vt 22 1 Accompagner pour protéger. 2 Conduire un véhicule à son destinataire. 3 Transporter.

convoyeur nm 1 Qui convoie. 2 Dispositif de transport des matériaux.

convulsé, ée a Agité de convulsions.

convulsif, ive a D'une convulsion.

convulsion nf Contraction involontaire et transitoire des muscles.

cookie [kuki] nm Petit gâteau sec.

cool [kul] a Fam Détendu, calme.

coolie [kuli] nm Travailleur en Extrême-Orient.

coopérant, ante n Chargé d'une mission d'assistance à l'étranger.

coopératif, ive a Qui coopère volontiers.

coopération nf 1 Action de coopérer. 2 Politique d'aide aux pays en voie de développement.

coopérative nf Société dont les associés participent également à la gestion et au profit.

coopérer vi 12 Travailler conjointement avec qqn, participer.

cooptation nf Élection des nouveaux membres d'une assemblée par les membres déjà élus.

coordination nf Action de coordonner ; état de ce qui est coordonné. Loc GRAM Conjonction de coordination : mot de liaison (mais, ou, et, donc, or, ni, car).

coordonnateur ou **coordinateur, trice** a, n Qui coordonne.

coordonné, ée a Loc GRAM Propositions coordonnées : unies par une conjonction de coordination. ■ nfpl 1 MATH Ensemble des nombres qui permettent de définir la position d'un point dans un plan. 2 Fam Indications (adresse, téléphone) permettant de joindre qqn. ■ nmpl Éléments assortis dans le domaine de la décoration, de l'habillement.

coordonner vt Organiser dans une intention déterminée.

copain, copine n Fam Camarade, ami.

copeau nm Morceau, éclat enlevé par un instrument tranchant.

copie nf 1 Reproduction exacte d'un écrit. 2 Devoir d'écolier. 3 Reproduction qui imite une œuvre d'art. 4 Film positif tiré d'un négatif. 5 Texte à composer.

copier vt 1 Reproduire. Copier un texte. 2 Imiter. Copier un tableau. ■ vi Reproduire frauduleusement le travail d'autrui. Copier sur son voisin.

copieur, euse n, a Qui copie frauduleusement. ■ nm Machine à photocopier.

copieusement av Abondamment.

copieux, euse a Abondant. Repas copieux.

copilote nm Pilote auxiliaire.

copinage nm Fam, péjor Entraide par relations, par combine.

copine. V. copain.

copiste n 1 Qui recopiait les manuscrits, avant l'imprimerie. 2 Qui copie de la musique.

coprah ou **copra** nm Amande de coco dont on extrait des graisses.

coprésidence nf Présidence exercée par deux présidents.

coprin nm Champignon qui pousse sur le fumier.

coprocesseur nm INFORM Processeur auxiliaire.

coproducteur, trice n Qui participe à une coproduction.

coproduire vt 67 Produire, réaliser avec d'autres.

coprophage a, n Qui se nourrit d'excréments.

copropriétaire n Qui possède qqch avec d'autres.

copropriété nf Propriété commune à plusieurs personnes.

copte n, a Chrétien d'Égypte ou d'Éthiopie.

copulation nf Accouplement, coït.

copuler vi Fam S'accoupler avec.

copyright [-piʀajt] nm 1 Droit de publication d'une œuvre pendant une durée déterminée. 2 Marque de ce droit (signe ©).

coq nm 1 Mâle de la poule domestique et de divers galliformes. 2 Cuisinier sur un bateau. Loc **Poids coq** : boxeur pesant entre 51 kg et 54 kg.

coq-à-l'âne nm inv Passage sans transition d'un sujet à un autre.

coquard nm Pop Coup sur l'œil.

coque nf 1 Enveloppe externe, dure, d'un œuf. 2 Enveloppe ligneuse de certaines graines. 3 Coquillage comestible. 4 Ensemble de la membrure et du bordé d'un navire. 5 Car-

casse du corps d'un avion. 6 Carrosserie d'une automobile sans châssis. Loc **Œuf à la coque** : cuit mais non durci.

coquelet nm Jeune coq.

coquelicot nm Fleur des champs rouge vif.

coqueluche nf 1 Maladie contagieuse, caractérisée par une toux quinteuse. Loc Fam **Être la coqueluche de** : être très admiré de.

coquet, ette a 1 Qui aime être élégant. 2 D'aspect soigné. Un jardin coquet. Loc **Une somme coquette** : importante.

coquetier nm Petit récipient pour manger l'œuf à la coque.

coquetterie nf 1 Goût de la parure. 2 Désir de plaire.

coquillage nm 1 Animal, mollusque pourvu d'une coquille. 2 Coquille vide.

coquille nf 1 Enveloppe dure de certains mollusques. Coquille d'huître, d'escargot. 2 Enveloppe dure de l'œuf. 3 Enveloppe ligneuse des noix, des amandes, etc. 4 Motif ornemental figurant une coquille. 5 En sport, appareil de protection des parties génitales. 6 En typographie, faute de composition. Loc **Coquille Saint-Jacques** : mollusque comestible.

coquillette nf Pâte alimentaire en forme de petite coquille.

coquin, ine n, a Espiègle, malicieux. ■ nm Vx Escroc.

coquinerie nf Malice, espièglerie.

cor nm 1 Instrument à vent, en cuivre, enroulé sur lui-même et terminé par un large pavillon. 2 Petite tumeur dure située sur le pied. ■ pl Andouillers des bois des cervidés.

corail, aux nm 1 Polype des mers chaudes à squelette calcaire rouge-orangé, utilisé en joaillerie. 2 Substance rouge des coquilles Saint-Jacques. ■ a inv Rouge-orangé.

corallien, enne a Formé de coraux.

coranique a Du Coran.

corbeau nm 1 Grand oiseau noir au bec puissant. 2 Auteur de lettres ou de coups de téléphone anonymes. 3 Pierre en saillie sur un parement de maçonnerie.

corbeille nf 1 Panier sans anse. 2 Massif de fleurs. 3 Balcon d'un théâtre.

corbières nm Vin rouge du Midi.

corbillard nm Voiture mortuaire.

cordage nm Câble, corde à bord d'un navire.

corde nf 1 Lien fait de brins retordus d'une matière textile. *Corde à linge*. 2 Fil tendu. *Corde de guitare, de raquette*. 3 Limite intérieure d'une piste de course. 4 MATH Droite qui sous-tend un arc de cercle. ■ *pl* Instruments à cordes frottées ou pincées. **Loc** *Dans les cordes de qqn* : dans ses possibilités. *Cordes vocales* : replis du larynx grâce auxquels on produit les sons.

cordeau nm Petite corde qu'on tend pour obtenir des lignes droites.

cordée nf Caravane d'alpinistes réunis par une corde.

cordelette nf Corde mince.

cordelière nf Cordon de soie, de laine servant de ceinture ou d'ornement de passementerie.

corder vt 1 Tordre, mettre en corde. 2 Garnir une raquette de cordes.

cordial, ale, aux a Qui vient du cœur ; sincère. ■ nm Breuvage tonique.

cordialement av Avec cordialité.

cordialité nf Manière ouverte de parler, d'agir.

cordillère nf GEOGR Chaîne de montagnes parallèles, à crête élevée.

cordon nm 1 Petite corde. 2 Ruban servant d'insigne à certaines décorations. 3 Série d'éléments alignés. *Cordon d'arbres, de troupes*. **Loc** *Cordon ombilical :* qui relie le fœtus au placenta.

cordon-bleu nm Personne qui fait très bien la cuisine. *Des cordons-bleus*.

cordonnerie nf Métier, boutique de cordonnier.

cordonnet nm Petit cordon.

cordonnier, ère n Artisan qui répare les chaussures.

coréen, enne a, n De Corée. ■ nm Langue parlée en Corée.

coreligionnaire n De même religion qu'un autre.

coriace a 1 Dur. *Viande coriace*. 2 Tenace. *Adversaire coriace*.

coriandre nf Plante dont la feuille est une herbe aromatique et la graine un condiment.

corindon nm Pierre très dure (rubis, saphir).

corinthien, enne a Se dit d'un ordre architectural grec (chapiteaux à feuille d'acanthe).

cormier nm Sorbier domestique au bois très dur.

cormoran nm Oiseau palmipède pêcheur.

cornac nm Qui guide et soigne un éléphant.

cornaline nf Agate rouge ou jaune, utilisée en joaillerie.

corne nf 1 Excroissance dure sur la tête de certains mammifères (bœuf, rhinocéros, etc.). 2 Appendice crânien. *Cornes d'un escargot. Vipère à cornes*. 3 Matière dure des cornes, ongles, sabots, etc. *Un peigne de corne*. 4 Trompe d'appel. *Corne de brume*. 5 Pli au coin d'une feuille de papier. **Loc** Fam *Avoir, porter des cornes* : être cocu. *Corne d'abondance* : remplie de fruits et symbolisant la prospérité.

corned-beef [kɔrnbif] nm inv Conserve de viande de bœuf.

cornée nf ANAT Partie transparente de la conjonctive de l'œil, située devant l'iris.

corneille nf Oiseau noir voisin du corbeau.

cornélien, enne a 1 Relatif à Pierre Corneille. 2 Qui constitue un dilemme douloureux. *Situation cornélienne*.

cornemuse nf Instrument à vent celtique, composé d'un sac en peau et de tuyaux.

1. corner vi Sonner d'une corne, klaxonner. ■ vt Plier le coin de. *Corner les pages d'un livre*.

2. corner [-nɛr] nm Au football, coup franc tiré d'un coin de la ligne de but.

cornet nm 1 Cône de papier ou de pâtisserie servant de récipient. 2 Gobelet de cuir pour le jeu de dés. **Loc** *Cornet (à pistons)* : instrument à vent, en cuivre, à pistons.

cornette nf Coiffure de certaines religieuses.

cornflakes [-flɛks] nmpl Flocons de maïs grillés.

corniaud *nm* 1 Chien bâtard. 2 Fam Imbécile.

corniche *nf* 1 Ornement saillant. *Corniche d'une armoire.* 2 Route à flanc de montagne.

cornichon *nm* 1 Petit concombre que l'on confit dans le vinaigre. 2 Pop Sot, niais.

cornière *nf* Profilé métallique en équerre servant à renforcer les angles.

corniste *n* Qui joue du cor.

cornouiller *nm* Petit arbre à bois dur.

cornu, ue *a* Qui a des cornes.

cornue *nf* Vase à col allongé et recourbé utilisé en chimie.

corollaire *nm* Proposition qui découle nécessairement d'une autre ; conséquence immédiate.

corolle *nf* Pétales d'une fleur.

coron *nm* Groupe de maisons de mineurs.

coronaire *a, nf* Loc *Artère coronaire :* qui irrigue le muscle cardiaque.

coronarien, enne *a* De l'artère coronaire.

corossol *nm* Fruit comestible d'une anone.

corozo *nm* Graine très dure d'un palmier, pouvant remplacer l'ivoire.

corporation *nf* Ensemble des professionnels exerçant une même activité.

corporatisme *nm* Attitude qui consiste à défendre uniquement les intérêts de sa corporation.

corporel, elle *a* Du corps.

corps *nm* 1 Partie physique de l'homme, de l'animal. *Avoir le corps couvert de plaies.* 2 Objet matériel. *La chute des corps.* 3 *Corps étranger dans l'estomac.* 3 Substance chimique. *Le carbone est un corps simple.* 4 Partie principale d'une chose. *Le corps d'une doctrine.* 5 Ensemble de personnes appartenant à une même catégorie sociale ou professionnelle. *Le corps médical, électoral.* 6 ANAT Nom donné à divers organes. *Corps calleux.* 7 IMPRIM Encombrement d'un caractère typographique. Loc *Esprit de corps :* solidarité corporative. *Prendre corps :* prendre forme.

corps-à-corps [kɔʀakɔʀ] *nm inv* Combat directement aux prises avec l'adversaire.

corpulence *nf* Masse du corps, souvent importante.

corpulent, ente *a* De forte corpulence.

corpus [-pys] *nm* Ensemble d'énoncés, réunis en vue d'une analyse linguistique.

corpuscule *nm* Très petit corps.

corral *nm* Enclos où on parque les bêtes, dans un élevage américain. *Des corrals.*

correct, ecte *a* 1 Exempt de fautes. 2 Conforme aux règles, aux convenances. 3 Fam Convenable, acceptable. *Repas très correct.*

correctement *av* Sans faute.

correcteur, trice *n* 1 Qui corrige un devoir, un examen. 2 Chargé de la correction des épreuves d'imprimerie. ■ *a* Loc *Verres correcteurs :* qui corrigent la vue. ■ *nm* Loc *Correcteur orthographique :* logiciel qui vérifie automatiquement l'orthographe.

correctif, ive *a* Propre à corriger. *Gymnastique corrective.* ■ *nm* Ce qui corrige un texte, un propos. *Publier un correctif.*

correction *nf* 1 Action de corriger. 2 Châtiment corporel. 3 Qualité de ce qui est correct. *Correction du style, de la tenue.*

correctionnel, elle *a, nf* Loc DR *Tribunal correctionnel :* qui juge les délits et non les crimes.

corrélat *nm* Terme en corrélation avec un autre.

corrélatif, ive *a* En relation logique avec autre chose.

corrélation *nf* Relation entre deux choses, deux termes corrélatifs.

corréler *vt* 12 Mettre en corrélation.

correspondance *nf* 1 Rapport de conformité, d'analogie. *Correspondance de vues.* 2 Liaison entre deux moyens de transport ; moyen de transport qui l'assure. 3 Échange régulier de lettres ; les lettres elles-mêmes.

correspondant, ante *a* Qui correspond. ■ *n* 1 Avec qui on est en relation épistolaire ou téléphonique. 2 Chargé par un média de transmettre des informations. *Correspondant de guerre.* 3 Chargé de veiller sur un élève interne hors de l'établissement.

correspondre vti 71 1 Être en rapport de conformité avec. *Cet article ne correspond pas à mon texte.* 2 Communiquer avec. *Living qui correspond avec la chambre.* ■ vi Avoir un échange épistolaire ou téléphonique.

corrida nf 1 Course de taureaux. 2 Fam Agitation, bousculade.

corridor nm Couloir dans un appartement.

corrigé nm Devoir donné comme modèle à des élèves.

corriger vt 11 1 Rectifier les erreurs. *Corriger un texte.* 2 Rectifier les fautes et donner une note. *Corriger un devoir.* 3 Tempérer qqch. *Corriger un défaut, une tendance.* 4 Punir d'une peine corporelle. 5 Fam Battre sévèrement. *Ce boxeur a corrigé son adversaire.*

corroborer vt Appuyer, confirmer. *Ceci corrobore son témoignage.*

corroder vt Ronger un métal.

corrompre vt 78 1 Soudoyer. *Corrompre des témoins.* 2 Pervertir. *Corrompre les mœurs.* 3 Décomposer. *La chaleur corrompt la viande.*

corrosif, ive a Qui corrode.

corrosion nf Action de corroder.

corruptible a Sujet à la corruption.

corruption nf 1 Action de corrompre. *Corruption de fonctionnaire.* 2 Litt Perversion, déformation. *Corruption des mœurs, du goût.*

corsage nm Vêtement féminin recouvrant le buste.

corsaire nm HIST Navire privé ou capitaine de ce navire qui, avec l'autorisation du gouvernement, capturait les navires marchands d'un pays ennemi.

corse a, n De Corse. ■ nm Langue parlée en Corse.

corsé, ée a 1 Relevé, fort. 2 Grivois.

corselet nm ZOOL Partie dorsale du thorax des insectes.

corser vt Donner de la force, de la vigueur ; épicer. ■ vpr Fam Se compliquer.

corset nm Sous-vêtement à baleines qui soutient la taille.

corso nm Défilé de chars fleuris, lors de certaines fêtes.

cortège nm 1 Suite de personnes qui en accompagnent une autre avec cérémonie. 2 Groupe de gens qui défilent. 3 Suite, accompagnement de qqch. *Cortège d'horreurs.*

cortex nm ANAT 1 Substance grise des hémisphères cérébraux. 2 Couche superficielle de certains organes.

corticoïde nm Hormone sécrétée par le cortex surrénal ; dérivé ou succédané de cette hormone.

corticosurrénal, ale, aux a Du cortex surrénal. ■ nf Cortex surrénal, exerçant une importante fonction métabolique.

cortinaire nm Champignon aux couleurs vives.

cortisone nf Hormone corticosurrénale anti-inflammatoire.

corvéable a Soumis à la corvée.

corvée nf 1 HIST Travail gratuit dû par les paysans au seigneur ou au roi. 2 Chose pénible, désagréable qu'on doit faire.

corvette nf Escorteur de haute mer antisous-marins.

corvidé nm ZOOL Grand oiseau tel que les corbeaux, les corneilles, les choucas, les geais, les pies.

coryza nm Rhume de cerveau.

cosaque nm Cavalier de l'armée russe.

cosignataire [-si-] n Qui signe avec d'autres un document.

cosigner [-si-] vt Signer un texte avec d'autres.

cosinus nm MATH Rapport du côté adjacent d'un angle aigu à l'hypoténuse d'un triangle rectangle.

cosmétique nm Substance utilisée pour l'hygiène et la beauté de la peau, des cheveux. ■ a 1 Des cosmétiques. 2 Fam Superficiel, anodin. *Des réformes cosmétiques.*

cosmétologie nf Industrie des cosmétiques.

cosmique a Relatif à l'Univers, à l'espace extra-terrestre. *Rayons cosmiques.*

cosmogonie nf Théorie de la formation de l'Univers.

cosmologie nf Étude de l'ensemble de l'Univers et de sa structure.

cosmonaute n Pilote ou passager d'un véhicule spatial soviétique.

cosmopolite a Composé de personnes originaires de pays divers.

cosmos nm 1 L'Univers, considéré comme un tout organisé. 2 L'espace extra-terrestre.

cossard, arde a, n Fam Paresseux.

cosse nf 1 Enveloppe des petits pois, haricots, fèves, etc. 2 Plaque métallique pour connecter un conducteur. 3 Fam Paresse.

cossu, ue a Riche, opulent.

costal, ale, aux a Des côtes. Douleur costale.

costard nm Pop Costume d'homme.

costaricien, enne a, n Du Costa Rica.

costaud nm Fam Fort, solide, résistant.

costume nm 1 Manière de se vêtir propre à une époque, à un pays. 2 Vêtement d'homme composé d'un pantalon et d'une veste, et parfois d'un gilet. 3 Habit de théâtre, déguisement.

costumé, ée a Loc Bal costumé : où les invités sont travestis.

costumer (se) vpr Se déguiser.

costumier, ère n Qui fait, vend, répare des costumes de théâtre.

cotangente nf MATH Inverse de la tangente d'un angle.

cotation nf Action de coter.

cote nf 1 Marque numérale pour classer des documents, des livres, etc. 2 Indication du cours des valeurs mobilières. 3 Évaluation, estimation de la valeur de qqch. 4 Indication d'une dimension, d'un niveau. Loc Fam Avoir la cote : être très prisé. Cote mal taillée : compromis bancal.

côte nf 1 Chacun des os longs et courbes qui forment la cage thoracique. 2 Lignes en saillie. Côtes d'un melon. Velours à grosses côtes. 3 Pente d'une montagne ; route qui monte. 4 Rivage de la mer. Loc Côte à côte : l'un à côté de l'autre.

côté nm 1 Partie latérale du corps. Être couché sur le côté. 2 Partie extérieure. Côté droit du chemin. 3 Segment de droite du périmètre d'un polygone. Côtés d'un triangle. 4 Surface limitant un objet. Côtés d'un meuble. 5 L'une des parties, des faces d'une chose. Feuille imprimée sur un côté. 6 Manière de voir. Le bon côté des choses. 7 Ligne de parenté. Du côté de ma mère. 8 Parti, camp, opinion. Être du côté du plus fort. Loc À côté : tout près. De côté : de biais. Mettre de l'argent de côté : épargner. Laisser de côté : négliger.

coteau nm Versant d'une colline.

côtelé, ée a Loc Velours côtelé : à côtes.

côtelette nf Côte des petits animaux de boucherie (mouton, porc).

coter vt 1 Attribuer une cote, évaluer. 2 Inscrire les cotes sur un plan. 3 Inscrire à la cote de la Bourse. Loc Être coté : être estimé.

coterie nf Péjor Personnes qui se groupent pour défendre leurs intérêts.

côtes-du-rhône nm inv Vin récolté dans la vallée du Rhône, au sud de Lyon.

coteur nm Qui effectue les cotations à la Bourse.

côtier, ère a Relatif à la côte, au rivage. Navigation côtière.

cotillon nm 1 Danse terminant un bal. 2 Accessoires de fête (confettis, serpentins, etc.).

cotisation nf 1 Somme cotisée. 2 Versement obligatoire aux organismes de Sécurité sociale.

cotiser vti Payer sa quote-part. Cotiser à une mutuelle. ■ vpr Apporter sa part à une dépense commune.

coton nm 1 Fil textile extrait des graines du cotonnier. 2 Morceau d'ouate.

cotonéaster nm Arbrisseau ornemental, au feuillage fin.

cotonnade nf Étoffe de coton.

cotonneux, euse a 1 Dont l'aspect, la consistance rappelle la ouate. 2 Fade.

cotonnier, ère a Du coton. Industrie cotonnière. ■ nm Arbrisseau qui fournit le coton.

coton-tige nm (n déposé) Bâtonnet entouré d'ouate aux extrémités. Des cotons-tiges.

côtoyer vt 22 1 Fréquenter, être en relation avec. *Il côtoie des députés.* 2 Longer. *La route côtoie la rivière.* 3 Être proche de. *Histoire qui côtoie le ridicule.*

cotre nm Petit voilier à un mât.

cottage [-tedʒ] nm Petite maison de campagne, coquette et rustique.

cotte nf Loc **Cotte de mailles :** armure souple faite de mailles de fer.

cotylédon nm BOT Lobe charnu servant de réserve nutritive à la plante.

cou nm 1 Partie du corps qui joint la tête au thorax. 2 Partie longue et amincie d'un récipient.

couac nm Son faux, discordant.

couard, arde a, n Litt Lâche, poltron.

couardise nf Litt Poltronnerie, lâcheté.

couchage nm Action de coucher. Loc **Sac de couchage :** duvet.

couchant nm Point de l'horizon au moment où le soleil se couche.

couche nf 1 Substance étalée. *Couche de peinture.* 2 Épaisseur de terreau. *Champignons de couche.* 3 Strate homogène de terrains sédimentaires. 4 Protection absorbante pour nourrissons. 5 Litt Lit. *Partager la couche de qqn.* 6 Classe, catégorie sociale. Loc **Être en couches :** en train de venir d'accoucher. **Fausse couche :** avortement spontané.

couché, ée a 1 Allongé, étendu. 2 Incliné. *Écriture couchée.* Loc **Papier couché :** couvert d'une couche d'enduit.

couche-culotte nf Culotte imperméable pour bébé, où l'on met une couche. *Des couches-culottes.*

coucher vt 1 Mettre au lit. *Coucher un enfant.* 2 Mettre horizontal. *Coucher l'armoire.* 3 Incliner. *L'orage couche les blés.* Loc **Coucher par écrit :** inscrire. ■ vi Passer la nuit. *Coucher à l'hôtel.* ■ vti **Coucher avec qqn :** avoir des relations sexuelles. ■ vpr 1 S'allonger. 2 S'incliner. *Le bateau se couche sur le flanc.* 3 En parlant du soleil. Loc **Le coucher du soleil :** moment où il disparaît à l'horizon.

couchette nf Lit étroit dans un train.

coucheur, euse n Loc Fam **Mauvais coucheur :** personne difficile à vivre.

couci-couça av Fam Ni bien ni mal.

coucou nm 1 Oiseau grimpeur. 2 Primevère sauvage. 3 Pendule de style rustique dont la sonnerie imite le cri du coucou. 4 Fam Vieil avion ; petit avion. ■ interj Manifeste l'arrivée de qqn.

coude nm 1 Articulation entre le bras et l'avant-bras. 2 Partie de la manche couvrant le coude. 3 Tournant, angle. *Coude d'un chemin.* Loc **Coude à coude :** solidairement. **Se tenir les coudes :** être solidaires. **Sous le coude :** en attente.

coudée nf Ancienne mesure de longueur d'environ 50 centimètres. Loc **Avoir les coudées franches :** pouvoir agir librement.

cou-de-pied nm Partie supérieure du pied. *Des cous-de-pied.*

couder vt Plier en forme de coude.

coudière nf Accessoire sportif protégeant l'articulation du coude.

coudoyer vt 22 Fréquenter, côtoyer.

coudre vt 56 Joindre au moyen d'un fil passé dans une aiguille.

coudrier nm Noisetier.

couenne [kwan] nf Peau de cochon employée en charcuterie.

couette nf 1 Lit ou édredon de plume. 2 Petite touffe de cheveux retenue par un lien.

couffin nm Grand panier en osier servant de berceau.

cougouar nm Puma.

couille nf Pop Testicule.

couillon, nm, a Pop Idiot, imbécile.

couillonner, a vt Pop Tromper, gruger.

couinement nm Action de couiner ; cris, bruits aigus.

couiner vi 1 Pousser de petits cris. 2 Grincer.

coulage nm 1 Action de couler. 2 Fam Gaspillage, chapardage.

coulant, ante a 1 Qui coule, fluide. *Camembert coulant.* 2 Facile, aisé. *Un style coulant.* 3 Accommodant. *Un patron très coulant.* Loc **Nœud coulant :** qui se serre quand on tire l'extrémité du lien. ■ nm Anneau d'une ceinture.

coulée nf Matière liquide ou en fusion qui s'étale. *Coulée de boue, de lave.*

coulemelle nf Champignon comestible à chapeau écailleux (lépiote).

couler vi 1 Se mouvoir (liquide). *Le ruisseau coule.* 2 S'échapper. *Le vin coule du tonneau.* 3 Laisser échapper. *Le tonneau coule.* 4 S'enfoncer, sombrer. *Le bateau coule.* ■ vt 1 Verser une matière liquide. *Couler du plomb.* 2 Glisser, introduire. *Couler la clé dans la serrure.* ■ vpr Se glisser. *Le serpent se coule dans le panier.* Loc Fam *Se la couler douce :* vivre agréablement.

couleur nf 1 Impression produite sur l'œil par la lumière. *Les couleurs du prisme.* 2 Ce qui n'est ni noir, ni gris, ni blanc. *Une carte postale en couleurs.* 3 Aux cartes, trèfle, carreau, cœur, pique. 4 Substance colorante. *Boîte de couleurs.* Loc *Personne de couleur :* qui n'est pas blanc. *Couleur locale :* caractère pittoresque. *Couleur politique :* opinion. ■ pl 1 Habit, signe distinctif. *Les couleurs d'un club sportif.* 2 Drapeau. *Envoyer les couleurs.*

couleuvre nf Serpent non venimeux commun en Europe.

coulis nm Extrait obtenu par tamisage et/ou cuisson. *Coulis de fraises, de tomates.* ■ am Loc *Vent coulis :* qui se glisse par les fentes.

coulisse nf 1 Rainure où glisse une pièce mobile. 2 Rempli d'étoffe pour passer un cordon. 3 Partie d'un théâtre invisible pour le public, derrière les décors.

coulisser vt Faire glisser sur une coulisse. ■ vi Glisser. *Porte qui coulisse.*

couloir nm 1 Passage entre plusieurs lieux. *Les couloirs du métro.* 2 Passage étroit. ■ pl *Galeries avoisinant une salle de séance. Les couloirs de l'Assemblée.*

coulomb nm PHYS Quantité d'électricité transportée en 1 seconde par un courant de 1 ampère.

coulommiers nm Fromage à pâte fermentée.

coulpe nf Loc Litt *Battre sa coulpe :* s'avouer coupable.

coulure nf Matière qui coule ; sa trace. *Des coulures de peinture.*

coup nm 1 Choc physique, heurt ; sa trace. *Coup de bâton. Le coup se voit encore.*

2 Choc psychologique. *Cette nouvelle a été un coup pour lui.* 3 Geste rapide. *Coup de volant.* 4 Bruit dû à un choc. *Coup de marteau.* 5 Décharge et détonation d'une arme à feu. *Coup de fusil, de canon.* 6 Fois. *Ce coup-ci. Encore un coup. À tous les coups.* 7 Accès. *Coup de folie, de colère, de désespoir.* Loc *Coup de théâtre :* événement soudain. *Coup de tête :* décision brusque. *Coup d'État :* prise du pouvoir par la force. *Coup de soleil :* insolation. Fam *Coup dur :* malheur. *Coup franc :* sanction contre une équipe qui a commis une faute. *Tout à coup :* brusquement. *Au coup par coup :* selon la circonstance. *Donner un coup de main à :* aider. *Du coup :* de ce fait. *Coup sur coup :* sans interruption.

coupable a, n Qui a commis une faute, un délit. *Être coupable de vol. Retrouver le coupable.* ■ a Blâmable. *Négligence coupable.*

coupant, ante a 1 Qui coupe. 2 Autoritaire, impérieux. *Un ton coupant.*

coup-de-poing nm Arme métallique percée de trous pour les doigts. *Des coups-de-poing.*

1. coupe nf 1 Verre, récipient évasé, à pied. *Une coupe à champagne, à fruit.* 2 Trophée offert au vainqueur d'une compétition sportive ; la compétition elle-même.

2. coupe nf 1 Action de couper ; ce qui a été coupé. *Coupe de tissu.* 2 Manière de tailler. *Costume de bonne coupe.* 3 Division en deux d'un paquet de cartes. 4 Étendue de bois sur pied à abattre. 5 Pause dans la diction. *Coupe d'un vers.* 6 Représentation de la section verticale d'une pièce, d'un bâtiment. Loc *Être sous la coupe de qqn :* sous son emprise.

coupé nm Automobile à deux portes généralement à deux places.

coupe-choux nm inv Rasoir droit.

coupe-cigares nm inv Instrument pour couper le bout des cigares.

coupe-circuit nm inv Fusible.

coupe-faim nm inv Médicament destiné à couper la faim.

coupe-feu nm inv Obstacle ou espace libre destiné à la propagation d'un incendie.

coupe-gorge nm inv Endroit où l'on risque de se faire attaquer.

coupelle nf Petite coupe.

coupe-ongles nm inv Instrument pour couper les ongles.

coupe-papier nm inv Lame de bois, d'ivoire, etc., pour couper les pages d'un livre.

couper vt **1** Diviser avec un instrument tranchant. Couper du bois. **2** Tailler dans de l'étoffe. Couper une robe. **3** Entailler, blesser. **4** Interrompre. Couper un circuit, le courant. **5** Supprimer, censurer. Certains passages du film ont été coupés. **6** Traverser. Ce chemin coupe la route. **7** Mélanger un liquide à un autre. Couper d'eau du lait, du vin. **8** Séparer un jeu de cartes en deux. **9** Jouer un atout quand on ne peut fournir la couleur demandée. **10** Au tennis, au ping-pong, donner de l'effet à une balle. ■ vi Être tranchant. Ce rasoir coupe bien. ■ vti Échapper à qqch. Couper à une corvée. ■ vpr **1** Se blesser avec un instrument tranchant. **2** Se contredire après avoir menti.

couperet nm **1** Couteau de boucher large et lourd. **2** Couteau de la guillotine.

couperose nf Rougeur du visage due à une dilatation vasculaire.

coupe-vent nm inv Vêtement qui protège du vent.

couplage nm Assemblage, connexion, réunion.

couple nm **1** Deux personnes vivant ensemble. **2** Deux personnes. Un couple d'associés. **3** Le mâle et la femelle. Un couple de serins. **4** PHYS Système de deux forces égales, parallèles, de sens contraires. **5** MAR Section transversale de la structure du navire.

couplé nm Pari consistant à désigner les deux premiers chevaux d'une course.

coupler vt Assembler deux par deux.

couplet nm Strophe d'une chanson.

coupole nf Partie concave d'un dôme. Loc La Coupole : l'Académie française.

coupon nm **1** Morceau d'étoffe restant d'une pièce. **2** Titre d'intérêt joint à une action, à une obligation.

couponing ou **couponnage** nm Vente par correspondance avec des coupons-réponse.

coupon-réponse nm Partie détachable d'une annonce publicitaire à renvoyer par le lecteur. Des coupons-réponse.

coupure nf **1** Fissure, entaille. **2** Suppression. La censure a fait des coupures dans le film. **3** Article découpé dans un journal. Coupures de presse. **4** Billet de banque. **5** Interruption. Coupure de courant.

cour nf **1** Espace découvert environné de murs ou de bâtiments. Un appartement sur cour. **2** Société vivant autour d'un souverain ; lieu où vit cette société. **3** Ensemble de gens qui s'efforcent de plaire à qqn. Avoir une cour d'adorateurs. **4** Siège de justice ; magistrats de l'une des juridictions. Cour d'appel, d'assises. Loc Cour des Miracles : ancien quartier mal famé de Paris. Faire la cour à qqn : tenter de le séduire. Côté cour : côté de la scène à gauche de l'acteur regardant la salle.

courage nm **1** Fermeté d'âme devant le danger, la souffrance. **2** Ardeur, zèle.

courageux, euse a Qui a du courage.

couramment av **1** Sans hésitations. Parler couramment anglais. **2** Fréquemment. Cela se voit couramment.

courant, ante a **1** Habituel, commun. Pratique courante, mot courant. **2** En cours. Mois courant. Affaires courantes. Loc Eau courante : au robinet. Main courante : registre de police. Compte courant : compte bancaire ou postal. ■ nm **1** Mouvement d'un fluide dans une direction déterminée. Les courants marins. **2** Mouvement de particules électriques. Courant alternatif, continu. **3** Mouvement d'ensemble, tendance générale. Les courants de populations. Les grands courants de pensée. Loc Être au courant de : informé. ■ nf **1** Danse ancienne. **2** Pop Diarrhée.

courbature nf Douleur musculaire due à un effort ou à la fièvre.

courbaturé, ée a Qui ressent des courbatures.

courbe *a* En arc. *Surface courbe.* ■ *nf* 1 Ligne courbe. 2 Ligne représentant graphiquement les variations d'un phénomène. *Courbes de température.* 3 Virage.

courber *vt* 1 Rendre courbe. *Courber une branche.* 2 Fléchir, baisser. *Il courbe la tête.* ■ *vi* Plier, fléchir. *Courber sous le poids.* ■ *vpr* Céder, se soumettre. *Je refuse de me courber devant lui.*

courbette *nf* Politesse exagérée et obséquieuse.

courbure *nf* Forme ou état d'une chose courbe.

courée *nf* Petite cour dans les villes du Nord.

courette *nf* Petite cour intérieure.

coureur, euse *n* 1 Qui pratique la course. *Coureur cycliste. Coureur de fond.* 2 Fam Qui court les aventures galantes. *Un coureur de filles.*

courge *nf* Cucurbitacée à fruit comestible (citrouille, courgette, etc.).

courgette *nf* Petite courge allongée.

courir *vi* 25 1 Aller vite. *Courir à toutes jambes.* 2 Aller vite qqpart. *Courir chez le boucher acheter un steak.* 3 Se répandre, s'étendre. *L'eau court sur le toit.* 4 Être en cours. *Le bail court jusqu'à demain.* 5 Participer à une course. *Il court sur Ferrari.* ■ *vti* 1 Rechercher qqch. *Courir après l'argent, les honneurs.* 2 Fam Harceler. *Courir après qqn.* ■ *vt* 1 Disputer une course. *Courir le marathon.* 2 S'exposer à. *Courir un risque.* Aller souvent qqpart. *Courir les bars, les magasins.* Loc Fam *Courir les rues :* être banal.

courlis *nm* Oiseau échassier à long bec fin, arqué vers le sol.

couronne *nf* 1 Ornement encerclant la tête. *Couronne de lauriers, de fleurs. Couronne royale.* 2 (avec majusc) Autorité, dignité royale, impériale ; territoire royal. *Duché réuni à la Couronne.* 3 Objet de forme circulaire. *Pain en couronne.* 4 Tonsure monastique. 5 Prothèse dentaire. 6 Format de papier (46 cm X 36 cm). 7 Unité monétaire de la Suède, de la Norvège, du Danemark, de l'Islande et de la Tchécoslovaquie.

couronnement *nm* 1 Action de couronner. 2 Achèvement de qqch. *Le couronnement de sa carrière.*

couronner *vt* 1 Mettre une couronne sur la tête de. 2 Sacrer souverain. 3 Décerner un prix, une récompense à. 4 Surmonter. *Une frise couronne l'édifice.* 5 Parfaire. *Le succès a couronné son effort.*

courre *vt* Loc *Chasse à courre :* chasse à cheval avec des chiens courants.

courrier *nm* 1 Porteur de dépêches. 2 Service postal. *Courrier aérien.* 3 Correspondance transmise par la poste. *Faire lire son courrier.* 4 Chronique d'un journal. *Le courrier de la mode.*

courroie *nf* Bande de matière souple servant à lier qqch ou à transmettre un mouvement.

courroucer *vt* 10 Litt Mettre en colère.

courroux *nm* Litt Colère, irritation.

cours *nm* 1 Mouvement continu des liquides. *Le cours d'un fleuve.* 2 Longueur d'un fleuve. 3 Enchaînement dans le temps. *Le cours des événements. Suivre son cours.* 4 Avenue plantée d'arbres. 5 Taux de base des transactions. *Cours du franc.* 6 Suite de leçons. *Cours d'histoire. Cours par correspondance.* 7 Manuel. *Cours polycopié.* 8 Degré d'enseignement. *Cours préparatoire.* 9 Établissement d'enseignement privé. Loc *Au cours de :* pendant. *Avoir cours :* être en usage. *Cours d'eau :* rivière, fleuve, etc. *Donner libre cours à :* laisser aller.

course *nf* 1 Action de courir. 2 Compétition, épreuve de vitesse. *Course à pied, cycliste, automobile.* 3 Espace parcouru par une pièce mobile. *La course d'un piston.* 4 Lutte pour obtenir. *Course à la présidence.* 5 Trajet en taxi. ■ *pl* Compétitions hippiques. *Jouer aux courses.* Loc *Faire des courses :* faire des commissions, des achats.

course-poursuite *nf* Poursuite pleine de péripéties. *Des courses-poursuites.*

courser *vt* Fam. Poursuivre à la course.

coursier, ère *n* Qui transporte messages et paquets à travers une ville. ■ *nm* Litt Cheval.

coursive *nf* Couloir étroit à bord d'un navire.

1. court, courte a **1** De peu de longueur. *Des cheveux courts.* **2** Qui dure peu. *Les nuits d'été sont courtes.* **3** Peu éloigné dans le temps. *Échéance à court terme.* **4** Insuffisant, sommaire. *Des connaissances un peu courtes.* ■ *av* Loc Être à court de : manquer. **Prendre qqn de court** : à l'improviste.

2. court nm Terrain de tennis.

courtage nm **1** Profession, activité des courtiers. **2** Commission perçue. *Frais de courtage.*

courtaud, aude a De taille courte et ramassée.

court-bouillon nm Bouillon épicé et vinaigré dans lequel on cuit le poisson. *Des courts-bouillons.*

court-circuit nm Connexion entre deux points d'un circuit, de tensions différentes. *Des courts-circuits.*

court-circuiter vt **1** Mettre en court-circuit. **2** Fam Éliminer un intermédiaire. *Distribution qui court-circuite les grossistes.*

courtepointe nf Couverture piquée.

courtier, ère n Intermédiaire commercial.

courtilière nf Insecte fouisseur, nuisible.

courtine nf Muraille réunissant les tours d'un château fort.

courtisan, ane n **1** Qui vit à la cour d'un souverain. **2** Qui, par intérêt, cherche à plaire. ■ nf Litt Prostituée de luxe.

courtiser vt Faire sa cour à.

court-jus nm Pop Court-circuit. *Des courts-jus.*

court-métrage nm Film de moins de vingt minutes. *Des courts-métrages.*

courtois, oise a D'une politesse raffinée.

courtoisie nf Politesse, civilité.

couru, ue a Recherché, à la mode.

couscous [kuskus] nm Mets d'Afrique du Nord (semoule, légumes, viande).

cousette nf Apprentie couturière.

1. cousin nm Moustique commun.

2. cousin, ine n Parent issu de l'oncle ou de la tante.

cousinage nm Parenté de cousins.

coussin nm Petit sac cousu, rembourré, servant d'appui. *Coussins de canapé.* Loc

Coussin d'air : couche d'air sous pression maintenant un véhicule au-dessus d'une surface.

coussinet nm **1** Petit coussin. **2** Pièce qui maintient les rails. **3** TECH Douille contenant un arbre tournant.

cousu, ue a Assemblé par une couture. Loc **Garder bouche cousue** : ne rien dire.

coût nm Ce que coûte qqch.

coûtant am Loc **Prix coûtant** : prix qu'une chose a coûté, sans bénéfice.

couteau nm **1** Instrument tranchant composé d'une lame et d'un manche. **2** Prisme triangulaire qui supporte le fléau d'une balance. **3** Coquillage long et étroit. Syn. solen.

couteau-scie nm Couteau à lame dentée. *Des couteaux-scies.*

coutelas nm Grand couteau.

coutelier, ère n Qui fabrique, vend des couteaux, des rasoirs, etc.

coutellerie nf **1** Industrie, commerce des couteaux. **2** Fabrique, boutique de couteaux. **3** Produits vendus par les couteliers.

coûter vi **1** Être au prix de. *Ce vase coûte cent francs, cher.* **2** Occasionner des frais. *Son procès lui a coûté cher.* Loc **Coûte que coûte** : quoi qu'il en coûte, à tout prix. ■ vt Causer. *Les peines que ce travail m'a coûtées.*

coûteux, euse a Qui coûte cher, onéreux.

coutil [-ti] nm Toile très serrée et lissée.

coutume nf **1** Pratique consacrée par l'usage. **2** Habitude individuelle. *Il a coutume de se lever tôt.* **3** DR Droit né de l'usage. **4** Recueil du droit coutumier d'un pays.

coutumier, ère a **1** Qui a coutume de. *Coutumier de se lever tôt.* **2** Ordinaire, habituel. *Les occupations coutumières.* Loc **Droit coutumier** : consacré par l'usage (par opposition à droit écrit).

couture nf **1** Action de coudre. *Faire de la couture.* **2** Art de coudre. **3** Suite de points. *Couture de pantalon.* **4** Cicatrice en longueur. Loc **Haute couture** : les grands couturiers. **À plate couture** : complètement.

couturier nm Qui dirige une maison de couture. *Les grands couturiers.*

couturière nf Qui confectionne des vêtements.

couvain nm Ensemble des œufs, chez divers insectes (abeilles).

couvaison nf Action de couver.

couvée nf Œufs couvés en même temps par un oiseau ; les petits une fois éclos.

couvent nm Maison de religieux ou de religieuses.

couver vt 1 Se tenir sur des œufs pour les faire éclore (oiseaux). 2 Fam Entourer d'une sollicitude excessive. Couver ses enfants. Loc Couver une maladie : en porter les germes. ■ vi Être latent. La révolte couvait.

couvercle nm Ce qui sert à couvrir un pot, une boîte, etc.

couvert, erte a 1 Muni d'un couvercle, d'un toit. 2 Habillé, vêtu. Être bien, chaudement couvert. Loc Ciel, temps couvert : nuageux. ■ nm Cuiller, fourchette et couteau. Loc À couvert : à l'abri. Sous couvert de : sous prétexte.

couverture nf 1 Toit d'une construction. Couverture de tuiles. 2 Tissu épais de laine placé sur les draps pour tenir chaud. 3 Ce qui couvre, protège un livre, un cahier. Couverture toilée. 4 Ce qui sert à dissimuler, à protéger. 5 Compte rendu d'un événement par les médias. 6 FIN Garantie donnée pour un paiement. Loc Couverture sociale : la protection garantie à un assuré social.

couveuse nf 1 Femelle d'oiseau de basse-cour. 2 Appareil à couver les œufs. 3 Appareil où on place les nouveau-nés fragiles.

couvre-chef nm Chapeau. Des couvre-chefs.

couvre-feu nm Interdiction de sortir après certaines heures. Des couvre-feux.

couvre-lit nm Pièce d'étoffe dont on recouvre un lit. Des couvre-lits.

couvre-pieds nm inv Couverture de lit décorative.

couvreur nm Qui couvre les maisons, répare les toitures.

couvrir vt 31 1 Placer sur pour protéger. Couvrir une maison, un livre. 2 Habiller, vêtir. Couvrir d'un châle ses épaules. 3 Mettre en quantité sur. Couvrir un mur de tableaux. 4 Être répandu sur. Des feuilles couvrent les allées. 5 Cacher. Voile qui couvre le visage.

6 Prendre la responsabilité. 7 Balancer, compenser. La recette couvre les frais. 8 Parcourir. Couvrir dix kilomètres. 9 S'accoupler avec une femelle. Étalon qui couvre une jument. 10 Assurer l'information sur un événement. 11 Garantir. Couvrir un risque. ■ vpr Se vêtir chaudement ; mettre son chapeau.

cover-girl [kɔvœRgœRl] nf Jeune femme qui pose pour les photographes. Des cover-girls.

covoiturage nm Utilisation de la même voiture par plusieurs personnes pour se rendre au travail.

cow-boy [kawbɔj] nm Gardien de troupeaux au Far West. Des cow-boys.

coyote nm Canidé d'Amérique du Nord.

c.q.f.d. Abrév de ce qu'il fallait démontrer (conclut une démonstration).

crabe nm Crustacé marin comestible.

crachat nm Mucosité que l'on crache.

craché, ée a Fam Très ressemblant.

cracher vt 1 Rejeter hors de la bouche. Cracher un noyau. 2 Expulser. La cheminée crache de la fumée. 3 Pop Dépenser. Il a craché mille francs. ■ vi 1 Rejeter un crachat. Défense de cracher. 2 Éclabousser. Stylo qui crache. 3 Grésiller. Radio qui crache. ■ vti Mépriser. Cracher sur qqn.

crachin nm Pluie fine et dense.

crachiner v impers Tomber (crachin).

crachoir nm Récipient où on crache.

crachoter vi Faire entendre de petits crachements.

crack nm 1 Cheval favori d'une écurie de course. 2 Fam Personne très forte. 3 Pop Cocaïne cristallisée très toxique.

cracker [-kœR] nm Petit gâteau sec, salé.

cracking [-kiŋ] nm Syn de craquage.

craie nf 1 Roche calcaire généralement blanche, tendre et perméable. 2 Bâton pour écrire sur un tableau.

craindre vt 57 1 Redouter. Ce chien craint son maître. 2 Considérer comme probable une chose fâcheuse. Je crains qu'il ne vienne plus. Il craint d'échouer. 3 Être sensible à. Cette plante craint le froid. Loc Pop Ça craint : c'est affreux ; c'est difficile ou dangereux.

crainte nf Sentiment de peur, d'inquiétude à l'idée d'une menace. **Loc De crainte que** (+ subj), **de crainte de** (+ inf) : de peur que, de.

craintif, ive a Peureux, apeuré.

cramer vt, vi Pop Brûler, roussir.

cramoisi, ie a 1 Rouge foncé. 2 Très rouge. Cramoisi de colère.

crampe nf Contraction douloureuse et passagère d'un muscle.

crampon nm 1 Pièce de métal, recourbée, à une ou plusieurs pointes, qui sert à fixer. 2 Fam Personne insistante et importune.

cramponner vt 1 Attacher avec un crampon. 2 Fam Importuner par son insistance. ■ vpr S'accrocher. Enfant qui se cramponne à sa mère.

cran nm 1 Entaille dans un corps dur pour accrocher ou arrêter. 2 Trou d'une courroie. 3 Ondulation donnée à la chevelure. Se faire des crans. 4 Fam Énergie, courage. Avoir du cran. **Loc** Fam Être à cran : de très mauvaise humeur.

crâne nm 1 Boîte osseuse contenant l'encéphale des vertébrés. 2 Fam Tête. J'ai mal au crâne. ■ a Litt Brave, décidé.

crânement av Litt Hardiment.

crâner vi Fam Se montrer prétentieux.

crâneur, euse n, a Fam Prétentieux.

crânien, enne a Du crâne.

cranter vt Faire des crans à.

crapaud nm 1 Batracien à peau verruqueuse. 2 Tache noire dans une pierre précieuse. 3 Petit fauteuil bas. 4 Petit piano à queue.

crapette nf Jeu de cartes à deux joueurs.

crapule nf Individu malhonnête.

crapuleux, euse a D'une crapule. **Loc** Crime crapuleux : commis pour voler.

craquage nm Procédé de raffinage du pétrole, de transformation des produits agricoles par séparation des constituants. **Syn.** cracking.

craque nf Pop Mensonge.

craqueler vt 18 Fendiller.

craquelure nf Fendillement, fissure.

craquement nm Bruit sec de qqch qui craque.

craquer vi 1 Faire un bruit sec. Le plancher craque. 2 Céder, se casser bruyamment. La digue a craqué. 3 Fam S'effondrer nerveusement. 4 Fam Ne pas résister. J'ai craqué et je l'ai acheté. ■ vt 1 Déchirer. Craquer son pantalon. 2 Enflammer une allumette.

craquètement nm 1 Petit craquement. 2 Cri de la grue, de la cigogne.

craqueter vi 19 1 Craquer à petits bruits. 2 Crier (grue, cigogne).

crash [kraʃ] nm Pour un avion, fait de s'écraser au sol ; pour une voiture, choc frontal très violent. Des crashs ou des crashes.

crasher (se) vpr Abusiv Subir un crash, s'écraser.

crassane nf Poire jaunâtre à chair fondante.

crasse nf 1 Saleté qui s'amasse. 2 Fam Mauvais coup. Faire une crasse à qqn. ■ af **Loc** Une ignorance crasse : grossière.

crasseux, euse a Couvert de crasse.

crassier nm Entassement des scories de hauts fourneaux.

cratère nm 1 Grand vase antique à deux anses. 2 Bouche d'un volcan. 3 Cavité creusée par une explosion. Cratère de bombe.

craterelle nf **Syn.** de trompette-de-la-mort.

cravache nf Badine servant de fouet aux cavaliers.

cravacher vt Frapper avec une cravache. ■ vi Fam Se dépêcher.

cravate nf 1 Mince bande d'étoffe qui se noue sous le col de chemise. 2 En lutte, torsion imprimée au cou de l'adversaire.

crawl [krol] nm 1 Nage rapide (battement continu des pieds et mouvement alterné des bras).

crayeux, euse a Qui contient de la craie, qui a l'aspect de la craie.

crayon nm Baguette de bois entourant une mine pour écrire ou dessiner.

crayon-feutre nm Stylo à pointe en feutre. Des crayons-feutres.

crayonnage nm Dessin fait au crayon.

crayonné nm Maquette d'une illustration, d'une affiche publicitaire. **Syn.** rough.

crayonner vt Esquisser, écrire au crayon.

créance nf Droit d'exiger de qqn un paiement, une obligation ; titre établissant ce droit. Loc *Lettres de créance* : document accréditant un diplomate auprès d'un gouvernement étranger.

créancier, ère n À qui on doit de l'argent.

créateur, trice n 1 Qui crée, invente. 2 Premier interprète d'un rôle. Loc *Le Créateur* : Dieu.

créatif, ive a, n Capable de créativité.

création nf 1 Action de créer. *Création d'une société.* 2 Chose créée, invention. *Les créations de Léonard.* 3 Première interprétation d'un rôle, d'une œuvre. 4 Nouveau modèle d'un grand couturier.

créationnisme nm Doctrine qui nie l'évolution des espèces.

créativité nf Capacité de créer, à innover.

créature nf 1 L'être humain, par rapport à Dieu. 2 Fam Femme. *Une belle créature.* 3 Qui tient sa position d'un autre. *Les créatures du président.*

crécelle nf Instrument en bois très bruyant.

crèche nf 1 Petite construction représentant l'étable de la Nativité. 2 Établissement qui garde les enfants, le jour. 3 Pop Chambre, logement.

crécher vi 12 Pop Habiter.

crédibiliser vt Rendre crédible qqch.

crédibilité nf Caractère crédible.

crédible a Qu'on peut croire.

crédit nm 1 Faculté de se procurer des capitaux. 2 Délai de paiement. *Vendre, acheter à crédit.* 3 Avance de fonds. *Crédit à court terme.* 4 Confiance, considération, influence. *Perdre tout crédit.* 5 Partie d'un compte où figurent les créances. Loc *Carte de crédit* : paiement différé. *Crédit photographique* : mention obligatoire du nom des propriétaires des photos figurant dans un ouvrage. ■ pl Somme prévue par le budget pour une dépense publique.

crédit-bail nm Crédit dans lequel un bien est loué avec promesse de vente. *Des crédits-bails.*

créditer vt Inscrire une somme au crédit de qqn.

créditeur, trice n Qui ouvre un crédit à qqn. ■ a Loc *Compte, solde créditeur* : positif.

crédit-relais nm Prêt effectué pour faire la liaison entre une dépense immédiate et une rentrée d'argent attendue. *Des crédits-relais.*

credo [kre-] nm inv Opinions politiques.

crédule a Qui croit facilement ; naïf.

crédulité nf Propension à croire n'importe quoi.

créer vt 1 Fonder, instituer. *Créer une société.* 2 Inventer, concevoir. *Créer un produit nouveau.* 3 Interpréter pour la première fois. *Créer un rôle.* 4 Produire, causer. *La sécheresse crée des problèmes.*

crémaillère nf 1 Pièce métallique crantée permettant de suspendre un chaudron à la hauteur voulue. Loc *Pendre la crémaillère* : fêter un emménagement.

crémant nm Vin mousseux d'appellation contrôlée.

crémation nf Incinération.

crématiste n Partisan de la crémation des défunts.

crématoire a Loc *Four crématoire* : où on brûle les cadavres.

crématorium [-tɔRjɔm] nm Lieu où les morts sont incinérés.

crème nf 1 Substance grasse du lait. 2 Entremets fait de lait, de sucre et d'œufs. *Crème au chocolat.* 3 Liqueur sirupeuse. *Crème de cassis.* 4 Produit de toilette onctueux. *Crème de beauté.* ■ a inv D'un blanc jaune pâle. Loc *Café crème* : additionné de lait. ■ nm Café crème.

crémerie ou **crémerie** nf Boutique où on vend des produits laitiers, des œufs, etc.

crémeux, euse a 1 Qui contient beaucoup de crème. *Du lait crémeux.* 2 Qui ressemble à de la crème. *Une peinture crémeuse.*

crémier, ère n Qui tient une crémerie.

crémone nf Verrou double utilisé pour la fermeture des croisées.

créneau nm 1 Échancrure rectangulaire pratiquée en haut d'un mur. 2 Intervalle de temps disponible. 3 Secteur où une entreprise a intérêt à exercer son activité. Loc *Faire* *créneau* : se garer entre deux véhicules. Fam *Monter au créneau* : aller là où se déroule l'action.

créneler vt 18 Munir de créneaux, de crans.

créole n, a □ Blanc né dans une colonie tropicale. ■ nm Langue parlée dans ces régions. ■ nf Grande boucle d'oreille circulaire.

créolophone a, n Qui parle créole.

1. crêpe nf Fine galette de blé ou de sarrasin.

2. crêpe nm 1 Tissu léger de soie brute ou de laine très fine. 2 Tissu noir porté en signe de deuil. 3 Caoutchouc brut épuré. *Semelles de crêpe.*

crêper vt Faire gonfler les cheveux.

crêperie nf Établissement où on mange des crêpes.

crépi nm Enduit projeté sur un mur et non lissé.

crêpière nf Poêle plate à crêpes.

crépine nf Membrane transparente de la panse du porc ou du veau, utilisée en charcuterie.

crépinette nf Saucisse plate enveloppée dans de la crépine.

crépitement nm ou **crépitation** nf Bruit de ce qui crépite.

crépiter vi Produire une suite de bruits secs.

crépu, ue a Très frisé. *Cheveux crépus.*

crépuscule nm 1 Lumière diffuse qui précède le lever du soleil ou qui suit son coucher. 2 Tombée du jour. 3 Litt Déclin.

crescendo [kreʃɛndo] av En augmentant par degrés l'intensité du son. ■ nm inv Augmentation progressive. *Un crescendo de cris.*

cresson [kresɔ̃] nm Plante crucifère comestible d'eau douce.

crésyl nm (n déposé) Produit antiseptique qui sert au nettoyage des surfaces.

crétacé nm Période géologique du secondaire.

crête nf 1 Excroissance en lame de certains animaux. *La crête du coq.* 2 Sommet, faîte. *Crête d'un toit, d'une vague.*

crétin, ine n 1 Atteint d'un profond déficit intellectuel (crétinisme). 2 Fam Imbécile.

crétinerie nf Stupidité, bêtise.

crétois, oise a, n De l'île de Crète.

cretonne nf Fort coton d'ameublement.

creuser vt 1 Rendre creux. *Creuser le sol.* 2 Faire un creu dans. *Creuser un trou.* 3 Approfondir. *Creuser un sujet, une question.* ■ vpr Fam *Se creuser la tête* : réfléchir.

creuset nm 1 Vase qui sert à faire fondre certaines substances. 2 Point de rencontre. *La capitale, creuset de cultures.*

creux, euse a 1 Dont l'intérieur présente un vide. *Un mur creux.* 2 Qui présente une cavité. *Assiettes creuses.* 3 Sans substance, sans intérêt. *Des paroles creuses.* Loc *Heures creuses* : de moindre activité. ■ nm 1 Cavité. *Le creux d'un arbre.* 2 Dépression, concavité. *Le creux de la main.*

crevaison nf Action de crever un pneu.

crevasse nf 1 Fissure profonde du sol, d'un mur. 2 Fissure de la peau.

crevasser vt Faire des crevasses.

crève nf Loc Fam *Attraper la crève* : prendre froid.

crève-cœur nm inv Litt Grand chagrin.

crever vt 15 1 Percer, faire éclater. *Crever un ballon, un abcès.* 2 Fam Épuiser. *Ce sport le crève.* ■ vi [aux avoir ou être] 1 Se percer. *Mon pneu de voiture a crevé.* 2 Fam Mourir. *La plante a crevé, est crevée.*

crevette nf Petit crustacé marin comestible.

cri nm 1 Bruit caractéristique d'un animal. *Cri du hibou.* 2 Son inarticulé. *Pousser un cri.* 3 Opinion manifestée hautement. *Ce texte est un cri d'indignation.* Loc *Dernier cri* : dernière mode. *À cor et à cri* : bruyamment.

criailler vi 1 Crier sans cesse. 2 Pousser son cri (faisan, oie, perdrix, pintade, paon).

criaillerie nf Récrimination répétée.

criant, ante a 1 Évident. *Ressemblance criante.* 2 Scandaleux. *Une injustice criante.*

criard, arde a 1 Qui crie souvent et fort. *Un enfant criard.* 2 Qui blesse l'oreille. *Voix criarde.* 3 Qui heurte la vue. *Couleurs criardes.*

crible nm Appareil muni de trous pour trier des matériaux.

cribler vt 1 Passer au crible. *Cribler du sable.* 2 Percer, marquer en de nombreux endroits. *Cribler de balles.*

cric [kʀik] *nm* Appareil qui sert à soulever des corps lourds sur une faible hauteur.

cricket [-kɛt] *nm* Sport anglais qui se joue avec des battes et des balles de cuir.

criée *nf* 1 Vente aux enchères en public. 2 Endroit d'un port où se vend le poisson.

crier *vi* 1 Pousser un cri, des cris. 2 Élever la voix, se fâcher. 3 Pousser le cri de l'espèce. ■ *vt* 1 Dire d'une voix forte. *Il lui a crié de venir.* 2 Proclamer. *Crier son innocence.* Loc *Crier gare* : avertir d'un danger.

crieur, euse *n* Marchand ambulant. *Crieur de journaux.*

crime *nm* 1 Meurtre. *Crime passionnel.* 2 DR Infraction la plus grave punie par la loi (opposé à contravention et à délit). 3 Action blâmable. *Ce serait un crime d'abattre cet arbre.*

criminalité *nf* Ensemble des faits criminels dans une société donnée, pour une période donnée.

criminel, elle *n* Coupable d'un crime. ■ *a* 1 DR Qui a trait à la répression pénale. *Le droit criminel.* 2 Répréhensible pour la morale. *Une passion criminelle.*

criminologie *nf* Science de la criminalité.

criminologiste *n* Spécialiste de criminologie.

crin *nm* 1 Poil long et rêche. *Crin de cheval.* 2 Matériau de rembourrage. *Matelas de crin.*

crinière *nf* 1 Crins du cou de quelques animaux (lion). 2 Fam Chevelure abondante.

crinoline *nf* Jupon bouffant.

crique *nf* 1 Petite avancée de mer. 2 Fissure dans une pièce métallique.

criquet *nm* Insecte herbivore migrateur, nuisible, ressemblant à la sauterelle.

crise *nf* 1 Brusque accès. *Crise d'asthme. Crise de larmes.* 2 Période difficile. *Crise politique.* 3 Pénurie importante. *Crise du logement.* Loc *Crise de foie* : trouble digestif. *Crise de nerfs* : état de tension extrême avec cris, pleurs, etc.

crispation *nf* 1 Contraction musculaire involontaire. 2 Impatience, vive irritation.

crisper *vt* 1 Contracter. *Le froid crispe la peau.* 2 Provoquer la crispation musculaire. *Douleur, colère qui crispe le visage.* 3 Agacer, irriter. *Son arrogance me crispe.*

crissement *nm* Bruit de ce qui crisse.

crisser *vi* Produire un grincement. *Pneus qui crissent.*

cristal, aux *nm* 1 GEOL Minéral de formes régulières. 2 Variété de verre pur, dense, sonore, limpide. Loc *Cristal de roche* : quartz. *Cristal liquide* : substance organique utilisée pour l'affichage électronique. ■ *pl* Objets en cristal.

cristallin, ine *a* 1 Propre au cristal. 2 Pur, clair comme le cristal. *Voix cristalline.* ■ *nm* Partie de l'œil qui sert de lentille à courbure variable.

cristallisation *nf* 1 Formation de cristaux. 2 Fait de prendre forme. *Cristallisation des espérances.*

cristalliser *vt* 1 Provoquer la cristallisation. *Cristalliser du sucre.* 2 Donner forme à, concrétiser. *Cristalliser les aspirations des citoyens.* ■ *vi, vpr* 1 Former des cristaux. *Le sucre (se) cristallise.* 2 Prendre forme, devenir cohérent.

cristallographie *nf* Science des cristaux.

criste-marine *nf* Plante des littoraux rocheux, aux feuilles comestibles en salade ou confites. *Des cristes-marines.*

cristophine *nf* Courge utilisée comme légume dans la cuisine antillaise.

critère *nm* Principe, propriété qui permet d'évaluer, de choisir.

critérium [-ʀjɔm] *nm* Épreuve sportive de qualification.

critiquable *a* Sujet à la critique.

critique *a* 1 Grave. *Malade dans un état critique.* 2 Décisif. *Moment critique.* 3 Qui évalue, sait juger, apprécier. *Examen, esprit critique.* 4 Sévère, négatif. *Opinion très critique.* 5 PHYS Où se produit un changement entraînant une réaction en chaîne. ■ *n* Qui juge. *Un critique d'art.* ■ *nf* 1 Art de juger les œuvres littéraires ou artistiques. *La critique théâtrale.* 2 Jugement. *Avoir une critique favorable.* 3 Examen rigoureux. *Critique histo-*

rique d'un texte. **4** Jugement négatif. *Accabler qqn de critiques.* **5** Ensemble des personnes qui jugent. *La critique est unanime.*

critiquer vt **1** Examiner en critique. *Critiquer un livre.* **2** Juger avec sévérité, blâmer. *Critiquer ses amis.*

croassement nm Cri du corbeau.

croasser vi Pousser des croassements.

croate a, n De Croatie. ■ nm Langue slave parlée en Croatie.

croc [kʀo] nm **1** Pointe recourbée servant à suspendre. **2** Perche munie d'un crochet. **3** Canine de certains carnivores.

croc-en-jambe [kʀɔkɑ̃ʒɑ̃b] nm Croche-pied. *Des crocs-en-jambe.*

croche nf Note qui vaut la moitié d'une noire. Loc *Double croche, triple croche :* la moitié, le quart de la croche.

croche-pied nm Action de mettre son pied devant la jambe de qqn pour le faire tomber. *Des croche-pieds.*

crochet nm **1** Instrument recourbé pour suspendre. **2** Tige à extrémité recourbée servant à saisir. **3** Instrument en L pour ouvrir les serrures. **4** Grosse aiguille à pointe recourbée pour le tricot ou la dentelle. **5** Dent de serpent venimeux. **6** Signe voisin de la parenthèse. **7** Détour. *Faire un crochet pour éviter le trafic.* **8** En boxe, coup porté par le bras en arc de cercle.

crocheter vt **17** Ouvrir avec un crochet. *Crocheter une serrure.*

crochu, ue a Recourbé. *Doigts crochus.* Loc *Avoir des atomes crochus avec qqn :* avoir des affinités avec lui.

crocodile nm Grand reptile carnivore des eaux chaudes, à pattes courtes et à longues mâchoires.

crocus nm Plante vivace bulbeuse à fleur violette, jaune ou blanche.

croire vt **58** **1** Tenir pour vrai. *Croire que Dieu existe. Croire un récit.* **2** Avoir confiance en qqn. *Je le crois sur parole.* **3** Avoir l'impression. *J'ai cru entendre du bruit.* **4** Estimer. *Je crois qu'il fera beau. Elle se croit sportive.* ■ vti **1** Penser que qqch existe. *Croire en Dieu, aux fantômes.* **2** Avoir confiance. *Croire*

à la science, en l'avenir. ■ vi Avoir la foi. *Il croit mais ne pratique pas.* ■ vpr Être vaniteux.

croisade nf **1** HIST Expédition partie d'Occident au Moyen Âge pour délivrer Jérusalem de la domination musulmane. **2** Lutte menée pour une cause. *Croisade pour la paix.*

croisé, ée a **1** En forme de croix. *Baguettes croisées.* **2** Produit par croisement. Loc *Mots croisés :* jeu consistant à trouver, d'après une définition, des mots se croisant horizontalement et verticalement sur une grille. ■ nm Qui partait en croisade. ■ nf Fenêtre.

croisement nm **1** Fait de croiser, de se croiser. *Croisement de deux fils, de deux véhicules.* **2** Intersection, carrefour. **3** Reproduction entre animaux ou plantes d'espèces voisines.

croiser vt **1** Disposer en croix. *Croiser les jambes.* **2** Traverser. *Route qui croise un chemin.* **3** Passer à côté en allant en sens inverse. *Voiture qui croise un bus.* **4** Faire se reproduire des espèces différentes. *Croiser deux races bovines.* **5** SPORT Imprimer au ballon une trajectoire oblique. ■ vi Aller et venir qqpart. *Navire qui croise au large.* ■ vpr **1** Se rencontrer. **2** Suivre des chemins inverses sur la même route. *Nos lettres se sont croisées.* **3** Se reproduire par croisement.

croiseur nm Bâtiment de guerre rapide servant d'escorte.

croisière nf Voyage d'agrément en mer.

croisillon nm Traverse d'une croix, d'une croisée. ■ pl **1** Pièces disposées en croix à l'intérieur d'un châssis, servant à supporter les vitres. **2** Motifs, pièces en forme de croix.

croissance nf **1** Développement progressif des êtres organisés. *Croissance d'un enfant.* **2** Augmentation, développement. *Croissance économique. Croissance des villes.*

croissant, ante a Qui s'accroît. ■ nm **1** Forme échancrée au premier ou au dernier quartier de la Lune. **2** Petite pâtisserie feuilletée. **3** Emblème de l'Islam.

croître vi **59** **1** Grandir. *Les petits chats croissent vite.* **2** Augmenter. *La production croît.* **3** Pousser. *Ces plantes croissent vivaces.*

croix nf 1 Instrument de supplice antique composé de deux pièces de bois croisées. 2 Représentation de cet instrument sur lequel Jésus-Christ fut crucifié. 3 Objet, signe, ornement composé de deux éléments qui se croisent. 4 Décoration. *La croix de la Légion d'honneur.* 5 Marque formée par deux traits qui se croisent. *Marquer d'une croix.* **Loc Signe de croix :** geste rituel des chrétiens. *Chemin de croix :* représentation de la passion du Christ.

crooner [kʀunœʀ] nm Chanteur de charme.

croquant, ante a Qui croque sous la dent. *Biscuits croquants.* ■ nm HIST Paysan.

croque au sel (à la) av Cru et avec du sel pour seul assaisonnement.

croque-madame nm inv Croque-monsieur coiffé d'un œuf au plat.

croquemitaine nm 1 Être imaginaire terrible dont on menace les enfants désobéissants. 2 Personne très sévère.

croque-monsieur nm inv Sandwich grillé au jambon et au fromage.

croque-mort nm Fam Employé des pompes funèbres. *Des croque-morts.*

croquer vi Faire un bruit sec. *Chocolat qui croque sous la dent.* ■ vt 1 Manger en broyant avec les dents. *Croquer du sucre.* 2 Fam Dilapider. *Croquer son héritage.* 3 Dessiner rapidement. *Croquer un visage.* 4 Décrire en quelques traits. *Croquer une scène.*

croquet nm Jeu où l'on pousse avec un maillet des boules de bois sous des arceaux.

croquette nf Boulette frite de pâte, de viande hachée, etc.

croquis nm Dessin rapide.

crosne [kʀon] nm Tubercule comestible.

cross-country [-kuntʀi] ou **cross** nm Course au milieu d'obstacles naturels. *Des cross-countries.*

crosse nf 1 Bâton recourbé. *Crosse d'évêque.* 2 Bâton à bout recourbé utilisé pour pousser la balle. *Crosse de hockey.* 3 Partie d'une arme à feu que l'on tient, qu'on épaule.

crotale nm Serpent très venimeux d'Amérique, dont la queue produit un bruit de crécelle. **Syn.** serpent à sonnette.

croton nm Arbuste dont les graines donnent une huile purgative.

crotte nf Fiente de certains animaux. ■ interj Marque le dépit.

crotter vt Salir avec de la boue. *Crotter son pantalon.* ■ vi Faire des crottes.

crottin nm 1 Excrément de cheval. 2 Petit fromage de chèvre rond.

croulant, ante a Qui croule. ■ n Pop Adulte ou personne âgée.

crouler vi 1 Tomber en se désagrégeant. *Le mur croule.* 2 Être écrasé, réduit à néant. *Crouler sous le travail.*

croupe nf 1 Partie de divers animaux qui s'étend des reins à la queue. 2 Postérieur, fesses. **Loc Monter en croupe :** derrière le cavalier.

croupetons (à) av En position accroupie.

croupier, ière n Employé(e) d'une maison de jeux qui dirige les parties.

croupière nf Partie du harnais passant sous la queue.

croupion nm Extrémité postérieure d'une volaille.

croupir vi 1 Se corrompre en stagnant. *L'eau croupit.* 2 Vivre dans un état dégradant. *Croupir dans l'ignorance.*

croustade nf Pâté chaud à croûte feuilletée.

croustillant, ante a 1 Qui croustille. 2 Grivois. *Histoire croustillante.*

croustiller vi Craquer agréablement sous la dent.

croûte nf 1 Partie extérieure plus dure. *Croûte du pain, du fromage.* 2 Pâte cuite. *Pâté en croûte.* 3 Reste de pain, croûton. 4 Tout dépôt durci. *Croûte de tartre, de peinture.* 5 Sang séché. 6 Couche d'une peau côté chair. 7 Fam Mauvais tableau. 8 GÉOL Partie la plus superficielle du globe terrestre.

croûteux, euse a Qui présente l'aspect d'une croûte.

croûton nm 1 Extrémité d'un pain ; reste de pain. 2 Petit morceau de pain frit. 3 Fam Individu routinier. *Un vieux croûton.*

croyable a Qui peut être cru.

croyance nf 1 Fait de croire. *La croyance au progrès.* 2 Ce que l'on croit, spécialement dans le domaine religieux.

croyant, ante n Qui a la foi. Ant. athée.

C.R.S. [seeres] nm Membre d'une force de police chargée du maintien de l'ordre.

1. cru nm 1 Terroir qui produit un vin déterminé. *Un grand cru.* Loc *Du cru* : local, du pays.

2. cru, crue a 1 Qui n'est pas cuit. *Viande crue.* 2 Brut. *Chanvre cru.* 3 Inconvenant. *Propos très crus.* 4 Que rien n'atténue, violent. *Lumière crue.* ■ av De façon non cuite. *Manger cru.* Loc *Monter à cru* : sans selle.

cruauté nf 1 Inclination à faire souffrir. 2 Férocité. *La cruauté du tigre.* 3 Acte cruel.

cruche nf 1 Vase à large panse, à col étroit et à anses. 2 Fam Personne sotte.

cruchon nm Petite cruche.

crucial, ale,aux a Décisif, capital.

crucifère nf BOT Plante à quatre pétales en croix, faisant partie d'une famille comprenant le chou, le navet, la giroflée, etc.

crucifier vt 1 Supplicier en fixant sur une croix. 2 Tourmenter cruellement.

crucifix [-fi] nm Croix sur laquelle est représenté le Christ crucifié.

crucifixion nf ou **crucifiement** nm 1 Action de crucifier. 2 Représentation de Jésus sur la croix.

cruciforme a En forme de croix.

cruciverbiste n Amateur de mots croisés.

crudité nf Réalisme choquant. *Crudité des propos.* ■ pl Légumes crus en salade.

crue nf Élévation du niveau d'un cours d'eau ; son débordement.

cruel, elle a 1 Qui prend du plaisir à faire, à voir souffrir. 2 Barbare. *Action cruelle.* 3 Douloureux. *Une cruelle maladie.*

crûment av De façon crue.

crustacé nm Arthropode aquatique tel que le homard, la crevette, le crabe.

cryologie nf Étude des basses températures.

cryométrie nf Étude des températures de congélation.

cryotechnique nf Technique de production des basses températures.

crypte nf Caveau au-dessous d'une église.

crypter vt Transformer un message en clair en message codé.

cryptogame nm BOT Végétal dont les organes de fructification sont cachés (algues, champignons, mousses, etc.).

cryptogramme nm Message chiffré.

cryptographie nf Technique du chiffrage.

C.S.G. nf Sigle de Contribution sociale généralisée, impôt destiné à renflouer la Sécurité sociale.

cténaire nm Animal voisin des cnidaires.

cubage nm Action de mesurer un volume ; cette mesure. *Cubage d'un bois.*

cubain, aine a, n De Cuba.

cube nm 1 Solide à six côtés carrés égaux. 2 Objet en forme de cube. 3 MATH Troisième puissance d'un nombre. *4 au cube (4³).* Loc *Mètre cube (m³)* : unité de mesure de volume ou de contenance.

cuber vt Mesurer un volume. ■ vi 1 Avoir une certaine contenance. *Cette citerne cube 300 litres.* 2 Fam Représenter une grosse quantité.

cubique a 1 En forme de cube. 2 MATH Du troisième degré. *Équation cubique.* Loc MATH *Racine cubique d'un nombre* : dont le cube a ce nombre comme valeur.

cubisme nm Mouvement artistique, né vers 1906, qui représente le sujet fragmenté, décomposé en plans géométriques.

cubitainer [-ner] nm (n déposé) Récipient cubique pour le transfert du vin.

cubitus nm ANAT Le plus gros des deux os de l'avant-bras.

cucul [kyky] a inv Fam Bêtement naïf.

cucurbitacée nf BOT Plante à tige charnue rampante faisant partie d'une famille comprenant les courges, les melons, etc.

cueillette nf 1 Récolte de certains fruits. 2 Produit de cette récolte.

cueilleur, euse n Qui cueille.

cueillir vt 26 1 Détacher de la branche ou de la tige. *Cueillir des roses, des cerises.* 2 Fam Appréhender. *Cueillir un malfaiteur.* 3 Fam Passer prendre qqn. *Il nous a cueillis à l'arrivée du train.*

cuiller ou **cuillère** nf **1** Ustensile de table formé d'une palette creuse à manche. **2** Cuillerée. *Une cuiller de sirop.* **3** Leurre. *Pêcher à la cuiller.*

cuillerée nf Ce que contient une cuiller.

cuir nm **1** Peau épaisse de certains animaux ; cette peau préparée. *Bagages en cuir.* **2** Liaison incorrecte entre les mots. (Ex. : *il va (t) à Paris.*) **Loc** *Cuir chevelu :* peau du crâne.

cuirasse nf Armure recouvrant le torse.

cuirassé nm Bâtiment de guerre blindé et armé d'artillerie lourde.

cuirasser vt Revêtir d'une cuirasse.

cuirassier nm Soldat de cavalerie lourde.

cuire vt 67 **1** Soumettre à l'action du feu, de la chaleur, etc. *Cuire des briques. Cuire des briques.* **2** Donner une sensation de brûlure. *Le soleil cuisait ses épaules.* ■ vi **1** Être sous l'action de cuisson. *La soupe cuit.* **2** Avoir très chaud. *On cuit au soleil.* **3** Causer une sensation de brûlure. *Cette écorchure me cuit.*

cuisant, ante a **1** Qui provoque une sensation de brûlure. **2** Qui affecte vivement. *Échec cuisant.*

cuisine nf **1** Pièce où on apprête les mets. **2** Manière, art de préparer les mets. *Livre, recettes de cuisine.* **3** Ce qu'on mange. **4** Fam Manigances, intrigues. *Cuisine électorale.*

cuisiner vi Apprêter les mets, faire la cuisine. *Elle cuisine bien.* ■ vt **1** Accommoder, préparer. *Cuisiner un ragoût.* **2** Fam Interroger qqn.

cuisinier, ère n Qui fait la cuisine. ■ nf Fourneau de cuisine.

cuissage nm **Loc** HIST *Droit de cuissage :* droit qu'aurait possédé un seigneur de passer avec la femme d'un serf la nuit des noces de celle-ci.

cuissard nm Culotte des coureurs cyclistes, s'arrêtant à mi-cuisse.

cuissarde nf Botte dont la tige couvre la cuisse.

cuisse nf Partie de la jambe qui va de la hanche au genou.

cuisseau nm CUIS Morceau du veau entre la queue et le rognon.

cuisson nf Action de faire cuire. *La cuisson d'un rôti.*

cuissot nm CUIS Cuisse de gros gibier.

cuistot nm Fam Cuisinier.

cuistre nm, a Litt Pédant, prétentieux.

cuit, cuite a **1** Qui a subi une cuisson. *Pommes cuites. Poteries de terre cuite.* **2** Pop Ivre. *Être complètement cuit.* **3** Fam Fini, perdu. *C'est cuit.* ■ nf Fam Fait de se saouler.

cuivre nm **1** Métal usuel de couleur rouge. **2** Objet en cuivre. ■ pl Instruments à vent (trompettes, trombones, etc.).

cuivré, ée a De la couleur du cuivre. *Teint cuivré.*

cuivreux, euse a Qui contient du cuivre.

cul [ky] nm **1** Pop Partie postérieure de l'homme et de certains animaux. *Botter le cul à qqn.* **2** Fond de certaines choses. *Cul de bouteille.*

culasse nf **1** Partie arrière mobile d'une arme à feu. **2** Partie supérieure du bloc-moteur.

culbute nf **1** Saut cul par-dessus tête, galipette. *Faire des culbutes.* **2** Chute à la renverse. **3** Fam Faillite, ruine.

culbuter vi Tomber à la renverse. ■ vt **1** Renverser cul par-dessus tête, bousculer. *Il culbutait tout sur son passage.* **2** Rejeter en désordre. *Culbuter l'ennemi.* **3** Fam Faire tomber, ruiner. *Culbuter un ministère.*

cul-de-basse-fosse nm Cachot souterrain. *Des culs-de-basse-fosse.*

cul-de-jatte [kydʒat] n, a Privé de jambes. *Des culs-de-jatte.*

cul-de-lampe [ky-] nm **1** Ornement d'une voûte d'église. **2** Vignette à la fin d'un livre. *Des culs-de-lampe.*

cul-de-poule [ky-] nm **Loc** Fam *Bouche en cul-de-poule :* aux lèvres arrondies en une moue pincée.

cul-de-sac [ky-] nm Impasse, voie sans issue. *Des culs-de-sac.*

culinaire a De la cuisine. *Art culinaire.*

culminant, ante a **Loc** *Point culminant :* le plus haut sommet d'une région.

culminer vi Atteindre son plus haut point.

culot nm **1** Partie inférieure de certains objets (douille, ampoule électrique). **2** Résidu amassé dans le fourneau d'une pipe. **3** Fam Audace excessive.

culotte nf **1** Pantalon qui s'arrête au genou. **2** Sous-vêtement féminin, d'enfant. **3** Pièce de bœuf entre le filet et l'échine. Loc Fam *Porter la culotte* : commander.

culotté, ée a **1** Se dit d'une pipe au fourneau doublé d'un dépôt. **2** Patiné par l'usage. **3** Fam D'une audace excessive.

culpabiliser vt Faire se sentir coupable. ■ vi Éprouver un sentiment de culpabilité.

culpabilité nf État d'un individu reconnu coupable.

culte nm **1** Hommage religieux que l'on rend à un dieu, à un saint. **2** Religion. *Culte catholique.* **3** Office religieux protestant. **4** Admiration passionnée. *Vouer un culte à une star.*

cul-terreux nm Pop Paysan. *Des culs-terreux.*

cultivateur, trice n Agriculteur, paysan. ■ nm Machine agricole.

cultivé, ée a Qui possède une culture intellectuelle.

cultiver vt **1** Travailler la terre. *Cultiver un jardin.* **2** Faire pousser. *Cultiver des fleurs.* **3** Développer. *Cultiver sa mémoire.* **4** S'adonner à. *Cultiver les sciences.* **5** Conserver, entretenir. *Cultiver l'amitié de qqn.* ■ vpr Enrichir son esprit.

cultuel, elle a Du culte. *Édifice cultuel.*

cultural, ale, aux a De la culture de la terre.

culture nf **1** Action de cultiver le sol, un végétal. **2** Ensemble des connaissances acquises. *Culture littéraire, artistique.* **3** Ensemble de phénomènes matériels et idéologiques propres à un groupe social donné. *Culture occidentale. Culture d'entreprise.* Loc *Culture physique* : gymnastique. ■ pl Terres cultivées.

culturel, elle a Relatif à la culture intellectuelle, à la civilisation. *Héritage culturel.*

culturisme nm Gymnastique visant à développer la musculature.

culturiste n Qui pratique le culturisme.

cumin nm Ombellifère aux graines aromatiques ; ces graines servant de condiment.

cumul nm Fait de cumuler.

cumuler vt Avoir plusieurs emplois, salaires, diplômes en même temps.

cumulonimbus [-bys] nm inv Nuage sombre et épais, signe d'orage.

cumulostratus. V. stratocumulus.

cumulus nm inv Nuage blanc plat, de beau temps.

cunéiforme a, nm Se dit d'une ancienne écriture à caractères anguleux (Mèdes, Assyriens).

cunnilingus [-gys] nm SEXOL Excitation buccale du sexe de la femme.

cupide a Âpre au gain.

cupidité nf Amour du gain.

cupule nf BOT Enveloppe du fruit du chêne, du noisetier, etc.

curable a Qui peut être guéri.

curaçao [-raso] nm Liqueur d'écorces d'oranges et d'eau-de-vie sucrée.

curage nm Action de curer.

curare nm Poison végétal entraînant une paralysie générale.

curatif, ive a Destiné à la guérison.

1. cure nf **1** Traitement d'une maladie. **2** Séjour thérapeutique. *Aller en cure thermale.* **3** Usage prolongé d'une chose salutaire. *Faire une cure d'oranges.* Loc Litt *N'avoir cure de* : ne pas se soucier de.

2. cure nf Presbytère.

curé nm Prêtre qui a la charge d'une paroisse.

cure-dent nm Petit instrument servant à se curer les dents. *Des cure-dents.*

curée nf **1** Partie de la bête donnée aux chiens après la chasse ; moment de la chasse où on la donne. **2** Lutte acharnée pour un partage.

cure-ongle nm Instrument pour nettoyer les ongles. *Des cure-ongles.*

cure-pipe nm Instrument qui sert à nettoyer les pipes. *Des cure-pipes.*

curer vt Nettoyer en grattant. *Se curer les ongles.*

curetage nm CHIR Opération de nettoyage d'une cavité organique.

curie nf Unité de radioactivité.

curieusement av De façon curieuse.

curieux, euse a, n **1** Qui a un grand désir de voir, de savoir. **2** Indiscret. *Petit curieux !* **3** Bizarre, singulier. *Un curieux personnage.*

curiosité nf **1** Désir de s'instruire. *Satisfaire sa curiosité.* **2** Défaut indiscret de savoir. ■ pl Objets, choses remarquables. *Magasin de curiosités.*

curiste n Qui fait une cure thermale.

curling [kœrliŋ] nm Sport sur glace où l'on fait glisser un palet vers une cible.

curriculum vitæ [-kylɔmvite] nm inv Document indiquant l'état civil, les titres, les capacités professionnelles de qqn.

curry. V. cari.

curseur nm **1** Repère coulissant. **2** Repère lumineux indiquant sur un écran d'ordinateur l'emplacement du caractère où l'on se trouve.

cursif, ive a Loc *Écriture cursive* : tracée à main courante. *Lecture cursive* : rapide.

cursus [-sys] nm Carrière professionnelle, cycle d'études.

custode nf Boîte servant à transporter les hosties.

cutané, ée a De la peau.

cuticule nf Peau très fine. *Cuticules de l'ongle.*

cutiréaction ou **cuti** nf Test réactif pour détecter la tuberculose. Loc Fam *Virer sa cuti* : changer radicalement, perdre sa virginité, etc.

cutter [-tœr] nm Instrument à lame coulissante pour couper le papier, le carton, etc.

cuvage nm ou **cuvaison** nf Action de faire cuver le vin.

cuve nf **1** Grand récipient pour la fermentation du vin, de la bière, etc. **2** Grand réservoir. *Cuve à fioul.*

cuvée nf **1** Contenu d'une cuve. **2** Vin d'une même vigne.

cuver vi Fermenter dans une cuve (vin). ■ vt Loc Fam *Cuver son vin* : dormir après avoir trop bu.

cuvette nf **1** Bassin portatif peu profond. **2** Partie inférieure du siège de W.C. **3** Dépression naturelle du sol.

C.V. nm Abrév de *curriculum vitæ.*

cyanose nf Coloration bleue de la peau due à un manque d'oxygène.

cyanure nm Poison très violent.

cybercafé nm Débit de boissons d'où on peut consulter le réseau Internet.

cyberespace nm Ensemble des informations et des relations que l'on peut trouver sur le réseau Internet.

cybernaute n Internaute.

cybernétique nf Science de la commande et de la communication dans les systèmes sociaux, économiques, informatiques, etc.

cyclable a Loc *Piste cyclable* : réservée aux cyclistes.

cyclamen [-men] nm Plante ornementale à fleurs blanches ou roses.

cycle nm **1** Période après laquelle certains phénomènes astronomiques se reproduisent. *Cycle solaire, lunaire.* **2** Suite de phénomènes se renouvelant constamment dans un ordre immuable. *Le cycle des saisons.* **3** Ensemble des transformations physiques subies par un corps depuis son état initial. *Cycle de l'urée.* **4** Ensemble des étapes du vivant de la fécondation à la reproduction. **5** Ensemble d'œuvres littéraires sur le même sujet. *Le cycle de la Table ronde.* **6** Divisions dans l'enseignement secondaire (premier, second cycle) et universitaire (licence, maîtrise, doctorat). ■ pl Nom générique des bicyclettes, cyclomoteurs, etc.

cyclique a Qui revient selon un cycle.

cyclisme nm Sport, pratique de la bicyclette.

cycliste n Qui fait de la bicyclette. ■ a Du cyclisme. *Course cycliste.*

cyclocross nm inv Épreuve cycliste pratiquée en terrains variés.

cyclomoteur nm Cycle à moteur auxiliaire de moins de 50 cm^3.

cyclonal, ale, aux ou **cyclonique** a D'un cyclone.

cyclone nm Mouvement giratoire rapide de l'air ; typhon.

cyclopousse nm Pousse-pousse tiré par un cycliste.

cyclothymique a, n Dont l'humeur change constamment.

cyclotourisme nm Tourisme à bicyclette.

cygne nm Grand oiseau à plumage blanc ou noir et au long cou très souple. **Loc** *Le chant du cygne* : le dernier chef-d'œuvre d'un artiste.

cylindre nm **1** GÉOM Surface engendrée par une droite qui se déplace parallèlement à elle-même en s'appuyant sur une courbe plane. **2** Appareil en forme de rouleau. *Cylindre de laminoir.* **3** Organe dans lequel se déplace un piston. *Moteur à huit cylindres.*

cylindrée nf Volume engendré par le déplacement des pistons dans les cylindres.

cylindrique a En forme de cylindre.

cymbale nf Instrument à percussion (disque de cuivre ou de bronze).

cynégétique a Qui concerne la chasse. ■ nf Art de la chasse.

cynique a, n **1** D'une école de philosophes grecs qui professaient le mépris des conventions sociales pour mener une vie conforme à la nature. **2** Qui ignore délibérément les convenances.

cynisme nm Attitude cynique.

cynocéphale nm Singe dont la tête ressemble à celle d'un chien.

cynodrome nm Piste pour les courses de chiens.

cynorhodon nm Fruit rouge de l'églantier. Syn. gratte-cul.

cyphose nf Déviation convexe de la colonne vertébrale.

cyprès nm Conifère à feuilles vertes persistantes des régions méditerranéennes.

cyprin nm Poisson rouge élevé en aquarium.

cypriote. V. chypriote.

cyrillique a, nm Se dit de l'alphabet slave servant pour le russe, le bulgare, le serbe.

cystite nf Inflammation de la vessie.

cytise nm Arbuste aux fleurs jaune d'or en grappes.

cytobiologie nf BIOL Biologie des cellules.

cytogénétique nf BIOL Étude de la structure des chromosomes.

cytologie nf Étude de la cellule vivante.

cytolyse nf BIOL Destruction cellulaire.

cytoplasme nm BIOL Constituant fondamental de la cellule vivante.

d

d nm **1** Quatrième lettre (consonne) de l'alphabet. **2** D : chiffre romain valant 500. **Loc Fam Système D :** art de se débrouiller.

dacron nm (n déposé) Fibre textile synthétique.

dactylo n Qui utilise professionnellement une machine à écrire.

dactylographie ou **dactylo** nf Technique de l'écriture à la machine.

dada nm **1** Fam Cheval. **2** Fam Idée sur laquelle on revient toujours. **3** Mouvement de révolte littéraire et artistique du XXᵉ s.

dadais nm Niais, gauche.

dadaïsme nm Mouvement dada.

dague nf Épée très courte.

daguerréotype nm Appareil photo inventé par Daguerre ; image obtenue avec cet appareil.

dahlia nm Plante à grandes fleurs vivement colorées.

dahu nm Animal fantastique.

daigner vt Condescendre à. *Il n'a pas daigné répondre.*

daim nm, **daine** nf Petit ruminant proche du cerf. ■ nm Cuir de daim ou de veau.

dais nm Baldaquin au-dessus d'un autel, d'un trône, d'un lit.

dalaï-lama nm Chef suprême des bouddhistes tibétains. *Des dalaï-lamas.*

dallage nm Revêtement de dalles.

dalle nf **1** Plaque dure pour le revêtement d'un sol. **2** Grand espace au niveau du rez-de-chaussée d'immeubles. **Loc Pop Que dalle :** rien.

daller vt Couvrir, paver de dalles.

dalmate a, n De Dalmatie.

dalmatien [-sjɛ̃] nm Grand chien dont la robe blanche porte de petites taches noires.

daltonien, enne a, n Atteint de daltonisme.

daltonisme nm Trouble de la perception des couleurs.

dam nm Loc Litt *Au grand dam de qqn :* à son détriment, à son grand regret.

damage nm Action de damer.

daman nm Mammifère herbivore voisin de la marmotte.

damas [-ma] nm **1** Tissu de soie présentant des dessins satinés. **2** Acier à surface moirée.

damassé, ée a, nm Préparé comme du damas (tissu, acier).

1. dame nf **1** Femme d'un rang social élevé. **2** Terme courtois pour « femme ». **3** Femme mariée. **4** Carte de jeu figurant une reine. **5** Pièce du jeu d'échecs, appelée aussi reine. **6** Outil servant à damer le sol. **Loc Jeu de dames :** jeu qui se joue à deux sur un damier, avec des pions noirs et blancs.

2. dame ! interj Fam Marque une évidence.

dame-jeanne nf Bonbonne renflée. *Des dames-jeannes.*

damer vt Tasser la neige, le sol. **Loc Fam Damer le pion à qqn :** l'emporter sur lui.

damier nm Tablette divisée en carreaux blancs et noirs, sur laquelle on joue aux dames.

damnation [dana-] nf Châtiment des damnés.

damné, ée [dane] a, n Condamné à l'enfer. ■ a Fam Maudit. *Cette damnée bagnole.*

damner [dane] vt Condamner aux peines de l'enfer.

dan [dan] nm Chacun des degrés dans la hiérarchie de la ceinture noire de judo.

dancing nm Établissement public de danse.

dandinement nm Action de dandiner, de se dandiner.

dandiner (se) vpr Balancer son corps d'un mouvement régulier et rythmé.

dandy nm Homme raffiné dans sa toilette.

danger nm Ce qui expose à un mal quelconque.

dangereux, euse a Qui constitue un danger. *Abus dangereux pour la santé.*

dangerosité nf Caractère dangereux.

danois, oise a, n Du Danemark. ■ nm **1** Langue scandinave parlée au Danemark. **2** Chien de grande taille à robe rase.

dans *prép* Marque le lieu, la situation, la manière, la durée.

dansant, ante *a* Où l'on peut danser. *Soirée dansante.*

danse *nf* Suite de mouvements rythmiques du corps, à pas réglés, à la cadence de la musique. Loc *Danse de Saint-Guy* : maladie caractérisée par des mouvements brusques.

danser *vi, vt* Exécuter une danse. *Danser la valse.* ■ *vi* Litt Remuer, s'agiter. *Les flammes dansent dans la cheminée.*

danseur, euse *n* Qui danse, par plaisir ou par profession. Loc *Pédaler en danseuse* : debout sur les pédales.

dantesque *a* D'une horreur grandiose.

danubien, enne *a* Du Danube.

daphnie *nf* Très petit crustacé d'eau douce, qui se déplace par saccades. Syn. puce d'eau.

dard *nm* 1 Aiguillon de certains animaux. 2 Langue de serpent.

darder *vt* Litt Lancer vivement. *Le soleil darde ses rayons.*

dare-dare *av* Fam En toute hâte.

darne *nf* Tranche de gros poisson.

dartre *nf* MED Plaque sèche de la peau.

darwinisme [-wi-] *nm* Théorie de Ch. Darwin, selon laquelle les divers êtres vivants actuels résulteraient de la sélection naturelle.

datation *nf* Action d'attribuer une date.

datcha *nf* Maison de campagne russe.

date *nf* 1 Indication précise du jour, du mois et de l'année. 2 Événement important dans l'histoire. Loc *Faire date* : marquer un moment important, décisif.

dater *vt* Mettre la date sur un document ; en déterminer la date. ■ *vti* Avoir eu lieu, avoir commencé d'exister à telle date. *Immeuble qui date du XIX*e s. Loc *À dater de* : à partir de. ■ *vi* Être démodé. *Sa robe date un peu.*

datif *nm* GRAM Cas du complément d'attribution dans les langues à déclinaison.

datte *nf* Fruit comestible, sucré du dattier.

dattier *nm* Grand palmier d'Afrique et du Proche-Orient, cultivé pour ses dattes.

daube *nf* Manière de cuire les viandes dans un récipient couvert.

1. dauphin *nm* Cétacé grégaire au sens social très développé.

2. dauphin *nm* 1 HIST Titre de l'héritier du trône de France. 2 Successeur présumé de qqn.

dauphine *nf* Femme du dauphin de France.

dauphinois, oise *a, n* Du Dauphiné.

daurade ou **dorade** *nf* Poisson marin aux écailles dorées ou argentées.

davantage *av* Plus, bien plus, plus longtemps. *Je veux davantage. Je n'attendrai pas davantage.*

D.C.A. *nf* Artillerie antiaérienne.

D.D.T. *nm* Insecticide puissant.

de, d' *prép* (*de le* se contracte en *du* et *de les* en *des*). 1 Introduit des compléments exprimant l'origine, la durée, la progression, la cause, la manière, le moyen, la mesure, l'agent, l'appartenance, la qualité, la destination. 2 S'emploie devant l'objet d'un verbe transitif indirect, un infinitif sujet ou complément, l'attribut du complément d'objet. 3 Entre dans la constitution de l'article partitif (*du, de la, des*).

dé *nm* 1 Petit cube pour jouer dont chaque face est marquée d'un nombre, de un à six. 2 Petit cube de matière quelconque. 3 Petit fourreau de métal, protégeant le doigt qui pousse l'aiguille.

deal [dil] *nm* Fam Opération commerciale, marché.

dealer [dilœr] *nm* Revendeur de drogue.

déambulation *nf* Marche sans but précis.

déambulatoire *nm* ARCHI Galerie qui passe derrière le chœur.

déambuler *vi* Marcher sans but précis.

débâcle *nf* 1 GEOGR Rupture de la glace recouvrant un cours d'eau. 2 Effondrement, ruine, déroute. *Débâcle financière.*

déballage *nm* 1 Action de déballer. 2 Étalage de secrets, de confidences.

déballer *vt* 1 Retirer de son emballage. 2 Exposer des marchandises. 3 Étaler, exposer. *Déballer ses griefs.*

débandade *nf* Fuite, dispersion désordonnée.

débander *vt* 1 Enlever la bande, le bandage. 2 Détendre ce qui est tendu. ■ *vpr* Se disperser en désordre.

débarbouiller *vt* Laver le visage. ■ *vpr* Se laver sommairement.

débarcadère *nm* Quai de débarquement des voyageurs, des marchandises.

débardeur *nm* **1** Ouvrier qui travaille au chargement et au déchargement de marchandises. **2** Maillot de corps très échancré, sans manches.

débarquement *nm* Action de débarquer des marchandises, des passagers, des troupes.

débarquer *vt* **1** Mettre à terre les passagers, des marchandises d'un navire, d'un avion, d'un train. **2** Fam Se débarrasser de qqn. ■ *vi* [aux avoir ou être] **1** Descendre à terre d'un train, d'un avion. **2** Fam Arriver à l'improviste. **3** Fam Ne pas être au courant.

débarras [-ʀa] *nm* Lieu où on range les objets encombrants.

débarrasser *vt* Dégager de ce qui embarrasse, de ce qui gêne, encombre. ■ *vpr* Se faire de qqch, de qqn.

débat *nm* Discussion entre des personnes d'avis différents. **Loc** *Débat intérieur* : conflit psychologique. ■ *pl* **1** Discussion dans une assemblée politique. **2** Phases d'un procès.

débatteur *nm* Personne remarquable dans les débats publics.

débattre *vt, vti* 77 Discuter de façon contradictoire. *Débattre (d') une affaire.* ■ *vpr* Lutter énergiquement pour se dégager.

débauche *nf* Recherche excessive des plaisirs sensuels. **Loc** *Débauche de* : profusion de.

débauché, ée *n, a* Qui vit dans la débauche.

débaucher *vt* **1** Engager qqn à quitter son travail. **2** Renvoyer d'un emploi, faute de travail. **3** Entraîner dans la débauche.

débecter *vt* Pop Dégoûter.

débile *a* **1** Sans force, sans vigueur. *Esprit débile.* **2** Fam Stupide. *Histoire débile.* ■ *n* Arriéré mental.

débilité *nf* État d'un débile mental.

débiner *vt* Pop Dénigrer. ■ *vpr* Fam Se sauver.

débit *nm* **1** Vente au détail d'une marchandise. **2** Établissement où l'on vend au détail des boissons, du tabac. **3** Manière de réciter,

de parler. *Un débit rapide.* **4** Quantité de fluide, de moyens de transport, etc., qui s'écoule en un temps donné. **5** Compte des sommes dues par qqn. Ant. crédit.

débiter *vt* **1** Tailler en morceaux. *Débiter une pierre.* **2** Vendre au détail. **3** Fournir une quantité de matière, de fluide, d'électricité, etc., en une période donnée. **4** Réciter d'une manière monotone. **5** Raconter. *Débiter des mensonges, des sottises.* **6** Porter une somme au débit de qqn.

débiteur, trice *n* **1** Qui doit de l'argent. **2** Qui a une obligation morale envers qqn. ■ *a* Qui présente un débit. *Compte débiteur.* Ant. créditeur.

déblai *nm* Action de déblayer. ■ *pl* Gravats que l'on retire d'un terrain.

déblatérer *vi* 12 Fam Parler avec violence contre qqch, qqn.

déblayer *vt* 20 Dégager un lieu de ce qui l'encombre.

débloquer *vt* **1** Remettre en mouvement une machine, permettre la circulation, la liberté de mouvement de qqch. ■ *vi* Pop divaguer.

débobiner *vt* Dérouler.

déboires *nmpl* Déception pénible.

déboiser *vt* Dégarnir une terre de ses arbres.

déboîter *vt* Faire sortir de son logement. ■ *vi* Sortir d'une file de véhicules.

débonnaire *a* Bienveillant.

débordant, ante *a* Qui se manifeste avec exubérance.

débordement *nm* Fait de déborder. ■ *pl* Excès. *Se livrer à des débordements.*

déborder *vi* **1** Laisser son contenu se répandre par-dessus bord. *Le vase déborde.* **2** Se répandre par-dessus bord. *Le lait déborde.* ■ *vt* **1** Dépasser les limites, le bord de. **2** Défaire en contournant. **Loc** *Être débordé* : être surchargé de travail, d'obligations, etc.

débouché *nm* **1** Issue d'un passage resserré. **2** Marché pour un produit. ■ *pl* Professions ouvertes à qqn.

déboucher *vt* **1** Dégager ce qui obstrue. **2** Ôter le bouchon d'une bouteille. ■ *vi* **1** Sortir d'un endroit resserré, se jeter dans. **2** Aboutir à. *Déboucher sur une impasse.*

débouler vi, vt Descendre très vite. *Débouler l'escalier.*

déboulonner vt 1 Enlever les boulons de, démonter. 2 Fam Faire perdre son prestige, son poste à qqn.

débourrer vt 1 Ôter la bourre. 2 Retirer les cendres d'une pipe.

débours nm Somme déboursée.

déboursement nm Fait de débourser de l'argent.

débourser vt Payer.

déboussoler vt Fam Déconcerter.

debout av 1 En position, en station verticale. 2 Hors de son lit. ■ a inv Loc **Vent debout** : contraire à la direction suivie.

débouter vt DR Rejeter la demande faite en justice.

déboutonner vt Dégager les boutons de leurs boutonnières. ■ vpr Fam Parler sans retenue.

débraillé, ée a Négligé, sans soin. ■ nm Tenue négligée.

débrancher vt Supprimer le branchement.

débrayage nm 1 Action de débrayer. 2 Arrêt de travail.

débrayer vt 20 TECH Désaccoupler l'arbre mené de l'arbre moteur. ■ vi Cesser le travail.

débridé, ée a Sans retenue. *Joie débridée.*

débrider vt Ôter la bride ou les brides.

debriefing [-bRifiŋ] nm Réunion de militaires après une mission pour en dresser le bilan.

débris nm Fragment de qqch de brisé ou détruit.

débrouillard, arde a, n Fam Qui sait se débrouiller. *Enfant débrouillard.*

débrouillardise nf Fam Aptitude à se débrouiller.

débrouiller vt 1 Démêler, remettre en ordre. 2 Éclaircir, dénouer. *Débrouiller une affaire.* ■ vpr Fam Se tirer d'embarras.

débroussailler vt 1 Enlever les broussailles ; défricher. 2 Commencer à tirer au clair.

débusquer vt Chasser d'un abri, d'une retraite.

début nm Commencement. ■ pl Premiers pas dans une activité, une carrière.

débutant, ante n, a Qui débute, sans expérience. *Acteur débutant.*

débuter vi 1 Commencer. 2 Faire ses débuts dans une activité, une carrière.

déca nm Fam Café décaféiné.

deçà prép Loc **En deçà de** : au-dessous de. ■ av Loc **Deçà delà** : d'un côté et de l'autre.

décacheter vt 19 Ouvrir ce qui est cacheté.

décadaire a De la décade.

décade nf 1 Période de dix jours. 2 HIST Dans le calendrier républicain, période remplaçant la semaine.

décadence nf Période de déclin.

décadent, ente a, n En décadence.

décaèdre nm Polyèdre à dix faces.

décaféiné, ée a, nm Sans caféine.

décagone nm Polygone à dix angles.

décaisser vt Payer en tirant de la caisse.

décalage nm 1 Position de ce qui est décalé. *Décalage horaire.* 2 Inadéquation, non-concordance.

décalaminer vt Ôter l'oxyde qui s'est formé sur une surface métallique.

décalcifier vt Priver de calcium.

décalcomanie nf Procédé décoratif par report de motifs sur un objet à décorer.

décaler vt Faire subir un déplacement dans le temps ou dans l'espace.

décalitre nm Mesure de capacité valant dix litres (symbole : dal).

décalogue nm Les dix commandements de Dieu, reçus par Moïse sur le mont Sinaï.

décalotter vt Dégager de ce qui couvre.

décalquer vt Reporter un calque de sur une surface.

décamètre nm Unité de longueur égale à dix mètres (symbole : dam).

décamper vi Fam S'enfuir.

décan nm Division des signes du zodiaque.

décaniller vi Pop S'enfuir.

décanter vt Laisser se déposer les matières solides d'un liquide. ■ vpr Se clarifier.

décapage nm Action de décaper.

décaper *vt* Débarrasser une surface d'une couche d'enduit, d'impuretés.

décapiter *vt* 1 Trancher la tête. 2 Enlever la partie essentielle. *Décapiter un parti politique.*

décapotable *a, nf* Qu'on peut décapoter.

décapoter *vt* Ouvrir la capote d'une voiture.

décapsuler *vt* Enlever la capsule.

décapsuleur *nm* Ustensile pour décapsuler les bouteilles.

décarcasser (se) *vpr* Fam Se donner beaucoup de peine.

décasyllabe *a, nm* De dix syllabes.

décathlon *nm* Compétition masculine d'athlétisme de dix épreuves (4 courses, 3 sauts, 3 lancers).

décathlonien *nm* Qui pratique le décathlon.

décati, ie *a* Qui a perdu sa fraîcheur.

décéder *vi* 12 [aux être] Mourir.

décelable *a* Qu'on peut déceler.

déceler *vt* 16 1 Découvrir ce qui était caché. 2 Être l'indice de ; révéler. *Un bruit décela sa présence.*

décélération *nf* Diminution de la vitesse d'un mobile.

décélérer *vi* 12 Effectuer une décélération.

décembre *nm* Douzième et dernier mois de l'année.

décemment *av* De façon décente.

décence *nf* Respect de la pudeur, de la correction.

décennal, ale,aux *a* 1 Qui dure dix ans. 2 Qui revient tous les dix ans.

décennie *nf* Période de dix ans.

décent, ente *a* 1 Conforme à la décence, convenable. *Tenue décente.* 2 Raisonnable, acceptable. *Salaire décent.*

décentralisation *nf* Transfert de compétences d'un organisme central aux organismes locaux.

décentraliser *vt* Procéder à la décentralisation de. *Décentraliser l'administration.*

décentrer *vt* Déplacer le centre de.

déception *nf* Sentiment de qqn trompé dans ses espérances.

décerner *vt* Attribuer un prix.

décès *nm* Mort de qqn.

décevoir *vt* 43 Tromper qqn dans ses espérances.

déchaînement *nm* Action de se déchaîner.

déchaîner *vt* Exciter, soulever. *Déchaîner les passions.* ■ *vpr* S'emporter violemment.

déchanter *vi* Rabattre de ses espérances.

décharge *nf* 1 Lieu où on décharge des ordures. 2 Salve, tir simultané de plusieurs armes à feu. 3 Perte brusque de la charge d'un conducteur électrique. 4 Attestation qui dégage la responsabilité de qqn. *Faire signer une décharge.* Loc **À décharge :** qui enlève la charge, l'accusation, la responsabilité.

déchargement *nm* Action de décharger.

décharger *vt* 11 1 Enlever le chargement, la charge. 2 Soulager. *Décharger sa conscience.* 3 Dispenser qqn d'une charge, d'un travail, d'une responsabilité. 4 Tirer les projectiles d'une arme à feu. 5 Annuler la charge électrique de qqch. ■ *vi* Déteindre. ■ *vpr* Laisser à qqn le soin de faire qqch. *Se décharger sur ses collaborateurs.*

décharné, ée *a* Extrêmement maigre.

déchausser *vt* 1 Enlever ses chaussures à qqn. 2 Dégager le pied ou la base de qqch. ■ *vpr* Ôter ses chaussures.

dèche *nf* Pop Misère.

déchéance *nf* 1 Décadence, avilissement. 2 Perte d'un droit, d'une fonction.

déchet *nm* 1 Résidus, restes (surtout pl). *Déchets radioactifs.* 2 Personne déchue, méprisable.

déchetterie *nf* (n déposé) Lieu public où l'on peut déposer certains déchets.

déchiffrable *a* Qu'on peut déchiffrer.

déchiffrage ou **déchiffrement** *nm* Action de déchiffrer.

déchiffrer *vt* 1 Traduire en clair. *Déchiffrer des hiéroglyphes.* 2 Lire ce qui est difficile à lire. 3 Lire de la musique. 4 Démêler, pénétrer ce qui est obscur. *Obscur déchiffrer une énigme.*

déchiqueter *vt* 19 Mettre en pièces.

déchirant, ante *a* Qui émeut énormément.

déchirement nm 1 Action de déchirer. 2 Souffrance morale extrême. ■ pl Discordes, luttes intestines.

déchirer vt 1 Mettre en pièces. 2 Produire une douleur. 3 Diviser par des dissensions. ■ vpr Se claquer un muscle.

déchirure nf Rupture faite en déchirant.

déchoir vi 50 [aux avoir ou être] Tomber dans un état inférieur. Loc *Être déchu d'un droit :* en être dépossédé.

déchristianiser vt Faire perdre la religion chrétienne.

déchu, ue a Atteint de déchéance.

décibel nm Unité exprimant le rapport entre deux intensités sonores (symbole : dB).

décidément av Tout bien considéré.

décider vt 1 Prendre la résolution de. *J'ai décidé son départ.* 2 Déterminer qqn à faire qqch. *Je l'ai décidé à venir.* ■ vti 1 Statuer sur, décréter sur, disposer de. *Décider de l'avenir.* 2 Prendre la résolution de. *Décider de partir.* ■ vpr 1 Prendre la décision de. *Il s'est enfin décidé à revenir.* 2 Se prononcer pour ou contre qqn, qqch.

décideur nm Qui a le pouvoir de prendre des décisions.

décigramme nm Dixième partie du gramme (symbole : dg).

décilitre nm Dixième partie du litre (symbole : dl).

décimal, ale, aux a Qui a pour base le nombre 10. Loc *Nombre décimal :* qui comporte une fraction de l'unité, exprimée par une virgule. ■ nf Chacun des chiffres séparés de l'unité par une virgule.

décimer vt Faire périr une proportion importante d'une population.

décimètre nm Dixième partie du mètre (symbole : dm). 2 Règle mesurant 1 dm.

décisif, ive a Qui résout, qui tranche ce qui est incertain.

décision nf Action de décider ; chose décidée.

décisionnaire n Qui exerce un pouvoir de décision.

décisionnel, elle a Qui relève de la décision.

déclamer vt Réciter, parler avec emphase.

déclaratif, ive a DR Se dit d'un acte par lequel on constate un état de fait. Loc GRAM *Verbes déclaratifs :* qui indiquent une énonciation (ex. : dire, raconter).

déclaration nf 1 Discours, acte, écrit par lequel on déclare ; proclamation. 2 Action de porter à la connaissance des autorités.

déclaré, ée a Avoué, reconnu.

déclarer vt 1 Manifester, faire connaître. *Déclarer ses intentions.* 2 Fournir un renseignement aux autorités compétentes. *Déclarer ses revenus.* ■ vpr 1 Manifester son existence. *Le choléra s'est déclaré.* 2 Faire connaître sa pensée. *Il s'est déclaré incompétent.* 3 Faire une déclaration d'amour.

déclasser vt 1 Déranger ce qui est classé. 2 Faire tomber dans une classe inférieure.

déclenchement nm Action de déclencher, fait de se déclencher.

déclencher vt 1 Amorcer le fonctionnement de. *Déclencher l'alarme.* 2 Provoquer subitement. *Déclencher la guerre.*

déclencheur nm Appareil qui déclenche un mécanisme.

déclic nm 1 Pièce qui déclenche un mécanisme. 2 Bruit sec d'un mécanisme qui se déclenche.

déclin nm État de ce qui tend vers sa fin, de ce qui perd de sa force.

déclinaison nf 1 Action de décliner qqch. 2 LING Ensemble des formes (cas) que prennent dans les langues flexionnelles les noms, pronoms et adjectifs selon leur fonction dans la phrase. 3 ASTRO Hauteur d'un astre au-dessus du plan équatorial.

décliner vi 1 Tendre vers sa fin. *Le jour décline.* 2 S'affaiblir, tomber en décadence. *Ses forces déclinent.* ■ vt 1 Énumérer les cas de la déclinaison. 2 Énumérer. *Décliner les raisons d'une décision.* 3 Refuser d'accepter. *Décliner une invitation.* 4 Présenter à la vente un même produit sous diverses formes. Loc *Décliner son identité :* l'énoncer avec précision.

décloisonner vt Enlever ce qui sépare.

déclouer vt Défaire, enlever les clous.

décocher vt **1** Lancer. *Décocher un coup.* **2** Lancer avec hostilité. *Décocher une remarque.*

décoction nf Action de faire bouillir une substance pour en extraire les principes solubles.

décodage nm Action de décoder.

décoder vt Déchiffrer un message codé.

décodeur nm Appareil qui permet de décoder des informations.

décoffrer vt Ôter le coffrage d'un ouvrage en béton.

décoiffer vt **1** Déranger, défaire la coiffure de qqn. **2** Fam Étonner.

décoincer vt **10** Dégager ce qui était coincé.

décolérer vi **12** Loc *Ne pas décolérer* : ne pas cesser d'être en colère.

décollage nm Fait de décoller (avion).

décollectiviser vt Supprimer la collectivisation.

décollement nm Action de décoller, de se décoller. *Décollement de la rétine.*

décoller vt **1** Séparer, détacher ce qui était collé. ■ vi Quitter le sol (avion).

décolleté, ée a Qui laisse apparaître le cou, les épaules. *Robe décolletée.* ■ nm Partie décolletée d'un vêtement.

décolleter vt **19** Couper un vêtement de manière à dégager le cou.

décolleuse nf Machine servant à décoller le papier peint.

décolonisation nf Processus par lequel un peuple colonisé accède à l'indépendance.

décoloniser vt Accorder l'indépendance à une colonie.

décolorant, ante a, nm Qui décolore.

décoloration nf Perte de la couleur.

décolorer vt Faire perdre en partie ou complètement sa couleur. *Décolorer les cheveux.*

décombres nmpl Ruines, restes de ce qui a été détruit.

décommander vt Annuler une invitation, une commande, etc. ■ vpr Annuler un rendez-vous.

décomplexer vt Enlever à qqn ses complexes.

décomposable a Qu'on peut décomposer.

décomposer vt **1** Séparer les parties de qqch ; analyser. *Décomposer une phrase.* **2** Gâter. *La chaleur décompose la viande.* **3** Bouleverser. *La terreur décomposait son visage.*

décomposition nf **1** Analyse des constituants de qqch. **2** Altération profonde.

décompresser vi Fam Relâcher sa tension nerveuse.

décompression nf Diminution de la pression.

décompte nm Compte détaillé d'une somme.

décompter vt Déduire d'une somme.

déconcentrer vt **1** Procéder à une répartition moins centralisée. **2** Troubler la concentration, l'attention. ■ vpr Relâcher son attention.

déconcerter vt Troubler, dérouter.

déconfit, ite a Abattu, décontenancé.

déconfiture nf Ruine financière ; faillite morale ; déroute totale.

décongélation nf Action de décongeler.

décongeler vt **16** Ramener un corps congelé à une température supérieure à 0 °C.

décongestionner vt **1** Faire disparaître la congestion. **2** Atténuer, faire cesser l'encombrement.

déconnant, ante a Pop Absurde, stupide.

déconnecter vt **1** Débrancher. *Déconnecter un ordinateur.* **2** Fam Faire perdre le sentiment des réalités.

déconner vi Pop Dire ou faire des bêtises.

déconnexion nf Action de déconnecter.

déconseiller vt Conseiller de ne pas faire.

déconsidérer vt **12** Faire perdre la considération, l'estime dont jouissait qqn. ■ vpr Se discréditer.

déconstruction nf LITTER Décomposition analytique d'une œuvre.

décontaminer vt Éliminer les effets d'une contamination.

décontenancer vt **10** Faire perdre contenance à qqn. ■ vpr Perdre contenance.

décontracter (se) vpr Se détendre.

décontraction nf Détente, insouciance.

décontracturant, ante a, nm Qui fait disparaître les contractures musculaires.

déconvenue nf Désappointement, déception.

décor nm 1 Ensemble de ce qui sert à décorer. 2 Au théâtre, au cinéma, ce qui sert à représenter les lieux de l'action. 3 Environnement, cadre. *Le décor quotidien.*

décorateur, trice n Professionnel de la décoration.

décoratif, ive a Qui décore agréablement, qui enjolive. Loc *Arts décoratifs :* arts du décor (tapisserie, céramique, design, etc.). Syn. arts appliqués.

décoration nf 1 Action de décorer ; art du décorateur ; ce qui décore. 2 Insigne d'une récompense honorifique.

décorer vt 1 Orner, parer, embellir. 2 Conférer une décoration.

décortiquer vt 1 Enlever l'écorce d'un arbre, l'enveloppe d'une graine, d'un fruit. 2 Faire l'analyse minutieuse de qqch.

décorum [-ʀɔm] nm Pompe officielle.

décote nf 1 Baisse de la valeur de qqch. *Subir une décote.* 2 Réduction d'impôt.

découcher vi Coucher ailleurs que chez soi.

découdre vt 56 Défaire ce qui est cousu. ■ vti Loc *En découdre :* se battre.

découler vi Être la conséquence de.

découpage nm Action de découper ; image découpée.

découpe nf Résultat d'un découpage.

découpé, ée a Échancré. *Une côte découpée.*

découper vt 1 Couper en morceaux ou en tranches. 2 Couper avec des ciseaux en suivant un contour. 3 Diviser un scénario de film en scènes. ■ vpr Se détacher sur un fond.

découpler vt Cesser de considérer comme inséparables des choses qui l'étaient jusqu'alors.

décourageant, ante a Qui fait perdre courage. Syn. démoralisant.

découragement nm Abattement, perte du courage.

décourager vt 11 Ôter le courage, l'énergie, l'envie de faire qqch. ■ vpr Perdre courage.

décousu, ue a Sans suite. *Conversation décousue.*

découvert, erte a Qui n'est pas couvert. *Une allée découverte.* ■ nm FIN Solde débiteur d'un compte. Loc *À découvert :* sans protection ; sans se cacher.

découverte nf Action de découvrir ce qui était caché ou inconnu ; chose découverte.

découvreur, euse n Qui fait des découvertes.

découvrir vt 31 1 Ôter ce qui couvre, protège. 2 Révéler ce qui était tenu caché. 3 Voir, apercevoir. 4 Trouver ce qui n'est pas connu, ce qui est secret. ■ vpr 1 Retirer ce qui couvre le corps. 2 S'éclaircir (temps, ciel).

décrasser vt Enlever la crasse ; nettoyer.

décrépit, ite a Très affaibli par la vieillesse.

décrépitude nf Affaiblissement dû à la vieillesse ; délabrement.

decrescendo [dekreʃɛndo] av, nm MUS En diminuant l'intensité des sons.

décret nm Décision, ordre émanant du pouvoir exécutif.

décréter vt 12 1 Ordonner, régler par un décret. 2 Décider de manière autoritaire.

décret-loi nm Arrêté gouvernemental ayant force de loi ; ordonnance. *Des décrets-lois.*

décrier vt S'efforcer de ruiner la réputation de qqch, l'autorité de qqn.

décriminaliser vt Soustraire à la juridiction criminelle.

décrire vt 61 1 Représenter, dépeindre en paroles ou par écrit. 2 Dessiner une ligne courbe, tracer.

décrisper vt Diminuer les tensions.

décrochement nm Partie en retrait.

décrocher vt 1 Détacher qqch qui était accroché. 2 Fam Obtenir. *Décrocher un examen.* ■ vi 1 Fam Ne plus porter son attention sur qqch. 2 Rompre le contact avec l'ennemi. 3 Interrompre une activité. 4 Cesser de se droguer.

décroissance nf Diminution.

décroissant, ante a Qui décroît.

décroître vi 59 Diminuer peu à peu.

décrotter vt Ôter la boue de.

décrue nf Baisse du niveau des eaux après une crue.

décrypter vt Découvrir le sens d'un texte chiffré ; décoder.

déçu, ue a, n Qui a éprouvé une déception.

déculottée nf Pop Défaite humiliante.

déculotter vt Ôter la culotte, le pantalon de qqn. ■ vpr 1 Enlever sa culotte. 2 Pop Se comporter lâchement.

déculpabiliser vt Libérer d'un sentiment de culpabilité.

déculturation nf Perte de sa culture propre.

décuple a, nm Qui vaut dix fois.

décupler vt 1 Rendre dix fois plus grand. 2 Augmenter considérablement. ■ vi Devenir dix fois plus grand.

dédaignable a Qu'on peut dédaigner (surtout avec négation).

dédaigner vt Traiter avec dédain, rejeter comme sans intérêt.

dédaigneux, euse a, n Qui montre du dédain.

dédain nm Mépris, orgueil.

dédale nm 1 Labyrinthe. 2 Ensemble compliqué où il est difficile de se reconnaître.

dedans av, prép À l'intérieur. Loc Au-dedans, en dedans de : à l'intérieur de. ■ nm L'intérieur de qqch.

dédicace nf Inscription par laquelle un auteur dédie son œuvre à qqn.

dédicacer vt 10 Faire l'hommage d'un livre, d'une photographie, par une dédicace.

dédicataire n À qui un ouvrage est dédié.

dédié, ée a TECH Se dit d'un équipement spécialisé à des tâches déterminées.

dédier vt 1 Consacrer au culte divin. 2 Faire hommage d'un ouvrage par une dédicace.

dédire (se) vpr 60 Se rétracter.

dédit nm DR Pénalité subie par qqn qui manque à l'exécution d'un contrat.

dédommagement nm Réparation d'un dommage ; compensation.

dédommager vt 11 1 Indemniser d'un dommage. 2 Offrir une compensation à une peine. ■ vpr Trouver une compensation.

dédouaner vt 1 Acquitter les droits de douane d'une marchandise. 2 Réhabiliter, blanchir qqn.

dédoubler vt 1 Diviser en deux. Dédoubler une classe. 2 Doubler un train. ■ vpr Perdre le sentiment de l'unité de sa personnalité.

dédramatiser vt Ôter le caractère dramatique.

déductible a Qui peut être déduit.

déductif, ive a Qui procède par déduction.

déduction nf 1 Soustraction. 2 Raisonnement par lequel on infère toutes les conséquences qui découlent d'une hypothèse ; conclusion.

déduire vt 67 1 Retrancher, soustraire d'une somme. 2 Tirer par déduction comme conséquence.

déesse nf Divinité féminine.

de facto [defakto] av De fait et non de droit. Ant. de jure.

défaillance nf 1 Évanouissement. 2 Faiblesse morale. 3 Arrêt du fonctionnement normal.

défaillant, ante a Qui fait défaut.

défaillir vi 27 1 S'évanouir. 2 Faiblir.

défaire vt 9 1 Réaliser à l'inverse. 2 Détacher, dénouer. 3 Litt Battre, vaincre. ■ vpr Se débarrasser de qqch.

défait, aite a Abattu, épuisé.

défaite nf 1 Perte d'une bataille. 2 Échec. Défaite électorale.

défaitisme nm Manque de confiance dans le succès.

défaitiste a, n Qui fait preuve de défaitisme.

défalcation nf Déduction d'une somme.

défalquer vt Déduire une somme d'un compte.

défausse nf Carte dont on se défausse.

défausser (se) vpr Se débarrasser d'une carte inutile. Se défausser à pique.

défaut nm 1 Imperfection physique ou morale. 2 Manque de qqch. Le défaut de preuves. Loc Faire défaut : manquer. Défaut de la *cuirasse* : point faible. *Être en défaut* : commettre une faute, une erreur. *À défaut de* : en l'absence de.

défaveur *nf* Litt Disgrâce.

défavorable *a* Qui n'est pas favorable.

défavorisé, ée *a, n* Pauvre.

défavoriser *vt* Priver qqn de certains avantages ; désavantager.

défécation *nf* Expulsion des matières fécales.

défectif, ive *a* GRAM Se dit d'un verbe auquel il manque certaines formes (ex. : *choir*).

défection *nf* Abandon d'une cause.

défectueux, euse *a* Qui manque des qualités requises.

défectuosité *nf* Imperfection.

défendable *a* Qui peut être défendu.

défendeur, deresse *n* Personne contre qui est introduite une action en justice.

défendre *vt* 71 1 Protéger, soutenir, plaider pour. *Défendre sa vie, un accusé.* 2 Prohiber, interdire qqch à qqn. *Il est défendu de parler au conducteur.* Loc *À son corps défendant* : à contrecœur. ■ *vpr* 1 Repousser une attaque. 2 Fam Se débrouiller. *Il se défend bien dans son métier.* 3 Chercher à se justifier. 4 Nier. *Il se défend d'avoir emporté ce livre.* 5 Se mettre à l'abri de. *Se défendre du froid.* 6 S'empêcher d'éprouver, se retenir de. *Elle ne peut se défendre de pleurer.*

défenestration *nf* Action de jeter qqn ou de se jeter par la fenêtre.

défenestrer *vt* Jeter qqn par la fenêtre.

défense *nf* 1 Action de faire face à une agression, une attaque. 2 Moyens employés par une nation pour se protéger. 3 Moyens employés pour se défendre, se justifier ; ensemble constitué par l'avocat et l'accusé. 4 Prohibition, interdiction. *Défense d'afficher.* 5 Grande dent, sortant de la cavité buccale de certains mammifères.

défenseur *nm* 1 Qui défend, soutient, protège. 2 Avocat qui défend en justice. 3 Joueur chargé de résister aux attaques de l'adversaire.

défensif, ive *a* Fait pour la défense. ■ *nf* État d'une armée prête à se défendre. Loc *Être, se tenir sur la défensive* : être prêt à se défendre.

déféquer *vt* 12 Évacuer les matières fécales.

déférence *nf* Politesse respectueuse.

déférent, ente *a* Respectueux. Attitude déférente. Loc ANAT *Canal déférent* : conduit excréteur du testicule.

déférer *vt* 12 Soumettre à une juridiction. ■ *vti* Céder par respect. *Déférer au désir de qqn.*

déferlante *nf* Vague qui déferle.

déferler *vi* 1 Se déployer et se briser en écume (vagues). 2 Se répandre avec abondance, violence. *Les injures déferlaient sur lui.*

défi *nm* Appel à se mesurer avec, à affronter. Loc *Mettre au défi de* : provoquer qqn à faire qqch d'impossible.

défiance *nf* Méfiance.

défiant, ante *a* Méfiant, soupçonneux.

défibrillation *nf* Traitement des contractions anormales du cœur par le courant électrique.

déficience *nf* Insuffisance, carence.

déficient, ente *a* Trop faible, insuffisant.

déficit [-sit] *nm* 1 Insuffisance, manque. *Déficit immunitaire.* 2 Excédent des dépenses sur les recettes.

déficitaire *a* Qui présente un déficit.

défier *vt* 1 Provoquer à un combat. 2 Braver, se dresser contre. *Défier la morale.* 3 Résister à l'épreuve de. *Défier le temps.* ■ *vpr* Avoir de la défiance envers. *Se défier des racontars.*

défigurer *vt* 1 Altérer l'aspect du visage. 2 Altérer, dénaturer. *Défigurer la vérité.*

défilé *nm* 1 Passage étroit et encaissé entre deux montagnes. 2 File de personnes, de véhicules en marche.

défilement *nm* Déroulement régulier des images d'une bande magnétique.

1. défiler *vt* Ôter le fil passé dans. *Défiler des perles.* ■ *vpr* Fam S'esquiver, se dérober.

2. défiler *vi* 1 Aller à la file, en colonne. *Défiler le 14 juillet.* 2 Se succéder avec régularité. *Les jours défilent.*

défini, ie *a* Déterminé, précisé. Loc *Article défini* : le, la, les.

définir vt Expliquer, préciser.

définissable a Qu'on peut définir.

définitif, ive a Qui ne peut plus être modifié. ■ av Loc **En définitive** : en conclusion.

définition nf 1 Ensemble des caractéristiques d'un concept. 2 Explication précise de ce qu'un mot signifie. 3 Nombre de lignes qui composent une image de télévision.

défiscaliser vt Exonérer d'impôts.

déflagration nf Violente explosion.

déflation nf ECON Ensemble des mesures destinées à lutter contre l'inflation.

déflationniste a ECON De la déflation.

déflecteur nm Appareil, dispositif servant à modifier la direction d'un fluide.

déflocage nm TECH Suppression du flocage qui couvre une surface.

défloraison nf Chute des fleurs.

défloration nf Perte de la virginité.

déflorer vt 1 Faire perdre sa fraîcheur, sa nouveauté à. Déflorer un sujet. 2 Faire perdre sa virginité à une jeune fille.

défoliant nm Produit provoquant la chute des feuilles.

défoliation nf Chute des feuilles d'un végétal.

défonce nf Pop État dans lequel se trouve un drogué après usage de drogue.

défoncer vt 10 Briser, crever en enfonçant. Défoncer un mur. ■ vpr 1 Pop Se droguer. 2 Fam Donner le meilleur de soi-même.

déforestation nf Déboisement.

déformation nf Action de déformer.

déformer vt 1 Altérer la forme, l'aspect, l'esprit de. 2 Reproduire inexactement. Déformer la pensée de qqn.

défouler (se) vpr 1 PSYCHO Se livrer à des actions sur lesquelles pesait un interdit. 2 Se libérer dans une activité quelconque.

défraîchir vt Faire perdre sa fraîcheur, son éclat à.

défrayer vt 20 Payer la dépense, les frais de qqn. Loc **Défrayer la conversation, la chronique** : faire beaucoup parler de soi.

défrichement ou **défrichage** nm Action de défricher.

défricher vt 1 Rendre cultivable un terrain en friches. 2 Débrouiller une question.

défriser vt 1 Défaire la frisure de. 2 Fam Sappointer.

défroisser vt Rendre uni ce qui est froissé.

défroque nf Vêtements usagés et ridicules.

défroqué, ée a, n Qui a quitté l'état religieux.

défunt, unte a, n Mort.

dégagé, ée a Qui fait preuve d'assurance. Air dégagé. Loc **Ciel dégagé** : sans nuages.

dégagement nm 1 Action de dégager. 2 Passage facilitant la circulation.

dégager vt 11 1 Retirer ce qui est en gage. 2 Débarrasser de ce qui encombre. 3 Libérer de ce qui engage. Dégager qqn d'une responsabilité. 4 Produire une émanation. Dégager une odeur. 5 Isoler d'un ensemble. Dégager la morale d'une histoire. ■ vi Envoyer le ballon loin de ses buts. ■ vpr 1 Émaner, ressortir. Une impression pénible se dégage de ce film. 2 Se libérer de. Se dégager d'une obligation.

dégaine nf Fam Allure ridicule.

dégainer vt Tirer une arme de son fourreau.

déganter (se) vpr Ôter ses gants.

dégarnir vt Retirer ce qui garnit. ■ vpr Perdre ses cheveux.

dégât nm (souvent pl) Dommage, destruction. Les dégâts du tremblement de terre.

dégauchir vt Rendre plane une pièce déformée.

dégel nm 1 Fonte de la glace, de la neige. 2 Détente des relations entre États.

dégelée nf Pop Volée de coups.

dégeler vt 16 1 Faire fondre ce qui était gelé. 2 Rendre qqn, une ambiance. ■ vi [aux avoir ou être] Cesser d'être gelé.

dégénérer vi 12 1 S'abâtardir, perdre ses qualités propres. 2 Changer de nature en s'aggravant. Discussion qui dégénère en querelle.

dégénérescence nf Fait de dégénérer.

dégingandé, ée a Fam Qui a l'air disloqué dans sa démarche.

dégivrer vt Ôter le givre de.

dégivreur nm Appareil servant à dégivrer.

déglacer vt 10 Ôter la glace de.

déglaciation nf Fonte des glaciers.

déglinguer

déglinguer vt Fam Disloquer.

déglutir vt Avaler.

déglutition nf Action de déglutir.

dégobiller vt, vi Pop Vomir.

dégoiser vi Fam Parler beaucoup.

dégommer vt Fam Renvoyer, destituer.

dégonflé, ée a, n Fam Peureux, lâche.

dégonfler vt Vider de ce qui gonflait. *Dégonfler un ballon.* ■ vpr Fam Perdre son courage.

dégorgement nm Action de dégorger.

dégorger vt 1 1 Expulser, évacuer un liquide. 2 Débarrasser un conduit de ce qui l'engorge. ■ vi Loc CUIS *Faire dégorger :* faire rendre du liquide, des impuretés à.

dégoter ou **dégotter** vt Fam Trouver, obtenir.

dégouliner vi S'écouler goutte à goutte ou en filet. *L'eau dégouline du toit.*

dégourdi, ie a, n Fam Débrouillard.

dégourdir vt 1 Faire cesser l'engourdissement. 2 Faire perdre sa gaucherie à qqn.

dégoût nm 1 Répugnance pour certains aliments. 2 Aversion, répulsion.

dégoûtant, ante a, n 1 Très sale. 2 Qui inspire du dégoût.

dégoûté, ée n Loc *Faire le dégoûté :* être trop exigeant.

dégoûter vt 1 Inspirer de la répugnance, de l'aversion. 2 Enlever le désir, le goût de. *Il est dégoûté du jeu.*

dégoutter vi Couler goutte à goutte.

dégradant, ante a Avilissant.

dégradation nf Action de dégrader, de se dégrader ; fait d'être dégradé.

dégradé nm Affaiblissement progressif des couleurs.

dégrader vt 1 Destituer qqn de son grade, de sa dignité, de ses droits civiques. 2 Avilir. 3 Endommager. *Dégrader un monument.* ■ vpr Se détériorer.

dégrafer vt Détacher, défaire les agrafes.

dégraisser vt 1 Enlever la graisse. 2 Enlever les taches de graisse de. 3 Fam Alléger d'éléments en surnombre.

degré nm 1 Litt Marche d'un escalier. 2 Échelon, rang, niveau dans une hiérarchie,

un système, un cycle d'études, la parenté d'une famille. 3 Chacune des divisions de l'échelle de mesure d'un système donné. 4 Unité d'arc égale à la 360e partie du cercle et unité d'angle correspondant à un arc d'un degré. Loc *Par degrés :* graduellement. *Degré Fahrenheit :* degré d'une échelle de température où au 0 °C correspond le 32 °F et au 100 °C, le 212 °F.

dégressif, ive a Qui diminue par degrés.

dégrèvement nm Action de dégrever.

dégrever vt 15 Dispenser du paiement d'une charge fiscale.

dégriffé, ée nm, a Vêtement vendu à prix réduit.

dégriffer vt Retirer la marque commerciale.

dégringolade nf Fam Chute rapide.

dégringoler vt, vi Fam 1 Descendre avec précipitation. 2 Faire une chute rapide.

dégripper vt Supprimer le grippage d'une pièce, d'un mécanisme.

dégriser vt 1 Dissiper l'ivresse. 2 Faire cesser l'illusion.

dégrossir vt 1 Ébaucher, donner une première forme à une matière. 2 Commencer à débrouiller, à éclaircir. 3 Donner les premiers rudiments d'instruction.

dégrouiller (se) vpr Fam Se dépêcher.

dégrouper vt Séparer des éléments groupés.

déguenillé, ée a Dont les vêtements sont en lambeaux.

déguerpir vi Se sauver, s'enfuir.

dégueulasse a, n Pop Dégoûtant, ignoble.

dégueuler vt, vi Pop Vomir.

dégueulis nm Pop Vomi.

déguisé, ée a, n Revêtu d'un déguisement.

déguisement nm Travestissement.

déguiser vt 1 Habiller d'un costume inhabituel ou inusuel. 2 Contrefaire, changer. *Déguiser sa voix.*

dégurgiter vt Vomir.

dégustateur nm Spécialiste de la dégustation des vins.

dégustation nf Action de déguster, de reconnaître au goût la qualité du vin.

déguster vt 1 Goûter pour apprécier la qualité. 2 Pop Recevoir des coups.

déhanchement nm Action de se déhancher.

déhancher (se) vpr 1 Balancer les hanches en marchant. 2 Faire reposer le poids du corps sur une jambe.

déhiscent, ente a BOT Se dit d'organes clos qui s'ouvrent naturellement à maturité.

dehors av Indique le lieu à l'extérieur. Loc **En dehors de** : à vers l'extérieur. ■ nm La partie extérieure d'une chose. ■ pl L'apparence de qqn.

déifier vt Diviniser, placer au rang des dieux.

déisme nm Croyance en l'existence d'un Être suprême en dehors de toute religion.

déiste a, n Qui professe le déisme.

déjà av 1 Indique le moment révolu ; dès ce moment. 2 Auparavant. *Je vous l'avais déjà dit.*

déjanter vt Faire sortir de la jante.

déjà-vu nm inv Ce qui n'a rien de nouveau.

déjection nf Évacuation des manières fécales de l'intestin. ■ pl Les matières évacuées.

déjeté, ée a Dévié de sa direction normale.

déjeuner vi Prendre le repas de midi ou du matin. ■ nm Repas de midi ou du matin.

déjouer vt Faire échouer une intrigue.

déjuger (se) vpr 11 Revenir sur ce qu'on avait jugé, décidé.

de jure [deʒyʀe] av De droit. Ant. de facto.

delà av Loc **Deci delà** : par endroits. *Audelà, par-delà* : encore plus, encore plus davantage, encore plus loin. ■ prép Loc *Par-delà* : de l'autre côté, plus loin que, en dépassant. *Au-delà de* : en dépassant.

délabré, ée a En mauvais état.

délabrement nm État délabré.

délabrer vt Détériorer, ruiner. ■ vpr Tomber en ruine.

délacer vt 10 Défaire les lacets.

délai nm 1 Temps accordé pour faire une chose. 2 Retard, temps supplémentaire.

délaisser vt 1 Laisser qqn sans secours, sans assistance. 2 S'occuper de moins en moins de qqch, abandonner.

délassement nm Repos, distraction.

délasser vt Reposer, faire cesser la lassitude de. ■ vpr Se reposer.

délateur, trice n, a Dénonciateur.

délation nf Dénonciation inspirée par des motifs méprisables.

délavé, ée a Décoloré, pâle.

délayer vt 20 Détremper une substance dans un liquide. Loc *Délayer sa pensée* : l'exprimer trop longuement.

delco nm (n déposé) Dispositif d'allumage pour moteur à explosion.

délectable a Exquis, délicieux.

délectation nf Plaisir qu'on savoure.

délecter (se) vpr Trouver un vif plaisir.

délégation nf 1 Action de déléguer ; procuration donnée. 2 Groupe de personnes déléguées.

délégué, ée n Représentant de qqn, d'un groupe. *Délégué du personnel.*

déléguer vt 12 1 Charger qqn d'une mission, d'une fonction, avec pouvoir d'agir. 2 Transmettre un pouvoir à qqn.

délestage nm Action de délester.

délester vt 1 Décharger de sa charge. 2 Fam Dévaliser. 3 Détourner la circulation d'une route encombrée. 4 Réduire la charge d'un réseau électrique.

délétère a Dangereux ; toxique.

délibératif, ive a Loc *Voix délibérative* : voix de celui qui a qualité pour voter.

délibération nf Action de délibérer ; débat.

délibéré, ée a Ferme, décidé. ■ nm Délibérations d'un tribunal avant jugement.

délibérer vi 12 Discuter, réfléchir avant de décider.

délicat, ate a 1 Fin, raffiné. 2 Exécuté avec beaucoup de minutie. *Sculpture délicate.* 3 Fragile. *Plante délicate.* 4 Qui demande de la prudence. *Situation délicate.* 5 Qui fait preuve de tact, de scrupules. *Une délicate attention.*

délicatesse nf Qualité de qqch ou de qqn de délicat.

délice nm Vif plaisir. *Cette poire est un délice.* ■ nfpl Litt Jouissances, plaisirs.

délicieux, euse *a* Exquis.

délictueux, euse ou **délictuel, elle** *a* Qui a le caractère d'un délit.

délié, ée *a* **1** Extrêmement mince, ténu. **2** Subtil, fin. ■ *nm* Partie fine d'une lettre calligraphiée.

délier *vt* **1** Défaire ce qui lie ou ce qui est lié. **2** Dégager d'une obligation. *Délier qqn d'un serment*. Loc *Sans bourse délier* : sans payer.

délimiter *vt* Assigner des limites à ; borner.

délinquance *nf* Ensemble des crimes et délits.

délinquant, ante *n* Qui a commis un délit.

déliquescence *nf* État de ce qui se décompose ; dégénérescence.

déliquescent, ente *a* Décadent ; sans fermeté, sans rigueur.

délirant, ante *a*, *n* En proie au délire. ■ *a* Excessif, désordonné.

délire *nm* **1** Trouble psychique caractérisé par une perception erronée de la réalité. **2** Trouble extrême, passion violente. *Foule en délire*.

délirer *vi* Avoir le délire.

delirium tremens [-Rjɔmtʀemɛ̃s] *nm inv* Délire alcoolique aigu.

délit *nm* DR Infraction punie d'une peine correctionnelle. Loc *Le corps du délit* : les preuves matérielles.

déliter (se) *vpr* Se fragmenter par plaques.

délivrance *nf* **1** Action de délivrer. **2** Accouchement.

délivrer *vt* **1** Libérer. *Délivrer un prisonnier*. **2** Remettre entre les mains, livrer. *Délivrer des marchandises, un certificat*.

délocalisation *nf* Action de délocaliser.

délocaliser *vt* Décentraliser une industrie, une administration, etc.

déloger *vi* **11** Quitter un endroit. ■ *vt* Chasser qqn d'un lieu.

déloyal, ale, aux *a* Dépourvu de loyauté, perfide.

déloyauté *nf* Manque de loyauté.

delphinarium [-Rjɔm] *nm* Aquarium où l'on présente des dauphins.

delphinium [-njɔm] *nm* Plante ornementale à grandes fleurs.

delta *nm* **1** Quatrième lettre de l'alphabet grec correspondant à d. **2** Embouchure d'un fleuve divisée en bras.

deltaplane *nm* Appareil de vol à voile ultra-léger à aile triangulaire.

deltoïde *nm* Muscle triangulaire de l'épaule.

déluge *nm* **1** (avec majusc) Inondation universelle, d'après la Bible. **2** Pluie torrentielle. **3** Déferlement, grande quantité. *Un déluge de paroles*.

déluré, ée *a* Dégourdi, effronté.

démagnétiser *vt* Supprimer l'aimantation.

démagogie *nf* Procédés qui consistent à flatter les passions et les préjugés des masses pour s'attirer la popularité.

démagogue *n*, *a* Qui pratique la démagogie.

démailloter *vt* Ôter ce qui enveloppe.

demain *av* **1** Le jour qui suivra celui où l'on est. **2** Dans un futur proche. *Le monde de demain*.

démancher *vt* **1** Ôter le manche. **2** Désarticuler, démettre. *Démancher l'épaule*.

demande *nf* **1** Action de demander. **2** Écrit exprimant une demande. **3** Chose demandée. *Des demandes irréalistes*. **4** ECON Besoins des consommateurs. *L'offre et la demande*.

demander *vt* **1** Solliciter. *Je vous demande de venir*. **2** Interroger. *Demander son chemin à qqn*. **3** Réclamer. *On vous demande au téléphone*. **4** Avoir besoin de. *On demande un plombier*. **5** Requérir. *Cette plante demande beaucoup d'eau*. **6** Engager une demande en justice. *Demander le divorce*. ■ *vpr* S'interroger. *Je me demande s'il viendra*.

1. demandeur, deresse *n* DR Qui forme une demande en justice.

2. demandeur, euse *n* Qui demande qqch. Loc *Demandeur d'emploi* : chômeur.

démangeaison *nf* **1** Picotement de l'épiderme qui incite à se gratter. **2** Vif désir de qqch.

démanger vi 11 1 Causer une démangeaison. *Le dos lui démange.* 2 Avoir envie de. *L'envie de partir le démange.*

démantèlement nm Action de démanteler.

démanteler vt 16 1 Démolir. *Démanteler une muraille.* 2 Anéantir. *Démanteler un réseau de trafiquants.*

démantibuler vt Fam Disloquer. *On a démantibulé ce piano.*

démaquillage nm Action de démaquiller, de se démaquiller.

démaquillant, ante a, nm Se dit d'un produit utilisé pour démaquiller.

démaquiller vt Enlever le maquillage de.

démarcation nf 1 Limite qui sépare deux territoires. *Ligne de démarcation.* 2 Séparation. *Démarcation entre classes sociales.*

démarchage nm Travail du démarcheur.

démarche nf 1 Façon de marcher. *Une démarche gracieuse.* 2 Raisonnement. *Une démarche logique.* 3 Tentative, intervention. *Faire des démarches auprès du ministre.*

démarcher vt Visiter à domicile pour vendre.

démarcheur, euse n Personne dont le métier est de démarcher un produit.

démarque nf Action de démarquer des marchandises.

démarquer vt 1 Enlever la marque de. *Démarquer du linge.* 2 Plagier. *Démarquer un texte.* 3 Enlever la marque pour solder. *Démarquer des marchandises.* 4 SPORT Libérer un coéquipier de l'emprise d'un adversaire. ■ vpr Prendre du recul vis-à-vis de qqn, qqch.

démarrage nm Action de démarrer.

démarrer vt Fam Mettre en train, commencer. *Démarrer un travail.* ■ vi 1 Se mettre en mouvement. *Le train démarre.* 2 Commencer à fonctionner. *Une entreprise qui démarre bien.*

démarreur nm Dispositif électrique qui lance un moteur à explosion.

démasquer vt 1 Enlever son masque à qqn. 2 Dévoiler, montrer sous son vrai jour. *Démasquer une intrigue, un hypocrite.*

démâter vt Enlever le mât d'un navire. ■ vi Perdre son mât.

démazouter vt Nettoyer qqch du mazout qui le souille.

dème nm Division administrative de la Grèce.

démêlant, ante a, nm Produit qui démêle les cheveux après un shampooing.

démêlé nm Altercation, désaccord.

démêler vt 1 Séparer ce qui est emmêlé. *Démêler ses cheveux.* 2 Éclaircir. *Démêler une intrigue.*

démêloir nm Peigne à grosses dents.

démembrement nm Morcellement.

démembrer vt Morceler, séparer les parties.

déménagement nm Action de déménager ; ce qu'on déménage.

déménager vt 11 Transporter des objets, des meubles d'un endroit à un autre. ■ vi 1 Changer de logement. 2 Fam Déraisonner.

déménageur nm Qui fait des déménagements.

démence nf 1 Aliénation mentale qui entraîne l'irresponsabilité. 2 Conduite insensée. *Sortir par ce froid, c'est de la démence.*

démener (se) vpr 15 1 S'agiter violemment. 2 Se donner du mal. *Il s'est démené pour réussir.*

dément, ente a, n Atteint de démence. ■ a Fam Extravagant, déraisonnable. *Des prix déments.*

démenti nm Action de démentir ; ce qui dément. *Un démenti formel.*

démentiel, elle a Qui relève de la démence.

démentir vt 29 1 Contredire. *Démentir un témoin.* 2 Déclarer faux. *Démentir une nouvelle.* 3 Être en contradiction avec. *Sa conduite dément ses paroles.* ■ vpr Cesser de se manifester. *Sa patience ne s'est jamais démentie.*

démerder (se) vpr Pop 1 Se débrouiller. 2 Se dépêcher.

démériter vi Agir d'une façon telle qu'on perd l'estime d'autrui.

démesure nf Manque de mesure, excès.

démesuré, ée a Qui excède la mesure.

démettre vt **1** Déplacer un os, luxer. *Il lui a démis le bras.* **2** Destituer d'un emploi, d'une charge. ■ vpr Démissionner.

demeurant (au) av Au reste.

demeure nf **1** Litt Habitation. **2** Grande maison. Loc *Mettre qqn en demeure de :* le sommer de. *À demeure :* de façon permanente.

demeuré, ée a, n Mentalement retardé.

demeurer vi **1** (aux *avoir*) Habiter. *Il demeure à la campagne.* **2** (aux *être*) Rester (choses). *Les écrits demeurent.* **3** (aux *être*) Persister à être. *Il est demeuré inébranlable.*

demi, ie a **1** (devant un nom et suivi d'un trait d'union, inv) La moitié exacte d'un tout. *Un demi-kilo. Une demi-livre.* **2** (après un nom, s'accordant en genre seulement) Plus une moitié. *Deux heures et demie. Sept ans et demi.* ■ n La moitié d'une unité, d'une chose. ■ nm **1** Verre de bière qui contient 25 cl. **2** Joueur de milieu de terrain (football, rugby). ■ nf Demi-heure. *J'ai rendez-vous à la demie.*

demi-cercle nm Moitié d'un cercle. *Des demi-cercles.*

demi-douzaine nf La moitié d'une douzaine. *Des demi-douzaines.*

demi-finale nf Épreuve éliminatoire pour la finale. *Des demi-finales.*

demi-fond nm inv Course de moyenne distance.

demi-frère nm Frère seulement par le père ou la mère. *Des demi-frères.*

demi-heure nf La moitié d'une heure. *Des demi-heures.*

demi-jour nm Faible clarté. *Des demi-jours.*

démilitariser vt Empêcher toute activité militaire dans une zone.

demi-litre nm Moitié d'un litre. *Des demi-litres.*

demi-longueur nf Dans une course, moitié de la longueur d'un cheval, d'un bateau, etc. *Des demi-longueurs.*

demi-mal nm Dommage moindre que celui que l'on redoutait. *Des demi-maux.*

demi-mesure nf Mesure, précaution insuffisante. *Des demi-mesures.*

demi-mot (à) av Sans qu'il soit nécessaire de tout dire. *Comprendre à demi-mot.*

déminage nm Action de déminer.

déminer vt Nettoyer une zone des mines, des engins explosifs.

déminéralisation nf **1** Action de déminéraliser. **2** Perte pathologique des sels minéraux des os.

déminéraliser vt Débarrasser, priver des sels minéraux.

démineur nm Spécialiste du déminage.

demi-pension nf **1** Tarif hôtelier à un seul repas par jour. **2** Régime des demi-pensionnaires. *Des demi-pensions.*

demi-pensionnaire n Élève qui prend son repas de midi dans l'établissement scolaire. *Des demi-pensionnaires.*

demi-place nf Place à moitié prix. *Des demi-places.*

demi-portion nf Fam Personne malingre. *Des demi-portions.*

demi-saison nf L'automne ou le printemps. *Des demi-saisons.*

demi-sel a inv Peu salé (fromage, beurre). ■ nm inv **1** Fromage blanc frais. **2** Pop Individu qui se prétend du milieu.

demi-sœur nf Sœur par le père ou par la mère seulement. *Des demi-sœurs.*

demi-sommeil nm État intermédiaire entre veille et sommeil. *Des demi-sommeils.*

démission nf **1** Acte par lequel on renonce à un emploi, à une dignité. **2** Renoncement par incapacité.

démissionnaire a, n Qui a démissionné.

démissionner vi **1** Donner sa démission. **2** Renoncer. *C'est trop dur, je démissionne.* **3** Abdiquer. *Parents qui démissionnent.*

demi-tarif nm Moitié du plein tarif. *Des demi-tarifs.*

demi-teinte nf Teinte peu soutenue. *Des demi-teintes.*

demi-tour nm Moitié d'un tour. Loc *Faire demi-tour :* revenir sur ses pas. *Des demi-tours.*

démiurge nm **1** PHILO Nom donné par Platon à l'ordonnateur du cosmos. **2** Créateur d'une grande œuvre littéraire.

démobilisateur, trice a Qui démobilise.

démobilisation nf Action de démobiliser.

démobiliser vt 1 Renvoyer un soldat à la vie civile. 2 Diminuer l'enthousiasme combatif de.

démocrate n, a 1 Partisan de la démocratie. 2 Partisan d'un des deux grands partis politiques américains.

démocrate-chrétien, enne n, a Qui se réclame à la fois du christianisme et de la démocratie. Des démocrates-chrétiens.

démocratie nf 1 Régime politique où la souveraineté est exercée par le peuple. 2 Pays qui vit sous un tel régime.

démocratique a 1 Conforme à la démocratie. 2 À la portée de tous. Un sport démocratique.

démocratisation nf Action de démocratiser.

démocratiser vt 1 Rendre démocratique. Démocratiser les institutions. 2 Rendre populaire. Démocratiser l'équitation.

démodé, ée a Passé de mode.

démoder (se) vpr Cesser d'être à la mode.

démographe n Spécialiste de démographie.

démographie nf 1 Science qui étudie statistiquement les populations. 2 État de la population dans une région.

démographique a De la démographie.

demoiselle nf 1 Jeune fille, jeune femme non mariée. 2 Jeune fille attachée à la cour d'une reine. 3 Libellule. 4 Outil de paveur. Loc Demoiselle d'honneur : jeune fille qui accompagne la mariée.

démolir vt 1 Détruire, abattre. Démolir un immeuble. 2 Mettre en pièces, casser. Démolir ses jouets. 3 Ruiner, saper. L'alcool l'a démoli.

démolisseur, euse n 1 Qui travaille à démolir. 2 Destructeur.

démolition nf Action de démolir. ■ pl Matériaux provenant de bâtiments démolis.

démon nm 1 Chez les Anciens, bon ou mauvais génie. 2 Ange déchu, chez les chrétiens et les juifs ; Satan. 3 Personne méchante, mauvaise. 4 Fam Enfant turbulent.

démonétiser vt 1 Enlever sa valeur légale à une monnaie. 2 Discréditer.

démoniaque a Diabolique.

démonstrateur, trice n Qui fait la démonstration. Démonstratrice en aspirateurs.

démonstratif, ive a 1 Convaincant. Argument démonstratif. 2 Qui manifeste ses sentiments. Un homme peu démonstratif. ■ a, nm GRAM Se dit des adjectifs et des pronoms qui servent à désigner ce dont on parle.

démonstration nf 1 Raisonnement par lequel on démontre. 2 Explication pratique sur l'utilisation d'un appareil, d'un produit. Démonstration à domicile. 3 Témoignage, manifestation d'un sentiment. Des démonstrations d'affection. 4 Manifestation publique spectaculaire. L'aéro-club organise une démonstration aérienne.

démontage nm Action de démonter.

démonté, ée a Loc Mer démontée : très agitée.

démonte-pneu nm Levier pour retirer un pneu. Des démonte-pneus.

démonter vt 1 Séparer, désassembler. Démonter une horloge. 2 Jeter à bas de. Cheval qui démonte son cavalier. 3 Déconcerter. Cette objection le démonta.

démontrer vt 1 Établir la vérité de. Démontrer un théorème. 2 Indiquer. Ceci démontre sa gentillesse.

démoralisant, ante a Décourageant.

démoraliser vt Donner un mauvais moral ; décourager. Son échec l'a démoralisé.

démordre vti Loc Ne pas démordre de : s'obstiner.

démotivant, ante a Qui démotive.

démotivation nf Action de démotiver.

démotiver vt Retirer toute motivation à qqn. Cet échec l'a démotivé.

démoulage nm Action de démouler.

démouler vt Retirer du moule.

démoustiquer vt Débarrasser un lieu de moustiques.

démultiplication nf Système mécanique de réduction de vitesse.

démultiplier vt 1 Réduire par démultiplication la vitesse de. 2 Augmenter la puissance en multipliant les relais.

démunir vt Priver. *La crise l'a démuni de ses économies.* ■ vpr Se dessaisir de.

démuseler vt 18 Ôter la muselière.

démutiser vt Apprendre à parler à des sourds.

démystification nf Action de démystifier.

démystifier vt Désabuser la victime d'une mystification.

démythifier vt Ôter son caractère mythique à.

dénatalité nf Décroissance du nombre des naissances dans un pays.

dénationalisation nf Action de dénationaliser ; privatisation.

dénationaliser vt Rendre au secteur privé une entreprise nationalisée ; privatiser.

dénaturé, ée a 1 Qui a subi une dénaturation. *Alcool dénaturé.* 2 Dépravé, contre nature. *Mœurs dénaturées.*

dénaturer vt 1 Changer la nature, le goût de. 2 Altérer, déformer.

dendrite nf BIOL Prolongement du cytoplasme d'une cellule nerveuse.

dénégation nf Action, fait de nier.

déneiger vt 11 Ôter la neige de.

dengue nf Maladie tropicale due à un virus.

déni nm Loc *Déni de justice :* refus de rendre la justice.

déniaiser vt 1 Rendre moins niais. 2 Faire perdre sa virginité à.

dénicher vt 1 Ôter du nid. *Dénicher des oiseaux.* 2 Trouver, découvrir. *Dénicher un objet rare.*

denier nm 1 Monnaie ancienne. 2 Unité de mesure de la finesse d'un fil. Loc *Denier du culte :* offrande des catholiques pour les besoins du culte.

dénier vt 1 Refuser de se voir imputer. *Je dénie toute responsabilité.* 2 Refuser. *Je vous dénie ce droit.*

dénigrement nm Action de dénigrer.

dénigrer vt Rabaisser, décrier.

denim nm Toile de coton servant à la fabrication des blue-jeans. Syn. jean.

dénivelée nf ou **dénivelé** nm Différence de niveau, d'altitude.

déniveler vt 18 1 Rendre accidenté. 2 Donner une certaine inclinaison.

dénivellation nf ou **dénivellement** nm 1 Action de déniveler. 2 Différence de niveau.

dénombrement nm Action de dénombrer.

dénombrer vt Compter, recenser. *Dénombrer des effectifs.*

dénominateur nm MATH Terme d'une fraction indiquant en combien de parties égales l'unité a été divisée. Loc *Dénominateur commun :* caractéristique commune.

dénomination nf Désignation par un nom ; ce nom. *Dénomination injurieuse.*

dénommé, ée n Qui a pour nom. *Le dénommé Untel.*

dénommer vt 1 Assigner un nom. *Dénommer un produit nouveau.* 2 DR Désigner par son nom. *Dénommer les contractants.*

dénoncer vt 10 1 Signaler qqn à la justice. 2 Faire connaître publiquement qqch en s'élevant contre. *Dénoncer l'arbitraire d'une décision.* 3 Indiquer, révéler qqch. *Tout en lui dénonce la fausseté.* 4 Faire connaître la cessation, la rupture de. *Dénoncer un contrat.*

dénonciateur, trice n, a Qui dénonce.

dénonciation nf Action de dénoncer.

dénoter vt Marquer, être le signe de. *Tout cela dénote du courage.*

dénouement nm 1 Manière dont se termine un récit, un film. 2 Solution. *Le dénouement de la crise.*

dénouer vt 1 Défaire, détacher. *Dénouer sa ceinture.* 2 Débrouiller, trouver la solution de. *Dénouer une crise.*

dénoyauter vt Enlever le noyau de.

denrée nf Tout ce qui se vend pour la nourriture de l'homme.

dense a 1 Compact, épais. *Une forêt dense.* 2 Concentré. *Une population dense.* 3 Riche et concis. *Style dense.* 4 PHYS De densité élevée.

densifier vt Rendre plus dense. *Densifier l'habitat.*

densité nf 1 Caractère dense. 2 PHYS Rapport entre la masse du volume d'un corps et la masse du même volume d'eau.

dent *nf* **1** Organe très dur, de coloration blanche, implanté dans le maxillaire et servant à la mastication. **2** Pointe ou saillie de certains objets. *Les dents d'un râteau, d'un pignon.* **3** Pic montagneux.

dentaire *a* Qui a rapport aux dents.

dentale *nf* LING Consonne qui se prononce la langue contre les dents inférieures (*t, d, n,*).

dent-de-lion *nf* Pissenlit. *Des dents-de-lion.*

denté, ée *a* Garni de dents. *Roue dentée.*

denteler *vt 18* Découper en forme de dents.

dentelle *nf* Tissu à jours et à mailles très fines de lin, de soie, d'or, etc.

dentellier, ère *a* De la dentelle. ■ *nf* Ouvrière qui fait de la dentelle.

dentelure *nf* Découpure en forme de dents.

dentier *nm* Prothèse dentaire amovible.

dentifrice *nm* Préparation servant au nettoyage des dents.

dentiste *n* Praticien diplômé qui soigne les dents.

dentisterie *nf* Étude et pratique des soins dentaires.

dentition *nf* **1** Mise en place naturelle de la denture. **2** Abusiv Denture.

denture *nf* Ensemble des dents.

dénucléarisation *nf* Action de dénucléariser.

dénucléariser *vt* Prohiber ou réduire l'armement nucléaire.

dénuder *vt* Mettre à nu. *Dénuder un fil.*

dénué, ée *a* Dépourvu, privé de. *Un livre dénué d'intérêt.*

dénuement *nm* Manque du nécessaire ; grande pauvreté.

dénutri, ie *a* Qui souffre de dénutrition.

dénutrition *nf* Déficience nutritionnelle due à une carence ou à des troubles d'assimilation.

déodorant *nm* Abusiv Désodorisant corporel.

déontologie *nf* Ensemble des devoirs et des droits régissant l'exercice d'une profession.

déontologique *a* De la déontologie.

dépannage *nm* Action de dépanner.

dépanner *vt* **1** Remettre en état, réparer. **2** Fam Tirer d'embarras. *Peux-tu me dépanner de 10 francs ?*

dépanneur, euse *n, a* Qui se charge des dépannages. ■ *nf* Voiture équipée pour remorquer les véhicules en panne.

dépaqueter *vt 19* Défaire un paquet ; sortir d'un paquet.

dépareillé, ée *a* **1** Qui a été séparé de ce avec quoi il formait un ensemble. *Des chaussettes dépareillées.* **2** Incomplet. *Jeu de cartes dépareillé.*

déparer *vt* Nuire à l'harmonie d'un ensemble.

déparier *vt* Ôter l'une des deux choses qui forment une paire. *Déparier des gants.*

départ *nm* **1** Action de partir. *Le signal du départ.* **2** Lieu d'où l'on part. *Rassembler des coureurs au départ.* **Loc** *Au départ* : au début.

départager *vt 11* Faire cesser l'égalité.

département *nm* **1** Partie de l'administration attribuée à un ministre. *Le département de la marine.* **2** Division d'un service. *Le département des manuscrits d'une bibliothèque.* **3** Division administrative de la France.

départemental, ale,aux *a* Du département.

départementaliser *vt* Attribuer au département une compétence qui relevait du pouvoir central.

départir *vt 29* Litt Distribuer, attribuer. *Départir des faveurs.* ■ *vpr* Abandonner. *Il ne s'est pas départi de son calme.*

dépassé, ée *a* **1** Caduc. **2** Qui ne maîtrise plus la situation.

dépassement *nm* Action de dépasser, fait de se dépasser.

dépasser *vt* **1** Aller au-delà de. *Dépasser la limite.* **2** Doubler. *Dépasser un camion dans la côte.* **3** Être plus grand que. *Cette dépense dépasse les prévisions.* **4** Fam Déconcerter. *Cette histoire me dépasse.* ■ *vi* Être trop long. *La doublure dépasse de la robe.* ■ *vpr* Réussir pleinement. *L'artiste s'est dépassé.*

dépassionner *vt* Rendre plus objectif. *Dépassionner un débat.*

dépatouiller (se) *vpr* Fam Se débrouiller.

dépaver

dépaver vt Ôter les pavés de.

dépaysement nm Action de dépayser ; changement de milieu. *Il supporte mal le dépaysement.*

dépayser vt Dérouter, désorienter. *Le climat m'a dépaysé.*

dépeçage ou **dépècement** nm Action de dépecer.

dépecer vt 15 Mettre en pièces. *Dépecer une volaille.*

dépêche nf 1 DR Correspondance officielle concernant les affaires publiques. 2 Vx Télégramme.

dépêcher vt Litt Envoyer en hâte. *On a dépêché un ambassadeur.* ■ vpr Se hâter, se presser.

dépeigner vt Déranger, défaire la coiffure de qqn. *Ce vent m'a dépeigné.*

dépeindre vt 69 Décrire, représenter par le discours.

dépenaillé, ée a 1 Mal habillé. 2 En lambeaux, très endommagé.

dépénaliser vt Ôter à une infraction son caractère pénal.

dépendance nf 1 Domination, subordination. *Être sous la dépendance de qqn.* 2 Besoin impérieux éprouvé par un toxicomane pour sa drogue. ■ pl Terre, bâtiment qui dépend d'un autre.

dépendant, ante a Qui dépend de, subordonné.

dépendre vti 71 1 Être assujetti à. *Les enfants dépendent de leurs parents.* 2 Être rattaché à. *Ce hameau dépend de la ville.* 3 Être fonction de. *Son succès dépendra de son travail.* ■ vt Détacher ce qui était pendu.

dépens nmpl DR Frais de justice. *Être condamné aux dépens.* Loc **Aux dépens de qqn** : à sa charge, à ses frais ; en lui causant du tort.

dépense nf 1 Emploi d'argent. *Faire des dépenses.* 2 Argent débourse. *Participer aux dépenses.* 3 Emploi de qqch. *Dépense de temps, d'énergie.*

dépenser vt 1 Employer de l'argent. *Dépenser 1 000 francs.* 2 Employer des ressources. *Dépenser son temps, ses forces.*

3 Consommer. *Le four dépense beaucoup d'électricité.* ■ vpr Déployer une grande activité. *Elle se dépense pour les siens.*

dépensier, ère a, n Qui aime la dépense, qui dépense excessivement.

déperdition nf Diminution, perte.

dépérir vi 1 S'affaiblir, décliner. *Cet arbre dépérit.* 2 Se détériorer, péricliter. *Les affaires dépérissent.*

dépêtrer vt Dégager, délivrer. ■ vpr Se débarrasser. *On ne peut se dépêtrer de cette affaire.*

dépeuplement nm Action de dépeupler, fait de se dépeupler.

dépeupler vt Vider de ses habitants.

déphasé, ée a Fam Perturbé dans son rythme de vie.

déphosphater vt Éliminer les phosphates d'une eau, d'un sol.

dépiauter vt Fam Enlever la peau, l'écorce. *Dépiauter un lapin, une orange.*

dépilatoire a, nm Qui sert à éliminer les poils.

dépistage nm Action de dépister.

dépister vt 1 Découvrir la piste. *La police a dépisté les coupables.* 2 Découvrir. *Dépister une fraude.* 3 Faire perdre la piste, la trace à. *Dépister ses poursuivants.*

dépit nm Vive contrariété mêlée de colère. Loc **En dépit de** : malgré.

dépiter vt Causer du dépit à.

déplacé, ée a Inconvenant, choquant. *Des propos déplacés.* Loc **Personne déplacée** : contrainte de quitter son pays.

déplacement nm 1 Action de déplacer, de se déplacer. *Déplacement d'air.* 2 Voyage. *Cet emploi exige des déplacements fréquents.*

déplacer vt 10 1 Changer de place. *Déplacer un meuble.* 2 Muter. *Déplacer un fonctionnaire.*

déplafonnement nm Fait de déplafonner.

déplafonner vt Supprimer la limite supérieure de. *Déplafonner les cotisations.*

déplaire vti 68 Ne pas plaire à. *Ce livre m'a déplu.*

déplaisant, ante a Qui ne plaît pas. *Une situation déplaisante.*

déplaisir nm Contrariété, mécontentement.

déplâtrer vt Ôter le plâtre.

dépliant, ante n Prospectus à plusieurs volets. *Dépliants d'une agence de voyages.*

déplier vt Étaler, étendre. *Déplier sa serviette.*

déplisser vt Défaire les plis.

déploiement nm Action de déployer, état de ce qui est déployé. *Déploiement de troupes.*

déplomber vt Ôter le plomb, la protection de.

déplorable a 1 Regrettable. *Un incident déplorable.* 2 Très mauvais. *Un travail déplorable.*

déplorer vt Trouver mauvais, regretter.

déployer vt 221 1 Étendre, déplier. *Déployer des tentures.* 2 MILIT Faire prendre à une troupe le dispositif de combat. 3 Montrer, étaler. *Déployer tous ses talents.*

déplumer (se) vpr Fam Perdre ses cheveux.

dépoétiser vt Ôter sa poésie à.

dépoitraillé, ée a Fam Dont la poitrine est fort découverte.

dépoli, ie a Loc *Verre dépoli :* rendu translucide.

dépolitiser vt Ôter son caractère politique à.

dépolluant, ante a, nm Produit qui dépollue.

dépolluer vt Supprimer les effets de la pollution. *Dépolluer une plage.*

déponent, ente a, nm GRAM Verbe latin de forme passive et de sens actif.

dépopulation nf Action de dépeupler ; fait de se dépeupler.

déportation nf 1 Peine d'exil appliquée autrefois aux crimes politiques. 2 Internement dans un camp de concentration.

déporté, ée n Condamné à la déportation.

déporter vt 1 Faire subir la déportation. *Déporter des opposants.* 2 Dévier. *Son chargement le déportait vers la droite.*

déposant, ante n 1 Qui fait une déposition en justice. 2 Qui effectue un dépôt de fonds.

déposer vt 1 Destituer du pouvoir. *Déposer un pape, un roi.* 2 Poser ce que l'on porte. *Déposer son manteau sur une chaise.* 3 Démonter. *Déposer un moteur.* 4 Former un dépôt. *L'eau a déposé beaucoup de sable.* 5 Mettre en dépôt. *Déposer de l'argent à la banque.* 6 Faire enregistrer pour protéger. *Déposer un brevet, une marque.* Loc *Déposer une plainte :* porter plainte en justice. ■ vi Faire une déposition en justice.

dépositaire n Qui reçoit qqch en dépôt.

déposition nf 1 Destitution. 2 Déclaration d'un témoin en justice.

déposséder vt 12 Priver qqn de ce qu'il possédait.

dépossession nf Spoliation.

dépôt nm 1 Action de déposer, de placer qqch qqpart. *Le dépôt des ordures est interdit ici.* 2 Action de confier des fonds à un organisme bancaire. 3 La chose confiée. *Restituer un dépôt.* 4 Lieu où on garde les objets. *Dépôt d'armes clandestin.* 5 Lieu où les camions, les locomotives, les autobus, etc. 6 Lieu de vente au détail de certains produits. *Dépôt de pain.* 7 Lieu où l'emprisonne provisoirement ceux qui viennent d'être arrêtés. 8 Matières qui se déposent au fond d'un récipient contenant un liquide. 9 Matière recouvrant une surface. *Dépôt glaciaire, éolien.* Loc *Dépôt légal :* obligation de remettre aux autorités un exemplaire de toute nouvelle publication.

dépoter vt 1 Ôter d'un pot. *Dépoter une plante.* 2 Transvaser. *Dépoter un wagon-citerne.*

dépotoir nm Lieu où l'on dépose les ordures ; décharge publique.

dépouille nf Peau enlevée à un animal. ■ pl Litt Butin pris à l'ennemi.

dépouillé, ée a 1 Dont on a ôté la peau. 2 Sobre, sans fioritures. *Formes dépouillées.*

dépouillement nm 1 Action de dépouiller. 2 Compte des suffrages. 3 Sobriété, simplicité.

dépouiller vt 1 Enlever la peau de. *Dépouiller une anguille.* 2 Priver de ce qui couvre ou garnit. *Dépouiller une pièce de ses tentures.* 3 Déposséder. *Dépouiller qqn de ses biens.* 4 Examiner minutieusement. *Dé-*

pouiller un dossier. **5** Dénombrer les suffrages d'un scrutin. **6** Quitter, perdre. *L'insecte dépouille sa carapace.*

dépourvu, ue *a* Dénué, privé de. ■ *av* Loc *Au dépourvu* : sans préparation.

dépoussiérer *vt* 12 **1** Enlever les poussières de. **2** Rénover, rajeunir.

dépravation *nf* Perversion, corruption.

dépravé, ée *a* Altéré, corrompu. *Goût dépravé.* ■ *a, n* Perverti. *Des gens dépravés.*

dépraver *vt* Pervertir, corrompre.

dépréciatif, ive *a* Qui vise à déprécier.

dépréciation *nf* Action de déprécier, de se déprécier.

déprécier *vt* **1** Diminuer la valeur de. *L'installation d'une usine a déprécié ce terrain.* **2** Dénigrer. ■ *vpr* Perdre de sa valeur.

déprédation *nf* Vol, pillage accompagné de détérioration.

déprendre (se) *vpr* 70 Litt Se défaire de. *Se déprendre d'une habitude.*

dépressif, ive *a* De la dépression. ■ *a, n* Atteint de dépression nerveuse.

dépression *nf* **1** Zone en forme de cuvette. **2** Baisse de pression atmosphérique. **3** État psychique de souffrance marqué, par le ralentissement de l'activité, la lassitude, la tristesse, l'anxiété. **4** Ralentissement de l'activité économique.

dépressionnaire *a* Soumis à une dépression atmosphérique.

dépressurisation *nf* Perte de la pressurisation.

dépressuriser *vt* Faire cesser la pressurisation de.

déprimant, ante *a* Qui déprime, abat.

déprime *nf* Fam Abattement, idées noires.

déprimé, ée *a, n* Atteint de dépression nerveuse.

déprimer *vt* **1** Diminuer l'activité économique. **2** Diminuer l'énergie, abattre le moral de qqn. *Sa maladie l'a beaucoup déprimé.* ■ *vi* Fam Se démoraliser.

déprogrammer *vt* Supprimer du programme une émission, un spectacle.

dépuceler *vt* 18 Fam Ôter son pucelage à.

depuis *prép* **1** À partir de tel moment, tel événement passé. *Je ne l'ai pas revu depuis la*

guerre. **2** Pendant un moment. *Je vous attend depuis deux heures.* **3** Abusiv À partir de tel endroit. *Il est venu à pied depuis Rouen.* ■ *conj* Loc *Depuis que* : dès le moment où.

dépuratif, ive *a* Propre à dépurer l'organisme.

dépurer *vt* MÉD, TECH Rendre plus pur.

députation *nf* **1** Envoi de personnes chargées de mission ; ces personnes elles-mêmes. **2** Fonction de député.

député, ée *n* **1** Envoyé(e) pour remplir une mission particulière. **2** Membre élu(e) de l'Assemblée nationale.

députer *vt* Envoyer qqn comme député.

déqualification *nf* Baisse de la qualification professionnelle.

déqualifier *vt* Employer qqn à un poste inférieur à sa qualification.

der *nf inv* Loc Fam *La der des der* : l'ultime fois ; la dernière de toutes les guerres. ■ *nm inv* Loc *Dix de der* : les dix points du dernier pli à la belote.

déraciné, ée *a, n* Qui a quitté son pays, son milieu d'origine.

déracinement *nm* Action de déraciner, fait d'être déraciné.

déraciner *vt* **1** Arracher avec ses racines un végétal. **2** Faire disparaître. *Déraciner un vice.* **3** Faire quitter son pays, son milieu d'origine.

déraillement *nm* Accident de chemin de fer.

dérailler *vi* **1** Sortir des rails. **2** Fam Fonctionner mal. *Ce baromètre déraille.* **3** Fam Déraisonner, perdre son bon sens.

dérailleur *nm* Dispositif permettant de faire passer la chaîne d'une bicyclette d'un pignon sur un autre.

déraison *nf* Litt Manque de raison.

déraisonnable *a* Qui n'est pas raisonnable.

déraisonner *vi* Penser, parler contrairement à la raison, au bon sens.

dérangé, ée *a* **1** Indisposé. **2** Fam Un peu fou.

dérangement *nm* **1** Action de déranger. **2** Désordre. **3** Mauvais fonctionnement. *Téléphone en dérangement.* **4** Indisposition passagère. *Dérangement intestinal.*

déranger *vt* **11 1** Ôter de sa place habituelle. *Déranger des livres.* **2** Obliger qqn à quitter sa place. *Il m'a dérangé pour passer.* **3** Importuner. *Cette musique me dérange.* **4** Contrarier, gêner. *Cela vous dérange-t-il de reporter notre rendez-vous ?* **5** Provoquer des troubles physiologiques. *Des mets qui dérangent le foie.* ■ *vpr* **1** Se déplacer. **2** Interrompre son activité.

dérapage *nm* Action de déraper.

déraper *vi* **1** Glisser de façon incontrôlée. *La voiture a dérapé.* **2** Dévier. *La conversation a dérapé.*

dératé, ée *n* Loc Fam *Courir comme un dératé* : très rapidement.

dératisation *nf* Action de dératiser.

dératiser *vt* Débarrasser des rats.

derby *nm* **1** (avec majusc) Course de chevaux qui a lieu chaque année à Epsom. **2** Match entre deux équipes d'une même ville ou région.

déréglé, ée *a* **1** Mal réglé, détraqué. *Montre déréglée.* **2** Immoral. *Conduite déréglée.*

déréglement *nm* État de ce qui est déréglé.

déréglementation *nf* Fait d'alléger ou de supprimer la réglementation.

déréglementer *vt* Pratiquer la déréglementation d'un secteur économique.

dérégler *vt* **12** Détraquer, modifier le réglage. *Le froid dérègle les horloges.*

dérégulation *nf* Action de déréguler.

déréguler *vt* Supprimer les contraintes pesant sur une activité économique.

déresponsabiliser *vt* Ôter le sentiment de responsabilité.

dérider *vt* **1** Faire disparaître les rides. **2** Égayer.

dérision *nf* Moquerie méprisante.

dérisoire *a* **1** Qui incite à la dérision. *Des propos dérisoires.* **2** Ridiculement bas. *Un salaire dérisoire.*

dérivatif, ive *a, nm* Qui procure une diversion pour l'esprit. *Le travail est un dérivatif.*

dérivation *nf* **1** Action de dévier de son cours. *Dérivation d'un fleuve.* **2** LING Formation de mots nouveaux à partir d'un radical (ex. : *accidentel* par suffixation de *accident*).

dérive *nf* **1** Dérivation d'un avion, d'un navire, sous l'effet du vent, des courants. **2** Fait de s'écarter de la norme, de la morale. **3** Aileron vertical immergé amovible destiné à diminuer la dérive d'un bateau à voile (dériveur). Loc *Dérive des continents* : théorie géologique selon laquelle les masses continentales se déplacent.

dérivé, ée *nm* **1** Mot qui dérive d'un autre. **2** Corps qui provient d'un autre. *L'essence est un dérivé du pétrole.*

dérivée *nf* MATH Limite du rapport de l'accroissement d'une fonction continue et de l'accroissement de la variable, lorsque ce rapport tend vers zéro.

dériver *vt* Détourner de son cours. *Dériver un ruisseau.* ■ *vti* Tirer son origine de. *Mot qui dérive du latin.* ■ *vi* **1** S'écarter du cap suivi sous l'effet du vent, des courants. **2** Aller à la dérive.

dériveur *nm* Voilier muni d'une dérive.

dermatite ou **dermite** *nf* Inflammation de la peau.

dermatologie *nf* Partie de la médecine qui traite des maladies de la peau.

dermatologique *a* De la dermatologie.

dermatologiste ou **dermatologue** *n* Spécialiste de dermatologie.

dermatose *nf* Maladie de la peau.

derme *nm* ANAT Partie profonde de la peau située sous l'épiderme.

dermique *a* Relatif à la peau.

dernier, ère *a, n* **1** Qui vient après tous les autres. *Le dernier jour du mois.* **2** Le plus récent. *Habillé à la dernière mode.* **3** Extrême. *Le dernier degré de la perfection.*

dernièrement *av* Récemment.

dernier-né, dernière-née *n* L'enfant né le dernier dans une famille. *Des derniers-nés.*

dérobade *nf* Action de se dérober.

dérobé, ée *a* Secret. *Escalier dérobé.* Loc *Culture dérobée* : pratiquée entre deux cultures principales. ■ *av* Loc *À la dérobée* : subrepticement, sans être vu.

dérober *vt* **1** Litt Prendre en cachette, voler. *On lui a dérobé sa montre.* **2** Soustraire. *Dérober un coupable à la justice.* ■ *vpr* **1** Se soustraire à. *Se dérober à toutes les questions.* **2** Fléchir, faiblir. *Ses genoux se dérobèrent sous lui.* **3** Refuser de sauter un obstacle (cheval).

dérogation *nf* Action de déroger à une règle.

dérogatoire *a* Qui déroge.

déroger *vti* **11** S'écarter d'un usage, d'une loi, d'une convention.

dérouillée *nf* Pop Correction, volée de coups.

dérouiller *vt* **1** Ôter la rouille de. *Dérouiller une arme.* **2** Dégourdir. *La lecture dérouille l'esprit.* **3** Pop Battre. *Je l'ai dérouillé.* ■ *vi* Pop Recevoir des coups. *Tu vas dérouiller.*

déroulement *nm* **1** Action de dérouler. **2** Succession dans le temps. *Le déroulement des faits.*

dérouler *vt* Étaler ce qui était roulé. *Dérouler un tapis.* ■ *vpr* Se produire selon une succession donnée, avoir lieu. *Les faits se sont déroulés en peu de temps.*

dérouleur *nm* Appareil servant à dérouler.

déroutant, ante *a* Qui déconcerte.

déroute *nf* **1** Fuite en désordre d'une armée vaincue. **2** Déconfiture. *Ses affaires sont en déroute.*

dérouter *vt* **1** Modifier l'itinéraire initialement prévu. *Dérouter un avion.* **2** Déconcerter.

derrick *nm* Tour métallique supportant les tubes de forage des puits de pétrole.

derrière *prép* **1** Après, en arrière de (par oppos. à devant). *Marcher derrière qqn. Les mains derrière le dos.* **2** De l'autre côté de. *Derrière le mur.* ■ *adv* Après. *X est classé derrière Y.* ■ *av* En arrière. *Regarder derrière.* Loc *Par-derrière* : du côté opposé ; sournoisement. ■ *nm* **1** Partie postérieure. *Le derrière de la maison.* **2** Les fesses et le fondement. *Tomber sur le derrière.*

derviche *nm* Religieux musulman.

des *art* **1** Article indéfini, pluriel de un, une. **2** Article contracté pour de les.

dès *prép* **1** À partir de, aussitôt après. *Dès l'enfance. Dès maintenant.* **2** Depuis un lieu.

Fleuve navigable dès sa source. ■ *conj* Loc *Dès que* : aussitôt que. ■ *av* Loc *Dès lors* : à partir de ce moment.

désabonner *vt* Faire cesser un abonnement.

désabusé, ée *a* Qui n'a plus d'illusions ; revenu de tout.

désabuser *vt* Désillusionner, détromper.

désaccord *nm* **1** Dissentiment, différence d'opinion, désunion. *Désaccord dans la famille.* **2** Contradiction.

désaccorder *vt* Perdre l'accord d'un instrument de musique.

désaccoutumer *vt* Déshabituer.

désacraliser *vt* Retirer le caractère sacré.

désactiver *vt* Débarrasser une substance de sa radioactivité.

désadapter *vt* Faire perdre son adaptation.

désaffecté, ée *a* Qui n'assure plus le service auquel il était affecté. *Gare désaffectée.*

désaffecter *vt* Ôter à qqch son affectation première.

désaffection *nf* Perte de l'affection, de l'intérêt porté.

désaffilier *vt* Retirer son affiliation.

désagréable *a* Déplaisant.

désagrégation *nf* Séparation des parties d'un corps ; dislocation.

désagréger *vt* **13** Décomposer, disjoindre. ■ *vpr* S'effriter.

désagrément *nm* Déplaisir, souci.

désaimanter *vt* Supprimer l'aimantation de.

désaltérant, ante *a* Qui désaltère.

désaltérer *vt* **12** Apaiser la soif. ■ *vpr* Boire.

désambiguïser *vt* Faire disparaître l'ambiguïté.

désamianter *vt* Supprimer les matériaux à base d'amiante dans une construction.

désamorcer *vt* **10** **1** Ôter l'amorce de. **2** Interrompre le fonctionnement. **3** Neutraliser. *Désamorcer les conflits.*

désappointé, ée *a* Déçu.

désappointement *nm* Déception.

désappointer vt Tromper qqn dans son attente, son espérance.

désapprendre vt 70 Oublier ce qu'on avait appris.

désapprobateur, trice a Qui désapprouve.

désapprobation nf Action de désapprouver.

désapprouver vt Ne pas agréer, blâmer.

désarçonner vt 1 Jeter à bas de la selle. 2 Déconcerter. Ma réponse l'a désarçonné.

désargenté, ée a Démuni d'argent.

désargenter vt Enlever la couche d'argent.

désarmant, ante a Touchant.

désarmement nm 1 Action de désarmer. 2 Réduction des forces militaires.

désarmer vt 1 Enlever ses armes à qqn. 2 Ôter à qqn tout moyen de s'irriter. 3 Débarrasser un navire de ses agrès et équipage. ■ vi 1 Réduire son armement. 2 Renoncer à un sentiment hostile.

désarroi nm Confusion de l'esprit ; trouble.

désarticulation nf Fait de se désarticuler.

désarticuler vt Faire sortir de l'articulation. ■ vpr Se contorsionner.

désassembler vt Défaire ce qui est assemblé.

désassortir vt Dépareiller.

désastre nm 1 Catastrophe. Cette inondation fut un désastre. 2 Grave échec.

désastreux, euse a Catastrophique.

désavantage nm 1 Cause d'infériorité. 2 Préjudice, dommage.

désavantager vt 11 Faire supporter un désavantage ; handicaper.

désavantageux, euse a Qui cause un désavantage.

désaveu nm 1 Déclaration par laquelle on désavoue ce qu'on a dit ou fait. 2 Fait de désavouer qqn.

désavouer vt 1 Ne pas vouloir reconnaître comme sien. 2 Déclarer qu'on n'a pas autorisé qqn à dire ou à faire qqch. 3 Désapprouver, condamner.

désaxé, ée a, n Déséquilibré.

desceller vt Défaire ce qui était scellé.

descendance nf Ensemble des descendants.

descendant, ante n Individu issu d'une personne, d'une famille. ■ a Qui descend. Marée descendante.

descendeur, euse n Spécialiste de la descente (cyclisme, ski).

descendre vt 51 1 Parcourir de haut en bas. Descendre un escalier. 2 Mettre, porter plus bas. Descendre un tableau. 3 Pop Tuer qqn. 4 Fam Faire tomber. Descendre un avion. ■ vi [aux être] 1 Aller de haut en bas. Descendre de la montagne. 2 Mettre pied à terre. Descendre de bicyclette. 3 S'arrêter pour coucher. Descendre à l'hôtel. 4 Être issu de. Il descend d'une famille. 5 Être en pente. La route descend. 6 Baisser. La mer descend.

descente nf 1 Action de descendre. 2 Irruption dans un lieu. Une descente de police. 3 Mouvement de haut en bas. Descente d'un avion. 4 Pente. 5 Épreuve de ski chronométrée. Loc Descente de lit : tapis mis à côté du lit.

descripteur nm INFORM Ensemble des signes qui servent à décrire qqch.

descriptif, ive a Qui a pour objet de décrire. Poésie descriptive. ■ nm Document, schéma décrivant précisément qqch.

description nf Action de décrire ; écrit ou discours par lequel on décrit.

déségrégation [-se-] vt Suppression de la ségrégation raciale.

désembuer vt Ôter la buée de.

désemparé, ée a 1 Qui ne peut plus manœuvrer (navire, avion). 2 Qui a perdu ses moyens ; déconcerté.

désemparer vi Loc Sans désemparer : sans interruption.

désemplir vi Loc Ne pas désemplir : être très fréquenté.

désenchanté, ée a Désillusionné.

désenchantement nm Désillusion.

désenclaver vt Faire cesser l'isolement d'une région.

désencombrer vt Débarrasser un local de ce qui l'encombre.

désendetter (se) vpr Se décharger de ses dettes.

désenfler vi Devenir moins enflé.

désengagement nm Action de désengager ou de se désengager.

désengager vt 11 Libérer d'un engagement.

désengorger vt 11 Déboucher.

désensabler vt Dégager qqch du sable.

désensibiliser vt Rendre moins sensible à des substances provoquant des allergies.

dépaissir vt Rendre moins épais.

déséquilibre nm 1 Absence d'équilibre. 2 Manque d'équilibre mental.

déséquilibré, ée a, n Dont l'équilibre psychique est perturbé.

déséquilibrer vt 1 Faire perdre l'équilibre à qqn. 2 Rompre l'équilibre de qqch. 3 Troubler l'équilibre mental.

désert, erte a 1 Sans habitants. 2 Peu fréquenté. 3 Sans végétation. ■ nm Région où la vie végétale et animale est presque inexistante.

déserter vt 1 Abandonner un lieu. 2 Abandonner, trahir. ■ vi En parlant d'un militaire, abandonner son poste.

déserteur nm 1 Militaire qui a déserté. 2 Qui abandonne une cause, un parti.

désertification nf Transformation en désert.

désertifier (se) vpr Se transformer en désert.

désertion nf Action de déserter.

désertique a Du désert. Climat désertique.

désescalade nf Diminution progressive de la tension internationale.

désespérant, ante a Décourageant.

désespéré, ée a, n Qui s'abandonne au désespoir. ■ a 1 Inspiré par le désespoir. 2 Sans espoir. Situation désespérée. 3 Ultime. Tentative désespérée.

désespérer vi 12 Perdre tout espoir. ■ vti 1 Perdre l'espoir de. Désespérer de réussir. 2 Cesser d'espérer en. Désespérer de qqn. ■ vt 1 Litt Ne plus espérer que. On désespère qu'il aille mieux. 2 Réduire au désespoir. Ta conduite me désespère. ■ vpr S'abandonner au désespoir.

désespoir nm État de qui a perdu l'espoir. Loc En désespoir de cause : en dernière ressource.

désétatiser vt Réduire le rôle ou la part de l'État dans une industrie.

déshabillé nm Léger vêtement d'intérieur.

déshabiller vt Enlever à qqn ses vêtements. ■ vpr Retirer ses vêtements.

déshabituer vt Faire perdre à qqn l'habitude de. ■ vpr Perdre l'habitude de.

désherbant, ante a, nm Qui détruit les mauvaises herbes.

désherber vt Ôter les mauvaises herbes de.

déshérence nf DR État d'une succession vacante, absence d'héritiers.

déshérité, ée a Pauvre. Une région déshéritée.

déshériter vt Priver d'un héritage.

déshonneur nm Perte de l'honneur, honte.

déshonorant, ante a Qui déshonore.

déshonorer vt 1 Ôter l'honneur à qqn. 2 Enlaidir qqch. ■ vpr Perdre son honneur.

déshumaniser vt Faire perdre son caractère humain.

déshydratation nf 1 Action de déshydrater. 2 Diminution de l'eau dans l'organisme.

déshydraté, ée a 1 Privé de son eau. 2 Atteint de déshydratation. 3 Fam Assoiffé.

déshydrater vt Enlever l'eau combinée ou mélangée à un corps. ■ vpr Perdre son eau.

desiderata nmpl Choses désirées.

design [dizajn] nm inv Style de décoration visant à adapter la forme et la fonction.

désignation nf Action de désigner.

designer [dizajnœr] nm Spécialiste du design.

désigner vt 1 Indiquer. Il a désigné son agresseur. 2 Signaler. Désigner qqn à l'hostilité générale. Le mot « vilain » désignait le paysan. 4 Choisir. Désigner son successeur.

désillusion nf Déception, désenchantement.

désillusionner vt Faire perdre ses illusions.

désincarcérer *vt* 12 Dégager qqn des tôles d'un véhicule accidenté.

désincarné, ée *a* 1 Litt Dégagé de son enveloppe charnelle. 2 Détaché des considérations matérielles.

désindustrialiser *vt* ECON Réduire l'activité industrielle d'un pays, d'une région.

désinence *nf* GRAM Terminaison de mots qui sert à marquer le cas, le genre, etc.

désinfectant, ante *a, nm* Qui désinfecte.

désinfecter *vt* Nettoyer avec un produit qui détruit les germes pathogènes.

désinfection *nf* Action de désinfecter.

désinformer *vt* Diffuser par les médias des informations délibérément orientées ou mensongères.

désinhiber *vt* Supprimer l'inhibition.

désinsectiser *vt* Débarrasser des insectes.

désintégration *nf* Action de désintégrer.

désintégrer *vt* 12 Détruire complètement. ■ *vpr* Perdre sa cohésion ; être détruit.

désintéressé, ée *a* Qui n'est pas motivé par son intérêt particulier.

désintéressement *nm* Détachement de tout intérêt personnel.

désintéresser *vt* Indemniser, dédommager. ■ *vpr* N'avoir plus d'intérêt pour qqch, qqn.

désintérêt *nm* Perte d'intérêt.

désintoxication *nf* Traitement destiné à désintoxiquer.

désintoxiquer *vt* Libérer qqn de l'intoxication.

désinvestir *vi* 1 Cesser d'investir dans. 2 Cesser d'être motivé pour qqch.

désinvolte *a* Trop libre, impertinent.

désinvolture *nf* Légèreté, sans-gêne.

désir *nm* 1 Tendance particulière à vouloir obtenir qqch. 2 Attirance sexuelle.

désirable *a* 1 Qui mérite d'être désiré. 2 Qui suscite l'attirance sexuelle.

désirer *vt* 1 Avoir le désir de qqch. 2 Éprouver une attirance sexuelle pour qqn. Loc *Se faire désirer :* se faire attendre. *Laisser à désirer :* présenter quelque imperfection.

désireux, euse *a* Qui désire qqch.

désistement *nm* Action de se désister.

désister (se) *vpr* Retirer sa candidature à une élection, en faveur d'un autre candidat.

désobéir *vti* Ne pas obéir à qqn, à un ordre.

désobéissance *nf* Action de désobéir.

désobéissant, ante *a* Qui désobéit.

désobligeant, ante *a* Qui contrarie, mécontente, vexe.

désodé, ée [-so-] *a* Sans sel. *Régime désodé.*

désodorisant, ante *a, nm* Qui enlève les odeurs.

désodoriser *vt* Enlever les mauvaises odeurs.

désœuvré, ée *a* Qui ne sait pas s'occuper.

désœuvrement *nm* État de qqn de désœuvré.

désolant, ante *a* Qui désole ; affligeant.

désolation *nf* Affliction extrême.

désolé, ée *a* 1 Attristé. *Un air désolé.* 2 Désert, aride. *Une région désolée.*

désoler *vt* 1 Causer une grande affliction à qqn. 2 Contrarier.

désolidariser [-so-] *vt* Désunir, disjoindre. ■ *vpr* Cesser d'être solidaire avec qqn, qqch.

désopilant, ante *a* Qui fait beaucoup rire.

désordonné, ée *a* 1 Qui manque d'ordre. 2 En désordre.

désordre *nm* 1 Manque d'ordre. 2 Confusion. *Le désordre des idées.* 3 Mauvaise organisation. ■ *pl* 1 Troubles sociaux. 2 Troubles physiologiques. *Désordres gastriques.*

désorganisation *nf* Action de désorganiser, désordre.

désorganiser *vt* Détruire l'organisation.

désorienter *vt* 1 Faire perdre l'orientation. 2 Déconcerter, désemparer.

désormais *av* À l'avenir, dorénavant.

désosser *vt* 1 Ôter les os de. 2 Fam Démonter complètement un appareil. ■ *vpr* Se désarticuler, se contorsionner.

désoxyribonucléique *a* Loc *Acide désoxyribonucléique :* constituant essentiel des chromosomes. Syn. A.D.N.

desperado [despe-] *nm* Personne disponible pour des entreprises hasardeuses ou violentes.

despote *n* 1 Dirigeant qui exerce un pouvoir arbitraire et absolu. 2 Personne tyrannique.

despotique *a* Arbitraire, tyrannique.

despotisme *nm* 1 Pouvoir absolu et arbitraire. 2 Autorité tyrannique.

desquamation [-kwa-] *nf* MED Chute des squames de la peau.

desquels, desquelles. V. lequel.

dessabler *vt* Enlever le sable de.

dessaisir *vt* 1 Enlever la juridiction de. ■ *vpr* Remettre la possession de qqch à.

dessaler *vt* 1 Enlever le sel. 2 Fam Déniaiser. ■ *vi* Chavirer, en parlant d'un voilier.

dessaouler. V. dessoûler.

dessèchement *nm* Action de dessécher, état desséché.

dessécher *vt* 121 Rendre sec. 2 Faire perdre toute sensibilité. ■ *vpr* Devenir sec.

dessein *nm* Intention, projet. Loc *À dessein :* exprès, intentionnellement.

desseller *vt* Enlever la selle de.

desserrer *vt* Relâcher ce qui est serré.

dessert *nm* Mets sucré, fruits, etc., mangés à la fin du repas.

desserte *nf* 1 Fait de desservir une localité, un lieu. 2 Petit meuble destiné à recevoir la vaisselle de service.

dessertir *vt* Dégager une perle de sa monture.

desservant *nm* Ecclésiastique qui dessert une paroisse, une chapelle, etc.

desservir *vt* 29 1 Assurer les communications avec un lieu. 2 Assurer le service d'une paroisse. 3 Enlever les plats après le repas. 4 Nuire à qqn. *Son arrogance le dessert.*

dessiccation *nf* Action de dessécher.

dessiller *vt* Loc Litt *Dessiller les yeux :* détromper, désabuser.

dessin *nm* 1 Représentation d'objets sur une surface. 2 Lignes agencées pour produire un effet visuel. *Le dessin d'un papier mural.* 3 Contour, forme naturelle. *Le dessin des sourcils.* 4 Art de la représentation graphique des objets. Loc *Dessin animé :* film tourné à partir d'une série de dessins qui décomposent le mouvement.

dessinateur, trice *n* Qui dessine.

dessiner *vt* 1 Représenter au moyen du dessin. 2 Accuser, faire ressortir. *Robe qui dessine la silhouette.* ■ *vpr* 1 Se profiler. *La montagne se dessine sur le ciel.* 2 Se préciser. *La solution se dessine.*

dessouder *vt* 1 Disjoindre des éléments soudés. 2 Pop Assassiner.

dessoûler ou **dessaouler** *vt* Faire cesser l'ivresse de. ■ *vi* Cesser d'être soûl.

dessous *av, prép* Marque la position d'une chose sous une autre. Loc *Au-dessous :* plus bas. *Ci-dessous :* ci-après, plus loin dans le texte. *Par-dessous :* sous qqch, sous autre chose. ■ *nm* 1 Ce qui est en dessous ; l'envers. *Le dessous d'une table.* 2 Objet que l'on place sous qqch. ■ *pl* 1 Ce qui est caché, secret. *Les dessous de l'affaire.* 2 Sous-vêtements, lingerie féminine.

dessous-de-plat *nm inv* Support pour recevoir les plats sur la table.

dessous-de-table *nm inv* Somme donnée clandestinement par un acheteur en plus du prix régulièrement fixé.

dessus *av, prép* Marque la position d'une chose sur une autre. Loc *Par-dessus tout :* surtout. *Au-dessus de :* plus haut que. *Ci-dessus :* plus haut, avant dans le texte. *Là-dessus :* sur ce sujet, aussitôt après. ■ *nm* 1 Ce qui est au-dessus. 2 Objet que l'on place sur qqch.

dessus-de-lit *nm inv* Couvre-lit.

déstabiliser *vt* Saper la stabilité de.

destin *nm* 1 Puissance qui réglerait le cours des événements à venir. 2 Sort particulier de qqn, de qqch.

destinataire *n* À qui on adresse un envoi.

destination *nf* 1 Rôle, emploi assigné à qqch. 2 Lieu d'arrivée.

destinée *nf* 1 Destin. 2 Sort, avenir de qqn. 3 Vie, existence.

destiner *vt* 1 Réserver à un usage. 2 Orienter qqn vers une carrière.

destituer *vt* Priver qqn de son emploi, de sa fonction.

destitution *nf* Action de destituer.

déstocker *vt* Retirer des stocks.

destrier *nm* Autrefois, cheval de bataille.

destroyer *nm* Contre-torpilleur rapide.

destructeur, trice *a, n* Qui détruit.

destructible *a* Qu'on peut détruire.

destruction *nf* Action de détruire.

déstructurer *vt* Détruire la structure de ; désorganiser.

désuet, ète [-zɥɛ] *a* Rétrograde, dépassé.

désuétude [-zɥe-] *nf* Caractère désuet.

désuni, ie *a* Séparé par la mésentente.

désunion *nf* Division, mésentente.

désunir *vt* Rompre l'union, la bonne entente.

désynchroniser *vt* Faire cesser le synchronisme de.

désyndicalisation *nf* Baisse du nombre des syndiqués ; perte d'audience des syndicats.

détachant, ante *a, nm* Qui enlève les taches.

détaché, ée *a* 1 Qui n'est plus attaché. 2 Indifférent. *Un air détaché.* Loc **Pièce détachée :** que l'on peut se procurer isolément.

détachement *nm* 1 Indifférence. *Sourire avec détachement.* 2 Groupe de soldats chargé de mission. 3 Position d'un fonctionnaire provisoirement affecté à un autre service.

détacher *vt* 1 Dégager qqn, défaire qqch. *Détacher un animal. Détacher des liens.* 2 Séparer, éloigner. *Détacher une feuille d'un carnet.* 3 Envoyer pour une mission. 4 Affecter qqn à un autre service. 5 Enlever les taches de. ■ *vpr* 1 Prendre de l'avance sur les autres coureurs. 2 Ressortir, être net.

détail *nm* 1 Vente par petites quantités. 2 Ensemble considéré dans ses moindres particularités. 3 Élément accessoire. *Se perdre dans les détails.*

détaillant, ante *n* Commerçant qui vend au détail.

détailler *vt* 1 Vendre au détail. 2 Raconter, exposer en détail. 3 Observer avec attention.

détaler *vi* Fam S'enfuir au plus vite.

détartrage *nm* Action de détartrer.

détartrant, ante *a, nm* Produit qui détartre.

détartrer *vt* Enlever le tartre de.

détaxe *nf* Suppression, diminution, remboursement d'une taxe.

détaxer *vt* Supprimer ou réduire une taxe.

détecter *vt* Déceler la présence de.

détecteur *nm* Appareil servant à détecter.

détection *nf* Action de détecter.

détective *nm* Policier privé.

déteindre *vt* 69 Enlever la teinture, la couleur de. ■ *vi* Perdre sa couleur. *Ce tissu déteint au lavage.* ■ *vti* Loc **Déteindre sur qqn :** l'influencer.

dételer *vt* 18 Détacher un animal attelé. ■ *vi* Fam Interrompre une occupation.

détendeur *nm* Appareil servant à réduire la pression d'un gaz.

détendre *vt* 5 1 Faire cesser la tension. *Détendre un ressort.* 2 Faire cesser la tension mentale de qqn. 3 Diminuer la pression. ■ *vpr* Se distraire.

détendu, ue *a* Calme. *Avoir l'air détendu.*

détenir *vt* 35 1 Conserver qqch par-devers soi. *Détenir un secret.* 2 Retenir qqn en prison.

détente *nf* 1 Pièce qui fait partir une arme à feu. *Avoir le doigt sur la détente.* 2 Expansion d'un fluide comprimé. 3 Brusque effort musculaire. 4 Repos. *Profiter de ses heures de détente.* 5 Amélioration d'une situation tendue.

détenteur, trice *n* Qui détient qqch.

détention *nf* 1 Action de détenir qqch. 2 Incarcération.

détenu, ue *n, a* Personne emprisonnée.

détergent, ente ou **détersif, ive** *a, nm* Produit qui nettoie.

détérioration *nf* Action de détériorer.

détériorer *vt* Abîmer, dégrader. ■ *vpr* Empirer. *Situation qui se détériore.*

déterminant, ante *a* Décisif. ■ *nm* 1 LING Mot qui détermine un substantif (article, adjectif possessif, démonstratif, numéral, etc.). 2 Facteur qui exerce une action décisive.

détermination *nf* 1 Action de déterminer. 2 Intention, résolution. 3 Fermeté de caractère.

déterminé, ée a Résolu. *Un air déterminé.*

déterminer vt **1** Amener à. *Ceci l'a déterminé à s'en aller.* **2** Établir avec précision, définir. *Déterminer la cause de l'incendie.* **3** GRAM Caractériser. *L'article détermine le nom.* **4** Être la cause de. *Le choc a déterminé l'explosion.*

déterminisme nm Système philosophique selon lequel tout dans la nature obéit à des lois rigoureuses.

déterrer vt **1** Retirer de terre. **2** Fam Découvrir. *Déterrer un livre rare.*

détersif a, V. détergent.

détestable a Très mauvais, exécrable.

détester vt Avoir en horreur ; exécrer.

détonant, ante a, nm Qui produit une détonation.

détonateur nm **1** Amorce servant à faire détoner un explosif. **2** Fait, événement qui déclenche qqch.

détonation nf Bruit fait par ce qui détone, explose.

détoner vi Exploser bruyamment.

détonner vi **1** Chanter faux. **2** Contraster désagréablement.

détour nm **1** Changement de direction par rapport à la ligne directe. **2** Trajet qui s'écarte du plus court chemin. **3** Moyen indirect, subterfuge. *Avouer sans détour.*

détourné, ée a Indirect. *Un moyen détourné.*

détournement nm **1** Action de détourner. **2** Soustraction frauduleuse.

détourner vt **1** Changer la direction, l'itinéraire de. **2** Tourner la tête dans une autre direction. **3** Soustraire frauduleusement qqch. **4** Éloigner qqn de.

détracteur, trice n Qui déprécie la valeur de qqch, de qqn.

détraqué, ée a, n Fam Malade mental, déséquilibré.

détraquer vt **1** Déranger un mécanisme. **2** Fam Dérégler. *Médicament qui détraque le foie.*

détrempe nf **1** Peinture à l'eau additionnée de liant. **2** Œuvre exécutée avec cette préparation.

détremper vt Délayer, mouiller abondamment.

détresse nf **1** Angoisse. **2** Dénuement, misère. **3** Situation périlleuse. *Navire en détresse.*

détriment nm Loc Au détriment de : aux dépens de.

détritique a GÉOL Qui provient de la désagrégation des roches.

détritus [-ty] ou [-tys] nm Débris, ordures.

détroit nm Passage maritime resserré entre deux terres.

détromper vt Tirer qqn d'erreur.

détrôner vt **1** Déposséder du pouvoir souverain. **2** Supplanter.

détrousser vt Litt Voler, dévaliser.

détruire vt **67 1** Démolir, abattre. **2** Anéantir. **3** Tuer. *Potion qui détruit les rongeurs.* **4** Ruiner la santé de qqn.

dette nf **1** Somme d'argent due. **2** Obligation morale envers qqn.

DEUG nm Diplôme d'études universitaires générales qui sanctionne le premier cycle des études universitaires.

deuil nm **1** Douleur, tristesse éprouvée à la mort de qqn. **2** Marques extérieures du deuil ; temps pendant lequel on porte le deuil.

deus ex machina [deusɛksmakina] nm inv Personnage qui vient arranger providentiellement une situation difficile.

deutérium [-ʁjɔm] nm CHIM Isotope lourd de l'hydrogène.

deux a num **1** Un plus un (2). **2** Deuxième. *Chapitre deux.* ■ nm inv **1** Le nombre, le chiffre deux. **2** Carte, face d'un dé, moitié d'un domino marquée de deux points.

deuxième a num Dont le rang est marqué par le nombre 2.

deuxièmement av En deuxième lieu.

deux-mâts nm inv Voilier à deux mâts.

deux-pièces nm inv **1** Maillot de bain composé d'un slip et d'un soutien-gorge. **2** Appartement comportant deux pièces.

deux-points nm inv Signe de ponctuation (:).

deux-roues nm inv Véhicule à deux roues (bicyclette, cyclomoteur, etc.).

deux-temps *nm inv* Moteur à deux temps.

dévaler *vi, vt* Descendre rapidement. *L'avalanche dévale. Dévaler l'escalier.*

dévaliser *vt* Voler, cambrioler.

dévaloriser *vt* Déprécier, diminuer la valeur.

dévaluation *nf* Abaissement de la valeur légale d'une monnaie.

dévaluer *vt* Opérer la dévaluation de.

devanagari *nf* Écriture utilisée pour le sanskrit et l'hindi.

devancer *vt* **10 1** Aller en avant de. **2** Surpasser. **3** Précéder dans le temps. **4** Prévenir qqch. *Devancer une attaque.*

devancier, ère *n* Qui a précédé.

devant *av, prép* **1** En avant. **2** En face. **3** En présence de. *Il l'a dit devant témoin.* **Loc** *Au-devant de* : à la rencontre de. *Par-devant* : par l'avant. ■ *nm* Face antérieure de qqch. *Le devant d'une maison, d'une robe.*

devanture *nf* **1** Façade d'une boutique. **2** Étalage, objets en vitrine.

dévastateur, trice *a, n* Qui dévaste.

dévastation *nf* Action de dévaster.

dévaster *vt* Ruiner, causer de grands dégâts à.

déveine *nf Fam* Malchance.

développement *nm* **1** Déroulement. *Développement des opérations.* **2** Exposition détaillée. **3** Croissance physique et intellectuelle. **4** Extension. *Une entreprise en plein développement.* **5** Opérations qui font apparaître l'image sur une photo. **6** Distance parcourue par une bicyclette à chaque tour de pédalier.

développer *vt* **1** Déployer. **2** Exposer en détail. *Développer une idée.* **3** Faire croître. *Développer la mémoire.* **4** Faire prendre de l'extension. *Développer une affaire.* **5** Traiter un cliché photographique pour faire apparaître l'image. **6** Mettre au point un produit industriel et le commercialiser. **7** Être atteint d'une maladie. *Développer un sida.* ■ *vpr* **1** Se déployer. **2** Prendre de l'extension.

développeur *nm* Industriel qui développe un produit. *Développeur de logiciels.*

devenir *vi* **35** [aux *être*] **1** Passer d'un état à un autre. *Devenir vieux, riche.* **2** Avoir tel ou tel résultat. ■ *nm Litt* Avenir.

déverbal, aux *nm* Nom formé à partir du radical d'un verbe.

dévergondage *nm* Libertinage, débauche.

dévergondé, ée *a* Débauché.

dévergonder (se) *vpr* Se débaucher.

dévernir *vt* Ôter le vernis de.

déverrouiller *vt* **1** Ouvrir en tirant le verrou. **2** Libérer. *Déverrouiller le train d'atterrissage.*

devers (par-) V. *par-devers*.

déverser *vt* Répandre qqch dans, sur.

déversoir *nm* Ouvrage servant à évacuer l'eau en excès.

dévêtir *vt* **32** *Litt* Déshabiller.

déviant, ante *a, n* Dont la conduite s'écarte des normes sociales.

déviation *nf* **1** Fait de dévier ; écart. **2** Déformation. *Déviation de la colonne vertébrale.* **3** Itinéraire détourné.

déviationniste *a, n* Qui s'écarte de la ligne d'un parti.

dévider *vt* **1** Mettre du fil en écheveau ou en pelote. **2** Dérouler. *Dévider une bobine.*

dévidoir *nm* Appareil à dévider.

dévier *vi* S'écarter de sa direction. *La balle a dévié.* ■ *vt* Détourner. *Dévier la circulation.*

devin, devineresse *n* Qui prétend prédire les événements futurs.

deviner *vt* Découvrir, savoir par supposition.

devinette *nf* Question dont on doit deviner la réponse.

devis *nm* État détaillé des travaux à effectuer et estimation de leur prix.

dévisager *vt* **11** Regarder qqn avec insistance.

devise *nf* **1** Formule symbolique (ex. : *Liberté, Égalité, Fraternité*.) **2** Sentence indiquant une règle de conduite (ex. : *Bien faire et laisser dire*). **3** Monnaie étrangère.

deviser *vi* Converser avec qqn.

dévisser vt 1 Ôter une vis, un écrou. 2 Démonter une pièce vissée. *Dévisser une serrure.* ■ vi Lâcher prise d'une paroi, pour un alpiniste.

de visu av En voyant. *Constater qqch de visu.*

dévitaliser vt Retirer le tissu vital (pulpe et nerf) d'une dent.

dévitaminé, ée a Qui a perdu ses vitamines.

dévoiement nm État d'une personne dévoyée.

dévoiler vt 1 Enlever le voile de qqch, de qqn. 2 Découvrir, révéler. *Dévoiler un scandale.*

devoir vt 41 Avoir à payer à qqn. 2 Être redevable de qqch à qqn. *Il lui doit sa situation.* 3 Avoir pour obligation morale. *Il me doit le respect.* 4 (avec l'inf) Marque la nécessité, le futur proche ou la possibilité. ■ vpr Avoir des obligations morales envers qqn. ■ nm 1 Ce à quoi on est obligé par la morale, la loi, la raison, les convenances. 2 Tâche écrite donnée à un élève.

dévolu, ue a DR Acquis, échu par droit. ■ nm Loc *Jeter son dévolu sur :* fixer son choix sur.

dévolution nf DR Transmission d'un bien à qqn d'autre.

dévorant, ante a Insatiable.

dévorer vt 1 Manger en déchirant. 2 Manger gloutonnement. 3 Détruire, consumer. *Les flammes dévorèrent la maison.*

dévot, ote a, n Pieux.

dévotion nf Vive piété.

dévoué, ée a Plein de dévouement.

dévouement nm 1 Action de se dévouer. 2 Disposition à servir qqn.

dévouer (se) vpr Se consacrer, se sacrifier.

dévoyé, ée a, n Perverti, sans moralité.

dévoyer vt 22 Détourner du droit chemin, débaucher.

dextérité nf Adresse, habileté.

dey nm Chef turc qui gouvernait Alger avant la conquête française.

diabète nm Maladie caractérisée par la présence de sucre dans le sang.

diabétique a, n Atteint de diabète.

diable nm 1 Démon, esprit du mal. 2 Enfant espiègle et turbulent. 3 Chariot à deux roues servant à transporter les objets lourds. ■ interj Marque le doute, l'inquiétude, etc.

diablement av Fam Excessivement.

diablerie nf 1 Malice, espièglerie. 2 Sortilège, ensorcellement.

diablesse nf Femme remuante, fillette turbulente.

diablotin nm 1 Petit diable. 2 Enfant vif et turbulent.

diabolique a Méchant et pernicieux.

diaboliser vt Attribuer à qqn ou à qqch un caractère particulièrement nocif.

diabolo nm 1 Jouet qu'on lance et rattrape sur une ficelle tendue. 2 Limonade au sirop.

diachronie nf LING Évolution des faits linguistiques dans le temps. Ant. synchronie.

diacre nm 1 Ministre catholique ou orthodoxe qui a reçu le diaconat. 2 Laïc protestant remplissant bénévolement diverses fonctions.

diacritique a Loc *Signe diacritique :* signe graphique adjoint à une lettre, destiné notamment à distinguer des homographes.

diadème nm 1 Bandeau décoré, insigne de la royauté. 2 Bijou féminin en forme de bandeau.

diagnostic nm 1 MED Identification d'une affection par les symptômes. 2 Évaluation d'une situation donnée.

diagnostique a MED Relatif au diagnostic. *Signes diagnostiques d'une maladie.*

diagnostiquer vt Faire le diagnostic de.

diagonal, ale,aux a Qui joint deux angles opposés. ■ nf Droite reliant deux sommets non consécutifs d'un polygone. Loc *Lire en diagonale :* superficiellement.

diagramme nm Représentation graphique de la variation d'une grandeur.

dialectal, ale,aux a D'un dialecte.

dialecte nm Parler régional.

dialectique nf Art du raisonnement. ■ a Qui concerne la dialectique.

dialogue nm 1 Entretien entre deux personnes. 2 Texte dit par les personnages d'une pièce de théâtre, d'un film.

dialoguer vti Converser avec qqn. ■ vt Écrire les dialogues. *Dialoguer un film.*

dialoguiste n Auteur du dialogue d'un film.

dialyse nf 1 Analyse chimique par diffusion à travers des parois semi-perméables. 2 Procédé thérapeutique, qui permet d'éliminer les toxines en excès dans le sang. Syn. rein artificiel.

diamant nm 1 Pierre de grande valeur qui est du carbone pur cristallisé. 2 Bijou orné d'un diamant. 3 Outil servant à couper le verre.

diamantaire n Négociant ou tailleur de diamants.

diamantifère a Qui contient du diamant.

diamétralement av Loc Points de vue diamétralement opposés : radicalement opposés.

diamètre nm GEOM Segment de droite joignant deux points d'un cercle et passant par le centre.

diantre ! interj Litt Marque l'étonnement.

diapason nm 1 MUS Note de référence pour accorder instruments et voix. 2 Petit instrument fourchu qui produit le la. Loc Être au diapason de qqn : adopter la même attitude.

diaphane a Litt Qui se laisse traverser par la lumière sans être transparent.

diaphragme nm 1 Muscle transversal qui sépare le thorax et l'abdomen. 2 Préservatif féminin. 3 Dispositif permettant de régler la quantité de lumière dans un appareil photo.

diapositive ou **diapo** nf Photographie positive destinée à être projetée.

diapré, ée a Litt De couleurs vives et variées.

diarrhée nf Évacuation fréquente de selles liquides.

diaspora nf Dispersion d'une ethnie au cours des siècles, à travers le monde.

diastole nf PHYSIOL Période de repos du cœur où les ventricules se remplissent.

diatomée nf Algue brune unicellulaire.

diatonique a MUS Qui procède par succession des tons et demi-tons de la gamme.

diatribe nf Critique amère et virulente.

dichotomie [-kɔ-] nf 1 Opposition entre deux choses. 2 BOT Division en deux ramifications.

dichotomique [-kɔ-] a Qui se divise en deux.

dicotylédone nf BOT Plante dont la graine renferme un embryon à deux cotylédons.

dictateur nm Homme politique qui exerce un pouvoir absolu.

dictatorial, ale, aux a D'un dictateur, d'une dictature. Pouvoir dictatorial.

dictature nf Pouvoir absolu.

dictée nf 1 Action de dicter. 2 Exercice scolaire de contrôle de l'orthographe ; le texte dicté lui-même.

dicter vt 1 Prononcer des mots pour que qqn les écrive. 2 Suggérer, inspirer. La raison nous dicte la prudence. 3 Imposer. Le vainqueur dicte ses conditions.

diction nf Manière d'articuler les mots d'un texte. Syn. élocution.

dictionnaire nm Ouvrage qui recense et décrit, souvent par ordre alphabétique, les mots d'une langue. Loc Dictionnaire bilingue : qui donne les équivalents dans une autre langue.

dicton nm Phrase passée en proverbe.

didacticiel nm Logiciel d'enseignement assisté par ordinateur.

didactique a 1 Destiné à l'enseignement. 2 Qui appartient au langage savant. ■ nf Théorie et méthode de l'enseignement.

dièdre nm Figure formée par deux demi-plans issus de la même droite.

diérèse nf LING Prononciation en deux syllabes de deux voyelles consécutives (ex. : mi-si-on).

diergol nm Propergol constitué d'un combustible et d'un comburant.

dièse nm Signe qui élève un demi-ton de la note qui suit.

diesel [djezɛl] nm Moteur à combustion interne fonctionnant au gazole.

diester n m (n déposé) Biocarburant à base d'huile de colza.

1. diète nf Régime alimentaire reposant sur l'abstention de certains aliments.

2. diète nf Assemblée politique où l'on règle les affaires publiques.

diététicien, enne n Spécialiste de diététique.

diététique

diététique nf Étude de l'hygiène alimentaire. ■ a Sain, équilibré (régime alimentaire).

dieu nm 1 (avec majusc et sans pl) L'Être suprême. 2 Divinité. Les dieux de l'Olympe.

diffamateur, trice n, a, Qui diffame.

diffamation nf Action de diffamer.

diffamatoire a Qui a pour but de diffamer.

diffamer vt Attaquer la réputation de.

différé, ée a Ajourné. Paiement différé. ■ nm Diffusion après enregistrement d'une émission télévisée ou radiophonique.

différemment av De façon différente.

différence nf 1 Ce qui distingue. Différence d'âge. 2 Résultat d'une soustraction. La différence entre 30 et 20 est 10.

différenciation nf Action de différencier, de se différencier.

différencier vt Distinguer entre des choses, des personnes. ■ vpr Se distinguer par.

différend nm Opposition, désaccord.

différent, ente a Dissemblable, distinct. Ce mot a des sens différents. ■ pl Plusieurs. Différentes personnes sont venues.

différentiel, elle a Qui implique une différence. Tarif différentiel. ■ nm 1 Mécanisme de transmission qui permet aux roues motrices de tourner à des vitesses différentes. 2 Écart entre deux grandeurs. Différentiel d'inflation.

différer vt 12 Être différent. ■ vt Retarder, remettre à plus tard.

difficile a Qui donne de la peine, qui cause des soucis. ■ a, n Exigeant.

difficulté nf 1 Caractère difficile. 2 Chose difficile, obstacle. 3 Objection, contestation.

difforme a Contrefait, mal bâti.

difformité nf Défaut de proportions, anomalie.

diffraction nf PHYS Déviation d'une onde au voisinage d'un obstacle.

diffus, use a 1 Répandu, renvoyé dans toutes les directions. 2 Imprécis et délayé.

diffuser vt 1 Répandre dans toutes les directions. 2 Transmettre sur les ondes. 3 Répandre dans le public.

diffuseur nm 1 Qui diffuse. 2 Appareil d'éclairage qui donne une lumière diffuse.

diffusion nf Action de diffuser.

digérer vt 12 1 Faire l'assimilation des aliments. 2 Assimiler intellectuellement. 3 Fam Endurer.

digest [dajdʒɛst] nm Résumé d'un article, d'un livre.

digeste a Facile à digérer.

digestif, ive a De la digestion. ■ nm Liqueur, alcool bu en fin de repas.

digestion nf Transformation des aliments dans l'organisme, permettant leur assimilation.

digicode nm (n déposé) Code d'accès à un immeuble.

digit [-ʒit] nm INFORM Symbole représentant un caractère numérique.

digital, ale, aux a 1 Des doigts. Empreintes digitales. 2 Abusiv Numérique. Affichage digital.

digitale nf Plante toxique à fleurs en forme de doigt de gant.

digitaline nf Produit extrait de la digitale possédant une action sur le cœur.

digitigrade a, nm ZOOL Vertébré dont les doigts constituent la surface d'appui sur le sol.

diglossie nf Bilinguisme où l'une des deux langues a un statut inférieur.

digne a 1 Qui mérite seul. Attitude digne de mépris. 2 Conforme à qqn. Fils digne de son père. 3 Grave. Attitude digne.

dignitaire nm Pourvu d'une dignité.

dignité nf 1 Respect qui mérite qqn. 2 Allure grave et fière. 3 Fonction éminente.

digramme nm Suite de deux lettres transcrivant un son unique (ex. : ou, ch).

digression nf Développement qui s'écarte du sujet traité.

digue nf Construction servant à contenir les eaux marines ou fluviales.

diktat [-tat] nm Clause d'un traité imposée par la force.

dilacérer vt 12 Déchirer, mettre en pièces.

dilapider vt Gâcher, gaspiller. Dilapider un héritage.

dilatation nf Action de dilater ou de se dilater.

dilater vt Augmenter le volume de.

dilatoire a Qui vise à gagner du temps.

dilemme nm Situation qui oblige à choisir entre deux partis, chacun entraînant des conséquences graves.

dilettante n Qui exerce une activité pour le plaisir, avec une certaine fantaisie ; amateur.

dilettantisme nm Caractère du dilettante.

diligemment av Litt Avec diligence.

diligence nf Voiture à chevaux qui transportait des voyageurs.

diligent, ente a Litt Qui agit vite et bien.

diligenter vt DR Entreprendre d'urgence.

diluant, ante a, nm Qui sert à diluer.

diluer vt Délayer dans un liquide. ■ vpr Perdre sa consistance.

dilution nf Action de diluer, de se diluer.

diluvien, enne a Relatif au déluge. Loc Pluie diluvienne : très abondante.

dimanche nm Septième jour de la semaine, qui suit le samedi.

dîme nf HIST Prélèvement d'un dixième sur les récoltes au profit de l'Église.

dimension nf 1 Étendue considérée comme susceptible de mesure. 2 Grandeur mesurée. 3 Importance. Homme de dimension internationale.

dimensionner vt TECH Fixer les dimensions de qqch.

diminué, ée a Affaibli au physique ou au moral.

diminuer vt 1 Rendre moindre une grandeur, une quantité. 2 Déprécier, dénigrer. ■ vi Devenir moindre. La pluie a diminué.

diminutif nm Transformation familière d'un nom ou d'un prénom.

diminution nf Action de diminuer.

dimorphe a Didac Qui se présente sous deux formes différentes.

dinanderie nf Ustensiles de cuivre jaune.

dinar nm Unité monétaire de nombreux pays arabes.

dinde nf 1 Femelle du dindon. 2 Fam Femme stupide, niaise.

dindon nm Gros oiseau de basse-cour originaire d'Amérique du Nord.

dindonneau nm Jeune dindon.

dîner vi Prendre le repas du soir. ■ nm Repas du soir.

dînette nf 1 Simulacre de repas que font les enfants. 2 Service de table miniature.

dîneur, euse n Convive à un dîner.

dingo nm Chien sauvage d'Australie. ■ a, nm Fam Fou, cinglé.

dingue a, n Fam Fou.

dinosaure nm 1 Reptile fossile du secondaire. 2 Fam Personnage important mais dépassé.

diocésain, aine a, n Du diocèse.

diocèse nm Circonscription placée sous la juridiction d'un évêque.

diode nf Composant à deux électrodes redresseur de courants alternatifs.

dionysiaque a De Dionysos.

dioptrie nf PHYS Unité de mesure de la distance focale d'un système optique.

dioxine nf CHIM Produit très toxique.

dioxyde nm CHIM Oxyde pourvu de deux atomes d'oxygène.

dipétale a BOT Qui a deux pétales.

diphasé, ée a ELECTR Qui présente deux phases.

diphtérie nf Maladie infectieuse contagieuse.

diphtongaison nf LING Fusion de deux sons vocaliques en une seule syllabe.

diphtongue nf LING Voyelle complexe dont le timbre se modifie en cours d'émission.

diphtonguer vt Changer une voyelle en diphtongue.

diplodocus [-kys] nm Dinosaure herbivore qui atteignait parfois 32 m de long.

diplomate n Chargé d'une fonction diplomatique. ■ a Qui a du tact avec autrui, habile à négocier. ■ nm Gâteau de biscuits, de crème et de fruits confits.

diplomatie [-si-] nf 1 Pratique des négociations entre États. 2 Tact et habileté dans les relations avec autrui.

diplomatique a 1 Relatif à la diplomatie. 2 Habile dans les relations privées.

diplôme

diplôme nm 1 Titre ou grade, généralement délivré par un établissement d'enseignement à la fin d'un cycle d'études. 2 Certificat écrit attestant l'obtention d'un diplôme.

diplômé, ée a, n Qui a obtenu un diplôme.

diplopie nf MED Trouble de la vue qui fait voir double.

diptère nm ZOOL Insecte à deux ailes, comme les mouches, les moustiques.

diptyque nm Tableau formé de deux panneaux rabattables l'un sur l'autre.

dire vt 60 1 Articuler, prononcer. *Dites « trente-trois ».* 2 Employer, utiliser un mot. 3 Communiquer, faire savoir que. 4 Ordonner que (+ subj). 5 Prétendre que. 6 Réciter un texte. 7 Indiquer. *La pendule dit l'heure exacte.* 8 Plaire, convenir. *Ce voyage ne lui dit rien.* 9 Évoquer. *Ce nom me dit qqch.* **Loc** *Cela va sans dire* : c'est évident. *Si le cœur vous en dit* : si cela vous tente. *Soit dit en passant* : sans insistance. *On dirait que* : il semble que. *Vouloir dire* : signifier. ■ vpr Se prétendre tel. ■ nm Ce que qqn dit. *Nous vérifions ses dires.*

direct, ecte a 1 Droit, sans détour. 2 Immédiat. *Conséquences directes.* **Loc** *Style direct* : qui rapporte telles quelles les paroles prononcées. *Train direct* : qui ne s'arrête qu'aux stations principales. ■ nm 1 En boxe, coup droit. 2 Train direct. **Loc** *Émission en direct* : diffusée dans l'instant même.

directement av 1 Tout droit, sans détour. 2 Sans préambule. 3 Sans intermédiaire.

directeur, trice n 1 Qui dirige, qui est à la tête d'une entreprise, d'un service, etc. 2 HIST Chacun des cinq membres du Directoire. ■ a Qui dirige. *Comité directeur.*

directif, ive a 1 Qui dirige fermement. *Un instituteur très directif.* 2 Qui capte dans une direction privilégiée. *Micro directif.*

direction nf 1 Action de diriger. 2 Fonction, poste de directeur. 3 Siège, bureau du directeur. 4 Orientation du mouvement. *Être dans la bonne direction.* 5 TECH Ensemble des organes qui servent à diriger un véhicule.

directive nf Instructions, indications générales données par une autorité.

directoire nm Conseil chargé de diriger et d'administrer.

directorat nm Fonction de directeur.

directorial, ale, aux a Relatif à la fonction de directeur.

dirham nm Unité monétaire du Maroc et des Émirats arabes unis.

dirigeable nm Ballon propulsé par un moteur.

dirigeant, ante a, n Qui dirige.

diriger vt 11 1 Commander, être à la tête de. *Diriger un ministère.* 2 Exercer une autorité sur *Diriger un élève, ses études.* 3 Conduire. *On nous dirigea vers la sortie.* 4 Guider. *L'intérêt public a dirigé toute sa vie.* 5 Orienter. *Diriger un bateau vers le port.*

dirigisme nm Système où l'État dirige la vie économique.

discal, ale, aux a Relatif aux disques intervertébraux. *Hernie discale.*

discernement nm Faculté d'apprécier avec justesse les situations, les choses.

discerner vt 1 Distinguer, reconnaître par la vue. 2 Faire la distinction entre, différencier.

disciple nm Qui reçoit l'enseignement d'un maître.

disciplinaire a Qui relève de la discipline.

discipline nf 1 Domaine particulier de la connaissance ; matière d'enseignement. 2 Règles de conduite pour le bon fonctionnement de l'organisation sociale ; obéissance à ces règles. 3 Règle de conduite qu'on s'impose. *Sportif qui s'astreint à une discipline rigoureuse.*

discipliné, ée a Qui se soumet à la discipline.

discipliner vt Habituer à se conformer à la discipline.

disc-jockey nm Animateur de radio ou de discothèque qui choisit et passe les disques. *Des disc-jockeys.*

disco nm Musique de variétés fortement rythmée et saccadée.

discobole nm ANTIQ Athlète qui lançait le disque.

discographie nf Répertoire méthodique de disques enregistrés.

discontinu, ue a Qui n'est pas continu ou continuel.

discontinuer vi Loc *Sans discontinuer :* sans s'arrêter.

discontinuité nf Absence de continuité.

disconvenir vti 35 Loc Litt *Ne pas disconvenir de :* être d'accord.

discordant, ante a Qui n'est pas en accord, en harmonie.

discorde nf Dissentiment grave ; dissension.

discothèque nf 1 Collection de disques enregistrés. 2 Lieu public où peut écouter des disques et danser.

discount [-kunt] ou [kaunt] nm Rabais sur un prix.

discounter [-kuntœr] ou [-kauntœr] nm Commerçant qui fait du discount.

discourir vi 25 Parler longuement sur un sujet ; pérorer.

discours nm 1 Paroles (par oppos. à action). 2 Exposé oratoire. 3 Exposé écrit didactique. Loc LING *Parties du discours :* catégories de mots (article, nom, pronom, verbe, adjectif, adverbe, préposition, conjonction, interjection).

discourtois, oise a Litt Impoli.

discrédit nm Diminution, perte du crédit.

discréditer vt Faire tomber en discrédit.

discret, ète a 1 Qui parle ou agit avec retenue, tact, réserve. 2 Qui n'attire pas l'attention. 3 Qui sait garder un secret. 4 MATH PHYS LING Composé d'unités distinctes. Ant. continu.

discrétion nf 1 Réserve, sobriété. 2 Qualité de qqn qui sait garder un secret. Loc *À la discrétion de :* à la disposition de. *À discrétion :* à volonté.

discrétionnaire a DR Laissé à la discrétion de l'Administration.

discrimination nf 1 Litt Séparation, distinction. 2 Ségrégation. *Discrimination raciale.*

discriminatoire a Qui établit une discrimination.

discriminer vt Litt Distinguer, mettre à part.

disculper vt Mettre qqn hors de cause, innocenter. ■ vpr Prouver son innocence.

discursif, ive a 1 Qui procède par le raisonnement. 2 Relatif au discours.

discussion nf 1 Action de discuter, de débattre. 2 Fait d'élever des objections. 3 Conversation, échange de vues.

discutable a 1 Qui prête à discussion. 2 Critiquable, douteux.

discutailler vi Fam Discuter longuement sur des détails.

discuté, ée a Controversé, critiqué.

discuter vt 1 Débattre de qqch. 2 Contester. 3 Fam Converser, bavarder. ■ vi, vti Échanger des opinions. *Discuter de politique.*

disert, erte [-zɛr] a Litt Qui parle avec aisance.

disette nf Manque ou rareté de vivres.

diseur, euse n Qui dit habituellement telle ou telle chose.

disgrâce nf Perte des bonnes grâces dont on jouissait.

disgracieux, euse a Dépourvu de grâce.

disjoindre vt 62 Séparer ce qui était joint.

disjoncter vi 1 Couper le courant, en parlant d'un disjoncteur. 2 Fam Perdre la tête.

disjoncteur nm Interrupteur qui s'ouvre automatiquement si l'intensité électrique dépasse une limite.

disjonction nf Action de séparer ce qui est joint.

dislocation nf 1 Déboîtement, luxation. 2 Séparation, démembrement.

disloquer vt 1 Démettre une articulation. 2 Désunir, diviser, démembrer.

disparaître vi 55 [aux avoir ou être] 1 Cesser d'être visible. 2 Quitter un lieu, partir. 3 Mourir, périr. 4 Ne plus exister. *L'enflure a disparu.*

disparate a Qui manque d'unité, hétéroclite.

disparité nf Manque d'égalité ; différence, dissemblance.

disparition nf Fait de disparaître ; mort.

disparu, ue a, n Personne présumée décédée.

dispatcher vt Distribuer, répartir, orienter.

dispendieux, euse a Litt Coûteux.

dispensaire *nm* Établissement de diagnostic et de soins.

dispensateur, trice *a, n* Qui distribue.

dispense *nf* 1 Exemption. 2 Pièce qui atteste cette exemption.

dispenser *vt* 1 Litt Distribuer. *Dispenser des soins.* 2 Exempter qqn de.

disperser *vt* 1 Éparpiller, répandre de tous côtés. 2 Placer dans des endroits divers ; disséminer. 3 Séparer en faisant aller dans des directions différentes. ■ *vpr* 1 S'éparpiller. 2 S'adonner à trop d'activités.

dispersion *nf* Action de disperser, de se disperser.

disponibilité *nf* 1 Fait pour qqn ou qqch d'être disponible. 2 Situation d'un fonctionnaire temporairement déchargé de ses fonctions. ■ *pl* Fonds, capitaux disponibles.

disponible *a* Dont on peut disposer.

dispos, ose *a* Loc *Être frais et dispos* : en bonne forme, reposé.

disposé, ée *a* Loc *Être disposé à* : être prêt à. *Être bien, mal disposé envers* : être favorable, défavorable ; être de bonne, de mauvaise humeur.

disposer *vt* 1 Arranger dans un certain ordre. 2 Préparer qqn à. 3 Litt Stipuler, prescrire. ■ *vti* Avoir à sa disposition, pouvoir utiliser. *Disposer de capitaux.* ■ *vi* Loc *Vous pouvez disposer* : vous pouvez partir. ■ *vpr* Se préparer à, être sur le point de.

dispositif *nm* 1 Les divers organes d'un système. 2 Ensemble de mesures pour remplir une mission donnée.

disposition *nf* 1 Arrangement. 2 Tendance, inclination à. Loc *À la disposition de* : au service de. ■ *pl* 1 Mesures qu'on prend. 2 Aptitudes. 3 Sentiment. *Être dans de bonnes dispositions.*

disproportion *nf* Défaut de proportion, différence importante.

disproportionné, ée *a* Sans proportion, excessif.

disputailler *vi* Fam Disputer longtemps pour des futilités.

dispute *nf* Altercation, querelle.

disputé, ée *a* Que l'on se dispute.

disputer *vt* 1 Lutter pour obtenir ou conserver. 2 Participer comme concurrent à une compétition. 3 Fam Réprimander. ■ *vpr* Se quereller.

disquaire *n* Marchand de disques.

disqualification *nf* Action de disqualifier.

disqualifier *vt* 1 Exclure d'une compétition pour infraction aux règles. 2 Litt Discréditer. ■ *vpr* Perdre tout crédit.

disque *nm* 1 Palet que lancent les athlètes. 2 Objet de forme ronde et plate. 3 Plaque mince et circulaire en matière synthétique pour l'enregistrement et la reproduction des sons. 4 ANAT Cartilage entre deux vertèbres. Loc INFORM *Disque dur* : support matériel de mémoire.

disquette *nf* Disque magnétique pour données informatiques.

dissection *nf* Action de disséquer.

dissemblable *a* Non semblable.

dissémination *nf* Action de disséminer.

disséminer *vt* Répandre çà et là, disperser.

dissension *nf* Vif désaccord.

dissentiment *nm* Litt Différence conflictuelle de vues, de.

disséquer *vt* 12 I 1 Ouvrir un corps pour en étudier l'anatomie. 2 Analyser minutieusement.

dissertation *nf* Exercice scolaire écrit sur un sujet littéraire ou philosophique.

disserter *vi* 1 Exposer méthodiquement. 2 Discourir longuement, d'une manière ennuyeuse. *Disserter sur la politique.*

dissidence *nf* 1 Action, état de celui qui cesse d'obéir à l'autorité établie. 2 Groupe de dissidents. *Rallier la dissidence.*

dissident, ente *a, n* En dissidence.

dissimulation *nf* 1 Action de dissimuler. 2 Duplicité, hypocrisie.

dissimulé, ée *a* Hypocrite, sournois.

dissimuler *vt* 1 Tenir caché, ne pas laisser paraître. *Dissimuler sa crainte.* 2 Taire, laisser ignorer à. *On lui dissimula l'incident.* 3 Masquer, cacher, rendre moins visible. *Dissimuler son visage.* ■ *vpr* Se cacher.

dissipation nf 1 Action de dissiper. 2 Manque d'attention, de sérieux. 3 Conduite débauchée.

dissipé, ée a Inattentif, turbulent.

dissiper vt 1 Faire disparaître en dispersant. 2 Litt Perdre en dépenses, en prodigalités. 3 Distraire qqn, l'inciter à des écarts de conduite. ■ vpr Être inattentif.

dissocier vt Séparer, distinguer, disjoindre.

dissolu, ue a Litt Qui vit dans la débauche.

dissolution nf 1 Action de dissoudre. 2 DR Action de mettre légalement fin à. *Dissolution du mariage.* 3 Litt Dérèglement des mœurs.

dissolvant, ante a, nm Produit employé pour dissoudre.

dissonance nf 1 Rencontre de sons qui ne s'accordent pas. 2 Discordance, manque d'harmonie.

dissoudre vt 51 1 Opérer la mise en solution d'un corps. 2 Mettre légalement fin à.

dissuader vt Détourner qqn d'un projet.

dissuasif, ive a Qui dissuade.

dissuasion nf Action de dissuader. **Loc** *Force de dissuasion :* force de frappe nucléaire visant à dissuader l'ennemi.

dissyllabe ou **dissyllabique** a, nm Qui a deux syllabes.

dissymétrique a Sans symétrie.

distance nf 1 Espace qui sépare deux lieux, deux choses. 2 Intervalle de temps. 3 Différence.

distancer vt 10 Mettre une certaine distance entre soi et les autres concurrents.

distancier (se) vpr Prendre du recul par rapport à un événement, à une situation.

distant, ante a 1 À une certaine distance dans l'espace ou le temps. 2 Réservé ou froid dans son attitude.

distendre vt 5 1 Augmenter par tension les dimensions de qqch. ■ vpr Se relâcher.

distillateur, trice [-tila-] n Fabricant de liqueurs alcoolisées.

distillation [-tila-] nf Action de distiller.

distiller [-tile] vt 1 Extraire d'un liquide certains produits en les transformant en vapeur condensée. 2 Litt Produire, répandre peu à peu. *Des propos qui distillent la haine.*

distillerie [-tilRi] nf Lieu de distillation.

distinct, incte [-tɛ̃, -ɛ̃kt] a 1 Séparé, différent. 2 Qui se perçoit nettement. *Des paroles distinctes.*

distinctif, ive a Caractéristique. *Signe distinctif.*

distinction nf 1 Action de distinguer. 2 Division, séparation. 3 Marque d'honneur. 4 Élégance des manières, du langage.

distingué, ée a 1 Remarquable par ses mérites. 2 Qui a de l'élégance.

distinguer vt 1 Rendre particulier, reconnaissable. 2 Faire la différence entre. *Savoir distinguer le fer de l'acier.* 3 Remarquer. 4 Percevoir. *Distinguer une odeur.* ■ vpr Se signaler par. *Se distinguer par son travail.*

distinguo nm Distinction subtile.

distique nm LITTER Réunion de deux vers, formant une unité poétique.

distorsion nf 1 Torsion, déplacement d'une partie du corps. 2 Déformation d'un signal, d'une onde. 3 Déséquilibre entre plusieurs facteurs.

distraction nf 1 Manque d'attention, étourderie. 2 Délassement, amusement.

distraire vt 74 1 Détourner à son profit. 2 Déranger qqn. 3 Divertir, amuser. ■ vpr S'amuser, se détendre.

distrait, aite n Qui ne prête pas attention à ce qu'il dit, à ce qu'il fait.

distrayant, ante a Qui distrait.

distribuer vt 1 Donner à diverses personnes, répartir, partager. 2 Répartir dans plusieurs endroits. *Conduites qui distribuent l'eau.* 3 Assurer la distribution. *Distribuer un film.*

distributeur, trice n 1 Qui distribue. 2 Personne ou organisme chargé de la diffusion commerciale. ■ nm Appareil servant à distribuer.

distributif, ive a GRAM Qui désigne séparément. « *Chaque* » est un adjectif distributif.

distribution nf 1 Répartition entre plusieurs personnes. *Distribution du courrier.* 2 Recherche des interprètes et attribution des rôles ; ensemble des interprètes. 3 Diffusion commerciale des produits. 4 Arrangement, disposition. *Distribution des pièces dans un appartement.*

district nm Étendue de juridiction administrative ou judiciaire. Loc District urbain : qui regroupe des communes voisines.

dit, dite a Surnommé. *Charles V, dit le Sage.* Loc *Ledit, ladite, lesdits, lesdites* : celui, celle, ceux, celles dont on vient de parler. ■ nm Récit comique du Moyen Âge.

dithyrambe nm Litt Louange enthousiaste, souvent excessive.

dithyrambique a Très élogieux.

diurèse nf MED Sécrétion d'urine.

diurétique a, nm MED Qui augmente la sécrétion urinaire.

diurne a De jour. Ant. nocturne.

diva nf Cantatrice célèbre.

divagation nf Propos incohérents, délire.

divaguer vi Tenir des propos incohérents.

divan nm Canapé sans dossier ni bras, garni de coussins et pouvant servir de lit.

divergence nf 1 Fait de diverger. 2 Différence, désaccord. *Divergence d'opinions.*

divergent, ente a 1 Qui diverge. *Lentille divergente.* 2 En désaccord, opposé.

diverger vi 11 1 Aller en s'écartant de plus en plus. *Lignes qui divergent.* 2 Être en désaccord.

divers, erse [-ver] a Litt Varié. *Pays très divers.* ■ pl 1 Différent, distinct. *Les divers sens d'un mot.* 2 Plusieurs. *Parler de diverses choses.* Loc *Fait divers* : incident du jour donné en information.

diversification nf Action de diversifier, de se diversifier.

diversifier vt Rendre divers ; varier.

diversion nf 1 Opération destinée à détourner l'attention de l'ennemi. 2 Action de détourner le cours des idées de qqn. Loc *Faire diversion* : détourner l'attention.

diversité nf 1 Variété, différence, pluralité. 2 Opposition, divergence.

divertimento [-men-] nm MUS Suite pour un petit orchestre.

divertir vt Récréer, amuser. ■ vpr S'amuser, se distraire.

divertissant, ante a Distrayant.

divertissement nm 1 Récréation, distraction, passe-temps. 2 Composition instrumentale du XVIIIe s., écrite pour être jouée en plein air.

dividende nm 1 MATH Le nombre divisé. Ant. diviseur. 2 Part de bénéfice distribuée à chaque actionnaire d'une société.

divin, ine a, n 1 Qui appartient à un dieu, à Dieu. 2 Excellent, délicieux, ravissant.

divinateur, trice a Qui prévoit l'avenir.

divination nf 1 Art de deviner l'avenir par l'interprétation des présages. 2 Faculté d'expliciter des pressentiments ; intuition.

divinatoire a Qui procède de la divination.

divinement av À la perfection.

diviniser vt 1 Mettre au rang des dieux. 2 Litt Exalter, glorifier.

divinité nf 1 Essence, nature divine. 2 Dieu.

diviser vt 1 Partager en plusieurs parties. 2 MATH Effectuer la division de. 3 Désunir. *Diviser pour régner.* ■ vpr Se séparer.

diviseur nm MATH Nombre qui divise un autre nombre appelé *dividende*.

divisible a MATH Qui peut être divisé sans reste. *9 est divisible par 3.*

division nf 1 Action de diviser, de séparer. 2 MATH Opération consistant à partager un nombre en un certain nombre de parties égales. 3 Chaque partie d'un tout divisé. 4 MILIT Unité importante regroupant des troupes de différentes armes. 5 Désunion, discorde.

divisionnaire a, n Qui appartient à une division, s'occupe d'une division.

divisionnisme nm Technique de peintres du XIXe s., appelée aussi *pointillisme.*

divorce nm 1 Rupture légale du mariage. 2 Opposition entre deux choses.

divorcé, ée a, n Séparé par un divorce.

divorcer vi 10 [aux avoir ou être] Rompre légalement son mariage.

divulgation nf Action de divulguer.

divulguer vt Rendre public, révéler.

dix [dis] en position isolée ; [diz] devant voyelle ou h muet ; [di] devant consonne ou h aspiré a num 1 Neuf plus un (10). 2 Dixième. *Tome X.* ■ nm inv Nombre Dix.

dix-huit a num 1 Dix plus huit (18). 2 Dix-huitième. *Le dix-huit mars.* ■ nm inv Nombre dix-huit.

dix-huitième a num Qui occupe le rang marqué du numéro dix-huit. ■ a, nm Contenu dix-huit fois dans le tout.

dixième a num Au rang, au degré dix. ■ a, nm Contenu dix fois dans le tout. ■ nm Billet de loterie nationale qui a dix fois moins de valeur qu'un billet entier.

dixièmement av En dixième lieu.

dix-neuf a num 1 Dix plus neuf (19). 2 Dix-neuvième. *Chapitre dix-neuf.* ■ nm inv Nombre dix-neuf.

dix-neuvième a num Au rang, au degré dix-neuf. ■ a, nm Contenu dix-neuf fois dans le tout.

dix-sept a num 1 Dix plus sept (17). 2 Dix-septième. *Page dix-sept.* ■ nm inv Nombre dix-sept.

dix-septième a num Au rang, au degré dix-sept. ■ a, nm Contenu dix-sept fois dans le tout.

dizain nm Stance de dix vers.

dizaine nf 1 Nombre de dix. 2 Quantité proche de dix.

dizygote a, n BIOL Faux jumeaux provenant chacun d'un œuf différent.

djebel nm Montagne en Afrique du Nord.

djellaba nf Robe longue à capuchon, portée en Afrique du Nord.

djiboutien, enne a, n De Djibouti.

djihad nm Guerre sainte, pour les musulmans.

do nm inv Première note de la gamme.

doberman nm Chien de garde au poil ras.

docile a Obéissant.

docilité nf Soumission, disposition à obéir.

dock nm 1 Bassin entouré de quais, servant au chargement et au déchargement des navires. 2 Chantier de réparation de navires. ■ pl Entrepôts dans les ports.

docker [dɔkɛʀ] nm Ouvrier qui travaille à charger et à décharger les navires.

docte a Savant, érudit.

docteur nm 1 Qui a soutenu une thèse de doctorat. *Docteur ès lettres, ès sciences.* 2 Médecin.

doctoral, ale, aux a 1 Pédant. *Ton doctoral.* 2 Du doctorat. *Études doctorales.*

doctorant, ante n Qui prépare un doctorat.

doctorat nm Grade de docteur.

doctoresse nf Médecin femme.

doctrinaire n, a 1 Systématiquement attaché à une doctrine. 2 Dogmatique.

doctrinal, ale, aux a Relatif à une doctrine.

doctrine nf 1 Ensemble des opinions qu'on professe. 2 Système intellectuel lié à un penseur ou à un thème.

docudrame nm Film de fiction sur un canevas historique.

document nm Chose écrite qui peut servir à renseigner, à prouver.

documentaire a Qui possède un caractère de document. Loc *À titre documentaire :* à titre de renseignement. ■ nm Film à but didactique.

documentaliste n Spécialiste de la recherche, la mise en ordre et la diffusion des documents.

documentariste n Auteur de documentaires.

documentation nf 1 Action de documenter, de se documenter. 2 Ensemble de documents.

documenté, ée a 1 Fondé sur une documentation. *Étude documentée.* 2 Bien informé.

documenter vt Fournir des documents, des renseignements. ■ vpr Se renseigner.

dodécaphonisme nm Musique dans laquelle est utilisée, sans répétitions, la série des douze sons de l'échelle chromatique.

dodeliner vt, vti (Se) balancer doucement. *Dodeliner (de) la tête.*

dodo nm Loc Fam *Faire dodo :* dormir. *Aller au dodo :* aller au lit.

dodu, ue a Gras, potelé.

doge nm HIST Premier magistrat au Moyen Âge à Venise et à Gênes.

dogmatique a 1 Qui concerne le dogme. 2 Décisif, péremptoire.

dogmatiser vi Affirmer de façon autoritaire.

dogmatisme *nm* Attitude intellectuelle consistant à affirmer des idées sans les discuter.

dogme *nm* 1 Principe établi, servant de fondement à une doctrine. 2 Ensemble des articles de foi d'une religion.

dogue *nm* Chien de garde à grosse tête, au museau écrasé.

doigt *nm* Chacune des cinq parties articulées, mobiles, qui terminent la main. **Loc** *Les doigts de pied* : les orteils.

doigté *nm* 1 MUS Jeu des doigts sur les instruments ; indication chiffrée, sur la partition. 2 Tact, finesse.

doigtier *nm* Fourreau servant à coudre, à protéger un doigt.

doit *nm* DR Partie d'un compte contenant les dettes.

dojo *nm* 1 Salle d'entraînement pour les arts martiaux. 2 Salle de méditation zen.

dolby *nm* (n déposé) Système de réduction du bruit de fond des bandes magnétiques.

dolce [dɔltʃe] *av* MUS Indique qu'un passage doit être exécuté avec douceur.

doléances *nfpl* Plaintes, récriminations.

dolent, ente *a* Triste et plaintif.

dolichocéphale [-kɔ-] *a, n* Dont le crâne a une longueur supérieure à sa largeur.

doline *nf* GEOL Petite dépression fermée dans une région calcaire.

dollar *nm* Unité monétaire des États-Unis, du Canada, de l'Australie, de Nouvelle-Zélande, de Hong Kong, du Liberia et du Zimbabwe.

dolmen [-mεn] *nm* Monument mégalithique composé d'une grande dalle reposant sur deux pierres verticales.

dolomite *nf* Carbonate naturel de calcium et de magnésium.

dom [dɔ̃] *nm* RELIG Titre d'honneur donné aux bénédictins, aux chartreux.

domaine *nm* 1 Propriété foncière. 2 Ensemble des biens. 3 Tout ce qu'embrasse un art, une activité intellectuelle donnée. 4 Ensemble des connaissances, des compétences de qqn.

domanial, ale, aux *a* Qui appartient à un domaine, en particulier au domaine de l'État.

dôme *nm* 1 Comble arrondi qui recouvre un édifice. 2 Objet de forme hémisphérique.

domestication *nf* Action de domestiquer.

domesticité *nf* Ensemble des domestiques.

domestique *a* 1 De la maison, du ménage. 2 Se dit d'animaux apprivoisés. Qui concerne l'intérieur d'un pays. ■ *n* Serviteur, servante à gages ; employé de maison.

domestiquer *vt* 1 Rendre domestique un animal sauvage. 2 Tirer parti de, maîtriser. *Domestiquer l'énergie atomique.*

domicile *nm* Lieu où demeure qqn. **Loc** *Sans domicile fixe* : en état de vagabondage.

domiciliaire *a* **Loc** DR *Visite domiciliaire* : perquisition.

domiciliation *nf* DR Désignation du domicile.

domicilié, ée *a* Qui a son domicile en tel lieu.

domicilier *vt* DR Fixer un domicile à.

dominance *nf* Fait de dominer.

dominant, ante *a* 1 Qui domine, prévaut. 2 Qui exerce une autorité sur. 3 Qui surplombe. ■ *nf* 1 Ce qui domine, est prépondérant dans un ensemble. 2 Principale matière enseignée. 3 MUS Cinquième degré de la gamme diatonique.

dominateur, trice *a, n* Qui domine, aime à dominer.

domination *nf* 1 Puissance, autorité souveraine. 2 Influence, ascendant.

dominer *vt* 1 Avoir une puissance absolue sur. 2 Maîtriser. *Dominer sa colère.* 3 L'emporter en ampleur, en intensité. *Une voix qui dominait le brouhaha.* 4 Être plus haut que. *La citadelle domine la ville.* ■ *vi* Avoir la suprématie.

1. dominicain, aine *a, n* Religieux, religieuse de l'ordre de saint Dominique.

2. dominicain, aine *a, n* De la République dominicaine.

dominical, ale, aux *a* 1 Du Seigneur. 2 Du dimanche.

dominion [-njɔn] *nm* Pays membre du Commonwealth.

domino *nm* 1 Déguisement de bal masqué, consistant en une longue robe à capuchon.

2 Petite plaque marquée de points combinés en double marque. **3** Pièce servant à raccorder des conducteurs électriques. ■ *pl* Jeu de société composé de 28 dominos (sens 2).

dommage *a* **1** Ce qui fait du tort. **2** Chose fâcheuse, regrettable. *Dommage qu'il pleuve !* ■ *pl* Dégâts.

dommageable *a* Qui cause un dommage.

domotique *nf* Automatisation de la gestion de la maison.

dompter [dɔ̃te] *vt* **1** Forcer un animal sauvage à obéir. **2** Litt Maîtriser. *Dompter une passion.*

dompteur, euse [dɔ̃tœr] *n* Qui dompte les animaux sauvages.

DOM-TOM *nmpl* Départements et territoires français d'outre-mer.

1. don *nm* **1** Action de donner. **2** Chose donnée. **3** Avantage naturel, talent. *Cet enfant a des dons.* **4** Aptitude innée à. *Le don des langues.*

2. don *nm*, **doña** [dɔɲa] *nf* Titre d'honneur des nobles d'Espagne.

donataire *n* DR À qui est faite une donation.

donateur, trice *n* Qui fait un don, une donation.

donation *nf* DR Contrat par lequel qqn donne de son vivant une partie de ses biens.

donc *conj* **1** Marque la conséquence. *« Je pense, donc je suis ».* **2** Reprend un discours. *Nous disions donc que que...* **3** Marque la surprise. *Qu'avez-vous donc ?*

dondon *nf* Loc Pop *Grosse dondon :* femme, fille obèse.

donjon *nm* Tour principale d'un château fort.

don Juan *nm* Grand séducteur. *Des dons Juans.*

donjuanisme *nm* Comportement d'un don Juan.

donne *nf* Action de distribuer les cartes ; les cartes distribuées. Loc *Nouvelle donne :* nouveau rapport de forces.

donné, ée *a* Déterminé, fixé. *En un temps donné.* Loc *Étant donné que :* puisque, du fait que. ■ *nf* **1** Élément servant de base à un raisonnement, une recherche, etc. **2** MATH

Grandeur permettant de résoudre une équation, un problème. ■ *pl* Ensemble des faits conditionnant un événement. *Les données de la situation.*

donner *vt* **1** Offrir gratuitement. **2** Payer. *Donner tant l'heure.* **3** Transmettre, passer. *Donner son rhume à qqn.* **4** Faire avoir. *Le repos lui donne de l'énergie.* **5** Attribuer. *Donner un sens à un mot.* **6** Accorder. *Donner sa confiance à qqn.* **7** Communiquer. *Donner son nom à l'entrée.* **8** Pop Dénoncer. **9** Produire. *Cette vigne donne du bon vin.* **10** Présenter comme. *Donner un texte pour authentique.* ■ *vti* **1** Avoir vue sur. *Donner sur la mer.* **2** Communiquer avec. *Le couloir donne dans le salon.* **3** Se complaire dans. *Donner dans l'excessive.* **4** Croire avec crédulité. *Donner dans une histoire.* ■ *vi* Rendre, produire. *La tomate donne cette année.* ■ *vpr* **1** Se consacrer à. **2** Accorder ses faveurs à qqn.

donneur, euse *n* **1** Qui donne les cartes. **2** Qui donne son sang pour une transfusion, un organe pour une greffe. **3** Pop Dénonciateur, mouchard.

don Quichotte *nm* Homme généreux et naïf, redresseur de torts. *Des dons Quichottes.*

donquichottisme *nm* Comportement d'un don Quichotte.

dont *pr rel inv* **1** Mis pour de qui, de quoi, duquel, desquels, etc. **2** Parmi lesquel(le)s. *Ils ont choisi dix personnes, dont moi.*

donzelle *nf* Fam Jeune vaniteuse.

dopage ou **doping** *nm* **1** Utilisation d'une substance qui augmente les performances physiques d'un individu. **2** CHIM Modification de certaines propriétés par addition d'un dope.

dopant *nm* Stimulant, excitant.

dope *nm* CHIM Produit ajouté en petites quantités à une substance. ■ *nf* Pop Drogue.

doper *vt* **1** Administrer un stimulant à. **2** CHIM Ajouter un dope à une substance. **3** Augmenter la puissance de qqch.

dorade. V. daurade.

doré, ée *a* **1** Recouvert d'or. **2** De la couleur de l'or. **3** Fortuné, brillant. *Existence dorée.*

dorénavant *av* À l'avenir.

dorer *vt* 1 Appliquer une mince couche d'or sur. 2 Donner un teinte d'or à. ■ *vpr* Se brunir au soleil.

doreur, euse *n* Dont le métier est de dorer.

dorique *a*, se dit ou plus simple des trois ordres d'architecture grecque.

dorloter *vt* Traiter délicatement, avec tendresse.

dormant, ante *a* 1 Immobile, stagnant. ■ *nm* Partie fixe d'une fenêtre, d'une porte.

dormeur, euse *n* Qui dort ou qui aime dormir.

dormir *vi* 29 1 Être dans le sommeil. 2 Ne pas agir, être lent. *Ce n'est pas le moment de dormir.* 3 Rester improductif. *Laisser dormir des capitaux.* 4 Être immobile, stagner, en parlant de l'eau. **Loc À dormir debout :** invraisemblable.

dormitif, ive *a* Fam Qui fait dormir.

dorsal, ale, aux *a* 1 Du dos. 2 Qui se fixe sur le dos. *Parachute dorsal.* ■ *nf* 1 GÉOL Ligne continue de montagnes terrestres ou océaniques. 2 MÉTÉO Axe de hautes pressions entre deux zones dépressionnaires.

dorsalgie *nf* Mal de dos.

dortoir *nm* Grande salle commune où on dort.

dorure *nf* 1 Action, art de dorer. 2 Couche d'or.

doryphore *nm* Coléoptère jaune et noir qui dévaste les champs de pommes de terre.

dos *nm* 1 Partie arrière du corps de l'homme, comprise entre la nuque et les reins. 2 Face supérieure du corps des vertébrés. 3 Partie d'un vêtement couvrant le dos. 4 Partie supérieure et convexe de certains organes ou objets. *Le dos de la main. Le dos d'une cuiller.* 5 Envers d'un objet. *Le dos d'un billet.*

dosage *nm* Action de doser ; répartition, proportion.

dos-d'âne *nm inv* Relief, bosse, élévation à deux pentes sur une route.

dose *nf* 1 Quantité d'un médicament à administrer en une seule fois. 2 Proportion des ingrédients composant un mélange. 3 Quantité quelconque.

doser *vt* 1 Déterminer la dose de. 2 Proportionner. *Doser ses efforts.*

dosette *nf* Petit doseur fourni avec un produit en poudre.

doseur *nm* Appareil servant à doser.

dosimétrie *nf* Mesure des rayonnements ionisants, grâce à un dosimètre.

dossard *nm* Pièce d'étoffe marquée d'un numéro qui se porte sur le dos lors d'une compétition.

dossier *nm* 1 Partie d'un siège sur laquelle on appuie le dos. 2 Ensemble des documents sur le même sujet ; carton où ceux-ci sont rangés. 3 Question, problème à traiter.

dot [dɔt] *nf* Biens qu'une femme apporte à l'occasion de son mariage.

dotation *nf* 1 Ensemble des revenus, des dons attribués à l'établissement d'utilité publique. 2 Revenus assignés à un souverain, à un chef d'État. 3 Action de fournir en matériel.

doter *vt* 1 Donner en dot à. 2 Assigner une dotation à. 3 Fournir en matériel. *Cuisine dotée d'un four.* 4 Gratifier. *Être doté d'un grand talent.*

douane *nf* 1 Administration qui perçoit des droits sur les marchandises exportées ou importées. 2 Lieu du bureau de douane. 3 Taxe perçue par la douane.

douanier, ère *a* Relatif à la douane. ■ *n* Agent des douanes.

douar *nm* Village en Afrique du Nord.

doublage *nm* Action de doubler.

double *a* 1 Égal à deux fois la chose simple. *Une double part de gâteau.* 2 Composé de deux choses pareilles. *Une double porte.* 3 Qui se fait deux fois. *Un double contrôle.* 4 Qui a deux aspects dont un seul est connu, visible. *Une personnalité double.* ■ *nm* 1 Quantité multipliée par deux. 2 Copie, reproduction. *Le double d'une lettre.* 3 Partie de tennis, de ping-pong opposant deux équipes de deux joueurs.

doublé, ée *a* 1 Multiplié par deux. 2 Pourvu d'une doublure. 3 Qui a aussi une autre qualité. *Un poète doublé d'un musicien.* ■ *nm* Double réussite.

double-crème *nm* Fromage frais à forte teneur en matière grasse. *Des doubles-crèmes.*

1. doublement *av* Pour deux raisons.

2. doublement *nm* Action de doubler.

doubler *vt* 1 Multiplier par deux. 2 Plier en deux. 3 Mettre une doublure à. 4 Dépasser. *Doubler une voiture.* 5 Trahir qqn. 6 Traduire le dialogue d'un film. 7 Remplacer un acteur. ■ *vpr* S'accompagner de. ■ *vi* Devenir double. *Les prix ont doublé.*

doublet *nm* Mot de même origine qu'un autre, mais de forme différente (ex : *pasteur/pâtre*).

doubleur, euse *n* Professionnel qui assure le doublage d'un film.

doublon *nm* 1 Répétition fautive (lettre, mot, ligne). 2 Chose qui fait double emploi. 3 Ancienne monnaie espagnole.

doublonner *vi* Faire double emploi avec.

doublure *nf* 1 Étoffe qui garnit l'intérieur de. 2 Acteur qui joue à la place d'un autre.

douceâtre *a* D'une douceur fade.

doucement *av* 1 De façon modérée. 2 Sans rudesse. 3 Médiocrement.

doucereux, euse *a* Doux avec affectation.

doucette *nf* Mâche (salade).

douceur *nf* 1 Saveur douce, agréable au goût. 2 Sentiment, sensation agréable. 3 Qualité de qqn de doux. ■ *pl* Pâtisseries, sucreries.

douche *nf* 1 Jet d'eau qui arrose le corps. 2 Appareil sanitaire pour prendre une douche. 3 Fam Grosse averse. 4 Fam Désillusion brutale.

doucher *vt* 1 Faire prendre une douche à. 2 Fam Arroser. 3 Fam Tempérer rudement l'exaltation.

doudoune *nf* Fam Veste rembourrée de duvet.

doué, ée *a* Qui a des aptitudes naturelles.

douer *vt* Pourvoir d'un avantage.

douille *nf* 1 Partie évidée qui reçoit le manche d'un outil. 2 Partie de la cartouche qui contient la poudre. 3 Pièce qui reçoit le culot d'une ampoule électrique.

douillet, ette *a* 1 Doux, bien rembourré. 2 Trop sensible à la douleur.

douillette *nf* Manteau ouaté.

douleur *nf* 1 Sensation pénible ressentie dans une partie du corps. 2 Impression morale pénible.

douloureux, euse *a* 1 Qui provoque une douleur physique ou morale. 2 Où la douleur est ressentie. 3 Qui exprime la douleur. *Regard douloureux.* ■ MED Malade qui éprouve des douleurs intenses. ■ *nf* Fam Note à payer.

douma *nf* HIST Conseil, assemblée, dans la Russie des tsars.

doute *nm* 1 Hésitation à croire. 2 Soupçon, méfiance. *Avoir des doutes.* Loc *Mettre en doute* : contester. *Sans doute* : probablement.

douter *vti* 1 Hésiter à croire. *Je doute qu'il vienne.* 2 Ne pas avoir confiance en qqn. ■ *vpr* Pressentir. *Se douter de qqch.*

douteux, euse *a* 1 Incertain. *Un résultat douteux.* 2 Dont la qualité laisse à désirer. 3 Malpropre. 4 Louche. *Un individu douteux.*

douve *nf* 1 Fossé rempli d'eau entourant un château. 2 Planches courbes formant un tonneau. 3 Ver parasite du foie.

doux, douce *a* 1 D'une saveur sucrée. 2 Agréable au sens. *Lumière douce.* Fourrure douce. 3 Modéré. *Pente douce.* Cuire à feu doux. 4 Clément, affable. Loc *Cidre doux* : faible en alcool. *Eau douce* : non salée. *Médecine douce* : utilisant les moyens naturels. ■ *nf* Loc *En douce* : à l'insu d'autrui. ■ *n* Personne modérée, bienveillante.

doux-amer, douce-amère *a* À la fois agréable et pénible.

douzaine *nf* 1 Ensemble de douze objets de même nature. 2 Quantité voisine de douze.

douze *a num* 1 Dix plus deux (12). 2 Douzième. *Page douze.* ■ *nm* Nombre douze.

douzième *a num* Au rang, au degré douze. ■ *a, nm* Contenu douze fois dans le tout.

Dow Jones (indice) [dowdʒɔns] *nm* (n déposé) Indice boursier américain.

doyen, enne *n* 1 Personne la plus âgée d'un groupe. 2 Titre de celui qui dirige une faculté. 3 Titre ecclésiastique.

drachme [dʀakm] *nf* Unité monétaire de la Grèce.

draconien

draconien, enne a D'une excessive sévérité.

dragage nm Action de draguer.

dragée nf Confiserie constituée d'une amande recouverte de sucre.

dragéifié, ée a Enrobé de sucre.

dragon nm 1 Animal fabuleux ayant des griffes, des ailes et une queue de serpent. 2 Gardien intraitable. 3 Soldat d'une unité blindée. 4 Personne autoritaire.

dragonnade nf HIST Persécution exercée sous Louis XIV contre les protestants.

dragonne nf Courroie d'un bâton de ski, d'un appareil photo, etc., qu'on passe au poignet.

drague nf 1 Filet à manche, servant à pêcher les moules. 2 Engin flottant utilisé pour curer un chenal à la drague. 3 Fam Action de draguer qqn.

draguer vt 1 Pêcher avec une drague. 2 Approfondir un chenal à la drague. 3 Rechercher les mines sous-marines. 4 Fam Aborder, racoler.

dragueur, euse n Fam Qui drague, qui a l'habitude de flâner en quête d'aventures. ■ nm Bateau qui drague.

drain nm 1 Conduit souterrain qui sert à épuiser l'eau des sols trop humides. 2 MED Tube percé de trous qui assure l'élimination d'un liquide.

drainage nm Action de drainer. *Drainage lymphatique.*

drainer vt 1 Assainir un terrain par des drains. 2 Retirer de l'organisme un liquide par un drain. 3 Attirer vers soi, rassembler. *Drainer les capitaux.*

draisienne nf Ancêtre de la bicyclette.

draisine nf Wagonnet à moteur pour l'entretien des voies.

drakkar nm HIST Navire à étrave très relevée, utilisé par les Vikings.

dramatique a 1 Du théâtre. *Auteur dramatique.* 2 Émouvant, poignant. 3 Grave, tragique. *Événements dramatiques.* ■ nf Pièce de théâtre télévisée.

dramatiquement av De façon dramatique.

dramatisation nf Action de dramatiser.

dramatiser vt 1 Rendre dramatique, théâtral. 2 Exagérer la gravité, l'importance.

dramaturge n Auteur de pièces de théâtre.

dramaturgie nf Art de composer des œuvres dramatiques.

drame nm 1 Pièce de théâtre dont le sujet est tragique. 2 Événement tragique.

drap nm 1 Étoffe de laine. 2 Grande pièce de toile qui couvre un lit. Loc *Drap de bain :* grande serviette éponge. Fam *Être dans de beaux draps :* dans une situation embarrassante.

drapé nm Arrangement de plis d'un vêtement, d'une tenture.

drapeau nm Pièce d'étoffe attachée à une hampe et servant d'emblème à une nation, à une société, etc. Loc *Sous les drapeaux :* au service militaire. *Drapeau blanc :* de négociation.

draper vt Disposer harmonieusement les plis d'une étoffe, d'un vêtement. ■ vpr 1 S'envelopper dans un vêtement. 2 Mettre en avant. *Se draper dans sa dignité.*

draperie nf 1 Étoffe, tenture, disposée en grands plis. 2 Manufacture, commerce de drap.

drap-housse nm Drap qui s'adapte au matelas grâce à ses coins extensibles. *Des draps-housses.*

drastique a Rigoureux, radical.

dravidien nm Famille de langues du sud de l'Inde.

dreadlocks [drɛd-] nfpl Petites nattes, coiffure traditionnelle des rastas.

drelin [interj] Imite le bruit d'une clochette.

dressage nm 1 Action de faire tenir droit, d'élever. 2 Action d'habituer un animal à faire telle ou telle chose.

dresser vt 1 Lever, tenir droit. *Dresser la tête.* 2 Faire tenir droit. *Dresser un échelle contre.* 3 Élever, installer. *Dresser un échafaudage.* 4 Préparer. *Dresser la table.* 5 Établir. *Dresser un contrat, un plan.* 6 Effectuer le dressage de. *Dresser un chien.* 7 Exciter qqn contre. ■ vpr 1 Se tenir droit, levé. *Se dresser sur la pointe des pieds.* 2 S'élever, protester contre.

dresseur, euse n Qui dresse des animaux.

dressoir nm Buffet à vaisselle.

dribble nm Action de progresser en contrôlant le ballon.

dribbler vi Faire un dribble. ■ vt Éviter un adversaire par un dribble.

drille [dʀij] nm Loc Joyeux drille : gai luron, joyeux camarade.

drisse nf MAR Cordage servant à hisser.

drive [dʀajv] nm 1 Au tennis, coup droit. 2 Au golf, coup puissant au départ d'un trou.

driver vi Exécuter un drive. ■ vt Conduire un cheval dans une course de trot attelé.

drogue nf 1 Péjor Médicament. 2 Stupéfiant. Trafiquant de drogue.

drogué, ée a, n Qui s'adonne aux stupéfiants.

droguer vt 1 Donner beaucoup de médicaments à qqn. 2 Donner de la drogue, un stimulant. ■ vpr 1 Prendre trop de médicaments. 2 Prendre des stupéfiants.

droguerie nf Commerce, magasin de produits d'entretien.

droguiste n Qui tient une droguerie.

droit nm 1 Faculté d'accomplir une action, de jouir d'une chose, de l'exiger. 2 Taxe, impôt. Droits sur le tabac. 3 Ensemble des dispositions juridiques qui règlent les rapports entre les hommes. Droit civil, droit pénal. 4 Science des règles juridiques.

droit, droite a 1 Qui n'est pas courbe ; rectiligne. 2 Qui va au plus court. Une ligne droite. 3 Vertical. Ce mur n'est pas droit. 4 GEOM Se dit d'un angle formé par deux droites perpendiculaires. 5 Honnête et loyal. 6 Qui est du côté opposé à celui du cœur. La main droite. ■ av 1 En ligne droite. Aller droit devant soi. 2 Directement. Aller droit au fait. ■ nm Pied ou poing droit dans les sports. ■ nf 1 GEOM Ligne droite. 2 Le côté droit, la partie droite, la main droite. 3 En politique, ensemble des conservateurs modérés ou virulents (extrême droite).

droitier, ère a, n 1 Qui se sert habituellement de sa main droite. 2 De la droite politique.

droiture nf Honnêteté, sincérité.

drolatique a Litt Comique.

drôle a 1 Plaisant, comique. 2 Singulier, curieux, bizarre. Une drôle d'histoire.

drôlement av 1 De façon drôle. 2 Fam Extrêmement.

drôlerie nf Bouffonnerie, facétie.

dromadaire nm Chameau à une seule bosse.

drop-goal [dʀɔpgol] ou **drop** nm Au rugby, coup de pied en demi-volée qui projette le ballon entre les poteaux. Des drop-goals.

drosera [-ze-] nf Petite plante carnivore.

drosophile nf Mouche du vinaigre.

drosser vt Entraîner un navire vers la côte.

dru, drue a Épais, touffu. Blés drus. ■ av En grande quantité. La grêle tombe dru.

drugstore [dʀœgstɔʀ] nm Magasin composé d'un restaurant, d'un bar et de stands divers.

druide nm HIST Ancien prêtre celte.

drupe nf BOT Fruit charnu à noyau contenant l'amande.

dry [dʀaj] a inv Sec en parlant du champagne. ■ nm inv Cocktail (vermouth blanc sec et gin).

dryade nf MYTH Nymphe des forêts.

du art Article contracté pour de le.

dû, due a Que l'on doit. Chose promise, chose due. ■ nm Ce qui est dû. Réclamer son dû.

dual, ale, aux a Qui présente une dualité.

dualisme nm PHILO Système qui admet la coexistence de deux principes irréductibles (le corps et l'âme, par ex.).

dualité nf Caractère double.

dubitatif, ive a Qui exprime le doute ; sceptique.

duc nm 1 Titre de noblesse le plus élevé, sous l'Ancien Régime. 2 Nom courant de divers hiboux (grand duc, moyen duc et petit duc).

ducal, ale, aux a Propre à un duc, à une duchesse.

duché nm Étendue de territoire à laquelle le titre de duc est attaché.

duchesse nf 1 Femme qui possède un duché. 2 Épouse d'un duc. 3 Variété de poire.

ductile a Qui peut être étiré sans se rompre.

duel nm 1 Combat, devant témoins, entre deux personnes. 2 GRAM Nombre qui désigne deux choses, deux personnes, deux choses.

duelliste nm Qui se bat en duel.

duettiste n Qui chante ou joue en duo.

duffel-coat [dœfœlkot] nm Manteau trois-quarts à capuchon. Des duffel-coats.

dugong nm Gros mammifère marin.

dulcicole ou **dulçaquicole** a BIOL Qui vit dans les eaux douces.

dulcinée nf Fam Femme dont on est épris.

dûment av Selon les formes prescrites.

dumper [dœmpœr] nm Tombereau automoteur à benne basculante.

dumping [dœmpiŋ] nm Pratique consistant à vendre sur le marché extérieur moins cher que sur le marché national.

dune nf Colline de sable accumulé par les vents au bord de mer ou dans les déserts.

dunette nf Superstructure élevée à l'arrière d'un navire.

duo nm Composition pour deux voix ou deux instruments.

duodécimal, ale, aux a Qualifie un système de numération à base 12.

duodénum [-nɔm] nm Portion de l'intestin grêle qui fait suite à l'estomac.

duopole nm ECON Marché où les acheteurs se trouvent en présence de deux vendeurs.

dupe nf Litt Personne trompée ou facile à tromper. ■ a Loc Être dupe : être naïvement trompé.

duper vt Litt Tromper.

duperie nf Litt Action de duper.

duplex nm 1 Système de télécommunication permettant la réception et l'envoi des messages. 2 Appartement sur deux étages reliés par un escalier intérieur.

duplicata nm inv Copie d'un document.

duplication nf Action de dupliquer.

duplicité nf Hypocrisie, fausseté.

dupliquer vt Faire un duplicata, une copie d'un texte.

duquel. V. lequel.

dur, dure a 1 Difficile à entamer, à mâcher. 2 Dépourvu de mœlleux. 3 Difficile. Un problème dur. Un plat dur à digérer. 4 Résistant. Être dur à la fatigue. 5 Pénible. Un hiver dur. 6 Déplaisant, sans harmonie. Un visage dur. 7 Sans indulgence, sans douceur. Loc Eau dure : très calcaire. Être dur d'oreille : entendre mal. Avoir la tête dure : être têtu. ■ av Fam Énergiquement, intensément. Taper dur. Il gèle dur. ■ n 1 Fam Qui ne recule devant rien. 2 Intransigeant. ■ nf Loc Coucher sur la dure : à même le sol. À la dure : rudement.

durable a Qui peut durer, stable.

durant prép Au cours de, pendant.

durcir vt Rendre plus dur. ■ vpr, vi Devenir dur.

durcissement nm Action de durcir, de se durcir.

durcisseur nm Produit qui sert à faire durcir une substance.

durée nf Espace de temps que dure une chose.

durement av De façon dure, pénible.

dure-mère nf ANAT La plus externe des trois enveloppes qui forment les méninges.

durer vi 1 Continuer. L'entretien a duré une heure. 2 Se prolonger, persister. La pluie dure. 3 Se conserver. Ces chaussures ont duré un an. 4 Sembler long. Le temps me dure.

dureté nf 1 Qualité dure. 2 Manque de douceur. 3 Caractère pénible. La dureté d'un climat. 4 Insensibilité, sévérité.

durillon nm Callosité sur la paume des mains ou la plante des pieds.

durit [-Rit] ou **durite** nf (n déposé) Tube de caoutchouc qui raccorde les canalisations des moteurs à explosion.

duvet nm 1 Plume très légère. 2 Poil fin et tendre de certains mammifères. 3 Sac de couchage bourré de duvet. 4 Peau cotonneuse de certains fruits.

duveté, ée ou **duveteux, euse** a Couvert de duvet, qui a un aspect.

dynamique a 1 Relatif aux forces et aux mouvements qu'elles engendrent. Ant. statique. 2 Qui manifeste de l'énergie, de l'entrain, de la vitalité. ■ nf Partie de la mécanique qui traite des forces. **Loc** *Dynamique de groupe* : étude du comportement des groupes et de leur dynamisme interne.

dynamiser *vt* Donner du dynamisme.

dynamisme *nm* Puissance d'action, activité entraînante.

dynamite *nf* Explosif constitué de nitroglycérine.

dynamiter *vt* Faire sauter à la dynamite.

dynamo *nf* Génératrice de courant continu.

dynamoélectrique *a* Qui transforme l'énergie cinétique en électricité (machine).

dynamomètre *nm* Appareil servant à la mesure des forces.

dynastie *nf* Succession de souverains, d'hommes illustres, d'une même famille.

dynastique *a* D'une dynastie.

dyne *nf* PHYS Unité de mesure des forces.

dysenterie [-sã-] *nf* Maladie infectieuse caractérisée par des diarrhées.

dysfonctionnement *nm* Trouble dans le fonctionnement de qqch.

dysgraphie *nf* Trouble de l'écriture.

dysharmonie *nf* Absence d'harmonie.

dysharmonique *a* Sans harmonie.

dyslexie *nf* MED Trouble de la lecture.

dysménorrhée *nf* MED Menstruation difficile et douloureuse.

dysorthographie *nf* Trouble de l'orthographe.

dyspepsie *nf* MED Digestion douloureuse et difficile.

dyspnée *nf* MED Trouble de la respiration.

dytique *nm* Coléoptère carnivore des eaux stagnantes.

e

e *nm* Cinquième lettre (voyelle) de l'alphabet.

eau *nf* **1** Substance liquide transparente, inodore et sans saveur à l'état pur. *Eau de source, de pluie.* **2** Toute masse plus ou moins considérable de ce liquide (mer, rivière, lac, etc.). *Le bord de l'eau.* **3** Préparation aqueuse utilisée en médecine, en parfumerie et dans l'industrie. *Eau de Cologne. Eau oxygénée.* **4** Sueur, salive. *Être en eau. L'eau vient à la bouche.* **5** Transparence, éclat d'une pierre précieuse. ■ *pl* **1** Eaux qui possèdent des vertus curatives ou bienfaisantes. **2** MED Liquide amniotique. **Loc** **Grandes eaux :** aménagements des bassins avec jets d'eaux ; ces eaux jaillissantes.

eau-de-vie *nf* Liqueur alcoolique extraite par distillation du jus fermenté de fruits, de plantes ou de grains. *Des eaux-de-vie.*

eau-forte *nf* **1** Acide nitrique dont se servent les graveurs. **2** Gravure obtenue par l'action de cet acide sur une plaque servant à l'impression. *Des eaux-fortes.*

ébahir *vt* Frapper d'étonnement.

ébahissement *nm* Étonnement, très grande surprise.

ébarber *vt* Enlever les barbes, les irrégularités, les bavures de.

ébats *nmpl* Litt Mouvements, jeux de qqn qui s'ébat.

ébattre (s') *vpr* 77 S'amuser, se divertir en se donnant du mouvement.

ébauche *nf* **1** Première forme donnée à une œuvre, à un ouvrage, à une pièce. *L'ébauche d'un sourire.* **2** Commencement d'une chose, amorce. *L'ébauche d'un sourire.*

ébaucher *vt* **1** Donner une première forme à un ouvrage. *Ébaucher un roman.* **2** Commencer, esquisser. *Ébaucher un sourire.*

ébène *nf* **1** Bois de l'ébénier, dur, très dense, noir. **2** Couleur d'un noir éclatant. *Chevelure d'ébène.*

ébénier *nm* Arbre exotique fournissant l'ébène. **Loc** **Faux ébénier :** cytise.

ébéniste *nm* Ouvrier, artisan qui fabrique des meubles de luxe.

ébénisterie *nf* Travail, art de l'ébéniste.

éberlué, ée *a* Très étonné, stupéfait.

éblouir *vt* **1** Troubler la vue de qqn par une lumière trop vive. *Le soleil l'éblouissait.* **2** Séduire par une apparence brillante mais trompeuse. **3** Susciter l'admiration, l'émerveillement.

éblouissant, ante *a* Qui éblouit.

éblouissement *nm* **1** Gêne dans la perception visuelle, causée par une lumière trop vive. **2** Trouble de la vue dû à un malaise. **3** Émerveillement.

ébonite *nf* Matière dure et isolante composée de caoutchouc et de soufre.

éborgner *vt* Rendre borgne.

éboueur *nm* Employé chargé de ramasser les ordures ménagères.

ébouillanter *vt* Tremper dans l'eau bouillante. ■ *vpr* Se brûler avec un liquide bouillant.

éboulement *nm* **1** Fait de s'ébouler. **2** Éboulis.

ébouler *vt* Provoquer la chute, l'effondrement de qqch. ■ *vpr* S'affaisser, s'effondrer en se désagrégeant.

éboulis *nm* Amas de matériaux éboulés.

ébourgeonner *vt* Ôter les bourgeons inutiles.

ébouriffant, ante *a* Fam Extraordinaire, renversant. *Un succès ébouriffant.*

ébouriffer *vt* **1** Rebrousser en désordre les cheveux. **2** Fam Stupéfier.

ébranlement *nm* **1** Mouvement provoqué par une secousse, par un choc. **2** Menace de ruine, d'effondrement. **3** Commotion nerveuse.

ébranler *vt* **1** Provoquer des secousses, des vibrations dans qqch. **2** Rendre moins stable, moins solide. **3** Rendre qqn moins ferme dans ses convictions, ses sentiments. ■ *vpr* Se mettre en mouvement.

ébrécher *vt* 121 Abîmer en faisant une brèche. **2** Diminuer, entamer.

ébréchure *nf* Partie ébréchée.

ébriété *nf* Ivresse. *Conduite en état d'ébriété.*

ébrouer (s') *vpr* **1** En parlant d'un cheval, expirer fortement en faisant vibrer ses naseaux. **2** Se secouer pour se nettoyer, se sécher.

ébruiter *vt* Divulguer, rendre public. ■ *vpr* Se propager. *La nouvelle s'est ébruitée.*

ébullition *nf* **1** État d'un liquide qui bout. **2** Surexcitation, vive agitation.

écaille *nf* **1** Chacune des plaques minces recouvrant le corps de certains animaux. **2** Valve de coquillage. *Une écaille d'huître.* **3** Matière cornée tirée de la carapace de certaines tortues de mer. **4** Fine lamelle qui se détache d'une surface qui s'effrite.

1. écailler *vt* **1** Enlever les écailles de. **2** Ouvrir un coquillage bivalve. ■ *vpr* Se détacher par plaques minces. *La peinture s'écaille.*

2. écailler, ère *n* Qui vend, qui ouvre des huîtres et autres coquillages.

écale *nf* Enveloppe recouvrant la coque dure des noix, des amandes, etc.

écaler *vt* Enlever l'écale de.

écarlate *nf* **1** Colorant rouge vif. **2** Vx Étoffe teinte de cette couleur. ■ *a* Rouge vif.

écarquiller *vt* Ouvrir tout grands les yeux.

écart *nm* **1** Différence, variation, décalage par rapport à un point de référence. **2** Action de s'écarter de sa direction, sa position, de la règle. **3** Groupe de maisons éloigné de l'agglomération communale. **Loc** *Faire le grand écart :* écarter les jambes tendues, jusqu'à ce qu'elles touchent le sol sur toute leur longueur.

écarté, ée *a* Situé à l'écart. ■ *nm* Jeu de cartes.

écartèlement *nm* HIST Supplice consistant à arracher les membres d'un condamné en les faisant tirer par quatre chevaux.

écartement *nm* **1** Action d'écarter, de s'écarter. **2** Espace qui sépare des choses.

écarter *vt* **1** Séparer, éloigner des choses jointes ou rapprochées. **2** Déplacer des choses qui gênent le passage, la vue. **3** Repousser, chasser, éliminer. **4** Détourner sa voie. ■ *vpr* **1** S'éloigner de qqn, de qqch. **2** Se détourner de.

ecce homo [ɛksəomo] *nm inv* Tableau ou statue du Christ couronné d'épines.

ecchymose [-ki-] *nf* Marque cutanée bleuâtre, souvent causée par un coup.

ecclésiastique *a* Relatif à l'Église, au clergé. ■ *nm* Membre du clergé.

écervelé, ée *a, n* Qui est sans jugement, sans prudence ; étourdi.

échafaud *nm* **1** Plate-forme dressée sur la place publique pour l'exécution des condamnés à mort ; guillotine. **2** Peine de mort.

échafaudage *nm* **1** Construction provisoire faite de planches, de perches et de traverses pour édifier ou rénover un bâtiment. **2** Amas de choses entassées. **3** Assemblage d'idées, d'arguments.

échafauder *vi* Monter un échafaudage. ■ *vt* Édifier en esprit ; combiner.

échalas [-la] *nm* **1** Piquet fiché en terre pour soutenir un cep de vigne, etc. **2** Fam Personne grande et maigre.

échalote *nf* Plante potagère proche de l'oignon.

échancrer *vt* Creuser le bord ; tailler en arrondi ou en V. *Échancrer une robe.*

échancrure *nf* Partie échancrée, découpure. *Échancrure d'un corsage.*

échange *nm* **1** Action d'échanger. **2** BIOL Transfert réciproque de substances entre l'organisme, la cellule, et le milieu extérieur. **3** SPORT Série de balles après un service. **Loc** *En échange :* en contrepartie, par compensation.

échanger *vt* **11 1** Donner une chose et en obtenir une autre à la place. *Échanger des livres.* **2** S'adresser, se remettre réciproquement. *Échanger une correspondance.*

échangeur, euse *nm, a* **1** Récipient où s'opère un transfert de chaleur entre un fluide chaud et un fluide froid. **2** Ouvrage de raccordement de routes ou d'autoroutes qui évite aux usagers toute intersection à niveau des voies.

échangisme *nm* Échange de partenaire sexuel entre les couples.

échanson *nm* Officier chargé de servir à boire à un roi, à un prince.

échantillon 242

échantillon nm 1 Petite quantité d'une marchandise, qui sert à faire apprécier la qualité de celle-ci. 2 Spécimen, exemple aperçu. 3 STATIS Ensemble d'individus choisis comme représentatifs d'une population.

échantillonnage nm 1 Assortiment d'échantillons. 2 Action d'échantillonner.

échantillonner vt Prélever, choisir des échantillons de choses, de personnes.

échappatoire nf Moyen habile et détourné pour se tirer d'une difficulté.

échappée nf 1 Action menée par un ou plusieurs coureurs qui distancent le peloton. 2 Litt Court voyage de détente. 3 Espace resserré mais par lequel la vue peut porter au loin.

échappement nm 1 Mécanisme oscillant, régulateur d'un mouvement d'horlogerie. 2 Évacuation des gaz de combustion d'un moteur ; système qui permet cette évacuation.

échapper vti 1 S'enfuir, se soustraire à. *Échapper à la surveillance d'un gardien.* 2 N'être plus tenu, retenu. *Le vase m'a échappé des mains.* 3 Se sauver ou être sauvé de ; être exempt de. *Échapper à un accident. Il échappe à toute critique.* 4 Ne pas être perçu, compris. *Ce détail m'a échappé.* ■ vpr 1 S'enfuir, s'évader. *Les détenus se sont échappés.* 2 Sortir, se répandre. *Fumée qui s'échappe d'un conduit.* 3 Se dissiper, disparaître. *Il a vu s'échapper ses illusions.*

écharde nf Petit éclat de bois, entré dans la peau par accident.

écharpe nf 1 Bande d'étoffe qui sert d'insigne de certaines dignités, de certaines fonctions. 2 Bandage passé au cou pour soutenir un bras blessé. 3 Bande d'étoffe, de tricot, qui se porte sur les épaules ou autour du cou. **Loc En écharpe :** obliquement, de biais.

écharper vt Mettre en pièces, maltraiter très durement.

échasse nf Chacun des deux longs bâtons munis d'un étrier où l'on pose le pied pour marcher au-dessus du sol.

échassier nm ZOOL Oiseau à pattes longues et à long cou tel que le héron, la cigogne, etc.

échauder vt 1 Jeter de l'eau chaude sur ; plonger dans l'eau chaude ou bouillante. 2 Causer une brûlure avec un liquide très chaud. 3 Fam Faire subir à qqn une mésaventure lui servant de leçon.

échauffement nm Action d'échauffer ; fait de s'échauffer.

échauffer vt 1 Rendre chaud, spécial. de manière inhabituelle ou excessive. *Frottement qui échauffe un essieu.* 2 Animer, exciter. *La nouvelle échauffa les esprits.* ■ vpr 1 S'animer, s'exciter. *La conversation soudain s'échauffe.* 2 SPORT Se préparer avant une épreuve par des exercices de mise en condition physique.

échauffourée nf Affrontement inopiné et confus entre deux groupes d'adversaires.

échauguette nf Guérite de pierre placée en encorbellement sur une muraille fortifiée.

èche. V. esche.

échéance nf Date à laquelle un paiement, une obligation, un engagement vient à exécution ; délai.

échéancier nm 1 Registre où sont inscrits par ordre d'échéance les effets à payer ou à recevoir. 2 Ensemble de délais à respecter.

échéant, ante a Loc **Le cas échéant :** si le cas se présente, à l'occasion.

échec nm Insuccès, revers, défaite. ■ pl Jeu qui se joue sur un échiquier, et qui oppose deux adversaires disposant chacun de seize pièces.

échelle nf 1 Appareil constitué de deux montants réunis par des traverses qui permettent de monter ou de descendre. 2 Série de niveaux selon lesquels s'organise une hiérarchie. *Situer qqn dans l'échelle sociale.* 3 MUS Succession des sons produits par les instruments ou des voix. 4 Ensemble de graduations d'un instrument ou d'un tableau de mesures ; mode de graduation des phénomènes mesurés. 5 Rapport des dimensions figurées sur un plan, avec les dimensions de la réalité. *Ce plan est à l'échelle de 1/50 000.* 6 Proportion, importance ; adaptation à la dimension de qqch. *Un produit fabriqué sur une grande échelle, à l'échelle nationale.*

échelon nm 1 Barreau d'une échelle. 2 Degré dans une série, une hiérarchie. 3 Degré d'avancement d'un fonctionnaire à l'intérieur d'un même grade. 4 Chacun des niveaux de décision d'une administration, d'une entreprise. *Initiatives prises à l'échelon communal.*

échelonner vt Placer de distance en distance, ou à des dates successives.

écheniller vt 1 Ôter les chenilles de. 2 Supprimer ce qui est inutile ; élaguer.

écheveau nm 1 Longueur de fil roulée en cercle ou repliée sur elle-même. *Écheveau de laine.* 2 Ensemble compliqué, embrouillé.

échevelé, ée a 1 Dont la chevelure est en désordre. 2 Débridé, effréné.

échevin nm Magistrat municipal, en Belgique.

échidné [-ki-] nm ZOOL Mammifère d'Australie, au corps couvert de piquants.

échine nf 1 Colonne vertébrale. 2 Morceau du haut du dos du porc.

échiner (s') vpr Fam Se fatiguer, se donner de la peine.

échinoderme [eki-] nm ZOOL Animal marin appartenant au même embranchement que les oursins, les étoiles de mer, etc.

échiquier nm 1 Tableau divisé en 64 cases alternativement blanches et noires, et sur lequel on joue aux échecs. 2 Lieu, domaine où s'opposent les partis, les forces. *L'échiquier économique.* 3 En Grande-Bretagne, administration financière centrale.

écho [eko] nm 1 Phénomène de répétition d'un son par réflexion sur une paroi ; son ainsi répété. 2 Lieu où ce phénomène se produit. 3 Onde électromagnétique réfléchie ou diffusée par un obstacle et revenant vers sa source. *Un écho enregistré au radar.* 4 Propos répétés. *J'ai eu des échos de la conduite.* 5 Nouvelle, information locale donnée dans les journaux.

échographie [-ko-] nf Méthode d'exploration médicale utilisant la réflexion des ultrasons par les organes.

échoir vti 50 [aux avoir ou être] Litt Être dévolu par le sort à. ■ vi Arriver à échéance.

échoppe nf Petite boutique, le plus souvent faite de planches et adossée à un mur.

échosondage [-ko-] nm Mesure de la profondeur marine par la réflexion des ondes acoustiques.

échotier [-ko-] nm Rédacteur chargé des échos dans un journal.

échouage nm 1 Situation d'un navire que l'on échoue volontairement. 2 Endroit où l'on peut échouer des bateaux sans danger.

échouement nm Fait d'échouer involontairement.

échouer vi 1 Toucher le fond et cesser de flotter (navire). 2 Aboutir en un lieu sans l'avoir vraiment voulu. 3 Ne pas réussir. *Il a échoué à l'examen.* ■ vt Faire échouer volontairement un navire. ■ vpr S'immobiliser en touchant accidentellement le fond.

écimer vt Couper la cime d'un végétal.

éclabousser vt 1 Faire rejaillir un liquide, de la boue sur. 2 Causer un dommage, un préjudice par contrecoup.

éclaboussure nf 1 Liquide salissant qui a rejailli. 2 Dommage subi par contrecoup.

éclair nm 1 Lumière violente et brève provoquée par une décharge électrique entre deux nuages. 2 Vive lueur, rapide et passagère. 3 Ce qui a la vivacité, la rapidité de l'éclair. *Avoir un éclair de lucidité.* 4 Petit gâteau allongé. ■ a inv Très rapide. *Voyage éclair.*

éclairage nm 1 Action, manière d'éclairer à l'aide d'une lumière artificielle. 2 Dispositif servant à éclairer. 3 Manière dont une chose est considérée.

éclairagiste nm Spécialiste de l'éclairage.

éclaircie nf 1 Espace clair dans un ciel nuageux ; interruption momentanée du temps pluvieux. 2 Amélioration momentanée d'une situation. 3 Opération consistant à diminuer le nombre d'arbres dans un bois.

éclaircir vt 1 Rendre plus clair. *Éclaircir une teinte. Éclaircir sa pensée.* 2 Rendre moins dense. *Éclaircir une forêt.* ■ vpr Devenir plus clair, plus intelligible.

éclaircissement nm 1 Action de rendre moins sombre. 2 Explication d'une chose difficile à comprendre ou qui prête à équivoque.

éclairé, ée a 1 Cultivé, instruit. *Un public éclairé.* 2 Sensé, avisé. *Un avis éclairé.*

éclairement *nm* 1 Quotient du flux lumineux par unité de surface. 2 Manière dont une surface est éclairée.

éclairer *vt* 1 Répandre de la clarté, de la lumière sur. 2 Procurer de la lumière à. 3 Rendre plus clair, plus lumineux. 4 Renseigner, mettre qqn en état de comprendre. 5 Rendre intelligible. 6 MILIT Reconnaître au préalable un itinéraire par l'envoi d'éclaireurs. ■ *vpr* Devenir intelligible.

éclaireur, euse *n* Membre d'une organisation laïque de scouts. ■ *nm* Soldat envoyé pour reconnaître la nature, une position.

éclat *nm* 1 Fragment détaché d'un corps dur. 2 Son, bruit soudain, plus ou moins violent. *Des éclats de voix.* 3 Manifestation violente, scandale. *On craint qu'il ne fasse un éclat.* 4 Vive lumière. 5 Vivacité d'une couleur. 6 Ce qui frappe dans des qualités brillantes. **Loc Action d'éclat :** remarquable, dont on parle.

éclatant, ante *a* 1 Qui brille avec éclat. *Lumière éclatante.* 2 Sonore, retentissant. *Un son éclatant.* 3 Qui se manifeste avec évidence. *Victoire éclatante.*

éclaté, ée *a* Dispersée, sans cohésion. *Projets éclatés.* ■ *nm* Dessin représentant les parties d'un ensemble complexe.

éclatement *nm* Action d'éclater.

éclater *vi* 1 Se rompre, se briser avec violence et par éclats. *La bombe a éclaté.* 2 Se séparer en plusieurs éléments. 3 Faire entendre un bruit soudain et violent. *Des applaudissements éclatèrent.* 4 Manifester un sentiment brusquement et bruyamment. *Éclater de rire. Éclater en sanglots.* 5 Se produire d'une manière soudaine et violente. *Une révolte éclata.* 6 Se manifester avec évidence. *Faire éclater la vérité.* ■ *vpr* Fam S'amuser sans retenue.

éclectique *a, n* Qui fait preuve d'éclectisme.

éclectisme *nm* Grande diversité de goût amenant à des choix variés, sans exclusion.

éclipse *nf* 1 ASTRO Disparition momentanée d'un astre lorsqu'un autre interpose les rayons lumineux qui l'éclairent. 2 Disparition ou défaillance momentanée.

éclipser *vt* 1 ASTRO Provoquer une éclipse. 2 Empêcher de paraître, en attirant sur soi toute attention. *Éclipser ses partenaires.* ■ *vpr* Partir discrètement ; s'esquiver. *S'éclipser d'une réunion.*

écliptique *nm* ASTRO Plan de l'orbite de la Terre autour du Soleil.

éclisse *nf* 1 Lame d'osier, de châtaignier, etc., utilisée notamment en vannerie. 2 Support d'osier pour l'égouttage du fromage. 3 Syn de **attelle.** 4 Pièce servant à relier deux rails.

éclopé, ée *a, n* Qui marche avec peine à cause d'une blessure.

éclore *vi 53* [aux *être* ou *avoir*] 1 Naître d'un œuf. 2 S'ouvrir pour donner naissance à un animal (œufs). 3 Commencer à s'ouvrir (fleurs). 4 Litt Naître, paraître, se manifester.

écloserie *nf* Établissement d'aquaculture spécialisé dans la reproduction.

éclosion *nf* Fait d'éclore ; apparition.

écluse *nf* Ouvrage étanche permettant au passage d'un bief à un autre.

écluser *vt* Faire passer un bateau d'un bief à l'autre par une écluse.

éclusier, ère *n* Préposé à la garde et à la manœuvre d'une écluse. ■ *a* Relatif à une écluse.

écobuer *vt* Arracher la végétation sauvage, la brûler et utiliser les cendres comme engrais.

écœurement *nm* Fait d'écœurer ; état d'une personne écœurée.

écœurer *vt* 1 Soulever le cœur de dégoût. 2 Provoquer la répugnance, le découragement.

éco-industrie *nf* Industrie visant à réduire la pollution, à protéger l'environnement. *Des éco-industries.*

école *nf* 1 Établissement où l'on dispense un enseignement collectif. 2 Ensemble des élèves et des professeurs d'un tel établissement. 3 Ce qui est propre à instruire, à former. *S'instruire à l'école de la vie.* 4 Ensemble des adeptes d'un même maître, d'une même doctrine ; cette doctrine elle-même.

écolier, ère *n* Enfant qui fréquente une école primaire.

écologie nf **1** Science qui étudie les conditions d'existence d'un être vivant et les rapports qui s'établissent entre cet être et son environnement. **2** Protection de la nature, de l'environnement.

écologique a De l'écologie.

écologisme nm Mouvement qui vise à la défense de l'environnement.

écologiste n **1** Personne attachée à la protection de la nature et des équilibres biologiques. **2** Syn de écologue.

écologue n Biologiste spécialiste d'écologie.

écomusée nm Établissement de recherche et de conservation des biens naturels.

éconduire vt 67 Repousser avec plus ou moins de ménagements ; ne pas agréer.

économe a Qui dépense avec mesure. ■ n Personne chargée de l'administration matérielle d'un établissement, d'une communauté.

économie nf **1** Soin à ne dépenser que ce qui convient. **2** Ce qui est épargné. *Économie de temps, d'énergie.* **3** Administration, gestion d'une maison, d'un ménage, d'un bien. *Économie domestique.* **4** Ensemble des faits relatifs à la production, à la circulation, à la répartition et à la consommation des richesses dans une société ; science qui étudie les phénomènes. **5** Distribution des parties d'un tout, coordination d'ensemble. **Loc** *Économie sociale :* secteur constitué par les coopératives, les mutuelles, etc. ■ pl Argent épargné.

économique a **1** De l'économie. *Doctrines économiques.* **2** Qui réduit la dépense, qui coûte peu. *Un logement économique.*

économiser vt **1** Épargner. *Économiser l'énergie.* **2** Ménager. *Économiser ses forces.* ■ vi Mettre de l'argent de côté.

économiseur nm Dispositif permettant une économie de combustible, d'électricité, etc.

économiste n Spécialiste d'économie.

écope nf Pelle creuse servant à écoper.

écoper vt Vider l'eau d'une embarcation à l'aide d'une écope. ■ vt, vti Fam Subir une punition. *Il a écopé (de) trois ans de prison.*

écorce nf **1** Épaisse enveloppe des troncs et des branches des arbres. **2** Peau épaisse de divers fruits. *Écorce d'orange.* **Loc GÉOL** *Écorce terrestre :* syn de croûte terrestre.

écorcer vt **10 1** Retirer l'écorce de. *Écorcer un arbre.* **2** Peler, décortiquer.

écorché, ée n **Loc** *Écorché vif :* dont la sensibilité est à fleur de peau. ■ nm Figure, gravure, statue, etc., représentant un homme ou un animal dépouillé de sa peau.

écorcher vt **1** Dépouiller de sa peau. *Écorcher un lapin.* **2** Blesser superficiellement, égratigner. **3** Fam Réclamer un prix trop élevé à un client. **4** Prononcer d'une manière incorrecte.

écorcheur nm **1** Qui écorche les bêtes mortes. **2** Fam Qui fait payer trop cher.

écorchure nf **1** Plaie superficielle de la peau. **2** Légère éraflure à la surface d'une chose.

écorner vt **1** Rompre une corne ou les cornes à un animal. **2** Casser, déchirer un coin d'un objet. *Écorner un livre.* **3** Diminuer, entamer un bien. *Écorner son patrimoine.*

écornure nf Morceau d'un objet écorné.

écossais, aise n, a D'Écosse. ■ a, nm Se dit d'une étoffe à carreaux de couleurs.

écosser vt Enlever la cosse de.

écosystème nm Ensemble écologique constitué par un milieu et des êtres vivants.

écot nm Litt Quote-part due pour un repas.

écotoxique a Toxique pour l'environnement.

écoulement nm **1** Action de s'écouler ; mouvement d'un fluide qui s'écoule. **2** Possibilité de vente ; vente, débit.

écouler vt **1** Vendre, débiter une marchandise jusqu'à épuisement. **2** Mettre en circulation. *Écouler de faux billets.* ■ vpr **1** Couler hors de quelque endroit (liquides). **2** Passer, disparaître progressivement.

écourter vt Rendre plus court.

écoutant, ante n Qui écoute au téléphone les appels des gens en détresse.

écoute nf **1** Action d'écouter une émission radiophonique ou de télévision. *Heure de grande écoute.* **2** Capacité à écouter autrui. **3** Cordage assujetti au coin inférieur d'une voile. **Loc** *Écoutes téléphoniques :* interception d'une communication à l'insu des interlocuteurs.

écouter vt **1** Prêter l'oreille pour entendre. **2** Prêter attention à l'avis de qqn, suivre un avis. ■ *vpr* Être trop attentif à soi-même, à sa santé.

écouteur nm Dispositif qui transmet les sons du téléphone, de la radio, etc.

écoutille nf Ouverture pratiquée sur le pont d'un navire pour donner accès aux cales.

écouvillon nm Brosse fixée à une longue tige, pour nettoyer l'intérieur des récipients étroits.

écrabouiller vt Fam Écraser complètement, réduire en bouillie.

écran nm **1** Objet interposé pour dissimuler ou protéger. **2** Surface sur laquelle apparaissent des images, des textes, des données informatiques. **3** L'art cinématographique. *Les vedettes de l'écran.* **Loc** *Le petit écran :* la télévision.

écrasant, ante a **1** Très lourd, difficile à supporter. **2** Très supérieur. *Majorité écrasante.*

écrasement nm Action d'écraser.

écraser vt **1** Aplatir, déformer par une forte compression, un coup violent ; broyer. **2** Vaincre, anéantir. *L'armée fut écrasée.* **3** Faire supporter une charge excessive à. *Écraser le peuple d'impôts.*

écrémer vt **1** Enlever la crème du lait. **2** Prendre ce qu'il y a de meilleur dans.

écrêter vt **1** Abaisser la crête de. **2** Supprimer la partie la plus élevée. *Écrêter les revenus.*

écrevisse nf Crustacé d'eau douce, à fortes pinces, qui rougit à la cuisson.

écrier (s') vpr Dire en criant, en s'exclamant.

écrin nm Petit coffret où l'on dispose des bijoux, des objets précieux.

écrire vt **1** Tracer, former des lettres, des caractères. **2** Orthographier. *Comment écrivez-vous ce mot ?* **3** Mettre, noter, consigner par écrit. *Écrire son adresse.* **4** Rédiger, composer un texte. *Écrire un roman.* ■ *vi* Faire le métier d'écrivain.

écrit, ite a **1** Tracé. *Un mot mal écrit.* **2** Couvert de signes d'écriture. *Papier écrit des deux côtés.* **3** Noté par écrit. *Langue écrite et langue parlée.* **4** Décidé par le sort. ■ nm **1** Papier, parchemin sur lequel est écrit qqch ; ce qui est écrit. **2** Ouvrage de l'esprit. *Les écrits de Hugo.* **3** Épreuves écrites d'un examen (par oppos. à l'oral).

écriteau nm Inscription destinée au public.

écritoire nf Coffret ou plateau contenant ce qu'il faut pour écrire.

écriture nf **1** Représentation des mots, des idées, du langage au moyen de signes. **2** Caractères écrits, forme des lettres tracées. **3** Manière particulière à chacun de former les lettres. *J'ai reconnu son écriture.* **4** Manière de s'exprimer par écrit ; style. *Une écriture simple.* **Loc** *L'Écriture sainte, les Saintes Écritures :* l'Ancien et le Nouveau Testament, la Bible. ■ pl Comptabilité, correspondance d'un commerçant, d'un industriel, d'une administration.

écrivaillon nm Fam Écrivain sans talent.

écrivain nm Qui compose des ouvrages littéraires, scientifiques, etc. **Loc** *Écrivain public :* qqn, moyennant rémunération, se charge d'écrire pour les illettrés.

écrivassier, ère n Qui a la manie d'écrire.

écrou nm Pièce dont l'intérieur est fileté de façon à recevoir une vis, un boulon. **Loc** *Levée d'écrou :* acte qui remet un prisonnier en liberté.

écrouer vt DR Emprisonner.

écroulement nm **1** Chute de ce qui s'écroule. **2** Ruine complète, soudaine.

écrouler (s') vpr **1** Tomber en s'affaissant, de toutes ses masses et avec fracas. *La tour s'est écroulée.* **2** S'anéantir, tomber en décadence. **3** Avoir une défaillance brutale.

écru, ue a Qui n'a pas subi le blanchiment (tissu).

ectoplasme nm **1** Forme visible que résulterait de l'émanation psychique de certains médiums. **2** Fam Individu sans personnalité, insignifiant.

écu nm 1 Bouclier des hommes d'armes au Moyen Âge. 2 Figure portant des armoiries. 3 Ancienne monnaie, généralement d'argent. 4 Ancienne monnaie de compte de la C.E.E.

écueil nm 1 Rocher ou banc de sable à fleur d'eau. 2 Obstacle, cause possible d'échec.

écuelle nf Assiette épaisse et creuse, sans rebord ; son contenu.

éculé, ée a 1 Très usé, déformé. *Des bottes éculées.* 2 Qui a trop servi. *Une plaisanterie éculée.*

écume nf 1 Mousse blanchâtre se formant à la surface d'un liquide. 2 Bave mousseuse de certains animaux. 3 Sueur du cheval. Loc *Écume de mer* : silicate de magnésium d'un blanc pur ; sépiolite.

écumer vi 1 Se couvrir d'écume. 2 Être exaspéré. ■ vt 1 Ôter l'écume de la surface d'un liquide. 2 Pratiquer la piraterie, le brigandage.

écumeur nm Loc *Écumeur des mers* : pirate.

écumoire nf Ustensile de cuisine pour écumer.

écureuil nm Petit rongeur arboricole au pelage généralement brun-roux, à la queue en panache.

écurie nf 1 Bâtiment destiné à loger les chevaux. 2 Ensemble des chevaux de course d'un propriétaire. 3 Ensemble des coureurs représentant une même marque (cyclisme ou sport automobile).

écusson nm 1 HERALD Petit écu armorial. 2 MILIT Petite pièce de drap, cousue sur un uniforme, indiquant l'arme et l'unité. 3 Insigne indiquant l'appartenance à un groupe. 4 Plaque ornant l'entrée d'une serrure. 5 AGRIC Greffon constitué par un fragment d'écorce portant un bourgeon.

écuyer, ère n 1 Qui monte à cheval. 2 Professeur d'équitation. 3 Qui fait des exercices équestres dans un cirque. ■ nm HIST Jeune noble au service d'un chevalier.

eczéma nm MED Affection cutanée causant des démangeaisons.

édam [edam] nm Fromage de Hollande.

edelweiss [edɛlvɛs] nm inv Plante montagnarde couverte d'un duvet blanc.

éden [edɛn] nm 1 Nom du paradis terrestre dans la Bible. 2 Litt Lieu de délices.

édenté, ée a, n Qui a perdu ses dents.

édicter vt Prescrire une loi, un règlement.

édicule nm Petite construction utilitaire élevée sur la voie publique.

édifiant, ante a 1 Qui porte à la vertu. 2 Instructif. *Spectacle édifiant.*

édifice nm 1 Grand bâtiment. 2 Ensemble compliqué. *Édifice législatif.*

édifier vt 1 Bâtir un édifice, un monument. 2 Constituer, créer. 3 Porter à la vertu par l'exemple. 4 Renseigner en ôtant toute illusion sur qqn.

édile nm 1 ANTIQ Magistrat romain préposé aux édifices, etc. 2 Magistrat municipal.

édit nm HIST Loi promulguée par un roi ou un gouverneur.

éditer vt 1 Publier un ouvrage. 2 Établir et annoter le texte d'une œuvre qu'on publie. 3 Présenter informatiquement les données d'un traitement de textes.

éditeur, trice n 1 Qui prépare la publication de certains textes. 2 Personne ou société assurant la publication et, le plus souvent, la diffusion d'un ouvrage. ■ nm Programme de traitement de textes.

édition nf 1 Publication et diffusion d'une œuvre écrite. 2 Ensemble des livres ou des journaux publiés en une seule fois. 3 Action d'établir un texte ; texte ainsi édité. 4 Industrie et commerce du livre.

éditorial, ale, aux a De l'édition. ■ nm Article de fond d'un journal, d'une revue, émanant souvent de la direction.

éditorialiste n Qui écrit l'éditorial.

édredon nm Couvre-pieds constitué d'une poche remplie de duvet.

éducateur, trice n, a Qui se consacre à l'éducation.

éducatif, ive a 1 Qui concerne l'éducation. 2 Propre à éduquer.

éducation nf 1 Action de développer les facultés morales, physiques et intellectuelles. 2 Connaissance et pratique des usages (politesse, bonnes manières, etc.) de la société. **3** Action de développer une faculté particulière de l'être humain. *L'éducation du goût.*

édulcorant, ante *a, nm* Se dit d'une substance donnant une saveur sucrée.

édulcorer *vt* **1** Adoucir un médicament, etc., en ajoutant une substance sucrée. **2** Adoucir, atténuer. *Édulcorer un texte.*

éduquer *vt* Donner une éducation à qqn, élever, former.

effacé, ée *a* Qui se tient à l'écart, qui ne se fait pas remarquer.

effacement *nm* **1** Action d'effacer, de s'effacer. **2** Attitude d'une personne effacée.

effacer *vt* **1** Enlever, faire disparaître ce qui est écrit, marqué, enregistré. **2** Faire disparaître, faire oublier. *Le temps efface bien des souvenirs.* ■ *vpr* Se mettre de côté. *Il s'effaça pour la laisser passer.*

effaceur *nm* Feutre permettant d'effacer l'encre.

effarant, ante *a* Qui effare, stupéfiant.

effarement *nm* Stupéfaction.

effarer *vt* Troubler vivement, stupéfier.

effaroucher *vt* **1** Faire fuir un animal en l'effrayant. **2** Mettre qqn en défiance.

effectif, ive *a* Qui est de fait ; tangible, réel. ■ *nm* Nombre des personnes qui composent un groupe, une collectivité.

effectivement *av* Réellement ; en effet.

effectuer *vt* Faire une action plus ou moins complexe ; accomplir. ■ *vpr* Avoir lieu.

efféminé, ée *a* Qui a des apparences, des manières féminines.

efférent, ente *a* ANAT Qui sort d'un organe. Ant. afférent.

effervescence *nf* **1** Bouillonnement de certaines substances au contact de certaines autres, dû à un dégagement de gaz. **2** Émotion vive, agitation.

effervescent, ente *a* Qui est ou peut entrer en effervescence. *Comprimé effervescent.*

effet *nm* **1** Ce qui est produit par une cause ; résultat, conséquence. **2** PHYS Phénomène particulier obéissant à des lois précises. **3** Impression particulière produite par un procédé. *Des effets de style.* **4** Impression produite par qqn. **Loc** *En effet :* effectivement, assuré-

ment ; c'est parce que. *Effet de commerce :* titre portant engagement de payer une somme. ■ *pl* Vêtements. **Loc** *Effets spéciaux :* truquages cinématographiques.

effeuiller *vt* Dépouiller de ses feuilles, de ses pétales.

effeuilleuse *nf* Fam Strip-teaseuse.

efficace *a* **1** Qui produit l'effet attendu. *Un traitement efficace.* **2** Se dit de qqn dont l'action aboutit au résultat attendu. *Un employé efficace.*

efficacité *nf* Qualité efficace.

efficience *nf* Abusiv Rendement, performance.

efficient, ente *a* Abusiv Qui a de l'efficacité, du dynamisme. *Un jeune cadre efficient.* **Loc** PHILO *Cause efficiente :* qui produit un effet.

effigie *nf* Représentation d'un personnage sur une monnaie, une médaille.

effilé, ée *a* Mince et allongé. *Lame effilée.*

effiler *vt* **1** Défaire une étoffe fil à fil. **2** Diminuer progressivement l'épaisseur des cheveux.

effilocher *vt* Déchirer un tissu en tous sens, en arrachant les fils. ■ *vpr* S'effiler par l'usure.

efflanqué, ée *a* Maigre et sec. *Un grand garçon efflanqué.*

effleurer *vt* **1** Toucher légèrement, superficiellement. **2** Ne pas approfondir, examiner superficiellement une question.

effluent, ente *a* Qui s'écoule d'une source, d'un lac. ■ *nm* Fluide qui s'écoule hors de qqch.

effluve *nm* Émanation qui s'exhale d'un corps ; odeur, parfum.

effondrement *nm* Fait de s'effondrer.

effondrer *vt* AGRIC Labourer le sol très profondément. ■ *vpr* **1** S'écrouler. **2** Être soudain anéanti. *Tous ses espoirs se sont effondrés.*

efforcer (s') *vpr* **10** Faire tous ses efforts pour. *S'efforcer de courir.*

effort *nm* **1** Action énergique des forces physiques, intellectuelles ou morales. *Faire tous ses efforts pour vaincre. Un effort d'attention.* **2** Force avec laquelle un corps tend à exercer son action.

effraction *nf* Bris de clôture, fracture de serrure. *Vol avec effraction.*

effraie nf Chouette au ventre clair et aux yeux cernés de plumes.

effranger vt 11 Effiler une étoffe sur le bord pour constituer une frange.

effrayant, ante a 1 Qui effraie, épouvantable. 2 Fam Excessif, très pénible.

effrayer vt 20 Provoquer la frayeur de, épouvanter. ■ vpr Éprouver de la frayeur.

effréné, ée a Sans frein, sans retenue.

effriter vt Désagréger, mettre en morceaux. ■ vpr Se désagréger.

effroi nm Frayeur intense, épouvante.

effronté, ée a, n Impudent, très hardi.

effronterie nf Hardiesse excessive, impudence.

effroyable a 1 Qui cause de l'effroi, de l'horreur, de la répulsion. 2 Fam Excessif, pénible.

effusif, ive a Loc GEOL Roche effusive : résultant d'un magma qui s'est répandu à l'air libre.

effusion nf Vive manifestation d'un sentiment. Effusion de tendresse. Loc Effusion de sang : sang versé, massacre, tuerie.

égailler (s') vpr Se disperser.

égal, ale, aux a 1 Pareil, semblable en nature, en quantité, en qualité, en droit. 2 Qui ne varie pas, uniforme. Humeur égale. 3 Uni, de niveau, régulier. Chemin égal. 4 Indifférent. Tout lui est égal. ■ n Qui est au même rang qu'un autre. Considérer qqn comme son égal.

également av 1 De façon égale. 2 Pareillement, aussi, de même.

égaler vt 1 Être égal à. 2 Atteindre le même niveau que. Égaler un champion.

égalisation nf Action d'égaliser.

égaliser vt 1 Rendre égal. 2 Rendre uni, plan. ■ vi SPORT Obtenir, en cours de partie, le même nombre de points, de buts que l'adversaire.

égalitaire a Qui vise à l'égalité politique et sociale.

égalitarisme nm Doctrine professant l'égalité de tous les hommes.

égalité nf 1 Rapport entre les choses égales ; parité, conformité. 2 Principe selon lequel tous les hommes, possédant une égale dignité, doivent être traités de manière égale.

3 Uniformité d'un mouvement ; modération, mesure du tempérament. 4 État de ce qui est plan, uni.

égard nm Attention, considération particulière pour qqn ou qqch. J'ai cédé par égard pour vous. Il n'a eu aucun égard à ce que je lui ai dit. ■ pl Marques de déférence. Avoir des égards pour les anciens.

égarement nm Fait d'avoir l'esprit égaré.

égarer vt 1 Détourner du bon chemin, fourvoyer. 2 Perdre momentanément qqch. Égarer ses lunettes. 3 Jeter dans l'erreur, détourner du droit chemin. ■ vpr 1 Perdre sa route. 2 S'écarter du bon sens, se tromper.

égayer vt 20 1 Réjouir, rendre gai. 2 Rendre plus agréable, plus gai.

égéen, enne a HIST De la civilisation de l'âge du bronze, en Méditerranée orientale.

égérie nf Litt Inspiratrice, conseillère secrète.

égide nf Loc Sous l'égide de : sous la protection, le patronage de.

églantier nm Rosier sauvage.

églantine nf Fleur de l'églantier.

églefin ou **aiglefin** nm Poisson voisin de la morue qui, fumé, fournit le haddock.

église nf 1 (avec majusc) Communion de personnes unies par une même foi chrétienne ; en particulier l'Église catholique, apostolique et romaine. 2 Édifice consacré chez les chrétiens au culte divin. 3 (avec majusc) L'état ecclésiastique ; le clergé en général. Un homme d'Église.

églogue nf Petit poème pastoral ou bucolique.

ego [ego] nm inv PSYCHAN Le moi.

égocentrique a, n Qui manifeste de l'égocentrisme.

égocentrisme nm Tendance à faire de soi le centre de tout.

égoïne nf Scie à main sans monture.

égoïsme nm Disposition à rechercher exclusivement son plaisir et son intérêt personnels.

égoïste a, n Qui manifeste de l'égoïsme.

égorger vt 11 Tuer en coupant la gorge.

égorgeur, euse n Meurtrier qui égorge ses victimes.

égosiller (s') vpr Crier longtemps très fort.

égotisme nm Litt **1** Tendance marquée à s'analyser et à parler de soi. **2** Attitude de celui qui cultive à l'excès ce qu'il a de personnel.

égout nm Canalisation souterraine servant à l'évacuation des eaux pluviales et usées.

égoutier nm Qui est chargé de l'entretien des égouts.

égoutter vt Faire écouler peu à peu le liquide qui imprègne. ■ vpr Perdre son eau goutte à goutte.

égouttoir nm Ustensile qui sert à faire s'égoutter qqch.

égrapper vt Détacher de la grappe.

égratigner vt **1** Blesser superficiellement la peau, écorcher. **2** Érafler, rayer en surface. **3** Critiquer qqn, médire à son propos.

égratignure nf **1** Légère blessure faite en égratignant. **2** Éraflure d'une chose. **3** Légère blessure d'amour-propre.

égrener vt **15 1** Détacher les grains d'une grappe, d'une cosse, etc. **2** Faire entendre des sons l'un après l'autre en les détachant nettement. Loc *Égrener un chapelet* : en faire passer un à un les grains entre ses doigts, à chaque prière. ■ vpr Se séparer, s'espacer en parlant d'éléments disposés en rang, en file.

égrillard, arde a Licencieux, grivois.

égrotant, ante a Litt Maladif.

égueulé, ée a GÉOL Se dit d'un cratère dont un côté présente une dépression.

égyptien, enne a, n D'Égypte.

égyptologie nf Étude de l'Égypte antique.

égyptologue n Spécialiste d'égyptologie.

eh ! interj Marque la surprise, l'admiration ; sert à interpeller.

éhonté, ée a Sans vergogne ; impudent.

eider nm Gros canard marin de Scandinavie dont le duvet est recherché.

éjaculation nf Fait d'éjaculer.

éjaculer vt Émettre du sperme lors de l'orgasme (mâle).

éjecter vt **1** Rejeter au-dehors avec force. **2** Fam Chasser, renvoyer.

éjection nf Action d'éjecter.

élaboration nf Action d'élaborer.

élaboré, ée a Perfectionné.

élaborer vt **1** Préparer, produire par un long travail de réflexion. **2** En parlant d'organismes vivants, faire subir diverses modifications aux substances soumises à leur action.

élaguer vt **1** Débarrasser un arbre des branches superflues. **2** Débarrasser un texte de ce qui l'allonge inutilement.

élagueur nm **1** Qui élague les arbres. **2** Outil à élaguer.

1. élan nm Grand cervidé des régions froides.

2. élan nm **1** Mouvement d'un être qui s'élance. **2** Mouvement affectif provoqué par un sentiment passionné. *Élan du cœur.*

élancé, ée a Grand et mince ; svelte.

élancement nm Douleur vive et lancinante.

élancer vi, vt **10** Produire des élancements. ■ vpr Se porter en avant avec impétuosité.

éland nm Antilope africaine.

élargir vt **1** Rendre plus large. **2** Donner plus d'ampleur, plus de champ à. *Élargir le débat.* **3** Relaxer, faire sortir de prison. ■ vpr Devenir plus large. *Le fleuve s'élargit.*

élargissement nm **1** Action de rendre ou de devenir plus large. **2** Libération d'un prisonnier.

élasticité nf **1** Propriété des corps qui tendent à reprendre leur forme première après avoir été déformés. **2** Souplesse. *Élasticité du règlement.*

élastique a **1** Qui possède de l'élasticité. *Le caoutchouc est élastique.* **2** Souple, que l'on peut adapter facilement. *Un horaire élastique.* ■ nm **1** Tissu contenant des fibres de caoutchouc. **2** Ruban ou fil de caoutchouc.

élastomère nm Polymère possédant des propriétés élastiques.

eldorado nm Pays d'abondance, de délices.

électeur, trice n Qui a le droit de participer à une élection.

électif, ive a Choisi ou attribué par élection.

élection nf Action d'élire une ou plusieurs personnes par un vote. Loc *Terre, patrie d'élection* : que l'on a choisie. DR *Élection de domicile* : choix du domicile légal.

électoral, ale, aux *a* Relatif aux élections. *Une liste électorale.*

électoralisme *nm* Orientation démagogique de la politique d'un parti ou d'un gouvernement à l'approche d'une élection.

électorat *nm* 1 Droit d'être électeur. 2 Ensemble d'électeurs.

électricien, enne *n* Qui est spécialisé dans le montage d'installations électriques.

électricité *nf* 1 PHYS Une des propriétés fondamentales de la matière, caractéristique de certaines particules (électron, proton, etc.). 2 Courant électrique. *Panne d'électricité.*

électrification *nf* Action d'électrifier.

électrifier *vt* Alimenter en énergie électrique, par l'installation d'une ligne.

électrique *a* 1 Relatif à l'électricité. 2 Mû par l'énergie électrique.

électrisation *nf* Action d'électriser.

électriser *vt* 1 Communiquer une charge électrique à un corps. 2 Causer une vive impression à, saisir, enthousiasmer.

électroacoustique *nf, a* Technique des applications de l'électricité à la production, à l'enregistrement et à la reproduction des sons.

électroaimant *nm* Appareil constitué d'un noyau en fer doux et d'un bobinage dans lequel on fait passer un courant électrique pour créer un champ magnétique.

électrocardiogramme *nm* Tracé obtenu par l'enregistrement de l'activité électrique du cœur (abrév : E.C.G.).

électrochoc *nm* 1 Traitement psychiatrique par le passage d'un courant électrique à travers la boîte crânienne. 2 Événement capable de débloquer une situation.

électrocuter *vt* Tuer par électrocution.

électrocution *nf* 1 Exécution des condamnés à mort par le courant électrique. 2 Mort accidentelle causée par le courant électrique.

électrode *nf* Pièce conductrice amenant le courant électrique au point d'utilisation.

électrodomestique *a* Se dit des appareils électroménagers.

électrodynamique *nf, a* Science qui étudie les actions mécaniques des courants électriques.

électroencéphalogramme *nm* Tracé obtenu par électroencéphalographie (abrév : E.E.G.).

électroencéphalographie *nf* Enregistrement graphique, au moyen d'électrodes placées à la surface du crâne, des tensions électriques de l'écorce cérébrale.

électrogène *a* Qui produit de l'électricité. *Loc Groupe électrogène :* ensemble formé d'un moteur et d'un générateur électrique.

électrologie *nf* Application de l'électricité à la médecine.

électroluminescence *nf* Luminescence produite par l'action d'un champ électrique sur une substance.

électrolyse *nf* Décomposition chimique de certaines substances sous l'effet d'un courant électrique.

électrolyser *vt* Faire l'électrolyse.

électrolyte *nm* Composé qui, à l'état liquide ou en solution, permet le passage du courant électrique.

électromagnétique *a* De l'électromagnétisme.

électromagnétisme *nm* Ensemble des interactions entre courants électriques et magnétisme.

électromécanicien, enne *n* Spécialiste du montage des ensembles électromécaniques.

électromécanique *nf* Ensemble des applications de l'électricité à la mécanique. ■ *a* Se dit des mécanismes à la commande électrique.

électroménager, ère *a* Se dit d'un appareil à usage domestique fonctionnant à l'électricité. ■ *nm* Secteur économique de ces appareils.

électrométallurgie *nf* Ensemble des techniques de préparation ou d'affinage des métaux utilisant l'électricité.

électromètre *nm* Appareil servant à mesurer une différence de potentiel ou une charge électrique.

électromoteur, trice *a, nm* Qui produit de l'énergie électrique.

électron nm Particule constitutive de la partie externe de l'atome, qui porte une charge électrique négative.

électronégatif, ive a CHIM Qui a tendance à capter des électrons.

électronicien, enne n Spécialiste de l'électronique.

électronique a 1 Propre à l'électron. *Flux électronique.* 2 Relatif à l'électronique. ■ nf 1 Science ayant pour objet l'étude de la conduction électrique dans le vide, les gaz et les semi-conducteurs. 2 L'ensemble des techniques dérivées de cette science.

électronucléaire a Se dit d'une centrale électrique utilisant l'énergie nucléaire.

électronvolt nm Unité d'énergie égale à la variation d'énergie cinétique d'un électron qui subit une variation de potentiel de 1 volt.

électrophone nm Appareil électrique de reproduction des enregistrements sonores sur disques.

électrophorèse nf CHIM Méthode d'analyse utilisant la séparation des molécules sous l'action d'un champ électrique.

électropuncture nf Méthode dérivée de l'acuponcture, utilisant l'électricité.

électroportatif, ive a Se dit de l'outillage électrique facile à transporter.

électropositif, ive a CHIM Qui a tendance à perdre des électrons.

électroradiologie nf Utilisation médicale de l'électricité et de la radiologie.

électrostatique nf Science qui étudie les propriétés des corps porteurs de charges électriques en équilibre. ■ a De l'électrostatique.

électrotechnique nf Applications industrielles de l'électricité. ■ a De l'électrotechnique.

électrothérapie nf Traitement médical par l'électricité.

élégamment av Avec élégance.

élégance nf 1 Qualité esthétique alliant la grâce, la distinction et la simplicité. 2 Raffinement de bon goût dans l'habillement, les manières.

élégant, ante a, n Qui a de l'élégance.

élégiaque a Relatif à l'élégie.

élégie nf Poème lyrique et mélancolique.

élément nm 1 Partie constitutive d'un tout. 2 Personne appartenant à un groupe. 3 Milieu dans lequel vit un être. *L'eau est l'élément du poisson.* 4 CHIM Configuration atomique d'un corps, caractérisée par un nombre, le numéro atomique. 5 MATH Être mathématique appartenant à un ensemble. ■ pl 1 Principes fondamentaux d'une discipline. 2 Litt Les forces de la nature. *Lutter contre les éléments déchaînés.* Loc *Les quatre éléments :* l'eau, l'air, la terre, le feu.

élémentaire a 1 Qui concerne les premiers éléments d'une discipline. 2 Facile à comprendre. 3 Réduit à l'essentiel. *La plus élémentaire des politesses.*

éléphant nm Grand mammifère à peau rugueuse, muni d'une trompe et de défenses. *Éléphant d'Afrique, d'Asie.* Loc *Éléphant de mer :* gros phoque à trompe des îles Kerguelen.

éléphanteau nm Petit de l'éléphant.

éléphantesque a Qui rappelle l'éléphant par sa taille, son poids, son aspect.

éléphantiasis [-zis] nm MED Augmentation considérable du volume d'un membre ou d'une partie du corps.

élevage nm Production et entretien des animaux domestiques ou utiles.

élévateur, trice a Qui sert à élever, à soulever. ■ nm Appareil de manutention capable de lever des charges.

élévation nf 1 Action d'élever ou de s'élever. *L'élévation d'un monument, de la température.* 2 Hauteur, terrain plus haut que ceux du voisinage. 3 GEOM Projection d'un objet sur un plan vertical. 4 Moment de la messe où le prêtre élève le pain et le vin consacrés. 5 Caractère élevé de l'esprit. *L'élévation des sentiments.*

élève n 1 Qui reçoit les leçons d'un maître. 2 Qui fréquente un établissement scolaire. 3 MILIT Qui aspire à un grade.

élevé, ée a 1 Haut. *Une montagne élevée. Des prix élevés.* 2 D'un haut niveau intellectuel ou moral. Loc *Bien, mal élevé :* qui a reçu une bonne, une mauvaise éducation.

élever vt 15 1 Mettre, porter plus haut. 2 Construire, dresser. 3 Placer à un rang niveau supérieur. **4** Assurer le développement physique et moral des enfants, les éduquer. **5** Faire l'élevage d'animaux. **6** Surveiller le vieillissement d'un vin. ■ *vpr* **1** Monter plus haut. **2** Se dresser. *Une statue s'élève sur la place.* **3** Surgir, naître. *Un cri s'élève.* **Loc S'élever à :** atteindre, se monter à. *S'élever contre :* s'opposer violemment à.

éleveur, euse *n* Qui élève des animaux.

elfe *nm* Génie de la mythologie scandinave, symbolisant les forces de la nature.

élider *vt* Effectuer l'élision de.

éligible *a* Qui remplit les conditions nécessaires pour pouvoir être élu.

élimer *vt* User un tissu par frottement.

élimination *nf* Action d'éliminer.

éliminatoire *a* Qui a pour but ou résultat d'éliminer. ■ *nf* SPORT Épreuve préliminaire permettant de sélectionner les concurrents.

éliminer *vt* **1** Écarter après sélection. **2** Rejeter hors de l'organisme.

élingue *nf* MAR Cordage servant à soulever qqch.

élire *vt 63* Nommer à une fonction par voie de suffrages. **Loc** *Élire domicile qqpart :* s'y installer.

élisabéthain, aine *a* Relatif à Élisabeth Iʳᵉ d'Angleterre, à son époque.

élision *nf* LING Suppression d'une voyelle à la fin d'un mot, quand le mot suivant commence par une voyelle ou un *h* muet.

élite *nf* Ensemble formé par les meilleurs, les plus distingués des éléments d'une communauté.

élitisme *nm* Système favorisant l'élite.

élixir *nm* **1** Philtre magique. *Élixir de longue vie.* **2** Sirop pharmaceutique.

elle, elles *pr pers* Féminin de *il, lui, eux.*

ellébore ou **hellébore** *nm* Herbe vivace qui passait pour guérir la folie.

ellipse *nf* **1** GRAM Omission d'un ou plusieurs mots à l'intérieur d'une phrase, leur absence ne nuisant pas à la compréhension ni à la syntaxe. **2** GEOM Courbe fermée faite de l'ensemble des points dont la somme des distances à deux points fixes (foyers) est constante.

ellipsoïde *nm* GEOM Surface engendrée par la révolution d'une ellipse autour de l'un de ses axes. ■ *a* Qui ressemble à une ellipse.

elliptique *a* **1** GRAM Qui contient une, des ellipses. **2** Qui s'exprime par allusions. **3** GEOM Qui a la forme d'une ellipse.

élocution *nf* Manière de s'exprimer oralement, d'articuler les mots.

éloge *nm* Discours à la louange de qqn, de qqch ; louange.

élogieux, euse *a* Qui contient un éloge, des louanges.

éloigné, ée *a* **1** Qui est loin dans l'espace, dans le temps, dans le degré de parenté. **2** Différent. *Un récit éloigné de la vérité.*

éloignement *nm* Action d'éloigner, fait de s'éloigner, d'être éloigné.

éloigner *vt* **1** Mettre, envoyer loin ; écarter. **2** Séparer dans le temps. ■ *vpr* **1** Augmenter progressivement la distance qui sépare de qqch. **2** Devenir de plus en plus lointain dans le temps. **3** Se détourner, se détacher.

élongation *nf* MED Lésion causée par une traction excessive sur un muscle, un tendon, un nerf.

éloquence *nf* Aptitude à s'exprimer avec aisance ; capacité d'émouvoir, de persuader par la parole.

éloquent, ente *a* **1** Qui a de l'éloquence. **2** Exprimé avec éloquence. **3** Significatif, expressif. *Un silence éloquent.*

élu, ue *n* **1** Personne choisie par élection ou par inclination, par amour. ■ *pl* Ceux que Dieu a admis à la béatitude.

élucider *vt* Expliquer, tirer au clair.

élucubration *nf* Réflexion laborieusement construite, absurde ou sans intérêt.

éluder *vt* Éviter avec adresse, esquiver.

élyséen, enne *a* **1** MYTH De l'Élysée. **2** De la présidence de la République française.

élytre *nm* ZOOL Aile antérieure coriace, très rigide, inapte au vol, des insectes.

émacié, ée *a* Devenu extrêmement maigre. *Visage émacié.*

émail, aux *nm* **1** Enduit dur et brillant d'aspect vitreux appliqué par cuisson sur des céramiques et des métaux. **2** Substance transparente et dure qui recouvre la couronne des dents. ■ *pl* Objets d'art émaillés.

e-mail [imel] *nm* Courrier électronique ou adresse électronique.

émailler *vt* **1** Recouvrir d'émail. **2** Litt Parsemer pour embellir. *Texte émaillé de citations.*

émaillerie *nf* Art des émaux.

émanation *nf* **1** Effluve, odeur qui se dégage. *Émanations pestilentielles.* **2** Ce qui émane, provient de qqch, de qqn ; manifestation.

émancipateur, trice *a, n* Qui émancipe.

émancipation *nf* Action d'émanciper, de s'émanciper.

émancipé, ée *a, n* DR Mineur ayant fait l'objet d'une émancipation.

émanciper *vt* **1** DR Mettre hors de la puissance paternelle par un acte juridique. **2** Affranchir d'une autorité, d'une domination. ■ *vpr* Devenir indépendant, se libérer.

émaner *vi* **1** S'exhaler, se dégager d'un corps. **2** Provenir, découler de.

émarger *vt* **1** Mettre sa signature en marge d'un compte, d'un état, etc. *Émarger une circulaire.* **2** Rogner, diminuer la marge de. *Émarger une estampe.* ■ *vti* Toucher des appointements provenant de. *Émarger à un budget.*

émasculer *vt* **1** Pratiquer l'ablation des organes sexuels mâles, châtrer. **2** Litt Affaiblir, diminuer la force, la vigueur de. *Texte émasculé par la censure.*

embâcle *nf* Amoncellement de glaçons sur un cours d'eau, gênant ou empêchant la navigation.

emballage *nm* **1** Action d'emballer. **2** Ce dans quoi on emballe un objet (boîte, caisse, etc.).

emballement *nm* **1** Fait de s'emballer ; enthousiasme, élan non contrôlé. **2** Fonctionnement d'un moteur à un régime trop élevé.

emballer *vt* **1** Empaqueter, mettre dans un emballage. **2** Fam Réprimander. **3** Faire tourner un moteur à un régime anormalement élevé. **4** Fam Enthousiasmer. ■ *vpr* **1** S'échapper au contrôle de son cavalier (cheval). **2** Tourner

à un régime anormalement élevé (moteur). **3** Se laisser emporter par un mouvement de colère, d'impatience ou d'enthousiasme.

emballeur, euse *n* Dont la profession est d'emballer des marchandises.

embarcadère *nm* Môle, jetée, appontement aménagé pour l'embarquement ou le débarquement.

embarcation *nf* Petit bateau.

embardée *nf* Écart brusque que fait un véhicule.

embargo *nm* **1** Défense faite à des navires marchands de sortir d'un port. **2** Mesure interdisant la libre circulation d'une marchandise.

embarquement *nm* Action d'embarquer, de s'embarquer.

embarquer *vt* **1** Charger, faire monter dans un bateau. **2** Charger dans un véhicule. **3** Fam Engager qqn dans une affaire difficile, compliquée ou malhonnête. ■ *vi* Passer par-dessus bord et se répandre dans le bateau (vagues). ■ *vi, vpr* Monter à bord d'un bateau, d'un avion, d'un véhicule. ■ *vpr* Fam S'engager dans une entreprise difficile, hasardeuse ou malhonnête.

embarras *nm* **1** Gêne, difficulté rencontrée dans la réalisation de qqch. **2** Position difficile, gênante. **3** Pénurie d'argent. **4** Trouble, perplexité.

embarrassant, ante *a* Gênant.

embarrassé, ée *a* **1** Encombré. **2** Compliqué, embrouillé. **3** Gêné, contraint, perplexe.

embarrasser *vt* **1** Obstruer, encombrer. **2** Gêner, entraver la liberté de mouvement de qqn. **3** Mettre qqn dans une situation gênante ; rendre perplexe. ■ *vpr* **1** Se préoccuper, se soucier de l'excès de. **2** S'emmêler.

embase *nf* TECH Pièce servant de support à une autre pièce.

embastiller *vt* Litt Mettre en prison.

embauche *nf* Fait d'embaucher.

embaucher *vt* **1** Engager un salarié. **2** Fam Prendre avec soi pour un travail occasionnel.

embauchoir *nm* Instrument qui sert à élargir les chaussures ou à éviter qu'elles ne se déforment.

embaumer vt 1 Remplir un cadavre de substances balsamiques pour empêcher qu'il ne se corrompe. 2 Parfumer agréablement. ■ vi Exhaler un parfum. *Ces roses embaument.*

embellie nf 1 MAR Éclaircie. 2 Amélioration momentanée.

embellir vt 1 Rendre beau ou plus beau. 2 Orner aux dépens de l'exactitude ; enjoliver. *Embellir la réalité.* ■ vi Devenir beau ou plus beau.

embellissement nm Action d'embellir ; ce qui contribue à embellir.

emberlificoter vt Fam 1 Embrouiller. 2 Enjôler, séduire qqn pour le tromper. ■ vpr S'empêtrer. *S'emberlificoter dans ses explications.*

embêtant, ante a Fam Ennuyeux, contrariant.

embêtement nm Fam Ennui, souci, contrariété.

embêter vt Fam Contrarier, ennuyer, importuner. ■ vpr Fam S'ennuyer fortement.

emblaver vt AGRIC Ensemencer une terre de blé ou de toute autre céréale.

emblée (d') av Du premier coup, sans difficulté. *Être reçu d'emblée.*

emblématique a 1 Qui sert d'emblème. 2 Qui sert de référence, exemplaire.

emblème nm 1 Figure symbolique, souvent accompagnée d'une devise. 2 Être ou objet devenu la représentation d'une chose abstraite. *La balance, emblème de la justice.*

embobeliner vt Fam Enjôler, embobiner.

embobiner vt 1 Enrouler sur une bobine. 2 Fam Enjôler, séduire.

emboîtage nm 1 Action de mettre en boîte. 2 Cartonnage, étui qui protège un livre de luxe.

emboîtement nm Assemblage de deux pièces qui s'emboîtent.

emboîter vt 1 Faire pénétrer une pièce dans une autre, assembler des pièces en les ajustant. **Loc** *Emboîter le pas à qqn :* le suivre de près ; l'imiter.

embolie nf MED Oblitération d'un vaisseau par un corps étranger (caillot, bulle de gaz).

embonpoint nm État de qqn un peu gras.

embossage nm Impression en relief sur un support en matière plastique (carte de crédit).

embouche nf 1 Prairie très fertile où l'on engraisse les bestiaux. 2 Engraissement des bestiaux en prairie.

embouché, ée a **Loc** Fam *Être mal embouché :* parler, agir avec grossièreté.

emboucher vt Mettre à la bouche un instrument à vent pour en jouer.

embouchure nf 1 Endroit où un cours d'eau se jette dans la mer. 2 Partie d'un instrument à vent qu'on porte à la bouche. 3 Partie du mors qui entre dans la bouche du cheval.

embourber vt Engager, enfoncer dans un bourbier. ■ vpr S'empêtrer dans la boue, dans une sale affaire.

embourgeoiser (s') vpr Prendre les habitudes, les modes de vie et de pensée bourgeois.

embout nm 1 Garniture fixée à l'extrémité d'un objet allongé. 2 Élément terminal d'assemblage.

embouteillage nm 1 Action de mettre en bouteilles. 2 Encombrement qui arrête la circulation.

embouteiller vt 1 Mettre en bouteilles. 2 Provoquer l'encombrement d'une voie.

emboutir vt 1 TECH Mettre en forme par emboutissage. 2 Heurter violemment, défoncer.

emboutissage nm TECH Action de donner, par compression, une forme à une pièce métallique initialement plane.

embranchement nm 1 Division en branches, en rameaux, d'un tronc d'arbre, d'une branche, d'une voie, d'une canalisation, etc. 2 Point où s'opère cette division. 3 SC NAT Grande unité de division des animaux, des végétaux.

embrancher (s') vpr Se raccorder (canalisation, voie, etc.).

embrasement nm Litt 1 Incendie vaste et violent. 2 Illumination, ardente clarté.

embraser vt Litt 1 Mettre en feu, mettre le feu à. 2 Illuminer de lueurs rouges. 3 Exalter, remplir de ferveur.

embrassade nf Action de deux personnes qui s'embrassent.

embrasse nf Bande d'étoffe, passementerie servant à retenir un rideau.

embrasser vt 1 Donner un baiser, des baisers à. 2 Saisir par la vue ou par l'intelligence un vaste ensemble. 3 Contenir, englober. 4 Choisir, prendre un parti, adopter une idée, une carrière.

embrasure nf Ouverture pratiquée dans l'épaisseur d'un mur pour y placer une porte ou une fenêtre.

embrayage nm 1 Action d'embrayer. 2 Mécanisme permettant d'embrayer.

embrayer vt 20 Mettre en communication un moteur avec les organes mécaniques. ■ vti Commencer à s'occuper de qqch. *Embrayer sur une question.*

embrigader vt Enrôler par persuasion ou par contrainte dans un parti, une association, etc.

embringuer vt Fam Engager fâcheusement dans.

embrocation nf MED Application d'un liquide gras sur une partie du corps malade ou fatiguée ; ce liquide.

embrocher vt 1 Mettre à la broche un morceau de viande, une volaille. 2 Fam Transpercer avec une arme pointue.

embrouillamini nm Fam Confusion, désordre.

embrouille nf Fam Affaire confuse et emmêlée.

embrouillé, ée a 1 Emmêlé. 2 Extrêmement confus. *Histoire embrouillée.*

embrouiller vt 1 Mettre en désordre ; emmêler. 2 Rendre obscur, compliqué, confus. 3 Faire perdre le fil de ses idées à qqn, le troubler. ■ vpr S'emmêler, s'égarer.

embroussaillé, ée a Encombré de broussailles.

embrumer vt 1 Couvrir, charger de brume. 2 Litt Assombrir, attrister.

embruns nmpl Bruine formée par les vagues qui se brisent.

embryogenèse ou **embryogénie** nf BIOL Formation et développement de l'embryon animal ou végétal.

embryologie nf Étude de l'embryogenèse.

embryon nm 1 Vertébré aux premiers stades de son développement, qui suivent la fécondation. 2 Chose inachevée, à peine commencée ; germe.

embryonnaire a 1 De l'embryon. 2 Au premier stade de son développement ; rudimentaire. *Projet embryonnaire.*

embryopathie nf Malformation de l'embryon.

embûche nf 1 Ruse, machination destinée à nuire à qqn. 2 Difficulté, obstacle.

embuer vt Couvrir de buée.

embuscade nf Manœuvre qui consiste à se cacher pour surprendre l'ennemi.

embusqué nm Mobilisé affecté par faveur à un poste sans danger en temps de guerre.

embusquer vt Mettre en embuscade. ■ vpr Se cacher avec des intentions hostiles.

éméché, ée a Fam Légèrement ivre.

émeraude nf Pierre précieuse translucide, de couleur vert bleuté. ■ a inv Vert clair.

émergence nf Action d'émerger.

émergent, ente a Qui commence à apparaître, à exister. *Marché émergent.*

émerger vi 11 1 Se dégager, sortir d'un milieu après y avoir été plongé ; apparaître audessus du niveau de l'eau. 2 Sortir de l'ombre, apparaître plus clairement. 3 Se distinguer parmi d'autres. 4 Fam Sortir du sommeil, d'une situation difficile.

émeri nm Variété de corindon qui, réduit en poudre, est utilisé comme abrasif, antidérapant.

émerillon nm Petit faucon.

émérite a Abusiv Qui a acquis une connaissance remarquable d'une science, d'un métier. 2 Qui conserve son titre après avoir cessé d'exercer ses fonctions.

émersion nf Action, fait d'émerger.

émerveillement nm Fait de s'émerveiller.

émerveiller vt Frapper d'admiration. ■ vpr Être frappé d'admiration.

émétique a, nm Qui provoque le vomissement.

émetteur, trice a, n Qui émet. ■ nm 1 Appareil qui émet des ondes radioélectriques. 2 Station de radiodiffusion ou de télévision.

émettre vt 64 1 Mettre en circulation. *Émettre des billets de banque.* 2 Produire, envoyer vers l'extérieur des sons, des radiations, etc. 3 Exprimer. *Émettre une opinion.*

ému nm Très grand oiseau d'Australie aux ailes réduites.

émeute nf Soulèvement populaire.

émeutier, ère n Qui prend part à une émeute.

émiettement nm Action d'émietter, fait de s'émietter.

émietter vt 1 Réduire en miettes, en petits morceaux. 2 Réduire en parcelles ; disperser. *Émietter ses forces.*

émigrant, ante n Personne qui émigre.

émigration nf 1 Action d'émigrer. 2 Ensemble des personnes qui émigrent ou qui ont émigré.

émigré, ée a, n Qui a émigré.

émigrer vi 1 Quitter son pays pour aller s'établir dans un autre. 2 ZOOL Migrer.

émincé nm Mince tranche de viande cuite.

émincer vt 10 Couper en tranches minces.

éminemment av Au plus haut degré.

éminence nf 1 Élévation de terrain, hauteur, monticule. 2 Titre d'honneur donné aux cardinaux. Loc *Éminence grise :* conseiller secret très écouté.

éminent, ente a 1 Supérieur en mérite, en condition. 2 Remarquable, considérable.

émir nm Chef dans les pays musulmans.

émirat nm 1 Dignité d'émir. 2 État gouverné par un émir.

émirati, ie a, n Des Émirats arabes unis.

émissaire nm 1 Personne envoyée pour accomplir une mission. 2 GEOGR Cours d'eau par lequel s'évacue l'eau d'un lac.

émission nf 1 Action d'émettre des sons, des radiations, des valeurs, etc. 2 Programme diffusé (radiophonique ou télévisé).

emmagasiner vt 1 Mettre en magasin, stocker. 2 Acquérir, accumuler.

emmailloter vt 1 Mettre un bébé dans un maillot, dans les langes. 2 Envelopper. *Emmailloter un doigt blessé.*

emmancher vt 1 Mettre un manche à un outil. 2 Fam Mettre en train. ■ vpr Fam Commencer d'une certaine façon. *L'affaire s'emmanche mal.*

emmanchure nf Ouverture d'un vêtement à laquelle est cousue une manche.

emmêler vt 1 Mêler, enchevêtrer. 2 Embrouiller. *Emmêler une affaire.*

emménagement nm Action d'emménager.

emménager vi 11 S'installer dans un nouveau logement. ■ vt Transporter dans un logement.

emmener vt 15 Mener qqn avec soi d'un lieu dans un autre.

emmenthal ou **emmental** nm Variété de gruyère.

emmerdement nm Pop Ennui, contrariété.

emmerder vt Pop Agacer, contrarier, gêner à l'excès. ■ vpr S'ennuyer à l'excès.

emmerdeur, euse n Pop 1 Qui emmerde les autres. 2 Personne pointilleuse à l'excès.

emmitoufler vt Envelopper chaudement, douillettement.

emmurer vt Enfermer en bloquant toutes les issues.

émoi nm 1 Trouble, agitation suscitée par l'émotion ou l'inquiétude. 2 Litt Émotion sensuelle.

émollient, ente a, nm MED Qui relâche, qui ramollit les tissus.

émoluments nmpl Rétribution attachée à une place, à un emploi.

émonder vt Retrancher d'un arbre les branches nuisibles ou inutiles.

émotif, ive a Dû à l'émotion. ■ a, n Sujet à des émotions intenses.

émotion nf 1 Trouble intense, soudain et passager de l'affectivité. 2 Manifestation d'une sensibilité délicate. *Réciter un poème avec émotion.*

émotionnel, elle a Propre à l'émotion.

émotionner vt Fam Causer de l'émotion.

émotivité nf PSYCHO Caractère émotif.

émouchet nm Petit rapace diurne, comme l'épervier.

émoulu, ue a Loc *Frais émoulu, fraîche émoulue :* récemment sorti(e) d'une école.

émousser vt **1** Rendre moins tranchant, moins aigu. **2** Rendre moins vif, atténuer, affaiblir.

émoustiller vt **1** Mettre en gaieté. **2** Exciter, disposer aux plaisirs sensuels.

émouvant, ante a Qui émeut, qui suscite une émotion plus ou moins vive.

émouvoir vt **42 1** Susciter l'émotion de. **2** Susciter l'intérêt ou la sympathie de. ■ vpr Se soucier, s'inquiéter.

empaillé, ée a, n Fam Empoté.

empailler vt Emplir de paille la peau d'un animal mort pour lui conserver ses formes naturelles.

empailleur, euse n Qui empaille les animaux.

empaler vt Infliger le supplice du pal à qqn en le transperçant d'un pieu introduit par l'anus. ■ vpr Être transpercé par un objet pointu que l'on a heurté.

empan nm Distance entre l'extrémité du pouce et celle du petit doigt de la main écartée.

empanacher vt Orner d'un panache.

empanner vi MAR Faire changer de bord la grand-voile en virant de bord vent arrière.

empaqueter vt **19** Mettre en paquet.

emparer (s') vpr **1** Se saisir d'une chose, s'en rendre maître. **2** Envahir, dominer qqn (sensation, sentiment).

empâtement nm État empâté ou pâteux.

empâter vt **1** Rendre pâteux. **2** Gonfler, épaissir, alourdir. ■ vpr Devenir gras, s'épaissir.

empathie nf PSYCHO Faculté de ressentir ce qu'un autre ressent.

empattement nm **1** Massif de maçonnerie qui sert de pied, de base à un mur. **2** Distance entre les essieux extrêmes d'un véhicule.

empêché, ée a Retenu par un empêchement.

empêchement nm Ce qui empêche d'agir, embarrasse, fait obstacle.

empêcher vt **1** Entraver qqn dans son action, ses projets. **2** Mettre un obstacle à qqch.

Loc Il n'empêche que : malgré cela, néanmoins. ■ vpr Se retenir, s'abstenir. Il ne peut s'empêcher de mentir.

empêcheur, euse n Loc Empêcheur de tourner en rond : trouble-fête.

empeigne nf Dessus d'un soulier, depuis le cou-de-pied jusqu'à la pointe.

empennage nm Ensemble des plans fixes de l'arrière d'un avion, assurant sa stabilité.

empenne nf Ensemble des plumes qui garnissent le talon d'une flèche.

empenner vt Garnir une flèche de plumes.

empereur nm Souverain de certains États.

empesé, ée a **1** Apprêté avec de l'empois. **2** Fam Guindé, prétentieux.

empeser vt **15** Apprêter du linge avec de l'empois.

empester vt **1** Corrompre, vicier. **2** Empuantir. ■ vi Dégager une odeur désagréable.

empêtrer vt **1** Embarrasser, gêner dans ses mouvements. **2** Mettre dans des difficultés. ■ vpr S'embrouiller, s'embarrasser.

emphase nf Exagération prétentieuse dans le ton, le geste, l'expression, le style.

emphatique a Qui s'exprime avec emphase ; ampoulé. Un discours emphatique.

emphysème nm MED Infiltration gazeuse diffuse du tissu cellulaire provoquant un gonflement, en particulier une dilatation pulmonaire.

empiècement nm COUT Pièce rapportée à la partie supérieure d'un vêtement.

empierrer vt Garnir de pierres.

empiètement nm Action d'empiéter.

empiéter vt **1** S'étendre partiellement sur la terre d'autrui. **2** Usurper en partie les droits de qqn. **3** Déborder sur qqch (espace ou temps).

empiffrer (s') vpr Fam Manger avec excès, gloutonnement.

empiler vt **1** Mettre en pile. **2** Fam Duper.

empire nm **1** Régime où l'autorité politique est détenue par un empereur. **2** État gouverné par un empereur. **3** Ensemble de territoires placés sous l'autorité d'un gouvernement central. Empire colonial. **4** Groupe industriel vaste et puissant. **5** Litt Domination morale, ascendant.

empirer *vi* Devenir pire, s'aggraver.

empirique *a* Qui se fonde sur l'expérience et non sur un savoir théorique.

empirisme *nm* 1 Méthode, pratique empirique. 2 Doctrine selon laquelle toute connaissance dérive de l'expérience.

emplacement *nm* Lieu occupé par qqch ou qui convient pour placer ou édifier qqch.

emplafonner *vt* Fam Heurter avec violence.

emplâtre *nm* 1 Pâte médicamenteuse qui s'applique sur la peau. 2 Fam Personne sans énergie, incapable.

emplette *nf* Achat.

emplir *vt* Litt Rendre plein, combler, remplir.

emploi *nm* 1 Usage que l'on fait d'une chose ; manière d'en faire usage. 2 Travail rémunéré. 3 Rôle qu'on confie habituellement à un acteur.

employé, ée *n* Salarié ayant un emploi non manuel. Loc *Employé de maison :* domestique.

employer *vt 22* 1 Faire usage de. 2 Faire travailler en échange d'un salaire. ■ *vpr* 1 Être utilisé, usité. 2 S'occuper activement de. *S'employer à faire des heureux.*

employeur, euse *n* Qui emploie un ou plusieurs salariés.

emplumé, ée *a* Garni de plumes.

empocher *vt* Toucher de l'argent.

empoignade *nf* Fam Discussion violente.

empoigne *nf* Loc Fam *Foire d'empoigne :* conflit tumultueux entre des personnes se disputant âprement des biens ou des avantages.

empoigner *vt* 1 Saisir avec les mains en serrant fortement. 2 Émouvoir fortement. ■ *vpr* Se battre ; se quereller.

empois *nm* Colle légère d'amidon utilisée pour empeser le linge.

empoisonnant, ante *a* Fam Très ennuyeux.

empoisonnement *nm* 1 Fait d'empoisonner ou d'être empoisonné ; intoxication. 2 Fam Ennui, contrariété.

empoisonner *vt* 1 Intoxiquer, mortellement ou non, par du poison. 2 Mettre du poison sur qqch. 3 Infecter d'une odeur incommodante. 4 Fam Importuner, ennuyer.

empoisonneur, euse *n* 1 Coupable d'empoisonnement. 2 Fam Importun.

empoissonner *vt* Peupler de poissons.

emporté, ée *a* Violent, colérique.

emportement *nm* Accès de colère.

emporte-pièce *nm inv* Instrument servant à découper des pièces d'une forme déterminée. Loc *À l'emporte-pièce :* sans nuances.

emporter *vt* 1 Prendre avec soi et porter ailleurs. 2 Enlever, entraîner ; arracher. Loc *L'emporter sur :* avoir la supériorité, prévaloir sur. ■ *vpr* S'abandonner à la colère.

empoté, ée *a* Fam Peu dégourdi.

empoter *vt* Mettre en pot.

empourprer *vt* Colorer de pourpre.

empreindre *vt 69* (rare à l'actif) Marquer de certains traits de caractère. *Son visage est empreint de douceur.*

empreinte *nf* Marque imprimée, trace. Loc *Empreintes digitales :* traces laissées sur une surface par les sillons de la peau des doigts. *Empreinte génétique :* manière d'identifier un individu par l'analyse génétique de ses sécrétions.

empressé, ée *a* Zélé, ardent.

empressement *nm* Zèle, ardeur.

empresser (s') *vpr* 1 Se hâter de. 2 Montrer du zèle, de la prévenance.

emprise *nf* 1 Domination morale, intellectuelle, influence. 2 DR Terrain exproprié dans l'intérêt public.

emprisonnement *nm* Action d'emprisonner.

emprisonner *vt* 1 Mettre en prison. 2 Tenir comme enfermé.

emprunt *nm* Action d'emprunter ; chose ou somme empruntée. Loc *D'emprunt :* que l'on ne possède pas en propre ; factice.

emprunté, ée *a* Qui manque de naturel, d'aisance ; gauche. *Un air emprunté.*

emprunter *vt* 1 Se faire prêter. 2 Prendre, tirer d'une source. *Emprunter des citations à un auteur.* 3 Prendre un chemin. *Emprunter un nouvel itinéraire.*

emprunteur, euse *n* Qui emprunte.

empuantir *vt* Infecter d'une mauvaise odeur.

ému, ue *a* Qui éprouve ou exprime une émotion.

émulation *nf* Sentiment qui pousse à égaler ou à surpasser qqn.

émule *n* Litt Qui cherche à rivaliser avec qqn en mérite, en savoir, etc.

émulsif, ive ou **émulsifiant, ante** *a, nm* Qui stabilise une émulsion.

émulsifier ou **émulsionner** *vt* Mettre en émulsion.

émulsion *nf* 1 Dispersion d'un liquide au sein d'un autre avec lequel il n'est pas miscible. 2 Couche photosensible qui recouvre les pellicules et les papiers photographiques.

1. en *prép* 1 Indique le lieu, l'état, la manière d'être, la matière, la forme, la transformation, etc. 2 Sert à former le gérondif (ex. : *en lisant*). 3 Entre dans de nombreuses locutions.

2. en *pr pers, av* 1 Indique la provenance, l'origine. *J'en viens.* 2 Représente un nom complément introduit par *de. J'en parle.* 3 Entre dans de nombreuses locutions.

enamourer (s') [ãna-] ou **énamourer (s')** [ena-] *vpr* Litt Tomber amoureux.

énarque *n* Ancien élève de l'ÉNA.

en-avant *nm inv* Au rugby, faute consistant à faire une passe vers l'avant avec la main.

en-but *nm inv* Au rugby, surface où peut être marqué un essai.

encablure *nf* MAR Ancienne mesure de longueur valant environ 180 m.

encadré *nm* Texte entouré d'un filet, dans une page.

encadrement *nm* 1 Action d'encadrer. 2 Ce qui encadre. 3 Ensemble des cadres dans l'armée, dans une entreprise, une collectivité.

encadrer *vt* 1 Placer dans un cadre. 2 Entourer pour mettre en valeur, pour limiter, pour garder, etc. 3 Mettre sous la responsabilité de cadres. *Encadrer les nouveaux appelés.*

encadreur, euse *n* Artisan spécialiste de l'encadrement.

encaisse *nf* Somme disponible qui se trouve dans la caisse.

encaissé, ée *a* Resserré entre des bords élevés et escarpés.

encaissement *nm* 1 État de ce qui est encaissé. 2 Action de recevoir de l'argent et de le mettre en caisse.

encaisser *vt* 1 Toucher de l'argent en paiement. 2 Fam Recevoir des coups, subir des mauvais traitements, etc. Loc Fam *Ne pas encaisser qqn* : ne pas le supporter.

encaisseur *nm* Employé qui effectue des recouvrements.

encalminé, ée *a* MAR Immobilisé par manque de vent.

encan (à l') *av* Aux enchères publiques. *Vendre des meubles à l'encan.*

encanailler (s') *vpr* Fréquenter ou imiter des gens vulgaires.

encapuchonner *vt* Couvrir d'un capuchon.

encart *nm* Feuillet mobile ou cahier tiré à part que l'on insère dans un ouvrage imprimé. *Un encart publicitaire.*

encarter *vt* 1 Insérer un encart. 2 Fixer sur un carton des articles pour la vente.

en-cas ou **encas** *nm inv* Repas sommaire tenu prêt en cas de besoin.

encaserner *vt* Enfermer dans une caserne.

encastrer *vt* Insérer, ajuster dans un espace creux. ■ *vpr* S'ajuster exactement qqpart.

encaustique *nf* Produit à base de cire et d'essence, utilisé pour entretenir les parquets, les meubles.

1. enceinte *nf* 1 Ce qui entoure, enclôt un espace et le protège. 2 Espace clos, dont l'accès est protégé. Loc *Enceinte acoustique* : boîte rigide contenant des haut-parleurs. Syn. baffle.

2. enceinte *af* Se dit d'une femme en état de grossesse.

encens [-sã] *nm* Substance résineuse qui dégage un parfum pénétrant quand on la fait brûler.

encenser *vt* 1 Honorer en balançant l'encensoir. 2 Flatter par des louanges excessives.

encensoir *nm* Cassolette suspendue à des chaînes, dans laquelle on brûle l'encens.

encépagement *nm* Ensemble des cépages d'un vignoble.

encéphale nm Masse nerveuse contenue dans la boîte crânienne, comprenant le cerveau, le cervelet et le tronc cérébral.

encéphalique a De l'encéphale.

encéphalite nf Inflammation de l'encéphale.

encéphalogramme nm Électro-encéphalogramme.

encerclement nm Action d'encercler ; fait d'être encerclé.

encercler vt 1 Entourer d'un cercle. 2 Entourer de toutes parts, cerner.

enchaînement nm 1 Suite de choses qui s'enchaînent. 2 Liaison d'arguments, d'idées.

enchaîner vt 1 Attacher avec une chaîne. 2 Lier, retenir par une obligation morale, par des sentiments, etc. 3 Lier, coordonner logiquement. ■ vi Passer d'une question, d'une action à une autre sans interruption. ■ vpr Former une suite d'éléments dépendant les uns des autres.

enchantement nm 1 Action d'ensorceler ; sortilège. 2 Ravissement profond. 3 Chose qui ravit.

enchanter vt 1 Ensorceler. 2 Causer un vif plaisir à, ravir.

enchanteur, teresse n Magicien. ■ a Qui charme, ravit. *Paysage enchanteur.*

enchâsser vt 1 Mettre dans une châsse. 2 Fixer sur un support, dans un logement ménagé à cet effet. 3 Lier, insérer, intercaler.

enchère nf 1 Offre d'un prix supérieur à une offre déjà faite. 2 Aux cartes, demande supérieure à celle de l'adversaire.

enchérir vi 1 Faire une enchère. 2 Litt Surpasser, aller au-delà de.

enchérisseur, euse n Qui fait une enchère.

enchevêtrement nm 1 Action d'enchevêtrer ; état de ce qui est enchevêtré. 2 Ensemble, amas de choses enchevêtrées.

enchevêtrer vt Embrouiller, emmêler. ■ vpr S'embrouiller, s'emmêler.

enclave nf Terrain ou territoire enfermé dans un autre.

enclaver vt 1 Enclore, entourer comme enclave. 2 Engager, insérer entre.

enclenchement nm 1 Action d'enclencher ; état d'une pièce enclenchée. 2 Organe mobile rendant deux pièces solidaires.

enclencher vt 1 Mettre en marche un mécanisme en rendant solidaires deux pièces. 2 Faire démarrer. ■ vpr Commencer, se mettre en marche.

enclin, ine a Porté, disposé à. *Être enclin à la paresse.*

encliquetage nm Mécanisme permettant l'entraînement d'un organe dans un seul sens.

enclitique nm GRAM Mot atone qui s'unit avec le précédent dans la prononciation (ex. : *ce* dans *est-ce, je* dans *puis-je*).

enclore vt 53 Entourer de murs, de fossés, de haies, etc.

enclos nm 1 Terrain entouré d'une clôture. 2 Ce qui clôt un terrain.

enclume nf 1 Masse métallique sur laquelle on forge les métaux. 2 ANAT Un des osselets de l'oreille moyenne.

encoche nf Petite entaille.

encoder vt Transcrire qqch selon un code.

encoignure [ɑkɔɲyʀ] nf 1 Angle rentrant formé par la jonction de deux pans de mur. 2 Petit meuble d'angle.

encollage nm 1 Action d'encoller. 2 Apprêt ou enduit pour encoller.

encoller vt Enduire de colle, d'apprêt ou de gomme.

encolure nf 1 Cou du cheval et de certains animaux. 2 Dimension du tour de cou. 3 Partie du vêtement entourant le cou.

encombrant, ante a Qui encombre ; gênant.

encombre (sans) av Sans incident, sans rencontrer d'obstacle.

encombrement nm 1 Action d'encombrer ; état qui en résulte. 2 Accumulation d'un grand nombre de choses qui encombrent. 3 Dimensions d'un objet, volume qu'il occupe.

encombrer vt 1 Embarrasser, obstruer qqch. 2 Gêner, embarrasser qqn.

encontre (à l') prep Loc *À l'encontre de* : dans le sens contraire, à l'opposé de.

encorbellement nm ARCHI Construction en saillie du plan vertical d'un mur.

encorder (s') *vpr* Se relier par une même corde, par mesure de sécurité, en parlant d'alpinistes.

encore *av* Indique la persistance de l'action, la répétition, le renforcement ou la restriction. **Loc** *Encore que :* bien que, quoique.

encorner *vt* Frapper, percer à coups de cornes.

encornet *nm* Petit calmar.

encourageant, ante *a* Qui encourage, qui donne de l'espoir.

encouragement *nm* 1 Action d'encourager. 2 Ce qui encourage.

encourager *vt 11* 1 Donner du courage. 2 Inciter à agir. 3 Favoriser l'essor, le développement de qqch. *Encourager l'industrie.*

encourir *vt 25* Litt S'exposer à, tomber sous le coup de qqch. *Encourir la réprobation.*

en-cours *nm inv* FIN Montant des titres représentant les engagements financiers en cours.

encrasser *vt* Recouvrir de crasse. ■ *vpr* Devenir crasseux.

encre *nf* 1 Substance liquide, noire ou colorée, servant à écrire, à dessiner, à imprimer. 2 Liquide noir émis par les céphalopodes. **Loc** *C'est la bouteille à l'encre :* c'est une affaire obscure, confuse. *Faire couler de l'encre :* être le sujet de nombreux articles.

encrer *vt* Charger, enduire d'encre.

encreur, euse *a* Qui sert à encrer.

encrier *nm* Petit récipient pour mettre l'encre.

encroûter *vt* Recouvrir d'une croûte. ■ *vpr* 1 Se couvrir d'une croûte. 2 S'abêtir dans des habitudes, des opinions figées.

enculer *vt* Pop Pratiquer la sodomisation.

encyclique *nf* Lettre adressée par un pape au clergé et aux fidèles.

encyclopédie *nf* Ouvrage où on expose méthodiquement les connaissances dans un domaine ou un ensemble de domaines.

encyclopédique *a* Propre à l'encyclopédie, à l'ensemble des connaissances.

encyclopédiste *nm* Collaborateur de l'*Encyclopédie* de Diderot et d'Alembert. ■ *n* Rédacteur d'articles d'encyclopédie.

endémie *nf* Persistance dans une région d'une maladie qui frappe une partie importante de la population.

endémique *a* 1 De l'endémie. 2 BIOL Se dit d'une espèce qui n'existe que dans une région précise.

endettement *nm* Fait de s'endetter, d'être endetté.

endetter *vt* Engager dans des dettes. ■ *vpr* Faire des dettes.

endeuiller *vt* Plonger dans le deuil, dans la tristesse.

endiablé, ée *a* Plein de fougue.

endiguement *nm* Action d'endiguer.

endiguer *vt* 1 Contenir par des digues. 2 Contenir, refréner.

endimancher (s') *vpr* Mettre ses plus beaux habits, ses habits du dimanche.

endive *nf* Variété de chicorée.

endocarde *nm* ANAT Tunique interne du cœur.

endocarpe *nm* BOT Partie la plus interne du fruit ; coque du noyau.

endocrine *a* Se dit des glandes à sécrétion interne, exocrine.

endocrinien, enne *a* Des glandes endocrines.

endocrinologie *nf* Étude des glandes endocrines.

endocrinologue ou **endocrinologiste** *n* Spécialiste des glandes endocrines.

endoctrinement *nm* Action d'endoctriner.

endoctriner *vt* Faire la leçon à qqn pour qu'il adhère à une doctrine.

endodontie *nf* Étude de la pulpe et de la racine dentaires.

endogamie *nf* SOCIOL Fait de se marier à l'intérieur de son groupe social. Ant. exogamie.

endogène *a* Qui se forme à l'intérieur de qqch. Ant. exogène.

endolorir *vt* Rendre douloureux.

endomètre *nm* ANAT Muqueuse utérine.

endommagement *nm* Action d'endommager.

endommager *vt 11* Abîmer, détériorer.

endormi, ie *a* **1** Lent, nonchalant. **2** Qui a une activité réduite. *Une petite ville endormie.*

endormir *vt* **29 1** Faire dormir. **2** Tromper qqn pour l'empêcher d'agir. **3** Atténuer, rendre moins vif. *Endormir la douleur.* **4** Ennuyer profondément. ■ *vpr* **1** Commencer à dormir. **2** Perdre de son activité, de sa vigilance.

endormissement *nm* Moment où l'on passe de la veille au sommeil.

endorphine *nf* Substance présente dans le cerveau et qui a une action analgésique.

endos. V. endossement.

endoscope *nm* MED Instrument destiné à explorer certains conduits, certaines cavités du corps (estomac, vessie, etc.).

endoscopie *nf* MED Technique d'observation utilisant un endoscope.

endossable *a* Qui peut être endossé (chèque).

endossataire *n* FIN Personne pour laquelle un effet est endossé.

endossement ou **endos** *nm* FIN Action de transférer à un autre la propriété d'un effet de commerce en l'endossant.

endosser *vt* **1** Mettre un vêtement sur son dos. **2** Assumer, prendre sur soi. **3** Inscrire au dos d'un chèque, d'une traite, l'ordre de les payer.

endroit *nm* **1** Lieu, place, partie déterminée. **2** Côté sous lequel se présente habituellement un objet. Ant. envers. **Loc** *À l'endroit :* du bon côté. Litt *À l'endroit de :* à l'égard de, envers qqn.

enduire *vt* **67** Couvrir d'un enduit.

enduit *nm* Matière molle dont on couvre la surface de certains objets.

endurance *nf* Capacité de résister à la fatigue, aux souffrances.

endurant, ante *a* Qui a de l'endurance.

endurci, ie *a* **1** Devenu insensible. **2** Invétéré dans son état, ses habitudes. *Menteur endurci.*

endurcir *vt* **1** Rendre plus robuste, plus résistant. **2** Rendre insensible, impitoyable. ■ *vpr* **1** S'aguerrir. **2** Devenir insensible.

endurcissement *nm* État de qqn d'endurci.

endurer *vt* Souffrir, supporter ce qui est pénible.

enduro *nm* Épreuve motocycliste d'endurance tout-terrain. n f Moto conçue pour l'enduro.

énergétique *a* Relatif à l'énergie.

énergie *nf* **1** Force, puissance d'action. **2** Fermeté, résolution que l'on fait apparaître dans ses actes. **3** PHYS Capacité d'un corps ou d'un système à produire un travail, à élever une température, etc. *Énergie électrique. Sources d'énergie.*

énergique *a* Qui a, qui manifeste de l'énergie.

énergisant, ante *a* Qui donne de l'énergie. ■ *nm* Substance stimulant le tonus psychique.

énergivore *a* Fam Qui gaspille l'énergie.

énergumène *n* Individu exalté, agité.

énervant, ante *a* Qui agace. *Refrain énervant.*

énervation *nf* Ablation ou section d'un nerf.

énervé, ée *a* Agacé, irrité.

énervement *nm* État d'excitation, d'irritation.

énerver *vt* Agacer, irriter. ■ *vpr* Perdre son calme, le contrôle de ses nerfs.

enfance *nf* **1** Période de la vie de l'être humain qui va de la naissance jusqu'à l'âge de la puberté. **2** Les enfants. *La cruauté de l'enfance.* **3** Début, commencement. **Loc** *C'est l'enfance de l'art :* c'est très facile à faire.

enfant *n* **1** Être humain dans son enfance. **2** Fils ou fille, quel que soit son âge. **3** Descendant. **4** Originaire d'un pays, d'une région, d'un milieu.

enfanter *vt* Litt **1** Mettre un enfant au monde. **2** Produire, créer.

enfantillage *nm* Comportement, discours puérils.

enfantin, ine *a* **1** Propre à l'enfance. **2** Très facile. *Travail enfantin.* **3** Puéril.

enfariné, ée *a* Couvert de farine.

enfer *nm* **1** Dans le christianisme, lieu de supplice des damnés. **2** Souffrance permanente. *Sa vie est devenue un enfer.* **3** Partie d'une bibliothèque qui contient des ouvrages interdits au public. Loc *Une vie d'enfer :* pleine de tourments. *Un feu, un bruit d'enfer :* extrêmement violents. ■ *pl* Séjour des âmes des morts, dans la mythologie gréco-latine.

enfermement nm Action d'enfermer qqn.

enfermer vt **1** Mettre et maintenir qqn dans un lieu clos. **2** Mettre qqch dans un lieu, un meuble fermé. ■ *vpr* **1** S'installer dans un lieu fermé, isolé. **2** Se maintenir dans une situation, un état.

enferrer (s') vpr Tomber dans son propre piège, s'enfoncer maladroitement.

enfiévrer vt **12** Exciter la fièvre, l'ardeur de.

enfilade nf Série de choses se suivant sur une même ligne, en file.

enfiler vt **1** Passer un fil, etc., à travers, par le trou de. *Enfiler une aiguille, des perles.* **2** Passer, mettre un vêtement sur soi. *Enfiler une robe.* **3** S'engager dans. *Enfiler une rue.*

enfin av Marque la fin, la conclusion de qqch, l'impatience, le soulagement.

enflammer vt **1** Mettre le feu à. **2** Litt Emplir d'ardeur, de passion. **3** Irriter, provoquer l'inflammation de.

enfler vt Augmenter le volume, l'importance de. *Les pluies ont enflé la rivière. Enfler un incident.* ■ *vi* Gonfler, se tuméfier.

enflure nf **1** Gonflement d'une partie du corps ; œdème. **2** Exagération, emphase. *Enflure du style.*

enfoiré, ée a, n Pop Idiot, abruti.

enfoncement nm **1** Action d'enfoncer. **2** Partie reculée, en retrait. Ant saillie.

enfoncer vt **10 1** Faire pénétrer. *Enfoncer un clou.* **2** Accabler qqn. **3** Rompre en pesant sur. **4** Fam Faire plier, vaincre, surpasser. Loc Fam *Enfoncer le clou :* insister fortement. ■ *vi* Aller vers le fond. *On enfonçait dans la boue.* ■ *vpr* **1** Aller vers le fond, s'affaisser. **2** Pénétrer bien avant. *S'enfoncer dans la forêt.*

enfouir vt Mettre ou cacher en terre ou sous des objets.

enfourcher vt Monter à califourchon sur.

enfourner vt **1** Mettre dans un four. **2** Fam Mettre dans la bouche largement ouverte.

enfreindre vt **69** Ne pas respecter. *Enfreindre une loi.*

enfuir (s') vpr **28** Prendre la fuite.

enfumer vt **1** Remplir, envelopper de fumée. **2** Noircir de fumée.

engagé, ée a Qui prend ouvertement parti pour une cause. *Littérature engagée.* ■ a, n Qui a contracté un engagement dans l'armée.

engageant, ante a Attirant, qui séduit.

engagement nm **1** Action d'engager, de s'engager. **2** Combat de courte durée. **3** SPORT Coup d'envoi d'une partie. Loc *Engagement physique :* utilisation maximale de ses qualités athlétiques.

engager vt **11 1** Mettre, donner en gage. **2** Lier par une promesse, une convention. *Cela n'engage à rien.* **3** Prendre à son service ; embaucher. *Engager un employé de maison.* **4** Faire pénétrer, introduire. *Engager la main dans l'ouverture.* **5** Faire entrer, mettre en jeu. *Engager des capitaux dans une affaire.* **6** Commencer, provoquer. *Engager un procès.* **7** Amener qqn à faire qqch. ■ *vpr* **1** Promettre. **2** Prendre publiquement une position politique ; militer. **3** S'enrôler dans l'armée. **4** Commencer ; entrer dans une voie, un processus. *La négociation s'engage.*

engeance nf Catégorie de personnes jugées méprisables.

engelure nf Lésion due au froid, caractérisée par un œdème rouge.

engendrer vt **1** Procréer, en parlant des mâles. **2** Être la cause de, faire naître, provoquer.

engerber vt Mettre en gerbes.

engin nm **1** Appareil conçu pour exécuter des travaux. *Engin de terrassement.* **2** Appareil équipé à des fins militaires ; missile. **3** Instrument, outil quelconque.

engineering [ɛnʒiniriŋ] nm Ingénierie.

englober vt Réunir, comprendre en un tout.

engloutir vt **1** Avaler gloutonnement. **2** Faire disparaître, absorber.

engluer vt **1** Enduire d'une matière gluante. **2** Prendre à la glu.

engoncer vt **10** En parlant de vêtements, faire paraître le cou enfoncé dans les épaules.

engorgement nm Obstruction formée dans un tuyau, un canal, etc.

engorger vt **11** Obstruer, boucher un conduit, une voie.

engouement nm Fait de s'engouer.

engouer (s') vpr Se prendre d'une passion excessive et passagère pour.

engouffrer vt Dévorer, engloutir. ■ vpr Entrer avec violence, pénétrer précipitamment.

engoulevent nm Oiseau au plumage roussâtre, qui ressemble à un grand martinet.

engourdir vt **1** Causer l'engourdissement de. **2** Diminuer, ralentir l'activité, l'énergie de.

engourdissement nm **1** Privation momentanée de la sensibilité ou de la mobilité. **2** État de torpeur.

engrais nm **1** Action d'engraisser. *Porc à l'engrais.* **2** Matière qui fertilise le sol. *Engrais chimique.*

engraisser vt **1** Faire devenir gras. *Engraisser de la volaille.* **2** Améliorer par des engrais. **3** *Fam* Rendre riche, florissant. ■ vi Devenir gras.

engranger vt **11** Mettre dans une grange. **2** *Litt* Accumuler. *Engranger des bénéfices.*

engrenage nm **1** Dispositif composé de pièces à dents ou à rainures se transmettant un mouvement de rotation. **2** Enchaînement de circonstances auquel il est difficile d'échapper.

engrener vt **15** Mettre en prise les pièces d'un engrenage.

engrosser vt *Pop* Rendre enceinte.

engueulade nf *Fam* Action d'engueuler, de s'engueuler ; violents reproches.

engueuler vt *Fam* Faire des reproches véhéments à, invectiver. ■ vpr *Fam* Se disputer.

enguirlander vt **1** Garnir de guirlandes. **2** *Fam* Engueuler.

enhardir [ãar-] vt Donner de la hardiesse à. ■ vpr Prendre de la hardiesse.

enharmonie [ãnar-] nf *MUS* Annulation de la différence d'intonation entre deux notes conjointes (ex. : fa# et mi bémol).

énième a Qui est à un rang indéterminé.

énigmatique a Qui renferme une énigme.

énigme nf **1** Chose à deviner d'après une description en termes obscurs et ambigus. **2** Problème difficile à comprendre.

enivrement [ãni-] nm Exaltation de l'âme, des passions.

enivrer [ãni-] vt **1** Rendre ivre ; saouler. **2** Étourdir, exalter. *Enivrer de bonheur.*

enjambée nf Grand pas.

enjambement nm *LITTER* Rejet au vers suivant d'un ou de plusieurs mots qui complètent le sens du premier vers.

enjamber vt Franchir en faisant un pas par-dessus.

enjeu nm **1** Somme que l'on mise au jeu et qui revient au gagnant. **2** Ce que l'on risque de gagner ou de perdre dans une entreprise, une compétition.

enjoindre vt **62** Ordonner.

enjôler vt Séduire par des manières, des paroles flatteuses.

enjôleur, euse n, a Qui enjôle.

enjolivement nm ou **enjolivure** nf Ornement, ajout qui enjolive.

enjoliver vt Rendre plus joli, orner.

enjoliveur nm Garniture qui recouvre la partie centrale extérieure d'une roue.

enjoué, ée a Qui est d'une gaieté aimable.

enlacement nm Action d'enlacer.

enlacer vt **10** Étreindre, serrer dans ses bras.

enlaidir vt Rendre laid. ■ vi Devenir laid.

enlaidissement nm Fait d'enlaidir.

enlevé, ée a Exécuté avec brio.

enlèvement nm **1** Action d'emporter qqch d'un lieu. **2** Rapt, kidnapping.

enlever vt **15 1** Déplacer, mettre plus loin. *Enlevez ce paquet.* **2** Retirer, ôter. *Enlève tes chaussures.* **3** Faire disparaître. **4** *Litt* Emporter ; ôter la vie à. **5** S'emparer de. *Enlever une place.* **6** Ravir, emmener qqn de gré ou de force. **7** Exécuter avec vivacité et brio. *Enlever un morceau de musique.*

enlisement nm Fait de s'enliser.

enliser (s') vpr **1** Disparaître peu à peu dans un sol mouvant. **2** Stagner, régresser.

enluminer vt **1** Orner d'enluminures. **2** *Litt* Colorer vivement.

enlumineur, euse n Artiste d'enluminures.

enluminure nf Lettre ornée ou miniature colorée des anciens manuscrits.

enneigé, ée [ɑ̃-] a Couvert de neige.

enneigement [ɑ̃-] nm 1 État d'un sol enneigé. 2 Épaisseur de la couche de neige en un lieu donné.

ennemi, ie n, a 1 Qui hait qqn, qui cherche à lui nuire. 2 Chose opposée, nuisible à une autre. *Le mieux est l'ennemi du bien.* 3 Qui éprouve de l'aversion pour qqch. 4 Ceux contre qui on se bat, en période de guerre, leur État, leur armée.

ennoblir [ɑ̃-] vt Conférer de la noblesse morale, de la dignité à.

ennoblissement [ɑ̃-] nm Action d'ennoblir.

ennuager [ɑ̃-] vt 11 Couvrir de nuages.

ennui [ɑ̃-] nm 1 Lassitude morale, absence d'intérêt. 2 Souci, contrariété, problème. *Avoir des ennuis d'argent.*

ennuyer [ɑ̃-] vt 21 1 Causer du souci, de la contrariété à. *Cette panne m'ennuie beaucoup.* 2 Importuner, lasser. *Il m'ennuie avec ses questions.* ■ vpr Éprouver de l'ennui.

ennuyeux, euse [ɑ̃-] a Qui cause de l'ennui ou des soucis.

énoncé nm 1 Action d'énoncer ; ce qui est énoncé. 2 Formulation des données d'un problème, d'un exercice.

énoncer vt 10 Exprimer sa pensée, la rendre par des mots. *Énoncer une vérité.*

énonciatif, ive a Qui énonce.

énonciation nf Action, manière d'énoncer.

enorgueillir [ɑ̃nɔʀ-] vt Rendre orgueilleux. ■ vpr Tirer orgueil de.

énorme a 1 Démesuré, extraordinairement grand ou gros. 2 Fam Remarquable, incroyable.

énormément av Beaucoup, extrêmement, excessivement.

énormité nf 1 Caractère énorme. 2 Fam Parole ou action d'une extravagance ou d'une stupidité énorme.

enquérir (s') vpr 34 Se renseigner, s'informer sur. *Il s'est enquis de ma santé.*

enquête nf 1 Étude d'une question, s'appuyant sur des témoignages, des informations. 2 Recherche faite par une autorité judiciaire, administrative ou religieuse.

enquêter vi Faire une enquête.

enquêteur, euse ou **trice** n, a Qui mène une enquête.

enquiquinement nm Fam Ennui.

enquiquiner vt Fam Ennuyer, agacer.

enquiquineur, euse n, a Fam Importun.

enraciner vt 1 Faire prendre racine à. 2 Implanter profondément dans l'esprit, les mœurs, etc. ■ vpr 1 Prendre racine. 2 S'établir solidement. *Préjugé qui s'est enraciné.*

enragé, ée a Atteint de la rage. Loc Fam **Manger de la vache enragée** : mener une vie de privations. ■ a, n 1 Furieux. 2 Passionné, acharné. *Un joueur enragé.*

enrageant, ante a Qui met en colère.

enrager vi 11 Éprouver un vif déplaisir ; être en colère.

enrayer vt 20 1 Arrêter l'extension d'une chose fâcheuse. *Enrayer une épidémie.* 2 Bloquer une roue, un mécanisme. ■ vpr Se bloquer, en parlant d'un mécanisme, d'une arme à feu.

enrégimenter vt Faire entrer dans un groupe qui exige une stricte discipline.

enregistrement nm 1 Action d'enregistrer. 2 Administration chargée d'enregistrer certains actes officiels. 3 Opération consistant à recueillir sur un support matériel des sons, des images qui peuvent être restitués par une lecture ; ces sons, ces images ainsi recueillis.

enregistrer vt 1 Inscrire sur un registre, une feuille, etc. 2 Noter dans sa mémoire. 3 Constater, observer. *Enregistrer une amélioration du temps.* 4 Transférer des informations (sonores, visuelles, codées) sur un support matériel (disque, bande magnétique, etc.).

enregistreur, euse a, nm Se dit d'un appareil qui enregistre.

enrhumer vt Causer un rhume à. ■ vpr Contracter un rhume.

enrichi, ie a 1 Dont la fortune est récente. 2 PHYS Dont la teneur en l'un de ses constituants a été augmentée. *Un minerai enrichi.*

enrichir vt 1 Rendre riche. 2 Apporter qqch de précieux ou de nouveau à. ■ vpr Devenir riche.

enrichissant, ante a Qui apporte un enrichissement intellectuel.

enrichissement nm Action d'enrichir, de s'enrichir.

enrobé, ée a Fam Grassouillet. ■ nm Granulat utilisé pour le revêtement des chaussées.

enrober vt 1 Recouvrir d'une couche qui protège ou améliore le goût. 2 Envelopper pour atténuer ou déguiser.

enrôlement nm Action d'enrôler, de s'enrôler.

enrôler vt 1 Inscrire sur les rôles de l'armée. 2 Faire entrer dans un groupe. ■ vpr S'engager, se faire inscrire.

enrouement nm Altération de la voix qui devient rauque et voilée.

enrouer vt Rendre la voix rauque, sourde. ■ vpr Être pris d'enrouement.

enroulement nm 1 Action d'enrouler ; fait de s'enrouler. 2 Ce qui forme une crosse, une spirale. 3 ELECTR Bobinage.

enrouler vt Rouler plusieurs fois une chose sur elle-même ou autour d'une autre. ■ vpr S'envelopper. S'enrouler dans une couverture.

enrouleur, euse a, nm Qui sert à enrouler.

enrubanner vt Garnir de rubans.

ensabler vt Couvrir, remplir de sable. ■ vpr 1 Se recouvrir, se remplir de sable. 2 S'enfoncer dans le sable.

ensacher vt Mettre dans un sac, un sachet.

ensanglanter vt 1 Tacher, couvrir de sang. 2 Litt Souiller par un acte meurtrier.

enseignant, ante a, n Qui enseigne. Loc **Le corps enseignant :** l'ensemble des personnes chargées d'enseigner.

1. enseigne nf Inscription, emblème placé sur la façade d'un établissement commercial.

2. enseigne nm Loc **Enseigne de vaisseau :** officier de marine dont le grade correspond à celui du lieutenant ou du sous-lieutenant.

enseignement nm 1 Action, manière d'enseigner ; son résultat. 2 Profession des enseignants. 3 Leçon donnée par l'exemple, l'expérience.

enseigner vt 1 Transmettre un savoir. Enseigner l'histoire. 2 Montrer, prouver que.

ensemble av 1 L'un avec l'autre, les uns avec les autres. Ils vivent ensemble. 2 Simultanément. Démarrer ensemble. ■ nm 1 Groupe d'éléments formant un tout. Examiner l'ensemble des problèmes. 2 Groupe d'éléments unis par des traits communs. Un ensemble de musiciens. 3 Costume de femme composé de plusieurs pièces assorties. 4 Accord, harmonie entre les éléments. Défiler avec un ensemble parfait. 5 MATH Collection d'objets ayant les mêmes propriétés. Théorie des ensembles. Loc **Grand ensemble :** vaste groupe de hauts immeubles, conçu comme une unité architecturale.

ensembliste a MATH Qui concerne les ensembles.

ensemencer vt 10 Mettre de la semence dans. Ensemencer un champ.

enserrer vt Entourer en serrant.

ensevelir vt 1 Inhumer, enterrer. 2 Recouvrir d'un amoncellement de matériaux.

ensilage nm 1 Action d'ensiler. Syn. silotage. 2 Fourrage ensilé.

ensiler vt Mettre en silo.

ensoleillement nm 1 État d'un lieu ensoleillé. 2 Temps pendant lequel un lieu est ensoleillé.

ensoleiller vt 1 Éclairer, échauffer par la lumière du soleil. 2 Litt Rendre radieux.

ensommeillé, ée a Gagné ou engourdi par le sommeil.

ensorceler vt 18 1 Mettre sous le pouvoir d'un sortilège. 2 Exercer un charme irrésistible.

ensorceleur, euse n, a Qui charme.

ensorcellement nm Fait d'ensorceler ou d'être ensorcelé.

ensuite av Après, dans le temps ou dans l'espace.

ensuivre (s') vpr 73 Survenir comme conséquence ; découler logiquement. Loc **Et tout ce qui s'ensuit :** et tout ce qui vient après cela.

entablement nm Partie supérieure d'un édifice, d'un meuble, d'une porte, etc.

entacher vt 1 Souiller moralement. 2 Diminuer le mérite, la valeur de.

entaille

entaille nf 1 Coupure dans une pièce dont on enlève une partie. 2 Coupure faite dans les chairs.

entailler vt Faire une entaille à.

entame nf 1 Premier morceau coupé d'un pain, d'un rôti, etc. 2 Première carte jouée dans une partie.

entamer vt 1 Faire une incision, une coupure à. *Entamer la peau.* 2 Couper un premier morceau dans. 3 Commencer de consommer. *Entamer son capital.* 4 Commencer à détruire ; ébranler. *Entamer la résistance d'un ennemi.* 5 Commencer, entreprendre. *Entamer un débat.*

entartrer vt Produire un dépôt de tartre.

entassement nm 1 Action d'entasser, de s'entasser. 2 Ensemble de choses mises en tas.

entasser vt 1 Mettre en tas. 2 Amasser, accumuler. 3 Réunir, serrer dans un lieu étroit.

entelle nm Grand singe gris de l'Inde.

entendement nm PHILO Faculté de concevoir et de comprendre.

entendeur nm Loc *À bon entendeur salut !* : que celui qui a compris ce que l'on vient de dire en fasse son profit.

entendre vt 15 1 Percevoir, saisir par l'ouïe. *Entendre un bruit.* 2 Prêter attention à, écouter. *Aller entendre un conférencier.* 3 Litt Saisir par l'intelligence, comprendre, être compétent. *Il n'entendra pas ces subtilités. Il n'entend rien à l'informatique.* 4 Vouloir dire. *Qu'entendez-vous par là ?* 5 Litt Avoir l'intention, la volonté de. *J'entends être respecté.* ■ vpr Être en bonne intelligence ; se mettre d'accord. *S'y entendre* : être compétent, habile ; s'y connaître. *Cela s'entend* : cela va de soi.

entendu, ue a 1 Convenu, conclu. *L'affaire est entendue.* 2 Litt Compétent, capable. Loc *Bien entendu* : assurément, cela va de soi.

enténébrer vt 12 Litt Plonger dans les ténèbres.

entente nf 1 Fait d'être ou de se mettre d'accord ; bonne intelligence. 2 Accord, convention entre les groupes, des sociétés, des pays. Loc *Mot, phrase à double entente* : que l'on peut interpréter de deux façons.

enter vt 1 Greffer. 2 Ajuster ou abouter deux pièces de bois.

entériner vt 1 Rendre valable en ratifiant juridiquement. 2 Établir ou admettre comme valable, assuré, définitif.

entérite nf Inflammation de la muqueuse intestinale.

entérocolite nf Inflammation simultanée des muqueuses de l'intestin grêle et du côlon.

entérocoque nm Microbe de l'intestin.

enterrement nm 1 Action de mettre un mort en terre. 2 Ensemble des cérémonies funéraires. 3 Convoi funèbre. 4 Fait de laisser tomber dans l'oubli, d'abandonner qqch.

enterrer vt 1 Inhumer, mettre un corps en terre. *Enterrer les morts.* 2 Enfouir dans la terre. *Enterrer une canalisation.* 3 Laisser tomber dans l'oubli. *Enterrer un projet.* ■ vpr Se retirer, s'isoler. *Aller s'enterrer à la campagne.*

en-tête nm Inscription imprimée ou gravée en haut de papiers utilisés pour la correspondance. *Des en-têtes.*

entêté, ée a, n Obstiné.

entêtement nm 1 Fait de s'entêter. 2 Caractère entêté ; obstination.

entêter vt Étourdir par des émanations qui montent à la tête. *Un parfum qui entête.* ■ vpr Persister obstinément dans ses résolutions.

enthousiasme nm Exaltation joyeuse, admirative. *Applaudir avec enthousiasme.*

enthousiasmer vt Provoquer l'enthousiasme de. *Ce livre m'a enthousiasmé.* ■ vpr Devenir enthousiaste.

enthousiaste a, n Qui ressent ou manifeste de l'enthousiasme. *Accueil enthousiaste.*

enticher (s') vpr Se prendre d'un attachement excessif pour. *Elle s'est entichée d'un inconnu.*

entier, ère a 1 À quoi rien ne manque, complet. *Le gâteau est encore entier.* 2 Absolu, total, sans réserve. *Laisser à qqn une entière liberté.* 3 (après le nom) D'un caractère tranché, peu enclin aux nuances. Loc *Nombre entier* : nombre sans fraction décimale. ■ nm 1 Nombre entier. 2 Une unité. *Quatre quarts font un entier.*

entièrement av Complètement.

entité nf 1 Ce qui constitue l'essence d'un être, d'une chose. 2 Objet de pensée qui existe en soi.

entoiler vt 1 Fixer sur une toile. 2 Garnir de toile.

entolome nm Champignon à lames roses.

entomologie nf Partie de la zoologie qui traite des insectes.

entomologiste n Spécialiste d'entomologie.

entomophage a, nm Qui se nourrit d'insectes.

1. entonner vt Mettre en tonneau.

2. entonner vt Commencer à chanter. *Entonner la Marseillaise.*

entonnoir nm 1 Instrument conique servant à verser un liquide dans un récipient. 2 Excavation produite dans le sol par un obus.

entorse nf Lésion douloureuse par élongation ou déchirure d'un ou des ligaments d'une articulation. **Loc** *Faire une entorse à :* contrevenir exceptionnellement.

entortiller vt 1 Envelopper dans qqch que l'on tortille. *Entortiller des bonbons dans du papier.* 2 Rendre obscur par l'emploi de circonlocutions, de périphrases. *Entortiller une réponse.* **Loc** *Entortiller qqn :* l'amener insidieusement à faire ce que l'on désire. ■ vpr 1 S'enrouler. 2 S'embrouiller.

entourage nm 1 Ce qui entoure pour protéger, orner, etc. 2 Ensemble des personnes qui vivent auprès de qqn.

entouré, ée a Recherché, admiré ou aidé par de nombreuses personnes.

entourer vt 1 Être autour de. *Un mur entoure le jardin.* 2 Mettre, disposer autour de. 3 Former l'environnement, l'entourage de qqch. 4 Être prévenant, attentionné envers qqn. ■ vpr Réunir des gens autour de soi. *S'entourer d'amis.*

entourloupe ou **entourloupette** nf Fam Mauvais tour ; tromperie.

entournure nf Loc Fam *Être gêné aux entournures :* être mal à l'aise.

entracte nm 1 Intervalle qui sépare les actes, les parties d'un spectacle. 2 Temps de repos, d'interruption.

entraide nf Action de s'entraider.

entraider (s') vpr S'aider mutuellement.

entrailles nfpl 1 Viscères, intestins, boyaux. 2 Litt Le ventre de la mère. 3 Litt Les lieux les plus profonds. *Les entrailles de la terre.* 4 Litt Le cœur, siège de la sensibilité.

entrain nm 1 Gaieté franche et communicative. 2 Zèle, ardeur.

entraînant, ante a Qui entraîne par sa vivacité communicative.

entraînement nm 1 Action d'entraîner. 2 Préparation à une épreuve sportive, à une activité.

entraîner vt 1 Traîner qqch avec soi. 2 Emmener, conduire qqn. 3 Avoir pour résultat, pour conséquence. 4 Communiquer un mouvement. 5 Préparer à une compétition, à une activité. ■ vpr Pratiquer un entraînement.

entraîneur, euse n Qui entraîne des chevaux, des sportifs. ■ nf Femme qui, dans un cabaret, entraîne les clients à consommer, à danser.

entrapercevoir vt 43 Apercevoir à peine, fugitivement.

entrave nf 1 Lien que l'on attache aux jambes de certains animaux. 2 Ce qui gêne, empêche.

entraver vt 1 Mettre des entraves à ; gêner. 2 Pop Comprendre.

entre prép 1 Dans l'espace qui sépare deux lieux, deux choses, etc. 2 Dans l'intervalle qui sépare deux états, deux situations, deux moments. 3 Parmi. *Quel est le meilleur d'entre eux ?* 4 Exprime la réciprocité, la relation, la comparaison.

entrebâillement nm Espace laissé par ce qui est entrebâillé.

entrebâiller vt Ouvrir à demi.

entrebâilleur nm Dispositif qui permet de maintenir une porte entrebâillée.

entrechat nm Saut léger pendant lequel le danseur fait des battements de pieds.

entrechoquer (s') vpr Se choquer, se heurter l'un contre l'autre.

entrecôte nf Morceau de viande de bœuf coupé dans le train des côtes.

entrecouper vt Interrompre en divers endroits.

entrecroiser vt Croiser en divers sens.

entredéchirer (s') *vpr* Se déchirer l'un l'autre.

entre-deux *nm inv* 1 Partie intermédiaire. 2 Solution, état intermédiaire. 3 Jet de ballon entre deux joueurs.

entrée *nf* 1 Action d'entrer. 2 Lieu par où l'on entre. 3 Vestibule. *Voulez-vous attendre dans l'entrée ?* 4 Accession au sein d'une communauté, d'un corps, d'une collectivité, etc. 5 Ce que l'on sert au début du repas. 6 Dans un dictionnaire, mot en caractères gras qui introduit chaque article.

entrefaites *nfpl* Loc *Sur ces entrefaites* : à ce moment-là.

entrefilet *nm* Court article de journal.

entregent *nm* Manière habile de se conduire, de nouer des relations utiles.

entrejambe *nm* Partie de la culotte ou du pantalon qui se trouve entre les jambes.

entrelacer *vt* 10 Enlacer l'un dans l'autre.

entrelacs [-la] *nm* Ornement constitué de motifs entrelacés.

entrelarder *vt* 1 Piquer une viande de lard. 2 Fam Mêler, parsemer.

entremêler *vt* Mêler plusieurs choses ; mêler de place en place.

entremets *nm* Plat sucré servi avant le dessert ou comme dessert.

entremetteur, euse *n* Qui sert d'intermédiaire dans une intrigue galante.

entremettre (s') *vpr* 64 Intervenir pour faciliter un accord.

entremise *nf* Loc *Par l'entremise de* : par l'intermédiaire de.

entrepont *nm* Intervalle compris entre deux ponts, dans un navire.

entreposer *vt* Déposer dans un entrepôt, dans un lieu d'attente.

entrepôt *nm* Lieu, bâtiment où l'on met en dépôt des marchandises.

entreprenant, ante *a* 1 Hardi, audacieux dans ses projets. 2 Hardi auprès des femmes.

entreprendre *vt* 70 1 Commencer à faire. *Entreprendre des recherches.* 2 Fam Chercher à gagner, à séduire qqn.

entrepreneur, euse *n* Chef d'entreprise qui se charge d'effectuer certains travaux pour autrui, et particulièrement des travaux de construction.

entrepreneurial, ale, aux *a* Qui concerne l'entreprise, le chef d'entreprise.

entreprise *nf* 1 Ce que l'on entreprend. 2 Unité économique de production à but industriel ou commercial (biens et services).

entrer *vi* [aux être] 1 Passer du dehors au dedans d'un lieu ; pénétrer. *Entrer dans une ville. Clef qui n'entre pas dans la serrure.* 2 Commencer à être dans tel état, telle situation, à faire partie d'un groupe. *Entrer en convalescence. Entrer dans l'enseignement.* 3 Être un composant, un élément de base. *Les épices qui entrent dans une recette.* Loc *Entrer dans les vues de qqn* : les partager, y adhérer. ■ *vt* Faire pénétrer, introduire.

entresol *nm* Étage situé entre le rez-de-chaussée et le premier étage.

entre-temps *av* Pendant ce temps.

entretenir *vt* 35 1 Maintenir en bon état. *Entretenir un jardin.* 2 Faire durer. *Entretenir une correspondance.* 3 Subvenir aux dépenses de. *Entretenir une famille.* 4 Avoir avec qqn une conversation sur. ■ *vpr* Causer, converser.

entretien *nm* 1 Action de maintenir en bon état ; dépense qu'exige cette conservation. 2 Conversation.

entretoise *nf* TECH Élément de jonction maintenant un écartement.

entretuer (s') *vpr* Se tuer l'un l'autre.

entrevoir *vt* 45 1 Voir imparfaitement, en passant. 2 Concevoir, prévoir de manière imprécise : pressentir.

entrevue *nf* Rencontre concertée entre personnes qui doivent se parler.

entrisme *nm* Pratique consistant à introduire dans un groupe (parti, syndicat) de nouveaux militants en vue de modifier la ligne d'action.

entropie *nf* PHYS Grandeur thermodynamique qui caractérise l'état de désordre d'un système.

entrouvrir *vt* 31 Ouvrir à demi.

entuber *vt* Pop Voler, tromper, duper.

enturbanné, ée *a* Coiffé d'un turban.

énucléer *vt* Extirper une tumeur, un œil.

énumération *nf* **1** Action d'énumérer. **2** Liste de ce qu'on énumère.

énumérer *vt 12* Énoncer un à un les éléments d'un ensemble.

énurésie *nf* Incontinence d'urine.

envahir *vt* **1** Entrer de force dans un territoire. **2** Occuper entièrement, remplir, gagner.

envahissant, ante *a* **1** Qui envahit. **2** Indiscret, importun.

envahissement *nm* Action, fait d'envahir.

envahisseur, euse *n, a* Qui envahit. *Chasser les envahisseurs.*

envasement *nm* **1** Fait de s'envaser. **2** État de ce qui est envasé.

envaser *vt* Remplir de vase. ■ *vpr* S'enfoncer dans la vase.

enveloppe *nf* **1** Ce qui sert à envelopper. **2** Pochette de papier dans laquelle on place une lettre, un document, etc. **3** Montant global affecté à un poste budgétaire.

enveloppé, ée *a* Qui a un peu d'embonpoint.

enveloppement *nm* Action d'envelopper.

envelopper *vt* **1** Entourer, emballer dans du papier, du tissu, etc. **2** Environner, entourer, encercler. *Envelopper un détachement ennemi.* **3** Déguiser, dissimuler. *Envelopper sa pensée.*

envenimer *vt* **1** Infecter. **2** Aviver, rendre virulent. ■ *vpr* S'infecter. **2** Se détériorer.

envergure *nf* **1** MAR Largeur d'une voile fixée sur la vergue. **2** Distance entre les extrémités des ailes déployées d'un oiseau, d'un avion. **3** Valeur, capacité. *Un homme sans envergure.* Loc *D'envergure* : de grande ampleur.

1. envers *prép* À l'égard de. *Il a été honnête envers moi.* Loc *Envers et contre tous* : malgré l'opposition de tout le monde.

2. envers *nm* Côté opposé à l'endroit.

envi (à l') *av* Litt À qui mieux mieux.

enviable *a* Digne d'être convoité.

envie *nf* **1** Sentiment de frustration, d'irritation jalouse à la vue d'un avantage d'autrui.

2 Désir. *Avoir envie de voyager.* **3** Besoin organique. **4** Tache congénitale sur la peau. **5** Pellicule qui se détache de l'épiderme autour de l'ongle.

envié, ée *a* Recherché, convoité.

envier *vt* Regretter de ne pas posséder qqch que qqn d'autre possède.

envieux, euse *a, n* Qui éprouve ou dénote un sentiment d'envie.

environ *av* À peu près, approximativement. ■ *nmpl* Lieux d'alentour.

environnement *nm* **1** Ensemble de ce qui entoure. **2** Cadre de vie de l'homme, d'une espèce animale ; milieu.

environnemental, ale,aux *a* Relatif à l'environnement, à la défense de l'environnement.

environnementalisme *nm* Défense de l'environnement.

environner *vt* Entourer, être aux environs de.

envisageable *a* Qui peut être envisagé.

envisager *vt* **11 1** Examiner, prendre en considération. **2** Projeter.

envoi *nm* **1** Action d'envoyer. **2** Ce qui est envoyé. **3** LITTER Dernière strophe d'une ballade.

envol *nm* Action de s'envoler.

envolée *nf* **1** Envol. **2** Mouvement lyrique ou oratoire plein d'élan.

envoler (s') *vpr* **1** S'élever dans l'air en volant. **2** Décoller (avion). **3** S'enfuir, disparaître.

envoûtant, ante *a* Qui charme, séduit.

envoûtement *nm* **1** Pratique de magie par laquelle on cherche à exercer une action sur qqn en agissant sur une figurine qui le représente. **2** Charme puissant et mystérieux.

envoûter *vt* **1** Pratiquer un envoûtement sur qqn. **2** Subjuguer.

envoyé, ée *n* Personne envoyée avec une mission diplomatique ; messager.

envoyer *vt 23* **1** Faire partir qqn pour une destination. **2** Dresser, expédier. **3** Lancer, jeter. ■ *vpr* Fam **1** Absorber. **2** Se charger d'une corvée.

envoyeur, euse *n* Qui fait un envoi, expéditeur. *Retour à l'envoyeur.*

enzyme nf Substance protéique qui active une réaction biochimique.

éocène nm, a GEOL Étage le plus ancien du tertiaire.

éolien, enne a 1 Du vent, relatif au vent. *Érosion éolienne.* 2 Actionné par le vent. ■ nf Machine qui utilise la force motrice du vent.

éosine nf Matière colorante rouge, utilisée comme désinfectant.

épagneul, eule n Chien d'arrêt au poil long, aux oreilles pendantes.

épais, aisse a 1 Qui a telle épaisseur. *Rempart épais de deux mètres.* 2 Qui a une grande épaisseur. *Sandwich épais.* 3 Consistant, pâteux ; dense. *Sirop épais.*

épaisseur nf 1 L'une des trois dimensions d'un corps, opposée à longueur et à largeur. *L'épaisseur d'une planche.* 2 Caractère épais. *L'épaisseur du brouillard.*

épaissir vt Rendre plus épais. ■ vi, vpr Devenir plus épais.

épaississement nm Fait de s'épaissir.

épanchement nm 1 Présence anormale de gaz ou de liquide dans une région du corps. *Épanchement de synovie.* 2 Effusion de sentiments.

épancher vt Exprimer ses sentiments intimes. ■ vpr 1 Litt Se répandre. 2 Parler librement en confiant ses sentiments.

épandage nm Action d'épandre les engrais, le fumier, etc.

épandre vt 5 Jeter çà et là, éparpiller.

épanouir vt Rendre heureux, joyeux. ■ vpr 1 S'ouvrir, déployer ses pétales (fleurs). 2 Avoir un air pleinement heureux. 3 Atteindre à sa plénitude.

épanouissement nm Action de s'épanouir, état de ce qui est épanoui.

épargnant, ante a Qui s'est constitué un capital par l'épargne.

épargne nf 1 Action d'épargner de l'argent ; somme épargnée. 2 Fraction d'un revenu qui n'est pas affectée à la consommation immédiate. *Loc Caisse d'épargne :* établissement public qui reçoit et rémunère les dépôts des épargnants.

épargner vt 1 Faire grâce à. *Épargner les vaincus.* 2 Ne pas endommager, ne pas dé-

truire. 3 Mettre de côté. *Il a épargné vingt mille francs.* 4 Employer avec modération. 5 Permettre à qqn d'éviter qqch, lui permettre de ne pas le subir. *Il m'a épargné le dérangement.* ■ vpr Se dispenser de. *S'épargner une démarche pénible.*

éparpiller vt Disperser, disséminer. ■ vpr Disperser son action, ses forces.

épars, arse [epar] a Dispersé, en désordre.

épatant, ante a Fam Remarquable, excellent.

épaté, ée a Loc *Nez épaté :* large et court.

épater vt Fam Étonner, impressionner.

épaulard nm Orque.

épaule nf Articulation du bras ou du membre antérieur avec le tronc.

épaulé, ée a Dont les épaules sont soulignées par des épaulettes (vêtement). ■ nm Mouvement dans lequel l'haltère est amené du sol à la hauteur des épaules.

épaulement nm 1 Mur de soutènement. 2 Replat sur la pente d'un versant. 3 Saillie servant d'arrêt, de butée.

épauler vt 1 Aider, soutenir qqn. 2 Appuyer une arme contre son épaule pour viser, tirer.

épaulette nf 1 Bande rigide, garnie parfois de franges, qui orne les épaules de certains uniformes militaires. 2 Rembourrage qui donne leur forme aux épaules d'un vêtement.

épaulière nf Accessoire protégeant l'épaule.

épave nf 1 Objet, débris provenant d'un navire naufragé. 2 Navire naufragé. 3 Voiture hors d'usage abandonnée. 4 Personne déchue, dans la misère.

épaviste n Spécialisé dans la récupération des voitures accidentées.

épée nf Arme constituée par une lame longue et droite munie d'une poignée et d'une garde. *Loc Coup d'épée dans l'eau :* action vaine.

épeiche nf Pic d'Europe au plumage noir et blanc.

épéiste n Escrimeur à l'épée.

épeler vt 18 Énoncer à une à une, dans l'ordre, les lettres qui composent un mot.

épellation nf Fait d'épeler.

épépiner vt Ôter les pépins d'un fruit.

éperdu, ue a 1 En proie à une émotion profonde. 2 Vif, intense. *Joie éperdue.*

éperdument av De façon éperdue.

éperlan nm Poisson des mers européennes, voisin du saumon.

éperon nm 1 Pièce de métal fixée au talon du cavalier et qui sert à piquer les flancs du cheval pour l'exciter. 2 Relief abrupt en pointe. *Éperon rocheux.*

éperonner vt 1 Piquer un cheval avec les éperons. 2 Inciter vivement à agir. 3 Heurter un navire en défonçant sa coque avec sa propre étrave.

épervier nm 1 Oiseau de proie voisin du faucon. 2 Filet de pêche conique, lesté de plomb.

épervière nf Plante herbacée à fleurs jaunes.

éphèbe nm 1 ANTIQ Adolescent. 2 Jeune homme très beau.

éphélide nf Tache de rousseur.

éphémère a Qui dure peu. *Amour éphémère.* ■ nm Insecte qui ne vit qu'un ou deux jours.

éphéméride nf Calendrier dont on enlève chaque jour une feuille.

épi nm 1 Ensemble des grains d'une graminée (blé, orge, etc.) groupés à l'extrémité de la tige, insérés directement sur l'axe. 2 Mèche rebelle de cheveux. 3 Ouvrage, généralement en pieux, destiné à retenir les matériaux et à stabiliser une berge. Loc **En épi** : se dit de choses disposées obliquement par rapport à un axe.

épicarpe nm BOT Feuillet le plus externe du péricarpe.

épice nf Substance aromatique servant d'assaisonnement en cuisine.

épicéa nm Conifère proche du sapin.

épicentre nm 1 GEOL Point de la surface terrestre où un séisme atteint son intensité maximale. 2 Centre d'un bouleversement politique, social.

épicer vt 10 1 Assaisonner, relever avec des épices. *Épicer un plat.* 2 Relever de détails licencieux. *Épicer un récit.*

épicerie nf 1 Produits d'alimentation générale. 2 Magasin où on les vend.

épicier, ère n Qui tient une épicerie.

épicurien, enne a, n D'Épicure ou de l'épicurisme.

épicurisme nm 1 Philosophie d'Épicure. 2 Morale qui valorise les plaisirs des sens.

épidémie nf 1 Développement rapide d'une maladie contagieuse dans une population. 2 Propagation d'un phénomène néfaste.

épidémiologie nf MED Étude des facteurs qui conditionnent l'apparition et l'évolution des maladies et des phénomènes morbides.

épidémiologiste n Spécialiste d'épidémiologie.

épidémique a De l'épidémie.

épiderme nm 1 Couche superficielle de la peau ; la peau elle-même. 2 Couche externe imperméable qui protège les végétaux.

épidural, ale,aux a ANAT Qui concerne la partie du canal rachidien située entre les vertèbres et les méninges.

épier vt 1 Observer attentivement et secrètement. 2 Guetter. *Épier l'occasion.*

épieu nm Arme à manche de bois, terminée par un fer plat et pointu.

épigastre nm ANAT Région de l'abdomen située entre le sternum et l'ombilic.

épiglotte nf ANAT Opercule assurant l'occlusion des voies respiratoires lors de la déglutition.

épigone nm Litt Imitateur, suiveur.

épigramme nf 1 Petit poème satirique. 2 Trait satirique ou mordant.

épigraphe nf 1 Inscription placée sur un édifice. 2 Citation placée en tête d'un livre, d'un chapitre.

épigraphie nf Étude des inscriptions.

épilation nf Action d'épiler.

épilatoire a, nm Qui sert à épiler.

épilepsie nf Affection caractérisée par des crises convulsives ou des troubles sensoriels.

épileptique a, n Atteint d'épilepsie.

épiler vt Arracher les poils de.

épillet nm Petit épi constitutif d'une inflorescence composée.

épilogue nm 1 Conclusion d'un ouvrage littéraire. Ant. prologue. 2 Dénouement.

épiloguer vti Faire de longs commentaires.

épinard nm Plante potagère à feuilles comestibles.

épine nf Organe acéré et dur de certains végétaux. *Les épines d'un rosier.* Loc *Épine dorsale :* colonne vertébrale.

épinette nf Petit clavecin.

épineux, euse a 1 Qui porte des épines. 2 Plein de difficultés. ■ nm Arbuste à épines.

épine-vinette nf Arbuste épineux à fleurs jaunes et à baies rouges. *Des épines-vinettes.*

épingle nf Petite tige métallique, pointue à une extrémité, et pourvue d'une tête à l'autre, servant à attacher. Loc *Épingle double, de nourrice, de sûreté :* épingle recourbée dont l'extrémité pointue se referme sur un crochet. *Monter en épingle :* mettre en valeur.

épingler vt 1 Fixer avec une ou plusieurs épingles. 2 Fam Arrêter, prendre qqn.

épinglette nf Syn de *pin's.*

épinière a Loc *Moelle épinière :* V. moelle.

épinoche nf Petit poisson d'eau douce dont la nageoire dorsale est munie d'épines.

épipaléolithique nm Période entre le paléolithique et le néolithique.

Épiphanie nf Fête chrétienne célébrant la visite des Rois mages à Jésus (le 6 janvier).

épiphénomène nm Phénomène secondaire, lié à un autre.

épiphyse nf ANAT 1 Extrémité des os longs. 2 Glande située au fond du cerveau.

épique a 1 De l'épopée. 2 Mémorable par ses proportions, son ton. *Un débat épique.*

épiscopal, ale, aux a De l'évêque. Loc *Église épiscopale :* l'Église anglicane des États-Unis.

épiscopat nm 1 Dignité d'évêque. 2 Durée des fonctions d'évêque. 3 Corps des évêques.

épisode nm 1 Partie d'une œuvre littéraire, d'un film. 2 Événement particulier dans une action d'ensemble.

épisodique a Secondaire, intermittent. *Elle n'a joué qu'un rôle épisodique.*

épissure nf Jonction des bouts de deux cordages, de deux fils électriques par l'entrelacement des torons.

épistémologie nf Étude critique des sciences.

épistolaire a Qui concerne la correspondance par lettres.

épistolier, ère n Écrivain connu par ses lettres.

épitaphe nf Inscription sur une sépulture.

épithélium [-ljɔm] nm ANAT Membrane ou tissu formé de cellules juxtaposées.

épithète nf 1 GRAM Adjectif ajouté à un nom pour le qualifier ou le déterminer (ex. : *une robe bleue*). 2 Mot qui qualifie qqn. *« Imbécile, voyou » sont des épithètes injurieuses.*

épitoge nf Bande d'étoffe que des magistrats, des professeurs, etc., portent parfois sur la robe, attachée à l'épaule gauche.

épître nf 1 Litt Lettre, missive. 2 Texte du Nouveau Testament, souvent tiré des lettres des apôtres, lu à la messe.

éploré, ée a, n Qui est en pleurs.

épluche-légumes nm inv Appareil pour éplucher les légumes.

éplucher vt 1 Ôter la peau, les parties inutilisables de. *Éplucher des légumes.* 2 Rechercher minutieusement les défauts, les erreurs dans qqch ; lire attentivement. *Éplucher un compte.*

épluchure nf Déchet qu'on enlève à une chose en l'épluchant.

épointer vt Émousser la pointe de. *Épointer un couteau.*

époisses nm Fromage bourguignon, au lait de vache.

éponge nf 1 Squelette corné, fibreux et souple d'animaux marins primitifs utilisé pour son aptitude à retenir les liquides. 2 Objet fabriqué industriellement pour le même usage.

éponger vt 11 1 Essuyer, absorber un liquide avec une éponge. 2 Résorber un excédent, une inflation. *Éponger la dette.*

éponyme a Qui donne son nom à qqch.

épopée nf 1 Long poème racontant des aventures héroïques. 2 Suite d'actions pleines d'héroïsme.

époque nf 1 Période de l'histoire marquée par des événements importants, par une certaine situation. 2 Moment où se passe un événement déterminé. Loc La Belle Époque : les années 1900.

épouiller vt Ôter ses poux à.

époumoner (s') vpr Crier à tue-tête jusqu'à s'essouffler.

épousailles nfpl Vx Noce.

épouse. V. époux.

épouser vt 1 Se marier avec. 2 Litt S'attacher à qqn, embrasser une cause. 3 Se modeler sur.

épousseter vt 19 Nettoyer en chassant la poussière.

époustoufler vt Fam Jeter qqn dans l'étonnement.

épouvantable a 1 Qui épouvante, effrayant. 2 Très mauvais. Temps épouvantable. 3 Extrême, excessif. Une bêtise épouvantable.

épouvantail nm 1 Objet destiné à épouvanter les oiseaux dans un champ, un verger, un jardin. 2 Ce qui effraie sans cause réelle.

épouvante nf Effroi violent, peur soudaine, panique.

épouvanter vt Effrayer vivement, remplir qqn d'épouvante.

époux, épouse n Personne unie à une autre par le mariage. Le mari et la femme.

éprendre (s') vpr 70 Se mettre à aimer ardemment. S'éprendre d'une femme.

épreuve nf 1 Événement pénible, malheur, souffrance. Passer par de rudes épreuves. 2 Action d'éprouver qqch ou qqn ; test. Matériau soumis à des épreuves de résistance. 3 Partie d'un examen. Épreuves écrites. 4 Compétition sportive. 5 Feuille imprimée soumise à des corrections. 6 Image tirée d'un cliché photographique ; exemplaire tiré d'une planche gravée. Loc **Épreuve de force** : affrontement.

épris, ise a Animé d'une grande passion pour qqch, qqn.

éprouvant, ante a Dur à supporter. Chaleur éprouvante.

éprouvé, ée a Dont la valeur est reconnue. Technique éprouvée.

éprouver vt 1 Essayer qqch pour s'assurer de ses qualités. Éprouver un remède. 2 Faire souffrir. La guerre a éprouvé ces régions. 3 Ressentir. Éprouver de la joie.

éprouvette nf CHIM Vase ou tube de verre qui sert à manipuler des liquides ou des gaz au cours d'expériences.

epsilon [-lɔn] nm 1 Cinquième lettre de l'alphabet grec. 2 MATH Symbole d'une quantité infinitésimale.

épucer vt 10 Ôter ses puces à.

épuisant, ante a Très fatigant.

épuisement nm Action d'épuiser ; état de qqch ou de qqn qui est épuisé.

épuiser vt 1 Tarir, consommer en totalité. Épuiser ses provisions. 2 Traiter complètement un sujet, une question. 3 Lasser. Épuiser la patience de qqn. 4 Affaiblir à l'extrême. La maladie l'épuise. ■ vpr Se tarir (choses) ; s'affaiblir à l'extrême (personnes). Nos ressources s'épuisent. Il s'épuise en vains efforts.

épuisette nf Petit filet de pêche monté sur un cercle fixé à un manche.

épurateur nm Appareil servant à épurer les liquides ou les gaz.

épuration nf Action d'épurer.

épure nf Représentation plane d'un objet obtenue par sa projection sur un ou plusieurs plans.

épurer vt 1 Rendre pur, plus pur. Épurer un sirop. 2 Débarrasser de ses défauts, de ce qui peut choquer. Épurer un texte. 3 Éliminer d'un groupe les éléments jugés indésirables. Épurer une administration.

équarrir vt 1 Tailler à angle droit, rendre carré. Équarrir une poutre. 2 Écorcher, dépecer un animal mort.

équarrissage nm Action d'équarrir.

équarrisseur nm Qui équarrit les animaux.

équateur [-kwa-] nm 1 Grand cercle imaginaire du globe terrestre, perpendiculaire à l'axe des pôles. 2 Région du globe proche de cercle.

équation [-kwa-] nf 1 MATH Égalité qui n'est vérifiée que pour certaines valeurs attribuées aux inconnues. 2 Fam Problème difficile.

équatorial, ale, aux [-kwa-] *a* De l'équateur. *Climat équatorial.*

équatorien, enne [-kwa-] *a, n* De la république de l'Équateur.

équerre *nf* 1 Instrument qui sert à tracer des angles plans droits, des perpendiculaires. 2 Pièce métallique en T ou en L utilisée pour renforcer des assemblages. *Loc D'équerre :* à angle droit.

équestre *a* Relatif à l'équitation.

équeuter *vt* Ôter la queue d'un fruit.

équidé *nm* ZOOL Mammifère appartenant à la même famille que le cheval.

équidistance [-kɥi-] *nf* Caractère équidistant.

équidistant, ante [-kɥi-] *a* Situé à une distance égale. *Deux points équidistants d'une droite.*

équilatéral, ale, aux [-kɥi-] *a* GEOM Dont tous les côtés sont égaux.

équilibrage *nm* Action d'équilibrer.

équilibre *nm* 1 État d'un corps en repos, sollicité par des forces qui se contrebalancent. 2 Position d'une personne qui se maintient sans tomber. 3 Disposition, situation stable résultant de compensations entre divers éléments. *L'équilibre budgétaire.* 4 Harmonie psychique, santé mentale.

équilibré, ée *a* 1 En bon équilibre, stable. 2 Sensé, modéré. *Un garçon équilibré.*

équilibrer *vt* Mettre en équilibre. ■ *vpr* Être d'importance égale.

équilibriste *n* Artiste qui fait des tours d'équilibre acrobatique.

équille *nf* Petit poisson allongé qui s'enfouit dans le sable.

équin, ine *a* Du cheval.

équinoxe *nm* Époque de l'année, au printemps ou à l'automne, où le jour et la nuit ont la même durée.

équipage *nm* Ensemble du personnel à bord d'un navire, d'un avion, etc.

équipe *nf* 1 Groupe de personnes collaborant à un même travail. 2 Ensemble de joueurs associés pour disputer un match.

équipée *nf* Entreprise irréfléchie, escapade aux suites fâcheuses.

équipement *nm* 1 Action d'équiper. 2 Ce qui sert à équiper qqn ou qqch (tenue, matériel, etc.).

équipementier *nm* Fabricant d'équipements automobiles, aéronautiques.

équiper *vt* Pourvoir de ce qui est nécessaire à une activité. *Équiper une troupe.* ■ *vpr* Se pourvoir d'un équipement.

équipier, ère *n* Membre d'une équipe (spécialement sportive).

équipotent, ente [-kɥi-] *a* MATH Se dit de deux ensembles qui ont la même puissance.

équitable *a* Qui a de l'équité.

équitablement *av* De façon équitable.

équitation *nf* Art, action de monter à cheval.

équité *nf* Justice naturelle fondée sur la reconnaissance des droits de chacun ; impartialité.

équivalence *nf* Caractère équivalent.

équivalent, ente *a* Qui a la même valeur. ■ *nm* 1 Ce qui est équivalent. 2 Synonyme.

équivaloir *vti* 44 Être de même valeur. *Sa fortune équivaut à la mienne. Cette réponse équivaut à un refus.*

équivoque *a* 1 Susceptible de plusieurs interprétations. 2 Qui n'inspire pas confiance. ■ *nf* Expression, situation laissant dans l'incertitude.

érable *nm* Grand arbre, dont le fruit est un akène ailé.

éradiquer *vt* Faire disparaître totalement.

érafler *vt* Écorcher légèrement.

éraflure *nf* Écorchure légère.

érailler *vt* 1 Érafler, rayer. 2 Effiler du tissu par usure. 3 Rendre la voix rauque.

ère *nf* 1 Époque fixe à partir de laquelle on commence à compter les années. 2 Période marquée par un fait social, économique, etc. *L'ère industrielle.* 3 Chacune des grandes divisions du temps, en géologie.

érectile *a* Qui peut se dresser, se raidir. *Poils érectiles. Crête érectile.*

érection *nf* 1 Action d'élever, de construire. *L'érection d'un monument.* 2 État d'un organe, tel que le pénis, qui devient raide.

éreintage *nm* Critique sévère et malveillante.

éreintement nm **1** État d'une personne éreintée. **2** Syn de *éreintage*.

éreinter vt **1** Excéder de fatigue. **2** Critiquer violemment et méchamment.

érémitique a Propre aux ermites.

1. erg nm PHYS Unité de mesure du travail.

2. erg nm Dans un désert, région couverte de dunes.

ergol nm Composant du propergol, utilisé comme combustible par les fusées.

ergonome ou **ergonomiste** n Spécialiste d'ergonomie.

ergonomie nf **1** Étude de l'adaptation du travail à l'homme. **2** Bonne adaptation d'un objet à sa fonction.

ergonomique a Fonctionnel. *Siège ergonomique.*

ergot nm **1** Griffe placée en arrière du pied de certains animaux (coq, chien). **2** Maladie des céréales. **3** Saillie sur une pièce de bois ou de fer.

ergotamine nf Alcaloïde de l'ergot de seigle, à usage médical.

ergoter vi Contester, trouver à redire sur tout.

ergothérapie nf Utilisation thérapeutique du travail manuel.

éricacée nf BOT Plante appartenant à la même famille que la bruyère, le rhododendron, la myrtille, etc.

ériger vt **1** Dresser, élever un monument. *Ériger une statue, un autel.* **2** Établir, instituer. **3** Élever à la qualité de. *Ériger une église en cathédrale.* ■ vpr S'attribuer le rôle de, se poser en. *S'ériger en censeur.*

ermitage nm Litt Demeure écartée et solitaire.

ermite nm **1** Religieux vivant retiré dans un lieu désert. **2** Qui vit seul et retiré.

éroder vt Ronger par une action lente. *Une falaise érodée par la mer.*

érogène a Qui est la source d'une excitation sexuelle.

érosif, ive a Qui produit l'érosion.

érosion nf **1** Usure du relief du sol. **2** Altération. *Érosion de la confiance.*

érotique a De l'amour sensuel, de la sexualité.

érotiser vt Donner un caractère érotique à.

érotisme nm **1** Caractère érotique. **2** Description par la littérature, l'art, de l'amour et de la sexualité.

érotologie nf Étude de l'érotisme.

érotomanie nf Obsession sexuelle.

erpétologie nf Étude des reptiles.

errance nf Litt Action d'errer.

errata nm inv Liste des erreurs d'impression d'un texte, signalées avec leurs corrections (pour une seule erreur on emploie *erratum*).

erratique a Qui n'est pas fixe ; instable.

errements nmpl Manière habituelle et néfaste d'agir, de se conduire.

errer vi Marcher au hasard.

erreur nf **1** Action de se tromper ; faute, méprise. **2** État de celui qui se trompe. *Être dans l'erreur.* **3** Action inconsidérée, regrettable, maladroite.

erroné, ée a Entaché d'erreur ; faux.

ers [ɛʀ] nm Lentille fourragère.

ersatz [-zats] nm Produit de remplacement, succédané.

éructer vi Rejeter avec bruit par la bouche les gaz venant de l'estomac. ■ vt Lancer, beugler. *Éructer des injures.*

érudit, ite a, n Qui possède un savoir approfondi.

érudition nf Savoir de l'érudit.

éruptif, ive a **1** Relatif aux éruptions volcaniques. **2** Qui caractérise une éruption.

éruption nf **1** Projection par un volcan de divers matériaux : scories, cendres, lave, gaz, etc. **2** MED Apparition sur la peau de taches, de boutons.

érythème nm MED Rougeur de la peau.

érythréen, enne a, n D'Érythrée.

érythroblaste nm BIOL Cellule mère des globules rouges.

érythrocyte nm BIOL Globule rouge.

érythropoïèse nf BIOL Formation des globules rouges.

érythropoïétine nf BIOL Protéine qui stimule l'érythropoïèse.

érythrosine nf Substance rouge utilisée comme colorant alimentaire.

ès prép (devant un nom pluriel) En, en matière de. *Docteur ès sciences*.

esbroufe nf Fam Air important par lequel on cherche à impressionner qqn.

escabeau nm Petit meuble muni de marches, utilisé comme échelle.

escadre nf 1 Flotte de guerre. 2 Formation d'avions de combat.

escadrille nf 1 MAR Ensemble de bâtiments légers. 2 Groupe d'avions.

escadron nm Unité d'un régiment de cavalerie, de blindés ou de gendarmerie.

escalade nf 1 Action de franchir un mur, une clôture en grimpant. 2 Ascension d'une paroi rocheuse. 3 Augmentation rapide comme par surenchère ; aggravation. *Escalade de la violence*.

escalader vt 1 Franchir par escalade. 2 Faire l'ascension de.

escalator nm (n déposé) Escalier mécanique.

escale nf 1 Action de faire relâche pour embarquer ou débarquer des passagers, se ravitailler, etc. 2 Lieu où l'on fait relâche.

escalier nm Suite de marches pour monter et descendre.

escalope nf Mince tranche de viande ou de poisson.

escaloper vt CUIS Découper en tranches fines.

escamotable a Qui peut être escamoté.

escamoter vt 1 Faire disparaître adroitement. 2 Subtiliser. *Escamoter un portefeuille*. 3 Faire rentrer automatiquement l'organe saillant d'une machine, d'un appareil. 4 Esquiver ce qui embarrasse. *Escamoter une difficulté*.

escampette nf Loc Fam *Prendre la poudre d'escampette* : s'enfuir, déguerpir.

escapade nf Action de s'échapper, de se dérober momentanément à ses obligations.

escarbille nf Fragment de braise qui s'échappe d'un foyer.

escarcelle nf Litt Bourse, caisse.

escargot nm Mollusque gastéropode à coquille hélicoïdale. Loc *Escargot de mer* : bulot.

escarmouche nf 1 Combat entre petits détachements de deux armées. 2 Petite lutte préliminaire.

escarpe nf Talus intérieur du fossé d'un ouvrage fortifié.

escarpé, ée a En pente raide ; abrupt.

escarpement nm Pente raide.

escarpin nm Chaussure découverte et légère, à semelle fine.

escarpolette nf Siège suspendu par des cordes, servant de balançoire.

escarre nf Nécrose cutanée dans laquelle les tissus mortifiés forment une croûte noirâtre.

eschatologie [eska-] nf THEOL Doctrine relative à la destinée humaine et à la fin du monde.

esche, èche ou **aiche** nf Appât accroché à l'hameçon.

escient nm Loc *À bon escient* : avec discernement, avec raison.

esclaffer (s') vpr Éclater d'un rire bruyant.

esclandre nm Incident fâcheux, bruyant qui cause du scandale.

esclavage nm 1 Condition, état d'esclave. 2 État de dépendance, de soumission.

esclavagisme nm Organisation sociale fondée sur l'esclavage.

esclavagiste a, n Partisan de l'esclavage.

esclave n, a 1 Qui est sous la dépendance absolue d'un maître. 2 Qui subit la domination, l'emprise de qqn, de qqch.

escogriffe nm Loc Fam *Grand escogriffe* : homme grand et dégingandé.

escompte nm 1 FIN Paiement d'une traite avant l'échéance ; somme retenue par l'acheteur de cette traite. 2 Prime accordée au débiteur qui paie avant l'échéance ou à l'acheteur au comptant.

escompter vt 1 FIN Prélever l'escompte sur 2 S'attendre à qqch de favorable.

escorte nf 1 Groupe de personnes accompagnant qqn pour le surveiller, le protéger, l'honorer. 2 Ensemble de bâtiments, d'avions accompagnant des navires, des avions pour assurer leur protection.

escorter vt Accompagner en escorte.

escorteur nm Bâtiment de guerre spécialisé dans la protection navale.

escouade nf Groupe de quelques personnes.

escrime nf Sport du maniement du fleuret, de l'épée, du sabre.

escrimer (s') vpr S'évertuer, faire de grands efforts.

escrimeur, euse n Qui pratique l'escrime.

escroc [-kro] nm Filou, auteur d'escroqueries.

escroquer vt Voler, soutirer qqch à qqn par des manœuvres frauduleuses.

escroquerie nf Action d'escroquer.

escudo nm Unité monétaire du Portugal.

esgourde nf Pop Oreille.

ésotérique a Difficile à comprendre, obscur pour qui n'est pas initié.

ésotérisme nm Caractère ésotérique.

espace nm 1 Étendue indéfinie contenant tous les objets. Le temps et l'espace. 2 Étendue dans laquelle se meuvent les astres. 3 Surface, volume, place déterminée. Manquer d'espace. 4 Intervalle, distance entre deux points. 5 Intervalle de temps. En l'espace d'une journée. Loc Géométrie dans l'espace : qui étudie les figures dans un espace à trois dimensions. Espace vert : surface réservée aux parcs, aux jardins, dans une agglomération. Espace aérien : partie de l'atmosphère contrôlée par un État. ■ nf IMPRIM Lamelle de métal servant à séparer deux caractères.

espacement nm 1 Action d'espacer. 2 Intervalle entre deux points, deux moments.

espacer vt 10 Séparer par un espace. Espacer des arbres. Espacer des visites.

espace-temps nm inv PHYS Espace non euclidien à quatre dimensions, postulé dans la théorie de la relativité d'Einstein.

espadon nm Grand poisson dont la mâchoire supérieure est allongée en forme d'épée.

espadrille nf Chaussure à empeigne de grosse toile et à semelle de corde.

espagnol, ole a, n D'Espagne. ■ nm Langue romane parlée en Espagne et en Amérique.

espagnolette nf Fermeture de fenêtre à tige pivotante.

espalier nm 1 Rangée d'arbres fruitiers dont les branches sont palissées contre un mur ou un treillage. 2 Échelle fixée à un mur, servant à exécuter des exercices de gymnastique.

espèce nf 1 BIOL Ensemble des individus offrant des caractères communs qui les différencient d'individus voisins. L'espèce humaine. 2 Sorte, qualité, catégorie. Marchandises de toute espèce. Loc Cas d'espèce : cas particulier. En l'espèce : en la circonstance. ■ pl Argent liquide. Payer en espèces.

espérance nf 1 Attente confiante de qqch que l'on désire. 2 Personne, chose sur laquelle se fonde cette attente. Loc Espérance de vie : durée de vie moyenne des individus d'une population donnée.

espéranto nm Langue internationale artificielle, créée en 1887.

espérer vt 12 Compter sur, s'attendre à, souhaiter. Espérer la victoire. ■ vti Avoir confiance en. Espérer en Dieu.

espiègle a, n Malicieux, vif et éveillé. Un enfant espiègle.

espièglerie nf 1 Caractère espiègle ; malice. 2 Action espiègle.

espion, onne n 1 Qui est chargé de recueillir clandestinement des renseignements sur une puissance étrangère ; agent secret. 2 Qui épie.

espionnage nm Action d'espionner ; activité d'espion. Espionnage industriel.

espionner vt Épier autrui par intérêt ou par curiosité malveillante.

esplanade nf Espace uni et découvert devant un édifice important.

espoir nm 1 Fait d'espérer. 2 Chose, personne en qui on espère.

esprit nm 1 Être immatériel, incorporel ou imaginaire. 2 Ensemble des facultés intellectuelles et psychiques ; caractère. Cultiver son esprit. Avoir l'esprit éveillé. Esprit chagrin. 3 Manière de penser, se comporter. Avoir l'esprit large, étroit. 4 Disposition, aptitude intellectuelle. Avoir l'esprit de suite. 5 Sens profond, intention. Saisir l'esprit d'une déclaration. 6 Humour, sens de l'ironie. Avoir

esquif nm Litt Embarcation légère.

esquille nf Petit fragment d'un os fracturé.

esquimau, aude, aux a, n Relatif aux Esquimaux (ou Eskimos). ■ nm (n déposé) Glace fichée sur un bâtonnet, comme une sucette.

esquimautage nm Mouvement par lequel on retourne un kayak sens dessus dessous.

esquinter vt Fam 1 Abîmer, détériorer. 2 Critiquer durement. *Esquinter un roman.* ■ vpr Fam S'éreinter, se surmener.

esquisse nf 1 Ébauche d'une œuvre artistique. 2 Amorce. *L'esquisse d'un geste.*

esquisser vt 1 Faire l'esquisse de. 2 Commencer à faire. *Esquisser un pas.*

esquive nf Mouvement du corps pour esquiver un coup.

esquiver vt Éviter adroitement. ■ vpr S'échapper discrètement.

essai nm 1 Épreuve à laquelle on soumet qqch ou qqn. 2 Tentative. *Faire deux essais.* 3 Livre, article qui présente très librement des idées sans prétention exhaustive. 4 Au rugby, action de poser le ballon derrière la ligne de but adverse.

essaim nm 1 Colonie d'abeilles. 2 Litt Troupe nombreuse.

essaimage nm 1 Action d'essaimer. 2 Période où les abeilles essaiment.

essaimer vi 1 Quitter la ruche en essaim. 2 Litt Émigrer en se dispersant.

essarter vt AGRIC Défricher en arrachant les arbres, les broussailles.

essayage nm Action d'essayer un vêtement.

essayer vt 20 1 Faire l'essai d'une chose pour vérifier si elle convient. 2 Tenter, s'efforcer de, tâcher de. *J'ai tout essayé en vain. Essayez de vous rappeler ce nom.* ■ vpr S'exercer à.

essayiste nm Auteur d'essais littéraires.

esse nf Crochet double en forme de S.

essence nf 1 Ce qui constitue la nature profonde d'un être, d'une chose. 2 Espèce d'arbres. *Une forêt aux essences variées.* 3 Composé volatil et odorant extrait d'une plante. *Essence de rose.* 4 Liquide provenant de la distillation du pétrole, employé comme carburant, comme solvant, etc.

essentiel, elle a 1 Qui appartient à l'essence d'un être, d'une chose. 2 Nécessaire, très important. ■ nm 1 La chose principale, le point capital. 2 La plus grande partie. *L'essentiel de sa vie.*

essentiellement av Principalement.

esseulé, ée a Délaissé, abandonné.

essieu nm Tige, barre servant d'axe commun à deux roues d'un véhicule.

essor nm 1 Action de s'envoler. 2 Développement, progrès, extension.

essorage nm Action d'essorer.

essorer vt Débarrasser le linge de son eau par torsion, compression, etc.

essoreuse nf Machine à essorer.

essoucher vt Arracher les souches d'arbres abattus d'un terrain.

essouffler vt Mettre hors d'haleine, à bout de souffle. ■ vpr Peiner, avoir du mal à suivre un certain rythme.

essuie-glace nm Appareil servant à balayer mécaniquement les gouttes de pluie sur le pare-brise d'un véhicule. *Des essuie-glaces.*

essuie-mains nm inv Linge servant à s'essuyer les mains.

essuie-tout nm inv Papier absorbant présenté en rouleau.

essuyer vt 21 1 Sécher ou nettoyer en frottant. 2 Supporter, subir. *Essuyer un échec.*

est [ɛst] nm, a inv 1 Un des quatre points cardinaux, situé au soleil levant. 2 (avec majusc) Partie orientale d'une région, d'un pays. 3 (avec majusc) L'Europe orientale, l'ancien bloc socialiste. Ant. ouest.

establishment [ɛstabliʃmɛnt] nm Ensemble de ceux qui détiennent le pouvoir, l'autorité.

estafette nf Militaire porteur de dépêches.

estafilade nf Grande coupure faite avec un instrument tranchant.

estaminet nm Vx Débit de boissons.

estampe nf 1 Machine, outil servant à estamper. 2 Image imprimée au moyen d'une planche gravée de bois, de cuivre ou de pierre calcaire.

estamper vt 1 Façonner une matière, une surface à l'aide de presses, de matrices et de moules. 2 Fam Voler, escroquer.

estampille nf Marque attestant l'authenticité de qqch ou constatant l'acquittement d'un droit fiscal.

estampiller vt Marquer d'une estampille.

est-ce que av Exprime l'interrogation directe. Est-ce que tu comprends ?

1. ester vi DR Poursuivre une action en justice.

2. ester [ɛstɛʀ] nm CHIM Composé résultant de l'action d'un acide sur un alcool ou un phénol avec élimination d'eau.

esthète n, a Qui goûte la beauté, l'art, parfois avec affectation.

esthéticien, enne n 1 Qui s'occupe d'esthétique. 2 Spécialiste des soins de beauté.

esthétique a Conforme au sens du beau. Loc Chirurgie esthétique : qui vise à rectifier les formes du corps, les traits du visage. ■ nf 1 Conception, théorie du beau. 2 Aspect de qqn, de qqch sous le rapport de la beauté.

esthétisme nm Attitude des esthètes.

estimable a Digne d'estime.

estimation nf 1 Évaluation exacte. 2 Ordre de grandeur, approximation.

estime nf Opinion favorable, cas que l'on fait de qqn ou de qqch. Loc Succès d'estime : accueil favorable des seuls critiques, non suivis par le public. À l'estime : au jugé.

estimer vt 1 Déterminer la valeur exacte de. 2 Calculer approximativement. 3 Juger, considérer. 4 Tenir en considération, faire cas de.

estivage nm Envoi des animaux sur des pâturages de montagne pendant l'été.

estival, ale, aux a D'été. Tenue estivale.

estivant, ante n Qui passe l'été en villégiature.

estoc nm Loc Frapper d'estoc et de taille : donner de grands coups d'épée.

estocade nf 1 Coup donné avec la pointe de l'épée. 2 Coup par lequel le matador tue le taureau. 3 Litt Attaque imprévue et décisive.

estomac [-ma] nm 1 Poche du tube digestif, entre l'œsophage et le duodénum. 2 Partie extérieure du corps correspondant à l'emplacement de l'estomac. 3 Fam Courage, cran.

estomaquer vt Fam Frapper d'étonnement.

estompe nf Petit rouleau de papier servant à étaler les traits de crayon, de fusain.

estomper vt 1 Passer à l'estompe, ombrer. 2 Voiler, rendre flou. ■ vpr Devenir moins net.

estonien, enne a, n De l'Estonie. ■ nm Langue parlée en Estonie.

estouffade nf Plat cuit à l'étouffée.

estourbir vt Fam Assommer ; tuer.

estrade nf Plancher légèrement surélevé par rapport au niveau du sol.

estragon nm Armoise dont on utilise les feuilles comme condiment.

estran nm GÉOGR Partie du littoral recouvert par la marée.

estropier vt 1 Faire perdre l'usage d'un membre à. 2 Altérer, déformer. Estropier un mot.

estuaire nm Embouchure d'un fleuve, formant un bras de mer.

estudiantin, ine a Propre aux étudiants.

esturgeon nm Grand poisson qui vit en mer et va pondre dans les grands fleuves.

et conj Sert à coordonner des termes de même fonction.

êta nm Septième lettre de l'alphabet grec.

étable nf Lieu couvert, bâtiment où l'on abrite les bœufs, les vaches.

établi, ie a 1 Stable, solide. 2 En place. Ordre établi. ■ nm Table de travail d'un menuisier, d'un serrurier, etc.

établir vt 1 Placer de manière stable en un endroit choisi. 2 Réaliser, mettre en état. Établir un plan. 3 Prouver, démontrer. ■ vpr 1 S'installer. 2 Se constituer ; s'instaurer.

établissement nm 1 Action d'établir, de s'établir. 2 Installation établie pour l'exercice d'un commerce, d'une industrie, pour l'enseignement, etc.

étage nm 1 Division formée par les planchers dans la hauteur d'un édifice. 2 Chacun des niveaux successifs, dans une disposition selon des plans superposés. *Jardin en étages.* 3 Subdivision d'une période géologique. Loc *De bas étage :* peu recommandable, médiocre.

étager vt 11 Disposer par étages. ■ vpr Être disposé en étages, en niveaux.

étagère nf 1 Planche, tablette fixée horizontalement sur un mur. 2 Meuble à tablettes superposées.

étai nm 1 Pièce servant à soutenir un mur, un plancher.

étaiement. V. étayage.

étain nm 1 Métal blanc, très malléable. 2 Objet en étain.

étal nm 1 Table de boucher. 2 Table servant à exposer des marchandises dans un marché. *Des étals ou des étaux.*

étalage nm 1 Exposition de marchandises à vendre. 2 Lieu où sont étalées ces marchandises ; ensemble de marchandises exposées.

étalagiste n Qui dispose des marchandises dans les vitrines.

étale a Dont le niveau est stationnaire. *Mer étale.* ■ nm Moment où la mer est stationnaire.

étaler vt 1 Exposer des marchandises à vendre. 2 Déployer. *Étaler une carte routière.* 3 Étendre. *Étaler de la peinture sur une toile.* 4 Montrer avec ostentation. 5 Répartir dans le temps. *Étaler les vacances annuelles.* ■ vpr 1 S'étendre. *Le village s'étale sur la colline.* 2 Fam Tomber de tout son long. *S'étaler dans la boue.*

1. étalon nm Cheval destiné à la reproduction.

2. étalon nm 1 Objet, appareil qui permet de définir une unité de mesure légale. 2 Métal ou monnaie de référence qui fonde la valeur d'une unité monétaire.

étalonnage ou **étalonnement** nm 1 Vérification de la conformité des indications d'un appareil de mesure à celle de l'étalon. 2 Graduation d'un instrument conformément à l'étalon.

étalonner vt Procéder à l'étalonnage.

étambot nm Forte pièce de la charpente du navire reliée à la quille, et qui supporte le gouvernail.

étamer vt 1 Revêtir un métal d'étain. 2 Revêtir de tain la face arrière d'une glace.

étamine nf 1 Étoffe mince non croisée. *Étamine de soie.* 2 BOT Organe mâle des plantes à fleurs, qui porte à son extrémité l'anthère, où s'élabore le pollen.

étampe nf Matrice qui sert à produire une empreinte sur le métal.

étamper vt Produire une empreinte avec une étampe.

étanche a Imperméable aux liquides, aux gaz.

étanchéité nf Nature de ce qui est étanche. *Étanchéité d'une citerne.*

étancher vt 1 Arrêter l'écoulement d'un liquide. 2 Rendre étanche en calfeutrant. Loc *Étancher la soif :* l'apaiser.

étançon nm Pilier, poteau de soutènement.

étang [etɑ̃] nm Étendue d'eau stagnante plus petite qu'un lac.

étape nf 1 Lieu où on fait halte, où on passe la nuit au cours d'un voyage. 2 Distance à parcourir entre deux arrêts. 3 Période envisagée dans une succession ; degré. Procéder par étapes.

1. état nm 1 Situation, disposition dans laquelle se trouve qqn ou qqch. *L'état sanitaire de la population. Une voiture en bon état. La glace est de l'eau à l'état solide.* 2 Relevé descriptif (liste, tableau, etc.). *L'état des ressources.* 3 Profession. *L'état ecclésiastique. Il est menuisier de son état.* Loc *État civil :* indication de la date et du lieu de naissance de qqn, du nom de ses parents, etc. *État des lieux :* description d'un local à l'entrée ou au départ d'un occupant. *États généraux :* sous l'Ancien Régime, assemblée des représentants des divers ordres de la nation. *Tiers état :* le peuple, sous l'Ancien Régime.

2. état nm 1 Nation gouvernée par un pouvoir représentatif. 2 Gouvernement, administration. Loc *Homme d'État :* personne qui joue un rôle politique important. *Coup d'État :* action violente pour s'emparer du pouvoir. *Raison d'État* : motif d'intérêt public invoqué pour justifier une action arbitraire.

étatique a De l'État.

étatiser vt Placer sous l'administration de l'État.

état-major nm 1 Corps d'officiers chargés d'assister un chef militaire dans l'exercice du commandement ; lieu où ces officiers se réunissent. 2 Ensemble des dirigeants d'un groupement. *Des états-majors.*

états-unien, enne a, n Des États-Unis.

étau nm Instrument composé de deux mâchoires et qui sert à enserrer un objet que l'on façonne. *Des étaus.*

étayage, étayement ou **étaiement** nm Action d'étayer.

étayer vt 20 **1** Soutenir avec des étais. 2 Soutenir une idée, renforcer.

et cetera ou **etc** [ɛtsetera] av Et le reste.

été nm Saison la plus chaude de l'année, entre le printemps et l'automne.

éteindre vt 69 **1** Faire cesser de brûler, d'éclairer, de fonctionner. *Éteindre un feu. Éteindre la lumière.* 2 Litt Tempérer, adoucir. *Éteindre la soif.* 3 Annuler, faire cesser. *Éteindre une dette.* ■ vpr **1** Cesser de brûler ou d'éclairer. *Son ardeur s'éteint.* 3 Disparaître. **3** Mourir doucement.

éteint, einte a Qui a perdu son éclat, sa force. *Un regard éteint.*

étendard nm Drapeau ; signe de ralliement d'une cause, d'un parti. *Lever, brandir l'étendard de la révolte.*

étendoir nm Fil sur lequel on étend du linge.

étendre vt 5 **1** Allonger. *Étendre le bras.* 2 Coucher de tout son long. *Étendre un blessé sur le sol.* 3 Déployer en surface. *Étendre du linge pour le faire sécher.* 4 Additionner d'eau, diluer. *Étendre du vin.* 5 Agrandir, accroître. *Étendre ses domaines.* 6 Fam Refuser à un examen. ■ vpr **1** Occuper un certain espace. *La plaine s'étend jusqu'à la mer.* 2 Augmenter, se développer. *L'épidémie s'étend.* 3 S'allonger. *S'étendre sur l'herbe.* 4 Parler longuement de. *S'étendre sur un sujet.*

étendu, ue a **1** Vaste. *Une province étendue.* 2 Déployé. *Oiseau aux ailes étendues.*

étendue nf **1** Espace, superficie, durée. *Dans toute l'étendue du pays.* 2 Développement, importance.

éternel, elle a **1** Sans commencement ni fin. 2 Immuable. *Vérité éternelle.* 3 Sans fin ; continuel. *Son éternel bavardage.* ■ nm Loc *L'Éternel* : Dieu.

éternellement av Toujours, continuellement.

éterniser vt Prolonger indéfiniment. *Éterniser une discussion.* ■ vpr **1** Se prolonger indéfiniment. *La polémique s'éternise.* 2 Rester trop longtemps qqpart.

éternité nf **1** Durée sans commencement ni fin. 2 Durée sans fin ; temps très long.

éternuement nm Expiration brusque et bruyante par le nez et la bouche provoquée par une irritation des muqueuses nasales.

éternuer vi Avoir un éternuement.

étêter vt Couper la cime d'un arbre.

éteule nf AGRIC Partie du chaume qui reste en place après la moisson.

éthane nm CHIM Hydrocarbure saturé.

éthanol nm CHIM Alcool éthylique.

éther nm **1** Litt Le ciel, les espaces célestes. 2 CHIM Liquide très volatil utilisé comme solvant et comme anesthésique.

éthéromanie nf Toxicomanie à l'éther.

éthiopien, enne a, n D'Éthiopie

éthique a Qui concerne la morale. ■ nf Morale.

ethmoïde nm ANAT Os de la base du crâne.

ethnie nf Groupement humain caractérisé par une même culture, une même langue.

ethnique a De l'ethnie. *Groupe ethnique.* Loc LING *Nom, adjectif ethnique* : dérivé d'un nom de pays, de région, de ville.

ethnobiologie nf Étude des relations entre les populations humaines et leur environnement.

ethnocentrisme nm Tendance à prendre les normes de son propre groupe social pour juger d'autres groupes sociaux.

ethnocide nm Destruction d'une culture.

ethnographie nf Science descriptive des origines, des mœurs des ethnies.

ethnolinguistique [-gɥis-] *nf* Étude des relations entre le langage, la culture et les populations humaines.

ethnologie *nf* Branche de l'anthropologie qui étudie les ethnies et les cultures.

ethnologique *a* De l'ethnologie.

ethnologue *n* Spécialiste d'ethnologie.

ethnomusicologie *nf* Étude de la musique des ethnies.

ethnonyme *nm* LING Nom ou adjectif ethnique.

ethnopsychiatrie [-kja-] *nf* Étude des troubles mentaux en relation avec l'ethnie.

éthologie *nf* Science du comportement des animaux dans leur milieu naturel.

éthologue *n* Spécialiste d'éthologie.

éthylène *nm* Gaz incolore obtenu à partir du gaz naturel, d'essences lourdes ou de gazole.

éthylique *a* MED De l'éthylisme. *Loc Alcool éthylique* ou *éthanol :* syn d'*alcool*. ■ *n* Alcoolique.

éthylisme *nm* MED Alcoolisme.

éthylomètre *nm* Appareil mesurant l'alcoolémie.

éthylotest *nm* Test fait avec un éthylomètre.

étiage *nm* Niveau le plus bas atteint par un cours d'eau.

étincelant, ante *a* Éclatant, brillant.

étinceler *vi 18* Briller, jeter des éclats de lumière.

étincelle *nf* 1 Petite parcelle incandescente qui se détache d'un corps qui brûle ou qui subit un choc. 2 Brève manifestation.

étioler (s') *vpr* S'affaiblir, dépérir.

étiologie *nf* MED Étude des causes d'une maladie ; ensemble de ces causes.

étique *a* Litt Très maigre, décharné.

étiquetage *nm* Action d'étiqueter.

étiqueter *vt 19 1* Mettre une étiquette sur. *Étiqueter des paquets.* 2 Ranger qqn dans une catégorie.

étiqueteuse *nf* Machine à étiqueter.

étiquette *nf* 1 Fiche attachée ou collée à un objet pour en indiquer le contenu, le prix, le possesseur, etc. 2 Cérémonial en usage dans une cour, lors d'une réception officielle, etc.

étirement *nm* Action, fait de s'étirer.

étirer *vt* Étendre, allonger par traction. ■ *vpr* Se détendre en allongeant les membres.

étoffe *nf* Tissu servant pour l'habillement, l'ameublement. *Loc Avoir de l'étoffe :* une personnalité forte, prometteuse.

étoffer *vt* Développer, donner de l'ampleur à. *Étoffer une argumentation.* ■ *vpr* Devenir plus fort, plus robuste.

étoile *nf* 1 Astre qui brille d'une lumière propre et dont le mouvement apparent est imperceptible. 2 Astre considéré du point de vue de son influence supposée sur la destinée de qqn. *Croire à son étoile.* 3 Figure géométrique rayonnante. *Étoile à cinq, à six branches.* 4 Rond-point où aboutissent des allées, des avenues. 5 Artiste célèbre ; star. *Loc L'étoile du berger :* la planète Vénus. *Danseur, danseuse étoile :* échelon suprême dans la hiérarchie des solistes de corps de ballet. *Étoile de mer :* animal marin en forme d'étoile à cinq branches.

étoilé, ée *a* 1 Parsemé d'étoiles. 2 En forme d'étoile. *Loc La bannière étoilée :* le drapeau des États-Unis.

étoiler *vt* Marquer, fêler en étoile.

étole *nf* 1 Ornement sacerdotal, large bande en forme de croix, que le prêtre officiant porte autour du cou. 2 Large écharpe en fourrure.

étonnamment *av* De façon étonnante.

étonnant, ante *a* 1 Qui étonne, surprend, déconcerte. 2 Remarquable.

étonnement *nm* Stupéfaction, surprise devant qqch d'inhabituel.

étonner *vt* Causer de l'étonnement, de la surprise à qqn. *Son silence m'étonne.* ■ *vpr* Trouver étrange.

étouffe-chrétien *nm inv* Fam Mets difficile à avaler à cause du peu de salive.

étouffée (à l') *av Loc Cuire à l'étouffée :* dans un récipient clos.

étouffement *nm* Action d'étouffer ; fait d'être étouffé.

étouffer vt 1 Gêner ou arrêter la respiration par asphyxie. 2 Éteindre en privant d'air. *Étouffer un incendie.* 3 Amortir les sons. 4 Réprimer, retenir. *Étouffer des cris.* 5 Arrêter dans son développement. *Étouffer un complot.* ■ vi 1 Avoir du mal à respirer. 2 Se sentir oppressé, être mal à l'aise ; s'ennuyer. ■ vpr Perdre la respiration.

étouffoir nm 1 Mécanisme servant à faire cesser les vibrations des cordes d'un piano, d'un clavecin. 2 Fam Lieu mal aéré.

étoupe nf Partie la plus grossière de la filasse de chanvre ou de lin.

étourderie nf 1 Disposition à agir sans réflexion. 2 Oubli, erreur due à l'inadvertance.

étourdi, ie a, n Qui agit sans réflexion, sans attention.

étourdir vt 1 Assommer, amener au bord de l'évanouissement. 2 Fatiguer, importuner. *Son bavardage m'étourdit.* ■ vpr Se jeter dans les distractions.

étourdissant, ante a 1 Qui étourdit. 2 Très surprenant. *Un talent étourdissant.*

étourdissement nm 1 Vertige, perte de conscience momentanée. 2 Griserie.

étourneau nm 1 Passereau au plumage noirâtre. 2 Étourdi, écervelé.

étrange a Qui étonne, intrigue comme inhabituel ; singulier, bizarre.

étranger, ère a 1 Qui est d'une autre nation ; relatif à un autre pays. 2 Qui ne fait pas partie d'un groupe ou d'une famille. 3 Qui n'est pas connu ou familier. *Cette voix ne m'est pas étrangère.* 4 Qui n'a pas de rapport avec, sans conformité avec qqch. *Une remarque étrangère au débat.* ■ n Qui est d'un autre pays, d'un autre groupe. ■ nm Tout pays étranger.

étrangeté nf 1 Caractère étrange. 2 Litt Chose étrange.

étranglement nm 1 Action d'étrangler, de s'étrangler. 2 Le fait d'être étranglé, de s'étrangler. 3 Resserrement, rétrécissement.

étrangler vt 1 Serrer le cou jusqu'à l'étouffement. 2 Couper la respiration. *La colère l'étranglait.* 3 Opprimer. *Étrangler la presse.* ■ vpr Perdre la respiration.

étrangleur, euse n Qui tue par strangulation.

étrave nf Forte pièce qui termine à l'avant la charpente d'un navire.

être vi 1 Introduit un attribut. *La mer est bleue.* 2 Introduit un élément circonstanciel. *Le vase est sur la table.* 3 Indique l'appartenance. *Ce livre est à moi.* 4 S'emploie comme auxiliaire du passif et pronominale et de certains verbes intransitifs ou impersonnels. Loc *J'y suis* : je comprends. *Il en est ainsi* : c'est vrai. *Il n'en est rien* : c'est faux. *être au point de.* ■ nm 1 PHILO État, qualité de ce qui est ; essence. 2 Tout ce qui existe, vit. *L'être humain.* 3 Personne humaine, individu. *Un être cher.* 4 Nature intime d'une personne.

étreindre vt 69 1 Presser dans ses bras ; serrer, saisir fortement. 2 Oppresser. *L'émotion l'étreignait.*

étreinte nf 1 Action de presser qqn dans ses bras. 2 Action d'enserrer ; pression exercée sur qqn. *Les assiégeants resserrent leur étreinte.*

étrenne nf (surtout pl) Présent, gratification, notamment à l'occasion du Jour de l'an. *Recevoir des étrennes.* Loc *Avoir, faire l'étrenne de qqch* : en avoir, en faire le premier usage.

étrenner vt Faire usage le premier et pour la première fois de qqch.

étrier nm 1 Anneau suspendu de chaque côté de la selle, qui sert d'appui au pied du cavalier. 2 Nom de divers appareils servant à soutenir ou à maintenir le pied. *Étrier de ski.* 3 Pièce métallique servant à fixer, à lier. 4 Osselet de l'oreille moyenne.

étrille nf 1 Brosse en fer à lames dentelées servant à nettoyer le poil des chevaux. 2 Crabe comestible.

étriller vt 1 Nettoyer avec l'étrille. 2 Malmener, éreinter.

étriper vt 1 Ôter les tripes à. *Étriper un porc.* 2 Fam Éventrer, mettre à mal. ■ vpr Fam Se battre avec une grande violence.

étriqué, ée a 1 Qui manque d'ampleur. *Veste étriquée.* 2 Sans largeur de vues ; mesquin. *Un esprit étriqué.*

étroit, oite a 1 De faible largeur. *Chemin étroit.* 2 Limité, restreint ; intime. *Un cercle* *étroit d'amis.* **3** Borné, intolérant, mesquin. **4** Rigoureux, strict. *L'observation étroite d'une règle.*

étroitement *av* **1** De façon étroite ; intimement. **2** De façon rigoureuse, stricte. **3** À l'étroit.

étroitesse *nf* Caractère étroit.

étron *nm* Matière fécale moulée.

étrusque *a, n* De l'Étrurie. ■ *nm* Langue parlée par les Étrusques.

étude *nf* **1** Activité intellectuelle par laquelle on s'applique à apprendre, à connaître. *Une vie consacrée à l'étude. L'étude du droit.* **2** Travail de conception et de préparation d'un ouvrage, d'une installation, etc. *Bureau d'études.* **3** Ouvrage littéraire ou scientifique sur un sujet que l'on a étudié. **4** Dessin, peinture, sculpture préparatoires. *Études de visage.* **5** Composition musicale particulière à un instrument. **6** Salle où les élèves travaillent en dehors des heures de cours. **7** Charge et lieu de travail d'un officier ministériel ou public. *Étude de notaire, d'huissier.* ■ *pl* Degrés successifs de l'enseignement scolaire, universitaire. *Faire ses études.*

étudiant, ante *n, a* Qui suit les cours d'une université, d'une grande école. ■ *a* Relatif aux étudiants. *Syndicat étudiant.*

étudié, ée *a* **1** Préparé, médité, conçu avec soin. **2** Sans naturel, affecté. *Geste étudié.*

étudier *vt* **1** S'appliquer à connaître, à apprendre. *Étudier la musique.* **2** Faire par l'observation, l'analyse, l'étude, l'examen de. *Étudier un phénomène.* ■ *vi* Faire des études. ■ *vpr* **1** S'observer, s'examiner soi-même. **2** Prendre des airs affectés.

étui *nm* Boîte ou enveloppe dont la forme est adaptée à l'objet qu'elle doit contenir.

étuve *nf* **1** Chambre close où l'on élève la température pour provoquer la sudation. **2** Lieu où règne une température élevée. **3** Appareil destiné à obtenir une température déterminée.

étuvée *nf* Loc À *l'étuvée* : mode de cuisson à la vapeur en récipient clos.

étuver *vt* **1** Chauffer ou sécher dans une étuve. **2** Faire cuire à l'étuvée.

étymologie *nf* **1** Science qui a pour objet l'origine des mots. **2** Origine d'un mot.

étymologique *a* De l'étymologie.

étymologiste *n* Spécialiste de l'étymologie.

étymon *nm* Mot considéré comme étant à l'origine d'un autre.

eucalyptus [-tys] *nm* Grand arbre aux feuilles odorantes.

eucharistie [-ka-] *nf* RELIG Sacrement par lequel se continue le sacrifice du Christ.

eucharistique [-ka-] *a* De l'eucharistie.

euclidien, enne *a* De la géométrie d'Euclide.

eugénisme *nm* Méthode visant à l'amélioration de l'espèce humaine par des actions sur les gènes et un contrôle sur la reproduction.

euh ! *interj* Marque l'hésitation, le doute.

eunuque *nm* Homme castré.

euphémisme *nm* Façon de présenter une réalité brutale ou blessante en atténuant son expression. « *Il nous a quittés* » est un euphémisme pour « *il est mort* ».

euphonie *nf* Succession harmonieuse de sons dans un mot, une phrase.

euphorbe *nf* Plante contenant un latex âcre et caustique.

euphorie *nf* Sentiment de profond bien-être.

euphorique *a* De l'euphorie.

euphorisant, ante *a, nm* Qui provoque l'euphorie.

eurasiatique *a* De l'ensemble formé par l'Europe et l'Asie.

eurasien, enne *n, a* Métis d'Européen et d'Asiatique.

eurêka *interj* Exprime que l'on vient de trouver une solution.

euro *nm* Monnaie de compte de l'Union européenne.

eurobanque *nf* Banque spécialisée dans les eurodollars.

eurocrate *n* Fonctionnaire de l'Union européenne.

eurodevise nf Devise placée par un non-résident dans un pays européen différent du pays d'émission de cette devise.

eurodollar nm Titre en dollars déposé dans une banque européenne.

euromarché nm Marché des émissions en eurodevises ou en euros.

euromonnaie nf Syn de eurodevise.

européaniser vt Doter de caractères européens.

européen, enne a, n 1 De l'Europe. 2 Se dit du chat domestique non commun.

eurythmie nf Harmonie dans la composition d'une œuvre artistique.

eustatisme nm GEOL Variation du niveau des mers.

euthanasie nf Mort provoquée dans le dessein d'abréger les souffrances d'un malade incurable.

eutrophisation nf Accroissement anarchique d'une eau en sels nutritifs.

eux pr pers Pluriel du pronom masculin lui.

évacuateur, trice a Qui sert à l'évacuation. ■ nm Dispositif à vannes servant à évacuer les eaux.

évacuation nf Action d'évacuer.

évacuer vt 1 Expulser de l'organisme. 2 Déverser hors d'un lieu. Évacuer les eaux usées. 3 Cesser d'occuper un lieu. 4 Transporter qqn hors d'un lieu, d'une zone.

évader (s') vpr 1 S'échapper d'un lieu. S'évader de prison. 2 Se libérer des contraintes, des soucis.

évagination nf Sortie anormale d'un organe hors de sa gaine.

évaluation nf Action d'évaluer.

évaluer vt 1 Déterminer la valeur marchande de qqch. 2 Déterminer approximativement une quantité, une qualité.

évanescent, ente a Litt Qui disparaît, s'efface ou apparaît fugitivement.

évangéliaire nm Livre contenant les parties des Évangiles des messes de l'année.

évangélique a 1 De l'Évangile. 2 De la religion réformée.

évangélisation nf Action d'évangéliser.

évangéliser vt Diffuser l'Évangile ; convertir au christianisme. Évangéliser un peuple.

évangéliste nm 1 Chacun des quatre apôtres auteurs des Évangiles. 2 Suppléant d'un pasteur protestant.

évangile nm 1 (avec majusc) Message de Jésus-Christ. Prêcher l'Évangile. 2 (avec majusc) Chacun des livres qui exposent ce message. 3 Partie des Évangiles lue à la messe. Loc Parole d'évangile : propos d'une vérité indiscutable.

évanouir (s') vpr 1 Tomber en syncope. 2 Litt Se dissiper. La brume s'est évanouie.

évanouissement nm 1 Perte de connaissance. 2 Disparition totale.

évaporation nf Passage d'un liquide à l'état de vapeur.

évaporé, ée a, n Qui se dissipe en futilités ; qui est vain et léger.

évaporer vt Soumettre à l'évaporation. ■ vpr 1 Se transformer en vapeur. 2 Fam Disparaître.

évaser vt Élargir l'ouverture de. Évaser un tuyau. ■ vpr Aller en s'élargissant.

évasif, ive a Qui reste dans le vague, qui élude. Une réponse évasive.

évasion nf 1 Action de s'évader. 2 Fait d'échapper aux contraintes de la vie quotidienne.

évêché nm 1 Territoire soumis à l'autorité d'un évêque. 2 Demeure, siège de l'évêque.

évection nf Irrégularité du mouvement de la Lune, due à l'attraction du Soleil.

éveil nm 1 Sortie de l'état de repos. 2 Fait d'apparaître, de se manifester (sentiment, idée). Loc Activités, disciplines d'éveil : destinées à développer l'intelligence, la créativité des enfants.

éveillé, ée a Plein de vivacité.

éveiller vt 1 Litt Tirer du sommeil. 2 Faire se manifester ce qui était en état latent, virtuel. 3 Faire naître, provoquer (un sentiment, une attitude). Éveiller la sympathie. ■ vpr Sortir du sommeil.

événement ou **évènement** nm 1 Ce qui arrive. 2 Fait important.

événementiel ou **évènementiel, elle** a De l'événement.

évent nm Narine située au sommet de la tête de certains cétacés.

éventail nm 1 Petit écran portatif que l'on agite pour s'éventer. 2 Ensemble de choses d'une même catégorie, diversifiées à l'intérieur de certaines limites.

éventaire nm Étalage de marchandises à l'extérieur d'une boutique.

éventer vt 1 Agiter l'air pour rafraîchir qqn. 2 Exposer qqch à l'air. Loc *Éventer un piège :* le découvrir, en empêcher l'effet. ■ vpr S'altérer au contact de l'air. *Ce parfum s'est éventé.*

éventration nf 1 MED Rupture musculaire de l'abdomen. 2 Action d'éventrer.

éventrer vt 1 Blesser en ouvrant le ventre. 2 Déchirer, défoncer. *Éventrer un matelas. Éventrer un mur.*

éventreur nm Assassin qui éventre ses victimes.

éventualité nf 1 Caractère de ce qui est éventuel. 2 Fait qui peut ou non se produire.

éventuel, elle a Qui peut ou non survenir, exister, selon les circonstances.

éventuellement av Le cas échéant.

évêque nm Dignitaire de l'Église qui dirige un diocèse.

évertuer (s') vpr Faire beaucoup d'efforts.

éviction nf Action d'évincer.

évidemment av 1 De façon évidente, certaine. 2 Bien sûr.

évidence nf 1 Caractère de ce qui s'impose à l'esprit. *Il a fallu se rendre à l'évidence.* 2 Chose évidente.

évident, ente a Clair, manifeste.

évider vt 1 Creuser intérieurement. *Évider un fruit.* 2 Échancrer.

évier nm Bac fermé par une bonde et alimenté en eau par un robinet, dans une cuisine.

évincer vt 10 Écarter qqn d'une position avantageuse.

évitement nm Loc *Voie d'évitement :* servant à garer un train qu'un autre doit dépasser.

éviter vt 1 Faire en sorte de ne pas heurter qqn, qqch ou d'échapper à une chose fâcheuse. 2 S'abstenir de faire. *Éviter de parler.* 3 Abusiv Épargner. *Éviter une démarche à qqn.*

évocateur, trice a Propre à évoquer.

évocation nf Action d'évoquer.

évolué, ée a Parvenu à un haut degré de culture, de civilisation.

évoluer vi 1 Se transformer progressivement (personnes ou choses). 2 Exécuter des évolutions, des manœuvres.

évolutif, ive a Qui peut évoluer ou produire l'évolution.

évolution nf 1 Transformation graduelle, développement progressif. 2 BIOL Ensemble des transformations des êtres vivants dues aux mutations génétiques. 3 Mouvement d'ensemble exécuté par qqn, un animal, un groupe.

évolutionnisme nm BIOL Théorie suivant laquelle les espèces actuelles dérivent de formes anciennes.

évoquer vt 1 Rendre présent à la mémoire, à l'esprit. *Évoquer son enfance. Évoquer une question.* 2 Faire songer à, rappeler. *Une odeur qui évoque la mer.* 3 Appeler par des procédés magiques.

ex- Particule qui, placée devant un nom, indique une qualité ou un état antérieurs. *L'ex-président.*

exacerbation nf Fait de s'exacerber.

exacerber vt Rendre plus aigu, plus vif. *Exacerber un désir.*

exact, acte a 1 Qui arrive à l'heure fixée. 2 Conforme à la réalité, à la logique. *Récit exact.* Loc *Les sciences exactes :* les sciences mathématiques et physiques.

exactement av 1 De façon exacte. 2 Tout à fait.

exaction nf Litt Action d'exiger plus qu'il n'est dû. ■ pl Abusiv Sévices, violences exercés sur qqn.

exactitude nf Qualité d'une personne ou d'une chose exacte.

ex æquo [egzeko] av, n inv À égalité (concurrents). *Départager les ex æquo.*

exagération nf Action d'exagérer ; excès.

exagérément av De façon exagérée.

exagérer vt 12 Présenter une chose comme plus grande, plus importante qu'elle n'est en réalité. ■ vi Aller au-delà de ce qui est convenable.

exaltant, ante a Qui suscite l'enthousiasme.

exaltation nf Vive excitation de l'esprit.

exalté, ée a, n Passionné, excité.

exalter vt Élever l'esprit par la passion, l'enthousiasme. ■ vpr S'enthousiasmer.

examen [-mẽ] nm 1 Observation minutieuse. Examen médical. 2 Épreuve ou ensemble d'épreuves que subit un candidat.

examinateur, trice n Qui fait passer un examen à des candidats.

examiner vt 1 Considérer, observer attentivement. Examiner un tableau. 2 Faire subir un examen. Examiner un patient.

exaspérant, ante a Qui exaspère.

exaspération nf Vive irritation.

exaspérer vt 12 Irriter violemment.

exaucer vt 10 1 Accueillir favorablement un vœu, une prière. 2 Satisfaire qqn dans sa demande.

ex cathedra av Du haut de la chaire, avec l'autorité de son titre. Parler ex cathedra.

excavateur nm ou **excavatrice** nf Engin de terrassement sur chenilles pour creuser le sol.

excavation nf Cavité dans le sol.

excédent nm 1 Ce qui dépasse le nombre, la quantité prévus. 2 Solde positif.

excédentaire a En excédent.

excéder vt 12 1 Dépasser en quantité, en valeur. 2 Litt Outrepasser certaines limites. Excéder son autorité. 3 Lasser, importuner à l'excès.

excellence nf 1 Haut degré de perfection. 2 (avec majusc) Titre honorifique donné à un ministre ou à un ambassadeur. **Loc Par excellence** : au plus haut degré dans son genre.

excellent, ente a Qui excelle dans son genre, très bon.

exceller vi Montrer des qualités supérieures. Exceller à faire un travail.

excentrer vt Déplacer le centre, l'axe de rotation de qqch.

excentricité nf 1 Manière d'être, d'agir qui s'éloigne des manières usuelles. 2 Action excentrique, extravagante.

excentrique a, n Qui a de l'excentricité, de la bizarrerie ; original. ■ a 1 GEOM Dont les centres ne coïncident pas. 2 Éloigné du centre de la ville. Quartier excentrique. ■ nm Pièce dont l'axe de rotation ne passe pas par le centre.

excepté prép Sauf, en excluant. Ouvert tous les jours excepté le dimanche.

excepter vt Ne pas comprendre dans un ensemble.

exception nf 1 Action d'excepter. 2 Ce qui n'est pas soumis à la règle.

exceptionnel, elle a 1 Qui fait exception. 2 Extraordinaire, remarquable.

excès nm 1 Ce qui dépasse la mesure. 2 Acte dénotant la démesure, l'outrance, le déréglement.

excessif, ive a Qui excède la juste mesure. Un prix excessif.

excessivement av 1 Beaucoup trop. 2 Abusiv Très, extrêmement.

excipient nm Substance à laquelle est incorporé un médicament.

exciser vt 1 CHIR Ôter en coupant une partie d'organe, une tumeur. 2 Pratiquer l'excision rituelle.

excision nf 1 Action d'exciser. 2 Ablation rituelle du clitoris.

excitant, ante a, nm Qui excite, stimule.

excitation nf 1 Action d'exciter, ce qui excite. 2 Activité anormale de l'organisme ; agitation. Provocation. Excitation à la violence.

excité, ée a, n Qui est agité, énervé.

exciter vt 1 Stimuler l'activité du système nerveux, de l'esprit. Exciter l'imagination. 2 Irriter. Exciter un animal. 3 Entraîner, pousser à faire qqch.

exclamatif, ive a Qui marque l'exclamation.

exclamation nf Cri, expression traduisant l'émotion, la surprise. **Loc Point d'exclamation** : signe de ponctuation (!) utilisé après une exclamation.

exclamer (s') vpr Pousser des exclamations.

exclu, ue a, n Chassé d'un groupe.

exclure vt 54 1 Mettre dehors, renvoyer qqn. 2 Ne pas admettre qqn, qqch. *Exclure une hypothèse.* 3 Être incompatible avec.

exclusif, ive a 1 Qui est le privilège de qqn à l'exclusion des autres. 2 Qui ne s'intéresse qu'à son objet en excluant le reste. *Amour exclusif.* ■ nf Mesure d'exclusion.

exclusion nf Action d'exclure.

exclusivement av 1 Uniquement. 2 En n'incluant pas le dernier terme.

exclusivité nf 1 Droit exclusif de vendre un produit, de publier un article. 2 Produit vendu, exploité par une seule firme. 3 Information importante donnée en priorité par un journal.

excommunication nf 1 Sanction par laquelle l'autorité ecclésiastique sépare un chrétien de la communauté de fidèles. 2 Exclusion d'un groupe.

excommunier vt Prononcer l'excommunication de.

excrément nm Matière évacuée du corps par les voies naturelles (urine, matières fécales).

excrémentiel, elle a Des excréments.

excréter vt 12 Évacuer, éliminer par excrétion.

excrétion nf Rejet des déchets de l'organisme (urine, matières fécales, sueur).

excroissance nf 1 Protubérance à la surface de qqch. 2 MED Tumeur de la peau formant une proéminence superficielle (verrue, polype, etc.).

excursion nf Parcours et visite d'une région dans un but touristique.

excursionniste n Qui fait une excursion.

excusable a Qui peut être excusé.

excuse nf 1 Raison que l'on apporte pour se disculper ou se soustraire à une obligation. 2 Une des cartes du jeu de tarot. ■ pl Témoignage des regrets que l'on a d'avoir offensé qqn, de lui avoir causé du tort.

excuser vt 1 Pardonner ; ne pas tenir rigueur à qqn de qqch. 2 Servir d'excuse à. 3 Dispenser d'une obligation. ■ vpr Présenter ses excuses.

exécrable a Très mauvais.

exécrer vt 12 Litt Abhorrer, haïr.

exécutant, ante n 1 Qui exécute une chose. 2 Qui joue dans un orchestre.

exécuter vt 1 Réaliser, accomplir. 2 Faire, mener à bien un ouvrage. 3 Jouer, chanter, représenter une œuvre musicale. 4 Mettre qqn à mort. ■ vpr Se résoudre à faire qqch, à obéir.

exécuteur, trice n Qui exécute. Loc *Exécuteur testamentaire* : chargé par le testateur de l'exécution du testament.

exécutif, ive a Chargé de faire exécuter les lois. ■ nm Pouvoir exécutif.

exécution nf 1 Action d'exécuter, d'accomplir qqch. 2 Action de réaliser ce qui a été conçu. 3 Réalisation vocale ou instrumentale d'une œuvre. 4 Mise à mort.

exégèse nf Critique et interprétation des textes, en partic. de la Bible.

exégète n Spécialiste de l'exégèse.

exemplaire a 1 Qui peut servir d'exemple, de modèle. 2 Dont la rigueur doit servir de leçon. ■ nm Chacun des objets (livre, gravure, médaille, etc.) tirés en série d'après un type commun.

exemplarité nf Caractère exemplaire.

exemple nm 1 Action ou personne servant de modèle, digne d'être servi. 2 Peine, châtiment qui peut servir de leçon. *Faire un exemple.* 3 Acte, événement, texte auquel on se réfère pour appuyer son propos. 4 Phrase ou mot éclairant une règle, une définition. Loc *Par exemple* : pour éclairer, illustrer ce qui vient d'être dit. ■ interj Loc *Par exemple !* : exprime la surprise, l'incrédulité.

exempt, empte [εgzɑ̃] a 1 Dispensé, non assujetti. 2 Préservé, dépourvu de.

exempter vt Dispenser, affranchir d'une charge, d'une obligation.

exemption nf Dispense, affranchissement.

exercer vt 10 1 Dresser, former par une pratique fréquente. 2 Mettre fréquemment en activité une faculté pour la développer. 3 Pratiquer une profession. *Exercer la médecine.* 4 Faire usage de. *Exercer un droit.* 5 Produire, faire un effet. *Exercer de l'influence sur qqn.* ■ vpr 1 S'entraîner par la pratique. 2 Se faire sentir ; agir sur.

exercice nm **1** Action d'exercer, de s'exercer. *L'exercice d'un droit, d'un métier.* **2** Travail propre à exercer un organe, une faculté. **3** Devoir donné aux élèves pour l'application de ce qu'ils ont appris. **4** Mouvement pour exercer le corps. **5** Période comprise entre deux inventaires, entre deux budgets consécutifs.

exérèse nf CHIR Ablation d'un organe ou extraction d'un corps étranger.

exergue nm **1** Inscription portée sur une médaille. **2** Avertissement, citation placés en tête d'un texte.

exfiltration nf Récupération d'un agent secret, au terme de sa mission.

exfolier vt Séparer en lames fines, en plaques.

exhalaison nf Gaz, odeur, vapeur qui s'exhale d'un corps.

exhaler vt **1** Répandre une odeur, un gaz, des vapeurs, etc. **2** Litt Exprimer avec force. *Exhaler sa rage.* ■ vpr Se répandre dans l'air.

exhausser vt Rendre plus haut.

exhausteur nm Additif qui renforce le goût des aliments.

exhaustif, ive a Qui épuise une matière, un sujet. *Un relevé exhaustif.*

exhaustivement av De façon exhaustive.

exhaustivité nf Caractère exhaustif.

exhiber vt **1** Présenter. *Exhiber ses papiers.* **2** Faire étalage de. ■ vpr Se produire, s'afficher en public.

exhibition nf **1** Action d'exhiber, de présenter qqch. **2** Étalage ostentatoire.

exhibitionnisme nm **1** Tendance pathologique à exhiber ses organes sexuels. **2** Étalage impudent de sentiments ou de faits personnels et intimes.

exhibitionniste n, a Qui fait preuve d'exhibitionnisme.

exhortation nf Discours par lequel on exhorte.

exhorter vt Encourager, inciter vivement par un discours.

exhumation nf Action d'exhumer un cadavre.

exhumer vt **1** Tirer de sa sépulture, de la terre. **2** Tirer de l'oubli, retrouver.

exigeant, ante a Qui exige beaucoup.

exigence nf **1** Caractère exigeant. **2** Ce qui est exigé par qqn, par les circonstances, etc.

exiger vt **11 1** Réclamer impérativement. **2** Nécessiter, requérir. *Son état exige du repos.*

exigible a Qui peut être exigé.

exigu, uë a Restreint, insuffisant, très petit.

exiguïté nf Caractère exigu.

exil nm **1** Action d'expulser qqn hors de sa patrie ; condition, lieu de séjour de qqn qui est ainsi banni. **2** Séjour obligé et pénible loin de ses proches, de ce à quoi l'on est attaché.

exilé, ée a, n Condamné à l'exil ; qui vit en exil.

exiler vt **1** Condamner à l'exil ; éloigner. ■ vpr S'expatrier, partir loin de son pays.

existence nf **1** Le fait d'être, d'exister. **2** Durée de ce qui existe. **3** Vie et manière de vivre de l'homme. *Avoir une existence heureuse.*

existentialisme nm Mouvement philosophique selon lequel l'homme, une fois doté de l'existence, se construit sans cesse par son action.

existentialiste a, n Relatif à l'existentialisme, qui y adhère.

existentiel, elle a De l'existence en tant que réalité vécue.

exister vt **1** Être en réalité, effectivement. *Un personnage de roman qui a existé.* **2** Être actuellement, subsister. *Ce monument n'existe plus.* **3** Avoir de l'importance, compter. *Rien n'existe pour lui que son projet.*

exit [egzit] av **1** Indique qu'un acteur quitte la scène. **2** Fam Indique que l'action de qqn touche à sa fin.

ex-libris [-bris] nm inv Vignette personnalisée qu'on colle à l'intérieur d'un livre.

ex nihilo av À partir de rien.

exobiologie nf ASTRO Étude de la possibilité d'une vie hors de la Terre.

exocet [-sɛ] nm Poisson des mers chaudes appelé aussi poisson volant.

exocrine a Se dit d'une glande à sécrétion externe. Ant. endocrine.

exode nm Départ en masse d'une population, d'un lieu vers une autre.

exogamie nf Obligation ou tendance qu'ont les membres de certains groupes de se marier hors de leur groupe. Ant. endogamie.

exogène a Qui provient de l'extérieur, de la périphérie. Ant. endogène.

exonération nf Action d'exonérer.

exonérer vt 12 Décharger, libérer d'une obligation de paiement.

exophtalmie nf MED Saillie du globe oculaire hors de l'orbite.

exorbitant, ante a Excessif, démesuré.

exorbité, ée a Loc Yeux exorbités : qui semblent sortir de leurs orbites.

exorciser vt 1 Chasser les démons par des cérémonies. 2 Chasser, dissiper qqch.

exorcisme nm Cérémonie par laquelle on exorcise.

exorciste nm Qui exorcise.

exorde nm 1 Première partie d'un discours. 2 Entrée en matière.

exosphère nf Zone de l'atmosphère de la Terre, au-delà de 1 000 km.

exotique a Qui provient de contrées lointaines. Fruits exotiques.

exotisme nm Caractère exotique.

expansé, ée a Qui a subi une augmentation de volume (matériau).

expansible a Capable, susceptible de dilatation.

expansif, ive a 1 Qui tend à se dilater. 2 Ouvert de caractère, qui aime à communiquer ses sentiments.

expansion nf 1 Augmentation de volume ou de surface. 2 Phase dans laquelle l'activité économique et le pouvoir d'achat augmentent. 3 Propagation. 4 Litt Épanchement de l'âme.

expansionnisme nm Politique d'un État qui préconise pour lui-même l'expansion territoriale, économique.

expatriation nf Fait de s'expatrier.

expatrié, ée a, n Qui a quitté son pays ou qui en a été chassé.

expatrier vt Envoyer hors de sa patrie. ■ vpr Quitter sa patrie.

expectative nf Attitude qui consiste à attendre prudemment qu'une solution se dessine avant d'agir.

expectoration nf Action d'expectorer ; substances expectorées ; crachat.

expectorer vt, vi Expulser par la bouche les substances qui encombrent les voies respiratoires, les bronches.

expédient nm Moyen de se tirer d'embarras par quelque artifice.

expédier vt 1 Faire rapidement pour se débarrasser. 2 Envoyer, faire partir. Expédier une lettre. 3 Se débarrasser promptement de qqn.

expéditeur, trice a, n Qui expédie.

expéditif, ive a Qui mène les choses rondement ou qui les bâcle.

expédition nf 1 Action d'envoyer. Expédition d'un colis. 2 Entreprise de guerre hors des frontières. 3 Voyage scientifique ou touristique.

expéditionnaire a Chargé d'une expédition militaire. ■ n Employé à l'expédition de marchandises.

expérience nf 1 Connaissance acquise par une longue pratique. 2 Fait de provoquer un phénomène pour l'étudier. 3 Mise à l'essai, tentative.

expérimental, ale,aux a Fondé sur l'expérience scientifique.

expérimentateur, trice n Qui fait des expériences scientifiques.

expérimentation nf Action d'expérimenter.

expérimenté, ée a Instruit par l'expérience.

expérimenter vt Soumettre à des expériences pour vérifier, juger, etc.

expert, erte a, n Qui a acquis une grande compétence par la pratique. ■ nm Spécialiste qui est chargé de vérifications, d'évaluations. ■ a Exercé. Oreille experte. Loc INFORM Système expert : logiciel d'aide à la décision ou au diagnostic.

expert-comptable n Professionnel qui vérifie les comptabilités. Des experts-comptables.

expertise nf 1 Examen et rapport techniques effectués par un expert. 2 Compétence d'un expert.

expertiser vt Soumettre à une expertise.

expiation nf Peine, souffrance par laquelle on expie une faute, un crime.

expiatoire a Qui sert à apaiser la colère céleste. *Victime expiatoire*.

expier vt Réparer un crime, une faute par la peine qu'on subit.

expiration nf 1 Action par laquelle les poumons expulsent l'air inspiré. 2 Échéance d'un terme convenu.

expirer vt Rejeter l'air inspiré dans les poumons. ■ vi [aux *avoir* ou *être*] 1 Mourir. 2 Arriver à son terme.

explicatif, ive a Qui sert à expliquer.

explication nf 1 Développement destiné à faire comprendre qqch, à en éclaircir le sens. 2 Motif, raison d'une chose. 3 Discussion pour justifier, éclaircir.

explicitation nf Action d'expliciter.

explicite a Énoncé clairement et complètement, sans ambiguïté.

explicitement av De façon explicite.

expliciter vt Énoncer clairement.

expliquer vt 1 Éclaircir, faire comprendre. 2 Faire connaître, développer en détail. 3 Apparaître comme la cause de qqch. ■ vpr 1 Faire connaître sa pensée. 2 Tirer les choses au clair en discutant. 3 Devenir clair. 4 Comprendre les raisons de. *Je m'explique mal sa réaction*. 5 Fam Se battre.

exploit nm 1 Action d'éclat. 2 DR Acte de procédure signifié par un huissier.

exploitant, ante n 1 Qui exploite une terre. 2 Propriétaire ou directeur d'une salle de cinéma.

exploitation nf 1 Action d'exploiter. 2 Ce que l'on fait produire pour tirer profit. *Une exploitation agricole.*

exploiter vt 1 Faire valoir, tirer parti de qqch. *Exploiter une terre, une mine.* 2 Tirer tout le bénéfice de qqch. *Exploiter une situation.* 3 Utiliser abusivement qqn pour son profit.

exploiteur, euse n Qui abuse de la faiblesse d'autrui pour en tirer profit.

explorateur, trice n Qui explore une région inconnue ou difficile d'accès.

exploration nf Action d'explorer.

explorer vt 1 Visiter une région inconnue ou difficile d'accès. 2 Examiner une question.

exploser vi 1 Éclater avec violence. 2 Ne plus se maîtriser. 3 S'accroître brusquement.

explosif, ive a Qui peut faire explosion ; critique. *Situation explosive.* ■ nm Substance susceptible de faire explosion.

explosion nf 1 Action d'éclater avec violence. 2 Manifestation soudaine et violente. *Explosion de colère.* 3 Accroissement brutal. *Explosion démographique.*

exponentiel, elle a Qui croît ou décroît selon un taux de plus en plus fort.

exportateur, trice a, n Qui exporte.

exportation nf 1 Action d'exporter. 2 Ce qui est exporté.

exporter vt Vendre et transporter à l'étranger des produits nationaux.

exposant, ante n Qui fait une exposition de ses œuvres, de ses produits. ■ nm MATH Indice qui exprime la puissance d'un nombre.

exposé nm Développement dans lequel on présente des faits, des idées.

exposer vt 1 Mettre qqch en vue. *Exposer un tableau.* 2 Présenter, faire connaître. *Exposer une thèse.* 3 Soumettre à l'action de. 4 Faire courir un risque. *Te refus vous expose à des sanctions.* ■ vpr Prendre un risque.

exposition nf 1 Action d'exposer. 2 Présentation au public de produits commerciaux, d'œuvres d'art ; lieu où on les expose. 3 Orientation d'une maison, d'un terrain. 4 Première partie d'une œuvre littéraire ou musicale.

1. exprès, esse [ɛkspʀɛs] a Énoncé de manière précise et formelle. ■ a inv Distribué dans les plus brefs délais (lettre, colis).

2. exprès [ɛkspʀɛ] av Avec intention formelle. *Il l'a fait exprès.*

express a inv, nm 1 Se dit d'un train rapide. Loc *Voie express* : voie à circulation rapide. *(Café) express* : café très concentré.

expressément av De façon expresse. *Je l'ai dit expressément.*

expressif, ive a 1 Qui exprime bien ce qu'on veut dire. *Terme expressif.* 2 Qui a de l'expression. *Visage expressif.*

expression nf 1 Manifestation d'une pensée, d'un sentiment, par le langage, les gestes, le visage, l'art. 2 Mot, groupe de mots employés pour rendre la pensée. **Loc** *Réduire à sa plus simple expression :* réduire à l'extrême ou supprimer totalement.

expressionnisme nm Forme d'art qui s'efforce de donner à une œuvre le maximum d'intensité expressive.

expressionniste a, n De l'expressionnisme.

expressivité nf Caractère expressif.

exprimer vt Manifester par le langage, par la mimique ou l'attitude, par des moyens artistiques. ■ vpr Manifester sa pensée, ses sentiments.

exproprier vt Dépouiller de la propriété d'un bien par voie légale.

expulser vt 1 Chasser d'un lieu. *Expulser un locataire.* 2 Évacuer qqch de l'organisme.

expulsion nf Action d'expulser.

expurger vt 11 Débarrasser un texte des passages jugés choquants, répréhensibles.

exquis, ise a 1 Qui est très agréable au goût par sa délicatesse. 2 Qui a dénote du raffinement, de la délicatesse.

exsangue a D'une pâleur extrême.

exsudation nf Suintement pathologique d'un liquide organique.

extase nf 1 Sentiment de joie ou d'admiration extrême. 2 État mystique.

extasier (s') vpr Manifester une admiration, un plaisir extrême.

extatique a Qui tient de l'extase mystique.

extenseur nm 1 ANAT Muscle qui assure l'extension. Ant. fléchisseur. 2 Appareil utilisé pour développer les muscles.

extensible a Susceptible de s'étendre, de s'allonger.

extensif, ive a Qui détermine l'extension. **Loc** *Culture extensive :* effectuée sur une grande surface avec un rendement assez faible.

extension nf 1 Action d'étendre, de s'étendre. 2 Développement, accroissement, élargissement.

exténuant, ante a Qui exténue.

exténuer vt Causer un grand affaiblissement à qqn ; épuiser.

extérieur, eure a 1 Qui est au-dehors. Ant. intérieur. 2 Apparent, visible. **Loc** *Politique extérieure :* qui concerne les pays étrangers. ■ nm 1 Partie d'une chose visible du dehors. 2 Apparence. 3 Les pays étrangers. ■ pl Scènes de film tournées hors du studio.

extérieurement av À l'extérieur.

extérioriser vt Manifester un sentiment, une émotion.

exterminateur, trice a, n Qui extermine.

extermination nf Action d'exterminer.

exterminer vt Détruire en totalité des êtres vivants, massacrer.

externaliser vt ÉCON Sous-traiter certaines activités de l'entreprise.

externat nm 1 École où l'on ne reçoit que des élèves externes. 2 Fonction d'externe dans les hôpitaux.

externe a Situé au-dehors, tourné vers l'extérieur. **Loc** *Médicament pour l'usage externe :* à ne pas absorber. ■ n 1 Élève qui n'est ni logé ni nourri dans l'établissement scolaire. 2 Étudiant en médecine assistant les internes, dans un service hospitalier.

exterritorialité nf DR Immunité exemptant les agents diplomatiques de la juridiction de l'État où ils se trouvent.

extincteur, trice a, nm Se dit d'un appareil servant à éteindre un foyer d'incendie.

extinction nf 1 Action d'éteindre, fait de s'éteindre. 2 Cessation de l'activité, de l'existence. *Extinction de voix.*

extirper vt 1 Arracher avec sa racine, enlever totalement. 2 Ôter, faire cesser.

extorquer vt Obtenir qqch par la violence, la menace, la duplicité.

extorsion nf Action d'extorquer.

extra nm inv 1 Ce que l'on fait en plus de l'ordinaire. 2 Service exceptionnel en dehors des horaires habituels ; personne qui fait ce service. ■ a inv Fam Supérieur par la qualité.

extracorporel, elle *a* En dehors du corps.

extraction *nf* 1 Action d'extraire. 2 Litt Ascendance, origine.

extrader *vt* Soumettre à l'extradition.

extradition *nf* Acte par lequel un gouvernement livre un individu prévenu d'un crime ou d'un délit à un État étranger qui le réclame.

extrados *nm* ARCHI Surface extérieure d'une voûte ou d'un arc.

extrafin, fine *a* Très fin ; de qualité supérieure. *Chocolat extrafin.*

extrafort *nm* Ruban pour border les ourlets, les coutures.

extraire *vt* 74 1 Retirer, ôter. 2 Séparer une substance d'une autre. *Extraire l'aluminium de la bauxite.* 3 Tirer un passage d'une œuvre. 4 MATH Calculer la racine d'un nombre.

extrait *nm* 1 Substance extraite d'un corps. *Extrait de café.* 2 Passage tiré d'un texte. 3 Copie conforme d'une partie d'un registre officiel.

extrajudiciaire *a* Hors de la procédure d'une instance judiciaire.

extralucide *a* Qui perçoit ce qui échappe à la conscience normale (l'avenir, les pensées d'autrui, etc.).

extra-muros *av* Hors de la ville.

extraordinaire *a* 1 Qui étonne par sa singularité, sa bizarrerie. 2 Bien au-dessus de la moyenne. 3 Spécial, exceptionnel.

extraordinairement *av* De façon extraordinaire.

extrapolation *nf* Action de tirer une conclusion générale à partir de données partielles.

extrapoler *vt* Faire une extrapolation ; généraliser.

extraterrestre *a, n* D'une autre planète, d'un autre monde que la Terre.

extra-utérin, ine *a* Loc MED *Grossesse extra-utérine :* développement de l'œuf fécondé en dehors de la cavité utérine.

extravagance *nf* 1 Caractère extravagant. 2 Acte, propos extravagant.

extravagant, ante *a* 1 Qui s'écarte du sens commun. 2 Inouï, insensé.

extraverti, ie *a, n* Qui manifeste son affectivité à l'extérieur.

extrême *a* 1 Qui est tout à fait au bout, à la fin. *L'extrême limite.* 2 Au plus haut degré. *Extrême plaisir.* 3 Excessif. ■ *nm* Chose, personne totalement opposée à une autre.

extrêmement *av* De façon extrême.

extrême-onction *nf* Sacrement des malades. *Des extrêmes-onctions.*

extrémisme *nm* Tendance à adopter des idées, des moyens extrêmes.

extrémiste *a, n* Favorable à l'extrémisme.

extrémité *nf* 1 Partie qui termine une chose. 2 État, situation critique. ■ *pl* 1 Actes violents. 2 Les pieds et les mains.

extrinsèque *a* Qui vient du dehors, dépend de circonstances extérieures.

extrudé *nm* Produit alimentaire soufflé obtenu par extrusion.

extrusion *nf* 1 TECH Mise en forme des matières plastiques à travers une filière. 2 Transformation d'un produit agricole par soufflage à chaud.

exubérance *nf* 1 Caractère exubérant. *Parler avec exubérance.* 2 Surabondance, profusion.

exubérant, ante *a* 1 Qui exprime un débordement de vie. 2 Surabondant.

exulter *vi* Être transporté de joie.

exutoire *nm* Moyen de se débarrasser d'une chose ; dérivatif à un sentiment violent.

exuvie *nf* ZOOL Peau rejetée par un serpent lors de la mue.

ex-voto *nm inv* Inscription, objet placés dans un sanctuaire en remerciement pour un vœu exaucé.

f

f *nm* **1** Sixième lettre (consonne) de l'alphabet. **2** F : symbole du franc.

fa *nm inv* Quatrième note de la gamme.

fable *nf* **1** Court récit en vers dont on tire une moralité. **2** Récit mensonger. **3** Sujet de risée. *Être la fable du village.*

fabliau *nm* Conte en vers au Moyen Âge.

fabricant, ante *n* Qui dirige une fabrique.

fabrication *nf* Action, manière de fabriquer des produits.

fabrique *nf* Établissement où on fabrique des produits de consommation.

fabriquer *vt* **1** Faire un objet en transformant une matière. **2** Confectionner de toutes pièces.

fabulateur, trice *a, n* Qui fabule.

fabulation *nf* Fait de présenter comme une réalité ce qui est imaginaire.

fabuler *vi* Se livrer à la fabulation.

fabuleux, euse *a* **1** Invraisemblable, extraordinaire. *Un prix fabuleux.*

fabuliste *nm* Auteur de fables.

façade *nf* **1** Côté d'un mur où est située l'entrée principale d'un bâtiment. **2** Apparence trompeuse. *Amabilité de façade.*

face *nf* **1** Partie antérieure de la tête. **2** Côté d'une pièce de monnaie portant une figure. **3** Chacune des surfaces présentées par une chose. **4** Aspect de qqch. *Une affaire à plusieurs faces.* **Loc** *Faire face à :* être tourné du côté de ; faire front. *En face (de) :* par-devant, vis-à-vis. *Perdre la face :* perdre sa dignité. *Sauver la face :* sauver les apparences.

face-à-face *nm inv* Confrontation de deux personnalités devant le public.

face-à-main *nm* Binocle à manche. *Des faces-à-main.*

facétie [-si] *nf* Plaisanterie, farce.

facétieux, euse [-sjø] *a* Cocasse, drôle.

facette *nf* Petite face.

fâcher *vt* Mettre en colère, irriter. ■ *vpr* **1** Se mettre en colère. **2** Se brouiller avec qqn.

fâcheusement *av* De façon fâcheuse.

fâcheux, euse *a* Qui amène des désagréments. ■ *n* Litt Qui importune, dérange.

facho *a, n* Pop Fasciste.

facial, ale, als ou **aux** *a* De la face.

faciès [-sjɛs] *nm* **1** Aspect du visage ; physionomie. **2** Caractéristiques générales d'une roche, d'une période préhistorique.

facile *a* **1** Qui se fait sans peine ; aisé. **2** Qui se laisse mener aisément ; accommodant. **3** Dont on obtient aisément les faveurs.

facilement *av* Avec facilité, aisément.

facilité *nf* **1** Qualité de qqch facile à faire. **2** Aptitude à faire qqch sans effort. **3** (souvent pl) Moyen de faire qqch sans difficulté. ■ *pl* Crédits temporaires.

faciliter *vt* Rendre facile.

façon *nf* **1** Manière d'être, d'agir. **2** Action de façonner, main-d'œuvre. *Payer la façon.* **Loc** *De toute façon :* quelles que soient les circonstances. ■ *pl* **1** Manières propres à qqn ; comportement. **2** Péjor Démonstrations de politesse affectée.

faconde *nf* Litt Abondance de paroles.

façonnage ou **façonnement** *nm* Action de façonner.

façonner *vt* **1** Travailler une matière pour lui donner une forme. *Façonner de l'argile.* **2** Faire un objet. **3** Litt Former qqn.

façonnier, ère *a, n* Qui travaille à façon.

fac-similé *nm* Reproduction exacte d'un écrit, d'un dessin, etc. *Des fac-similés.*

facteur *nm* **1** Fabricant d'instruments de musique. **2** Préposé chargé de distribuer les lettres et paquets. Syn. préposé. **3** Élément qui conditionne un résultat. *Facteur de croissance.* **4** MATH Chacun des termes d'un produit.

factice *a* Artificiel, faux, imité.

factieux, euse [-sjø] *a, n* Qui fomente les troubles politiques.

faction [-sjɔ̃] *nf* **1** Groupe exerçant une activité subversive dans un État, un parti. **2** Service de garde, de surveillance.

factionnaire [-sjɔ-] *nm* Soldat en faction.

factoriel, elle [-sjɔ-] *nf* MATH Relatif à un facteur.

factorisation *nf* MATH Mise en facteurs.

factoriser vt MATH Mettre en facteurs.

factrice nf Fam Employée des Postes qui distribue le courrier ; préposée.

factuel, elle a Relevant de faits.

facturation nf Action d'établir des factures.

facture nf 1 Manière dont est réalisée une œuvre de création. 2 Pièce comptable détaillant les marchandises ou les services livrés, afin d'en demander le règlement.

facturer vt Établir la facture de.

facturette nf Reçu d'un paiement fait avec une carte de crédit.

facultatif, ive a Qu'on peut faire ou non, utiliser ou non. Ant. obligatoire.

faculté nf 1 (souvent pl) Aptitude, disposition naturelle de qqn. 2 Propriété que possède une chose. 3 Possibilité, pouvoir de faire. 4 Anc Établissement d'enseignement supérieur. Loc La Faculté : les médecins.

fada a, n Fam Un peu fou.

fadaise nf Niaiserie.

fade a Qui manque de saveur.

fadeur nf Caractère de ce qui est fade.

fading [-diŋ] nm Diminution momentanée de la puissance d'une onde radioélectrique.

fado nm Chant populaire portugais.

fagot nm Faisceau de menues branches.

fagoter vt Fam Habiller mal, sans goût.

faible a 1 Qui manque de force, de vigueur, de résistance, de solidité. 2 Insuffisant en intensité. Une voix faible. 3 Peu important. Une faible quantité. 4 Dont les capacités sont insuffisantes. Loc Point faible : ce qu'il y a de moins solide ; défaut. ■ a, n 1 Qui manque de fermeté, d'énergie. 2 Qui n'a pas les moyens de se défendre. ■ nm Principal défaut de qqn, sa passion dominante. Loc Avoir un faible pour : une préférence marquée pour.

faiblement av De façon faible.

faiblesse nf 1 Caractère faible, insuffisant. 2 Défaut qui dénote cette insuffisance. 3 Défaillance, syncope. Loc Avoir une faiblesse pour : une préférence pour.

faiblir vi Perdre de sa force, de sa fermeté.

faïence nf Poterie à pâte poreuse, opaque, vernissée ou émaillée.

faïencerie nf Fabrique de faïence.

faïencier, ère n Qui fait ou vend de la faïence.

faille nf 1 Cassure des couches géologiques. 2 Défaut, lacune. Faille dans un raisonnement.

faillir vti 1 Litt Manquer à un devoir. Faillir à une promesse. ■ vi Manquer de, risquer de, être sur le point de. J'ai failli mourir.

faillite nf 1 Cessation de paiements d'un commerçant, d'une entreprise. 2 Échec complet, insuccès. La faillite d'une politique.

faim nf 1 Besoin, désir de manger. Avoir faim. 2 Malnutrition, sous-alimentation.

faîne ou **faine** nf Fruit du hêtre.

fainéant, ante a, n Qui ne veut pas travailler.

fainéanter vi Paresser.

fainéantise nf Paresse.

faire vt 9 1 Créer, fabriquer, produire qqch. 2 Chercher à paraître. Faire l'idiot. 3 Opérer, accomplir, effectuer. Faire un miracle. Faire son devoir. 4 Pratiquer, exercer. Faire un sport, un métier. 5 Peut remplacer de nombreux verbes comme donner, vendre, constituer, causer, etc. 6 Égaler. Trois et trois font six. ■ vimpers Indique un état. Il fait nuit. Il fait de la neige. ■ vi 1 Avoir l'air. Il fait vieux. 2 Avoir telle propriété. La voiture fait du cent. ■ vpr 1 Devenir. Il se fait vieux. 2 Être conforme, être en usage. Cela ne se fait pas.

faire-part nm inv Lettre par laquelle on annonce un décès, un mariage, etc.

faire-valoir nm inv 1 Personne qui met qqn en valeur. 2 Exploitation d'une terre.

fair-play [fɛrplɛ] nm inv Respect loyal des règles d'un jeu, d'un sport, des affaires. ■ a Qui respecte ces règles.

faisabilité [fə-] nf Caractère faisable.

faisable [fə-] a Qui n'est pas impossible.

faisan [fə-] nm Oiseau gallinacé aux longues plumes, gibier de choix.

faisander [fə-] vt Laisser le gibier se mortifier pour qu'il prenne un fumet spécial.

faisanderie [fə-] nf Élevage de faisans.

faisane [fə-] nf Femelle du faisan.

faisceau *nm* **1** Assemblage d'objets oblongs liés ensemble, d'armes qui se soutiennent mutuellement. **2** Ensemble des fibres formant un muscle. **3** Ensemble de rayons lumineux issus d'une même source. **4** Ensemble cohérent. *Un faisceau de preuves.* ■ *pl* ANTIQ Verges tenues autour d'une hache que portaient les agents publics romains.

faiseur, euse [fə-] *n* Qui fait telle chose. ■ *nm* Litt Habile intrigant.

faisselle *nf* Égouttoir à fromages.

1. fait *nm* **1** Action de faire, ce que l'on a fait. **2** Ce qui existe réellement, ce qui est arrivé. *C'est un fait.* **Loc De fait, en fait, par le fait :** véritablement, effectivement. **Au fait :** à propos. **État de fait :** réalité. **En fait de :** en matière de. **Tout à fait :** entièrement, complètement. ■ *pl* **Loc Hauts faits :** exploits.

2. fait, faite *a* Qui est à maturité. *Un homme fait. Un fromage fait.* **Loc Fam Être fait :** être sur le point d'être arrêté.

faîtage *nm* Arête supérieure d'un toit.

fait divers *nm* Vol, crime, etc., faisant l'objet d'une rubrique dans un journal. ■ *pl* Cette rubrique. *Des faits divers.*

faîte *nm* **1** Partie la plus élevée d'un bâtiment. **2** Litt Sommet, cime.

faîtière *nf* Tuile courbe recouvrant un faîtage.

fait-tout *nm inv* ou **faitout** *nm* Récipient profond dans lequel on fait cuire des aliments.

fakir *nm* **1** Ascète musulman ou hindou. **2** Magicien, prestidigitateur.

falaise *nf* Rivage abrupt et très élevé.

falbalas *nmpl* Ornements prétentieux.

falconidé *nm* ZOOL Rapace diurne.

fallacieux, euse *a* Trompeur, spécieux.

falloir *v impers* **49** Être nécessaire. *Il vous faut partir. Il faut que vous y alliez.* ■ *vpr* **Loc Il s'en est fallu de peu :** cela a failli arriver.

falot, ote *a* Terne, effacé.

falsifiable *a* Qu'on peut falsifier ou réfuter.

falsification *nf* Action de falsifier.

falsifier *vt* Altérer volontairement dans l'intention de tromper.

falun *nm* Roche sédimentaire utilisée pour amender les terres.

falzar *nm* Pop Pantalon.

famélique *a* Affamé, maigre.

fameux, euse *a* **1** Renommé, célèbre. **2** Excellent. *Ce vin est fameux.*

familial, ale, aux *a* De la famille. ■ *nf* Automobile de tourisme de grande capacité.

familiarisation *nf* Fait de se familiariser.

familiariser *vt* Rendre familier à qqn, accoutumer, habituer. ■ *vpr* Se rendre qqch familier.

familiarité *nf* Manière simple, familière, de se comporter. ■ *pl* Façons trop familières.

familier, ère *a* **1** Qui vit en compagnie. *Un animal familier.* **2** Qui se comporte librement, sans façons avec qqn. **3** Qui se dit de façon courante. **4** Que l'on connaît bien. *Un visage familier.* ■ *n* Qui fréquente qqn, un lieu.

famille *nf* **1** Ensemble formé par le père, la mère et les enfants. **2** Enfants issus d'un mariage. **3** Ensemble des personnes ayant un lien de parenté ; parenté. *Famille royale.* **4** Choses ou êtres présentant des points communs. *Famille de mots. Famille d'esprit.* **5** BIOL Unité systématique inférieure à l'ordre.

famine *nf* Manque de vivres dans un pays.

fan [fan] *n* ou **fana** *n* Fam Admirateur enthousiaste.

fanal *nm* Grosse lanterne servant à baliser, à signaler un véhicule, un navire. *Des fanaux.*

fanatique *a, n* **1** Animé d'une exaltation outrée pour qqch ou qqn. **2** Passionné de qqch.

fanatiser *vt* Rendre fanatique.

fanatisme *nm* Zèle, enthousiasme excessif, exalté, intolérant.

fan-club [fanklœb] *nm* Club regroupant les fans d'une vedette. *Des fan-clubs.*

fandango *nm* Danse populaire espagnole.

fane *nf* Feuille ou tige feuillue de certaines plantes.

faner *vt* **1** Retourner l'herbe coupée pour qu'elle sèche. **2** Altérer l'éclat de. ■ *vpr* Perdre sa fraîcheur, sa couleur.

fanfare *nf* Orchestre de cuivres et de percussions ; air exécuté par cet orchestre.

fanfaron, onne a, n Vantard, hâbleur.

fanfaronnade nf Propos, action, attitude de fanfaron.

fanfaronner vi Faire le fanfaron.

fanfreluche nf Ornement de peu de valeur.

fange nf Litt Boue.

fanion nm Petit drapeau.

fanon nm ZOOL 1 Peau pendant sous le cou du bœuf, du chien, etc. 2 Lame du palais de la baleine.

fantaisie nf 1 Originalité imaginative. 2 Pensée, idée, goût capricieux. 3 Humeur, goût propre à qqn. Vivre à sa fantaisie.

fantaisiste a, n Qui n'est pas sérieux. ■ n Artiste comique de music-hall.

fantasia nf Carrousel arabe au cours duquel les cavaliers au galop tirent des coups de fusil.

fantasmagorie nf Spectacle étrange, fantastique.

fantasmatique a Du fantasme.

fantasme nm Produit de l'imagination, de l'inconscient.

fantasmer vi Élaborer des fantasmes.

fantasque a Sujet à des sautes d'humeur, à des fantaisies bizarres.

fantassin nm Soldat d'infanterie.

fantastique a 1 Chimérique, né de l'imagination ; surnaturel. Une vision fantastique. 2 Étonnant, incroyable. ■ nm Le genre fantastique, en art, en littérature, au cinéma.

fantoche nm Individu sans personnalité qui se laisse manœuvrer.

fantomatique a Qui relève du fantôme.

fantôme nm 1 Apparition surnaturelle d'un défunt ; spectre. 2 Apparence vaine, sans réalité. ■ a Dépourvu d'existence réelle. Gouvernement fantôme.

fanzine nm Magazine élaboré par des passionnés de cinéma, de bandes dessinées, etc.

faon [fɑ̃] nm Petit du cerf.

faquin nm Vx Homme méprisable.

far nm En Bretagne, flan aux pruneaux.

farad nm PHYS Unité de capacité électrique.

faraday nm PHYS Charge électrique d'une valeur de 96 486 coulombs.

faramineux, euse a Fam Extraordinaire, fantastique. Payer des sommes faramineuses.

farandole nf Danse provençale formée d'une chaîne de danseurs.

farce nf 1 Hachis de viandes, d'épices, etc., servant à farcir. 2 Pièce de théâtre bouffonne. 3 Tour, niche faite à qqn.

farceur, euse n, a 1 Qui aime faire des farces, jouer des tours. 2 Qui n'est pas sérieux.

farcir vt 1 Remplir de farce. Farcir une volaille. 2 Bourrer, remplir avec excès. Farcir un discours de citations. ■ vpr Pop Supporter, endurer. J'ai dû me farcir cet énergumène.

fard nm Composition cosmétique donnant de l'éclat au teint.

fardeau nm Lourde charge.

farder vt 1 Mettre du fard. 2 Dissimuler pour embellir. Farder la vérité.

farfadet nm Esprit, lutin.

farfelu, ue a Fam D'une fantaisie extravagante.

farfouiller vi Fam Fouiller en bouleversant tout.

faribole nf Fam Propos frivole.

farine nf Poudre résultant du broyage de graines de céréales.

fariner vt Poudrer de farine.

farineux, euse a, nm Qui contient de la fécule. ■ a Qui a l'aspect, le goût de la farine.

farniente [-njɛnte] nm Fam Douce oisiveté.

farouche a 1 Qui s'enfuit quand on l'approche. 2 Peu sociable, méfiant. Enfant farouche. 3 Cruel, violent. Haine farouche.

farouchement av De façon farouche.

fart [fart] nm Matière dont on enduit les skis pour les rendre glissants.

farter vt Enduire les skis de fart.

fascicule nm Cahier d'un ouvrage publié par livraisons.

fascinant, ante ou **fascinateur, trice** a Qui fascine, éblouit.

fascination nf Attrait irrésistible.

fascine nf Fagot de branchages utilisé pour les terrassements.

fasciner vt 1 Immobiliser par le seul regard. 2 Charmer, éblouir.

fascisme [-ʃism] nm 1 Régime autoritaire instauré par Mussolini en Italie de 1922 à 1943-1945. 2 Idéologie totalitaire et nationaliste.

fasciste [-ʃist] a, n Qui relève du fascisme.

1. faste nm Pompe, magnificence.

2. faste a Loc Jour faste : jour de chance.

fast-food [fastfud] nm Restaurant où on peut consommer sur place ou emporter des repas standard et bon marché. Des fast-foods.

fastidieux, euse a Lassant. Attente fastidieuse.

fastueux, euse a Plein de faste.

fat [fa] ou [fat] am, nm Lit Prétentieux.

fatal, ale, als a 1 Qui entraîne la perte, la ruine, la mort. Coup fatal. 2 Inévitable. Loc Femme fatale : à la beauté envoûtante.

fatalement av Inévitablement.

fatalisme nm Attitude de ceux qui pensent que le cours des événements est fixé par le destin.

fataliste a, n Qui relève du fatalisme.

fatalité nf 1 Destin, destinée. 2 Enchaînement fâcheux des événements.

fatidique a Qui semble indiquer un arrêt du destin. Moment fatidique.

fatigant, ante a 1 Qui fatigue. Travail fatigant. 2 Importun, ennuyeux.

fatigue nf 1 Impression de lassitude causée par un travail, un effort. 2 Diminution de résistance d'une pièce après un long fonctionnement.

fatigué, ée a 1 Qui manifeste la fatigue. 2 Fam Défraîchi. Costume fatigué.

fatiguer vt 1 Causer de la fatigue. 2 Importuner, lasser qqn. ■ vi Supporter un trop grand effort. Moteur qui fatigue. ■ vpr Se donner, éprouver de la fatigue.

fatma nf Femme musulmane.

fatras [-tʀa] nm Amas hétéroclite.

fatuité nf Attitude d'un fat ; prétention sotte.

faubourg nm Quartier excentrique d'une ville.

faubourien, enne a Des faubourgs populaires. Accent faubourien.

fauche nf Pop Vol.

fauché, ée a, n Pop Sans argent.

faucher vt 1 Couper à la faux. 2 Renverser, tuer. La voiture a fauché un piéton. 3 Pop Voler.

faucheur, euse n Qui fauche. ■ nf Machine à faucher le foin.

faucheux ou **faucheur** nm Arachnide carnassier aux longues pattes grêles.

faucille nf Instrument pour couper les céréales, l'herbe, etc. Loc La faucille et le marteau : emblème communiste.

faucon nm Oiseau rapace au vol rapide.

fauconnerie nf Art de dresser les rapaces pour la chasse.

fauconnier nm Qui dresse des faucons pour la chasse.

faufiler vt Coudre provisoirement à grands points. ■ vpr Se glisser adroitement.

1. faune nm, faunesse nf MYTH Divinité champêtre, chez les Latins.

2. faune nf 1 ZOOL Ensemble des animaux habitant une région. 2 Péjor Groupe de gens qui fréquentent un même lieu.

faussaire n Qui fabrique un faux.

faussement av De façon fausse.

fausser vt 1 Rendre faux, altérer l'exactitude de. 2 Déformer par pression ou torsion. Fausser une clé. Loc Fausser compagnie à qqn : le quitter sans le prévenir.

fausset nm Loc Voix de fausset : voix aiguë. Syn. voix de tête.

faute nf 1 Manquement à la morale ou à la loi. 2 Action maladroite, erreur. Faute d'orthographe. Loc Faute de : par manque de. Sans faute : à coup sûr.

fauter vi Vx Se laisser séduire (femme).

fauteuil nm Siège à bras et à dossier.

fauteur, trice n Loc Fauteur de troubles, de désordre, etc. : qui fait naître les troubles, le désordre, etc.

fautif, ive a, n En faute. Se sentir fautif. ■ a Erroné, incorrect. Édition fautive.

fauve a De couleur rousse ou tirant sur le roux. Loc Bête fauve : grand félin. ■ nm 1 Bête fauve. 2 Peintre adepte du fauvisme.

fauvette nf Passereau au plumage terne.

fauvisme nm Mouvement pictural du début du XXe s.

1. faux, fausse a 1 Non conforme à la vérité, à la réalité. 2 Mal fondé, vain. 3 Mal réglé. Sans joie.

Faux problème. **3** Qui manque de justesse. *Esprit faux.* **4** MUS Qui n'est pas dans le ton. *Fausse note.* **5** Altéré, non vrai. *Fausse monnaie. Fausse nouvelle.* **6** Qui n'est pas ce qu'il semble être. *Faux ami.* **7** Qui n'est pas tel qu'il doit être. *Faux mouvement.* ■ *av* De façon fausse. *Chanter faux.* ■ *nm* **1** Ce qui est faux, contraire à la vérité. *Faux et usage de faux.* **2** Altération, contrefaçon frauduleuse. **Loc** *S'inscrire en faux :* nier avec preuves.

2. faux *nf* Lame d'acier courbée, fixée à un long manche, servant à faucher.

faux-filet *nm* Morceau de viande de bœuf, le long de l'échine. *Des faux-filets.*

faux-fuyant *nm* Subterfuge pour éviter de s'engager. *Des faux-fuyants.*

faux-monnayeur *nm* Qui fabrique de la fausse monnaie. *Des faux-monnayeurs.*

faux-semblant *nm* Apparence trompeuse. *Des faux-semblants.*

faux-sens *nm inv* Interprétation erronée d'un mot.

favela *nf* Bidonville au Brésil.

faveur *nf* **1** Bienveillance, protection, appui de qqn d'influent. **2** Considération, dont on jouit auprès de qqn. **3** Avantage, privilège. *Demander une faveur.* **4** Petit ruban. **Loc** *En faveur de :* en considération de, dans l'intérêt de. *À la faveur de :* grâce à. ■ *pl* Marques d'amour d'une femme à un homme.

favorable *a* **1** Bien disposé à l'égard de qqn, de qqch. **2** À l'avantage de qqn, de qqch. *Préjugé favorable.*

favori, ite *a, n* **1** Qui est l'objet d'une préférence habituelle. **2** Concurrent donné comme gagnant. ■ *nm* Qui tenait le premier rang dans la faveur d'un prince. ■ *nf* Maîtresse attitrée d'un souverain. ■ *nmpl* Touffe de barbe de chaque côté du visage.

favoriser *vt* **1** Traiter avec faveur, soutenir ou avantager. **2** Apporter son appui, faciliter. *Favoriser une entreprise.*

favoritisme *nm* Tendance à accorder des avantages injustifiés.

fax *nm* Syn de *télécopie.*

faxer *vt* Envoyer un document par fax.

fayot *nm* Pop Haricot sec.

fayoter *vi* Pop Faire du zèle pour obtenir des faveurs.

fébrifuge *a, nm* Qui fait baisser la fièvre.

fébrile *a* **1** Qui a de la fièvre. **2** Qui manifeste une agitation excessive.

fébrilité *nf* État d'agitation extrême.

fécal, ale,aux *a* Relatif aux fèces.

fèces [fɛs] *nfpl* Excréments.

fécond, onde *a* **1** Qui peut se reproduire. **2** Fertile. *Sol fécond.* Ant. stérile.

fécondation *nf* Action de féconder.

féconder *vt* **1** Réaliser l'union de deux cellules sexuelles, mâle et femelle. **2** Litt Rendre fécond, fertile.

fécondité *nf* **1** Aptitude à se reproduire. **2** Fertilité.

fécule *nf* Matière farineuse extraite de divers végétaux.

féculent, ente *a* Qui contient de la fécule. ■ *nm* Graine de légumineuse (lentille, haricot, etc.).

féculerie *nf* Usine de fécule ; industrie de la fécule.

fedayin [fedajin] *nm* Combattant palestinien.

fédéral, ale,aux *a* Qui appartient à une fédération. ■ *nmpl* HIST Aux États-Unis, soldates des États du Nord pendant la guerre de Sécession.

fédéraliser *vt* Organiser en fédération.

fédéralisme *nm* Système fédéral.

fédéraliste *a, n* Partisan du fédéralisme.

fédérateur, trice *a, n* Qui fédère, qui favorise une union, une convergence.

fédération *nf* **1** Association de plusieurs pays en un État unique. **2** Regroupement de plusieurs sociétés, syndicats, clubs.

fédéré *nm* HIST Partisan armé de la Commune de Paris, en 1871.

fédérer *vt* 12 Grouper en fédération. ■ *vpr* S'unir en fédération.

fée *nf* Être féminin imaginaire doué du pouvoir magique. **Loc** *Conte de fées :* récit merveilleux.

feed-back [fidbak] *nm inv* Rétroaction.

feeling [filiŋ] nm Fam Sensibilité manifestée dans une situation, une interprétation musicale.

féerie [feeʀi] nf Spectacle merveilleusement beau.

féerique a D'une beauté merveilleuse.

feignant, ante, a, n Pop Fainéant.

feindre vt 69 Faire semblant de. Feindre de sortir.

feinte nf Action destinée à tromper, à donner le change, à surprendre.

feinter vi Faire une feinte. ■ vt Fam Tromper.

feldspath [-pat] nm Minéral fréquent dans les roches éruptives et métamorphiques.

fêlé, ée a, n Fam Un peu fou.

fêler vt Fendre un objet cassant sans que les morceaux se disjoignent.

félibrige nm Mouvement littéraire fondé en Provence en 1854 par F. Mistral.

félicitations nfpl Compliments, éloges.

félicité nf Litt Bonheur suprême.

féliciter vt Témoigner sa satisfaction à qqn ; complimenter. ■ vpr S'estimer heureux de.

félidé nm ZOOL Mammifère carnivore dont le chat est le type.

félin, ine a, nm ZOOL Qui appartient au type chat. ■ a Qui rappelle le chat. Grâce féline.

fellaga nm HIST Partisan algérien dressé contre l'autorité française et luttant pour l'indépendance de son pays.

fellah nm Paysan au Maghreb et en Égypte.

fellation nf SEXOL Excitation avec la bouche du sexe de l'homme.

félon, onne a, n Litt Qui manque à la foi jurée ; traître.

félonie nf Litt Déloyauté ; traîtrise.

felouque nf Petit navire à voiles du Nil.

fêlure nf Fente d'une chose fêlée.

femelle nf Animal du sexe féminin. ■ a 1 Propre à la femelle. 2 Qualifie une pièce présentant un évidement dans lequel vient s'insérer la saillie de la pièce mâle. Fiche femelle.

féminin, ine a Propre à la femme. Loc VERSIF Rime féminine : terminée par un e muet. ■ a, nm GRAM Se dit du genre grammatical qui s'oppose au masculin.

féminisation nf Action de féminiser.

féminiser vt 1 Donner le type, le caractère féminin à. 2 Faire accéder un plus grand nombre de femmes à une catégorie sociale. ■ vpr Comporter davantage de femmes.

féminisme nm Attitude favorable à l'extension des droits de la femme.

féministe a, n Qui relève du féminisme.

féminité nf Ensemble des qualités attribuées à la femme.

femme nf 1 Être humain adulte de sexe féminin. 2 Épouse. Loc Femme de ménage : rétribuée pour faire le ménage dans une maison. Femme de chambre : attachée au service particulier d'une dame ou chargée du service des chambres dans un hôtel.

femmelette nf Fam Personne faible et sans courage.

fémoral, ale, aux a ANAT De la cuisse.

fémur nm Os de la cuisse.

fenaison nf Action de couper et de faner les foins.

1. fendant nm Vin blanc réputé de Suisse.

2. fendant, ante a Fam Drôle.

fendiller vt Produire de petites fentes à. ■ vpr Se craqueler.

fendre vt 51 Couper, diviser un corps solide dans le sens longitudinal. 2 Crevasser, craqueler. Fendre le sol. ■ vpr 1 Se diviser, se couvrir de fentes. 2 Fam Donner. Se fendre de cent francs.

fenêtre nf 1 Ouverture dans le mur d'une construction pour donner du jour et de l'air. 2 Châssis vitré fermant cette ouverture. 3 INFORM Zone de l'écran où peuvent s'inscrire des informations.

fennec nm Petit renard du Sahara.

fenouil nm Plante aromatique et comestible.

fente nf Ouverture étroite et longue ; fissure.

féodal, ale, aux a Relatif à un fief, à la féodalité. ■ nm Grand propriétaire terrien.

féodalisme nm Système féodal.

féodalité nf 1 Organisation politique du Moyen Âge, dans laquelle des fiefs étaient concédés par des seigneurs à des vassaux contre certaines obligations. 2 Système social rappelant la féodalité. La féodalité financière.

fer nm 1 Métal gris blanc ductile, ferromagnétique, utilisé en métallurgie. 2 Objet en fer, en métal. 3 Outil en fer. *Fer à repasser.* 4 Fleuret, épée, sabre. Loc *Âge du fer :* période où se répandit l'usage du fer (v. 850 av. J.-C.). *Fer à cheval :* bande de métal recourbée pour protéger les sabots des chevaux. ■ *pl* Entraves d'un prisonnier.

fer-blanc nm Tôle d'acier doux recouverte d'étain. *Des fers-blancs.*

ferblanterie nf Industrie d'objets en ferblanc.

feria [feʀja] nf Grande fête annuelle dans le midi de la France.

férié, ée a Loc *Jour férié :* où on ne travaille pas à l'occasion d'une fête.

féringien, enne, a, n Des îles Féroé.

fermage nm Loyer d'une terre prise à bail.

1. ferme a 1 Qui offre une certaine résistance. *Fromage à pâte ferme.* 2 Stable. *Ferme sur ses pieds.* 3 Qui ne se laisse pas ébranler. *Ferme dans ses résolutions.* 4 Qui fait preuve d'autorité. *Ferme avec les enfants.* 5 Sans sursis. *Prison ferme.* ■ *av* Avec ardeur.

2. ferme nf 1 Convention par laquelle un propriétaire loue un bien rural ; domaine ainsi exploité. 2 Toute exploitation agricole ; habitation de l'agriculteur.

fermé, ée a 1 Inaccessible. *Milieu fermé.* 2 Insensible. *Fermé à la pitié.*

ferme-auberge nf Ferme servant des repas élaborés avec ses propres produits. *Des fermes-auberges.*

fermement av De façon ferme.

ferment nm 1 Agent d'une fermentation. 2 Litt Ce qui entretient les passions. *Un ferment de discorde.*

fermentation nf 1 Dégradation d'une substance par un microorganisme. 2 Litt Effervescence des esprits.

fermenter vi Être en fermentation.

fermer vt 1 Boucher une ouverture. 2 Isoler de l'extérieur. *Fermer une chambre.* 3 Rapprocher les parties de qqch. *Fermer les yeux.* 4 Interdire l'accès de. *Fermer un établissement.* 5 Arrêter la circulation, le fonctionnement de. *Fermer l'eau, l'électricité.* Loc *Fermer la mar-*

che : marcher le dernier. Pop *La fermer :* se taire. ■ vi Être, rester fermé. *On ferme à cinq heures.*

fermeté nf 1 État de ce qui est ferme. 2 Énergie, autorité. *Parler avec fermeté.*

fermeture nf 1 Dispositif servant à fermer. 2 Action de fermer ; état d'un établissement fermé. *Heure de la fermeture.*

fermier, ère n Exploitant agricole. Loc *Fermier général :* sous l'Ancien Régime, financier qui percevait certains impôts. ■ a De ferme. *Beurre fermier.*

fermion nm PHYS Particule, tels l'électron, le proton, etc.

fermoir nm Agrafe ou attache qui sert à tenir fermé un sac, un collier.

féroce a Cruel, sans pitié.

férocement av De façon féroce.

férocité nf Caractère féroce.

ferraille nf 1 Pièces métalliques hors d'usage. 2 Fam Petite monnaie.

ferrailler vi Se battre au sabre ou à l'épée.

ferrailleur nm Marchand de ferraille.

ferré, ée a Loc *Voie ferrée :* voie constituée par deux rails reliés par des traverses.

ferrer vt 1 Garnir de fer, de ferrures. 2 Garnir de fers les sabots d'une bête. Loc *Ferrer le poisson :* bien l'accrocher à l'hameçon d'un coup sec.

ferret nm Embout d'un lacet.

ferreux, euse a Qui contient du fer.

ferrite nf Variété de fer, l'un des constituants de l'acier.

ferromagnétisme nm Propriété de certaines substances (fer, cobalt, nickel) d'acquérir une forte aimantation.

ferronnerie nf Art du fer forgé ; objets ainsi forgés.

ferronnier, ère n Qui fabrique de la ferronnerie d'art.

ferroutage nm Transport par rail et par route.

ferroviaire a Relatif aux chemins de fer.

ferrugineux, euse a Qui contient du fer.

ferrure nf Garniture de fer.

ferry ou **ferry-boat** nm Navire transportant des wagons et des automobiles. *Des ferry-boats.*

fertile a 1 Qui fournit des récoltes abondantes. 2 Riche en. *Voyage fertile en incidents.* 3 Fécond. *Imagination fertile.*

fertilisation nf Action de fertiliser.

fertiliser vt Rendre fertile.

fertilité nf Qualité fertile.

féru, ue a Loc Litt *Féru de* : passionné de.

férule nf Loc Litt *Sous la férule de* : sous l'autorité de.

fervent, ente a, n Qui éprouve ou manifeste de la ferveur.

ferveur nf Ardeur des sentiments.

fesse nf Chacune des parties charnues qui forment le derrière de l'homme et de certains animaux. Loc Fam *Serrer les fesses* : avoir peur.

fessée nf Correction donnée sur les fesses.

fesser vt Donner une fessée.

fessier, ère a Des fesses. ■ nm Les deux fesses.

fessu, ue a Fam Qui a de grosses fesses.

festif, ive a De la fête. *Ambiance festive.*

festin nm Repas somptueux, excellent.

festival nm Manifestation artistique organisée à époque fixe. *Des festivals.*

festivalier, ère n, a Qui fréquente un festival.

festivités nfpl Fêtes, cérémonies.

fest-noz nm inv Fête traditionnelle bretonne.

feston nm 1 Guirlandes de feuilles et de fleurs. 2 Bordure brodée.

festonner vt Orner de festons.

festoyer vi 22 Faire bonne chère.

feta nf Fromage grec au lait de brebis.

fêtard, arde n Fam Qui fait la fête.

fête nf 1 Jour consacré à commémorer un fait religieux, historique, un saint, etc. 2 Réjouissances.

fêter vt 1 Célébrer une fête ou par une fête. 2 Accueillir chaleureusement.

fétiche nm Objet magique, porte-bonheur.

féticheur nm Sorcier, dans les religions animistes.

fétichisme nm 1 Culte des fétiches. 2 Attachement, admiration excessif à l'égard de qqch ou de qqn.

fétichiste a, n Qui relève du fétichisme.

fétide a Qui sent très mauvais.

1. feu, feue a Litt Défunt (au sing et invariable sauf entre le déterminant et le nom). *La feue reine. Feu la reine.*

2. feu nm 1 Flamme. 2 Corps en combustion ; chaleur dégagée par ce corps. 3 Incendie. *Feu de forêt.* 4 Lumière d'éclairage. 5 Signal lumineux réglant la circulation. Loc *Feu de Bengale* : pièce d'artifice qui brûle avec une flamme colorée. *Coup de feu* : décharge d'arme (fusil, pistolet, etc.) ; moment de presse. *Faire feu* : tirer. ■ pl Éclat très vif. *Les feux d'une pierre précieuse.* Loc *Entre deux feux* : attaqué de deux côtés.

feudataire nm HIST Possesseur d'un fief.

feuillage nm Feuilles d'un arbre ; branches coupées garnies de feuilles.

feuillaison nf BOT Développement des feuilles.

feuillant, nm, feuillantine nf HIST Religieux, religieuse membre d'un ancien ordre détaché des cisterciens.

feuille nf 1 Partie d'un végétal, généralement verte, plate et mince. 2 Morceau de papier quadrangulaire. 3 Document portant des indications écrites. 4 Plaque très mince. *Feuille de tôle.*

feuillées nfpl Vx Latrines.

feuillet nm 1 Chacune des feuilles d'un livre, d'un cahier, etc. 2 Troisième poche de l'estomac des ruminants.

feuilletage nm Pâte feuilletée.

feuilleté, ée a Formé de minces couches superposées. Loc *Pâte feuilletée* : pâte à gâteaux travaillée pour se diviser en fines feuilles. ■ nm Pâtisserie faite avec cette pâte.

feuilleter vt 19 Tourner les feuilles d'un livre ; parcourir hâtivement.

feuilleton nm Œuvre de fiction paraissant par épisodes dans un journal, à la télévision.

feuillu, ue a Qui a beaucoup de feuilles.

feulement nm Cri du tigre, du chat.

feuler vi Pousser un feulement.

feutre nm 1 Étoffe non tissée faite de poils ou de laines agglutinés et foulés. 2 Chapeau de feutre. 3 Stylo, crayon dont la pointe est faite de fibres synthétiques.

feutré, ée a 1 Qui a l'aspect du feutre. 2 Silencieux, discret. *Atmosphère feutrée.*

feutrer vt Donner l'aspect du feutre à une étoffe. ■ vi, vpr Prendre l'aspect du feutre.

feutrine nf Feutre léger.

fève nf 1 Plante potagère dont la graine est comestible. 2 Figurine qu'on cache dans une galette le jour de l'Épiphanie.

février nm Deuxième mois de l'année, qui compte 28 ou 29 jours.

fez nm Coiffure tronconique portée dans certains pays musulmans.

fi Loc *Faire fi de :* mépriser.

fiabiliser vt Rendre fiable, sûr.

fiabilité nf Probabilité de bon fonctionnement.

fiable a 1 Qui a un certain degré de fiabilité. 2 À qui on peut se fier. *Témoin fiable.*

fiacre nm Voiture de louage hippomobile.

fiançailles nfpl Promesse mutuelle de mariage.

fiancé, ée n Qui s'est engagé au mariage.

fiancer vt 10 Promettre en mariage à la cérémonie des fiançailles. ■ vpr S'engager au mariage.

fiasco nm Échec complet.

fiasque nf Bouteille à long col et à large panse, entourée de paille.

fibranne nf (n déposé) Tissu artificiel.

fibre nf 1 Expansion cellulaire allongée et fine. *Fibres musculaires.* 2 Filament de certaines plantes, de certaines matières. 3 Litt Disposition à éprouver certains sentiments. *La fibre paternelle.* Loc *Fibre de verre :* filament obtenu par étirage de verre fondu. *Fibre optique :* fibre utilisée pour la transmission d'informations.

fibreux, euse a Formé de fibres.

fibrillation nf MED Contractions désordonnées des fibres cardiaques.

fibrine nf BIOL Protéine insoluble qui forme la majeure partie du caillot sanguin.

fibroblaste nm BIOL Cellule du tissu conjonctif, participant à l'élaboration du collagène.

fibrociment nm (n déposé) Matériau constitué de ciment et d'amiante.

fibrome nm Tumeur fibreuse bénigne.

fibroscope nm MED Endoscope flexible à fibres de quartz.

fibroscopie nf MED Examen réalisé au moyen d'un fibroscope.

fibrose nf MED Évolution fibreuse d'un organe.

fibule nf ANTIQ Agrafe.

ficaire nf Petite plante à fleurs jaune d'or.

ficeler vt 18 1 Lier avec de la ficelle. 2 Fam Habiller. 3 Fam Concevoir, écrire.

ficelle nf 1 Corde très mince. ■ pl Loc *Tirer les ficelles :* faire agir les autres sans être connu. *Les ficelles du métier :* ses trucs.

fiche nf 1 Feuille sur laquelle on inscrit des renseignements destinés à être classés. 2 TECH Cheville.

1. ficher ou **fiche** vt 1 Fam Mettre, donner avec force. *Fiche une claque.* 2 Faire. *Il n'a rien fichu cette année.* ■ vpr Fam Se moquer. *Tu te fiches de moi ?*

2. ficher vt 1 Noter un renseignement sur une fiche. 2 Faire figurer qqn dans un fichier de police, un fichier informatique.

fichier nm 1 Ensemble de fiches. 2 Ensemble d'informations traitées par l'ordinateur.

fichtre ! interj Fam Marque l'étonnement.

1. fichu, ue a Fam Mauvais, détestable, désagréable. *Un fichu caractère.* Loc *Être fichu :* être dans un état désespéré ; être manqué, raté. *Être fichu de :* être capable de.

2. fichu nm Étoffe triangulaire que les femmes se mettent sur les épaules ou sur la tête.

fictif, ive a Imaginaire, inventé.

fiction nf 1 Ce qui relève de l'imaginaire ; création littéraire.

fictionnel, elle a De la fiction, des œuvres de fiction.

ficus [-kys] nm Plante d'appartement appelée aussi *caoutchouc.*

fidèle a **1** Qui remplit ses engagements. **2** Constant dans son attachement. **3** Qui respecte la vérité, exact. ■ n Qui pratique une religion.

fidèlement av De façon fidèle.

fidéliser vt Rendre fidèle une clientèle.

fidélité nf Caractère fidèle de qqn, de qqch.

fiduciaire a FIN Se dit de valeurs fondées sur la confiance que le public accorde à l'organisme émetteur.

fief nm **1** FEOD Domaine d'un vassal. **2** Domaine exclusif de qqn. *Fief électoral.*

fieffé, ée a Qui a le vice au suprême degré. *Un fieffé coquin.*

fiel nm **1** Bile. **2** Litt Animosité, amertume.

fielleux, euse a Litt Amer, méchant.

fiente [fjãt] nf Excrément d'animaux.

1. fier, fière [fjɛʀ] a, n Hautain, méprisant. *Faire le fier.* ■ a **1** Qui tire un certain orgueil de qqch. **2** Noble, élevé. *Âme fière.* **3** Fam Remarquable en son genre. *Un fier imbécile.*

2. fier (se) vpr Mettre sa confiance en. *Se fier à un ami.*

fier-à-bras nm Fanfaron. *Des fier(s)-à-bras.*

fièrement av De façon fière.

fierté nf Caractère fier.

fiesta nf Fam Fête.

fièvre nf **1** Élévation anormale de la température du corps. **2** Agitation provoquée par la passion. *La fièvre du combat.*

fiévreux, euse a **1** Qui a ou dénote de la fièvre. **2** Agité, désordonné. *Attente fiévreuse.*

fifre nm Petite flûte au son aigu.

fifrelin nm Fam Chose sans valeur.

fifty-fifty [fifti-] av Moitié-moitié.

figé, ée a Stéréotypé. *Locution figée.*

figer vt **11 1** Rendre solide un liquide gras par le froid. **2** Immobiliser qqn, son visage.

fignolage nm Fam Action de fignoler.

fignoler vt Fam Apporter un soin très minutieux.

figue nf Fruit charnu, comestible du figuier. Loc *Figue de Barbarie :* fruit comestible de

l'opuntia. ■ a inv Loc *Mi-figue, mi-raisin :* plaisant d'un côté et désagréable de l'autre ; ambigu.

figuier nm Arbre méditerranéen qui produit les figues. Loc *Figuier de Barbarie :* opuntia.

figurant, ante n **1** Acteur de complément au théâtre, au cinéma. **2** Qui joue un rôle secondaire dans une affaire.

figuratif, ive a Qui est la représentation, la figure de qqch. ■ a, n Peintre qui représente les formes des objets (par oppos. à abstrait).

figuration nf **1** Action de représenter qqch sous une forme visible. **2** Ensemble des figurants au théâtre, au cinéma.

figure nf **1** Visage. *Se laver la figure.* **2** Mine, contenance. *Faire bonne figure.* **3** Personnalité marquante. **4** Représentation d'un être humain, d'un animal dans le dessin, la sculpture. **5** GEOM Ensemble de lignes ou de surfaces. Loc *Figure de rhétorique :* procédé de langage destiné à rendre la pensée plus frappante.

figuré, ée a, nm Loc *Sens figuré :* métaphorique, par oppos. au sens propre.

figurer vt **1** Représenter qqn, qqch. **2** Avoir l'aspect de. *Le décor figure une place publique.* ■ vi Apparaître, se trouver. *Son nom figure sur la liste.* ■ vpr Se représenter par l'imagination.

figurine nf Statuette.

fil nm **1** Brin mince et long de matière végétale, animale ou synthétique. **2** Métal étiré. *Fil de fer.* **3** Direction des fibres (de la viande, du bois). **4** Courant d'un cours d'eau. **5** Liaison, enchaînement. *Perdre le fil de ses idées.* **6** Tranchant d'une arme, d'un outil. *Le fil d'un rasoir.* Loc *Fil d'Ariane, fil conducteur, fil rouge :* qui permet de se guider dans des recherches difficiles. *Fil à plomb :* fil tendu par un poids et orienté selon la verticale. *Passer un coup de fil :* téléphoner.

fil-à-fil nm inv Tissu chiné.

filage nm Action de filer les fibres textiles.

filaire nm Ver parasite de l'homme et des

filament nm **1** Brin long et fin de matière animale ou végétale. **2** Fil très fin pour le passage du courant électrique.

filandreux, euse a **1** Rempli de fibres longues. **2** Embrouillé, confus.

filant, ante a Qui file. *Liquide filant.* Loc *Étoile filante :* météorite porté à incandescence.

filariose nf Parasitose causée par un filaire.

filasse nf Amas de filaments du chanvre, du lin, etc. ■ a inv Loc *Blond filasse :* jaune pâle.

filature nf **1** Opération de transformation des matières textiles ; usine textile. **2** Surveillance faite en filant qqn.

file nf Suite de personnes ou de choses qui se suivent ; colonne, rangée. *File de voitures. File d'attente.*

filer vt **1** Amener une matière textile à l'état de fil. **2** Sécréter des fils. *L'araignée file sa toile.* **3** MAR Larguer, mollir un cordage. **4** Suivre qqn pour le surveiller. **5** Pop Donner. ■ vi **1** Couler en filet. *Le miel file.* **2** Se défaire. *Bas qui file.* **3** Fam Aller, s'en aller rapidement. *Filer à toute allure.* Loc *Filer à l'anglaise :* partir sans être vu. *Filer doux :* devenir docile.

filet nm **1** ANAT Frein de la langue. **2** Trait mince divisant un texte. **3** TECH Rainure hélicoïdale d'un écrou, d'une vis. **4** Écoulement ténu. *Un filet d'eau.* **5** Morceau charnu du dos du bœuf ; bande de chair de poisson. **6** Réseau, ouvrage à larges mailles, servant à divers usages. *Filet à cheveux. Filet à provisions. Filet de volley-ball.* Loc *Coup de filet :* opération policière en vue d'arrestations.

filetage nm TECH Ensemble des filets d'une pièce, d'une vis.

fileter vt **19** Exécuter le filetage d'une pièce.

fileur, euse n Qui file une matière textile.

filial, ale, aux a Propre au fils, à la fille. *Amour filial.* ■ nf Société contrôlée et dirigée par une société mère.

filialiser vt Découper une entreprise entre plusieurs filiales.

filiation nf **1** Lien de parenté qui unit l'enfant à ses parents ; descendance directe. **2** Liaison, enchaînement de choses. *La filiation des mots.*

filière nf **1** TECH Pièce pour étirer une matière en fil, pour fileter une vis. **2** Suite de formalités, d'épreuves, etc., pour obtenir un

résultat, faire une carrière. **3** Suite d'intermédiaires. *Remonter la filière de la drogue.* **4** Suite de phases constituant un processus de production. **5** PHYS Ensemble de réacteurs nucléaires fonctionnant selon le même principe.

filiforme a Mince comme un fil, grêle.

filigrane nm **1** Ouvrage d'orfèvrerie à jour. **2** Empreinte de lettres et figures dans le corps du papier.

filin nm MAR Cordage, câble.

fille nf **1** Personne de sexe féminin, par rapport aux parents. **2** Enfant, personne jeune de sexe féminin. Loc *Vieille fille :* célibataire âgée. *Fille mère :* mère célibataire. *Fille de joie ou fille :* prostituée.

fillette nf Petite fille.

filleul, eule n Personne par rapport à ses parrain et marraine.

film nm **1** Pellicule, couche très mince d'une substance. **2** Bande mince recouverte d'une couche sensible servant pour la photo et le cinéma. **3** Œuvre cinématographique.

filmer vt Enregistrer sur film.

filmique a Relatif au film, au cinéma.

filmographie nf Ensemble des films réalisés par un cinéaste.

filon nm **1** GÉOL Masse longue et étroite de minéraux recoupant des couches de nature différente. **2** Fam Source facile d'avantages divers.

filonien, enne a GÉOL Qui concerne les filons, qui en relève.

filou nm, a Fam Voleur adroit, rusé.

filouter vt Fam Tricher, voler.

filouterie nf Fam Escroquerie.

fils [fis] nm **1** Personne du sexe masculin, par rapport aux parents. **2** Qui est issu, originaire de. *Fils du peuple.*

filtrant, ante a Qui sert à filtrer. Loc *Virus filtrant :* qui traverse les filtres les plus fins.

filtre nm **1** Corps poreux ou appareil servant à purifier un liquide ou un gaz, à faire passer un liquide. **2** Appareil qui absorbe une partie du rayonnement qui le traverse.

filtrer vt **1** Faire passer par un filtre. **2** Soumettre à un contrôle. ■ vi **1** Traverser un corps. *L'eau a filtré.* **2** Apparaître. *La vérité commence à filtrer.*

1. fin nf **1** Point ultime d'une durée ; terme. **2** Mort. *Une fin tragique.* **3** Extrémité, bout. *La fin d'un chemin.* **4** But. *La fin justifie les moyens.*

2. fin, fine a **1** Très pur. *Or fin.* **2** D'une qualité supérieure. *Épicerie fine.* **3** D'une grande sensibilité. *Avoir l'ouïe fine.* **4** Perspicace, subtil, délicat. *Remarque fine.* **5** Menu, ténu, mince. *Pluie fine. Trait fin. Fine pellicule.* Loc *Le fin mot d'une chose* : son motif véritable. ■ nm Loc *Le fin du fin* : ce qu'il y a de mieux. ■ av Tout à fait. *Nous voici fin prêts.*

1. final, ale, aux a **1** Qui finit, qui est à la fin. *Consonne finale.* **2** GRAM Qui marque l'idée de but. *Conjonction finale (pour que, afin que, etc.).* ■ nf **1** Syllabe ou lettre finale d'un mot. **2** Dernière épreuve d'une compétition.

2. final ou **finale** nm Dernière partie d'une symphonie, d'une sonate, d'un opéra.

finalement av À la fin, pour en terminer.

finaliser vt **1** Orienter vers un but précis. **2** Mettre au point dans ses moindres détails. *Finaliser un projet.*

finaliste n, a Qualifié pour une finale.

finalité nf Caractère de ce qui tend vers un but.

finance nf Ensemble des grandes affaires d'argent, des gens qui les manient. *La haute finance.* Loc *Moyennant finance* : contre une certaine somme d'argent. ■ pl **1** Argent de l'État ; son administration. **2** Ressources pécuniaires d'une société, d'un particulier.

financement nm Action de financer.

financer vt 10 Fournir les capitaux, de l'argent.

financier, ère a Relatif à l'argent, aux finances. ■ nm Qui fait des opérations d'argent.

finasser vi Fam User de subterfuges, de finesses.

finasserie nf Fam Finesse rusée.

finaud, aude a, n Rusé.

fine nf Eau-de-vie supérieure.

finesse nf **1** Qualité de ce qui est délicat, fin. **2** Subtilité, acuité sensorielle.

finette nf Étoffe de coton à envers pelucheux.

fini, ie a **1** Parfait, achevé. **2** Usé intellectuellement. ■ nm **1** Perfection. *Manquer de fini.* **2** Ce qui a des bornes. *Le fini et l'infini.*

finir vt **1** Mener à son terme. *Finir un ouvrage. Finir de déjeuner.* **2** Terminer. *Finissez vos querelles.* ■ vi **1** Arriver à son terme. *Le spectacle finit tard.* **2** Avoir telle issue. *Un film qui finit bien.* **3** Mourir.

finish nm Litt Dernier effort en fin d'épreuve.

finition nf Achèvement des derniers détails d'un ouvrage.

finlandais, aise a, nm De Finlande.

finnois, oise a, n D'un peuple de Finlande. ■ nm Langue parlée en Finlande.

finno-ougrien, enne a, nm Se dit de langues, tels le finnois et le hongrois, formant un groupe.

fiole nf Petite bouteille de verre à col étroit.

fioriture nf Ornement ajouté.

fioul nm Produit dérivé du pétrole, utilisé comme combustible. Syn. fuel.

firmament nm Litt Voûte céleste.

firme nf Entreprise commerciale ou industrielle.

fisc nm Administration chargée du recouvrement des taxes et des impôts.

fiscal, ale, aux a Du fisc. *Agent fiscal.*

fiscaliser vt Soumettre à l'impôt.

fiscaliste n Spécialiste du droit fiscal.

fiscalité nf Ensemble des lois destinées à fournir les ressources d'un État par l'impôt.

fish-eye [fiʃaj] nm Objectif photographique couvrant un champ très large. *Des fish-eyes.*

fissible ou **fissile** a PHYS Susceptible de subir la fission nucléaire.

fission nf PHYS Division d'un noyau atomique lourd, libérant de l'énergie.

fissuration nf Formation d'une fissure.

fissure nf Petite fente.

fissurer vt Diviser par des fissures, craqueler. ■ vpr Se crevasser, se craqueler.

fiston nm Fam Fils.

fistule nf MED Voie anormale, suivie par un liquide physiologique ou pathologique.

fistuline nf Champignon rouge vivant sur le tronc des chênes et des châtaigniers.

fixage nm 1 Action de rendre fixe. 2 TECH Action de fixer une photo, un dessin.

fixateur, trice a Qui fixe. ■ nm Produit servant à fixer un cliché photographique.

fixatif nm Vernis servant à fixer un dessin.

fixation nf 1 Action de fixer. 2 Ce qui sert à fixer. Les fixations de skis.

fixe a 1 Immobile. 2 Certain, déterminé. Venir à heure fixe. 3 Obsédant. Idée fixe. ■ nm Rémunération régulière, assurée.

fixer vt 1 Rendre fixe ; assujettir. Fixer un cadre. 2 Établir durablement. Fixer sa résidence dans telle ville. 3 Regarder avec attention. 4 Régler, arrêter, déterminer. Fixer un rendez-vous. 5 Renseigner qqn exactement. 6 TECH Rendre inaltérables une photo, un dessin. ■ vpr S'établir durablement. 2 Choisir irrésolument. Se fixer sur une date de vacances.

fixité nf Caractère fixe.

fjord [fjɔʀd] nm Vallée glaciaire envahie par la mer.

flacon nm Petite bouteille.

flaconnage nm Présentation en flacons.

flagada a inv Fam Sans vigueur.

flagellation nf Action de flageller.

flagelle nm BIOL Organe mobile assurant la locomotion d'organismes unicellulaires.

flageller vt Donner des coups de fouet.

flageoler vi Trembler des jambes.

flageolet nm 1 Flûte à bec. 2 Petit haricot.

flagornerie nf Flatterie servile.

flagorneur, euse n, a Qui flatte bassement.

flagrant, ante a Évident, patent. Mensonge flagrant. Loc Flagrant délit : délit commis sous les yeux de celui qui le constate.

flair nm 1 Odorat d'un animal. 2 Sagacité, perspicacité.

flairer vt 1 Discerner par l'odorat ; sentir. 2 Pressentir. Flairer un piège.

flamand, ande a, n De Flandre. ■ nm Langue néerlandaise parlée en Belgique.

flamant nm Grand oiseau au plumage rose, noir ou écarlate.

flambant, ante a Qui flambe. Loc Flambant neuf : tout neuf (flambant inv).

flambeau nm 1 Torche, chandelle. 2 Chandelier, candélabre. Loc Se passer le flambeau : continuer la tradition.

flambée nf 1 Feu vif et de courte durée. 2 Forte poussée subite. Une flambée de violence.

flamber vi 1 Brûler d'un feu vif. 2 Fam Augmenter brutalement. Le chômage a flambé en mars. ■ vt 1 Passer à la flamme. Flamber une volaille. 2 Arroser d'alcool que l'on fait brûler. 3 Pop Dilapider follement.

flambeur, euse n Pop Qui dilapide son argent au jeu ou qui joue gros jeu.

flamboyant, ante a Qui flamboie. Loc Gothique flamboyant : aux ornements contournés (XVᵉ s.) ■ nm Arbre tropical à floraison rouge.

flamboyer vi 22 1 Jeter des flammes vives. 2 Litt Briller comme une flamme.

flamenco [-mɛn-] nm Genre musical originaire d'Andalousie.

flamiche nf Tarte aux poireaux.

flamine nm ANTIQ Prêtre romain.

flamingant, ante a, n Qui parle flamand ; nationaliste flamand.

flamme nf 1 Produit gazeux et incandescent d'une combustion. 2 Passion ardente, enthousiasme. 3 Pavillon long et étroit, triangulaire. 4 Marque postale apposée à côté du cachet d'oblitération. ■ pl Incendie.

flammé, ée a Loc Grès flammé : céramique colorée irrégulièrement par le feu.

flammèche nf Parcelle de matière enflammée qui s'envole d'un foyer.

flan nm 1 Crème prise au four. 2 TECH Disque destiné à recevoir l'empreinte d'une pièce.

flanc nm 1 Région latérale du corps comprenant les côtes et la hanche. 2 Côté de diverses choses. Le flanc d'une montagne. 3 MILIT Côté droit ou gauche d'une formation.

flancher vi Fam Céder, faiblir.

flanchet nm Morceau du bœuf situé entre la tranche et la poitrine.

flanelle nf Étoffe légère en laine.

flâner

flâner vi 1 Se promener sans but. 2 Perdre du temps en lambinant.

flânerie nf Action de flâner.

flâneur, euse n, a Qui flâne.

flanquer vt 1 Être disposé, construit de part et d'autre. Deux tourelles flanquaient le bâtiment. 2 Accompagner. Être flanqué de deux gendarmes. 3 Fam Lancer, jeter, donner. ■ vpr Loc Pop Se flanquer par terre : tomber rudement.

flapi, ie a Fam Abattu, éreinté.

flaque nf Petite mare.

flash [flaʃ] nm 1 Dispositif photographique qui émet un bref éclat de lumière intense. 2 Annonce brève à la radio ou à la télévision.

flash-back [flaʃbak] nm inv Retour en arrière évoquant, au cinéma, une période antérieure.

flasher [flaʃe] vti Fam Éprouver une attirance subite pour. Flasher sur une robe.

1. flasque a Mou, dépourvu de fermeté.

2. flasque nf Petit flacon plat.

3. flasque nm Garniture en métal des roues d'une automobile.

flatter vt 1 Louer exagérément pour plaire. 2 Présenter qqn avantageusement. 3 Caresser de la main un animal. 4 Être agréable à qqn. Flatter le palais, l'oreille. 5 Encourager qqch de mauvais. Flatter une manie. ■ vpr Se faire fort de, prétendre. Se flatter de réussir.

flatterie nf Louange fausse ou exagérée.

flatteur, euse n, a Qui flatte.

flatulence nf MED Accumulation de gaz gastro-intestinaux.

flaveur nf Sensations (odeur, goût) résultant de la consommation d'un aliment.

fléau nm 1 Anc Instrument pour battre les céréales. 2 Barre qui supporte les plateaux d'une balance. 3 Grande calamité.

fléchage nm Action de flécher un itinéraire.

flèche nf 1 Projectile qu'on lance avec un arc ou une arbalète. 2 Trait piquant, ironique. 3 Signe en forme de flèche pour indiquer une direction. 4 Pointe d'un clocher, d'une grue, etc.

flécher vt 12 Jalonner avec des flèches.

fléchette nf Petite flèche.

fléchir vt 1 Ployer, courber. Fléchir les genoux. 2 Faire céder ; émouvoir, attendrir qqn. ■ vi 1 Se courber, ployer sous une charge. 2 Céder, faiblir, diminuer. L'intérêt fléchit.

fléchisseur nm Muscle qui détermine la flexion d'un membre. Ant. extenseur.

flegmatique a Qui a du flegme.

flegme nm Caractère de qqn qui reste toujours calme.

flemmard, arde a, n Fam Paresseux.

flemmarder vi Fam Ne rien faire.

flemme nf Fam Paresse.

flétan nm Poisson dont le foie fournit une huile riche en vitamines.

flétrir vt 1 Faire perdre sa fraîcheur à une plante. 2 Ternir, altérer. Visage flétri. 3 Litt Stigmatiser, vouer au déshonneur.

flétrissure nf 1 Altération de la fraîcheur d'une plante. 2 Litt Atteinte grave à la réputation.

fleur nf 1 Partie des végétaux qui porte les organes de la reproduction. 2 Plante qui produit des fleurs. 3 Représentation d'une fleur. Papier à fleurs. 4 Ce qu'il y a de meilleur. Fleur de farine. Loc Faire une fleur à qqn : lui accorder une faveur. Être fleur bleue : être d'une sentimentalité naïve. À fleur de : presque au niveau de. ■ pl Moisissures.

fleurdelisé, ée a Orné de fleurs de lis.

fleurer vi Litt Sentir, exhaler une bonne odeur.

fleuret nm Arme d'escrime à lame très fine.

fleurette nf Petite fleur. Loc Conter fleurette : courtiser.

fleurettiste n Escrimeur au fleuret.

fleuri, ie a En fleurs, couvert de fleurs. Loc Style fleuri : orné.

fleurir vi 1 Produire des fleurs, être en fleurs. Les rosiers fleurissent. 2 Être prospère (en ce sens florissait ou florissait à l'imparfait). Les arts florissaient. ■ vt Orner de fleurs.

fleuriste n Qui cultive les fleurs ou en fait le commerce.

fleuron nm 1 Ornement figurant une feuille ou une fleur. 2 Ce qu'il y a de plus remarquable.

fleuve *nm* **1** Grand cours d'eau qui se jette dans la mer. **2** Masse en mouvement. **3** (en apposition) Très long. *Roman fleuve. Discours fleuve.*

flexibilité *nf* Caractère flexible.

flexible *a* **1** Qui plie aisément sans se rompre. **2** Qui s'adapte aux circonstances. ■ *nm* Tuyau souple.

flexion *nf* **1** Le fait de fléchir. *Flexion des genoux.* **2** LING Ensemble des variations d'un mot selon le genre, le nombre, le cas, etc.

flexionnel, elle *a* LING Qui comporte des flexions. *Langues flexionnelles.*

flibustier *nm* Pirate des mers américaines, aux XVIIe et XVIIIe s.

flic *nm* Pop Policier.

flicage *nm* Pop Surveillance policière.

flingue *nm* Pop Fusil ou pistolet.

flinguer *vt* Pop Tuer avec une arme à feu.

1. flipper [-pœr] *nm* Jeu électrique doté d'un mécanisme totalisateur de points.

2. flipper *vi* Fam Être déprimé, mal à l'aise.

flirt [flœrt] *nm* **1** Jeu amoureux. **2** Personne avec qui l'on flirte. **3** Rapprochement passager avec un adversaire politique.

flirter [flœrte] *vi* Avoir un flirt.

flocage *nm* TECH Application de fibres synthétiques sur une surface recouverte d'un adhésif.

flocon *nm* Petite touffe de laine, de neige. ■ *pl* Lamelles de graines de céréales.

floconneux, euse *a* Qui a l'aspect de flocons.

flonflons *nmpl* Accents bruyants de musique populaire.

flop *nm* Fam Échec.

flopée *nf* Fam Grande quantité.

floraison *nf* **1** Épanouissement des fleurs. **2** Développement, épanouissement.

floral, ale, aux *a* Relatif à la fleur, aux fleurs.

floralies *nfpl* Exposition florale.

flore *nf* BOT Ensemble des espèces végétales d'une région, d'un pays.

floréal *nm* HIST Huitième mois du calendrier républicain (avril-mai).

florentin, ine *a, n* De Florence.

florès *nm* Loc *Faire florès :* avoir du succès.

florilège *nm* Sélection de choses remarquables.

florin *nm* Unité monétaire des Pays-Bas.

florissant, ante *a* Prospère.

flot *nm* **1** Eau, liquide en mouvement. *Le flot de la Seine, de la mer.* **2** Grande quantité. *Un flot de paroles.* Loc *À flot :* qui flotte. ■ *pl* Litt La mer. Loc *À flots :* abondamment.

flottage *nm* Transport par eau du bois qu'on fait flotter.

flottaison *nf* Loc *Ligne de flottaison :* niveau atteint par l'eau sur la coque d'un navire.

flottant, ante *a* **1** Qui flotte. **2** Ample et ondoyant. *Une robe flottante.* **3** Incertain, irrésolu. **4** Dont le taux de change varie (monnaie). ■ *nm* Short de sport.

flotte *nf* **1** Groupe de navires naviguant ensemble. **2** Ensemble des navires ou des avions d'une nation. **3** Fam Eau, pluie.

flottement *nm* **1** Mouvement d'ondulation. **2** Hésitation, irrésolution.

flotter *vi* **1** Être porté par un liquide. *Des épaves flottaient à la surface.* **2** Onduler, voltiger en ondoyant. *Des drapeaux flottaient au vent.* **3** Être hésitant, irrésolu, incertain. **4** Fam Pleuvoir. ■ *vt* Transporter du bois par flottage.

flotteur *nm* Dispositif destiné à flotter à la surface d'un liquide.

flottille *nf* Réunion de petits bateaux.

flou, floue *a* **1** Dont les contours sont peu nets, brouillés. **2** Qui manque de précision, de netteté. ■ *nm* Manque de netteté.

flouer *vt* Fam Voler, duper.

flouse ou **flouze** *nm* Pop Argent.

fluctuant, ante *a* Changeant.

fluctuation *nf* **1** Mouvement alternatif d'un liquide. **2** Variation fréquente. *Fluctuations des prix, des monnaies.*

fluctuer *vi* Varier.

fluent, ente *a* Qui coule.

fluet, ette *a* Grêle et délicat.

fluide *a* **1** Qui coule, s'écoule facilement. **2** Changeant, instable. *Situation fluide.* ■ *nm*

1 Corps qui n'a pas de forme propre. *Les gaz et les liquides sont des fluides.* **2** Force mystérieuse que posséderaient certains êtres.

fluidifier *vt* Rendre fluide, plus liquide.

fluidité *nf* Caractère fluide.

fluor *nm* Gaz jaune-vert utilisé en combinaison pour la prophylaxie des caries.

fluoré, ée *a* Qui contient du fluor.

fluorescéine *nf* Matière colorante à fluorescence verte.

fluorescence *nf* PHYS Émission de lumière par une substance soumise à un rayonnement.

fluorescent, ente *a* Qui produit une fluorescence.

fluorine *nf* MINER Fluorure naturel de calcium.

fluorure *nm* CHIM Composé du fluor.

flush *[flœ∫]* *nm* Au poker, réunion de cinq cartes de même couleur.

flûte *nf* **1** Instrument à vent composé d'un tube creux percé de trous. **2** Pain long et fin. **3** Verre à pied long et étroit. ■ *interj* Fam Marque le mécontentement.

flûtiste *n* Joueur de flûte.

fluvial, ale,aux *a* Des cours d'eau.

fluvioglaciaire *a* D'origine glaciaire remanié par un cours d'eau.

flux *[fly]* *nm* **1** Action de couler. **2** Grande abondance. *Un flux de paroles.* **3** Marée montante. *Le flux et le reflux.* Loc *Flux lumineux :* débit d'énergie lumineuse.

fluxion *nf* MED Tuméfaction inflammatoire des joues et des gencives. Loc Vx *Fluxion de poitrine :* congestion pulmonaire.

1. F.M. *nm* Abrév de *fusil-mitrailleur.*

2. F.M. *nf* Sigle de *modulation de fréquence.*

foc *nm* Voile triangulaire à l'avant du navire.

focal, ale,aux *a* Relatif à un foyer optique. Loc *Distance focale :* qui sépare deux foyers optiques. ■ *nf* Distance focale.

focalisation *nf* Action de focaliser.

focaliser *vt* **1** Faire converger un rayonnement sur une surface. **2** Concentrer sur un point. *Focaliser l'attention.*

foehn ou **föhn** *[føn]* *nm* Vent chaud et sec des Alpes.

fœtal, ale,aux *[fe-]* *a* Du fœtus.

fœtologie *[fe-]* *nf* MED Étude du fœtus.

fœtus *[fetys]* *nm* Embryon de plus de trois mois.

fofolle. V. foufou.

foi *nf* **1** Croyance, confiance. *Digne de foi. Avoir foi en qqn.* **2** Adhésion ferme de l'esprit à une vérité révélée ; religion. Loc *Bonne foi :* sincérité, droiture. *Mauvaise foi :* hypocrisie.

foie *nm* Volumineux viscère de l'abdomen, glande digestive et organe d'excrétion. Loc *Foie gras :* foie d'oie ou de canard engraissés.

foin *nm* Herbe fauchée, séchée pour nourrir le bétail.

foire *nf* **1** Grand marché public qui se tient à dates régulières. **2** Exposition commerciale. **3** Fête foraine. **4** Fam Désordre, confusion. Loc Fam *Faire la foire :* faire la noce.

foirer *vi* Pop Rater, échouer.

foireux, euse *a* Pop Qui a toutes les chances d'échouer, raté.

fois *nf* Marque la multiplication ou la division avec un nom de nombre. *Trois fois deux six.* Loc *Une bonne fois, une fois pour toutes :* définitivement. *Pour une fois :* marque l'exception. *Cette fois :* désormais. *À la fois :* en même temps. *Une fois que :* dès que.

foison *nf* Loc *À foison :* en abondance.

foisonnement *nm* Fait de foisonner.

foisonner *vi* Abonder, pulluler.

fol. V. fou.

folâtre *a* Qui aime à badiner. *Humeur folâtre.*

folâtrer *vi* S'ébattre avec une gaîté enfantine.

foliacé, ée *a* BOT Qui a l'aspect d'une feuille.

foliation *nf* BOT Moment où les bourgeons développent leurs feuilles.

folichon, onne *a* Fam (souvent négatif) Gai, badin.

folie *nf* **1** Dérangement de l'esprit, maladie mentale. **2** Extravagance, manque de jugement.

folio *nm* Feuillet numéroté d'un ouvrage.

foliole nf BOT Partie du limbe de la feuille.

folioter vt Paginer.

folklore nm 1 Ensemble des arts, usages et traditions populaires. 2 Fam Ensemble de faits pittoresques mais peu sérieux.

folklorique a 1 Du folklore. 2 Fam Pittoresque et superficiel.

folksong [fɔlksɔg] ou **folk** nm Musique chantée s'inspirant du folklore nord-américain.

folle. V. fou.

follement av De façon extrême.

follet, ette a Loc Feu follet : petite lueur apparaissant au-dessus de terrains marécageux dégageant du méthane.

follicule nm 1 BOT Fruit sec constitué d'un seul carpelle. 2 ANAT Prolongement en cul-de-sac d'une muqueuse.

folliculine nf BIOL Hormone œstrogène.

folliculite nf MED Inflammation d'un follicule pileux.

fomenter vt Litt Provoquer en secret des actes d'hostilité.

foncé, ée a Sombre (couleur). Bleu foncé.

foncer vi 10 1 Se précipiter sur qqn, qqch. 2 Fam Se déplacer à grande vitesse. 3 Devenir plus sombre. Son teint a foncé. ■ vt 1 Rendre plus foncé. 2 Mettre un fond à. Foncer un tonneau.

fonceur, euse a, n Fam Énergique et entreprenant.

foncier, ère a 1 Relatif à un bien immobilier, à un bien-fonds. Impôt foncier. 2 Qui est au fond de la nature de qqn. Qualité foncière. ■ nm Propriété foncière.

foncièrement av Dans le fond. Il est foncièrement honnête.

fonction nf 1 Emploi, charge, profession. Dans l'exercice de ses fonctions. 2 Rôle, activité propre d'un organe, d'un appareil, d'un service, etc. 3 GRAM Relation d'un mot avec les autres mots dans une phrase. 4 MATH Grandeur dépendant d'une ou plusieurs variables. Loc En fonction de : en rapport avec. Être fonction de : dépendre de. Fonction publique : agents du service public, ensemble des fonctionnaires.

fonctionnaire n Agent du service public.

fonctionnalisme nm Doctrine selon laquelle toute forme doit être appropriée à un besoin.

fonctionnalité nf Caractère fonctionnel. ■ pl INFORM Possibilités de traitement offertes par un système.

fonctionnariat nm État de fonctionnaire.

fonctionnel, elle a 1 Relatif à une fonction organique, mathématique, chimique, etc. 2 Adapté à la fonction à remplir. Mobilier fonctionnel.

fonctionnement nm Manière de fonctionner.

fonctionner vi Remplir sa fonction (machine, organe). La voiture fonctionne bien.

fond nm 1 Partie la plus basse, la plus profonde de qqch, la plus éloignée de l'ouverture. Le fond d'une casserole. Le fond d'une vallée. Le fond de la mer. Le fond d'un placard. Le fond d'un tableau. 2 Surface sur laquelle se détache qqch. Le fond d'un tableau. 3 Ce qui est essentiel, fondamental. Le fond du problème. Article de fond. Loc Fond de teint : crème colorée servant de maquillage. Course de fond : qui se dispute sur une grande distance. Au fond, dans le fond : en réalité. Eaux profondes. Fonds océaniques.

fondamental, ale, aux a 1 Essentiel. Loc Recherche fondamentale : théorique, par oppos. à recherche appliquée. MUS Son fondamental : qui sert de base à un accord. ■ nmpl Éléments de base. Les fondamentaux de l'économie.

fondamentalisme nm Tendance religieuse conservatrice.

fondamentaliste n, a 1 Qui adhère au fondamentalisme. 2 Qui travaille dans la recherche fondamentale.

fondateur, trice n, a Qui a fondé qqch d'important et de durable.

fondation nf 1 Action de fonder, de créer qqch. La fondation d'une cité. 2 Don ou legs d'un capital pour un usage déterminé. ■ pl Sous-sol d'une construction sur lequel elle repose.

fondé, ée a Qui repose sur des bases rationnelles. *Une crainte fondée.* ■ n Loc **Fondé de pouvoir** : qui a reçu de qqn ou d'une société le pouvoir d'agir en son nom.

fondement nm 1 Élément essentiel, base de qqch. 2 Motif, raison. *Rumeur sans fondement.* 3 Fam Fesses, anus.

fonder vt 1 Créer qqch de durable en posant ses bases. *Fonder une ville.* 2 Donner les fonds nécessaires pour une fondation d'intérêt public. 3 Faire reposer qqch sur. *Opinion fondée sur les faits.*

fonderie nf Usine de fabrication d'objets métalliques par moulage du métal en fusion.

fondeur, euse n Spécialiste de la course de fond. ■ nm Ouvrier d'une fonderie.

fondre vt 51 Rendre liquide une matière solide. *Fondre du métal.* 2 Fabriquer avec du métal fondu et moulé. *Fondre un canon.* 3 Combiner des éléments en un tout. *Fondre des couleurs.* 4 Dissoudre. *Fondre du sucre.* ■ vi 1 Devenir liquide, sous l'effet de la chaleur. *La neige fond.* 2 Se dissoudre. *Le sucre fond dans l'eau.* 3 Fam Maigrir. ■ vti Se précipiter sur. *Fondre sur sa proie.*

fondrière nf Nid-de-poule plein d'eau.

fonds nm 1 Terre considérée comme un bien immeuble. 2 Capital d'un bien, d'une entreprise. 3 Compte spécial dans le budget de l'État. Loc **Fonds de commerce** : clientèle d'un établissement commercial. ■ pl Somme d'argent. *Fonds secrets.* Loc **Fonds communs de placement** : société gérant des dépôts à court terme. **Fonds de pension** : dépôts de particuliers en vue de leur retraite ; organisme qui gère ces dépôts.

fondu, ue a Loc **Couleurs fondues** : mêlées les unes aux autres par des nuances graduées. ■ nm Apparition ou disparition progressive d'une image dans un film. ■ nf Mets italien de gruyère fondu dans du vin blanc. Loc **Fondue bourguignonne** : petits morceaux de bœuf plongés dans l'huile bouillante.

fongicide a, nm Qui détruit les champignons.

fongiforme a En forme de champignon.

fongique a Relatif aux champignons.

fontaine nf 1 Eau vive sortant de terre. 2 Construction comportant une alimentation en eau et un bassin.

fontainebleau nm Fromage frais additionné de crème fouettée.

fontanelle nf ANAT Espace membraneux compris entre les os du crâne, qui s'ossifie progressivement.

fonte nf 1 Fait de fondre. *Fonte des neiges.* 2 Opération consistant à fondre du verre, un métal, etc. 3 Alliage de fer et de carbone. 4 IMPRIM Ensemble des caractères de même type.

fontine nf Fromage italien au lait de vache.

fonts nmpl Loc **Fonts baptismaux** : cuve qui contient l'eau du baptême.

football [futbol] ou **foot** [fut] nm Sport de ballon opposant deux équipes de onze joueurs.

footballeur, euse n Joueur de football.

footing [futiŋ] nm Promenade sportive à pied.

for nm Loc **Dans** (ou **en**) **mon** (**ton, son**) **for intérieur** : au plus profond de moi (toi, soi).

forage nm Action de forer.

forain, aine a Relatif aux foires, aux forains. *Fête foraine.* ■ a, nm Loc **Marchand forain** ou **forain** : marchand ambulant qui fait les marchés.

forban nm Individu sans scrupules, bandit.

forçat nm Condamné aux travaux forcés.

force nf 1 Cause capable de modifier le mouvement d'un corps. *Force centrifuge.* 2 Toute cause provoquant un mouvement, un effet. *Forces occultes.* 3 Puissance physique. *Un homme d'une force herculéenne.* 4 Puissance intellectuelle, habileté, talent. *Une grande force de travail. Être de force égale.* 5 Pouvoir de qqch. *Force d'un poison.* 6 Puissance d'un groupe, d'un État, etc. Loc **Force de l'âge** : âge où on a tous ses moyens. **Force d'âme** : fermeté morale. **De force** : par la contrainte ou la violence. *Travailleur de force* : qui doit fournir un gros effort physique. **En force** : en nombre. **À force de** : grâce à. ■ pl Troupes d'un État ; moyens militaires. *Forces armées.*

forcé, ée *a* **1** Fam Obligatoire, inévitable, imposé. **2** Qui manque de naturel, affecté. *Sourire forcé.*

forcément *av* Nécessairement.

forcené, ée *a, n* Fou furieux. ■ *a* Passionné, acharné. *Lutte forcenée.*

forceps *nm* Instrument servant à saisir la tête du fœtus, en cas d'accouchement difficile.

forcer *vt* **10 1** Faire céder par la force. *Forcer une porte.* **2** Contraindre, obliger. *Forcer un enfant à manger.* **3** Pousser au-delà des limites normales. *Forcer un cheval.* **4** Outrepasser. *Forcer la dose. Forcer le sens d'un mot.* **5** Hâter la végétation. ■ *vti* Fournir un effort excessif. ■ *vti* Fam Abuser de. *Il a tendance à forcer sur l'alcool.* ■ *vpr* Se contraindre à. *Se forcer à sourire.*

forcing [-siŋ] *nm* Augmentation de l'effort au cours d'une épreuve.

forcir *vi* Grossir, engraisser.

forclos, ose *a* DR Atteint de forclusion.

forclusion *nf* DR Perte d'un droit non exercé dans le délai imparti.

forer *vt* Percer, creuser. *Forer un puits.*

forestier, ère *a* Relatif aux forêts. ■ *n* Employé de l'administration forestière.

foret *nm* Outil servant à forer.

forêt *nf* Grande étendue plantée d'arbres.

foreur, euse *n* Qui fore. ■ *nf* Machine qui sert à forer.

1. forfait *nm* Litt Crime très grave.

2. forfait *nm* **1** Convention par laquelle on s'engage à fournir une marchandise, un service pour un prix fixé à l'avance. **2** Évaluation globale par le fisc des revenus de qqn. Loc *Déclarer forfait :* renoncer à une épreuve, à une entreprise.

forfaitaire *a* Fixé à forfait. *Prix forfaitaire.*

forfaiture *nf* DR Crime d'un fonctionnaire dans l'exercice de ses fonctions.

forfanterie *nf* Litt Vantardise.

forficule *nm* Perce-oreille.

forge *nf* Usine, atelier, où l'on travaille le métal, spécialement le fer.

forger *vt* **11 1** Mettre en forme une pièce métallique par martelage. **2** Inventer, fabriquer. *Forger un mot.* **3** Former le caractère de qqn.

forgeron *nm* Qui travaille le fer au marteau.

formalisation *nf* Action de formaliser.

formaliser *vt* Donner un caractère formel à un énoncé, à un système. ■ *vpr* S'offusquer.

formalisme *nm* **1** Attachement excessif aux formes, aux formalités. **2** MATH, LOG Développement de systèmes formels.

formaliste *a, n* **1** Qui s'attache scrupuleusement aux formes. **2** MATH, LOG Qui relève du formalisme.

formalité *nf* **1** Procédure obligatoire. **2** Règle de l'étiquette. **3** Acte de peu d'importance.

format *nm* **1** Dimension d'un objet, d'une feuille, d'un livre. **2** INFORM Structure de présentation des données.

formatage *nm* INFORM Action de formater.

formater *vt* INFORM Présenter les informations selon un format.

formateur, trice *a* Qui forme. *Enseignement formateur.* ■ *n* Éducateur, instructeur.

formation *nf* **1** Action de former, de se former. *Formation d'un abcès.* **2** Action d'instruire, d'éduquer. *Formation professionnelle.* **3** GÉOL Nature d'une couche de terrain. **4** MILIT Troupe, escadre. **5** Groupe, parti. *Les formations politiques.* Loc *Formation végétale :* groupement de végétaux.

forme *nf* **1** Configuration des choses. *La Terre a une forme sphérique.* **2** Contour d'un objet ou du corps. *La forme d'une table.* **3** Aspect qu'une chose peut présenter. *La forme d'un mot.* **4** Manière d'exprimer, de présenter qqch. *Vice de forme.* **5** Moule qui sert à former certains objets. **6** Condition physique. *Être en forme.* *De pure forme :* purement formel. *En bonne et due forme :* toutes les règles de présentation étant observées. ■ *pl* **1** Contours du corps humain. **2** Manières d'agir conformes à l'usage.

formel, elle *a* **1** Clairement déterminé, sans équivoque. *Démenti formel.* **2** Relatif au style, à la forme. *Beauté formelle.* **3** Indépendant du contenu. *Logique formelle.*

former *vt* **1** Donner forme à ; tracer, façonner. *Former des lettres.* **2** Constituer, créer. *Former un gouvernement.* **3** Instruire, édu-

316

quer. *Former des soldats. Former le caractère.* ■ *vpr* Se constituer. *Orage en train de se former.*

formica *nm* (n déposé) Matériau stratifié recouvert de résine artificielle.

formidable *a* 1 Très important, considérable. 2 Fam Étonnant, remarquable.

formique *a* Loc *Acide formique :* acide sécrété par les fourmis.

formol *nm* Liquide volatil utilisé comme désinfectant.

formulaire *nm* Questionnaire administratif.

formulation *nf* Action de formuler ; expression.

formule *nf* 1 DR Modèle dans lequel un acte doit être rédigé. 2 Façon de s'exprimer consacrée par l'usage social. *Formule de politesse.* 3 Suite de mots censée être chargée d'un pouvoir magique ou religieux. 4 Façon d'agir, mode d'action. *Une bonne formule pour réussir.* 5 Document imprimé que l'on doit remplir, compléter. 6 Expression symbolique représentant des grandeurs, des relations, une composition chimique. 7 Catégorie de voitures de course. *Courir en formule 1.*

formuler *vt* Exprimer avec précision.

fornication *nf* 1 RELIG Péché de la chair. 2 Fam Relations sexuelles.

forniquer *vi* 1 RELIG Commettre le péché de fornication. 2 Fam Avoir des relations sexuelles.

forsythia [-sja] *nm* Arbrisseau à fleurs jaunes.

fort, forte *a* 1 Qui a de la force physique. 2 Qui a de l'embonpoint. 3 Qui a des capacités intellectuelles. *Être fort en maths.* 4 Résistant moralement, courageux. *Être fort devant l'adversité.* 5 Solide. *Carton fort.* 6 Fortifié. *Château fort.* 7 Important en intensité, en quantité. *Une forte somme.* 8 Fam Exagéré, difficile à admettre. 9 Qui agit efficacement. *Un remède fort.* 10 Qui dispose de la puissance. Loc *Se faire fort de :* s'estimer capable de. *Esprit fort :* incroyant. ■ *av* 1 Avec intensité. *Parler fort.* 2 Litt Très, beaucoup. *Je suis fort content. Il y a fort à faire.* ■ *nm* 1 Do-

maine où qqn excelle. *Le français n'est pas son fort.* 2 Ouvrage militaire puissamment armé et défendu.

forte [fɔrte] *av, nm inv* MUS En renforçant l'intensité du son.

fortement *av* 1 Avec force. *Serrer fortement.* 2 Beaucoup.

forteresse *nf* Ouvrage fortifié.

fortifiant, ante *a, nm* Qui donne des forces.

fortification *nf* 1 Action de fortifier. 2 Ouvrage fortifié défendant une ville, un point stratégique.

fortifier *vt* 1 Rendre plus fort physiquement ou moralement. 2 Entourer de fortifications.

fortissimo *av, nm* MUS Très fort.

fortuit, uite *a* Qui arrive par hasard ; imprévu.

fortune *nf* 1 Litt Hasard, chance, destinée. 2 Grande richesse. Loc *De fortune :* improvisé.

fortuné, ée *a* Riche.

forum [-rɔm] *nm* 1 ANTIQ Place où se tenait l'assemblée du peuple. 2 Colloque, réunion.

fosse *nf* 1 Excavation, trou dans la terre. 2 Dépression du fond de l'océan. 3 ANAT Cavité. *Fosses nasales.*

fossé *nm* 1 Cavité creusée en long pour écouler les eaux ou défendre une place. 2 Ce qui sépare profondément. *Il y a un fossé entre nous.*

fossette *nf* Petit creux dans le menton, des joues.

fossile *nm, a* 1 GEOL Restes d'un animal ou d'un végétal dans une roche sédimentaire. 2 Fam Personne aux idées désuètes.

fossilifère *a* GEOL Qui contient des fossiles.

fossiliser (se) *vpr* Devenir fossile.

fossoyeur [-swajœr] *nm* 1 Qui creuse les fosses pour enterrer les morts. 2 Qui travaille à la ruine d'une chose. *Les fossoyeurs de la République.*

fou ou fol (devant voyelle ou h non aspiré), **folle** *a, n* 1 Malade mental. 2 Extravagant dans ses actes ou ses idées. ■ *a* 1 Déraisonnable. *Il est fou d'agir ainsi.* 2 Hors de son état normal. *Fou de colère.* 3 Contraire à la raison, immodéré. *Course folle.* 4 Passionné pour. *Elle est folle de lui.* 5 Considérable. *Un* monde fou. **Loc** *Herbes folles* : croissant en tous sens. ■ *nm* **1** Bouffon des rois. **2** Pièce du jeu d'échecs. **3** Oiseau palmipède.

fouace ou **fougasse** *nf* Galette rustique.

1. foudre *nf* Décharge électrique intense par temps d'orage. **Loc** *Coup de foudre* : amour subit. ■ *pl* Litt Violents reproches. ■ *nm* **Loc** *Un foudre de guerre* : un grand homme de guerre.

2. foudre *nm* Grand tonneau.

foudroyant, ante *a* **1** Qui frappe brutalement, soudainement. **2** Stupéfiant. *Succès foudroyant.*

foudroyer *vt 22* **1** Frapper de la foudre. **2** Tuer soudainement. **3** Atterrer.

fouet *nm* **1** Corde ou lanières de cuir attachées au bout d'un manche pour frapper. **2** Châtiment donné avec le fouet. **3** Ustensile qui sert à battre les œufs et les sauces. **Loc** *Coup de fouet* : stimulation instantanée. *De plein fouet* : perpendiculairement à l'obstacle.

fouetter *vt* **1** Donner des coups de fouet. **2** Cingler, frapper. *La pluie fouette les vitres.* **3** CUIS Battre. *Fouetter de la crème.*

foufou, fofolle *a, n* Fam Écervelé.

fougasse. V. fouace.

fougère *nf* Plante sans fleurs, aux grandes feuilles très découpées.

fougue *nf* Impétuosité, ardeur.

fougueux, euse *a* Plein de fougue.

fouille *nf* **1** Action de fouiller la terre pour retrouver des vestiges archéologiques. **2** Action de fouiller minutieusement. *La fouille d'un détenu.* **3** Pop Poche.

fouiller *vt* **1** Creuser le sol. **2** Explorer soigneusement pour trouver qqch. *Fouiller une maison.* **3** Chercher dans les poches, les habits de qqn. **4** Approfondir une question. ■ *vi* Chercher une chose en remuant tout ce qui pourrait la cacher. *Fouiller dans sa poche.*

fouillis *nm* Désordre de choses accumulées.

fouine *nf* Martre.

fouiner *vi* Fam Fureter, épier.

fouineur, euse ou **fouinard, arde** *a, n* Fam Qui furète partout.

fouir *vt* Litt Creuser le sol.

fouisseur, euse *a, nm* Qui fouit la terre. ■ *a* Qui sert à fouir.

foulant, ante *a* **Loc** *Pompe foulante* : qui élève un liquide par la pression qu'elle exerce. Fam *Pas foulant* : pas fatigant.

foulard *nm* Écharpe en tissu léger.

foule *nf* Multitude de gens réunis.

foulée *nf* **1** Temps pendant lequel le pied du cheval pose sur le sol. **2** Longueur de l'enjambée d'un coureur. **Loc** *Dans la foulée* : sur la lancée, dans le prolongement de qqch.

fouler *vt* **1** Presser, écraser. *Fouler du raisin.* **2** Litt Marcher sur. *Fouler le sol.* **Loc** *Fouler aux pieds* : mépriser. ■ *vpr* Se blesser par foulure.

foulque *nf* Gros oiseau au plumage sombre, habitant des eaux douces.

foultitude *nf* Fam Grande quantité.

foulure *nf* Légère entorse.

four *nm* **1** Appareil dans lequel on fait rôtir les aliments. **2** Appareil dans lequel on chauffe une matière pour lui faire subir une transformation physique ou chimique. **3** Fam Échec d'un spectacle. **Loc** *Petit four* : petite pâtisserie.

fourbe *a* Qui trompe perfidement.

fourberie *nf* Caractère fourbe ; ruse perfide.

fourbi *nm* Fam Ensemble de choses hétéroclites.

fourbir *vt* Polir un objet de métal.

fourbu, ue *a* Harassé.

fourche *nf* **1** Instrument agricole à long manche terminé par plusieurs dents. **2** Disposition en deux ou plusieurs branches ; bifurcation.

fourcher *vi* Se diviser en deux ou plusieurs branches. **Loc** *Sa langue a fourché* : il a prononcé un mot pour un autre.

fourchette *nf* **1** Ustensile de table terminé par plusieurs dents. **2** Intervalle entre deux valeurs extrêmes. *Fourchette de prix.*

fourchu, ue *a* Divisé en deux.

fourgon *nm* Véhicule, wagon, servant au transport des marchandises.

fourgonnette *nf* Petite camionnette.

fourguer *vt* Pop Vendre.

fouriérisme *nm* Doctrine de Ch. Fourier, préconisant la constitution de coopératives.

fourme

fourme nf Fromage de vache à pâte ferme.

fourmi nf 1 Petit insecte vivant en société, ou fourmilière. 2 Fam Petit passeur de drogue. Loc **Avoir des fourmis dans les jambes, dans les bras :** éprouver des picotements multiples.

fourmilier nm Tamanoir se nourrissant de fourmis.

fourmilière nf 1 Colonie de fourmis. 2 Lieu où s'agite une grande foule.

fourmi-lion ou **fourmilion** nm Insecte dont la larve se nourrit de fourmis. Des fourmis-lions.

fourmillement nm 1 Agitation en tous sens. 2 Picotement.

fourmiller vi 1 S'agiter vivement et en grand nombre. 2 Abonder. Les fautes fourmillaient dans cet ouvrage. 3 Être le siège de picotements.

fournaise nf 1 Feu très vif. 2 Lieu très chaud.

fourneau nm 1 Appareil pour cuire les aliments. 2 TECH Appareil servant à soumettre une substance à l'action du feu.

fournée nf 1 Quantité que l'on fait cuire en même temps dans un four. 2 Groupe de gens promis à un même sort ou à une même fonction.

fourni, ie a 1 Garni. Table bien fournie. 2 Abondante. Barbe fournie.

fournil [-ni] nm Pièce où se trouve le four du boulanger.

fournir vt 1 Pourvoir, approvisionner habituellement. 2 Livrer, donner. Fournir de l'argent. 3 Apporter. Fournir des preuves. 4 Accomplir. Fournir un effort. ■ vti Subvenir. Fournir aux besoins. ■ vpr S'approvisionner.

fournisseur, euse n Qui fournit habituellement une marchandise.

fourniture nf Action de fournir. ■ pl Ce qui est fourni. Fournitures de bureau.

fourrage nm Substance végétale qu'on destine à l'alimentation du bétail.

1. fourrager, ère a Employé comme fourrage. Plantes fourragères. ■ nf Ornement militaire, marque de distinction.

2. fourrager vi 11 Fam Fouiller, farfouiller.

2. fourré nm Endroit touffu dans un bois.

2. fourré, ée a 1 Doublé de fourrure. Gants fourrés. 2 Garni à l'intérieur. Bonbons fourrés au chocolat. Loc **Coup fourré :** coup bas, piège.

fourreau nm 1 Étui. Fourreau d'une épée. 2 Robe droite moulant le corps.

fourrer vt 1 Doubler de fourrure ou d'une autre matière. 2 Fam Placer, mettre. Fourrer ses mains dans ses poches. ■ vpr Fam Se mettre, se cacher. Où est-il encore allé se fourrer ?

fourre-tout nm inv 1 Sac de voyage. 2 Ramassis hétéroclite d'idées diverses.

fourreur nm Qui façonne ou vend des peaux, des vêtements de fourrure.

fourrière nf Dépôt où sont placés les animaux trouvés sur la voie publique, les voitures enlevées de la voie publique.

fourrure nf 1 Peau avec son poil préparée pour la confection de vêtements ; ce vêtement. 2 Peau d'un animal à poil touffu.

fourvoiement nm Fait de se fourvoyer.

fourvoyer vt Tromper grossièrement. ■ vpr Se perdre, s'égarer, se tromper.

foutaise nf Pop Chose sans valeur.

foutoir nm Pop Grand désordre.

foutre vt 64 1 Pop Faire. Qu'est-ce que vous foutez là ? 2 Flanquer, jeter. Il m'a foutu par terre. Loc **Foutre le camp :** s'en aller. **Foutez-moi la paix :** laissez-moi tranquille. **Va te faire foutre !** :va-t'en ! ■ vpr Se moquer de.

foutu, ue a Pop 1 Fait, exécuté. Ouvrage mal foutu. 2 Perdu, ruiné. 3 (avant le nom) Sacré, sale. Quel foutu temps !

fox-terrier ou **fox** nm Chien de petite taille, à poil ras, raide ou frisé. Des fox-terriers.

fox-trot [-tʀɔt] nm inv Danse à quatre temps.

foyer nm 1 Partie d'une cheminée où se fait le feu. 2 Endroit où le feu est le plus ardent. Foyer d'un incendie. 3 Partie d'une machine où a lieu la combustion. Le foyer d'une chaudière. 4 Domicile familial ; la famille elle-même. Femme au foyer. Fonder un foyer. 5 Lieu de réunion ou d'habitation pour certains. Foyer de jeunes travailleurs. 6 Dans un théâtre, salle où le public peut aller pendant les entractes. 7 Point central d'où qqch provient. *Foyer de résistance.* **8** PHYS Point de convergence des rayons lumineux. ■ *pl* Domicile, pays natal. *Rentrer dans ses foyers.*

frac *nm* Habit de cérémonie noir, à basques.

fracas *nm* Bruit très violent.

fracasser *vt* Briser en plusieurs pièces.

fraction *nf* **1** MATH Expression indiquant quel nombre de parties égales de l'unité on considère. **2** Partie d'un tout.

fractionnel, elle *a* Qui tend à diviser un groupe, un parti.

fractionnement *nm* Action de fractionner.

fractionner *vt* Diviser en plusieurs parties.

fracture *nf* **1** Rupture d'un os. **2** Cassure de l'écorce terrestre. **3** Dissensions au sein d'un groupe.

fracturer *vt* **1** Rompre en forçant. *Fracturer un coffre-fort.* **2** Briser un os.

fragile *a* **1** Sujet à se briser. *Porcelaines fragiles.* **2** Instable. *Un fragile équilibre.* **3** Dont la santé est précaire.

fragiliser *vt* Rendre fragile.

fragilité *nf* Caractère fragile.

fragment *nm* **1** Morceau d'une chose brisée. **2** Extrait d'une œuvre, d'un discours.

fragmentation *nf* Action de fragmenter, de se fragmenter.

fragmenter *vt* Morceler, diviser.

fragrance *nf* Litt Odeur agréable.

frai *nm* **1** Ponte des œufs, chez les poissons ; œufs fécondés des poissons. **2** Alevin.

fraîche. V. frais 1.

fraîchement *av* **1** Froidement, sans courtoisie. *Fraîchement reçu.* **2** Récemment. *Fraîchement débarqué.*

fraîcheur *nf* Caractère frais.

fraîchir *vi* Devenir plus frais.

1. frais, fraîche *a* **1** Modérément froid. *Eau fraîche.* **2** Nouvellement produit. *Du pain, des œufs frais.* **3** Récent. *Nouvelles fraîches.* **4** Non altéré, non fatigué. *Frais et dispos.* ■ *av* **1** Légèrement froid. **2** Litt Nouvellement. *Fleurs fraîches écloses. Frais émoulu.* ■ *nm* Air frais. *Prendre le frais.* ■ *nf* Moment frais. *Sortir à la fraîche.*

2. frais *nmpl* Dépenses liées à certaines circonstances. Loc *Faux frais :* frais accessoires. *Faire les frais de qqch :* en supporter les conséquences.

fraise *nf* **1** Fruit du fraisier. **2** Membrane qui enveloppe les intestins du veau et de l'agneau. **3** Masse charnue sous le cou du dindon. **4** Collerette plissée portée au XVIe s. **5** Outil rotatif muni d'arêtes tranchantes, servant à usiner des pièces, à creuser les dents cariées.

fraiser *vt* Usiner une pièce avec une fraise.

fraiseur, euse *n* Qui fraise. ■ *nf* Machine-outil servant à fraiser.

fraisier *nm* Petite plante basse qui produit les fraises.

framboise *nf* Fruit comestible du framboisier.

framboiser *nm* Arbuste dont le fruit est la framboise.

1. franc, franche *a* **1** Exempt de taxes. *Franc de port.* **2** Sincère, loyal. *Être franc comme l'or.* **3** Net. *Une situation franche.* **4** Plein, entier. *Huit jours francs.* **5** Naturel, sans mélange. *Couleur franche.* ■ *av* Litt Franchement.

2. franc, franque *a, n* Des Francs.

3. franc *nm* Unité monétaire de la France, de la Belgique, de la Suisse, du Luxembourg et de pays d'Afrique francophone.

français, aise *a, n* De la France. ■ *nm* Langue romane parlée en France, en Belgique, en Suisse, au Québec, etc.

franc-comtois, oise, *a, n* De la Franche-Comté. *Des Francs-Comtois. Des Franc-Comtoises.*

franchement *av* **1** De façon sincère. **2** Très, vraiment. *C'est franchement désagréable.*

franchir *vt* **1** Passer un obstacle. **2** Traverser de bout en bout. *Franchir un pont.*

franchisage ou **franchising** [-ziŋ] *nm* COMM Contrat de franchise commerciale.

franchise *nf* **1** Sincérité. *Répondre avec franchise.* **2** Exemption légale ou réglementaire de taxes, d'impositions. **3** COMM Droit concédé par une entreprise d'utiliser sa marque pour la vente de produits. **4** Somme laissée à la charge d'un assuré en cas de dommages.

franchisé, ée a, n Commerçant lié à une société par une franchise.

franchissable a Qu'on peut franchir.

franchouillard, arde a, n Fam, péjor Français moyen caricatural.

francien nm Dialecte de l'Île-de-France au Moyen Âge, ancêtre du français.

francilien, enne a, n De l'Île-de-France.

francique nm Langue germanique des Francs.

franciscain, aine n, a Religieux, religieuse de l'ordre de saint François d'Assise.

franciser vt Donner un caractère français.

francisque nf Hache de guerre des Francs.

franc-jeu a Fair-play. Des francs-jeux.

franc-maçon, onne a n Membre de la franc-maçonnerie. Des francs-maçons. Des franc-maçonnes.

franc-maçonnerie nf **1** Association de personnes unies par un même idéal de fraternité. **2** Entente occulte entre les personnes. Des franc-maçonneries.

franco av **1** Sans frais. Marchandises franco de port. **2** Pop Sans détour, franchement.

franco-français, aise a Fam Qui ne concerne que les Français.

francophone a, n De langue française.

francophonie nf Ensemble des peuples francophones.

franco-provençal nm Dialecte des régions de Suisse romande et du Lyonnais.

franc-parler nm Franchise de langage. Des francs-parlers.

franc-tireur nm **1** Combattant qui n'appartient pas à une unité régulière. **2** Qui agit de façon indépendante du groupe. Des francs-tireurs.

frange nf **1** Bande d'étoffe à filets retombants. **2** Cheveux retombant sur le front. **3** Ce qui est au bord, marginal. Frange côtière. **4** Petit groupe marginal. Une frange de séditieux.

frangeant am Loc Récif frangeant : proche du littoral.

franger vt **11** Border.

frangin, ine n Fam Frère, sœur.

frangipane nf Crème aux amandes.

frangipanier nm Arbre tropical à belles fleurs parfumées.

franglais nm Français mêlé d'anglicismes.

franquette av Loc Fam À la bonne franquette : sans façons.

franquisme nm HIST Régime politique instauré par Franco en Espagne en 1936.

frappant, ante a Qui fait une vive impression.

frappe nf **1** Action de frapper les monnaies, de dactylographier, de frapper. **2** Pop Voyou. Loc Force de frappe : armement permettant une riposte rapide.

frapper vt **1** Donner un ou plusieurs coups. **2** Tomber sur. Lumière qui frappe un objet. **3** Marquer d'une empreinte. Frapper des médailles. **4** Rafraîchir par de la glace. Café frappé. **5** Atteindre d'un mal. Malheur qui frappe une famille. Être frappé d'apoplexie. **6** Soumettre à une taxe, etc. **7** Atteindre d'une impression vive. Frapper la vue, l'esprit. **8** Dactylographier. ■ vpr Fam S'inquiéter exagérément.

frasque nf Écart de conduite.

fraternel, elle a **1** Relatif aux frères et sœurs. **2** Amical.

fraterniser vti Adopter un comportement de solidarité, en cessant toute hostilité.

fraternité nf Solidarité entre les hommes.

fratricide n, a Qui tue son frère ou sa sœur. ■ a Qui oppose les membres d'une communauté. ■ nm Meurtre du frère ou de la sœur.

fratrie nf Groupe formé par les frères et les sœurs d'une famille.

fraude nf Action faite pour tromper ; falsification punie par la loi.

frauder vt, vi Commettre une fraude. Frauder le fisc. Frauder sur le poids.

fraudeur, euse n Qui fraude.

frauduleux, euse a Entaché de fraude.

frayer vt **20** Ouvrir, tracer un chemin. ■ vi **1** Pondre les œufs (poissons) **2** Litt Fréquenter.

frayeur nf Crainte vive et passagère.

fredaine nf Écart de conduite.

fredonner vt, vi Chanter à mi-voix, sans ouvrir la bouche.

free-jazz [fridʒaz] nm Style de jazz apparu vers 1960, qui privilégie l'improvisation.

free-lance [fri-] a inv, n Qui travaille de façon indépendante. Des free-lances.

freesia [fre-] nm Plante bulbeuse aux fleurs odorantes.

freezer [frizœr] nm Compartiment à glace d'un réfrigérateur.

frégate nf 1 Anc Bâtiment de guerre à trois mâts. 2 Bâtiment rapide destiné à l'escorte des porte-avions. 3 Oiseau des mers tropicales possédant un sac gonflable rouge vif sous le bec.

frein nm 1 Organe servant à réduire ou à annuler le mouvement d'un véhicule, d'une machine. 2 Ce qui retient un élan excessif. 3 ANAT Membrane qui bride ou retient certains organes. Frein de la langue. 4 Mors du cheval.

freinage nm Action de freiner.

freiner vt, vi Ralentir ou arrêter un véhicule. ◾ vt Modérer une progression, un élan. Freiner la hausse des prix.

frelater vt Altérer, falsifier un produit.

frêle a Qui manque de solidité, de force ; fluet.

frelon nm Grosse guêpe.

freluquet nm Homme petit et mal bâti.

frémir vi 1 Être agité d'un frissonnement accompagné d'un bruit léger. L'eau frémit avant de bouillir. 2 Trembler d'émotion. Frémir d'horreur.

frémissement nm 1 Léger mouvement accompagné de bruissement. 2 Tremblement léger dû à l'émotion.

frênaie nf Lieu planté de frênes.

french cancan [frɛnʃ-] nm Danse de girls. Des french cancans.

frêne nm Grand arbre à bois blanc et dur.

frénésie nf Exaltation violente.

frénétique a Violent.

fréon nm (n déposé) Fluide utilisé dans les réfrigérateurs.

fréquemment av Souvent.

fréquence nf 1 Caractère fréquent. 2 STATIS Nombre d'observations correspondant à un événement donné. 3 PHYS Nombre de vibrations par unité de temps.

fréquencemètre nm PHYS Appareil mesurant les fréquences.

fréquent, ente a Qui arrive souvent, se répète.

fréquentable a Qu'on peut fréquenter.

fréquentatif, ive a, nm LING Qui exprime la répétition. Crailler est le fréquentatif de crier.

fréquentation nf 1 Action de fréquenter un lieu. 2 Personne fréquentée.

fréquenté, ée a Où il y a beaucoup de monde.

fréquenter vt 1 Aller souvent dans un lieu. 2 Avoir de fréquentes relations avec qqn.

frère nm 1 Né du même père et de la même mère. 2 Membre de certains ordres religieux. Loc Frères d'armes : compagnons de combat. Faux frère : traître. ◾ a, nm Uni par des liens étroits. Tous les hommes sont frères. Des pays frères.

frérot nm Fam Petit frère.

fresque nf 1 Peinture sur des murs enduits de mortier frais, à l'aide de couleurs délayées à l'eau. 2 Tableau d'une époque, d'une société.

fret nm 1 Coût du transport de marchandises par mer, par air ou par route. 2 Cargaison.

fréter vt 12 Donner ou prendre un navire, un avion, une voiture en location.

frétillant, ante a Qui frétille.

frétiller vi S'agiter de petits mouvements vifs.

fretin nm Petits poissons.

frette nf TECH Cercle métallique renforçant une pièce cylindrique.

freudien, enne a De Freud, du freudisme.

freudisme nm Ensemble des conceptions et des méthodes psychanalytiques de S. Freud et de son école.

freux nm Corbeau.

friabilité nf Propriété friable.

friable a Qui se réduit aisément en poudre, en menus fragments.

friand, ande a Qui a un goût particulier pour qqch. ◾ nm Petit pâté fait avec un hachis de viande.

friandise nf Sucrerie ou pâtisserie délicate.

fribourg nm Gruyère suisse.

fric nm Pop Argent.

fricandeau nm Tranche de veau lardée, braisée ou poêlée.

fricassée nf Ragoût de volaille.

fricative nf PHON Consonne caractérisée par un bruit de frottement.

fric-frac nm inv Fam Cambriolage.

friche nf Terrain non cultivé. Loc *Friche industrielle :* terrain, bâtiment précédemment occupé par une industrie.

frichti nm Pop Repas.

fricoter vt, vi Fam Manigancer, tramer.

fricoteur, euse n Fam Magouilleur.

friction nf 1 Action de frotter, de masser une partie du corps. 2 Frottement dur dans un mécanisme. 3 Heurt, désaccord.

frictionner vt Faire une friction à.

frigidaire nm (n déposé) Abusiv Réfrigérateur.

frigide a Incapable d'orgasme (femme).

frigidité nf État d'une femme frigide.

frigo nm Fam Réfrigérateur.

frigorifier vt 1 Soumettre au froid pour conserver. 2 Fam Transir.

frigorifique a Qui produit du froid. *Installation frigorifique.* ■ nm Installation, appareil servant à conserver du froid.

frileux, euse a 1 Qui craint le froid. 2 Craintif, pusillanime.

frilosité nf Caractère craintif.

frimaire nm Troisième mois du calendrier républicain (novembre-décembre).

frimas [-ma] nm Litt Brouillard épais qui devient de la glace en tombant.

frime nf Fam Simulation, faux-semblant.

frimer vi Fam Bluffer.

frimeur, euse n Fam Qui frime.

frimousse nf Fam Jeune visage.

fringale nf Fam Faim subite.

fringant, ante a Très vif, alerte.

fringues nfpl Pop Vêtements.

fripes nfpl Fam Vêtements d'occasion.

friper vt Chiffonner, froisser.

friperie nf Commerce de fripier.

fripier, ère n Qui fait commerce de vêtements d'occasion.

fripon, onne a, n Fam Malicieux, polisson. ■ nm Vx Escroc.

friponnerie nf Espièglerie.

fripouille nf Pop Canaille.

frire vt, vi 79 Cuire dans un corps gras bouillant.

frisbee [-bi] nm (n déposé) Disque de plastique que les joueurs se lancent.

frise nf 1 Partie de l'entablement entre l'architrave et la corniche. 2 Surface plane qui porte des motifs décoratifs.

frisé, ée a 1 Qui forme des boucles fines et serrées. 2 Dont les feuilles sont ondulées et découpées. ■ nf Variété de chicorée.

friser vt 1 Donner la forme de boucles fines. 2 Passer au ras de, frôler. 3 Être très près de. *Procédés qui frisent l'indélicatesse.* ■ vi Se mettre en boucles.

frisette ou **frisottis** nm Fam Petite boucle de cheveux.

frison, onne a, n De la Frise. ■ nf Race de vaches laitières.

frisquet, ette a Fam Vif et piquant (temps). *Un vent frisquet.*

frisson nm Tremblement causé par une sensation de froid ou par la fièvre.

frissonner vi Trembler sous l'effet du froid, de la fièvre ou d'une émotion intense.

frisure nf Façon de friser.

frite nf Bâtonnet frit de pomme de terre.

friterie nf Baraque où l'on vend des frites.

friteuse nf Ustensile pour frire les aliments.

friton nm CUIS Syn de gratton.

friture nf 1 Action de frire un aliment ; aliments frits. 2 Grésillement parasite dans le téléphone, dans un appareil de radio.

frivole a Vain et léger ; futile.

frivolité nf Caractère frivole ; chose frivole.

froc nm Pop Pantalon.

froid, froide a 1 À basse température. 2 Refroidi. *Le dîner sera froid.* 3 Qui semble indifférent, insensible. 4 Qui ne se manifeste pas extérieurement. *Colère froide.* 5 Qui manifeste de la réserve, de l'hostilité. Loc *Coloris, tons froids :* bleu, vert. ■ nm 1 Basse température. **2** Absence de sympathie, d'amitié. **Loc** *N'avoir pas froid aux yeux* : être courageux.

froidement *av* **1** Sans passion. **2** Sans scrupule. **3** Sans chaleur.

froideur *nf* Insensibilité, indifférence.

froisser *vt* **1** Faire prendre des plis. **2** Blesser par un choc. *Froisser un muscle.* **3** Choquer qqn par manque de délicatesse.

frôlement *nm* Action de frôler ; contact.

frôler *vt* **1** Toucher légèrement. **2** Passer très près de.

fromage *nm* **1** Aliment fait de lait caillé, fermenté ou non. **2 Fam** Sinécure. **Loc** *Fromage de tête* : pâté de tête de porc en gelée.

fromager, ère *a* Relatif au fromage. ■ *n* Qui fabrique ou vend du fromage. ■ *nm* Grand arbre tropical produisant le kapok.

fromagerie *nf* Lieu où l'on fait, où l'on vend des fromages.

froment *nm* Blé cultivé.

fronce *nf* Chacun des petits plis obtenus par le resserrement d'un fil coulissé.

froncement *nm* Action de froncer le front, les sourcils.

froncer *vt* **10 1** Rider en contractant, plisser. *Froncer le front.* **2** Resserrer une étoffe par des fronces.

frondaison *nf* **1** Apparition du feuillage aux arbres ; le feuillage lui-même.

fronde *nf* **1** Arme de jet constituée de deux liens réunis par une pièce de cuir contenant le projectile. **2** Lance-pierres. **3 Litt** Révolte contre l'autorité.

frondeur, euse *a, n* **1** Qui a tendance à critiquer l'autorité. ■ *nm* **HIST** Qui participait à la Fronde.

front *nm* **1** Partie supérieure du visage. **2 Litt** Le visage. *Le rouge au front.* **3** Zone des combats (par oppos. à l'arrière). *Monter au front.* **4** Alliance entre les partis, les syndicats, etc. **Loc** *Front de mer* : bande de terrain, avenue en bordure de la mer.

frontal, ale, aux *a* Qui se produit de front. *Choc frontal.* **Loc ANAT** *Os frontal* : os situé à la partie antérieure du crâne.

frontalier, ère *a* Proche d'une frontière. ■ *a, n* Qui habite une région frontalière.

frontière *nf* **1** Limite séparant deux États. **2** Limite, borne. *Les frontières du savoir.*

frontispice *nm* **1 ARCHI** Façade principale d'un monument. **2** Titre d'un ouvrage imprimé ; planche illustrée placée en regard.

fronton *nm* **1 ARCHI** Ornement triangulaire couronnant un édifice. **2 ARCHI** Mur contre lequel on joue à la pelote basque.

frottement *nm* **1** Action de frotter. **2** Contact entre deux surfaces dont l'une au moins se déplace. ■ *pl* Désaccords.

frotter *vt* **1** Presser, appuyer sur qqch, souvent pour nettoyer ; astiquer. **2** Frictionner son corps. ■ *vi* Produire une friction, une résistance, en parlant d'un corps en mouvement. ■ *vpr* **1** Fréquenter. *Se frotter à la bonne société.* **2 Fam** Attaquer, s'en prendre à qqn.

frottis *nm* **MED** Étalement sur une lame, pour examen au microscope, d'un liquide organique.

frottoir *nm* Surface enduite provoquant par friction l'allumage d'une allumette.

froufrou *nm* Bruit produit par un froissement léger.

froufrouter *vi* Produire des froufrous.

froussard, arde *a* **Fam** Peureux.

frousse *nf* **Fam** Peur.

fructidor *nm* **HIST** Douzième et dernier mois du calendrier républicain (août-septembre).

fructifère *a* **BOT** Qui porte des fruits.

fructification *nf* **BOT** Formation des fruits ; période où les fruits se forment.

fructifier *vi* **1** Produire des fruits. **2** Avoir des résultats avantageux ; produire des bénéfices.

fructose *nm* **CHIM** Sucre des fruits.

fructueux, euse *a* Avantageux, bénéfique.

frugal, ale, aux *a* Qui se satisfait d'une nourriture simple et peu abondante.

frugalité *nf* Caractère frugal, sobre.

frugivore *a, nm* **ZOOL** Qui se nourrit de fruits.

fruit *nm* **1 BOT** Produit végétal qui succède à la fleur après fécondation et qui renferme les graines. **2** Produit sucré, comestible, d'un arbre fruitier. **3** Bénéfice, profit.

son travail. **4** Inclinaison de la face extérieure d'un mur. ■ *pl* **1** Produits de la nature. **2** DR Revenus fonciers. **Loc** *Fruits de mer :* crustacés et mollusques comestibles.

fruité, ée *a* Qui a un goût de fruit.

fruitier, ère *a* Qui produit des fruits comestibles. ■ *n* Commerçant de fruits au détail. ■ *nm* Local où l'on conserve les fruits frais. ■ *nf* Fromagerie coopérative (Jura, Savoie).

frusques *nfpl* Pop Vêtements usagés.

fruste *a* **1** Grossier, sans raffinement. **2** Au relief usé (sculpture, médaille).

frustrant, ante *a* Qui frustre, décevant.

frustration *nf* **1** Action de frustrer. **2** PSYCHO Impossibilité de satisfaire un désir, aboutissant à son refoulement.

frustré, ée *a, n* Fam Qui se sent perpétuellement insatisfait.

frustrer *vt* **1** Priver qqn de ce qui lui est dû. **2** Décevoir qqn dans son attente.

frutescent, ente *a* BOT Qui tient de l'arbrisseau.

fuchsia [fyʃja] ou [fyksja] *nm* Arbrisseau à fleurs en forme de clochettes.

fucus *nm* Algue brune constituant le goémon

fuégien, enne *a, n* De la Terre de Feu.

fuel [fjul] *nm* Syn de fioul.

fugace *a* Qui disparaît rapidement, ne dure pas.

fugacité *nf* Caractère fugace.

fugitif, ive *a, n* Qui s'est échappé, a pris la fuite. ■ *a* Fugace. *Plaisirs fugitifs.*

fugue *nf* **1** Forme musicale, caractérisée par des reprises du motif. **2** Abandon du domicile familial pendant une courte période.

fuguer *vi* Faire une fugue.

fugueur, euse *a, n* Qui fait des fugues.

fuir *vi* **28** **1** S'éloigner rapidement pour échapper à un danger. *Fuir de son pays.* **2** Se dérober, s'esquiver. *Fuir devant ses responsabilités.* **3** S'échapper par un trou, une fente (liquide, gaz). *Vin qui fuit d'un tonneau.* **4** Laisser passer un fluide (récipient). *Tonneau qui fuit.* ■ *vt* Chercher à éviter. *Fuir un danger.*

fuite *nf* **1** Action de fuir. **2** Échappement de fluides par une fissure ; la fissure elle-même. *Fuite de gaz. Boucher une fuite.* **3** Indiscrétion, communication illicite de documents.

fulgurant, ante *a* **1** Rapide comme l'éclair. *Démarrage fulgurant.* **2** Qui illumine soudainement l'esprit. *Intuition fulgurante.*

fuligineux, euse *a* **1** Qui produit de la suie. **2** Qui évoque la couleur de la suie.

full-contact [ful-] *nm* Sport de combat où les coups peuvent être portés avec toutes les extrémités. Syn. boxe américaine.

fulminant, ante *a* **1** Litt Menaçant. **2** CHIM Détonant. *Mélange fulminant.*

fulminer *vi* **1** S'emporter violemment en proférant des menaces. *Fulminer contre les mœurs du siècle.* **2** CHIM Détoner. **3** Litt Formuler avec emportement. *Fulminer des accusations.*

fumage *nm* Action de fumer une terre.

fumaison *nf* ou **fumage** *nm* Action de fumer de la viande, du poisson.

fumant, ante *a* **1** Qui dégage de la fumée, de la vapeur. **2** Fam Sensationnel, formidable. *Un coup fumant.*

fumé, ée *a* **Loc** *Verre fumé :* de couleur foncée.

fume-cigare, fume-cigarette *nm inv* Petit tube de bois, d'ambre, etc., pour fumer un cigare, une cigarette.

fumée *nf* **1** Mélange de gaz et de particules solides se dégageant de corps qui brûlent. **2** Vapeur exhalée par un liquide chaud. ■ *pl* Excréments des cerfs et autres animaux sauvages.

1. fumer *vt* Épandre du fumier sur le sol pour l'amender.

2. fumer *vi* **1** Répandre de la fumée. **2** Dégager de la vapeur d'eau. **3** Fam Être dans une violente colère. ■ *vt* **1** Faire brûler du tabac, du haschisch pour en aspirer la fumée. **2** Exposer de la viande, du poisson à la fumée pour les conserver.

fumerie *nf* Lieu où l'on fume l'opium.

fumerolle *nf* Émanation gazeuse sortant de crevasses des régions volcaniques.

fumet nm 1 Arôme des viandes à la cuisson, d'un vin. 2 Odeur que dégagent certains animaux. 3 CUIS Sauce à base de poisson.

fumeur, euse n Qui fume du tabac. ■ n Qui fume des viandes et des poissons.

fumeux, euse a 1 Qui répand de la fumée. 2 Obscur, confus. *Explications fumeuses.*

fumier nm 1 Mélange de la litière et des déjections des bestiaux, qu'on utilise comme engrais. 2 Fam Homme vil, abject.

fumigateur nm Appareil destiné aux fumigations.

fumigation nf 1 MED Inhalation de vapeurs médicamenteuses. 2 Production de vapeurs désinfectantes pour assainir un local, détruire les parasites.

fumigène a Qui produit de la fumée.

fumiste a, n Fam Peu sérieux, dilettante. ■ nm Qui entretient les appareils de chauffage.

fumisterie nf 1 Profession du fumiste. 2 Fam Chose qui manque totalement de sérieux.

fumoir nm 1 Local destiné aux fumeurs. 2 Lieu où on fume les viandes, les poissons.

fumure nf 1 Action de fumer une terre. 2 Engrais ou fumier utilisé pour cela.

funambule n Acrobate qui marche sur une corde au-dessus du sol.

funboard [fœnbɔʀd] ou **fun** [fœn] nm Planche à voile courte ; sport pratiqué avec cette planche.

funèbre a 1 Relatif aux funérailles. 2 Triste, lugubre.

funérailles nfpl Cérémonies accompagnant les enterrements.

funéraire a Propre aux funérailles, aux tombes.

funérarium [-ʀjɔm] nm Lieu où se réunit la famille avant les obsèques.

funeste a 1 Qui apporte la mort. 2 Désastreux.

funiculaire nm Chemin de fer à câbles ou à crémaillère.

funk [fœnk] a inv, nm inv Style de rock des années 70.

funky [fœnki] a inv, nm inv Style de jazz des années 60.

furax a inv Fam Furieux.

furet nm Petit mammifère carnivore.

fur et à mesure (au) av Simultanément et proportionnellement au successivement.

fureter vi 17 Fouiller, chercher avec soin pour découvrir qqch.

fureteur, euse a, n Curieux.

fureur nf 1 Colère très violente. 2 Passion excessive. 3 Déchaînement. *Fureur de la tempête.* Loc *Faire fureur :* être fort en vogue.

furibard, arde ou **furibond, onde** a Fam Furieux.

furie nf 1 Colère démesurée. *Être en furie.* 2 Violence impétueuse. 3 Femme violente.

furieusement av Avec furie.

furieux, euse a 1 Qui ressent ou marque une violente colère. 2 Impétueux. *Assaut furieux.*

furioso nf MUS Plein d'impétuosité.

furoncle nm Inflammation ayant en son centre une accumulation de pus.

furonculose nf Éruption de furoncles.

furtif, ive a Fait à la dérobée. *Signe furtif.* Loc *Avion furtif :* que les radars ne peuvent détecter.

fusain nm 1 Arbrisseau à fruits rouges. 2 Charbon fin fait avec le fusain ; crayon au fusain ; dessin fait avec ce crayon.

fusant, ante a 1 Qui fuse. *Poudre fusante.* 2 Qui explose en l'air (obus).

fuseau nm 1 Instrument pour filer la laine, faire de la dentelle. 2 Pantalon dont les jambes se rétrécissent vers le bas. Loc *Fuseau horaire :* chacune des 24 zones de la surface terrestre dont tous les points ont la même heure légale.

fusée nf 1 Engin spatial, projectile propulsé par la force d'expansion du gaz résultant de la combustion d'un carburant. 2 Pièce d'artifice composée de poudre mélangée à des matières colorantes. 3 Pièce conique qui reçoit la roue d'un véhicule.

fuselage nm Corps principal d'un avion, sur lequel est fixée la voilure.

fuselé, ée a Aux extrémités pointues.

fuseler *vt* 18 TECH Donner une forme fuselée à qqch.

fuser *vi* 1 Jaillir. 2 Brûler sans détoner (poudre).

fusette *nf* COUT Petite bobine de fil.

fusible *a* Qui peut fondre. ■ *nm* 1 Élément protecteur d'un circuit électrique contre les intensités trop élevées. 2 Fam Personne qui prend sur elle une responsabilité pour protéger son supérieur hiérarchique.

fusiforme *a* D'une forme allongée et renflée en son milieu.

fusil [-zi] *nm* 1 Arme à feu portative. 2 Instrument en acier pour aiguiser les couteaux. Loc *En chien de fusil* : les genoux contre la poitrine.

fusilier *nm* Loc *Fusilier marin* : marin entraîné pour un débarquement.

fusillade *nf* Décharge de coups de feu.

fusiller *vt* 1 Tuer à coups de fusil. 2 Fam Abîmer.

fusil-mitrailleur *nm* Arme légère à tir automatique. *Des fusils-mitrailleurs.*

fusion *nf* 1 Passage d'un corps de l'état solide à l'état liquide sous l'action de la chaleur. 2 Union d'éléments distincts en un tout. 3 PHYS Réunion d'atomes libérant une énergie considérable.

fusionnement *nm* Action de fusionner.

fusionner *vt* Regrouper par fusion. ■ *vi* Se regrouper par fusion. *Ces sociétés ont fusionné.*

fustiger *vt* 11 1 Battre, flageller. 2 Litt Blâmer, stigmatiser.

fût [fy] *nm* 1 Partie dépourvue de branches du tronc d'un arbre. 2 Partie d'une colonne, située entre la base et le chapiteau. 3 Monture de certains objets, d'une arme à feu. 4 Tonneau.

futaie *nf* Forêt où on laisse les arbres atteindre une grande taille avant de les exploiter.

futaille *nf* Tonneau.

futé, ée *a* Fam Rusé, malin.

futile *a* Insignifiant, frivole.

futilité *nf* Caractère futile ; chose futile.

futon *nm* Matelas japonais.

futur, ure *a* 1 Qui est à venir. *Les jours futurs.* 2 Qui sera ultérieurement tel. *Les futurs époux.* ■ *nm* 1 Temps à venir ; avenir. 2 GRAM Temps du verbe indiquant que l'action ou l'état se situe dans l'avenir. Loc *Futur antérieur* : exprimant l'antériorité par rapport à une action future.

futurisme *nm* 1 Doctrine esthétique du XXe s. 2 Caractère de ce qui semble préfigurer l'avenir.

futuriste *a, n* Du futurisme.

futurologie *nf* Prospective sociale et technique.

fuyant, ante [fyijɑ̃] *a* 1 Insaisissable. *Caractère fuyant.* 2 Qui semble s'enfoncer vers l'arrière-plan. *Ligne fuyante.*

fuyard, arde [fyijaʀ] *a, n* Qui s'enfuit.

g

g *nm* Septième lettre (consonne) de l'alphabet.

gabardine *nf* 1 Tissu de laine sergé. 2 Manteau imperméable.

gabarit [-ri] *nm* 1 Dimension réglementée d'un objet. 2 Taille, stature, dimension physique ou morale de qqn.

gabbro *nm* Roche magmatique.

gabegie *nf* Gaspillage, gâchis.

gabelle *nf* HIST Impôt sur le sel.

gabelou *nm* Fam Douanier.

gabier *nm* Matelot chargé de la manœuvre.

gabonais, aise *a, n* Du Gabon.

gâche *nf* Boîtier métallique recevant le pêne de la serrure.

gâcher *vt* 1 Délayer du mortier, du plâtre. 2 Abîmer, gâter. *Le temps a gâché nos vacances.* 3 Dissiper, gaspiller. **Loc** *Gâcher le métier :* travailler pour un prix trop bas.

gâchette *nf* 1 Arrêt de pêne d'une serrure. 2 Mécanisme d'une arme à feu actionné par la détente. 3 Abusiv Fam La détente elle-même.

gâchis *nm* 1 Choses gâchées, détériorées. 2 Désordre, gabegie.

gadget [-dʒɛt] *nm* Objet ou procédé ingénieux et nouveau, utile ou non.

gadidé *nm* ZOOL Poisson marin, comme la morue, le merlan, le lieu.

gadin *nm* **Loc** Pop *Prendre un gadin :* tomber.

gadjo *n* Non-gitan, pour un gitan.

gadoue ou **gadouille** *nf* Fam Boue.

gadzarts *n* Fam Élève des écoles d'arts et métiers.

gaélique *nm* Parler celtique.

gaffe *nf* 1 MAR Perche munie d'un croc, utilisée pour accrocher. 2 Fam Lourde maladresse. **Loc** Pop *Faire gaffe :* faire attention.

gaffer *vt* Accrocher avec une gaffe. ■ *vi* Fam Commettre une maladresse.

gaffeur, euse *n* Fam Qui commet des maladresses.

gag *nm* Situation engendrant un effet comique.

gaga *a, n* Fam Gâteux.

gage *nm* 1 Objet, bien mobilier constituant une garantie de paiement. 2 À certains jeux, pénitence que doit accomplir celui qui a perdu ou qui a commis une faute. 3 Preuve, témoignage. *Gage d'amitié.* ■ *pl* Rétribution d'un employé de maison.

gager *vt* 11 Garantir par un gage. *Gager un emprunt.* 2 Litt Parier.

gageure [gaʒyʀ] *nf* Défi, pari impossible, difficile à réaliser.

gagnant, ante *a, n* Qui gagne.

gagne-pain *nm inv* Instrument, métier qui permet de gagner sa vie.

gagne-petit *nm inv* Qui fait de petits profits, qui a un petit salaire.

gagner *vt* 1 Acquérir qqch par son travail ou ses activités. *Gagner de l'argent. Gagner la confiance de qqn.* 2 Voir se terminer à son avantage un conflit, une lutte, une rencontre sportive. *Gagner un procès, la guerre.* 3 Se diriger vers, rejoindre un lieu. 4 Se propager dans, s'étendre à. *L'incendie a gagné la maison voisine. Le sommeil me gagne.* 5 Rendre qqn favorable à. *Gagner qqn à une cause.* **Loc** *Gagner du temps :* économiser du temps ; temporiser, atermoyer. ■ *vi* 1 Être vainqueur. 2 Tirer avantage à. *Il gagne à être connu.* 3 S'améliorer. *Ce vin a gagné en vieillissant.*

gagneur, euse *n* Qui a la volonté de gagner.

gai, gaie *a* 1 Enclin à la bonne humeur. 2 Mis en gaieté par la boisson. 3 Qui marque la gaieté.

gaiement *av* Avec gaieté.

gaieté *nf* Caractère gai, joyeux. **Loc** *De gaieté de cœur :* sans contrainte et avec un certain plaisir (souvent en phrase négative).

1. gaillard, arde *a* 1 Plein de force, de santé et de vivacité. 2 Leste, grivois. ■ *n* Personne vigoureuse et pleine d'allant.

2. gaillard *nm* MAR Partie élevée à l'une ou l'autre extrémité du pont supérieur d'un navire.

gain nm 1 Fait de gagner. *Gain d'un procès, d'une bataille.* 2 Salaire, profit, bénéfice. Loc *Avoir gain de cause :* l'emporter dans un litige.

gaine nf 1 Étui épousant la forme de l'objet qu'il contient. 2 Sous-vêtement féminin élastique enserrant les hanches. 3 Conduit. *Gaine de ventilation.* 4 Cage pour la cabine d'un ascenseur.

gainer vt 1 Recouvrir d'une gaine. 2 Mouler étroitement. *Jambes gainées de soie.*

gala nm Réception, fête, représentation artistique de caractère officiel.

galactique a D'une galaxie.

galactose nm CHIM Sucre contenu dans le lait.

galalithe nf (n déposé) Matière plastique.

galant, ante a 1 Prévenant, empressé auprès des femmes. 2 Inspiré par l'amour. *Intrigue galante.* Loc *Femme galante :* qui fait commerce de ses charmes.

galanterie nf 1 Délicatesse, prévenance envers les femmes. 2 Propos flatteurs adressés à une femme.

galantine nf Charcuterie servie froide dans de la gelée.

galapiat nm Fam Vaurien.

galaxie nf 1 Vaste ensemble dynamique d'étoiles et de matière interstellaire. 2 (avec majusc) Galaxie à laquelle appartient le Soleil. 3 Fam Ensemble flou de personnes ou de choses.

galbe nm Contour arrondi et harmonieux d'un objet, du corps humain.

galbé, ée a Qui présente un contour arrondi et harmonieux.

gale nf 1 Maladie cutanée due à un acarien. 2 Personne méchante.

galéjade nf Plaisanterie faite pour mystifier.

galène nf MINER Sulfure de plomb.

galénique a Loc *Médicament galénique :* préparé en pharmacie.

galéopithèque nm Écureuil volant.

galère nf 1 HIST Bâtiment à voiles et à rames. 2 Fam Situation très pénible. ■ pl Peine des condamnés à ramer sur les galères.

galérer vi 1 Fam 1 Faire un travail pénible et mal payé. 2 Vivre sans ressources assurées.

galerie nf 1 Passage couvert situé à l'intérieur ou à l'extérieur d'un bâtiment. 2 Balcons les plus élevés, dans un théâtre. 3 Lieu d'exposition d'œuvres d'art ; magasin de vente de ces œuvres. 4 Petit chemin que creusent sous terre divers animaux. 5 Conduit souterrain. *Galerie de mine.* 6 Porte-bagages fixé au toit d'une automobile.

galérien nm Condamné aux galères.

galeriste n Qui dirige une galerie d'art.

galet nm 1 Caillou poli par le frottement des eaux. 2 Cylindre, disque de roulement de métal, de bois, etc.

galetas [galta] nm Logement misérable.

galette nf 1 Gâteau rond et plat, cuit au four. 2 Fam Argent.

galeux, euse a, n Qui a la gale.

galicien, enne a, n De la Galice. ■ nm Parler du nord-ouest de l'Espagne.

galimatias [-tja] nm Discours confus.

galion nm Grand bâtiment de charge utilisé autrefois pour le transport de l'or d'Amérique.

galipette nf Fam Culbute, cabriole.

galle nf BOT Excroissance d'un tissu végétal due à un parasite. Loc *Noix de galle :* galle du chêne dont on extrait du tanin.

gallicanisme nm HIST Doctrine préconisant une certaine indépendance des Églises nationales vis-à-vis de la papauté.

gallicisme nm Idiotisme particulier à la langue française (ex. : *en être de sa poche*).

galliforme ou **gallinacé** nm ZOOL Oiseau omnivore au vol lourd, telle la poule.

gallique a Loc *Acide gallique :* extrait de la noix de galle, utilisé comme colorant.

gallium [-ljɔm] nm Métal rare utilisé comme semi-conducteur.

gallo nm Dialecte d'oïl de Bretagne orientale.

gallois, oise a, n Du pays de Galles. ■ nm Langue celtique du pays de Galles.

gallon nm Unité de capacité anglo-saxonne qui vaut 4,54 l en Grande-Bretagne et 3,785 l aux États-Unis.

gallo-romain, aine a, n De la Gaule romaine. *Des vestiges gallo-romains.*

gallo-roman, ane a, nm Se dit des dialectes romans parlés durant l'ancienne Gaule.

galoche nf Chaussure à semelle de bois.

galon nm **1** Ruban pour border ou orner. **2** Marque servant à distinguer différents grades militaires.

galop nm **1** La plus rapide des allures des quadrupèdes (du cheval). **2** Ancienne danse d'un mouvement très vif.

galopant, ante a Qui s'accroît très rapidement. *Inflation galopante.*

galoper vi **1** Aller au galop. **2** Courir, se précipiter.

galopin nm Fam Garnement, polisson.

galoubet nm Flûte provençale à trois trous.

galuchat nm Peau de raie ou de requin, préparée pour la reliure, la maroquinerie, etc.

galurin nm ou **galure** nm Pop Chapeau.

galvaniser vt **1** Enthousiasmer, remplir d'ardeur. **2** Recouvrir une pièce métallique d'une couche protectrice de zinc.

galvanisme nm Effets produits par le courant électrique continu sur les muscles, les nerfs.

galvanomètre nm ELECTR Appareil mesurant l'intensité des courants faibles.

galvaudage nm Action de galvauder.

galvauder vt Avilir par un mauvais usage.

gamay nm Cépage rouge du Beaujolais.

gamba nf Grosse crevette.

gambade nf Cabriole.

gambader vt Faire des gambades.

gamberger vi, vt 11 Pop Réfléchir, imaginer.

gambien, enne a, n De Gambie.

gamelle nf Récipient individuel pour transporter un repas tout préparé.

gamète nm BIOL Cellule reproductrice mâle (spermatozoïde) ou femelle (ovule).

gamétogenèse nf BIOL Formation des gamètes.

gamin, ine n Fam Enfant, adolescent.

gaminerie nf Fam Enfantillage.

gamma nm inv Troisième lettre de l'alphabet grec, correspondant à g. Loc *Rayons gamma* : rayons très pénétrants émis lors de la désintégration des corps radioactifs.

gammaglobuline nf MED Protéine du plasma utilisée comme anticorps.

gamme nf **1** MUS Suite ascendante ou descendante de notes conjointes. **2** Ensemble de couleurs, d'états, d'objets, etc., qui s'ordonnent comme une gradation. *Gamme de voitures.* Loc *Haut de gamme* : de luxe. *Bas de gamme* : de mauvaise qualité ou bon marché.

gammée af Loc *Croix gammée* : croix à branches coudées, qui a servi d'emblème à l'Allemagne nazie.

ganache nf **1** Région postérieure de la mâchoire inférieure du cheval. **2** Fam Incapable.

gandoura nf Tunique sans manches des pays arabes.

gang [gãg] nm Association de malfaiteurs.

ganglion nm Petit corps arrondi sur le trajet d'un vaisseau lymphatique ou d'un nerf.

ganglionnaire a Des ganglions.

gangrène nf **1** Nécrose et putréfaction des tissus. **2** Lit Ce qui corrompt, détruit.

gangrener vt **15 1** Atteindre de gangrène. **2** Lit Corrompre, pourrir.

gangreneux, euse a MED De la gangrène.

gangster [gãgstɛr] nm Bandit, malfaiteur.

gangstérisme [gãg-] nm Banditisme.

gangue nf Enveloppe rocheuse des minerais.

ganse nf Cordonnet servant d'ornement dans le costume, l'ameublement.

ganser vt Orner, border d'une ganse.

gant nm Pièce d'habillement ou objet en cuir, en tissu qui couvre la main.

ganter vt Mettre des gants. ■ vi Avoir comme pointure de gants. *Ganter du 7.*

ganterie nf Fabrication ou commerce de gants.

gantier, ère n Qui fabrique ou vend des gants.

gantois, oise a, n De Gand.

gap nm Écart, retard important.

gaperon nm Fromage de vache auvergnat.

garage nm **1** Action de garer. **2** Local destiné à remiser les voitures. **3** Entreprise de réparation et d'entretien des véhicules.

garagiste n Qui tient un garage.

garance nf Plante cultivée pour le colorant rouge tiré de ses racines. ■ a inv Rouge vif.

garant, ante n, a Qui répond de qqn, de ses obligations. ■ nm Caution, preuve.

garantie nf Engagement pris par un contractant de prendre à sa charge la réparation d'une marchandise défectueuse, ou d'indemniser des dommages, etc. ■ pl Gages, assurance. Donner des garanties.

garantir vt 1 Se porter garant de ; assurer un droit. 2 Donner pour vrai, pour certain. Je vous garantis que je l'ai. 3 Protéger qqn, qqch. La digue garantit la ville de (ou contre) l'inondation.

garbure nf CUIS Soupe du Sud-Ouest, au chou et au confit d'oie.

garce nf Fam Fille ou femme sans moralité ou méchante.

garçon nm 1 Enfant mâle. 2 Adolescent ; homme jeune. 3 Célibataire. 4 Employé d'un artisan, d'un commerçant ; serveur dans un café.

garçonne nf Loc Coiffure à la garçonne : cheveux courts et nuque rasée.

garçonnet nm Petit garçon.

garçonnière nf Studio pour une personne seule.

1. garde nf 1 Action de surveiller, de protéger, d'interdire l'accès à un lieu. 2 Service de sécurité, de protection. 3 Position d'attente, de défense en boxe, en escrime. 4 Partie d'une arme blanche qui protège la main. Loc Garde à vue : mesure qui permet à la police de retenir pendant un temps dans ses locaux tout individu pour les besoins de l'enquête. Être sur ses gardes : se méfier. Vieille garde : les plus anciens partisans d'une personnalité. Prendre garde : faire attention.

2. garde nm 1 Gardien, surveillant. 2 Qui appartient à une troupe, à un service de protection. 3 Qui garde les enfants, les malades. Loc Garde champêtre : agent municipal chargé de faire respecter les règlements communaux. Garde forestier : chargé de surveiller les bois et les forêts. Garde des Sceaux : en France, ministre de la Justice.

garde-à-vous interj Commandement militaire enjoignant de prendre une position rigide réglementaire. ■ nm inv Cette position.

garde-barrière n Chargé de la manœuvre d'un passage à niveau non automatisé. Des gardes-barrières.

garde-boue nm inv Pièce incurvée qui protège les roues d'un véhicule des éclaboussures.

garde-chasse nm Gardien d'une chasse privée. Des gardes-chasses.

garde-chiourme nm Anc Surveillant dans un bagne. Des gardes-chiourmes.

garde-corps nm inv Balustrade empêchant de tomber dans le vide.

garde-côte nm Anc Petit navire de guerre chargé de surveiller les côtes. Des garde-côtes.

garde-du-corps n Chargé de veiller à la sécurité rapprochée d'une personnalité. Des gardes-du-corps.

garde-feu nm inv Grille placée devant le foyer d'une cheminée.

garde-fou nm 1 Balustrade empêchant de tomber dans le vide. 2 Ce qui empêche les erreurs. Des garde-fous.

garde-frontière nm Militaire contrôlant une frontière. Des gardes-frontières.

garde-malade n Qui garde et soigne les malades. Des gardes-malades.

garde-manger nm inv Petit placard aéré où on conserve les aliments.

garde-meuble nm Lieu où on peut laisser des meubles en garde. Des garde-meubles.

gardénal nm (n déposé) Médicament sédatif.

gardénia nm Arbrisseau à grandes fleurs ornementales.

garden-party [-dɛn-] nf Réception élégante donnée dans un jardin. Des garden-partys.

garde-pêche nm Agent qui surveille les cours d'eau et les étangs. Des gardes-pêche. ■ nm inv Petit navire de guerre qui protège les zones de pêche.

garder vt 1 Veiller sur, prendre soin de. Garder un malade. Garder les chèvres. 2 Surveiller pour empêcher de s'enfuir. Garder à *vue un suspect.* **3** Veiller à la sécurité de. *Des gendarmes gardent l'arsenal.* **4** Ne pas se dessaisir de. *Gardez bien ces papiers.* **5** Réserver. *Garder une chambre pour qqn.* ■ *vpr* **1** Se prémunir contre. *Se garder du froid.* **2** S'abstenir de. *Gardez-vous de partir.*

garderie *nf* Garde des enfants en bas âge ; lieu où elle est assumée.

garde-robe *nf* **1** Armoire, placard où on garde les vêtements. **2** Ensemble des vêtements que possède qqn. *Des garde-robes.*

garde-voie *nm* Surveillant des voies ferrées. *Des gardes-voies.*

gardian *nm* Gardien de taureaux ou de chevaux, en Camargue.

gardien, enne *n* **1** Qui garde ; surveillant. *Gardien de prison, de musée, de square. Gardien de nuit.* **2** Préposé à la garde d'un immeuble ; concierge. **3** Qui défend, qui instaure. *Les gardiens de la tradition.* **Loc** *Gardien de la paix* : agent de police.

gardiennage *nm* Garde et surveillance assurées par des gardiens.

gardon *nm* Petit poisson d'eau douce.

1. gare *nf* Installations et bâtiments destinés au trafic des trains. **Loc** *Gare maritime* : où le quai où accostent les navires. *Gare routière* : pour le trafic des camions.

2. gare ! *interj* Avertit d'avoir à faire attention. **Loc** *Sans crier gare* : sans prévenir.

garenne *nf* Zone où vivent les lapins sauvages.

garer *vt* Ranger un véhicule à l'abri ou à l'écart de la circulation. ■ *vpr* **1** Ranger sa voiture. **2** Se mettre à l'abri.

gargantuesque *a* Digne de Gargantua.

gargariser (se) *vpr* **1** Se rincer la gorge avec un gargarisme. **2** Fam Se délecter de.

gargarisme *nm* **1** Action de se gargariser. **2** Liquide médicamenteux pour se gargariser.

gargote *nf* Fam Restaurant médiocre.

gargouille *nf* Gouttière en saillie autrefois ornée d'un motif architectural, pour rejeter l'eau en avant d'un mur.

gargouillement ou **gargouillis** *nm* Bruit analogue à celui d'un liquide qui s'écoule irrégulièrement.

gargouiller *vi* Faire entendre un gargouillement.

gargoulette *nf* Récipient pour garder l'eau fraîche.

garnement *nm* Enfant turbulent.

garni, ie *a* Servi avec une garniture. *Choucroute garnie.* ■ *nm* Logement meublé.

garnir *vt* **1** Munir, pourvoir de. **2** Couvrir en décorant. **3** Remplir, occuper un espace.

garnison *nf* Troupe casernée dans une ville, une place forte ; cette ville.

garnissage *nm* Action de garnir ; revêtement.

garniture *nf* **1** Ce qui garnit. **2** Ce qu'on sert avec un mets, ce qui l'accompagne. **3** Élément formant un joint hermétique autour de pièces soumises à un frottement.

garou *nm* Arbrisseau du Midi, à fleurs blanches odorantes. **Syn** saônbois.

garrigue *nf* Formation buissonneuse des régions méditerranéennes.

garrot *nm* **1** ZOOL Saillie du corps, à l'aplomb des membres antérieurs des quadrupèdes (cheval, bœuf, tigre). **2** Morceau de bois dans lequel passe une corde pour la serrer en tordant. **3** Lien pour comprimer une artère et arrêter une hémorragie.

garrotter *vt* Attacher, lier fortement.

gars [gɑ] *nm* Fam Garçon, jeune homme.

gascon, onne *a, n* De la Gascogne. ■ *nm* Parler roman de Gascogne.

gasconnade *nf* Litt Fanfaronnade.

gasoil [gazwal] *nm* Syn de gazole.

gaspacho [-patʃo] *nm* Potage espagnol.

gaspillage *nm* Action de gaspiller.

gaspiller *vt* Consommer, dépenser sans utilité et avec excès ; dilapider.

gastéropode ou **gastropode** *nm* ZOOL Mollusque qui se déplace par reptation au moyen de son pied (escargot, limnée, bigorneau).

gastrique *a* De l'estomac. *Douleur gastrique.*

gastrite *nf* Inflammation de l'estomac.

gastroentérite *nf* Inflammation aiguë de l'estomac et de l'intestin.

gastroentérologue *n* Spécialiste des maladies du tube digestif.

gastromycète *nm* BOT Champignon basidiomycète, telle la vesse-de-loup.

gastronome *nm* Amateur de bonne chère.

gastronomie *nf* Art du bien manger, de la bonne chère.

gastronomique *a* De la gastronomie.

gastropode. V. gastéropode.

gastroscopie *nf* Examen endoscopique de l'estomac.

gastrula *nf* BIOL Troisième stade du développement de l'embryon, succédant à la blastula.

gâteau *nm* 1 Pâtisserie sucrée, faite avec de la farine, du beurre et des œufs. 2 Masse aplatie d'une matière compacte.

gâter *vt* 1 Vx Endommager. *La grêle a gâté les vignes.* 2 Corrompre, pourrir. *Un fruit pourri gâte tous les autres.* 3 Altérer, troubler. *Cet incident a gâté notre plaisir.* 4 Combler de cadeaux ; choyer. *Enfant gâté.* ■ *vpr* S'altérer, se modifier en mal. *Le temps se gâte.*

gâterie *nf* Menu cadeau, friandise.

gâteux, euse *a, n* Dont les facultés mentales sont amoindries par le grand âge.

gauche *a* 1 Situé du côté du cœur. 2 Qui manque d'aisance, d'adresse ; maladroit, gêné. Loc *Se lever du pied gauche :* de mauvaise humeur. ■ *nm* Pied ou poing gauche, dans les sports. ■ *nf* 1 Le côté gauche, la partie gauche, la main gauche. 2 Parti ou personnes professant des opinions réformistes ou révolutionnaires (extrême gauche). Loc Fam *Mettre de l'argent à gauche :* épargner.

gauchement *av* Maladroitement.

gaucher, ère *a, n* Qui se sert habituellement de sa main gauche.

gaucherie *nf* 1 Manque d'adresse. 2 Fait d'être gaucher.

gauchir *vi* Se déformer, se voiler. ■ *vt* 1 Déformer une surface plane. 2 Fausser, détourner. *Gauchir le sens d'un texte.*

gauchisme *nm* Courant politique d'extrême gauche.

gauchiste *n, a* Partisan du gauchisme.

gaucho *nm* Gardien de troupeau des pampas sud-américaines.

gaudriole *nf* Fam Plaisanterie un peu leste.

gaufrage *nm* Action de gaufrer.

gaufre *nf* 1 Pâtisserie alvéolée cuite dans un gaufrier. 2 Gâteau de cire des abeilles.

gaufrer *vt* Imprimer à chaud des dessins sur du cuir, des étoffes, etc.

gaufrette *nf* Petite gaufre.

gaufrier *nm* Moule à gaufres.

gaule *nf* 1 Grande perche. 2 Canne à pêche.

gauler *vt* Battre un arbre, ses branches avec une gaule pour faire tomber les fruits.

gaullisme *nm* Conceptions politiques se réclamant du général de Gaulle.

gaulliste *a, n* Partisan du gaullisme.

gaulois, oise *a, n* 1 De la Gaule, des Gaulois. ■ *a* D'une gaieté grivoise. ■ *nm* Langue celtique parlée par les Gaulois. ■ *nf* (n déposé) Cigarette brune.

gauss *nm* Unité de champ magnétique.

gausser (se) *vpr* Litt Se moquer de qqn.

gavage *nm* Action de gaver.

gave *nm* Torrent des Pyrénées.

gaver *vt* 1 Faire manger de façon excessive ou de force. 2 Combler, emplir à l'excès. *Gaver de connaissances.* ■ *vpr* Se gorger de.

gavotte *nf* Ancienne danse à deux temps.

gavroche *nm* Gamin parisien.

gay *n, a* Homosexuel.

gaz *nm inv* 1 Fluide expansible et compressible. 2 Produit gazeux à usage industriel ou domestique. 3 Produit chimique utilisé comme carburant. Loc *Gaz de pétrole liquéfié (G.P.L.) :* mélange d'hydrocarbures, utilisé comme carburant. *Gaz rare :* hélium, néon, argon, krypton, xénon et radon. Fam *Il y a de l'eau dans le gaz :* il y a des difficultés. ■ *pl* 1 Mélange détonant d'air et de vapeurs d'essence brûlé dans un moteur à explosion. 2 Substances gazeuses se formant dans l'intestin ou l'estomac.

gaze *nf* Étoffe légère et transparente.

gazéification *nf* Action de gazéifier.

gazéifier *vt* 1 Transformer en gaz. 2 Dissoudre du gaz carbonique dans un liquide.

gazelle *nf* Petite antilope d'Afrique et d'Asie.

gazer *vt* Intoxiquer par un gaz nocif.

gazette *nf* Litt Journal.

gazeux, euse *a* **1** À l'état de gaz. **2** Qui contient du gaz carbonique. *Eau gazeuse.*

gazier, ère *a* Relatif au gaz. ■ *nm* Qui travaille dans une compagnie du gaz.

gazinière *nf* Cuisinière à gaz.

gazoduc *nm* Canalisation servant au transport du gaz naturel.

gazogène *nm* Appareil transformant le bois et le charbon en gaz combustible.

gazole *nm* Produit pétrolier utilisé comme carburant ou comme combustible. Syn. gasoil.

gazoline *nf* Produit pétrolier très volatil.

gazomètre *nm* Réservoir pour gaz de ville.

gazon *nm* **1** Herbe courte et menue. **2** Terre couverte de cette herbe.

gazouillement *nm* Action de gazouiller ; bruit ainsi produit.

gazouiller *vi* **1** Faire entendre un petit bruit doux et agréable (oiseaux). **2** Babiller (enfants).

gazouillis *nm* Petit gazouillement.

geai *nm* Passereau à plumage beige tacheté.

géant, ante *n* **1** Être colossal des contes et des légendes. **2** Personne très grande. ■ *a* De très grande taille. *Étoile géante.*

gecko *nm* Reptile saurien des régions chaudes.

geignard, arde *a, n* Fam Qui se plaint sans cesse.

geindre *vi* 69 Se plaindre faiblement.

geisha [geʃa] *nf* Au Japon, danseuse, musicienne qui joue le rôle d'hôtesse.

gel *nm* **1** Abaissement de la température atmosphérique entraînant la congélation de l'eau. **2** Blocage, arrêt. *Gel des négociations.* **3** Préparation cosmétique à base d'eau.

gélatine *nf* Matière albuminoïde à l'aspect de gelée obtenue à partir de substances animales.

gélatineux, euse *a* De la consistance, de l'aspect de la gélatine.

gélatinobromure *nm* Sel d'argent dans de la gélatine, émulsion utilisée en photographie.

gelée *nf* **1** Gel. **2** Bouillon de viande qui solidifie en refroidissant. **3** Jus de fruits cuits qui se solidifie en refroidissant. Loc *Gelée blanche* : congélation de la rosée. *Gelée royale* : substance avec laquelle les abeilles nourrissent les larves de reines.

geler *vt* 16 **1** Transformer en glace. **2** Durcir par le gel. *Geler la terre.* **3** Faire mourir ou nécroser par un froid excessif. **4** Bloquer. *Geler les salaires.* ■ *vi* **1** Se transformer en glace. **2** Mourir, se nécroser sous l'action du froid. *Les oliviers ont gelé.* **3** Avoir très froid.

gélinotte *nf* Oiseau voisin de la perdrix.

gélose *nf* Gélatine extraite de certaines algues.

gélule *nf* Petite capsule de gélatine contenant un médicament.

gelure *nf* Lésion des tissus due au froid.

gémellaire *a* Relatif aux jumeaux.

gémination *nf* Disposition par paires.

géminé, ée *a* Double ; groupé par deux.

gémir *vi* **1** Exprimer la douleur par des plaintes faibles. **2** Produire un son comparable à un gémissement.

gémissement *nm* **1** Cri, plainte faible et inarticulée. **2** Bruit comparable à une plainte.

gemme *nf* **1** Pierre précieuse ou pierre fine transparente. **2** Suc résineux des pins. ■ *a* Loc *Sel gemme* : sel de terre.

gemmologie *nf* Étude scientifique des gemmes.

gemmule *nf* BOT Bourgeon d'une plantule ; embryon d'une graine.

gênant, ante *a* Qui gêne.

gencive *nf* Muqueuse buccale qui enserre le collet des dents.

gendarme *nm* **1** Militaire appartenant au corps de la gendarmerie. **2** Personne autoritaire. **3** Hareng saur. **4** Punaise rouge et noire.

gendarmerie *nf* **1** Corps militaire chargé de veiller à la sécurité publique. **2** Caserne et bureaux des unités de ce corps.

gendre *nm* Mari de la fille, par rapport au père et à la mère de celle-ci.

gène nm BIOL Unité constituée d'A.D.N. et portée par les chromosomes, qui transmet les caractères héréditaires des êtres vivants.

gêne nf 1 Malaise physique. 2 Embarras, contrainte désagréable. 3 Manque d'argent.

généalogie nf 1 Suite d'ancêtres qui établit une filiation. 2 Science des filiations.

généalogique a De la généalogie. Loc *Arbre généalogique :* filiation en forme d'arbre.

génépi nm 1 Armoise aromatique des montagnes. 2 Liqueur à base de cette plante.

gêner vt 1 Causer un malaise physique ou moral à. 2 Entraver, faire obstacle à. *Gêner la circulation.* 3 Réduire à manquer d'argent. ■ vpr Se contraindre par discrétion ou par timidité.

1. général, ale, aux a 1 Qui s'applique à un grand nombre de cas. 2 Qui concerne ou englobe la totalité ou la plus grande partie d'un ensemble, d'une administration, d'un service, d'un groupe. 3 Qui est à l'échelon le plus élevé d'une hiérarchie. Loc *Répétition générale :* dernière répétition avant la première représentation.

2. général, aux nm 1 Chef militaire. 2 Officier des plus hauts grades dans les armées de terre et de l'air. 3 Supérieur de certaines congrégations religieuses.

générale nf 1 Femme d'un général. 2 Répétition générale.

généralement av Ordinairement.

généralisable a Que l'on peut généraliser.

généralisateur, trice a Qui généralise.

généralisation nf Action de généraliser, fait de se généraliser.

généraliser vt 1 Rendre général. *Généraliser une méthode.* 2 Raisonner en allant du particulier au général. ■ vpr Devenir commun ; se répandre.

généraliste a, n Qui n'est pas spécialisé dans une activité. ■ n Médecin généraliste. Ant. spécialiste.

généralité nf Caractère général. ■ pl Propos banals par leur caractère trop vague.

générateur, trice a Qui génère. ■ nm Transformateur d'une énergie quelconque en énergie électrique. ■ nf Machine servant à produire du courant continu.

génération nf 1 Reproduction des êtres vivants. 2 Degré de filiation dans une famille ; durée séparant ces degrés. 3 Ensemble d'individus ayant approximativement le même âge en même temps. 4 Degré d'un progrès technique. *Machine de deuxième génération.*

générationnel, elle a Relatif aux rapports entre les générations.

générer vt 12 Engendrer, être la cause de, produire.

généreux, euse a 1 Qui dénote la noblesse de caractère. 2 Qui donne volontiers et largement. Loc *Vin généreux :* capiteux.

générique a Propre au genre, à l'espèce, à tout un ensemble. ■ nm 1 Séquence d'un film, d'une émission de télévision indiquant le nom des divers collaborateurs. 2 Médicament tombé dans le domaine public.

générosité nf Qualité de qqn de généreux.

genèse nf Processus donnant naissance à qqch. *La genèse d'un livre.*

genêt nm Arbrisseau à fleurs jaunes.

généticien, enne n Spécialiste de génétique.

génétique a Relatif aux gènes et à l'hérédité. ■ nf Science de l'hérédité.

genette nf Mammifère carnivore au pelage clair taché de noir.

gêneur, euse n Qui gêne, importun.

genevois, oise a, n De Genève.

genévrier nm Conifère dont les cônes sont utilisés pour parfumer diverses eaux-de-vie.

génial, ale, aux a 1 Qui a ou dénote du génie. 2 Abusiv Remarquable, excellent.

génie nm 1 Être imaginaire, surnaturel de la mythologie. *Les génies des eaux.* 2 Talent, aptitude particulière. *Avoir le génie des affaires.* 3 Caractère propre et distinctif. *Le génie d'une langue.* 4 Aptitude créatrice extraordinaire ; personne géniale. 5 Dans l'armée, arme qui fournit les installations et les équipements. 6 Technique relevant d'un domaine spécifique. *Génie rural, civil, maritime, génétique.*

genièvre *nm* Eau-de-vie de grain aromatisée aux baies de genévrier.

génique *a* BIOL Relatif aux gènes.

génisse *nf* Jeune vache qui n'a pas encore vêlé.

génital, ale,aux *a* De la reproduction des animaux et de l'homme.

géniteur, trice *n* Qui a engendré.

génitif *nm* LING Cas exprimant l'appartenance ou la dépendance, dans les langues à flexion.

génocide *nm* Extermination systématique d'un groupe ethnique.

génois, oise *a* De Gênes. ■ *nm* MAR Grand foc. ■ *nf* Gâteau aux amandes.

génome *nm* BIOL Ensemble des chromosomes.

génotype *nm* BIOL Ensemble des gènes portés par l'A.D.N. d'une cellule vivante.

genou *nm* Articulation unissant la jambe et la cuisse. *Des genoux.*

genouillère *nf* Bande servant à protéger ou à maintenir le genou.

genre *nm* 1 Ensemble d'êtres ou de choses présentant des caractères communs ; espèce, sorte. 2 BIOL Subdivision de la famille, supérieure à l'espèce. *Le chat domestique, famille des félidés, genre Felis.* 3 Sorte d'œuvres caractérisées par le sujet, le style. *Genre épique.* 4 Comportement de qqn, d'un groupe ; manières. 5 LING Classification morphologique des noms et pronoms répartis, en français, en masculin et en féminin.

gens *nmpl* (l'adjectif précédant gens se met au féminin) Personnes en nombre indéterminé. *Une foule de gens. De vieilles gens. De gens âgés.*

gentiane [-sjan] *nf* 1 Plante de montagne à fleurs bleues, jaunes ou violettes. 2 Liqueur amère préparée à partir de cette plante.

1. gentil *nm* Non-juif chez les anciens Hébreux ; païen, chez les premiers chrétiens.

2. gentil, ille *a* 1 Joli, gracieux, charmant. 2 Obligeant, attentionné. *Il est très gentil.* 3 Fam Important. *Une gentille somme.*

gentilé *nm* LING Syn de *nom ethnique.*

gentilhomme [-tijɔm] *nm* Homme de naissance noble. *Des gentilshommes* [-ti-zɔm].

gentilhommière *nf* Petit château à la campagne.

gentillesse *nf* 1 Qualité de qqn de gentil. 2 Action, parole gentille.

gentillet, ette *a* Assez gentil.

gentiment *av* De façon gentille.

gentleman [dʒɛntləman] *nm* Qui se conduit avec tact et élégance.

gentry [dʒɛntri] *nf* Petite noblesse anglaise.

génuflexion *nf* Flexion d'un genou, des genoux en signe de respect.

géochimie *nf* Étude des éléments chimiques des roches.

géochronologie *nf* Étude de l'âge des roches et de l'histoire de la Terre.

géode *nf* Masse minérale creuse, dont l'intérieur est tapissé de cristaux.

géodésie *nf* Science de la forme et des dimensions de la Terre.

géodynamique *nf* Science de la dynamique du globe. ■ *a* De la géodynamique.

géographe *n* Spécialiste de la géographie.

géographie *nf* 1 Science de la description des phénomènes physiques et humains. 2 Ensemble des caractères propres à une région.

géographique *a* De la géographie.

geôle *nf* Litt Prison.

geôlier, ère *n* Litt Gardien de prison.

géologie *nf* Science de l'histoire de la Terre et des constituants de l'écorce terrestre.

géologique *a* De la géologie.

géologue *n* Spécialiste de géologie.

géomagnétisme *nm* Magnétisme terrestre.

géomètre *nm* 1 Spécialiste de géométrie. 2 Technicien qui exécute des levers de plans.

géométrie *nf* Branche des mathématiques qui étudie les propriétés de l'espace. **Loc À *géométrie variable :*** qui peut s'adapter.

géométrique *a* De la géométrie. 2 D'aspect régulier et simple. 3 Précis et rigoureux.

géomorphologie *nf* Science des reliefs terrestres actuels et leur évolution.

géophysique nf Étude des phénomènes physiques du globe terrestre et de son atmosphère. ■ a De la géophysique.

géopolitique nf Étude de l'influence des facteurs géographiques sur la politique internationale. ■ a De la géopolitique.

géorgien, enne a, n De Géorgie. ■ nm Langue caucasienne parlée en Géorgie.

géostationnaire nf Se dit d'un satellite artificiel dont la position par rapport à la Terre ne varie pas.

géostratégie nf MILIT Données mondiales de la stratégie.

géosynclinal nm GEOL Vaste dépression de l'écorce terrestre dont le fond s'enfonce sous le poids des sédiments. Des géosynclinaux.

géotechnique nf Géologie appliquée à la construction et aux travaux publics.

géothermie nf Chaleur interne de la Terre.

géotropisme nm Orientation de la croissance des végétaux sous l'action de la pesanteur.

géotrupe nm Coléoptère de type bousier.

gérable a Que l'on peut gérer.

gérance nf Fonction de gérant.

géranium [-njɔm] nm Plante ornementale aux fleurs roses, rouges ou blanches.

gérant, ante n Qui administre pour autrui ; mandataire.

gerbe nf 1 Faisceau de tiges de céréales coupées et liées ; bouquet de fleurs. 2 Forme en faisceau, trajectoire. Gerbe d'eau.

gerber vt Empiler des charges les unes sur les autres. ■ vi Pop Vomir.

gerbera [-bɛʀa] nm Plante ornementale.

gerbeur nm Appareil de levage.

gerbille nf Petit rongeur des régions arides.

gerboise nf Petit rongeur qui progresse par bonds.

gercer vt 10 Faire de petites fentes ou crevasses. ■ vi, vpr Se fendiller. Les mains (se) gercent en hiver.

gerçure nf Crevasse sur la peau, due au froid.

gérer vt 12 1 Administrer, diriger pour son propre compte ou pour le compte d'autrui. 2 Dominer au mieux une situation difficile.

gerfaut nm Grand faucon des régions septentrionales.

gériatrie nf Étude et traitement des maladies des personnes âgées.

1. germain, aine a, n Né du même père et de la même mère. Sœur germaine. Loc Cousins germains : dont le père ou la mère de l'un a pour frère ou sœur le père ou la mère de l'autre.

2. germain, aine a, n De la Germanie.

germanique a Relatif à l'Allemagne.

germanisme nm Mot, expression propre à l'allemand.

germaniste n Spécialiste des langues, de la civilisation germaniques.

germanophone a, n De langue allemande.

germe nm 1 Rudiment d'un être vivant (œuf, embryon, plantule, etc.). 2 Première pousse issue de la graine, du tubercule, etc. 3 Bactérie, virus. 4 Principe, origine de qqch. Les germes d'une révolution.

germer vi 1 Commencer à pousser, en parlant d'une plante. 2 Se former. Ce projet a germé dans son esprit.

germinal nm Septième mois (mars-avril) du calendrier républicain.

germinatif, ive a BOT De la germination.

germination nf BOT Développement du germe, d'une plante.

germon nm Thon blanc de l'Atlantique.

géromé nm Fromage des Vosges, au lait de vache.

gérondif nm GRAM 1 Mode latin, déclinaison de l'infinitif. 2 Forme verbale en ant, précédée de la préposition en (ex. : en dormant).

géronte nm Litt Vieillard ridicule.

gérontocratie nf Prépondérance politique des vieillards.

gérontologie nf Étude du vieillissement.

gésier nm Seconde poche de l'estomac des oiseaux.

gésir vi 36 (usité seulement au présent, à l'imparfait de l'indicatif et au participe présent). 1 Être étendu, abandonné sur le sol. 2 Se trouver. C'est là que gît la difficulté.

gesse nf Plante grimpante, fourragère ou ornementale.

gestation *nf* 1 État d'une femelle de mammifère portant son petit. 2 Grossesse d'une femme. 3 Élaboration d'un ouvrage de l'esprit.

1. geste *nm* Mouvement des bras et des mains, pour faire ou exprimer qqch. **Loc Avoir, les gens en geste :** faire une belle action. ■ *pl* **Loc Faits et gestes de qqn :** ses actions, sa conduite.

2. geste *nf* **Loc Chanson de geste :** poème épique du Moyen Âge.

gesticulation *nf* Action de gesticuler.

gesticuler *vi* Faire de grands gestes dans tous les sens.

gestion *nf* Action d'administrer une entreprise.

gestionnaire *a* De la gestion. ■ *n* Chargé de la gestion.

gestuel, elle *a* Propre aux gestes. ■ *nf* Ensemble de gestes significatifs.

gewurztraminer *nm* Cépage blanc d'Alsace.

geyser *nm* Jaillissement intermittent d'eau chaude.

ghanéen, enne *a, n* Du Ghana.

ghetto *nm* 1 Quartier où les Juifs étaient contraints de résider. 2 Lieu où une minorité est isolée du reste de la population.

G.I. [dʒiaj] *nm inv* Soldat américain.

gibbon *nm* Singe d'Asie dépourvu de queue.

gibbosité *nf* Bosse produite par une déformation de la colonne vertébrale.

gibecière *nf* Sacoche portée en bandoulière.

gibelotte *nf* Fricassée de lapin au vin.

giberne *nf* Ancienne boîte à cartouches.

gibet *nm* Litt Potence.

gibier *nm* Animal susceptible d'être chassé ; viande de cet animal. **Loc Gibier de potence :** individu malhonnête.

giboulée *nf* Averse soudaine et brève.

giboyeux, euse *a* Abondant en gibier.

gibus *nm* Chapeau haut de forme à ressorts.

G.I.C. *n* Abrév de *grand invalide civil*.

giclée *nf* Jet de liquide qui gicle.

gicler *vi* Jaillir en éclaboussant.

gicleur *nm* Dispositif destiné à régler le débit de l'essence dans un carburateur.

gifle *nf* 1 Coup sur la joue avec le plat ou le revers de la main. 2 Affront, humiliation.

gifler *vt* Donner une gifle.

G.I.G. *n* Abrév de *grand invalide de guerre*.

gigantesque *a* Qui dépasse de beaucoup la moyenne ; immense.

gigantisme *nm* 1 Accroissement exagéré du squelette. 2 Caractère démesuré.

gigogne *a* Se dit d'objets qui s'emboîtent les uns dans les autres. *Des poupées gigognes.*

gigolo *nm* Fam Jeune amant entretenu.

gigot *nm* Cuisse de mouton, d'agneau, de chevreuil, coupée pour la table. **Loc Manches gigot :** manches longues et bouffantes.

gigoter *vi* Fam Remuer en tous sens.

1. gigue *nf* Cuisse de chevreuil. **Loc Fam Une grande gigue :** une grande fille dégingandée.

2. gigue *nf* Danse au rythme vif.

gilet *nm* 1 Veste masculine sans manches portée sous un veston. 2 Sous-vêtement couvrant le torse. 3 Cardigan. **Loc Gilet de sauvetage :** brassière maintenant hors de l'eau la tête d'une personne immergée.

gimmick [gi-] *nm* Fam Gadget astucieux.

gin [dʒin] *nm* Eau-de-vie de grain anglaise.

gin-fizz [dʒinfiz] *nm inv* Cocktail au gin et au jus de citron.

gingembre *nm* Plante aromatique d'Asie.

gingival, ale,aux *a* Des gencives.

gingivite *nf* Inflammation des gencives.

ginkgo [ʒinko] *nm* Arbre ornemental sacré de Chine. Syn. arbre aux quarante écus.

ginseng [ʒinsäg] *nm* Racine d'une plante aux vertus toniques.

giorno (a) V. a giorno.

girafe *nf* 1 Mammifère ruminant des savanes africaines, au long cou. 2 Perche munie d'un micro pour les prises de son. **Loc Fam Peigner la girafe :** ne rien faire d'utile.

girafeau ou **girafon** *nm* Petit de la girafe.

girandole *nf* 1 Chandelier à plusieurs branches. 2 Guirlande d'ampoules électriques.

giratoire *a* Circulaire autour d'un axe.

giraumon nm Variété de courge.

girelle nf Poisson méditerranéen.

girl [gœrl] nf Danseuse de music-hall.

girofle nm Loc *Clou de girofle* : bouton du giroflier employé comme épice.

giroflée nf Plante ornementale, à fleurs odorantes.

giroflier nm Arbre tropical produisant le clou de girofle.

girolle nf Champignon basidiomycète, comestible apprécié, de couleur jaune orangé.

giron nm Litt Partie du corps allant de la ceinture aux genoux. Loc *Le giron de l'Église* : la communion des fidèles.

girond, onde a Pop Joli, bien fait (femme).

girondin, ine a, n De la Gironde.

girouette nf 1 Plaque mobile autour d'un axe vertical servant à indiquer la direction du vent. 2 Fam Personne versatile.

gisant nm Effigie couchée, sculptée sur un tombeau.

gisement nm 1 Filon, amas minéral. *Gisement de cuivre.* 2 Public visé par un média, clientèle visée par une entreprise.

gitan, ane n, a Bohémien, tsigane.

gîte nm 1 Lieu où on demeure. 2 Lieu où se retire le lièvre. 3 En boucherie, partie inférieure de la cuisse du bœuf. ■ nf MAR Inclinaison d'un navire sur le côté.

gîter vi MAR S'incliner sur un bord.

givrant, ante a Qui forme du givre. *Brouillard givrant.*

givre nm Couche de glace qui se forme par condensation du brouillard sur une surface.

givré, ée a 1 Couvert de givre dont l'intérieur est fourré de glace. 2 Fam Fou.

givrer vt Couvrir de givre. ■ vi Se couvrir de givre.

glabelle nf ANAT Espace entre les sourcils.

glabre a Imberbe.

glaçant, ante a Qui rebute par sa froideur.

glace nf 1 Eau congelée. 2 Crème aromatisée servie congelée. 3 Mélange de sucre et de blanc d'œuf dont on recouvre certains gâteaux. 4 Plaque de verre épaisse pour les vitrages, les miroirs.

glacé, ée a 1 Très froid. *Avoir les mains glacées.* 2 Hostile ou indifférent.

glacer vt 10 1 Convertir en glace, congeler. 2 Causer une vive sensation de froid. 3 Paralyser par sa froideur. *Son abord vous glace.* 4 Recouvrir d'une couche de sucre, de jus, de gelée. 5 Donner une apparence brillante à un papier, à un tissu.

glaciaire a D'un glacier, d'une glaciation.

glacial, ale, als ou **aux** a Extrêmement froid.

glaciation nf Période pendant laquelle les glaciers ont recouvert une région.

glacier nm 1 Vaste masse de glace. 2 Marchand de glaces.

glacière nf 1 Appareil refroidi par de la glace. 2 Lieu très froid.

glaciologie nf Étude des glaciers.

glacis [-si] nm 1 Pente douce partant de la crête d'une fortification. 2 Zone de protection d'un État. 3 Pente pour l'écoulement des eaux.

glaçon nm 1 Morceau de glace. 2 Fam Personne froide, sans enthousiasme.

gladiateur nm À Rome, celui qui combattait dans les jeux du cirque.

glaïeul nm Plante ornementale à longues feuilles pointues.

glaire nf 1 Blanc d'œuf cru. 2 Liquide incolore filant que sécrètent les muqueuses.

glaise nf, a Terre argileuse.

glaiseux, euse a De la glaise.

glaive nm Courte épée à deux tranchants.

glamour nm Beauté sensuelle.

gland nm 1 Fruit du chêne. 2 Passementerie en forme de gland. 3 ANAT Portion terminale du pénis.

glande nf 1 ANAT Organe sécréteur. 2 MED Ganglion lymphatique enflammé.

glander ou **glandouiller** vi Pop Paresser.

glandulaire a De la nature d'une glande.

glaner vt 1 Ramasser après la moisson les produits du sol abandonnés. 2 Recueillir de-ci, de-là. *Glaner des renseignements.*

glaneur, euse n Qui glane.

glapir vi 1 Émettre des jappements aigus et répétés (renard, jeunes chiens). 2 Crier, chanter d'une voix aigre.

glapissement nm Cri aigu.

glas [gla] nm Tintement lent et répété des cloches pour annoncer les funérailles.

glasnost nf Transparence en politique.

glatir vi Pousser son cri (aigle).

glaucome nm MED Augmentation de la pression intra-oculaire entraînant une diminution de l'acuité visuelle.

glauque a 1 Vert bleuâtre. Yeux glauques. 2 Fam Triste, sordide. Quartier glauque.

glèbe nf Litt Terre cultivée.

gliome nm MED Tumeur du système nerveux.

glissade nf Action de glisser.

glissant, ante a Où l'on glisse facilement. Loc Terrain glissant : affaire dangereuse.

glisse nf Loc Sports de glisse : ski, surf, planche à voile.

glisser vi 1 Se déplacer d'un mouvement continu sur une surface lisse. Glisser sur la glace. 2 Se diriger insensiblement vers. Glisser vers la droite. 3 Présenter une surface glissante. La chaussée glisse. 4 Perdre l'équilibre. Loc Glisser sur un sujet : ne pas s'insister. Glisser des mains : tomber. ■ vt Introduire adroitement. Glisser une pièce dans la main. ■ vpr S'introduire subrepticement.

glissière nf Dispositif, rainure pour guider un mouvement de glissement.

glissoire nf Chemin sur la glace.

global, ale, aux a Pris dans son ensemble, en bloc.

globalement av De façon globale.

globaliser vt Réunir en un tout.

globalité nf Caractère global.

globe nm 1 Corps sphérique. Globe oculaire. 2 La Terre. 3 Calotte sphérique en verre.

globe-trotter [-tʀɔtœʀ] n Voyageur qui parcourt le monde. Des globe-trotters.

globulaire a En forme de globe. Loc Numération globulaire : dénombrement des globules du sang.

globule nm Cellule du sang. Loc Globule rouge : hématie. Globule blanc : leucocyte.

globuleux, euse a Loc Yeux globuleux : saillants.

globuline nf BIOL Protéine du sang et des muscles.

gloire nf 1 Grande renommée, réputation, célébrité. 2 Personne célèbre, illustre. Une gloire nationale. 3 Splendeur, éclat. Dans toute sa gloire.

glorieux, euse a 1 Qui donne de la gloire. Combat glorieux. 2 Célèbre, splendide. Période glorieuse.

glorification nf Action de glorifier.

glorifier vt Rendre gloire à, honorer, célébrer. ■ vpr Tirer vanité de.

gloriole nf Vanité ; gloire vaine.

glose nf Explication destinée à éclaircir le sens d'une expression, d'un texte.

gloser vt Éclaircir par une glose. ■ vti Faire de longs commentaires stériles. Gloser sur des détails.

glossaire nm Ensemble de termes relatifs à une activité ou contenus dans un ouvrage.

glotte nf Orifice du larynx.

glouglou nm Fam Bruit intermittent d'un liquide qui s'écoule d'un orifice étroit.

gloussement nm Action de glousser.

glousser vi 1 Crier (poule). 2 Fam Rire en émettant des petits cris.

glouton, onne a, n Qui mange avec avidité. ■ nm Mammifère carnivore des régions arctiques.

gloutonnerie nf Avidité, goinfrerie.

glu nf Matière végétale visqueuse.

gluant, ante a 1 Qui a la consistance de la glu. 2 Collant.

glucide nm CHIM Hydrate de carbone. Syn. sucre.

glucose nm Glucide de certains fruits.

glutamate nm Sel de l'acide glutamique.

glutamique a Loc Acide glutamique : acide aminé présent dans le tissu nerveux.

gluten [-tɛn] nm Protéine végétale, constituant essentiel des graines de céréales.

glycémie nf MED Concentration en glucose du sérum sanguin.

glycérine nf ou **glycérol** nm CHIM Liquide sirupeux composant les corps gras.

glycine nf Plante aux longues grappes de fleurs odorantes blanches ou mauves.

glycocolle nm BIOL Acide aminé, constituant des protéines.

glycogène nm Glucide constituant une réserve de glucose dans le foie et les muscles.

glycogenèse nf BIOL Formation de glucose par le glycogène.

glycosurie nf MED Présence anormale de sucre dans les urines.

glyptique nf Gravure sur pierres fines.

G.M.T. Sigle anglais indiquant le temps moyen de Greenwich (Grande-Bretagne).

gnangnan a inv Fam Mou et geignard.

gneiss [gnɛs] nm Roche métamorphique constituée de quartz, de feldspath et de mica.

gnocchi [-ki] nm Petite quenelle à base de semoule.

gnognote ou **gnognotte** nf Loc Fam De la gnognote : chose de peu de valeur.

gnôle ou **gniole** nf Fam Eau-de-vie.

gnome [gnom] nm Nain contrefait.

gnomon [gnɔmɔ̃] nm Cadran solaire.

gnon nm Fam Coup.

gnose [gnoz] nf Syncrétisme religieux antique, visant à la connaissance suprême.

gnostique a, n Qui relève de la gnose.

gnou [gnu] nm Antilope africaine.

1. go nm inv Jeu chinois de pions.

2. go (tout de) av Fam Sans façon, directement.

goal [gol] nm Abusiv Gardien de but.

gobelet nm Récipient sans pied et sans anse pour boire.

gobe-mouches nm inv Passereau qui chasse les insectes au vol.

gober vt 1 Avaler rapidement en aspirant. 2 Croire sans discernement. Loc Fam Ne pas gober : détester.

goberger (se) vpr 11 Fam Faire bonne chère, se prélasser.

godasse nf Fam Chaussure.

godelureau nm Fam Jeune galant.

goder ou **godailler** vi Faire des faux plis.

godet nm Petit récipient sans pied ni anse. Loc Jupe à godets : très évasée dans le bas.

godiche a, nf Fam Empoté, maladroit.

godille nf 1 Aviron à l'arrière d'une embarcation. 2 À skis, enchaînement de petits virages dans la ligne de pente.

godiller vi 1 Faire avancer une embarcation à l'aide d'une godille. 2 À skis, pratiquer la godille.

godillot nm Fam Grosse chaussure.

goéland nm Grand oiseau de mer piscivore.

goélette nf Navire à deux mâts.

goémon nm Algue marine.

1. gogo nm Fam Naïf, jobard.

2. gogo (à) av Fam En abondance.

goguenard, arde a Narquois, moqueur.

goguenardise nf Moquerie.

goguette (en) av Fam Bien décidé à faire la fête ; un peu ivre.

goï, goïm. V. goy.

goinfre n, a Qui mange voracement.

goinfrer (se) vpr Fam Se gaver.

goinfrerie nf Voracité, gloutonnerie.

goitre nm Grosseur du cou, due à une tuméfaction de la thyroïde.

golden nf Pomme à peau jaune.

golf nm 1 Sport qui consiste à placer une balle dans une série de trous répartis sur un parcours. 2 Terrain de golf.

golfe nm Vaste échancrure d'une côte.

golfeur, euse n Qui joue au golf.

golmote nf Champignon (lépiote) comestible.

gombo nm Plante potagère tropicale.

gominé, ée a Recouvert de brillantine (chevelure).

gommage nm Action de gommer.

gomme nf 1 Substance visqueuse qui s'écoule de certains arbres. Gomme arabique. Gomme adragante. 2 Petit bloc de caoutchouc servant à effacer. Loc Fam Mettre toute la gomme : forcer au maximum la vitesse d'un véhicule.

gommé, ée a Recouvert de gomme adhésive.

gomme-gutte nf Résine utilisée dans les peintures et les vernis. Des gommes-guttes.

gomme-laque nf Résine employée dans la fabrication des vernis. Des gommes-laques.

gommer vt 1 Effacer avec une gomme. 2 Atténuer, faire disparaître. *Gommer un détail.*

gommette nf Petit morceau de papier gommé.

gommeux nm Litt Jeune prétentieux.

gommier nm Arbre qui produit de la gomme.

gonade nf ANAT Glande génitale.

gonadostimuline ou **gonadotrophine** nf BIOL Hormone qui stimule l'activité des glandes sexuelles.

gond nm Pièce métallique autour de laquelle tourne une porte ou une fenêtre. Loc *Sortir de ses gonds* : s'emporter.

gondole nf 1 Barque vénitienne longue et plate à un seul aviron. 2 Meuble à rayons superposés, utilisé dans les magasins.

gondoler vi, vpr Se gonfler, se gauchir. *Bois qui gondole, se gondole.* ■ vpr Fam Se tordre de rire.

gondolier nm Batelier qui conduit une gondole.

gonflable a Qui prend sa forme par gonflage.

gonflé, ée a Loc Fam *Gonflé à bloc* : rempli d'ardeur. Pop *Être gonflé* : montrer une assurance extraordinaire, du culot.

gonfler vt 1 Distendre, augmenter le volume d'un corps en l'emplissant d'air, de gaz. 2 Exagérer, grossir. *La presse a gonflé cette histoire.* 3 Remplir, combler. *Être gonflé de joie.* ■ vi, vpr Augmenter de volume. *Cette pâte gonfle à la cuisson.*

gonflette nf Fam Musculature exagérément saillante.

gonfleur nm Appareil servant à gonfler.

gong [gɔ̃g] nm Plateau de métal sur lequel on frappe avec un maillet.

goniomètre nm Récepteur servant à déterminer la direction d'une émission radioélectrique.

gonocoque nm Microbe agent de la blennorragie.

gonocyte nm BIOL Cellule embryonnaire des animaux.

gonzesse nf Pop Femme.

gordien am Loc *Trancher le nœud gordien* : mettre fin brutalement à une situation de crise.

goret nm Jeune porc.

goretex nm (n déposé) Textile synthétique imperméable.

gorge nf 1 Partie antérieure du cou. 2 Gosier. *Avoir mal à la gorge.* 3 Litt Poitrine, seins d'une femme. 4 Vallée étroite et profonde.

gorge-de-pigeon a inv À reflets changeants.

gorgée nf Quantité de liquide avalée en une seule fois.

gorger vt 1 1 Faire manger avec excès, gaver. 2 Imprégner. *Un terrain gorgé d'eau.* ■ vpr Absorber en quantité. *Se gorger de café.*

gorgonzola nm Fromage italien, proche des bleus.

gorille nm 1 Le plus grand des singes, très puissant. 2 Fam Garde-du-corps.

gosier nm Arrière-gorge et pharynx. Loc Fam *Avoir le gosier (à) sec* : avoir soif. *À plein gosier* : à pleine voix.

gospel nm Chant religieux des Noirs d'Amérique du Nord.

gosse n Fam Enfant.

gotha nm Ensemble des familles de la noblesse, des personnalités en vue.

gothique a Style architectural qui s'est répandu en Europe du XIIᵉ au XVIᵉ s. ■ nf Écriture à traits droits, anguleux.

gotique nm Langue germanique ancienne parlée par les Goths.

gouache nf Peinture à l'eau.

gouaille nf Verve moqueuse.

gouailleur, euse a Moqueur. *Ton gouailleur.*

gouape nf Pop Voyou.

gouda nm Fromage de Hollande.

goudron nm Émulsion épaisse et noirâtre obtenue par distillation du pétrole, de la houille.

goudronner vt Enduire, recouvrir de goudron.

goudronneux, euse a De la nature du goudron. ■ nf Machine à goudronner.

gouffre nm 1 Dépression naturelle très profonde. 2 Ce dans quoi on engloutit beaucoup d'argent.

gouge nf Ciseau à tranchant semi-circulaire.

gougère nf Pâtisserie salée, au gruyère.

gouine nf Pop Femme homosexuelle.

goujat [-ʒa] nm Homme grossier.

goujaterie nf Grossièreté.

goujon nm 1 Poisson des eaux courantes. 2 TECH Pièce servant à assembler deux éléments.

goulag nm Camp de travail forcé, en U.R.S.S.

goulasch ou **goulache** nm Ragoût hongrois épicé avec du paprika.

goule nf Vampire femelle.

goulet nm Chenal, entrée d'un port.

gouleyant, ante a Frais et léger (vin).

goulot nm Col d'un vase, d'une bouteille à orifice étroit. *Boire au goulot.*

goulu, ue a, n Vorace, glouton.

goupil [-pi] nm Litt Renard.

goupille nf Tige métallique servant à immobiliser une pièce.

goupiller vt 1 Fixer avec une goupille. 2 Fam Arranger, manigancer.

goupillon nm 1 Tige garnie de poils pour nettoyer des bouteilles. 2 Instrument qui sert à asperger d'eau bénite.

gourance ou **gourante** nf Pop Erreur.

gourbi nm 1 Cabane en Afrique du Nord. 2 Fam Logement sale et exigu.

gourd, gourde a Engourdi par le froid.

gourde nf 1 Récipient portatif pour conserver la boisson. 2 Monnaie de Haïti. ■ a, nf Niais, maladroit. *Avoir l'air gourde. Quelle gourde !*

gourdin nm Gros bâton noueux.

gourer (se) vpr Pop Se tromper.

gourmand, ande a, n Qui aime la bonne chère. ■ a Avide, exigeant.

gourmander vt Litt Réprimander sévèrement.

gourmandise nf 1 Caractère gourmand. 2 Friandise.

gourmet nm Connaisseur en vins, en cuisine.

gourmette nf Bracelet formé d'une chaîne à mailles aplaties.

gourou nm Maître à penser.

gousse nf Fruit sec des légumineuses. Loc *Gousse d'ail :* partie d'une tête d'ail.

gousset nm Petite poche de pantalon ou de gilet.

goût nm 1 Sens par lequel on perçoit les saveurs. 2 Saveur d'un aliment. 3 Appétit, désir. *Il n'a pas de goût pour rien.* 4 Faculté de discerner et d'apprécier le beau. *Il n'a aucun goût.* 5 Plaisir éprouvé à faire qqch. *Avoir le goût de la lecture.* Loc *De mauvais goût :* grossier. *De bon goût :* beau.

goûter vt 1 Apprécier par le sens du goût. *Goûter un vin.* 2 Aimer, savourer. *Ne pas goûter une plaisanterie.* ■ vti 1 Boire ou manger un peu d'une chose. *Goûter à un plat.* 2 Tâter de. *Il a goûté d'un peu tous les métiers.* ■ vi Prendre une collation au milieu de l'après-midi. ■ nm Collation au milieu de l'après-midi.

goûteux, euse a Qui a de la saveur.

goutte nf 1 Toute petite quantité de liquide, de forme arrondie. 2 Petite quantité de liquide. 3 Maladie caractérisée par des atteintes articulaires dues à l'acide urique. ■ pl Médicaments qui s'administrent aux gouttes.

goutte-à-goutte nm inv MED Appareil qui sert à la perfusion.

gouttelette nf Petite goutte.

goutter vi Laisser tomber des gouttes ; couler goutte à goutte.

gouttière nf 1 Conduit qui sert à recueillir les eaux de pluie le long d'une toiture. 2 Appareil qui sert à immobiliser un membre fracturé. Loc *Chat de gouttière :* de race indéfinie.

gouvernail nm Dispositif à l'arrière d'un navire, d'un avion, permettant de les diriger.

gouvernant, ante a Qui gouverne. ■ nf 1 Vx Femme chargée de garder, d'éduquer des enfants. 2 Femme qui tient la maison d'une personne seule.

gouverne nf Organes servant à diriger un avion. Loc Litt *Pour votre gouverne :* pour vous informer.

gouvernement nm 1 Action de gouverner, d'administrer. 2 Régime politique d'un État. *Un gouvernement républicain.* 3 Ensemble des ministres. *Entrer au gouvernement.*

gouvernemental, ale, aux a Du gouvernement. *Décision gouvernementale.*

gouverner vt 1 Administrer, avoir la conduite d'un pays, d'un État. 2 Diriger un bateau. 3 LING Régir tel cas ou tel mode.

gouverneur nm Qui gouverne un territoire, une place militaire.

gouvernorat nm Division administrative de certains pays.

goy ou **goï** nm Pour les Israélites, non-juif. *Des goys ou des goïm.*

goyave nf Fruit comestible du goyavier.

goyavier nm Arbre tropical.

GPL nm Abrév de *gaz de pétrole liquéfié.*

GPS nm Appareil relié à des satellites et permettant de se positionner précisément sur la Terre.

grabat nm Litt Très mauvais lit.

grabataire n Malade, vieillard qui ne peut quitter son lit.

grabatisation nf Fait de devenir grabataire.

grabuge nm Pop Dispute, bagarre.

grâce nf 1 Faveur accordée volontairement. 2 Remise de peine. 3 Don surnaturel accordé par Dieu en vue du salut. 4 Attrait, agrément, charme, élégance de qqn. Loc *De bonne grâce :* de bon gré. *De mauvaise grâce :* à contrecœur. *Grâce à :* avec l'aide de. ■ pl Loc *Action de grâces :* remerciements à Dieu. ■ interj Pitié !

gracier vt Commuer la peine d'un condamné.

gracieusement av 1 Aimablement. 2 Avec charme. 3 Gratuitement.

gracieux, euse a 1 Qui a du charme. 2 Aimable. 3 Gratuit.

gracile a Litt De forme élancée et délicate.

gradation nf Augmentation ou diminution progressive et par degrés.

grade nm 1 Degré dans la hiérarchie. 2 GEOM Unité d'arc et d'angle (symbole gr).

gradé, ée a, n Qui a un grade dans l'armée.

gradient nm PHYS Taux de variation d'une grandeur en fonction d'un paramètre.

gradin nm Banc ou marche étagé dans un stade, un amphithéâtre.

graduation nf Division en degrés, en repères.

gradué, ée a 1 Progressif. *Exercices gradués.* 2 Muni d'une graduation. *Règle graduée.*

graduel, elle a Qui va par degrés, progressif.

graduer vt 1 Augmenter par degrés. 2 Diviser en degrés l'échelle d'un instrument de mesure.

graffiter vt Dessiner sur les murs.

graffiteur, euse n, a Qui graffite.

graffiti nm Dessin, inscription, slogan, etc., tracé sur les murs.

graillon nm Pop Crachat. Loc *Odeur de graillon :* de graisse ou de viande brûlée.

grain nm 1 Graine ou fruit de céréales. 2 Corps sphérique très petit. 3 Aspect rugueux, inégal d'une surface. *Le grain d'un cuir.* 4 Bref coup de vent accompagné d'averses. Loc Fam *Avoir un grain :* être un peu fou. *Grain de beauté :* petite tache sur la peau. Fam *Mettre son grain de sel :* intervenir sans en avoir été prié. *Veiller au grain :* être sur ses gardes.

graine nf Organe de reproduction des plantes, enfermé dans leur fruit. Loc *Mauvaise graine :* mauvais sujet. *En prendre de la graine :* prendre en exemple. Fam *Casser la graine :* manger.

graineterie nf Magasin du grainetier.

grainetier, ère n Qui vend des graines.

graissage nm Action de graisser, de lubrifier.

graisse nf 1 Substance onctueuse d'origine animale, végétale ou minérale. 2 PHYSIOL Tissu adipeux ; embonpoint. 3 Altération avec des vins. 4 Épaisseur du trait d'un caractère d'imprimerie.

graisser vt 1 Frotter de graisse. *Graisser ses bottes.* 2 Souiller de graisse. Loc Fam *Graisser la patte :* soudoyer qqn des pots-de-vin.

graisseux, euse a 1 De la nature de la graisse. 2 Taché de graisse.

graminée ou **graminacée** nf Plante monocotylédone à tige creuse (chaume), aux fruits farineux, telle que les céréales, la canne à sucre, le bambou.

grammaire nf 1 Étude de la morphologie et de la syntaxe d'une langue. 2 Livre de grammaire.

grammairien, enne n Spécialiste de grammaire.

grammatical, ale, aux a Propre, conforme à la grammaire.

gramme nm 1 Millième partie du kilogramme. 2 Quantité minime.

grana nf Variété de parmesan.

grand, grande a, n 1 De taille élevée. Un grand arbre. 2 Qui a atteint la taille adulte. 3 Qui a une importance politique, sociale. Un grand de ce monde. ■ a 1 Qui occupe beaucoup d'espace. Une grande ville. 2 Intense. Un grand froid. 3 Important. Les grandes dates. La grande bourgeoisie. Loc **Grand jour** : plein jour. **Grand air** : air libre. **Grand frère, grande sœur** : frère, sœur aînés. ■ pl Les grandes puissances. ■ av Loc **En grand** : sur une grande échelle.

grand-angle ou **grand-angulaire** nm Objectif qui couvre un angle très important. Des grands-angles, des grands-angulaires.

grand-chose pr indéf Loc **Pas grand-chose** : peu de chose, presque rien.

grand-croix nf inv Grade le plus élevé dans les principaux ordres de chevalerie (ex. : la Légion d'honneur). ■ nm Dignitaire qui est arrivé à ce grade. Des grands-croix.

grand-duc nm Titre d'un prince souverain de quelques pays. Des grands-ducs.

grand-duché nm Pays dont le souverain est un grand-duc, une grande-duchesse. Des grands-duchés.

grande-duchesse nf 1 Femme, fille d'un grand-duc. 2 Souveraine d'un grand-duché. Des grandes-duchesses.

grandement av 1 Beaucoup, tout à fait. Avoir grandement tort. 2 Litt Avec générosité.

grandeur nf 1 Caractère grand, étendue, importance. La grandeur d'un palais. Gran-

deur d'un forfait. 2 Dignité, noblesse morale. Grandeur d'âme. 3 MATH Tout ce à quoi on peut affecter une valeur, dans un système d'unités de mesure. Loc **Grandeur nature** : aux dimensions réelles.

grand-guignol nm inv Mélodrame horrible.

grandiloquence nf Éloquence pompeuse, emphase.

grandiloquent, ente a Pompeux, emphatique. Discours grandiloquent.

grandiose a Imposant, majestueux.

grandir vi Devenir plus grand, croître, augmenter. ■ vt Rendre plus grand, faire paraître plus grand.

grand-maman nf Grand-mère. Des grand(s)-mamans.

grand-mère nf Mère du père ou de la mère. Des grand(s)-mères.

grand-messe nf 1 Messe chantée solennelle. 2 Manifestation destinée à affirmer la cohésion d'un groupe social. Des grand(s)-messes.

grand-oncle nm Frère d'un des grands-parents. Des grands-oncles.

grand-papa nm Grand-père. Des grands-papas.

grand-peine (à) av Très difficilement.

grand-père nm Père du père ou de la mère. Des grands-pères.

grand-rue nf Rue principale d'un village, d'un bourg. Des grand(s)-rues.

grands-parents nmpl Le grand-père et la grand-mère paternels et maternels. Des grands-parents.

grand-tante nf Sœur d'un des grands-parents. Des grand(s)-tantes.

grand-voile nf Voile principale du grand mât. Des grand(s)-voiles.

grange nf Bâtiment où on abrite les récoltes.

granite ou **granit** nm Roche cristalline composée de quartz, de feldspath et de mica.

granité, ée a Qui présente un aspect grenu. ■ nm 1 Tissu à gros grains. 2 Sorbet granuleux.

granitique a De granit.

granivore a, nm ZOOL Qui se nourrit de graines (oiseau).

granny-smith [-smis] *nf inv* Pomme à peau verte, à chair ferme.

granulaire *a* Composé de petits grains.

granulat *nm* Constituant du béton.

granule *nm* Petit grain ou petite pilule.

granulé *nm* Médicament présenté en petits grains.

granuleux, euse *a* Formé de petits grains.

granulocyte *nm* BIOL Leucocyte polynucléaire.

granulome *nm* MED Tumeur inflammatoire bénigne.

granulométrie *nf* Mesure de la taille des particules constituant un sol, une roche, une substance pulvérulente.

grape-fruit [gʀɛpfʀut] *nm* Pamplemousse. *Des grape-fruits.*

graphe *nm* MATH Ensemble de points dont certains couples sont reliés par une ligne orientée (flèche) ou non (arête).

graphème *nm* LING Unité distinctive minimale d'un système d'écriture.

grapheur *nm* INFORM Logiciel de gestion de graphiques.

graphie *nf* Manière d'écrire un mot.

graphiose *nf* Maladie de l'orme.

graphique *a* Relatif aux procédés d'impression. ■ *nm* Tracé du diagramme, d'un plan, d'une coupe.

graphisme *nm* **1** Façon particulière d'écrire de qqn. **2** Manière de dessiner.

graphiste *n* Dessinateur spécialisé dans les arts graphiques.

graphite *nm* Carbone naturel, presque pur.

graphologie *nf* Examen de l'écriture manuscrite, afin de définir sa personnalité.

grappa *nf* Eau-de-vie italienne.

grappe *nf* **1** Ensemble de fleurs ou de fruits portés sur une tige commune. **2** Groupe de personnes serrées les unes contre les autres.

grappiller *vt* **1** Cueillir de-ci, de-là, par petites quantités. **2** Récolter au hasard. *Grappiller des informations.* **3** Réaliser de petits profits.

grappin *nm* Petite ancre à branches recourbées. **Loc** *Fam Jeter, mettre le grappin sur qqn :* l'accaparer.

gras, grasse *a* **1** Constitué de graisse, qui en contient. **2** Qui a beaucoup de graisse (êtres vivants). *Personne grosse et grasse.* **3** Souillé, maculé de graisse. *Papiers gras.* **4** Épais. *Encre grasse. Trait gras.* **5** (av. le n) Abondant, riche. *Gras pâturages.* **6** Grossier, obscène. *Une grasse plaisanterie.* **Loc** *Faire la grasse matinée :* se lever tard. *Voix grasse :* pâteuse. *Toux grasse :* avec des expectorations. *Plantes grasses :* à feuilles épaisses. ■ *nm* Partie grasse, charnue. *Le gras de la jambe.*

gras-double *nm* Membrane comestible de l'estomac du bœuf. *Des gras-doubles.*

grassement *av* Largement, généreusement.

grasseyer *vi* Prononcer la lettre « r » du fond de la gorge.

grassouillet, ette *a* Dodu.

gratifiant, ante *a* Qui satisfait, valorise.

gratification *nf* **1** Somme d'argent accordée en plus du salaire. **2** Sentiment de valorisation du sujet à ses propres yeux.

gratifier *vt* **1** Accorder un don, une faveur. *Gratifier qqn d'une pension.* **2** Donner psychologiquement satisfaction.

gratin *nm* **1** Croûte grillée faite de chapelure ou de fromage râpé ; mets ainsi recouvert. **2** *Fam* La haute société.

gratiné, ée *a* **1** Cuit au gratin. **2** *Fam* Singulier, osé. ■ *nf* Soupe à l'oignon gratinée.

gratiner *vi* Se former en gratin. ■ *vt* Accommoder au gratin.

gratis [-tis] *av, a inv* Gratuitement.

gratitude *nf* Reconnaissance pour un service rendu.

gratte *nf* *Fam* Petit profit illicite.

gratte-ciel *nm inv* Immeuble d'une très grande hauteur.

gratte-cul *nm* Fruit de l'églantier. *Des gratte-culs.*

gratte-papier *nm inv* *Fam* Petit employé de bureau.

gratter *vt* **1** Racler une surface avec un instrument, avec les ongles. **2** Faire disparaître en raclant. *Gratter une inscription.* **3** Causer des démangeaisons. **4** Fam Distancer à la course. **5** Fam Faire de menus profits. ■ vi Pop Travailler.

gratteron ou **grateron** nm Plante dont la tige et les fruits sont couverts de poils.

grattoir nm **1** Outil pour gratter, effacer. **2** Frottoir d'une boîte d'allumettes.

gratton nm CUIS Petit morceau de porc cuit dans la graisse. Syn. friton.

gratuit, uite a **1** Qu'on donne sans faire payer ; qu'on reçoit sans payer. **2** Sans fondement. *Supposition gratuite.*

gratuité nf Caractère gratuit.

gratuitement av **1** Sans payer. **2** Sans motif.

grau nm Chenal entre un étang et la mer.

gravats nmpl Débris provenant de démolitions.

grave a **1** Qui peut avoir des conséquences funestes. *Grave maladie. Situation grave.* **2** Sérieux, digne. *Des personnages graves. Une figure grave.* Loc *Accent grave :* tourné de gauche à droite (ex. : à, père). ■ a, nm Bas dans l'échelle tonale (sons). *Une voix grave. Haut-parleur de graves.*

graveleux, euse a Licencieux et vulgaire. *Chanson graveleuse.*

graver vt **1** Tracer en creux sur une surface dure. **2** Rendre durable.

graves nfpl Terrain de sable et de gravier, dans le Bordelais. ■ nm Vin récolté sur ces terrains.

graveur, euse n Artiste, professionnel qui grave, fait des gravures.

gravide a En état de gestation.

gravier nm Très petits cailloux.

gravillon nm Gravier fin et anguleux obtenu par concassage.

gravillonner vt Couvrir de gravillon.

gravir vt Parcourir en montant avec effort ; escalader.

gravitation nf PHYS Attraction universelle, qui s'exerce entre tous les corps.

gravité nf **1** Pesanteur, force de gravitation. **2** Attitude grave, réservée. **3** Importance, sérieux. *La gravité de la blessure.* Loc PHYS *Cen-*

tre de gravité : point d'application de la résultante des forces de pesanteur s'exerçant en chaque point de ce corps.

graviter vi **1** Décrire une orbite autour de. **2** Évoluer dans l'entourage de qqn.

gravure nf **1** Action, art de graver. **2** Estampe, image, illustration.

gré nm Loc *Au gré de qqn :* à son goût. *Au gré des événements :* sans pouvoir modifier le cours des choses. *De son plein gré, de bon gré :* sans être contraint. *De bon gré à :* à l'amiable. *Contre le gré de :* contre la volonté de. *Bon gré, mal gré :* qu'on le veuille ou non, malgré soi. *Savoir gré à qqn de qqch :* lui en être reconnaissant.

grèbe nm Oiseau aquatique piscivore.

grec, grecque a, n De la Grèce. ■ nm Langue indo-européenne parlée en Grèce. ■ nf Ornement formé d'une suite de lignes brisées.

gréco-latin, ine a Propre au grec et au latin.

gréco-romain, aine a Commun aux Grecs et aux Romains. Loc *Lutte gréco-romaine :* qui n'admet que les prises au-dessus de la ceinture.

gredin, ine n Crapule.

gréement [gremɑ̃] nm Ensemble des voiles, de la mâture et des haubans d'un voilier.

green [grin] nm Aire gazonnée qui entoure un trou, au golf.

gréer vt Munir un bateau de son gréement.

1. greffe nm Lieu où sont déposées les minutes de jugements et où se font les déclarations des procédures.

2. greffe nf **1** Opération qui consiste à insérer une partie d'une plante (œil, branche, bourgeon), appelée *greffon*, dans une autre plante ; le greffon lui-même. **2** CHIR Transplantation d'un tissu, d'un organe ; tissu, organe transplanté.

greffer vt Faire une greffe. ■ vpr Se développer sur.

greffier, ère n Fonctionnaire préposé au greffe, et qui assiste les magistrats.

greffon nm Partie d'une plante, tissu, organe destinés à être greffés.

grégaire a Qui vit ou se développe en groupe. Loc **Instinct grégaire :** qui pousse à se grouper.

grégarisme nm Instinct grégaire.

grège a Loc **Soie grège :** brute, telle qu'elle sort du cocon. ■ a, nm Beige tirant sur le gris.

grégorien, enne a Loc **Chant grégorien :** musique liturgique de l'Église romaine. **Calendrier grégorien :** calendrier julien réformé par le pape Grégoire XIII.

1. grêle a **1** Long et menu. Jambes grêles. **2** Aigu et faible. Voix grêle. Loc **Intestin grêle :** partie longue et mince de l'intestin.

2. grêle nf **1** Pluie de petits glaçons de forme arrondie. **2** Chute abondante de qqch.

grêlé, ée a **1** Endommagé par la grêle. **2** Marqué par la variole.

grêler v impers Tomber (grêle).

grêlon nm Glaçon de la grêle.

grelot nm Boule métallique creuse contenant un morceau de métal qui la fait tinter.

grelotter vi Trembler de froid, de peur.

greluche nf Fam Jeune femme sotte.

grenache nm **1** Cépage noir du sud de la France. **2** Vin doux fait avec ce cépage.

grenade nf **1** Fruit du grenadier. **2** Projectile explosif, lancé à la main ou avec un fusil.

grenadier nm **1** Arbre méditerranéen dont le fruit est la grenade. **2** Soldat spécialement entraîné au lancement des grenades.

grenadille nf Fruit tropical d'une passiflore.

grenadin nm **1** Tranche de veau fine piquée de lard. **2** Variété d'œillet.

grenadine nf Sirop à base de jus de grenade.

grenaille nf Métal réduit en menus grains.

grenat nm Pierre précieuse de couleur pourpre. ■ a inv De couleur rouge sombre.

grenier nm **1** Lieu où l'on conserve le grain, le fourrage. **2** L'étage le plus élevé d'une maison, sous les combles.

grenouillage nm Fam Combines douteuses.

grenouille nf Batracien sauteur et nageur. Loc Fam **Manger la grenouille :** s'approprier des fonds communs, la caisse.

grenouillère nf **1** Marécage peuplé de grenouilles. **2** Combinaison pour bébé.

grenu, ue a Marqué de grains, d'aspérités. Cuir grenu.

grès nm **1** Roche sédimentaire formée de grains de sable agglomérés par un ciment. **2** Céramique dure.

gréseux, euse a Du grès.

grésil nm Pluie de petits granules de glace.

grésillement nm Léger crépitement.

grésiller vi Crépiter légèrement. Loc Il grésille : il tombe du grésil.

gressin nm Petit pain allongé et croquant.

grève nf **1** Plage de gravier, de sable. **2** Cessation de travail concertée.

grever vt **15** Soumettre à de lourdes servitudes financières.

gréviste n, a Qui fait grève.

gribouillage ou **gribouillis** nm Dessin informe ; écriture mal formée.

gribouiller vt, vi Faire des gribouillages.

grief nm Motif de plainte.

grièvement av Blesser grièvement : gravement.

griffe nf **1** Ongle acéré et crochu de certains animaux. **2** Marque commerciale. La griffe d'un grand couturier. **3** Signature caractéristique de qqn.

griffer vt **1** Égratigner. Le chat l'a griffé. **2** Marquer d'une griffe. Vêtement griffé.

griffon nm **1** MYTH Lion ailé à bec et à serres d'aigle. **2** Chien à poils longs.

griffonner vt Écrire peu lisiblement.

griffu, ue a Armé de griffes.

griffure ou **griffade** nf Coup de griffe.

grignotage ou **grignotement** nm Action de grignoter.

grignoter vt **1** Manger par très petites quantités. **2** Diminuer, détruire peu à peu. Grignoter son héritage. **3** Gagner peu à peu. Grignoter quelques secondes.

grigou nm Fam Avare.

gri-gri ou **gris-gris** nm Amulette, talisman, en Afrique noire. Des gris-gris ou des grigris.

gril nm Ustensile de cuisine pour faire rôtir de la viande. Loc Fam **Être sur le gril :** angoisse.

grill. V. grill-room.

grillade nf Viande grillée.

grillage nm Treillis métallique.

grillager vt Garnir d'un grillage.

grille nf 1 Clôture de barreaux à claire-voie. 2 Document servant à coder ou à décoder un message. 3 Support, tableau quadrillé. Grille de mots croisés. 4 Tableau de répartition. Grille des programmes, des salaires.

grillé, ée a Fam Démasqué.

grille-pain nm inv Appareil servant à faire griller des tranches de pain.

griller vt 1 Rôtir sur le gril. Griller du poisson. 2 Torréfier. Griller du café. 3 Chauffer vivement ; dessécher. Les vents grillaient la végétation. 4 Fam Mettre hors d'usage. Griller une lampe. 5 Fam Dépasser sans s'arrêter. Griller un feu rouge. Griller les étapes. 6 Fam Démasquer. Loc Fam Griller une cigarette : la fumer. ■ vi 1 Cuire sur le gril. 2 Avoir très chaud. ■ vti Être très désireux de. Il grillait de tout lui raconter.

grillon nm Insecte sauteur.

grill-room [gʀilʀum] ou **grill** nm Restaurant où se sert des grillades. Des grill-rooms.

grimace nf Contorsion du visage pour exprimer un sentiment.

grimacer vi, vt 10 Faire des grimaces.

grimacier, ère a, n Qui fait des grimaces.

grimer vt Maquiller un acteur.

grimoire nm Ouvrage confus et illisible.

grimpant, ante a Loc Plante grimpante : dont la tige s'accroche par des vrilles.

grimpe nf Fam Escalade.

grimper vi 1 Monter en s'aidant des pieds et des mains. 2 Monter sur un lieu élevé. 3 Augmenter rapidement et fortement. Les cours ont grimpé. ■ vt Gravir. Il grimpa les étages. ■ nm Exercice par lequel on grimpe à la corde.

grimpette nf Chemin qui grimpe fort.

grimpeur, euse n 1 Coureur cycliste qui monte bien les côtes. 2 Qui pratique l'escalade.

grincement nm Fait de grincer.

grincer vi 10 Produire par frottement un bruit strident et désagréable. Loc Grincer des dents : manifester sa rage, son dépit.

grincheux, euse a Fam Grognon.

gringalet nm Homme petit et fluet.

gringo [gʀin-] nm En Amérique latine, étranger, en partic. Américain du Nord.

gringue nm Loc Pop Faire du gringue à : faire la cour à.

griot nm Poète musicien en Afrique noire.

griotte nf Petite cerise noire aciduleé.

grippal, ale, aux a De la grippe.

grippe nf Maladie infectieuse, épidémique due à un virus. Loc Prendre en grippe : avoir de l'antipathie pour.

grippé, ée a, n Qui a la grippe.

gripper vi, vpr Adhérer, se bloquer (pièces d'une machine).

grippe-sou nm Fam Avare. Des grippe-sous.

gris, grise, a nm D'une couleur résultant d'un mélange de blanc et de noir. ■ a 1 Terne, triste. Faire grise mine. 2 Éméché. Loc Temps gris : brumeux, couvert. Fam Matière grise : intelligence, réflexion. Vin gris : rosé.

grisaille nf Caractère terne, morne. La grisaille quotidienne.

grisâtre a Qui tire sur le gris.

grisbi nm Pop Argent, magot.

grisé nm Teinte grise.

griser vt 1 Colorer de gris. 2 Enivrer. 3 Exciter. Le succès l'a grisé.

griserie nf Exaltation, enivrement.

grisoller vi Chanter (alouette).

grisonner vi Devenir gris (barbe, cheveux).

grisou nm Méthane libéré par la houille. Loc Coup de grisou : explosion du grisou.

grive nf Passereau proche du merle.

grivèlerie nf Délit consistant à consommer dans un restaurant ce qu'on ne pourra pas payer.

grivois, oise a Licencieux.

grizzly nm ou **grizzli** nm Grand ours gris des montagnes Rocheuses.

grœnendael [gʀɔnendal] nm Chien de berger belge à poil long.

groenlandais, aise a, n Du Groenland.

grog nm Boisson composée de rhum, d'eau chaude sucrée et de citron.

groggy a inv 1 Qui a perdu en partie conscience (boxeur). 2 Étourdi par un choc.

grognard nm Soldat de la vieille garde sous le premier Empire.

grogne nf Fam Mécontentement.

grognement nm 1 Cri du porc, du sanglier. 2 Grondement de protestation.

grogner vi 1 Émettre un grondement sourd (porc, sanglier). 2 Exprimer son mécontentement.

grognon, onne a, n Maussade, bougon.

groin nm Museau du porc, du sanglier.

grole ou **grolle** nf Pop Chaussure.

grommeler vi, vt 18 Se plaindre, murmurer entre ses dents. *Grommeler des injures.*

grondement nm Bruit sourd et prolongé.

gronder vi 1 Faire entendre un son sourd. 2 Menacer. *La révolte gronde.* ■ vt Réprimander un enfant.

grondin nm Poisson marin à tête volumineuse.

groom [grum] nm Jeune employé d'un hôtel.

gros, grosse a Important en volume, en surface, en épaisseur, en corpulence, en intensité. *Un gros chat. Faire de grosses taches. Une grosse fièvre. Remporter le gros lot.* Loc **Mer grosse :** dont les vagues atteignent 6 à 9 m. *Gros temps :* mauvais temps. *Gros rire :* vulgaire. ■ av 1 Beaucoup. *Gagner gros.* 2 En grand. *Écrire gros.* Loc **En gros :** sans donner de détails. ■ nm 1 La partie la plus importante. *Le gros de l'affaire.* 2 Vente par grandes quantités. *Prix de gros.*

groseille nf Petite baie rouge, fruit du groseillier.

groseillier nm Arbuste qui donne des groseilles.

gros-grain nm Tissu soyeux à grosses côtes. *Des gros-grains.*

gros-porteur nm Avion de grande capacité. *Des gros-porteurs.*

grosse nf 1 DR Copie d'une décision judiciaire ou d'un acte notarié revêtue de la formule exécutoire. 2 Douze douzaines.

grossesse nf État de la femme enceinte, qui dure neuf mois.

grosseur nf 1 Volume, taille. 2 Corpulence. 3 Enflure sous la peau.

grossier, ère a 1 Sans finesse, de mauvaise qualité. *Tissu grossier.* 2 Sommaire, rudimentaire. *Imitation grossière.* 3 Qui dénote l'ignorance. *Faute grossière.* 4 Contraire aux bienséances ; impoli. *Réponse grossière.*

grossièreté nf Parole ou action grossière.

grossir vi 1 Prendre de l'embonpoint. 2 Devenir plus important ; augmenter. *Le troupeau grossit.* ■ vt Rendre plus gros ; accroître. *Les pluies grossissent le torrent. Grossir les dangers.*

grossissement nm Action de grossir.

grossiste n Commerçant en gros.

grosso modo av Approximativement.

grotesque a Ridicule, bizarre, extravagant.

grotte nf Excavation profonde dans la roche.

grouiller vi 1 S'agiter en tous sens. 2 Fourmiller, être plein de. *Ce fromage grouille de vers.* ■ vpr Fam Se hâter.

grouillot nm Fam Garçon de courses.

groupage nm 1 Réunion de colis vers un même destinataire. 2 Détermination du groupe sanguin.

groupe nm 1 Ensemble de personnes ou de choses ayant certaines caractéristiques en commun. *Un groupe de curieux. Un groupe de maisons. Un groupe de travail. Un groupe parlementaire. Un groupe financier, industriel.* 2 Petit orchestre, formation. Loc **Groupe sanguin :** classement des individus selon certaines propriétés du sang (pour les transfusions).

groupement nm 1 Action de grouper. 2 Réunion de personnes ayant un intérêt commun. *Groupement politique.*

grouper vt Réunir en un groupe. *Grouper des envois.* ■ vpr S'assembler.

groupie n Fanatique d'un artiste, d'un homme politique, etc.

groupuscule nm Groupement politique comportant un très petit nombre d'adhérents.

grouse nf Oiseau gallinacé d'Écosse.

gruau nm Loc **Farine de gruau :** fine fleur de farine.

grue nf 1 Oiseau migrateur de grande taille. 2 Pop Prostituée. 3 Engin de levage de grande dimension. Loc Fam *Faire le pied de grue* : attendre longtemps debout.

gruger vt 1 Tromper, duper.

grume nf Tronc d'arbre ébranché, non écorcé.

grumeau nm Petite masse solide coagulée.

grumeleux, euse a Plein de grumeaux.

grumier nm Camion ou bateau conçu pour transporter des grumes.

grutier nm Conducteur de grue.

gruyère nm Fromage cuit d'origine suisse.

GSM nm (Abrév. de *groupes systèmes mobiles*). Téléphone portable.

guadeloupéen, enne [gwa-] a, n De la Guadeloupe.

guano [gwa-] nm Engrais d'origine animale.

guarani [gwa-] nm Langue indienne du Paraguay.

guatémaltèque [gwa-] a, n Du Guatemala.

gué nm Endroit d'une rivière où on peut passer à pied.

guéable a Qu'on peut passer à gué.

guéguerre nf Fam Petite guerre.

guelte nf COMM Pourcentage accordé à un vendeur sur ses ventes.

guenille nf Vêtement déchiré.

guenon nf Femelle du singe.

guépard nm Mammifère carnassier d'Afrique tropicale, très rapide.

guêpe nf Insecte social à l'abdomen jaune rayé de noir. Loc *Taille de guêpe* : taille très fine.

guêpier nm 1 Nid de guêpes. 2 Oiseau au plumage de couleurs vives. Loc *Se fourrer dans un guêpier* : dans une mauvaise affaire.

guère av Loc *Ne... guère* : peu, pas beaucoup.

guéret nm Terre labourée et non ensemencée.

guéridon nm Petite table ronde à un seul pied.

guérilla nf 1 Guerre de partisans. 2 Fam Harcèlement permanent.

guérillero nm Partisan, franc-tireur.

guérir vt 1 Délivrer d'une maladie, d'un mal. 2 Faire cesser une maladie. *Guérir une angine*. ■ vi, vpr 1 Recouvrer la santé. *Il a guéri (s'est guéri) en huit jours*. 2 Cesser (maladie).

guérison nf Recouvrement de la santé.

guérisseur, euse n Qui traite par des méthodes extramédicales.

guérite nf Abri d'une sentinelle, d'un gardien.

guerre nf 1 Conflit armé entre des nations, des États, des groupes humains. 2 Lutte avec d'autres moyens que les armes. *Guerre psychologique, économique*. Loc *Guerre civile* : entre citoyens d'un même pays. *Guerre froide* : tension vive entre États. *Guerre sainte* : menée au nom d'un idéal religieux. *De bonne guerre* : légitimement. *De guerre lasse* : après une longue résistance.

guerrier, ère a 1 Propre à la guerre ; belliqueux. *Humeur guerrière*. ■ nm Litt Soldat.

guerroyer vi 22 Litt Faire la guerre.

guet nm Loc *Faire le guet* : guetter.

guet-apens [getapɑ̃] nm Embûche, traquenard. *Des guets-apens*.

guêtre nf Jambière d'étoffe ou de cuir. Loc Fam *Traîner ses guêtres* : flâner.

guetter vt Épier, être à l'affût.

gueulante nf Pop Cri de colère, de protestation.

gueulard, arde a, n Pop Braillard. ■ nm Orifice de chargement d'un haut-fourneau.

gueule nf 1 Bouche des animaux. 2 Fam Bouche, visage humain. 3 Ouverture (d'un canon). Loc *Gueule noire* : mineur. *Ta gueule !* : silence ! *Fine gueule* : gourmet. *Avoir la gueule de bois* : la bouche pâteuse après s'être enivré. *Grande gueule* : braillard inactif.

gueule-de-loup nf Muflier. *Des gueules-de-loup*.

gueuler vt, vi Fam Crier très fort.

gueuleton nm Fam Festin.

gueuse nf Lingot de fonte.

gueux, gueuse n Litt Vagabond.

gueuze nf Bière belge forte.

guèze nm Langue liturgique des chrétiens d'Éthiopie.

gugusse nm Fam Clown.

gui nm Plante parasite de certains arbres.

guibolle ou **guibole** nf Fam Jambe.

guiches nfpl Mèches de cheveux frisés.

guichet nm Comptoir dans une poste, une banque, un théâtre, etc., derrière lequel se tient un employé.

guichetier, ère n Préposé à un guichet.

guidage nm Action de guider un avion, une fusée, etc.

guide n 1 Qui montre le chemin, qui fait visiter. 2 Qui conduit qqn, un groupe en montagne. ■ nm 1 Qui dirige, conseille qqn. 2 Ouvrage didactique. ■ nf Jeune fille faisant partie d'un groupe de scoutisme. ■ nfpl Longue rêne servant à diriger les chevaux.

guider vt 1 Conduire, montrer le chemin à. 2 Diriger, mener, faire agir. _L'ambition le guide._ ■ vpr Se diriger d'après un point de repère. _Se guider sur l'étoile polaire._

guidon nm Tube métallique cintré orientant la roue avant d'un deux-roues.

guigne nf 1 Cerise noirâtre à chair ferme. 2 Fam Malchance. _J'ai la guigne !_

guigner vt 1 Regarder du coin de l'œil. 2 Fam Convoiter. _Il guigne ma place._

guignol nm 1 Marionnette. 2 Théâtre de marionnettes. 3 Qui fait l'idiot, pitre.

guignolet nm Liqueur de cerise.

guilde nf Association commerciale ou culturelle.

guilledou nm Loc Fam _Courir le guilledou :_ rechercher des aventures galantes ; draguer.

guillemet nm Signe typographique double (« ») servant à mettre en valeur un mot ou à indiquer une citation.

guillemot nm Oiseau marin voisin du pingouin.

guilleret, ette a Vif, gai, leste.

guillotine nf Instrument destiné à trancher la tête des condamnés à mort. Loc _Fenêtre à guillotine :_ dont le châssis glisse verticalement entre deux rainures.

guillotiner vt Décapiter au moyen de la guillotine.

guimauve nf Plante qui a des propriétés émollientes et sédatives. Loc _Pâte de guimauve :_ confiserie molle.

guimbarde nf 1 Instrument de musique composé d'une languette d'acier qu'on fait vibrer. 2 Fam Vieille voiture.

guincher vi Pop Danser.

guindé, ée a Qui manque de naturel.

guinéen, enne a, n De la Guinée.

guingois (de) av Fam De travers.

guinguette nf Bistrot où on pouvait danser.

guipure nf Étoffe imitant la dentelle et utilisée pour les rideaux.

guirlande nf Ornement en forme de couronne, de feston.

guise nf Loc _À sa guise :_ à son gré, selon son bon plaisir. _En guise de :_ au lieu de.

guitare nf Instrument de musique à cordes pincées.

guitariste n Qui joue de la guitare.

guitoune nf Fam Cabane, tente.

guppy nm Poisson d'aquarium.

gus nm Pop Individu, type.

gustatif, ive a Relatif au goût.

guttural, ale, aux a Du gosier. ■ nf Consonne postérieure, comme [g] ou [k].

guyanais, aise a, n De la Guyane.

1. guyot nm GEOL Volcan sous-marin à sommet plat.

2. guyot nf Variété de poire.

gym nf Fam Gymnastique.

gymkhana nm Épreuves et courses d'obstacles en moto ou en automobile.

gymnase nm Vaste salle pour la pratique de certains sports.

gymnaste n Athlète pratiquant la gymnastique.

gymnastique nf 1 Sport de compétition comprenant divers exercices physiques. 2 Éducation physique. 3 Fam Manœuvres compliquées. Loc _Pas (de) gymnastique :_ pas de course cadencé.

gymnique a De gymnastique.

gymnosperme nf BOT Plante arborescente dont les ovules sont à nu, comme le pin.

gymnote nm Poisson américain qui paralyse ses proies par une décharge électrique.

gynécée *nm* ANTIQ Appartement des femmes.

gynécologie *nf* Étude de l'appareil génital féminin ; spécialité médicale le concernant.

gynécologique *a* De gynécologie.

gynécologue *n* Spécialiste de gynécologie.

gypaète *nm* Très grand vautour.

gypse *nm* Roche saline utilisée pour fabriquer du plâtre.

gyrocompas *nm* Compas utilisé par les avions et les bateaux.

gyromitre *nm* Champignon voisin de la morille, très toxique s'il est consommé cru.

gyrophare *nm* Phare rotatif équipant certains véhicules.

gyroscope *nm* Appareil constitué d'un volant monté dans une armature et dont l'axe de rotation donne une direction invariable de référence.

h

h *nm* Huitième lettre (consonne) de l'alphabet, ne se prononçant pas. L' *h* dit « aspiré », noté ['] empêche la liaison et l'élision par opos. à l' *h* muet. **Loc Heure H :** heure décisive. **Bombe H :** bombe à hydrogène ou thermonucléaire.

ha ! [ʼa] *interj* Var. de ah !

habeas corpus [abeaskɔʀpys] *nm* Loi anglaise qui garantit la liberté individuelle.

habile *a* 1 Qui sait bien exécuter qqch ; adroit, expert. *Être habile en affaires.* 2 Qui témoigne d'une certaine adresse. *Décision habile.*

habileté *nf* Adresse, finesse, dextérité de qqn.

habilitation *nf* DR Action d'habiliter.

habiliter *vt* DR Rendre légalement apte à accomplir une action juridique.

habillage *nm* Action d'habiller qqn, de revêtir qqch.

habillé, ée *a* 1 Vêtu. *Il a dormi tout habillé.* 2 Qui porte des habits de cérémonie, de soirée.

habillement *nm* Ensemble des vêtements.

habiller *vt* 1 Mettre des vêtements à qqn. *Habiller un enfant en costume marin.* 2 Aller (vêtements). *Cette robe l'habille à ravir.* 3 Couvrir, envelopper qqch. *Habiller un meuble d'une housse.* ■ *vpr* 1 Se vêtir. 2 Revêtir des vêtements élégants.

habilleur, euse *n* Qui aide les acteurs à s'habiller et qui s'occupe de leurs costumes.

habit *nm* 1 Costume. 2 Vêtement de cérémonie masculin, noir, à basques et à revers de soie. **Loc Habit vert :** costume officiel des membres de l'Institut. **Prendre l'habit :** se faire religieux, religieuse. ■ *pl* Vêtements. *Des habits de deuil.*

habitabilité *nf* Place qu'offre à ses occupants un logement, une voiture, etc.

habitable *a* Où l'on peut habiter.

habitacle *nm* Partie d'un avion ou d'un vaisseau spatial réservée à l'équipage.

habitant, ante *n* Qui a sa demeure en un endroit. *Une ville de 100 000 habitants.*

habitat *nm* 1 Mode de peuplement d'une région par l'homme. 2 Façon dont sont logés les habitants. *Habitat collectif.* 3 Lieu où l'on rencontre une espèce animale ou végétale.

habitation *nf* Lieu où l'on habite ; maison, logis, demeure.

habité, ée *a* Où il y a des habitants.

habiter *vt* 1 Être installé en un endroit. *Il habite Paris.* 2 Avoir son logement habituel dans. *Habiter une maison au bord de la mer.* ■ *vi* Demeurer, vivre en un endroit. *Elle habite chez ses parents.*

habitude *nf* Manière d'agir acquise par la répétition des mêmes actes ; coutume. *Avoir l'habitude de fumer.* **Loc D'habitude :** ordinairement.

habitué, ée *n* Qui va habituellement en un endroit. *Les habitués de l'Opéra.*

habituel, elle *a* Fréquent, ordinaire.

habituer *vt* Entraîner, accoutumer. ■ *vpr* Prendre l'habitude de. *S'habituer à se lever tôt.*

hâbleur, euse [ʼa] *n, a* Litt Qui parle beaucoup et avec vantardise.

hach. V. hasch.

hache [ʼaʃ] *nf* Instrument pour couper et fendre.

hacher [ʼa-] *vt* 1 Couper en petits morceaux. 2 Détruire en déchiquetant. *La grêle a haché les blés.* 3 Couper, interrompre sans cesse. *Hacher un discours.*

hachette [ʼa-] *nf* Petite hache.

hachis [ʼa-] *nm* Mets fait de viande ou de poisson haché.

hachisch. V. haschisch.

hachoir [ʼa-] *nm* 1 Grand couteau ou appareil à lame servant à hacher la viande, les légumes. 2 Planche sur laquelle on hache la viande.

hachure [ʼa-] *nf* Chacun des traits servant à faire les ombres d'une partie d'un dessin.

hachurer [ʼa-] *vt* Tracer des hachures sur.

hacienda [ʼa-] *nf* Grande exploitation agricole, en Amérique du Sud.

haddock [ʼa-] *nm* Églefin fumé.

hadith [ʼadit] *nm* Récit relatif à la vie de Mahomet, à ses paroles.

hadj ['adʒ] *nm* **1** Musulman qui a fait le pèlerinage à La Mecque. **2** Ce pèlerinage lui-même.

hagard, arde ['a-] *a* Farouche, effaré, hébété.

hagiographe *n* Auteur d'une hagiographie.

hagiographie *nf* Biographie d'un saint.

haie ['ɛ] *nf* **1** Clôture faite d'arbustes ou de branchages. **2** Rangée de personnes ou de choses. *Une haie d'honneur.* **3** Obstacle artificiel disposé pour certaines courses.

haïku ['ajku] *nm* Poème japonais constitué d'un verset.

haillon ['a-] *nm* Vêtement usé, déchiré.

haine ['ɛn] *nf* Aversion violente, dégoût profond.

haineux, euse ['ɛn-] *a* Naturellement porté à la haine ; inspiré par la haine.

haïr ['a-] *vt* 24 Éprouver de la haine ; détester, exécrer.

haïtien, enne *a, n* De Haïti.

halage ['a-] *nm* Action de haler un bateau.

halal *a inv* Conforme aux prescriptions de la religion musulmane (viande).

hâle ['a-] *nm* Teinte brune de la peau sous l'effet du soleil et du grand air.

haleine *nf* Air qui sort des poumons pendant l'expiration. Loc *Tenir en haleine* : retenir l'attention. *De longue haleine* : qui exige beaucoup de temps.

haler ['a-] *vt* **1** Tirer à soi avec force. *Haler un cordage.* **2** Faire avancer un bateau en le tirant.

hâler ['a-] *vt* Rendre le teint plus foncé, brun-rouge ou doré.

haletant, ante ['a-] *a* Essoufflé.

halètement ['a-] *nm* Action de haleter ; bruit saccadé du souffle.

haleter ['a-] *vi* 17 Respirer bruyamment et à rythme précipité, être hors d'haleine.

half-track ['a-] *nm* Véhicule chenillé blindé. *Des half-tracks.*

halieutique *a* De la pêche. ■ *nf* Art de la pêche.

hall ['ol] *nm* Vaste salle située à l'entrée d'un bâtiment. *Le hall d'un hôtel, d'une gare.*

hallali *nm* VEN Sonnerie du cor annonçant que la bête est près de succomber.

halle ['al] *nf* **1** Lieu public où se tiennent un marché, un commerce en gros. ■ *pl* Marché des produits alimentaires d'une ville.

hallebarde ['a-] *nf* Anc Pique à fer tranchant.

hallucinant, ante *a* Fam Très étonnant.

hallucination *nf* Perception imaginaire, onirique ; illusion.

hallucinatoire *a* De l'hallucination.

halluciné, ée *a, n* Qui a des hallucinations.

hallucinogène *nm, a* Substance qui provoque des hallucinations.

halo ['a-] *nm* **1** Auréole diffuse autour d'une source lumineuse. **2** Ce qui semble émaner de. *Un halo de mystère.*

halogène *nm* **1** Corps de la famille du chlore. **2** Lampe à incandescence contenant ce corps.

halte ['a-] *nf* **1** Moment d'arrêt au cours d'une marche. **2** Étape, lieu fixé pour s'arrêter. ■ *interj* Loc *Halte !, halte-là !* : arrêtez !

halte-garderie ['a-] *nf* Crèche admettant des enfants en bas âge pour un court temps. *Des haltes-garderies.*

haltère *nm* Instrument de culture physique constitué de deux disques réunis par une barre.

haltérophilie *nf* Sport des poids et haltères.

halva ['a-] *nm* Confiserie turque à base de sésame et de sucre.

hamac ['a-] *nm* Toile ou filet suspendu par ses deux extrémités, où sert de lit.

hamburger ['ãburgœr] *nm* Bifteck haché servi dans un petit pain rond.

hameau ['a-] *nm* Petit groupe isolé d'habitations rurales, ne formant pas une commune.

hameçon *nm* Petit crochet qu'on fixe au bout d'une ligne pour prendre du poisson. Loc Fam *Mordre à l'hameçon* : se laisser séduire.

hammam ['amam] *nm* Établissement où l'on prend des bains de vapeur.

hématite nf Oxyde de fer naturel, exploité comme minerai de fer.

hématocrite nm MED Volume occupé par les globules rouges du sang.

hématologie nf MED Étude du sang.

hématome nm Épanchement de sang sous la peau. Syn. bleu.

hématopoïèse [-pɔjɛz] nf BIOL Formation des globules du sang.

hématose nf MED Conversion du sang veineux en sang artériel oxygéné.

hématozoaire nm Parasite animal vivant dans le sang, agent du paludisme.

hématurie nf MED Présence de sang dans les urines.

hémicycle nm Salle, espace semi-circulaire généralement entouré de gradins.

hémiplégie nf Paralysie frappant une moitié du corps.

hémiplégique a, n Atteint d'hémiplégie.

hémiptère nm ZOOL Insecte piqueur ou suceur, comme les punaises, les pucerons.

hémisphère nm Moitié d'une sphère. Loc *Hémisphères cérébraux* : les deux moitiés symétriques du cerveau.

hémisphérique a D'un hémisphère.

hémistiche nm LITTER Chacune des deux parties d'un vers coupé par une césure.

hémobiologie nf Spécialité médicale concernant la transfusion sanguine.

hémocompatible a Dont le groupe sanguin est compatible avec un autre.

hémodialyse nf MED Purification du sang.

hémoglobine nf Pigment rouge des hématies.

hémogramme nm MED Étude des cellules et des plaquettes du sang.

hémolyse nf Destruction des globules rouges.

hémopathie nf Maladie du sang.

hémophile a, n Atteint d'hémophilie.

hémophilie nf Maladie héréditaire caractérisée par une absence de coagulation du sang.

hémorragie nf 1 Écoulement de sang hors d'un vaisseau. 2 Déperdition importante. *Hémorragie de capitaux.*

hémorragique a De l'hémorragie.

hémorroïde nf Varice formée par la dilatation des veines de l'anus.

hémostase nf Arrêt d'une hémorragie.

hémostatique a, nm Qui arrête l'hémorragie.

henné ['e-] nm Arbuste exotique dont les feuilles fournissent une teinture jaune ou rouge utilisée pour les cheveux.

hennin ['ɛ-] nm Coiffure de femme au Moyen Âge, formée d'un haut cône tendu d'étoffe.

hennir ['ɛ-] vi Pousser son cri (cheval).

hennissement ['ɛ-] nm Cri du cheval.

hep ! interj Sert à appeler, à héler.

hépatique a ANAT Relatif au foie.

hépatite nf Inflammation du foie.

hépatologie nf MED Étude du foie.

heptagone nm Polygone à sept côtés.

heptathlon nm SPORT Épreuve féminine combinant trois courses et quatre lancers.

héraldique nf Science du blason, des armoiries. ▪ a De l'héraldique.

héraut ['e-] nm Au Moyen Âge, officier chargé de faire des proclamations solennelles.

herbacé, ée a BOT Qui a l'apparence de l'herbe. *Plante herbacée.*

herbage nm Prairie destinée au pâturage.

herbager, ère a Caractérisé par des herbages.

herbe nf 1 Plante fine, verte, non ligneuse, à tige molle. 2 Végétation formée de plantes herbacées. *Couché sur l'herbe.* Loc *Fines herbes* : plantes aromatiques (ciboule, estragon, etc.). *Mauvaises herbes* : nuisibles aux cultures. *Herbe aux chats* : valériane. *En herbe* : non mûr (céréale) ; doué pour une activité (enfant). *Couper l'herbe sous le pied de* (ou à) *qqn* : le devancer en le supplantant.

herbeux, euse a Où il pousse de l'herbe.

herbicide a, nm Qui détruit les mauvaises herbes.

herbier nm 1 Collection de plantes séchées. 2 Prairie sous-marine.

herbivore a, nm Qui se nourrit d'herbes.

herboriser vi Cueillir des plantes pour les étudier, pour constituer un herbier.

herboriste n Qui vend des plantes médicinales.

herboristerie nf Commerce de l'herboriste.

herbu, ue a Où l'herbe est épaisse.

hercule nm Homme d'une force colossale.

herculéen, enne a D'une force colossale.

hercynien, enne a GEOL Se dit des plissements de la fin de l'ère primaire.

hère ['ɛʀ] nm Loc Litt **Pauvre hère** : homme lamentable, misérable.

héréditaire a Transmis par hérédité.

hérédité nf 1 Transmis par droit de succession. 2 Transmission de certains caractères dans la reproduction des êtres vivants. 3 Prédisposition, caractère hérités des parents, des générations précédentes.

hérésiarque nm Auteur d'une hérésie.

hérésie nf 1 Doctrine contraire aux dogmes d'une religion. 2 Opinion en opposition avec les idées communément admises.

hérétique a, n Qui relève de l'hérésie.

hérisser ['e-] vt 1 Dresser ses poils, ses plumes, en parlant d'un animal. 2 Garnir de choses pointues, saillantes. *Hérisser de tessons de bouteilles le haut d'un mur.* 3 Horripiler, irriter. *Ces propos le hérissaient.* ▪ **vpr** Se dresser en parlant des cheveux ou des poils. 2 Avoir une réaction de révolte devant qqch.

hérisson ['e-] nm 1 Mammifère insectivore au corps couvert de piquants. 2 Brosse métallique circulaire pour le ramonage.

héritage nm Ce qui est transmis par succession ou par les générations précédentes.

hériter vti, vi, vt 1 Recueillir par héritage. *Hériter d'une maison.* 2 Recevoir un héritage. *Hériter une maison de ses parents.*

héritier, ère n 1 Qui hérite des biens d'un défunt. 2 Qui continue une tradition.

hermaphrodisme nm BIOL Réunion chez le même individu des caractères des deux sexes.

hermaphrodite nm, a Qui présente un hermaphrodisme.

herméneutique nf PHILO Théorie de l'interprétation des symboles.

hermétique a 1 Qui ferme parfaitement. *Récipient hermétique.* 2 Obscur, difficile à comprendre. *Poésie hermétique.*

hermine nf 1 Carnivore dont la fourrure fauve en été, devient blanche en hiver. 2 Bande de fourrure que portent certains magistrats.

herniaire a Relatif à la hernie.

hernie ['ɛʀ-] nf MED Masse formée par un organe sorti de la cavité qui le contient normalement.

héroï-comique a Qui tient d'un comique traité de façon héroïque.

1. héroïne nf Stupéfiant dérivé de la morphine.

2. héroïne nf 1 Femme douée d'un courage hors du commun. 2 Femme qui tient le rôle principal dans une œuvre, une aventure.

héroïnomane n Toxicomane à l'héroïne.

héroïque a Qui montre de l'héroïsme. **Loc Aux temps héroïques** : dans un lointain passé.

héroïsme nm Courage exceptionnel.

héron ['e-] nm Grand oiseau vivant au bord des eaux et se nourrissant de petits animaux.

héros ['ero] nm 1 MYTH Demi-dieu. 2 Qui se distingue par son courage, sa grandeur d'âme, etc. 3 Personnage principal ou important d'une œuvre littéraire ou d'une aventure.

herpès nm Éruption cutanée due à un virus.

herpétique a De l'herpès.

herse ['ɛ-] nf 1 Instrument muni de dents qui sert, après le labour, à briser les mottes. 2 Grille hérissée de pointes qu'on abaissait pour fermer l'entrée des forteresses.

herser ['ɛ-] vt Passer la herse sur un sol.

hertz ['ɛʀts] nm PHYS Unité de fréquence (symbole : Hz).

hertzien, enne ['ɛ-] a Loc **Ondes hertziennes** : ondes électromagnétiques utilisées dans les télécommunications.

hésitant, ante a n Mal assuré.

hésitation nf Fait d'hésiter.

hésiter vi 1 Être irrésolu quant au parti qu'on doit prendre. *Hésiter à venir.* 2 Marquer son indécision. *Hésiter dans ses réponses.*

hétéroclite *a* Fait d'un assemblage bizarre de morceaux disparates.

hétérodoxe *a* Qui s'écarte de la doctrine considérée comme vraie.

hétérodyne *a* Oscillateur utilisé dans un récepteur radioélectrique pour en améliorer les performances.

hétérogamie *nf* BIOL Fécondation par fusion de gamètes dissemblables. Ant. isogamie.

hétérogène *a* Formé d'éléments de nature différente, dissemblable. Ant. homogène.

hétérogénéité *nf* Caractère hétérogène.

hétérogreffe *nf* CHIR Greffe entre sujets d'espèces différentes.

hétérosexualité *nf* Sexualité des hétérosexuels.

hétérosexuel, elle, *a, n* Qui trouve la satisfaction sexuelle avec des sujets du sexe opposé.

hétérozygote *a, nm* BIOL Se dit d'un être vivant dont le patrimoine génétique est formé de gènes non identiques. Ant. homozygote.

hêtre ['ε-] *nm* Grand arbre à écorce lisse, à tronc droit, à bois blanc.

heu ! ['ø] *interj* Marque le doute, l'hésitation, la gêne ou une difficulté d'élocution.

heur *nm* Loc Litt *Avoir l'heur de* : avoir la chance de.

heure *nf* **1** Période de temps correspondant à la vingt-quatrième partie du jour. *Il est cinq heures. Je pars dans deux heures.* **2** Moment de la journée défini par une activité quelconque. *C'est l'heure de déjeuner.* Loc *À la bonne heure* : c'est satisfaisant, soit. *De bonne heure* : tôt. *La dernière heure* : la mort. *Sur l'heure* : à l'instant même. *Tout à l'heure* : un peu plus tard ; il y a quelques instants. ■ *pl* Période difficile. *Connaître des heures pénibles.*

heureusement *av* **1** Avec succès. **2** Par bonheur. *Heureusement il avait pris ses précautions.*

heureux, euse *a* **1** Favorisé par le sort. *Être heureux au jeu.* **2** Propice. *Un heureux hasard.* **3** Ingénieux. *Une heureuse combinaison.* **4** Qui jouit du bonheur. *Rendre qqn heu-*

reux. **5** Qui marque le bonheur. *Air, visage heureux.* ■ *n* Personne heureuse. *Faire des heureux.*

heuristique *a* PHILO Qui favorise la découverte de faits, de théories. ■ *nf* Discipline recherchant les règles de la découverte scientifique.

heurt ['œr] *nm* **1** Coup, choc brutal de corps qui se rencontrent. **2** Friction entre des personnes, désaccord.

heurté, ée ['œ-] *a* Contrasté.

heurter ['œ-] *vt* **1** Rencontrer rudement. *Son front a heurté le pare-brise.* **2** Contrarier, blesser, offenser. *Heurter les sentiments de qqn.* ■ *vti* Frapper contre. *Le bateau heurta contre un écueil.*

heurtoir ['œr-] *nm* **1** Marteau fixé à la porte d'une maison, qui sert à frapper pour s'annoncer. **2** Butoir d'une voie de chemin de fer.

hévéa *nm* Arbre cultivé pour son latex dont on tire le caoutchouc.

hexaèdre *a, nm* GEOM Qui a six faces planes.

hexagonal, ale, aux *a* **1** GEOM En forme d'hexagone. **2** Qui concerne la France (l'Hexagone). *La politique hexagonale.*

hexagone *nm* Polygone à six côtés. Loc *L'Hexagone* : la France métropolitaine.

hexamètre *nm* LITTER Vers de six pieds.

hexasyllabe *a, nm* De six syllabes.

hexose *nm* CHIM Sucre simple, comme le glucose et le fructose.

hi ! ['i] *interj* Note le rire ou les pleurs.

hiatus *nm* **1** Suite de deux voyelles contiguës (ex. : *il a été*). **2** Discontinuité, coupure. **3** ANAT Orifice.

hibernal, ale, aux *a* De l'hibernation.

hibernation *nf* État de torpeur dans lequel demeurent certains animaux en hiver.

hiberner *vi* Passer l'hiver en hibernation.

hibiscus *nm* Plante tropicale à grosses fleurs.

hibou ['i-] *nm* Rapace nocturne. *Des hiboux.*

hic ['ik] *nm inv* Point difficile d'une question, d'une affaire.

hic et nunc ['iketnõk] *av* Ici et maintenant.

hickory ['i-] *nm* Arbre au bois très résistant.

hidalgo *nm* HIST Noble espagnol.

hideux, euse ['i-] *a* Horrible, repoussant.

hier [ijɛʀ] *av* **1** Le jour qui précède immédiatement celui où on est. **2** Dans un passé récent, à une date récente.

hiérarchie ['je-] *nf* Organisation d'un groupe, d'un ensemble telle que chacun de ses éléments se trouve subordonné à celui qui la suit.

hiérarchique ['je-] *a* Propre à la hiérarchie.

hiérarchisation ['je-] *nf* Action de hiérarchiser.

hiérarchiser ['je-] *vt* Organiser en établissant une hiérarchie.

hiérarque ['je-] *nm* Personnage important.

hiératique *a* D'une raideur figée. *Pose hiératique.*

hiéroglyphe *nm* Signe de l'écriture des anciens Égyptiens. ■ *pl* Écriture illisible.

hi-fi ['i-] *nf inv* Abrév de *haute-fidélité.*

high-tech ['ajtɛk] *a* D'une technologie avancée. *Entreprise high-tech.*

higoumène *nm* RELIG Supérieur d'un monastère orthodoxe.

hi-han ['i-] *interj* Cri de l'âne.

hilarant, ante *a* Qui cause le rire.

hilare *a* Qui exprime un parfait contentement.

hilarité *nf* Accès brusque de gaieté qui se manifeste par le rire.

hile ['il] *nm* ANAT Zone de pénétration des vaisseaux et des nerfs dans un viscère.

himalayen, enne *a* De l'Himalaya.

hindi [indi] *nm* Langue officielle de l'Inde.

hindou, oue ou **hindouiste** *a, n* Qui relève de l'hindouisme.

hindouisme *nm* Religion polythéiste de l'Inde brahmanique.

hinterland *nm* GÉOGR Arrière-pays.

hippie ou **hippy** ['i-] *n* Jeune non violent remettant en cause par son comportement la société de consommation. *Des hippies* ['ipiz].

hippique *a* Propre aux chevaux, à l'équitation.

hippisme *nm* Sport équestre.

hippocampe *nm* Poisson marin dont la tête est perpendiculaire à l'axe de son corps.

hippodrome *nm* Champ de courses.

hippologie *nf* Étude du cheval.

hippomobile *a* Tiré par des chevaux.

hippophagique *a* Loc *Boucherie hippophagique :* où on vend de la viande de cheval.

hippopotame *nm* Herbivore massif d'Afrique qui passe sa vie dans les cours d'eau.

hirondelle *nf* Passereau au vol léger et rapide. Loc *Hirondelle de mer* : sterne.

hirsute *a* Ébouriffé, échevelé.

hispanique *a, n* De l'Espagne ou de l'Amérique hispanophone.

hispanisant, ante ou **hispaniste** *n* Spécialiste de la civilisation espagnole.

hispanisme *nm* Expression propre à la langue espagnole.

hispano-américain, aine *a, n* Qui concerne l'Amérique espagnole.

hispanophone *a, n* De langue espagnole.

hisser ['i-] *vt* **1** Élever au moyen d'un cordage, d'un filin. **2** Faire monter, en tirant ou en poussant. ■ *vpr* S'élever avec effort, grimper.

histamine *nf* BIOL Amine qui provoque la sécrétion du suc gastrique et contracte les artères.

histidine *nf* BIOL Acide aminé abondant dans l'hémoglobine.

histocompatibilité *nf* MÉD Compatibilité des tissus ou organes greffés.

histogenèse *nf* BIOL Formation de tissus divers à partir de cellules indifférenciées de l'embryon.

histogramme *nm* Représentation graphique d'une série statistique.

histoire *nf* **1** Récit d'actions, d'événements passés. **2** Science de la connaissance du passé. **3** Suite des événements vus rétrospectivement. *Le sens de l'histoire. L'accélération de l'histoire.* **4** Relation d'aventures réelles ou inventées. *Raconter une histoire à un enfant.* Loc *Histoire naturelle* : sciences naturelles. *Une histoire à dormir debout :* invraisemblable. ■ *pl Loc Fam Faire des histoires :* faire des embarras. *S'attirer des histoires :* des désagréments, des querelles.

histologie *nf* BIOL Étude des tissus vivants.

histolyse *nf* BIOL Destruction des tissus.

historicité *nf* Caractère historique.

historié, ée *a* Orné d'enjolivures.

historien, enne *n* Spécialiste de l'histoire ; auteur d'ouvrages d'histoire.

historiette *nf* Courte histoire, anecdote.

historiographe ■ *n* Écrivain officiel de l'histoire de son temps.

historiographie *nf* 1 Travail de l'historiographe. 2 Ensemble des ouvrages historiques d'une période donnée.

historique *a* 1 Propre à l'histoire, à la réalité des faits. 2 Important, marquant. *Un moment historique.* **Loc** *Monument historique :* classé par l'État, qui en garantit la conservation en raison de son intérêt. ■ *nm* Exposé chronologique de faits, d'événements.

histrion *nm* Litt Mauvais comédien, cabotin.

hitlérien, enne *a, n* Qui relève de la doctrine d'Hitler.

hit-parade [i-] *nm* Cote de popularité des chansons, des films, etc. *Des hit-parades.*

hittite [i-] *a* Des Hittites. ■ *nm* Langue parlée par les Hittites.

HIV [afive] *nm* Nom anglais du V.I.H.

hiver *nm* Saison la plus froide.

hivernage *nm* 1 MAR Temps de relâche pendant la mauvaise saison. 2 Saison des pluies dans les régions tropicales. 3 AGRIC Séjour du bétail à l'étable, des abeilles à la ruche pendant l'hiver.

hivernal, ale,aux *a* D'hiver. *Station hivernale.* ■ *nf* Ascension en haute montagne pendant l'hiver.

hivernant, ante *a* Qui séjourne qqpart pendant l'hiver.

hiverner *vi* Passer la mauvaise saison à l'abri.

H.L.M. [aʃelɛm] *nm* ou *nf* Immeuble d'habitation à loyer modéré.

ho ! [ʼo] *interj* Sert à appeler, à s'indigner, etc.

hobby [ʼɔ-] *nm* Passe-temps favori.

hobereau [ʼɔ-] *nm* Gentilhomme campagnard.

hochement [ʼɔ-] *nm* Action de hocher la tête.

hochepot [ʼɔ-] *nm* Ragoût de bœuf avec des navets.

hochequeue [ʼɔ-] *nm* Bergeronnette.

hocher [ʼɔ-] *vt Loc Hocher la tête :* la remuer.

hochet [ʼɔ-] *nm* Jouet que les bébés peuvent secouer et qui fait du bruit.

hockey [ʼɔ-] *nm* Jeu d'équipe pratiqué sur gazon ou sur glace.

hockeyeur, euse [ʼɔ-] *n* Qui joue au hockey.

Hodgkin (maladie de) *nf* Sarcome ganglionnaire.

ho hisse ! [ʼo-] *interj* Rythme ou coordonne les gestes de gens qui hissent.

holà ! *interj* Sert à appeler, à modérer. *Holà ! pas tant de bruit.* ■ *nm Loc Mettre le holà à :* mettre fin à qqch de fâcheux.

holding [ʼɔldiŋ] *nm* ou *nf* Société qui détient des participations dans d'autres entreprises qu'elle contrôle.

hold-up [ʼɔldœp] *nm inv* Agression à main armée.

hollandais, aise [ʼɔ-] *a, n* De Hollande.

hollande [ʼɔ-] *nm* Fromage de vache, à croûte rouge, en forme de boule.

hollywoodien, enne [ʼɔliwu-] *a* De Hollywood.

holocauste *nm* 1 Sacrifice religieux sanglant. 2 (avec majusc) Massacre des Juifs par les nazis.

hologramme *nm* Photo donnant l'illusion du relief sous un certain angle.

holothurie *nf* Échinoderme au corps mou. **Syn.** concombre de mer.

homard [ʼɔ-] *nm* Crustacé marin aux énormes pinces, à la chair très estimée.

home [ʼom] *nm Loc Home d'enfants :* maison qui accueille des enfants en vacances.

homélie *nf* 1 RELIG Sermon fait sur un ton familier. 2 Litt Discours moralisant et ennuyeux.

homéopathe *n* Spécialiste d'homéopathie.

homéopathie nf Traitement des maladies par des doses infinitésimales de produits qui déterminent des symptômes identiques aux troubles qu'on veut supprimer.

homéopathique a 1 De l'homéopathie. 2 À dose très faible.

homéostasie nf Faculté des êtres vivants de maintenir certaines constantes biologiques quel que soit le milieu extérieur.

homéostatique a De l'homéostasie.

homérique a 1 Relatif à Homère. 2 Spectaculaire, épique. *Bataille homérique.*

homicide n, a Qui tue un être humain. ■ nm Meurtre d'un être humain.

hominidé nm Primate fossile, ancêtre de l'homme.

hominien nm Homme fossile.

hominisation nf Constitution de l'espèce humaine à partir de primates.

hommage nm Acte, marque de soumission, de vénération, de respect.

hommasse a Se dit d'une femme à l'allure virile.

homme nm 1 Être humain, par oppos. aux animaux. 2 Être humain de sexe masculin par oppos. à la femme. 3 Être humain de sexe masculin et adulte par oppos. à l'enfant. 4 Pop Amant, mari. **Loc Grand homme** : personnage important. **Homme de lettres** : écrivain. **Homme d'État** : qui dirige ou a dirigé un État. **Homme de loi** : magistrat, avocat. **Homme d'affaires** : qui s'occupe d'entreprises commerciales. **Homme de troupe** : militaire qui n'est ni officier ni sous-officier. **Homme de confiance** : à qui on confie des missions délicates. **Homme de parole** : qui tient ses promesses. **Homme de paille** : prête-nom. **Être (un) homme à** (+ inf) : capable de, ou digne de.

homme-grenouille nm Plongeur muni d'un scaphandre autonome. *Des hommes-grenouilles.*

homme-orchestre nm Homme qui a des talents variés. *Des hommes-orchestres.*

homme-sandwich nm Homme qui déambule en portant des panneaux publicitaires. *Des hommes-sandwichs.*

homogène a Formé d'éléments de même nature ; cohérent. Ant. hétérogène.

homogénéiser vt Rendre homogène.

homogénéité nf Caractère homogène.

homographe a, nm LING Se dit d'homonymes de même orthographe (ex. : *bière* « boisson » et *bière* « cercueil »).

homogreffe nf Greffe dans laquelle le greffon est emprunté à un donneur de même espèce.

homologation nf Action d'homologuer.

homologue a Équivalent, analogue. ■ n Personne qui a les mêmes fonctions, le même travail qu'une autre.

homologuer vt SPORT Reconnaître officiellement. *Homologuer un record.*

homonyme a, nm LING Se dit des mots de même orthographe ou de même prononciation, mais qui ont des significations différentes. ■ nm Qui porte le même nom qu'une autre.

homonymie nf Caractère homonyme.

homophobe a, n Hostile aux homosexuels.

homophone a, nm LING Se dit d'homonymes de même prononciation (ex. : *comte, compte* et *conte*).

homosexualité nf Sexualité des homosexuels.

homosexuel, elle a, n Qui trouve la satisfaction sexuelle avec des sujets du même sexe.

homozygote a, nm BIOL Se dit de jumeaux ayant les mêmes gènes. Ant. hétérozygote.

hondurien, enne ['ɔ̃-] a, n Du Honduras.

hongkongais, aise a, n De Hong Kong.

hongre ['ɔ̃-] nm Cheval châtré.

hongrois, oise ['ɔ̃-] a, n De Hongrie. ■ nm Langue finno-ougrienne parlée en Hongrie.

honnête a 1 Qui ne cherche pas à faire des profits illicites. *Commerçant honnête.* 2 Qui se conforme à la loi morale. *Un arbitre honnête.* 3 Satisfaisant. *Un salaire honnête.*

honnêtement av 1 De façon honnête. 2 Sincèrement. *Honnêtement, tu as tort.*

honnêteté nf Caractère honnête.

honneur nm 1 Sentiment qu'on a de sa propre dignité. 2 Considération dont jouit qqn d'estimable. *Sauver l'honneur.* 3 Gloire retirée d'une action remarquable. Loc *Champ d'honneur* : champ de bataille. *Demoiselle, garçon d'honneur* : qui assistent les mariés. ■ pl 1 Titres qui permettent de se distinguer socialement. 2 Au bridge, les cartes les plus fortes. Loc *Les honneurs de la guerre* : reddition permettant à une garnison de se retirer librement.

honnir ['ɔ-] vt Litt Couvrir de honte.

honorable a 1 Estimable. *Un honorable commerçant.* 2 Qui attire de l'honneur, du respect. *Un métier honorable.* 3 Suffisant, satisfaisant.

honoraire a Qui porte un titre sans exercer la fonction correspondante. ■ nmpl Rétribution des professions libérales.

honorer vt 1 Manifester du respect pour. 2 Gratifier qqn d'un honneur, d'une distinction. *Honorer qqn de sa confiance.* 3 Valoir de l'estime à. *Votre courage vous honore.* Loc *Honorer ses engagements* : les remplir. *Honorer un chèque* : le payer. ■ vpr Tirer honneur et fierté de qqch.

honorifique a Qui confère un honneur mais aucun autre avantage.

honoris causa ['ɔnɔris-] a Se dit d'un grade universitaire conféré à titre honorifique.

honte ['ɔ̃t] nf 1 Sentiment de culpabilité, de déshonneur. 2 Timidité, embarras. 3 Fait scandaleux. Loc *Faire honte à qqn* : lui faire des reproches pour qu'il ait honte.

honteux, euse ['ɔ̃-] a 1 Qui éprouve de la honte. 2 Qui cause de la honte. Loc *Maladie honteuse* : vénérienne.

hop ! ['ɔp] interj Marque un mouvement vif.

hôpital, aux nm Établissement dispensant les soins médicaux et chirurgicaux.

hoquet ['ɔ-] nm Contraction spasmodique du diaphragme.

hoqueter ['ɔ-] vi 19 Avoir le hoquet.

horaire a Par heure. *Salaire horaire.* ■ nm 1 Tableau donnant les heures de départ et d'arrivée. 2 Emploi du temps. *Un horaire chargé.*

horde ['ɔ-] nf Litt Bande violente, destructrice.

horion ['ɔ-] nm Litt Coup asséné rudement.

horizon nm 1 Ligne circulaire qui, pour un observateur, semble séparer le ciel et la terre. 2 Parties du ciel et de la terre voisines de cette ligne. 3 Domaine d'action. *Son horizon intellectuel est borné.* 4 Perspectives d'avenir. 5 Chacune des couches constitutives d'un sol.

horizontal, ale, aux a Perpendiculaire à la verticale. ■ nf Ligne horizontale.

horloge nf Instrument servant à mesurer le temps.

horloger, ère n Qui fabrique, vend ou répare des horloges, des montres. ■ a De l'horlogerie.

horlogerie nf Commerce, industrie, magasin de l'horloger.

hormis ['ɔr-] prép Litt Excepté.

hormonal, ale, aux a Des hormones.

hormone nf Substance produite par une glande endocrine et transportée dans le sang.

hormonothérapie nf MED Traitement par les hormones.

horodateur, trice a, nm Qui enregistre et imprime l'heure et la date.

horoscope nm Prédiction de l'avenir d'après la position des planètes à la naissance de qqn ; document représentant cette position.

horreur nf Réaction d'effroi, de répulsion, de dégoût provoquée par qqch d'affreux. ■ pl Paroles, écrits, actes obscènes.

horrible a 1 Qui inspire de l'horreur. 2 Très laid, pénible. *Temps horrible.*

horriblement av 1 De façon horrible. 2 Extrêmement. *Horriblement cher.*

horrifier vt Provoquer l'horreur.

horripilation nf 1 PHYSIOL Érection des poils due à la frayeur, au froid. 2 Agacement.

horripiler vt Agacer vivement, exaspérer.

hors ['ɔr] prép En dehors de. *Exemplaire hors commerce. Objet hors série.* Préfet *hors cadre.* Loc *Hors de* : à l'extérieur de, en dehors de.

hors-bord ['ɔr-] nm inv Canot rapide au moteur placé à l'arrière.

hors-d'œuvre ['ɔr-] *nm inv* Mets servi au début du repas.

hors-jeu ['ɔr-] *nm inv* Position irrégulière d'un joueur (football, rugby).

hors-la-loi ['ɔr-] *nm inv* Bandit, gangster.

hors-piste ['ɔr-] *nm inv* Ski pratiqué hors des pistes.

hors-texte ['ɔr-] *nm inv* Gravure intercalée dans un livre.

hortensia *nm* Arbrisseau à grosses fleurs.

horticole *a* De l'horticulture.

horticulteur, trice *n* Spécialiste d'horticulture.

horticulture *nf* Culture des légumes, des fruits et des fleurs.

hortillonnage *nm* Marais aménagé pour les cultures maraîchères.

hospice *nm* Établissement accueillant les vieillards, les handicapés, etc.

hospitalier, ère *a* **1** Des hôpitaux. **2** Qui exerce l'hospitalité. ■ *n* Employé d'un hôpital.

hospitalisation *nf* Action d'hospitaliser.

hospitaliser *vt* Faire entrer dans un hôpital.

hospitalité *nf* Fait d'accueillir chez soi généreusement, aimablement.

hospitalo-universitaire *a* Loc *Centre hospitalo-universitaire* (C.H.U.) : hôpital auquel est attaché un centre d'enseignement médical.

hostellerie *nf* Restaurant élégant.

hostie *nf* RELIG Pain sans levain consacré par le prêtre à la messe.

hostile *a* **1** Inimical, agressif. *Geste hostile.* **2** Opposé. *Hostile aux réformes.*

hostilité *nf* Inimitié, agressivité. ■ *pl* Actes, opérations de guerre.

hot dog ['ɔtdɔg] *nm* Sandwich garni d'une saucisse chaude. *Des hot dogs.*

hôte, hôtesse *n* **1** Qui donne l'hospitalité, qui reçoit chez soi. **2** Qui est reçu chez qqn, invité (le féminin est *hôte*). ■ *nf* Jeune femme chargée de l'accueil des visiteurs. Loc *Hôtesse de l'air* : membre féminin du personnel navigant, qui veille au bien-être et à la sécurité des passagers.

hôtel *nm* Établissement où on peut louer une chambre meublée. Loc *Hôtel particulier* : maison occupée dans sa totalité par un particulier. *Hôtel de ville* : mairie d'une grande ville. *Maître d'hôtel* : qui préside au service de la table dans un restaurant.

hôtel-Dieu *nm* Hôpital principal de certaines villes. *Des hôtels-Dieu.*

hôtelier, ère *a* De l'hôtellerie. *Industrie hôtelière.* ■ *n* Qui tient un hôtel.

hôtellerie *nf* **1** Industrie, profession des hôteliers. **2** Hôtel ou restaurant élégant.

hotte ['ɔt] *nf* **1** Panier muni de bretelles, qu'on porte sur le dos. **2** Collecteur de vapeurs grasses dans une cuisine. **3** Partie de la cheminée recouvrant le conduit de fumée.

hou ! ['u] *interj* Sert à faire peur ou à huer.

houblon ['u-] *nm* Plante grimpante utilisée pour parfumer la bière.

houe ['u] *nf* Pioche à large fer courbé.

houille ['uj] *nf* Charbon de terre. Loc *Houille blanche :* l'hydroélectricité.

houiller, ère ['uje] *a* Qui renferme de la houille. ■ *nf* Mine de houille.

houle ['ul] *nf* Mouvement ondulatoire de la mer.

houlette ['u-] *nf* Bâton de berger. Loc *Sous la houlette de :* sous l'autorité de.

houleux, euse ['u-] *a* **1** Animé par la houle. **2** Mouvementé, agité. *Débat houleux.*

hooligan ['uligan] *nm* Jeune qui se livre à des actes de violence dans les lieux publics.

houppe ['u-] *nf* **1** Touffe de fils de laine, de soie, etc. **2** Touffe de cheveux.

houppelande ['up-] *nf* Anc Vaste manteau.

houppette ['u-] *nf* Petite houppe.

hourra ou **hurrah !** ['u-] *interj, nm* Cri d'enthousiasme.

houspiller ['u-] *vt* Harceler de reproches.

housse ['us] *nf* **1** Couverture couvrant la croupe d'un cheval. **2** Enveloppe de protection dont on recouvre des meubles, des vêtements.

houx ['u] *nm* Arbuste aux feuilles persistantes et luisantes, à baies rouges.

hovercraft [ɔvɛr-] *nm* Aéroglisseur.

hublot ['y-] *nm* Ouverture étanche dans la coque d'un navire, d'un avion.

huche ['yʃ] nf Anc Grand coffre de bois dans lequel on rangeait le pain, les provisions.

hue ! ['y] interj Cri des charretiers pour faire avancer leurs chevaux.

huée ['ɥe] nf Clameur d'hostilité.

huer ['ɥe] vt Conspuer qqn. ■ vi Crier, en parlant d'un oiseau de nuit.

huerta ['ɥɛrta] nf Plaine irriguée en Espagne.

huguenot, ote ['y-] n, a Calviniste.

huile nf 1 Liquide gras, onctueux et inflammable, d'origine végétale, animale ou minérale. 2 Fam Personnage influent. Loc Saintes huiles : huiles utilisées pour les sacrements.

huiler vt Enduire d'huile ; lubrifier.

huilerie nf Fabrique d'huile.

huileux, euse a De la nature de l'huile.

huilier nm Accessoire réunissant les burettes d'huile et de vinaigre.

huis clos ['ɥi-] nm Débats hors de la présence du public. Loc À huis clos : les portes étant fermées ; en secret.

huisserie nf Encadrement d'une porte.

huissier nm 1 Qui est chargé d'accueillir et d'annoncer les visiteurs. 2 Préposé au service des assemblées législatives. 3 Officier ministériel qui exécute les décisions de justice.

huit ['ɥit] a num 1 Sept plus un (8). 2 Huitième. Chapitre huit. Loc Aujourd'hui en huit : dans une semaine à compter d'aujourd'hui. ■ nm inv Chiffre, nombre huit.

huitaine ['ɥi-] nf 1 Quantité de huit. 2 Huit jours. Rendez-vous sous huitaine.

huitante ['ɥi-] a num Quatre-vingts (Suisse).

huitième ['ɥi-] a num 1 Au rang, au degré huit. ■ a, nm Contenu huit fois dans le tout.

huitièmement ['ɥi-] av En huitième lieu.

huître ['ɥi-] nf Mollusque élevé pour sa chair, ou pour la nacre, les perles.

hulotte ['y-] nf Grande chouette d'Europe.

hululement ou **ululement** ['y-] nm Cri des rapaces nocturnes.

hululer ou **ululer** ['y-] vi Pousser son cri, en parlant des rapaces nocturnes.

hum ! ['œm] interj Exprime le doute, le mécontentement.

humain, aine a 1 Propre à l'homme. 2 Bon, généreux, compatissant. Loc Le genre humain : les hommes. ■ nm Homme, personne humaine.

humainement av 1 Sur le plan humain. C'est humainement impossible. 2 Avec humanité. Traiter humainement des prisonniers.

humaniser vt Rendre humain. ■ vpr Devenir plus compatissant.

humanisme nm Doctrine qui affirme la valeur de la personne humaine.

humaniste a 1 Érudit versé dans la connaissance des langues et des littératures anciennes. ■ a, n Qui professe l'humanisme.

humanitaire a Qui vise à améliorer le sort des hommes.

humanitarisme nm Idées humanitaires.

humanité nf 1 Ensemble des hommes. 2 Altruisme, bienveillance.

humanoïde a, n En science-fiction, être ressemblant à l'homme.

humble a 1 Qui fait preuve d'humilité. 2 Litt Médiocre, sans éclat. Humbles travaux. ■ a, n Litt De condition modeste.

humecter vt Mouiller légèrement.

humer ['y-] vt Aspirer pour sentir.

humérus nm Os du bras qui s'articule avec l'omoplate.

humeur nf 1 Disposition affective. Être de bonne humeur. 2 Disposition chagrine, comportement agressif. Avoir un geste d'humeur.

humide a Imprégné d'un liquide, d'une vapeur. Climat humide. Ant sec.

humidificateur nm Appareil servant à humidifier l'air d'un local.

humidifier vt Rendre humide.

humidité nf État humide.

humiliant, ante a Qui cause de la honte.

humiliation nf 1 Action d'humilier, fait d'être humilié. 2 Affront.

humilier vt Blesser qqn dans son amour-propre. ■ vpr S'abaisser volontairement.

humilité nf Caractère humble, modeste.

humoriste a, n Qui pratique le genre humoristique.

humoristique *a* Se dit de dessins, d'écrits où il entre de l'humour.

humour *nm* Forme d'esprit consistant à souligner en restant impassible les aspects drôles de la réalité. **Loc Humour noir :** cruel et macabre.

humus [ymys] *nm* Matière formée de débris végétaux décomposés.

hune ['yn] *nf* MAR Plate-forme fixée à la partie basse des mâts.

hunier ['y-] *nm* MAR Voile carrée située au-dessus des basses voiles.

huppe ['yp] *nf* Oiseau à la tête garnie d'une touffe de plumes ; cette touffe.

huppé, ée ['ype] *a* **1** Qui porte une huppe. **2** Fam Riche et distingué.

hure ['yʀ] *nf* **1** Tête coupée de sanglier, de brochet, de porc. **2** Galantine farcie de morceaux de hure.

hurlement *nm* **1** Cri aigu et prolongé. **2** Fam Riche et distingué.

hurler ['y-] *vi* **1** Pousser des hurlements. **2** Former un contraste violent, jurer. *Couleurs qui hurlent.* ■ *vt* Crier qqch très fort.

hurleur, euse ['y-] *a, nm* Qui hurle. ■ *nm* Singe du Brésil aux cris puissants.

hurluberlu *nm* Fantasque, extravagant.

husky ['œski] *nm* Chien de traîneau.

hussard ['y-] *nm* HIST Militaire appartenant à un régiment de cavalerie légère. **Loc À la hussarde :** de façon brutale et brutale.

hutte ['yt] *nf* Petite cabane rudimentaire.

hyacinthe *nf* Variété de zircon transparent, rouge ou orangé.

hyalin, ine *a* Didac Qui a l'aspect du verre.

hybridation *nf* BIOL Croisement d'espèces différentes.

hybride *nm* Animal ou végétal qui résulte du croisement de deux espèces différentes. ■ *a* Fait d'éléments composites. *Solution hybride.*

hydratant, ante *a, nm* Destiné à hydrater.

hydratation *nf* MED Apport d'eau à l'organisme, aux tissus.

hydrate *nm* CHIM Composé qui résulte de la fixation d'eau sur un corps.

hydrater *vt* MED Apporter de l'eau à un organisme, à un tissu.

hydraulique *a* Mû, fourni par l'eau. *Frein hydraulique. Énergie hydraulique.* ■ *nf* **1** Science des lois de l'écoulement des liquides. **2** Technique de captage, de distribution et d'utilisation des eaux.

hydravion *nm* Avion conçu pour décoller sur l'eau et s'y poser.

hydre *nf* **1** MYTH Serpent fabuleux, dont les sept têtes repoussaient multipliées au fur et à mesure qu'on les coupait. **2** Litt Mal monstrueux.

hydrique *a* Relatif à l'eau. *Bilan hydrique.*

hydrobiologie *nf* Étude des êtres vivant dans l'eau.

hydrocarbure *nm* CHIM Corps composé de carbone et d'hydrogène (ex. : pétrole, méthane).

hydrocéphale *a, n* Dont la boîte crânienne est anormalement développée.

hydrocortisone *nf* Hormone utilisée comme anti-inflammatoire.

hydrocution *nf* Syncope brutale due à une immersion brusque dans l'eau froide.

hydrodynamique *nf* Partie de la physique qui traite des liquides en mouvement. ■ *a* De l'hydrodynamique.

hydroélectricité *nf* Électricité d'origine hydraulique.

hydroélectrique *a* Qui produit de l'électricité par des moyens hydrauliques.

hydrofoil [-fojl] *nm* Navire rapide muni d'ailes portantes. Syn. hydroptère.

hydrofuge *a* Qui protège de l'humidité.

hydrogène *nm* Corps simple (gaz) qui, combiné avec l'oxygène, forme l'eau.

hydrogéner *vt* 12 CHIM Combiner un corps avec l'hydrogène.

hydrogéologie *nf* Géologie appliquée à la recherche des eaux souterraines.

hydroglisseur *nm* Bateau à fond plat propulsé par une hélice aérienne.

hydrographie *nf* **1** Étude des eaux du globe. **2** Ensemble des cours d'eau et des lacs d'une région.

hydrologie *nf* Science des eaux et de leur utilisation.

hydrolyse *nf* CHIM Décomposition d'un corps par action de l'eau.

hydromel *nm* Boisson faite d'eau et de miel, fermentée ou non.

hydrophile *a* Qui absorbe l'eau.

hydroponique *a* Loc *Culture hydroponique* : sur des solutions nutritives, sans sol.

hydroptère *nm* Syn de *hydrofoil*.

hydrosoluble *a* Se dit des vitamines solubles dans l'eau.

hydrosphère *nf* GEOGR Ensemble de l'élément liquide du globe terrestre.

hydrostatique *nf* PHYS Étude des conditions d'équilibre des liquides. ■ *a* De l'hydrostatique.

hydrothérapie *nf* Thérapeutique utilisant les vertus curatives de l'eau.

hydrothermalisme *nm* GEOL Circulation souterraine de fluides chauds.

hyène *nf* Mammifère carnivore qui se nourrit de charognes.

hygiaphone *nm* (n déposé) Dispositif d'hygiène équipant certains guichets.

hygiène *nf* Règles et pratiques nécessaires pour conserver et améliorer la santé.

hygiénique *a* 1 De l'hygiène. 2 Qui favorise la santé ; sain. *Activités hygiéniques.*

hygromètre *nm* Appareil mesurant le degré d'humidité de l'air.

hygrométrie *nf* Mesure du degré d'humidité de l'air ; ce degré.

hygrophore *nm* Champignon basidiomycète à spores blanches.

1. hymen *nm* ANAT Membrane qui obture l'entrée du vagin et qui est déchirée lors du premier rapport sexuel.

2. hymen ou **hyménée** *nm* Litt Mariage.

hyménoptère *nm* ZOOL Insecte pourvu de deux paires d'ailes membraneuses de grandeur inégale, comme les fourmis, les abeilles.

hymne *nm* 1 Poème lyrique. 2 Chant national.

hyoïde *nm* ANAT Os de la base de la langue.

hyoïdien, enne *a* De l'hyoïde.

hyperbare *a* Dont la pression est supérieure à la pression atmosphérique.

hyperbole *nf* 1 Emploi d'expressions exagérées pour frapper l'esprit (ex. : *verser des torrents de larmes*). 2 GEOM Lieu géométrique

des points dont la différence des distances à deux points fixes, appelés foyers, est constante.

hypercholestérolémie *nf* Élévation anormale du taux de cholestérol dans le sang.

hyperémotivité *nf* Exagération de l'émotivité.

hyperglycémie *nf* Excès de glucose dans le sang. Ant. hypoglycémie.

hypergol *nm* Carburant utilisé pour la propulsion des fusées.

hyperlien *nm* INFORM Lien servant à structurer un hypertexte.

hypermarché *nm* Magasin en libre-service dont la surface est supérieure à 2 500 m².

hypermédia *nm* INFORM Ensemble de documents (textes, images, sons) consultables à la manière de l'hypertexte.

hypermétrope *a, n* Atteint d'hypermétropie.

hypermétropie *nf* MED Mauvaise perception des objets, rapprochés. Ant. myopie.

hypernerveux, euse *a, n* D'une nervosité extrême.

hyperonyme *nm* LING Mot dont le sens inclut celui d'autres mots.

hyperréalisme *nm* Mouvement pictural contemporain visant à reproduire minutieusement la réalité.

hypersensibilité *nf* Sensibilité excessive.

hypersensible *a, n* Très sensible.

hypersonique *a* Supérieur à Mach 5 (vitesse).

hypertendu, ue *a, n* Atteint d'hypertension.

hypertenseur *a, nm* Qui provoque l'hypertension.

hypertension *nf* Pression artérielle excessive.

hypertexte *nm* INFORM Ensemble de textes, liés en mémoire, que l'on peut afficher simultanément sur l'écran.

hypertrophie *nf* Développement excessif.

hypertrophier *vt* Produire l'hypertrophie.

hypholome *nm* Champignon poussant sur les souches.

hypnose *nf* Sommeil artificiel provoqué par suggestion.

hypnotique *a, nm* Qui provoque le sommeil.

hypnotiser *vt* 1 Plonger qqn dans l'hypnose. 2 Fasciner, éblouir. ■ *vpr* Être obnubilé.

hypnotiseur *n* Qui hypnotise.

hypnotisme *nm* Technique de l'hypnose.

hypoallergique *a* MED Qui diminue les risques d'allergie.

hypocondriaque *a, n* Atteint d'hypocondrie.

hypocondrie *nf* Obsession maladive d'un sujet pour son état de santé.

hypocras [-kRas] *nm* Mélange de vin sucré et d'aromates.

hypocrisie *nf* Affectation d'un sentiment noble qu'on n'a pas.

hypocrite *a, n* Qui a de l'hypocrisie.

hypodermique *a* Sous-cutané.

hypogastre *nm* ANAT Partie inférieure de l'abdomen.

hypogée *nm* Chambre souterraine, tombeau.

hypoglycémie *nf* Insuffisance du taux de glucose dans le sang. Ant. hyperglycémie.

hyponyme *nm* LING Mot dont le sens est inclus dans celui d'un autre.

hypophyse *nf* Glande endocrine logée sous le cerveau, sécrétant des hormones.

hypotendu, ue *a, n* Atteint d'hypotension.

hypotenseur *a, nm* Qui diminue la tension artérielle.

hypotension *nf* MED Tension artérielle inférieure à la normale. Ant. hypertension.

hypoténuse *nf* GEOM Côté opposé à l'angle droit d'un triangle rectangle.

hypothalamus *nm* Région du cerveau située sous le thalamus et au-dessus de l'hypophyse.

hypothécaire *a* De l'hypothèque.

hypothèque *nf* 1 DR Droit grevant les biens d'un débiteur pour garantir une créance. 2 Entrave au développement de qqch.

hypothéquer *vt* 121 DR Soumettre à hypothèque. 2 Engager en faisant peser une menace sur. *Hypothéquer l'avenir.*

hypothermie *nf* Abaissement anormal de la température du corps.

hypothèse *nf* 1 Point de départ d'une démonstration à partir duquel on se propose d'aboutir à la conclusion. 2 Supposition, conjecture. *Envisager toutes les hypothèses.*

hypothéticodéductif, ive *a* LOG Qui part d'hypothèses et en déduit les conséquences.

hypothétique *a* 1 Qui contient une hypothèse. 2 Douteux, incertain.

hypotonie *nf* Diminution du tonus musculaire.

hypoxie *nf* MED Diminution de l'oxygénation du sang et des tissus.

hypsométrie *nf* Cartographie du relief.

hysope *nf* Arbrisseau dont l'infusion des fleurs sert de stimulant.

hystérectomie *nf* Ablation de l'utérus.

hystérie *nf* 1 Névrose caractérisée par une attitude théâtrale et divers troubles de la sensibilité. 2 Grande excitation, agitation bruyante.

hystérique *a* De l'hystérie. *Rire hystérique.* ■ *n* Atteint d'hystérie.

hystérographie *nf* Radiographie de l'utérus.

i

i *nm* **1** Neuvième lettre (voyelle) de l'alphabet. **2** I : chiffre romain qui vaut 1.

iambe *nm* Pied d'un vers ancien composé d'une brève et d'une longue.

iatrogène *a* Se dit d'une maladie causée par le traitement médical.

ibérique *a* Relatif à l'Espagne et au Portugal.

ibidem *av* Au même endroit, dans le même texte. (Abrév : ibid., ib.)

ibis [ibis] *nm* Oiseau, échassier à long bec courbé vers le bas.

iceberg [ajsberg] *nm* Bloc de glace détaché des glaciers polaires flottant dans la mer.

ichtyologie [ik-] *nf* Étude des poissons.

ichtyosaure [ik-] *nm* Reptile marin fossile à l'aspect de poisson.

ici *av* **1** Dans le lieu défini par la personne qui parle. *Venez ici.* **2** À l'endroit indiqué dans le texte. **3** Au moment présent. *D'ici à huit jours.*

ici-bas *av* Sur terre.

icône *nf* Image sacrée des religions orthodoxes, peinte sur bois.

iconoclaste *n, a* Qui cherche à détruire les idées établies.

iconographie *nf* **1** Étude des représentations artistiques d'un sujet (peintures, sculptures, etc.). **2** Ensemble des illustrations d'un livre.

iconologie *nf* Étude des représentations figurées, des symboles.

iconoscope *nm* Dans une télévision, système qui analyse l'image.

iconostase *nf* Dans les églises orientales, cloison ornée d'icônes isolant la nef.

ictère *nm* MED Jaunisse.

ictus [-tys] *nm* MED Manifestation pathologique brutale, comme la congestion cérébrale.

id Abrév *de idem.*

idéal, ale, als ou **aux** *a* **1** Qui n'existe que dans l'imagination. *Monde idéal.* **2** Parfait.

Pureté idéale. ■ *nm* **1** Modèle absolu de la perfection. *Idéal de beauté.* **2** But élevé qu'on se propose d'atteindre. *Homme sans idéal.*

idéalisation *nf* Action d'idéaliser.

idéaliser *vt* Représenter sous une forme idéale.

idéalisme *nm* **1** Attitude de qqn dont la conduite obéit à un idéal élevé. **2** Philosophie ramenant la réalité à la pensée du sujet.

idéaliste *a, n* Qui relève de l'idéalisme.

idéation *nf* PSYCHO Formation des idées.

idée *nf* **1** Notion, conception. *Idées neuves.* **2** Intention, projet. *Changer d'idée.* **3** Esprit, conscience. *Cela m'est sorti de l'idée.* Loc *Idée fixe :* obsession. *Idée force :* qui guide la conduite. ■ *pl* **1** Pensées originales. *Être plein d'idées.* **2** Opinions. *Ce n'est pas dans mes idées.* **3** Illusions. *Se faire des idées.*

idem *av* De même. (Abrév : id.)

identification *nf* Action d'identifier.

identifier *vt* **1** Reconnaître, trouver l'identité de. *Identifier son agresseur.* **2** Établir la nature de. *Identifier un bruit.* ■ *vpr* S'assimiler mentalement à qqn. *S'identifier à un héros de roman.*

identique *a* Qui est en tous points semblable à un autre. *Copie identique à l'original.*

identitaire *a* Qui concerne l'identité profonde de qqn, d'un groupe.

identité *nf* **1** Caractère identique. **2** Caractère fondamental de qqch, de qqn. **3** Signalement exact, données permettant d'individualiser qqn.

idéogramme *nm* Signe graphique notant le sens et non le son d'un mot.

idéographie *nf* Écriture par idéogrammes.

idéologie *nf* **1** Ensemble des idées philosophiques propres à une époque ou à un groupe social. **2** Philosophie vague, plus ou moins utopique.

idéologique *a* De l'idéologie.

idéologue *n* Doctrinaire.

ides *nfpl* Dans le calendrier romain, quinzième jour des mois de mars, mai, juillet et octobre, et treizième jour des autres mois.

idiolecte *nm* LING Habitudes de langage propres à un individu.

idiomatique *a* Propre à un idiome.

idiome nm LING Langue propre à une nation, à une province.

idiosyncrasie [-sĕ-] nf Comportement propre à chaque individu.

idiot, idiote a, n Dépourvu d'intelligence.

idiotie [-sî] nf 1 Caractère stupide, absurde. 2 Parole, action idiote. *Dire des idioties.*

idiotisme nm LING Expression particulière à une langue.

idoine a Litt Convenable à qqch.

idolâtre a, n Qui adore les idoles.

idolâtrer vt Aimer avec excès, adorer.

idolâtrie nf 1 Adoration, culte des idoles. 2 Amour excessif.

idole nf 1 Figure, statue représentant une divinité. 2 Vedette adulée du public.

idylle nf Aventure amoureuse naïve et tendre.

idyllique a Merveilleux, naïf et tendre.

if nm Conifère aux feuilles vert sombre.

iglou ou **igloo** [iglu] nm Construction hémisphérique en neige durcie des Esquimaux.

igname nf Plante tropicale cultivée pour ses tubercules à chair farineuse.

ignare a, n Très ignorant, inculte.

igné, ée a Produit par le feu.

ignifuge a, nm Qui rend incombustible.

ignition nf État des corps en combustion.

ignoble a 1 Très vil, bas. *Conduite ignoble.* 2 D'une saleté, d'une laideur répugnante.

ignominie nf 1 Grand déshonneur, infamie. 2 Procédé, action infamants.

ignominieux, euse a Litt Dégradant, infamant.

ignorance nf 1 Fait de ne pas savoir qqch, de ne pas être informé. 2 Défaut, absence de connaissances.

ignorant, ante a, n 1 Qui n'est pas informé. 2 Sans connaissance, inculte.

ignoré, ée a Inconnu ou méconnu.

ignorer vt 1 Ne pas savoir. 2 Ne témoigner aucune considération à qqn. 3 N'avoir pas l'expérience de. *Ignorer la peur.*

iguane [igwan] nm Reptile saurien d'Amérique tropicale.

iguanodon [igwa-] nm Reptile herbivore fossile du crétacé.

ikat [ikat] nm Tissu décoré de motifs symétriques obtenus par un procédé de teinture particulier.

ikebana [ike-] nm Art floral japonais.

il, ils [il] pr pers 1 Sujet masculin de la 3e personne. *Il me fuit. Où sont-ils ?* 2 Sujet des verbes impersonnels. *Il pleut, il neige.*

ilang-ilang. V. ylang-ylang.

île nf Espace de terre entouré d'eau.

iléon nm ANAT Partie de l'intestin qui s'abouche au cæcum.

iliaque a Loc ANAT *Os iliaque* : chacun des deux os qui forment le bassin osseux.

îlien, enne a Habitant d'une île.

illégal, ale, aux a Contraire à la loi.

illégalité nf Caractère illégal ; acte illégal.

illégitime a 1 Qui ne remplit pas les conditions requises par la loi. *Mariage illégitime.* 2 Né hors du mariage. 3 Injustifié. *Réclamation illégitime.*

illettré, ée a Qui ne sait ni lire ni écrire.

illettrisme nm Analphabétisme résultant de la perte de l'usage de la lecture.

illicite a Défendu par la loi ou par la morale.

illico av Fam Immédiatement, sans délai.

illimité, ée a Sans limites.

illisible a 1 Qu'on ne peut pas déchiffrer. 2 Incompréhensible.

illogique a Qui manque de logique.

illogisme nm Caractère illogique.

illumination nf 1 Inspiration soudaine. 2 Action d'illuminer, d'éclairer vivement. ■ pl Lumières qui décorent une ville lors d'une fête.

illuminé, ée a, n Esprit chimérique.

illuminer vt 1 Éclairer. 2 Orner de lumières. *Illuminer un monument.* 3 Donner un éclat vif. *La joie illuminait son visage.*

illusion nf 1 Perception erronée. *Illusion d'optique.* 2 Apparence trompeuse dénuée de réalité. 3 Jugement erroné, chimère.

illusionner vt Tromper. ■ vpr S'abuser.

illusionnisme nm Art de créer l'illusion par des tours de prestidigitation.

illusionniste n Prestidigitateur.

illusoire a Vain, chimérique.

illustrateur, trice n Qui illustre des textes.

illustration nf 1 Action de rendre plus explicite. 2 Action d'orner de gravures, de photographies. 3 Image ornant un texte.

illustre a Litt Célèbre. Un artiste illustre.

illustré nm Périodique, publication comportant de nombreuses illustrations.

illustrer vt 1 Litt Rendre célèbre. 2 Rendre plus clair, plus explicite. Illustrer un texte de commentaires. 3 Orner un ouvrage d'images. ■ vpr Litt Se distinguer.

îlot nm 1 Petite île. 2 Groupe de maisons, entouré de rues.

îlotage nm Surveillance de l'îlotier.

ilote n 1 ANTIQ À Sparte, esclave de l'État. 2 Litt Personne méprisée réduite au dernier degré de la misère et de l'ignorance.

îlotier nm Agent de police chargé de la surveillance d'un îlot de maisons.

image nf 1 Représentation d'une personne, d'une chose par la sculpture, le dessin, la photographie, etc. 2 Estampe, gravure coloriée. 3 Représentation visuelle d'un objet par un miroir. 4 Représentation mentale de qqch d'abstrait. Elle est l'image du bonheur. 5 Ressemblance. Cet enfant est l'image de son père. 6 Métaphore, symbole. La balance, image de la justice. Loc **Image d'Épinal** : image populaire de style naïf.

imagé, ée a 1 Orné d'images. 2 Orné de métaphores. Style imagé.

imagerie nf Ensemble d'images représentant des faits, des personnages. Loc **Imagerie médicale** : procédés de diagnostic par la radiographie, l'échographie ou le scanner.

imagier nm 1 Sculpteur, miniaturiste, peintre du Moyen Âge. 2 Livre d'images.

imaginable a Qui peut être imaginé.

imaginaire a 1 Qui n'existe que dans l'imagination, fictif. Mal imaginaire. 2 Qui n'est tel que par imagination. Malade imaginaire. ■ nm Domaine de l'imagination.

imaginatif, ive a, n Imaginatif, créatif.

imagination nf 1 Faculté qu'a l'esprit de reproduire les images d'objets déjà perçus. 2 Faculté de créer, d'imaginer, d'inventer. Avoir une imagination débordante.

imaginer vt, vpr Se représenter à l'esprit. J'imagine (ou je m'imagine) votre peine. ■ vt Inventer, créer. Imaginer de nouvelles machines. ■ vpr Se figurer à tort. S'imaginer être un poète.

imago nf ZOOL Forme adulte de l'insecte sexué devenu apte à la reproduction.

imam [imam] nm Chef de la communauté religieuse chiite.

imbattable a 1 Invincible. 2 Très avantageux. Prix imbattable.

imbécile a, n Dépourvu d'intelligence.

imbécillité nf 1 Bêtise, absence d'intelligence.

imberbe a Sans barbe.

imbiber vt Imprégner d'un liquide. ■ vpr Absorber un liquide.

imbrication nf Manière dont les choses sont imbriquées.

imbriquer vt Faire se chevaucher. ■ vpr S'entremêler de manière indissociable.

imbroglio [-glijo] ou [-ljo] nm Embrouillement, situation confuse.

imbu, ue a Pénétré, imprégné d'idées, de sentiments. Loc **Imbu de soi-même** : vaniteux.

imbuvable a 1 Qui n'est pas buvable ; mauvais. 2 Fam Insupportable.

imitateur, trice a, n Qui imite, copie.

imitation nf 1 Action d'imiter. 2 Contrefaçon. Imitation d'une signature. 3 Matière, objet artificiel qui imite une matière, un objet précieux. Un sac imitation cuir.

imiter vt 1 Reproduire ou s'efforcer de reproduire. 2 Prendre pour modèle. 3 Contrefaire. Imiter la signature de qqn.

immaculé, ée a 1 Sans tache. 2 Pur.

immanent, ente a Inhérent à la nature même de qqn, qqch. Loc **Justice immanente** : qui fait que le coupable est puni par les conséquences mêmes de sa faute.

immangeable [ɛ̃mɑ̃-] a Mauvais à manger.

immanquable [ɛ̃mɑ̃-] a Qui ne peut manquer de se produire. Succès immanquable.

immatériel, elle a Qui n'a pas de consistance matérielle.

immatriculation nf Action d'immatriculer ; numéro ainsi attribué.

immatriculer vt Inscrire sur un registre public en vue d'identifier.

immature a 1 Qui n'est pas mûr. 2 Qui manque de maturité. *Adolescent immature.*

immaturité nf Absence de maturité.

immédiat, ate a Qui suit instantanément. ■ nm Loc *Dans l'immédiat :* en ce moment.

immédiatement av Sans délai.

immémorial, ale, aux a Très ancien.

immense a Très étendu, considérable.

immensité nf Très vaste étendue, très grande quantité.

immergé, ée a Recouvert d'eau. Loc *Économie immergée :* qui échappe au contrôle administratif.

immerger vt 11 Plonger dans un liquide, dans la mer. ■ vpr Se plonger totalement dans un milieu étranger pour l'étudier ou en apprendre la langue.

immérité, ée a Qui n'est pas mérité.

immersion nf Action d'immerger.

immettable [ɛmɛt-] a Qu'on ne peut mettre (vêtement).

immeuble nm Bâtiment à plusieurs étages. ■ a DR Qui ne peut être déplacé. *Bien immeuble.*

immigrant, ante a, n Qui immigre.

immigration nf Action d'immigrer.

immigré, ée a, n Établi dans un pays par immigration.

immigrer vi Entrer dans un pays autre que le sien pour s'y établir.

imminence nf Caractère imminent.

imminent, ente a Qui est sur le point de se produire.

immiscer (s') vpr 10 S'ingérer dans, se mêler mal à propos de qqch.

immixtion nf Ingérence.

immobile a Qui ne se meut pas ; fixe.

immobilier, ère a 1 Composé d'immeubles. *Biens immobiliers.* 2 Relatif à un immeuble. *Vente immobilière.* ■ nm Secteur économique concernant la construction et la vente des immeubles.

immobilisation nf Action de rendre immobile. ■ pl ECON Biens d'une entreprise, grâce auxquels elle exerce son activité.

immobiliser vt Empêcher de se mouvoir ; fixer. ■ vpr S'arrêter.

immobilisme nm Refus systématique de toute transformation de l'état présent.

immobilité nf État immobile.

immodéré, ée a Excessif.

immolation nf Action d'immoler.

immoler vt 1 Faire en sacrifice à un dieu. 2 Litt Faire périr, massacrer. ■ vpr Litt Sacrifier sa vie, ses intérêts.

immonde a Ignoble, dégoûtant.

immondices nfpl Ordures.

immoral, ale, aux a Qui viole les règles de la morale.

immoralisme nm Rejet des valeurs morales.

immoralité nf Caractère immoral.

immortaliser vt Rendre immortel dans la mémoire des hommes.

immortalité nf Caractère immortel.

immortel, elle a 1 Qui n'est pas sujet à la mort. *L'âme est immortelle.* 2 Impérissable. *Une œuvre immortelle.* 3 Dont le souvenir survivra toujours dans la mémoire des hommes. ■ n 1 Académicien(ne). 2 Divinité du paganisme. ■ nf Plante dont les fleurs, une fois desséchées, conservent leur aspect.

immuabilité nf Caractère immuable.

immuable a 1 Qui n'est pas sujet à changement. 2 Ferme. *Volonté immuable.*

immunisation nf Action d'immuniser.

immuniser vt 1 Rendre réfractaire à une maladie. 2 Rendre insensible à qqch de nocif.

immunitaire a BIOL De l'immunité.

immunité nf 1 Privilège accordé à certaines personnes. *Immunité parlementaire.* 2 BIOL Propriété que possède l'organisme vivant de développer des moyens de défense.

immunocompétent, ente a MED Qui a des propriétés immunes.

immunodéficience nf ou **immunodéficit** nm MED Déficience des défenses immunitaires.

immunodépresseur ou **immuno-suppresseur** am, nm BIOL Qui diminue ou abolit les réactions immunitaires.

immunodéprimé, ée a, n Qui souffre d'immunodéficience.

immunoglobuline nf BIOL Syn de *anticorps*.

immunologie nf BIOL Étude de l'immunité, des réactions immunitaires de l'organisme.

immunostimulant, ante a, nm Qui stimule les défenses immunitaires.

immunothérapie nf MED Traitement visant à renforcer les défenses de l'organisme.

impact nm 1 Choc, collision, heurt. 2 Effet produit sur l'opinion par qqch. *Loc Point d'impact* : où un projectile vient de frapper. *Étude d'impact* : étude des incidences de grands travaux sur l'environnement.

impair, aire a 1 Qui ne peut être divisé en deux nombres entiers égaux. 2 Qui porte un numéro impair. *Le côté impair d'une rue.* ■ nm Bévue, maladresse. *Commettre un impair.*

impala nm Antilope africaine.

impalpable a Très fin, très ténu.

impaludé, ée a Contaminé par le paludisme.

imparable a Qu'on ne peut parer.

impardonnable a Inexcusable.

imparfait, aite a Défectueux, inachevé. ■ nm GRAM Temps passé du verbe, indiquant une action habituelle ou répétée.

imparisyllabique a, nm GRAM Se dit des mots latins qui n'ont pas le même nombre de syllabes au nominatif et au génitif singuliers.

impartial, ale, aux a Équitable, qui n'est pas partisan. *Juge impartial.*

impartialité nf Caractère impartial.

impartir vt DR Accorder, attribuer.

impasse nf 1 Petite rue sans issue, cul-de-sac. 2 Situation sans issue favorable. *Les négociations sont dans l'impasse.*

impassibilité nf Caractère impassible.

impassible a Qui ne laisse paraître aucune émotion, aucun trouble.

impatience nf Incapacité d'attendre, de patienter, de supporter qqn ou qqch.

impatient, ente a, n Qui manque de patience. ■ a Qui attend et a hâte de faire qqch. *Il est impatient de vous rencontrer.*

impatiente ou **impatiens** [-sjãs] nf Plante aux nombreuses fleurs.

impatienter vt Faire perdre patience, énerver, irriter. ■ vpr Perdre patience.

impavide a Litt Inaccessible à la peur.

impayable a Fam Comique ou ridicule.

impayé, ée a, nm Qui n'a pas été payé.

impeccable a Irréprochable, parfait.

impédance nf PHYS Rapport entre la tension appliquée aux bornes d'un circuit électrique et le courant alternatif qui le traverse.

impedimenta [ɛpedimɛ̃ta] nmpl Litt Ce qui retarde le mouvement, l'activité.

impénétrable a 1 Qu'on ne peut pénétrer. *Blindage impénétrable.* 2 Qu'on ne peut connaître, obscur. 3 Dont on ne peut deviner les sentiments.

impénitent, ente a Qui persiste dans ses habitudes. *Bavard impénitent.*

impensable a Inconcevable.

imper nm Fam Imperméable.

impératif, ive a 1 Qui a le caractère d'un ordre absolu. *Consigne impérative.* 2 Impérieux. *Besoins impératifs.* ■ nm 1 GRAM Mode du verbe qui exprime l'ordre. 2 Prescription impérieuse.

impératrice nf 1 Femme d'un empereur. 2 Femme qui gouverne un empire.

imperceptible a 1 À peine perceptible. *Odeur imperceptible.* 2 Qui échappe à l'attention. *Progrès imperceptible.*

imperfectif, ive a, nm GRAM Se dit des formes verbales exprimant la durée.

imperfection nf 1 État imparfait. 2 Partie, détail défectueux.

impérial, ale, aux a 1 Qui appartient à un empereur, à un empire. 2 Litt Majestueux. ■ nf Étage supérieur de certains véhicules de transport en commun.

impérialisme nm Domination politique ou économique d'un État sur d'autres pays.

impérieux, euse a 1 Autoritaire. 2 Pressant, irrésistible. *Besoins impérieux.*

impérissable a Qui dure très longtemps.

impéritie [-si] nf Litt Incapacité, inaptitude.

imperméabilisation nf Action d'imperméabiliser.

imperméabiliser vt Rendre imperméable.

imperméabilité nf Caractère imperméable.

imperméable a 1 Qui ne se laisse pas traverser par un liquide, par l'eau. 2 Insensible. *Imperméable aux reproches.* ■ nm Vêtement de pluie imperméable.

impersonnel, elle a Dépourvu d'originalité. *Une œuvre impersonnelle.* Loc GRAM *Verbes impersonnels* : dont le sujet est le pronom neutre « il ». *Modes impersonnels* : infinitif et participe.

impertinence nf Arrogance ; parole, action impertinente.

impertinent, ente a, n Qui manque de respect, de politesse.

imperturbable a Que rien ne peut troubler.

impesanteur nf PHYS Apesanteur.

impétigo nm Affection contagieuse de la peau, caractérisée par des pustules.

impétrant, ante n DR Qui obtient un titre, un diplôme, etc., de l'autorité qui le décerne.

impétueux, euse a Litt 1 Dont le mouvement est à la fois violent et rapide. 2 Plein de fougue, ardent. *Désirs impétueux.*

impétuosité nf Litt Fougue, ardeur, violence.

impie a, n Litt Qui manifeste du mépris pour la religion ; incroyant, athée.

impiété nf Litt Mépris pour la religion ; acte, parole impies.

impitoyable a Sans pitié.

implacable a Dont on ne peut apaiser la violence.

implant nm MED Substance qu'on place sous la peau dans un but thérapeutique. Loc *Implant dentaire* : dispositif destiné à une prothèse.

implantation nf Action d'implanter, de s'implanter.

implanter vt Installer, introduire, établir qqpart. ■ vpr Se fixer en un lieu.

implantologie nf Technique de réalisation des implants dentaires.

implication nf Action d'impliquer, fait d'être impliqué dans. ■ pl Conséquences inévitables.

implicite a Qui, sans être exprimé formellement, peut être déduit de ce qui est exprimé.

impliquer vt 1 Mêler à une affaire fâcheuse. *Impliquer qqn dans un complot.* 2 Avoir pour conséquence. *La politesse implique l'exactitude.* ■ vpr Se donner à fond dans.

implorer vt Supplier, demander humblement.

imploser vi Faire implosion.

implosion nf 1 Éclatement d'un corps sous l'action d'une pression plus forte à l'extérieur qu'à l'intérieur. 2 Destruction d'une organisation par carence interne.

impoli, ie a, n Discourtois, goujat.

impolitesse nf Manque de politesse ; procédé impoli.

impondérable a Litt Difficile à prévoir, à imaginer. ■ nm Événement imprévisible.

impopulaire a Qui n'est pas conforme aux désirs de la population, un groupe.

impopularité nf Caractère impopulaire ; absence de popularité.

1. importable a Qu'on ne peut porter.

2. importable a Qu'on peut importer.

importance nf 1 Intérêt, portée de qqch. *L'importance d'un livre.* 2 Autorité, influence, prestige de qqn. Loc *D'importance* : très fort.

important, ante a 1 Qui a une valeur, un intérêt très grands ; considérable. 2 Puissant, influent.

importateur, trice n, a Qui fait le commerce d'importation. Ant. exportateur.

importation nf Action d'importer. ■ pl Ce qui est importé. Ant. exportation.

1. importer vti, vi Être important, digne d'intérêt. *Cela m'importe peu. Il importe de savoir manœuvrer.* Loc *Qu'importe ! Peu importe !* : cela est indifférent. *N'importe qui, n'importe quoi* : personne, chose quelconque. *N'importe comment, où, quand* : manière, lieu, temps quelconque.

2. importer vt Introduire dans un pays des biens de l'étranger. Ant. exporter.

import-export nm inv Commerce des importations et des exportations.

importun, une a, n Qui ennuie, dérange.

importuner vt Déranger, gêner.

imposable a Assujetti à l'impôt.

imposant, ante a Qui frappe par sa grandeur, sa force, son nombre.

imposé, ée a 1 Fixé par voie d'autorité. *Prix imposé.* 2 Soumis à l'impôt.

imposer vt 1 Faire accepter en contraignant. *Imposer une tâche, le silence.* 2 Soumettre à l'impôt. Loc *Imposer les mains :* les mettre sur la tête de qqn selon un rite religieux. ■ vti Loc *En imposer :* susciter le respect. ■ vpr 1 Se contraindre à. *S'imposer des sacrifices.* 2 Être indispensable. *Cette démarche s'impose.* 3 Se faire accepter par la force ou par sa valeur. *Un chef qui s'impose.*

imposition nf 1 Impôt, taxe. 2 IMPRIM Action de disposer une feuille pour l'impression.

impossibilité nf Caractère impossible ; chose impossible.

impossible a 1 Qui ne peut se faire. 2 Fam Insupportable, pénible. ■ nm Ce qui est hors des limites du possible.

imposte nf 1 ARCHI Pierre en saillie sur laquelle prend appui le cintre d'une arcade. 2 CONSTR Partie supérieure d'une porte ou d'une croisée.

imposteur nm Qui trompe autrui en se faisant passer pour autre qu'il n'est.

imposture nf Action de tromper par de fausses apparences.

impôt nm Contribution exigée par l'État ou les collectivités locales pour subvenir aux dépenses publiques. *Impôts directs, indirects.*

impotence nf État d'un impotent.

impotent, ente a, n Qui ne peut se mouvoir qu'avec difficulté.

impraticable a 1 Qu'on ne peut mettre en pratique. *Une idée impraticable.* 2 Où l'on passe très difficilement. *Chemin impraticable.*

imprécateur, trice n Litt Qui profère des imprécations.

imprécation nf Litt Malédiction, souhait de malheur contre qqn.

imprécis, ise a Qui manque de précision.

imprécision nf Manque de précision.

imprégnation nf Action d'imprégner. Loc *Imprégnation alcoolique :* alcoolisme aigu ou chronique.

imprégner vt 12 1 Imbiber, faire pénétrer un liquide dans un corps. 2 Faire pénétrer une idée dans l'esprit de qqn.

imprenable a Qui ne peut être pris.

imprésario [-za-] nm Qui s'occupe des contrats d'un artiste, d'un comédien.

imprescriptible a DR Qui n'est jamais caduc.

impression nf 1 Action d'imprimer. Fautes d'impression dans un livre. 2 Marque laissée par un support. 3 Sensation, effet produit par une action extérieure. 4 Sentiment, opinion sur qqn, qqch après un premier contact. Loc *Avoir l'impression de, que :* croire que.

impressionnable a Qui ressent vivement les impressions, les émotions.

impressionnant, ante a 1 Qui impressionne l'esprit. 2 Considérable.

impressionner vt 1 Faire une vive impression sur qqn. 2 PHOTO Produire une impression matérielle sur une surface sensible.

impressionnisme nm Mouvement pictural du dernier quart du XIXᵉ s., qui privilégie les impressions ressenties.

impressionniste a, n Qui appartient à l'impressionnisme. ■ a Qui procède par nuances subtiles.

imprévisible a Qu'on ne peut prévoir.

imprévoyance nf Défaut de prévoyance.

imprévoyant, ante a Qui manque de prévoyance.

imprévu, ue a, nm Qui arrive sans qu'on l'ait prévu. *Ne pas aimer l'imprévu.*

imprimante nf Organe périphérique d'un ordinateur servant à imprimer sur du papier les résultats d'un traitement.

imprimatur nm inv HIST Permission d'imprimer accordée par l'autorité ecclésiastique.

imprimé nm Livre, brochure, feuille, tissu imprimés.

imprimer vt 1 Reporter sur un support des signes, des dessins. 2 Publier une œuvre, un auteur. 3 Litt Faire, laisser une empreinte. *Tra-*

ces de roues imprimées dans la boue. **4** Communiquer un mouvement. *Vitesse que le vent imprime aux voiliers.*

imprimerie *nf* **1** Technique de la fabrication des ouvrages imprimés. **2** Établissement où on imprime livres, journaux, etc.

imprimeur *nm* Directeur d'imprimerie ; ouvrier qui travaille dans une imprimerie.

improbabilité *nf* Caractère improbable.

improbable *a* Qui a peu de chances de se produire.

improductif, ive *a* Qui ne produit rien.

impromptu, ue *a* Improvisé, fait sur-le-champ. *Concert impromptu.* ■ *av* Sans préparation. *Parler impromptu.* ■ *nm* Petite poésie improvisée.

imprononçable *a* Qu'on ne peut prononcer.

impropre *a* Qui ne convient pas ; inadéquat. *Eau impropre à la consommation.*

impropriété *nf* **1** Caractère impropre. **2** Mot, expression impropre.

improvisateur, trice *n* Qui improvise.

improvisation *nf* Action d'improviser ; ce qui est improvisé.

improviser *vt* Faire sur-le-champ et sans préparation. ■ *vpr* Remplir sans préparation une fonction. *S'improviser cuisinier.*

improviste (à l') *av* De manière imprévue.

imprudence *nf* Manque de prudence ; action imprudente.

imprudent, ente *a, n* Qui manque de prudence. *Alpiniste imprudent.*

impubère *a* Qui n'a pas atteint la puberté.

impubliable *a* Qu'on ne peut publier.

impudence *nf* Effronterie extrême ; cynisme.

impudent, ente *a, n* Insolent, cynique.

impudeur *nf* Manque de pudeur ; indécence.

impudique *a, n* Indécent.

impuissance *nf* **1** Manque de pouvoir, de moyens, pour faire qqch. **2** Impossibilité physique, pour l'homme, de pratiquer le coït.

impuissant, ante *a* Qui n'a pas le pouvoir suffisant pour faire qqch. ■ *am, nm* Incapable de pratiquer le coït.

impulser *vt* Donner une impulsion à.

impulsif, ive *a, n* Qui agit sans réfléchir.

impulsion *nf* **1** Action d'imprimer un mouvement à un corps. **2** Incitation à l'activité. **3** Désir soudain et impérieux d'agir.

impulsivité *nf* Caractère impulsif.

impunément *av* **1** Sans être sanctionné. **2** Sans subir de conséquences fâcheuses.

impuni, ie *a* Qui demeure sans punition.

impunité *nf* Absence de punition.

impur, ure *a* **1** Qui est altéré par des substances étrangères. **2** Litt Impudique.

impureté *nf* Caractère impur, souillé, pollué ; ce qui rend impur.

imputer *vt* **1** Attribuer une action, une chose répréhensible à qqn. *On lui a imputé l'accident.* **2** Affecter une somme à un compte.

imputrescible *a* Qui ne peut pourrir.

in [in] *a* Fam À la mode.

inabordable *a* **1** Qu'on ne peut aborder. **2** D'un prix très élevé.

inabouti, ie *a* Qui a échoué. *Tentative inaboutie.*

inaccentué, ée *a* Qui n'est pas accentué ; atone. *Voyelle inaccentuée.*

inacceptable *a* Qu'on ne peut accepter.

inaccessibilité *nf* Caractère inaccessible.

inaccessible *a* **1** Auquel on ne peut accéder. *Montagne inaccessible.* **2** Difficile à approcher, à aborder. *Personnage inaccessible.* **3** Insensible à certains sentiments. *Inaccessible à la pitié.*

inaccompli, ie *a* Litt Qui n'est pas achevé.

inaccoutumé, ée *a* Inhabituel.

inachevé, ée *a* Qui n'est pas achevé.

inachèvement *nm* État inachevé.

inactif, ive *a, n* Qui n'a pas d'activité ; désœuvré. ■ *a* Inopérant. *Médicament inactif.*

inaction *nf* Absence d'action, d'activité.

inactivation *nf* Action d'inactiver.

inactiver *vt* MED Rendre inactif un microorganisme, une substance.

inactivité *nf* Absence d'activité.

inadaptable a Qui ne peut être adapté.

inadaptation nf Manque d'adaptation.

inadapté, ée, n 1 Qui n'est pas adapté. 2 Qui présente un handicap.

inadéquat, ate [-kwa] a Qui n'est pas adéquat, qui ne convient pas.

inadmissible a Inacceptable.

inadvertance nf Loc Par inadvertance : par étourderie.

inaliénable a Qui ne peut être cédé ou vendu.

inaltérable a Qui ne peut s'altérer.

inaltéré, ée a Non modifié.

inamical, ale, aux a Hostile.

inamovible a Qu'on ne peut destituer.

inanimé, ée a 1 Non doué de vie. 2 Qui a perdu ou semble avoir perdu la vie. ■ a, nm GRAM Se dit de noms désignant des choses.

inanité a Litt Caractère inutile, vain.

inanition nf Épuisement dû à une profonde carence alimentaire.

inaperçu, ue a Qui a échappé aux regards.

inapparent, ente a Invisible.

inappétence nf Défaut d'appétit.

inapplicable a Qu'on ne peut appliquer.

inappliqué, ée a 1 Qu'on n'a pas mis en application. 2 Inattentif. Élève inappliqué.

inappréciable a Inestimable.

inapprochable a Qu'on ne peut approcher.

inapproprié, ée a Inadapté, inadéquat.

inapte a, n Qui manque des aptitudes requises pour qqch.

inaptitude nf Incapacité.

inarticulé, ée a Indistinct. Son inarticulé.

inassimilable a Qu'on ne peut assimiler.

inassouvi, ie a Litt Insatisfait.

inattaquable a Qu'on ne peut attaquer.

inattendu, ue a Imprévu.

inattentif, ive a Distrait.

inattention nf Distraction. Loc Faute d'inattention : due à l'étourderie.

inaudible a Impossible ou difficile à entendre.

inaugural, ale, aux a De l'inauguration.

inauguration nf Action d'inaugurer.

inaugurer vt 1 Marquer par une cérémonie la mise en service de. Inaugurer un pont. 2 Employer pour la première fois. Inaugurer une nouvelle méthode. 3 Marquer le début de. Cette réussite inaugura une période faste.

inauthentique a Non authentique ; faux.

inavouable a Non avouable.

inavoué, ée a Qu'on ne s'avoue pas.

inca a Relatif aux Incas.

incalculable a 1 Qu'on ne peut calculer, compter. 2 Impossible à évaluer. Conséquences incalculables.

incandescence nf État incandescent.

incandescent, ente a Devenu lumineux sous l'effet d'une chaleur intense.

incantation nf Formule magique pour produire un effet surnaturel.

incantatoire a De l'incantation.

incapable a Qui n'est pas capable. Incapable de parler. ■ a, n Qui n'a pas les compétences requises pour une activité donnée.

incapacitant, ante a, nm Se dit d'un produit qui paralyse temporairement certains organes.

incapacité nf Inaptitude.

incarcération nf Emprisonnement.

incarcérer vt 12 Emprisonner, écrouer.

incarnat, ate a, nm D'un rouge clair et vif.

incarnation nf 1 RELIG Action de s'incarner. 2 Image, représentation, personnification. L'incarnation de la bonté.

incarné, ée a Personnifié. C'est la méchanceté incarnée. Loc Ongle incarné : entré profondément dans la chair.

incarner vt 1 Être l'image de. Le Conseil constitutionnel incarne la loi. 2 Interpréter le rôle de. Acteur qui incarne le Cid. ■ vpr RELIG Prendre un corps de chair (divinité).

incartade nf Écart de conduite.

incassable a Qu'on ne peut casser.

incendiaire a 1 Destiné à allumer un incendie. Bombe incendiaire. 2 Propre à susciter des troubles. Discours incendiaire. ■ n Auteur volontaire d'un incendie.

incendie nm Grand feu destructeur.

incendier vt 1 Provoquer l'incendie de. 2 Fam Blâmer qqn avec violence.

incertain, aine a 1 Qui n'est pas certain ; douteux. *Résultat incertain.* 2 Variable. *Temps incertain.* 3 Vague, peu distinct. *Contours incertains.* 4 Qui doute de qqch, hésitant.

incertitude nf Caractère incertain.

incessamment av Sans délai, sous peu.

incessant, ante a Continuel.

incessible a DR Qui ne peut être cédé.

inceste nm Relations sexuelles interdites entre des parents proches.

incestueux, euse a 1 Coupable d'inceste. 2 Entaché d'inceste. 3 Né d'un inceste.

inchangé, ée a Demeuré sans changement.

inchoatif, ive [-koa-] a GRAM Qui exprime le commencement d'une action.

incidemment av Par hasard, au passage.

incidence nf 1 Influence, répercussion. *Les incidences de la crise économique.* 2 MÉD Nombre de cas pathologiques nouveaux dans une population donnée.

incident, ente a 1 GRAM Se dit d'une incise. 2 PHYS Qualifie un rayon qui atteint une surface. 3 Occasionnel. *Remarque incidente.* ■ nm Événement fortuit, fâcheux, mais peu important qui survient au cours d'une action.

incinérateur nm Appareil servant à brûler les déchets.

incinération nf Action d'incinérer.

incinérer vt 12 Réduire en cendres ; brûler.

incise nf GRAM Proposition très courte intercalée dans une autre (ex. : *dit-il*).

inciser vt Faire, avec un instrument tranchant, une entaille dans.

incisif, ive a Acerbe, mordant.

incision nf 1 Action d'inciser. 2 Coupure allongée, entaille.

incisive nf Chacune des dents de devant.

incitatif, ive a Propre à inciter.

incitation nf Action d'inciter.

inciter vt Déterminer, induire à.

incivil, ile a Litt Impoli.

inclassable a Qu'on ne peut classer.

inclinaison nf État incliné, oblique. *Inclinaison du sol.*

inclination nf 1 Disposition, penchant naturel qui porte vers qqch, qqn. 2 Action d'incliner le corps, la tête.

incliné, ée a Oblique. **Loc** *Plan incliné :* surface plane formant un certain angle avec l'horizontale.

incliner vt 1 Mettre dans une position oblique, pencher. *Incliner la tête.* 2 Porter, inciter à. *Tout l'incline à pardonner.* ■ vti Être porté, enclin à. *J'incline au pardon.* ■ vpr 1 Courber le corps, se pencher. 2 S'avouer vaincu, se soumettre, céder.

inclinomètre nm Appareil servant à mesurer une pente.

inclure vt 54 1 Enfermer, insérer dans. 2 Comporter, impliquer.

inclus, use a Compris dans. **Loc** *Ci-inclus,* ci-incluse : inclus dans cet envoi.

inclusif, ive a Qui renferme en soi.

inclusion nf Action d'inclure ; état de ce qui est inclus ; chose incluse.

inclusivement av Y compris ce dont on parle.

incoercible a Litt Qu'on ne peut contenir. *Rire incoercible.*

incognito av Sans se faire reconnaître. ■ nm Situation de qqn qui garde secrète son identité.

incohérence nf Absence de lien logique.

incohérent, ente a Qui manque de cohérence, de suite.

incollable a 1 Qui ne colle pas en cuisant. 2 Fam Qui répond à toutes les questions.

incolore a Qui n'a pas de couleur.

incomber vti Revenir, être imposé à qqn. *Ce soin vous incombe.*

incombustible a Qui ne peut être brûlé.

incommensurable a 1 Sans mesure, sans limites. 2 MATH Qualifie deux grandeurs de même nature qui n'ont pas de sous-multiple commun (ex. : *la diagonale et le côté d'un carré*).

incommodant, ante a Qui gêne ; désagréable.

incommode a 1 Qui cause de la gêne. *Position incommode.* 2 Peu pratique. *Appartement incommode.*

incommoder vt Causer une gêne physique à qqn. *La fumée l'incommode.*

incommodité nf Caractère incommode.

incommunicable a Qu'on ne peut communiquer, exprimer.

incomparable a Tellement supérieur que rien ne peut lui être comparé.

incompatibilité nf Caractère incompatible.

incompatible a Qui n'est pas compatible ; inconciliable avec.

incompétence nf Manque de compétence.

incompétent, ente a 1 Qui n'a pas l'aptitude requise. 2 Se dit d'une juridiction qui n'a pas qualité pour connaître de certaines affaires.

incomplet, ète a Auquel il manque qqch.

incompréhensible a Inintelligible, inexplicable. *Personnage incompréhensible.*

incompréhensif, ive a Qui manque de compréhension à l'égard d'autrui.

incompréhension nf Incapacité à comprendre.

incompressible a 1 Dont le volume ne diminue pas sous l'effet de la pression. 2 Qu'on ne peut réduire. *Des dépenses incompressibles.*

incompris, ise a, n Dont la valeur n'est pas reconnue.

inconcevable a Inimaginable.

inconciliable a Qu'on ne peut concilier avec un autre.

inconditionnel, elle a Indépendant de toute condition. ■ a, n Qui se plie sans discussion aux décisions d'un homme, d'un parti.

inconduite nf Dévergondage.

inconfort nm Manque de confort.

inconfortable a Qui n'est pas confortable.

incongru, ue a Déplacé, inconvenant.

incongruité nf Caractère incongru.

inconnaissable a Qui ne peut être connu.

inconnu, ue a 1 Qui n'est pas connu. 2 Qui n'est pas célèbre, obscur. ■ n Personne que l'on ne connaît pas. ■ nm Ce qui est mystérieux. ■ nf MATH Quantité que l'on détermine par la résolution d'une équation.

inconsciemment av De façon inconsciente.

inconscience nf 1 État de qqn d'inconscient, privé de sensibilité. 2 Manque de discernement.

inconscient, ente a 1 Qui n'a pas conscience de ses actes ; évanoui. 2 Dont on n'a pas conscience. *Geste inconscient.* ■ a, n Qui ne mesure pas l'importance des choses, la gravité de ses actes. ■ nm Domaine du psychisme correspondant à la conscience.

inconséquence nf Incohérence.

inconséquent, ente a 1 Qui manque de logique, de cohérence. 2 Qui se conduit avec légèreté ; irréfléchi.

inconsidéré, ée a Irréfléchi.

inconsistance nf 1 Manque de consistance. 2 Absence de fermeté, de force, de cohérence.

inconsistant, ante a Qui manque de consistance, de fermeté.

inconsolable a Qui ne peut être consolé.

inconsolé, ée a Litt Qui ne s'est pas consolé.

inconstance nf Instabilité.

inconstant, ante a, n Dont les sentiments changent facilement. ■ a Variable. *Temps inconstant.*

inconstitutionnalité nf Caractère inconstitutionnel.

inconstitutionnel, elle a Non conforme à la Constitution.

inconstructible a Où on n'a pas le droit de construire.

incontestable a Indéniable.

incontesté, ée a Qui n'est pas discuté.

incontinence nf 1 Tendance incontrôlée à parler trop. 2 MED Émission incontrôlée d'urine, de matières fécales.

incontinent, ente a Qui n'est pas chaste. ■ a, n Atteint d'incontinence.

incontournable a Qu'on ne peut éviter.

incontrôlable a Qu'on ne peut contrôler.

incontrôlé, ée a Qui échappe à tout contrôle.

inconvenance nf Caractère inconvenant.

inconvenant, ante a Qui blesse la bienséance ; grossier.

inconvénient nm 1 Désavantage, défaut de qqch. 2 Désagrément, résultat fâcheux.

inconvertible a Qui ne peut être changé en une autre monnaie, en or.

incorporation nf Action d'incorporer.

incorporel, elle a Immatériel.

incorporer vt 1 Faire entrer qqch dans un tout. 2 MILIT Faire entrer une recrue dans son unité d'affectation.

incorrect, ecte a 1 Qui n'est pas correct ; mauvais. 2 Grossier.

incorrection nf 1 Manquement aux règles de la bienséance. 2 Faute de grammaire.

incorrigible a Qu'on ne peut corriger.

incorruptible a, n 1 Imputrescible, inaltérable. 2 Incapable de se laisser corrompre pour agir contre ses devoirs.

incrédule a, n 1 Athée, libre penseur, incroyant. 2 Difficile à persuader ; sceptique.

incrédulité nf Fait d'être incrédule, scepticisme, athéisme.

incréé, ée a RELIG Qui existe sans avoir été créé.

incrémenter vt INFORM Augmenter d'une quantité donnée une variable d'un programme.

increvable a 1 Qui ne peut être crevé. 2 Fam Infatigable.

incrimination nf Action d'incriminer.

incriminer vt Mettre en cause, accuser.

incroyable a 1 Difficile ou impossible à croire. Un récit incroyable. 2 Peu commun, extraordinaire. Une activité incroyable. ■ n HIST Jeune dandy royaliste, sous le Directoire.

incroyance nf Absence de croyance religieuse.

incroyant, ante n, a Qui n'a pas de foi religieuse ; athée.

incrustation nf 1 Action d'incruster ; ornement incrusté. 2 Dépôt calcaire sur un objet. 3 Apparition sur l'écran de télévision d'une image qui se superpose à la première.

incruster vt 1 Orner un objet en insérant des fragments d'une autre matière. Coffret

d'ébène incrusté de nacre. 2 Couvrir d'un dépôt calcaire. ■ vpr Fam S'installer chez qqn en parasite.

incubateur nm Couveuse artificielle.

incubation nf 1 Action de couver ; développement de l'embryon dans l'œuf. 2 MED Période entre la contamination et l'apparition de la maladie.

incube nm Démon mâle censé abuser des femelles endormies.

incuber vt Opérer l'incubation de.

inculpation nf DR Syn anc de mise* en examen.

inculpé, ée n, DR Syn anc de mis* en examen.

inculper vt DR Mettre en examen.

inculquer vt Imprimer dans l'esprit de façon profonde et durable.

inculte a 1 Qui n'est pas cultivé. Terres incultes. 2 Peu soigné. Barbe inculte. 3 Dépourvu de culture intellectuelle.

incultivable a Qui ne peut être cultivé.

inculture nf Manque de culture intellectuelle.

incunable nm Ouvrage imprimé entre la découverte de l'imprimerie (1438) et 1500.

incurable a, n Qu'on ne peut guérir.

incurie nf Défaut de soin, négligence.

incursion nf 1 Courte irruption armée dans une région. 2 Entrée soudaine dans un lieu.

incurver vt Donner une forme courbe à. ■ vpr Prendre une forme courbe.

indatable a Qu'on ne peut dater.

indéboulonnable a Fam Qu'on ne peut destituer.

indécelable a Impossible à déceler, indétectable.

indécence nf Caractère indécent, inconvenant.

indécent, ente a Contraire à la décence, inconvenant, scandaleux, impudique.

indéchiffrable a Qui ne peut être déchiffré ; obscur, inintelligible.

indécis, ise a 1 Douteux, incertain. Victoire indécise. 2 Flou, imprécis, vague. Traits indécis. ■ a, n Irrésolu, qui ne sait pas se décider. Tenter de convaincre les indécis.

indécision nf Irrésolution, incertitude.

indécollable a Impossible à décoller.

indéfectible a Qui ne peut cesser d'être. *Une amitié indéfectible.*

indéfendable a Qu'on ne peut défendre.

indéfini, ie a **1** Dont les limites ne peuvent être déterminées. *Temps indéfini.* **2** Vague, imprécis. *Sentiment indéfini.* ■ *a, nm* GRAM Article, adjectif ou pronom qui présentent le nom de manière générale ou indéterminée.

indéfiniment av De façon indéfinie.

indéfinissable a Qu'on ne peut définir, expliquer. *Sentiment indéfinissable.*

indéformable a Qui ne se déforme pas.

indéhiscent, ente a BOT Se dit d'un fruit qui se détache en entier de la plante.

indélébile a Qui ne peut être effacé.

indélicat, ate a Malhonnête.

indélicatesse nf Malversation.

indemne a Qui n'a souffert aucun dommage, aucune blessure à la suite d'un accident.

indemnisation nf Paiement d'une indemnité.

indemniser vt Dédommager qqn.

indemnité nf **1** Dédommagement d'un préjudice. **2** Allocation attribuée en compensation de certains frais.

indémodable a Qui ne peut se démoder.

indémontrable a Qu'on ne peut démontrer.

indéniable a Incontestable.

indénombrable a Incalculable.

indentation nf Échancrure.

indépendamment de prép **1** En faisant abstraction de. *Indépendamment des événements.* **2** En outre, en plus de.

indépendance nf **1** Situation de qqn, d'un État autonome, indépendant. **2** Refus de toute sujétion. *Indépendance d'esprit, d'opinion.* **3** Absence de relations entre les phénomènes.

indépendant, ante a **1** Libre de toute sujétion, de toute dépendance. **2** Qui refuse toute sujétion. **3** Qui n'a pas de rapport avec. *Ce sont deux questions indépendantes.*

indépendantisme nm Revendication de l'indépendance politique.

indépendantiste a, n Partisan de l'indépendance politique.

indescriptible a Qui ne peut être décrit.

indésirable a, n Dont on refuse la présence dans un pays, un groupe.

indestructible a Qui ne peut être détruit.

indétectable a Qu'on ne peut détecter.

indéterminable a Qu'on ne peut déterminer.

indétermination nf **1** Doute, irrésolution. **2** Caractère flou, vague.

indéterminé, ée a Imprécis, vague.

index nm inv **1** Deuxième doigt de la main, le plus rapproché du pouce. **2** Aiguille, repère mobile sur un cadran. **3** Table alphabétique à la fin d'un ouvrage. **Loc** *Mettre à l'index* : exclure.

indexation nf ou **indexage** nm Action d'indexer.

indexer vt **1** Lier l'évolution d'une valeur aux variations d'un indice de référence. **2** Réaliser l'index d'un ouvrage. **3** Mettre un élément à son ordre dans un index.

indianisme nm Étude des langues et des civilisations de l'Inde.

indic nm Pop Indicateur de police.

indicateur, trice a Qui indique. *Poteau indicateur.* ■ n Qui, en échange d'avantages, renseigne la police. ■ nm **1** Livre, brochure qui contient des renseignements. **2** Instrument de mesure fournissant des indications.

indicatif, ive a Qui indique. *Je vous dis cela à titre indicatif.* ■ nm **1** GRAM Mode du verbe qui exprime l'état, l'action comme réels. **2** Air musical conventionnel identifiant un poste émetteur de radio ou de télévision.

indication nf **1** Action d'indiquer. **2** Signe, indice. **3** Renseignement. *Donner quelques indications.* **4** MED Maladie, cas pour lesquels tel traitement est indiqué (par oppos. à contre-indication).

indice nm **1** Signe apparent rendant probable l'existence de qqch. **2** MATH Signe (lettre ou chiffre) placé en bas à droite d'un autre signe pour le caractériser. **3** Rapport entre une grandeurs. *Indice d'octane:* **Loc** *Indice des prix :* chiffre indiquant l'évolution du pouvoir d'achat.

indiciaire a Rattaché à un indice.

indicible a Qu'on ne saurait exprimer.

indiciel, elle a Qui a valeur d'indice.

indien, enne a, n 1 De l'Inde. 2 Relatif aux indigènes d'Amérique (Amérindiens). ■ *nf* Étoffe de coton peinte ou imprimée.

indifféremment av Sans faire de différence.

indifférence *nf* 1 État de qqn qui ne désire ni ne repousse une chose. *Indifférence religieuse.* 2 Insensibilité, froideur.

indifférencié, ée a Qui n'est pas différencié.

indifférent, ente a 1 Qui ne présente aucun motif de préférence. *Cela m'est indifférent.* 2 Qui manque d'intérêt. *Conversation indifférente.* ■ a, n Insensible, qui ne s'intéresse pas.

indifférer vt 12 **Fam** Ne pas intéresser, laisser insensible. *Cela m'indiffère.*

indigence *nf* Grande pauvreté, misère.

indigène a Originaire du pays, de l'endroit où qqn, qqch se trouve. ■ n 1 Autochtone. 2 Originaire d'un pays d'outre-mer.

indigent, ente a, n 1 Très pauvre. 2 Qui manque d'intérêt. *Ouvrage indigent.*

indigeste a 1 Difficile à digérer. 2 Difficile à assimiler. *Ouvrage indigeste.*

indigestion [-tjɔ̃] *nf* 1 Indisposition due à une mauvaise digestion. 2 **Fam** Dégoût de qqch dû à un usage excessif. *Une indigestion de cinéma.*

indignation *nf* Colère et mépris provoqués par une injustice, une action honteuse.

indigne a 1 Qui ne mérite pas. *Il est indigne de votre estime.* 2 Qui ne sied pas à qqn. *Cette conduite est indigne de vous.* 3 Odieux, méprisable. *Mère indigne.*

indigner vt Exciter l'indignation de qqn. ■ *vpr* Éprouver de l'indignation.

indignité *nf* Caractère indigne.

indigo nm, a inv Variété de bleu.

indigotier nm Plante qui fournissait une teinture bleue.

indiqué, ée a Adéquat, opportun, recommandé. **Ant** contre-indiqué.

indiquer vt 1 Montrer, désigner de façon précise. 2 Faire connaître en donnant des renseignements. *Indiquer le chemin à qqn.* 3 Dénoter, révéler. *Le signal vert indique la voie libre.*

indirect, ecte a Qui n'est pas direct, détourné. **Loc** GRAM *Complément indirect :* rattaché au verbe par une préposition. *Interrogation indirecte, style indirect :* rapportant les propos dans une proposition subordonnée (ex. : *je demande quand il est venu*).

indiscernable a Qu'on ne peut discerner.

indiscipline *nf* Désobéissance.

indiscipliné, ée a Désobéissant.

indiscret, ète a Qui manque de discrétion. ■ a, n Qui ne sait pas garder un secret.

indiscrétion *nf* 1 Manque de discrétion. 2 Révélation de ce qui devait rester secret.

indiscutable a Incontestable.

indispensable a Absolument nécessaire.

indisponibilité *nf* Situation, état indisponible.

indisponible a Qui n'est pas disponible.

indisposé, ée a 1 Légèrement malade, incommodé. 2 Se dit d'une femme qui a ses règles.

indisposer vt 1 Fâcher, mécontenter. 2 Rendre légèrement malade, incommoder.

indisposition *nf* Léger malaise.

indissociable a Dont les éléments ne peuvent être dissociés.

indissoluble a Qu'on ne peut défaire.

indistinct, incte [-tɛ̃] a Imprécis, confus.

individu nm 1 Tout être organisé d'une espèce quelconque. 2 Être humain considéré isolément par rapport à la collectivité. 3 Personne quelconque, qu'on ne peut nommer ou qu'on méprise.

individualisation *nf* Action d'individualiser.

individualiser vt 1 Distinguer en fonction des caractères individuels. 2 Adapter aux caractères individuels ; personnaliser.

individualisme nm 1 Conception qui voit dans l'individu la valeur la plus élevée. 2 Égoïsme.

individualiste a, n Qui relève de l'individualisme.

individualité nf 1 PHILO Ce qui caractérise un être en tant qu'individu. 2 Originalité propre d'une personne. 3 Personne qui fait preuve de caractère. *Une forte individualité.*

individuel, elle a De l'individu ; personnel.

indivis, ise a DR Possédé par plusieurs personnes sans être divisé matériellement.

indivisible a Qui ne peut être divisé.

indivision nf DR Possession indivise.

indochinois, oise a, n De l'Indochine.

indocile a Désobéissant, rebelle.

indo-européen, enne a Se dit d'un groupe de langues européennes et asiatiques qui ont une origine commune ; cette langue originelle elle-même.

indolence nf Mollesse, nonchalance.

indolent, ente a Mou, apathique.

indolore a Qui n'est pas douloureux.

indomptable a Qu'on ne peut dompter.

indompté, ée [ɛ̃dɔ̃te] a Litt Non maîtrisé.

indonésien, enne a, n D'Indonésie.

indoor [indɔʀ] a inv Se dit d'épreuves sportives disputées en salle.

in-douze a inv, nm inv Format d'impression où les feuilles sont pliées en douze feuillets (abrév : in-12 ou in-12°).

indu, ue a Loc *Heure indue* : inhabituelle.

indubitable a Certain. *Échec indubitable.*

inductance nf ELECTR Coefficient qui caractérise la propriété d'un circuit électrique de produire un flux à travers lui-même.

inducteur, trice a ELECTR Qui produit l'induction. ■ nm Électro-aimant servant à produire un champ inducteur.

induction nf 1 PHILO Raisonnement consistant à inférer une chose d'une autre, à aller des faits particuliers au général. 2 ELECTR Production d'un courant par un aimant ou un autre courant.

induire vt 67 1 Inciter, amener à. *Induire qqn à mal faire.* 2 Causer, provoquer, entraîner. *Cette loi induira des inégalités.* 3 PHILO Trouver par induction ; conclure. *Que peut-on induire de cela ?* 4 ELECTR Produire une induction. Loc *Induire en erreur* : tromper.

induit, ite a 1 Qui résulte de, consécutif à. *Effet induit d'une décision.* 2 ELECTR Produit par induction. ■ nm Machine électrique où on produit une force électromotrice par induction.

indulgence nf 1 Facilité à excuser, à pardonner. 2 RELIG Remise de la peine du pécheur.

indulgent, ente a Qui pardonne, excuse aisément ; clément.

indûment av À tort.

induration nf MED Durcissement et épaississement des tissus organiques.

industrialisation nf Action d'industrialiser.

industrialiser vt 1 Appliquer les méthodes industrielles à. 2 Implanter des industries dans.

industrialisme nm Conception économique faisant de l'industrie le pivot des sociétés.

industrie nf 1 Ensemble des entreprises ayant pour objet la transformation des matières premières et l'exploitation des sources d'énergie. 2 Secteur économique important. *Industrie du spectacle.* Loc Litt *Chevalier d'industrie* : escroc.

industriel, elle a Qui relève de l'industrie. *La civilisation industrielle.* Loc *(En) quantité industrielle* : (en) grande quantité. ■ n Qui possède une entreprise, une usine.

industrieux, euse a Litt Adroit, ingénieux.

inébranlable a 1 Qui ne peut être ébranlé ; ferme, solide. *Courage inébranlable.*

inédit, ite a, nm 1 Qui n'a pas été publié, édité. 2 Qui n'a pas encore été vu ; nouveau.

ineffable a Litt Indicible.

ineffaçable a Qui ne peut être effacé.

inefficace a Inopérant.

inefficacité nf Manque d'efficacité.

inégal, ale, aux a 1 Qui n'est pas égal en dimension, en durée, en valeur, en quantité. 2 Raboteux (sol, surface). 3 Qui n'est pas régulier. *Mouvement inégal.* 4 Changeant, inconstant. *Humeur inégale.*

inégalable a Qui ne peut être égalé.

inégalé, ée a Qui n'a pas été égalé.

inégalitaire a Fondé sur l'inégalité sociale.

inégalité nf 1 Caractère inégal. *Inégalité des chances.* 2 MATH Expression qui traduit que deux quantités ne sont pas égales.

inélégance nf Manque d'élégance.

inélégant, ante a Discourtois, grossier.

inéligibilité nf Caractère inéligible.

inéligible a Qui ne peut être élu.

inéluctable a Inévitable.

inemployé, ée a Qu'on n'utilise pas.

inénarrable a Extraordinairement cocasse.

inéprouvé, ée a Qui n'a pas été ressenti.

inepte a Stupide. *Raisonnement inepte.*

ineptie [-psi] nf Sottise, stupidité.

inépuisable a Intarissable.

inéquitable a Lit Injuste.

inerte a 1 Qui n'est pas en mouvement. *Corps inerte.* 2 CHIM Qui ne joue aucun rôle dans une réaction donnée. 3 Qui ne fait aucun des mouvements décelant la vie. 4 Qui n'agit pas ; sans énergie, apathique.

inertie [-si] nf 1 État inerte. 2 Absence d'activité, d'énergie. *Loc* **Force d'inertie :** résistance passive de qqn ; résistance au mouvement opposée par un corps du fait de sa seule masse.

inertiel, elle a PHYS Relatif à l'inertie, à la force d'inertie.

inespéré, ée a Inattendu.

inesthétique a Laid.

inestimable a Inappréciable, très précieux.

inévitable a Qu'on ne peut éviter.

inexact, acte a 1 Qui manque de ponctualité. 2 Faux. *Calcul inexact.*

inexactitude nf 1 Manque de ponctualité. 2 Erreur. *Un livre plein d'inexactitudes.*

inexcusable a Qui ne peut être excusé.

inexécutable a Qui ne peut être exécuté.

inexécution nf Absence d'exécution.

inexigible a Qui ne peut être exigé.

inexistant, ante a 1 Qui n'existe pas. 2 Sans valeur, qui ne compte pas.

inexistence nf Défaut d'existence, de valeur.

inexorable a Implacable.

inexpérience nf Manque d'expérience.

inexpérimenté, ée a Qui n'a pas d'expérience.

inexpiable a 1 Qui ne peut être expié. *Crime inexpiable.* 2 Sans merci. *Lutte inexpiable.*

inexplicable a Incompréhensible, étrange.

inexpliqué, ée a Qui n'a pas été expliqué.

inexploitable a Qu'on ne peut exploiter.

inexploité, ée a Qui n'est pas exploité.

inexploré, ée a Qui n'a pas été exploré.

inexpressif, ive a Qui manque d'expression.

inexprimable a Indicible.

inexprimé, ée a Qui n'est pas exprimé.

inexpugnable a Qu'on ne peut prendre d'assaut.

inextensible a Qu'on ne peut allonger.

in extenso [inɛkstɛ̃so] av En entier, complètement. *Publier un livre in extenso.*

inextinguible a Qu'on ne peut apaiser. *Une soif inextinguible.*

in extremis [inɛkstʀemis] av Au dernier moment, à la dernière minute.

inextricable a Très embrouillé.

infaillible a 1 Qui ne peut se tromper. *Nul n'est infaillible.* 2 Certain, assuré. *Remède infaillible.*

infaisable [ɛ̃fə-] a Qui ne peut être fait.

infalsifiable a Qui ne peut être falsifié.

infamant, ante a Déshonorant.

infâme a 1 Avilissant, honteux. *Action infâme.* 2 Répugnant, sale. *Un infâme taudis.*

infamie nf 1 Action, parole infâme, vile. 2 Lit Déshonneur.

infant, ante n Titre des enfants puînés des rois d'Espagne et de Portugal.

infanterie nf Ensemble des troupes qui combattent à pied.

infanticide a, n Qui a commis un meurtre d'enfant. ■ nm Meurtre d'un enfant, spécialement d'un nouveau-né.

infantile a 1 Des enfants en bas âge. *Mortalité infantile.* 2 Puéril. *Discours infantile.*

infantiliser vt Rendre infantile, puéril.

infantilisme nm Conduite puérile, infantile ; absence de maturité.

infarctus nm MED Oblitération d'un vaisseau par une thrombose. Loc *Infarctus du myocarde* : lésion entraînant la nécrose de la paroi musculaire du cœur.

infatigable a Que rien ne fatigue.

infatuer (s') vpr Lit Être excessivement satisfait de sa propre personne.

infécond, onde a Stérile.

infécondité nf Stérilité.

infect, ecte a 1 Lit Qui répand une odeur repoussante. *Haleine infecte.* 2 Qui suscite le dégoût, répugnant. 3 Fam Très mauvais.

infecter vt 1 Contaminer de germes infectieux. 2 Empester. ■ vpr Être atteint par l'infection.

infectieux, euse a MED Qui provoque une infection ou qui en résulte.

infectiologie nf Étude des maladies infectieuses.

infection nf 1 MED Développement d'un germe pathogène dans l'organisme. 2 Grande puanteur. *Ta pipe, c'est une infection !*

inféoder vt HIST Donner en fief à un vassal. Loc *Être inféodé à* : être sous la dépendance de. ■ vpr S'attacher par un lien étroit.

inférer vt 12 Déduire une conséquence de.

inférieur, eure a 1 Placé au-dessous, en bas. *Mâchoire inférieure.* 2 Le plus éloigné de la source d'un fleuve. *Le cours inférieur de la Seine.* 3 BIOL Dont l'organisation est rudimentaire. 4 MATH Plus petit que. ■ a, n Au-dessous d'un autre en rang, en dignité ; subordonné, subalterne.

inférioriser vt Donner un sentiment d'infériorité à.

infériorité nf Désavantage, subordination. Loc *Complexe d'infériorité* : sentiment qui conduit qqn à se déprécier, à se dévaloriser.

infernal, ale,aux a 1 Lit De l'enfer. 2 Insupportable. *Vacarme infernal. Enfant infernal.*

infertile a Lit Stérile, infécond.

infester vt Envahir (animaux, plantes nuisibles). *Cave infestée de rats.*

infibulation nf ETHNOL Opération rituelle consistant à fixer un anneau traversant le prépuce de l'homme ou les petites lèvres de la femme.

infichu, ue a Pop Incapable de.

infidèle a 1 Qui n'est pas fidèle en amour. 2 Inexact. *Traduction infidèle.* ■ a, n Qui ne professe pas la religion tenue pour vraie.

infidélité nf Manque de fidélité.

infiltration nf Action de s'infiltrer.

infiltrer vt Introduire clandestinement des gens dans un groupe. ■ vpr 1 Pénétrer à travers les pores, les interstices d'un corps solide. 2 Pénétrer peu à peu, s'insinuer.

infime a Très petit, insignifiant.

infini, ie a 1 Sans bornes. *Espace, durée infinis.* 2 Très considérable. *Infinie variété d'objets.* ■ nm Ce qui est sans limites. Loc *À l'infini* : sans fin.

infiniment av Extrêmement.

infinité nf Quantité considérable.

infinitésimal, ale,aux a Très petit. *Dose infinitésimale.* Loc *Calcul infinitésimal* : partie des mathématiques comprenant le calcul différentiel et le calcul intégral.

infinitif, ive a GRAM Caractérisé par l'emploi de l'infinitif. ■ nm Forme nominale du verbe.

infirmation nf DR Annulation d'une décision.

infirme a, n Atteint d'une infirmité ; handicapé.

infirmer vt 1 Réfuter, démentir qqch. *Les faits infirment ses paroles.* 2 DR Déclarer nul.

infirmerie nf Local où on soigne les malades, les blessés, dans un établissement scolaire, une entreprise, une prison, etc.

infirmier, ère n Qui donne les soins aux malades en suivant les prescriptions des médecins. ■ a Des infirmiers. *Soins infirmiers.*

infirmité nf Atteinte chronique d'une partie de l'organisme.

infixe nm GRAM Élément qui, dans certaines langues, s'insère au milieu d'une racine.

inflammable a Qui s'enflamme facilement.

inflammation nf 1 Fait de prendre feu. 2 MED Réaction de l'organisme à un choc, à un germe pathogène, caractérisée par une tuméfaction, une rougeur, etc.

inflammatoire a MED De l'inflammation.

inflation nf 1 ECON Hausse des prix. 2 Augmentation excessive. *Inflation du personnel.*

inflationniste a, n Qui relève de l'inflation.

infléchir vt Modifier l'orientation de qqch. *Il a infléchi sa ligne de conduite.* ■ vpr Dévier.

infléchissement nm Modification de l'orientation d'un processus.

inflexible a Inexorable, intraitable.

inflexion nf 1 Action de fléchir, d'incliner. *Inflexion de la tête.* 2 Modulation de la voix. 3 Changement d'orientation, de comportement.

infliger vt 11 Faire subir une peine, qqch de pénible. Loc *Infliger un démenti* : contredire totalement.

inflorescence nf BOT Disposition des fleurs d'une plante.

influence nf 1 Action exercée sur qqch ou qqn. 2 Crédit, autorité. *Trafic d'influence.*

influencer vt 10 Exercer une influence sur.

influent, ente a Qui a de l'influence, du crédit, de l'autorité.

influer vi Avoir une action déterminante sur qqch. *Influer sur une décision.*

influx [-fly] nm Loc PHYSIOL *Influx nerveux* : courant électrique qui transmet les commandes motrices ou les messages sensitifs.

info nf Fam Information.

infographie nf (n déposé) Informatique appliquée aux graphiques et à l'image.

in-folio [in-] nm inv TYPO Format dans lequel la feuille, pliée en deux, donne quatre pages.

infondé, ée a Dénué de fondement.

informateur, trice n Qui donne des renseignements.

informaticien, enne n Spécialiste en informatique.

informatif, ive a Qui informe.

information nf 1 Action d'informer, de s'informer. 2 Renseignement, documentation

sur qqn ou qqch. 3 DR Instruction d'un procès criminel. ■ pl Nouvelles communiquées par la presse, la radio, la télévision, etc.

informatique nf Science du traitement automatique de l'information au moyen d'ordinateurs. ■ a De l'informatique.

informatisation nf Action d'informatiser.

informatiser vt 1 Traiter par l'informatique. 2 Doter de moyens informatiques.

informe a 1 Qui n'a pas de forme précise. 2 Incomplet, inachevé.

informé nm Loc *Jusqu'à plus ample informé* : jusqu'à une nouvelle information.

informel, elle a Qui n'est pas soumis à des règles strictes.

informer vt Avertir, mettre au courant. ■ vpr S'enquérir de, recueillir des renseignements sur.

informulé, ée a Qui n'est pas formulé.

infortune nf Litt 1 Revers de fortune, désastre. 2 Fait d'être trompé par son conjoint.

infortuné, ée a, n Litt Qui n'a pas de chance.

infra av Ci-dessous.

infraction nf Transgression, violation d'une loi, d'une règle, d'un ordre, etc.

infranchissable a Qu'on ne peut franchir.

infrarouge nm, a PHYS Rayonnement que sa fréquence place en deçà du rouge dans la partie du spectre non visible à l'œil.

infrason nm Vibration sonore de faible fréquence non perçue par l'oreille.

infrastructure nf 1 Ensemble des ouvrages et des équipements routiers, aériens, maritimes ou ferroviaires. 2 Base matérielle de la société.

infréquentable a Qu'on ne peut fréquenter.

infroissable a Qui ne se froisse pas.

infructueux, euse a Qui ne donne pas de résultat, qui est sans profit.

infuse a Loc *Avoir la science infuse* : être savant sans avoir étudié.

infuser vt 1 Laisser macérer une substance dans un liquide bouillant afin que celui-ci se charge de principes actifs. 2 Litt Communiquer à qqn du courage, de l'ardeur.

infusette *nf* (n déposé) Petit sachet de plantes à infuser.

infusion *nf* Action d'infuser ; liquide infusé.

infusoire *nm* ZOOL Protiste de grande taille.

ingambe *a* Litt Alerte.

ingénier (s') *vpr* Chercher à, tâcher de trouver un moyen pour.

ingénierie *nf* Activité ayant pour objet la conception des équipements techniques, l'établissement du projet et le contrôle de sa réalisation. Syn. engineering.

ingénieur *nm* Personne capable, grâce à ses connaissances scientifiques, d'élaborer, d'organiser ou de diriger des plans de production.

ingénieux, euse *a* Plein d'esprit d'invention ; habile.

ingéniosité *nf* Caractère ingénieux.

ingénu, ue *a* D'une franchise innocente et candide. ■ *nf* Rôle de jeune fille naïve.

ingénuité *nf* Candeur, innocence, naïveté.

1. ingérable *a* Impossible à gérer.

2. ingérable *a* Que l'on peut ingérer.

ingérence *nf* **1** Action de s'ingérer. **2** DR Délit d'un fonctionnaire ou d'un magistrat qui abuse de sa fonction pour s'enrichir.

ingérer *vt* 12 Introduire par la bouche. ■ *vpr* Se mêler indûment de qqch ; s'immiscer dans.

ingestion *nf* Action d'ingérer.

ingouvernable *a* Qui ne peut être gouverné.

ingrat, ate *a, n* Qui n'a pas de reconnaissance pour les bienfaits reçus. ■ *a* **1** Stérile, aride. **2** Rebutant. *Travail ingrat.* **3** Sans grâce, laid. *Loc L'âge ingrat :* la puberté.

ingratitude *nf* Manque de reconnaissance.

ingrédient *nm* Substance qui entre dans la composition d'un mélange.

inguérissable *a* Qui ne peut être guéri.

inguinal, ale, aux [ɛ̃gɥi-] *a* ANAT De l'aine.

ingurgiter *vt* Absorber, avaler avec avidité.

inhabitable *a* Qui ne peut être habité.

inhabité, ée *a* Qui n'est pas habité.

inhabituel, elle *a* Qui n'est pas habituel.

inhalateur *nm* Appareil pour inhalations.

inhalation *nf* MED Absorption par les voies respiratoires d'une vapeur, d'un aérosol.

inhaler *vt* Absorber par inhalation.

inhérence *nf* État inhérent.

inhérent, ente *a* Lié nécessairement à un être, à une chose.

inhiber *vt* Empêcher ou ralentir une activité, une réaction.

inhibiteur, trice *a, nm* Qui produit une inhibition. *Un inhibiteur de l'infarctus.*

inhibition *nf* Arrêt, blocage, suspension d'un processus psychologique ou physiologique, d'une réaction chimique.

inhospitalier, ère *a* Qui n'est pas accueillant.

inhumain, aine *a* **1** Sans pitié, cruel. **2** Qui n'appartient pas à la nature humaine. *Cri inhumain.* **3** Très pénible. *Conditions de vie inhumaines.*

inhumation *nf* Action d'inhumer.

inhumer *vt* Enterrer un corps humain avec les cérémonies d'usage.

inimaginable *a* Qu'on ne peut imaginer.

inimitable *a* Qu'on ne saurait imiter.

inimité, ée *a* Qui n'a pas été imité.

inimitié *nf* Hostilité, aversion.

ininflammable *a* Qui ne peut s'enflammer.

inintelligence *nf* Défaut d'intelligence.

inintelligent, ente *a* Stupide.

inintelligible *a* Incompréhensible.

inintéressant, ante *a* Qui ne présente aucun intérêt.

inintérêt *nm* Manque d'intérêt.

ininterrompu, ue *a* Continuel.

inique *a* Litt Gravement injuste.

iniquité *nf* Litt Grave injustice.

initial, ale, aux *a* Qui est au commencement. ■ *nf pl* Premières lettres du nom et du prénom.

initialement *av* Au commencement.

initialisation *nf* INFORM Action d'initialiser.

initialiser *vt* INFORM Charger un support informatique, un ordinateur d'un programme nécessaire à son exploitation.

initiateur, trice n, a Qui initie.

initiation nf Action d'initier.

initiatique a De l'initiation. *Rite initiatique.*

initiative nf **1** Action de celui qui propose ou entreprend le premier qqch. **2** Qualité de qqn disposé à entreprendre qqch.

initié, ée n **1** Qui est admis à la connaissance de certains mystères. **2** Qui connaît bien une question, une spécialité. **3** Qui a profité d'informations confidentielles.

initier vt **1** Admettre à la connaissance de certains secrets, faire entrer dans une société secrète. **2** Mettre au fait d'une science, d'un art, d'une pratique, etc. **3** Ouvrir un domaine de connaissance. **4** *Abusiv* Entamer un processus. ■ vpr Acquérir les premiers principes de. *S'initier à l'informatique.*

injecter vt **1** Faire pénétrer par pression un liquide, un gaz. **2** Fournir des capitaux à une entreprise. Loc *Yeux injectés :* rougis par l'afflux du sang.

injecteur nm Appareil qui introduit un liquide dans un mécanisme.

injection nf Action d'injecter ; liquide injecté. Loc *Moteur à injection :* alimenté par un injecteur qui dose le carburant.

injoignable a Impossible à joindre.

injonction nf Ordre formel.

injure nf Parole offensante, insulte.

injurier vt Insulter.

injurieux, euse a Offensant, insultant.

injuste a **1** Contraire à l'équité. *Verdict injuste.* **2** Partial. *Soupçons injustes.*

injustice nf Caractère, acte injuste.

injustifiable a Qu'on ne peut justifier.

injustifié, ée a Qui n'est pas justifié.

inlandsis [inlɑ̃dsis] nm Calotte glaciaire couvrant les terres polaires.

inlassable a Qui ne se lasse pas.

inlay [inlɛ] nm Bloc métallique coulé à l'intérieur d'une dent et servant à l'obturer.

inné, ée a Possédé en naissant.

innéisme nm PHILO Doctrine postulant l'existence de structures mentales innées.

innervation nf PHYSIOL Distribution des nerfs dans un organe.

innerver vt Réaliser l'innervation (nerf).

innocemment av Sans penser à mal.

innocence nf **1** Incapacité à faire le mal sciemment ; pureté. **2** Naïveté. **3** Absence de culpabilité.

innocent, ente a, n **1** Pur, candide. **2** Simple d'esprit. **3** Non coupable. ■ a Inoffensif. *Plaisanterie innocente.*

innocenter vt Déclarer innocent ; établir l'innocence de qqn.

innocuité nf Caractère non nuisible.

innombrable a Très nombreux.

innommable a Trop répugnant pour qu'on le nomme ; inqualifiable.

innommé, ée a Qui n'a pas reçu de nom.

innovant, ante a Qui constitue une innovation. *Technologie innovante.*

innovateur, trice n, a Qui innove.

innovation nf Action d'innover ; création.

innover vi Introduire qqch de nouveau dans un domaine.

inobservance nf Non-observance de prescriptions religieuses, morales, etc.

inobservation nf Non-observation des lois, des règlements.

inoccupation nf État d'un lieu ou de qqn inoccupé.

inoccupé, ée a **1** Qui n'est occupé par personne. **2** Désœuvré.

in-octavo [in-] nm inv TYPO Feuille pliée en huit, formant seize pages.

inoculable a Qui peut être inoculé.

inoculation nf Action d'inoculer.

inoculer vt **1** MED Introduire dans l'organisme un germe, une toxine. **2** Litt Transmettre à qqn qqch de pernicieux.

inodore a Sans odeur.

inoffensif, ive a Qui ne nuit à personne.

inondable a Qui peut être inondé.

inondation nf **1** Débordement ou déversement des eaux qui submergent un terrain, un pays, un local. **2** Afflux considérable.

inonder vt **1** Submerger par une inondation. **2** Envahir.

inopérable a MED Qu'on ne peut opérer.

inopérant, ante a Sans effet. *Remède inopérant.*

inopiné, ée a Imprévu, inattendu.

inopportun, une a Litt Fâcheux.

inopportunité nf Litt Caractère inopportun.

inorganisation nf Manque d'organisation.

inorganisé, ée a, n Qui n'appartient pas à un parti, à un syndicat.

inoubliable a Qu'on ne peut oublier.

inouï, ïe a Extraordinaire, incroyable.

inox nm (n déposé) Acier inoxydable.

inoxydable a Qui ne s'oxyde pas.

input [input] nm ECON Syn. de intrant.

inqualifiable a Scandaleux.

in-quarto [inkwarto] nm inv TYPO Feuille pliée en quatre feuillets, formant ainsi huit pages.

inquiet, ète a, n Troublé par la crainte, l'incertitude.

inquiétant, ante a Qui inquiète.

inquiéter vt 12 1 Alarmer. 2 Troubler, causer du tracas à. ■ vpr S'alarmer de, se soucier de.

inquiétude nf Trouble, appréhension.

inquisiteur, trice a Qui scrute avec indiscrétion. ■ nm HIST Juge de l'Inquisition.

inquisition nf Recherche acharnée, menée de façon vexatoire.

inquisitoire a DR Se dit d'une procédure dirigée par le juge.

inracontable a Qu'on ne peut raconter.

insaisissable a 1 Que l'on n'arrive pas à capturer. 2 Imperceptible. **Nuance insaisissable.**

insalubre a Malsain. **Climat insalubre.**

insalubrité nf Caractère insalubre.

insane a Litt Dénué de sens, de raison.

insanité nf Litt Sottise. **Dire des insanités.**

insatiable [-sjabl] a Qu'on ne peut assouvir.

insatisfaction nf Absence de satisfaction.

insatisfaisant, ante [-fa-] a Insuffisant.

insatisfait, aite a Qui n'est pas satisfait.

inscriptible a Qu'on peut inscrire.

inscription nf 1 Action d'inscrire sur une liste, un registre. 2 Ce qui est inscrit.

inscrire vt 61 1 Écrire, noter, coucher sur le papier. 2 Graver. 3 Tracer une figure géométrique à l'intérieur d'une autre. ■ vpr 1 Entrer dans un groupe. 2 Se situer dans. **Ceci s'inscrit dans un plan d'ensemble.** Loc **S'inscrire en faux** : opposer un démenti.

inscrit, ite n Dont le nom est porté sur une liste ; est adhérent d'une organisation.

insécable a Qui ne peut être partagé en plusieurs éléments.

insecte nm Petit animal dont le corps, en trois parties (tête, thorax, abdomen), porte trois paires de pattes et deux paires d'ailes.

insecticide a, nm Qui détruit les insectes.

insectivore a ZOOL Qui se nourrit d'insectes. ■ nm ZOOL Mammifère qui se nourrit d'insectes, comme les hérissons, les taupes.

insécurité nf Absence de sécurité.

in-seize [in-] nm inv TYPO Feuille pliée en 16 feuillets de 32 pages (abrév : in-16 ou in-16^6).

insémination nf Dépôt de la semence mâle dans les voies génitales femelles.

inséminer vt Procéder à l'insémination de.

insensé, ée a, n Litt Fou, extravagant.

insensibiliser vt Anesthésier.

insensibilité nf Perte de la sensibilité physique ou morale.

insensible a 1 Qui a perdu la sensibilité physique. **Insensible au froid.** 2 Indifférent. **Insensible aux malheurs d'autrui.** 3 Imperceptible. **Progrès insensible.**

insensiblement av Peu à peu.

inséparable a Qu'on ne peut séparer. ■ a, n Intimement lié. **Des amis inséparables.**

insérer vt 12 Introduire, faire entrer dans. ■ vpr 1 Se situer dans, se placer. 2 S'intégrer dans un milieu.

insert nm 1 Court passage introduit dans un film, dans une émission de radio. 2 Poêle encastré dans une cheminée.

insertion nf Action d'insérer ; fait de s'insérer ; intégration dans un groupe.

insidieux, euse a 1 Qui tend un piège. **Question insidieuse.** 2 Qui se répand sans qu'on s'en aperçoive.

1. insigne a Litt Remarquable.

2. insigne *nm* Marque distinctive d'une fonction, d'un grade, d'un groupe.

insignifiant, ante *a* **1** Sans intérêt, sans valeur. **2** Sans personnalité.

insinuation *nf* Action d'insinuer ; allusion.

insinuer *vt* Laisser entendre, suggérer. ■ *vpr* S'infiltrer, se glisser. *S'insinuer dans un groupe.*

insipide *a* **1** Fade, sans saveur. **2** Sans intérêt.

insistance *nf* Action d'insister.

insistant, ante *a* Qui insiste ; pressant.

insister *vti* Souligner qqch. *Insister sur les résultats obtenus.* ■ *vi* Persévérer à demander. *Il insiste pour être reçu.*

in situ [in-] *av* Dans son milieu naturel.

insociable *a* Marginal.

insolation *nf* **1** Exposition aux rayons solaires. **2** Troubles dus à une exposition au soleil. **3** Durée d'apparition du soleil.

insolemment *av* Avec insolence.

insolence *nf* **1** Manque de respect ; parole, action insolente. **2** Arrogance, effronterie.

insolent, ente *a* Qui manque de respect, effronté. ■ *a* Provoquant.

insolite *a* Inhabituel, étrange.

insoluble *a* **1** Qu'on ne peut dissoudre. **2** Qu'on ne peut résoudre.

insolvable *a, n* Qui ne peut payer ses dettes.

insomniaque *a, n* Sujet à des insomnies.

insomnie *nf* Impossibilité de dormir.

insondable *a* **1** Dont on ne peut mesurer la profondeur. **2** Impénétrable. *Mystère insondable.*

insonore *a* Qui amortit les sons.

insonorisation *nf* Action d'insonoriser.

insonoriser *vt* Amortir les sons dans un local.

insouciance *nf* Caractère insouciant.

insouciant, ante *a, n* Qui ne s'inquiète de rien.

insoumis, ise *a* Rebelle. ■ *nm* Soldat qui n'a pas rejoint son corps dans les délais.

insoumission *nf* État d'un insoumis.

insoupçonnable *a* Au-dessus de tout soupçon.

insoupçonné, ée *a* Qu'on ne soupçonne pas.

insoutenable *a* **1** Qu'on ne peut justifier. **2** Qu'on ne peut supporter.

inspecter *vt* **1** Examiner pour surveiller, contrôler. **2** Observer attentivement.

inspecteur, trice *n* Agent ou fonctionnaire chargés d'effectuer des contrôles.

inspection *nf* **1** Action d'inspecter. **2** Corps d'inspecteurs.

inspirateur, trice *a, n* **1** Instigateur. **2** Auteur, artiste dont on s'inspire. ■ *a* ANAT Qui permet d'inspirer l'air.

inspiration *nf* **1** Phase de la respiration au cours de laquelle l'air entre dans les poumons. Ant. expiration. **2** Action d'inspirer qqch à qqn. *J'ai agi sur son inspiration.* **3** Idée venant soudain à l'esprit. **4** Impulsion créatrice. **5** Influence littéraire, artistique. *Chanson d'inspiration folklorique.*

inspiré, ée *a* Qui a reçu l'inspiration. *Loc Fam Être bien inspiré :* avoir une bonne idée.

inspirer *vt, vi* Faire entrer l'air dans ses poumons. ■ *vt* **1** Faire naître une pensée, un sentiment chez qqn. **2** Éveiller les facultés créatrices de qqn. *La nature inspire les poètes.* ■ *vpr* Tirer ses idées, ses modèles de.

instabilité *nf* Caractère instable.

instable *a* Qui n'est pas stable ; changeant. *Situation instable.* ■ *a, n* Sans stabilité affective.

installateur, trice *n* Qui installe des appareils.

installation *nf* **1** Action d'installer, de s'installer. **2** Appareils installés. **3** Dans l'art contemporain, œuvre constituée d'éléments divers disposés dans un espace.

installer *vt* **1** Mettre qqch en place, disposer, aménager. **2** Placer, loger qqn dans un endroit. **3** Établir officiellement qqn dans ses fonctions. ■ *vpr* S'établir dans un lieu.

instamment *av* De façon pressante.

instance *nf* DR Actes de procédure, de la demande en justice jusqu'au jugement.

Affaire en instance : non réglée. ■ *pl* 1 Sollicitations pressantes. 2 *Abusiv* Autorité ayant le pouvoir de décider.

1. instant, ante *a Litt* Pressant, insistant.

2. instant *nm* Moment très court. *Loc Dès l'instant que, où :* du moment que, où.

instantané, ée *a* Qui se produit en un instant ; immédiat. ■ *nm* Photographie effectuée avec un temps de pose très court.

instar de (à l') *prép Litt* À l'exemple de.

instauration *nf* Action d'instaurer.

instaurer *vt* Établir, instituer.

insti ou **instit** *n Fam* Instituteur.

instigateur, trice *n* Qui pousse à faire qqch.

instigation *nf Loc À l'instigation de :* sous l'influence de.

instiller [ɛstile] *vt* 1 Verser un liquide goutte à goutte. 2 Faire pénétrer peu à peu.

instinct [-tɛ̃] *nm* 1 Tendance innée déterminant les comportements spécifiques chez les individus de même espèce. 2 Intuition. *Loc D'instinct :* spontanément, sans réfléchir.

instinctif, ive *a* Irréfléchi, spontané. ■ *a, n* Qui obéit à son intuition plutôt qu'à sa raison.

instituer *vt* 1 Établir, fonder une chose nouvelle et durable. 2 *DR* Nommer par testament.

institut *nm* Nom de certains établissements de recherche, d'enseignement, de soins, etc.

instituteur, trice *n* Enseignant, dans les écoles primaires ; maître d'école.

institution *nf* 1 Action d'instituer qqch. 2 Ensemble des règles établies pour une collectivité. 3 Organisme, établissement. ■ *pl* Lois fondamentales de l'État.

institutionnaliser *vt* Élever au rang d'institution.

institutionnel, elle *a* Des institutions, de l'État.

instructeur *nm* Chargé de l'instruction des soldats. ■ *am Loc Magistrat instructeur :* chargé d'instruire une affaire judiciaire.

instructif, ive *a* Qui instruit.

instruction *nf* 1 Action d'instruire, enseignement, éducation. 2 Culture, savoir. *Avoir*

de l'instruction. 3 *DR* Ensemble des recherches et formalités relatives à une affaire, en vue de son jugement. ■ *pl* Indications, directives pour mener à bien une mission, utiliser correctement qqch. *Laisser ses instructions.*

instruire *vt* 671 Donner un enseignement, une formation à qqn. 2 Aviser qqn de, l'informer. 3 *DR* Mettre une affaire en état d'être jugée. ■ *vpr* Étudier, se cultiver.

instruit, uite *a* Qui a des connaissances.

instrument *nm* 1 Outil, appareil servant à effectuer une opération, à observer un phénomène ; moyen. 2 Ce dont on se sert pour parvenir à ses fins ; moyen. *Loc Instrument de musique :* avec lequel on produit des sons musicaux.

instrumental, ale, aux *a* Relatif aux instruments de musique.

instrumentaliser *vt* Réduire qqn au rôle d'instrument, se servir de lui.

instrumentation *nf* 1 *MUS* Art d'utiliser les possibilités de chaque instrument dans une œuvre musicale. 2 *TECH* Ensemble d'instruments, d'appareils.

instrumenter *vt MUS* Effectuer l'instrumentation de. ■ *vi DR* Dresser un acte juridique.

instrumentiste *n* 1 *MUS* Qui joue d'un instrument. 2 *CHIR* Personne qui assiste le chirurgien au cours d'une intervention.

insu (à l') *prép* Sans qu'on le sache.

insubmersible *a* Qui ne peut couler.

insubordination *nf* Désobéissance, indiscipline.

insubordonné, ée *a* Indiscipliné.

insuccès *nm* Échec.

insuffisamment *av* De façon insuffisante.

insuffisance *nf* 1 Caractère insuffisant ; incapacité. 2 *MED* Défaillance d'un organe ; carence.

insuffisant, ante *a* 1 Qui ne suffit pas ; faible. 2 Qui manque de compétence.

insuffler *vt* 1 Inspirer, transmettre. *Insuffler du courage.* 2 *MED* Introduire de l'air, du gaz dans l'organisme.

insulaire *a, n* Qui habite une île. ■ *a* D'une île. *Climat insulaire.*

insularité *nf* Caractère, état insulaire.

insuline *nf* Hormone sécrétée par le pancréas.

insulinodépendance *nf* MED État d'un diabétique qui ne peut se passer d'insuline.

insulinothérapie *nf* Traitement du diabète par l'insuline.

insultant, ante *a* Offensant, injurieux.

insulte *nf* Injure, outrage.

insulter *vt* Offenser, outrager, injurier.

insupportable *a* 1 Intolérable. 2 Très désagréable.

insupporter *vt* Fam Exaspérer, irriter.

insurgé, ée *a, n* Révolté, rebelle.

insurger (s') *vpr* 11 Se révolter contre qqn, qqch. *S'insurger contre les abus.*

insurmontable *a* Impossible à surmonter.

insurrection *nf* Soulèvement contre le pouvoir établi ; révolte.

insurrectionnel, elle *a* D'une insurrection.

intact, acte *a* 1 Qui n'a pas été touché, altéré. 2 Qui n'a souffert aucune atteinte.

intangible *a* Sacré, inviolable.

intarissable *a* 1 Qui ne peut être tari. 2 Qui ne cesse de parler.

intégral, ale, aux *a* Dont on n'a rien retranché ; entier. Loc MATH *Calcul intégral :* recherche de la limite d'une somme d'infiniment petits. *Casque intégral :* qui protège le crâne, le visage, les cervicales. ■ *nf* 1 Édition complète des œuvres d'un musicien, d'un écrivain. 2 MATH Fonction qui admet pour dérivée une fonction donnée.

intégralité *nf* État de ce qui est complet.

intégrant, ante *a* Loc *Partie intégrante :* élément nécessaire à un tout.

intégration *nf* Action d'intégrer, de s'intégrer dans un groupe, un pays.

intègre *a* Litt D'une extrême probité.

intégrer *vt* 12 Faire entrer dans un tout. ■ *vti, vt* Entrer dans une grande école. ■ *vpr* S'assimiler à un groupe.

intégrisme *nm* Opinion de ceux qui refusent toute évolution d'un système doctrinal, religieux au nom du respect de la tradition.

intégriste *n, a* Partisan de l'intégrisme.

intégrité *nf* 1 État d'une chose à laquelle il ne manque rien. 2 Probité irréprochable.

intellect *nm* Faculté de comprendre, entendement, intelligence.

intellectualiser *vt* Revêtir d'un caractère intellectuel.

intellectualisme *nm* Attitude qui privilégie l'intelligence sur la sensibilité.

intellectuel, elle *a* Qui se rapporte à l'intelligence. ■ *a, n* Chez qui prédomine, par goût ou par profession, la vie intellectuelle.

intelligemment *av* De façon intelligente.

intelligence *nf* 1 Faculté de connaître, de comprendre, d'agir avec discernement. 2 Personne intelligente. 3 Capacité de comprendre une chose particulière. *L'intelligence des affaires.* 4 (souvent pl) Correspondance, communication secrète. Loc *Intelligence artificielle :* reproduction de l'activité intelligente humaine par des moyens informatiques.

intelligent, ente *a* Qui a ou dénote de l'intelligence. *Regard intelligent.*

intelligentsia [-ʒɛ̃sja] *nf* Ensemble des intellectuels d'un pays.

intelligible *a* Qui peut être aisément compris ou entendu.

intempérance *nf* Manque de sobriété, de retenue, de modération.

intempéries *nfpl* Mauvais temps (pluie, gel, vent, etc.).

intempestif, ive *a* Inopportun, déplacé.

intemporel, elle *a* En dehors de la durée.

intenable *a* 1 Où l'on ne peut tenir. 2 Insupportable. *Chaleur intenable.*

intendance *nf* 1 Fonction d'intendant. 2 Fam Trésorerie de qqn, d'un groupe.

intendant, ante *n* 1 Personne qui administre le patrimoine d'une collectivité, d'un particulier. 2 Fonctionnaire responsable de l'administration financière d'un établissement public.

intense *a* Important, fort.

intensément *av* De façon intense.

intensif, ive *a* Qui met en œuvre des moyens importants. Loc *Culture intensive :* à rendement élevé. Ant. extensive.

intensifier *vt* Rendre plus intense, augmenter. ■ *vpr* Devenir plus intense.

intensité *nf* Degré d'activité, de puissance.

intenter *vt* DR Engager contre qqn une action en justice.

intention *nf* Acte de la volonté par lequel on se fixe un but ; dessein. *Loc À l'intention de :* spécialement pour.

intentionné, ée *a Loc* **Bien, mal intentionné :** qui a de bonnes ou de mauvaises intentions.

intentionnel, elle *a* Fait délibérément.

interactif, ive *a* **1** Qui permet une interaction. **2** INFORM Doué d'interactivité.

interaction *nf* Action mutuelle réciproque.

interactivité *nf* INFORM Possibilité pour un utilisateur d'intervenir dans le déroulement d'un programme.

interallié, ée *a* Commun à des pays alliés.

interarmées *a inv* Qui groupe des éléments de plusieurs armées.

interarmes *a inv* Qui groupe des éléments de plusieurs armes (artillerie, infanterie, etc.).

interbancaire *a* Qui concerne les relations entre banques.

intercalaire *a* Qu'on intercale. *Loc* **Jour intercalaire :** jour ajouté au mois de février des années bissextiles. ■ *nm* Feuillet inséré.

intercaler *vt* Placer entre deux choses ou dans un ensemble.

intercéder *vi* 12 Intervenir en faveur de qqn.

intercepter *vt* **1** Interrompre au passage. *Intercepter les rayons du soleil.* **2** Prendre ce qui est destiné à un autre. **3** MILIT Attaquer un navire, un avion pendant son trajet.

intercepteur *nm* Avion destiné à intercepter les appareils ennemis.

interception *nf* Action d'intercepter.

interchangeable *a* Se dit de choses qui peuvent être mises à la place l'une de l'autre.

interclasse *nm* Courte pause entre deux heures de classe.

interclubs [-klœb] *a inv* SPORT Qui se dispute entre plusieurs clubs.

intercommunal, ale,aux *a* Qui relève de plusieurs communes.

intercommunautaire *a* Qui concerne les relations entre communautés.

interconnecter *vt* Procéder à l'interconnexion de deux réseaux.

interconnexion *nf* TECH Connexion entre différents réseaux de distribution.

intercontinental, ale,aux *a* Qui a lieu entre deux continents.

intercostal, ale,aux *a* ANAT Situé entre deux côtes.

intercurrent, ente *a Loc* **Maladie intercurrente :** qui se déclare au cours d'une autre.

interdépartemental, ale,aux *a* Qui relève de plusieurs départements.

interdépendance *nf* Dépendance réciproque.

interdiction *nf* Action d'interdire qqch ou qqn ; ce qui est interdit.

interdire *vt* 60 **1** Défendre qqch à qqn. **2** Faire défense à qqn d'exercer ses fonctions.

interdisciplinaire *a* Qui concerne plusieurs sciences.

interdit, ite *a* **1** Déconcerté, décontenancé. **2** Défendu, prohibé. ■ *a, n* Frappé d'une interdiction. *Interdit de séjour.* ■ *nm* Règle sociale qui proscrit une pratique, un comportement.

interentreprises *a inv* Qui concerne plusieurs entreprises.

intéressant, ante *a* **1** Qui éveille l'intérêt. **2** Avantageux matériellement.

intéressé, ée *a, n* Qui est en cause. *Les parties intéressées.* ■ *a* Qui n'a en vue que son intérêt personnel.

intéressement *nm* Participation des salariés aux profits de l'entreprise.

intéresser *vt* **1** Retenir l'attention, susciter l'intérêt. **2** Concerner. *Loi qui intéresse les propriétaires.* **3** Faire participer qqn aux profits d'une entreprise. ■ *vpr* Prendre intérêt à.

intérêt *nm* **1** Ce qui est utile, profitable à qqn. **2** Recherche de ce qui est avantageux pour soi. **3** Attention, curiosité. *Lire un livre avec intérêt.* **4** Originalité de qqch. *L'intérêt d'un film.* **5** Bénéfice tiré d'un capital. ■ *pl* Somme d'argent placée dans une entreprise.

interethnique a Qui se produit entre ethnies.

interface nf 1 INFORM Dispositif permettant des échanges d'informations entre deux systèmes. 2 Limite, frontière entre deux systèmes.

interférence nf 1 PHYS Superposition de deux mouvements vibratoires. 2 Fait d'interférer.

interférer vi 12 1 PHYS Produire des interférences. 2 Se mêler en se renforçant ou en se contrariant.

interférométrie nf PHYS Mesure très précise fondée sur les interférences.

interféron nm Protéine sécrétée par des cellules infectées et les rendant résistantes à toute autre infection.

interfluve nm GEOGR Région entre deux vallées.

intergalactique a Entre les galaxies.

intergroupe nm Groupe de parlementaires de familles politiques différentes pour l'étude d'une question.

intérieur, eure a 1 Situé au-dedans. Mur intérieur. 2 Du domaine de l'esprit. Vie intérieure. 3 Qui concerne le pays. Politique intérieure. ■ nm 1 Le dedans. L'intérieur d'une voiture. 2 Logement. Un intérieur accueillant. 3 Les affaires intérieures d'un État. Ministre de l'Intérieur. Loc Femme d'intérieur : qui a de l'aptitude pour les travaux ménagers.

intérieurement av Au-dedans.

intérim nm 1 Temps pendant lequel une fonction est exercée provisoirement par une autre personne que le titulaire. 2 Activité du personnel intérimaire.

intérimaire a, n 1 Qui remplit une fonction par intérim. 2 Détaché dans une entreprise par une entreprise de travail temporaire pour occuper un emploi ponctuel.

intérioriser vt 1 Garder en son for intérieur, pour soi. 2 Faire siennes des règles de conduite, des opinions.

intériorité nf Caractère intérieur.

interjection nf Mot invariable qui exprime un ordre, un sentiment (ex. : bof ! ah ! ouf ! ciel !).

interjeter vt 19 Loc DR Interjeter appel : faire appel d'un jugement.

interleukine nf Protéine des lymphocytes, qui déclenche la sécrétion d'interféron.

interligne nm Espace compris entre deux lignes d'écriture.

interlocuteur, trice n Qui converse, négocie avec un autre.

interlope a Louche, équivoque.

interloquer vt Déconcerter, stupéfier.

interlude nm Divertissement entre deux émissions télévisées, deux spectacles, etc.

intermède nm 1 Divertissement exécuté entre deux parties d'un spectacle. 2 Ce qui interrompt la continuité d'un processus.

intermédiaire a Qui se trouve au milieu, entre deux. ■ nm Entremise, transition, moyen. J'ai appris cela par son intermédiaire. ■ n Qui intervient dans un circuit commercial entre le producteur et le consommateur.

intermezzo [-med-] nm MUS Composition de forme libre.

interminable a Très long.

interministériel, elle a Commun à plusieurs ministres.

intermittence nf Caractère intermittent. Loc Par intermittence : irrégulièrement.

intermittent, ente a Discontinu, irrégulier.

internat nm 1 État d'un élève interne ; établissement qui accueille des internes. 2 Fonction d'interne des hôpitaux.

international, ale, aux a Qui a lieu entre les nations. ■ n Sportif participant à des compétitions internationales.

internationaliser vt Rendre international.

internationalisme nm Doctrine privilégiant les intérêts supranationaux.

internaute n Utilisateur du réseau Internet. Syn. cybernaute.

interne a Situé à l'intérieur. ■ n 1 Élève logé et nourri dans l'établissement scolaire qu'il fréquente. 2 Étudiant en médecine qui, après avoir passé un concours, exerce certaines responsabilités hospitalières.

interné, ée n Enfermé dans un camp de concentration, un hôpital psychiatrique, etc.

internement nm Action d'interner.

interner vt Enfermer dans un hôpital psychiatrique, un camp.

interpellation nf 1 Action d'interpeller. 2 Demande d'explication adressée par un parlementaire à un ministre.

interpeller [-pəle] vt 1 Adresser la parole à qqn pour lui demander qqch, pour le sommer de s'expliquer. 2 S'imposer à qqn. *Les banlieues nous interpellent.* 3 Vérifier l'identité de qqn, l'arrêter. *Interpeller un suspect.*

interpénétrer (s') vpr 12 Se pénétrer réciproquement.

interphone nm (n déposé) Installation téléphonique intérieure à un immeuble.

interplanétaire a Situé entre les planètes.

interpolation nf Action d'interpoler ; texte interpolé.

interpoler vt Insérer dans un texte un passage qui lui est étranger.

interposer vt Placer entre deux choses. ■ vpr Intervenir comme médiateur.

interposition nf Action d'interposer, de s'interposer. *Force d'interposition entre les combattants.*

interprétariat nm Fonction d'interprète.

interprétation nf 1 Explication. 2 Façon dont est jouée une œuvre dramatique ou musicale.

interprète n 1 Qui traduit oralement une langue dans une autre. 2 Qui fait connaître les sentiments de qqn d'autre. 3 Qui interprète une œuvre musicale, joue un rôle au théâtre ou au cinéma.

interpréter vt 12 1 Expliquer, clarifier, traduire, attribuer un sens. 2 Jouer un rôle ; exécuter un morceau de musique.

interprofession nf Organisme regroupant plusieurs professions.

interprofessionnel, elle a Commun à plusieurs professions.

interrègne nm Temps pendant lequel une fonction n'est pas assurée par le titulaire.

interrogateur, trice a, n Qui interroge.

interrogatif, ive a Qui sert à interroger. ■ nf GRAM Phrase exprimant une interrogation.

interrogation nf Question, demande. Loc *Point d'interrogation :* signe de ponctuation (?) qui indique une interrogation.

interrogatoire nm Questions posées à un inculpé, à un accusé, à un malade.

interroger vt 11 1 Questionner qqn pour vérifier ses connaissances ou s'informer. 2 Examiner. *Interroger sa conscience.* ■ vpr Se poser des questions.

interrompre vt 78 1 Rompre la continuité de. 2 Couper la parole à qqn. ■ vpr Cesser provisoirement de faire une chose.

interrupteur nm Dispositif pour interrompre ou rétablir le passage du courant électrique.

interruption nf Suspension, arrêt ; paroles pour interrompre. Loc *Interruption volontaire de grossesse* (I.V.G.) : avortement. *Sans interruption :* d'affilée.

intersaison nf Période entre deux saisons touristiques, sportives, etc.

intersection nf 1 Rencontre de deux lignes qui se coupent. 2 Croisement de deux voies de circulation.

intersession nf Temps compris entre deux sessions d'une assemblée.

intersidéral, ale, aux a Situé entre les astres.

interspécifique a BIOL Qui concerne les relations entre les espèces.

interstellaire a Situé entre les étoiles.

interstice nm Très petit espace entre les éléments d'un tout.

interstitiel, elle a Situé dans les interstices.

intersyndical, ale, aux a Qui concerne plusieurs syndicats. ■ nf Association de syndicats.

intertitre nm Titre de partie d'un texte.

intertrigo nm Lésion infectieuse siégeant au niveau des plis cutanés.

interurbain, aine a Qui relie plusieurs villes entre elles. ■ nm Téléphone interurbain.

intervalle nm Distance séparant deux lieux, deux faits, deux époques. Loc *Par intervalles :* de temps à autre.

intervenant, ante a, n Qui intervient dans un procès, un débat, un processus quelconque.

intervenir *vi 35* [aux être] **1** Prendre part à une action en cours ; jouer un rôle. **2** Prendre la parole dans un débat. **3** *Abusiv* Se produire, survenir. *Un événement est intervenu.*

intervention *nf* **1** Action d'intervenir. **2** Opération chirurgicale. **3** Action d'un État s'ingérant dans un conflit. **4** BX-A Mode d'expression artistique dont le matériau est l'environnement.

interventionnisme *nm* Doctrine préconisant l'intervention de l'État dans les affaires privées, ou dans un conflit.

interversion *nf* Renversement de l'ordre habituel.

intervertir *vt* Renverser l'ordre des éléments d'un ensemble.

interview [-vju] *nf* et *nm* Entretien au cours duquel un enquêteur interroge qqn sur sa vie, ses opinions, etc.

interviewé [-vjuve] *a, n* Soumis à un interview.

interviewer [-vjuve] *vt* Soumettre à un interview.

intervieweur, euse [-vjuvœr] *n* Qui interviewe.

intestat *a inv* Qui n'a pas fait de testament.

1. intestin, ine *a* Litt Qui a lieu à l'intérieur d'un corps social.

2. intestin *nm* Portion du tube digestif comprise entre l'estomac et l'anus.

intestinal, ale, aux *a* Des intestins.

intimation *nf* DR Action d'intimer.

intime *a* **1** Intérieur et profond. **2** Tout à fait privé. *La vie intime.* **Loc** *Rapports intimes :* sexuels. ■ *a, n* Lié par un sentiment profond. *Amis intimes.*

intimer *vt* **1** Signifier avec autorité. **2** DR Assigner devant une juridiction supérieure.

intimidation *nf* Action d'intimider ; menace, pression.

intimider *vt* **1** Inspirer de la crainte, de l'appréhension. **2** Faire perdre son assurance à qqn.

intimiste *a, n* **1** Qui décrit les sentiments et la vie intime sur un ton de confidence. **2** Qui peint des scènes d'intérieur.

intimité *nf* **1** Caractère intime, intérieur. **2** Liaison étroite. **3** La vie privée.

intitulé *nm* Titre d'un livre, d'un chapitre.

intituler *vt* Donner un titre à. ■ *vpr* Avoir comme titre.

intolérable *a* Insupportable.

intolérance *nf* **1** Disposition haineuse envers ceux qui ont d'autres opinions que soi. **2** MED Incapacité d'un organisme à tolérer certains médicaments.

intolérant, ante *a, n* Qui fait preuve d'intolérance.

intonation *nf* Ton qu'on prend en parlant.

intouchable *a, n* **1** Qui ne peut être l'objet d'aucune critique ou condamnation. ■ *n* En Inde, individu qui appartient à la catégorie des parias.

intox *nf* Fam Fait d'intoxiquer les esprits.

intoxication *nf* **1** Action d'intoxiquer ou action d'un produit toxique. **2** Action insidieuse sur les esprits par la propagande. (Abrév fam : intox.)

intoxiquer *vt* **1** Causer une intoxication. **2** Influencer par une propagande insidieuse.

intracellulaire *a* BIOL Intérieur à une cellule.

intracommunautaire *a* Intérieur à une communauté, en particulier à l'Union européenne.

intradermique *a* Dans l'épaisseur du derme.

intrados [-do] *nm* Surface intérieure d'une voûte, de la voilure d'un avion.

intraduisible *a* Impossible à traduire.

intraitable *a* Très rigoureux, inflexible.

intra-muros [-ros] *av* À l'intérieur d'une ville.

intramusculaire *a* À l'intérieur d'un muscle. ■ *nf* Injection intramusculaire.

intransigeance [-zi-] *nf* Caractère intransigeant.

intransigeant, ante [-zi-] *a* Qui n'accepte pas de compromis.

intransitif, ive [-zi-] *a, nm* GRAM Se dit d'un verbe qui n'est pas suivi d'un objet, direct ou indirect (ex. : *dormir*).

intransmissible *a* Qui ne peut être transmis.

intransportable *a* Qui ne peut être transporté.

intrant nm ECON Élément entrant dans la production d'un bien. Syn. input.

intraoculaire a À l'intérieur de l'œil.

intra-utérin, ine a À l'intérieur de l'utérus.

intraveineux, euse a À l'intérieur des veines. ■ nf Injection intraveineuse.

intrépide a Qui ne craint pas le danger.

intrication nf Enchevêtrement.

intrigant, ante a, n Qui recourt à l'intrigue. ■ a Qui intrigue, étonnant. Un personnage intrigant.

intrigue nf 1 Menées secrètes pour faire réussir ou échouer une affaire. 2 Liaison amoureuse. 3 Sujet, trame d'une pièce, d'un roman, d'un film.

intriguer vt Exciter la curiosité de. ■ vi Nouer des machinations.

intrinsèque a Inhérent.

intriquer vt Enchevêtrer, entremêler. ■ vpr Se mêler.

introductif, ive a Qui sert de commencement.

introduction nf 1 Action d'introduire. 2 Ce qui introduit à la connaissance de qqch. 3 Préface, discours préliminaire.

introduire vt 67t Faire entrer dans. 2 Faire adopter, faire admettre. Introduire une mode nouvelle. ■ vpr Entrer dans un lieu.

intromission nf Introduction d'une chose dans une autre.

intronisation nf Action d'introniser.

introniser vt 1 Placer solennellement sur le trône. 2 Introduire, établir qqn, qqch.

introspectif, ive a PSYCHO Qui relève de l'introspection.

introspection nf PSYCHO Observation du sujet par lui-même.

introuvable a Qu'on ne peut trouver.

introversion nf Attention privilégiée donnée à soi-même.

introverti, ie a, n Qui a tendance à l'introversion.

intrus, use a, n Qui s'introduit qqpart sans y être convié.

intrusion nf Fait de s'introduire en un lieu, dans un groupe, sans droit ou sans y être convié.

intubation nf MED Introduction d'un tube ou d'une sonde dans un conduit naturel.

intuber vt MED Pratiquer une intubation.

intuitif, ive a Qui relève de l'intuition. ■ a, n Doué d'intuition.

intuition nf 1 Connaissance directe et immédiate, sans recours au raisonnement. 2 Pressentiment.

intumescent, ente a Didac Qui enfle.

inusable a Qui ne s'use pas.

inusité, ée a Qui n'est pas usité.

inusuel, elle a Qui n'est pas usuel.

in utero [inytero] av À l'intérieur de l'utérus.

inutile a Qui n'est d'aucune utilité.

inutilisable a Qui ne peut être utilisé.

inutilisé, ée a Qui n'est pas utilisé.

inutilité nf Manque d'utilité.

invagination nf MED Repliement en doigt de gant d'une cavité sur elle-même.

invaincu, ue a Qui n'a jamais été vaincu.

invalidant, ante a Qui entrave l'activité habituelle. Maladie invalidante.

invalidation nf DR Action d'invalider.

invalide a, n Empêché par une infirmité de mener une vie normalement active. ■ a DR Qui n'a pas les qualités requises par la loi.

invalider vt DR Rendre nul un acte.

invalidité nf 1 État de qqn d'invalide. Pension d'invalidité. 2 DR Nullité.

invariable a Immuable.

invariant, ante a, nm Se dit d'une grandeur, d'un élément, d'une propriété qui restent constants.

invasif, ive a MED 1 Qui implique une lésion de l'organisme. Examen invasif. 2 Qui envahit l'organisme (tumeur).

invasion nf 1 Irruption armée d'un pays dans un autre. 2 Envahissement, arrivée soudaine et massive. Une invasion de voitures d'importation.

invective nf Injure, parole injurieuse.

invectiver vt, vi Lancer des invectives.

invendable a Qu'on ne peut vendre.

invendu, ue *a, nm* Qui n'a pas été vendu.

inventaire *nm* **1** État des biens de qqn, d'une communauté. **2** État des marchandises en stock. **3** Dénombrement, recensement.

inventer *vt* **1** Trouver, imaginer qqch de nouveau. **2** Forger de toutes pièces. *Inventer une histoire, une excuse.*

inventeur, trice *n* Qui invente, découvre.

inventif, ive *a* Qui a le talent d'inventer.

invention *nf* **1** Action d'inventer ; chose inventée. **2** Don d'imagination. **3** Mensonge, chimère.

inventivité *nf* Caractère inventif.

inventorier *vt* Faire l'inventaire de.

invérifiable *a* Qu'on ne peut vérifier.

inverse *a* **1** Renversé par rapport à l'ordre naturel, habituel ; opposé. ■ *nm* Le contraire, l'opposé. *Faire l'inverse.* **Loc** *À l'inverse (de)* : au contraire (de).

inverser *vt* Mettre dans l'ordre inverse.

inverseur *nm* Appareil changeant le sens d'un courant électrique.

inversible *a* **Loc** *Film inversible :* dont le développement donne une image positive.

inversion *nf* **1** Action d'inverser, de s'inverser. **2** GRAM Renversement, changement dans l'ordre habituel des mots. **3** MED Retournement d'un organe sur lui-même.

invertébré, ée *a, nm* ZOOL Animal dépourvu de vertèbres.

inverti, ie *n* Vx Homosexuel.

invertir *vt* Renverser symétriquement.

investigateur, trice *n, a* Qui fait des investigations.

investigation *nf* Recherche suivie et approfondie.

investir *vt* **1** Conférer à qqn un titre, un pouvoir. **2** Entourer de troupes un objectif militaire. **3** Placer des capitaux pour en tirer un profit. ■ *vi, vpr* Porter toute son énergie dans une action, sur un objet.

investissement *nm* **1** Action d'investir, de s'investir. **2** Placement de capitaux.

investisseur, euse *n, a* Qui investit des capitaux.

investiture *nf* **1** Action de conférer un titre, un pouvoir. **2** Désignation par un parti d'un candidat à des élections.

invétéré, ée *a* **1** Qui s'est enraciné avec le temps. **2** Impénitent. *Tricheur invétéré.*

invincible *a* **1** Qu'on ne peut vaincre. **2** Insurmontable, irrésistible. *Dégoût invincible.*

inviolable *a* **1** Qu'on ne saurait enfreindre. **2** À l'abri de toute poursuite.

inviolé, ée *a* Litt Que l'on n'a pas profané.

invisible *a* **1** Qui échappe à la vue. **2** Qui ne veut pas être vu.

invitation *nf* Action d'inviter.

invite *nf* Appel discret à faire qqch.

invité, ée *n, a* Qui a reçu une invitation.

inviter *vt* **1** Prier d'assister à, convier. **2** Engager, inciter à. *Je vous invite à réfléchir.* ■ *vpr* Aller qqpart sans y être convié.

in vitro [in-] *av* BIOL En dehors de l'organisme vivant. *Fécondation in vitro.*

invivable *a* Fam Insupportable, très pénible.

in vivo [in-] *av* BIOL Dans l'organisme vivant.

invocation *nf* Action d'invoquer.

involontaire *a* Qui n'est pas volontaire.

invoquer *vt* **1** Appeler à son secours une puissance surnaturelle. **2** En appeler à, recourir à. *Invoquer de faux arguments.*

invraisemblable *a* **1** Qui n'est pas vraisemblable. **2** Extravagant.

invraisemblance *nf* Défaut de vraisemblance ; chose invraisemblable.

invulnérable *a* Qui ne peut être blessé, atteint.

iode *nm* CHIM Corps simple gris foncé.

iodé, ée *a* Qui contient de l'iode.

iodler. V. jodler.

ion *nm* PHYS Atome qui a perdu ou gagné un ou plusieurs électrons.

1. ionique *a* PHYS Des ions.

2. ionique *nm, a* Ordre de l'architecture grecque, caractérisé par un chapiteau à volutes.

ionisant, ante *a* Qui provoque l'ionisation.

ionisateur *nm* Appareil servant à l'ionisation des produits alimentaires.

ionisation *nf* **1** PHYS Formation d'ions. **2** MED Pénétration de radiations dans l'organisme. **3** Stérilisation des aliments par des radiations.

ionosphère nf Partie de l'atmosphère située au-dessus de la stratosphère.

iota nm **1** Neuvième lettre de l'alphabet grec correspondant à *i*. **2** Très petit détail. *Sans changer un iota.*

iouler. V. jodler.

iourte. V. yourte.

ipéca nm Plante à propriétés vomitives.

ipomée nf Plante grimpante (patate douce, volubilis).

ippon [ipɔn] nm Au judo, prise parfaitement exécutée, qui donne la victoire.

ipso facto a Par le fait même.

irakien, enne a, n D'Irak.

iranien, enne a, n D'Iran. ■ nm Langue indo-européenne parlée en Iran.

irascible a Prompt à la colère.

ire nf Litt Colère.

irénique a Qui cherche à éviter la polémique.

iridacée nf BOT Plante à bulbe (iris, crocus, glaïeuls, etc.).

iridescent, ente a À reflets irisés.

iridium [-djɔm] nm CHIM Métal servant à fabriquer des alliages d'une grande dureté.

iris [iʀis] nm **1** Plante à grandes fleurs régulières. **2** Partie colorée de l'œil. **3** PHOTO Diaphragme à lamelles radiales.

irisation nf Dispersion à la surface d'un corps, des couleurs constitutives de la lumière ; les reflets ainsi produits.

iriser vt Colorer des couleurs de l'arc-en-ciel.

irish-coffee [ajʀiʃkɔfi] nm Café chaud avec whisky et crème fraîche.

irlandais, aise a, n D'Irlande. ■ nm Langue celtique parlée en Irlande.

ironie nf Raillerie consistant à dire le contraire de ce qu'on veut faire entendre. **Loc** *Ironie du sort* : contraste entre ses espoirs et la réalité.

ironique a Qui manifeste de l'ironie.

ironiser vi Railler avec ironie.

iroquois, oise a Relatif aux Iroquois.

irradiation nf **1** Action de rayonner, de se propager. **2** PHYS Exposition de qqn, d'un organisme, à l'action des rayonnements ionisants.

irradier vi, vpr Se propager, se répandre en rayonnant à partir d'un point. ■ vt Soumettre à un rayonnement ionisant.

irraisonné, ée a Qui n'est pas raisonné.

irrationnel, elle a Non conforme à la raison.

irrattrapable a Qu'on ne peut rattraper.

irréalisable a Qui ne peut se réaliser.

irréalisme nm Manque de réalisme.

irréaliste a Qui n'est pas réaliste.

irréalité nf Caractère irréel.

irrecevable a Inacceptable.

irréconciliable a Qu'on ne peut réconcilier.

irrécupérable a Qu'on ne peut récupérer.

irrécusable a Qu'on ne peut récuser.

irréductible a **1** Qui ne peut être réduit, simplifié. **2** Sans concession, inflexible.

irréel, elle a En dehors de la réalité.

irréfléchi, ie a **1** Dit ou fait sans réflexion. **2** Qui ne réfléchit pas.

irréflexion nf Manque de réflexion.

irréformable a Qu'on ne peut réformer.

irréfutable a Qu'on ne peut réfuter.

irrégularité nf Caractère irrégulier ; chose ou action irrégulière.

irrégulier, ère a **1** Non conforme aux règles. **2** Non régulier en quantité, en qualité, dans le rythme, dans la forme, etc.

irréligieux, euse a Qui n'a pas de convictions religieuses, qui offense la religion.

irrémédiable a À quoi on ne peut remédier.

irremplaçable a Qu'on ne peut remplacer.

irréparable a, nm Qu'on ne peut réparer.

irrépressible a Qu'on ne peut réprimer.

irréprochable a Sans reproche.

irrésistible a À qui, à quoi on ne peut résister.

irrésolu, ue a Qui a du mal à se déterminer.

irrésolution nf Manque de décision.

irrespect [-pε] nm Manque de respect.

irrespectueux, euse a Qui manque de respect.

irrespirable *a* **1** Qu'on ne peut respirer. **2** Où on respire mal.

irresponsable *a*, *n* **1** Qui n'est pas responsable de ses actes, de sa conduite. **2** Qui n'assume pas ses responsabilités.

irrévérence *nf* Litt Manque de respect.

irrévérencieux, euse *a* Litt Irrespectueux.

irréversible *a* Qui ne peut aller que dans un seul sens.

irrévocable *a* Définitif. *Décision irrévocable.*

irrigation *nf* **1** Arrosage artificiel d'une terre. **2** Circulation du sang dans un organe.

irriguer *vt* **1** Arroser, fournir artificiellement de l'eau à une terre. **2** MED Arroser les tissus de l'organisme, en parlant du sang.

irritable *a* Porté à s'irriter.

irritant, ante *a* **1** Qui excite la colère. **2** Qui détermine de l'inflammation.

irritation *nf* **1** Colère sourde. **2** Légère inflammation.

irriter *vt* **1** Provoquer l'irritation, l'impatience. **2** Rendre légèrement enflammé. *Irriter la peau.* ■ *vpr* Se fâcher, s'énerver.

irruption *nf* Entrée brusque et inattendue ; envahissement.

isabelle *a inv* D'une couleur jaune, très claire (robe des chevaux).

isard *nm* Chamois des Pyrénées.

isatis [izatis] *nm* Renard des régions arctiques.

isba *nf* Maison en bois des paysans russes.

ischémie [-ke-] *nf* MED Arrêt de la circulation artérielle dans un organe.

ischion [iskjɔ̃] *nm* ANAT Partie inférieure de l'os iliaque.

isiaque *a* D'Isis. *Culte isiaque.*

islam *nm* **1** Religion des musulmans. **2** (avec majusc) Ensemble des pays, des peuples, des civilisations musulmanes.

islamique *a* De l'islam.

islamisant, ante *a*, *n* Spécialiste de l'islam.

islamiser *vt* **1** Convertir à l'islam. **2** Appliquer la loi coranique dans un pays.

islamisme *nm* Intégrisme musulman.

islamiste *a*, *n* Partisan de l'islamisme.

islandais, aise *a*, *n* De l'Islande. ■ *nm* Langue scandinave parlée en Islande.

ismaélien, enne *a*, *n* Membre d'une secte chiite.

isobare *a* PHYS D'égale pression atmosphérique.

isobathe *a* GEOGR D'égale profondeur.

isocèle *a* GEOM Qui a deux côtés ou deux faces égales.

isoclinal, ale,aux *a* Loc GEOL *Pli isoclinal :* dont les flancs ont la même inclinaison.

isocline *a* PHYS, GEOGR De même inclinaison.

isogamie *nf* BOT Fécondation entre deux gamètes rigoureusement semblables (algues, champignons inférieurs). Ant. hétérogamie.

isoglucose *nm* Glucose tiré du maïs.

isogone *a* GEOM Dont les angles sont égaux.

isolant, ante *a*, *nm* Qui isole du son, de l'électricité ou de la chaleur.

isolat *nm* Espèce, groupe complètement isolés.

isolateur *nm* Support isolant d'un conducteur électrique.

isolation *nf* Action d'isoler une pièce, un bâtiment, thermiquement ou phoniquement.

isolationnisme *nm* Politique d'un pays qui s'isole des autres nations.

isolé, ée *a*, *n* Seul, séparé socialement des autres. ■ *a* **1** À l'écart. *Endroit isolé.* **2** Unique. *Cas isolé.*

isolement *nm* État de qqn, de qqch d'isolé.

isolément *av* Séparément, individuellement.

isoler *vt* **1** Séparer qqch, qqn de ce qui environne ; empêcher le contact. **2** Considérer à part, en soi. **3** Rendre indépendant de l'extérieur, en interposant un matériau isolant. ■ *vpr* Se séparer des autres.

isoloir *nm* Cabine où l'électeur prépare son vote.

isomère *a*, *nm* CHIM Se dit de corps ayant la même formule, mais des propriétés différentes.

isomorphe *a* Didac De même forme.

isopode *nm* ZOOL Crustacé au corps aplati tel que le cloporte.

isoprène *nm* Matière utilisée dans la fabrication de nombreux polymères (plastiques, résines).

isostasie *nf* Équilibre entre les diverses masses constituant la croûte terrestre.

isotherme *a* 1 PHYS D'égale température. 2 Où on maintient une température constante.

isotope *a, nm* PHYS Se dit d'éléments dont les noyaux ont le même nombre de protons mais un nombre différent de neutrons.

isotrope *a* PHYS Se dit d'un corps qui présente les mêmes propriétés dans toutes les directions.

israélien, enne *a, n* De l'État d'Israël.

israélite *n, a* De religion juive.

issu, ue *a* Né, sorti. *Issu de la bourgeoisie.*

issue *nf* 1 Passage qui permet de sortir. 2 Moyen pour sortir d'une affaire. *Situation sans issue.* 3 Résultat. *L'issue du combat.* Loc **Issue fatale :** mort. *À l'issue de :* à la fin de. ■ *pl* Parties non comestibles des animaux de boucherie.

isthme [ism] *nm* 1 Étroite bande de terre entre deux mers. 2 ANAT Partie rétrécie de certains organes.

italianisant, ante *n* Spécialiste de la langue et de la culture italiennes.

italianisme *nm* Expression propre à l'italien.

italien, enne *a, n* De l'Italie. ■ *nm* Langue romane parlée en Italie.

italique *a* Relatif à l'ancienne Italie. ■ *nm* Caractère d'imprimerie incliné vers la droite.

item *nm* 1 Élément linguistique considéré à part. 2 Chacun des éléments d'un test, d'un questionnaire. ■ *av* En outre, de plus.

itératif, ive *a* Didac Répété plusieurs fois.

itération *nf* Didac Répétition.

itinéraire *nm* Route à suivre ou suivie ; parcours, trajet.

itinérant, ante *a* Qui se déplace, qui va de lieu en lieu pour exercer ses fonctions.

itou *av* Fam De même.

iule *nm* Mille-pattes.

I.U.T. *nm* Institut universitaire de technologie.

I.V.G. *nf* Interruption volontaire de grossesse.

ivoire *nm* 1 Matière des dents de l'homme, des défenses de l'éléphant. 2 Objet fait en cette matière.

ivoirien, enne *a, n* De Côte-d'Ivoire.

ivoirin, ine *a* Litt Qui a l'aspect de l'ivoire.

ivraie *nf* Graminée sauvage envahissante dans les céréales.

ivre *a* 1 Troublé par les effets de l'alcool. Syn. soûl. 2 Exalté par la passion. *Ivre de jalousie.*

ivresse *nf* 1 Intoxication alcoolique. 2 État d'euphorie ; exaltation. *L'ivresse de la victoire.*

ivrogne *nm* Qui a l'habitude de s'enivrer.

ivrognerie *nf* Habitude de s'enivrer.

i

j nm Dixième lettre (consonne) de l'alphabet.
Loc *Jour J* : jour où qqch d'important doit avoir lieu.

jabot nm 1 Poche digestive de l'œsophage des oiseaux. 2 Dentelle, mousseline ornant le devant d'une chemise, d'un corsage.

jacaranda nm Arbre ornemental à fleurs roses et à bois très apprécié.

jacasser vi 1 Pousser son cri (pie). 2 Bavarder avec volubilité.

jachère nf Terre labourable qu'on laisse volontairement reposer.

jacinthe nf Plante bulbeuse ornementale.

jack nm ELECTR Fiche de connexion à deux broches coaxiales.

jackpot [dʒakpɔt] nm 1 Dans les machines à sous, combinaison gagnante ; cette machine. 2 Fam Gros lot, pactole, profit important.

jacobin, ine a, n Partisan d'une république centralisée. ■ nm Membre du club des Jacobins, sous la Révolution.

jacquard n 1 Métier à tisser du XIXe s., à cartes perforées. 2 Tricot à dessins géométriques sur fond de couleur.

jacquerie nf HIST Soulèvement de paysans.

jacquet nm Jeu de dés dérivé du trictrac.

jactance nf Litt Vantardise arrogante.

jacter vi Pop Parler, bavarder.

jacuzzi nm (n déposé) Grande baignoire à remous.

jade nm 1 Pierre fine verte très dure. 2 Objet sculpté en jade.

jadéite nf Variété de jade.

jadis [-dis] av Autrefois, il y a longtemps.

jaguar nm Grand félin d'Amazonie, proche de la panthère.

jaillir vi 1 Sortir impétueusement (liquide, lumière). 2 Litt Se manifester soudain. *La vérité jaillit.*

jaillissement nm Fait de jaillir.

jaïnisme nm Religion de l'Inde reposant sur l'ascétisme, la non-violence et le respect de la vie.

jais nm Variété de lignite d'un noir brillant.

jalon nm 1 Perche plantée en terre pour marquer une direction. 2 Point de repère.

jalonner vt 1 Marquer un tracé au moyen de jalons. 2 Être placé en bordure et de distance en distance. *Arbres qui jalonnent la route.* 3 Se succéder au cours du temps.

jalouser vt Considérer avec envie et dépit.

jalousie nf 1 Sentiment de dépit mêlé d'envie. 2 Amour possessif et exclusif de qqn. 3 Persienne donnant plus ou moins de jour.

jaloux, ouse, n Qui éprouve de la jalousie. ■ a Très attaché à qqch. *Il est très jaloux de son intégrité.*

jamaïquain ou **jamaïcain, aine** a, n De la Jamaïque.

jamais av 1 (sans négation) En un temps quelconque. *Si jamais vous le voyez.* 2 (avec négation) À aucun moment. *Il ne rit jamais.* Loc *À (tout) jamais, pour jamais* : pour toujours.

jambage nm 1 Trait vertical dans le tracé des lettres *m*, *n* et *u*. 2 ARCHI Piédroit.

jambe nf 1 Membre inférieur entre le genou et le pied. 2 Le membre inférieur tout entier. 3 Partie du vêtement recouvrant la jambe. Loc *À toutes jambes* : le plus vite possible.

jambière nf Pièce de vêtement qui protège la jambe.

jambon nm Cuisse ou épaule, salée ou fumée, du porc.

jambonneau nm Petit jambon fait avec les pattes de devant du porc.

jamboree [-ʀi] nm Réunion internationale de scouts.

jam-session nf Réunion de musiciens de jazz improvisant librement. *Des jam-sessions.*

janissaire nm HIST Fantassin turc.

jansénisme nm 1 RELIG Doctrine de Jansénius. 2 Litt Austérité rigide.

jante nf Pièce circulaire qui constitue le pourtour d'une roue.

janvier nm Premier mois de l'année.

japon nm Papier résistant, blanc crème, pour éditions de luxe.

japonais, aise a, n Du Japon. ■ nm Langue parlée au Japon.

japonisant, ante ou **japonologue** n Spécialiste de la langue, de la civilisation du Japon.

jappement nm Fait de japper.

japper vi Pousser des aboiements brefs et aigus.

jaquemart nm Automate frappant les heures avec un marteau sur la cloche d'une horloge.

jaquette nf 1 Veste de cérémonie pour hommes, à pans ouverts. 2 Veste de femme ajustée. 3 Couverture qui protège la reliure d'un livre. 4 Revêtement d'une couronne dentaire.

jaquier nm Arbre tropical qui produit de gros fruits comestibles (jaques).

jardin nm Terrain clos où on cultive des légumes, des fleurs, des arbres. Loc *Jardin public* : jardin d'agrément ouvert à tous. *Jardin d'enfants* : établissement d'éducation qui reçoit de très jeunes enfants. *Côté jardin* : côté de la scène à droite de l'acteur regardant la salle.

jardinage nm Culture des jardins.

jardiner vi S'adonner au jardinage.

jardinerie nf Établissement qui vend des plantes et des outils de jardinage.

jardinet nm Petit jardin.

jardinier, ère n Qui cultive un jardin. ■ nf 1 Bac dans lequel on cultive des fleurs. 2 Mélange de légumes cuits. Loc *Jardinière d'enfants* : éducatrice pour jardin d'enfants.

jargon nm 1 Langage incompréhensible. 2 LING Langage spécifique d'un groupe social ou professionnel.

jargonner vi 1 Fam Parler un jargon. 2 Pousser son cri (jars, oie).

jarre nf Grand vase de terre cuite.

jarret nm 1 Partie du membre inférieur derrière le genou. 2 Articulation du milieu de la jambe chez le cheval.

jarretelle nf Ruban pour fixer les bas.

jarretière nf Ruban fixant le bas sur la jambe.

jars [ʒaʀ] nm Mâle de l'oie.

jas nm Barre transversale d'une ancre.

jaser vi 1 Médire, se montrer indiscret. 2 Jacasser (pie). 3 Gazouiller (nourrisson).

jasmin nm Arbuste à fleurs jaunes ou blanches très odorantes ; son parfum.

jaspe nm Pierre colorée par bandes ou par taches, utilisée en joaillerie.

jaspé, ée a, nm Bigarré.

jaspiner vi Pop Bavarder.

jatte nf Récipient rond et sans rebord.

jauge nf 1 Capacité d'un récipient. 2 MAR Volume intérieur d'un navire, exprimé en tonneaux. 3 Règle graduée mesurant la quantité de liquide d'un réservoir.

jauger vt 11 1 Déterminer la jauge. 2 Estimer la valeur, les capacités de qqn. ■ vi Avoir telle jauge intérieure.

jaunâtre a Qui tire sur le jaune.

jaune a De la couleur du citron, de l'or. Loc *Fièvre jaune* : maladie infectieuse tropicale. *Race jaune* : caractérisée par une pigmentation cuivrée de la peau. ■ av Loc *Rire jaune* : sans gaieté et en se forçant. ■ n 1 (avec majusc) Qui est de race jaune. 2 Briseur de grève. ■ nm 1 Couleur jaune. 2 Colorant jaune. Loc *Jaune d'œuf* : partie centrale de l'œuf des oiseaux, formant l'ovule.

jaunir vt Rendre jaune. *Le soleil jaunit les blés.* ■ vi Devenir jaune. *Herbe qui jaunit.*

jaunisse nf Affection hépatique aiguë. Syn. ictère.

jaunissement nm Fait de devenir jaune.

java nf Danse populaire, à trois temps. Loc Pop *Faire la java* : faire la noce.

javanais, aise a, n De Java. ■ nm 1 Langue indonésienne parlée à Java. 2 Argot consistant à intercaler dans les mots les syllabes *va* et *av* (ex. : *manger* devient *mavangaver*).

Javel (eau de) nf Solution d'un sel de chlore, utilisée comme antiseptique et décolorant.

javelle nf Petit tas de céréales avant le liage.

javelliser vt Stériliser l'eau par l'eau de Javel.

javelot nm 1 Lance courte. 2 Instrument de lancer en forme de lance, utilisé en athlétisme.

jazz [dʒaz] nm Genre musical d'origine américaine, caractérisé par l'improvisation et une manière de traiter le tempo musical.

jazz-band [dʒazbɑ̃d] nm Orchestre de jazz. Des jazz-bands.

jazzman [dʒazman] nm Musicien de jazz.

jazzy [dʒa-] a Qui évoque le jazz.

je, j' pr pers Sujet de la première personne du singulier, des deux genres.

jean ou **jeans** [dʒin(s)] nm 1 Tissu de coton bleu, d'une trame écrue. 2 Pantalon en jean.

jean-foutre nm inv Pop Incapable.

jean-le-blanc nm inv Circaète d'Europe.

jeannette nf Planchette utilisée pour le repassage.

jeep [dʒip] nf (n déposé) Automobile tout terrain.

jéjunum [-nɔm] nm ANAT Partie de l'intestin grêle qui suit le duodénum.

je-m'en-fichiste ou **je-m'en-foutiste** a, n Fam Indifférent, passif. Des je-m'en-fichistes ou des je-m'en-foutistes.

je-ne-sais-quoi nm inv Chose indéfinissable.

jérémiade nf Fam Plainte geignarde.

jerez. V. xérès.

jerk [dʒɛrk] nm Danse moderne, qui consiste en des secousses rythmiques du corps.

jéroboam nm Grande bouteille de champagne valant 4 bouteilles ordinaires.

jerricane nm Réservoir portatif de 20 litres.

jersey [-ze] nm Tissu élastique de laine, de fil ou de soie ; corsage, tricot fait dans ce tissu.

jésuite nm Membre de la Compagnie de Jésus. ■ a, n Hypocrite. Attitude jésuite.

jésus nm 1 Représentation de l'Enfant Jésus. 2 Saucisson sec gros et court.

1. jet nm 1 Action de jeter, de lancer. 2 Émission d'un fluide sous pression. Jet de vapeur. 3 BOT Jeune pousse.

2. jet [dʒɛt] nm Avion à réaction long-courrier.

jetable a Que l'on jette après utilisation.

jeté nm 1 Pièce de tissu recouvrant un lit, une table. 2 CHORÉGR Saut lancé par une jambe et reçu par l'autre.

jetée nf Construction s'avançant dans la mer, destinée à permettre l'accostage des navires.

jeter vt 19 1 Lancer. Jeter des pierres. 2 Se débarrasser de, mettre au rebut. Jeter de vieux papiers. 3 Renverser. Jeter qqn à terre. 4 Émettre hors. Jeter son venin, un cri. 5 Pousser, porter avec force vers. Jeter dans un cachot. 6 Asseoir, établir, poser. Jeter les bases d'un accord. 7 Mettre sur. Jeter un châle sur ses épaules. ■ vpr 1 Se précipiter vers. Il s'est jeté sur moi. 2 Se déverser dans (cours d'eau). Loc Pop S'en jeter un : boire un verre.

jeton nm 1 Pièce plate et ronde, symbolisant une valeur quelconque. 2 Pop Coup. Loc Fam Avoir les jetons : avoir peur.

jet-set [dʒɛtsɛt] nf Haute société internationale.

jet-stream [dʒɛtstrim] nm MÉTÉO Courant d'ouest dans la stratosphère.

jeu nm 1 Divertissement, récréation. 2 Divertissement où seul le hasard intervient et où on risque généralement de l'argent (roulette, poker, etc.). 3 Au tennis, division d'un set. 4 Ensemble d'objets qui servent à jouer. 5 Cartes qu'un joueur a en main. Avoir un beau jeu. 6 Assortiment d'objets, de pièces de même nature. Un jeu de clefs. 7 Manière dont un acteur remplit son rôle. 8 Manière de jouer d'un instrument de musique. 9 Mouvement d'un mécanisme. Le jeu d'un ressort. 10 Fonctionnement. Le jeu des institutions. 11 Espace nécessaire au mouvement de deux pièces. Donner du jeu à un mécanisme. Loc Être en jeu : être en question. Être vieux jeu : démodé. Jeu décisif : tie-break. Entrer en jeu de qqn : agir dans son intérêt. ■ pl Chez les Anciens, concours sportif ; spectacle du cirque.

jeudi nm Quatrième jour de la semaine.

jeun (à) [aʒœ̃] av Sans avoir mangé.

jeune a 1 Qui n'est pas avancé en âge. 2 Cadet. Dubois jeune. Ant. aîné. 3 Juvénile. 4 Composé de jeunes gens, de jeunes filles. Un public jeune. 5 Récent, nouveau. Vin jeune. 6 Qui manque de maturité, d'expérience. ■ n 1 Personne jeune. 2 Animal non encore adulte. ■ av Comme les jeunes. S'habiller jeune.

jeûne nm Privation volontaire de nourriture.

jeûner vi S'abstenir de nourriture.

jeunesse nf **1** Partie de la vie comprise entre l'enfance et l'âge adulte. **2** Ensemble des personnes jeunes. **3** Période de développement de qqch. **4** Fraîcheur, vigueur.

jeunet, ette a Fam Tout jeune.

jeûneur, euse n Qui jeûne.

jeunot nm Fam Jeune homme naïf.

jingle [dʒingœl] nm Bref thème musical accompagnant une émission.

jiu-jitsu [ʒyʒitsy] nm inv Art martial japonais dont dérive le judo.

joaillerie nf Art, commerce du joaillier.

joaillier ou **joailler, ère** n Qui travaille les joyaux, ou en fait le commerce.

job [dʒɔb] nm Fam Emploi rémunéré.

jobarderie ou **jobardise** nf Fam Crédulité.

jockey nm Qui fait métier de monter les chevaux dans les courses.

jocrisse nm Litt Benêt.

jodhpurs nmpl Pantalon de cheval, serré au-dessous du genou.

jodler [jɔdle], **iodler** ou **iouler** vi Faire des vocalises sans paroles.

jogger [dʒɔgœʀ] nm Chaussure de jogging.

joggeur, euse n Qui pratique le jogging.

jogging [dʒɔgiŋ] nm Course à pied pour se maintenir en forme.

joie nf **1** État de satisfaction intense. **2** Gaieté, bonne humeur. ■ pl Plaisirs, satisfactions.

joignable a Que l'on peut joindre, contacter.

joindre vt 62 **1** Unir solidement, rapprocher. **2** Ajouter, mettre avec. **3** Faire communiquer, relier. Avion joignant Paris à Londres. **4** Atteindre, être en contact avec qqn. Joindre qqn par téléphone. Loc Fam Joindre les deux bouts : boucler son budget. ■ vi Se toucher étroitement. Volets qui joignent mal. ■ vpr S'associer. Je me joins à vous.

joint, jointe a Ajouté. Pièce jointe à une lettre. Loc À pieds joints : les pieds en contact. ■ nm **1** Dispositif servant à transmettre un mouvement. **2** Endroit où s'accolent

deux éléments fixes contigus. **3** Matériau intercalé entre deux pièces. **4** Moyen de résoudre une affaire. **5** Intermédiaire, lien. Faire le joint entre deux personnes. **6** Fam Cigarette de haschish.

jointoyer vt 22 Remplir avec du mortier les joints d'une maçonnerie.

jointure nf **1** Articulation. **2** Endroit où se joignent deux éléments.

jojo nm Loc Fam Affreux jojo : enfant turbulent. ■ a inv Joli. C'est pas très jojo.

joker [-kɛʀ] nm Carte à jouer qui prend la valeur que lui attribue celui qui la détient.

joli, ie a **1** Qui plaît par un certain agrément, la finesse de ses traits. Une jolie femme. **2** Avantageux. Une jolie situation. ■ nm Loc Fam C'est du joli ! : c'est mal.

joliesse nf Litt Caractère joli.

joliment a **1** Très bien, agréablement. **2** Fam Beaucoup, très. Il est joliment bête.

jonc [ʒɔ̃] nm **1** Plante des lieux humides, dont la tige est droite et flexible. **2** Canne avec la tige du jonc d'Inde. **3** Bague ou bracelet dont le cercle est de grosseur uniforme.

jonchée nf **1** Litt Grande quantité d'objets éparpillés sur le sol. **2** Petit fromage égoutté sur une claie de jonc.

joncher vt **1** Recouvrir le sol de branchages, de feuilles, etc. **2** Couvrir en grande quantité.

jonchet nm Chacun des petits bâtons jetés pêle-mêle sur une table et qu'il faut retirer un à un sans faire bouger les autres.

jonction nf **1** Action de joindre, de se joindre. **2** Point où deux choses se joignent.

jongler vi **1** Lancer en l'air des objets qu'on reçoit et qu'on relance alternativement. **2** Manier avec dextérité. Jongler avec les chiffres.

jongleur, euse n Artiste qui fait métier de jongler. ■ nm HIST Ménestrel.

jonque nf Navire à voiles d'Extrême-Orient.

jonquille nf Narcisse à fleurs jaunes.

jordanien, enne a, n De Jordanie.

jota [ʀɔta] nf **1** Danse populaire espagnole. **2** Son guttural espagnol, noté par la lettre j.

jouable a **1** Qu'on peut jouer. **2** Qu'on peut risquer, tenter.

joual nm Parler populaire du Québec.

jouasse a Pop Joyeux, content.

joubarbe nf Plante grasse.

joue nf Partie latérale du visage, de la tête. Loc *Coucher, mettre en joue qqn, qqch* : le viser.

jouer vi 1 Se divertir, s'occuper à un jeu. *Les enfants jouent dans la cour.* 2 Se mouvoir (pièce, mécanisme). 3 Ne plus joindre parfaitement, se déboîter. 4 Se déformer sous l'effet de l'humidité. 5 Intervenir, agir. *Ces considérations ont joué dans ma décision.* ■ vti 1 S'adonner à tel jeu. 2 Miser de l'argent à un jeu. 3 Spéculer à la Bourse. 4 Tirer des sons d'un instrument de musique. 5 Se servir d'un outil, d'une arme. Loc *Jouer sur les mots* : user d'ambiguïtés verbales. ■ vt 1 Faire une partie à tel jeu ou sport. 2 Miser. *Jouer 100 francs sur le favori.* 3 Exécuter au moyen d'un instrument de musique. 4 Représenter sur la scène, au cinéma. *Jouer une comédie.* ■ vpr Litt Se moquer de qqn, le duper. Loc *Se jouer des difficultés* : en triompher aisément.

jouet nm Objet avec lequel un enfant joue.

joueur, euse n 1 Qui joue à un jeu, à un sport, d'un instrument. 2 Qui a la passion du jeu. ■ a Qui aime à jouer. *Enfant joueur.*

joufflu, ue a Qui a de grosses joues.

joug [ʒu] nm 1 Pièce de bois qu'on place sur l'encolure des bœufs pour les atteler. 2 Litt Sujétion, contrainte. *Le joug des tyrans.*

jouir vti 1 Avoir la possession, le profit de. *Jouir d'une bonne santé.* 2 Tirer grand plaisir de qqch. ■ vi Éprouver l'orgasme.

jouissance nf 1 Fait d'avoir pleine possession de qqch. 2 Plaisir de l'esprit ou des sens.

jouisseur, euse n Qui ne songe qu'à jouir des plaisirs matériels.

jouissif, ive a Pop Qui procure un intense plaisir.

joujou nm Fam Jouet. *Des joujoux.*

joule nm PHYS Unité de mesure d'énergie.

jour nm 1 Clarté, lumière du soleil. 2 Temps pendant lequel le soleil éclaire. 3 Espace de vingt-quatre heures. 4 Circonstance, moment indéterminé. 5 Époque actuelle. *Le goût du jour.* 6 Ouverture laissant passer la lumière ; vide. Loc À *jour* : exact, en règle. *Au jour le jour* : sans souci du lendemain. *Se faire*

jour : apparaître. *Le petit jour* : l'aube. *D'un jour à l'autre* : à tout moment. *Jour pour jour* : exactement. *Un jour, un de ces jours* : dans l'avenir. ■ pl *Litt* Vie. *Mettre fin à ses jours.*

journal, aux nm 1 Cahier où l'on note régulièrement les événements de sa vie. 2 Registres dans lequel on inscrit jour par jour les opérations comptables. 3 Toute publication quotidienne et, par extension, périodique. 4 Bulletin d'information à la radio, à la télévision.

journalier, ère a Qui se fait, se produit chaque jour. Syn. quotidien. ■ nm Travailleur agricole payé à la journée.

journalisme nm Profession, travail de journaliste.

journaliste n Professionnel de l'information écrite ou audiovisuelle.

journalistique a Propre aux journaux, au journalisme.

journée nf 1 Durée entre le lever et le coucher du soleil. 2 Temps de travail pendant la journée ; salaire de ce travail. 3 Jour marqué par un événement important.

journellement av 1 Chaque jour. 2 Fréquemment.

joute nf 1 HIST Combat courtois à cheval. 2 Litt Lutte où l'on rivalise de talent. *Joute oratoire.*

jouvence nf Litt Jeunesse.

jouvenceau, elle n Litt Jeune homme, jeune fille.

jouxter vt Litt Se trouver près de.

jovial, ale, aux ou **als** a D'une gaieté familière.

jovialité nf Humeur joviale.

joyau nm 1 Ornement, objet fait d'or, de pierreries. 2 Chose très belle.

joyeusement av Avec joie.

joyeux, euse a Gai. *Rires joyeux.*

joystick [ʒɔjstik] nm Manette d'un jeu vidéo, servant à se déplacer sur l'écran.

jubarte nf Baleine à bosse.

jubé nm Galerie haute qui sépare le chœur de la nef d'une église.

jubilaire a Du jubilé. *Année jubilaire.*

jubilation nf Joie intense.

jubilatoire *a* Loc Très réjouissant.

jubilé *nm* 1 RELIG Indulgence plénière accordée par le pape. 2 Cinquantième année de mariage, d'activité professionnelle.

jubiler *vi* Éprouver une joie intense.

jucher *vi* Se poser sur une branche en parlant de certains oiseaux. ■ *vt* Placer dans un endroit élevé. ■ *vpr* Se percher.

juchoir *nm* Perchoir.

judaïque *a* Des Juifs, de la religion juive.

judaïsme *nm* Religion juive.

judas *nm* 1 Litt Traître. 2 Petite ouverture dans une porte pour voir sans être vu.

judéo-allemand *nm* Syn de *yiddish*.

judéo-chrétien, enne *a* Qui relève des valeurs du judaïsme et du christianisme.

judéo-espagnol *nm* Syn de *ladino*.

judiciaire *a* Qui relève de la justice.

judicieusement *av* De façon judicieuse.

judicieux, euse *a* Qui juge bien, qui apprécie avec justesse.

judo *nm* Sport de combat d'origine japonaise.

judoka *n* Qui pratique le judo.

juge *n* 1 Magistrat ayant pour fonction de rendre la justice. 2 Officiel chargé dans une compétition de veiller à la régularité des épreuves. 3 Personne prise pour arbitre.

jugé (au) ou **juger (au)** *av* De façon approximative. *Tirer au jugé.*

jugement *nm* 1 Action de juger un procès, un accusé. 2 Faculté d'apprécier avec discernement. *Manquer de jugement.* 3 Opinion, avis. *Le jugement d'un critique sur un film.* Loc *Jugement dernier :* celui de Dieu, à la fin du monde.

jugeote *nf* Fam Bon sens.

juger *vt* 1 1 Prendre une décision concernant une affaire, qqn en qualité de juge ou d'arbitre. 2 Émettre une opinion. 3 Penser, estimer. *Il a jugé nécessaire de venir.* ■ *vti* 1 Porter une appréciation sur. *Juger de la vraisemblance d'un récit.* 2 S'imaginer, se représenter. *Jugez de ma surprise.*

jugulaire *a* De la gorge. *Veine jugulaire.* ■ *nf* Courroie qui maintient un casque.

juguler *vt* Empêcher de se développer.

juif, juive *n* 1 Descendant des anciens Hébreux. 2 Adepte de la religion et des traditions judaïques. ■ *a* Qui concerne les juifs.

juillet *nm* Septième mois de l'année.

juillettiste *n* Qui prend ses vacances en juillet.

juin *nm* Sixième mois de l'année.

jujube *nm* Fruit comestible du jujubier ; suc extrait de ce fruit, qui a des vertus pectorales.

jujubier *nm* Arbuste cultivé dans les régions méditerranéennes.

juke-box [dʒukbɔks] *nm* Électrophone automatique à la disposition des clients d'un café. *Des juke-box(es).*

jules *nm* Pop 1 Souteneur. 2 Amant, mari.

julien, enne *a* Loc *Calendrier julien :* établi par Jules César, et comportant 365,25 jours.

julienne *nf* 1 Potage de légumes variés, coupés en menus morceaux. 2 Syn de *lingue*.

jumbo-jet [dʒœmbodʒɛt] *nm* Avion à réaction de grande capacité. *Des jumbo-jets.*

jumeau, elle *a, n* Se dit d'enfants nés d'un même accouchement. ■ *a* Se dit de choses semblables. *Lits jumeaux.*

jumelage *nm* Action de jumeler.

jumelé, ée *a* Groupé par couple. *Colonnes jumelées.* Loc *Pari jumelé :* désignant les deux premiers d'une course de chevaux.

jumeler *vt* 18 1 Apparier deux objets semblables. 2 Associer des villes de pays différents pour des échanges culturels.

jumelle. V. *jumeau.*

jumelles *nfpl* Double lorgnette. (S'emploie parfois au sing.)

jument *nf* Femelle du cheval.

jumping [dʒœmpiŋ] *nm* Épreuve équestre de saut d'obstacles.

jungle [ʒœgl] *nf* 1 Formation végétale très dense des pays de mousson. 2 Milieu où règne la loi du plus fort. *La jungle des affaires.*

junior *a* 1 Cadet. *Dubois junior.* 2 Destiné aux jeunes. *Mode junior.* ■ *n* 1 Enfant ou adolescent. 2 Sportif entre 16 et 21 ans.

junker [junkœr] *nm* HIST Noble terrien en Prusse.

junkie [dʒœnki] *n* Pop Toxicomane.

junte

junte [ʒœ̃t] nf Gouvernement d'origine insurrectionnelle.

jupe nf **1** Vêtement féminin qui part de la taille et couvre les jambes. **2** Surface latérale d'un piston. **3** Carénage aérodynamique d'un véhicule.

jupe-culotte nf Culotte aux jambes très amples, qui ressemble à une jupe. *Des jupes-culottes.*

jupette nf Jupe très courte.

jupon nm Jupe de dessous.

jurande nf HIST Groupement professionnel sous l'Ancien Régime.

jurassien, enne a, n Du Jura.

jurassique nm, a GEOL Période du secondaire, précédant le crétacé.

juré, ée a Qui a prêté serment. **Loc** *Ennemi juré* : irréconciliable. ■ nm Membre d'un jury.

jurer vt **1** Promettre par serment. *Jurer fidélité.* **2** Assurer, certifier. ■ vi **1** Faire un serment. **2** Dire des blasphèmes, des jurons. **Loc** *Ne jurer que par* : place le plus grand bien de. ■ vti Aller mal ensemble (couleurs).

jureur nm Litt Qui blasphème. ■ am Loc HIST *Prêtre jureur* : pendant la Révolution, prêtre qui avait prêté serment de fidélité à la nation.

juridiction nf **1** Pouvoir d'un juge, d'un tribunal ; ressort, étendue de ce pouvoir. **2** Ensemble des tribunaux de même nature.

juridique a Relatif au droit.

jurisconsulte n Qui donne des consultations juridiques.

jurisprudence nf Ensemble des décisions des tribunaux, servant de référence.

juriste n Spécialiste du droit.

juron nm Expression blasphématoire ou grossière.

jury nm **1** Ensemble des jurés d'une cour d'assises. **2** Commission d'examinateurs, d'experts. *Jury d'un festival.*

jus [ʒy] nm **1** Suc d'une substance végétale. **2** Suc de viande. **3** Pop Café noir. **4** Pop Courant électrique.

jusant nm MAR Marée descendante.

jusqu'au-boutiste a, n Partisan des solutions extrêmes. *Des jusqu'au-boutistes.*

jusque prép (Le e de *jusque* s'élide devant voyelle. *Jusques* est poétique.) Suivi de à, vers, où, en marque une limite extrême.

jusquiame nf Plante très toxique.

justaucorps nm Maillot collant utilisé pour la danse, le sport.

juste a **1** Conforme à la justice, au droit, à l'équité ; équitable. **2** Conforme à la réalité, à la vérité ; exact, précis, correct. **3** Étroit (vêtements). **4** Qui suffit à peine. *Huit jours pour agir, c'est juste.* ■ a, n Qui agit selon la justice, l'équité. ■ av **1** Avec exactitude, comme il convient. *Penser juste.* **2** Précisément. *C'est juste ce qu'il faut.* **3** Seulement. *J'ai juste pris un fruit.*

justement av De façon juste, précise, pertinente, exacte.

justesse nf Qualité juste, exacte. **Loc** *De justesse* : de très peu.

justice nf **1** Vertu morale qui réside dans la reconnaissance et le respect des droits d'autrui. **2** Respect du droit, de l'équité, des droits de chacun. **3** Pouvoir de dire le droit. **4** Institution chargée d'exercer ce pouvoir ; tribunal. **Loc** *Rendre justice à qqn* : reconnaître ses mérites. *Se faire justice* : se suicider. *Se faire justice soi-même* : se venger soi-même d'un dommage subi.

justiciable a, n Qui relève d'une juridiction. ■ a Qui relève de. *Tumeur justiciable d'une opération.*

justicier, ère n Redresseur de torts.

justifiable a Qui peut être justifié.

justificatif, ive a Qui justifie, qui prouve. ■ nm Pièce attestant qu'une opération a bien été exécutée.

justification nf **1** Action de justifier, de se justifier. **2** Preuve de qqch. *Présenter des justifications.* **3** Longueur d'une ligne typographique.

justifier vt **1** Mettre hors de cause. **2** Rendre légitime. *Cela justifie sa colère.* ■ vti Constituer une preuve de. *Justifier d'un paiement.* ■ vpr Prouver son innocence.

jute *nm* Fibre textile servant à fabriquer une toile grossière.

juteux, euse *a* **1** Qui rend beaucoup de jus. **2** *Fam* Qui rapporte, fructeux. *Affaire juteuse.*

juvénile *a* Propre à la jeunesse. *Ardeur juvénile.* ■ *nm* AGRIC Animal jeune.

juxtalinéaire *a* Se dit d'une traduction donnant, sur deux colonnes et ligne par ligne, le texte original et la traduction correspondante.

juxtaposer *vt* Mettre l'un à côté de l'autre.

juxtaposition *nf* Action de juxtaposer.

k

k *nm* Onzième lettre (consonne) de l'alphabet.

kabbale *nf* Interprétation juive symbolique et ésotérique de la Bible.

kabbaliste *n* Spécialiste de la kabbale.

kabig ou **kabic** *nm* Veste de marin breton, à capuchon.

kabuki [-bu-] *nm* Genre théâtral japonais.

kabyle *a, n* De Kabylie. ■ *nm* Dialecte berbère des Kabyles.

kadaïf *nm* Gâteau oriental au miel.

kaddisch *nm* Prière de la liturgie juive.

kafkaïen, enne *a* Qui a le caractère angoissant des romans de Kafka.

kakatoès. V. cacatoès.

kakémono *nm* Peinture japonaise qui se déroule de haut en bas.

1. kaki *nm* Fruit charnu du plaqueminier.

2. kaki *a inv, nm* Brun-jaune.

kalachnikov *nf* Pistolet-mitrailleur.

kaléidoscope *nm* Cylindre creux contenant des miroirs et des paillettes multicolores, formant des motifs ornementaux.

kamikaze *nm* **1** HIST Pilote japonais volontaire pour écraser son avion sur les navires ennemis (1944). **2** Qui se sacrifie pour une cause.

kana *nm inv* Signe syllabique de l'écriture japonaise.

kanak, e. V. canaque.

kangourou *nm* Marsupial d'Australie qui se déplace par bonds.

kanji *nm inv* Signe idéographique de l'écriture japonaise, emprunté au chinois.

kannara *nm* Langue dravidienne de l'Inde du Sud.

kantien, enne *a, n* Qui relève de Kant.

kantisme *nm* Philosophie de Kant.

kaolin *nm* Argile blanche, utilisée dans la fabrication de la porcelaine.

kapo *nm* Dans les camps de concentration nazis, détenu qui dirigeait les autres détenus.

kapok *nm* Duvet végétal du kapokier, utilisé pour le rembourrage.

kapokier *nm* Arbre asiatique.

Kaposi (sarcome de) *nm* Sarcome apparaissant souvent lors du sida.

kappa *nm* Dixième lettre de l'alphabet grec correspondant à *k*.

karakul ou **caracul** *nm* Mouton, dont les agneaux mort-nés fournissent l'astrakan.

karaoké *nm* Appareil permettant de s'enregistrer sur un fond d'accompagnement musical.

karaté *nm* Art martial japonais.

karatéka *n* Qui pratique le karaté.

karité *nm* Plante d'Afrique, dont les graines fournissent une graisse.

karma ou **karman** *nm* Dans l'hindouisme, enchaînement des actes et de leurs effets, déterminant le destin des êtres vivants.

karst *nm* Relief typique des régions où les calcaires prédominent.

kart [kart] *nm* Petit véhicule monoplace de sport à quatre roues, sans carrosserie, équipé d'un moteur de faible cylindrée.

karting [-tiŋ] *nm* Sport pratiqué avec le kart.

kascher. V. casher.

kathakali *nm* Théâtre dansé du sud de l'Inde.

kayak *nm* Embarcation à une ou deux places, mue à l'aide d'une pagaie double.

kayakiste *n* Sportif pratiquant le kayak.

kazakh, akhe *a, n* Du Kazakhstan. ■ *nm* Langue turque du Kazakhstan.

kebab [ke-] *nm* Dés de viande de mouton ou de bœuf rôtis en brochette.

keffieh [kefje] *nm* Coiffure arabe composée d'un carré de tissu maintenu par un gros cordon.

kéfir ou **képhir** *nm* Boisson du Caucase, gazeuse et fermentée, préparée avec du lait de chèvre ou de vache.

kelvin [-vin] *nm* PHYS Unité légale de température absolue (symbole : K).

kémalisme *nm* HIST Mouvement politique se réclamant de Mustapha Kémal.

kendo [kɛn-] *nm* Art martial japonais, qui se pratique avec des sabres de bambou.

kentia [kɛntja] ou [kɛsja] *nm* Palmier de Nouvelle-Guinée.

kenyan, ane *a, n* Du Kenya.

képi *nm* Coiffure militaire cylindrique, munie d'une visière.

kératine *nf* Protéine fibreuse, constituant des ongles, des cornes, des poils, etc.

kératite *nf* MED Inflammation de la cornée.

kermès *nm* Loc *Chêne kermès* : chêne méditerranéen, à feuilles dures et persistantes.

kermesse *nf* 1 Dans les Flandres, fête patronale. 2 Fête de charité en plein air. 3 Toute fête foraine.

kérosène *nm* Carburant utilisé dans les réacteurs d'avions.

ketch *nm* Voilier à deux mâts.

ketchup [-ʃœp] *nm* Condiment à base de purée de tomates.

keuf *nm* Pop Policier, flic.

keum *nm* Pop Individu quelconque, type.

kevlar *nm* (n déposé) Fibre synthétique très résistante, légère, imputrescible.

keynésianisme *nm* Doctrine économique de Keynes.

keynésien, enne *a, n* Qui relève des théories économiques de Keynes.

khâgne *nf* Fam Classe préparatoire à l'École normale supérieure (lettres).

khâgneux, euse *a* Fam Élève de khâgne.

khalkha *nm* Langue officielle de la Mongolie.

khamsin [ramsin] *nm* Vent brûlant du désert égyptien.

khan *nm* Titre des souverains mongols et des princes turcs.

khat [kat] *nm* Arbuste du Yémen dont les feuilles procurent une sorte d'ivresse quand on les mâche.

khi *nm* Vingt-deuxième lettre de l'alphabet grec, correspondant à *kh*.

khmer, khmère *a, n* Des Khmers, du Cambodge. ■ *nm* Langue officielle du Cambodge.

khoisan *nm* Groupe de langues parlées par les Bochimans et les Hottentots.

khôl ou **kohol** *nm* Fard noirâtre.

kibboutz [-buts] *nm* Exploitation agricole collective, en Israël.

kick *nm* Dispositif de mise en marche, au pied, d'une moto.

kidnapper *vt* Enlever qqn pour obtenir une rançon.

kidnappeur, euse *n* Qui kidnappe.

kidnapping [-piŋ] *nm* Enlèvement, rapt.

kif *nm* Mélange de haschisch et de tabac.

kif-kif *a inv* Loc Fam *C'est kif-kif* : c'est pareil.

kilim *nm* Tapis d'Orient tissé à plat.

kilo *nm* Kilogramme. *Donnez-m'en 3 kilos.*

kilocalorie *nf* Unité valant 1 000 calories (symbole : kcal).

kilofranc *nm* Unité de compte valant 1 000 francs.

kilogramme *nm* Unité de masse du système international (symbole : kg).

kilohertz *nm* Unité de fréquence radioélectrique de 1 000 hertz (symbole : kHz).

kilométrage *nm* Nombre de kilomètres parcourus.

kilomètre *nm* Unité de distance (symbole : km) valant 1 000 m. Loc *Kilomètre lancé* : en ski, épreuve de descente à pleine vitesse chronométrée sur un kilomètre.

kilométrer *vt* Jalonner de bornes kilométriques.

kilométrique *a* Du kilomètre.

kilotonne *nf* Unité de puissance des explosifs nucléaires (symbole : kt).

kilowatt *nm* Unité de puissance (symbole : kW), égale à 1 000 watts.

kilowattheure *nm* Unité de travail ou d'énergie (symbole : kWh).

kilt *nm* Jupe courte et plissée des Écossais.

kimono *nm* 1 Longue tunique japonaise à larges manches. 2 Tenue des judokas, karatékas, etc. : pantalon et d'une veste.

kinésithérapeute *n* Praticien exerçant la kinésithérapie (abrév : kiné).

kinésithérapie nf Mode de traitement, par massages et manipulations, de certaines affections osseuses et musculaires.

kinesthésie nf Ensemble des sensations qui renseignent sur les positions et les mouvements du corps.

king-charles [kiŋʃarl] nm inv Petit épagneul à poils longs.

kinois, oise a, n De Kinshasa.

kinyarwanda nm Langue bantoue parlée au Rwanda.

kiosque nm **1** Pavillon ouvert dans un jardin. **2** Petit pavillon pour la vente des journaux, des fleurs, sur la voie publique. **3** Passerelle d'un sous-marin. **4** Service télématique accessible par minitel.

kiosquier, ère n Qui tient un kiosque à journaux.

kippa nf Calotte des juifs pratiquants.

kir nm (n déposé) Mélange vin blanc et cassis.

kirghiz, ize a Du Kirghizistan. ■ nm Langue turque du Kirghizistan.

kirsch [kirʃ] nm Eau-de-vie de cerises.

kirundi nm Langue bantoue parlée au Burundi.

kit [kit] nm **1** Objet vendu en pièces détachées dont l'assemblage est à réaliser par l'acheteur. **2** Ensemble formant un tout fonctionnel.

kitchenette nf Petite cuisine.

kitsch [kitʃ] a inv, nm Se dit d'objets et d'œuvres picturales au style volontairement démodé.

kiwi [kiwi] nm **1** Oiseau des forêts de Nouvelle-Zélande. Syn. aptéryx. **2** Fruit à l'écorce velue et à la chair parfumée.

klaxon [-sɔn] nm (n déposé) Avertisseur sonore d'automobile.

klaxonner [-sɔne] vi Faire usage du klaxon.

kleenex [klineks] nm (n déposé) Mouchoir jetable en papier.

kleptomane ou **cleptomane** n, a Qui souffre de kleptomanie.

kleptomanie ou **cleptomanie** nf Impulsion à commettre des vols.

knickers [nikœrs] nmpl Culottes larges serrées au-dessous du genou.

knock-down [nɔkdawn] nm inv Mise à terre d'un boxeur qui se relève ensuite.

knock-out [nɔkaut] ou **K.-O.** nm inv Mise hors de combat d'un boxeur. ■ a inv Fam Assommé.

koala nm Marsupial grimpeur d'Australie.

kohol. V. khôl.

koinè [kɔjnɛ] nf **1** Langue grecque commune du monde hellénistique. **2** Toute langue servant à l'intercompréhension dans une région.

kola ou **cola** nf Graine du kolatier, riche en caféine.

kolatier nm Arbre d'Afrique, qui produit la kola.

kolkhoze nm HIST Exploitation agricole collective, en U.R.S.S.

kopeck nm Centième partie du rouble.

kora nf Luth d'Afrique de l'Ouest.

korê nf BX-A Statue grecque représentant une jeune fille.

korrigan, ane n Génie malfaisant des légendes bretonnes.

koto nm Sorte de luth d'Extrême-Orient.

koubba nf Monument élevé sur la tombe d'un marabout.

kouglof nm Gâteau alsacien, brioche aux raisins secs.

kouign-amann nm Gâteau breton au beurre, très sucré.

koulak nm Paysan russe aisé à la fin du XIXe s. et au début du XXe s.

kouros [-ʀɔs] nm BX-A Statue grecque représentant un jeune homme nu.

koweïtien, enne ou **koweïti** a, n Du Koweït.

krach [kʀak] nm **1** Effondrement de la Bourse. **2** Faillite brutale.

kraft nm Papier fort pour les emballages.

krill nm Crustacé vivant en bancs, dont se nourrissent les cétacés.

kriss nm Poignard malais à lame ondulée.

krypton nm Gaz rare de l'air.

ksi ou **xi** nm Quatorzième lettre de l'alphabet grec, correspondant à x.

kummel *nm* Liqueur alcoolique au cumin.

kumquat [kumkwat] *nm* Petit agrume que l'on mange avec son écorce.

kung-fu [kuŋfu] *nm inv* Art martial chinois.

kurde *a, n* Du Kurdistan. ■ *nm* Langue iranienne parlée par les Kurdes.

kuru *nm* Encéphalite provoquée par un virus lent.

kwashiorkor [kwaʃjɔrkɔr] *nm* Maladie tropicale marquée par une dénutrition extrême.

k-way [kawɛ] *nm inv* (n déposé) Coupevent très léger.

kyrie [kirije] *nm inv* RELIG Invocation au début de la messe.

kyrielle *nf* Fam Longue suite.

kyste *nm* Tumeur bénigne contenant une substance liquide ou solide.

kystique *a* De la nature du kyste.

kyudo [kjudo] *nm* Art martial japonais du tir à l'arc.

I nm 1 Douzième lettre (consonne) de l'alphabet. 2 **I** : chiffre romain valant 50.

1. la. V. le.

2. la nm inv Sixième note de la gamme. Loc *Donner le la :* donner le ton.

là av 1 Dans ce lieu, cette circonstance (en oppos. ou non à ici). *Installez-vous là. Je suis là. Il y a de quoi s'inquiéter.* 2 À un moment précis. *C'est là qu'il a mentionné votre nom.* 3 À ce point déterminé. *Tenez-vous en là. En venir là.* 4 Renforce un adjectif démonstratif. *Cet homme-là.* Loc *Là-bas :* à tel endroit au loin. *Là-haut :* en tel endroit élevé. *De là :* de cet endroit ; d'où, en conséquence. *D'ici là :* du moment présent à tel autre. *Loin de là :* au contraire. *Par là :* dans les environs ; par ces mots.

là-bas. V. là.

label nm 1 Marque délivrée par un organisme officiel, et apposée sur certains articles. 2 Éditeur de disques.

labelliser ou **labéliser** vt Garantir par un label.

labeur nm Litt Travail long et pénible.

labial, ale, aux a Didac Relatif aux lèvres.

labile a Sujet à se transformer, à disparaître.

labo nm Abrév familière de *laboratoire.*

laborantin, ine n Assistant, aide, technicien dans un laboratoire.

laboratoire nm Local aménagé pour mener à bien des travaux de recherche scientifique ou technique, des analyses biologiques, des travaux photographiques, etc. Loc *Laboratoire pharmaceutique :* entreprise industrielle où on fabrique des médicaments. *Laboratoire de langues :* local aménagé pour enseigner les langues étrangères à l'aide de magnétophones.

laborieux, euse a 1 Qui travaille beaucoup. 2 Qui coûte beaucoup d'efforts. *Entreprise laborieuse.* 3 Qui manque de spontanéité.

labour nm Travail de labourage, façon donnée à une terre. ■ pl Terres labourées.

labourer vt 1 Retourner la terre avec la charrue, la bêche, la houe, etc. 2 Creuser, déchirer. *La balle a labouré les chairs.*

laboureur nm Litt Cultivateur, paysan.

labrador nm Chien de chasse à poil ras.

labre nm Gros poisson vorace des côtes rocheuses. Syn. vieille.

labyrinthe nm 1 Ensemble compliqué, où il est difficile de se reconnaître. Syn. dédale. 2 Jardin d'agrément dont les allées, bordées de haies épaisses, sont tracées selon un plan compliqué. 3 ANAT Cavité de l'oreille interne.

lac nm Grande étendue d'eau à l'intérieur des terres.

lacer vt 10 Fermer, serrer, assujettir au moyen d'un lacet. *Lacer ses chaussures.*

lacérer vt 12 Déchirer, mettre en pièces.

lacertilien nm ZOOL Syn de saurien.

lacet nm 1 Cordon que l'on passe dans des œillets pour serrer une partie de vêtement ou de chaussure. 2 Virage serré d'une route en zigzag. 3 Nœud coulant utilisé pour piéger le gibier.

lâche a 1 Qui n'est pas tendu, serré. *Nœud trop lâche.* 2 Qui manque de vigueur. *Style lâche.* ■ a, n 1 Qui est sans courage. *Être lâche face au danger.* 2 Vil, méprisable.

lâcher vt 1 Détendre, desserrer. 2 Cesser de tenir. 3 Laisser aller, laisser échapper. *Lâcher les chiens contre qqn.* 4 Fam Abandonner. *Lâcher un copain.* 5 Lancer. *Lâcher un coup de fusil.* ■ vi Céder, se rompre. *La corde a lâché.* ■ nm Action de laisser aller. *Un lâcher de pigeons.*

lâcheté nf 1 Manque de courage ; poltronnerie, couardise. 2 Action lâche, indigne.

lâcheur, euse n Fam Qui abandonne ses amis.

lacis [-si] nm Entrelacement, réseau.

laconique a Qui parle peu ; bref, concis.

lacrymal, ale, aux a Relatif aux larmes.

lacrymogène a Qui provoque les larmes. *Gaz lacrymogène.*

lacs [lα] nm Nœud coulant servant à prendre du gibier. *Tendre des lacs.*

lactaire nm Champignon qui laisse écouler un latex si on le casse.

lactation nf Sécrétion et excrétion du lait par la glande mammaire.

lacté, ée a 1 Qui a rapport au lait, qui en a la couleur. 2 Qui contient du lait. *Farine lactée.* **Loc** *Voie lactée :* bande blanchâtre formée dans le ciel par d'innombrables étoiles.

lactique a **Loc** *Acide lactique :* contenu dans le petit-lait. *Ferments lactiques :* employés dans l'industrie laitière pour coaguler la caséine.

lactose nm CHIM Sucre contenu dans le lait.

lactosérum [-ʀɔm] nm Petit-lait.

lacunaire ou **lacuneux, euse** a Qui présente des lacunes.

lacune nf 1 Vide, cavité à l'intérieur d'un corps. 2 Ce qui manque pour que qqch soit complet. *Les lacunes d'une loi, d'un manuscrit.*

lacustre a Qui vit au bord ou dans l'eau des lacs. **Loc** PREHIST *Cité lacustre :* bâtie sur pilotis au bord d'un lac.

lad nm Garçon d'écurie chargé du soin des chevaux de course.

là-dedans, là-dessous, là-dessus. V. dedans, dessous, dessus.

ladin nm Langue romane du Tyrol du Sud.

ladino nm Langue des Juifs expulsés d'Espagne au XVᵉ s. Syn. judéo-espagnol.

ladite. V. dit.

lady [ledi] nf Femme noble anglaise. *Des ladies.*

lagon nm Étendue d'eau séparée de la pleine mer par un récif corallien.

lagopède nm Oiseau montagnard appelé aussi *perdrix des neiges.*

laguiole [lajɔl] nm 1 Fromage voisin du cantal. 2 Couteau pliant à manche de corne.

lagune nf Étendue d'eau de mer, séparée du large par une bande de terre ou de sable.

là-haut. V.

1. lai nm LITTER Petit poème médiéval.

2. lai, laie a Se dit de religieux non prêtres servant dans un couvent.

laïc, ïque ou **laïque** n Chrétien qui n'est ni clerc ni religieux. ■ a Qui n'a pas de caractère religieux, confessionnel. *École laïque.*

laiche nf Plante vivace des lieux humides.

laïciser vt Ôter tout caractère religieux à.

laïcité nf 1 Caractère laïque. 2 Principe de séparation des Églises et de l'État.

laid, laide a 1 Qui heurte le sens esthétique, désagréable à la vue. 2 Contraire aux bienséances ou à la probité. *C'est laid de tricher.*

laideron nm Femme ou jeune fille laide.

laideur nf Caractère laid.

laie nf 1 Femelle du sanglier. 2 Chemin forestier rectiligne.

lainage nm 1 Étoffe de laine. 2 Vêtement de laine. 3 Opération qui consiste à lainer.

laine nf 1 Poil doux, épais et frisé, qui constitue la toison des moutons et de quelques autres animaux. 2 Vêtement de laine. 3 Fibres de différentes matières utilisées comme isolants. *Laine de verre.* 4 BOT Duvet de certaines plantes.

lainer vt TEXT Donner un aspect pelucheux à un tissu par grattage.

laineux, euse a 1 Très fourni en laine. 2 Qui a l'aspect de la laine. *Plante laineuse.*

laïque. V. laïc.

laisse nf 1 Lien servant à attacher un chien, un petit animal. 2 Partie du rivage alternativement recouverte et découverte par la mer. 3 LITTER Couplet, suite de vers d'une chanson de geste.

laissé-pour-compte nm 1 Marchandise refusée par un client. 2 Chose ou personne dont personne ne veut. *Des laissés-pour-compte.*

laisser vt 1 Ne pas prendre, volontairement ou non ; ne pas retirer. *Laisser du vin dans son verre. Laisser des fautes dans un texte.* 2 Abandonner, quitter. *Laisser son pays, ses amis.* 3 Être à l'origine de qqch, de qqn qui subsiste après soi. *Laisser une empreinte. Mourir en laissant des orphelins.* 4 Ne pas faire changer de lieu, d'état. *Laisser tout en place. Laisser un champ en friche.* 5 Accorder la disposition de. *Laisser sa place à qqn.* 6 Donner, céder. *Laisser un pourboire au personnel.* 7 Confier, mettre en dépôt. *Laisser ses clés au gardien.* 8 Transmettre à ses successeurs. *Laisser un gros héritage.* 9 Ne pas empêcher de. *Laisser* *les enfants s'amuser.* Loc *Laisser à penser :* susciter des réflexions. Lit **Ne pas laisser de :** ne pas manquer de. ■ *vpr* Loc *Se laisser aller :* s'abandonner par manque d'énergie. *Se laisser dire que :* entendre dire que. *Se laisser faire :* ne pas opposer de résistance.

laisser-aller *nm inv* Abandon dans les manières, les attitudes ; négligence.

laisser-faire *nm inv* Attitude consistant à ne pas intervenir.

laissez-passer *nm inv* Autorisation écrite de laisser qqn ou qqch entrer, sortir, circuler.

lait *nm* 1 Liquide opaque, blanc, de saveur douce, que sécrètent les glandes mammaires des femelles des mammifères. 2 Liquide ayant l'aspect du lait. *Lait démaquillant.* Loc *Lait de poule :* lait sucré auquel on a incorporé un jaune d'œuf.

laitage *nm* Aliment à base de lait.

laitance ou **laite** *nf* Substance comestible constituée par le sperme des poissons.

laiterie *nf* 1 Lieu où on traite le lait et ses dérivés. 2 Industrie du lait.

laiteron *nm* Plante herbacée à latex blanc.

laiteux, euse *a* Qui a l'aspect du lait.

laitier, ère *a* Du lait. *L'industrie laitière.* Loc *Vache laitière :* élevée pour son lait. ■ *n* Commerçant en produits laitiers. ■ *nm* Sous-produit métallurgique utilisé en cimenterie.

laiton *nm* Alliage de cuivre et de zinc.

laitue *nf* Plante herbacée cultivée pour être consommée en salade.

laïus [lajys] *nm* Fam Discours, exposé.

lallation *nf* 1 Défaut de prononciation de la consonne *l.* 2 Émission par le nourrisson de sons dépourvus de signification.

1. lama *nm* Mammifère ruminant des montagnes d'Amérique du Sud.

2. lama *nm* Religieux bouddhiste du Tibet.

lamaïsme *nm* Forme prise par le bouddhisme au Tibet et en Mongolie.

lamantin *nm* Gros mammifère aquatique des régions tropicales.

lamaserie *nf* Couvent de lamas.

lambda *nm inv* Onzième lettre de l'alphabet grec équivalent à notre *l.* ■ *a inv* Fam Quelconque, moyen. *Le citoyen lambda.*

lambeau *nm* 1 Morceau déchiré de tissu, de papier, etc. 2 Fragment, débris. *Lambeaux de territoire.*

lambic *nm* Bière belge, appelée aussi *gueuze.*

lambin, ine *n, a* Fam Qui lambine.

lambiner *vi* Fam Agir avec lenteur, indolence.

lambrequin *nm* Bande d'étoffe festonnée bordant un ciel de lit, un dais, etc.

lambris [-bʀi] *nm* Revêtement de menuiserie sur les parois intérieures d'une pièce.

lambrisser *vt* Revêtir de lambris.

lambrusque *nf* Vigne sauvage.

lambswool [lãbswul] *nm* Laine légère.

lame *nf* 1 Bande de matière dure, mince et allongée. 2 Fer d'un outil coupant. *Lame de couteau, de ciseaux.* 3 Grosse vague. Loc *Lame de fond :* phénomène violent.

lamé, ée a, nm Se dit d'une étoffe entremêlée de fils d'or, d'argent, etc.

lamellaire *a* Didac Qui, par sa structure, peut se diviser en lames, en lamelles.

lamelle *nf* Petite lame, tranche très mince. *Champignons à lamelles.*

lamellé, ée *a* Constitué de lamelles.

lamellibranche *nm* ZOOL Mollusque aquatique à coquille, tel que les huîtres, les moules.

lamellicorne *nm* ZOOL Coléoptère à antennes courtes, tel que les scarabées, les hannetons.

lamentable *a* Déplorable, navrant, pitoyable. *Le sort lamentable des réfugiés.*

lamentablement *av* De façon lamentable.

lamentation *nf* 1 Plainte accompagnée de gémissements. 2 Récrimination geignarde.

lamenter (se) *vpr* Se plaindre ; gémir.

lamento [-mɛn-] *nm* MUS Morceau triste, plaintif.

lamie *nf* Grand requin des mers d'Europe.

lamier *nm* Plante herbacée appelée aussi *ortie blanche.*

lamifié *nm* Matériau obtenu par pressage de feuilles ou de fibres (verre, tissu, bois, papier) imprégnées d'une résine.

laminaire nf Longue algue brune.

laminer vt 1 Amincir par le laminoir. 2 Réduire à l'extrême, écraser. *Laminer l'opposition.*

laminoir nm Machine composée de cylindres tournant en sens inverse pour amincir une masse métallique.

lampadaire nm Support vertical d'un système d'éclairage.

lampant, ante a Se dit du pétrole raffiné utilisé pour l'éclairage.

lamparo nm Lampe avec laquelle les pêcheurs méditerranéens attirent le poisson.

lampe nf 1 Appareil d'éclairage. *Lampe à huile. Lampe électrique.* 2 Appareil dont la flamme sert à fournir de la chaleur. *Lampe à souder.*

lampée nf Fam Grande gorgée de liquide.

lampion nm Lanterne vénitienne.

lampiste nm 1 Chargé de l'entretien des appareils d'éclairage. 2 Fam Employé subalterne. 3 Fam Subordonné sur lequel les chefs font retomber la responsabilité de leurs fautes.

lamproie nf Animal aquatique allongé comme une anguille.

lampyre nm Insecte dont la femelle émet de la lumière (ver luisant).

lance nf 1 Arme offensive à longue hampe et à fer pointu. 2 Embout d'un tuyau souple servant à diriger un jet d'eau. **Loc** *Fer de lance* : élément le plus dynamique d'un dispositif militaire, d'un secteur économique.

lancé, ée a Qui a atteint une certaine notoriété. *Un artiste lancé.*

lancée nf **Loc** *Sur sa lancée* : sur son élan.

lance-flammes nm inv Arme portative servant à projeter un liquide enflammé.

lancement nm Action de lancer.

lance-pierres nm inv Jouet muni d'élastiques pour lancer des pierres ; fronde.

lancer vt 10 1 Jeter avec force loin de soi. *Lancer une balle, des pierres.* 2 Porter vivement un coup. *Lancer une ruade.* 3 Émettre avec intensité ou violence. *Lancer un cri.* 4 Faire se porter en avant avec vivacité. *Lancer sa monture.* 5 Faire démarrer, mettre en route. *Lancer un moteur. Lancer une mode.* 6 Mettre à l'eau un navire pour la première

fois. 7 Fam Amener qqn à parler de qqch. 8 Faire connaître du public. *Lancer un artiste, un nouveau modèle.* ■ **vpr** Se jeter avec hardiesse, avec fougue. ■ nm Action de lancer. *Lancer de grenades.* **Loc** *Pêche au lancer* : consistant à lancer l'appât le plus loin possible et à le ramener à l'aide d'un moulinet.

lancette nf Petit instrument de chirurgie.

lanceur, euse n Qui lance. ■ nm Véhicule permettant d'envoyer une charge dans l'espace.

lancier nm Cavalier armé d'une lance.

lancinant, ante a Qui lancine.

lancination nf ou **lancinement** nm Douleur lancinante.

lanciner vi, vt 1 Faire souffrir par des élancements douloureux. 2 Tourmenter, obséder.

lançon nm Autre nom de l' *équille.*

Land [lãd] nm État d'Allemagne, province autrichienne. *Des Länder* [lεndœʀ].

landais, aise a, n Des Landes.

landau nm Voiture d'enfant à grandes roues, munie d'une capote. *Des landaus.*

lande nf Terre inculte et peu fertile où ne croissent que des ajoncs, des bruyères, etc.

landier nm Anc Grand chenet garni de crochets pour soutenir les broches.

langage nm 1 Faculté humaine de communiquer au moyen de signes vocaux (parole) ou de leur notation graphique (écriture). 2 Tout autre moyen d'expression socialement codifiée. *Langage des sourds-muets.* 3 Système de transmission d'informations chez certaines espèces animales. *Le langage des abeilles.* 4 Manière de s'exprimer propre à un ensemble social, à un individu, etc. *Langage technique.* 5 Le contenu de l'expression orale ou écrite. *Un langage subversif.* 6 INFORM Série d'instructions utilisant divers signes, numériques et alphabétiques.

langagier, ère a Du langage.

lange nf Étoffe servant à envelopper les enfants au berceau.

langer vt 11 Envelopper de langes.

langoureux, euse a Qui marque la langueur, la tendresse ; alangui.

langouste nf Gros crustacé marin proche du homard, à la chair estimée.

langoustier *nm* **1** Bateau équipé pour la pêche de la langouste. **2** Filet à langoustes.

langoustine *nf* Petit crustacé marin aux pinces longues et étroites.

langres *nm* Petit fromage fermenté, au lait de vache.

langue *nf* **1** Organe charnu et mobile situé dans la bouche. **2** Système de signes vocaux ou graphiques au moyen duquel les membres d'une communauté s'expriment et communiquent entre eux. *La langue française.* **3** Forme du langage propre à un milieu, à une profession, à un individu. *Langue technique. La langue de Rabelais.* Loc *Langue de terre* : bande de terre étroite qui s'avance dans les eaux. *Langues vivantes* : celles qui sont toujours en usage. *Langues mortes* : celles qui ne se parlent plus. *La langue verte* : l'argot. *Langue de bois* : discours dogmatique stéréotypé.

langue-de-bœuf *nf* Fistuline (champignon). *Des langues-de-bœuf.*

langue-de-chat *nf* Petit gâteau sec, allongé et plat. *Des langues-de-chat.*

languedocien, enne *a, n* Du Languedoc.

languette *nf* **1** Ce qui a la forme d'une petite langue. *Languette de cuir d'une chaussure.* **2** Partie mâle d'un assemblage destinée à s'encastrer dans une rainure. **3** MUS Anche libre, dans certains instruments à vent.

langueur *nf* **1** Apathie paralysant toute énergie ; dépression. **2** Disposition d'esprit tendre et rêveuse.

languir *vi* **1** Litt Souffrir d'un affaiblissement, se sentir déprimé. **2** Attendre dans l'ennui ou avec impatience. **3** Manquer d'intérêt ; traîner en longueur ; péricliter. *La conversation languit.* ■ *vpr* Litt S'ennuyer, se morfondre.

languissant, ante *a* Qui languit.

lanière *nf* Bande de cuir longue et étroite.

lanoline *nf* Corps gras, extrait du suint des laines, utilisé en pharmacie et en parfumerie.

lanterne *nf* **1** Appareil d'éclairage, boîte aux parois transparentes ou translucides. **2** ARCHI Petit dôme vitré placé au sommet d'un édifice. Loc *Lanterne magique* : appareil de projection d'images sur un écran ou sur un

mur. *Lanterne vénitienne* : lanterne de papier coloré, utilisée pour les illuminations. ■ *pl* Lampes d'une automobile donnant le plus faible éclairage.

lanterneau ou **lanternon** *nm* ARCHI Petite lanterne au sommet d'un comble, d'un dôme.

laotien, enne *a, n* Du Laos. ■ *nm* Langue thaï parlée au Laos.

lapalissade *nf* Vérité évidente.

laparoscopie *nf* MED Examen endoscopique de la cavité abdominale.

laparotomie *nf* CHIR Ouverture de l'abdomen.

laper *vt* Boire en tirant le liquide à coups de langue. *Le chat lape du lait.*

lapereau *nm* Jeune lapin.

lapidaire *a* **1** Relatif aux pierres. *Inscription lapidaire.* **2** Relatif aux pierres précieuses. **3** Très concis. *Style lapidaire.* ■ *n* Qui taille ou vend des pierres précieuses.

lapidation *nf* Action de lapider.

lapider *vt* Tuer à coups de pierres.

lapilli *nmpl* Petites projections volcaniques.

lapin, ine *n* Petit mammifère herbivore élevé pour sa chair ou sa fourrure. Loc Fam *Chaud lapin* : homme sexuellement ardent. Fam *Coup du lapin* : coup violent porté sur la nuque. Fam *Poser un lapin* : ne pas venir à un rendez-vous.

lapiner *vi* Mettre bas (lapine).

lapis [lapis] ou **lapis-lazuli** *nm inv* Pierre d'un beau bleu, recherchée en joaillerie.

lapon, one *a, n* De Laponie.

laps *nm* Loc *Laps de temps* : espace de temps.

lapsus [lapsys] *nm* Erreur qu'on commet en parlant ou en écrivant.

laquais *nm* **1** Autrefois, valet en livrée. **2** Litt Homme servile.

laque *nf* **1** Sève résineuse rouge foncé de divers arbres d'Asie. **2** Vernis coloré obtenu à partir de cette résine. **3** Peinture qui a un aspect brillant et dur. **4** Substance que l'on vaporise sur les cheveux pour les fixer. ■ *nm* Objet d'art laqué.

laqué, ée a Loc *Canard, porc laqué :* enduit d'une sauce aigre-douce qui brille après cuisson.

laquelle. V. lequel.

laquer vt Recouvrir de laque, d'une peinture ou d'un enduit brillants.

larbin nm Fam 1 Domestique de sexe masculin. 2 Homme servile.

larcin nm Petit vol commis sans violence.

lard nm 1 Tissu conjonctif chargé de graisse, situé sous la peau du porc, des cétacés.

larder vt 1 Piquer de petits morceaux de lard dans la viande. 2 Porter de nombreux coups d'épée, de couteau.

lardon nm 1 Petit morceau de lard allongé avec lequel on larde la viande. 2 Pop Jeune enfant.

lare nm ANTIQ Divinité romaine protectrice du foyer.

largable a Qui peut être largué.

largage nm Action de larguer.

large a 1 Dont la largeur est importante. *Couloir large.* 2 Ample. *Chandail trop large.* 3 Qui a telle largeur. *Route large de 10 mètres.* 4 Étendu, vaste, grand. *De larges possibilités.* 5 Généreux, qui donne beaucoup. 6 Tolérant. *Un esprit large.* ■ nm 1 Largeur. *Cette table a 90 cm de large.* 2 La haute mer. ■ av De manière large, avec une étroitesse de vues. Loc *Ne pas en mener large :* avoir peur dans une situation fâcheuse.

largement av 1 De façon large. 2 Au moins. *Cette valise pèse largement 10 kilos.*

largesse nf Litt Générosité. ■ pl Dons généreux.

largeur nf 1 Une des dimensions d'une surface (par oppos. à longueur). 2 Qualité de ce qui n'est pas borné, mesquin. *Largeur d'esprit.*

largo av, nm MUS Avec un mouvement très lent et majestueux.

largue a MAR Allure de route d'un bateau qui reçoit le vent arrière oblique.

larguer vt 1 MAR Lâcher, laisser aller. *Larguer une amarre.* 2 Lâcher en cours de vol. *Larguer des bombes.* 3 Fam Jeter. Loc Fam *Être largué :* ne plus rien comprendre.

larme nf 1 Goutte du liquide sécrété par les glandes lacrymales. 2 Fam Très petite quantité de boisson.

larmier nm 1 ARCHI Moulure en saillie qui collecte les gouttes de ruissellement. 2 ANAT Angle interne de l'œil.

larmoiement nm Fait de larmoyer.

larmoyant, ante a 1 Qui larmoie. 2 Propre à faire verser des larmes, à attendrir.

larmoyer vi 22 1 Être plein de larmes. *Des yeux qui larmoient.* 2 Pleurnicher.

larron nm Litt Voleur. Loc *Le troisième larron :* celui qui profite du désaccord des autres.

larsen [-sɛn] nm Sifflement intense dû au rapprochement entre le micro et un haut-parleur.

larvaire a De la larve.

larve nf 1 Forme que prennent certains animaux entre l'état embryonnaire et l'état adulte. 2 Fam Individu apathique.

larvé, ée a Qui ne se déclare pas franchement ; insidieux. *Révolte larvée.*

laryngite nf Inflammation du larynx.

laryngophone nm Microphone mis en fonctionnement par les vibrations du larynx.

laryngoscopie nf Examen du larynx avec un endoscope.

larynx nm Organe essentiel de la phonation, entre la trachée et le pharynx.

1. las, lasse [lɑ, lɑs] a 1 Fatigué. 2 Ennuyé, excédé, dégoûté. Loc *Être las de tout.*

2. las ! [las] interj Litt Hélas !

lasagne nf Pâte alimentaire en large ruban.

lascar nm Fam Homme malin, hardi.

lascif, ive a 1 Porté à la volupté. 2 Qui exprime ou excite la sensualité.

lascivement av Litt De façon lascive.

lascivité ou **lasciveté** nf Litt Caractère lascif.

laser [-zɛʀ] nm Appareil qui produit un faisceau lumineux d'une extrême intensité. *Opération chirurgicale au laser.*

lasser vt Fatiguer ; ennuyer.

lassitude nf 1 Fatigue physique. 2 Ennui, découragement.

lasso nm Corde à nœud coulant utilisée pour capturer des chevaux sauvages.

lastex nm (n déposé) Fil de caoutchouc gainé de textile (laine, coton, rayonne, etc.).

latanier nm Palmier d'appartement.

latence nf État latent.

latent, ente a Qui ne se manifeste pas, qui reste caché. *Maladie latente.*

latéral, ale, aux a Qui appartient au côté, qui se trouve sur le côté.

latéralement av De côté, sur le côté.

latéralité nf PHYSIOL Fait que l'une des deux moitiés du corps soit dominante par rapport à l'autre.

latérite nf Roche rouge ou brune des plateaux des régions tropicales.

latex nm inv Sécrétion laiteuse de divers végétaux (hévéa, pissenlit, laitue).

latifundium [-fɔdjɔm] nm Très grand domaine agricole privé.

latin, ine a, n 1 Du Latium. 2 De la Rome ancienne chez les peuples romanisés. 3 Qui appartient à un peuple parlant une langue romane. ■ a 1 Qui a trait à la langue latine. *Thème latin.* 2 Se dit de l'Église catholique d'Occident. 3 MAR Se dit d'une voile triangulaire à longue vergue oblique. ■ nm Langue des Romains de l'Antiquité. Loc Fam **Y perdre son latin** : ne plus rien y comprendre.

latiniser vt 1 Donner une forme latine à un mot. 2 Donner un caractère latin à un pays.

latinisme nm Construction propre au latin.

latiniste n Spécialiste de langue et de littérature latines.

latino n Aux États-Unis, personne originaire d'Amérique latine.

latino-américain, aine a, n De l'Amérique latine. *Des Latino-Américains.*

latitude nf 1 Faculté, liberté ou pouvoir de disposer, d'agir. 2 Distance angulaire d'un lieu à l'équateur. 3 Climat caractérisant telle ou telle région. *Aller vivre sous d'autres latitudes.*

lato sensu av Au sens large.

latrie nf Loc THEOL **Culte de latrie** : culte d'adoration rendu à Dieu seul.

latrines nfpl Lieux d'aisances.

latte nf Pièce de bois, de métal, de matière plastique, etc., longue, plate et étroite.

latté nm Contre-plaqué formé de lattes sur chant, collées entre elles.

lattis [-ti] nm Ouvrage de lattes.

laudanum [-nɔm] nm Dérivé de l'opium.

laudateur, trice n Litt Qui décerne des louanges.

laudatif, ive a Élogieux.

laudes nfpl LITURG Office du matin.

lauracée nf BOT Arbre ou arbrisseau aromatique, comme le laurier, le camphrier, etc.

lauréat, ate a, n Qui a remporté un prix dans un concours.

laurier nm Arbre dont une variété (lauriersauce) donne des feuilles utilisées comme condiment. ■ pl Litt Gloire. Loc **Se reposer, s'endormir sur ses lauriers** : ne pas poursuivre un succès.

laurier-rose nm Arbrisseau ornemental à fleurs roses ou blanches. *Des lauriers-roses.*

laurier-sauce nm Laurier culinaire. *Des lauriers-sauce.*

lauze nf Plaque de schiste utilisée pour la construction et la toiture.

lavable a Qui peut être lavé.

lavabo nm 1 Cuvette garnie d'une robinetterie et d'un système de vidage. 2 LITURG Rite de lavement des mains, accompli par le prêtre au cours de la messe. ■ pl Lieux d'aisances.

lavage nm Action de laver.

lavallière nf Cravate à large nœud flottant.

lavande nf Plante à petites fleurs bleues d'où l'on extrait une essence utilisée en parfumerie. ■ a inv Loc **Bleu lavande** : mauve clair.

lavandière nf 1 Litt Femme qui lave le linge à la main. 2 Bergeronnette grise.

lavandin nm Lavande hybride.

lavasse nf Fam Breuvage insipide, trop dilué.

lave nf Roche en fusion qui sort d'un volcan en éruption, puis se solidifie.

lave-glace nm Dispositif permettant de projeter de l'eau sur le pare-brise d'une automobile pour le laver. *Des lave-glaces.*

lave-linge nm inv Machine à laver le linge.

lave-mains nm inv Petit lavabo dans les toilettes.

lavement nm MED Injection d'un liquide dans l'intestin.

lave-pont nm Balai-brosse. *Des lave-ponts.*

laver vt 1 Nettoyer avec de l'eau ou un autre liquide. 2 Disculper. *Laver qqn d'une accusation.* ■ vpr Faire sa toilette. Loc *Se laver les mains de qqch* : ne pas s'en reconnaître responsable.

laverie nf Blanchisserie en self-service.

lavette nf 1 Linge ou petit balai pour laver la vaisselle. 2 Pop Homme veule.

lave-vaisselle nm inv Machine à laver la vaisselle.

lavis [-vi] nm Dessin teinté de couleurs unies très délayées dans l'eau.

lavoir nm Bassin aménagé pour laver le linge.

laxatif, ive a, nm MED Purgatif léger.

laxisme nm Tolérance excessive.

laxiste a, n Qui fait preuve de laxisme.

layette nf Vêtements du nouveau-né.

layon nm Chemin tracé en forêt.

lazaret nm Établissement servant à isoler les voyageurs en quarantaine.

lazariste nm Prêtre membre d'une congrégation fondée par saint Vincent de Paul.

lazzi [ladzi] nm Plaisanteries moqueuses, bouffonneries lancées à qqn.

le, la, les art Articles définis masculin, féminin et pluriel. ■ pr pers Troisième personne, complément direct du verbe. *Je le vois. Tu connais. On les aime.*

lé nm TECH Largeur d'une étoffe.

leader [lidœR] nm 1 Chef ou personne en vue, dans une organisation, un pays. 2 Sportif, équipe qui est en tête. 3 Entreprise, produit dominant dans le domaine commercial.

leadership [lidœRʃip] nm Position de leader.

leasing [liziŋ] nm Syn de crédit-bail.

léchage nm Action de lécher.

léché, ée a Fam Exécuté avec un soin minutieux. Loc *Ours mal léché* : individu bourru, mal élevé.

lèche-bottes nm inv Fam Individu servile.

lèche-cul nm inv Pop Vil flatteur.

lèchefrite nf Récipient qui recueille le jus d'une viande qui rôtit.

lécher vt 12 1 Passer la langue sur qqch. 2 Effleurer. *Les flammes lèchent le mur.*

lécheur, euse n Fam Flatteur.

lèche-vitrines nm inv Fam Passe-temps qui consiste à regarder en flânant les magasins.

lécithine nf CHIM Lipide du jaune d'œuf.

leçon nf 1 Ce qu'un enseignant donne à apprendre à un élève. 2 Séance d'enseignement. 3 Chacune des divisions d'un enseignement. *Le bridge en dix leçons.* 4 Enseignement que l'on peut tirer d'un fait. *Tirons de cet échec une leçon pour l'avenir.* 5 Variante d'un texte.

lecteur, lectrice n 1 Qui lit. 2 Enseignant étranger adjoint à un professeur de langue vivante. ■ nm 1 Appareil de reproduction des sons enregistrés sur bande, disque, etc. 2 INFORM Système décodant des informations.

lectorat nm 1 Ensemble des lecteurs d'un journal, d'une revue. 2 Fonction de lecteur dans l'enseignement.

lecture nf 1 Action de lire. 2 Texte qu'on lit. 3 Manière d'interpréter un auteur, une œuvre. 4 Chacune des délibérations d'une assemblée sur un projet ou une proposition de loi. 5 INFORM Opération qui consiste à décoder les informations enregistrées sur un support et à les transformer en signaux.

lécythe nm Petit vase grec à parfum, servant d'offrande funéraire.

ledit. V. dit.

légal, ale, aux a Conforme à la loi.

légalement av De façon légale.

légalisation nf Action de légaliser.

légaliser vt 1 Rendre légal. 2 Authentifier. *Légaliser une signature.*

légalisme nm Respect scrupuleux ou trop minutieux de la loi.

légalité nf Caractère légal.

légat nm Représentant du Saint-Siège.

légataire n Bénéficiaire d'un legs.

légation nf Mission diplomatique qu'un État entretient dans un pays où il n'y a pas d'ambassade.

légendaire a 1 De la nature de la légende. 2 Bien connu de tous. *Sa distraction légendaire.*

légende

légende nf 1 Récit populaire qui a pour sujet soit des faits ou des êtres imaginaires, soit des faits réels mêlés de merveilleux. 2 Texte explicatif accompagnant une figure, une photographie, un dessin, etc.

légender vt Compléter une illustration par une légende.

léger, ère a 1 De faible poids. *Valise légère.* 2 Peu consistant, peu intense, peu épais. *Dîner léger. Sommeil léger. Étoffe légère.* 3 Gracieux, délicat. *Danse légère. Brise légère.* 4 Peu important. *Blessure légère. Légère amélioration.* 5 Peu réfléchi, peu sérieux. *Décision légère.* 6 Divertissant ; leste. *Musique légère. Histoire légère.* **Loc À la légère :** sans réfléchir, étourdiment. **Poids léger :** catégorie de poids dans de nombreux sports (en boxe, entre 57 et 61 kg).

légèrement av 1 De façon légère. *Dîner légèrement.* 2 Un peu, à peine. *Un mur légèrement fêlé.* 3 Sans réfléchir. *Agir légèrement.*

légèreté nf Caractère léger.

légiférer vi 12 Faire des lois.

légion nf 1 ANTIQ Unité militaire romaine. 2 Grand nombre d'êtres. 3 Unité de gendarmerie commandée par un colonel.

légionellose nf Pneumonie d'origine bactérienne.

légionnaire nm Soldat d'une légion, en partic. de la Légion étrangère.

législateur, trice n Qui établit les lois.

législatif, ive a 1 Qui fait les lois. *Le pouvoir législatif.* 2 Qui est de la nature de la loi. *Dispositions législatives.* **Loc Élections législatives :** élections par lesquelles sont élus les députés.

législation nf Ensemble des lois d'un pays, ou concernant un domaine précis.

législature nf Période pour laquelle une assemblée législative est élue.

légiste n Qui étudie les lois. ■ a **Loc Médecin légiste :** chargé des expertises légales.

légitime a 1 Consacré, reconnu par la loi, conforme à la Constitution. 2 Conforme à l'équité, à la morale, à la raison.

légitimer vt 1 DR Rendre légitime ; faire reconnaître pour authentique. 2 Reconnaître juridiquement un enfant naturel. 3 Justifier. *Rien ne peut légitimer sa conduite.*

légitimiste n, a 1 Partisan du souverain ou de la dynastie légitime. 2 Qui défend l'ordre établi, le pouvoir en place.

légitimité nf Caractère légitime.

lego nm (n déposé) Jeu de construction à pièces plastiques qui s'emboîtent.

legs [lɛ] ou [lɛg] nm 1 Action de céder la possession d'un bien à qqn par testament ; bien ainsi cédé. 2 Litt Héritage moral.

léguer vt 12 1 Céder par testament. 2 Transmettre à ceux qui viennent ensuite.

légume nm Plante potagère. *Les légumes secs ou les légumes verts.* ■ nf **Loc Fam Grosse légume :** personnage important.

légumier, ère a Des légumes. *Cultures légumières.* ■ nm Plat à légumes.

légumineuse nf BOT Plante appartenant à une famille aux nombreuses espèces, ayant pour fruits des gousses (haricots, genêts, etc.).

leishmaniose nf Maladie endémique des régions tropicales.

leitmotiv [lajt-] nm 1 MUS Motif, thème qui revient à plusieurs reprises. 2 Formule, idée qui revient fréquemment.

lemming [-miŋ] nm Petit mammifère rongeur des régions arctiques.

lémure nm ANTIQ Âme errante d'un mort.

lémurien nm ZOOL Mammifère primate inférieur tel que le maki.

lendemain nm 1 Jour qui suit le jour considéré. 2 Avenir. *Songer au lendemain.*

lénifiant, ante a Qui lénifie.

lénifier vt Litt Calmer, apaiser.

léninisme nm Doctrine de Lénine.

léniniste a, n De Lénine ou du léninisme.

lent, lente a Qui se déplace ou qui agit sans rapidité. *Véhicule lent. Poison lent.*

lente nf Œuf de pou.

lentement av Avec lenteur.

lenteur nf Manque de rapidité, de promptitude.

lenticule nf Lentille d'eau.

lentigo nm Tache pigmentaire de la peau, appelée couramment *grain de beauté*.

lentille nf 1 Plante qui fournit une graine comestible ayant la forme d'un petit disque biconvexe. 2 Disque de verre à fonction optique, dont une des faces au moins est concave ou convexe. 3 Verre de contact. Loc *Lentille d'eau* : plante aquatique dont les minuscules feuilles flottent sur l'eau.

lentisque nm Arbuste voisin du pistachier.

lentivirus nm Virus à action lente.

lento [lɛnto] av, nm MUS Lentement.

léonin, ine a 1 Qui appartient au lion. 2 Se dit d'un partage par lequel l'une des parties s'attribue la plus grosse part.

léopard nm Autre nom de la panthère.

lépidoptère nm ZOOL Insecte à métamorphoses, dont la forme adulte est un papillon.

lépiote nf Champignon à lamelles.

léporidé nm ZOOL Mammifère d'une famille comprenant le lapin, le lièvre.

lèpre nf 1 Maladie infectieuse contagieuse qui peut déformer et ronger les chairs. 2 Litt Mal qui se propage.

lépreux, euse a, n 1 Atteint de la lèpre. ■ a Dégradé, enlaidi de taches. *Murs lépreux*.

léproserie nf Hôpital où les lépreux sont isolés et soignés.

lequel, laquelle, lesquels, lesquelles duquel, desquels, desquelles, auquel, auxquels, auxquelles pr rel et interrog S'emploient comme variantes de *qui, que, dont*.

lérot nm Petit loir au pelage taché de noir.

les. V. le.

lès. V. lez.

lesbianisme nm Saphisme.

lesbienne nf Femme homosexuelle.

lèse-majesté nf inv Attentat contre la personne du souverain.

léser vt 12 1 Causer préjudice à. *Léser certains intérêts*. 2 MED Causer une lésion à.

lésiner vi Se montrer parcimonieux.

lésion nf 1 Blessure, contusion, altération des tissus, d'un organe. 2 Préjudice subi par l'un des contractants dans un contrat à titre onéreux.

lessivage nm Action de lessiver.

lessive nf 1 Produit à base de sels alcalins, servant au lavage du linge. 2 Action de laver du linge. 3 Linge mis au lavage. 4 Fam Action de se débarrasser de personnes indésirables.

lessiver vt 1 Nettoyer avec de la lessive. 2 Fam Dépouiller complètement, ruiner. 3 Fam Éreinter, épuiser.

lessiveuse nf Grand récipient, dans lequel on fait bouillir le linge qu'on lessive.

lessivier nm Industriel de la lessive.

lest nm Matière lourde servant à équilibrer, à stabiliser un navire ou un aérostat. Loc *Jeter, lâcher du lest* : faire des concessions en vue de sauver une situation compromise.

lestage nm Action de lester.

leste a 1 Agile, vif. 2 Libre, grivois. Loc *Avoir la main leste* : être prompt à gifler.

lestement av Adroitement.

lester vt Garnir, charger de lest.

let [lɛt] a Au tennis, se dit d'une balle de service qui frappe le haut du filet.

létal, ale, aux a Qui entraîne la mort.

létalité nf Caractère létal ; mortalité.

letchi. V. litchi.

léthargie nf 1 Sommeil pathologique profond et continu dans lequel les fonctions vitales sont très ralenties. 2 Engourdissement, torpeur.

léthargique a 1 De la léthargie. 2 Dont l'activité est réduite.

letton, onne ou **one** a De Lettonie. ■ n Langue balte parlée en Lettonie.

lettrage nm Disposition des lettres d'un texte, d'une publicité.

lettre nf 1 Signe graphique, caractère d'un alphabet, qu'on utilise pour transcrire une langue. 2 Sens strict, littéral d'un texte (par oppos. à l'esprit). 3 Écrit qu'on adresse à qqn ; missive. 4 Acte officiel. *Lettres de créance*. Loc *Avant la lettre* : avant l'état définitif. *Lettre ouverte* : écrit adressé à qqn, qu'on fait largement diffuser par la presse, par affiches, etc. ■ pl Littérature, études littéraires. Loc *Homme, femme de lettres* : écrivain.

lettré, ée a, n Qui a du savoir, de la culture.

lettrine nf Lettre majuscule plus grande que les autres, au début d'un chapitre, d'un alinéa.

lettrisme 426

lettrisme nm Mouvement littéraire et pictural qui s'attache à la musique et au graphisme des lettres.

leu nm Loc À la queue leu leu : à la file les uns derrière les autres.

leucanie nf Papillon jaune pâle de la famille des noctuelles.

leucémie nf Maladie caractérisée par la prolifération de globules blancs dans le sang.

leucémique a De la leucémie. ■ a, n Atteint de leucémie.

leucocyte nm Cellule sanguine appelée aussi globule blanc.

leucocytose nf MED Augmentation des leucocytes dans le sang.

leucopénie nf MED Diminution du nombre des globules blancs dans le sang.

leucopoïèse nf BIOL Formation des globules blancs.

leucorrhée nf Écoulement blanchâtre des voies génitales féminines.

leucose nf Syn de leucémie.

1. leur, leurs a poss Troisième personne du pluriel ; d'eux, à eux. J'ai visité leur maison. Je connais leurs habitudes. ■ pr poss Ce qui est à eux. Nous avons réuni nos amis et les leurs. ■ nmpl Leurs parents, leurs proches, leurs alliés.

2. leur pr pers inv Troisième personne du pluriel ; à eux, à elles. Je le leur donne. Je le leur ai parlé.

leurre nm 1 Appât factice dissimulant un hameçon. 2 MILIT Dispositif destiné à tromper l'ennemi. 3 Ce dont on se sert pour attirer et tromper. Cette promesse n'est qu'un leurre.

leurrer vt Attirer par quelque espérance pour tromper. ■ vpr Se bercer à soi-même de fausses espérances ; s'abuser.

levain nm 1 Pâte à pain aigrie que l'on incorpore à la pâte fraîche pour la faire lever. 2 Lit Ce qui fait naître ou accroît le sentiment, telle passion, etc. Un levain de discorde.

levant am Se dit du soleil qui se lève. ■ nm Direction de l'est ; orient.

levantin, ine a, n Du Levant.

levé, ée a Loc Au pied levé : à l'improviste. Pierre levée : menhir. ■ nm Établissement d'un plan, d'une carte (on écrit aussi lever). ■ nf 1 Action de recruter. Une levée de troupes. 2 Action de collecter. Une levée d'impôts. La levée du courrier. 3 Action de clore, d'annuler. La levée des sanctions. 4 Ensemble de cartes ramassées en un coup de jeu. 5 Digue en terre ou en maçonnerie. Loc Levée de boucliers : protestation massive.

lève-glace nm Mécanisme servant à ouvrir ou à fermer les glaces d'une automobile. Des lève-glaces.

lever vt 151 Déplacer de bas en haut. Lever un sac. 2 Dresser, orienter vers le haut. Lever le bras, les yeux. 3 Faire partir du gibier. Lever des perdrix. 4 Enlever d'un lieu. Lever les scellés. 5 Mettre fin à, clore. Lever l'audience. Lever un siège. 6 CUIS Prélever. Lever des filets de poisson. 7 Recruter, enrôler. Lever des troupes. 8 Percevoir. Lever une taxe. Loc Lever un plan : procéder sur le terrain aux mesures nécessaires pour l'établir. ■ vi 1 Sortir de terre. Les semis lèvent. 2 Gonfler en parlant de la pâte en fermentation. ■ vpr 1 Se mettre debout. 2 Sortir du lit. 3 Apparaître. Le soleil se lève. Le jour se lève. 4 Se dissiper. Le brouillard se lève. ■ nm 1 Apparition d'un astre au-dessus de l'horizon. 2 Action de sortir du lit ; moment où on se lève. 3 Syn de levé. Loc Lever de rideau : petite pièce de théâtre que l'on joue avant la pièce principale ; match préliminaire dans une rencontre sportive.

levier nm 1 Barre qu'on fait pivoter sur un point d'appui pour soulever des fardeaux. 2 Tige qui commande un mécanisme. 3 Ce qui fait agir ; mobile. L'ambition est un puissant levier.

lévitation nf Élévation et maintien d'un corps au-dessus du sol sans appui matériel.

lévite nm Chez les Hébreux, membre de la tribu de Lévi, voué au service du Temple.

levraut nm Jeune lièvre.

lèvre nf Chacune des parties charnues qui forment le rebord de la bouche. ■ pl 1 Bords d'une plaie. 2 ANAT Replis cutanés de la vulve.

levrette nf 1 Femelle du lévrier. 2 Lévrier de petite taille.

lévrier nm Chien aux membres longs, à la taille étroite et au ventre concave, très rapide.

levure nf **1** Microorganisme capable de produire une fermentation. **2** Pâte ou poudre utilisée pour provoquer une fermentation.

lexème nm LING Unité minimale de signification, par oppos. à morphème.

lexical, ale, aux a Du lexique.

lexicaliser vt LING Introduire un mot, une locution dans le lexique d'une langue.

lexicographe n Rédacteur de dictionnaire.

lexicographie nf Technique de la rédaction des dictionnaires.

lexicologie nf Partie de la linguistique qui étudie le sens des mots, le lexique.

lexique nm **1** Dictionnaire bilingue abrégé. **2** Dictionnaire de la langue propre à un auteur, à une activité, à une science. **3** Liste alphabétique de mots à la fin d'un ouvrage. **4** LING Ensemble des mots d'une langue.

lez ou **lès** prép Près de (dans quelques noms de villes). Plessis-lez-Tours.

lézard nm **1** Reptile saurien au corps allongé, à la longue queue effilée. **2** Peau tannée d'un grand saurien.

lézarde nf Fissure dans un mur.

1. lézarder vi Fam Faire le lézard.

2. lézarder vt Fissurer. ■ vpr Se crevasser.

liage nm Action de lier.

liaison nf **1** Assemblage, union de deux ou plusieurs objets ou substances. **2** CUIS Opération consistant à épaissir un potage, une sauce, etc. **3** Ce qui sert à jointoyer un ouvrage en maçonnerie (mortier, plâtre, etc.). **4** Connexion, rapport logique. Liaison entre deux textes. **5** MUS Signe de notation indiquant que des notes consécutives doivent être enchaînées. **6** Prononciation de la consonne finale d'un mot placé devant un autre mot commençant par une voyelle ou un h muet (ex. : c'est ici [sɛtisi]). **7** Relation entre des personnes ; relation amoureuse. **8** Contacts suivis entre des services, des unités militaires. **9** Communication entre deux lieux. Les liaisons maritimes.

liane nf Végétal dont la tige, très flexible, croît le long d'un support.

liant, liante a Qui se lie facilement. ■ nm **1** Substance qui favorise l'adhérence, la prise

d'un mélange (peinture, ciment, etc.). **2** Litt Qualité de qqn qui se lie facilement ; affabilité.

liard nm Anc Monnaie de très faible valeur.

lias nm GEOL Jurassique inférieur.

liasse nf Ensemble de journaux, de papiers, etc., liés ensemble.

libanais, aise a, n Du Liban.

libation nf ANTIQ Offrande aux dieux, d'une coupe de vin, de lait, etc., que l'on répandait sur le sol. ■ pl Excès de boisson.

libelle nm Petit livre diffamatoire.

libellé nm Texte d'un document ; manière dont il est rédigé.

libeller vt Rédiger dans les formes requises.

libellule nf Insecte pourvu de deux paires d'ailes membraneuses inégales.

liber [libɛʀ] nm BOT Tissu qui constitue la face interne de l'écorce.

libéral, ale, aux a, n **1** Tolérant, ouvert, peu autoritaire. Éducation libérale. **2** Partisan du libéralisme, en politique, en économie. Loc **Profession libérale :** non manuelle et non salariée (médecin, avocat, architecte, etc.).

libéralisation nf Action de libéraliser.

libéraliser vt Rendre plus libéral.

libéralisme nm **1** Attitude de ceux qui s'attachent à la défense des libertés individuelles des citoyens. **2** Doctrine hostile à l'intervention de l'État dans la vie économique. **3** Respect de la liberté d'autrui, tolérance.

libéralité nf Litt Propension à donner ; générosité. ■ pl Dons généreux.

libérateur, trice n, a Qui libère qqn, un peuple, un territoire.

libération nf Action de libérer, de se libérer.

libératoire a Qui libère d'une dette, d'une engagement, d'une obligation.

libéré, ée a **1** Rendu libre. **2** Affranchi moralement ou socialement ; émancipé.

libérer vt **12 1** Mettre en liberté. Libérer un détenu. **2** Décharger d'une obligation, d'une gêne, etc. Libérer le crédit. **3** Renvoyer des soldats dans leurs foyers, à fin du service. **4** Délivrer de la présence de l'occupant ennemi. **5** Délivrer d'une entrave, dégager.

morale. *Il a libéré sa conscience.* **6** Rendre disponible, évacuer. *Libérer un appartement.* **7** Dégager, produire. *Cette réaction chimique libère du gaz carbonique.* ■ *vpr* **1** S'acquitter, s'affranchir d'une obligation. **2** Se rendre disponible.

libérien, enne *a, n* Du Liberia.

libériste *n* Sportif pratiquant l'aile libre.

libero [-be-] *nm* Au football, joueur qui évolue entre la ligne d'arrières et le gardien de but.

libertaire *a, n* Partisan d'une liberté sans limitation (sociale et politique) ; anarchiste.

liberté *nf* État de qqn ou de qqch qui est libre. *Mettre un prisonnier en liberté. Avoir la liberté de décision. La liberté de conscience. La liberté de la presse. La liberté des prix.* ■ *pl* Ensemble des droits du citoyen.

liberticide *a* Qui porte atteinte aux libertés.

libertin, ine *a, n* **1** Qui mène une vie dissolue ; licencieux. **2** Anc Libre-penseur.

libertinage *nm* Conduite des libertins ; licence.

libidineux, euse *a* Litt Porté à la luxure.

libido *nf* PSYCHAN Énergie vitale émanant de la sexualité.

libraire *n* Qui fait le commerce des livres.

librairie *nf* **1** Magasin du libraire. **2** Commerce des livres.

libre *a* **1** Qui n'est pas prisonnier, captif. **2** Qui n'est pas soumis à un pouvoir arbitraire, à une puissance étrangère. *Des citoyens libres. Un pays libre.* **3** Qui ne dépend pas d'un pouvoir politique, d'une autorité. *La presse libre. Une pensée libre.* **4** Qui n'est pas limité, gêné par une contrainte sociale. *Se sentir très libre avec qqn. Des propos un peu trop libres.* **5** Qui peut agir à sa guise. *Vous êtes libre d'accepter ou de refuser.* **6** Qui n'est pas lié par des engagements, des obligations. *Êtes-vous libre ce soir ?* **7** Qui n'est pas occupé, retenu ; disponible. *Place libre.* **8** Qui n'est pas fixé, entravé dans son mouvement. *Une poulie libre.* **Loc Aile libre :** planeur léger auquel on est suspendu par un harnais.

libre-arbitre. V. arbitre.

libre-échange *nm* Système qui préconise la suppression des droits de douane.

librement *av* **1** En étant libre. *Circuler, se mouvoir librement.* **2** Franchement, sans arrière-pensées. **3** Sans respecter certaines contraintes. *Traduire librement un texte.*

libre-pensée *nf* État d'esprit, doctrine du libre-penseur.

libre-penseur *nm* Qui s'est affranchi de toute croyance religieuse. *Des libres-penseurs.*

libre-service *nm* **1** Système dans lequel les clients se servent eux-mêmes. **2** Magasin qui utilise ce système. *Des libres-services.*

librettiste *n* Auteur d'un livret d'opéra.

libyen, enne *a, n* De Libye.

1. lice *nf* HIST Espace clos qui servait aux joutes, aux tournois.

2. lice *nf* Femelle d'un chien de chasse.

3. lice. V. lisse 2.

licence *nf* **1** Autorisation administrative d'exercer certaines activités. **2** Autorisation de pratiquer un sport de compétition. **3** Grade universitaire supérieur au baccalauréat. **4** Litt Dérèglement des mœurs. **Loc Licence poétique :** transgression tolérée d'une règle grammaticale.

licencié, ée *n, a* **1** Titulaire d'une licence universitaire ou sportive. **2** Qui a été congédié.

licenciement *nm* Action de licencier.

licencier *vt* Congédier, cesser d'employer qqn. *Licencier des ouvriers.*

licencieux, euse *a* Contraire aux bonnes mœurs, à la pudeur.

lichen [liken] *nm* Végétal résultant de l'association d'un champignon et d'une algue.

lichette *nf* Fam Petite quantité d'un aliment.

licite *a* Permis par la loi, les règlements.

licitement *av* De façon licite.

licorne *nf* Animal fabuleux, cheval à longue corne unique au milieu du front.

licou ou **licol** *nm* Lien de cuir, de corde, passé autour du cou des bêtes de somme.

lie *nf* **1** Dépôt laissé par un liquide. **2** Litt Ce qu'il y a de plus vil ; racaille.

lied [lid] *nm* Romance, chanson populaire des pays germaniques. *Des lieds* ou *des lieder.*

lie-de-vin *a inv* Rouge violacé.

liège nm Matière imperméable, peu dense, fournie par l'écorce de certains arbres, notamment du chêne-liège.

liégeois, oise a, n De Liège. **Loc** *Café, chocolat liégeois* : glace au café, au chocolat, nappée de crème Chantilly.

lien nm 1 Bande, ficelle, courroie, etc., qui sert à attacher. 2 Ce qui unit, qui relie.

lier vt 1 Attacher, serrer avec un lien. *Lier un fagot.* 2 Assembler par une liaison ; donner une certaine consistance, de la cohésion à. *Lier une sauce.* 3 Unir juridiquement, moralement. *Un contrat lie les deux parties.* 4 Établir des relations entre personnes. *Lier amitié avec qqn.* ■ vpr Établir des relations de sympathie, d'amitié.

lierre nm Plante à feuilles persistantes, s'accrochant à un support (mur, tronc d'arbre, etc.) par des racines à crampons.

liesse nf Litt Allégresse collective.

1. lieu nm Espace, endroit considéré quant à sa situation, à son caractère, à sa destination. *Lieu écarté, humide. Le lieu du crime. Lieu de réunion.* **Loc** *Lieu géométrique* : ligne ou surface dont tous les points possèdent une même propriété. *Lieu commun* : idée banale, rebattue. *En premier, second lieu* : premièrement, deuxièmement. *Au lieu de* : à la place de. *Tenir lieu de* : remplacer. *Avoir lieu* : se produire ; arriver. *Avoir lieu de* : avoir une occasion, une raison de. *Donner lieu à* : être une occasion de. ■ pl Local d'habitation. *Visiter les lieux.* **Loc** *Lieux d'aisances* : W.-C.

2. lieu nm Poisson marin estimé. *Des lieus.*

lieu-dit nm Lieu dans la campagne, qui porte un nom particulier. *Des lieux-dits.*

lieue nf Anc Mesure de distance qui valait environ 4 km.

lieuse nf Mécanisme servant à lier les gerbes d'une moissonneuse.

lieutenant nm 1 Personne directement sous les ordres du chef et qui peut le remplacer. 2 Officier dans l'armée de terre et de l'air, de grade inférieur à celui de capitaine. **Loc** *Lieutenant de vaisseau* : officier de marine de grade correspondant à celui de capitaine.

lieutenant-colonel nm Officier de grade inférieur à celui de colonel. *Des lieutenants-colonels.*

lièvre nm Petit mammifère sauvage très rapide à la course, qui ressemble au lapin.

lift nm Au tennis, effet donné à une balle en la frappant de bas en haut.

lifter vt, vi Exécuter un lift.

liftier, ère n Chargé de faire fonctionner un ascenseur.

lifting [-iŋ] nm 1 Opération de chirurgie esthétique consistant à tendre la peau du visage pour supprimer les rides. Syn. lissage. 2 Fam Rajeunissement, rénovation de qqch.

ligament nm ANAT Faisceau fibreux qui relie deux parties d'une articulation ou deux organes.

ligamentaire ou **ligamenteux, euse** a ANAT Des ligaments.

ligature nf 1 Opération consistant à serrer ou à assembler par un lien. 2 Fil avec lequel on effectue cette opération.

ligaturer vt Attacher avec une ligature.

lige a **Loc** FÉOD *Homme lige* : qui était lié au seigneur par une promesse de fidélité et de dévouement absolu.

ligie nf Crustacé marin voisin du cloporte.

lignage nm 1 Suite de descendants d'un même ancêtre. 2 Nombre de lignes d'un texte.

ligne nf 1 Trait continu. 2 Limite qui sépare. *Ligne de partage.* 3 Silhouette ; esthétique générale. *Elle surveille sa ligne. La ligne d'une nouvelle voiture.* 4 Direction suivie. *Aller en ligne droite. La ligne sinueuse d'une rivière.* 5 Orientation, grandes options d'un parti. 6 Parcours, itinéraire des véhicules d'un service de transport. 7 Suite de personnes ou de choses ; file. *Une ligne d'arbres.* 8 Front d'une armée. 9 Suite de caractères d'écriture, d'imprimerie. 10 Suite des descendants d'une famille. 11 Fil terminé par un hameçon. 12 Fils conducteurs acheminant l'énergie électrique, les communications téléphoniques. **Loc** INFORM *En ligne* : se dit d'un service accessible par téléphone. *Ligne de crédit* : montant d'un crédit dont le bénéficiaire peut disposer.

lignée nf Descendance.

ligneux, euse a De la nature du bois.

lignicole

lignicole a ZOOL Qui vit dans les bois.

lignifier (se) vpr BOT Se transformer en bois.

lignite nm Charbon fossile brunâtre.

ligoter vt Lier, attacher solidement.

ligue nf 1 Union, coalition d'États, liés par des intérêts communs. 2 Association fondée dans un but défini. La ligue antialcoolique.

liguer vt Unir en une ligue. ■ vpr Unir ses efforts pour ou contre.

ligueur, euse n Qui fait partie d'une ligue.

ligure ou **ligurien, enne** a, n De Ligurie.

lilas [-la] nm Arbuste ornemental à fleurs en grappes, blanches ou violettes, très odorantes. ■ a inv Violet plus ou moins foncé.

liliacée nf BOT Plante à bulbe ou à rhizome, telle que le lis, la tulipe, etc.

lilliputien, enne a, n Très petit.

limace nf 1 Mollusque gastéropode terrestre sans coquille. 2 Fam Personne lente, molle.

limaçon nm 1 Escargot. 2 ANAT Partie de l'oreille interne dont le conduit est enroulé.

limaille nf Poudre de métal limé.

limande nf Poisson marin plat.

limbe nm 1 TECH Bord extérieur gradué d'un instrument de précision. 2 ASTRO Bord du disque d'un astre. 3 BOT Partie large d'une feuille. ■ pl RELIG Séjour des âmes des enfants morts sans baptême.

1. lime nf Outil formé d'une lame d'acier hérissée de dents, qui sert à polir par frottement.

2. lime ou **limette** nf Petit citron vert.

limer vt Façonner à la lime.

limicole a ZOOL Qui vit dans la vase.

limier nm 1 Chien de chasse utilisé pour dépister le gibier. 2 Fam Policier, détective.

liminaire a Placé au début d'un livre, d'un écrit, d'un discours, etc.

limitatif, ive a Qui limite.

limitation nf Action de limiter ; restriction.

limite nf 1 Ce qui sépare un terrain, un territoire d'un autre, contigu. 2 Terme d'une période. La limite d'âge pour la retraite. 3 Point

où s'arrête qqch ; borne. Exercer une autorité sans limites. ■ a Fam Maximal, extrême. Un prix limite.

limiter vt 1 Fixer des limites à. 2 Être à la limite de. Une rivière limite le pré. 3 Restreindre. Limiter les dépenses.

limiteur nm Appareil servant à empêcher une grandeur (vitesse, tension, etc.) de dépasser un certain seuil.

limitrophe a Qui est à la frontière, à la limite d'un pays, d'une région.

limnologie nf Étude des marais, des étangs et des lacs.

limogeage nm Action de limoger.

limoger vt 11 Destituer de son poste un officier, un haut fonctionnaire, etc.

limon nm 1 Boue d'argile et de sable mêlée de matière organique, très fertile. 2 Chacun des deux brancards entre lesquels on attelle un cheval à une voiture. 3 CONSTR Pièce d'un escalier qui forme la limite du côté du vide et qui reçoit la balustrade. 4 Variété de citron.

limonade nf 1 Boisson gazeuse sucrée et acidulée. 2 Fam Commerce des cafetiers.

limonadier, ère n 1 Qui fabrique des boissons gazéifiées. 2 Qui tient un café.

limonaire nm Orgue de Barbarie.

limoneux, euse a Riche en limon.

limousin, ine a, n Du Limousin.

limousine nf Automobile à six glaces latérales et à quatre portes.

limpide a 1 Parfaitement transparent, clair, pur. Eau limpide. 2 Facile à comprendre. Explication limpide.

limpidité nf Caractère limpide.

lin nm 1 Plante textile et oléagineuse à tige fibreuse. 2 Toile faite de fibres de lin.

linacée nf BOT Plante de la famille du lin.

linceul nm Pièce de toile dans laquelle on ensevelit un mort.

linéaire a 1 Dont la forme, la disposition rappelle une ligne continue. 2 Qui évoque une ligne par sa simplicité, sa sobriété. Récit linéaire. Loc Mesure linéaire : mesure de longueur (par oppos. à mesure de superficie ou de volume). MATH Fonction linéaire : fonction du premier degré, dont la représentation graphique est une droite. ■ nm Présentoir à marchandises dans un magasin en libre-service.

linge nm 1 Ensemble des pièces de tissu à usage domestique (draps, nappes, etc.). 2 Vêtements portés à même la peau. 3 Morceau de tissu léger.

lingère nf Femme chargée de l'entretien du linge dans une communauté, un hôtel, etc.

lingerie nf 1 Industrie et commerce du linge. 2 Lieu où l'on range et où l'on entretient le linge. 3 Ensemble des sous-vêtements féminins.

lingot nm Pièce brute de métal obtenue par coulée dans un moule. Lingot d'or.

lingual, ale, aux a De la langue.

lingue nf Poisson marin, voisin de la morue. Syn. julienne.

linguiste [-gɥi-] n Spécialiste de linguistique.

linguistique [-gɥi-] nf Science du langage et des langues. ■ a 1 De la linguistique. 2 Qui concerne la langue, une ou plusieurs langues.

liniment nm Médicament onctueux pour frictionner la peau.

links [links] nmpl Parcours de golf.

linoléum [-leɔm] ou **lino** nm Revêtement de sol imperméable et dur.

linon nm Toile de lin à fils peu serrés.

linotte nf Petit oiseau chanteur. Loc Fam **Tête de linotte** : personne très étourdie.

linteau nm Pièce horizontale soutenant la maçonnerie au-dessus d'une baie.

lion, lionne n Grand mammifère carnivore d'Afrique, au pelage fauve. Loc **Lion de mer** : gros phoque à crinière.

lionceau nm Petit de la lion.

lipase nf BIOL Enzyme qui intervient dans la digestion des graisses.

lipémie nf Taux des lipides dans le sang.

lipide nm CHIM Corps gras.

lipome nm Tumeur sous-cutanée bénigne, constituée de tissu graisseux.

lipoprotéine nf Forme lipidique sous laquelle les protéines sont transportées dans le sang.

liposome nm Vésicule artificielle microscopique servant à introduire des substances dans l'organisme.

lipothymie nf Premier degré de la syncope, dans lequel la circulation et la respiration persistent.

lippe nf Grosse lèvre inférieure.

lippu, ue a Qui a de grosses lèvres.

liquéfaction nf Action de liquéfier.

liquéfier vt Faire passer à l'état liquide un gaz, un solide.

liquette nf Pop Chemise.

liqueur nf 1 Boisson sucrée faite d'un mélange d'alcool et d'essences aromatiques. 2 Tout digestif. 3 PHARM Nom donné à diverses solutions.

liquidateur, trice n Chargé de procéder à une liquidation.

liquidation nf Action de liquider un compte, des marchandises, etc.

liquide a 1 Qui coule ou tend à couler. L'eau est une substance liquide. 2 Se dit de l'argent, d'un bien dont on peut disposer immédiatement ; en espèces. ■ nm 1 Corps à l'état liquide. 2 Aliment ou boisson liquide. 3 Argent liquide.

liquider vt 1 Procéder à un règlement après en avoir fixé le montant. Liquider une succession. 2 En finir définitivement avec qqch. Liquider une situation. 3 Vendre au rabais des marchandises. 4 Pop Tuer ou faire tuer qqn.

liquidité nf Caractère d'un bien liquide. ■ pl Argent liquide.

liquoreux, euse a Se dit de vins sucrés et riches en alcool (porto, madère).

1. lire vt 63 1 Identifier et traduire sous une forme orale, par la voix ou mentalement, des signes écrits. Savoir lire et écrire. Lire les caractères hébreux. 2 Prendre connaissance d'un texte en parcourant des yeux ce qui est écrit. Lire un roman. 3 Énoncer à haute voix un texte écrit. Le juge lit la sentence à l'accusé. 4 Interpréter en fonction d'un code ; déchiffrer. Lire une carte routière. 5 Deviner, déceler grâce à certains signes. Lire l'avenir dans le marc de café.

2. lire nf Unité monétaire de l'Italie.

lirette

lirette *nf* Tissage artisanal utilisant des bandes d'étoffe.

lis ou **lys** [lis] *nm* Plante ornementale à grandes fleurs blanches, jaunes ou rouges. Loc **Fleur de lis :** fleur de lis stylisée propre aux armoiries de la monarchie française.

liséré ou **liséré** *nm* 1 Ruban étroit dont on borde un vêtement. 2 Bordure d'une pièce d'étoffe, d'un panneau peint.

liseron *nm* Plante volubile grimpante à fleurs en forme de cloche.

liseur, euse *n* Qui aime lire. ■ *nf* 1 Petit coupe-papier qui sert de signet. 2 Couvre-livre. 3 Tricot léger de femme pour lire au lit.

lisibilité *nf* Caractère lisible.

lisible *a* 1 Aisé à lire, à déchiffrer. 2 Dont la lecture est facile, agréable.

lisiblement *av* De façon lisible.

lisier *nm* Liquide provenant des déjections solides et de l'urine des animaux de ferme.

lisière *nf* 1 Bord d'une pièce d'étoffe, de chaque côté de sa largeur. 2 Limite, bordure d'une zone. *La lisière d'un bois.*

lissage *nm* 1 Action de lisser. 2 Lifting.

1. lisse *a* Uni, poli, sans aspérités.

2. lisse ou **lice** *nf* Fil pourvu d'un œillet dans lequel passe le fil de chaîne, dans un métier à tisser.

lisser *vt* Rendre lisse.

lissier, ère ou **licier, ère** *n* Qui monte les lisses, qui exécute des tapisseries.

liste *nf* Série d'éléments analogues (mots, chiffres, symboles, etc.) mis les uns à la suite des autres. *La liste des lauréats.* Loc **Liste civile :** somme attribuée annuellement à un chef d'État.

listel *nm* Cercle en saillie sur le bord d'une pièce de monnaie.

lister *vt* Faire la liste de.

listériose *nf* Maladie infectieuse, grave pour le nouveau-né.

listing [-iŋ] *nm* Ensemble d'informations traitées par ordinateur, qui sort sur une imprimante.

lit *nm* 1 Meuble sur lequel on se couche pour se reposer, pour dormir. 2 Union conjugale. *Il a deux enfants d'un premier lit.* 3 Couche

d'une matière quelconque. *Un lit de gravier.* 4 Espace occupé par les eaux d'un cours d'eau. *Lit d'un fleuve.*

litanie *nf* Énumération longue et monotone. *Une litanie de plaintes.* ■ *pl* Prière faite de courtes invocations psalmodiées ou chantées.

lit-cage *nm* Lit métallique pliant. *Des lits-cages.*

litchi ou **letchi** *nm* Fruit d'Asie tropicale de saveur douce, à gros noyau.

liteau *nm* 1 Bande de couleur qui orne le linge de maison. 2 Baguette qu'on cloue sur les chevrons d'une toiture.

literie *nf* Garniture, équipement d'un lit (matelas, traversin, oreillers, draps, couvertures).

litham *nm* Voile des femmes musulmanes.

lithiase *nf* MED Présence de calculs dans les reins, la vésicule biliaire, etc.

lithium [-tjɔm] *nm* Métal alcalin de faible densité.

lithographie ou **litho** *nf* 1 Reproduction de dessins tracés sur une pierre calcaire. 2 Épreuve obtenue par ce procédé.

lithologie *nf* GEOL Nature des roches constituant une couche géologique.

lithosphère *nf* GEOL Couche externe du globe.

lithotriteur *nm* MED Instrument destiné à dissoudre les calculs rénaux par les ultrasons.

litière *nf* 1 Paille que l'on répand dans les étables, les écuries, etc., pour que les animaux se couchent dessus. 2 Matière granuleuse destinée à recevoir les déjections des chats d'appartement. 3 Anc Véhicule à deux brancards dans lequel on voyageait couché.

litige *nm* 1 DR Contestation en justice, procès. 2 Contestation, controverse.

litigieux, euse *a* Contestable. *Point litigieux.*

litorne *nf* Grive à tête grise.

litote *nf* Figure de rhétorique consistant à dire moins pour faire entendre plus (ex. : *ce n'est pas mal* pour *c'est bien*).

litre *nm* 1 Unité de mesure de volume égale à 1 décimètre cube (symbole : l). 2 Récipient contenant 1 litre.

litron *nm* Fam Litre de vin.

littéraire a Relatif aux lettres, à la littérature. ■ a, n Qui montre des dispositions pour les lettres plutôt que pour les sciences.

littéral, ale, aux a Strictement conforme à la lettre d'un mot, d'un texte. *Sens littéral.*

littéralement av 1 À la lettre. *Traduire littéralement.* 2 Fam Absolument. *Littéralement fou.*

littérateur nm Écrivain sans envergure.

littérature nf 1 Ensemble des œuvres écrites considérées comme susceptibles d'être l'objet de jugements esthétiques. 2 Ensemble des œuvres littéraires d'un pays, d'une époque. 3 Ensemble des textes qui traitent d'un sujet. *Il y a toute une littérature sur cette question.* 4 Art d'écrire ; carrière d'écrivain. 5 Fam Vaines paroles.

littoral, ale, aux a Relatif aux bords de la mer, aux côtes. ■ nm Zone située en bordure de mer. *Le littoral breton.*

littorine nf Bigorneau.

lituanien, enne a, n De Lituanie. ■ nm Langue balte parlée en Lituanie.

liturgie nf Ordre des cérémonies du culte institué par une Église. *Liturgie catholique.*

liturgique a Relatif à la liturgie.

livarot nm Fromage normand fermenté, de lait de vache, à pâte molle.

live [lajv] a inv Enregistré en public et non en studio (disque, émission).

livide a D'une couleur plombée ; blafard.

living-room [liviŋʁum] ou **living** nm Salle de séjour. *Des living-rooms.*

livraison nf 1 Remise d'une marchandise vendue à la personne qui l'a acquise. 2 Marchandise livrée.

1. livre nm 1 Assemblage de feuilles imprimées réunies par un côté en un volume. 2 Texte imprimé que tout ouvrage. *Un livre captivant.* 3 Subdivision d'une œuvre littéraire. 4 Registre. **Loc** *Livre d'or* : registre où les visiteurs d'un lieu sont invités à signer.

2. livre nf 1 Unité de masse valant un demi-kilogramme. 2 Unité de masse anglo-saxonne valant 453,59 g. 3 Ancienne monnaie de compte, de valeur variable. 4 Unité monétaire du Royaume-Uni, de l'Irlande, de Chypre, de l'Égypte, du Liban, du Soudan et de la Turquie.

livre-cassette nm Cassette contenant l'enregistrement d'un texte. *Des livres-cassettes.*

livrée nf 1 Anc Habit porté par les domestiques d'une grande maison. 2 ZOOL Pelage, plumage de divers animaux.

livrer vt 1 Mettre au pouvoir de. *Livrer un coupable à la justice.* 2 Dénoncer. *Livrer ses complices.* 3 Abandonner à l'action de. *Livrer une ville au pillage.* 4 Confier. *Livrer ses pensées.* 5 Remettre à un acheteur la marchandise commandée. *Livrer une commande.* : *Livrer un client.* **Loc** *Livrer (une) bataille* : s'engager, se battre. *Livrer passage* : laisser passer. ■ vpr 1 Se constituer prisonnier. 2 S'abandonner, se confier. 3 Se consacrer à qqch.

livresque a Qui vient des livres. *Savoir purement livresque.*

livret nm 1 Petit registre individuel ou familial mentionnant les éléments d'une situation. *Livret de la caisse d'épargne. Livret de famille.* 2 MUS Texte d'une œuvre lyrique.

livreur, euse n Qui livre à domicile les marchandises vendues.

lob nm Coup qui consiste à lancer la balle ou le ballon par-dessus l'adversaire.

lobby nm Groupe de pression.

lobbying nm Action menée par un lobby.

lobe nm 1 Partie arrondie et bien délimitée de certains organes. *Lobes du cerveau, du foie.* 2 BOT Découpure arrondie des feuilles ou des pétales. 3 ARCHI Découpure en arc de cercle.

lobé, ée a Didac Divisé en lobes.

lobectomie nf CHIR Ablation d'un lobe d'un organe (poumon, cerveau, etc.).

lober vi, vt Faire un lob.

lobotomie nf CHIR Section de certaines fibres nerveuses du lobe frontal du cerveau.

local, ale, aux a Propre à un lieu, à un endroit, à une région. *Usages locaux. Anesthésie locale.* ■ nm Lieu fermé ou partie d'un bâtiment considérés quant à leur destination. *Local commercial.*

localisation nf Action de localiser.

localiser vt 1 Déterminer la position de, situer. *Localiser un bruit.* 2 Limiter, empêcher l'extension de. *Localiser un incendie.*

localité nf Petite agglomération ; village.

locataire n Qui prend à loyer un logement, une terre, etc.

1. locatif, ive a Qui concerne le locataire ou la location.

2. locatif nm GRAM Cas du complément de lieu, dans certaines langues à déclinaisons.

location nf 1 Action de donner ou de prendre une chose à loyer. 2 Action de louer à l'avance une place de spectacle, une chambre d'hôtel.

location-vente nf Contrat à l'expiration duquel le locataire devient propriétaire. Des locations-ventes.

loch [lɔk] nm Appareil de mesure de vitesse sur un bateau.

loche nf 1 Poisson d'eau douce au corps allongé. 2 Limace grise.

lock-out [lɔkaut] nm inv Fermeture d'une entreprise décidée par la direction en riposte à une menace de grève.

locomoteur, trice a Qui sert à la locomotion. Organe locomoteur.

locomotion nf Mouvement par lequel on se transporte d'un lieu à un autre.

locomotive nf 1 Puissant véhicule circulant sur rails et remorquant des rames de voitures ou de wagons. 2 Fam Personne qui joue le rôle d'élément moteur.

locuste nf Criquet migrateur.

locuteur, trice n LING Personne qui parle.

locution nf Groupe de mots formant une unité quant au sens ou à la fonction grammaticale.

loden [lɔdɛn] nm 1 Lainage imperméable, épais et feutré. 2 Manteau en loden.

lœss [løs] nm GEOL Limon très fertile.

lof nm Côté d'un navire qui reçoit le vent.

lofer vi MAR Venir à un cap plus rapproché de la direction d'où souffle le vent.

loft nm Atelier transformé en logement.

logarithme nm MATH Exposant dont il faut, pour obtenir un nombre, affecter un autre nombre appelé base. 2 est le logarithme de 100 dans le système à base 10 ($10^2 = 100$).

loge nf 1 Petit logement d'un concierge. 2 Petite pièce dans les coulisses d'un théâtre, où les acteurs changent de costume. 3 Compartiment au pourtour d'une salle de spectacle, où plusieurs spectateurs peuvent prendre place. 4 Local où ont lieu les réunions des francs-maçons ; groupe, cellule de francs-maçons.

logement nm 1 Action de loger, de se loger. 2 Local d'habitation ; appartement. 3 Creux, renfoncement ménagé pour recevoir une pièce.

loger vi 11 Habiter à demeure ou provisoirement. Loger en meublé. ■ vt 1 Abriter dans un logis, héberger. Loger un ami. 2 Mettre, placer ; faire entrer.

logeur, euse n Qui tient des chambres meublées.

loggia [lɔdʒja] nf 1 Balcon couvert, en retrait par rapport à la façade. 2 Plate-forme construite à une certaine distance du sol dans une pièce haute de plafond.

logiciel nm INFORM Ensemble des règles et des programmes relatifs au fonctionnement d'un ordinateur, par oppos. à matériel.

logicien, enne n Spécialiste de logique.

logique nf 1 Science dont l'objet est de déterminer les règles du raisonnement. 2 Suite dans les idées, cohérence du discours. 3 Enchaînement nécessaire des choses. La logique des événements. ■ a Conforme aux règles de la logique ; cohérent. Raisonnement logique.

logis nm Vx Habitation. **Loc Corps de logis :** partie principale d'un bâtiment.

logisticien, enne n Spécialiste de logistique.

logistique nf 1 Ensemble des moyens assurant le ravitaillement d'une armée, ses déplacements. 2 Organisation matérielle d'une entreprise, d'une collectivité. ■ a De la logistique.

logithèque nf Bibliothèque de logiciels.

logo nm Élément graphique servant d'emblème à une société, à une marque commerciale.

logogriphe nm Énigme jouant sur les combinaisons des lettres d'un mot.

logomachie nf Litt Suite de mots creux dans un débat.

logopédie nf MED Correction des défauts de prononciation chez les enfants.

logorrhée nf Discours, propos interminables et désordonnés.

loi nf 1 Règle ou ensemble de règles édictées par une autorité souveraine et imposées à tous les individus d'une société. 2 Ensemble des règles qu'un être raisonnable se sent tenu d'observer. La loi morale. 3 Rapport de nécessité régissant des phénomènes dans un domaine particulier. Loi physique, économique. 4 Volonté, autorité. Dicter sa loi. ■ pl Conventions régissant la vie sociale. Les lois de l'hospitalité.

loi-cadre nf Loi énonçant un principe général dont les modalités d'application sont précisées par des décrets. Des lois-cadres.

loin av 1 À une grande distance. Ce chemin ne mène pas loin. 2 À une époque éloignée dans le passé ou dans l'avenir. Ce temps est déjà loin. Loc De loin : de beaucoup.

lointain, aine a Qui est loin dans l'espace ou dans le temps. ■ nm Les lieux que l'on voit au loin. Voir un village dans le lointain.

loir nm Rongeur à longue queue touffue.

loisible a Loc Il lui est loisible de : il lui est permis, possible de.

loisir nm 1 Temps pendant lequel on n'est astreint à aucune tâche. 2 Temps nécessaire pour faire commodément qqch. Je n'ai pas eu le loisir d'y réfléchir. Loc À loisir : à son aise, sans hâte. ■ pl Activités diverses (sportives, culturelles, etc.) auxquelles on se livre pendant les moments de liberté. Les loisirs de plein air.

lombago. V. lumbago.

lombaire a Des lombes. ■ nf Vertèbre lombaire.

lombalgie nf Douleur dans les lombes.

lombard, arde a, n De la Lombardie.

lombarthrose nf Arthrose des lombaires.

lombes nfpl ANAT Région postérieure du tronc située au bas du dos.

lombric nm Ver de terre.

londonien, enne a, n De Londres.

long, longue a 1 Qui présente une certaine étendue dans le sens de sa plus grande dimension (par oppos. à court, à large). Une

salle très longue. 2 Qui a telle longueur. Un tapis long de deux mètres. 3 Qui dure longtemps ou depuis longtemps (par oppos. à bref, à court). Une longue vie. 4 Qui met longtemps à faire qqch. ■ nm Longueur. Des rideaux de trois mètres de long. ■ nf Voyelle ou syllabe longue. Loc À la longue : avec le temps. ■ av Beaucoup. Un regard qui en dit long.

longane nm Fruit exotique proche du litchi.

long-courrier nm Navire, avion qui parcourt de longs trajets. Des long-courriers.

longe nf 1 Partie du dos des animaux de boucherie. 2 Longue courroie pour attacher ou conduire un cheval.

longer vt 11 Aller ou s'étendre le long de. La route longe le lac.

longeron nm Pièce maîtresse longitudinale d'une aile d'avion, d'une machine.

longévité nf 1 Longue durée de la vie. 2 Durée de la vie.

longiligne a Mince et élancé.

longitude nf Angle, compté de 0° à 180°, que forme le plan du méridien d'un lieu avec le plan du méridien en position origine.

longitudinal, ale, aux a Qui s'étend selon le sens de la longueur.

long-métrage nm Film dont la durée dépasse une heure. Des longs-métrages.

longtemps av Pendant un long espace de temps ; une longue durée.

longuement av Durant un long moment.

longuet, ette a Fam Un peu long. ■ nm Petit pain allongé ; gressin.

longueur nf 1 Dimension d'une chose de l'une à l'autre de ses extrémités ; dimension maximale. La longueur d'un fleuve. La longueur d'une table. 2 Durée, étendue. La longueur du jour. La longueur d'un poème. ■ pl Parties superflues d'une œuvre, d'un spectacle.

longue-vue nf Lunette d'approche. Des longues-vues.

look [luk] nm Fam Aspect physique ; allure, style.

looping [lupiŋ] nm Boucle complète effectuée par un avion dans le plan vertical.

lopin nm Petit morceau de terrain.

loquace *a* Qui parle beaucoup.

loque *nf* **1** Morceau d'étoffe déchirée. **2** Fam Personne sans énergie. ■ *pl* Haillons.

loquet *nm* Fermeture de porte formée d'une lame qui se fixe en s'abaissant.

lord [lɔʀd] *nm* Membre de la Chambre haute en Grande-Bretagne.

lordose *nf* Excès de convexité antérieure de la colonne vertébrale.

lorgner *vt* **1** Regarder à la dérobée. **2** Convoiter. *Lorgner un héritage.*

lorgnette *nf* Petite lunette d'approche. **Loc** *Regarder par le petit bout de la lorgnette* : ne considérer que des détails secondaires.

lorgnon *nm* Paire de verres correcteurs avec leur monture, sans branches.

loriot *nm* Passereau au chant sonore.

lorrain, aine *a, n* De la Lorraine.

lorry *nm* Wagonnet plat servant à l'entretien des voies.

lors *av* **Loc** *Dès lors* : dès ce moment-là ; en conséquence. *Depuis lors* : depuis ce moment-là. *Pour lors* : en ce cas. *Lors de* : au moment de. *Dès lors que* : à partir du moment où. *Lors même que* (+ conditionnel) : quand bien même.

lorsque *conj* Au moment où, quand.

losange *nm* Parallélogramme dont les quatre côtés sont égaux.

loser [luzœʀ] *nm* Fam Perdant, médiocre.

lot [lo] *nm* **1** Portion d'un tout partagée à qqn. **2** Ce qui échoit dans une loterie à chacun des gagnants. **3** Lit Ce que le sort réserve à qqn. *Mon lot est d'être malchanceux.* **4** COMM Ensemble d'articles assortis vendus en bloc.

lote. V. lotte.

loterie *nf* **1** Jeu de hasard comportant la vente de marques ou de billets numérotés et le tirage au sort des numéros gagnant un lot. **2** Ce qui dépend du hasard.

loti, ie *a* **Loc** *Être bien (mal) loti* : être favorisé (défavorisé) par le sort.

lotion *nf* Liquide spécialement préparé pour les soins de toilette.

lotir *vt* Partager en lots. *Lotir un terrain.*

lotissement *nm* Morcellement d'un terrain en parcelles destinées à la construction.

loto *nm* **1** Jeu de hasard qui se joue avec des jetons numérotés à placer sur des cartons à cases numérotées. **2** Jeu de hasard national établi sur le tirage au sort de numéros gagnants.

lotte ou **lote** *nf* **1** Poisson d'eau douce. **2** Autre nom de la *baudroie.*

lotus [-tys] *nm* Nom usuel d'un nénuphar.

louable *a* Digne de louange.

louange *nf* Discours par lequel on loue qqn ; éloge. ■ *pl* Paroles par lesquelles on fait l'éloge de qqn ou des mérites.

louangeur, euse *a* Qui exprime des éloges. *Des articles louangeurs.*

loubard ou **loubar** *nm* Fam Jeune voyou.

1. louche *a, nm* Qui ne paraît pas parfaitement honnête. *Une affaire louche. Il y a du louche dans tout cela.*

2. louche *nf* Cuiller large à long manche.

loucher *vi* Être atteint de strabisme. ■ *vti* Convoiter. *Loucher sur la part du voisin.*

1. louer *vt* **1** Donner ou prendre en location. **2** Réserver, retenir. *Louer une place de théâtre.*

2. louer *vt* Exalter qqch, qqn, en célébrer les mérites. ■ *vpr* Témoigner qu'on est satisfait de qqch, de qqn. *Se louer de son audace.*

loueur, euse *n* Qui donne en location.

loufoque *a* Fam Un peu fou, saugrenu.

louis *nm* Anc Pièce d'or française de 20 francs.

louise-bonne *nf* Variété de poire fondante. *Des louises-bonnes.*

loukoum. V. rahat-loukoum.

loulou *nm* **1** Chien de luxe au museau pointu et à long poil. **2** Pop Loubard, voyou. *Des loulous.*

loup *nm* **1** Mammifère carnivore à l'allure de grand chien. **2** Bar (poisson). **3** Petit masque noir. **4** TECH Défaut irréparable dans la fabrication d'une pièce. **Loc** *Jeune loup* : homme jeune et plein d'ambition. *Loup de mer* : marin expérimenté.

loupe *nf* **1** Lentille convergente qui donne des objets une image agrandie. **2** MÉD Kyste sébacé. **3** BOT Excroissance ligneuse qui se développe sur certains arbres.

loupé ou **loupage** *nm* Fam Erreur, échec.

louper *vt* Fam Rater, manquer.

loup-garou *nm* Personnage légendaire, malfaisant qui se métamorphose la nuit en loup. *Des loups-garous.*

loupiot, otte *n* Fam Enfant.

loupiote *nf* Fam Lampe.

lourd, lourde *a* 1 Pesant. *Une lourde charge.* 2 Oppressant. *Climat lourd.* 3 Qui manque d'élégance. ◼ *finesse.* 4 Difficile à digérer. 5 Qui nécessite des moyens importants. *Chirurgie lourde.* **Loc** *Poids lourd :* catégorie de poids dans de nombreux sports (en boxe, plus de 79 kg). ◼ *av* Beaucoup. *Peser lourd. Ne pas en savoir lourd.*

lourdaud, aude *a, n* Grossier, maladroit.

lourde *nf* Pop Porte.

lourdement *av* 1 Pesamment. 2 Grossièrement. *S'esclaffer lourdement.*

lourdeur *nf* Caractère lourd.

loustic *nm* Fam Individu peu sérieux.

loutre *nf* Mammifère carnivore aquatique ; fourrure appréciée de cet animal.

louve *nf* Femelle du loup.

louveteau *nm* 1 Petit de la louve. 2 Jeune scout.

louvoyer *vi* 22 1 MAR Tirer des bords pour naviguer contre le vent. 2 Faire de nombreux détours pour arriver à ses fins ; tergiverser.

lover *vt* MAR Enrouler un cordage sur lui-même. ◼ *vpr* Se rouler en spirale.

loyal, ale, aux *a* Droit, honnête ; fidèle.

loyalisme *nm* 1 Fidélité au régime établi. 2 Fidélité à une cause.

loyauté *nf* Droiture, probité, honnêteté.

loyer *nm* Prix payé par le preneur pour l'usage d'une chose louée.

L.S.D. *nm* Hallucinogène puissant.

lubie *nf* Caprice bizarre, fantaisie subite.

lubricité *nf* Penchant à la luxure.

lubrifiant, ante *a, nm* Qui lubrifie.

lubrifier *vt* Graisser pour rendre glissant.

lubrique *a* 1 Porté à la luxure. 2 Inspiré par la lubricité. *Des gestes lubriques.*

lucane *nm* Coléoptère appelé aussi *cerf-volant.*

lucarne *nf* Ouverture vitrée pratiquée dans une toiture pour donner du jour.

lucide *a* 1 Qui envisage la réalité clairement et nettement, telle qu'elle est. 2 Pleinement conscient.

lucidité *nf* Qualité lucide.

lucilie *nf* Mouche verte qui pond sur la viande.

luciole *nf* Coléoptère lumineux.

lucite *nf* Affection de la peau due à la lumière.

lucratif, ive *a* Qui rapporte un profit, de l'argent. *Association à but non lucratif.*

lucre *nm* Profit qu'on recherche avidement.

ludiciel *nm* Logiciel de jeu.

ludion *nm* Jouet formé d'un corps creux qu'on fait monter ou descendre dans un liquide par pression sur la membrane fermant le flacon.

ludique *a* Qui concerne le jeu.

ludothèque *nf* Établissement où les enfants peuvent emprunter des jeux.

luette *nf* ANAT Appendice conique prolongeant le bord postérieur du voile du palais.

lueur *nf* 1 Lumière faible ou passagère. 2 Expression passagère du regard. 3 Apparition passagère. *Une lueur d'espoir.*

luge *nf* Petit traîneau utilisé pour descendre rapidement les pentes neigeuses.

lugubre *a* Qui inspire ou qui dénote une tristesse profonde. *Un air lugubre.*

lui *pr pers* Troisième personne du singulier, masculin ou féminin.

luire *vi* 67 Émettre ou refléter de la lumière.

luisant *nm* Loc *Ver luisant :* lampyre.

lumbago [lɔ-] ou **lombago** *nm* Douleur lombaire survenant brutalement.

lumen [lymɛn] *nm* PHYS Unité de flux lumineux (symbole : lm).

lumière *nf* 1 Phénomène spontanément perçu par l'œil et susceptible d'éclairer et de permettre de voir. *La lumière du soleil, d'une lampe.* 2 Ce qui sert à éclairer ; lampe. 3 Ce qui permet de comprendre ou de savoir. *La lumière. Personne intelligente, savante.* 5 TECH Orifice, ouverture. ◼ *pl* Connaissances.

luminaire *nm* Appareil ou ensemble d'appareils d'éclairage.

luminescence nf Propriété des corps qui deviennent lumineux à basse température.

luminescent, ente a Qui présente une luminescence.

lumineux, euse a 1 Qui émet de la lumière. 2 Très clair. *Un exposé lumineux.*

luminosité nf Caractère lumineux.

lump [lœp] nm Poisson dont les œufs ressemblent à du caviar.

lunaire a De la Lune. ■ nf Syn de *monnaie-du-pape.*

lunaison nf Durée comprise entre deux nouvelles lunes consécutives.

lunatique a, n Capricieux, fantasque.

lunch [lœntʃ] ou [lœʃ] nm Repas froid, constitué de mets légers présentés en buffet.

lundi nm Premier jour de la semaine.

lune nf 1 (avec majusc) Corps céleste, satellite de la Terre et qui l'éclaire la nuit. 2 Lunaison. **Loc** *Lune de miel* : les débuts du mariage. *Nouvelle lune* : période où la Lune est invisible. *Pleine lune* : période où la Lune est visible sous forme d'un disque lumineux.

luné, ée a **Loc** *Fam Bien (mal) luné* : de bonne (de mauvaise) humeur.

lunette nf 1 Instrument destiné à grossir ou à rapprocher l'image d'un objet éloigné. *Lunette astronomique.* 2 Ouverture d'une cuvette de W.-C. ■ pl Paire de verres fixés à une monture, servant à corriger la vue ou à protéger les yeux.

lunetterie nf Fabrication des lunettes.

lunule nf Zone blanchâtre à la base de l'ongle.

lupanar nm Litt Lieu de prostitution.

lupin nm Plante ornementale ou fourragère, à fleurs en grappes.

lupus [lypys] nm Dermatose, principalement localisée au visage.

lurette nf **Loc** *Fam Il y a belle lurette* : il y a bien longtemps.

lurex nm (n déposé) Fil recouvert de polyester, à l'aspect métallique.

luron, onne n Fam Bon vivant.

lusitanien, enne a, n Portugais.

lusophone a, n De langue portugaise.

lustrage nm Action de lustrer.

lustral, ale, aux a Litt Qui sert à purifier.

1. lustre nm Litt Période de cinq ans. ■ pl Fam Longue période.

2. lustre nm 1 Appareil d'éclairage suspendu au plafond. 2 Litt Éclat, brillant.

lustrer vt Donner du lustre à, rendre brillant.

lustrine nf Tissu de coton très apprêté et lustré.

luth nm MUS Instrument à cordes pincées.

lutherie nf Profession, commerce du luthier.

luthérien, enne a, n Qui relève de la doctrine de Luther.

luthier nm Fabricant ou marchand d'instruments de musique à cordes.

luthiste n Qui joue du luth.

lutin nm 1 Petit démon familier d'esprit malicieux ou taquin. 2 Enfant vif, espiègle.

lutrin nm Pupitre sur lequel on pose les livres servant à chanter l'office, dans une église.

lutte nf 1 Sport de combat opposant deux adversaires dont chacun s'efforce d'immobiliser l'autre au sol. 2 Rixe ou combat. *Lutte au couteau.* 3 Opposition ou conflit d'idées, d'intérêts, de pouvoir. *Luttes politiques.* 4 Action contre une force, un phénomène nuisible ou hostile.

lutter vi 1 Pratiquer la lutte. 2 Se battre, résister. *Lutter contre un ennemi.* 3 Être en lutte. *Lutter contre le vent.*

lutteur, euse n Qui pratique la lutte.

lux nm Unité d'éclairement lumineux (symbole : lx).

luxation nf MED Déplacement anormal des surfaces d'une articulation.

luxe nm Magnificence, éclat ; abondance de choses somptueuses.

luxembourgeois, oise a, n Du grand duché du Luxembourg.

luxer vt Provoquer la luxation de.

luxueusement av De façon luxueuse.

luxueux, euse a Caractérisé par le luxe.

luxure nf Litt Pratique immodérée des plaisirs sexuels.

luxuriance nf Caractère luxuriant.

luxuriant, ante *a* Qui pousse avec abondance (végétation).

luzerne *nf* Plante fourragère riche en protéines.

lycée *nm* Établissement d'enseignement du deuxième cycle du second degré.

lycéen, enne *n, a* Élève d'un lycée.

lycoperdon *nm* Champignon appelé couramment *vesse-de-loup*.

lycra *nm* (n déposé) Fibre textile artificielle, très élastique.

lymphangite *nf* Inflammation aiguë ou chronique des vaisseaux lymphatiques.

lymphatique *a* De la lymphe. *Ganglions lymphatiques.* ■ *a, n* Mou, sans énergie.

lymphe *nf* BIOL Liquide clair, blanchâtre qui circule dans les vaisseaux lymphatiques.

lymphocyte *nm* BIOL Cellule sanguine mononucléaire appartenant à la lignée blanche.

lymphocytose *nf* MED Accroissement pathologique des lymphocytes.

lymphographie *nf* Radiographie du système lymphatique.

lymphome *nm* MED Tumeur maligne des ganglions lymphatiques.

lymphopénie *nf* MED Baisse des lymphocytes dans le sang.

lynchage *nm* Action de lyncher.

lyncher *vt* Exécuter un présumé coupable sans jugement préalable (groupe, foule).

lynx *nm* Mammifère carnivore félidé. **Loc** *Yeux de lynx* : vue très perçante.

lyonnais, aise *a, n* De Lyon.

lyophilisation *nf* Procédé de dessiccation par congélation brutale.

lyophiliser *vt* Soumettre à la lyophilisation.

lyre *nf* Instrument de musique à cordes pincées utilisé par les Anciens.

lyrique *a* **1** Se dit d'une œuvre, d'un auteur qui laisse libre cours à l'expression des sentiments personnels. **2** Se dit d'une œuvre théâtrale mise en musique pour être chantée. **3** Enthousiaste. *Description lyrique.* **Loc** *Artiste lyrique* : chanteur, chanteuse d'opéra. ■ *nm* Poète lyrique. ■ *nf* Poésie lyrique.

lyrisme *nm* **1** Inspiration poétique lyrique. **2** Caractère lyrique.

lys. V. lis.

lyse *nf* BIOL Destruction d'une structure organique.

lysergique *a* **Loc** *Acide lysergique* : puissant hallucinogène (L.S.D.).

lysine *nf* BIOL Acide aminé basique indispensable à la croissance.

m

m nm **1** Treizième lettre (consonne) de l'alphabet. **2** M : chiffre romain valant 1 000. **3** M. : abrév de *Monsieur*.

ma. V. mon.

maboul, oule *a, n* Pop Fou.

mac nm Pop Proxénète.

macabre *a* Qui évoque des choses funèbres, la mort. *Histoire macabre.*

macadam [-dam] nm Revêtement de chaussée constitué de pierres concassées agglomérées.

macanéen, enne *a, n* De Macao.

macaque nm **1** Singe d'Afrique et d'Eurasie, trapu, à queue réduite ou absente. **2** Personne très laide.

macareux nm Oiseau marin au gros bec bleu et rouge, qui vit dans des terriers.

macaron nm **1** Petit gâteau rond à la pâte d'amande. **2** Gros insigne de forme arrondie. **3** Natte de cheveux roulée sur l'oreille.

macaroni nm Pâte alimentaire, en forme de petit tube allongé.

maccarthysme nm HIST Politique anticommuniste systématique des États-Unis dans les années 50.

macchabée [-ka-] nm Pop Cadavre.

macédoine nf Mets composé de légumes ou de fruits coupés en morceaux.

macédonien, enne *a, n* De la Macédoine.

macération nf Opération qui consiste à laisser séjourner dans un liquide une substance pour l'accommoder, la conserver, etc.

macérer *vt 12* Soumettre à la macération. ■ *vi* Séjourner dans un liquide.

Mach (nombre de) [mak] Loc *Voler à Mach 1, Mach 2...* : à une fois, deux fois la vitesse du son.

machaon [-ka-] nm Grand papillon aux ailes colorées.

mâche nf Variété de salade.

mâchefer nm Scorie provenant de la combustion de certains charbons.

mâcher *vt* Broyer, triturer avec les dents.

machette nf Sabre d'abattage.

machiavélique [-kja-] *a* Qui calcule ses coups avec une habileté perfide.

mâchicoulis nm Anc Encorbellement placé en haut d'une muraille et percé d'ouvertures.

machin nm Fam Personne ou chose qu'on ne veut pas nommer plus précisément.

machinal, ale, aux *a* Fait sans intention consciente. *Geste machinal.*

machine nf **1** Appareil plus ou moins complexe, conçu pour accomplir des tâches, des travaux. *Machine à écrire. Machine agricole.* **2** Véhicule. **3** Ensemble organisé qui fonctionne comme un mécanisme. *La machine bureaucratique.* Loc *Faire machine arrière* : revenir sur ses affirmations. *Machine infernale* : engin explosif.

machine-outil nf Machine servant à façonner un matériau, à modifier la forme d'une pièce. *Des machines-outils.*

machinerie nf Ensemble de machines.

machinisme nm Généralisation de l'emploi de machines en remplacement de la main-d'œuvre.

machiniste *n* **1** Conducteur d'un véhicule de transports en commun. **2** Personne chargée de la manœuvre des décors et accessoires dans un théâtre, dans un studio de cinéma, de télévision.

machisme [matʃism] nm Comportement, idéologie du macho.

machiste *a* Propre au machisme.

macho [matʃo] nm, *a* Fam Homme qui affiche une attitude dominatrice envers les femmes.

mâchoire nf **1** Chacune des deux pièces osseuses dans lesquelles les dents sont implantées. **2** TECH Pièce qu'on rapproche d'une autre pour assujettir un objet. *Mâchoires d'un étau.*

mâchon nm Petit restaurant lyonnais.

mâchonner *vt* **1** Mâcher avec difficulté ou négligence. **2** Mordiller.

mâchouiller *vt* Fam Mâchonner.

maçon, onne *a* Se dit de certains animaux bâtisseurs. ■ *nm* **1** Ouvrier en maçonnerie. **2** Abrév pour *franc-maçon*.

maçonner *vt* **1** Réaliser un ouvrage avec des pierres, des briques. **2** Revêtir de maçonnerie.

maçonnerie *nf* **1** Ouvrage en pierres, briques, liées au moyen de plâtre ou de ciment. **2** Corps de métier du bâtiment spécialisé dans le gros œuvre. **3** Franc-maçonnerie.

maçonnique *a* De la franc-maçonnerie.

macramé *nm* Dentelle d'ameublement.

macreuse *nf* **1** Canard marin des régions nordiques. **2** Morceau de viande maigre sur l'épaule du bœuf.

macrobiotique *a, nf* Se dit d'un régime alimentaire qui exclut la viande et consiste surtout en céréales, légumes et fruits.

macrocosme *nm* PHILO L'univers, dans sa relation avec l'homme.

macrocystis *nm* Grande algue brune.

macroéconomie *nf* Partie de l'économie qui considère uniquement les grandes composantes de la vie économique.

macromolécule *nf* CHIM Molécule géante.

macroscopique *a* Didac Se dit des objets, des phénomènes pouvant être observés à l'œil nu (par oppos. à microscopique).

macroure *nm* ZOOL Crustacé à l'abdomen allongé (homard).

macula *nf* ANAT Structure située à l'arrière de la rétine, appelée aussi *tache jaune*.

macule *nf* Tache cutanée.

maculer *vt* Tacher.

macumba [-kum-] *nf* Culte brésilien apparenté au vaudou.

madame *nf* Titre donné à une femme mariée et qui tend aujourd'hui à être employé pour toute femme. (Au pl. *mesdames*. Abrév : *Mme, Mmes*.)

made in [medin] *loc* Précédée du nom du pays où un produit a été fabriqué. *Made in France.*

madeleine *nf* Petit gâteau ovale à pâte molle.

mademoiselle *nf* Titre donné à une jeune fille, à une femme célibataire. (Au pl. *mesdemoiselles*. Abrév : *Mlle, Mlles*.)

madère *nm* Vin liquoreux de Madère.

madériser (se) *vpr* Prendre le goût du madère.

madone *nf* Représentation de la Vierge.

madrague *nf* Dispositif de pêche au thon fait d'une enceinte de filets.

madras [-dras] *nm* **1** Étoffe légère de soie et de coton, de couleurs vives. **2** Coiffure faite avec cette étoffe, portée par les Antillaises.

madrépore *nm* Corail constitutif des atolls et des récifs.

madrier *nm* Planche très épaisse utilisée en construction.

madrigal, aux *nm* Petite pièce de vers exprimant de tendres sentiments.

madrilène *a, n* De Madrid.

maelström ou **malstrom** *nm* Litt Violent tourbillon.

maestria *nf* Grande habileté, virtuosité.

maestro *nm* Grand compositeur ; chef d'orchestre réputé.

mafia *nf* **1** Association secrète de malfaiteurs. **2** Clan défendant les intérêts de ses membres.

mafieux, euse *a, n* D'une mafia.

mafioso *nm* Membre d'une mafia. *Des mafiosi.*

magasin *nm* **1** Lieu couvert où l'on entrepose des marchandises, des denrées. **2** Établissement commercial de vente. **3** Logement des munitions d'une arme, du film d'une caméra.

magasinage *nm* Action de déposer ou fait de conserver des marchandises dans un magasin.

magasinier, ère *n* Qui est chargé de gérer les marchandises déposées en magasin.

magazine *nm* **1** Publication périodique illustrée. **2** Émission à la radio, à la télévision.

magdalénien, enne *a, nm* PRÉHIST De la fin du paléolithique supérieur.

mage nm Qui connaît les sciences occultes. ■ a **Loc Rois mages :** riches personnages qui, selon l'Évangile, vinrent visiter Jésus à sa naissance.

magenta [-ʒɛta] nm, a inv Rouge cramoisi.

maghrébin, ine a, n Du Maghreb.

magicien, enne n 1 Qui pratique la magie. 2 Qui fait des choses extraordinaires, qui enchante. 3 Illusionniste, prestidigitateur.

magie nf 1 Science occulte visant à obtenir des effets merveilleux à l'aide de moyens surnaturels. 2 Prestidigitation. Tour de magie. 3 Enchantement, séduction. La magie du chant.

magique a 1 De la magie. 2 Qui charme, qui enchante. 3 Surprenant.

magistère nm 1 Litt Autorité morale, intellectuelle ou doctrinale. 2 Diplôme universitaire de haut niveau.

magistral, ale, aux a 1 Qui appartient au maître. Chaire magistrale. 2 Donné par un professeur en titre. Cours magistral. 3 D'une qualité remarquable. Réussir un coup magistral.

magistrat nm 1 Fonctionnaire investi d'une autorité juridictionnelle, politique ou administrative. 2 Membre de l'ordre judiciaire.

magistrate nf Fam Femme magistrat.

magistrature nf 1 Dignité, charge de magistrat. 2 Temps pendant lequel un magistrat exerce ses fonctions. 3 Corps des magistrats.

magma nm 1 GEOL Mélange pâteux de matières minérales en fusion, provenant de l'intérieur de la Terre. 2 Mélange confus, désordonné.

magmatique a GEOL Du magma.

magnanerie nf Bâtiment servant à l'élevage des vers à soie.

magnanime a Litt Qui a de la générosité à l'égard des faibles, des vaincus.

magnanimité nf Litt Générosité, clémence.

magnat [magna] nm Financier ou industriel très puissant.

magner (se) vpr Pop Se dépêcher.

magnésie nf Oxyde de magnésium.

magnésium [-zjɔm] nm Métal gris-blanc très léger, utilisé notamment en métallurgie.

magnétique a 1 Relatif à l'aimant, au magnétisme. Champ magnétique. 2 Qui semble exercer une influence puissante et mystérieuse sur la volonté d'autrui. Charme magnétique.

magnétiser vt 1 Communiquer les propriétés de l'aimant à une substance. 2 Soumettre à une influence puissante ; subjuguer.

magnétiseur, euse n 1 Guérisseur qui attribue son action à un fluide personnel. 2 Hypnotiseur.

magnétisme nm 1 Partie de la physique qui étudie les propriétés des aimants, des champs magnétiques. 2 Ensemble des phénomènes relatifs aux champs magnétiques. 3 Attraction, fascination que qqn exerce sur une autre.

magnétite nf Oxyde naturel de fer.

magnéto nf Génératrice de courant alternatif.

magnétomètre nm Instrument de mesure des champs magnétiques.

magnétophone nm Appareil permettant d'enregistrer les sons sur bande magnétique et de les reproduire.

magnétoscope nm Appareil permettant d'enregistrer les images sur bande magnétique et de les reproduire sur un écran de télévision.

magnétosphère nf Zone du champ magnétique d'une planète.

magnificat [-kat] nm inv 1 Cantique de la Vierge Marie à l'Annonciation. 2 Musique sur le texte du Magnificat.

magnificence nf 1 Litt Générosité grandiose dans les dons, les dépenses. 2 Caractère magnifique ; splendeur, somptuosité.

magnifique a 1 Somptueux, plein de grandeur, d'éclat. 2 Très beau, remarquable.

magnitude nf 1 ASTRO Grandeur servant à caractériser l'éclat d'un astre. 2 GEOL Grandeur permettant de mesurer les séismes.

magnolia nm Arbre ornemental aux grandes fleurs blanches très odorantes.

magnum [magnɔm] nm Grosse bouteille contenant 1,5 litre.

magot nm 1 Macaque sans queue d'Afrique du Nord. 2 Figurine représentant un personnage obèse. 3 Fam Somme d'argent, économies.

magouille nf Fam Intrigue, manœuvre douteuse.

magret nm Filet de canard élevé pour la production de foie gras.

magyar, are a, n Hongrois.

maharajah ou **maharadja** nm Titre donné autrefois aux princes de l'Inde.

maharani nf Femme de maharajah.

mahatma nm Nom attribué dans l'Inde moderne à certains chefs spirituels.

mahdi nm Envoyé de Dieu à la fin des temps, dans la religion islamique.

mah-jong nm Jeu chinois voisin des dominos. Des mah-jongs.

mahométan, ane n, a Vx Musulman.

mahonia nm Arbrisseau ornemental à fleurs jaunes et à baies bleues.

mahorais, aise a, n De Mayotte.

mahratte ou **marathe** nm Langue de l'Inde (Maharashtra), dérivée du sanskrit.

mai nm Cinquième mois de l'année.

maïa nm Araignée de mer.

maïeutique nf PHILO Méthode dialectique visant à amener l'interlocuteur à découvrir par lui-même la vérité.

maigre a 1 Qui a peu de graisse, de matières grasses. Viande maigre. Fromage maigre. 2 Dont le corps présente peu de tissu adipeux, dont on voit le squelette. 3 Peu fourni. Une maigre végétation. 4 Qui manque d'importance ; insuffisant. Maigre bénéfice. ■ nm 1 Partie maigre d'une viande. 2 Syn de **scène**. Loc **Faire maigre** : ne pas manger de viande pour des raisons religieuses.

maigreur nf État d'un être maigre.

maigrir vi Devenir maigre. ■ vt Faire paraître maigre.

mail nm Promenade publique.

mailing [-liŋ] nm Envoi de prospectus, de spécimens pour promouvoir la vente d'un produit.

maillage nm Disposition en réseau.

maille nf Chacune des boucles de fil, de laine, etc.) dont l'entrelacement constitue un tissu, un tricot, un filet, un grillage, etc. Loc **Avoir maille à partir avec qqn** : avoir une dispute avec lui.

maillechort nm Alliage de cuivre, de nickel et de zinc, blanc, dur et inaltérable.

mailler vt Fabriquer en mailles. Mailler un filet.

maillet nm Marteau à deux têtes en bois dur.

mailloche nf 1 Gros maillet. 2 MUS Baguette terminée par une boule utilisée pour certains instruments à percussion.

maillon nm Anneau d'une chaîne.

maillot nm 1 Lange et couches dont on enveloppait le bébé. 2 Vêtement de tricot porté à même la peau. 3 Costume de bain.

main nf 1 Partie du corps humain qui termine le bras, munie de cinq doigts. 2 IMPRIM Assemblage de vingt-cinq feuilles de papier. Loc **Mettre la main sur une chose** : la trouver après l'avoir cherchée. **De seconde main** : d'occasion ; indirectement. **En main(s) propre(s)** : directement entre les mains de la personne concernée. **Faire main basse sur** : s'emparer de. **Avoir la main** : aux cartes, être le premier à jouer. **Main courante** : dessus de la rampe d'escalier. **Petite main** : couturière débutante.

mainate nm Oiseau noir d'Asie, apte à imiter la voix humaine.

main-d'œuvre nf 1 Façon, travail de l'ouvrier. 2 Personnel de production.

main-forte nf Loc **Prêter main-forte à qqn** : lui porter assistance pour exécuter qqch.

mainmise nf Domination, accaparement.

maint, mainte a indéf Litt Plus d'un, de nombreux. Maint changement, maintes fois.

maintenance nf TECH Maintien d'un matériel en état de fonctionnement.

maintenant av 1 À présent, au temps où nous sommes. 2 Désormais. Maintenant ils seront heureux.

maintenir vt 35 1 Tenir ferme et fixe. 2 Conserver dans le même état ; garder. 3 Continuer à affirmer, soutenir. ■ vpr Rester dans le même état. Se maintenir en bonne santé.

maintien nm 1 Contenance, attitude. 2 Action de maintenir, de conserver dans le même état.

maire nm Élu chargé de diriger une commune avec le conseil municipal. Loc HIST *Maire du palais* : sous les mérovingiens, dignitaire qui détenait la réalité du pouvoir.

mairesse nf 1 Fam Femme d'un maire. 2 Abusiv Femme maire.

mairie nf 1 Fonction du maire. 2 Administration municipale. 3 Bureaux de cette administration ; bâtiment qui les abrite.

mais conj Exprime une restriction, une différence, une objection, etc. ■ av Loc Litt *N'en pouvoir mais* : être impuissant.

maïs nm Céréale à grosse tige et à gros grains jaunes en épis.

maison nf 1 Bâtiment d'habitation. 2 Ensemble des lieux que l'on habite ; les habitants de ces lieux. 3 Établissement commercial, financier, industriel, social, culturel, etc. *Une maison sérieuse. Maison de retraite. Maison de la culture.* 4 Famille noble ; famille régnante. *La maison d'Autriche.* ■ a inv 1 Fait à la maison, de façon artisanale. *Gâteau maison.* 2 Formé dans l'établissement. *Ingénieur maison.*

maisonnée nf Ensemble des habitants d'une maison.

maisonnette nf Petite maison.

maître, maîtresse n 1 Qui détient une autorité comme propriétaire, comme directeur. *Le chien obéit à son maître. Des domestiques fidèles à leurs maîtres.* 2 Instituteur, institutrice. ■ a 1 Qui est en état de décider, de diriger. *Être maître du choix, de la situation.* 2 Qui est dominant, essentiel. *Qualité maîtresse. Poutre maîtresse.* Loc *Être maître de soi* : se dominer. ■ nm 1 Qui a des disciples, qui sert de modèle. 2 Titre donné aux avocats, aux notaires, aux commissaires-priseurs. Loc *Maître de conférences* : professeur non titulaire dans une université. *Maître d'hôtel* : employé responsable de l'ensemble du service dans un restaurant ou une grande maison. *Maître d'œuvre* : qui assure la conception et la réalisation d'un édifice,

d'un projet. ■ nf Femme qui a des relations intimes avec un homme qui n'est pas son mari.

maître-autel nm Autel principal d'une église. *Des maîtres-autels.*

maître chanteur. V. chanteur.

maître-chien nm Spécialiste du dressage des chiens. *Des maîtres-chiens.*

maître-mot nm Mot qui résume la pensée de qqn, d'un groupe. *Des maîtres-mots.*

maîtrisable a Qu'on peut maîtriser.

maîtrise nf 1 École d'instruction musicale des enfants de chœur ; ensemble des chanteurs. 2 Ensemble du personnel chargé de l'encadrement des ouvriers. 3 Titre universitaire supérieur à la licence et inférieur au doctorat. 4 Excellence dans un art, une science. 5 Domination, contrôle. *La maîtrise des mers.* 6 Fait de maîtriser quelque chose. *Avoir une bonne maîtrise de l'anglais.*

maîtriser vt 1 Réduire par la force, dompter. *Maîtriser un cheval.* 2 Dominer. *Maîtriser ses passions.* 3 Savoir parfaitement conduire, traiter, utiliser. *Maîtriser son véhicule. Maîtriser son sujet.* ■ vpr Rester maître de soi.

maizena [-ze-] nf (n déposé) Farine de maïs.

majesté nf 1 Grandeur suprême ; caractère auguste qui inspire le respect. 2 Titre donné aux souverains.

majestueux, euse a Qui a de la majesté, de la grandeur, de la noblesse.

majeur, eure a 1 De première importance. *Un intérêt majeur.* 2 Qui a atteint l'âge de la majorité. Loc *Cas de force majeure* : situation imprévue qui impose une action. *La majeure partie* : la plus grande partie. ■ nm Doigt du milieu de la main, le plus long. Syn. médius. ■ nf PHILO Première proposition d'un syllogisme, exprimant l'idée la plus générale.

major nm 1 Officier supérieur chargé de l'administration d'un corps de troupe. 2 Premier d'un concours, d'une promotion. 3 Chacune des entreprises qui viennent en tête, dans un secteur d'économie.

majoration nf Action de majorer.

majordome nm Chef des domestiques d'une grande maison.

majorer vt Augmenter le montant de.

majorette nf Jeune fille en uniforme militaire de fantaisie, qui participe à un défilé.

majoritaire a Qui constitue une majorité, qui appartient à la majorité. Loc *Scrutin majoritaire :* scrutin dans lequel celui des candidats qui a le plus grand nombre de voix l'emporte.

majorité nf 1 Âge fixé par la loi pour que qqn jouisse du libre exercice de ses droits. 2 Le plus grand nombre, la majeure partie. 3 Le plus grand nombre des suffrages dans un vote. 4 Parti qui réunit le plus grand nombre d'élus.

majorquin, ine a, n De Majorque.

majuscule nf Grande lettre, à l'initiale d'un nom propre ou d'un mot placé en tête de phrase, de vers, etc. ■ a Lettre majuscule. Ant. minuscule.

maki nm Mammifère lémurien de Madagascar, arboricole, à très longue queue.

makimono nm Peinture japonaise sur un rouleau horizontal.

mal, maux nm 1 Douleur physique. *Souffrir d'un mal de dents. Avoir mal au dos.* 2 Maladie. *Un mal incurable.* 3 Difficulté, peine. *Avoir du mal à comprendre.* 4 Calamité, dommage. *Les maux de la guerre.* 5 Ce qui est mauvais. *Ce retard n'est pas un mal.* 6 Ce qui est contraire à la morale, au bien. *Être enclin au mal.* Loc *Mal blanc :* panaris. *Mal de mer, de l'air :* nausées en bateau, en avion. *Avoir mal au cœur :* avoir la nausée. *Mal du pays :* nostalgie. ■ av 1 De façon défavorable, fâcheuse. *Les affaires vont mal.* 2 De façon blâmable. 3 De façon incorrecte ou défectueuse. *Travail mal fait.* Loc *Se sentir mal :* éprouver un malaise. *Se mettre, être mal avec qqn :* se brouiller, être brouillé avec lui. Fam *Pas mal :* assez bien, plutôt bien ; en assez grand nombre, beaucoup. ■ a Loc *Bon an, mal an :* en moyenne, selon les années. *Bon gré, mal gré :* volontiers ou à contrecœur.

malabar nm, a Pop Homme de forte stature.

malachite [-kit] nf Carbonate hydraté de cuivre, de couleur verte.

malacologie nf Étude des mollusques.

malade a, n Qui n'est pas en bonne santé. ■ a Fam 1 Un peu fou. 2 En mauvais état, en piteux point. *Une voiture bien malade.*

maladie nf 1 Altération de la santé. 2 Altération de l'état normal d'une chose.

maladif, ive a 1 Sujet à être malade. 2 Qui dénote une maladie ou une santé précaire. *Teint maladif.* 3 Qui a le caractère anormal d'une maladie. *Une susceptibilité maladive.*

maladresse nf 1 Manque d'adresse. 2 Action, parole maladroite.

maladroit, oite a, n Qui n'est pas adroit. ■ a Qui dénote la maladresse.

malaga nm Vin liquoreux espagnol.

mal-aimé, ée n Litt Qui souffre d'un sentiment de rejet. *Des mal-aimé(e)s.*

malais, aise a, n De Malaisie. ■ nm Langue parlée en Malaisie et en Indonésie.

malaise nm 1 Sensation pénible d'un trouble, d'une indisposition physique. 2 État d'inquiétude, de crise. *Malaise économique.*

malaisé, ée a Difficile, peu commode.

malandrin nm Litt Voleur, malfaiteur.

malappris, ise a, n Grossier, impoli.

malaria nf Paludisme.

malaxer vt 1 Pétrir une substance pour l'amollir. 2 Masser une partie du corps.

malayalam nm Langue dravidienne du Kerala.

malchance nf 1 Manque de chance. 2 Événement fâcheux. *Une série de malchances.*

malchanceux, euse a, n Qui a de la malchance, est marqué de malchance.

malcommode a Qui n'est pas commode.

maldonne nf Erreur commise dans la distribution des cartes.

mâle nm 1 Individu qui appartient au sexe doué du pouvoir fécondant. Ant. femelle. 2 Pop Homme considéré dans sa force virile. ■ a 1 Viril. *Voix mâle. Une mâle assurance.* 2 TECH Se dit d'une pièce qui présente une saillie destinée à venir s'encastrer dans la cavité correspondante d'une autre pièce, dite femelle.

malédiction nf Litt 1 Action de maudire ; paroles par lesquelles on maudit. 2 Fatalité, destin néfaste.

maléfice nm Litt Opération magique destinée à nuire ; mauvais sort, enchantement.

maléfique a Litt Qui exerce une influence surnaturelle mauvaise.

maléique a Loc *Acide maléique* : qui entre dans la composition de matières plastiques.

malencontreusement av Mal à propos.

malencontreux, euse a Qui survient mal à propos. *Paroles malencontreuses.*

mal-en-point a inv En mauvais état.

malentendant, ante a, n Qui souffre d'une déficience de l'ouïe.

malentendu nm Mauvaise interprétation d'une parole, d'un acte ; méprise.

mal-être nm inv Sentiment de profond malaise.

malfaçon nf Défaut dans la confection d'un ouvrage.

malfaisant, ante [-fə-] a Nuisible, néfaste.

malfaiteur nm Homme qui commet des crimes, des délits.

malfamé, ée a De mauvaise réputation (lieu).

malformation nf Anomalie congénitale.

malfrat nm Pop Malfaiteur, truand.

malgache a, n De Madagascar. ■ nm Langue officielle de Madagascar.

malgré prép Contre la volonté, le désir de qqn ; en dépit de qqch.

malhabile a Qui manque d'habileté.

malherbologie nf AGRIC Étude des mauvaises herbes, des moyens de les détruire.

malheur nm 1 Sort funeste. 2 Situation douloureuse, pénible ; adversité. 3 Événement affligeant, douloureux. Loc Fam *Faire un malheur* : avoir un succès considérable, gagner.

malheureusement av Par malheur.

malheureux, euse a, n Qui est dans une situation pénible, douloureuse. ■ a 1 Qui n'a pas de chance ; qui ne réussit pas. 2 Qui dénote le malheur. 3 Qui a des conséquences fâcheuses. *Geste malheureux.* 4 Insignifiant, négligeable. *Il ne me manque qu'un malheureux franc.*

malhonnête a, n 1 Qui manque à la probité. 2 Contraire à la décence ; inconvenant.

malhonnêteté nf 1 Manque de probité. 2 Action malhonnête.

malice nf Disposition à l'espièglerie, à la taquinerie. *Enfant plein de malice.*

malicieux, euse a Qui a ou qui exprime de la malice ; malin.

malien, enne a, n Du Mali.

malin, maligne a 1 Où il entre de la méchanceté. *Joie maligne.* 2 Grave, dangereux ; cancéreux. *Tumeur maligne.* ■ a, n Fin, rusé, astucieux.

malignité nf 1 Inclination à nuire. 2 MED Caractère malin d'une maladie, d'une tumeur.

malingre a De constitution chétive.

malinois nm Chien de berger belge.

malintentionné, ée a Qui a de mauvaises intentions.

malique a Loc *Acide malique* : acide extrait de la pomme.

malle nf 1 Coffre servant à enfermer les objets que l'on transporte en voyage. 2 Coffre à bagages d'une automobile.

malléable a 1 Qu'on peut façonner, modeler sans difficulté. 2 Facilement influençable, docile.

malléole nf ANAT Extrémité inférieure du tibia et du péroné formant la cheville.

malle-poste nf Anc Voiture qui faisait le service des lettres et des dépêches. *Des malles-poste.*

mallette nf Petite valise.

malmener vt 15 Traiter avec rudesse, en paroles ou en actes.

malnutrition nf Déséquilibre de l'alimentation.

malodorant, ante a Qui sent mauvais.

malotru, ue n Qui a des manières grossières.

malouin, ine a, n De Saint-Malo.

malpoli, ie a, n Impoli, grossier.

malpropre a, n Qui manque de propreté ; sale.

malsain, aine a 1 Nuisible à la santé. *Climat malsain.* 2 Pernicieux moralement.

malstrom V. maelström.

malt nm Graines d'orge utilisées pour la fabrication de la bière ou du whisky.

maltais, aise a, n De Malte. ■ nm Forme d'arabe parlé à Malte. ■ nf Variété sucrée d'orange.

Malte (fièvre de) nf Syn de *brucellose*.

malté, ée a Qui contient du malt.

malthusianisme nm **1** Doctrine préconisant la limitation volontaire des naissances. **2** Limitation volontaire de la croissance économique.

maltraitance nf Situation d'une personne exposée à des mauvais traitements systématiques.

maltraiter vt Traiter brutalement, rudoyer.

malus [-lys] nm Augmentation de la prime d'assurance d'un véhicule, en cas d'accident.

malvacée nf BOT Plante appartenant à la même famille que la mauve, le cotonnier, etc.

malveillance nf **1** Disposition à vouloir du mal à son prochain ; disposition à critiquer autrui. **2** Intention criminelle.

malveillant, ante a, n Plein de malveillance.

malvenu, ue a Litt Qui n'a pas de raison légitime pour faire qqch. *Il serait bien malvenu à (de) se plaindre.*

malversation nf Malhonnêteté grave commise dans l'exercice d'une charge.

malvoisie nm Vin grec sucré et liquoreux.

malvoyant, ante a, n Qui souffre d'une déficience de la vue.

maman nf Mère (mot affectueux).

mamelle nf **1** Glande qui sécrète le lait, pis. **2** Fam Gros sein.

mamelon nm **1** Bout du sein, de la mamelle. **2** Éminence, saillie arrondie.

mamelouk ou **mameluk** nm HIST Soldat égyptien de la garde du sultan.

mamie ou **mamy** nf **1** Fam Grand-mère. **2** Pop Femme âgée.

mammaire a Relatif à la mamelle, au sein.

mammalogie nf Étude des mammifères.

mammectomie nf CHIR Ablation de la glande mammaire.

mammifère nm Animal vertébré supérieur portant des mamelles.

mammographie nf Radiographie des

mammoplastie nf Intervention de chirurgie esthétique sur les seins.

mammouth nm Grand éléphant fossile du quaternaire.

mamours nmpl Fam Démonstrations tendres.

mamy. V. mamie.

manade nf En Provence, troupeau conduit par un gardian.

management nm **1** Technique d'organisation et de gestion des entreprises. **2** Ensemble des cadres dirigeants d'une entreprise.

manager [manadʒœr] ou **manageur** nm **1** Qui assure l'organisation de spectacles, qui gère les intérêts d'un artiste, d'un sportif, etc. **2** Dirigeant d'une entreprise.

managérial, ale, aux a Du management.

manant nm **1** Autrefois, paysan. **2** Litt Homme grossier, mal élevé.

manceau, elle a, n Du Mans ou du Maine.

1. manche nm **1** Partie d'un instrument, d'un outil, par laquelle on le tient pour en faire usage. **2** Partie découverte de l'os d'un gigot, d'une côtelette. Loc *Manche à balai* : levier de commande d'un avion.

2. manche nf **1** Partie du vêtement qui recouvre le bras. **2** Chacune des parties d'un jeu, d'un match. Loc *Manche à air* : tube coudé qui sert de prise d'air, sur le pont d'un navire. Pop *Faire la manche* : mendier.

manchette nf **1** Garniture fixée aux poignets d'une chemise. **2** Lutte, prise à l'avant-bras ; coup donné avec l'avant-bras. **3** Titre de journal en gros caractères.

manchon nm **1** Fourreau dans lequel on met les mains pour les protéger du froid. **2** TECH Pièce cylindrique qui relie deux tubes.

manchot, ote a, n **1** Estropié de la main ou du bras. ■ nm Oiseau palmipède qui vit dans l'Antarctique en vastes colonies.

mandala nm Figure géométrique représentant l'univers, dans le bouddhisme.

mandant, ante n DR Qui donne mandat à qqn de faire qqch.

mandarin nm **1** Dans l'ancienne Chine, fonctionnaire recruté par concours. **2** Person-

nage important, attaché à ses prérogatives.
3 Le plus important des dialectes parlés en Chine.

mandarine nf Fruit du mandarinier, ressemblant à une petite orange.

mandarinier nm Arbrisseau qui produit la mandarine.

mandat nm **1** Acte par lequel une personne donne à une autre le pouvoir d'agir en son nom. **2** Charge d'un représentant élu ; durée de cette charge. **3** DR Ordonnance signée par le juge d'instruction. *Mandat d'amener.* **4** FIN Ordre de payer adressé par un propriétaire de fonds à son dépositaire. **5** Titre postal de paiement permettant à son destinataire de toucher une somme d'argent versée par l'expéditeur.

mandataire nm Qui a reçu un mandat ou une procuration pour représenter qqn.

mandater vt **1** FIN Verser une somme par un mandat. **2** Charger qqn d'un mandat.

mandchou, oue a, n De Mandchourie.

mandement nm RELIG Écrit par lequel un évêque donne des instructions.

mander vt Litt **1** Faire savoir. **2** Faire venir.

mandibule nf **1** Maxillaire inférieur. **2** ZOOL Appendice buccal des crustacés et des insectes. ■ pl Fam Mâchoires.

mandoline nf Instrument à cordes pincées.

mandragore nf Plante à laquelle on attribuait autrefois des vertus magiques.

mandrill nm Singe cynocéphale d'Afrique, à face rouge et bleue.

mandrin nm **1** Poinçon. **2** Appareil servant à fixer la pièce à usiner.

manécanterie nf Groupe d'enfants choristes.

manège nm **1** Lieu où l'on dresse les chevaux et où l'on donne des leçons d'équitation. **2** Attraction foraine dans laquelle des animaux figurés ou des véhicules divers tournent autour d'un axe central. **3** Manière d'agir rusée pour parvenir à qqch.

mânes nmpl ANTIQ Âmes des morts.

manette nf Petit levier que l'on manœuvre à la main.

manga nm Bande dessinée japonaise.

mangabey nm Grand singe d'Afrique.

manganèse nm Métal gris utilisé en alliage avec le fer.

mangeable a Qui peut se manger.

mangeoire nf Récipient, auge dans lequel on donne à manger aux animaux domestiques.

manger vt **11 1** Mâcher et avaler un aliment. **2** Ronger, entamer. **3** Dilapider, consommer. *Manger ses économies.* ■ vi Prendre un repas. *Manger à midi pile.* ■ nm Pop Ce qu'on mange.

mange-tout nm inv Variété de haricots verts ou de pois.

mangeur, euse n Qui mange, qui aime à manger tel aliment.

manglier nm Palétuvier.

mangoustan nm Arbre de Malaisie ; fruit comestible de cet arbre.

mangouste nf Petit mammifère d'Asie qui s'attaque aux serpents.

mangrove nf Forêt de palétuviers des côtes tropicales.

mangue nf Fruit comestible du manguier.

manguier nm Arbre tropical produisant des mangues.

maniabilité nf Qualité maniable.

maniable a **1** Aisé à manier. **2** Docile.

maniacodépressif, ive a, n Qui manifeste une alternance d'exaltation et de dépression.

maniaque a, n Qui a des manies.

manichéen, enne [-ke] a Qui oppose d'une manière absolue le bien et le mal.

manie nf **1** Idée fixe, obsession. **2** Habitude bizarre, souvent ridicule.

maniement nm Action, façon de manier.

manier vt **1** Avoir entre les mains qqch qu'on examine, qu'on utilise, etc. **2** Faire usage de, manœuvrer. *Manier l'ironie. Manier un véhicule.*

manière nf Façon d'agir, de se comporter. *Il s'est conduit d'une manière irréprochable. On peut résoudre le problème d'une autre manière.* **Loc De toute manière :** quoi qu'il en soit. ■ pl Façon d'être, de se comporter en société. *Apprendre les bonnes manières.* **Loc Faire des manières :** agir avec affectation se faire prier.

maniéré, ée a Qui manque de simplicité.

maniérisme nm 1 Manque de naturel, affectation, en art. 2 BX-A Style de transition entre la Renaissance et le baroque.

manifestant, ante n Qui participe à une manifestation.

manifestation nf 1 Action de manifester ; fait de se manifester. *Manifestation de joie.* 2 Rassemblement public de personnes pour exprimer une opinion. 3 Présentation d'œuvres culturelles, d'exercices sportifs, etc.

manifeste a Évident, indéniable. *Une erreur manifeste.* ■ nm Déclaration publique exposant une doctrine, un programme.

manifester vt Rendre manifeste, faire connaître. ■ vi Prendre part à une manifestation. *Manifester dans la rue.* ■ vpr 1 Devenir apparent, perceptible. 2 Donner signe de vie.

manigance nf Fam Manœuvre secrète destinée à tromper.

manigancer vt 10 Fam Préparer qqch par des manigances.

manille nf 1 Jeu de cartes où le dix appelé *manille,* est la carte la plus forte. 2 Pièce métallique en forme de U, qui sert à réunir deux tronçons de chaînes.

manioc nm Arbrisseau dont les tubercules donnent le tapioca.

manipulateur, trice n Qui manipule.

manipulation nf 1 Action de manipuler. 2 Partie de la prestidigitation qui ne joue uniquement sur l'habileté manuelle. 3 Manœuvre, pratique louche. 4 MÉD Manœuvre manuelle destinée à rétablir la position normale d'une articulation.

manipuler vt 1 Arranger avec précaution des substances, des appareils. 2 Manier, déplacer avec la main. 3 Modifier de façon louche, trafiquer. 4 Utiliser, manœuvrer qqn, un groupe en les trompant. *Des groupes manipulés par la police.*

manitou nm 1 Divinité amérindienne. 2 Fam Personnage puissant, haut placé.

manivelle nf Pièce coudée qui sert à imprimer un mouvement de rotation.

manne nf 1 Nourriture miraculeuse envoyée par Dieu aux Hébreux dans le désert. 2 Litt Aubaine, avantage que l'on n'espérait pas.

mannequin nm 1 Figure articulée du corps humain, à l'usage des peintres, des sculpteurs. 2 Forme humaine servant à l'essayage ou à l'exposition de vêtements. 3 Personne qui présente au public les créations des couturiers.

manœuvre nf 1 Mise en œuvre d'un instrument, d'une machine ; action ou opération nécessaire à son fonctionnement. 2 Exercice destiné à l'instruction des troupes. *Champ de manœuvres.* 3 Ensemble des moyens que l'on emploie pour réussir. 4 MAR Cordage du gréement. ■ nm Ouvrier sans qualification.

manœuvrer vi Effectuer une manœuvre, des manœuvres. ■ vt 1 Agir sur un appareil, un véhicule, etc., pour le diriger, le faire fonctionner. 2 Influencer qqn de manière détournée pour qu'il agisse comme on le souhaite.

manoir nm Petit château campagnard.

manomètre nm Appareil servant à mesurer la pression d'un gaz.

manouche n Gitan nomade.

manque nm 1 Défaut, absence de ce qui est nécessaire. *Manque de pain.* 2 Ce qui manque. *Combler les manques.* Loc **État de manque** : état pénible du toxicomane privé de sa drogue. *Manque à gagner* : gain que l'on aurait pu réaliser. ■ nf Loc Fam **À la manque** : mauvais, raté.

manqué, ée a Qui avait des dispositions pour un métier qu'il n'est pas le sien. *Un comédien manqué.* Loc **Garçon manqué** : fille qui a des comportements de garçon. *Acte manqué* : qui traduit une pulsion inconsciente. ■ nm Gâteau à pâte souple.

manquement nm Fait de manquer à un engagement, à un devoir.

manquer vi 1 Faire défaut. *L'eau manque.* 2 Échouer. *La tentative a manqué.* 3 Être absent. *Plusieurs élèves manquent.* ■ vti 1 Litt Ne pas manquer à qqn les égards qui lui sont dus. *Vous lui avez gravement manqué.* 2 Faire

mansarde

resentir péniblement son absence. *Sa fille lui manque.* **3** Ne pas respecter une obligation. *Manquer à ses devoirs.* **4** Être dépourvu de. *Manquer d'argent.* **5** Omettre. *Je ne manquerai pas de vous informer.* **6** Être sur le point de, faillir. *Il a manqué de tomber.* ■ *vt* **1** Ne pas réussir, ne pas obtenir. *Manquer une affaire, une occasion.* **2** Ne pas atteindre un but, ne pas rencontrer qqn. *Manquer la cible.* **3** Ne pas assister à, être absent de. *Manquer la classe.*

mansarde *nf* Pièce ménagée sous un comble.

mansardé, ée *a* Disposé en mansarde.

mansuétude *nf* Litt Clémence, indulgence.

mante *nf* Loc *Mante religieuse :* insecte au corps allongé, dont la femelle dévore parfois le mâle après l'accouplement.

manteau *nm* **1** Vêtement qui se porte par-dessus les autres habits. **2** Partie d'une cheminée construite au-dessus du foyer. **3** GÉOL Couche du globe terrestre entre l'écorce et le noyau.

mantille *nf* Écharpe de dentelle couvrant la tête et les épaules d'une femme.

mantique *nf* Art de la divination.

mantisse *nf* MATH Partie décimale du logarithme d'un nombre.

mantra *nm* Prière brahmanique.

manucure *n* Qui donne les soins de beauté aux mains, aux ongles.

manucurer *vt* Soigner les mains de.

manuel, elle *a* Qui se fait avec les mains, qui concerne les mains. ■ *n* Qui exerce un métier où prédominent les activités de la main, par oppos. à intellectuel. ■ *nm* Ouvrage qui présente l'essentiel d'un art, d'une science, etc.

manufacture *nf* Établissement industriel.

manufacturer *vt* Transformer une matière première en un produit fini.

manufacturier, ère *a* Relatif aux manufactures, à l'industrie.

manu militari *av* En utilisant la force armée, la contrainte physique.

manuscrit, ite *a* Écrit à la main. *Page manuscrite.* ■ *nm* **1** Livre ancien écrit à la main. **2** Original écrit à la main ou dactylographié d'un texte imprimé ou destiné à l'être.

manutention *nf* **1** Transport de marchandises, de produits industriels, sur de courtes distances. **2** Local où ont lieu ces opérations.

manutentionnaire *n* Qui fait des travaux de manutention.

maoïsme *nm* HIST Doctrine politique de Mao Zedong.

maori, ie *a* Relatif aux Maoris. ■ *nm* Langue polynésienne des Maoris.

maous, ousse [maus] *a* Pop Gros, énorme.

mappemonde *nf* Carte du globe terrestre sur laquelle les deux hémisphères sont représentés côte à côte.

maquer *vt* Pop Être le souteneur d'une prostituée. ■ *vpr* Pop Se mettre en ménage.

maquereau *nm* **1** Poisson marin au dos bleu-vert rayé de noir. **2** Pop Qui tire profit de la prostitution des femmes ; proxénète, souteneur.

maquette *nf* **1** Représentation à échelle réduite d'une œuvre d'architecture, d'un navire, d'un avion, d'une machine, etc. **2** Modèle original, simplifié ou complet, d'un ouvrage imprimé.

maquettiste *n* Qui réalise des maquettes.

maquignon *nm* **1** Marchand de chevaux. **2** Personne peu scrupuleuse en affaires.

maquillage *nm* **1** Action de maquiller ou de se maquiller. **2** Produits que l'on utilise pour se maquiller.

maquiller *vt* **1** Modifier à l'aide de fards, de produits colorés, l'apparence d'un visage. **2** Modifier l'aspect de qqch pour tromper.

maquilleur, euse *n* Qui fait métier de maquiller les acteurs.

maquis *nm* **1** Formation végétale buissonneuse et épineuse des régions méditerranéennes. **2** Ce qui est ou paraît impénétrable, inextricable. *Le maquis de la procédure.* **3** Lieu peu accessible où des résistants à une occupation étrangère vivent dans la clandestinité.

maquisard *nm* Combattant d'un maquis.

marabout nm 1 Mystique musulman. 2 En Afrique, devin, guérisseur. 3 Grand oiseau d'Afrique, charognard, au bec puissant et au cou déplumé.

maraîcher, ère n Qui cultive les légumes. ■ a Qui concerne la culture des légumes.

marais nm Étendue d'eau stagnante de faible profondeur, envahie par la végétation aquatique.

marasme nm 1 Activité très ralentie, stagnation. 2 Champignon à lamelles, comestible.

marasque nf Cerise acide des régions méditerranéennes.

marasquin nm Liqueur de marasques.

marathe. V. mahratte.

marathon nm 1 Épreuve de course à pied de grand fond (42,195 m). 2 Séance, négociation prolongée et éprouvante.

marathonien, enne n Qui court le marathon.

marâtre nf Mauvaise mère.

maraud, aude n Litt Scélérat, vaurien.

maraudage nm ou **maraude** nf Vol des produits de la terre avant leur récolte. Loc En maraude : se dit d'un taxi qui roule lentement à la recherche de clients.

marauder vi 1 Faire du maraudage. 2 Être en maraude.

marbre nm 1 Calcaire souvent veiné, utilisé en construction, en décoration, en sculpture, etc. 2 Morceau, objet de marbre. Loc De marbre : impassible, froid.

marbré, ée a Veiné comme le marbre.

marbrerie nf 1 Métier du marbrier. 2 Atelier de marbrier.

marbrier, ère n 1 Spécialiste du travail du marbre et des pierres dures. 2 Entrepreneur de monuments funéraires. ■ a Relatif au marbre.

marbrure nf 1 Imitation des veines du marbre. 2 Marque sur la peau.

marc [mar] nm 1 Résidu de fruits, de végétaux dont on a extrait le suc. Marc de raisin. Marc de café. 2 Eau-de-vie obtenue par distillation du marc de raisin.

marcassin nm Petit de la laie.

marcassite nf Sulfure naturel de fer.

marchand, ande n Qui fait profession d'acheter et de revendre avec bénéfice ; commerçant, négociant. ■ a Relatif au commerce. Valeur marchande.

marchandage nm 1 Action de marchander. 2 Tractation laborieuse.

marchander vt Débattre le prix de qqch pour l'obtenir à meilleur compte.

marchandisage nm Technique de diffusion commerciale. Syn. merchandising.

marchandise nf Objet, produit qui se vend ou s'achète.

marchant, ante a Loc Aile marchante : la partie la plus active d'un parti.

marche nf 1 Action de marcher ; enchaînement des pas. 2 Mouvement d'un groupe de personnes qui marchent. 3 Pièce de musique destinée à régler le pas d'une troupe, d'un cortège. 4 Mouvement d'un corps, d'un véhicule qui se déplace, d'un mécanisme qui fonctionne. 5 Fait de suivre son cours ou de fonctionner. La marche du temps. La bonne marche d'une usine. 6 Élément plan et horizontal d'un escalier, sur lequel on pose le pied. Loc Marche à suivre : processus pour obtenir ce qu'on désire.

marché nm 1 Lieu couvert ou en plein air où l'on met en vente des marchandises. 2 Ville, endroit qui est le centre d'un commerce important. 3 Débouché économique. Conquérir de nouveaux marchés. 4 Ensemble des transactions portant sur tels biens, tels services. Le marché du sucre. 5 Convention concernant les conditions d'une vente, d'un travail à exécuter. Loc Bon marché : à un prix avantageux, peu cher. Second marché : marché boursier destiné surtout aux entreprises moyennes. Par-dessus le marché : de plus, en outre.

marchepied nm 1 Marche ou série de marches permettant de monter dans un véhicule. 2 Moyen de parvenir à une charge supérieure.

marcher vi 1 Se déplacer par la marche, aller d'un point à un autre en faisant des pas. 2 Poser le pied sur qqch, dans qqch. Il a marché dans une flaque. 3 Fam Accepter de participer à une action. Je ne marche pas ! 4 Fam Se laisser tromper. (véhicule).

6 Fonctionner. *La radio ne marche plus.*
7 Prospérer, avoir du succès. *Affaire qui marche.*

marcheur, euse n Qui marche, ou qui peut marcher longtemps sans se fatiguer.

marcottage nm AGRIC Opération par laquelle on fait des marcottes.

marcotte nf AGRIC Organe végétal aérien que l'on enterre et qui s'enracine avant de se séparer de la plante mère.

mardi nm Deuxième jour de la semaine. Loc *Mardi gras* : veille du premier jour de carême.

mare nf **1** Petite étendue d'eau stagnante. **2** Grande quantité de liquide répandu sur le sol. *Une mare de sang.*

marécage nm Terrain imprégné d'eau.

marécageux, euse a **1** De la nature du marécage. **2** Qui se trouve dans les marécages.

maréchal, aux nm Loc *Maréchal de France* : officier général investi de la plus haute dignité militaire. *Maréchal des logis* : sous-officier, dans la cavalerie, l'artillerie et la gendarmerie.

maréchale nf Femme d'un maréchal.

maréchal-ferrant nm Artisan qui ferre les chevaux ; forgeron. *Des maréchaux-ferrants.*

maréchaussée nf Fam Gendarmerie.

marée nf **1** Mouvement périodique des eaux de la mer, qui s'élèvent et s'abaissent à des intervalles réguliers. **2** Poissons de mer, coquillages, crustacés, qui viennent d'être pêchés. Loc *Marée noire* : couche d'hydrocarbures répandus accidentellement.

marégraphe nm Appareil pour mesurer la hauteur des marées.

marelle nf Jeu d'enfants qui consiste à pousser un palet en sautant à cloche-pied.

marémoteur, trice a Qui concerne ou qui utilise l'énergie des marées.

marengo [-rẽ-] a inv Cuit dans la matière grasse avec des tomates et des champignons.

mareyeur, euse n Marchand en gros de poisson et de fruits de mer.

margarine nf Mélange de graisses végétales, utilisé en cuisine.

marge nf **1** Espace blanc autour d'un texte, d'une gravure, d'une photographie, etc. **2** Latitude dont on dispose. *Tolérer une marge d'erreur.* **3** Différence entre le prix de revient et le prix d'achat d'une marchandise, exprimée en pourcentage du prix de vente. Loc *En marge de qqch* : en dehors de qqch, sans en être éloigné.

margelle nf Rebord d'un puits.

margeur nm Dispositif qui permet de faire des marges.

marginal, ale, aux a **1** Qui est en marge d'un texte. *Notes marginales.* **2** Qui n'est pas essentiel, qui n'est pas principal. *Une œuvre marginale.* ■ a, n Qui vit en marge de la société.

marginaliser vt Rendre marginal, mettre à l'écart de la société.

marginalisme nm ECON Théorie qui définit la valeur d'un produit par son utilité.

marginalité nf Caractère marginal.

margoulette nf Pop Mâchoire, bouche.

margoulin, ine n Fam Individu malhonnête en affaires.

marguerite nf Plante dont la fleur a un cœur jaune et des pétales blancs allongés.

mari nm Homme uni à une femme par le mariage. Syn. époux, conjoint.

mariage nm **1** Union légale d'un homme et d'une femme. **2** Célébration de cette union. **3** Union, alliance, assortiment de deux ou plusieurs choses. *Un heureux mariage de couleurs.*

marial, ale, aux a De la Vierge Marie.

marié, ée a, n Uni par le mariage.

marie-jeanne nf inv Fam Marihuana.

marier vt **1** Unir un homme et une femme par les liens du mariage. **2** Donner en mariage. *Il a marié sa fille.* **3** Participer aux cérémonies de mariage de. **4** Unir, allier, assortir. *Marier les couleurs.* ■ vpr S'unir par le mariage.

marieur, euse n Anc Qui s'entremet pour favoriser des mariages.

marigot nm Dans les pays tropicaux, étendue d'eau stagnante.

marihuana ou **marijuana** [maRi-Rwana] *nf* Stupéfiant provenant du chanvre indien.

marin, ine a **1** Qui vient de la mer, qui y habite ; qui concerne la mer. *Sel marin. Animaux marins.* **2** Qui concerne la navigation en mer. *Carte marine.* ■ *nm* **1** Personne dont la profession est de naviguer en mer. **2** Homme d'équipage. *Les officiers et les marins.*

marina *nf* Complexe touristique associant des logements à un port de plaisance.

marinade *nf* Mélange aromatisé dans lequel on laisse tremper des viandes ou des poissons.

1. marine *nf* **1** Ce qui concerne l'art de la navigation sur mer. *Instrument de marine.* **2** Ensemble des navires, des équipages. *Marine marchande. Marine de guerre.* **3** Puissance navale d'un État. **4** Tableau qui a la mer pour sujet. ■ *a inv* **Bleu marine :** bleu foncé.

2. marine *nm* Fusilier marin dans les armées britannique et américaine.

mariner *vi* **1** Tremper, être placé dans une marinade. **2** *Fam* Attendre ; rester longtemps dans une situation désagréable.

marinier, ère *n* Qui conduit des péniches sur les cours d'eau. *Loc Officier marinier :* sous-officier de la Marine nationale. ■ *nf* Vêtement, blouse ample, que l'on enfile par la tête. *Loc Moules marinière :* cuites dans leur jus, avec du vin blanc, des échalotes et du persil.

mariol ou **mariolle** *n Loc Fam* **Faire le mariolle :** faire le malin, l'intéressant.

marionnette *nf* **1** Figurine qu'on actionne à l'aide de ficelles ou à la main. **2** Personne qu'on manœuvre comme on veut.

marionnettiste *n* Montreur de marionnettes.

mariste *nm* Religieux d'un ordre qui s'est voué à la Vierge Marie.

marital, ale, aux *a* Du mari.

maritalement *av* Comme des époux mais sans être mariés.

maritime *a* **1** Qui est en contact avec la mer, qui subit son influence. **2** Qui concerne la navigation sur mer, la mer.

marivaudage *nm* Litt Galanterie raffinée dans l'expression des sentiments amoureux.

marjolaine *nf* Plante aromatique. Syn. origan.

mark *nm* Unité monétaire de l'Allemagne et de la Finlande.

marketing [-tiŋ] *nm* Technique ayant pour objet la distribution commerciale d'un produit.

marlou *nm* Pop Souteneur.

marmaille *nf Fam* Groupe de petits enfants.

marmelade *nf* Préparation de fruits écrasés sucrés et très cuits.

marmite *nf* Récipient fermé d'un couvercle, dans lequel on fait cuire les aliments.

marmiton *nm* Jeune aide de cuisine.

marmonner *vt* Murmurer entre ses dents.

marmoréen, enne *a Litt* Qui évoque le marbre.

marmot *nm Fam* Petit enfant.

marmotte *nf* Mammifère rongeur des Alpes à fourrure épaisse gris cendré.

marmotter *vt* Dire entre ses dents.

marmouset *nm* Figurine grotesque.

marnage *nm* Variation du niveau de la mer lors des marées.

marne *nf* Roche sédimentaire argileuse riche en calcaire utilisée pour amender les sols.

marner *vt* Amender un sol en y incorporant de la marne. ■ *vi Pop* Travailler dur.

marocain, aine *a, n* Du Maroc.

maroilles *nm* Fromage de vache fabriqué dans le Nord.

maronite *n, a* Catholique de rite syrien.

maroquin *nm* **1** Cuir de chèvre tanné et teint. **2** *Fam* Portefeuille, poste ministériel.

maroquinerie *nf* Fabrication ou commerce des objets en cuir fin.

maroquinier *nm* Fabricant ou commerçant d'articles de maroquinerie.

marotte *nf Fam* Manie, idée fixe.

maroufler *vt* Coller une toile peinte sur une toile de renfort, un panneau de bois, un mur.

marquage *nm* Action de marquer.

marquant, ante *a* Qui marque par sa singularité, son action. *Événement marquant.*

marque *nf* **1** Trace laissée par qqch. *Le projectile a fait une marque sur le mur.* **2** Signe distinctif attestant un contrôle ou identifiant un fabricant, une entreprise. **3** Entreprise industrielle ou commerciale. *Un produit d'une grande marque.* **4** Moyen de repérage. *Mettre une marque entre les pages d'un livre.* **5** Dispositif pour caler les pieds des coureurs au départ. **6** Décompte des points d'un joueur, d'une équipe sportive. **7** Témoignage. *Il nous a donné des marques de sympathie.*

marqué, ée *a* 1 Très net. *Avoir une préférence marquée pour qqch.*

marque-page *nm* Signet servant à retrouver une page. *Des marque-pages.*

marquer *vt* **1** Mettre une marque sur. *Marquer du linge. Marquer le bétail.* **2** Signaler par une marque, un repère. *Marquer une séparation.* **3** Faire ou laisser une trace, une empreinte sur, dans. *Le coup l'a marqué au front.* **4** Inscrire, noter. *Marquer un rendez-vous.* **5** Indiquer. *L'horloge marque midi.* **6** Inscrire à la marque. *Marquer un but.* **7** Demeurer aux côtés d'un adversaire pour contrôler son action. **8** Indiquer en soulignant, en accentuant. *Marquer la mesure du geste.* **9** Manifester, témoigner, exprimer. *Marquer son intérêt pour le cinéma.*

marqueterie [-kɛtʀi] *nf* **1** Placage de bois, de nacre, d'ivoire, etc., formant un motif décoratif. **2** Ensemble disparate.

marqueur, euse *n* Qui marque. ■ *nm* **1** Crayon-feutre à pointe épaisse. **2** MED Substance permettant de déceler un état pathologique. **3** Traceur radioactif. ■ *nf* Machine imprimant une marque sur des articles industriels.

marquis *nm* Titre de noblesse entre le duc et le comte.

marquise *nf* **1** Femme d'un marquis. **2** Auvent ou vitrage sur un perron, un quai de gare, etc.

marraine *nf* **1** Celle qui présente un enfant, une personne au baptême. **2** Celle qui préside au baptême d'une cloche, d'un navire, etc.

marrane *nm* HIST Juif d'Espagne et du Portugal, converti de force au catholicisme.

marrant, ante *a, n* Fam Drôle, amusant.

marre *av* Loc Fam *En avoir marre* : en avoir assez, être excédé.

marrer (se) *vpr* Fam Rire, s'amuser.

1. marron *nm* **1** Fruit comestible d'une variété de châtaignier. **2** Pop Coup de poing. **3** Couleur marron. Loc *Marron d'Inde* : graine non comestible du marronnier d'Inde. ■ *a inv* D'une couleur brun-rouge.

2. marron, onne *a* Qui exerce sans titre. *Avocat marron.* Loc HIST *Esclave marron* : fugitif.

marronnier *nm* Variété de châtaignier. Loc *Marronnier d'Inde* : grand arbre ornemental à fleurs en grappes blanches ou rouges.

mars *nm* Troisième mois de l'année.

marsala *nm* Vin doux produit en Sicile.

marseillais, aise *a, n* De Marseille.

marsouin *nm* **1** Mammifère cétacé proche du dauphin. **2** Pop Soldat de l'infanterie de marine.

marsupial, ale, aux *a* Loc *Poche marsupiale* : poche ventrale des marsupiaux. ■ *nm* ZOOL Mammifère tel que le kangourou, la sarigue, etc., caractérisé par la poche où les petits achèvent leur développement embryonnaire.

martagon *nm* Lis des montagnes.

marte. V. martre.

marteau *nm* **1** Outil composé d'une tête en métal, munie d'un manche, qui sert à battre les métaux, à enfoncer des clous, etc. **2** Battant métallique. *Marteau de porte.* **3** ANAT Un des osselets de l'oreille moyenne. **4** Sphère métallique que l'athlète doit projeter le plus loin possible. Loc *Marteau piqueur* : engin servant à défoncer le sol, comportant une pointe agitée de secousses. ■ *a* Pop Fou.

marteau-pilon *nm* Machine servant à forger les pièces de métal de grande dimension. *Des marteaux-pilons.*

martel *nm* Loc *Se mettre martel en tête* : se tourmenter, se faire du souci.

martelage *nm* Action de marteler, notamment pour préparer ou mettre en forme des métaux.

martèlement *nm* **1** Action de marteler. **2** Bruit scandé et sonore comme celui d'un marteau.

marteler vt 16 1 Battre ou façonner à coups de marteau. *Marteler du cuivre.* 2 Frapper à coups répétés. *Marteler les mots avec force.*

martial, ale, aux [-sjal] a Énergique, décidé, combatif. *Un air, un discours martial.* **Loc Cour martiale :** qui autorise l'emploi de la force armée pour le maintien de l'ordre. **Cour martiale :** tribunal militaire d'exception. **Arts martiaux :** disciplines individuelles d'attaque et de défense, d'origine japonaise.

martien, enne nm De la planète Mars. ■ n Habitant fictif de cette planète.

martinet nm 1 Fouet à plusieurs brins de corde ou de cuir. 2 Oiseau ressemblant à l'hirondelle.

martingale nf 1 Demi-ceinture qui retient l'ampleur du dos d'un vêtement. 2 Action par laquelle on mise sur chaque coup le double de sa perte du coup précédent ; système de jeu prétendument toujours gagnant.

martiniquais, aise a, n De la Martinique.

martin-pêcheur nm Petit oiseau qui se nourrit de poissons. *Des martins-pêcheurs.*

martre ou **marte** nf Petit mammifère carnivore au corps long et souple et au pelage brun.

martyr, e n Qui est mort ou qui a beaucoup souffert par fidélité à sa religion, à son idéal. ■ n, a Qui subit des mauvais traitements.

martyre nm 1 La mort, les tourments endurés par un martyr. 2 Très grande souffrance physique ou morale.

martyriser vt Faire souffrir durement ; maltraiter.

martyrologe nm Liste de personnes qui sont mortes ou ont souffert pour une cause.

marxisme nm Doctrine de Karl Marx fondée sur le principe de la lutte des classes.

marxisme-léninisme nm Doctrine de Lénine et de ses partisans, inspirée du marxisme.

marxiste a, n Qui relève du marxisme.

maryland [-lãd] nm Tabac à fumer américain.

mas [mɑ] ou [mɑs] nm inv Dans le Midi, ferme ou maison de campagne.

mascara nm Cosmétique utilisé pour colorer et épaissir les cils.

mascarade nf Actions, démonstrations hypocrites ; mise en scène trompeuse.

mascaret nm Haute vague qui remonte certains fleuves à la marée montante. .

mascarpone nm Fromage italien à pâte molle.

mascotte nf Porte-bonheur, fétiche.

masculin, ine a 1 Qui appartient au mâle, à l'homme. *Le sexe masculin.* 2 LING Qui s'applique aux êtres mâles et à une partie des noms de choses. ■ nm Genre grammatical masculin.

masculiniser vt Rendre masculin.

masculinité nf Caractère masculin.

maso a, n Fam Abrév de *masochiste.*

masochisme nm Comportement d'une personne qui prend plaisir à souffrir.

masochiste a, n Qui relève du masochisme.

masque nm 1 Faux visage en carton, en plastique, etc., ou dispositif qu'on applique sur son propre visage pour se déguiser, se protéger, etc. *Masque de carnaval. Masque à gaz.* 2 Moulage du visage. *Masque mortuaire.* 3 Préparation cosmétique qu'on applique sur le visage et le cou. 4 Litt Apparence trompeuse.

masqué, ée a Couvert d'un masque, un déguisement. **Loc Bal masqué :** où l'on porte un masque, un déguisement.

masquer vt 1 Cacher qqch sous des apparences trompeuses. 2 Dissimuler qqch à la vue.

massacre nm Action de massacrer ; son résultat. **Loc Jeu de massacre :** jeu forain qui consiste à abattre au moyen de balles de son des poupées à bascule.

massacrer vt 1 Tuer en grand nombre et avec sauvagerie des êtres sans défense. *Massacrer des otages.* 2 Gâter par une exécution maladroite. *Massacrer une pièce de théâtre.*

massage nm Action de masser. **Loc Massage cardiaque :** réanimation d'urgence par pression pratiquée en cas d'arrêt cardiaque.

masse nf 1 Quantité importante de matière formant un ensemble compact, indifférencié. *Une masse rocheuse. Une statue taillée dans* *la masse.* **2** Grand nombre de choses, d'êtres animés. *Prendre un objet au hasard dans la masse. La masse des réfugiés.* **3** Le plus grand nombre, par oppos. à l'élite. **4** Somme d'argent affectée à un emploi particulier. *La masse salariale.* **5** PHYS Grandeur fondamentale liée à la quantité de matière d'un corps et qui interviennent dans les lois de son mouvement. *Le kilogramme, unité de masse.* **6** ELECTR Bâti métallique d'une machine, d'un appareil, relié au pôle négatif du générateur. **7** Marteau à tête très lourde. **Loc** *Plan de masse* ou *plan-masse :* plan qui ne donne que les contours extérieurs d'une construction ou d'un ensemble de bâtiments. ■ *pl* Les classes populaires.

massepain *nm* Pâtisserie à base d'amandes pilées et de sucre.

masser *vt* **1** Disposer en grand nombre. *Masser des troupes.* **2** Pétrir, presser différentes parties du corps. ■ *vpr* Se rassembler en masse.

massette *nf* Petite masse (marteau).

masseur, euse *n* Qui pratique des massages.

massicot *nm* Machine à couper le papier.

massicoter *vt* Couper du papier au massicot.

massif, ive *a* **1** Qui est ou paraît épais, compact, lourd. *Porte massive. Attaque massive.* **2** Qui a lieu, se produit, est fait en masse. ■ *nm* **1** Ensemble montagneux. **2** Assemblage de fleurs, d'arbustes en vue d'un effet décoratif.

massivement *av* De façon massive.

massue *nf* Bâton noueux beaucoup plus gros à un bout qu'à l'autre et servant d'arme.

mastaba *nm* HIST Tombeau de l'Égypte antique en forme de pyramide tronquée.

mastère *nm* Diplôme universitaire de haut niveau.

mastic *nm* **1** Pâte à base d'huile de lin, durcissant à l'air, utilisée pour fixer les vitres, etc. **2** Erreur typographique. ■ *a inv* D'une couleur gris-beige clair. *Imperméable mastic.*

masticateur, trice *a* Qui sert à la mastication.

mastication *nf* Action de mastiquer (2).

masticatoire *nm* Substance à mâcher destinée à exciter la sécrétion salivaire.

mastiff *nm* Grand chien à corps trapu.

1. mastiquer *vt* Boucher avec du mastic.

2. mastiquer *vt* Mâcher.

mastoc *a* Fam Lourd, épais, sans grâce.

mastodonte *nm* **1** Grand mammifère herbivore fossile, voisin de l'éléphant. **2** Fam Personne d'une taille démesurée ; objet énorme.

mastoïde *nf* ANAT Éminence osseuse située derrière l'oreille.

mastoïdite *nf* Inflammation de la muqueuse des cavités de la mastoïde.

masturbation *nf* Attouchement des parties génitales, destiné à procurer le plaisir sexuel.

masturber *vt* Pratiquer la masturbation.

m'as-tu-vu *n inv* Fam Individu vaniteux.

masure *nf* Maison misérable, délabrée.

1. mat [mat] *nm* Aux échecs, coup qui met fin à la partie. ■ *a inv* Qui a perdu la partie.

2. mat, mate [mat] *a* **1** Qui ne brille pas. *Peinture mate.* **2** Se dit d'un teint plutôt foncé. **3** Se dit d'un son assourdi.

mât *nm* Longue pièce de bois ou de métal destinée à porter les voiles d'un bateau, les pavillons, les antennes de radio, etc.

matador *nm* Torero qui met à mort le taureau.

matamore *nm* Faux brave, bravache.

match *nm* Compétition opposant deux adversaires ou deux équipes.

maté *nm* Houx d'Amérique du Sud, dont on fait infuser les feuilles ; cette infusion.

matelas *nm* **1** Élément de literie constitué par un grand coussin rembourré. **2** Couche épaisse et souple qui amortit les chocs. **Loc** *Matelas pneumatique :* grand coussin fait d'une enveloppe étanche, gonflée d'air.

matelasser *vt* Rembourrer qqch à la façon d'un matelas.

matelassier, ère *n* Qui confectionne, répare les matelas.

matelot *nm* Homme d'équipage d'un navire.

matelote *nf* Plat de poisson cuit dans du vin rouge avec les oignons.

mater vt Soumettre, réprimer.

mâter vt Munir un navire de son mât.

matérialisation nf Action de matérialiser.

matérialiser vt Donner une réalité matérielle à qqch d'abstrait. ■ vpr Se concrétiser.

matérialisme nm 1 PHILO Doctrine qui affirme que la seule réalité fondamentale est la matière. 2 Attitude de recherche exclusive des satisfactions matérielles.

matérialiste a, n Qui relève du matérialisme.

matérialité nf Caractère matériel, concret.

matériau nm Matière utilisée pour fabriquer ou construire. ■ pl 1 Éléments qui entrent dans la construction d'un bâtiment (pierre, bois, tuiles, ciment, etc.). 2 Documentation d'un ouvrage, d'une recherche.

matériel, elle a 1 Formé de matière. Le monde matériel. 2 Qui relève de la réalité concrète, objective. Être dans l'impossibilité matérielle de faire qqch. 3 Relatif aux nécessités de l'existence, à l'argent. Problèmes matériels. 4 Incapable de sentiments élevés. Esprit bassement matériel. 5 Qui concerne les choses et non les personnes. Dégâts matériels. ■ nm Ensemble des objets (outils, machines, etc.) qu'on utilise dans une activité, un travail déterminés.

matériellement av 1 En ce qui concerne la vie matérielle ; d'un point de vue matériel. 2 Réellement. C'est matériellement impossible.

maternage nm Fait de materner.

maternel, elle a 1 Propre à une mère. Instinct maternel. 2 Relatif à la mère, en ce qui concerne les liens de parenté. Loc La langue maternelle : la première langue parlée par un enfant. École maternelle : école où on reçoit les très jeunes enfants. ■ nf École maternelle.

materner vt Avoir une attitude maternelle à l'égard de qqn ; protéger excessivement.

maternisé, ée a Loc Lait maternisé : traité pour se rapprocher le plus possible du lait de femme.

maternité nf 1 État, qualité de mère. 2 Hôpital, clinique où les femmes accouchent.

math ou **maths** nfpl Fam Mathématiques.

mathématicien, enne n Spécialiste des mathématiques.

mathématique a 1 Relatif à la science du calcul et de la mesure des grandeurs. 2 Rigoureux, précis. ■ nf Ensemble des opérations logiques portant sur les nombres, les figures géométriques, etc. (surtout au pl).

mathématiquement av 1 De façon mathématique. 2 Inévitablement.

matheux, euse n Fam Qui a du goût pour les mathématiques ; qui étudie les mathématiques.

matière nf 1 Substance constituant les corps. 2 Ce dont une chose est faite. La matière de cette robe est de la soie. 3 Ce sur quoi on écrit, on parle, on travaille. La matière d'un roman. 4 Sujet, occasion. Fournir matière à rire. Loc En matière de : en ce qui concerne, en fait de. Entrer en matière : aborder une question. Matière première : produit à l'état brut. Table des matières : à la fin ou au début d'un livre, liste des chapitres, des questions traitées.

matin nm Première partie du jour, après le lever du soleil. ■ av Dans la matinée. Tous les lundis matin.

1. mâtin nm Gros chien de garde.

2. mâtin, ine n Litt Personne délurée.

matinal, ale,aux a 1 Du matin. Fraîcheur matinale. 2 Qui se lève tôt. Être matinal.

mâtiné, ée a 1 De race croisée (chien). 2 Mélangé. Un français mâtiné de patois.

matinée nf 1 Temps qui s'écoule entre le lever du soleil et midi. 2 Spectacle ayant lieu l'après-midi.

matir vt TECH Rendre mat, dépolir.

matité nf Caractère mat.

matois, oise a, n Litt Rusé, finaud.

maton, onne n Pop Gardien(enne) de prison.

matou nm Chat domestique mâle.

matraquage nm Action de matraquer. Loc Matraquage publicitaire : multiplication des opérations publicitaires.

matraque nf Arme pour frapper, en forme de bâton court.

matraquer vt 1 Donner des coups de matraque à qqn. 2 Fam Demander un prix trop élevé à qqn. 3 Faire subir un matraquage publicitaire.

matraqueur, euse n Qui matraque.

matriarcal, ale, aux a Du matriarcat.

matriarcat nm Régime social dans lequel la femme joue un rôle prépondérant.

matricaire nf Camomille officinale.

matrice nf 1 TECH Moule qui présente une empreinte destinée à donner une forme à une pièce. 2 MATH Disposition de nombres en tableau à deux entrées (lignes et colonnes). 3 FIN Registre d'après lequel sont établis les rôles des contributions. 4 Vx Utérus.

matricule nf 1 Registre où est noté le nom des personnes qui entrent dans certains corps, certains établissements. 2 Extrait de ce registre. ■ nm Numéro sous lequel qqn est inscrit sur sa matricule.

matrilinéaire a ETHNOL Qui repose sur la seule ascendance maternelle.

matrimonial, ale, aux a Du mariage.

matrone nf Péjor Femme d'un certain âge, corpulente et autoritaire.

matronyme nm Nom de famille transmis par la mère.

maturation nf Fait de mûrir.

mature a 1 BIOL Complètement développé. 2 Qui manifeste de la maturité d'esprit.

mâture nf Ensemble des mâts d'un navire.

maturité nf 1 État mûr. Fruit à maturité. 2 Époque de la vie entre la jeunesse et la vieillesse. 3 Prudence, sagesse qui vient avec l'âge.

maudire vt Prononcer des imprécations contre qqn, qqch.

maudit, ite a, n 1 Voué à la damnation éternelle. 2 Sur qui s'abat une malédiction. ■ a Détestable, haïssable. Cette maudite époque.

maugréer vi Témoigner son mécontentement en pestant entre ses dents.

maure ou **more** n, a De la Mauritanie antique ; du Maghreb.

mauresque ou **moresque** a Propre aux Maures.

mauricien, enne a, n De l'île Maurice.

mauritanien, enne a, n De Mauritanie.

mauser [mozɛʀ] nm Pistolet automatique.

mausolée nm Grand monument funéraire.

maussade a 1 Qui dénote de la mauvaise humeur. 2 Sombre, triste. Un temps maussade.

mauvais, aise a 1 Imparfait, défectueux. Avoir une mauvaise vue. 2 Qui n'a pas les qualités requises. Fournir de mauvais arguments. Un mauvais administrateur. 3 Défavorable, hostile, malfaisant. Donner de mauvais renseignements sur qqn. Préparer un mauvais coup. Des gens mauvais. 4 Contraire à la morale. Mauvaise action. 5 Désagréable. Être de mauvaise humeur. 6 D'un goût désagréable. ■ nm Ce qu'il y a de défectueux dans qqch, qqn. ■ av Loc Sentir mauvais : exhaler une odeur désagréable ; commencer à tourner mal. Il fait mauvais : le temps est désagréable.

mauve nf Petite plante à fleurs blanches, roses ou violettes. ■ a De couleur violet pâle. ■ nm Couleur violette.

mauviette nf Fam Personne frêle, chétive.

maxi a, av Fam Abrév de maximal et de (au) maximum. Ça coûte cent francs maxi.

maxillaire nm Chacun des deux os qui forment les mâchoires. ■ a Des mâchoires.

maximal, ale, aux a Qui atteint un maximum. Température maximale.

maximaliser ou **maximiser** vt Donner la plus haute valeur à.

maximaliste n, a Qui préconise les solutions extrêmes, notamment en politique.

maxime nf Sentence qui résume une règle de conduite.

maximum [-mɔm] nm Le plus haut degré possible. Loc Au maximum : au plus. Des maximums ou des maxima. ■ a Fam Maximal. Tarif maximum.

maxwell nm PHYS Unité de flux magnétique.

mayonnaise nf Sauce faite d'huile émulsionnée avec du jaune d'œuf.

mazagran nm Récipient en faïence, à pied, pour le café.

mazdéisme nm Religion de la Perse ancienne, fondée sur l'opposition du Bien et du Mal.

mazette ! *interj* Vx Marque l'admiration.

mazout [-zut] *nm* Combustible liquide visqueux obtenu par raffinage du pétrole.

mazoutage *nm* Pollution au mazout.

mazurka *nf* **1** Danse d'origine polonaise. **2** Air de cette danse.

me *pr pers* Forme atone complément de la première personne du singulier.

mea-culpa *nm inv* Aveu, repentir d'une faute.

méandre *nm* **1** Sinuosité d'un cours d'eau. **2** Détour, sinuosité, louvoiement.

méat *nm* ANAT Orifice d'un conduit.

mec *nm* Fam Homme, individu, amant.

mécanicien, enne *n* Spécialiste de la conduite, de l'entretien, de la réparation des machines, des moteurs.

mécanique *a* **1** Relatif à la mécanique, à des lois. **2** Mû par une machine. **3** Qui agit uniquement d'après les lois du mouvement (et non chimiquement, électriquement). **4** Machinal. *Geste mécanique.* ■ *nf* **1** Partie de la physique ayant pour objet l'étude des mouvements des corps et les forces qui les produisent. **2** Science de la construction et du fonctionnement des machines. **3** Ensemble de pièces destinées à produire ou à transmettre un mouvement.

mécaniser *vt* Introduire l'utilisation de la machine dans une activité.

mécanisme *nm* **1** Agencement de pièces disposées pour produire un mouvement, un effet donné. *Mécanisme d'une montre.* **2** Manière dont fonctionne un ensemble complexe. *Mécanisme du langage, de la pensée.* **3** Philosophie expliquant les phénomènes naturels par la seule loi de cause à effet.

mécano *nm* Fam Ouvrier mécanicien.

mécanographie *nf* Technique de traitement de l'information utilisant des cartes perforées.

mécanothérapie *nf* Kinésithérapie pratiquée à l'aide d'appareils.

meccano *nm* (n déposé) Jeu de construction.

mécénat *nm* Soutien matériel apporté à des activités présentant un intérêt général.

mécène *nm* Protecteur généreux des lettres, des sciences, des arts.

méchamment *av* **1** Avec méchanceté. *Rire méchamment.* **2** Fam Très. *Il est méchamment intelligent.*

méchanceté *nf* **1** Penchant à faire du mal. **2** Action, parole méchante.

méchant, ante *a, n* **1** Qui est porté à faire du mal, à nuire à autrui. **2** Qui peut causer des ennuis. *Une méchante affaire.* **3** Déplaisant, désagréable. *Être de méchante humeur.*

mèche *nf* **1** Cordon, tresse qui porte la flamme d'une bougie, d'une lampe, etc. **2** Cordon combustible servant à mettre le feu à une charge explosive. **3** CHIR Petite bande de gaze stérile utilisée pour réaliser le drainage d'une plaie. **4** Petite touffe de cheveux. **5** Tige métallique s'adaptant à un vilebrequin, une perceuse, pour percer des trous. Loc *Vendre la mèche :* dévoiler qqch qui devait être tenu secret. Fam *Être de mèche avec qqn :* être de connivence avec lui.

méchoui *nm* Mouton cuit à la broche.

mécompte *nm* Espérance trompée, déception.

méconnaissable *a* Que l'on a peine à reconnaître.

méconnaître *vt* 55 Litt Ne pas savoir apprécier à sa juste valeur ; ignorer.

méconnu, ue *a, n* Qui n'est pas apprécié à sa juste valeur.

mécontent, ente *a, n* Qui n'est pas content.

mécontentement *nm* Déplaisir, manque de satisfaction.

mécontenter *vt* Rendre mécontent, insatisfait.

mécréant, ante *a, n* Qui n'a pas la foi considérée comme la seule vraie ; infidèle.

médaille *nf* **1** Pièce de métal à l'effigie d'un personnage illustre ou commémorant un événement. **2** Pièce de métal décernée comme récompense ; décoration. **3** Prix décerné dans un concours. **4** Petite pièce de métal à sujet religieux, qu'on porte suspendue à une chaîne. **5** Plaque de métal servant à l'identification.

médaillé, ée *a, n* Décoré d'une médaille.

médaillon

médaillon *nm* **1** Bijou circulaire ou ovale renfermant un portrait, une mèche de cheveux. **2** Élément décoratif, peint ou sculpté, de forme circulaire ou ovale. **3** Tranche de viande, de poisson ronde ou ovale.

médecin *nm* Qui exerce la médecine, est habilité à le faire.

médecine *nf* **1** Science des maladies et art de les soigner. **2** Profession, pratique du médecin. Loc *Médecine légale :* qui effectue les constats de décès, les expertises judiciaires.

medersa [me-] *nf* École coranique.

média *nm* Moyen de large diffusion de l'information (radio, télévision, presse, etc.).

médial, ale,aux *a* Placé au milieu d'un mot.

médian, ane *a* Placé au milieu. *Ligne médiane.* ■ *nf* Droite qui joint l'un des sommets d'un triangle au milieu du côté opposé.

médiaplanning *nm* Choix et achat des supports destinés à une campagne publicitaire.

médiastin *nm* ANAT Espace entre les deux poumons.

médiat, ate *a* Qui est pratiqué ou qui agit de façon indirecte, par un intermédiaire.

médiateur, trice *n, a,* Personne, puissance qui s'entremet pour opérer une médiation. ■ *nf* GEOM Perpendiculaire à un segment de droite en son milieu.

médiathèque *nf* Collection de documents sur des supports divers (film, bande magnétique, disque, diapositive, etc.).

■ **médiation** *nf* Action d'intervenir pour faciliter un accord.

médiatique *a* **1** Des médias. **2** Populaire grâce aux médias. *Un footballeur médiatique.*

médiatiser *vt* Faire connaître par les médias.

médiator *nm* Lamelle servant à toucher les cordes d'une guitare.

médiatrice *V.* médiateur.

médical, ale,aux *a* De la médecine.

médicalisation *nf* Action de médicaliser.

médicaliser *vt* **1** Faire relever du domaine médical. **2** Doter un lieu d'une infrastructure médicale. *Résidence médicalisée.* **3** Soumettre à des soins médicaux.

médicament *nm* Substance employée pour lutter contre les maladies.

médicamenteux, euse *a* Qui a la propriété d'un médicament.

médication *nf* Administration systématique d'agents thérapeutiques pour répondre à une indication déterminée.

médicinal, ale,aux *a* Qui possède des propriétés thérapeutiques.

médicolégal, ale,aux *a* De la médecine légale. *Expertise médicolégale.*

médicosocial, ale,aux *a* De la médecine sociale. *Des centres médicosociaux.*

médicosportif, ive *a* Qui concerne les soins médicaux aux athlètes.

médiéval, ale,aux *a* Du Moyen Âge.

médiéviste *n* Spécialiste du Moyen Âge.

médina *nf* En Afrique du Nord, partie ancienne d'une ville.

médiocratie *nf* Gouvernement des médiocres.

médiocre *a* **1** Qui n'est pas très bon. *Un vin médiocre.* **2** Insuffisant. *Résultats médiocres.* ■ *a, n* Qui n'a pas beaucoup de talent, de capacités. *Un étudiant médiocre.*

médiocrement *av* **1** De façon médiocre. **2** Peu. *Être médiocrement surpris.*

médiocrité *nf* Caractère médiocre.

médire *vti* 60 Dire du mal de qqn sans aller contre la vérité. *Médire de ses voisins.*

médisance *nf* **1** Propos médisant. **2** Action de médire ; dénigrement.

méditatif, ive *a, n* Porté à la méditation. ■ *a* Qui dénote la méditation ; songeur.

méditation *nf* Action de méditer.

méditer *vt* **1** Examiner, réfléchir profondément sur un sujet. *Méditer une question.* **2** Se proposer de réaliser qqch en y réfléchissant longuement. *Méditer un plan.* ■ *vti, vi* Faire longuement porter sa réflexion sur qqch.

méditerranéen, enne *a, n* De la Méditerranée et des régions qui bordent cette mer.

médium [medjɔm] *n* Qui, selon les spirites, peut servir d'intermédiaire avec les esprits. ■ *nm* **1** Technique servant de support à un média. **2** MUS Registre entre le grave et l'aigu.

médiumnique *a* Qui relève d'un médium.

médius [-djys] *nm* Syn de *majeur* (doigt).

médoc *nm* Bordeaux rouge apprécié.

médullaire *a* Qui a rapport à la moelle.

médullosurrénale *nf* ANAT Partie des surrénales qui sécrète l'adrénaline.

méduse *nf* Animal marin nageur, translucide et gélatineux.

méduser *vt* Frapper de stupeur.

meeting [mitiŋ] *nm* Réunion publique politique, sportive, etc.

méfait *nm* **1** Action nuisible ; délit. **2** Conséquence néfaste de qqch.

méfiance *nf* Disposition à être méfiant.

méfiant, ante *a, n* Qui se méfie, soupçonneux, défiant.

méfier (se) *vpr* **1** Ne pas se fier à. **2** Faire attention.

mégabit [-bit] *nm* INFORM Un million de bits.

mégahertz *nm* PHYS Un million de hertz.

mégalithe *nm* PRÉHIST Monument formé de gros blocs de pierre (dolmen, menhir, etc.).

mégalomane *a, n* Atteint de mégalomanie.

mégalomanie *nf* Désir immodéré de puissance, goût des réalisations grandioses.

mégalopole ou **mégapole** *nf* Énorme agglomération urbaine.

mégaoctet *nm* INFORM Un million d'octets.

mégaphone *nm* Porte-voix.

mégarde *nf* Loc *Par mégarde :* par inadvertance.

mégatonne *nf* Unité servant à mesurer la puissance d'un explosif nucléaire.

mégère *nf* Femme méchante.

mégisserie *nf* Tannage à l'alun des peaux de chevreaux et d'agneaux.

mégot *nm* Fam Bout de cigare, de cigarette.

mégoter *vi* Fam Chercher de petits profits.

méhari *nm* Dromadaire de selle en Afrique.

méhariste *nm* Qui monte un méhari.

meilleur, eure *a* Qui a un plus haut degré de bonté, de qualité. *Cet homme est meilleur qu'il n'en a l'air. Sa santé est meilleure.* ■ *n* Celui, celle qui a atteint le plus haut degré de bonté, de qualité. ■ *nm* Ce qui vaut le mieux. *Donner le meilleur de sa vie.*

méiose *nf* BIOL Division des cellules vivantes.

méjuger *vt, vti* **11** Litt Juger mal, méconnaître.

mélampyre *nm* Plante parasite des graminées.

mélancolie *nf* Tristesse vague, sans cause définie.

mélancolique *a, n* **1** Qui est atteint de mélancolie. ■ *a* Qui exprime, inspire la mélancolie.

mélanésien, enne *a, n* De Mélanésie.

mélange *nm* **1** Action de mêler ; fait de se mêler. **2** Ensemble constitué d'éléments divers mêlés. ■ *pl* Recueil d'articles divers.

mélangé, ée *a* Disparate.

mélanger *vt* **11 1** Réunir de manière à former un mélange. *Mélanger des jaunes d'œufs et de la farine.* **2** Fam Mettre en désordre ; confondre.

mélangeur *nm* Appareil opérant un mélange.

mélanine *nf* PHYSIOL Pigment foncé de la peau et des cheveux.

mélanoderme *a, n* Dont la peau est noire.

mélanome *nm* Tumeur de la peau.

mélasse *nf* **1** Matière visqueuse brune, sous-produit de la fabrication du sucre. **2** Fam Misère, situation pénible.

melba *a inv* Loc *Pêche, poire, fraises melba :* servies nappées de sirop de glace à la vanille et de la crème Chantilly.

méléagrine *nf* Huître perlière.

mêlée *nf* **1** Combat confus où deux troupes s'attaquent corps à corps. **2** Cohue, bousculade tumultueuse. **3** Au rugby, phase du jeu où deux groupes de joueurs cherchent à s'emparer du ballon en s'arc-boutant face à face.

mêler *vt* **1** Mettre ensemble des choses, êtres de manière à les confondre, à les unir. *Mêler de l'eau et du vin, le tragique au comique.* **2** Mettre en désordre, emmêler, embrouiller. *Mêler du fil.* **3** Associer qqn à, impliquer qqn dans quelque affaire. ■ *vpr* **1** Se confondre, s'unir. **2** S'occuper de, intervenir dans.

mélèze nm Conifère de haute montagne, à aiguilles caduques.

mélilot nm Herbe fourragère odorante.

méli-mélo nm Fam Mélange confus de choses en désordre. Des mélis-mélos.

mélinite nf Explosif de grande puissance.

méliorat if, ive a, nm Qui présente ce dont on parle d'une façon avantageuse.

mélisse nf Plante aromatique.

melkite a, n Chrétien d'Orient, de rite byzantin.

mellifère a Qui produit du miel.

mélo nm, a, Fam Abrév de mélodrame et de mélodramatique.

mélodie nf 1 Succession de sons qui forment une phrase musicale. 2 Composition à une voix avec accompagnement. 3 Qualité de ce qui charme l'oreille. La mélodie d'un vers.

mélodieux, euse a Qui produit des sons agréables à l'oreille.

mélodique a De la mélodie.

mélodiste n Compositeur de mélodies.

mélodramatique a Du mélodrame.

mélodrame nm Drame qui vise à un effet pathétique par des caractères outrés, des situations peu vraisemblables.

mélomane n Amateur de musique.

melon nm 1 Plante potagère au fruit comestible. 2 Fruit de cette plante, ovoïde ou sphérique, à la pulpe jaunâtre ou orangée. Loc Melon d'eau : pastèque. Chapeau melon : chapeau rigide et bombé.

mélopée nf Chant, air monotone.

melting-pot [mɛltiŋpɔt] nm Lieu où les peuples d'origines diverses se mêlent. Des melting-pots.

membrane nf 1 ANAT Tissu mince et souple qui enveloppe, tapisse, sépare, etc., des organes. 2 Feuille mince, dans un appareil, un dispositif.

membre nm 1 Chacun des appendices articulés qui permettent les grands mouvements (locomotion, préhension) chez l'homme et les animaux. 2 Chacun des éléments (personne, groupe, pays, etc.) composant un ensemble organisé. 3 GRAM Chacune des parties d'une période ou d'une phrase. 4 MATH Chacune des parties d'une équation.

membrure nf 1 Membres du corps humain. 2 Charpente d'un navire, d'une construction.

même a 1 Indique l'identité ou la ressemblance. J'ai acheté la même voiture que lui. Je connais ce genre de chiens : j'ai le même. 2 Après un nom ou un pronom, exprime une insistance sur la personne ou la chose désignée. Ce sont ses paroles mêmes. Lui-même n'en sait rien. ■ av Indique le degré atteint dans une gradation, et signifie « aussi, de plus, y compris, jusqu'à ». Tous étaient venus, même les infirmes. Loc À même : directement en contact avec. Être à même de faire qqch : en être capable. De même : de la même manière. Tout de même : néanmoins, cependant. Quand bien même : même si. Quand même ! : malgré tout.

mémento [-mɛ̃-] nm 1 Carnet où l'on note ce dont on doit se souvenir, agenda. 2 Livre où sont résumées les notions essentielles d'une science, une technique.

mémère ou **mémé** nf Fam 1 Grand-mère. 2 Femme d'un certain âge.

1. mémoire nf 1 Faculté de se souvenir ; siège de cette faculté. Avoir de la mémoire. L'incident est gravé dans ma mémoire. 2 Souvenir laissé par qqn ou qqch. Ce jour, de sinistre mémoire. 3 Dispositif d'un ordinateur capable d'enregistrer et de conserver des données.

2. mémoire nm 1 Écrit sommaire destiné à exposer l'essentiel d'une affaire. 2 Dissertation sur un sujet de science, d'érudition. 3 Relevé des sommes dues pour des travaux effectués, les fournitures remises, etc. ■ pl Recueil de souvenirs personnels ; autobiographie.

mémorable a Digne d'être conservé dans la mémoire.

mémorandum [-dɔm] nm 1 Note diplomatique. 2 Mémento.

mémorial nm 1 (avec majusc) Écrit relatant des faits mémorables. 2 Monument commémoratif. Des mémoriaux.

mémorialiste nm Auteur de mémoires historiques ou littéraires.

mémoriser vt 1 Enregistrer dans sa mémoire. 2 INFORM Mettre des données en mémoire.

menaçant, ante a Qui exprime une menace.

menace nf 1 Parole, geste, expression signifiant une intention hostile et visant à intimider. 2 Indice laissant prévoir qqch de fâcheux ou de dangereux.

menacé, ée a En danger. *Espèce menacée.*

menacer vt 10 1 Chercher à intimider, à faire peur. 2 Représenter un danger, un risque imminent. *Un péril nous menace.* 3 Laisser prévoir qqch de fâcheux. *Ce toit menace de s'écrouler.*

ménage nm 1 Soin, entretien d'une maison. 2 Ensemble des objets nécessaires à la vie dans une maison. *Monter son ménage.* 3 Couple d'époux. *Jeune ménage.* **Loc** *Faire bon, mauvais ménage :* s'entendre bien, mal.

ménagement nm Réserve, précaution avec laquelle on traite qqn.

1. ménager, ère a Relatif à l'entretien de la maison. *Appareils ménagers.* ■ nf 1 Femme qui s'occupe de son foyer. 2 Service de couverts pour la table, dans un écrin.

2. ménager vt 11 1 Employer avec économie, avec réserve. *Ménager ses ressources.* 2 Traiter qqn avec égards ou avec précautions. 3 Préparer, arranger à l'avance. *Ménager une entrevue.* ■ vpr Prendre soin de sa santé, éviter de trop se fatiguer.

ménagerie nf Lieu où sont rassemblés, exposés et entretenus des animaux.

menchevik [mɛ̃ʃə] a, n HIST Membre de l'aile modérée du parti social-démocrate russe.

mendiant, ante n, a Qui mendie. **Loc** HIST *Moines mendiants :* dominicains, franciscains et carmes.

mendicité nf Action de mendier.

mendier vi Demander l'aumône. ■ vt 1 Demander comme aumône. 2 Solliciter humblement. *Mendier un service.*

mendigot, ote n Fam et Vx Mendiant.

meneau nm Montant qui partage l'ouverture d'une fenêtre en compartiments.

menées nfpl Intrigues, machinations.

mener vt 15 1 Faire aller qqpart en accompagnant. 2 Aboutir. *Ce chemin mène à la plage.* 3 Tracer. *Mener une droite.* 4 Conduire, diriger. *Mener sa vie comme on l'entend.* **Loc** Fam *Ne pas en mener large :* avoir peur. Fam *Mener qqn en bateau :* le berner. ■ vi Être provisoirement en tête.

ménestrel nm Au Moyen Âge, poète et musicien itinérant.

ménétrier nm Musicien de fêtes villageoises.

meneur, euse n Qui mène, dirige. *Meneur d'hommes.*

menhir nm Monument mégalithique, pierre dressée verticalement.

méninge nf ANAT Chacune des trois membranes qui enveloppent le cerveau et la moelle épinière. ■ pl Fam Cerveau, esprit.

méningite nf Inflammation des méninges.

ménisque nm 1 ANAT Formation cartilagineuse de certaines articulations (genou). 2 PHYS Lentille présentant une face convexe et une face concave.

ménopause nf PHYSIOL Cessation de la fonction ovarienne chez la femme, marquée par l'arrêt définitif de la menstruation.

ménopausée nf, af Dont la ménopause s'est effectuée.

ménorrhée nf Écoulement menstruel.

menotte nf Petite main. ■ pl Bracelets de métal reliés par une chaîne, que l'on met aux poignets d'un prisonnier.

mensonge nm Assertion contraire à la vérité faite dans le dessein de tromper.

mensonger, ère a Faux, trompeur.

menstruation nf Écoulement sanguin périodique d'origine utérine qui se produisant chez la femme non enceinte, de la puberté à la ménopause. Syn. règles.

menstruel, elle a De la menstruation.

menstrues nfpl Vx Règles de la femme.

mensualisation nf Action de mensualiser.

mensualiser vt 1 Rendre mensuel un salaire, un paiement. 2 Attribuer un salaire mensuel à.

mensualité nf Somme payée chaque mois.

mensuel, elle a Qui se fait, arrive tous les mois. *Salaire mensuel.* ■ n Salarié payé au mois. ■ nm Publication paraissant chaque mois.

mensuration nf 1 Mesure de certaines dimensions caractéristiques du corps humain. 2 Ces dimensions elles-mêmes.

mental, ale, aux a 1 Qui s'exécute dans l'esprit. *Calcul mental.* 2 Relatif aux facultés intellectuelles, au psychisme. Loc *Âge mental :* degré de maturité intellectuelle. ■ nm État psychologique de qqn.

mentalement av Par la pensée seulement.

mentalité nf 1 État d'esprit ; façon, habitude de penser. 2 Ensemble des habitudes, des croyances propres à une collectivité.

menteur, euse n, a Qui ment, qui a l'habitude de mentir.

menthe nf 1 Plante aux feuilles aromatiques. 2 Sirop, liqueur, infusion de cette plante.

menthol nm Alcool de menthe.

mention nf 1 Action de mentionner. 2 Appréciation favorable accordée par un jury d'examen.

mentionner vt Faire état de, citer, rapporter.

mentir vi 29 Donner pour vrai ce que l'on sait être faux ; nier ce que l'on sait être vrai.

menton nm Saillie de la mâchoire, au-dessous de la lèvre inférieure.

mentonnière nf Bande étroite passant sous le menton et servant à attacher une coiffure.

mentor [mɛ̃-] nm Litt Guide, conseiller avisé.

menu, ue a 1 Qui a peu de volume, de grosseur. *Du menu bois.* 2 De peu d'importance. *Menues dépenses.* ■ av En très petits morceaux. *Hacher menu.* ■ nm 1 Liste détaillée des mets d'un repas. 2 Repas servi pour un prix fixé à l'avance dans un restaurant. 3 INFORM Liste des opérations qu'un logiciel est capable d'effectuer, et qui s'affiche sur l'écran.

menuet nm Ancienne danse sur trois temps.

menuiserie nf Fabrication d'ouvrages en bois (huisseries, parquets, meubles, etc.).

menuisier nm Artisan spécialisé dans les travaux de menuiserie.

ménure nm Oiseau australien de la taille d'un faisan. Syn. oiseau-lyre.

méphistophélique a Litt Diabolique.

méphitique a Se dit d'une exhalaison fétide, malsaine ou toxique.

méplat, ate a Nettement plus large qu'épais. ■ nm Partie aplatie d'une surface.

méprendre (se) vpr 70 Litt Se tromper.

mépris nm Sentiment, attitude traduisant que l'on juge qqn, qqch indigne d'estime, d'égards ou d'intérêt.

méprisable a Qui mérite le mépris.

méprisant, ante a Qui témoigne du mépris.

méprise nf Erreur d'appréciation.

mépriser vt 1 Avoir du mépris pour, ne faire aucun cas de qqch, de qqn. 2 Ne pas craindre. *Mépriser le danger.*

mer nf 1 Vaste étendue d'eau salée qui entoure les continents. 2 Partie de cette étendue couvrant une surface déterminée. 3 Vaste étendue. *Mer de sable.*

mercantile a Avide, âpre au gain.

mercantilisme nm Esprit mercantile ; âpreté au gain, avidité.

mercatique nf Syn de marketing.

mercenaire a Litt Fait en vue d'un salaire. *Travail mercenaire. Troupe mercenaire.* ■ nm Soldat étranger à la solde d'un État.

mercerie nf 1 Menus articles servant pour la couture. 2 Commerce de ces articles.

mercerisé, ée a Se dit d'un textile rendu brillant et soyeux par un traitement spécial.

merchandising [-tʃɑ̃dajziŋ] nm Syn de *merchandisage.*

merci nf Loc *Être à la merci de qqn :* être entièrement dépendant de lui. *Dieu merci :* heureusement. *Sans merci :* acharné. ■ nm, interj Formule de remerciement. *Merci beaucoup. Dire un grand merci.*

mercier, ère n Qui vend de la mercerie.

mercredi nm Troisième jour de la semaine.

mercure nm Métal liquide à température ordinaire, et très lourd.

mercuriale nf Liste des prix des denrées sur un marché public.

mercuriel, elle a Qui contient du mercure.

mercurochrome nm (n déposé) Antiseptique mercuriel, rouge.

merde nf Pop 1 Excrément, matière fécale. 2 Personne ou chose méprisable, sans valeur. 3 Situation difficile, inextricable. ■ *interj* Pop Exclamation de colère, d'agacement, etc.

merdeux, euse a Pop Souillé d'excréments. ■ n Pop Enfant, blanc-bec.

merdier nm Pop Situation confuse.

merdique a Pop Sans intérêt.

mère nf 1 Femme qui a donné naissance à un ou plusieurs enfants. 2 Femelle d'un animal qui a eu des petits. 3 Titre de la supérieure d'un couvent de femmes. 4 (en appos) Source, point de départ. *Langue mère.* 5 Membrane formée par les bactéries qui transforment le vin en vinaigre.

merguez nf Petite saucisse pimentée.

méridien, enne a Relatif au méridien. *Hauteur méridienne d'un astre.* ■ nm Grand cercle fictif passant par les deux pôles de la Terre. ■ nf Canapé dont les deux chevets, de hauteur inégale, sont reliés par un dossier.

méridional, ale, aux a Du côté du midi, du sud. ■ a, n Du midi de la France.

meringue nf Pâtisserie légère faite de blancs d'œufs montés en neige, et de sucre.

meringué, ée a Garni d'une meringue.

mérinos [-nos] nm 1 Race de mouton très estimée pour sa laine. 2 Étoffe de cette laine.

merise nf Fruit du merisier.

merisier nm Cerisier sauvage.

mérite nm Ce qui rend qqn ou qqch digne d'estime, de considération. *Elle a du mérite à travailler dans ces conditions.*

mériter vt 1 Se rendre, par sa conduite, digne d'une récompense ou passible d'une sanction. *Mériter des félicitations. Mériter une punition.* 2 Donner droit à. *Tout travail mérite salaire.*

méritocratie nf Système où le mérite détermine la hiérarchie.

méritoire a Louable, digne d'estime.

merlan nm Poisson qui vit en bancs près du littoral européen.

merle nm Oiseau très répandu dont le mâle est noir et la femelle d'un gris brun.

merlin nm Sorte de hache pour fendre le bois.

merlon nm Portion de mur comprise entre deux créneaux.

merlot nm Cépage rouge du Bordelais.

merlu nm Autre nom du colin.

merluche nf 1 Merlu. 2 Morue séchée au soleil et non salée.

mérou nm Gros poisson des mers chaudes, à chair très estimée.

mérovingien, enne a, n De la dynastie des Mérovingiens.

merveille nf Chose qui suscite l'admiration. *Loc À merveille :* très bien.

merveilleux, euse a Étonnant, prodigieux, qui suscite l'admiration. ■ nm Ce qui est extraordinaire, inexplicable, surnaturel.

mes. V. mon.

mésalliance nf Fait de se mésallier.

mésallier (se) vpr Épouser qqn d'une condition considérée comme inférieure.

mésange nf Oiseau insectivore commun.

mésaventure nf Aventure désagréable.

mescaline nf Alcaloïde doté de propriétés hallucinogènes.

mesclun [mesklœ] nm Mélange de feuilles de salades diverses.

mesdames, mesdemoiselles. V. madame, mademoiselle.

mésencéphale nm ANAT Région de l'encéphale, relais des voies optiques et auditives.

mésenchyme nm BIOL Tissu conjonctif de l'embryon.

mésentente nf Défaut d'entente, désaccord.

mésestimer vt Litt Ne pas apprécier à sa juste valeur.

mésintelligence nf Défaut de compréhension mutuelle, d'entente.

mésolithique a, PRÉHIST Antérieur au néolithique (v. 10000 - 5000 av. J.-C.).

mésomorphe a PHYS Entre l'état liquide et l'état cristallin.

méson nm PHYS Particule dont la masse est entre l'électron et le proton.

mésosphère nf Partie de l'atmosphère située entre la stratosphère et la thermosphère.

mésothérapie nf Traitement thérapeutique fait de petites injections simultanées.

mésozoïque a, nm GEOL De l'ère secondaire.

mesquin, ine a Qui manque de grandeur, de noblesse, de générosité.

mesquinerie nf 1 Caractère mesquin ; petitesse. 2 Action mesquine.

mess nm Lieu où les officiers prennent ensemble leurs repas.

message nm 1 Information, communication transmise à qqn. 2 Contenu d'une œuvre considérée comme doté d'un sens profond.

messager, ère n Chargé d'un message.

messagerie nf Service de transport de marchandises ; bureaux d'un tel service. Loc *Messagerie électronique* : service de communication fonctionnant grâce à un réseau télématique.

messe nf 1 Cérémonie rituelle du culte catholique, célébrée par le prêtre qui commémore le sacrifice du Christ. 2 Musique composée pour une grand-messe. Loc Fam *Messe basse* : entretien en aparté avec qqn. *Messe noire* : cérémonie de sorcellerie.

messianique a Du Messie, du messianisme.

messianisme nm Croyance en l'avènement sur la terre d'un monde idéal.

messidor nm Dixième mois du calendrier républicain (juin-juillet).

messie nm 1 Libérateur, rédempteur des péchés, envoyé de Dieu dans l'Ancien Testament, et que les chrétiens reconnaissent en Jésus-Christ. 2 Homme providentiel.

messieurs. V. monsieur.

messin, ine a, n De Metz.

messire nm Titre d'honneur ancien.

mesure nf 1 Évaluation d'une grandeur par comparaison avec une grandeur de même espèce prise comme référence ; dimension. 2 Quantité, grandeur servant d'unité ; étalon matériel servant à mesurer. *Le mètre, mesure de longueur.* 3 Récipient servant de mesure. 4 Valeur, capacité d'une personne. *Il a donné toute sa mesure.* 5 MUS Division de la durée en parties égales marquant un rythme. 6 Limites de la bienséance, de ce qui est considéré comme normal. *Dépasser la mesure.* 7 Modération dans sa manière d'agir, de parler. *Avoir le sens de la mesure.* 8 Moyen que l'on se donne pour obtenir qqch. *Mesures fiscales impopulaires.* Loc *Faire deux poids, deux mesures* : être partial. *Dans la mesure où* : dans la proportion où. *À mesure que* : simultanément et dans la même proportion que. *Faire bonne mesure* : donner généreusement.

mesurer vt 1 Évaluer les dimensions, la quantité, l'importance de. *Mesurer un champ. Mesurer du blé. Mesurer l'étendue du désastre.* 2 Déterminer par comparaison la valeur de. *Mesurer sa force avec qqn.* 3 Modérer. 4 Donner, distribuer avec parcimonie. *Mesurer ses paroles. Le temps nous est mesuré.* ■ vi Avoir une mesure. *Ce mur mesure 2 mètres.* ■ vpr Essayer ses forces contre qqn, lutter avec lui.

métabolique a Du métabolisme.

métaboliser vt BIOL Transformer par le métabolisme.

métabolisme nm BIOL Ensemble des réactions biochimiques qui se produisent au sein de la cellule ou de l'organisme.

métabolite nm BIOL Substance résultant d'une transformation par le métabolisme.

métacarpe nm ANAT Partie du squelette de la main entre le poignet et les doigts.

métairie nf Domaine rural exploité par un métayer.

métal, aux nm Corps simple, le plus souvent ductile, malléable et bon conducteur de la chaleur, de l'électricité, d'un éclat particulier, tel que le fer, le cuivre, l'argent, etc.

métalangage nm ou **métalangue** nf LING Langage utilisé pour décrire un autre langage.

métallerie nf Fabrication et pose d'ouvrages métalliques (ferrures, serrures, etc.).

métallier nm Spécialiste de métallerie.

métallifère a Qui contient un métal.

métallique a 1 En métal. 2 Qui a le caractère du métal. *Bruit métallique.*

métallisation nf Fait de recouvrir qqch d'une mince couche de métal.

métallisé, ée a À l'aspect brillant (peinture).

métallo nm Fam Métallurgiste.

métalloïde nm CHIM Élément intermédiaire entre un métal et un non-métal.

métallurgie nf Ensemble des techniques d'extraction et de traitement des métaux.

métallurgique a Qui a la métallurgie.

métallurgiste n Qui travaille dans la métallurgie.

métamère nm ZOOL Anneau (d'un ver).

métamorphique a Du métamorphisme.

métamorphisme nm GÉOL Ensemble des transformations que la pression et la chaleur font subir à une roche.

métamorphose nf 1 Changement d'une forme en une autre ; transformation. 2 Changement complet d'apparence.

métamorphoser vt Modifier profondément l'apparence, l'état, la nature de qqn, de qqch. ■ vpr Se transformer.

métaphore nf Procédé qui consiste à donner à un mot un sens qu'on lui attribue par analogie (ex. : « Le printemps de la vie » pour « la jeunesse »).

métaphorique a De la métaphore.

métaphysicien, enne n Qui étudie la métaphysique.

métaphysique nf Recherche rationnelle de la nature des choses, au-delà de leur apparence sensible. ■ a De la métaphysique.

métastase nf MED Localisation secondaire, à distance, d'une affection cancéreuse.

métastaser (se) vpr Produire des métastases.

métatarse nm ANAT Partie du squelette du pied située entre la cheville et les orteils.

métathèse nf LING Déplacement de phonèmes à l'intérieur d'un mot.

métayage nm Bail agricole selon lequel l'exploitant partage les récoltes avec le propriétaire.

métayer, ère n Qui exploite un domaine rural selon le système du métayage.

métazoaire nm ZOOL Animal pluricellulaire (par oppos. à protozoaire).

méteil nm Mélange de seigle et de froment.

métempsycose nf RELIG Transmigration, après la mort, de l'âme d'un corps dans un autre.

météo nf Fam Météorologie.

météore nm 1 Apparition lumineuse d'une météorite dans l'atmosphère. 2 Personne dont la carrière est brillante mais très brève.

météorique a Relatif aux météores.

météorisme nm MED Accumulation de gaz dans l'intestin.

météorite nf Fragment minéral provenant de l'espace et traversant l'atmosphère terrestre.

météorologie nf 1 Science des phénomènes atmosphériques, permettant la prévision du temps. 2 Organisme établissant cette prévision.

météorologiste ou **météorologue** n Spécialiste de météorologie.

métèque nm Péjor Étranger au pays où il vit.

méthadone nf Dérivé de la morphine.

méthane nm Gaz naturel inflammable.

méthanier nm Navire conçu pour le transport du gaz naturel liquéfié.

méthanol nm CHIM Alcool méthylique.

méthode nf 1 Ensemble de procédés, de moyens organisés rationnellement pour arriver à un résultat. Méthode d'enseignement, de fabrication. 2 Ouvrage d'enseignement élémentaire. Méthode de piano. 3 Qualité d'esprit consistant à savoir procéder avec ordre et logique.

méthodique a 1 Fait avec méthode. Recherche méthodique. 2 Qui a de la méthode.

méthodisme nm Mouvement religieux protestant fondé au XVIIIe s.

méthodiste a, n Qui relève du méthodisme.

méthodologie nf 1 Étude des méthodes des différentes sciences. 2 Démarche suivie ; procédure de recherche, de travail.

méthylène nm Nom commercial du méthanol. Loc Bleu de méthylène : liquide coloré utilisé comme antiseptique.

méthylique a Dérivé de méthane. Loc Alcool méthylique : extrait des goudrons de bois.

méticuleux, euse *a* D'une minutie poussée jusqu'aux plus petits détails.

méticulosité *nf* Litt Caractère méticuleux.

métier *nm* 1 Occupation qui permet de gagner sa vie ; profession. *Métier manuel. Métier intellectuel.* 2 Savoir-faire, habileté professionnelle. 3 Machine utilisée pour la fabrication des tissus. 4 Chacun des secteurs d'activité d'un groupe industriel.

métis, isse [-tis] *a, n* Dont les parents sont de races différentes.

métissage *nm* Croisement de races. Loc *Métissage culturel* : influence mutuelle de cultures en contact.

métisser *vt* Croiser deux races différentes.

métonymie *nf* Procédé consistant à désigner le tout par la partie, le contenu par le contenant, etc. (ex. : *une voile pour un bateau).*

métonymique *a* De la métonymie.

métrage *nm* 1 Action de métrer. 2 Longueur en mètres (d'une pièce de tissu, par ex.). 3 Longueur d'un film.

1. mètre *nm* 1 Unité fondamentale des mesures de longueur (symbole m). 2 Règle, ruban gradué de 1 m de long. Loc *Mètre carré* (m²) : unité égale à l'aire d'un carré de 1 mètre de côté. *Mètre cube* (m³) : unité égale au volume d'un cube de 1 mètre d'arête.

2. mètre *nm* 1 Unité rythmique du vers grec et latin, comprenant un temps fort et un temps faible. 2 Rythme d'un vers français.

métré *nm* CONSTR Devis détaillé des mesures d'un ouvrage.

métrer *vt* 12 Mesurer à l'aide d'un mètre.

1. métrique *a* 1 Relatif au mètre. 2 Qui a le mètre pour base. *Système métrique.*

2. métrique *nf* Étude de la versification. ■ *a* Qui concerne la métrique.

métrite *nf* Inflammation de l'utérus.

métro *nm* Chemin de fer urbain, partiellement ou totalement souterrain.

métrologie *nf* Science des mesures.

métronome *nm* Instrument battant la mesure utilisé en musique.

métropole *nf* 1 État considéré par rapport à ses territoires extérieurs. 2 Capitale d'un pays, ville principale d'une région.

métropolitain, aine, *a, n* De la métropole. ■ *nm* Métro.

métropolite *nm* Prélat d'un rang élevé, dans l'Église orthodoxe.

métrorragie *nf* MED Hémorragie utérine.

mets *nm* Aliment préparé qui entre dans la composition d'un repas ; plat.

mettable *a* Qui peut encore être porté (habits).

metteur, euse *n* Professionnel qui met (au point, en pages, en scène, etc.).

mettre *vt* 64 1 Placer ou amener qqch, qqn dans un lieu. *Mettre un enfant au lit. Mettre qqn en prison.* 2 Amener qqch, qqn dans un état, une situation. *Mettre un appareil en marche. Mettre qqn à la tête d'une entreprise.* 3 Introduire, faire apparaître. *Mettre de l'animation dans une réunion.* 4 Employer de l'argent, du temps à qqch. *Mettre 100 000 francs dans une voiture. Mettre deux heures à faire un travail.* 5 Placer sur son corps, revêtir, porter. *Mettre ses chaussures.* Loc *Mettre en pages un texte* : en rassembler les éléments de composition pour former des pages. *Mettre en scène un spectacle* : diriger le jeu des acteurs, les répétitions, régler les décors, etc. *Y mettre du sien* : apporter sa contribution à qqch ; faire des concessions. ■ *vpr* 1 Se placer dans un lieu, un état. *Se mettre à la fenêtre. Se mettre en colère.* 2 Commencer à faire qqch. *Se mettre à son travail.* 3 S'habiller. *Se mettre en tenue.*

meuble *a* 1 DR Que l'on peut déplacer. *Biens meubles.* 2 Facile à labourer. *Terre meuble.* ■ *nm* Objet construit en matériau rigide pour l'aménagement, la décoration des locaux et des lieux d'habitation (armoire, table, chaise, etc.).

meublé *nm* Appartement ou chambre loués garnis de meubles.

meubler *vt* 1 Garnir de meubles. 2 Remplir, occuper. *Meubler ses loisirs en bricolant.*

meuf *nf* Pop Femme, fille.

meuglement *nm* Beuglement.

meugler *vi* Faire entendre son cri (bovins).

meule nf 1 Pièce massive cylindrique qui sert à broyer, à moudre. 2 Disque abrasif qui sert à aiguiser, à polir. 3 Fromage en forme de gros cylindre. 4 Tas de foin, de paille. 5 Pop Moto.

meulière nf Pierre très dure, calcaire et siliceuse, utilisée dans le bâtiment.

meunerie nf Industrie de la fabrication de la farine ; commerce du meunier.

meunier, ère n Qui exploite un moulin à céréales, qui fabrique de la farine. ■ af inv Se dit d'un poisson passé à la farine avant cuisson au beurre.

meurette nf Sauce au vin rouge.

meurtre nm Homicide volontaire.

meurtrier, ère n Qui a commis un meurtre. ■ a Qui cause la mort. Folie meurtrière.

meurtrière nf Ouverture étroite dans un mur de fortification pour lancer des projectiles.

meurtrir vt 1 Faire une meurtrissure à ; contusionner. 2 Blesser moralement.

meurtrissure nf 1 Contusion avec changement de coloration de la peau. 2 Tache sur un fruit, provenant d'un choc.

meute nf 1 Troupe de chiens dressés pour la chasse à courre. 2 Troupe de personnes acharnées contre qqn.

mévente nf Mauvaise vente.

mexicain, aine a, n Du Mexique.

mézès nm Assortiment de hors-d'œuvre froids.

mezzanine [medza-] nf 1 Petit étage entre deux plus grands ; entresol. 2 Étage ménagé entre le parterre et le balcon, dans un théâtre. 3 Niveau intermédiaire aménagé dans une pièce haute de plafond.

mezza voce [medzavɔtʃe] av À demi-voix.

mezzo-soprano [medzo-] nm Voix de femme intermédiaire entre le soprano et le contralto. ■ nf Celle qui a cette voix. Des mezzo-sopranos.

mi nm Troisième note de la gamme.

miasme nm Émanation putride provenant d'une décomposition.

miaulement nm Cri du chat.

miauler vi Pousser son cri (chat).

mi-bas nm inv Chaussette montant jusqu'au genou.

mica nm Minéral brillant à structure feuilletée.

mi-carême nf Jeudi de la troisième semaine du carême. Des mi-carêmes.

micaschiste nm Roche métamorphique composée de mica et de quartz.

miche nf Gros pain rond.

micheline nf Autorail.

mi-chemin (à) av À la moitié d'un trajet ; à un degré intermédiaire.

micheton nm Pop Client d'une prostituée.

mi-clos, -close a À moitié clos.

micmac nm Fam 1 Intrigue secrète et embrouillée. 2 Situation confuse.

micocoulier nm Arbre ornemental des régions méditerranéennes.

mi-corps (à) av Jusqu'au milieu du corps.

mi-côte (à) av Au milieu d'une côte.

mi-course (à) av À moitié de la course.

micro nm Abrév de microphone et de micro-ordinateur. ■ nf Abrév de micro-informatique.

microbe nm Organisme microscopique unicellulaire (bactérie, virus, etc.).

microbien, enne a Relatif aux microbes.

microbiologie nf Science des microbes.

microcassette nf Cassette magnétique de petit format.

microchirurgie nf Chirurgie pratiquée à l'aide d'un microscope.

microcircuit nm Circuit électronique miniaturisé.

microclimat nm Climat propre à une zone de très faible étendue.

microcosme nm 1 Monde ou société en réduction. 2 Milieu social replié sur lui-même.

micro-cravate nm Microphone qu'on peut accrocher aux vêtements. Des micros-cravates.

microéconomie nf Étude des comportements économiques individuels.

microélectronique nf Technique des microstructures électroniques.

microfaune nf Faune microscopique.

microfiche nf Document comportant plusieurs photographies microscopiques.

microfilm nm Film qui groupe des photographies de format très réduit.

microforme nf Image photographique fortement réduite.

micrographie nf Étude au microscope de la structure des métaux, des roches, etc.

micro-informatique nf Domaine de l'informatique utilisant des microordinateurs.

micron nm 1 Unité de longueur valant un millionième de mètre. 2 Instrument pour mesurer les petites longueurs.

micrométrie nf Mesure des très petites dimensions.

micron nm Syn ancien de *micromètre*.

microonde nf Onde électromagnétique ultra-courte.

microondes nm inv Four à microondes.

microordinateur nm Ordinateur de petit format, dont l'unité centrale est constituée autour d'un microprocesseur (abrév : micro).

microorganisme nm BIOL Organisme microscopique.

microphone nm Appareil servant à transformer en signaux électriques des vibrations sonores (abrév : micro).

microphysique nf Physique des atomes et des particules.

microprocesseur nm INFORM Ensemble de circuits intégrés constituant l'unité centrale d'un microordinateur.

microscope nm Instrument d'optique permettant d'observer les objets très petits.

microscopique a 1 Réalisé à l'aide du microscope. 2 Qui n'est visible qu'au microscope. 3 Minuscule.

microsillon nm Disque phonographique.

microstructure nf 1 Structure microscopique. 2 Élément d'une structure plus grande.

miction nf PHYSIOL Expulsion de l'urine accumulée dans la vessie.

midi nm 1 Milieu du jour ; douzième heure. 2 Sud (point cardinal). 3 (avec majusc) Partie méridionale de la France.

midinette nf Jeune citadine aux idées naïves et romanesques.

mie nf Partie intérieure du pain, qui est molle.

miel nm Matière sucrée plus ou moins épaisse que les abeilles élaborent.

mielleux, euse a D'une douceur affectée et obséquieuse.

mien, mienne a poss Litt Qui est à moi, qui m'appartient. *Un mien ami. Cette idée est mienne.* ■ pr poss Ce qui est à moi. *Ta fille et la mienne.* ■ nmpl Mes proches, mes parents.

miette nf 1 Petite parcelle de pain, de gâteau, qui se détache. 2 Petite parcelle.

mieux av De façon plus avantageuse, plus accomplie. *Il peut mieux faire.* Loc **Aimer mieux :** préférer. **Valoir mieux :** être préférable. **Tant mieux :** marque la satisfaction. ■ nm Amélioration. *On observe un léger mieux.* ■ a inv 1 Meilleur, plus convenable. *C'est mieux pour lui.* 2 En meilleure santé. *Il est mieux qu'hier.* 3 Plus beau ; d'une valeur supérieure. *Elle est mieux que lui.*

mieux-être nm inv Bien-être accru.

mièvre a D'une grâce un peu fade.

mièvrerie nf État, parole, acte mièvre.

mignard, arde a Litt D'une grâce recherchée.

mignardise nf 1 Litt Délicatesse mignarde. 2 Petit œillet très parfumé.

mignon, onne a Délicat, gentil, gracieux. *Enfant mignon.* ■ n Terme d'affection. ■ nm HIST Nom donné aux favoris d'Henri III.

mignonnette nf 1 Petite bouteille destinée à un échantillon de liqueur. 2 Poivre grossièrement moulu.

migraine nf 1 Douleur n'affectant qu'un seul côté de la tête. 2 Mal de tête en général.

migraineux, euse a MED De la migraine. ■ a, n Sujet à la migraine.

migrant, ante a, n Qui migre (personne).

migrateur, trice a, n Qui migre (animal).

migration nf 1 Déplacement d'une population passant d'une région dans une autre pour s'y établir. 2 Déplacement en groupes, au cours des saisons, de certains animaux.

migratoire a Qui concerne les migrations.

migrer vi Effectuer une migration.

mihrab nm Niche à l'intérieur d'une mosquée, orientée vers La Mecque.

mi-jambe (à) *av* Jusqu'au niveau du milieu de la jambe.

mijaurée *nf* Vx Femme aux manières prétentieuses, affectées.

mijoter *vt* **1** Faire cuire à petit feu. **2** Fam Préparer à loisir, et d'une manière plus ou moins secrète un projet. ■ *vi* Cuire à petit feu.

mikado *nm* **1** Empereur du Japon. **2** Jeu d'adresse ressemblant aux jonchets.

1. mil. V. mille 1.

2. mil *nm* Céréale à petits grains des régions chaudes de l'Ancien Monde.

milan *nm* Oiseau de proie.

milanais, aise *a, n* De Milan.

mildiou *nm* Maladie de la vigne, de la pomme de terre, etc., due à des moisissures.

mile [majl] *nm* Mesure anglaise de longueur équivalant à 1 609 m.

milice *nf* **1** Au Moyen Âge, troupe levée dans une ville affranchie pour défendre celle-ci. **2** Formation de police, sans caractère officiel, chargée de défendre des intérêts privés.

milicien, enne *n* Membre d'une milice.

milieu *nm* **1** Centre d'un lieu, point situé à égale distance des extrémités, des bords. *Poser un vase au milieu de la table.* **2** Période située à égale distance du début et de la fin. *Le milieu du mois.* **3** Ce qui est également éloigné de deux excès contraires. *Garder le juste milieu.* **4** Ensemble de conditions naturelles (géographiques, climatiques, etc.) qui régissent la vie d'êtres vivants. **5** Entourage, société, sphère sociale où l'on vit. **6** Monde de la pègre. **Loc** *Milieu de terrain :* au football, joueur qui coordonne l'attaque et la défense.

militaire *a* **1** Relatif à l'armée, aux soldats, à la guerre. **2** Qui s'appuie sur l'armée. *Dictature militaire.* ■ *nm* Membre de l'armée.

militant, ante *a, n* Qui lutte, qui agit pour un parti, une cause.

militantisme *nm* Activité des militants.

militariser *vt* **1** Pourvoir d'une force armée. **2** Organiser de façon militaire.

militarisme *nm* **1** Politique s'appuyant sur les militaires, sur l'armée. **2** Tendance favorable à l'influence des militaires.

militer *vi* Œuvrer activement à la défense ou à la propagation d'une idée ; participer activement à un parti, à un syndicat.

milk-shake [milkʃɛk] *nm* Boisson de lait aromatisé. *Des milk-shakes.*

1. mille *a num inv* (peut s'écrire *mil* dans une date inférieure à *deux mille : mil neuf cent trente*). **1** Dix fois cent (1 000). **2** Millième. *Le numéro mille.* **3** Un grand nombre de. *Je vous remercie mille fois.* **Loc** *Je vous le donne en mille :* je parie, à mille contre un, que vous ne devinerez pas. ■ *nm inv* **1** Nombre, numéro mille. **2** Millier. *Quel est le prix au mille ?* **Loc** *Taper dans le mille :* deviner juste.

2. mille *nm* **1** ANTIQ Unité de distance valant mille pas (1 481 m). **2** Unité de distance utilisée en navigation (1 852 m).

1. millefeuille *nm* Plante des terrains incultes à feuilles finement divisées.

2. millefeuille *nm* Gâteau de pâte feuilletée garnie de crème pâtissière.

millénaire *a* Qui existe depuis mille ans. ■ *nm* **1** Période de mille ans. **2** Millième anniversaire.

millénarisme *nm* Croyance en un règne messianique destiné à durer mille ans.

mille-pattes *nm inv* Myriapode.

millepertuis *nm inv* Plante à fleurs jaunes, dont les feuilles semblent criblées de trous.

millésime *nm* Date de fabrication d'une monnaie, de récolte d'un vin, etc.

millésimer *vt* Attribuer un millésime à.

millet [-jε] *nm* Céréale cultivée surtout en Asie et en Afrique.

milliard *nm* **1** Nombre qui vaut mille millions. **2** Nombre extrêmement important.

milliardaire *a, n* Dont la richesse dépasse le milliard de francs.

milliardième *a num* Au rang marqué par le nombre 1 milliard. ■ *a, nm* Contenu un milliard de fois dans un tout.

millibar *nm* Unité de pression valant un millième de bar.

millième *a num* Dont le rang est marqué par le nombre mille. ■ *a, nm* Contenu mille fois dans un tout. ■ nm 1 Très petite partie. 2 Unité de répartition des charges dans une copropriété.

millier nm Nombre de mille, d'environ mille.

milligramme nm Millième partie du gramme.

millilitre nm Millième partie du litre.

millimètre nm Un millième de mètre.

millimétré, ée ou **millimétrique** a Relatif au millimètre, gradué en millimètres.

million [-ljɔ̃] nm 1 Nombre qui vaut mille fois mille. 2 Nombre très élevé.

millionième a num Au rang marqué par le nombre 1 million. ■ a, nm Contenu un million de fois dans un tout.

millionnaire a, n Dont la fortune s'évalue en millions de francs.

milord nm Titre donné à un lord.

milouin nm Canard plongeur.

mi-lourd nm Boxeur pesant entre 75 et 79 kg. Des mi-lourds.

mime nm 1 Comédie sans paroles, où l'acteur s'exprime par gestes. 2 Acteur de cette comédie.

mimer vt Imiter, représenter par des gestes, des attitudes.

mimétique a Du mimétisme.

mimétisme nm 1 Aptitude de certaines espèces animales à prendre l'aspect d'un élément de leur milieu de vie. 2 Tendance à imiter le comportement d'autrui.

mimique nf Représentation par le geste ou par l'expression du visage d'une idée, d'un sentiment, etc.

mimodrame nm Œuvre dramatique représentée par des mimes.

mimolette nf Fromage de vache jaune orangé, de forme sphérique.

mimosa nm Arbuste à fleurs ornementales, groupées en petites boules très odorantes.

mi-moyen nm Boxeur pesant entre 63,5 et 67 kg. Syn. welter. Des mi-moyens.

minable a, n Fam Pitoyable, médiocre.

minaret nm Tour d'une mosquée.

minauder vi Faire des mines, des manières.

minauderie nf Action de minauder ; manque de naturel.

minaudière nf (n déposé) Petite boîte contenant un nécessaire à maquillage.

minbar [min-] nm Chaire à prêcher, dans une mosquée.

mince a 1 De peu d'épaisseur. 2 Svelte. 3 Peu important, médiocre. ■ interj Fam Exprime la surprise, l'admiration, etc.

minceur nf Caractère mince, peu épais.

mincir vi Devenir plus mince. ■ vt Faire paraître plus mince.

1. mine nf 1 Excavation pratiquée dans le sol pour exploiter un gisement d'une matière minérale ou métallique ; ce gisement. Mine de charbon, de fer. 2 Engin conçu pour exploser au passage d'un homme, d'un véhicule, d'un navire. 3 Mince baguette de graphite ou de matière colorée dans un crayon.

2. mine nf 1 Expression du visage, physionomie de qqn en tant qu'indice de son état de santé, de son humeur, etc. 2 Apparence, aspect de qqch. Loc Faire mine de (+ inf) : faire semblant de. ■ pl Loc Faire des mines : avoir un comportement affecté.

miner vt 1 Creuser en créant un risque d'effondrement. 2 Consumer peu à peu. Le chagrin le mine. 3 Placer des mines explosives dans.

minerai nm Roche d'où l'on peut extraire un métal, un minéral.

minéral, ale, aux a Des minéraux. Chimie minérale. Loc Eau minérale : eau contenant des éléments minéraux. ■ nm Corps inorganique se trouvant à l'intérieur de la terre ou à sa surface.

minéralier nm Cargo équipé pour le transport des minerais.

minéraliser vt 1 Transformer en minerai. 2 Rendre minérale une eau.

minéralogie nf Science des minéraux.

minéralogique a De la minéralogie. Loc Numéro minéralogique : immatriculation d'une automobile.

minéralogiste nm Spécialiste de minéralogie.

minéralurgie nf Technique de traitement des minerais bruts.

minerve nf Appareil d'orthopédie, collerette rigide qui maintient la tête droite.

minervois nm Vin rouge du sud de la France.

minestrone nm Soupe italienne épaisse.

minet, ette n 1 Fam Chat, chatte. 2 Jeune qui s'habille en suivant la mode de très près.

1. mineur, eure a 1 De moindre importance. *Cela n'a qu'un intérêt mineur.* 2 MUS Se dit d'une gamme, d'un ton dont la tierce comprend un ton et un demi-ton. ■ a, n Qui n'a pas atteint l'âge de la majorité. ■ nf PHILO Deuxième proposition d'un syllogisme.

2. mineur nm Ouvrier qui travaille dans une exploitation minière.

miniature nf 1 Lettre ornée en tête de chapitre d'un manuscrit médiéval. 2 Très petite peinture. ■ a Très réduit. *Autos miniatures.*

miniaturisation nf Action de miniaturiser.

miniaturiser vt Réduire le plus possible les dimensions de qqch.

miniaturiste n Peintre de miniatures.

minibus nm Petit autobus.

minicassette nf Cassette de petit format.

minichaîne nf Chaîne haute-fidélité miniaturisée.

minier, ère a Relatif aux mines. *Gisement minier.*

minigolf nm Golf miniature.

minijupe nf Jupe très courte.

minima. V. minimum.

minimal, ale, aux a Qui a atteint, qui constitue un minimum.

minimaliste n, a Qui représente ou recherche une position minimale, éloignée des extrêmes, pouvant regrouper l'adhésion.

minime a Très petit. *Valeur minime.* ■ n Jeune sportif de 11 à 13 ans.

minimiser vt Réduire l'importance de qqch au minimum.

minimum [-mɔm] nm La plus petite valeur possible ou acceptable. **Loc** *Au minimum* : au moins. *Des minimums* ou *des minima.* ■ a Le plus bas. *Tarif minimum.*

miniordinateur nm Ordinateur de puissance moyenne.

ministère nm 1 Charge de ministre. 2 Ensemble des ministres constituant un cabinet. *Renverser le ministère.* 3 Ensemble des services publics placés sous la direction d'un ministre ; bâtiment où ces services sont abrités. 4 Sacerdoce. **Loc** *Ministère public* : corps de magistrats chargés de requérir l'exécution des lois.

ministériel, elle a Relatif au ministère. *Crise ministérielle.* **Loc** *Officier ministériel* : notaire, huissier ou commissaire-priseur.

ministre n 1 Membre du gouvernement qui dirige un ensemble de services publics. 2 Agent diplomatique de rang inférieur à celui d'ambassadeur. *Ministre plénipotentiaire.* **Loc** *Ministre du culte* : ecclésiastique ; pasteur protestant.

minitel nm (n déposé) Petit terminal commercialisé par les télécommunications, servant à la consultation de banques de données et à l'échange d'informations.

minium [-njɔm] nm Oxyde de plomb rouge orangé, utilisé comme antirouille.

minoen, enne a, n HIST De la période la plus ancienne de l'histoire crétoise (IIIe mill. - 1400 env. av. J.-C.).

minois nm Visage frais, délicat d'enfant, de jeune fille, de jeune femme.

minoration nf Action de minorer qqch ; ce qui est minoré.

minorer vt Réduire la valeur, l'importance de qqch.

minoritaire a, n Qui appartient à la minorité.

minorité nf 1 Le plus petit nombre dans un ensemble. *Dans une minorité de cas.* 2 Parti, tendance représentant le moins de voix dans une élection (par oppos. à majorité). 3 Petite collectivité à l'intérieur d'un ensemble. *Les minorités ethniques.* 4 État d'une personne légalement mineure.

minorquin, ine a, n De Minorque.

minoterie nf 1 Meunerie. 2 Grand moulin industriel.

minotier nm Exploitant d'une minoterie.

minou nm Fam Chat.

minuit nm Instant où un jour finit et où l'autre commence (24 h ou 0 h).

minus [minys] n inv Fam Peu intelligent ou peu capable.

minuscule a Très petit. ■ nf Petite lettre (par oppos. à majuscule).

minutage nm Décompte précis du temps.

minute nf 1 Division du temps, égale à la soixantième partie d'une heure à 60 secondes. 2 Espace de temps très court. *Je reviens dans une minute.* 3 Unité de mesure d'arc et d'angle, égale à la soixantième partie d'un degré. 4 DR Original des actes notariés ou des sentences des tribunaux. ■ interj Fam Attention, doucement.

minuter vt Déterminer avec précision le déroulement dans le temps, l'horaire.

minuterie nf Dispositif électrique servant à établir un contact pendant une durée déterminée, utilisée principalement pour l'éclairage.

minuteur nm Appareil ménager déclenchant une sonnerie au bout d'un temps donné.

minutie [-si] nf Soin extrême, qui se manifeste jusque dans les plus petits détails.

minutieusement av De façon minutieuse.

minutieux, euse a Qui marque la minutie.

miocène nm Troisième période de l'ère tertiaire.

mioche n Fam Enfant.

mirabelle nf 1 Petite prune jaune, ronde et parfumée. 2 Eau-de-vie de cette prune.

mirabilis nm Syn de belle-de-nuit.

miracle nm 1 Phénomène inexplicable par les lois connues de la nature et attribué à une intervention divine. 2 Effet extraordinaire d'un hasard heureux. *Par miracle il est sauf.*

miraculé, ée a, n Qui a été l'objet d'un miracle, d'un hasard heureux.

miraculeux, euse a 1 Qui tient du miracle. *Guérison miraculeuse.* 2 Étonnant, extraordinaire.

mirador nm Poste d'observation élevé, servant en partic. à surveiller un camp de prisonniers.

mirage nm 1 Phénomène optique propre aux régions chaudes, qui donne l'illusion d'une nappe d'eau lointaine où se reflètent les objets. 2 Illusion séduisante, chimère.

mire nf 1 Règle graduée utilisée pour les relevés topographiques. 2 Image diffusée par un émetteur de télévision et qui sert au réglage des récepteurs. **Loc** *Cran de mire :* échancrure dans la hausse d'un fusil. *Ligne de mire :* ligne qui va de l'œil du tireur au point visé. *Être le point de mire :* être l'objet de tous les regards.

mirer vt Examiner à la lumière par transparence. *Mirer des œufs.* ■ vpr Litt Se refléter ; voir son image réfléchie.

mirettes nfpl Pop Yeux.

mirifique a Merveilleux.

mirliton nm Instrument de musique formé d'un tube et de membranes que l'on fait vibrer.

mirobolant, ante a Fam Extraordinaire au point d'en être incroyable.

miroir nm 1 Surface polie qui réfléchit les rayons lumineux, qui renvoie l'image des objets. 2 Litt Image, reflet de qqch. **Loc** *Miroir aux alouettes :* attrait trompeur.

miroiter vi Renvoyer la lumière en présentant des reflets changeants, scintiller. **Loc** *Faire miroiter :* faire entrevoir un avantage possible.

miroiterie nf Commerce, industrie des miroirs.

miroitier, ère n Qui vend, répare, installe des miroirs.

miroton ou **mironton** nm Ragoût de bœuf accommodé aux oignons.

mis, mise nf Loc DR *Mis en examen :* qui est sous le coup d'une mise en examen. Syn. anc. inculpé.

misaine nf Loc *Mât de misaine :* mât vertical, entre la proue et le grand mât.

misandrie nf Aversion pour le sexe masculin.

misanthrope n, a Qui a de l'aversion pour le genre humain, qui est peu sociable.

misanthropie nf Caractère du misanthrope.

miscible a Qui peut se mélanger de manière homogène avec un autre corps.

mise nf **1** Action de mettre. *Mise à l'écart. Mise au jeu. Mise en scène.* **2** Manière de se vêtir. **3** Somme que l'on engage au jeu, dans une entreprise, etc. Loc *Être, n'être pas de mise* : être, n'être pas convenable, admissible. *Mise en examen* : imputation à qqn d'un crime ou d'un délit couvrant une procédure d'instruction. Syn. anc. inculpation.

miser vt Déposer comme mise, comme enjeu. ■ vti Compter sur. *Je mise sur sa loyauté.*

misérabilisme nm Populisme qui s'attache avec complaisance à la description de la misère.

misérable a Qui est très pauvre, qui suscite la pitié. ■ n Personne méprisable, vaurien.

misère nf **1** État d'extrême pauvreté. **2** État, condition malheureuse, pénible. *La misère du temps.* **3** Chose pénible, douloureuse. **4** Chose insignifiante. *Se quereller pour une misère.* **5** BOT Variété de tradescantia.

miséreux, euse a, n Qui est dans la misère.

miséricorde nf Litt Pardon accordé par compassion. ■ interj Exprime la surprise, la crainte.

miséricordieux, euse a Litt Enclin à la pitié.

misogyne a, n Qui déteste, qui méprise les femmes.

misogynie nf Caractère du misogyne.

miss nf Lauréate de concours de beauté.

missel nm Livre de messe.

missile nm Engin explosif de grande puissance, autopropulsé et autoguidé.

missilier nm Spécialiste des missiles.

mission nf **1** Charge confiée à qqn de faire qqch. **2** Groupe de personnes auxquelles une charge est confiée. **3** Activité, communauté de missionnaires.

missionnaire n Religieux, religieuse qui propage l'Évangile. ■ a Relatif aux missions.

missive nf Litt Lettre qu'on envoie.

mistelle nf Moût de raisin dont la fermentation a été arrêtée par addition d'alcool.

mistigri nm **1** Fam Chat. **2** Valet de trèfle.

mistral nm Vent violent du nord soufflant dans la vallée du Rhône et en Provence.

mitaine nf Gant qui laisse découvertes les deux dernières phalanges des doigts.

mitard nm Pop Cachot disciplinaire d'une prison.

mite nf Insecte dont les chenilles attaquent les tissus et les fourrures.

mité, ée a Rongé par les mites.

mi-temps nf inv **1** Temps de repos entre les deux parties d'un match. **2** Chacune de ces deux parties, d'égale durée. Loc *À mi-temps* : pendant une durée équivalente à la moitié du temps de travail normal. ■ nm inv Travail à mi-temps.

miteux, euse a, n Fam D'aspect pitoyable.

mithridatiser vt Immuniser contre un poison.

mitigé, ée a **1** Abusiv Partagé, mêlé. *Une joie mitigée de remords.* **2** Qui laisse à désirer, incertain. *Accueil mitigé.*

mitigeur nm Mélangeur pour régler la température de l'eau.

mitochondrie [-kɔ̃-] nf BIOL Un des éléments constituants de la cellule.

mitonner vi Cuire doucement dans son jus. ■ vt **1** Faire cuire longtemps et à petit feu. **2** Préparer avec soin, longuement.

mitose nf BIOL Division des chromosomes d'une cellule et formation de deux cellules.

mitotique a BIOL De la mitose.

mitoyen, enne a Qui sépare deux choses et leur est commun. *Mur mitoyen.*

mitraillage nm Action de mitrailler.

mitraille nf **1** Pluie de projectiles d'armes à feu. **2** Fam Menue monnaie.

mitrailler vt **1** Tirer des rafales de projectiles sur. **2** Fam Photographier, filmer sous tous les angles.

mitraillette nf Pistolet-mitrailleur.

mitrailleuse nf Arme automatique à tir rapide, montée sur affût ou sur tourelle.

mitre nf Coiffure haute et conique portée par les évêques, les abbés, lorsqu'ils officient.

mitron nm Garçon boulanger.

mi-voix (à) av Qui parle d'une voix faible.

mixer vt **1** Mélanger, combiner. *Mixer des informations.* **2** Passer au mixeur. **3** Combiner des signaux (son ou image) sur un même support.

mixeur ou **mixer** [-ksœr] *nm* Appareil électrique pour broyer, mélanger des aliments.

mixité *nf* Caractère mixte.

mixte *a* 1 Qui est formé d'éléments hétérogènes et qui participe de leurs différentes propriétés. 2 Qui comprend, qui reçoit des personnes des deux sexes. *École mixte.*

mixtion *nf* Action de mélanger.

mixture *nf* 1 Mélange, généralement liquide, de substances chimiques, de médicaments. 2 Mélange peu appétissant.

mnémotechnique *a* Qui aide à la mémoire par des procédés d'association.

mobile *a* 1 Qui se meut ; qui peut être mû, déplacé. 2 Dont la date, la valeur peut varier. *Fête mobile. Échelle mobile des salaires.* ■ *nm* 1 Corps en mouvement. 2 Ce qui incite à agir ; motif. *Le mobile d'un crime.* 3 Téléphone mobile.

mobile-home *nm* Habitation que l'on peut installer sur une remorque pour la déplacer. Syn. résidence mobile. *Des mobile-homes.*

mobilier, ère *a* 1 DR Qui consiste en biens meubles. Loc *Valeurs mobilières :* actions, obligations, etc. ■ *nm* Ensemble des meubles d'un appartement, de l'équipement d'une maison. Loc *Mobilier urbain :* équipements tels que bancs publics, kiosques, etc.

mobilisateur, trice *a* Susceptible de mobiliser. *Mot d'ordre mobilisateur.*

mobilisation *nf* Action de mobiliser.

mobilisé, ée *a, nm* Rappelé sous les drapeaux lors d'une mobilisation.

mobiliser *vt* 1 Organiser, équiper en vue d'opérations militaires. *Mobiliser des troupes.* 2 Faire appel à l'action de. *Mobiliser les adhérents.* 3 Réunir en vue d'une action. *Mobiliser des capitaux.* ■ *vpr* Être prêt à agir.

mobilité *nf* 1 Caractère mobile. 2 Qualité de ce qui change d'aspect rapidement. *Mobilité de la physionomie.*

mobylette *nf* (n déposé) Cyclomoteur.

mocassin *nm* Chaussure basse, très souple, sans lacets.

moche *a* Fam 1 Laid, pas beau. 2 Désagréable, ennuyeux.

mocheté *nf* Pop Personne très laide.

modal, ale, aux *a* GRAM, MUS Relatif aux modes.

modalité *nf* Forme particulière que revêt une chose, un acte, une pensée, etc. *Préciser les modalités de paiement.*

1. mode *nf* 1 Manière changeante selon l'époque ou le lieu d'agir, de penser. 2 Manière de s'habiller en usage à un moment, dans un pays, un milieu. 3 Industrie et commerce de l'habillement. Loc *Bœuf mode :* cuit avec des carottes.

2. mode *nm* 1 Forme, procédé. *Mode de vie.* 2 MUS Système d'organisation des sons, des rythmes et partic. des différentes gammes. 3 GRAM Série de formes verbales correspondant à la manière dont est conçue l'action exprimée (ex. : indicatif, impératif, subjonctif, etc.).

modelage *nm* Action de modeler une substance, un objet.

modèle *nm* 1 Ce qui est proposé à l'imitation. 2 Personne qui pose pour un peintre, un sculpteur. 3 Objet reproduit industriellement à de nombreux exemplaires. *Voiture qui est un modèle ancien.* 4 Schéma théorique d'un processus. Loc *Modèle réduit :* reproduction à petite échelle. ■ *a* Qui a les qualités idéales. *Un élève modèle.*

modelé *nm* Rendu des formes, en sculpture, en peinture, en dessin.

modeler *vt* 16 1 Façonner une matière molle pour en tirer une forme déterminée. *Modeler de la glaise.* 2 Façonner qqch en pétrissant, en déformant. *Modeler une statuette.* 3 Conformer à. *Modeler sa conduite sur celle de ses voisins.*

modéliser *vt* Concevoir, établir le modèle, le schéma théorique de qqch.

modélisme *nm* Fabrication de modèles réduits.

modéliste *n* 1 Qui dessine des modèles pour la mode. 2 Qui fabrique des modèles réduits.

modem *nm* Système électronique servant à connecter un terminal ou un ordinateur à une ligne de télécommunication.

modération nf **1** Retenue qui porte à garder en toutes choses une certaine mesure. **2** Diminution. *Modération d'une taxe.*

moderato av MUS D'un mouvement modéré.

modéré, ée a Qui n'est pas excessif. *Prix modéré.* ■ a, n Dont les opinions politiques sont éloignées des extrêmes.

modérer vt 12 Diminuer, tempérer. *Modérer le zèle de qqn.* ■ vpr Se contenir.

modern dance nf Danse contemporaine, issue de la danse classique.

moderne a, n Actuel, de notre époque ou d'une époque récente. Loc *Histoire moderne :* histoire comprise entre la prise de Constantinople (1453) et la Révolution française (1789). ■ nm Ce qui est au goût du jour, contemporain.

modernisation nf Action de moderniser.

moderniser vt Donner un caractère moderne à qqch. ■ vpr Devenir moderne.

modernisme nm Tendance à préférer ce qui est moderne.

modernité nf Caractère moderne.

modeste a **1** Exempt de vanité, d'orgueil. **2** Simple, sans faste, modéré.

modestie nf Caractère modeste.

modicité nf Caractère modique.

modification nf Action de modifier ; changement, transformation.

modifier vt Changer une chose sans la transformer complètement. *Modifier ses habitudes.* ■ vpr Subir un changement.

modique a Peu considérable, de peu de valeur.

modiste nf Qui confectionne ou qui vend des chapeaux, des coiffures de femmes.

modulable a Qui peut être modulé.

modulaire a Relatif au module, constitué de modules. *Construction modulaire.*

modulateur nm Appareil qui sert à moduler le courant électrique.

modulation nf **1** Ensemble des variations du ton, de la voix, enchaînées sans heurt. **2** MUS Passage d'une tonalité à une autre. **3** Action de moduler, d'adapter. Loc *Modula-*

tion de fréquence : procédé permettant une reproduction sonore d'excellente qualité, à la radio.

module nm **1** Élément combinable avec d'autres pour constituer un ensemble ; élément de base d'un équipement. **2** Élément d'un vaisseau spatial à propulsion autonome.

moduler vi MUS Passer d'une tonalité à une autre. ■ vt **1** Marquer d'inflexions. *Moduler une complainte.* **2** Adapter aux conditions du moment, aux circonstances.

modus vivendi [mɔdysvivēdi] nm inv Accommodement entre deux parties en litige.

moelle [mwal] nf **1** Substance molle et graisseuse localisée dans les os. **2** BOT Tissu mou situé au centre de la tige de certains végétaux. Loc *Moelle épinière :* partie du système nerveux central contenue dans le canal rachidien.

moelleux, euse [mwa-] a Doux, agréable aux sens. *Vin moelleux.*

moellon [mwa-] nm CONSTR Pierre de petite dimension.

mœurs [mœR] ou [mœRs] nfpl **1** Habitudes de vie d'une personne, d'une société, d'une espèce animale. *Des mœurs casanières. Autres temps, autres mœurs. Les mœurs des éléphants.* **2** Conduite morale. *Des mœurs relâchées.*

mofette nf **1** Émanation de gaz carbonique, dans certains terrains volcaniques. **2** V. *moufette.*

moghol, ole a De la dynastie des Moghols.

mohair nm Laine ou étoffe faite avec du poil de chèvre angora.

moi pr pers Forme tonique de la 1re personne du sing et des deux genres. ■ nm Ce qui constitue la personnalité de l'individu.

moignon nm **1** Partie restante d'un membre amputé. **2** Membre rudimentaire. *Moignon d'aile.* **3** Ce qui reste d'une grosse branche coupée ou cassée.

moindre a Plus petit, moins important. *De moindre valeur. La moindre erreur serait fatale.*

moine nm Religieux vivant en communauté.

moineau nm Petit oiseau brun et beige, très courant dans les villes.

moins av Exprime l'infériorité. *Moins grand que son frère. J'ai deux ans de moins que lui. Ce projet est le moins coûteux.* Loc **À moins de :** sauf dans le cas de. **À moins que :** sauf dans le cas où. ■ nm 1 Le minimum. *Le moins que l'on puisse dire.* 2 MATH Signe de la soustraction (-). ■ prép Sert à soustraire. *8 moins 5 égale 3.*

moins-disant nm DR Qui, dans une adjudication, fait l'offre la plus basse. *Des moins-disants.*

moins-perçu nm DR Ce qui manque à la somme perçue. *Des moins-perçus.*

moins-value nf Perte de valeur ; déficit, manque à gagner. *Des moins-values.*

moire nf Étoffe à reflets chatoyants.

moiré, ée a Qui a les reflets de la moire.

mois nm 1 Chacune des douze parties de l'année. *Le mois de janvier.* 2 Espace d'environ trente jours. *Il me faudra deux mois pour finir ce travail.* 3 Prix payé pour un mois de travail, de location. *Payer son loyer à un mois.* 4 Salaire mensuel d'un employé. Loc **Mois lunaire :** temps séparant deux conjonctions de la Lune avec le Soleil.

moisi nm Ce qui est moisi.

moisir vi 1 Se couvrir de moisissures. 2 Fam Attendre trop longtemps, se morfondre.

moisissure nf Ensemble de champignons minuscules qui se développent sur des matières organiques humides ou en décomposition.

moisson nf 1 Action de récolter le blé, les céréales. 2 La récolte elle-même. 3 Temps, époque où l'on fait la récolte. 4 Grande quantité de choses réunies. *Une moisson de renseignements.*

moissonner vt 1 Faire la moisson. 2 Remporter, recueillir en abondance.

moissonneur, euse n Qui moissonne. ■ nf Machine servant à moissonner.

moissonneuse-batteuse nf Machine qui bat le grain et le sépare de la paille. *Des moissonneuses-batteuses.*

moite a Légèrement humide.

moiteur nf Caractère moite.

moitié nf 1 Chacune des deux parties égales d'un tout. 2 Milieu. 3 Fam Épouse. Loc **À moi-**

tié : à demi ; en partie. *Faire les choses à moitié :* ne pas les faire convenablement. *Être, se mettre de moitié avec qqn :* partager également avec lui le gain et la perte. Fam *Moitié-moitié :* en partageant en deux parts égales ; d'une manière mitigée.

moka nm 1 Café renommé. 2 Gâteau garni de crème au beurre aromatisée au café.

mol. V. mou.

molaire nf Chacune des grosses dents, qui servent à broyer.

molasse nf GÉOL Grès tendre à ciment calcaire.

moldave a, n De Moldavie.

mole nf CHIM Unité de quantité de matière.

môle nm Jetée construite à l'entrée d'un port et faisant office de brise-lames.

moléculaire a De la molécule.

molécule nf Ensemble d'atomes liés les uns aux autres par des liaisons fortes.

molène nf BOT Syn de *bouillon-blanc.*

moleskine nf Toile cirée imitant le cuir.

molester vt Malmener, brutaliser.

molette nf 1 Roulette garnie de pointes, à l'extrémité d'un éperon. 2 Roulette servant à couper, à marquer, à frotter, etc. 3 Petit cylindre cannelé servant à actionner un mécanisme.

moliéresque a Qui évoque Molière.

mollah nm Docteur en droit religieux dans l'islam chiite.

mollasse a Fam Mou, flasque, nonchalant.

mollasson, onne n, a Fam Personne molle.

molle. V. mou.

mollement av Avec mollesse.

mollesse nf 1 Caractère mou. 2 Manque d'énergie dans le caractère, la conduite.

1. mollet am Loc *Œuf mollet :* cuit dans sa coquille de manière que le blanc soit pris et le jaune onctueux.

2. mollet nm Relief musculaire à la partie postérieure et inférieure de la jambe.

molletière a, nf Bande d'étoffe ou de cuir dont on entourait le mollet.

molleton nm Étoffe moelleuse de laine ou de coton cardé.

molletonné, ée *a* Doublé de molleton.

mollir *vi* 1 Devenir mou. 2 Perdre de sa force, faiblir.

mollo *av* Pop Doucement, délicatement.

mollusque *nm* 1 Animal au corps mou, souvent pourvu d'une coquille calcaire (limace, huître, etc.). 2 Fam Individu mou, sans énergie.

molosse *nm* Grand dogue.

molto *av* MUS Beaucoup, très.

molybdène *nm* CHIM Métal utilisé pour les aciers inoxydables.

môme *n* Fam Enfant. ■ *nf* Pop Jeune fille.

moment *nm* 1 Petite partie du temps. *Il n'en a que pour un moment.* 2 Laps de temps indéterminé. *Attendre un long moment.* 3 La période présente. 4 Circonstance, occasion. *C'est le bon moment.* Loc *Au moment où :* lorsque. *Du moment que :* puisque.

momentané, ée *a* Qui dure peu ; temporaire.

momie *nf* 1 Corps embaumé par les anciens Égyptiens. 2 Fam Personne très maigre.

momifier *vt* Transformer en momie. ■ *vpr* Se fossiliser, se dessécher.

mon, ma, mes *a poss* Première personne du singulier ; de moi. *Ma maison. Mon fils. Mes amis.*

monacal, ale, aux *a* Des moines. *Vie monacale.*

monachisme *nm* Institution monastique.

monade *nf* PHILO Pour Leibniz, élément premier de toutes les choses.

monarchie *nf* 1 Forme de gouvernement d'un État dans laquelle le pouvoir est détenu par un seul chef. 2 État gouverné par un seul individu, spécialement par un roi.

monarchique *a* De la monarchie.

monarchiste *n, a* Partisan de la monarchie.

monarque *nm* Qui détient l'autorité souveraine dans une monarchie ; roi, souverain.

monastère *nm* Groupe de bâtiments habités par des moines ou des moniales.

monastique *a* Des moines, des moniales ou de leur genre de vie.

monbazillac *nm* Vin blanc doux du Sud-Ouest.

monceau *nm* Tas, amas important.

mondain, aine *a* Qui concerne la haute société, ses divertissements. ■ *a, n* Qui fréquente, qui aime le monde, la haute société.

mondanité *nf* Goût pour les divertissements mondains. ■ *pl* Événements, faits de la vie mondaine.

monde *nm* 1 Ensemble de tout ce qui existe, univers. 2 Système planétaire ; planète. 3 La Terre. *Parcourir le monde.* 4 Le genre humain ; l'humanité. *Ainsi va le monde.* 5 Groupe social défini. *Le monde scientifique.* 6 La haute société, les classes aisées qui ont une vie facile et brillante. *Sortir dans le monde.* 7 La vie en société. *Fuir le monde.* 8 La vie laïque (par oppos. à la vie monastique). 9 Un grand nombre, ou un certain nombre de personnes. *Il y a du monde dans les rues.* Loc *Le Nouveau Monde :* l'Amérique (par oppos. à l'*Ancien Monde :* Europe, Asie et Afrique. *L'autre monde :* le séjour des morts (par oppos. à *ce monde,* ce bas monde : le séjour des vivants). *Venir au monde :* naître. *Mettre un enfant au monde :* lui donner naissance. *Tout le monde :* tous, on.

monder *vt* Débarrasser un fruit, une substance de ses impuretés.

mondial, ale, aux *a* Qui intéresse, qui concerne le monde entier.

mondialiser *vt* Rendre mondial. ■ *vpr* Devenir mondial.

mondialisme *nm* 1 Unité politique de la communauté humaine. 2 Approche des problèmes politiques dans une optique mondiale.

mondovision *nf* Transmission par satellites d'émissions de télévision dans le monde entier.

monégasque *a, n* De Monaco.

monétaire *a* Relatif à la monnaie, aux monnaies. *Politique monétaire.*

monétarisme *nm* Doctrine économique qui met au premier plan la politique monétaire.

monétique *nf* Ensemble des moyens informatiques et électroniques utilisés comme mode de paiement. ■ *a* De la monétique.

mongol

mongol, ole a, n De Mongolie. ■ nm Langue parlée par les Mongols.

mongolien, enne n, a Atteint de mongolisme.

mongolisme nm Maladie congénitale caractérisée par un aspect physique particulier et une débilité mentale.

moniale nf Religieuse cloîtrée.

moniliose nf Pourrissement des fruits, dû à un champignon.

monisme nm PHILO Doctrine considérant le monde comme formé d'un seul principe, tel que la matière ou l'esprit.

moniteur, trice n 1 Personne chargée d'enseigner certains sports, certaines techniques, de diriger des enfants. ■ nm 1 Écran associé à un microordinateur. 2 Programme particulier assurant l'ensemble des travaux à réaliser par un ordinateur. 3 Appareil de surveillance automatique des malades.

monitorage ou **monitoring** [-Riŋ] nm Système de surveillance électronique utilisé en médecine.

monnaie nf 1 Ensemble des pièces de métal ou des billets de papier ayant cours légal, qui servent de moyen d'échange. 2 Pièces ou billets de faible valeur. 3 Argent rendu à qqn qui a payé avec un billet ou une pièce d'une valeur supérieure à celle de son achat.

monnaie-du-pape nf Plante dont les fruits évoquent des pièces de monnaie. Syn. lunaire. Des monnaies-du-pape.

monnayer vt 20 1 Transformer un métal en monnaie. 2 Tirer argent de. Monnayer son aide.

monnayeur nm Appareil qui fait de la monnaie (sens 3).

monobloc a inv, nm Constitué d'un seul bloc.

monocamérisme nm Système politique fondé sur un Parlement à une chambre.

monochrome a D'une seule couleur.

monocle nm Verre correcteur unique qu'on fait tenir dans l'arcade sourcilière.

monoclonal, ale, aux a BIOL Qui relève du même clone.

monocoque nm Voilier à coque unique.

monocorde a Dont les inflexions sont peu variées ; monotone.

monocotylédone nf BOT Plante dont l'embryon ne possède qu'un cotylédon.

monoculaire a D'un seul œil.

monoculture nf Culture d'une seule plante dans une région ou une exploitation.

monodie nf MUS Chant à une voix.

monogamie nf Système dans lequel une personne ne peut légalement avoir qu'un seul conjoint.

monogramme nm Chiffre formé des principales lettres, entrelacées, d'un nom.

monographie nf Ouvrage traitant d'un sujet précis de manière exhaustive.

monoï [-nɔj] nm Huile parfumée tirée de la fleur d'un frangipanier.

monoïque a BOT Qui porte sur le même pied des fleurs mâles et des fleurs femelles.

monolingue a, n Qui ne parle qu'une seule langue.

monolithe nm Monument fait d'une seule pierre.

monolithique a 1 Fait d'un seul bloc. 2 D'une homogénéité rigide.

monologue nm 1 Scène d'une pièce de théâtre où un personnage seul se parle à lui-même. 2 Discours de qqn qui ne laisse pas parler les autres.

monologuer vi Tenir un monologue.

monomanie nf PSYCHO Obsession, idée fixe.

monôme nm 1 Expression algébrique sans signe d'addition ni de soustraction. 2 Cortège joyeux d'étudiants.

monomère a, nm CHIM Constitué de molécules simples.

monométallisme nm Système monétaire n'admettant qu'un seul étalon (or ou argent).

monomoteur am, nm Qui n'a qu'un seul moteur (avion).

mononucléaire a, nm BIOL Se dit des globules blancs ne possédant qu'un noyau.

mononucléose nf MED Augmentation du nombre des mononucléaires dans le sang.

monoparental, ale, aux a Se dit d'une famille ne comportant qu'un seul parent.

monopartisme nm Régime de parti unique.

monophasé, ée a ÉLECTR Qui ne présente qu'une seule phase.

monophonie nf Procédé de reproduction des sons transmis par un seul canal.

monoplace a, n Se dit d'un véhicule qui ne comporte qu'une seule place.

monoplan nm Avion qui n'a qu'un plan de sustentation.

monopole nm 1 Privilège exclusif de fabriquer, de vendre, de faire qqch. 2 Droit, privilège exclusif que l'on s'attribue.

monopoliser vt 1 Exercer le monopole de. 2 Accaparer pour soi seul.

monopolistique a D'un monopole.

monopoly nm (n déposé) Jeu de société sur le thème de la spéculation immobilière.

monorail nm Chemin de fer à rail unique.

monosémique a LING Qui a un seul sens.

monoski nm Sport consistant en évolutions sur un seul ski.

monosyllabe nm Mot d'une syllabe.

monosyllabique a 1 Qui n'a qu'une syllabe. 2 LING Qui ne comporte que des monosyllabes.

monothéisme nm Religion n'admettant qu'un Dieu unique.

monotone a 1 Qui est toujours ou presque toujours sur le même ton. 2 D'une uniformité fastidieuse. *Paysage monotone.*

monotonie nf Caractère monotone.

monotype a Yacht dont les caractéristiques sont conformes à celles d'une série donnée.

monovalent, ente a CHIM Qui possède la valence 1. Syn. univalent.

monoxyde a Loc *Monoxyde d'azote* : gaz très toxique.

monozygote a BIOL Se dit de jumeaux issus d'un même œuf.

monseigneur nm Titre honorifique des archevêques, des évêques et des princes. (Abrév : Mgr).

monsieur [məsjø] nm 1 Titre donné par civilité à un homme. 2 Homme d'une certaine condition sociale ou qui fait l'important. Au pl *messieurs.* Abrév : M., MM.

monstre nm 1 Être fantastique des légendes et des traditions populaires. 2 Animal de taille exceptionnelle. *Monstres marins.* 3 Être très difforme. *Monstre à deux têtes.* 4 Personne extrêmement laide ou très méchante. Loc *Monstre sacré* : acteur très célèbre. ■ a Fam Exceptionnellement grand, important. *Banquet monstre.*

monstrueux, euse a 1 Qui a la conformation d'un monstre. 2 Gigantesque, colossal. 3 Horrible, épouvantable.

monstruosité nf 1 Caractère monstrueux. 2 Chose monstrueuse.

mont nm Élévation de terrain de quelque importance. Loc *Aller par monts et par vaux* : voyager beaucoup. *Mont de Vénus* : pénil.

montage nm 1 Action d'assembler différentes parties pour former un tout. 2 Ensemble d'éléments montés, assemblés. 3 FIN Démarches suivies par une société pour se procurer des capitaux.

montagnard, arde a De la montagne. *Climat montagnard.* ■ n Qui habite la montagne.

montagne nf 1 Relief important du sol s'élevant à une grande hauteur. 2 Région d'altitude élevée. 3 Grande quantité de choses amoncelées. Loc Fam *Se faire une montagne de qqch* : en exagérer les difficultés. *Montagnes russes* : jeu forain, suite de montées et de descentes parcourues par un véhicule sur rails.

montagneux, euse a Où il y a des montagnes ; constitué de montagnes.

montant, ante a Qui monte. ■ nm 1 Pièce longue disposée verticalement. 2 Total d'un compte. *Montant des dépenses.*

mont-de-piété nm Établissement de prêt sur gage. *Des monts-de-piété.*

mont-d'or nm Fromage du Jura français voisin du vacherin. *Des monts-d'or.*

monte nf 1 Accouplement de certains animaux domestiques. 2 Action de monter à cheval.

monté, ée a Loc *Être monté* : en colère. *Coup monté* : préparé à l'avance.

monte-charge *nm inv* Appareil élévateur pour le transport vertical des objets.

montée *nf* **1** Action de monter. **2** Pente, en tant qu'elle conduit vers le haut. **3** Augmentation, élévation.

monte-en-l'air *nm inv* Fam Cambrioleur.

monténégrin, ine *a, n* Du Monténégro.

monte-plats *nm inv* Monte-charge entre la cuisine et la salle à manger.

monter *vi* [aux être ou avoir] **1** Se transporter dans un lieu plus haut, s'élever. *Monter sur un escabeau.* **2** Prendre place dans un véhicule, sur une monture. **3** Passer à un degré supérieur. *Monter en grade.* **4** Augmenter de niveau, de volume, d'importance, de prix, etc. **5** Atteindre tel prix. *Les frais montent à 1 000 francs.* **6** S'élever en pente. *Rue qui monte en pente raide.* ■ *vt* **1** Gravir, franchir une élévation. *Monter un escalier.* **2** Porter dans un lieu élevé. *Monter des meubles dans une chambre.* **3** Chevaucher un animal. *Monter un cheval.* **4** Exciter qqn contre qqn ou qqch. **5** Ajuster, assembler différentes parties pour former un tout. *Monter une machine. Monter une tente.* **6** Préparer, organiser. *Monter une pièce de théâtre. Monter un coup.* ■ *vpr* **1** S'exalter, s'irriter. *Se monter contre qqn.* **2** Se pourvoir. *Se monter en linges.* **3** S'élever à tel total. *La dépense se monte à 1 000 francs.*

monteur, euse *n* Qui effectue des montages, des installations.

montgolfière *nf* Aérostat qui tire sa force ascensionnelle de l'air chaud.

monticule *nm* Petite élévation de terrain.

montmorency *nf inv* Cerise à goût acidulé.

montre *nf* Instrument portatif qui indique l'heure. *Loc Course contre la montre :* dans laquelle chaque coureur, partant seul, est classé selon le temps qu'il a mis à parcourir la distance fixée ; lutte contre le temps pour mener à bien une affaire, etc. *Faire montre de :* donner des marques, des preuves.

montréalais, aise *a, n* De Montréal.

montre-bracelet *nf* Montre fixée au poignet. *Des montres-bracelets.*

montrer *vt* **1** Faire voir. *Montrer sa maison.* **2** Indiquer par un geste, un signe. *Montrer qqn*

du doigt. **3** Faire ou laisser paraître ; manifester. *Montrer du courage.* **4** Démontrer. *Montrez-moi que j'ai tort.* ■ *vpr* Se révéler, s'avérer. *Se montrer généreux.*

montreur, euse *n* Qui montre un spectacle. *Montreur de marionnettes.*

monture *nf* **1** Animal de selle (cheval, âne, etc.). **2** Pièce qui sert de support ou d'armature. *Monture d'un diamant, de lunettes.*

monument *nm* **1** Bâtiment ou sculpture édifié pour conserver la mémoire de qqn ou de qqch. **2** Édifice, ouvrage considéré pour sa grandeur, sa valeur ou sa signification. **3** Œuvre considérable par ses dimensions ou ses qualités.

monumental, ale, aux *a* **1** Imposant de grandeur, de proportions, etc. **2** Fam Énorme en son genre. *Un orgueil monumental.*

moquer (se) *vpr* **1** Railler, tourner en ridicule. **2** Mépriser, braver, ne faire aucun cas de qqn, de qqch. *Se moquer du danger.*

moquerie *nf* **1** Action de se moquer. **2** Parole, action par laquelle on se moque.

moquette *nf* Tapis cloué ou collé qui recouvre uniformément le sol d'une pièce.

moqueur, euse *a, n* Qui se moque, porté à la moquerie. ■ *a* Qui exprime de la moquerie. *Regard moqueur.*

moraine *nf* Amas de débris rocheux arrachés et transportés par un glacier.

moral, ale, aux *a* **1** Qui concerne les mœurs, les règles de conduite en usage dans une société. *Jugement moral.* **2** Relatif au bien, au devoir, aux valeurs établies. *Conscience morale.* **3** Relatif à l'esprit. *Santé morale.* ■ *nm* Disposition d'esprit ; confiance. *Avoir bon moral.* ■ *nf* **1** Ensemble des principes de jugement et de conduite qui s'imposent à la conscience individuelle ou collective. **2** Tout ensemble de règles, d'obligations, de valeurs. *Morale rigoureuse.* **3** Enseignement moral, conclusion morale. *La morale d'une fable.*

moralement *av* **1** Conformément à la morale. **2** Du point de vue moral, en conscience.

moralisateur, trice *a, n* Qui fait la morale.

moraliser vt Faire la morale, admonester. ■ vi Faire des réflexions morales.

moraliste n 1 Auteur d'observations critiques sur les mœurs, la nature humaine. 2 Qui aime à faire la morale.

moralité nf 1 Conformité aux principes de la morale. 2 Sens moral d'une personne, manifesté par sa conduite. 3 Enseignement moral, leçon d'une histoire, d'un événement.

morasse nf Dernière épreuve, avant l'impression, d'un journal mis en pages.

moratoire nm Décision de suspendre provisoirement l'exigibilité de certaines créances, la poursuite d'une action, d'une activité.

morbide a 1 Qui tient à la maladie. État morbide. 2 Malsain moralement. Curiosité morbide.

morbier nm Fromage du Jura, au lait de vache.

morbleu ! interj Juron ancien.

morceau nm 1 Partie séparée d'une chose. Morceau de pain, de bois, d'étoffe. 2 Passage d'une œuvre musicale ou littéraire.

morceler vt 18 Diviser en morceaux.

morcellement nm Action de morceler ; état de ce qui est morcelé.

mordant, ante a 1 Corrosif. Acidité dans la critique, la raillerie, etc. ■ nm 1 Substance dont on imprègne une matière pour qu'elle fixe les colorants. 2 Causticité, vivacité, énergie.

mordicus [-kys] av Fam Avec opiniâtreté, obstinément.

mordiller vt, vi Mordre légèrement et à petits coups.

mordoré, ée a, nm D'un brun chaud, à reflets dorés.

mordre vt 51 Saisir, serrer, entamer avec les dents. 2 Entamer, pénétrer en rongeant, en creusant, etc. Lime qui mord un métal. ■ vti, vi 1 Prendre goût à qqch, réussir. Un élève qui mord bien au latin. 2 Empiéter sur. Un coureur qui mord sur la ligne de départ. ■ vpr Loc Fam Se mordre les doigts de qqch : s'en repentir.

mordu, ue a, n Fam Passionné. Un mordu du rugby.

more, moresque. V. maure, mauresque.

morfil nm Petites aspérités qui adhèrent au tranchant d'une lame fraîchement affûtée.

morfler vi Pop Subir une punition, des coups.

morfondre (se) vpr 5 S'ennuyer à attendre.

morganatique a Se dit du mariage d'un prince avec une femme de condition inférieure.

morgue nf 1 Attitude hautaine et méprisante. 2 Salle froide où sont déposés provisoirement les morts.

moribond, onde a, n Qui est près de mourir ; agonisant.

moricaud, aude a, n Fam Qui a la peau très brune. ■ n Pop Personne de couleur.

morille nf Champignon comestible, à chapeau alvéolé.

mormon, one n, a Membre d'un mouvement religieux fondé aux États-Unis vers 1830.

1. morne a Empreint d'une sombre tristesse. Un air morne.

2. morne nm Colline isolée, aux Antilles.

morose a D'humeur chagrine, triste, maussade.

morosité nf Caractère morose.

morphème nm LING Unité minimale exprimant un rapport grammatical, par oppos. à lexème

morphine nf Alcaloïde de l'opium, antalgique puissant mais toxique à fortes doses.

morphinomane a, n Qui se drogue à la morphine.

morphogenèse nf Développement des formes du vivant.

morphologie nf 1 Étude des formes externes des êtres vivants. 2 Forme, conformation ; aspect général. 3 LING Étude de la forme des mots. 4 Syn de géomorphologie.

morpion nm 1 Pop Pou du pubis. 2 Pop Enfant, gamin. 3 Jeu qui se joue sur du papier quadrillé.

mors [mɔʀ] nm 1 Pièce métallique que l'on place dans la bouche d'un cheval, et qui permet de le diriger. 2 Mâchoire d'un étau, d'une pince. Loc Prendre le mors aux dents : s'emballer, se laisser emporter par la passion, la colère.

morse nm 1 Grand mammifère marin des régions arctiques, aux canines supérieures développées en défenses. 2 Code de télécommunication utilisant un alphabet constitué de points et de traits.

morsure nf Action de mordre ; marque ou plaie qui en résulte.

1. mort nf 1 Fin de la vie, cessation définitive de toutes les fonctions corporelles. 2 Extinction, fin, disparition de qqch. *C'est la mort de toutes nos espérances.*

2. mort, morte a, n 1 Qui a cessé de vivre. 2 Cadavre. ■ a Qui semble privé de vie ; sans activité. *Être mort de peur. Ville morte.* Loc *Angle mort* : partie du champ de vision qui se trouve masquée. *Temps mort* : moment inemployé. ■ nm Au bridge, celui des quatre joueurs qui étale ses cartes.

mortadelle nf Gros saucisson d'Italie.

mortaise nf Cavité pratiquée dans une pièce pour recevoir un tenon.

mortalité nf Nombre de morts rapporté à une population et à une période.

mort-aux-rats nf inv Poison destiné à la destruction des rongeurs.

morte-eau nf Marée d'amplitude faible. *Les mortes-eaux.*

mortel, elle a 1 Sujet à la mort. 2 Qui cause ou qui peut causer la mort. *Danger mortel.* 3 Insupportable, très pesant. *Ennui mortel.* Loc *Ennemi mortel* : implacable. *Péché mortel* : qui cause la mort à l'âme. ■ n Être humain. *Un heureux mortel.*

mortellement av 1 À mort. *Blesser mortellement.* 2 Extrêmement. *Mortellement inquiet.*

morte-saison nf Période de l'année pendant laquelle l'activité économique diminue. *Des mortes-saisons.*

mortier nm 1 Mélange de ciment ou de chaux, de sable et d'eau utilisé en maçonnerie. 2 Récipient où l'on broie certaines substances. 3 Canon à tir courbe.

mortifère a Fam Qui cause la mort.

mortification nf 1 RELIG Souffrance, privation que l'on s'inflige par ascèse. 2 Blessure d'amour-propre ; humiliation. 3 Altération et destruction d'un tissu organique.

mortifier vt Faire subir une mortification.

mort-né, -née a, n Mort à sa mise au monde. *Une enfant mort-née.* ■ a Qui ne reçoit même pas un début de réalisation. *Projets mort-nés.*

mortuaire a Relatif à la mort, à une cérémonie funèbre. *Couronne mortuaire.*

morue nf Grand poisson des régions froides de l'Atlantique Nord.

morula nf BIOL Premier stade de développement de l'embryon, résultat de la segmentation de l'œuf.

morutier, ère a De la morue. ■ nm Pêcheur ou bateau qui fait la pêche à la morue.

morve nf 1 Sécrétion visqueuse s'écoulant par le nez. 2 Maladie des chevaux.

morveux, euse a 1 Qui a la morve au nez. 2 Malade de la morve. ■ n Fam Jeune prétentieux.

1. mosaïque nf 1 Ouvrage décoratif composé de petites pièces de différentes couleurs, assemblées et jointoyées ; art de composer de tels ouvrages. 2 Juxtaposition d'éléments nombreux et divers. *Mosaïque d'États.*

2. mosaïque a Relatif à Moïse.

mosaïste n Artiste en mosaïques.

moscovite a, n De Moscou.

mosquée nf Édifice cultuel musulman.

mot nm 1 Son ou groupe de sons d'une langue (ou leur notation graphique) auquel est associé un sens, et que l'on considère comme formant une unité autonome. 2 Bref propos, courte phrase, courte missive. *J'ai un mot à lui dire.* 3 Parole remarquable ou mémorable ; sentence. *Un recueil de mots historiques.* Loc *Grands mots* : trop solennels, qui dénotent l'emphase. *Gros mot* : grossier. *Le fin mot* : qui vient en dernier, et qui permet de comprendre le reste. *Jeu de mots* : équivoque plaisante jouant sur les ressemblances de mots ; calembour. *Mot à mot* : littéralement, sans dégager le sens général de l'expression. *Mot pour mot* : textuellement. *Au bas mot* : au minimum. *Mot d'ordre* : consigne d'action, résolution commune à un groupe.

motard, arde n Fam Motocycliste. ■ nm Motocycliste de la police, de la gendarmerie.

motel *nm* Hôtel aménagé, au bord des grands itinéraires routiers.

motet *nm* MUS Pièce vocale religieuse, chantée a cappella.

moteur, trice *a* **1** Qui produit ou communique le mouvement. *Muscles moteurs.* **2** Relatif aux organes du mouvement. *Troubles moteurs.* ■ *nm* **1** Appareil conçu pour la transformation d'une énergie quelconque en énergie mécanique. **2** Personne qui inspire, anime. **3** Cause, motif. *Le moteur de la croissance économique.*

motif *nm* **1** Raison qui détermine ou explique un acte. *Les motifs d'un refus.* **2** Sujet d'un tableau. **3** Dessin, ornement répété. *Motifs décoratifs.* **4** MUS Partie d'une ligne mélodique.

motilité *nf* BIOL Aptitude à effectuer des mouvements.

motion *nf* Proposition faite dans une assemblée délibérante.

motivation *nf* **1** Action de motiver, de justifier. **2** Ce qui motive, pousse à agir.

motivé, ée *a* Stimulé par une motivation.

motiver *vt* **1** Expliquer, justifier par des motifs. *Motiver un choix.* **2** Être le motif de. **3** Déterminer les actes de qqn ; stimuler. *C'est l'intérêt financier qui le motive.*

moto *nf* Véhicule à deux roues équipé d'un moteur de plus de 125 cm³.

motoball [-bol] *nm* Football pratiqué sur des motos.

motocross *nm inv* Course de motos sur parcours naturel fortement accidenté.

motoculteur *nm* Appareil automoteur conduit à la main, pour les petits travaux agricoles.

motoculture *nf* Utilisation dans l'agriculture de machines mues par des moteurs.

motocyclette *nf* Vx Moto.

motocycliste *n* Qui monte une moto.

motonautisme *nm* Pratique sportive de la navigation sur de petits bateaux à moteur.

motoneige ou **motoski** *nm* Petit véhicule à chenilles muni de skis à l'avant.

motopompe *nf* **1** Pompe entraînée par un moteur. **2** Véhicule automobile équipé d'une motopompe, contre les incendies.

motoriser *vt* Doter de véhicules, de machines automobiles. *Loc Fam Être motorisé :* posséder une voiture, un cyclomoteur, etc.

motoriste *nm* Mécanicien spécialiste des moteurs.

motrice *nf* Voiture munie d'un moteur, destinée à la traction des rames, des convois.

motricité *nf* PHYSIOL Ensemble des fonctions permettant le mouvement.

motte *nf* **1** Petite masse de terre compacte. **2** Vente au beurre au détail.

motus [-tys] *interj* Fam Invite à garder le silence.

mot-valise *nm* Mot formé d'éléments d'autres mots (ex. : franglais, de français et anglais). *Des mots-valises.*

mou ou **mol, molle** *a* **1** Qui se déforme facilement, qui s'enfonce à la pression. *Oreiller mou.* **2** Qui manque d'énergie, de résolution, de vigueur morale. *Caractère mou.* ■ *n* Personne sans énergie. ■ *nm* Poumon de certains animaux de boucherie. *Mou de veau.* ■ *av* Pop Doucement. *Y aller mou.*

moucharabieh *nm* Grillage en bois pour voir dehors sans être vu, dans les pays arabes.

mouchard, arde *n* Dénonciateur. ■ *nm* Appareil de contrôle et de surveillance.

moucharder *vt* Fam Espionner et rapporter ce qu'on a vu, entendu.

mouche *nf* **1** Insecte de l'ordre des diptères, dont les espèces sont très nombreuses. **2** Point noir marquant le centre d'une cible. **3** Petite boule de protection fixée à la pointe d'un fleuret. **4** Rondelle de taffetas noir qu'on se collait au visage. *Loc Prendre la mouche :* se vexer. *Faire mouche :* atteindre exactement son but. *Pattes de mouche :* écriture menue et mal formée, difficilement lisible. *Fine mouche :* personne fine et rusée. *Poids mouche :* en boxe, concurrent ne dépassant pas 51 kg.

moucher *vt* **1** Débarrasser le nez des mucosités qui l'encombrent. **2** Couper l'extrémité carbonisée d'une mèche. **3** Fam Réprimander vertement. ■ *vpr* Débarrasser son nez en expirant fortement.

moucheron *nm* Petit insecte volant.

moucheté, ée *a* **1** Marqué de mouchetures. **2** Garni d'une mouche (fleuret, sabre).

mouchetis *nm* Crépi projeté sur un mur et qui présente de petites aspérités.

moucheture *nf* **1** Petite tache d'une autre couleur que le fond. **2** Tache naturelle du pelage de certains animaux.

mouchoir *nm* Pièce de tissu ou de papier servant à se moucher.

mouclade *nf* Plat de moules à la crème.

moudjahidine *nm* Combattant musulman d'un mouvement de libération.

moudre *vt* 65 Broyer des grains avec une meule ou un moulin.

moue *nf* Grimace de dédain, de dépit, etc.

mouette *nf* Oiseau principalement marin voisin du goéland mais plus petit.

mouffette, mouffette ou **mofette** *nf* Mammifère carnivore d'Amérique, qui projette une sécrétion malodorante lorsqu'il est attaqué.

moufle *nf* **1** Gros gant sans séparations pour les doigts, excepté pour le pouce. **2** Appareil de levage fait d'un assemblage de poulies.

mouflet, ette *n* Fam Jeune enfant.

mouflon *nm* Mouton sauvage des montagnes aux cornes recourbées.

moufter *vi* Pop Protester.

mouillage *nm* **1** Action de mouiller, d'imbiber d'eau. **2** Action de mouiller l'ancre. **3** Endroit où un navire mouille.

mouillant, ante *a, nm* TECH Se dit de produits qui permettent à un liquide de mieux imprégner une surface, de s'y étaler plus uniformément.

mouiller *vt* **1** Tremper, rendre humide. **2** Étendre d'eau. *Mouiller du lait.* **3** Mettre à l'eau. *Mouiller des mines.* **4** Fam Compromettre, impliquer qqn dans un scandale. **5** PHON Prononcer une consonne en y adjoignant le son [j]. ■ *vi* Jeter l'ancre, faire escale. ■ *vpr* Fam S'engager en prenant des risques.

mouillette *nf* Fam Morceau de pain que l'on trempe dans les œufs à la coque.

mouilleur *nm* Instrument pour humecter le dos des étiquettes, des timbres, etc. **Loc** *Mouilleur de mines* : bâtiment spécialement équipé pour mouiller des mines.

mouise *nf* Pop Misère.

moujik *nm* Paysan russe.

moukère *nf* Pop Femme.

moulage *nm* **1** Action de mouler ou de moudre. **2** Reproduction moulée.

moulant, ante *a* Qui moule le corps.

1. moule *nm* **1** Corps solide creux et façonné, destiné à recevoir une matière pâteuse pour lui donner une forme. **2** Modèle qui imprime sa marque sur le caractère, le comportement, etc.

2. moule *nf* **1** Mollusque marin, comestible, pourvu d'une coquille à deux valves, qui vit en colonies. **2** Fam Personne molle, sans caractère.

moulé, ée *a* Loc *Bien moulé* : bien fait, harmonieux.

mouler *vt* **1** Fabriquer, reproduire au moyen d'un moule. **2** Prendre une empreinte pour qu'elle puisse servir de moule. **3** Ajuster à, épouser la forme de. *Robe qui moule le corps.* **4** Conformer. *Mouler son attitude sur celle de qqn.*

mouleur, euse *n* Qui exécute des moulages.

moulière *nf* Élevage de moules.

moulin *nm* **1** Machine à moudre les céréales, à broyer des graines. **2** Établissement où est installée cette machine. **3** Petit appareil ménager pour broyer. *Moulin à légumes.* **4** Fam Moteur de voiture, d'avion.

mouliner *vt* Passer au moulin à légumes.

moulinet *nm* **1** Petit tambour commandé par une manivelle, où s'enroule le fil d'une canne à pêche. **2** Mouvement d'une canne, d'une épée, etc., que l'on fait tournoyer.

moulinette *nf* (n déposé) Petit moulin à légumes.

moult *a* indéf Vx ou Fam De nombreux, maint.

moulu, ue *a* **1** Broyé, réduit en poudre. **2** Brisé de fatigue.

moulure nf 1 Ornement allongé d'architecture ou d'ébénisterie, creux ou saillant. 2 Baguette creusée de rainures destinées à recevoir des fils électriques.

moumoute nf Fam 1 Coiffure postiche, perruque. 2 Veste en peau de mouton.

mourant, ante a, n Qui se meurt ; agonisant, moribond. ■ a Qui va faiblissant.

mourir vi 33 [aux être] 1 Cesser de vivre. Mourir jeune. 2 Ressentir vivement les atteintes de. Mourir de faim, de peur. 3 Cesser d'exister, disparaître progressivement. Laisser mourir le feu. ■ vpr Litt Être sur le point de disparaître.

mouroir nm Lieu, établissement où meurent beaucoup de gens.

mouron nm Herbe de petites dimensions. Loc Pop Se faire du mouron : du souci.

mousquet nm Ancienne arme à feu portative, à mèche, en usage avant le fusil.

mousquetaire nm Gentilhomme d'une compagnie montée de la garde du roi au XVIIe s.

mousqueton nm 1 Fusil à canon court. 2 Boucle métallique fermée par un ergot.

moussaillon nm Fam Petit mousse.

moussaka nf Gratin d'aubergines à la viande hachée.

1. mousse nm Jeune apprenti marin.

2. mousse nf 1 Plante rase des lieux humides, vivant en touffes serrées. 2 Accumulation de bulles à la surface d'un liquide. Mousse de bière. 3 Mets de consistance légère. Mousse au chocolat. Mousse de foie. 4 Produit moussant. Mousse à raser. Mousse carbonique. Loc Caoutchouc mousse : caoutchouc à alvéoles et de faible densité. Point mousse : obtenu au tricot en faisant tous les rangs à l'endroit.

3. mousse a Émoussé. Pointe mousse.

mousseline nf Toile très fine et transparente. ■ a inv Loc Purée mousseline : de pommes de terre, très légère.

mousser vi Produire de la mousse.

mousseron nm Champignon des prés, comestible.

mousseux, euse a Qui mousse. ■ nm Vin qui mousse (à l'exception du champagne).

mousson nf Régime de vents dont la direction s'inverse brutalement d'une saison à l'autre, produisant des variations climatiques importantes (sécheresse, pluie).

moussu, ue a Couvert de mousse végétale.

moustache nf Poils qu'on laisse pousser au-dessus de la lèvre supérieure. ■ pl Longs poils du museau de certains animaux.

moustachu, ue a, nm Qui porte la moustache.

moustiquaire nf Rideau de tulle ou châssis garni de toile métallique disposés de façon à arrêter les insectes.

moustique nm Petit insecte ailé dont la piqûre cause de vives démangeaisons.

moût nm Jus de raisin, de pomme, de poire, etc., qui n'a pas encore fermenté.

moutard nm Pop Petit garçon ; enfant.

moutarde nf 1 Nom courant de diverses crucifères. 2 Condiment à base de graines ou de farine d'une de ces plantes. ■ a inv Couleur jaune orangé tirant sur le vert.

moutardier nm 1 Petit pot dans lequel on présente la moutarde. 2 Qui fabrique ou qui vend de la moutarde.

mouton nm 1 Mammifère ruminant à l'épaisse toison frisée, élevé pour sa laine, son lait et sa viande. 2 Personne trop soumise et dépourvue de sens critique. 3 Pop Compagnon de cellule vendu à la police. Loc Fam Mouton noir : personne qui, dans un groupe, est tenue à l'écart. Mouton de Panurge : qui imite stupidement les autres. Mouton à cinq pattes : phénomène très rare. ■ pl 1 Petites vagues au sommet couvert d'écume. 2 Petits nuages. 3 Fam Petits flocons de poussière.

moutonner vi Se couvrir de vagues écumeuses (mer) ou de petits nuages blancs (ciel).

moutonnier, ère a Qui suit niaisement les autres.

mouture nf 1 Action de moudre le grain. 2 Produit qui en résulte. 3 Version remaniée d'un sujet déjà traité.

mouvance nf Domaine, sphère d'influence.

mouvant, ante a 1 Changeant, instable. 2 Qui manque de consistance (sol).

mouvement nm 1 Changement de place, de position, déplacement. *Le mouvement des vagues. Surveiller les mouvements de l'ennemi.* 2 Action, manière de mouvoir son corps. *Mouvements de danse.* 3 Série de changements, de mutations dans un corps militaire ou civil. *Mouvement préfectoral.* 4 Circulation des biens, de la monnaie. *Mouvement de fonds.* 5 Variation en quantité. *Mouvement des prix.* 6 MUS Degré de vitesse ou de lenteur à donner à la mesure. 7 Partie d'une œuvre musicale. 8 Passage d'un état affectif à un autre. *Un mouvement de colère.* 9 Évolution sociale. *Le mouvement des idées, des mœurs.* 10 Action collective tendant à un changement social. 11 Groupe humain, association. *Mouvement surréaliste. Mouvements de jeunesse.* 12 Mécanisme servant à la mesure du temps. *Le mouvement d'une montre.* Loc Fam **En deux temps, trois mouvements :** très rapidement. **Être dans le mouvement :** suivre le progrès. **Mouvement de terrain :** éminence ou vallonnement du sol.

mouvementé, ée a Agité. *Séance mouvementée.*

mouvoir vt 42 1 Faire changer de place, de position. 2 Faire agir qqn. *Être mû par l'ambition.* ■ vpr Se déplacer, bouger.

moxa nm Cautère utilisé dans la médecine chinoise.

1. moyen, enne a 1 Qui est également éloigné des deux extrêmes par la place, la quantité ou la qualité. *Le cours moyen de la Loire. Corpulence moyenne. Intelligence moyenne.* 2 Commun, ordinaire. *Français moyen.* 3 Obtenu, calculé en faisant la moyenne de plusieurs valeurs. Loc **Poids moyen :** catégorie de poids dans de nombreux sports (en boxe, entre 71 et 75 kg).

2. moyen nm Ce qu'on fait ou ce qu'on utilise pour parvenir à une fin. *Moyen honnête. Moyens de transport.* ■ pl 1 Capacités naturelles (physiques ou intellectuelles). *Écolier qui a peu de moyens.* 2 Ressources pécuniaires. *Vivre au-dessus de ses moyens.*

moyenâgeux, euse a Du Moyen Âge.

moyen-courrier nm Avion dont l'autonomie ne dépasse pas 4 000 km. *Des moyen-courriers.*

moyen-métrage nm Film qui dure entre vingt minutes et une heure. *Des moyens-métrages.*

moyennant prép Au moyen de. Loc **Moyennant finances :** en payant. **Moyennant quoi :** grâce à quoi.

moyenne nf 1 Ce qui tient le milieu entre les extrêmes. *Être plus riche que la moyenne.* 2 MATH Quotient de la somme de plusieurs valeurs par leur nombre. 3 Nombre de points égal à la moitié de la note maximale. *Avoir la moyenne à un devoir.* Loc **En moyenne :** selon une moyenne approximative.

moyennement av Modérément.

moyen-oriental, ale, aux a Abusiv Syn de proche-oriental.

moyeu nm Partie centrale de la roue d'un véhicule, traversée par l'essieu.

mozambicain, aine a, n Du Mozambique.

mozarabe n, a HIST Espagnol chrétien sous la domination maure en Espagne.

mozzarelle [mɔdza-] nf Fromage italien de bufflonne ou de vache.

MST nf Maladie sexuellement transmissible.

mu nm Douzième lettre de l'alphabet grec correspondant à m.

mû, mue Pp du v mouvoir.

mucilage nm Substance végétale qui, en présence d'eau, forme une gelée.

mucosité nf Amas de mucus épais.

mucoviscidose nf Affection héréditaire, caractérisée par une trop grande viscosité des sécrétions bronchiques et digestives.

mucus [-kys] nm Sécrétion visqueuse protectrice des muqueuses.

mue nf 1 Changement de poil, de plumes, de peau, de cornes, etc., chez certains animaux, à des périodes déterminées. 2 Dépouille d'un animal qui a mué. 3 Changement dans le timbre de la voix, au moment de la puberté.

muer vi 1 Changer de pelage, de plumage (animal). 2 Changer de ton (voix d'un adolescent). ■ vpr Litt Se transformer. *Son indifférence s'est muée en hostilité.*

muesli [mysli] nm Mélange de céréales et de fruits sur lequel on verse du lait.

muet, ette *a, n* Privé de l'usage de la parole. ■ *a* **1** Qui se tait. **2** Qui n'est pas exprimé, prononcé. *Syllabe muette.*

muezzin [mчɛdzin] *nm* Fonctionnaire musulman qui appelle à la prière du haut du minaret.

muffin *nm* Petit pain brioché.

mufle *nm* Extrémité nue du museau de certains mammifères. ■ *n, a* Fam Individu mal élevé, grossier.

muflier *nm* Plante ornementale aux fleurs de couleurs variées.

mufti *nm* Docteur de la loi musulmane.

muge *nm* Syn de *mulet* (poisson).

mugir *vi* **1** Pousser son cri (bovidé). **2** Produire un son analogue à un mugissement.

mugissement *nm* **1** Cri des bovins. **2** Son grave et prolongé rappelant ce cri.

muguet *nm* **1** Plante à fleurs blanches en forme de clochettes. **2** Maladie des muqueuses buccale et pharyngienne.

muid *nm* Très grand tonneau.

mulard *nm* Canard hybride.

mulâtre, mulâtresse *n, a* Né d'un Noir et d'une Blanche, ou d'un Blanc et d'une Noire.

1. mule *nf* Hybride femelle de l'âne et de la jument.

2. mule *nf* Pantoufle.

mulet *nm* **1** Hybride mâle de l'âne et de la jument. **2** Grand poisson côtier à la chair appréciée. **3** Fam Voiture de remplacement dans une compétition automobile.

muleta [mule-] *nf* Morceau d'étoffe rouge destiné à exciter le taureau dans les corridas.

muletier, ère *n* Qui conduit des mulets. ■ *a* Loc *Chemin muletier :* sentier escarpé.

mulot *nm* Rat des bois et des champs.

multicarte *a* Qui représente plusieurs firmes (représentant).

multicolore *a* Qui a des couleurs variées.

multiconfessionnel, elle *a* Où coexistent plusieurs religions.

multicoque *nm* Voilier à plusieurs coques.

multiculturel, elle *a* Où coexistent plusieurs cultures.

multiforme *a* Qui a ou qui peut prendre des formes diverses, variées.

multilatéral, ale,aux *a* Qui concerne, qui engage plusieurs États.

multimédia *a* **1** De plusieurs médias. **2** Qui utilise conjointement le son, l'image et le texte sous forme numérisée. ■ *nm* Équipement, technique, industrie multimédias.

multimètre *nm* Appareil de mesure d'une grandeur électrique.

multimillionnaire *a, n* Plusieurs fois millionnaire.

multimodal, ale, aux *a* Qui combine plusieurs modes de transport (rail, route, air, etc.).

multinational, ale,aux *a* Qui comprend, qui concerne plusieurs nations. ■ *nf* Grande firme active dans plusieurs États.

multipare *a, n* **1** Qui a plusieurs petits en une seule portée (animal). **2** Qui a accouché plusieurs fois (femme).

multipartisme *nm* Système parlementaire où existent plusieurs partis.

multipartite *a* Qui réunit plusieurs parties contractantes.

multiple *a* **1** Composé d'éléments différents ; complexe. **2** Qui existe en grand nombre. ■ *nm* Nombre égal au produit d'un nombre donné par un nombre entier.

multiplex *nm inv* Dispositif permettant de diffuser sur une seule voie des émissions provenant d'émetteurs différents reliés entre eux.

multiplexe *nm* Complexe comprenant une dizaine de salles de cinéma.

multiplicande *nm* MATH Nombre que multiplie un autre nombre.

multiplicateur *nm* MATH Nombre qui en multiplie un autre.

multiplication *nf* **1** Augmentation en nombre. *Multiplication des espèces.* **2** MATH Opération consistant à additionner à lui-même un nombre (multiplicande), un nombre de fois égal à un autre nombre (multiplicateur).

multiplicité *nf* Grande quantité de choses.

multiplier vt 1 Augmenter le nombre, la quantité de. 2 MATH Faire la multiplication de. ■ vpr 1 Croître en nombre. 2 Se reproduire. *Animaux qui se multiplient.*

multiprise nf Prise de courant électrique qui permet de brancher plusieurs prises.

multipropriété nf Copropriété d'une résidence secondaire pour des séjours alternés.

multirisque a Qui couvre des risques de nature différente (assurance).

multisalles nm Cinéma comportant plusieurs salles.

multitude nf Très grand nombre.

munichois, oise [-kwa] a, n De Munich.

municipal, ale, aux a Relatif à une commune et à son administration.

municipalité nf Corps d'élus qui administre une commune, comprenant le maire et les conseillers municipaux.

munificence nf Litt Grande libéralité.

munir vt Pourvoir, équiper. ■ vpr Prendre avec soi. *Se munir d'un parapluie.*

munitions nfpl Approvisionnement pour les armes à feu (cartouches, obus, etc.).

munster [mœster] nm Fromage de lait de vache fabriqué dans les Vosges.

muon nm PHYS Particule élémentaire dont la masse est 207 fois celle de l'électron.

muqueuse nf Membrane qui tapisse un organe et sécrète du mucus.

mur nm 1 Ouvrage de maçonnerie qui clôt un espace ou sert de soutien. *Les quatre murs d'une maison. Accrocher un tableau au mur.* 2 Ce qui constitue un obstacle, une barrière. Loc *Mur du son :* phénomènes que l'on produisent lors du franchissement de la vitesse du son par un avion. ■ pl La ville, la maison, où l'on habite. *Il est dans nos murs.*

mûr, mûre a 1 Parvenu à un point de développement complet (fruit, graine). 2 Qui est prêt à être réalisé, à remplir une fonction, etc. 3 Qui a atteint son développement complet, physique ou intellectuel. *Homme mûr. Âge mûr.* 4 Qui a un jugement sage et réfléchi.

muraille nf 1 Mur épais et assez haut. 2 Paroi rocheuse verticale.

1. mural, ale, aux a Qui se fixe au mur.

2. mural nm BX-A Peinture occupant toute la surface d'un mur extérieur. *Des murals.*

muraliste n, a Peintre qui s'exprime par des murals.

mûre nf 1 Fruit comestible du mûrier. 2 Fruit comestible de la ronce.

mûrement av Avec beaucoup de réflexion.

murène nf Poisson au corps mince et long, très vorace.

murer vt Fermer, enfermer par une maçonnerie. *Murer une porte, un prisonnier.* ■ vpr S'enfermer pour s'isoler.

muret nm ou **murette** nf Petit mur.

murex nm Mollusque sécrétant la pourpre.

mûrier nm Arbre dont les feuilles servent de nourriture aux vers à soie.

mûrir vi 1 Devenir mûr. 2 Acquérir du jugement. *Esprit qui mûrit.* ■ vt 1 Rendre mûr. 2 Former qqn, lui donner du jugement. 3 Mettre au point peu à peu.

mûrissement nm Venue à maturation.

mûrisserie nf Local où l'on fait mûrir des fruits.

murmel nm Fourrure de marmotte.

murmure nm 1 Bruit continu, sourd et confus, de voix humaines. 2 Bruit léger de l'eau qui coule, du vent, etc. 3 Plaintes, commentaires malveillants de personnes mécontentes.

murmurer vi 1 Émettre un murmure. 2 Se plaindre, protester sourdement. ■ vt Dire à voix basse. *Murmurer des excuses.*

mur-rideau nm Mur extérieur d'un bâtiment, non porteur et largement vitré. *Des murs-rideaux.*

musaraigne nf Petit mammifère insectivore au museau pointu.

musarder vi Flâner.

musc nm Parfum extrait des glandes de certains mammifères.

muscade nf 1 Graine du muscadier qui, réduite en poudre, est utilisée comme condiment. 2 Petite boule dont se servent les escamoteurs.

muscadet nm Vin blanc de la Loire.

muscadier nm Arbuste tropical qui fournit la muscade.

muscadin *nm* HIST Jeune dandy qui, après le 9-Thermidor, arborait une élégance recherchée.

muscari *nm* Plante à petites fleurs violettes.

muscat, e *nm, a* **1** Variété de raisin, d'odeur musquée. **2** Vin fait avec ce raisin.

muscle *nm* **1** Organe contractile assurant le mouvement. **2** Énergie, vigueur.

musclé, ée *a* **1** Qui a les muscles volumineux. **2** Qui est fort, autoritaire ou même brutal. *Intervention musclée.*

muscler *vt* **1** Développer les muscles. **2** Donner de la vigueur, de la force à une entreprise.

muscovite *nf* GÉOL Mica blanc.

musculaire *a* Des muscles.

musculation *nf* Ensemble d'exercices visant à développer sa musculature.

musculature *nf* Ensemble des muscles du corps.

musculeux, euse *a* Très musclé.

muse *nf* Litt Source d'inspiration poétique.

muséal, ale,aux *a* Du musée.

museau *nm* **1** Partie antérieure de la tête de certains animaux comprenant la gueule et le nez. *Museau de chien.* **2** Fam Visage. **3** Préparation de charcuterie à base de museau de bœuf ou de porc.

musée *nm* Lieu public où sont rassemblées des collections d'objets d'art ou des pièces d'un intérêt historique, scientifique, technique. **Loc** *Ville musée :* riche en monuments historiques.

museler *vt* **18 1** Mettre une muselière à un animal. **2** Empêcher de s'exprimer.

muselière *nf* Appareil que l'on met au museau de certains animaux, pour les empêcher de mordre ou de manger.

muséographie *nf* Description des musées, de leurs collections.

muséologie *nf* Science de la conservation et de la présentation des collections des musées.

muser *vi* Litt Flâner.

musette *nf* **1** Instrument ancien de musique populaire, sorte de cornemuse. **2** Sac de toile porté en bandoulière. **Loc** *Bal musette :* bal populaire.

muséum [myzeɔm] *nm* Musée consacré aux sciences naturelles.

musical, ale,aux *a* **1** Relatif à la musique. **2** Où on donne de la musique. *Soirée musicale.* **3** Harmonieux, chantant. *Phrase musicale.*

music-hall [myzikol] *nm* **1** Établissement où se donnent des spectacles de variétés. **2** Ce genre de spectacle. *Des music-halls.*

musicien, enne *n, a* Qui connaît, pratique l'art de la musique. ■ *n* Dont la profession est de composer ou de jouer de la musique.

musicographe *n* Qui écrit sur la musique.

musicologie *nf* Science de la musique.

musique *nf* **1** Art de combiner les sons suivant certaines règles. **2** Ensemble des productions de cet art ; œuvre musicale. **3** Notation écrite des œuvres musicales. **4** Société de musiciens. **5** Harmonie d'une suite de sons.

musqué, ée *a* **1** Parfumé au musc. **2** Dont l'odeur rappelle le musc.

must [mœst] *nm* Fam Ce qu'il faut faire ou avoir pour être à la mode.

mustang *nm* Cheval sauvage d'Amérique.

musulman, ane *a, n* De la religion islamique.

mutage *nm* Arrêt de la fermentation du jus de raisin par addition d'alcool.

mutagène *a* BIOL Qui produit une mutation.

mutant, ante *a, n* Être vivant qui subit ou qui a subi une ou plusieurs mutations.

mutation *nf* **1** Changement, évolution. **2** Changement d'affectation. **3** BIOL Modification du patrimoine héréditaire d'un être vivant. **4** DR Transmission de la propriété.

muter *vt* Changer d'affectation.

mutilation *nf* Action de mutiler.

mutilé, ée *n* Qui a subi une mutilation.

mutiler *vt* **1** Amputer un membre, causer une blessure grave qui handicape. **2** Détériorer gravement, tronquer qqch.

mutin, ine *a* Espiègle, taquin. *Un air mutin.* ■ *nm* Qui s'est mutiné.

mutiner (se) *vpr* Refuser d'obéir ou de pouvoir hiérarchique ; se révolter.

mutinerie *nf* Action de se mutiner.

mutisme nm 1 Refus de parler, attitude silencieuse. 2 PSYCHIAT Incapacité psychologique de parler.

mutité nf Incapacité physiologique de parler.

mutualiser vt Faire passer qqch à la charge d'une collectivité solidaire.

mutualisme nm Syn de *mutualité*.

mutualiste a, n 1 Fondé sur les principes de la mutualité. *Société mutualiste.* ■ n Membre d'une mutuelle.

mutualité nf 1 Système de solidarité sociale, fondé sur l'entraide mutuelle des membres cotisants. Syn. mutualisme. 2 Ensemble des sociétés mutualistes.

mutuel, elle a 1 Réciproque. *Haine mutuelle.* 2 Fondé sur les principes de la mutualité. ■ nf Société mutualiste.

mutuellement av Réciproquement.

myalgie nf MED Douleur musculaire.

mycélium [-ljɔm] nm Appareil végétatif des champignons.

mycoderme nm BOT Levure qui se forme en voile à la surface des liquides fermentés.

mycologie nf Science des champignons.

mycoplasme nm BIOL Bactérie de petite taille, parfois pathogène pour l'homme.

mycorhize nm Champignon associé aux racines d'une plante.

mycose nf Maladie due à un champignon parasite.

mydriase nf MED Dilatation de la pupille.

mye nf Mollusque bivalve comestible.

myéline nf Substance lipidique constituant la gaine de certaines cellules nerveuses.

myélome nm Tumeur médullaire maligne.

myélopathie nf Affection de la moelle épinière.

mygale nf Grosse araignée tropicale.

myocarde nm ANAT Muscle du cœur.

myocardiopathie nf Maladie du myocarde.

myopathe a Atteint de myopathie.

myopathie nf Atrophie du tissu musculaire.

myope a, n Atteint de myopie.

myopie nf 1 Trouble de la vision des objets lointains. 2 Manque de discernement.

myorelaxant, ante a, nm Médicament qui favorise la relaxation musculaire.

myosotis nm Petite plante à fleurs bleues, blanches ou roses.

myriade nf Quantité immense et innombrable.

myriapode nm ZOOL Arthropode terrestre ayant de nombreux segments et de nombreuses paires de pattes. Syn. mille-pattes.

myrrhe nf Gomme résine aromatique produite par un arbre d'Arabie.

myrte nm Arbuste méditerranéen toujours vert, à fleurs blanches odorantes.

myrtille nf Petit arbrisseau des forêts de montagne, aux baies noires comestibles.

mystère nm 1 ANTIQ Doctrine et pratique religieuses révélées aux seuls initiés. 2 THEOL Dogme révélé du christianisme, inaccessible à la raison. *Le mystère de la Trinité.* 3 Ce qui est inconnu, incompréhensible, tenu secret. 4 LITTER Drame religieux du Moyen Âge.

mystérieux, euse a 1 Qui contient un mystère. 2 Sur qui ou sur quoi plane un mystère. *Personnage mystérieux.*

mysticisme nm 1 Doctrine philosophique, tour d'esprit religieux qui suppose la possibilité d'une communication intime de l'homme avec la divinité. 2 Attitude fortement marquée par le sentiment religieux.

mystificateur, trice a, n Qui mystifie.

mystification nf 1 Acte, propos par lesquels on mystifie. 2 Tromperie ou illusion collective.

mystifier vt Tromper qqn en abusant de sa crédulité.

mystique a 1 Relatif aux mystères d'une religion. 2 Empreint de mysticisme. ■ a, n 1 Prédisposé au mysticisme. 2 Dont le caractère est exalté, les idées absolues. ■ nf 1 Ensemble des pratiques et des connaissances liées au mysticisme. 2 Manière plus passionnelle que rationnelle d'envisager une idée, une action.

mythe nm 1 Récit légendaire transmis par la tradition, présentant les exploits d'êtres fabuleux (héros, divinités, etc.), et de portée al-

gorique. *Le mythe d'Œdipe, de Prométhée.*
2 Amplification due à l'imaginaire collectif,
valorisant qqn ou qqch. **3** Croyance largement répandue mais peu fondée. **4** Allégorie
philosophique de caractère didactique.
mythifier *vt* Conférer à qqn, à qqch une dimension mythique, quasi sacrée.
mythique *a* Relatif au mythe.
mythologie *nf* **1** Ensemble des mythes
propres à une civilisation, à un peuple, à une
religion. **2** Discipline ayant pour objet l'étude
des mythes.

mythologique *a* De la mythologie.
mythomane *a, n* Atteint de mythomanie.
mythomanie *nf* Tendance pathologique à
dire des mensonges, à fabuler, à simuler.
mytiliculture *nf* Élevage des moules.
myxœdème *nm* Œdème généralisé dû à
une insuffisance de la thyroïde.
myxomatose *nf* Maladie infectieuse des
lapins.
myxomycète *nm* BOT Champignon gélatineux.

n

n nm Quatorzième lettre (consonne) de l'alphabet.

nabab nm 1 HIST Dans l'Inde moghole, gouverneur, grand officier. 2 Homme très riche qui fait étalage de sa fortune.

nabi nm Peintre postimpressionniste de la fin du XIXᵉ s.

nabot, ote n Péjor De très petite taille, nain.

nacelle nf 1 Litt Petite barque. 2 Panier fixé sous un aérostat, où se tiennent les aéronautes.

nacre nf Substance dure, brillante, irisée, qui recouvre la face interne de la coquille de certains mollusques.

nacré, ée a Qui a l'éclat de la nacre.

nadir nm ASTRO Point de la sphère céleste situé à la verticale de l'observateur. Ant zénith.

nævocarcinome [ne-] nm Cancer consécutif à un nævus.

nævus [nevys] nm Tache colorée de la peau.

nage nf Action, manière de nager. Loc *Être en nage* : mouillé de sueur.

nageoire nf Organe locomoteur et stabilisateur, en forme de palette, d'animaux aquatiques.

nager vi 11 1 Avancer sur l'eau, ou sous l'eau, par des mouvements adéquats. 2 Flotter. *La viande nage dans la sauce.* 3 Être pleinement dans un état. *Nager dans le bonheur.* 4 Fam Être très au large dans un vêtement. 5 Fam Se trouver très embarrassé. 6 MAR Ramer.

nageur, euse n Qui nage.

naguère av 1 Récemment. 2 Abusiv Jadis.

naïade nf Nymphe des eaux courantes.

naïf, ïve a 1 D'un naturel candide, simple et ingénu. 2 D'une crédulité excessive. 3 Se dit d'artistes autodidactes au style primitif. ■ a Naturel, sans artifice.

nain, naine a, n De très petite taille.

naissain nm Larves de moules ou d'huîtres.

naissance nf 1 Commencement de la vie indépendante. 2 Origine, commencement. *La naissance du jour, d'une idée.*

naisseur nm Éleveur spécialisé dans la production d'animaux jeunes.

naître vi 66 [aux être] 1 Venir au monde. 2 Commencer à exister. *La Vᵉ République est née en 1958.*

naïveté nf 1 Ingénuité. 2 Crédulité excessive. 3 Propos naïf. *Débiter des naïvetés.*

naja nm Nom scientifique du cobra.

namibien, enne a, n De Namibie.

nana nf Fam Femme, fille.

nandou nm Sorte de petite autruche.

nanisme nm Anomalie caractérisée par une très petite taille.

nanotechnologie nf Technologie opérant à l'échelle de l'atome.

nanti, ie a, n Riche.

nantir vt DR Fournir un gage en garantie d'une dette. Loc *Être nanti de* : être muni de.

naos nm Partie principale d'un temple grec.

napalm nm Essence gélifiée pour bombes incendiaires.

naphtalène nm Hydrocarbure constituant de la naphtaline.

naphtaline nf Produit antimite.

naphte nm Partie légère du pétrole distillé.

napoléon nm Pièce d'or de 20 francs.

napoléonien, enne a De Napoléon.

napolitain, aine a, n De Naples.

nappe nf 1 Linge destiné à couvrir une table. 2 Couche d'un corps fluide. *Nappe d'huile, de gaz, de brouillard.* Loc *Nappe d'eau* : grande étendue d'eau tranquille.

napper vt Recouvrir un mets d'une sauce, d'une crème.

napperon nm Petite nappe décorative.

narcisse nm 1 Plante bulbeuse à fleurs jaunes ou blanches. 2 Litt Homme exclusivement attaché à sa propre personne.

narcissisme nm Admiration de soi-même.

narcodollars nmpl Profits réalisés dans le trafic de la drogue.

narcolepsie nf MED Besoin irrésistible de dormir survenant par accès.

narcose nf Sommeil provoqué artificiellement.

narcotique nm Substance qui provoque l'engourdissement, l'assoupissement.

narguer vt Braver avec insolence.

narguilé ou **narghilé** nm Grande pipe, en usage au Moyen-Orient, où la fumée traverse un réservoir d'eau.

narine nf Chacun des deux orifices du nez.

narquois, oise a Goguenard. *Rire narquois.*

narrateur, trice n Qui raconte.

narratif, ive a Propre au récit.

narration nf 1 Récit ou relation d'un fait, d'un événement. 2 Exercice scolaire de rédaction.

narrer vt Litt Raconter.

narthex nm ARCHI Vestibule fermé de la nef des basiliques romanes.

narval nm Cétacé de l'Arctique, à longue défense torsadée. *Des narvals.*

nasal, ale, aux a Du nez. *Fosses nasales.* ■ a, nf PHON Caractérisé par la vibration de l'air dans les fosses nasales.

nasaliser vt Transformer en un son nasal.

nase nm Pop Nez. ■ a Fam En mauvais état.

naseau nm Narine de certains animaux.

nasillard, arde a Qui nasille.

nasiller vi Parler du nez.

nasique nm 1 Singe de Bornéo, au long nez mou. 2 Couleuvre d'Asie.

nasse nf 1 Engin de pêche de forme oblongue. 2 Filet pour capturer les petits oiseaux.

natal, ale, als a Où on est né. *Pays natal.*

nataliste a, n Qui favorise la natalité.

natalité nf Rapport du nombre des naissances à la population totale.

natation nf Activité consistant à nager.

natatoire a Qui sert à la nage.

natif, ive a, n Originaire de. *Natif de Paris.* ■ a Litt Inné. *Grâce native.*

nation nf Communauté humaine caractérisée par la conscience de son identité historique ou culturelle et formant une entité politique.

national, ale, aux a De la nation. ■ nf Route dont l'entretien dépend de l'État. ■ nmpl Ceux qui ont telle nationalité.

nationalisation nf Transfert au domaine public de certains moyens de production.

nationalisme nm 1 Doctrine politique revendiquant la primauté de la nation. 2 Attachement exclusif à la nation. 3 Prise de conscience, par une communauté, de son droit à former une nation.

nationalité nf Appartenance de qqn à un État déterminé, à une communauté nationale.

national-socialisme nm Doctrine nationaliste et raciste de l'Allemagne hitlérienne.

nativisme nm PHILO Théorie considérant certaines perceptions comme innées (espace et temps).

nativité nf 1 Fête anniversaire de la naissance du Christ, de la Vierge et de Jean-Baptiste. 2 (avec majusc) Noël.

natte nf 1 Ouvrage fait de brins de paille, de jonc entrelacés. 2 Tresse de cheveux.

natter vt Tresser en natte.

naturaliser vt 1 Accorder à un étranger telle nationalité. 2 Préparer un animal mort pour lui conserver l'aspect vivant.

naturalisme nm École littéraire et artistique visant à dépeindre objectivement la réalité.

naturaliste n 1 Spécialiste de sciences naturelles. 2 Qui prépare les animaux morts pour les conserver. ■ a, n Qui relève du naturalisme artistique ou littéraire.

nature nf 1 Caractère, propriété d'un être ou d'une chose. *La nature humaine.* 2 Tempérament. *Une nature violente.* 3 Principe actif d'organisation du monde. *Les lois de la nature.* 4 Le monde physique, biologique et ses lois. *Les sciences de la nature.* 5 Le monde non transformé par la présence humaine. *La protection de la nature.* 6 Manière de voir un artiste. *Peindre d'après nature.* Loc *De nature à :* susceptible de. *Nature morte :* tableau représentant un groupe d'objets. *Payer en nature :* en objets réels et non en argent. ■ a inv 1 Préparé tel quel, sans adjuvants. *Bœuf nature.* 2 Fam Naturel, sans affectation.

naturel, elle a **1** Qui relève du monde physique et de ses lois. *Les phénomènes naturels.* **2** Qu'on trouve tel quel dans la nature. *Gaz naturel.* **3** Qui n'a pas été altéré, falsifié. *Produits alimentaires naturels.* **4** Normal. *Cela est tout naturel.* **5** Qui appartient à la nature physique de l'homme. *Fonctions naturelles.* **6** Inné. *Penchants naturels.* **7** Exempt d'affectation, de recherche. *Rester naturel.* **Loc** *Enfant naturel :* né en dehors du mariage. ■ **nm 1** Tempérament, caractère. *Un naturel paisible.* **2** Manière d'être exempte de toute affectation. ■ **n** Habitant d'un lieu ; indigène, autochtone.

naturellement av **1** De façon naturelle. **2** Inévitablement. **3** Évidemment, bien sûr.

naturisme nm **1** Doctrine de ceux qui préconisent le retour à la nature. **2** Nudisme.

naufrage nm **1** Perte d'un navire en mer. **2** Litt Grande perte, grand malheur.

naufragé, ée a, n Qui a fait naufrage.

naufrageur, euse n HIST Pilleur d'épaves.

nauséabond, onde a Dégoûtant, répugnant.

nausée nf **1** Envie de vomir. **2** Dégoût, écœurement profond.

nauséeux, euse a **1** Qui provoque la nausée. **2** Qui éprouve des nausées.

nautile nm Mollusque des mers chaudes.

nautique a Relatif à la navigation, aux sports sur l'eau.

nautisme nm Ensemble des sports nautiques.

navaja nf Long couteau espagnol.

naval, ale, als a Qui concerne les navires, la navigation, la marine militaire.

navarin nm Ragoût de mouton.

navel nf Variété d'orange.

navet nm **1** Plante potagère à racine comestible. **2** Fam Œuvre d'art sans valeur.

navette nf **1** Instrument d'un métier à tisser qui fait courir le fil entre le et le croise avec le fil de chaîne. **2** Véhicule qui effectue des allers et retours réguliers sur une courte distance. **3** Plante voisine du colza. **Loc** *Navette spatiale :* véhicule spatial récupérable.

navicule nf Algue verte microscopique.

navigable a Où l'on peut naviguer.

navigant, ante a, n Se dit de l'équipage d'un navire, d'un avion, etc.

navigateur, trice n **1** Qui navigue, qui fait des voyages au long cours. **2** Qui détermine la position et le tracé de la route à suivre pour un véhicule (avion, navire, etc.). ■ **nm** Logiciel de navigation dans un réseau télématique, un document multimédia.

navigation nf **1** Action de naviguer. **2** Technique de la conduite des navires, des avions, etc. **3** Circulation, trafic maritime ou aérien.

naviguer vi **1** Voyager sur mer, sur l'eau. **2** Diriger la marche d'un navire, d'un avion, etc. **3** INFORM Se déplacer dans un réseau télématique ou un document multimédia grâce à des hyperliens.

navire nm Bâtiment conçu pour la navigation en haute mer.

navrant, ante a Affligeant, regrettable.

navrer vt Affliger, désoler.

nazi, ie a, n Du national-socialisme.

nazisme nm National-socialisme.

N.B. Abrév de *nota bene*, « remarquez bien ».

ne av Marque la négation (seul, ou avec *pas, point, plus*). **Loc** *Ne... que :* seulement.

né, née a **1** Issu de. **2** En apposition, de naissance. *Un orateur-né.* **Loc** *Bien né :* de famille honorable.

néandertalien, enne a, n Primate fossile proche de l'homme.

néanmoins av Toutefois, cependant, pourtant.

néant nm **1** État de ce qui n'existe pas. **2** Absence de valeur.

nébuleuse nf **1** ASTRO Objet céleste diffus et vaporeux. **2** Amas confus et imprécis.

nébuleux, euse a **1** Obscurci par les nuages. **2** Confus, fumeux. *Projets nébuleux.*

nébuliser vt Projeter un liquide en gouttelettes.

nébuliseur nm Appareil servant à projeter un liquide en fines gouttelettes.

nébulosité nf **1** Partie du ciel couverte par les nuages. **2** Nuage léger.

nécessaire a **1** Indispensable pour qqch, qqn. **2** Inévitable, fatal. ■ **nm 1** Ce qui est indispensable pour vivre. *Manquer du nécessaire.* **2** Ce qui est essentiel. *Faire le nécessaire.* **3** Coffret garni des objets destinés à un usage déterminé. *Nécessaire de couture.*

nécessairement *av* **1** Absolument. **2** Logiquement, inévitablement.

nécessité *nf* **1** Caractère nécessaire, obligation. **2** Besoin impérieux, exigence.

nécessiter *vt* Rendre indispensable ; exiger.

nécessiteux, euse *a, n* Indigent.

neck *nm* GÉOL Piton de roches volcaniques.

nec plus ultra *nm inv* Ce qui constitue un état qu'on ne peut être dépassé, ce qu'il y a de mieux.

nécrologie *nf* **1** Notice biographique consacrée à un défunt. **2** Avis de décès. **3** Liste de personnes décédées pendant un laps de temps.

nécromancie *nf* Science occulte qui évoque les morts pour révéler l'avenir.

nécrophage *a, n* Qui se nourrit de cadavres.

nécrophilie *nf* PSYCHIAT Attirance morbide pour les cadavres.

nécropole *nf* **1** Vaste ensemble de sépultures antiques. **2** Litt Vaste cimetière.

nécrose *nf* BIOL Mort de cellules ou de tissu organique.

nécroser *vt* Provoquer la nécrose.

nectar *nm* **1** MYTH Breuvage des dieux. **2** Litt Breuvage délicieux. **3** Boisson aux fruits. **4** BOT Liquide sucré, sécrété par certaines plantes.

nectarine *nf* Hybride de pêche.

néerlandais, aise *a, n* Des Pays-Bas. ■ *nm* Langue germanique parlée au Pays-Bas.

nef *nf* **1** Partie d'une église du portail à la croisée du transept. **2** Litt Navire.

néfaste *a* Malheureux, désastreux, nuisible.

nèfle *nf* Fruit du néflier. **Loc** *Pop* **Des nèfles ! :** rien du tout ! pas question !

néflier *nm* Arbuste épineux.

négateur, trice *a, n* Litt Qui nie.

négatif, ive *a* **1** Qui marque un refus, une négation. **2** Qui n'est pas constructif. *Critique*

négative. ■ *nm* Cliché photographique où les parties claires et sombres sont inversées. ■ *nf* **Loc** *Par la négative* : par un refus.

négation *nf* **1** Action de nier. **2** Mot, groupe de mots qui rend un énoncé négatif. **Loc** *Être la négation de* : en opposition totale avec qqch.

négativisme *nm* Refus systématique de tout.

négligé, ée *a* Peu soigneux. ■ *nm* **1** Absence de recherche dans la tenue. **2** *Litt* Vêtement d'intérieur. Syn. déshabillé.

négligeable *a* Sans importance.

négligemment *av* Avec négligence.

négligence *nf* **1** Défaut de soin, d'application, d'attention. **2** Faute, erreur légère.

négligent, ente *a, n* Qui fait preuve de négligence.

négliger *vt* **11 1** Ne pas prendre soin de qqch, de qqn. **2** Délaisser qqn. **3** Ne pas mettre à profit. *Négliger une occasion.* ■ *vpr* Ne pas prendre soin de sa personne.

négoce *nm* Vx Commerce.

négociant, ante *n* Commerçant en gros.

négociateur, trice *n* Qui négocie, qui a pour mission de mener des négociations.

négociation *nf* **1** Action de négocier. **2** Démarche entreprise pour conclure un accord.

négocier *vt* **1** Discuter en vue de conclure un accord. **2** Monnayer une valeur. **Loc** *Négocier un virage* : le prendre le mieux possible. ■ *vi* Engager des pourparlers.

nègre, négresse *n* **1** Esclave noir employé autrefois dans les colonies. **2** Terme raciste désignant qqn de race noire. ■ *nm* Qui prépare ou fait le travail d'un écrivain célèbre, d'une personne connue. ■ *a* De race noire.

négrier *nm* **1** Qui se livrait à la traite des Noirs. **2** Navire servant à la traite des Noirs.

négrillon, onne *n* Fam Enfant noir.

négritude *nf* Identité culturelle des Noirs.

négro-africain, aine *a, n* Des peuples d'Afrique noire. *Langues négro-africaines.*

négro-américain, aine *a, n* Des Noirs d'Amérique.

négroïde *a, n* Qui présente les caractéristiques morphologiques de la race noire.

negro-spiritual [-Ritwɔl] *nm* Chant religieux des Noirs chrétiens des États-Unis. *Des negro-spirituals.*

négus [-gys] *nm* HIST Empereur d'Éthiopie.

neige *nf* 1 Eau congelée qui tombe en flocons blancs et légers. 2 Pop Cocaïne. Loc *Classe de neige :* enseignement hivernal en montagne. *Neige carbonique :* anhydride carbonique solide. *Œufs à la neige :* blancs d'œuf battus, cuits, servis sur une crème anglaise.

neiger *v impers* 11 Tomber (neige).

neigeux, euse *a* Qui concerne la neige.

nélombo *nm* Plante aquatique à grandes fleurs blanches, appelée aussi *lotus sacré.*

nem *nm* Petite crêpe de riz fourrée et frite.

nénette *nf* Pop Jeune fille, jeune femme.

nénuphar *nm* Plante aquatique aux feuilles flottantes.

néo-calédonien, enne *a, n* De Nouvelle-Calédonie.

néocapitalisme *nm* Forme moderne du capitalisme.

néoclassicisme *nm* Mouvement artistique de retour à l'Antiquité gréco-romaine ou au classicisme français.

néocolonialisme *nm* Domination économique et culturelle sur d'anciennes colonies.

néodyme *nm* Métal blanc qui s'oxyde à l'air.

néofascisme *nm* Tendance politique inspirée du fascisme.

néoformation *nf* BIOL Formation de tissu nouveau chez un être vivant.

néogène *nm* GEOL Dernière période du tertiaire.

néo-guinéen, enne *a, n* De Nouvelle-Guinée.

néo-impressionnisme *nm* Mouvement pictural du XIXe s., fondé par Seurat.

néolibéralisme *nm* Forme moderne du libéralisme économique.

néolithique *nm, a* Dernière période de la préhistoire.

néologie *nf* LING Formation de mots nouveaux dans une langue.

néologisme *nm* Mot, sens nouveau.

néon *nm* Gaz rare de l'air, utilisé pour l'éclairage par tubes.

néonatal, ale, als *a* Du nouveau-né.

néonatalogie *nf* Étude et soins du nouveau-né.

néonazi, ie *a, n* D'une tendance politique inspirée du nazisme.

néophyte *n, a* Nouvellement converti à une doctrine, à une religion, etc.

néoplasie *nf* ou **néoplasme** *nm* MED Tumeur maligne.

néoplatonicien, enne *a, n* Du néoplatonisme.

néoplatonisme *nm* Doctrine mêlant le mysticisme et la philosophie de Platon.

néopositivisme *nm* Mouvement philosophique du XXe s., renouvelant le positivisme.

néoprène *nm* (n déposé) Caoutchouc synthétique résistant au froid.

néoréalisme *nm* Doctrine artistique marquée par le réalisme des situations sociales.

néo-zélandais, aise *a, n* De Nouvelle-Zélande.

népalais, aise *a, n* Du Népal.

nèpe *nf* Punaise carnassière d'eau douce.

népenthès *nm* Plante carnivore tropicale.

néphrétique *a* Loc *Colique néphrétique :* crise due à un calcul dans l'uretère.

néphrite *nf* Inflammation, maladie du rein.

néphrologie *nf* MED Étude du rein, de ses maladies.

néphron *nm* ANAT Unité fonctionnelle élémentaire du rein.

népotisme *nm* Favoritisme à l'égard des parents, des proches.

nerf [nɛR] *nm* 1 Filament blanchâtre qui transmet les commandes motrices, sensitives. 2 Vigueur. *Avoir du nerf.* 3 Cordelette au dos d'une reliure. Loc *Nerf de bœuf :* matraque faite d'une verge de bœuf. ■ *pl* Système nerveux. Loc *Crise de nerfs :* extériorisation soudaine, bruyante et désordonnée, d'une tension affective devenue insupportable (sous forme de pleurs, de cris, etc.). Fam *Paquet de nerfs :* personne très nerveuse. *Guerre des nerfs :* procédés de démoralisation de l'ennemi.

nerprun [-PRœ̃] nm Arbuste dont les fruits noirs sont utilisés en teinture.

nervation nf BOT Nervures d'une feuille.

nerveux, euse a 1 Relatif aux nerfs. Système nerveux. 2 Vigoureux, ferme. 3 Filandreux. Viande nerveuse. ■ a, n Excité, irritable.

nervi nm Homme de main.

nervosité nf Énervement, irritabilité.

nervure nf Saillie longue et fine à la surface des feuilles, des ailes des insectes, du dos d'un livre relié, etc.

n'est-ce pas av Sollicite l'approbation.

net, nette a 1 Propre. 2 Tous frais et charges déduits. Bénéfice, prix, salaire nets. 3 Ni brouillé ni flou. Image nette. 4 Clair, précis. Une voix nette. Idées nettes. Loc En avoir le cœur net : s'assurer de la vérité de qqch. ■ nm Loc Au net : au propre. ■ av 1 Clairement, sans ambiguïté. Parler net. 2 Tout d'un coup. Casser net.

netsuké nm Petite figurine japonaise servant d'attache.

nettement av 1 Avec netteté. 2 Tout à fait.

netteté nf 1 Propreté. 2 Clarté, précision.

nettoiement ou **nettoyage** nm Action de nettoyer. Service de nettoiement.

nettoyant nm Produit de nettoyage.

nettoyer vt 221 Rendre propre. 2 Dégarnir, vider un lieu. 3 Fam Harasser. ■ vpr Se laver.

1. neuf a num inv 1 Huit plus un (9). 2 Neuvième. ■ nm inv Nombre, chiffre neuf. Loc Preuve par neuf : irréfutable.

2. neuf, neuve a 1 Fait depuis peu, qui n'a pas encore servi. 2 Nouveau, original. Des idées neuves. 3 Novice. Être neuf dans le métier. ■ nm Ce qui est neuf.

neufchâtel nm Fromage de vache, à la pâte onctueuse.

neurasthénie nf Dépression, abattement.

neurobiologie nf Étude du fonctionnement des tissus nerveux.

neurochimie nf Étude du fonctionnement chimique du système nerveux.

neurochirurgie nf Chirurgie du système nerveux.

neurochirurgien, enne n Spécialiste de neurochirurgie.

neurodégénératif, ive a Marqué par la dégénérescence du système nerveux (maladie).

neurodépresseur nm Substance qui déprime le système nerveux central.

neuroendocrinologie nf Étude des hormones sécrétées par le système nerveux.

neuroleptique a, nm Qui exerce une action sédative sur le système nerveux.

neurolinguistique nf Étude des rapports entre le langage et les structures cérébrales.

neurologie nf Étude des affections du système nerveux.

neurologue n Spécialiste de neurologie.

neuromédiateur nm Neurotransmetteur.

neurone nm ANAT Cellule nerveuse.

neuropathie nf Maladie nerveuse.

neurophysiologie nf Physiologie du système nerveux.

neuropsychiatrie [-kja-] nf Médecine des maladies mentales.

neuropsychologie [-kɔ-] nf Étude des fonctions mentales supérieures.

neurosciences nfpl Ensemble des disciplines étudiant le système nerveux.

neurotoxique a, nm Substance toxique pour le système nerveux.

neurotransmetteur nm Molécule transportant l'information d'un neurone vers un autre.

neurotrope a BIOL Qui se fixe sur le système nerveux (virus, substance).

neurovégétatif, ive a PHYSIOL Se dit du système nerveux qui règle les fonctions végétatives de l'organisme.

neurula nf BIOL Stade embryonnaire des vertébrés correspondant à la formation du système nerveux.

neutraliser vt 1 Donner le statut de neutre. 2 Supprimer ou amoindrir l'effet de qqch. 3 Maîtriser qqn. 4 CHIM Diminuer l'acidité par une base. ■ vpr S'annuler mutuellement.

neutralisme nm Refus de toute adhésion à une alliance militaire.

neutralité nf 1 État de qqn, d'un État qui est neutre. 2 État de qqch qui reste neutre.

neutre a 1 Qui ne prend pas part à un conflit, à une alliance militaire, etc. 2 Qui n'a

neutrino

pas de caractère marqué. *Voix neutre. Couleur neutre.* 3 GRAM Qui n'est ni masculin ni féminin. ■ *nm* 1 Nation neutre. 2 Genre neutre.

neutrino *nm* PHYS Particule élémentaire dénuée de charge électrique.

neutron *nm* PHYS Particule fondamentale, constituant du noyau atomique.

neuvaine *nf* RELIG Actes de dévotion répétés pendant neuf jours.

neuvième *a num* Au rang, au degré neuf. ■ *a, nm* Contenu neuf fois dans le tout. ■ *nf* Seconde année du cours élémentaire.

névé *nm* 1 Amas de neige qui donne naissance à un glacier. 2 Plaque de neige isolée, en montagne.

neveu *nm* Fils du frère ou de la sœur.

névralgie *nf* Douleur sur le trajet d'un nerf.

névralgique *a* De la névralgie. *Loc Point névralgique* : point critique d'une situation.

névrite *nf* Lésion inflammatoire des nerfs.

névropathe *n* Malade mental.

névrose *nf* PSYCHIAT Troubles du comportement dont le sujet a conscience. Ant psychose.

névrosé, ée *a, n* Atteint de névrose.

névrotique *a* De la névrose.

new-look [njuluk] *nm inv, a inv* Aspect, style nouveau.

newsmagazine ou **news** [njuz] *nm* Hebdomadaire consacré à l'actualité.

newton [njuton] *nm* PHYS Unité de mesure de force (symbole : N).

new-yorkais, aise [nju-] *a, n* De New York.

nez *nm* 1 Partie du visage faisant saillie entre la bouche et le front, organe de l'odorat. 2 Partie allongée formant l'avant de qqch. *Loc Pied de nez* : geste de moquerie.

ni *conj* Coordonne des propositions négatives.

niais, niaise *a* Sot et emprunté.

niaiserie *nf* Caractère niais ; stupidité, fadaise.

niaouli *nm* Arbre de Nouvelle-Calédonie, fournissant une essence aromatique.

nicaraguayen, enne *a, n* Du Nicaragua.

niche *nf* 1 Enfoncement pratiqué dans l'épaisseur d'un mur. 2 Cabane d'un chien. 3 Fam Malice, espièglerie.

nichée *nf* Petits oiseaux d'une même couvée encore dans le nid.

nicher *vi, vpr* Établir son nid.

nichoir *nm* Endroit où l'on fait nicher les oiseaux.

nichon *nm* Pop Sein de femme.

nickel *nm* Métal blanc entrant dans de nombreux alliages. ■ *a inv* Fam Très propre.

nickeler *vt 18* Recouvrir de nickel.

niçois, oise *a, n* De Nice.

nicotine *nf* Alcaloïde du tabac.

nid *nm* 1 Abri construit par les oiseaux pour pondre et couver leurs œufs. 2 Habitation de certains animaux. *Nid de souris. Nid de guêpes.* 3 Litt Habitation de l'homme, repaire.

nidation *nf* BIOL Implantation dans l'utérus de l'œuf fécondé des mammifères.

nid-de-poule *nm* Trou dans une chaussée défoncée. *Des nids-de-poule.*

nidification *nf* Construction d'un nid.

nidifier *vi* Construire son nid (oiseaux).

nièce *nf* Fille du frère ou de la sœur.

nielle *nf* AGRIC Maladie des céréales.

nier *vt* Rejeter comme faux, comme inexistant.

nietzschéen, enne *a, n* Relatif à Nietzsche, à sa philosophie.

nigaud, aude *a, n* Sot, niais.

nigérian, ane *a, n* Du Nigeria.

nigérien, enne *a, n* Du Niger.

night-club [najtklœb] *nm* Boîte de nuit. *Des night-clubs.*

nihilisme *nm* PHILO Négation totale de toute hiérarchie des valeurs.

nimbe *nm* Auréole autour de la tête de Dieu, des anges ou des saints.

nimber *vt* Auréoler.

nimbostratus [-tys] *nm inv* Nuage très étendu, dont la base sombre annonce la pluie.

niolo *nm* Fromage corse, au lait de brebis.

nippes *nfpl* Fam Vêtements.

nippon, one ou **onne** *a, n* Du Japon.

nique *nf Loc* Fam *Faire la nique à qqn* : lui adresser un geste de mépris ou de moquerie.

nirvana *nm* Dans le bouddhisme, suprême félicité de qqn qui a renoncé à tout.

nitratation *nf* CHIM Transformation d'un azote organique en nitrate par l'action des bactéries.

nitrate *nm* CHIM Sel de l'acide nitrique, utilisé comme engrais.

nitreux, euse *a* CHIM Se dit des dérivés oxygénés de l'azote.

nitrière *nf* Lieu où l'on extrait des nitrates.

nitrifier (se) *vpr* Se transformer en nitrates.

nitrique *a* Loc *Acide nitrique* : acide utilisé dans l'industrie chimique et en gravure.

nitroglycérine *nf* Explosif puissant, résultant de l'action de l'acide nitrique sur la cellulose.

nival *a* Relatif à la neige.

nivéal, ale, aux *a* BOT Qui fleurit en hiver.

niveau *nm* 1 Instrument vérifiant l'horizontalité d'une surface. 2 Degré d'élévation d'un plan par rapport à un plan de référence. 3 Degré sur une échelle de valeurs. *Niveau des prix.* 4 Étage d'une construction. 5 Valeur de qqn. *Niveau intellectuel.* Loc *Au niveau de* : à la hauteur de. *Être au niveau* : à la hauteur d'une valeur de référence. *Niveau de langue* : registre de l'utilisation d'une langue en fonction de la situation. *Niveau de vie* : conditions matérielles d'existence, revenus de qqn, d'un groupe social. *Courbe de niveau* : reliant les points situés à une même altitude.

niveler *vt* 18 1 Rendre une surface horizontale ou plane. 2 Mettre au même niveau. *Niveler les salaires.*

nivellement *nm* Action de niveler.

nivoglaciaire *a* Alimenté par la fonte des neiges et des glaciers (cours d'eau).

nivopluvial, ale, aux *a* Alimenté par la fonte des neiges et des pluies (cours d'eau).

nivôse *nm* Quatrième mois du calendrier républicain (décembre-janvier).

nô *nm inv* Drame lyrique japonais.

nobélium [-ljɔm] *nm* Élément radioactif artificiel.

nobiliaire *a* De la noblesse. *Titre nobiliaire.*

noble *a, n* Qui appartient à la noblesse. ■ *a* Qui a des sentiments élevés, de la majesté.

noblesse *nf* 1 Catégorie sociale dont les membres jouissaient de privilèges. 2 Grandeur d'âme.

nobliau *nm* Noble de petite noblesse.

noce *nf* 1 Fête qui accompagne un mariage ; personnes qui y assistent. ■ *pl* Mariage.

noceur, euse *n* Fam Qui fait la noce.

nocif, ive *a* Susceptible de nuire ; pernicieux.

noctambule *n, a* Qui passe ses nuits à faire la fête.

noctiluque *nf* Organisme marin luminescent.

noctuelle *nf* Papillon de nuit.

nocturne *a* Qui a lieu pendant la nuit. ■ *a, n* ZOOL Dont la vie active a lieu la nuit. ■ *nm* MUS Morceau pour piano de caractère tendre et mélancolique. ■ *nf* 1 Match en soirée. 2 Ouverture d'un magasin le soir.

nodal, ale, aux *a* Didac Relatif à un nœud, à une nodosité.

nodosité *nf* 1 Petite tumeur indolore. 2 Nœud dans le bois.

nodule *nm* Petit nœud, petite sphère.

noël *nm* 1 (avec majusc) Fête de la nativité de Jésus-Christ, célébrée le 25 décembre. 2 Chant du temps de Noël. Loc *Père Noël* : personnage censé apporter des jouets aux enfants.

nœud *nm* 1 Enlacement étroit d'une corde, d'un ruban, etc. 2 Ornement en forme de nœud. 3 Lien entre personnes. 4 Point essentiel. *Le nœud de l'affaire.* 5 Moment capital d'une pièce, d'un roman. 6 Croisement de voies de communication. *Nœud routier, ferroviaire.* 7 BOT Point de la tige d'une plante où s'insère une feuille. 8 MAR Unité de vitesse équivalant à 1 mille (1 852 m) par heure. Loc Fam *Sac de nœuds* : affaire embrouillée.

noir, noire *a* 1 De la couleur la plus sombre. 2 Où il n'y a pas de lumière. *Nuit noire.* 3 Triste, pessimiste. *Idées noires.* 4 Mauvais. *Noirs desseins.* 5 Illégal et secret. *Marché noir.* 6 Fam Ivre. Loc *Bête noire* : chose, personne détestée. *Roman, film noir* : fiction policière réaliste et violente. ■ *a, n* Qui appartient à la race humaine caractérisée par une pigmentation prononcée de la peau. ■ *nm* 1 Couleur noire. **2** Colorant noir. **3** Obscurité. **Loc** *Voir tout en noir,* être pessimiste. **Pop** *Un (petit) noir :* une tasse de café. ■ *nf* MUS Note valant le quart d'une ronde.

noirâtre *a* Tirant sur le noir.

noiraud, aude *a, n* Qui a le teint et les cheveux très bruns.

noirceur *nf* **1** Couleur noire. **2** Litt Méchanceté, bassesse.

noircir *vt* **1** Rendre noir. **2** Présenter de façon pessimiste. ■ *vi* Devenir noir.

noircissure *nf* Tache de noir.

noise *nf* **Loc** Litt *Chercher noise à qqn :* lui chercher querelle.

noisetier *nm* Arbuste dont le fruit est la noisette.

noisette *nf* **1** Fruit du noisetier. **2** Petit morceau de matière. ■ *a inv* Marron clair.

noix *nf* **1** Fruit du noyer ou de divers arbres. **2** Petit morceau de matière. **3** Fam Imbécile. **Loc** *Noix de veau :* morceau de choix placé dans le cuisseau. **Pop** *À la noix :* mauvais.

noliser *vt* Louer un véhicule de transport.

nom *nm* **1** Mot désignant un être vivant, une chose. **2** Appellation. **3** Prénom. **Loc** *Nom propre :* désignant un être unique. *Nom commun :* chose, être appartenant à une même catégorie. *Nom de famille :* patronyme. *Nom de guerre :* pseudonyme. ■ *interj* Introduit des jurons.

nomade *a, n* Qui n'a pas d'habitation fixe.

nomadiser *vi* Vivre en nomade.

nomadisme *nm* Vie de nomade.

no man's land [nomansläd] *nm* Zone séparant deux armées ennemies.

nombre *nm* **1** Unité ou collection d'unités, de parties de l'unité. **2** Quantité indéterminée ou grande quantité. **3** GRAM Forme permettant un mot pour exprimer l'unité (singulier) ou la pluralité (pluriel). **Loc** *Nombre de, bon nombre de :* beaucoup.

nombreux, euse *a* En grand nombre ; dont les éléments sont en grand nombre.

nombril [-bʀi] *nm* Cicatrice du cordon ombilical.

nombrilisme *nm* Fam Attitude de qqn obnubilé par ses propres problèmes.

nome *nm* Division administrative de l'Égypte ancienne et de la Grèce.

nomenclature *nf* **1** Ensemble des termes propres à une science, à une technique. **2** Ensemble des entrées d'un dictionnaire.

nomenklatura *nf* Groupe social aux prérogatives exceptionnelles.

nominal, ale, aux *a* **1** Qui n'existe que de nom, et pas en réalité. *Pouvoir nominal.* **2** Qui relève du nom, par le nom. *Appel nominal.* **3** GRAM Du nom. *Forme nominale.* **Loc** *Valeur nominale :* celle qui est inscrite sur un billet de banque, un chèque.

nominalisme *nm* PHILO Doctrine selon laquelle les idées se réduisent à des mots.

nominatif, ive *a* Qui contient des noms. ■ *nm* Cas sujet dans les langues à déclinaison.

nomination *nf* Action de nommer à un emploi.

nominer *vt* Abusiv Sélectionner des personnes, des œuvres en vue d'un prix.

nommé, ée *a, n* Qui a pour nom. *Un homme nommé Lebrun.* ■ *a* Cité, désigné. **Loc** *À point nommé :* fort à propos.

nommer *vt* **1** Donner un nom à. **2** Désigner qqn par son nom. **3** Désigner pour remplir une fonction. ■ *vpr* **1** Avoir pour nom. **2** Se faire connaître par son nom.

non *av* Marque la négation, le refus. **Loc** *Non plus :* équivaut à *aussi,* en phrase négative. *Non seulement !* pas seulement. ■ *nm inv* Refus absolu. Ant. oui.

non-activité *nf* Situation d'un fonctionnaire temporairement sans fonction.

nonagénaire *a, n* Qui a entre quatre-vingt-dix et cent ans.

non-agression *nf* Fait ou intention de ne pas attaquer un pays.

non-alignement *nm* Politique des pays qui ne s'alignent pas sur la politique d'autres pays.

nonante *a num* En Belgique et en Suisse romande, quatre-vingt-dix.

non-assistance *nf* Abstention volontaire de porter secours à qqn.

non-belligérance *nf* Position d'un État qui ne participe pas à un conflit.

nonce *nm* Ambassadeur du Saint-Siège.

nonchalance nf Manque d'ardeur.

nonchalant, ante a Qui manque d'ardeur.

nonciature nf Charge, résidence d'un nonce.

non-combattant, ante n Qui ne prend pas part au combat. Des non-combattants.

non-conducteur nm Corps qui n'est pas conducteur de l'électricité ou de la chaleur.

non-conformisme nf Attitude non conformiste.

non-contradiction nf PHILO Propriété logique d'une proposition qui ne peut être ni démontrée ni réfutée.

non-croyant, ante n Qui n'est adepte d'aucune religion. Des non-croyants.

non-directivité nf Attitude non directive.

non-dit nm Ce qu'on exprime pas, sous-entendu. Des non-dits.

non-droit nm Absence de législation sur un sujet, dans domaine.

non-engagement nf Attitude de celui qui ne s'engage pas dans un conflit.

non-exécution nf DR Défaut d'exécution d'un acte.

non-existence nf Fait de ne pas exister.

non-fumeur, euse n Qui ne fume pas. Des non-fumeurs.

non-ingérence nf Non-intervention dans les affaires intérieures d'un pays étranger.

non-initié, ée n Novice. Des non-initiés.

non-inscrit, ite n Qui n'est pas inscrit à un groupe parlementaire. Des non-inscrits.

non-intervention nf Attitude d'un gouvernement qui s'abstient d'intervenir dans les affaires d'autres pays.

non-lieu nm DR Décision de ne pas poursuivre qqn en justice. Des non-lieux.

non-métal nm CHIM Tout corps simple qui n'est pas un métal. Des non-métaux.

nonne nf Religieuse.

nonobstant prép Vx Malgré.

non-paiement nm Défaut de paiement.

non-prolifération nf Arrêt du développement des armes nucléaires.

non-recevoir nm inv Loc Fin de non-recevoir : refus catégorique.

non-résident, ente n Qui ne réside pas en permanence dans son pays. Des non-résidents.

non-retour nm Loc Point de non-retour : à partir duquel on ne peut plus revenir en arrière.

non-sens nm inv Absurdité ; absence de signification.

non-stop [nɔnstɔp] a inv Sans interruption.

non-violence nf Refus de tout recours à la violence.

non-voyant, ante a Aveugle. Des non-voyants.

nopal nm Figuier de Barbarie. Des nopals.

nord nm inv 1 Un des quatre points cardinaux. 2 Partie septentrionale d'une région. 3 Ensemble des pays industrialisés. Loc Ne pas perdre le nord : savoir se défendre. ■ a inv Situé au nord.

nord-africain, aine a, n D'Afrique du Nord.

nord-américain, aine a, n D'Amérique du Nord.

nord-coréen, enne a, n De Corée du Nord.

nord-est nm inv Point de l'horizon situé à égale distance du nord et de l'est.

nordique a, n Du nord de l'Europe.

nordiste n, a 1 HIST Partisan des États du Nord, dans la guerre de Sécession, aux États-Unis. 2 Du département ou de la Région du Nord.

nord-ouest nm inv Point de l'horizon situé à égale distance du nord et de l'ouest.

noria nf 1 Machine à élever l'eau, constituée d'une roue ou d'une chaîne sans fin à godets. 2 Circulation sans fin.

normal, ale, aux a 1 Conforme à la règle ; habituel, naturel. 2 Dont le comportement est conforme à la moyenne. ■ nf Loc La normale : état habituel, régulier.

normalement av Habituellement.

normalien, enne n Élève d'une école normale (qui formait les instituteurs) ou de l'école normale supérieure (qui forme les professeurs et les chercheurs).

normalisation nf Action de normaliser.

normaliser vt 1 Rendre conforme à une norme ; rationaliser. 2 Faire revenir à une situation normale.

normand, ande a, n De Normandie.

normatif, ive a Qui a force de règle, qui pose une norme.

norme nf 1 Règle à laquelle on doit se conformer. 2 État habituel conforme à la moyenne des cas. 3 Prescriptions techniques d'un produit fabriqué.

normographe nm Instrument servant à dessiner des lettres, des chiffres, des symboles.

norois ou **noroît** nm Vent de nord-ouest.

norvégien, enne a, n De Norvège. ■ nm Langue scandinave parlée en Norvège.

nos. V. notre.

nosocomial, ale, aux a MED Qui survient lors d'une hospitalisation.

nosoconiose nf MED Maladie due aux poussières.

nosographie ou **nosologie** nf Description ou classification des maladies.

nostalgie nf Mélancolie ; mal du pays.

nostalgique a Qui relève de la nostalgie. ■ a, n Atteint de nostalgie.

nostoc nm Algue bleue.

nota nm ou **nota bene** [nɔtabene] nm inv Note en marge d'un texte.

notabilité nf Personne en vue.

notable a Qui mérite d'être noté. ■ nm Personnage important par sa situation sociale.

notablement av Beaucoup.

notaire nm Officier public qui reçoit les actes afin de les rendre authentiques.

notamment av Spécialement.

notarial, ale, aux a Du notaire.

notariat nm Charge de notaire.

notarié, ée a Passé devant notaire.

notation nf 1 Action, manière de représenter par des signes conventionnels. *Notation musicale.* 2 Brève remarque. 3 Action de donner une note, une appréciation.

note nf 1 Bref commentaire sur un texte. 2 Communication écrite. 3 Détail d'une somme à payer. 4 Appréciation chiffrée de

qqn, d'un travail. 5 Signe musical représentant un son ; ce son. 6 Nuance. *Une note originale.*

noter vt 1 Affecter d'une marque, d'une note. 2 Remarquer. *Noter une ressemblance.* 3 Porter une appréciation chiffrée sur qqn, qqch. 4 Écrire la musique. *Noter un air.*

notice nf Indication écrite brève sur un sujet.

notifier vt Informer officiellement qqn de.

notion nf Concept, idée. ■ pl Connaissances élémentaires de qqch.

notionnel, elle a Relatif à une notion.

notoire a Public, manifeste.

notoriété nf Célébrité, réputation.

notre, nos a poss Forme de la 1re personne du pluriel ; de nous, à nous. *Notre maison. Nos amis.*

nôtre, nôtres a poss Litt Qui est à nous. *Cette terre est nôtre.* ■ pr poss Ce qui est à nous. *Leurs intérêts et les nôtres.* ■ nmpl Nos proches, nos parents.

notule nf Brève annotation.

nouba nf Loc Fam *Faire la nouba :* faire la fête.

nouer vt 1 Faire un nœud à un lien, une corde, un ruban, etc. 2 Serrer au moyen d'un nœud. 3 Former. *Nouer une amitié.*

noueux, euse a Qui a des nœuds ou des nodosités.

nougat nm Confiserie à base d'amandes, de sucre et de miel.

nougatine nf Confiserie faite de sucre caramélisé et d'amandes.

nouille nf 1 Pâte alimentaire en forme de lamelles. 2 Fam Personne molle et indolente.

nounou nf Fam Nourrice.

nourrice nf 1 Femme qui garde chez elle des enfants contre rétribution. 2 Bidon contenant une réserve de liquide.

nourricier, ère a Nutritif. Loc *Père nourricier :* père adoptif.

nourrir vt 1 Fournir des aliments à. 2 Litt Entretenir. *Nourrir des craintes.* 3 Litt Former l'esprit. ■ vpr Consommer un aliment, manger.

nourrissant, ante a Qui a une valeur nutritive.

nourrisseur nm Éleveur qui engraisse du bétail pour la boucherie.

nourrisson nm Enfant en bas âge.

nourriture nf 1 Ce dont se nourrit ; aliments. 2 Ce qui forme, enrichit l'esprit.

nous pr pers Forme de la 1re personne du pluriel, sujet ou complément.

nouveau ou **nouvel, nouvelle** a 1 Qui n'existe que depuis peu ; apparu récemment. Vin nouveau. 2 Neuf, original. Un nouveau procédé. 3 Qui vient après, qui remplace. Un nouvel emploi. 4 Qui est tel depuis peu. Un nouveau riche. ■ n Qui vient d'entrer dans un groupe. ■ nm Ce qui est inattendu, imprévu, original. ■ av Loc **De nouveau** : encore une fois. **À nouveau** : une fois de plus.

nouveau-né, ée a, n Qui vient de naître. Des nouveau-nés. Des jumelles nouveau-nées.

nouveauté nf 1 Caractère nouveau. 2 Chose nouvelle ; produit nouveau.

nouvel. V. nouveau.

nouvelle nf 1 Annonce d'un événement récent. 2 Bref récit, conte. ■ pl 1 Renseignements relatifs à la situation, à la santé de qqn. 2 Informations à la radio, dans les journaux.

nouvelliste n Auteur de nouvelles, de récits.

nova nf ASTRO Étoile dont l'éclat augmente brusquement.

novateur, trice n, a Qui fait des innovations.

novélisation nf Adaptation littéraire d'un succès du cinéma ou de la télévision.

novembre nm Onzième mois de l'année.

novice n RELIG Qui passe dans un couvent un temps d'épreuve avant de prononcer ses vœux. ■ a, n Encore peu expérimenté dans une activité, un métier.

noviciat nm RELIG État de novice.

novocaïne nf (n déposé) Succédané de la cocaïne, utilisé comme anesthésique local.

noyade nf Action de noyer qqn, un animal.

noyau nm 1 Partie centrale dure de certains fruits. 2 Partie centrale, plus dense de qqch. 3 Groupe qui, dans un milieu, forme une partie particulière. Noyau de résistance. 4 BIOL Partie centrale d'une cellule. 5 GÉOL Partie

centrale de la sphère terrestre. 6 PHYS Partie centrale de l'atome. Loc **Noyau dur** : les plus déterminés d'un groupe.

noyauter vt S'implanter dans un milieu pour y mener une action de subversion.

noyé, ée a, n Mort par noyade.

1. noyer vt 1 Faire mourir par asphyxie dans un liquide. 2 Inonder, submerger, engloutir. 3 Faire disparaître dans une masse. Loc **Être noyé** : être incapable de surmonter les difficultés. ■ vpr 1 Mourir asphyxié par immersion. 2 Se perdre. Se noyer dans les détails.

2. noyer nm Arbre dont le fruit est la noix.

1. nu nm Treizième lettre de l'alphabet grec, correspondant à n.

2. nu, nue a 1 Qui n'est couvert d'aucun vêtement. Avoir la tête nue. Être nu-tête, nu-jambes, nu-pieds. 2 Sans revêtement, sans ornement. ■ nm Humain dénudé représenté dans l'art. ■ av Loc **À nu** : à découvert ; sans rien cacher.

nuage nm 1 Amas de gouttelettes d'eau en suspension dans l'atmosphère. 2 Ce qui évoque un nuage par son aspect. Nuage de poussière. 3 Ce qui trouble la tranquillité. Bonheur sans nuage. Loc **Être dans les nuages** : rêver.

nuageux, euse a Couvert de nuages.

nuance nf 1 Chacun des degrés par lesquels peut passer une couleur. 2 Différence délicate, subtile.

nuancer vt 10 Introduire des nuances dans.

nuancier nm Carton présentant les nuances d'un produit coloré.

nubien, enne a, n De Nubie.

nubile a Pubère.

nubuck nm Cuir présentant un aspect velouté.

nucléaire a Du noyau de la cellule, de l'atome. Loc **Réaction nucléaire** : qui affecte les constituants du noyau de l'atome. **Énergie nucléaire** : dégagée par une réaction nucléaire. **Centrale nucléaire** : qui utilise l'énergie nucléaire pour produire de l'électricité. **Armes nucléaires** : utilisant l'énergie nucléaire. ■ nm Ensemble des utilisations de l'énergie nucléaire.

nucléariser vt Équiper d'armes nucléaires, de centrales nucléaires.

nucléique a Loc *Acide nucléique :* constituant fondamental de la cellule vivante.

nucléole nm BIOL Corpuscule nucléaire de la cellule.

nucléon nm PHYS Particule constitutive du noyau de l'atome.

nucléoprotéine nf BIOL Association d'une protéine et d'un acide nucléique.

nudisme nm Pratique de la vie au grand air dans un état de nudité complète.

nudité nf État de qqn, de qqch nu.

nuée nf 1 Litt Nuage épais. 2 Multitude. *Nuée de sauterelles.* Loc *Nuée ardente :* nuage brûlant qui s'échappe d'un volcan en éruption.

nue-propriété nf Loc DR *Avoir la nue-propriété :* être possesseur sans en avoir la jouissance.

nues nfpl Loc *Tomber des nues :* éprouver une grande surprise. *Porter aux nues :* exalter.

nuire vti 67 Causer du tort, un dommage à qqn, qqch. *L'alcool nuit à la santé.*

nuisance nf Ensemble des facteurs qui nuisent à la qualité de la vie.

nuisette nf Chemise de nuit très courte.

nuisible a Qui nuit. ■ nm Animal nuisible.

nuit nf 1 Temps pendant lequel le soleil reste au-dessous de l'horizon. 2 Obscurité. Loc *Passer une nuit blanche :* sans sommeil.

nuitamment av Litt De nuit.

nuitée nf Une nuit à l'hôtel.

nul, nulle a, pr indéf Aucun, pas un. ■ a 1 Qui équivaut à rien. *Visibilité nulle.* 2 DR Entaché de nullité. *Testament nul.* 3 Sans aucune valeur, très mauvais. *Élève nul.*

nullard, arde n Fam Personne sans aucune compétence.

nullement av Pas du tout.

nullité nf 1 Caractère nul de qqch, sans valeur. 2 Personne nulle, incapable.

numéraire nm Monnaie ayant cours légal.

numéral, ale,aux a, nm Qui désigne un

numérateur nm MATH Terme d'une fraction, qui indique combien celle-ci contient de divisions de l'unité.

numération nf Façon d'énoncer ou d'écrire les nombres.

numérique a 1 Relatif aux nombres. 2 IN-FORM Qui utilise des nombres. *Affichage numérique.* 3 Considéré du point de vue du nombre. *Supériorité numérique.*

numériser vt INFORM Représenter un signal sous forme numérique.

numéro nm 1 Chiffre, nombre servant au classement, à l'identification de qqch. 2 Chacune des livraisons d'un périodique. 3 Partie d'un spectacle. 4 Fam Comportement déplacé de qqn. 5 Personne originale. Loc *Numéro vert :* numéro de téléphone que l'on peut appeler gratuitement.

numérologie nf Analyse numérique d'un nom propre, supposée fournir des informations sur son détenteur.

numérotage nm ou **numérotation** nf Action de numéroter.

numéroter vt Pourvoir d'un numéro. ■ vi Composer un numéro de téléphone.

numismatique nf Étude des monnaies et des médailles. ■ a De la numismatique.

nunatak nm GÉOGR Pointe rocheuse isolée perçant un glacier.

nunchaku [nunʃaku] nm Arme japonaise formée de deux bâtons reliés par une chaîne.

nunuche a Fam Un peu niais.

nuoc-mâm nm inv Sauce vietnamienne à base de poisson fermenté.

nu-pieds nm inv Sandale légère.

nuptial, ale,aux a Du mariage.

nuptialité nf Taux de mariages.

nuque nf Partie postérieure du cou.

nurse [nœRs] nf Vx Bonne d'enfants.

nursery [nœRsəRi] ou **nurserie** nf 1 Pièce pour les nouveau-nés. 2 Élevage aquacole.

nursing [nœRsiŋ] ou **nursage** nm MED Soins donnés à un grabataire, un opéré, un comateux.

nutriment nm BIOL Substance nutritive qui peut être assimilée directement par l'organisme.

nutritif, ive *a* **1** Qui nourrit. **2** De la nutrition.

nutrition *nf* Fonction digestive et assimilatrice des aliments.

nutritionnel, elle *a* De la nutrition.

nutritionniste *n* Spécialiste de diététique.

nyctalopie *nf* Faculté de voir dans l'obscurité.

nycthémère *nm* BIOL Durée de vingt-quatre heures correspondant à un cycle biologique.

nylon *nm* (n déposé) Textile synthétique.

nymphe *nf* **1** Divinité des bois, des eaux, dans la mythologie gréco-romaine. **2** ZOOL Forme des insectes après l'état larvaire.

nymphéa *nm* Nénuphar blanc.

nymphette *nf* Adolescente aux manières provocantes.

nymphomane *a, nf* Atteinte de nymphomanie.

nymphomanie *nf* Exagération pathologique des désirs sexuels chez la femme.

nymphose *nf* ZOOL Transformation d'une larve d'insecte en nymphe.

O

o nm Quinzième lettre (voyelle) de l'alphabet.

ô interj Marque l'émotion, l'invocation.

oasien, enne a, n D'une oasis.

oasis [-zis] nf 1 Lieu qui, dans un désert, est couvert d'une végétation liée à la présence d'eau. 2 Lieu de tranquillité.

obédience nf Loc *D'obédience :* qui se rattache à telle autorité.

obéir vti 1 Se soumettre à qqn, à une autorité. *Obéir à ses parents. Sera-t-elle obéie ?* 2 Être soumis à une action. *La Terre obéit à la gravitation.*

obéissance nf Action d'obéir.

obéissant, ante a Qui obéit ; docile, soumis.

obélisque nm Monument quadrangulaire en forme d'aiguille.

obérer vt 12 Vx Endetter.

obèse a, n D'un embonpoint excessif.

obésité nf État obèse.

obi nf Longue ceinture en soie du kimono.

obier nm Arbuste appelé aussi *boule-de-neige.*

objecter vt Opposer un argument à une affirmation. *Il n'a rien objecté.*

objecteur nm Loc *Objecteur de conscience :* qui refuse d'accomplir ses obligations militaires par scrupule de conscience.

objectif, ive a 1 Qui existe en dehors de l'esprit. 2 Sans préjugés, impartial. ■ nm 1 Système optique tourné vers l'objet à observer. 2 But à atteindre. *Réaliser ses objectifs.*

objection nf Ce qu'on objecte.

objectiver vt Rendre objectif, concret.

objectivisme nm Absence de parti pris.

objectivité nf Attitude objective, impartiale.

objet nm 1 Chose perceptible, concrète. 2 Chose maniable destinée à un usage parti-

culier. 3 Matière, sujet, but. Loc GRAM *Complément d'objet :* complément du verbe transitif. *Sans objet :* sans fondement.

objurgation nf (surtout pl) Litt Prière pressante adressée à qqn.

obligataire n FIN Porteur d'obligations. ■ a Constitué d'obligations.

obligation nf 1 Contrainte, devoir imposés par la loi, la morale ou les circonstances. 2 FIN Titre négociable, qui donne droit à des intérêts.

obligatoire a Imposé, forcé, inévitable.

obligé, ée a Nécessaire. Loc *C'est obligé :* cela ne peut pas être autrement. ■ a, n À qui on a rendu un service. *Je suis votre obligé.*

obligeance nf Disposition à rendre service.

obligeant, ante a Qui aime rendre service.

obliger vt 11 1 Contraindre, forcer a. 2 Litt Rendre service, faire plaisir à qqn.

oblique a Qui s'écarte de la direction droite ou perpendiculaire. ■ nf Ligne oblique.

obliquer vi 1 Aller en oblique. 2 Prendre une direction différente.

oblitérer vt 12 1 Annuler un timbre par l'apposition d'un cachet. 2 MED Obstruer une veine, une artère, etc. 3 Litt Effacer peu à peu.

oblong, ongue a De forme allongée.

obnubilation nf État de confusion mentale.

obnubiler vt Obséder.

obole nf Petite somme d'argent.

obscène a Qui offense la pudeur.

obscénité nf Caractère obscène ; propos obscène. *Dire des obscénités.*

obscur, ure a 1 Privé de lumière. 2 Inintelligible. 3 Vague, confus. 4 Sans notoriété. *Né de parents obscurs.*

obscurantisme nm Hostilité systématique au progrès, à la raison.

obscurcir vt Rendre obscur. ■ vpr Devenir obscur. *Le ciel s'obscurcit.*

obscurcissement nm Action d'obscurcir, fait de s'obscurcir.

obscurité nf 1 Caractère, état obscur. 2 Absence de lumière.

obsédé, ée n, a Qui a une obsession. ■ a, n Qui souffre d'obsessions.

obséder. vt 12 S'imposer continuellement, totalement à l'esprit.

obsèques nfpl Cérémonie accompagnant un enterrement.

obséquieux, euse a D'une politesse excessive, servile.

obséquiosité nf Caractère obséquieux.

observance nf Exécution de ce que prescrit une règle religieuse.

observateur, trice n 1 Qui s'applique à observer scientifiquement un phénomène. 2 Qui observe qqch sans y participer. ■ a Porté à observer. Esprit observateur.

observation nf 1 Action d'étudier avec attention, de surveiller. 2 Réflexion, remarque. 3 Léger reproche, réprimande.

observatoire nm 1 Établissement destiné aux observations astronomiques ou météorologiques. 2 Point d'où on peut observer qqch. 3 Organisme de surveillance de certains faits économiques.

observer vt 1 Suivre ce qui est prescrit. Observer le silence. 2 Considérer, surveiller, épier. 3 Remarquer qqch, constater. ■ vpr Contrôler ses propres réactions.

obsession nf Pensée qui obsède, idée fixe.

obsessionnel, elle a De l'obsession. ■ a, n Qui souffre d'obsessions.

obsidienne nf Roche volcanique d'un vert sombre, très cassante.

obsolescence nf Fait de devenir obsolète.

obsolète a Périmé, désuet, dépassé.

obstacle nm 1 Ce qui s'oppose à la progression, ce à quoi on se heurte. 2 SPORT Difficulté placée sur une piste pour les courses de haies.

obstétricien, enne n Spécialiste d'obstétrique.

obstétrique nf Médecine relative à la grossesse et aux accouchements.

obstination nf Entêtement, opiniâtreté.

obstiné, ée a, n Entêté, opiniâtre.

obstiner (s') vpr Persister avec opiniâtreté.

obstruction nf 1 Engorgement d'un conduit organique. 2 Manœuvre entravant une action dans son déroulement.

obstructionnisme nm Obstruction systématique.

obstruer vt Boucher un conduit.

obtempérer vti 12 Obéir à un ordre. Refus d'obtempérer.

obtenir vt 35 1 Réussir à se faire accorder ce que l'on demande. 2 Parvenir à un résultat.

obtention nf Fait d'obtenir.

obturateur, trice a Qui sert à obturer. ■ nm Mécanisme servant à obturer.

obturer vt Boucher une cavité.

obtus, use a Sans finesse. Esprit obtus. Loc Angle obtus : plus grand que l'angle droit.

obus [oby] nm Projectile explosif, tiré par une pièce d'artillerie.

obusier nm Petite pièce d'artillerie.

obvier vti Litt Remédier à un inconvénient.

oc av Loc Langue d'oc : dialectes parlés au sud de la Loire.

ocarina nm Petit instrument à vent de musique populaire.

occase nf Fam Occasion.

occasion nf 1 Circonstance favorable. 2 Circonstance quelconque. 3 Achat conclu dans des conditions avantageuses. Loc D'occasion : qui n'est pas neuf. Les grandes occasions : les moments importants de la vie.

occasionnel, elle a Fortuit, irrégulier.

occasionner vt Causer, provoquer.

occident nm 1 Côté où le soleil se couche ; ouest. 2 (avec majusc) Ensemble des pays d'Europe et d'Amérique du Nord.

occidental, ale, aux a, n De l'occident ou de l'Occident.

occidentaliser vt Transformer en prenant comme modèle la civilisation occidentale.

occipital, ale, aux a ANAT De l'occiput. ■ nm Os postérieur du crâne.

occiput [-pyt] nm ANAT Partie postérieure de la tête, au-dessus de la nuque.

occire vt (seulement infinitif et participe passé occis) Litt Tuer.

occitan, ane a De l'Occitanie. ■ nm Langue d'oc, provençal.

occlusion nf MED Fermeture d'un conduit naturel, d'un orifice organique.

occlusive nf Consonne produite par la fermeture momentanée de la bouche, comme [p], [t], [k].

occulte a Caché, clandestin, secret. **Loc Sciences occultes :** astrologie, alchimie, divination, etc.

occulter vt 1 Litt Cacher ; dissimuler. 2 Rendre imperceptible un signal lumineux, radioélectrique, etc.

occultisme nm Pratique des sciences occultes.

occupant, ante n, a Qui occupe un local, un lieu, un pays.

occupation nf 1 Action d'occuper. 2 Affaire, activité, emploi. Avoir de multiples occupations.

occupationnel, elle a PSYCHIAT Qui vise à soigner les malades mentaux par des activités (travaux, jeux).

occupé, ée a 1 Absorbé par un travail, une activité ; actif. 2 Placé sous l'autorité de troupes d'occupation. 3 Où qqn est déjà installé. Appartement occupé.

occuper vt 1 Se rendre maître d'un lieu. 2 Remplir un espace, le temps. Le lit occupe la moitié de la pièce. Sa famille l'occupe entièrement. 3 Habiter. 4 Remplir une fonction. Il occupe un poste important. ■ vpr Consacrer son temps, son attention à qqch, à qqn.

occurrence nf LING Apparition d'une unité linguistique dans un énoncé. **Loc En l'occurrence :** dans le cas envisagé.

océan nm 1 Vaste étendue d'eau salée baignant une grande partie de la Terre. 2 Grande étendue de qqch.

océanien, enne a, n De l'Océanie.

océanique a De l'océan. **Loc Climat océanique :** doux et humide.

océanographie ou **océanologie** nf Étude des océans.

ocelle nm ZOOL 1 Tache arrondie sur le pelage. 2 Œil simple de certains insectes.

ocelot nm Félin dont la fourrure tachetée est très recherchée.

ocre nf Argile jaune, rouge ou brune utilisée comme colorant. ■ a inv Brun tirant sur le jaune ou le rouge.

octal, ale, aux a MATH Se dit d'un système de numération à base huit.

octane nm Loc **Indice d'octane :** qui mesure le pouvoir de compression d'un carburant.

octave nf MUS Huitième degré de l'échelle diatonique.

octet nm INFORM Groupe de huit bits.

octobre nm Dixième mois de l'année.

octogénaire n, a Qui a entre quatre-vingts et quatre-vingt-neuf ans.

octogonal, ale, aux a En forme d'octogone.

octogone nm Polygone qui a huit angles.

octopode nm ZOOL Mollusque céphalopode tel que le poulpe.

octosyllabe nm ou **octosyllabique** a Qui a huit syllabes.

octroi nm 1 Action d'octroyer. 2 HIST Perception d'un droit d'entrée dans une ville ; bureau de cette perception.

octroyer vt 22 Concéder, accorder, allouer.

octuor nm Groupe de huit musiciens ou de huit chanteurs.

octuple a, nm Qui vaut huit fois autant.

octupler vt, vi (Se) multiplier par huit.

oculaire a De l'œil. **Loc Témoin oculaire :** qui a vu une chose de ses propres yeux. ■ nm Lentille qui, dans un instrument d'optique, est proche de l'œil (par oppos. à objectif).

oculiste n Spécialiste des troubles de la vision.

oculomoteur, trice a PHYSIOL Relatif aux mouvements de l'œil.

oculus nm ARCHI Syn de œil-de-bœuf.

odalisque nf Litt Femme d'un harem.

ode nf Poème lyrique composé de strophes.

odeur nf Émanation perçue par l'odorat.

odieux, euse a 1 Qui suscite l'aversion, l'indignation. 2 Méchant et grossier.

odontalgie nf MED Mal de dents.

odontologie nf Étude des dents et de leurs affections.

odontostomatologie nf Médecine de la bouche et des dents.

odorant, ante a Qui répand une bonne odeur.

odorat nm Sens par lequel on perçoit les odeurs.

odoriférant, ante a D'odeur agréable.

odyssée nf Voyage plein de péripéties.

œcuménique [e-] a RELIG Universel. Loc *Concile œcuménique* : de tous les évêques de l'Église catholique.

œcuménisme [e-] nm Mouvement visant à l'union de toutes les Églises chrétiennes.

œdème [e-] nm MED Gonflement localisé ou diffus de certains tissus organiques.

œdipe [e-] nm PSYCHAN Conflit inconscient dans ses désirs à l'égard de ses parents. Syn. complexe d'Œdipe.

œil, pl **yeux** [je] nm 1 Organe de la vue. 2 Bulle de graisse dans un bouillon. Loc *Coup d'œil* : regard rapide. *À l'œil* : gratuitement. *Mauvais œil* : regard censé porter malheur. *Œil de verre* : œil artificiel.

œil-de-bœuf nm Lucarne ronde ou ovale. *Des œils-de-bœuf.*

œil-de-chat nm Pierre fine. *Des œils-de-chat.*

œil-de-perdrix nm Cor entre deux orteils. *Des œils-de-perdrix.*

œillade nf Clin d'œil amoureux.

œillère nf 1 Pièce de la bride d'un cheval pour l'empêcher de voir sur les côtés. 2 Petit récipient pour les bains d'œil. Loc *Avoir des œillères* : être borné.

œillet nm 1 Petit trou rond, destiné à passer un cordon, un lacet. 2 Plante ornementale, à fleurs de diverses couleurs.

œilleton nm 1 Petit viseur circulaire. 2 BOT Rejeton de certaines plantes.

œillette nf Pavot, dont on extrait une huile.

œnanthe [e-] nf Plante vénéneuse des lieux humides.

œnologie [e-] nf Science de la fabrication et de la conservation des vins.

œnophile [e-] n Amateur de vin.

œsophage [e-] nm Segment du tube digestif qui relie le pharynx à l'estomac.

œstradiol [ɛs-] nm Hormone œstrogène de l'ovaire.

œstre [ɛstʀ] nm Mouche parasite des animaux domestiques.

œstrogène [ɛs-] a, nm BIOL Qui déclenche l'œstrus.

œstrus [ɛstʀys] nm PHYSIOL Phénomènes physiologiques accompagnant l'ovulation chez la femme et les femelles des mammifères.

œuf [œf], au pl [ø] nm 1 Produit de la ponte des oiseaux comprenant une coquille, des membranes, des réserves ; produit de la ponte des reptiles, insectes, poissons. 2 Œuf de poule, en tant qu'aliment. 3 Cellule initiale d'un être vivant.

œuvre nf 1 Ce qui est fait, produit. 2 Organisation charitable. ■ nm Litt Ensemble des œuvres d'un artiste. Loc *Gros œuvre* : fondations d'un bâtiment. *À pied d'œuvre* : prêt à l'action.

œuvrer vi Travailler, agir.

off a inv Se dit d'une voix dont la source n'est pas visible à l'écran.

offense nf Litt Injure, affront.

offensé, ée a, n Qui a reçu une offense.

offenser vt Blesser, froisser. ■ vpr Se vexer.

offensif, ive a Qui sert à attaquer. ■ nf Attaque. *Reprendre l'offensive.*

offertoire nm Moment de la messe où le prêtre offre à Dieu le pain et le vin.

office nm 1 Fonction, charge. 2 Bureau, agence. *Office touristique.* 3 Établissement public. 4 Service religieux. 5 Pièce attenante à la cuisine. Loc *D'office* : par ordre supérieur. ■ pl Loc *Bons offices* : services, assistance.

officialiser vt Rendre officiel.

officiant nm Prêtre qui célèbre l'office.

officiel, elle a 1 Qui relève d'une autorité constituée. 2 Donné pour vrai par une autorité. ■ nm Qui a une fonction publique ; organisateur d'une épreuve sportive.

1. officier vi Célébrer un office religieux.

2. officier nm 1 Qui remplit une charge civile. *Officier de police.* 2 Militaire qui exerce un commandement avec un grade au moins égal à celui de sous-lieutenant. 3 Titulaire d'un grade, dans un ordre honorifique.

officieux, euse a Sans caractère officiel.

officinal, ale, aux a Utilisé en pharmacie.

officine nf 1 Pharmacie. 2 Lieu louche où se trame qqch.

offrande nf Litt Don, cadeau.

offrant nm Loc *Le plus offrant* : qui offre le prix le plus élevé.

offre nf Action d'offrir qqch ; ce qui est offert. Loc *Offre publique d'achat (O.P.A.)* : offre publique faite par une société de racheter les actions d'une autre société. Ant. demandeur.

offreur, euse n ECON Qui offre un bien, un service. Ant. demandeur.

offrir vt 31 1 Proposer qqch à qqn. 2 Donner comme cadeau. 3 Présenter, comporter. *Ceci offre un avantage.*

offset [ɔfsɛt] nm inv Procédé d'impression au moyen d'un rouleau en caoutchouc.

offshore [ɔfʃɔʀ] a inv 1 Se dit de l'exploitation des gisements pétroliers sous-marins. 2 Se dit d'une banque établie à l'étranger. 3 Se dit de bateaux à moteur très puissants utilisés pour la compétition. ■ nm inv 1 Bateau offshore ; sport pratiqué avec ce bateau.

offusquer vt Choquer, froisser.

oflag nm HIST Camp d'officiers prisonniers de guerre en Allemagne (1940-1945).

ogival, ale, aux a En forme d'ogive.

ogive nf 1 Arc en diagonale sous une voûte pour la renforcer. 2 Objet dont le profil est en forme d'ogive. *Ogive nucléaire.*

OGM nm BIOL Organisme génétiquement modifié de façon artificielle.

ogre, ogresse n Personnage mythique avide de chair humaine.

oh ! interj Marque la surprise.

ohé ! interj Sert à appeler.

ohm nm Unité de résistance électrique.

oïdium [-djɔm] nm Maladie des plantes produite par un champignon parasite ; ce champignon.

oie nf Oiseau palmipède domestique. Loc *Pas de l'oie* : pas militaire de parade. *Oie blanche* : jeune fille candide et niaise.

oignon [ɔɲɔ̃] nm 1 Plante potagère dont le bulbe est comestible. 2 Bulbe de diverses plantes. 3 Induration du pied. 4 Montre à verre bombé.

oignonade [ɔɲɔ-] nf Mets à base d'oignons.

oïl [ɔjl] av Loc *Langue d'oïl* : dialectes parlés au nord de la Loire.

oindre vt 62 1 Frotter d'huile. 2 Procéder à l'onction religieuse.

oint, ointe a, n Consacré par l'onction.

oiseau nm Vertébré ovipare, couvert de plumes, qui a deux ailes et vole. Loc *À vol d'oiseau* : en ligne droite. Fam *Drôle d'oiseau* : personne bizarre. Fam *Oiseau rare* : personne exceptionnelle.

oiseau-lyre nm Ménure. *Des oiseaux-lyres.*

oiseau-mouche nm Colibri. *Des oiseaux-mouches.*

oiseleur nm Qui capture des oiseaux.

oiselier, ère n Qui élève et vend des oiseaux.

oisellerie nf Commerce de l'oiselier.

oiseux, euse a Inutile, vain. *Remarque oiseuse.*

oisif, ive a Inactif, désœuvré. *Vie oisive.* ■ n Sans profession.

oisillon nm Petit oiseau.

oisiveté nf Désœuvrement.

oison nm Jeune oie.

O.K. interj, a inv Fam D'accord.

okapi nm Ruminant africain, voisin de la girafe.

okoumé nm Arbre d'Afrique dont le bois est utilisé en ébénisterie.

olé ! interj Sert à encourager.

oléacée nf BOT Arbre d'une famille comprenant l'olivier, le frêne, le lilas, etc.

oléagineux, euse a Qui contient de l'huile. ■ nm Plante oléagineuse (arachide, olivier).

olécrane nm ANAT Saillie du coude.

oléicole a De l'oléiculture.

oléiculture nf Culture des oliviers.

oléoduc nm Syn de *pipeline.*

olé olé a inv Fam Licencieux, osé.

olfactif, ive a Relatif à l'odorat.

olfaction nf PHYSIOL Sens de l'odorat.

olibrius nm Fam Personnage ridicule.

olifant nm HIST Petit cor d'ivoire des chevaliers.

oligarchie nf Régime politique fondé sur le pouvoir de quelques personnes.

oligiste nm GEOL Hématite rouge.

oligocène nm GEOL Période la plus ancienne du tertiaire.

oligochète [-ket] nm ZOOL Annélide tel que le ver de terre.

oligoclase nf GEOL Feldspath abondant dans les roches cristallines.

oligoélément nm BIOL Élément existant à l'état de traces et nécessaire à la vie de l'organisme.

oligopole nm ECON Marché détenu par un petit nombre de vendeurs.

oligothérapie nf Traitement par les oligoéléments.

oliveraie ou **oliveraie** nf Plantation d'oliviers.

olivaison nf Récolte des olives.

olivâtre a Vert olive.

olive nf 1 Fruit comestible de l'olivier, dont on tire de l'huile. 2 Objet en forme d'olive. ■ a inv Vert olive.

olivet nm Fromage de l'Orléanais.

olivette nf Tomate oblongue.

olivier nm Arbre des régions méditerranéennes, dont le fruit est l'olive.

olivine nf GEOL Minéral vert des basaltes.

olographe a DR Se dit d'un testament écrit en entier de la main du testateur.

olympiade nf Espace de quatre ans entre deux jeux Olympiques. ■ pl Jeux Olympiques.

olympien, enne a 1 De l'Olympe. 2 Fig Serein et majestueux. *Calme olympien.*

olympique a Qui concerne les épreuves sportives internationales organisées tous les quatre ans (*jeux Olympiques*).

olympisme nm Idéal olympique.

omanais, aise a, n Du sultanat d'Oman.

ombelle nf BOT Inflorescence.

ombellifère nf BOT Plante herbacée à fleurs en ombelle comme la carotte, le cerfeuil, la ciguë.

ombilic nm ANAT Nombril.

ombilical, ale,aux a De l'ombilic.

omble nm Grand salmonidé d'eau douce.

ombrage nm Ombre produite par les feuillages des arbres ; ces feuillages eux-mêmes.

ombrager vt 11 Couvrir d'ombre.

ombrageux, euse a Litt Susceptible.

1. ombre nf 1 Obscurité provoquée par l'interception de la lumière par un corps opaque. 2 Apparence, trace. *Sans l'ombre d'un doute.*

2. ombre nm Salmonidé d'eau douce.

ombrelle nf Petit parasol portatif.

ombrer vt Figurer les ombres sur un dessin.

ombreux, euse a Litt Plein d'ombre.

oméga nm Vingt-quatrième et dernière lettre de l'alphabet grec, correspondant à o long.

omelette nf Œufs battus et cuits à la poêle.

omerta nf Loi du silence de la mafia.

omettre vt 64 S'abstenir volontairement de dire, de faire, d'agir.

omicron nm Quinzième lettre de l'alphabet grec, correspondant à o bref.

omission nf Action d'omettre ; chose omise.

omnibus [-bys] nm Train qui dessert toutes les stations.

omnipotent, ente a Tout-puissant.

omnipraticien, enne n Médecin généraliste.

omniprésent, ente a Présent partout.

omniscient, ente a Qui sait tout.

omnisports a inv Qui concerne tous les sports. *Salle omnisports.*

omnivore a, nm Qui se nourrit indifféremment de végétaux et d'animaux.

omoplate nf Os plat de l'épaule.

on pr pers Forme indéfinie de la 3e personne, invariable, toujours sujet.

1. onagre nm Âne sauvage d'Iran et d'Inde.

2. onagre nf Plante à fleurs jaunes.

onanisme nm Masturbation.

1. once nf Ancienne unité de poids. Loc *Une once de* : une très petite quantité de.

2. once nf Grand félin d'Asie centrale.

oncle nm Frère du père ou de la mère.

1. oncogène a Syn de *cancérigène.*

2. oncogène nm Gène susceptible de provoquer un cancer.

oncologie nf Syn de *cancérologie*.

onction nf 1 RELIG Fait d'oindre qqn avec les saintes huiles. 2 Litt Douceur évoquant la piété.

onctueux, euse a De consistance fluide et douce ; moelleux. *Crème onctueuse.*

onctuosité nf Caractère onctueux.

ondatra nm Rongeur d'Amérique du Nord.

onde nf 1 Mouvement à la surface de l'eau qui se propage en rides successives. 2 Tout phénomène vibratoire qui se propage. *Onde lumineuse.* ■ pl La radio.

ondée nf Pluie subite de courte durée.

ondemètre nm PHYS Appareil de mesure des longueurs d'ondes.

ondine nf Litt Nageuse jeune et gracieuse.

on-dit nm inv Propos, bruit qui court.

ondoiement nm 1 Action d'ondoyer. 2 RELIG Baptême réduit à l'essentiel en cas d'urgence.

ondoyant, ante a Litt Inconstant, variable.

ondoyer vi 22 Onduler. ■ vt Baptiser par ondoiement.

ondulation nf Mouvement régulier d'un liquide qui s'abaisse et s'élève alternativement ; tout mouvement qui l'évoque.

ondulatoire a Des ondes.

ondulé, ée a Qui présente des ondulations.

onduler vi Avoir un mouvement sinueux, ondulatoire.

onduleur nm PHYS Appareil qui transforme un courant continu en courant alternatif.

onduleux, euse a Qui ondule.

one man show [wanmanʃo] nm inv Spectacle de variété donné par un artiste seul en scène.

onéreux, euse a Qui occasionne des frais. *Loc À titre onéreux :* en payant.

O.N.G. nf Abrév de *organisation non gouvernementale,* organisme voué à l'aide humanitaire.

ongle nm Lame cornée couvrant la dernière phalange des doigts.

onglée nf Engourdissement douloureux du bout des doigts, causé par le froid.

onglet nm 1 Petite entaille dans la couvercle d'une boîte, la lame d'un canif, etc., pour donner prise à l'ongle. 2 Morceau de bœuf fournissant des biftecks. 3 Échancrure sur le bord des feuilles d'un livre pour signaler un chapitre.

onguent [-gɑ̃] nm Pommade.

onguiculé nm ZOOL Mammifère dont les doigts sont terminés par des griffes ou des ongles.

ongulé nm ZOOL Mammifère dont les doigts sont protégés par un sabot corné.

onguligrade a ZOOL Quadrupède qui marche sur des sabots.

onirique a De la nature du rêve.

onirisme nm Délire aigu caractérisé par des hallucinations terrifiantes.

oniromastique nf Divination par les rêves.

onomastique nf Étude des noms propres.

onomatopée nf Mot dont les sons suggère celui de la chose qu'il dénomme (par ex. : *glouglou*).

ontogenèse nf BIOL Croissance et développement des individus, de l'œuf à l'âge adulte.

ontologie nf PHILO Connaissance de l'être.

onusien, enne a, n Fam De l'O.N.U.

onychophagie [-kɔ-] nf MED Habitude de se ronger les ongles.

onyx nm Agate présentant des couches concentriques, de couleurs variées.

onyxis nm MED Inflammation de l'ongle.

onze a num inv 1 Dix plus un (11). 2 Onzième. *Chapitre onze.* ■ nm inv 1 Nombre onze. 2 Équipe de football (composée de onze joueurs).

onzième a num 1 Au rang, au degré onze. ■ a, nm Contenu onze fois dans le tout. ■ nf Cours préparatoire.

oocyte ou **ovocyte** nm BIOL Cellule femelle non parvenu à maturité.

oogone nf BIOL Cellule où se forment les oosphères.

oosphère nf BIOL Gamète femelle végétal.

O.P.A. nf Abrév de *offre publique d'achat.*

opacifier vt Rendre opaque.

opacité nf Propriété opaque.

opale nf Pierre fine, à reflets irisés.

opalescence nf Litt Reflets rappelant l'opale.

opalin, ine a De teinte laiteuse, à reflets irisés. ■ nf Verre opalin.

opaliser vt Donner l'aspect opalin.

opaque a 1 Qui n'est pas transparent. 2 Impénétrable, incompréhensible.

op'art [ɔpaʀt] nm Mouvement d'art abstrait contemporain fondé sur des recherches visuelles.

opéable a, nf Qui peut faire l'objet d'une O.P.A. (société).

open [ɔpɛn] a inv, nm Se dit d'une compétition réunissant professionnels et amateurs. Loc Billet open : billet d'avion non daté.

opéra nm 1 Œuvre dramatique mise en musique et dont les paroles sont chantées. 2 Théâtre où on joue des opéras.

opéra-comique nm Opéra contenant des parties dialoguées. Des opéras-comiques.

opérant, ante a Qui produit un effet.

opérateur, trice n 1 Chargé de la commande d'une machine. 2 Responsable de la prise de vues ou de la projection d'un film. 3 Qui fait des opérations boursières. ■ nm Symbole représentant une opération logique, mathématique, etc.

opération nf 1 Action d'opérer. 2 Suite d'actions mises en œuvre en vue de produire un résultat. 3 Intervention chirurgicale. 4 MATH Calcul d'une somme (addition), d'une différence (soustraction), d'un produit (multiplication) ou d'un quotient (division). 5 Mise en œuvre de troupes, combat. 6 Transaction financière ou boursière.

opérationnel, elle a 1 Prêt à être mis en service ; efficace. 2 Qui permet certaines opérations.

opératoire a 1 De l'opération chirurgicale. Choc opératoire. 2 Qui permet certaines opérations. Techniques opératoires.

opercule nm Pièce, membrane, lamelle, etc., fermant une ouverture, recouvrant une cavité.

opéré, ée a, n Qui vient de subir une intervention chirurgicale.

opérer vt 12 1 Effectuer, réaliser qqch. 2 Pratiquer une intervention chirurgicale. ■ vi Produire un effet, agir. ■ vpr S'effectuer, s'accomplir, avoir lieu.

opérette nf Œuvre théâtrale légère où les parties chantées alternent avec les parties parlées. Loc D'opérette : peu sérieux.

ophidien nm ZOOL Reptile dépourvu de pattes.

ophioglosse nm Fougère des lieux humides.

ophiolite nf GEOL Roche éruptive océanique.

ophiologie nf Étude des serpents.

ophite nm Marbre vert foncé.

ophiure nf Échinoderme à bras rayonnants.

ophtalmie nf Maladie inflammatoire de l'œil.

ophtalmologie nf Médecine des affections des yeux.

ophtalmologiste n Spécialiste d'ophtalmologie.

opiacé, ée a Qui contient de l'opium.

opinel nm (n déposé) Couteau de poche, à manche en bois.

opiner vi Litt Donner son avis.

opiniâtre a Tenace. Travail opiniâtre.

opinion nf 1 Jugement personnel. 2 Manière de penser la plus répandue au sein d'une collectivité. Sondage d'opinion. ■ pl Croyances, convictions.

opiomane n, a Toxicomane qui fume l'opium.

opium [ɔpjɔm] nm 1 Suc de pavot utilisé comme stupéfiant. 2 Litt Ce qui assoupit insidieusement l'esprit.

oponce. V. opuntia.

opopanax nm Ombellifère utilisée en parfumerie.

opossum [-sɔm] nm Marsupial d'Amérique au pelage recherché.

oppidum [-dɔm] nm ANTIQ Site fortifié romain.

opportun, une a Qui vient à propos.

opportunisme nm Attitude consistant à agir selon les circonstances en faisant peu de cas des principes.

opportuniste *a, n* 1 Qui fait preuve d'opportunisme. 2 MED Qui survient dans un organisme immunodéprimé.

opportunité *nf* 1 Caractère opportun. 2 Abusiv Occasion favorable. *Saisir une opportunité.*

opposant, ante *n, a* Qui s'oppose, qui appartient à une opposition.

opposé, ée *a* 1 Placé en vis-à-vis. *Rives opposées.* 2 Contraire, contradictoire, inverse. *Intérêts opposés.* 3 Hostile. *Partis opposés.* ■ *nm* Chose opposée, inverse.

opposer *vt* 1 Mettre comme obstacle. 2 Mettre en lutte, en rivalité. 3 Mettre en vis-à-vis. ■ *vpr* 1 Faire obstacle à qqch. 2 Former un contraste.

opposition *nf* 1 Position de choses en vis-à-vis ou qui s'opposent. 2 Résistance opposée par qqn, par un groupe. 3 Ensemble d'adversaires au gouvernement, au régime. 4 Obstacle légal à une décision de l'autorité.

oppositionnel, elle *a, n* Qui relève d'une opposition politique.

oppresser *vt* 1 Gêner la respiration. 2 Angoisser, tourmenter.

oppresseur *nm* Qui opprime.

oppression *nf* 1 Sensation d'un poids sur la poitrine. 2 Contrainte tyrannique.

opprimé, ée *a, n* Soumis à une oppression.

opprimer *vt* Accabler par abus de pouvoir, par violence.

opprobre *nm* Litt Honte extrême, déshonneur.

opsonine *nf* BIOL Anticorps rendant les bactéries vulnérables aux leucocytes.

optatif *nm* Mode verbal exprimant le souhait.

opter *vi* Choisir entre plusieurs choses.

opticien, enne *n* Qui fabrique ou vend des instruments d'optique, des lunettes.

optimal, ale, aux *a* Le meilleur possible.

optimiser ou **optimaliser** *vt* Rendre optimal.

optimisme *nm* 1 Attitude consistant à voir le bon côté des choses. 2 Espérance confiante.

optimum [-mɔm] *nm* État le plus favorable de qqch. *Des optimums* ou *des optima*.

option *nf* 1 Faculté, action d'opter. 2 Droit de choisir entre plusieurs possibilités légales. 3 Promesse d'achat ou de vente.

optionnel, elle *a* Qui donne lieu à un choix.

optique *a* Relatif à la vision. ■ *nf* 1 Partie de la physique qui étudie les lois de la lumière et de la vision. 2 Système optique d'un instrument. 3 Manière de voir, de juger.

optométrie *nf* MED Étude de la vision.

opulence *nf* 1 Abondance de biens. 2 Plénitude des formes.

opulent, ente *a* 1 Riche. 2 Qui présente des formes amples.

opuntia [ɔpɔ̃sja] ou **oponce** *nm* Plante grasse aux rameaux épineux. Syn. figuier de barbarie.

opus *nm* Morceau numéroté de l'œuvre d'un musicien. (Abrév : op.)

opuscule *nm* Petit ouvrage de science, de littérature, etc.

1. or *nm* 1 Métal précieux jaune. 2 Monnaie d'or. Loc *L'or noir* : le pétrole. *Règle d'or* : impérative.

2. or *conj* Sert à introduire les phases d'un récit, d'un discours.

oracle *nm* 1 ANTIQ Réponse d'une divinité à des consultants ; cette divinité. 2 Décision émanant d'une autorité ; cette autorité elle-même.

oraculaire *a* D'un oracle.

orage *nm* 1 Perturbation atmosphérique violente, accompagnée d'éclairs, de tonnerre, de pluie. 2 Trouble violent et soudain.

orageux, euse *a* 1 Qui caractérise l'orage. 2 Tumultueux. *Relations orageuses.*

oraison *nf* Prière religieuse. Loc *Oraison funèbre* : éloge solennel d'un mort.

oral, ale, aux *a* 1 Relatif à la bouche. 2 Transmis par la voix. ■ *nm* Épreuves orales d'un examen ou d'un concours.

oralité *nf* Caractère oral.

orange *nf* Fruit comestible de l'oranger. ■ *a inv* De couleur jaune mêlée de rouge.

orangé, ée *a, nm* De couleur tirant sur l'orange.

orangeade *nf* Jus d'orange additionné d'eau et de sucre.

oranger nm Arbre des régions chaudes dont le fruit est l'orange.

orangeraie nf Terrain planté d'orangers.

orangerie nf Serre où on garde pendant l'hiver les orangers en caisse.

orang-outan [-ʀɑ̃-] nm Grand singe anthropomorphe d'Indonésie. *Des orangs-outans.*

orateur, trice n Qui prononce un discours.

oratoire a Relatif à l'éloquence. *Développement oratoire.* ■ nm Petite chapelle.

oratorio nm Drame lyrique à caractère religieux.

orbiculaire a Didac Circulaire.

orbital, ale,aux a De l'orbite d'une planète, d'un satellite.

orbite nf 1 Cavité de l'œil. 2 Trajectoire d'un corps céleste, naturel ou artificiel, autour d'un autre. 3 Sphère d'influence.

orbiteur nm Élément principal d'une navette spatiale.

orchestral, ale,aux [-kɛs-] a De l'orchestre.

orchestrateur, trice [-kɛs-] n Qui conçoit une orchestration.

orchestration [-kɛs-] nf Action d'orchestrer.

orchestre [-kɛs-] nm 1 Dans une salle de spectacle, ensemble des places situées au niveau inférieur. 2 Espace réservé aux musiciens en contrebas de la scène. 3 Groupe de musiciens qui jouent habituellement ensemble.

orchestrer [-kɛs-] vt 1 Écrire une œuvre musicale en combinant les parties instrumentales. 2 Diriger une action concertée.

orchidacée a Didac BOT Plante monocotylédone, aux fleurs très décoratives.

orchidée [-ki-] nf Plante à fleurs ornementales.

orchite [-kit] nf MED Inflammation du testicule.

ordalie nf HIST Épreuve judiciaire médiévale qui faisait appel au jugement de Dieu.

ordinaire a 1 Habituel, courant. 2 De qualité moyenne ou médiocre. ■ nm 1 Ce qui est courant. 2 Ce qu'on sert habituellement aux repas. Loc *D'ordinaire :* d'habitude.

ordinal, ale,aux a 1 Qui marque le rang, l'ordre. *Nombre ordinal.* 2 Qui concerne un ordre professionnel. *Instances ordinales.*

ordinateur nm Machine automatique de traitement de l'information.

ordination nf RELIG Cérémonie au cours de laquelle l'évêque confère le sacrement de l'ordre.

ordonnance nf 1 Disposition ordonnée des éléments d'un ensemble. 2 Ce qui est prescrit par une autorité. 3 Prescription écrite du médecin. 4 Anc Militaire mis à la disposition personnelle d'un officier. Loc *Officier d'ordonnance :* aide de camp.

ordonnancer vt 10 Régler selon un ordre déterminé.

ordonnancier nm Registre officiel où le pharmacien doit transcrire certaines ordonnances.

ordonnateur, trice n Qui dispose, règle selon un ordre.

ordonné, ée a 1 En ordre, rangé. 2 Enclin à mettre de l'ordre. ■ nf MATH Coordonnée verticale définissant, avec l'abscisse, la position d'un point dans un espace.

ordonner vt 1 Mettre en ordre. 2 Commander, donner un ordre. 3 RELIG Conférer l'ordination.

ordre nm 1 Organisation d'un tout en ses parties. *Ordre chronologique.* 2 Bonne organisation, disposition régulière. 3 Tendance spontanée à ranger. 4 Stabilité des institutions ; paix civile. 5 Ensemble des lois naturelles. 6 HIST Chacune des trois grandes classes de la société sous l'Ancien Régime. 7 Corps élu de certaines professions libérales. 8 Société religieuse. 9 Société honorifique. *Ordre de la Légion d'honneur.* 10 Catégorie ; espèce. *Un travail d'ordre intellectuel.* 11 BIOL Unité systématique entre la classe et la famille. 12 Style architectural antique. 13 RELIG Sacrement conférant certaines fonctions ecclésiastiques (diaconat, prêtrise, épiscopat). 14 Degré. *De premier ordre.* 15 Commandement, prescription. *Obéir aux ordres.* Loc *L'ordre de :* environ. *Mot d'ordre :* consigne. *Un travail d'ordre intellectuel.* 11 BIOL Unité systématique entre la classe et la famille. 12 Style architectural antique. 13 RELIG Sacrement conférant certaines fonctions ecclésiastiques (diaconat, prêtrise, épiscopat). 14 Degré. *De premier ordre.* 15 Commandement, prescription. *Obéir aux ordres.* Loc *L'ordre de :* environ. *Mot d'ordre :* consigne. *Ordre du jour :* liste ordonnée des questions à débattre dans une assemblée. ■ *pl* Loc *Entrer dans les ordres :* se faire prêtre, religieux, religieuse.

ordure nf **1** Parole, écrit infâme ou obscène. **2** Pop Personne très méprisable. ■ *pl* Déchets. Loc *Boîte à ordures :* poubelle.

ordurier, ère a Obscène, grossier.

orée nf Litt Lisière, bordure.

oreillard nm Chauve-souris à grandes oreilles.

oreille nf **1** Organe de l'ouïe. **2** Partie externe de cet organe. *Tirer les oreilles.* **3** Ouïe. *Avoir l'oreille fine.* **4** Ce qui rappelle l'oreille par sa forme.

oreiller nm Coussin pour soutenir la tête d'une personne couchée.

oreillette nf ANAT Chacune des deux cavités supérieures du cœur.

oreillon nm Moitié d'abricot en conserve. ■ *pl* Infection virale qui se manifeste par la tuméfaction des parotides.

orémus [-mys] nm inv Mot dit par le prêtre durant la messe pour inviter les fidèles à prier.

ores av Loc *D'ores et déjà :* dès maintenant.

orfèvre n Qui fabrique ou qui vend des objets d'or ou d'argent.

orfèvrerie nf Art, commerce de l'orfèvre.

orfraie nf Aigle de grande taille.

organdi nm Mousseline légère.

organe nm **1** Partie d'un corps vivant remplissant une fonction utile à la vie. **2** Pièce d'une machine, d'un mécanisme, remplissant une fonction déterminée. **3** Voix. *Un organe puissant.* **4** Journal. *L'organe d'un parti.* **5** Ce qui sert d'intermédiaire, d'instrument, de moyen. *Organes du pouvoir.*

organelle nf ou **organite** nm BIOL Élément constitutif de la cellule.

organicisme nm Théorie qui rattache toute maladie à une lésion organique.

organigramme nm Schéma de l'organisation d'une administration, d'une entreprise.

organique a **1** Relatif aux organes ou aux organismes vivants. **2** Inhérent à la structure de qqch. *Loi organique.* Loc *Chimie organique :* des composés du carbone.

organisateur, trice a, n Qui organise.

organisation nf **1** Manière dont qqch est organisé ; structure. **2** Action d'organiser. **3** Association, groupement. *Organisation politique, syndicale.*

organisationnel, elle a De l'organisation.

organisé, ée a **1** BIOL Pourvu d'organes. *Êtres organisés.* **2** Préparé pour telle fonction. *Groupe organisé.* **3** Ordonné, méthodique.

organiser vt Arranger, préparer en vue de tel usage ; régler, aménager. ■ vpr Prendre ses dispositions pour agir efficacement.

organisme nm **1** Ensemble des organes constituant un être vivant ; cet être vivant. **2** Ensemble des services ou bureaux affectés à une certaine tâche.

organiste n Qui joue de l'orgue.

organite. V. organelle.

organologie nf Étude des instruments de musique.

orgasme nm Paroxysme du plaisir sexuel.

orge nf Céréale annuelle à épi simple.

orgeat nm Sirop à base d'amandes.

orgelet nm Petit furoncle du bord de la paupière.

orgiaque a Propre à une orgie.

orgie nf **1** Débauche. **2** Litt Profusion.

orgue nm ou **orgues** nfpl **1** Grand instrument à vent composé de tuyaux, de claviers et d'une soufflerie. ■ nm Loc *Orgue de Barbarie :* orgue mécanique portatif. MUS *Point d'orgue :* prolongation de la durée d'une note ou d'un silence ; interruption dans le déroulement d'un processus quelconque. ■ nmpl GEOL Colonnes naturelles de basalte. Loc *Orgues de Staline :* lance-roquettes à tubes multiples.

orgueil nm **1** Opinion trop avantageuse de soi-même. **2** Sentiment élevé de sa valeur ; fierté.

orgueilleux, euse a, n Qui a de l'orgueil.

oriel nm ARCHI Syn de bow-window.

orient nm **1** Celui des quatre points cardinaux qui est du côté où le soleil se lève ; est, levant. **2** (avec majusc) Ensemble des pays d'Asie.

oriental, ale, aux a Situé à l'est. ■ a, n De l'Orient.

orientalisme nm Étude de l'Orient, de ses peuples, de leurs civilisations, etc.

orientation nf 1 Détermination du lieu où on se trouve. 2 Action d'orienter qqch, de régler sa position par rapport aux points cardinaux. 3 Action de diriger qqn dans telle direction, vers tel débouché. 4 Tendance politique.

orienté, ée a 1 Qui a une position, une direction déterminée. 2 Qui manifeste une certaine tendance politique ou doctrinale.

orienter vt 1 Disposer une chose par rapport aux points cardinaux ou dans une direction déterminée. 2 Faire prendre telle direction à qqn. ■ vpr 1 Déterminer sa position par les points cardinaux. 2 Prendre telle direction.

orienteur, euse n Qui s'occupe d'orientation scolaire et professionnelle.

orifice nm Ouverture, trou.

oriflamme nf Bannière d'apparat.

origami nm Art japonais du papier plié.

origan nm Marjolaine.

originaire a Qui tire son origine de tel lieu.

original, ale, aux a 1 De l'auteur même, qui constitue la source première. 2 D'une singularité neuve ou personnelle. ■ a, n Personne bizarre, excentrique. ■ nm Ouvrage, document, modèle primitif ou authentique.

originalité nf 1 Caractère original. 2 Fantaisie, excentricité.

origine nf 1 Principe, commencement, source. 2 Provenance, milieu dont qqn, qqch est issu. Loc À l'origine : au commencement.

originel, elle a Qui remonte à l'origine.

orignal nm Élan du Canada. Des orignaux.

oripeaux nmpl Litt Vieux habits.

oriya nm Langue indienne de l'Orissa.

O.R.L. nf, n Abrév de oto-rhino-laryngologie et de oto-rhino-laryngologiste.

orléanisme nm HIST Doctrine des royalistes partisans de la maison d'Orléans.

orme nm Arbre aux feuilles dentelées.

ormeau nm 1 Petit orme. 2 Mollusque marin comestible.

ornemaniste n Artiste, peintre d'ornements.

ornement nm Élément qui sert à orner, à embellir, à décorer.

ornemental, ale, aux a De l'ornement ; qui sert à orner, décoratif. Plante ornementale.

ornementer vt Embellir par des ornements.

orner vt Embellir, décorer.

ornière nf Trace creusée par des roues de voitures dans un chemin.

ornithogale nm Plante bulbeuse à fleurs blanches.

ornithologie nf Étude des oiseaux.

ornithologiste ou **ornithologue** n Spécialiste d'ornithologie.

ornithorynque nm Mammifère ovipare d'Australie, au bec corné aplati.

orogenèse nf GEOL Formation des montagnes.

orographie nf Description du relief terrestre.

oronge nf Champignon comestible au chapeau rouge-orange. Loc Fausse oronge : amanite tue-mouches.

orpaillage nm Travail de l'orpailleur.

orpailleur nm Chercheur de paillettes d'or dans les sables aurifères.

orphelin, ine n Enfant qui a perdu son père et sa mère, ou l'un des deux.

orphelinat nm Établissement qui recueille les orphelins.

orphéon nm Fanfare.

orphie nf Poisson de mer au long bec fin.

orphisme nm Courant religieux et mystique de la Grèce antique, rattaché à Orphée.

orque nf Cétacé très vorace.

orseille nf Lichen dont on tire un colorant.

orteil nm Doigt de pied.

orthèse nf Appareil palliant une déficience du système locomoteur.

orthodontie nf Traitement des anomalies de position des dents.

orthodontiste n Spécialiste d'orthodontie.

orthodoxe *a* Conforme à un dogme religieux, à une doctrine établie, à une tradition. ■ *a, n,* Qui appartient à une Église d'Orient indépendante de Rome.

orthodoxie *nf* Caractère orthodoxe.

orthoépie *nf* Prononciation correcte des sons du langage.

orthogénie *nf* Contrôle des naissances.

orthogonal, ale,aux *a* À angle droit.

orthographe *nf* Manière correcte d'écrire les mots ; règles régissant cette écriture.

orthographier *vt* Écrire selon les règles de l'orthographe.

orthopédie *nf* Traitement des lésions des articulations et des tendons.

orthopédiste *n* Spécialiste d'orthopédie.

orthophonie *nf* Correction des troubles du langage parlé et écrit.

orthophoniste *n* Spécialiste d'orthophonie.

orthoptère *nm* ZOOL Insecte (sauterelle, criquet) dont les ailes postérieures se replient.

orthoptie [-si] *nf* MED Rééducation de l'œil.

orthoptiste *n* Spécialiste d'orthoptie.

ortie *nf* Plante herbacée aux feuilles irritantes.

ortolan *nm* Bruant à la chair très estimée.

orvet *nm* Lézard sans pattes, à queue fragile.

orviétan *nm* Vx Remède supposé tout guérir.

oryctérope *nm* Mammifère africain au museau en forme de groin et aux griffes puissantes.

oryx *nm* Antilope aux cornes fines et longues.

os [ɔs], au pl [o] *nm* Élément dur et calcifié du corps de l'homme et des vertébrés dont l'ensemble constitue le squelette.

O.S. [oɛs] *n* Abrév de *ouvrier spécialisé.*

oscar *nm* Récompense décernée par un jury à un film, un produit, etc. *L'oscar de la mode.*

oscillateur [-sila-] *nm* Dispositif générant des oscillations électriques.

oscillation [-sila-] *nf* 1 Mouvement d'un corps qui oscille. 2 Fluctuation, variation.

oscillatoire *a* Caractérisé par des oscillations.

osciller [-sile-] *vi* 1 Se mouvoir alternativement en deux sens contraires autour d'un point fixe. 2 Litt Hésiter. 3 Varier entre deux niveaux.

oscillogramme [-silo-] *nm* Courbe fournie par l'oscillographe.

oscillographe ou **oscilloscope** *nm* Appareil enregistrant les variations temporelles d'une grandeur physique.

osé, ée *a* 1 Audacieux. 2 Scabreux, licencieux.

oseille *nf* 1 Plante potagère à la saveur acide. 2 Pop Argent.

oser *vt* Avoir l'audace, le courage de.

osier *nm* Rameau flexible de divers saules.

osmium [-mjɔm] *nm* Métal très lourd de couleur gris-bleu.

osmose *nf* 1 Diffusion entre deux fluides séparés par des parois semi-perméables. 2 Influence mutuelle, interpénétration profonde.

osmotique *a* De l'osmose.

ossature *nf* 1 Ensemble des os. 2 Armature, charpente. *L'ossature d'un roman.*

osselet *nm* Petit os. ■ *pl* Jeu consistant à lancer et à rattraper sur le dos de la main de petits objets en forme d'os.

ossements *nmpl* Os décharnés et desséchés.

osseux, euse *a* 1 Des os. *Maladie osseuse.* 2 Dont les os sont saillants.

ossifier *vt* PHYSIOL Changer en tissu osseux les parties cartilagineuses.

osso-buco [ɔsobuko] *nm inv* Jarret de veau avec son os, cuit à l'étouffée, avec des tomates.

ossuaire *nm* Lieu où l'on dépose des ossements humains.

ostéalgie *nf* MED Douleur osseuse.

ostéite *nf* MED Inflammation du tissu osseux.

ostensible *a* Qu'on laisse voir à dessein.

ostensoir *nm* RELIG Support d'or ou d'argent servant à exposer l'hostie consacrée.

ostentation *nf* Insistance excessive pour montrer un avantage.

ostentatoire *a* Qui témoigne de l'ostentation.

ostéolyse *nf* MED Destruction du tissu osseux.

ostéomyélite *nf* MED Inflammation du tissu osseux et de la moelle.

ostéopathie *nf* 1 Maladie des os. 2 Manipulations thérapeutiques vertébrales et articulaires.

ostéoplastie *nf* CHIR Restauration d'un os avec des fragments osseux.

ostéoporose *nf* MED Raréfaction pathologique du tissu osseux.

ostéosarcome *nm* MED Tumeur des os.

ostéotomie *nf* CHIR Ablation partielle d'un os.

ostracisme *nm* Exclusion d'une personne d'un groupe.

ostréicole *a* De l'ostréiculture.

ostréiculture *nf* Élevage des huîtres.

ostrogoth [-go] *nm* Fam Individu bizarre.

otage *nm* Personne qu'on retient pour se garantir contre d'éventuelles représailles, ou pour obtenir ce qu'on exige.

otarie *nf* Mammifère marin voisin du phoque.

ôter *vt* 1 Enlever, quitter. *Ôter son manteau.* 2 Prendre, ravir à qqn. *Ôter la vie, l'honneur.* 3 Retrancher qqch de. *Ôter trois de dix.* 4 Faire disparaître. *Ôter une tache.*

otite *nf* MED Inflammation de l'oreille.

otologie *nf* MED Étude de l'oreille et de ses maladies.

oto-rhino-laryngologie *nf* Traitement des maladies des oreilles, de la gorge et du nez (abrév : O.R.L.).

oto-rhino-laryngologiste *n* Spécialiste d'oto-rhino-laryngologie (abrév : O.R.L. ; oto-rhino).

otorragie *nf* MED Hémorragie par l'oreille.

otorrhée *nf* MED Écoulement par l'oreille.

ottoman, ane *a, n* Relatif à l'Empire turc. ■ *nf* Canapé à dossier enveloppant.

ou *conj* Marque l'alternative ou l'équivalence.

où *pr, av* Équivaut au pronom relatif et interrogatif *lequel* précédé d'une préposition et indiquant le lieu, le temps, la conséquence.

ouailles *nfpl* Litt Chrétiens par rapport à leur curé, à leur pasteur.

ouais [we] *av* Pop Oui.

ouate *nf* 1 Textile servant pour les doublures. 2 Coton soyeux pour les pansements. *De l'ouate ou de la ouate.*

ouaté, ée *a* Feutré, doux.

ouatine *nf* Étoffe utilisée pour les doublures.

oubli *nm* 1 Défaillance de la mémoire. 2 Manquement à ses obligations.

oublier *vt* 1 Perdre le souvenir de qqch, de qqn. 2 Pardonner. 3 Négliger. *Oublier ses devoirs.* 4 Laisser par inadvertance. *Oublier ses clés.* 5 Omettre par inattention. *Oublier un nom sur une liste.* ■ *vpr* 1 Disparaître de la mémoire. 2 Manquer à ce qu'on doit aux autres, à soi-même.

oubliette *nf* Cachot souterrain.

oublieux, euse *a* Litt Sujet à oublier.

oued [wed] *nm* Cours d'eau saisonnier d'Afrique du Nord.

ouest *nm* 1 Point cardinal qui est au soleil couchant. 2 (avec majusc) Partie occidentale d'une région, d'un pays, d'un continent. 3 (avec majusc) L'Europe occidentale et l'Amérique du Nord. Ant. est.

ouf ! *interj* Exprime le soulagement.

ougandais, aise *a, n* D'Ouganda.

oui *av, nm* Indique l'affirmation, l'acquiescement. Ant. non.

ouï-dire *nm inv* Loc *Par ouï-dire :* par la rumeur publique.

ouïe *nf* Sens qui permet d'entendre. ■ *pl* Branchies des poissons.

ouille ou **ouïe** ! [uj] *interj* Exprime la douleur.

ouïr *vt* 37 Litt Entendre.

ouistiti *nm* Singe d'Amérique de très petite taille.

oukase. V. ukase.

ouléma. V. uléma.

ouolof. V. wolof.

ouragan nm 1 Tempête très violente.
2 Trouble violent, déchaînement. *Ouragan
politique.*

ourdir vt 1 Préparer les fils de la chaîne
avant de les monter sur le métier à tisser. 2 Ma-
chiner, préparer, tramer. *Ourdir un complot.*

ourdou. V. urdu.

ourler vt Faire un ourlet à.

ourlet nm Bord d'une étoffe replié et cousu.

ours, ourse n 1 Grand mammifère carnivore, au corps massif couvert d'une épaisse
toison. 2 Fam Personne peu sociable, bourrue.
3 Liste des collaborateurs d'une publication.

oursin nm Animal marin comestible, hérissé de piquants.

ourson nm Petit de l'ours.

oust ou **ouste !** interj Fam Marque le rejet
rapide ou la hâte.

out [awt] av Au tennis, en dehors des limites
du terrain.

outarde nf Oiseau échassier.

outil [uti] nm 1 Instrument manuel de travail. 2 Tout moyen servant d'aide dans le travail.

outillage nm Ensemble des outils et des
machines utilisés pour une activité.

outiller vt Munir d'outils, de matériel ; équiper.

outlaw [awtlo] nm Vx Hors-la-loi, bandit.

outplacement [awt-] nm Technique de
réinsertion des salariés licenciés.

outrage nm Injure grave.

outrager vt 11 Offenser gravement.

outrageusement av Excessivement.

outrance nf Excès. Loc *À outrance :* exagérément.

outrancier, ère a Excessif.

1. outre nf Sac en peau de bouc pour contenir des liquides.

2. outre prép En plus de. Loc *Outre mesure :* plus qu'il ne convient. *Outre que :* en
plus du fait que. ■ av Loc *Passer outre :* aller
plus loin. *En outre :* en plus.

outré, ée a Litt Excessif. *Critique outrée.*

outrecuidant, ante a Impertinent.

outremer a inv, nm Bleu intense.

outre-mer av Situé au-delà des mers.

outrepasser vt Dépasser la limite de.

outrer vt Indigner, révolter, scandaliser.

outre-tombe av Après la mort.

outsider [awtsajdœR] nm Concurrent qui
s'attaque au favori.

ouvert, erte a 1 Qui n'est pas fermé.
2 Franc, accueillant, tolérant.

ouvertement av Franchement.

ouverture nf 1 Action d'ouvrir ce qui était
fermé. 2 Espace vide, fente, trou. 3 Commencement. *Ouverture de la chasse.* 4 Première
démarche d'une négociation. 5 Début d'une
œuvre lyrique.

ouvrable a Loc *Jour ouvrable :* où on travaille normalement. Ant. férié.

ouvrage nm 1 Besogne, travail. 2 Objet
produit. 3 Livre. Loc *Boîte à ouvrage :* nécessaire de couture. *Ouvrage d'art :* viaduc,
tunnel, etc.

ouvragé, ée a Minutieusement travaillé.

ouvré, ée a Travaillé, façonné. Loc *Jour
ouvré :* où on travaille effectivement.

ouvre-boîtes nm inv Instrument coupant
pour ouvrir les boîtes de conserve.

ouvre-bouteilles nm inv Petit instrument pour décapsuler les bouteilles.

ouvrer vt Travailler, façonner.

ouvreur, euse n 1 Skieur qui ouvre une
piste. 2 Personne chargée de placer le public
dans une salle de spectacle.

ouvrier, ère n 1 Salarié effectuant un travail
manuel. Loc *Ouvrier spécialisé :* sans qualification professionnelle. ■ nf Femelle stérile
chez les abeilles, les guêpes, les fourmis. ■ a
Relatif aux ouvriers. *La classe ouvrière.*

ouvriérisme nm Tendance à privilégier le
rôle des ouvriers dans le mouvement révolutionnaire.

ouvrir vt 31 1 Faire communiquer l'extérieur et l'intérieur. 2 Déplier, décacheter.
3 Rendre libre un accès. 4 Commencer, entamer. *Ouvrir une négociation.* 5 Fonder, créer.
Ouvrir une boutique. 6 Faire fonctionner.
Ouvrir la télévision. Loc Pop *L'ouvrir :* parler.
■ vi, vpr 1 Être, devenir ouvert. *La porte
n'ouvre, ne s'ouvre plus.* 2 Commencer.

congrès ouvre, s'ouvre sur un discours.
3 Donner accès. *La terrasse ouvre, s'ouvre sur le jardin.* ■ *vpr* Se confier à qqn.

ouvroir *nm* Lieu réservé aux travaux faits en commun, dans un couvent.

ouzbek, n De l'Ouzbékistan.

ouzo *nm* Alcool grec parfumé à l'anis.

ovaire *nm* BIOL Organe reproducteur femelle où se forment les ovules.

ovale *a* Qui a la forme d'une courbe fermée et allongée. ■ *nm* Figure de cette forme.

ovaliser *vt* Rendre ovale.

ovariectomie *nf* CHIR Ablation d'un ovaire.

ovarien, enne *a* De l'ovaire.

ovarite *nf* MED Inflammation des ovaires.

ovation *nf* Acclamation.

ovationner *vt* Acclamer. *Ovationner l'orateur.*

overdose [ɔvœʀdoz] *nf* **1** Dose mortelle de drogue. **2** Quantité excessive de qqch.

ovibos *nm* Ruminant des régions boréales, appelé aussi *bœuf musqué.*

oviducte *nm* ZOOL Conduit où passe l'ovule chez les animaux.

ovin, ine *a* ZOOL Qui concerne les moutons, les brebis. ■ *nm* Animal de l'espèce ovine.

ovipare *a, n* ZOOL Qui pond des œufs.

ovni *nm* Objet volant non identifié.

ovocyte. V. oocyte.

ovogenèse *nf* BIOL Formation des gamètes femelles.

ovoïde *a* Qui a la forme d'un œuf.

ovovivipare *n, a* ZOOL Animal ovipare chez lequel l'incubation des œufs se fait dans les voies génitales.

ovulation *nf* BIOL Rupture du follicule, libérant l'ovule.

ovule *nm* **1** BIOL Gamète femelle. **2** Corpuscule médicamenteux.

ovuler *vi* Avoir une ovulation.

oxalique *a* Loc *Acide oxalique :* contenu dans l'oseille.

oxford *nm* Tissu de coton très solide.

oxhydrique *a* D'un mélange d'oxygène et d'hydrogène.

oxydable *a* Qui peut s'oxyder.

oxydation *nf* Fixation d'oxygène sur un corps.

oxyde *nm* CHIM Corps résultant de la combinaison de l'oxygène avec un autre élément.

oxyder *vt* CHIM Convertir en oxyde. ■ *vpr* Être attaqué par l'oxydation.

oxygène *nm* **1** Gaz incolore, insipide et inodore contenu dans l'air. **2** Air pur. **3** Ce qui donne un nouveau dynamisme.

oxygéné, ée *a* Loc *Eau oxygénée :* solution utilisée comme antiseptique.

oxygéner *vt* **12** CHIM Combiner un corps avec l'oxygène. ■ *vpr* Fam Respirer de l'air pur.

oxygénothérapie *nf* MED Administration thérapeutique d'oxygène.

oxyton *nm* LING Mot portant l'accent tonique sur la dernière syllabe.

oxyure *nm* Ver parasite de l'intestin de l'homme.

oyat *nm* Plante servant à fixer les dunes.

ozalid *nm* (n déposé) IMPRIM Épreuve sur papier.

ozone *nm* Gaz proche de l'oxygène, à pouvoir très oxydant. Loc *Trou d'ozone :* diminution de l'ozone dans l'ozonosphère.

ozoniser ou **ozoner** *vt* Stériliser par l'ozone.

ozoniseur ou **ozonisateur** *nm* Appareil servant à produire de l'ozone.

ozonosphère *nf* Zone de la haute atmosphère terrestre riche en ozone.

p

p nm Seizième lettre (consonne) de l'alphabet.

pacage nm Lieu où on fait paître les bestiaux.

pacemaker [pɛsmekœr] nm Stimulateur cardiaque.

pacha nm 1 Gouverneur de province, dans l'ancien Empire ottoman. 2 Fam Surnom du commandant d'un navire de guerre.

pachtou ou **pachto** nm Langue indo-européenne parlée en Afghanistan.

pachyderme nm 1 ZOOL Mammifère à peau épaisse comme l'éléphant, le rhinocéros, l'hippopotame, etc. 2 Fam Personne très grosse.

pacifier vt Rétablir la paix dans un pays. 2 Apaiser, calmer un esprit.

pacifique a 1 Attaché à la paix. 2 Exempt de violence. Coexistence pacifique.

pacifisme nm Recherche systématique de la paix en toute circonstance.

pack nm 1 Ensemble des huit avants, au rugby. 2 Emballage de bouteilles, de pots. 3 Banquise dérivante.

package [-kedʒ] nm Ensemble de choses vendu à un prix forfaitaire.

packaging [-kedʒiŋ] nm Technique et industrie de l'emballage.

pacotille nf Marchandise de peu de valeur.

pacson nm Pop Paquet.

pacte nm 1 Convention solennelle entre plusieurs États, partis, individus.

pactiser vi 1 Faire un pacte avec qqn. 2 Transiger avec qqn, qqch.

pactole nm Litt Source de richesses.

paddock nm 1 Partie d'un champ de courses, où les chevaux sont promenés. 2 Stand de marque sur un circuit automobile. 3 Pop Lit.

paddy nm Riz non décortiqué.

paella [paelja] nf Plat espagnol composé de riz au safran avec des moules, de la volaille, etc.

---

1. paf a Pop Ivre.

2. paf ! interj Exprime le bruit d'une chute.

pagaie [page] nf Rame courte, à large pelle.

pagaille nf Fam Grand désordre. Loc En pagaille : en grande quantité.

paganisme nm Religion polythéiste, pour les chrétiens.

pagayer [-geje] vi 20 Ramer avec une pagaie.

1. page nf 1 Côté d'un feuillet de papier ; ce feuillet. 2 Texte écrit sur une page. 3 Contenu de ce texte. Loc Fam Être à la page : au courant.

2. page nm HIST Jeune noble au service d'un seigneur.

pagel ou **pageot** nm Poisson de mer proche de la daurade.

pagination nf Action de paginer.

paginer vt Numéroter les pages d'un livre, d'un cahier, etc.

pagne nm Morceau d'étoffe couvrant le corps de la ceinture au mollet.

pagode nf Temple bouddhique.

pagre nm Poisson voisin de la daurade.

pagure nm Bernard-l'ermite.

paie. V. paye.

paiement ou **payement** [pɛmɑ̃] nm 1 Action de payer. 2 Somme payée. Des paiements réguliers.

païen, enne a, n Qui relève du paganisme.

paierie nf Centre administratif chargé des paiements.

paillard, arde a, n Grivois, licencieux.

paillardise nf Grivoiserie.

paillasse nf 1 Grand sac de paille servant de matelas. 2 Surface horizontale d'un évier.

paillasson nm Tapis-brosse.

paille nf 1 Tige creuse des céréales. 2 Petit chalumeau servant à aspirer un liquide. 3 Défaut dans le métal. Loc Fam Être sur la paille : dans la misère. Paille de fer : tampon de métal servant à récurer. Fam Une paille : presque rien. ■ a inv D'un jaune brillant.

pailler vt Garnir de paille.

pailleté, ée a Semé de paillettes.

paillette nf **1** Parcelle d'or dans le sable de certaines rivières. **2** Mince lamelle brillante cousue sur un tissu.

paillon nm Manchon de paille dont on entoure une bouteille.

paillote nf Hutte de paille.

pain nm **1** Aliment fait de farine pétrie, fermentée et cuite au four. **2** Nom de certains gâteaux. **3** Matière moulée en forme de pain. **4** Pop Coup. Loc *Pour une bouchée de pain* : pour un prix très bas. *Gagner son pain* : gagner sa vie.

pair, paire a **1** Divisible par deux. **2** Double et symétrique. ■ nm **1** Qui est égal à qqn d'autre. **2** Taux nominal d'une valeur, d'une monnaie. **3** FÉOD Grand vassal du roi. **4** En Grande-Bretagne, membre de la Chambre des lords. Loc *Au pair* : nourri et logé, mais non rémunéré. *De pair* : ensemble. *Hors pair* : sans égal. ■ nf **1** Groupe de deux objets allant ensemble. **2** Objet composé de deux pièces symétriques.

paisible a Tranquille, pacifique, calme.

paître vt, vi **66** (ni passé simple, ni temps composés) Brouter l'herbe. Loc Fam *Envoyer paître* : renvoyer avec humeur.

paix nf **1** Absence de conflit. *Vivre en paix.* **2** Traité de paix. *Signer la paix.* **3** Tranquillité, quiétude. Loc *Faire la paix* : se réconcilier.

pakistanais, aise a, n Du Pakistan.

pal nm **1** Pieu dont une extrémité est aiguisée. **2** Bande traversant un blason.

palabre nf Discussion interminable.

palabrer vi Discourir interminablement.

palace nm Hôtel de luxe.

paladin nm Chevalier du Moyen Âge en quête de causes justes.

palafitte nm Habitat préhistorique sur pilotis.

1. palais nm **1** Résidence d'un chef d'État, d'un haut personnage. **2** Vaste édifice abritant un musée, un organisme d'État, etc. Loc *Palais de justice* : où siègent les cours et les tribunaux.

2. palais nm **1** Partie supérieure de la cavité buccale. **2** Goût. *Avoir le palais fin.*

palan nm Appareil de levage constitué par deux systèmes de poulies.

palangre nf Ligne munie d'hameçons.

palanquer vt Lever avec un palan.

palanquin nm Chaise ou litière portée à bras d'hommes ou installée sur le dos des éléphants.

palatal, ale, aux a, nf Se dit d'un phonème articulé vers le palais, comme le [k] et le [g].

palatalisation nf PHON Articulation d'une consonne vers le palais.

palatin, ine a ANAT Du palais. *Voûte palatine.*

pale nf **1** Partie plate d'un aviron, de la roue d'un bateau à vapeur. **2** Branche d'une hélice.

pâle a **1** Blême, blafard. **2** Se dit d'une couleur atténuée par du blanc. **3** Médiocre, terne. Loc Pop *Se faire porter pâle* : malade.

palefrenier nm Chargé du soin des chevaux.

palefroi nm Cheval de parade au Moyen Âge.

paléobotanique nf Paléontologie végétale.

paléochrétien, enne a Se dit de l'art des premiers chrétiens (Ier s.-VIe s.).

paléoclimat nm Climat d'une région à une période géologique ancienne.

paléogène nm GÉOL Début de l'ère tertiaire.

paléographie nf Science du déchiffrage des écritures anciennes.

paléolithique nm PRÉHIST Âge de la pierre taillée au quaternaire.

paléomagnétisme nm Magnétisme terrestre aux périodes géologiques.

paléontologie nf Science des fossiles.

paléontologiste ou **paléontologue** n Spécialiste de paléontologie.

paléozoïque nm, a GÉOL Ère primaire.

paleron nm Partie charnue proche de l'omoplate du bœuf ou du porc.

palestinien, enne a, n De Palestine.

palestre nf ANTIQ Partie réservée aux exercices physiques dans le gymnase.

palet nm Disque qu'on lance vers un but, dans certains jeux.

paletot nm Veste qu'on porte par-dessus d'autres vêtements.

palette nf 1 Objet plat d'une certaine largeur. 2 Plaque percée d'un trou pour le pouce, sur laquelle les peintres travaillent leurs couleurs. 3 Ensemble des couleurs utilisées par un peintre. 4 Plateau servant à la manutention des marchandises. 5 Morceau de porc, de mouton provenant de l'omoplate.

palettiser vt Charger des marchandises sur une palette.

palétuvier nm Arbre aux racines aériennes.

pâleur nf Aspect, teint pâle.

pali nm Ancienne langue de l'Inde.

pâlichon, onne a Fam Pâlot.

palier nm 1 Plan horizontal dans un escalier servant d'accès à des locaux de même niveau. 2 Phase de stabilité. 3 TECH Pièce dans laquelle tourne un arbre de transmission.

palière a f Loc Porte palière : qui s'ouvre sur un palier.

palimpseste nm Parchemin dont le texte primitif a été gratté et portant un nouveau texte.

palindrome nm Mot, phrase qu'on peut lire dans les deux sens (ex. : un roc cornu).

palinodie nf Litt Rétractation, brusque changement d'opinion.

pâlir vi Devenir pâle. ◆ vt Litt Rendre pâle.

palis nm Pieu pointu d'une clôture.

palissade nf Clôture de pieux, de planches.

palissandre nm Bois brun à reflets violacés.

palisser vt AGRIC Fixer à un support les branches d'une plante.

paliure nm Arbuste épineux méditerranéen.

palladium [-djɔm] nm Métal dur et ductile.

palliatif, ive a Dont l'efficacité n'est qu'apparente. Loc Soins palliatifs : destinés aux agonisants. ◆ nm Mesure provisoire ; expédient. Ce remède n'est qu'un palliatif.

pallier vt Atténuer. Pallier une difficulté.

pallikare nm HIST Au XIXe s, partisan grec combattant contre les occupants turcs.

palmaire a De la paume des mains.

palmarès nm 1 Liste des lauréats. Le palmarès d'un concours. 2 Liste des succès. Le palmarès d'un champion. 3 Syn de hit-parade.

palme nf 1 Feuille du palmier. 2 Insigne d'une distinction honorifique. 3 Palette de caoutchouc adaptée au pied d'un nageur. Loc Vin, huile de palme : de palmier.

palmé, ée a 1 BOT Qui a la forme d'une main. 2 ZOOL Qui a une palmure.

palmeraie nf Plantation de palmiers.

palmette nf ARCHI Ornement en forme de feuille de palmier.

palmier nm 1 Arbre à tronc couronné de feuilles (cocotier, palmier-dattier). 2 Petit gâteau de pâte feuilletée.

palmipède a ZOOL Dont les pieds sont palmés. ◆ nm Oiseau tel que l'oie, le canard, etc.

palmiste nm Palmier aux bourgeons comestibles.

palmure nf Membrane réunissant les doigts de divers vertébrés aquatiques (canard, grenouille).

palombe nf Pigeon ramier.

palonnier nm TECH Pièce transversale servant à équilibrer les efforts de traction.

pâlot, otte a Fam Un peu pâle.

palourde nf Mollusque comestible qui vit enfoui dans le sable.

palpable a 1 Perceptible par le toucher. 2 Évident, patent. Vérité palpable.

palpation nf MED Examen par exploration manuelle.

palpébral, ale, aux a ANAT De la paupière.

palper vt 1 Examiner en tâtant. 2 Fam Recevoir de l'argent.

palpeur nm Dispositif servant à contrôler et à réguler qqch.

palpitant, ante a 1 Qui palpite. 2 Qui passionne. Récit palpitant.

palpitations nfpl Battements accélérés du cœur.

palpiter vi Avoir des mouvements convulsifs (organe, cœur).

paltoquet nm Vx Homme vaniteux.

paluche nf Pop Main.

paludéen, enne a 1 Des marais. 2 MED Relatif au paludisme. ∎ n Atteint de paludisme.

paludier, ère n Qui travaille dans les marais salants.

paludisme nm Maladie infectieuse due à un parasite transmis par les moustiques et se traduisant par une fièvre intermittente. Syn. malaria.

palustre a Qui vit dans les marais.

palynologie nf Étude des pollens.

pâmer (se) vpr Litt Défaillir par suite d'une vive émotion.

pâmoison nf Litt Évanouissement.

pampa nf Vaste plaine d'Amérique du Sud.

pamphlet nm Écrit satirique.

pamphlétaire n Auteur de pamphlets.

pamplemousse nm Fruit jaune du pamplemoussier, plus gros qu'une orange.

pamplemoussier nm Arbre produisant des pamplemousses.

pampre nm Branche de vigne avec ses feuilles et ses fruits.

1. pan nm 1 Partie tombante ou flottante d'un vêtement. 2 Partie plus ou moins large d'un mur. 3 GEOM Face d'un polyèdre. 4 Partie, morceau. Un pan du ciel.

2. pan ! interj Exprime un bruit de coup.

panacée nf Remède à tous les maux.

panache nm 1 Faisceau de plumes flottantes. 2 Ce qui évoque un panache. Panache de fumée. 3 Ce qui a fière allure ; éclat.

panaché, ée a 1 Bigarré. Tulipe panachée. 2 Composé d'éléments divers. Demi panaché : bière mélangée de limonade.

panacher vt 1 Composer de couleurs diverses, bigarrer. 2 Composer d'éléments divers. 3 Voter pour des candidats appartenant à des listes différentes.

panade nf Loc Pop Être dans la panade : dans la misère.

panafricain, aine a 1 De l'ensemble du continent africain. 2 Du panafricanisme.

panafricanisme nm Mouvement politique et culturel de solidarité entre les peuples africains.

panais nm Plante potagère à racine charnue.

panama nm Chapeau de paille.

panaméen, enne a, n De Panama.

panaméricain, aine a De l'ensemble des pays d'Amérique.

panarabisme nm Mouvement politique et culturel visant à l'union des pays arabes.

panard nm Pop Pied.

panaris [-RI] nm Inflammation aiguë d'un doigt ou d'un orteil.

panax nm Arbre dont la racine fournit le ginseng.

pancarte nf Panneau portant une inscription.

panchen-lama nm Chef religieux tibétain, inférieur au dalaï-lama. Des panchen-lamas.

panchromatique a PHOTO Sensible à toutes les couleurs.

pancrace nm ANTIQ Combat combinant la lutte et le pugilat.

pancréas [-as] nm Glande abdominale qui sécrète un suc digestif et l'insuline.

panda nm Mammifère d'Asie proche de l'ours.

pandémie nf Épidémie atteignant toute la population d'une région.

pandémonium [-njɔm] nm Litt Lieu de désordre et d'agitation.

pandore nm Vx Gendarme.

pané, ée a Enrobé de chapelure.

panégyrique nm Éloge sans réserve.

panel nm Groupe de personnes interrogées pour l'étude de certaines questions.

paner vt Enrober une viande, un poisson, de chapelure.

panetière nf Coffre à pain.

paneton nm Petit panier où le boulanger met la pâte avant cuisson.

pangermanisme nm Doctrine visant à l'union de tous les peuples germaniques.

pangolin nm Mammifère édenté d'Afrique et d'Asie, au corps couvert d'écailles.

panhellénisme nm Doctrine visant à réunir tous les Grecs.

panicaut nm Chardon bleu à feuilles épineuses des terrains incultes.

panicule nf BOT Inflorescence en grappe.

panier nm 1 Ustensile portatif servant au transport des denrées et autres objets ; contenu de cet ustensile. 2 SPORT Filet sans fond monté sur une armature circulaire, par lequel un joueur de basket-ball doit faire passer le ballon ; but ainsi marqué.

panière nf Grande corbeille à deux anses.

panier-repas nm Repas froid empaqueté pour un voyageur, un travailleur, etc. *Des paniers-repas.*

panifier vt Transformer de la farine en pain.

panini nm Sandwich à l'italienne, qui se consomme chaud.

panique a Loc *Peur, terreur panique :* peur incontrôlable et soudaine. ■ nf Frayeur collective subite.

paniquer vt Fam Affoler, angoisser. ■ vi, vpr Céder à l'affolement.

panislamisme nm Doctrine visant à l'union de tous les peuples musulmans.

1. panne nf Tissu adipeux du cochon.

2. panne nf Arrêt accidentel de fonctionnement. Loc *Panne sèche :* manque de carburant.

panneau nm 1 Élément plan de menuiserie. 2 Plaque de bois ou de métal servant de support à des indications. Loc Fam *Tomber dans le panneau :* dans le piège.

panneton nm Partie de la clef qui fait mouvoir le mécanisme d'une serrure.

panonceau nm Petit panneau indicateur.

panoplie nf 1 Collection d'armes fixées sur un panneau. 2 Déguisement d'enfants présenté sur un carton. 3 Assortiment d'éléments de même nature ; ensemble de moyens d'action.

panorama nm 1 Vue circulaire découverte d'un point élevé. 2 Vue d'ensemble.

panoramique a Propre à un panorama. *Vision panoramique.* ■ nm Prise de vues effectuée par une rotation de la caméra.

panse nf 1 ZOOL Première poche de l'estomac des ruminants. 2 Fam Gros ventre. 3 Partie la plus renflée d'un objet.

pansement nm 1 Action de panser une plaie. 2 Bande, gaze, etc., appliquées sur une plaie.

panser vt 1 Appliquer un pansement. 2 Brosser un cheval.

panslavisme nm Doctrine tendant à favoriser l'union des peuples slaves.

pansu, ue a 1 Qui a un gros ventre. 2 Renflé.

pantagruélique a Se dit d'un appétit, d'un repas gigantesque.

pantalon nm Vêtement qui va de la ceinture aux pieds, enveloppant chaque jambe séparément.

pantalonnade nf Farce grotesque, hypocrite.

panteler vi 18 Litt Haleter.

panthéisme nm Croyance identifiant Dieu et le monde.

panthéon nm 1 Ensemble des dieux d'une religion. 2 Monument à la mémoire des grands hommes d'un pays.

panthère nf Grand félidé d'Afrique et d'Asie à la robe jaune tachetée de noir.

pantin nm 1 Jouet dont on fait bouger les membres au moyen d'un fil. 2 Fantoche.

pantographe nm 1 Instrument servant à reproduire un dessin. 2 Dispositif reliant une locomotive électrique à la caténaire.

pantois, oise a Stupéfait. *Rester pantois.*

pantomime nf 1 Art d'exprimer des sentiments par des gestes, sans paroles. 2 Pièce mimée.

pantouflard, arde a, n Fam Casanier.

pantoufle nf Chaussure d'intérieur.

pantoufler vi Fam Quitter la fonction publique pour entrer dans le secteur privé.

pantoum nm Poème romantique à forme fixe.

panure nf Chapelure.

P.A.O. nf Publication assistée par ordinateur.

paon [pɑ̃] nm Oiseau galliforme au magnifique plumage vert et bleu.

paonne [pan] nf Femelle du paon.

papa nm Fam Père, dans le langage enfantin.
Loc *Fils à papa* : fils de famille profitant de la situation paternelle.

papal, ale, aux a Du pape.

paparazzi nm Photographe spécialisé dans la prise de clichés indiscrets de personnes connues.

papauté nf Dignité, pouvoir du pape.

papavéracée nf BOT Plante herbacée, à fruit en forme de capsule, telle que le pavot.

papaye [-paj] nf Fruit du papayer, semblable à un gros melon.

papayer nm Arbre d'Asie cultivé pour son fruit, la papaye, et son latex.

pape nm 1 Chef suprême de l'Église catholique romaine. 2 Fam Chef d'un mouvement.

papelard, arde a Litt Hypocrite. ■ nm Fam Papier.

paperasse nf Écrit sans valeur, inutile.

paperasserie nf Accumulation de paperasses.

papesse nf Femme pape selon une légende.

papeterie [-petRi] nf 1 Fabrication du papier. 2 Magasin où on vend du papier, des fournitures de bureau.

papetier, ère n, a Qui fabrique du papier ou qui en vend.

papier nm 1 Matière faite d'une pâte de fibres végétales étalée en couche mince et séchée. 2 Feuille très mince de métal. 3 Feuille écrite ou imprimée, document, article de journal, etc. Loc *Papier d'émeri, de verre* : utilisés comme abrasif. ■ pl Pièces d'identité.

papier-calque nm Papier permettant de recopier un dessin. *Des papiers-calques.*

papier-monnaie nm Monnaie de papier.

papilionacée nf BOT Légumineuse.

papille nf Petite éminence charnue à la surface de la peau, de la langue.

papillome nm Tumeur bénigne de la peau.

papillon nm 1 Insecte caractérisé par quatre grandes ailes diversement colorées. 2 Pièce pivotant autour d'un axe, qui sert à régler un débit. 3 Écrou à ailettes. 4 Petit feuille de papier ; avis de contravention. Loc *Nœud*

papillon : cravate courte nouée en forme de papillon. *Brasse papillon* : brasse où les deux bras sont ramenés au-dessus de l'eau.

papillonner vi Aller d'une chose, d'une personne à une autre sans s'arrêter à aucune.

papillote nf Morceau de papier servant à envelopper les cheveux, des aliments, etc.

papilloter vt Envelopper dans des papillotes. ■ vi 1 Scintiller. 2 Clignoter.

papiste n Péjor Catholique romain pour les protestants.

papivore n Fam Grand lecteur.

papotage nm Fam Conversation frivole.

papoter vi Fam Faire des papotages ; bavarder.

papou, oue a Relatif aux Papous.

papouille nf Fam Chatouille.

paprika nm Piment doux qu'on utilise broyé.

papule nf MED Petite saillie sur la peau.

papy nm 1 Fam Grand-père. 2 Pop Homme âgé.

papyrologie nf Étude des papyrus.

papyrus nm 1 Plante des bords du Nil. 2 Feuille tirée de cette plante. 3 Manuscrit égyptien écrit sur cette feuille.

pâque nf Fête annuelle des juifs en mémoire de leur sortie d'Égypte.

paquebot nm Grand navire de transport des passagers.

pâquerette nf Petite plante à fleur blanche.

Pâques nm Fête annuelle des chrétiens qui commémore la résurrection du Christ. ■ nfpl Loc *Faire ses pâques* : recevoir à Pâques la communion prescrite par l'Église aux catholiques.

paquet nm 1 Assemblage de plusieurs choses attachées ou enveloppées ensemble. 2 Produit dans son emballage. 3 Quantité, masse importante. *Paquet de mer.*

paquetage nm Pièces d'habillement et d'équipement d'un soldat.

1. par prép Marque le lieu ou le temps traversé, la distribution, la manière.

2. par nm Au golf, nombre minimal de coups nécessaires pour effectuer un parcours.

para nm Fam Parachutiste.

parabellum [-lɔm] nm Pistolet automatique.

parabole nf 1 Récit allégorique. 2 GEOM Courbe formant le lieu géométrique des points équidistants d'un point fixe et d'une droite fixe. 3 Antenne de télévision servant à capter les programmes transmis par satellite.

paracentèse [-sɛ̃-] nf CHIR Ponction pratiquée pour évacuer un liquide organique.

paracétamol nm Médicament analgésique et antipyrétique.

parachever vt 15 Terminer avec le plus de perfection possible.

parachimie nf Partie de l'industrie chimique fournissant les encres, les peintures, la pharmacie.

parachute nm Appareil destiné à ralentir la chute des corps tombant d'une grande hauteur.

parachuter vt 1 Larguer avec un parachute. 2 Fam Désigner, nommer inopinément à un emploi.

parachutisme nm Pratique du saut en parachute.

parade nf 1 Action de parer un coup, une accusation, etc. 2 Défilé militaire. 3 Défilé des artistes d'un spectacle de music-hall.

parader vi Se pavaner.

paradigme nm LING Ensemble des formes d'un mot, conjugaison d'un verbe.

paradis nm 1 Selon plusieurs religions, lieu où séjournent les bienheureux après leur mort. 2 Lieu enchanteur. 3 Galerie tout en haut d'une salle de spectacle. Loc *Paradis terrestre* : jardin habité par Adam et Ève, selon la Genèse. *Paradis fiscal* : pays où le régime fiscal est particulièrement avantageux. *Oiseau de paradis* : paradisier.

paradisiaque a Digne du paradis.

paradisier nm Oiseau de Nouvelle-Guinée et d'Australie, aux plumes magnifiques.

paradoxal, ale,aux a Qui tient du paradoxe ; singulier. *Situation paradoxale.* Loc *Sommeil paradoxal* : pendant lequel ont lieu les rêves.

paradoxe nm Proposition contraire à l'opinion commune, à la logique.

parafe, parafer, parafeur. V. paraphe, parapher, parapheur.

paraffine nf Solide gras blanchâtre.

paraffiner vt Enduire de paraffine.

parafiscalité nf Charges ou taxes hors des impôts de l'État.

parages nmpl Loc *Dans les parages* : aux environs.

paragraphe nm Subdivision d'un texte en prose marquée par un alinéa.

paragrêle nm Dispositif pour dissiper les nuages de grêle.

paraguayen, enne a, n Du Paraguay.

paraître vi 55 [aux avoir ou être] 1 Se montrer, être visible. 2 Être publié. 3 Sembler, avoir l'apparence de (suivi d'un attribut ou d'un inf). *Il paraît satisfait.* 4 Se faire remarquer. *Aimer paraître.* Loc *Il paraît que* : le bruit court que.

parallaxe nf Loc *Erreur de parallaxe* : commise lorsqu'on lit obliquement une graduation.

parallèle a 1 Se dit d'une ligne, d'une surface, également distante d'une autre ligne, d'une autre surface. 2 Qui se déroule dans des conditions analogues ; semblable. 3 De même ordre, mais non officiel ou non légal. *Police parallèle.* ■ nf Ligne parallèle à une autre. ■ nm 1 Chacun des cercles de la sphère terrestre parallèles au plan de l'équateur. 2 Comparaison. *Établir un parallèle.*

parallélépipède nm Prisme dont les six faces sont des parallélogrammes.

parallélisme nm 1 GEOM État de droites, de plans, d'objets parallèles. 2 Comparaison systématique entre des personnes, des choses.

parallélogramme nm Quadrilatère dont les côtés opposés sont parallèles.

paralysé, ée a, n Atteint de paralysie.

paralyser vt 1 Frapper de paralysie. 2 Frapper d'inertie ; neutraliser.

paralysie nf 1 Perte ou déficience des mouvements volontaires dans une région du corps. 2 Arrêt du fonctionnement de l'activité. *Paralysie des transports.*

paralytique, a, n Atteint de paralysie.

paramécie nf Protozoaire commun dans les eaux douces stagnantes.

paramédical, ale, aux a Relatif à la santé sans relever des attributions des médecins.

paramètre nm 1 Élément important dont il faut tenir compte pour juger d'une question. 2 MATH Dans une équation, grandeur à laquelle on peut attribuer des valeurs différentes. 3 INFORM Variable qui n'est précisée que lors de l'exécution du programme.

paramétrer vt Définir les paramètres de.

paramilitaire a Organisé comme une armée.

parangon nm Litt Modèle. *Parangon de vertu.*

paranoïa nf Psychose caractérisée par la surestimation du moi et un délire de persécution.

paranormal, ale, aux a Hors de la normalité.

parapente nm Sport qui consiste à sauter en parachute en décollant d'un sol en pente.

parapet nm Mur à hauteur d'appui ; garde-fou.

parapharmacie nf Produits vendus en pharmacie sans être des médicaments (cosmétiques, dentifrices, etc.).

paraphe ou **parafe** nm Signature abrégée ; trait soulignant une signature.

parapher ou **parafer** vt Apposer son paraphe sur un document.

parapheur ou **parafeur** nm Dossier dans lequel le courrier est présenté pour être signé.

paraphrase nf Développement explicatif d'un texte ; énoncé synonyme d'un autre énoncé.

paraphraser vt Faire la paraphrase de.

paraphrénie nf Psychose délirante chronique.

paraplégie nf Paralysie des deux membres supérieurs ou inférieurs.

parapluie nm Objet portatif pour se protéger de la pluie.

parapolicier, ère a Qui agit à côté de la police officielle.

parapsychologie [-kɔ-] nf Étude des phénomènes psychiques paranormaux.

parapublic, ique a Qui est proche du secteur public.

parascolaire a Qui complète l'enseignement donné à l'école.

parasismique a Contre les effets des séismes.

parasitaire a 1 Relatif aux parasites. *Maladie parasitaire.* 2 Qui vit en parasite.

parasite nm, a Qui vit aux dépens d'autrui. ■ nm 1 BIOL Être vivant qui vit aux dépens de l'organisme d'un autre. 2 Perturbation dans la réception des signaux radioélectriques. ■ a Inutile, superflu, gênant. *Mots parasites.*

parasiter vt 1 Vivre aux dépens de. 2 Perturber par des bruits parasites.

parasitose nf Maladie due à un parasite.

parasol nm Grand parapluie pour se protéger du soleil.

parasympathique a, nm ANAT Se dit du système végétatif innervant le cœur, les poumons, le tube digestif et les organes génitaux.

parataxe nf LING Juxtaposition de phrases sans mot de liaison.

parathyroïde nf Chacune des quatre glandes situées sur la face postérieure de la thyroïde.

paratonnerre nm Appareil destiné à protéger les bâtiments de la foudre.

paratyphoïde nf Maladie infectieuse proche de la fièvre typhoïde.

paravalanche nm Construction destinée à protéger des avalanches.

paravent nm Panneaux verticaux articulés servant à isoler.

parbleu ! interj Juron marquant une évidence.

parc nm 1 Lieu clos où on enferme les animaux, qui sert d'entrepôt de marchandises, de stationnement des véhicules, etc. 2 Ensemble des véhicules, des biens d'équipement d'une entreprise, d'un pays. 3 Grande étendue close où on protège les espèces naturelles. 4 Grand jardin d'agrément privé ou grand jardin public.

parcellaire a Divisé en parcelles.

parcelle nf 1 Petit fragment. 2 Portion de terrain de même culture ou de même utilisation.

parcellisation ou **parcellarisation** nf Division en parcelles.

parcelliser ou **parcellariser** vt Diviser en parcelles, en éléments plus simples ; fragmenter.

parce que conj Indique la cause.

parchemin nm Peau finement tannée, utilisée autrefois pour écrire et aujourd'hui pour relier un livre.

parcimonie nf Loc Avec parcimonie : avec une économie mesquine.

parcimonieux, euse a Qui témoigne de parcimonie.

parcmètre nm Appareil mesurant la durée de stationnement payant des véhicules.

parcotrain nm Parking installé près d'une gare.

parcourir vt 25 1 Visiter dans toute son étendue, aller d'un bout à l'autre de. 2 Effectuer un trajet. 3 Lire rapidement.

parcours nm 1 Action de parcourir. 2 Trajet, itinéraire suivi pour aller d'un point à l'autre. Loc Parcours du combattant : exercice militaire d'entraînement ; suite de difficultés pour accomplir qqch.

par-derrière. V. derrière.

par-dessous. V. dessous.

par-dessus. V. dessus.

pardessus nm Manteau d'homme.

par-devant. V. devant.

par-devers prép Loc Litt Par-devers moi (toi, soi, etc.) : en ma (ta, sa, etc.) possession.

pardi ! ou **pardieu !** interj Marque une évidence.

pardon nm 1 Action de pardonner. 2 Pèlerinage breton. 3 Formule de politesse pour s'excuser.

pardonner vt 1 Renoncer à punir une faute. 2 Excuser qqch. ■ vti Ne pas se venger de qqn pour une faute commise. Pardonner à un ennemi. ■ vi Loc Ne pas pardonner : être fatal.

pare-balles nm inv Dispositif pour protéger des balles.

pare-brise nm inv Plaque de protection en verre à l'avant de l'habitacle d'un véhicule.

pare-chocs nm inv Pièce de protection à l'avant et à l'arrière d'un véhicule.

pare-feu nm inv Dispositif pour empêcher la propagation du feu.

parégorique a Loc Élixir parégorique : pour calmer certaines diarrhées.

pareil, eille a 1 Semblable, identique, analogue. 2 Tel, de cette nature. Vous n'allez pas sortir par un temps pareil ! ■ n Personne semblable à une autre. Loc Sans pareil : incomparable. ■ nf Loc Rendre la pareille à qqn : lui faire subir le même traitement.

pareillement av De la même manière, aussi.

parement nm 1 Bande d'étoffe ornant un vêtement ; revers des manches. 2 Face visible d'un ouvrage de maçonnerie.

parenchyme nm Tissu spongieux d'un organisme végétal ou d'un organe.

parent, ente n Personne avec laquelle il existe un lien de parenté. ■ pl 1 Le père et la mère. 2 Personnes dont on descend. ■ a Comparable, analogue. Conceptions parentes.

parental, ale, aux a Du père et de la mère.

parenté nf 1 Lien de consanguinité ou de mariage. 2 Ensemble des parents. 3 Affinité, analogie, ressemblance.

parentéral, ale, aux a MED Se dit d'un médicament administré hors des voies digestives.

parenthèse nf 1 Développement accessoire inséré dans une phrase. 2 Signe double indiquant cette insertion. 3 Incident interrompant momentanément un processus. Loc Entre parenthèses, par parenthèse : incidemment.

paréo nm Pièce d'étoffe drapée autour du corps, couvrant le buste.

parer vt 1 Litt Orner, embellir. 2 Préparer pour un usage déterminé. 3 Écarter, esquiver un coup. ■ vti Se garantir contre, remédier à. Parer à toute éventualité. ■ vpr Litt Se vêtir avec soin.

pare-soleil nm inv Écran protégeant du soleil.

paresse nf 1 Tendance à refuser tout effort. 2 MED Manque d'activité d'un organe.

paresser vi Se laisser aller à la paresse.

paresseux, euse *a, n* Qui évite le travail, l'effort. ■ *nm* Mammifère édenté aux mouvements très lents.

paresthésie *nf* MED Trouble de la sensibilité marqué par des fourmillements.

parfaire *vt 9* Compléter, achever, mener à son terme.

parfait, aite *a* 1 Sans défaut. *Un travail parfait.* 2 Complet, total. *Une parfaite tranquillité. Un parfait imbécile.* ■ *nm* 1 LING Forme du verbe indiquant le résultat présent d'une action passée. 2 Crème glacée.

parfaitement *av* 1 De façon parfaite. 2 Certainement, assurément.

parfois *av* Quelquefois.

parfum [-fœ̃] *nm* 1 Odeur agréable qui s'exhale d'une substance. 2 Produit odorant de toilette.

parfumer *vt* 1 Remplir d'une bonne odeur. 2 Imprégner de parfum. 3 Aromatiser. *Parfumer une crème à la vanille.*

parfumerie *nf* Fabrication, commerce des parfums et des produits de beauté.

parfumeur, euse *n* Fabricant de parfums, commerçant de produits de beauté.

pari *nm* Action de parier ; somme pariée.

paria *nm* Personne méprisée, exclue.

parier *vt* 1 Convenir de payer une certaine somme à celui qui se trouvera avoir raison. 2 Engager une somme dans un jeu d'argent fondé sur une compétition. 3 Affirmer, soutenir avec assurance.

pariétaire *nf* Plante herbacée qui croît sur les murs.

pariétal, ale, aux *a* Loc *Os pariétal :* chaque côté de la voûte crânienne. *Peintures pariétales :* faites sur les parois rocheuses des grottes. ■ *nm* paroi.

parieur, euse *n* Qui parie.

parigot, ote *a, n* Fam Parisien.

parisianisme *nm* Manière d'être, expression propre aux Parisiens.

parisien, enne *a, n* De Paris.

parisyllabique *a, nm* GRAM Se dit des mots latins qui ont le même nombre de syllabes au nominatif et au génitif singulier.

paritaire *a* Formé d'un nombre égal de représentants de chaque partie. *Commission paritaire.*

paritarisme *nm* Recours à des organismes paritaires.

parité *nf* 1 Égalité, similitude. 2 Équivalence entre la valeur de deux monnaies.

parjure *nm* Faux serment. ■ *n* Qui viole son serment.

parjurer (se) *vpr* Violer son serment.

parka *nm* ou *f* Longue veste à capuchon, en tissu imperméable.

parking [-kiŋ] *nm* 1 Parc de stationnement automobile. 2 Place de stationnement dans un garage.

Parkinson (maladie de) *nf* Maladie nerveuse caractérisée par des tremblements et une rigidité musculaire.

parkinsonien, enne *a, n* Atteint de la maladie de Parkinson.

parlant, ante *a* 1 Expressif. 2 Évident, convaincant. 3 Accompagné de paroles (film).

parlé, ée *a* Exprimé par la parole.

parlement *nm* (avec majusc) Ensemble des assemblées législatives d'un pays.

parlementaire *a* Du Parlement. Loc *Régime parlementaire :* dans lequel la prépondérance appartient au pouvoir législatif. ■ *n* 1 Membre d'un Parlement. 2 Délégué envoyé pour négocier avec l'ennemi.

parlementarisme *nm* Régime parlementaire.

parlementer *vi* 1 Entrer en négociation avec l'ennemi. 2 Discuter longuement.

parler *vi* 1 Prononcer des mots, articuler. 2 S'exprimer par des mots, des signes. 3 Faire des aveux. ■ *vti* 1 S'adresser à qqn. *Parler à son frère.* 2 Donner son avis, exprimer ses sentiments sur qqn ou qqch. *Parler d'amour.* ■ *vt* 1 S'exprimer dans une langue. *Parler le chinois.* 2 S'entretenir de qqch. *Parler affaires, peinture, politique.* ■ *nm* 1 Manière de parler. 2 Dialecte propre à une région.

parleur, euse *n* Loc *Beau parleur :* qui parle avec affectation.

parloir *nm* Salle pour recevoir les visiteurs dans certains établissements.

parlote *nf* Fam Bavardage oiseux.

parme *a inv, nm* Violet pâle.

parmesan *nm* Fromage italien à pâte dure.

parmi *prép* **1** Au milieu de. **2** Au nombre de.

parnassien, enne *n, a* Poète du groupe du Parnasse.

parodie *nf* **1** Imitation burlesque d'une œuvre littéraire. **2** Imitation grotesque, cynique. *Parodie de procès.*

parodier *vt* **1** Faire la parodie de. **2** Contrefaire.

parodonte *nm* ANAT Tissus de soutien fixant la dent au maxillaire.

paroi *nf* **1** Surface interne ou latérale de qqch. **2** Cloison séparant deux pièces. **3** Versant montagneux abrupt.

paroisse *nf* Territoire sur lequel un curé, un pasteur exerce son ministère.

paroissial, ale, aux *a* D'une paroisse.

paroissien, enne *n* **1** Fidèle d'une paroisse.

parole *nf* **1** Faculté de parler. **2** Discours, propos. **3** Assurance, promesse verbale. *Donner sa parole.* ■ *pl* Texte d'une chanson, d'un opéra.

parolier, ère *n* Auteur du texte des chansons.

paronomase *nf* LING Rapprochement de paronymes dans une phrase (ex. : *qui se ressemble s'assemble*).

paronyme *nm* LING Mot ressemblant formellement à un autre et de sens différent (ex. : *avènement* et *événement*).

parotide *nf* ANAT Glande salivaire.

paroxysme *nm* Point culminant d'une douleur, d'un sentiment.

paroxystique ou **paroxysmique** *a* Qui présente un paroxysme.

paroxyton *nm* LING Mot accentué sur l'avant-dernière syllabe.

parpaillot, ote *n* Vx Protestant.

parpaing *nm* Aggloméré creux utilisé en construction.

parquer *vt* **1** Mettre dans un parc, une enceinte. **2** Garer un véhicule.

parquet *nm* **1** Revêtement de sol constitué de lames de bois assemblées. **2** Ensemble des magistrats composant le ministère public.

parqueter *vt* **19** Revêtir d'un parquet.

parrain *nm* **1** Qui tient un enfant sur les fonts baptismaux. **2** Qui introduit un nouveau membre dans une association. **3** Fam Chef d'une mafia.

parrainage *nm* **1** Qualité du parrain ou de la marraine. **2** Caution donnée par qqn. **3** Sponsoring.

parrainer *vt* Accorder son parrainage à.

parricide *nm* Crime de celui qui tue un de ses ascendants. ■ *n* Qui a commis un parricide.

parsec *nm* ASTRO Unité de distance entre les étoiles, valant 3,26 années-lumière.

parsemer *vt* **15** Éparpiller, disséminer.

parsi, ie *n, a* Fidèle à la religion de Zoroastre.

part *nf* Partie, fraction d'une chose. Loc *Faire la part des choses :* tenir compte des circonstances. *Prendre part à :* participer. *Faire part :* informer. *À part soi :* en soi-même. *À part :* excepté ; séparément. *Quelque part :* dans un endroit quelconque. *Nulle part :* en aucun endroit. *De part et d'autre :* de deux côtés opposés. *De toute(s) part(s) :* de tous côtés. *De part en part :* à travers. *D'une part... d'autre part :* d'un côté... de l'autre. *Pour ma part :* quant à moi. *Pour une part :* dans une certaine mesure.

partage *nm* Division en parts. Loc *Sans partage :* entièrement.

partager *vt* **11** **1** Diviser en parts. **2** Avoir en commun avec qqn. *Partager la même chambre.* **3** Diviser un groupe en partis opposés. Loc *Être partagé :* être animé de sentiments contradictoires.

partance *nf* Loc *En partance :* sur le point de partir.

partant, ante *n* Loc *En partance :* ■ *a* Loc Fam *Être partant pour :* être tout à fait disposé à. ■ *conj* Litt Par conséquent.

partenaire *n* Associé avec qui on joue, avec qui on pratique certaines activités. ■ *pl* Loc *Partenaires sociaux :* représentants du patronat et des salariés.

partenariat *nm* Fait d'être partenaire.

parterre nm **1** Partie d'un jardin où on cultive des plantes d'agrément. **2** Partie d'une salle de théâtre située derrière les places d'orchestre.

parthénogenèse nf BIOL Reproduction à partir d'un ovule non fécondé.

parti nm **1** Groupe de personnes ayant les mêmes opinions, les mêmes intérêts. **2** Association de personnes organisée en vue d'une action politique. **3** Solution, résolution. *Prendre le parti de rester.* Loc *Parti pris :* opinion préconçue. *Tirer parti :* utiliser au mieux.

partial, ale, aux a Qui manifeste une préférence injuste.

partialité nf Manque d'équité.

participant, ante n, a Qui participe.

participation nf **1** Action de prendre part à qqch. **2** Fait d'être intéressé à un profit.

participe nm GRAM Forme adjective du verbe.

participer vti **1** Avoir droit à une part de. *Participer aux bénéfices.* **2** Prendre part à. *Participer à une manifestation.* **3** Payer une part de. *Participer à un achat.*

particulariser vt Différencier. ■ vpr Se singulariser.

particularisme nm Attitude d'un groupe qui cherche à préserver son originalité.

particularité nf Caractère particulier, singulier.

particule nf **1** Minuscule partie d'un corps. **2** Préposition précédant certains noms de famille. **3** GRAM Élément de composition invariable (préfixe, suffixe, etc.).

particulier, ère a **1** Propre à un individu, une chose, un groupe. **2** Qui n'est pas commun, courant. ■ n Personne privée. ■ nm Détail caractéristique ; en tête ; notamment. Loc *En particulier :* séparément, en tête à tête ; notamment.

particulièrement av Spécialement.

partie nf **1** Élément, fraction d'un tout. **2** MUS Ce qu'une voix, un instrument doit exécuter dans un morceau d'ensemble. **3** Profession, spécialité. **4** DR Chacune des personnes plaidant l'une contre l'autre. **5** Match, compétition, lutte. **6** Divertissement collectif. *Partie de chasse.* Loc *Faire partie de :* être un élément de. *Prendre à partie :* attaquer.

partiel, elle a Qui n'est qu'une partie d'un tout. ■ nm Examen universitaire qui a lieu plusieurs fois par an.

partir vi **29** [aux être] **1** S'en aller. **2** Disparaître. **3** Commencer, avoir son point de départ depuis, avoir son origine dans. Loc *À partir de :* à dater de ; au-delà de ce point.

partisan, ane n Combattant de troupes irrégulières. ■ a **1** Qui défend une opinion. *Être partisan du changement.* **2** De parti pris. *Esprit partisan.*

partita nf MUS Pièce pour clavier ou pour orchestre de chambre.

partitif nm, am GRAM Article désignant la partie d'un tout (du, de la, des).

partition nf **1** Abusiv Division, partage d'un territoire. **2** MUS Partie jouée par un instrument.

partouse ou **partouze** nf Fam Partie de débauche collective.

partout av En tout lieu.

parturiente nf MED Femme qui accouche.

parure nf **1** Ce qui sert à parer (vêtements, bijoux, etc.). **2** Ensemble de bijoux.

parution nf Publication d'un article, d'un ouvrage.

parvenir vti **35** [aux être] Arriver à un point déterminé dans une progression ; arriver à destination.

parvenu, ue n Péjor Qui, s'étant élevé au-dessus de sa condition, en a gardé les manières.

parvis nm Place devant la façade principale d'une église.

1. pas nm **1** Mouvement des jambes, des pieds pour marcher. **2** Façon de marcher. **3** Trace de pied. **4** Distance franchie par une enjambée. Loc *Pas de porte :* le seuil. *Pas de vis :* distance entre deux filets. *De ce pas :* à l'instant.

2. pas av Marque la négation avec ou sans ne.

1. pascal, ale, als ou **aux** a Relatif à Pâques ou aux chrétiens ou à la pâque juive.

2. pascal nm PHYS Unité de mesure de pression. *Des pascals.*

pas-de-porte *nm inv* Indemnité versée pour obtenir la location d'un local commercial.

pasionaria *nf* Militante politique passionnée.

paso doble *nm inv* Danse sur une musique à deux ou quatre temps.

passable *a* De qualité moyenne.

passablement *av* Assez, moyennement.

passade *nf* Caprice, aventure passagère.

passage *nm* 1 Action, fait de passer. 2 Lieu où on passe. 3 Traversée d'un voyageur sur un navire. 4 Fragment d'une œuvre. 5 Transition, étape. 6 Galerie couverte réservée aux piétons.

passager, ère *a* 1 Qui ne fait que passer. 2 Qui ne dure que peu de temps. ■ *n* Qui, sans en assurer la marche, voyage à bord d'un moyen de transport.

passant, ante *a* Où il passe beaucoup de monde. *Rue passante.* ■ *n* Qui passe à pied dans une rue, dans un lieu. ■ *nm* Anneau aplati dans lequel passe une courroie.

passation *nf* DR Action de passer un acte, un contrat ou de transmettre les pouvoirs.

passavant *nm* Document douanier autorisant le transport de certaines marchandises.

passe *nf* 1 Chenal étroit. 2 Action de passer le ballon à un équipier. Loc *Être en passe de :* être sur le point de. *Mot de passe :* mot convenu de reconnaissance. *Maison, hôtel de passe :* de prostitution. *Passe d'armes :* vif échange verbal. ■ *nm* Syn de passe-partout.

passé, ée *a* 1 Révolu. *Le temps passé.* 2 Défraîchi, terne. *Bleu passé.* ■ *nm* 1 Temps écoulé ; événements de ce temps. 2 GRAM Temps du verbe indiquant une action ou un état révolus. ■ *prép* Après, au-delà. *Passé cinq heures, il sera trop tard.*

passe-crassane *nf* Poire d'hiver.

passe-droit *nm* Faveur accordée contre le droit. *Des passe-droits.*

passéisme *nm* Attachement exclusif aux valeurs du passé.

passementerie *nf* Commerce, industrie des ganses, des galons, etc., destinés à l'ornement.

passe-montagne *nm* Bonnet qui enveloppe la tête et le cou. *Des passe-montagnes.*

passe-partout *nm inv* Clef pouvant ouvrir plusieurs serrures. Syn. passe. ■ *a inv* Qui convient partout. *Une réponse passe-partout.*

passe-passe *nm inv* Loc *Tour de passe-passe :* tour de prestidigitateurs ; tromperie adroite.

passeport *nm* Document délivré à ses ressortissants par l'Administration d'un pays, pour leur permettre de circuler à l'étranger.

passer *vi* [aux avoir ou être] 1 Se déplacer d'un lieu à un autre ; être dans un lieu au cours de ce déplacement. 2 Changer d'état, devenir. *Passer capitaine.* 3 Disparaître, finir, s'écouler. *L'heure est passée.* Loc *Passer pour :* être regardé comme. *Passer son qqch :* ne pas le prendre en compte. ■ *vt* 1 Traverser un lieu. 2 Faire traverser qqch, filtrer, tamiser. 3 Dépasser, devancer. *Passer un concurrent.* 4 Employer un temps. *Passer une heure à rêver.* 5 Omettre. *Passer une ligne.* 6 Donner qqch à qqn. *Passer sa voiture à son fils.* 7 Mettre, enfiler. *Passer une veste.* Loc *Passer un film :* le projeter. ■ *vpr* 1 Avoir lieu. *La scène se passe à Paris.* 2 S'écouler. *Une heure s'est passée.* 3 Se priver de. *Se passer de fumer.*

passereau *nm* ZOOL Petit oiseau tel que le moineau, le merle, etc.

passerelle *nf* 1 Pont étroit réservé aux piétons. 2 Plan incliné entre un navire et le quai, un avion et le terrain. 3 Passage, communication.

passe-temps *nm inv* Occupation agréable.

passe-tous-grains *nm inv* Bourgogne rouge provenant d'un mélange de raisins.

passeur, euse *n* 1 Qui conduit un bateau pour traverser un cours d'eau. 2 Qui fait passer clandestinement les frontières.

passible *a* Loc *Être passible de :* qui encourt telle peine.

passif, ive *a* 1 Qui subit sans agir ; qui n'agit pas. 2 GRAM Se dit des formes verbales qui indiquent que le sujet subit l'action. ■ *nm*

1 Ensemble des dettes et des charges qui pèsent sur un patrimoine. **2** GRAM Forme passive du verbe.

passiflore nf Liane tropicale ornementale produisant le fruit de la Passion, ou grenadille.

passing-shot [-siŋʃɔt] nm Au tennis, coup tendu destiné à déborder l'adversaire monté au filet. *Des passing-shots.*

passion nf **1** Affection très vive éprouvée pour qqch. **2** Amour ardent. **3** Émotion violente et irrationnelle. Loc *La Passion :* les souffrances du Christ sur le chemin de la Croix et son supplice. *Fruit de la Passion :* fruit de la passiflore.

passionnant, ante a Qui passionne.

passionné, ée a, n **1** Rempli de passion. *Un passionné de musique.* ■ a Ardent, fervent.

passionnel, elle a Déterminé par la passion amoureuse.

passionner vt **1** Inspirer un très vif intérêt à qqn. **2** Rendre plus violent un débat. ■ vpr Prendre un vif intérêt pour.

passivité nf Caractère passif.

passoire nf Ustensile creux servant de filtre.

pastel nm **1** Bâtonnet fait d'une pâte colorée solidifiée. **2** Dessin, peinture au pastel. ■ a inv De teinte douce et délicate.

pastelliste n Peintre de pastels.

pastenague nf Raie dont la queue porte un aiguillon.

pastèque nf Plante cultivée pour ses gros fruits gorgés d'eau.

pasteur nm **1** Litt Berger. **2** Ministre du culte protestant.

pasteurisation nf Opération destinée à détruire par la chaleur les germes pathogènes des produits alimentaires, afin de les conserver.

pastiche nm Imitation du style d'un écrivain, d'un artiste ; œuvre ainsi produite.

pasticher vt Faire un pastiche de.

pastille nf **1** Petit bonbon ou pilule médicamenteuse de forme ronde. **2** Motif décoratif ou petite pièce en forme de disque.

pastis [pastis] nm Boisson alcoolisée parfumée à l'anis.

pastoral, ale, aux a **1** Litt Relatif à la vie rustique, aux bergers. **2** Relatif aux pasteurs spirituels. ■ nf Pièce de musique ou de théâtre de caractère champêtre.

pat [pat] a, nm Aux échecs, coup entraînant le match nul.

patachon nm Loc Fam *Vie de patachon :* dissolue.

pataphysique nf Science des solutions imaginaires, d'après Alfred Jarry.

patapouf nm Fam Enfant, homme gros et lourd.

pataquès [-kɛs] nm Faute de liaison.

patate nf **1** Tubercule sucré d'une plante tropicale. **2** Fam Pomme de terre. **3** Pop Personne stupide.

patati, patata interj Fam Suggère un long bavardage inutile.

patatras ! [-tra] interj Exprime le bruit d'un corps qui tombe avec fracas.

pataud, aude a, n Fam Lourd, lent et maladroit.

pataugas nm (n déposé) Chaussure de toile montante pour les longues marches.

pataugeoire nf Bassin peu profond dans une piscine, réservé aux petits enfants.

patauger vi 11 **1** Marcher sur un sol boueux. **2** S'amuser dans peu d'eau. **3** Fam S'empêtrer.

patch nm Timbre médicamenteux que l'on colle sur la peau.

patchouli nm Parfum extrait d'une plante d'Asie et d'Océanie ; cette plante.

patchwork [-wœrk] nm **1** Pièce de tissu faite de morceaux de couleurs vives. **2** Assemblage disparate, contrasté.

pâte nf **1** Farine détrempée et pétrie dont on fait le pain, les gâteaux. **2** Substance de consistance analogue. ■ pl Produit alimentaire à base de semoule de blé dur.

pâté nm **1** Préparation de viande ou de poisson haché, cuit dans une pâte ou dans une terrine. **2** Tache d'encre faite sur du papier. **3** Tas de sable façonné par les enfants. Loc *Pâté de maisons :* groupe de maisons limité par des rues.

pâtée nf Mélange épais d'aliments variés, dont on nourrit certains animaux.

1. patelin nm Fam Village, pays.

2. patelin, ine a Doucereux, hypocrite.

patelle nf Mollusque à coquille conique. Syn. bernique.

patène nf Petite assiette pour l'hostie.

patenôtres nfpl Litt Prières.

patent, ente a Évident, manifeste.

patente nf Impôt payé autrefois par les commerçants et les industriels et remplacé par la taxe professionnelle.

patenté, ée a 1 Assujetti à la patente. 2 Reconnu comme tel ; attitré.

Pater nm inv Prière catholique commençant par Pater noster, « Notre Père ».

patère nf Portemanteau fixé à un mur.

paternalisme nm Bienveillance condescendante dans l'exercice de l'autorité.

paterne a Litt Douceureux, hypocrite.

paternel, elle a 1 Du père, du côté du père. 2 Bienveillant. ■ nm Pop Père.

paternité nf 1 État de père. 2 Qualité d'auteur, de créateur. La paternité d'un roman.

pâteux, euse a Qui a la consistance de la pâte.

pathétique a, nm Qui émeut profondément.

pathogène a Qui cause une maladie.

pathogenèse nf Étude de l'origine des maladies.

pathologie nf 1 Étude des maladies. 2 Manifestation d'une maladie.

pathologique a 1 Morbide. Curiosité pathologique. 2 De la pathologie.

pathos nm inv Litt Caractère pathétique exagéré.

patibulaire a Loc Visage, mine patibulaire : sinistre, louche.

patiemment av Avec patience.

patience nf 1 Qualité de qqn qui supporte qqch avec calme ; sang-froid. 2 Persévérance dans une longue tâche. 3 Combinaison de cartes à jouer ; réussite.

patient, ente a Qui fait preuve de patience. ■ n Qui subit une opération chirurgicale, un traitement médical.

patienter vi Attendre patiemment.

patin nm Pièce mobile dont le frottement contre une roue permet le freinage. **Loc Patin à glace** : semelle munie d'une lame, pour glisser sur la glace. **Patin à roulettes** : semelle munie de roulettes pour glisser sur le sol.

patinage nm 1 Fait de patiner. 2 Sport, pratique du patin à glace, à roulettes.

patine nf Teinte prise avec le temps par certaines matières.

patiner vi 1 Se déplacer avec des patins. 2 Glisser par manque d'adhérence (roues, disque d'embrayage). 3 Donner une patine à qqch. ■ vpr Prendre de la patine.

patinette nf Trottinette.

patineur, euse n Qui pratique le patinage.

patinoire nf Endroit aménagé pour le patinage.

patio [pasjo] nm Cour intérieure d'une maison.

pâtir vi Litt Éprouver un dommage du fait de.

pâtisserie nf 1 Pâte sucrée cuite au four ; gâteau. 2 Commerce, magasin du pâtissier.

pâtissier, ère n Qui fabrique ou qui vend de la pâtisserie. ■ a **Loc Crème pâtissière** : avec laquelle on garnit divers gâteaux.

pâtisson nm Sorte de courge.

patois nm Parler régional.

patraque a Fam Souffrant.

pâtre nm Litt Berger.

patriarcal, ale, aux a Du patriarche ou du patriarcat. Société patriarcale.

patriarcat nm 1 Régime social dans lequel l'autorité du père est prépondérante. 2 Dignité de patriarche.

patriarche nm 1 Chef de certaines églises chrétiennes orthodoxes. 2 Vieillard vénérable chef d'une nombreuse famille.

patricien, enne n, a ANTIQ À Rome, qui appartenait à la classe noble.

patrie nf Pays dont on est originaire, nation dont on fait partie.

patrilinéaire a ETHNOL Qui relève de l'ascendance paternelle.

patrimoine nm 1 Biens de famille. 2 Ce qui constitue l'héritage commun d'un groupe, d'un pays. Patrimoine artistique.

patrimonial, ale, aux a Du patrimoine.

patriote n, a Qui aime sa patrie.

patriotique a Inspiré par le patriotisme.

patriotisme nm Amour de la patrie.

patristique ou **patrologie** nf Partie de la théologie qui étudie les Pères de l'Église.

patron, onne n 1 Chef d'une entreprise industrielle ou commerciale. 2 Supérieur hiérarchique. 3 Professeur dirigeant certains travaux. 4 Saint ou sainte dont on porte le nom, protecteur d'un groupe social. ■ nm Modèle à partir duquel sont exécutés des travaux artisanaux.

patronage nm 1 Soutien accordé par un personnage, une organisation. 2 Organisation de bienfaisance pour les jeunes.

patronal, ale, aux a 1 Qui concerne le chef d'entreprise. 2 Relatif au saint du lieu.

patronat nm Ensemble des patrons.

patronner vt Appuyer de son crédit.

patronnesse af Loc *Dame patronnesse* : qui patronne une œuvre de bienfaisance.

patronyme nm Nom de famille.

patrouille nf Détachement de soldats, de policiers, formation réduite d'avions, chargés d'une mission de surveillance ; cette mission.

patrouiller vi Effectuer une patrouille.

patrouilleur nm Militaire, avion, bâtiment de guerre chargés de patrouiller.

patte nf 1 Organe de locomotion des animaux. 2 Fam Jambe ; main. 3 Pièce longue et plate servant à fixer, retenir, assembler, etc. 4 Courte bande d'étoffe, de cuir, etc., servant à fermer un vêtement. 5 Habileté particulière d'un artiste. ■ pl Favoris coupés court.

patte-d'oie nf 1 Embranchement d'une route. 2 Rides à l'angle externe de l'œil. *Des pattes-d'oie.*

pattemouille nf Linge mouillé pour repasser.

pattern nm Modèle simplifié représentant la structure d'un phénomène.

pâturage nm Prairie naturelle pour les bestiaux.

pâture nf Ce qui sert à la nourriture des animaux.

paturon nm Partie de la jambe du cheval entre le boulet et la couronne.

pauillac nm Bordeaux rouge, très estimé.

pauliste a, n De São Paulo.

paulownia [-lɔnja] nm Arbre ornemental aux fleurs mauves odorantes.

paume nf 1 Creux de la main. 2 Jeu de balle, ancêtre du tennis.

paumé, ée a, n Pop Perdu, désorienté, inadapté.

paumelle nf Pièce métallique permettant le pivotement d'une porte, d'une fenêtre.

paumer vt Pop Égarer. ■ vpr Se perdre.

paupérisation nf Appauvrissement d'un groupe social.

paupérisme nm Grande indigence d'un groupe humain.

paupière nf Membrane mobile qui recouvre l'œil.

paupiette nf Tranche de viande, roulée et farcie.

pause nf 1 Suspension momentanée d'une activité. 2 MUS Silence de la durée d'une ronde.

pause-café nf Pause pour prendre un café. *Des pauses-café.*

pauvre a 1 Qui manque de biens, d'argent ; indigent. ■ a 1 Qui dénote le dénuement, qui manque de qqch. 2 Improductif, stérile. 3 Qui inspire la compassion. 4 Piteux, lamentable. *Un pauvre type.*

pauvresse af Vx Mendiante.

pauvret, ette a, n Fam Pitoyable.

pauvreté nf État de qqn ou de qqch pauvre.

pavage nm Revêtement de pavés, de dalles.

pavane nf Danse lente et grave.

pavaner (se) vpr Prendre des airs avantageux.

pavé nm 1 Morceau de pierre taillé servant au revêtement d'un sol. 2 Fam Épais volume imprimé. 3 Gros morceau de forme régulière. 4 Encart de publicité dans un journal.

pavement nm Pavage.

paver vt Couvrir un sol de pavés, de dalles.

pavie nf Pêche jaune.

pavillon nm 1 Petite maison particulière. 2 Partie extérieure de l'oreille. 3 Extrémité évasée de certains instruments à vent. 4 Drapeau.

pavillonnaire a Occupé par des pavillons d'habitation. ■ n Habitant d'un pavillon.

pavois nm 1 HIST Grand bouclier ovale en usage au Moyen Âge. 2 MAR Ensemble des pavillons d'un navire.

pavoiser vt Décorer de drapeaux. ■ vi Fam Manifester sa joie.

pavot nm Plante dont on extrait l'opium.

payant, ante a 1 Qui paie. Visiteurs payants. 2 Que l'on paie. Entrée payante. 3 Fam Avantageux. Opération payante.

paye ou **paie** nf Action de payer un salaire, le salaire lui-même.

payement. V. paiement.

payer vt 20 1 Acquitter une dette, un droit, etc., par un versement. 2 Remettre à qqn l'argent dû. 3 Récompenser. Payer qqn de ses efforts. 4 Obtenir au prix de sacrifices. Payer cher sa réussite. ■ vi Être profitable, rentable. ■ vpr Acheter pour soi.

payeur, euse n 1 Qui paie. 2 Chargé de payer les traitements, les rentes, etc.

1. pays nm 1 Territoire d'un État ; État. 2 Patrie. 3 Région géographique, administrative, etc. 4 Population d'un État. Loc Mal du pays : nostalgie. Voir du pays : voyager.

2. pays, payse n Fam Compatriote.

paysage nm 1 Étendue de pays qui s'offre à la vue. 2 Nature, aspect d'un pays. 3 Représentation picturale d'une site champêtre. 4 Aspect général d'une situation. Le paysage politique.

paysager, ère ou **paysagé, ée** a Arrangé à la manière d'un paysage naturel.

paysagiste n 1 Peintre de paysages. 2 Créateur, architecte de jardins, de parcs.

paysan, anne n Personne de la campagne, qui vit du travail de la terre. ■ a De la campagne.

paysannerie nf Ensemble des paysans.

pc nm Ordinateur personnel.

P.C. nm Poste de commandement.

P.-D.G. nm Fam Président-directeur général.

péage nm Droit à payer par les usagers d'un port, d'une voie de communication, d'un média ; lieu de perception de ce droit.

péagiste n Chargé d'un péage.

peau nf 1 Tissu résistant et souple qui recouvre le corps des vertébrés ; cuir. 2 Épiderme de l'homme. 3 Enveloppe d'un fruit. 4 Pellicule à la surface d'un liquide. Loc Pop Peau de vache : personne méchante.

peaufiner vt Fam Fignoler.

peausserie nf 1 Activité du peaussier. 2 Article de peau.

peaussier nm Artisan qui prépare les peaux.

pébroc ou **pébroque** nm Pop Parapluie.

pécan nm Loc Noix de pécan : amande comestible d'un fruit d'Amérique.

pécari nm Mammifère d'Amérique, proche du cochon ; peau de cet animal.

peccadille nf Faute légère.

pechblende [pɛʃblɛ̃d] nf Minerai d'uranium.

1. pêche nf 1 Manière, action de pêcher. 2 Poissons pêchés.

2. pêche nf Fruit comestible du pêcher.

péché nm Transgression de la loi divine. Loc Péché originel : commis par Adam et Ève, et qui retombe sur toute leur postérité.

pécher vi 12 1 Commettre un des péchés. 2 Commettre une erreur contre. 3 Être insuffisant, en défaut. Ce projet pèche sur un point.

1. pêcher vt 1 Prendre ou chercher à prendre du poisson. 2 Fam Trouver, découvrir qqch de surprenant.

2. pêcher nm Arbre dont le fruit est la pêche.

pêcherie nf Lieu de pêche.

pêcheur, pêcheresse n, a Qui commet des péchés, qui est en état de péché.

pêcheur, euse n Qui pêche.

pécore nf Fam Femme stupide et prétentieuse. ■ n Pop, péjor Paysan, paysanne.

pecquenaud, aude ou **péquenot** n Pop, péjor Paysan.

pecten [-tɛn] nm Coquille Saint-Jacques.

pectine nf BOT Gel contenu dans les fruits.

pectoral, ale, aux *a* **1** De la poitrine. **2** Utilisé contre la toux. *Sirop pectoral.* ■ *nmpl* Muscles de la poitrine.

pécule *nm* Somme d'argent économisée.

pécuniaire *a* Relatif à l'argent.

pédagogie *nf* Science de l'éducation.

pédagogique *a* De la pédagogie.

pédagogue *n, a* **1** Enseignant, éducateur. **2** Qui sait bien expliquer.

pédale *nf* Organe mécanique mû par le pied qui commande le fonctionnement d'un appareil.

pédaler *vi* Rouler à bicyclette.

pédalier *nm* Ensemble des pédales et du plateau d'une bicyclette.

pédalo *nm* (n déposé) Petite embarcation mue par des pédales.

pédant, ante *n, a* Qui fait étalage de ses connaissances.

pédanterie ou **pédantisme** *nf* Caractère pédant.

pédérastie *nf* **1** Attirance sexuelle ressentie par un homme pour les jeunes garçons. **2** Abusiv Homosexualité masculine.

pédestre *a* Qui se fait à pied.

pédiatre *n* Spécialiste de pédiatrie.

pédiatrie *nf* Médecine des enfants.

pédicelle *nm* BOT Petit pédoncule.

pédicule *nm* BOT Support allongé et grêle de certaines plantes.

pédiculose *nf* MED Contamination par les poux.

pédicure *n* Qui soigne les pieds.

pedigree [pedigre] *nm* Généalogie d'un animal de race ; document qui l'atteste.

pédiment *nm* GEOGR Glacis d'érosion en zone aride.

pédodontie *nf* Chirurgie dentaire adaptée aux enfants.

pédogenèse *nf* GEOL Formation des sols.

pédologie *nf* Science des sols.

pédoncule *nm* BOT Ramification terminale de la tige portant la fleur.

pédophile *a, n* Atteint de pédophilie.

pédophilie *nf* Attirance sexuelle pour les enfants.

pédopsychiatrie *nf* Psychiatrie de l'enfant.

peeling [piliŋ] *nm* MED Traitement qui consiste à enlever la couche superficielle de l'épiderme.

P.E.G.C. *n* Professeur d'enseignement général de collège.

pègre *nf* Monde des voleurs, des escrocs.

peigne *nm* **1** Instrument à dents qui sert à démêler ou à orner les cheveux. **2** Appareil à dents, servant à démêler des fibres textiles.

peigné *nm* Étoffe de laine peignée.

peignée *nf* Fam Volée de coups.

peigner *vt* **1** Démêler, arranger les cheveux. **2** Démêler des fibres textiles. ■ *vpr* Se coiffer.

peignoir *nm* **1** Vêtement qu'on porte au sortir du bain. **2** Vêtement d'intérieur long et ample.

peinard ou **pénard, arde** *a* Pop Tranquille.

peindre *vt* 69 **1** Couvrir, recouvrir de peinture. **2** Représenter par des traits et des couleurs. **3** Décrire. ■ *vpr* Se manifester. *L'inquiétude se peint sur son visage.*

peine *nf* **1** Punition infligée par le pouvoir public à un individu coupable d'un crime. **2** Chagrin, souffrance morale. **3** Activité qui demande un effort. **4** Difficulté, embarras. Loc *À peine* : presque pas ; depuis peu de temps. *Sous peine de* : sous risque de.

peiner *vi* Se fatiguer, éprouver des difficultés. *Peiner à monter.* ■ *vt* Attrister, affliger.

peintre *nm* **1** Professionnel de la peinture des murs, des plafonds. **2** Artiste qui peint des tableaux, exerce l'art de la peinture.

peinture *nf* **1** Art de peindre ; ouvrage d'un artiste peintre. **2** Action de recouvrir de matière colorante une surface ; couche de couleur couvrant une surface. **3** Matière servant à peindre. **4** Description évocatrice. *Peinture des mœurs.*

peinturlurer *vt* Fam Barbouiller de tons voyants.

péjoratif, ive *a* Qui implique un jugement dépréciatif.

pékan *nm* Martre du Canada.

pékinois, oise a, n De Pékin. ■ nm 1 Petit chien au poil long et à la tête ronde. 2 Dialecte chinois du nord de la Chine.

pelade nf Chute des poils ou des cheveux par plaques.

pelage nm Poils d'un mammifère.

pélagianisme nm RELIG Hérésie privilégiant l'effort personnel sur la grâce divine.

pélagique a De la haute mer.

pélamide nf Syn de bonite.

pélargonium [-njɔm] nm Plante ornementale à belles fleurs.

pelé, ée a 1 Qui n'a plus de poils. 2 Dépourvu de végétation, aride.

pêle-mêle av Confusément, en désordre.

peler vt 16 Ôter la peau d'un fruit. ■ vi Perdre sa peau par morceaux. Avoir le nez qui pèle.

pèlerin nm Qui fait un voyage vers un lieu de dévotion.

pèlerinage nm Voyage fait pour des raisons religieuses, affectives, vers un lieu précis.

pèlerine nf Vêtement sans manches.

pélican nm Grand oiseau palmipède à bec en forme de poche.

pelisse nf Vêtement doublé de fourrure.

pellagre nf Maladie qui se manifeste par des lésions cutanées.

pelle nf Outil plat à manche, servant à déplacer la terre, le sable ou à d'autres usages. Loc Fam À la pelle : en grande quantité.

pellet nm Comprimé médicamenteux.

pelletée nf Contenu d'une pelle.

pelleter vt 19 Remuer ou déplacer à la pelle.

pelleterie nf 1 Travail des peaux et commerce des fourrures. 2 Peau travaillée, fourrure.

pelleteuse nf Engin qui sert à excaver un terrain et à déplacer les déblais.

pelletier, ère n Spécialiste de pelleterie.

pelliculaire a Qui forme une pellicule.

pellicule nf 1 Petite écaille du cuir chevelu. 2 Couche peu épaisse. 3 Feuille mince recouverte d'une matière sensible à la lumière destinée à la photo, au cinéma. 4 Feuille de plastique.

pelliculer vt Recouvrir d'une pellicule (4).

pelotari nm Joueur de pelote basque.

pelote nf 1 Jeu de balle qui se pratique contre un mur ; balle servant à ce jeu. 2 Boule formée de fils.

peloter vt Fam Caresser sensuellement.

peloton nm 1 Petite pelote de fil. 2 Petite unité militaire. 3 Groupe de coureurs demeurant ensemble au cours d'une course.

pelotonner vt Mettre en peloton du fil. ■ vpr Se ramasser en boule.

pelouse nf 1 Terrain couvert d'une herbe épaisse et courte. 2 Partie gazonnée d'un champ de courses, d'un stade.

peluche nf Étoffe à poils longs.

pelucher vi Perdre ses poils (étoffe).

pelucheux, euse a Qui peluche.

pelure nf Peau d'un fruit ou d'un légume.

pelvien, enne a ANAT Du bassin.

pelvis nm ANAT Bassin.

pénal, ale, aux a DR Qui concerne les crimes et les peines.

pénalisation nf 1 Action de pénaliser. 2 Sanction.

pénaliser vt 1 Désavantager un concurrent qui a enfreint les règlements sportifs. 2 Sanctionner.

pénaliste n Spécialiste de droit pénal.

pénalité nf Peine, sanction.

penalty [penalti] nm Au football, sanction d'une faute grave commise tout près du but adverse.

pénard. V. peinard.

pénates nmpl Fam Habitation, foyer.

penaud, aude a Confus, honteux.

pence. V. penny.

penchant nm Inclination, goût.

pencher vt Incliner qqch vers le bas ou de côté. ■ vi 1 S'écarter de la position verticale ; être incliné. 2 Avoir tendance à choisir telle chose. ■ vpr 1 Incliner vers l'avant. 2 Examiner avec intérêt. Se pencher sur un problème.

pendable a Loc Tour pendable : farce de mauvais goût.

pendaison nf Action de pendre qqn, de se pendre.

1. pendant, ante *a* Qui pend. Loc *Affaire pendante* : en suspens. ■ *nm* 1 Objet ou personne formant symétrie avec un autre. 2 Pendeloque.

2. pendant *prép* Durant.

pendeloque *nf* Ornement suspendu à un lustre, à une boucle d'oreilles.

pendentif *nm* Bijou suspendu à une chaîne.

penderie *nf* Placard où on suspend les vêtements.

pendiller *vi* Être suspendu et se balancer.

pendouiller *vi* Fam Pendre de façon ridicule.

pendre *vt* 51 Attacher qqn, qqch de façon à laisser libre la partie inférieure. 2 Mettre à mort en suspendant par le cou. ■ *vi* 1 Être pendu. 2 Descendre trop bas. ■ *vpr* 1 Se suspendre. 2 Se suicider par pendaison.

pendu, ue *n* Personne morte par pendaison.

pendulaire *a* Du pendule. *Mouvement pendulaire.*

pendule *nm* Masse suspendue à un point fixe et oscillant régulièrement. ■ *nf* Petite horloge d'appartement.

pendulette *nf* Petite pendule.

pêne *nm* Pièce d'une serrure qui pénètre dans la gâche.

pénéplaine *nf* GEOL Surface plane résultant de l'érosion d'une région plissée.

pénétrable *a* Qu'on peut pénétrer, intelligible.

pénétrant, ante *a* 1 Qui pénètre, traverse. 2 Perspicace. *Remarque pénétrante.*

pénétration *nf* 1 Action, fait de pénétrer. 2 Sagacité.

pénétré, ée *a* Rempli d'un sentiment ; convaincu d'une opinion.

pénétrer *vi* 12 Entrer, s'introduire à l'intérieur de. *Pénétrer dans un appartement.* ■ *vt* 1 Percer, entrer dans. 2 Toucher intensément. 3 Parvenir à connaître ce qui était caché. ■ *vpr* S'imprégner d'une pensée, d'un sentiment.

pénible *a* 1 Qui se fait avec fatigue. 2 Qui cause du désagrément.

péniche *nf* Grand bateau à fond plat qui sert au transport fluvial.

pénicilline *nf* Antibiotique issu du pénicillium.

pénicillium [-ljɔm] *nm* Champignon se développant sous forme de moisissure verte.

pénil *nm* ANAT Éminence au-devant du pubis de la femme. Syn. mont de Vénus.

péninsulaire *a* D'une péninsule.

péninsule *nf* Grande presqu'île.

pénis *nm* Organe mâle de la copulation.

pénitence *nf* Punition infligée pour avoir offensé Dieu.

pénitencier *nm* Anc Prison pour les condamnés à de longues peines.

pénitent, ente *a, n* Qui confesse ses péchés au prêtre.

pénitentiaire *a* Des prisons.

penne *nf* ZOOL Grande plume des oiseaux.

penné, ée *a* BOT Disposé comme les barbes d'une plume. *Feuille pennée.*

penny [peni] *nm* Monnaie anglaise, valant le centième de la livre. *Des pence.*

pénologie *nf* DR Étude des peines, de leurs modalités d'application.

pénombre *nf* Lumière faible et douce.

pense-bête *nm* Fam Moyen employé pour ne pas oublier qqch. *Des pense-bêtes.*

pensée *nf* 1 Faculté de réfléchir, intelligence, esprit. 2 Idée, jugement, opinion. 3 Plante ornementale aux fleurs diversement colorées.

penser *vi* Concevoir des idées. ■ *vt* 1 Imaginer, avoir dans l'esprit. *Dire ce qu'on pense.* 2 Croire, juger. *Penser du bien de qqn.* 3 Envisager qqch. *Je pense partir.* 4 Réfléchir à qqch, y faire attention. *Pensez à ma proposition.*

penseur *nm* Qui exerce sa pensée de manière profonde et originale.

pensif, ive *a* Plongé dans ses pensées.

pension *nf* 1 Établissement qui loge et nourrit qqn contre rétribution. 2 Pensionnat. 3 Allocation versée régulièrement à qqn.

pensionnaire *n* 1 Qui verse une pension pour être logé et nourri. 2 Élève interne.

pensionnat nm Établissement scolaire dont les élèves sont pensionnaires.

pensionné, ée n, a, Qui jouit d'une pension.

pensum [pɛ̃sɔm] nm Litt Corvée.

pentagone [pɛ̃-] nm Polygone à cinq côtés.

pentamètre [pɛ̃-] nm Vers grec ou latin de cinq pieds.

pentathlon [pɛ̃-] nm Épreuve olympique masculine, combinant l'escrime, l'équitation, le tir, la natation et la course.

pentatonique a MUS Constitué de cinq tons.

pente nf Inclinaison d'un terrain, d'une surface.

pentrite nf Explosif très puissant.

pentu, ue a En pente. *Rue pentue.*

pénultième a, nf Avant-dernier.

pénurie nf Manque de ressources.

péon [peɔn] nm Ouvrier agricole, en Amérique du Sud.

pépé nm Fam 1 Grand-père. 2 Vieillard.

pépée nf Pop Jeune femme.

pépère a Fam Calme, tranquille.

pépètes ou **pépettes** nfpl Pop Argent.

pépie nf Loc Fam *Avoir la pépie* : avoir très soif.

pépier vi Crier (jeunes oiseaux).

pépin nm 1 Graine de certains fruits. 2 Pop Difficulté, anicroche, ennui. 3 Fam Parapluie.

pépinière nf 1 Terrain où sont plantés de jeunes arbres destinés à être transplantés. 2 Lieu où sont formées des personnes destinées à une profession.

pépiniériste n Qui s'occupe d'une pépinière.

pépite nf Masse de métal pur, surtout d'or.

péplum [-plɔm] nm 1 ANTIQ Tunique de femme. 2 Film à grand spectacle s'inspirant de l'Antiquité.

peppermint nm Liqueur de menthe poivrée.

pepsine nf BIOL Enzyme gastrique.

peptide nm BIOL Protide formé par l'union d'acides aminés.

péquenot. V. pecquenaud.

péquin nm Pop, vx Civil.

percale nf Toile de coton fin.

percaline nf Toile de coton pour les doublures.

perçant, ante a 1 Fort, vif (froid). 2 Aigu (son). 3 D'une grande acuité (vue).

perce nf Loc *Mettre un tonneau en perce* : y faire une ouverture pour en tirer le vin.

percée nf 1 Action de rompre la ligne de défense de l'adversaire. 2 Ouverture, dégagement. 3 Avancée rapide. *Percée commerciale.*

perce-neige nf inv Petite plante dont les fleurs blanches s'épanouissent à la fin de l'hiver.

perce-oreille nm Insecte dont l'abdomen se termine par une pince. *Des perce-oreilles.*

percepteur nm Agent du Trésor public chargé du recouvrement des impôts.

perceptible a Qui peut être perçu.

perceptif, ive a Relatif à la perception.

perception nf 1 Recouvrement des impôts ; local où le percepteur a sa caisse. 2 Représentation d'un objet à partir des sensations.

percer vt 10 1 Faire un trou dans. 2 Pénétrer, traverser de part en part qqch, qqn. 3 Pratiquer une ouverture. 4 Découvrir. *Percer un mystère.* ■ vi 1 Commencer à apparaître. *Le soleil perce.* 2 Devenir célèbre.

perceur, euse n Qui perce. ■ nf Machine servant à percer.

percevoir vt 43 1 Recueillir de l'argent, un impôt. 2 Connaître par les sens ou par l'esprit.

1. perche nf Poisson d'eau douce.

2. perche nf 1 Pièce de bois, de métal, de fibre de verre, etc., longue et mince.

percher vt Placer qqch à un endroit élevé. ■ vi 1 Se poser sur une branche. 2 Fam Habiter. ■ vpr Se jucher sur.

percheron, onne a 1 Du Perche. ■ nm Grand cheval de trait, lourd et puissant.

perchiste n 1 Sauteur à la perche. 2 Technicien maniant une perche munie d'un micro.

perchoir nm Support sur lequel un oiseau se perche.

perclus, use a Paralytique, impotent.

percnoptère nm Petit vautour.

percolateur nm Grosse cafetière à vapeur.

percolation nf PHYS Circulation de l'eau à travers un milieu poreux.

percussion nf Choc d'un corps sur un autre. Loc **Instruments à percussion :** dont on joue en les frappant (tambour, cymbales).

percussionniste n Qui joue d'un instrument à percussion.

percutané, ée a Qui se fait à travers la peau.

percutant, ante a 1 Qui agit par percussion. 2 Qui fait beaucoup d'effet ; frappant.

percuter vt, vi Frapper, heurter violemment. La voiture a percuté le mur, contre le mur.

percuteur nm Dans une arme à feu, tige métallique dont le choc contre l'amorce fait partir le coup.

perdant, ante a, n Qui perd.

perdition nf Loc **En perdition :** en danger d'être perdu, de faire naufrage.

perdre vt 5 1 Cesser d'avoir qqch. 2 Être quitté de qqn, être privé de lui. 3 Mal employer qqch. Perdre son temps. 4 N'avoir pas le dessus. Perdre une bataille, un procès. 5 Ruiner, discréditer. 6 Égarer. Perdre ses gants. ■ vi Avoir le dessous ; faire une perte d'argent. ■ vpr 1 Disparaître. 2 S'égarer.

perdreau nm Jeune perdrix de l'année.

perdrix [-dri] nf Oiseau gris ou roux recherché comme gibier.

perdu, ue a 1 Égaré, oublié. 2 Employé inutilement. 3 Isolé, écarté. Village perdu. 4 Dont le cas est désespéré. Loc **À corps perdu :** impétueusement.

perdurer vi Litt Se prolonger, se perpétuer.

père nm 1 Homme qui a un ou plusieurs enfants. 2 Titre donné à un prêtre catholique. 3 Créateur d'une doctrine, d'une œuvre. Loc **Pères de l'Église :** les docteurs des premiers siècles de l'Église chrétienne. Le Saint-Père : le pape. ■ pl Litt Ancêtres, aïeux.

pérégrinations nfpl Nombreuses allées et venues.

péremption nf État de ce qui est périmé.

péremptoire a Décisif, contre quoi il n'y a rien à répliquer. Ton péremptoire.

pérenniser vt Rendre durable.

pérennité nf Litt Continuité.

péréquation [-kwa-] nf Répartition équitable des ressources ou des charges.

perestroïka [pe-] nf Restructuration de la société soviétique.

perfectible a Susceptible d'être perfectionné.

perfectif nm LING Forme verbale présentant l'action comme achevée.

perfection nf 1 Qualité de qqch, de qqn de parfait. 2 Chose ou personne parfaite.

perfectionnement nm Action de (se) perfectionner.

perfectionner vt Améliorer, faire tendre vers la perfection. ■ vpr Devenir meilleur.

perfectionnisme nm Souci excessif d'atteindre la perfection.

perfide a 1 Trompeur et dangereux. 2 Litt Déloyauté.

perfidie nf Litt Déloyauté.

perforateur, trice a Qui sert à perforer. ■ nf Machine à perforer.

perforer vt Percer de trous.

performance nf 1 Résultat obtenu par un sportif, un acteur, etc. 2 Exploit. 3 Résultat optimal obtenu par un matériel.

performant, ante a Capable de performances élevées ; compétitif.

perfusion nf MED Injection dans le sang de sérum ou de médicament.

pergélisol [-sɔl] nm Syn de permafrost.

pergola nf Construction de jardin légère, recouverte de plantes grimpantes.

périanthe nm BOT Ensemble des enveloppes florales.

péricarde nm ANAT Membrane qui enveloppe le cœur.

péricarpe nm BOT Enveloppe d'une graine.

péricliter vi Décliner.

péridot nm MINER Silicate de magnésium.

péridotite nf Roche magmatique, constituant principal du manteau terrestre.

péridural, ale, aux a, nf MED Se dit d'une anesthésie locale du bassin et des membres inférieurs.

périgée nm ASTRO Point de l'orbite d'un astre le plus rapproché de la Terre. Ant. Apogée.

périglaciaire a Proche des glaciers.

périgourdin, ine a, n Du Périgord.

périhélie nm ASTRO Point de l'orbite d'une planète le plus proche du Soleil. Ant. aphélie.

péril nm Litt Risque, danger.

périlleux, euse a Qui présente du danger.

périmé, ée a Dépassé, qui n'a plus cours.

périmer (se) vpr Perdre sa validité.

périmètre nm 1 GEOM Contour d'une figure plane. 2 Espace quelconque.

périnatal, ale, als a MED De la période qui précède et suit immédiatement la naissance.

périnatalogie nf Médecine périnatale.

périnée nm ANAT Région entre l'anus et les parties génitales.

période nf 1 Espace de temps ; phase, époque. 2 Phrase de prose organisée et harmonieuse.

périodicité nf Caractère périodique ; fréquence.

périodique a Qui se reproduit à des intervalles de temps réguliers. ■ nm Journal, magazine paraissant à intervalles réguliers.

péripatéticienne nf Litt Prostituée.

péripétie [-si] nf Incident, circonstance imprévue. Un voyage riche en péripéties.

périphérie nf Quartiers d'une ville les plus éloignés du centre.

périphérique a Situé à la périphérie. ■ nm 1 Voie rapide entourant une ville. 2 Appareil relié à un ordinateur.

périphrase nf Circonlocution équivalant à un mot simple (ex. : l'astre du jour pour le Soleil).

périple nm Voyage touristique.

périr vi Litt 1 Mourir. 2 Disparaître.

périscolaire a Qui coexiste avec l'enseignement scolaire (clubs sportifs, colonies de vacances).

périscope nm Appareil d'optique pour voir des objets hors du champ de vision.

périssable a Sujet à s'altérer.

périssodactyle nm ZOOL Mammifère ongulé du type rhinocéros, cheval.

périssoire nf Petite embarcation manœuvrée avec une pagaie.

péristaltique a Du péristaltisme.

péristaltisme nm PHYSIOL Mouvements du tube digestif.

péristyle nm ARCHI Colonnade qui entoure un édifice.

péritéléphonie nf Services et appareils associés au téléphone (répondeur par ex.).

péritélévision nf Appareils que l'on peut connecter à un téléviseur (magnétoscope, jeux vidéo).

péritoine nm ANAT Membrane qui recouvre les organes de la cavité abdominale.

péritonite nf Inflammation du péritoine.

perle nf 1 Concrétion brillante de nacre formée à l'intérieur de certains coquillages. 2 Petite boule percée en bois, en métal, en verre, etc. 3 Goutte de liquide. 4 Personne sans défaut. 5 Fam Absurdité burlesque.

perler vi Former des gouttes.

perlier, ère a Relatif aux perles.

perlimpinpin nm Loc Poudre de perlimpinpin : remède inefficace.

perlingual, ale, aux [-gu̯al] a MED Qui se fait par la langue.

permafrost nm Couche du sol gelée en permanence. Syn. pergélisol.

permanence nf 1 Caractère constant, immuable. 2 Service permanent ; local où il fonctionne. 3 Salle d'études surveillée.

permanencier, ère n Qui assure une permanence.

permanent, ente a 1 Qui dure sans s'interrompre, ni changer. 2 Qui est établi à demeure. Comité permanent. ■ nm Membre rémunéré d'une organisation. ■ nf Traitement donnant aux cheveux une ondulation durable.

permanganate nm Sel d'un acide dérivé du manganèse, utilisé comme antiseptique.

perméabilité nf Caractère perméable.

perméable a 1 Qui peut être pénétré par. 2 Qui se laisse influencer par. Perméable aux idées nouvelles.

permettre vt 64 1 Donner liberté, pouvoir de. Permettez-moi de sortir. 2 Rendre possible. Cet horaire me permet d'arriver plus tôt. 3 Autoriser, tolérer qqch. ■ vpr Prendre la liberté de. Elle s'est permis d'entrer sans frapper.

permien nm GEOL Période de l'ère primaire.

permis nm Autorisation officielle pour certaines activités.

permissif, ive a Qui permet ou tolère.

permission nf 1 Autorisation. 2 Congé accordé à un militaire.

permissionnaire nm Soldat en permission.

permutable a Qui peut être permuté.

permutation nf Action de permuter.

permuter vt, vi Échanger qqch avec qqn, intervertir des choses.

pernicieux, euse a Nuisible, dangereux.

péroné nm Os long de la jambe.

péronisme nm HIST Système politique du président Perón.

péroraison nf Conclusion d'un discours.

pérorer vi Parler longuement avec prétention.

peroxyde nm Oxyde à forte proportion d'oxygène.

perpendiculaire a, nf Qui forme un angle droit.

perpète ou **perpette (à)** av Pop À perpétuité.

perpétrer vt 12 Litt Commettre un crime.

perpétuel, elle a 1 Qui ne cesse pas ; continuel. 2 Qui dure toute la vie. 3 Fréquent.

perpétuer vt Litt Faire durer. ■ vpr Litt Durer.

perpétuité nf Loc À perpétuité : pour toujours.

perplexe a Irrésolu, hésitant.

perplexité nf Irrésolution, embarras.

perquisition nf Recherche opérée dans un lieu par la police.

perquisitionner vi, vt Faire une perquisition dans un lieu ; fouiller.

perron nm Escalier extérieur se terminant à l'entrée par un palier.

perroquet nm 1 Grand oiseau au plumage éclatant, capable d'imiter la parole humaine. 2 Personne qui répète sans comprendre. 3 MAR Voile carrée qui surmonte le mât de hune.

perruche nf 1 Petit perroquet. 2 MAR Voile qui surmonte le mât d'artimon.

perruque nf 1 Coiffure postiche. 2 Pop Travail que l'ouvrier fait en fraude dans l'entreprise.

perruquier nm Fabricant de perruques.

persan, ane a, n De Perse. ■ nm 1 Langue parlée en Iran. 2 Chat à poils longs et soyeux.

perse a, n De l'ancienne Perse. ■ nf Toile imprimée.

persécuter vt 1 Faire souffrir par des traitements cruels. 2 Importuner, harceler.

persécuteur, trice a, n Qui persécute.

persécution nf Action de persécuter.

persévérance nf Constance dans l'effort.

persévérer vi 12 Persister dans une résolution, un sentiment, une action.

persienne nf Contrevent muni de lames pour arrêter les rayons du soleil.

persifler vt Tourner en ridicule.

persil [-si] nm Plante odorante utilisée comme condiment.

persillade nf Assaisonnement à base de persil.

persillé, ée a Loc Viande persillée : parsemée d'infiltrations graisseuses. ■ nm a Fromage dont la pâte contient des moisissures verdâtres.

persistance nf Action, fait de persister.

persistant, ante a Qui dure, qui ne faiblit pas ou ne disparaît pas. Loc Feuillage persistant : non caduc.

persister vi 1 S'obstiner, persévérer dans une résolution. 2 Durer. Toux qui persiste. Loc Persiste et signe : indique que l'on maintient son opinion.

persona grata a inv Agréé dans une fonction diplomatique auprès d'un État.

personnage nm 1 Personne importante ou célèbre. 2 Personne fictive d'une œuvre littéraire ; rôle joué par un acteur. 3 Personne considérée dans son comportement. Un curieux personnage.

personnalisation nf Action de personnaliser.

personnaliser vt Donner un caractère personnel, singulier, unique.

personnalisme nm Philosophie qui fait de la personne humaine la valeur suprême.

personnalité nf 1 Ce qui caractérise une personne, dans son unité, sa singularité. 2 Originalité de caractère, de comportement. **3** Personnage important. *Une personnalité politique.*

personne nf **1** Individu considéré comme être humain, ou dans sa réalité psychologique, physique. **2** DR Individu ou être moral, collectif doté de l'existence juridique. **3** GRAM Forme du verbe selon les personnes qui parlent. ■ *pr indéf* **1** (avec *ne*) Nul, aucun. *Personne n'est venu.* **2** Qui que ce soit. *Il joue mieux que personne.*

personnel, elle a **1** Propre à une personne, qui en porte la marque. **2** GRAM Propre aux personnes grammaticales. **3** Qui n'a pas l'esprit d'équipe. ■ *nm* Ensemble des personnes employées dans un service, une entreprise.

personnellement av Soi-même.

personnifier vt **1** Attribuer à qqch les traits d'une personne humaine. **2** Constituer en soi le modèle de.

perspective nf **1** Art de représenter les objets en trois dimensions sur une surface plane. **2** Aspect que prend un paysage, des objets, vus de loin. **3** Idée qu'on se fait d'un événement à venir ; point de vue. **4** Grande voie en ligne droite.

perspicace a Pénétrant, sagace, subtil.

perspicacité nf Caractère perspicace.

persuader vt Amener qqn à croire, à faire qqch. ■ *vpr* S'imaginer. *Elle s'est persuadé(e) qu'on lui mentait.*

persuasif, ive a Qui persuade.

persuasion nf Action ou manière de persuader ; conviction.

perte nf **1** Fait de la fonctionnement qu'on avait ; fait d'avoir égaré qqch. **2** Dommage pécuniaire ; somme perdue. **3** Mort de qqn. **4** Mauvais emploi, gaspillage. Loc *À perte* : à un prix inférieur au prix de revient. *À perte de vue* : aussi loin que porte la vue.

pertinemment [-namã] av **1** De façon judicieuse. **2** Parfaitement.

pertinence nf Caractère pertinent.

pertinent, ente a Approprié ; judicieux.

perturbateur, trice a, n Qui cause du trouble.

perturbation nf Trouble, bouleversement.

perturber vt Troubler ; empêcher le déroulement ou le fonctionnement normal de.

péruvien, enne a, n Du Pérou.

pervenche nf **1** Plante rampante, aux fleurs bleu-mauve. **2** Fam Contractuelle de la police parisienne. ■ *a inv* Bleu-mauve.

pervers, erse a [-vɛʀ] a, n **1** Litt Porté à faire le mal. **2** Atteint de perversion sexuelle. ■ *a* Fait avec perversité. Loc *Effet pervers* : conséquence indirecte, inattendue et fâcheuse, d'une décision.

perversion nf **1** Déviation des tendances, des instincts, en particulier sur le plan sexuel. **2** Altération, corruption de qqch.

perversité nf Tendance à faire le mal et à en éprouver de la joie.

pervertir vt **1** Porter qqn à faire le mal ; corrompre. **2** Dénaturer, altérer qqch.

pesage nm **1** Action de peser. **2** Action de peser les jockeys avant la course ; endroit où l'on procède à cette opération.

pesant, ante a **1** Lourd. **2** Sans vivacité ni finesse. ■ *nm* Loc *Valoir son pesant d'or* : être d'un grand prix.

pesanteur nf **1** Caractère pesant, lourd. **2** Force qui entraîne les corps vers le centre de la Terre. ■ *pl* Résistance au changement ; immobilisme.

pèse-alcool nm inv Appareil pour mesurer le degré alcoolique.

pèse-bébé nm Balance pour peser les nourrissons. *Des pèse-bébés.*

pesée nf **1** Action de peser ; quantité pesée. **2** Pression exercée sur qqch.

pèse-lettre nm Petite balance pour peser les lettres. *Des pèse-lettres.*

pèse-personne nm Petite bascule pour se peser. *Des pèse-personnes.*

peser vt **151** Mesurer le poids de. **2** Évaluer, examiner attentivement. ■ *vi* Avoir un certain poids. *Ce paquet pèse 3 kilos.* ■ *vt* **1** Exercer une pression sur. *Peser sur un levier.* **2** Être pénible à supporter. *L'oisiveté lui pèse.*

peseta [peze-] nf Unité monétaire de l'Espagne.

peso [peso] nm Unité monétaire de plusieurs États d'Amérique du Sud et des Philippines.

peson nm Petite balance à levier ou à ressort.

pessaire nm Membrane contraceptive en caoutchouc.

pessimisme nm Tendance à penser que tout va ou ira mal.

pessimiste a, n Enclin au pessimisme.

peste nf 1 Maladie infectieuse et épidémique. 2 Chose ou personne nuisible, dangereuse.

pester vi Manifester de la mauvaise humeur contre qqn, qqch.

pesticide nm Produit qui détruit les animaux ou les plantes nuisibles.

pestiféré, ée a, n Atteint de la peste.

pestilence nf Odeur infecte.

pestilentiel, elle a Qui dégage une odeur nauséabonde.

pet nm Fam Gaz intestinal qui sort de l'anus avec bruit.

pétale nm Chacune des pièces de la corolle d'une fleur.

pétanque nf Jeu de boules.

pétarade nf Série de brèves détonations.

pétarader vi Faire entendre une pétarade.

pétard nm 1 Engin explosif. 2 Pop Pistolet. 3 Pop Derrière.

pétaudière nf Fam Lieu où il n'y a ni ordre ni autorité.

pet-de-nonne nm Beignet soufflé. Des pets-de-nonne.

péter vi 12 1 Fam Lâcher un pet. 2 Fam Exploser, éclater. 3 Fam Se casser. ■ vt Fam Casser qqch. Loc Péter le feu : être très vif.

pète-sec n inv Fam Personne autoritaire, au ton cassant.

péteux, euse n, a Fam 1 Couard, poltron. 2 Prétentieux.

pétillement nm Bruit de ce qui pétille.

pétiller vi 1 Éclater avec de petits bruits secs et répétés. 2 Dégager des bulles de gaz. 3 Briller d'un vif éclat. Ses yeux pétillent de joie.

pétiole [-sjɔl] nm BOT Queue d'une feuille.

petiot, ote a, n Fam Tout petit.

petit, ite a 1 De faibles dimensions. 2 De faible importance. 3 Étriqué, mesquin, borné. ■ a, n Qui n'a pas atteint l'âge adulte ; enfant, jeune. ■ av Loc Petit à petit : peu à peu.

petit-beurre nm Gâteau sec rectangulaire, au beurre. Des petits-beurres.

petit-bourgeois, petite-bourgeoise n Qui appartient aux couches les moins aisées de la bourgeoisie. ■ a Qui dénote de l'étroitesse d'esprit. Des petits-bourgeois.

petit-déjeuner nm Premier repas pris le matin. Des petits-déjeuners. ■ vi Prendre le petit-déjeuner.

petitement av 1 À l'étroit. 2 Mesquinement.

petitesse nf 1 Caractère petit. 2 Caractère, acte mesquin.

petit-fils nm, **petite-fille** nf Fils, fille du fils ou de la fille par rapport au grand-père, à la grand-mère. Des petits-fils, des petites-filles.

petit-gris nm 1 Écureuil d'Europe à la fourrure appréciée. 2 Escargot. Des petits-gris.

pétition nf Demande, plainte ou vœu écrits adressés à une autorité. Loc Pétition de principe : raisonnement consistant à tenir pour vrai ce qu'il s'agit de démontrer.

pétitionnaire n Qui signe ou présente une pétition.

petit-lait nm Liquide qui se sépare du lait caillé. Des petits-laits.

petit-nègre nm inv Fam Français incorrect à la grammaire rudimentaire.

petit-neveu nm, **petite-nièce** nf Fils, fille du neveu, de la nièce, par rapport au grand-oncle ou à la grand-tante. Des petits-neveux, des petites-nièces.

petit pois nm Pois vert écossé. Des petits pois.

petits-enfants nmpl Enfants d'un fils ou d'une fille.

petit-suisse nm Petit cylindre de fromage frais. Des petits-suisses.

pétoche nf Pop Peur.

pétoire nf Fam Arme à feu désuète.

peton nm Fam Petit pied.

pétoncle nm Mollusque comestible.

pétrel nm Oiseau marin au bec crochu.

pétrifier vt 1 Recouvrir de calcaire, de silice. 2 Stupéfier, paralyser.

pétrin nm Appareil, coffre pour pétrir le pain.

pétrir vt 1 Brasser, malaxer une pâte. 2 Presser avec force pour donner une forme. Loc *Être pétri de qqch* : en être plein.

pétrochimie nf Chimie des produits extraits du pétrole.

pétrodollar nm Dollar provenant du commerce du pétrole.

pétrogenèse nf GEOL Formation des roches.

pétroglyphe nm Gravure sur pierre.

pétrographie ou **pétrologie** nf GEOL Étude des roches et de leur formation.

pétrole nm Huile minérale organique, composée d'hydrocarbures. ■ a inv Loc *Bleu pétrole* : bleu tirant sur le vert.

pétrolette nf Fam Petite motocyclette.

pétrolier, ère a Du pétrole. ■ nm Navire pour le transport du pétrole.

pétrolifère a Qui contient du pétrole.

pétrologie. V. pétrographie.

pétulance nf Vivacité, fougue.

pétulant, ante a Vif, impétueux.

pétunia nm Plante à fleurs colorées.

peu av En petite quantité, en quantité insuffisante. Loc *À peu près* : presque. *Peu à peu* : lentement. *Un peu* La petite quantité de. *Le peu (de temps) qu'il lui reste*. Loc *Pour un peu* : un peu plus.

peul ou **peuhl** nm Langue d'Afrique.

peuplade nf Petit groupe humain dans une société archaïque.

peuple nm 1 Ensemble des gens appartenant à une communauté nationale ou culturelle. *Le peuple français*. 2 Ensemble des citoyens de condition modeste. *Sortir du peuple*. 3 Fam Foule.

peuplement nm Action de peupler ; fait d'être peuplé.

peupler vt 1 Faire occuper un endroit par des végétaux, des animaux. 2 Occuper un endroit, en constituer la population. 3 Remplir l'esprit. *Peupler l'imagination*. ■ vpr Se remplir de monde, d'êtres vivants.

peuplier nm Grand arbre cultivé pour son bois blanc et léger.

peur nf Crainte plus ou moins violente.

peureux, euse a, n Craintif, sujet à la peur.

peut-être av Marque le doute, l'éventualité.

peyotl [pe-] nm Cactacée des montagnes mexicaines donnant la mescaline.

pèze nm Pop Argent.

pH nm CHIM Coefficient caractérisant l'état acide ou basique d'une solution.

phacochère nm Sanglier africain.

phagocyte nm BIOL Leucocyte apte à la phagocytose.

phagocyter vt 1 BIOL Détruire par phagocytose. 2 Faire disparaître en intégrant à soi.

phagocytose nf BIOL Ingestion par un leucocyte d'une particule étrangère.

phalange nf 1 ANTIQ Corps d'infanterie de l'armée grecque. 2 Segment articulé des doigts, des orteils.

phalanstère nm Communauté de travailleurs, dans le système de Fourier.

phalène nf et m Grand papillon nocturne.

phallique a Du phallus.

phallocrate [-si] nf Attitude dominatrice de l'homme sur les femmes.

phalloïde a Loc *Amanite phalloïde* : champignon mortel au chapeau jaunâtre ou verdâtre.

phallus nm Pénis en érection.

phanérogame nf BOT Plante à fleurs et à graines.

pharaon nm ANTIQ Souverain de l'Égypte.

pharaonique a 1 Des pharaons. 2 Marqué par le gigantisme, la démesure.

phare nm 1 Tour surmontée d'un foyer lumineux, établie le long des côtes pour guider les navires. 2 Projecteur à l'avant d'un véhicule pour éclairer la route. 3 Ce qui guide, éclaire.

pharisien, enne n 1 Membre d'une secte juive contemporaine du Christ. 2 Litt Hypocrite.

pharmaceutique a De la pharmacie.

pharmacie nf 1 Science de la préparation et de la composition des médicaments. 2 Profession et commerce du pharmacien ; laboratoire, boutique du pharmacien. 3 Armoire à médicaments.

pharmacien, enne n Qui exerce la pharmacie.

pharmacocinétique nf Étude de l'action des médicaments à l'intérieur du corps.

pharmacodépendance nf Dépendance à l'égard d'un médicament.

pharmacodynamie nf Étude des effets organiques des médicaments.

pharmacologie nf Science des médicaments.

pharmacopée nf Ensemble des médicaments ; ouvrage énumérant leurs effets.

pharmacovigilance nf MED Contrôle centralisé des informations sur les effets des médicaments.

pharyngite nf Inflammation du pharynx.

pharynx nm ANAT Conduit qui va de la cavité buccale à l'œsophage ; gosier.

phase nf 1 Chacune des périodes marquant l'évolution d'un phénomène. 2 ASTRO Chacun des aspects différents de la Lune. **Loc** Fam **Être en phase** : en harmonie.

phasme nm Insecte ayant l'aspect d'une brindille.

phénicien, enne a, n De la Phénicie.

phénix nm 1 MYTH Oiseau fabuleux qui se brûlait lui-même pour renaître de ses cendres. 2 Litt Personne exceptionnelle.

phénobarbital nm Barbiturique.

phénol nm Composé dérivé du benzène, utilisé en chimie, en pharmacie.

phénoménal, ale, aux a Surprenant, extraordinaire.

phénomène nm 1 Tout fait extérieur ou intérieur présent à la conscience. 2 Chose remarquable, extraordinaire. 3 Fam Personne originale, bizarre.

phénoménologie nf Philosophie visant à saisir par la conscience l'essence des êtres.

phéromone nf ZOOL Substance émise par un animal à destination de ses congénères.

phi nm Lettre de l'alphabet grec correspondant au ph français.

philanthrope n Qui agit avec générosité, désintéressement.

philanthropie nf Bienfaisance, générosité.

philatélie nf Collection des timbres-poste.

philatéliste n Collectionneur de timbres-poste.

philharmonique a **Loc** *Orchestre philharmonique :* grand orchestre symphonique.

philippin, ine a, n Des îles Philippines.

philistin nm Litt Personne vulgaire et inculte.

philo nf Fam Philosophie.

philodendron [-dɛ̃-] nm Arbuste aux feuilles décoratives.

philologie nf Étude d'une langue d'après les textes écrits.

philosophale af **Loc** *Pierre philosophale :* pierre qui, d'après les alchimistes, pouvait changer les métaux en or.

philosophe n Spécialiste de philosophie. ■ a, n Qui supporte tout avec sérénité.

philosopher vi Argumenter, raisonner, discuter sur un sujet quelconque.

philosophie nf 1 Branche du savoir qui étudie les principes et les causes au niveau général. 2 Doctrine, système d'une école, d'un philosophe. 3 Fermeté, calme, courage.

philosophique a De la philosophie.

philtre nm Litt Breuvage magique propre à inspirer l'amour.

phimosis nm MED Étroitesse du prépuce, qui empêche de découvrir le gland.

phlébite nf Thrombose veineuse des membres inférieurs.

phlébologie nf Étude des veines et traitement de leurs affections.

phlébotomie nf CHIR Ablation d'une veine.

phlegmon nm Infiltration purulente aiguë du tissu sous-cutané.

phlyctène nf Bulle de sérosité sous l'épiderme.

phobie nf Peur irraisonnée, angoissante et obsédante.

phobique a De la phobie. ■ a, n Atteint de phobie.

phocéen, enne a, n Litt De Marseille.

pholiote nf Champignon à lamelles jaunes.

phonateur, trice ou **phonatoire** a De la phonation.

phonation nf Production des sons par les organes vocaux.

phonème nm Son du langage.

phonétique a Relatif aux sons du langage. ■ nf Étude des sons de la parole.

phoniatre n Spécialiste de phoniatrie.

phoniatrie nf Étude et traitement des troubles de la phonation.

phonique a Relatif aux sons ou à la voix.

phonogramme nm 1 LING Signe graphique représentant un son. 2 Enregistrement sonore sur disque, cassette, etc.

phonographe ou **phono** nm Anc Appareil servant à reproduire les sons.

phonolite nf Roche volcanique qui résonne quand on la frappe.

phonologie nf LING Description des caractéristiques linguistiques des sons du langage.

phonothèque nf Établissement où sont archivés des documents sonores.

phoque nm Mammifère des mers froides.

phosgène nm Gaz de combat dérivé du chlore.

phosphate nm Sel de l'acide phosphorique utilisé pour les engrais.

phosphaté, ée a Qui renferme du phosphate.

phosphore nm Corps simple présent dans les os, le système nerveux, etc.

phosphorer vi Fam Réfléchir beaucoup.

phosphorescence nf Propriété de certains corps d'émettre de la lumière dans l'obscurité.

phosphorescent, ente a Qui émet une lueur dans l'obscurité.

phosphoreux, euse a CHIM Qui contient du phosphore.

photo nf Photographie. ■ a inv Photographique. Appareil photo.

photochimie nf Étude des réactions chimiques produites par la lumière.

photocomposer vt Composer par photocomposition.

photocomposeuse nf Appareil de photocomposition.

photocompositeur nm Professionnel de la photocomposition.

photocomposition nf Composition photographique des textes destinés à être imprimés.

photocopie nf Reproduction photographique d'un document.

photocopier vt Faire la photocopie de.

photocopieur nm ou **photocopieuse** nf Appareil de photocopie.

photodiode nf Diode déclenchée par un rayonnement lumineux.

photoélectrique a Loc Cellule photoélectrique : dispositif de mesure d'un flux lumineux.

photofinish nf inv Enregistrement photographique automatique de l'arrivée d'une course.

photogénique a Qui est plus beau en photographie qu'au naturel.

photogrammétrie nf Technique permettant de déterminer la forme et les dimensions d'un objet à partir de photographies.

photographe n 1 Qui photographie en amateur ou en professionnel. 2 Qui développe les films photographiques, tire les clichés.

photographie nf 1 Art et technique visant à fixer l'image des objets par l'utilisation de l'action de la lumière sur une surface sensible. 2 Image ainsi obtenue. 3 Reproduction exacte d'une situation.

photographier vt 1 Obtenir une image par la photographie. 2 Décrire avec précision.

photographique a De la photographie.

photograveur nm Professionnel de la photogravure.

photogravure nf IMPRIM Obtention photographique de clichés d'impression.

photoluminescence nf Luminescence d'un corps renvoyant une radiation.

photolyse nf CHIM Décomposition chimique sous l'action de la lumière.

photomaton *nm* (n déposé) Installation payante et automatique de photographie des visages.

photomécanique *a* Se dit de tout procédé photographique de reproduction qui permet de créer des clichés.

photomètre *nm* Appareil de mesure de l'intensité lumineuse.

photométrie *nf* Mesure de l'intensité lumineuse.

photomontage *nm* Montage photographique.

photon *nm* PHYS Particule de masse et de charge nulles associée à un rayonnement lumineux.

photopériodisme *nm* BOT Réaction des plantes à la succession des jours et des nuits.

photophore *nm* Coupe en verre, destinée à recevoir une bougie.

photopile *nf* Batterie ou pile solaire.

photoreportage *nm* Reportage photographique.

photosensible *a* Sensible à la lumière.

photosphère *nf* La plus profonde des couches du Soleil.

photosynthèse *nf* BIOL Assimilation chlorophyllienne.

photothèque *nf* Lieu où on archive des documents photographiques.

phototropisme *nm* BIOL Tropisme commandé par la lumière.

phototype *nm* Image photographique obtenue directement.

phragmite *nm* Roseau commun.

phrase *nf* 1 Assemblage de mots présentant un sens complet. 2 Suite de notes présentant une certaine unité.

phrasé *nm* MUS Façon de phraser.

phraséologie *nf* Manière de s'exprimer propre à un milieu, à une époque.

phraser *vt* MUS Jouer un air en faisant sentir le développement des phrases musicales.

phraseur, euse *n* Déclamateur prétentieux.

phrastique *a* LING De la phrase.

phratrie *nf* ETHNOL Groupe de clans au sein d'une tribu.

phréatique *a* Loc *Nappe phréatique :* nappe d'eau souterraine.

phrénologie *nf* Anc Étude du caractère par la forme du crâne.

phrygane *nf* Insecte dont les larves, aquatiques, se protègent par un fourreau fait de divers matériaux.

phrygien, enne *a* Loc *Bonnet phrygien :* bonnet rouge des révolutionnaires de 1793.

phtisie *nf* Vx Tuberculose.

phtisiologie *nf* Étude de la tuberculose.

phycomycète *nm* BOT Champignon primitif, souvent aquatique et parasite.

phylactère *nm* 1 Bulle des bandes dessinées. 2 Syn de *tephillin*.

phylloxéra *nm* Insecte parasite de la vigne ; maladie de la vigne.

phylogenèse *nf* BIOL Formation et évolution des organismes vivants.

physalie *nf* Grande méduse urticante.

physalis *nm* Plante ornementale aux baies rouges évoquant une lanterne vénitienne.

physicien, enne *n* Spécialiste de physique.

physiocrate *nm* Économiste du XVIIIe s considérant l'agriculture comme source principale de la richesse d'un pays.

physiologie *nf* Science du fonctionnement des organismes vivants.

physiologique *a* De la physiologie.

physionomie *nf* 1 Ensemble des traits du visage. 2 Caractère particulier de qqn, de qqch.

physionomiste *a* Qui a la mémoire des visages.

physiopathologie *nf* Étude des troubles physiologiques.

physiothérapie *nf* Utilisation thérapeutique des agents physiques (eau, lumière, chaleur).

physique *a* 1 Relatif à la nature, à la matière. 2 Relatif au corps humain, aux sens. Loc *Culture physique :* gymnastique. ■ *nm* Aspect extérieur de qqn ; sa constitution. ■ *nf* Science des propriétés de la matière et des lois qui la régissent.

physiquement *av* Sur le plan physique.

phytocide *nm, a* Produit susceptible de détruire les végétaux.

phytogéographie *nf* Étude de la répartition des végétaux.

phytohormone *nf* Hormone végétale.

phytopathologie *nf* Étude des maladies des plantes.

phytophage *a* ZOOL Qui se nourrit de substances végétales.

phytoplancton *nm* Plancton végétal.

phytosanitaire *a* Relatif aux soins donnés aux végétaux.

phytosociologie *nf* Étude des associations végétales.

phytothérapie *nf* Traitement des maladies par les plantes.

phytotron *nm* Laboratoire où on étudie les mécanismes de la vie végétale.

pi *nm* 1 Lettre de l'alphabet grec, correspondant à *p*. 2 MATH Nombre de symbole π égal au rapport de la circonférence d'un cercle à son diamètre et dont la valeur approche 3,1416.

piaf *nm* Pop Moineau.

piaffer *vi* 1 Frapper la terre avec les pieds de devant (cheval). 2 Manifester une nervosité excessive.

piaillement *nm* 1 Cris aigus d'un oiseau. 2 Fam Criaillerie.

piailler *vi* 1 Pousser de petits cris aigus (oiseau). 2 Fam Crier continuellement.

pian *nm* Maladie cutanée contagieuse des pays tropicaux.

pianissimo *av*, *nm* MUS Très doucement.

pianiste *n* Qui joue du piano.

1. piano *nm* Instrument de musique à clavier et à cordes frappées.

2. piano *av* MUS Doucement.

piano-bar *nm* Café dans lequel un piano crée un fond musical. *Des pianos-bars.*

pianoforte [-fɔʀte] *nm* Ancêtre du piano au XVIIIᵉ s.

pianoter *vi* 1 Jouer maladroitement du piano. 2 Tapoter avec les doigts sur un objet. 3 Taper sur les touches d'un clavier d'ordinateur, de minitel.

piastre *nf* 1 Ancienne monnaie espagnole. 2 Fam Nom du dollar au Canada.

piaule *nf* Pop Chambre.

piaulement *nm* Cri d'un oiseau qui piaule.

piauler *vi* Crier (oiseau, poulet).

pic *nm* 1 Oiseau grimpeur doté d'un bec pointu. 2 Instrument fait d'un fer pointu pour creuser. 3 Montagne élevée, au sommet très pointu. **Loc À pic :** verticalement. Fam *Tomber, arriver à pic :* à propos.

picador *nm* Cavalier qui, dans les courses de taureaux, fatigue l'animal avec une pique.

picard, arde a, n De Picardie. ■ *nm* Dialecte parlé en Picardie.

picaresque *a* Se dit d'œuvres mettant en scène des aventuriers, des brigands.

pichenette *nf* Fam Chiquenaude.

pichet *nm* Petit broc.

pickles [pikœls] *nmpl* Condiments végétaux confits dans du vinaigre.

pickpocket [pikpɔkɛt] *nm* Voleur à la tire.

pick-up [pikœp] *nm* inv 1 Électrophone. 2 Camionnette dont l'arrière est un plateau non recouvert.

picoler *vi* Pop Boire de l'alcool, du vin.

picorer *vi* Chercher sa nourriture (oiseaux). ■ *vt* Piquer çà et là.

picotement *nm* Impression de piqûres légères et répétées.

picoter *vt* 1 Becqueter, picorer. 2 Causer des picotements à.

picrate *nm* Pop Vin rouge.

pictogramme *nm* 1 Symbole propre à certaines écritures de l'Antiquité. 2 Dessin normalisé servant à guider les usagers dans les lieux publics.

pictural, ale,aux *a* Relatif à la peinture.

pic-vert. V. pivert.

pidgin [pidʒin] *nm* LING Langue de relation empruntant ses éléments à plusieurs langues.

pie *nf* 1 Oiseau noir et blanc à longue queue. 2 Personne très bavarde. ■ *a inv* Dont le poil est de deux couleurs.

pièce *nf* 1 Chacune des parties du tout, d'un assemblage, d'un mécanisme. 2 Morceau de tissu pour réparer un vêtement. 3 Salle, chambre d'un logement. 4 Morceau de métal servant de monnaie. **5** Document écrit servant à établir un droit, une preuve. **6** *Ouvrage dramatique ; composition musicale.* Loc *De toutes pièces :* entièrement ; sans fondement.

piécette *nf* Petite pièce de monnaie.

pied *nm* **1** Extrémité du membre inférieur, qui sert à la marche. **2** Partie inférieure d'un objet servant de support. **3** Partie basse d'une montagne. **4** Plant de certains végétaux. *Pied de salade.* **5** Ancienne unité de longueur (0,3248 m) ou mesure anglo-saxonne (0,3048 m). **6** VERSIF Ensemble de syllabes constituant une unité rythmique. Loc *À pied :* en marchant ; sans véhicule. *Mettre qqch sur pied :* l'organiser. *Mettre à pied :* renvoyer. *Avoir pied :* pouvoir toucher le fond de l'eau. *À pied d'œuvre :* prêt à l'action. *Au pied de la lettre :* littéralement. Pop *Prendre son pied :* éprouver du plaisir.

pied-à-terre *nm inv* Logement qu'on n'occupe qu'en passant.

pied-bot *nm* Atteint d'un pied bot. *Des pieds-bots.*

pied-de-biche *nm* Outil servant de levier. *Des pieds-de-biche.*

pied-de-mouton *nm* Champignon comestible. *Des pieds-de-mouton.*

pied-de-poule *nm* Tissu aux motifs croisés. *Des pieds-de-poule.*

pied-droit ou **piédroit** *nm* ARCHI **1** Pilier qui soutient une voûte. **2** Jambage d'une porte, d'une fenêtre. *Des pieds-droits.*

piédestal, aux *nm* Socle d'une statue.

pied-noir *n* Fam Français d'Algérie jusqu'à l'indépendance de ce pays. *Des pieds-noirs.*

piège *nm* **1** Engin pour prendre les animaux. **2** Difficulté ou danger cachés.

piéger *vt* **13 1** Prendre à l'aide de pièges. **2** Mettre qqn dans une situation difficile et sans issue. **3** Installer qqpart un engin explosif. **4** Parvenir à fixer un phénomène physique. *Piéger des radiations.*

pie-grièche *nf* Passereau. *Des pies-grièches.*

pie-mère *nf* ANAT La plus interne des méninges. *Des pies-mères.*

piémont *nm* GÉOGR Plaine alluviale au pied d'une chaîne de montagnes.

piémontais, aise *a, n* Du Piémont.

piéride *nf* Papillon aux ailes tachetées.

pierraille *nf* Petites pierres.

pierre *nf* **1** Matière minérale solide et dure. **2** Bloc de cette matière façonné ou non. *Casser des pierres.* Loc *Pierre précieuse :* minéral de grande valeur (diamant, rubis, émeraude, saphir). *Pierre fine :* topaze, améthyste, etc. *Pierre à feu, à fusil :* silex produisant des étincelles. *Pierre levée :* menhir. *Pierre de taille :* utilisée pour la construction.

pierreries *nfpl* Pierres précieuses taillées.

pierreux, euse *a* De pierre.

pierrier *nm* Versant recouvert d'éboulis.

pierrot *nm* **1** Personnage de comédie vêtu de blanc au visage enfariné. **2** Fam Moineau.

piéta *nf* Statue ou tableau de la Vierge portant sur ses genoux le corps du Christ.

piétaille *nf* Gens de fonction subalterne.

piété *nf* Dévotion religieuse. Loc *Piété filiale :* affection pour les parents.

piètement *nm* Ensemble des pieds d'un meuble et des traverses qui les relient.

piétiner *vi* **1** Remuer, frapper des pieds sur place. **2** Ne pas progresser. *Les tractations piétinent.* ■ *vt* Fouler aux pieds.

piétisme *nm* Mouvement religieux luthérien (XVIIᵉ s.).

piéton, onne *n* Qui va à pied. *Passage pour piétons.* ■ *a* Piétonnier. *Rue piétonne.*

piétonnier, ère *a* Réservé aux piétons.

piètre *a* Médiocre, sans valeur.

pieu *nm* **1** Pièce de bois pointue à un bout, destinée à être enfoncée en terre. **2** Pop Lit.

pieuter (se) *vpr* Pop Se mettre au lit.

pieuvre *nf* Mollusque céphalopode à huit tentacules munis de ventouses. Syn. poulpe.

pieux, pieuse *a* Qui a ou qui dénote de la piété.

piézoélectricité *nf* Apparition de charges électriques sur certains cristaux comprimés.

pif *nm* Pop Nez. Loc *Pop Au pif :* au flair.

pifomètre *nm* Fam Flair.

pige nf **1** Mode de rémunération d'un journaliste payé à la tâche. **2** Pop Année d'âge. Loc Fam **Faire la pige à qqn** : faire mieux que lui.

pigeon nm **1** Oiseau dont certaines espèces (*pigeons voyageurs*) ont un sens de l'orientation très développé. **2** Fam Qui se laisse facilement duper.

pigeonne nf Femelle du pigeon.

pigeonneau nm Jeune pigeon.

pigeonner vt Fam Duper.

pigeonnier nm **1** Petite construction destinée aux pigeons domestiques. **2** Fam Logement exigu.

piger vt **11** Pop Comprendre.

pigiste n Journaliste payé à la pige.

pigment nm **1** Substance organique qui colore la peau. **2** Matière colorante en poudre.

pigmentation nf **1** Formation de pigment dans certains tissus. **2** Coloration par un ou des pigments.

pigmenter vt Colorer par un pigment.

pigne nf Pomme de pin.

pignon nm **1** Partie supérieure triangulaire d'un mur de maison. **2** Roue dentée d'engrenage. **3** Graine de pomme de pin.

pignouf nm Pop Individu sans éducation.

pilaf nm Plat épicé composé de riz mêlé de viande, de poissons, de coquillages, etc.

pilastre nm Pilier adossé à un mur.

pilchard nm Grosse sardine.

pile nf **1** Ensemble d'objets placés les uns sur les autres. **2** Massif de maçonnerie servant de support à un pont. **3** Appareil qui transforme l'énergie chimique en courant électrique. **4** Côté d'une pièce de monnaie opposé à la face. **5** Fam Volée de coups ; défaite écrasante. Loc **Jouer à pile ou face** : décider en s'en remettant au hasard. ■ av Loc Fam **Tomber pile** : juste ou à point.

piler vt **1** Écraser, broyer en frappant. **2** Fam Battre, vaincre qqn. ■ vi Fam Freiner brusquement.

pileux, euse a Relatif aux poils, aux cheveux.

pilier nm **1** Colonne de maçonnerie, de fer, de bois, etc., constituant un support, dans un

édifice. **2** Personne fréquentant assidûment un lieu. *Pilier de bar.* **3** Personne ou chose sur laquelle s'appuie qqch.

pillage nm Action de piller.

pillard, arde a, n Qui pille.

piller vt **1** Dépouiller par la force, voler. *Piller une ville. Piller des œuvres d'art.* **2** Plagier, copier de façon éhontée.

pilleur, euse n Qui pille. *Pilleur d'épaves.*

pilon nm **1** Instrument servant à écraser ou à tasser. **2** Cuisse d'une volaille cuite. **3** Fam Jambe de bois.

pilonner vt **1** Soumettre à un violent bombardement. **2** Détruire une publication.

pilori nm Loc **Clouer au pilori** : désigner à l'indignation publique.

pilosébacé, ée a De l'ensemble formé par le poil et la glande sébacée.

piloselle nf Plante aux propriétés diurétiques.

pilosité nf **1** Présence de poils. **2** Ensemble des poils.

pilotage nm Action, art de piloter.

pilote nm **1** Qui dirige un navire, un aéronef, une automobile, etc. **2** Petit poisson qui accompagne les requins, les navires. **3** Émission télévisée destinée à servir de modèle, de test. Loc **Pilote automatique** : dispositif qui assure automatiquement le maintien du cap d'un avion, d'un bateau. ■ a Qui s'engage dans une voie nouvelle, à titre expérimental. *Classe pilote.*

piloter vt **1** Conduire en tant que pilote. **2** Guider qqn dans des lieux qu'il ne connaît pas. **3** Mener à bien une opération.

pilotis nm Ensemble de pieux servant d'assise à un ouvrage construit au-dessus de l'eau.

pilou nm Tissu de coton pelucheux.

pilule nf **1** Médicament de forme sphérique pour la voie orale. **2** Substance utilisée comme contraceptif.

pilulier nm Petite boîte destinée aux pilules.

pimbêche nf Fam Femme prétentieuse.

piment nm **1** Fruit de diverses plantes à saveur piquante, utilisé comme condiment. **2** Ce qui donne du piquant à qqch. *Le piment d'un récit.*

pimenter vt **1** Assaisonner de piment. **2** Donner du piquant à. *Pimenter ses propos.*

pimpant, ante a Alerte et élégant.

pimprenelle nf Plante à fleurs roses.

pin nm Conifère à aiguilles persistantes.

pinacle nm Partie la plus haute d'un édifice.

pinacothèque nf Musée de peinture.

pinailler vi Fam Ergoter sur des riens.

pinailleur, euse n, a Fam Qui pinaille.

pinard nm Pop Vin.

pinasse nf Petit bateau de pêche.

pince nf **1** Outil ou accessoire à deux branches, servant à saisir ou à serrer. **2** Patte antérieure fourchue et articulée de certains crustacés. **3** Pop Main ou pied. **4** Pli cousu servant à ajuster un vêtement.

pincé, ée a Serré et mince. *Lèvres pincées.* Loc *Air pincé* : manière; distant.

pinceau nm **1** Instrument formé d'un faisceau de poils attaché au bout d'un manche, pour peindre, coller, etc. **2** Étroit faisceau de rayons lumineux. **3** Pop Pied.

pincée nf Quantité de poudre, de graines, etc., que l'on peut prendre entre ses doigts.

pincement nm **1** Action de pincer. **2** Sensation vive et quelque peu douloureuse.

pince-monseigneur nm Levier qu'utilisent les cambrioleurs pour forcer les portes. *Des pinces-monseigneur.*

pince-nez nm inv Binocle fixé sur le nez par un ressort.

pincer vt **10 1** Serrer étroitement avec les doigts, avec une pince, etc. **2** Produire une sensation vive, semblable à un pincement. *Le froid pince les joues.* **3** Resserrer, amincir. *Pincer les lèvres.* **4** Supprimer des bourgeons. **5** Fam Prendre, surprendre qqn. *On l'a pincé la main dans le sac.*

pince-sans-rire nm inv Qui plaisante tout en restant impassible.

pincette nf Petite pince. ■ *pl* Longue pince en fer servant à saisir les tisons.

pinçon nm Trace d'un pincement sur la peau.

pinéal, ale, aux a Loc ANAT *Glande pinéale* : épiphyse.

pineau nm Vin charentais mêlé de cognac.

pinède nf Terrain planté de pins.

pingouin nm Oiseau noir et blanc marin des régions arctiques, aux ailes très courtes.

ping-pong [piŋ-] nm Tennis de table.

pingre n, a Avare.

pingrerie nf Avarice mesquine.

pinnipède nm ZOOL Mammifère carnivore marin aux membres en forme de palettes natatoires (otaries, phoques, morses).

pinot nm Cépage rouge de Bourgogne.

pin's [pins] nm inv Badge qui se fixe grâce à une pointe. Syn. épinglette.

pinson nm Petit oiseau, bon chanteur.

pintade nf Oiseau de basse-cour, au plumage gris perlé de blanc.

pintadeau nm Jeune pintade.

pinte nf Mesure de capacité anglo-saxonne.

pin-up [pinœp] nf inv Fille jolie et sensuelle.

pinyin [pinjin] nm Système de transcription du chinois en caractères latins.

pioche nf Outil formé d'un fer allongé et courbe muni d'un manche, qui sert à creuser la terre. Loc Fam *Tête de pioche* : têtu, obstiné.

piocher vt **1** Creuser avec une pioche. **2** Fam Préparer avec ardeur, travailler beaucoup sur. ■ vi Puiser dans un tas.

piolet nm Courte pioche utilisée en alpinisme.

1. pion nm Chacune des huit plus petites pièces du jeu d'échecs ; chacune des pièces du jeu de dames.

2. pion, onne n Pop Surveillant d'études.

pioncer vi **10** Pop Dormir.

pionnier, ère n **1** Qui défriche les contrées inhabitées. **2** Qui ouvre une voie nouvelle.

pipe nf **1** Ustensile servant à fumer, composé d'un tuyau aboutissant à un fourneau contenant le tabac. **2** Élément de tuyauterie, conduit. Loc Pop *Casser sa pipe* : mourir. Fam *Par tête de pipe* : par personne.

pipeau nm Petite flûte à bec.

pipelet, ette n Pop **1** Concierge. **2** Personne bavarde, commère.

pipeline [piplin] ou [pajplajn] *nm* Canalisation servant au transport du pétrole ou du gaz.

piper *vt* Loc *Piper des dés, des cartes* : les truquer pour tricher au jeu. Fam *Ne pas piper (mot)* : ne pas broncher.

piperade [piperad] *nf* Omelette basque aux tomates et aux poivrons.

pipette *nf* Tube mince, souvent gradué, utilisé pour prélever des liquides.

pipi *nm* Fam Urine.

pipistrelle *nf* Petite chauve-souris.

pipit [-pit] *nm* Petit passereau des prairies.

piquant, ante *a* **1** Qui pique. **2** Qui produit une sensation vive. *Froid piquant.* **3** Qui plaît par sa finesse, sa vivacité ; plaisant. *Détail piquant.* ■ *nm* **1** Épine, aiguille. **2** Ce qui est plaisant. *Le piquant d'une aventure.*

pique *nf* **1** Arme ancienne, faite d'un fer aigu au bout d'une hampe. **2** Fam Propos destiné à agacer, à vexer. *Envoyer des piques.* ■ *nm* Une des couleurs noires des jeux de cartes.

piqué, ée *a* **1** Cousu par un point de couture. **2** Parsemé de trous de vers, de taches d'humidité, etc. **3** Aigri (vin). **4** Fam Un peu fou. ■ *nm* **1** Vol descendant d'un avion, très fortement incliné. **2** Étoffe dont le tissage forme des dessins en relief.

pique-assiette *n* inv Qui cherche toujours à se faire inviter à la table d'autrui ; parasite.

pique-feu *nm* inv Tisonnier.

pique-fleurs *nm* inv Socle mis au fond d'un vase pour maintenir les tiges de fleurs.

pique-nique *nm* Repas pris en plein air au cours d'une excursion. *Des pique-niques.*

pique-niquer *vi* Faire un pique-nique.

piquer *vt* **1** Percer avec un objet pointu. **2** Produire une sensation de piqûre, de picotement, de brûlure sur. *La fumée pique les yeux.* **3** Ficher dans. *Piquer une épingle dans une pelote.* **4** Fam Faire une piqûre thérapeutique à. **5** Blesser avec son crochet, son dard, son aiguillon. **6** Fixer à l'aide d'une pointe. *Piquer une gravure au mur.* **7** Faire des points de couture dans. **8** Produire une vive impression sur, exciter. *Piquer la curiosité de qqn.* **9** Fam

Prendre, voler, saisir. **10** Fam Manifester brusquement. *Piquer une colère.* ■ *vi* **1** Effectuer un piqué en avion. **2** Commencer à piquer (vin). ■ *vpr* Loc *Se piquer au jeu* : s'obstiner à venir à bout de qqch. *Se piquer de* : avoir la prétention de.

piquet *nm* **1** Petit pieu que l'on fiche en terre. *Piquet de tente.* **2** Punition consistant à mettre un élève tourné vers le mur. **3** Groupe de personnes affecté à un poste. *Piquet d'incendie. Piquet de grève.* **4** Jeu de cartes.

piqueter *vt* **19** Parsemer de points, de petites taches.

piquette *nf* **1** Vin aigrelet. **2** Fam Défaite écrasante.

piqûre *nf* **1** Petite plaie faite par un instrument aigu ou par le dard de certains animaux. **2** Sensation produite par qqch de piquant. **3** Injection sous-cutanée. **4** Rang de points de couture. **5** Trace (trou, tache) de ce qui est piqué.

piranha [piraɲa] *nm* Poisson carnivore des fleuves d'Amérique du Sud.

piratage *nm* Fait de reproduire une œuvre sans payer les droits légaux.

pirate *nm* **1** Aventurier courant les mers pour piller des navires. **2** Individu sans scrupules qui s'enrichit aux dépens des autres. Loc *Pirate de l'air* : qui détourne par la menace un avion de sa destination. ■ *a* Illicite, clandestin. *Enregistrement pirate.*

pirater *vi* Se livrer à la piraterie ou au piratage.

piraterie *nf* Activité, acte de pirate.

pire *a* Plus mauvais, plus méchant. ■ *nm* Ce qu'il y a de plus mauvais. *Envisager le pire.*

piriforme *a* En forme de poire.

pirogue *nf* Embarcation longue et étroite.

piroguier *nm* Conducteur d'une pirogue.

piroplasmose *nf* Maladie parasitaire transmise par les tiques à certains animaux.

pirouette *nf* **1** Tour complet qu'on fait en pivotant sur soi-même. **2** Brusque changement d'opinion.

pirouetter *vi* Faire une pirouette.

1. pis *nm* Mamelle d'un animal femelle.

2. pis *av* et *a* Plus mal, plus mauvais.

pis-aller [pizale] *nm inv* Ce dont on doit se contenter faute de mieux.

piscicole *a* De la pisciculture.

pisciculteur, trice *n* Qui pratique la pisciculture.

pisciculture *nf* Élevage de poissons comestibles.

pisciforme *a* En forme de poisson.

piscine *nf* Bassin où l'on pratique la natation.

piscivore *a* Qui se nourrit de poissons.

pisé *nm* Maçonnerie faite de terre argileuse mêlée de paille.

pissaladière *nf* Tarte en pâte à pain, garnie d'oignons, d'olives et d'anchois.

pissat *nm* Urine de certains animaux.

pisse *nf* Pop Urine.

pisse-copie *n inv* Fam Qui écrit beaucoup, sur n'importe quel sujet.

pisse-froid *nm inv* Fam Homme froid, ennuyeux.

pissenlit *nm* Plante à feuilles dentelées, à fleurs jaunes, qui peut se manger en salade.

pisser *vi* Fam **1** Uriner. **2** Laisser s'échapper un liquide.

pisseux, euse *a* Fam **1** Imprégné d'urine. **2** D'une couleur jaunâtre.

pissotière *nf* Pop Urinoir public.

pistache *nf* Graine du pistachier, utilisée en confiserie. ■ *a inv* D'un vert pâle.

pistachier *nm* Arbre des régions chaudes.

pistard, arde *n* Cycliste sur piste.

piste *nf* **1** Trace qu'un animal laisse de son passage. **2** Voie, indice qui conduit à découvrir qqn, qqch. **3** Emplacement servant de scène dans un cirque. **4** Chemin réservé aux cavaliers, aux cyclistes, aux skieurs. **5** Voie aménagée pour les atterrissages ou les décollages d'avions. **6** Route sommaire dans des régions désertiques, sauvages. **7** Partie d'une bande magnétique où l'on enregistre des informations.

pister *vt* Suivre la piste de ; suivre, filer.

pisteur, euse *n* Qui entretient les pistes de ski.

pistil *nm* BOT Organe femelle de la fleur.

pistole *nf* Ancienne monnaie d'or.

pistolet *nm* **1** Arme à feu individuelle à canon court, qui se tient à la main. **2** Instrument servant à planter les clous, des rivets, etc. **3** Pulvérisateur de peinture. **4** Embout métallique d'un tuyau de distribution du carburant.

pistolet-mitrailleur *nm* Arme à feu à tir par rafales. Syn. mitraillette. *Des pistolets-mitrailleurs.*

piston *nm* **1** Pièce cylindrique qui coulisse dans le cylindre d'un moteur, dans le corps d'une pompe. **2** Dispositif qui, sur certains instruments à vent, règle la hauteur des notes. **3** Fam Protection pour se faire attribuer une place, un avantage, etc.

pistonner *vt* Fam Appuyer, recommander qqn.

pistou *nm* Soupe provençale aromatisée au basilic.

pitance *nf* Fam Nourriture.

pitchpin *nm* Pin américain dont le bois est utilisé en menuiserie.

piteux, euse *a* Qui inspire une pitié mêlée de mépris par son aspect minable.

pithécanthrope *nm* Hominien fossile.

pithiviers *nm* Gâteau feuilleté fourré de pâte d'amandes.

pitié *nf* **1** Sentiment de sympathie qu'inspire le spectacle des souffrances d'autrui. **2** Sentiment de dédain, de mépris.

piton *nm* **1** Clou ou vis dont la tête a la forme d'un anneau ou d'un crochet. **2** Pointe d'une montagne élevée.

pitonner *vi* En alpinisme, poser des pitons.

pitoyable *a* Digne de pitié ; lamentable.

pitre *nm* Bouffon.

pitrerie *nf* Facétie, clownerie.

pittoresque *a* **1** Qui frappe par sa beauté. *Un site pittoresque.* **2** Qui dépeint les choses de manière imagée. *Style pittoresque.*

pituite *nf* Sécrétion muqueuse de l'estomac provoquant des vomissements.

pivert *ou* **pic-vert** *nm* (oiseau) vert et jaune, à tête rouge. *Des pics-verts.*

pivoine *nf* Plante à grosses fleurs odorantes.

pivot *nm* **1** Axe fixe autour duquel peut tourner une pièce mobile. **2** Support d'une dent artificielle enfoncé dans la racine. **3** Ce qui sert d'appui, de base ; principe fondamental.

pivotant

pivotant, ante *a* **1** Qui pivote. **2** BOT Qui s'enfonce verticalement dans le sol (racine).

pivoter *vi* Tourner sur un pivot ou comme sur un pivot.

pixel *nm* INFORM Point minimal d'une image, représenté sous forme numérique.

pizza [pidza] *nf* Mets italien fait de pâte à pain garnie de tomates, d'olives, etc.

pizzeria [pidzeRja] *nf* Restaurant où l'on mange des pizzas.

pizzicato [pidzi-] *nm* MUS Manière de produire le son en pinçant les cordes d'un instrument.

placage ou **plaquage** *nm* **1** Action de plaquer. **2** Mince feuille de bois précieux, avec laquelle on recouvre des bois de moindre valeur. **3** Au rugby, action de plaquer un adversaire.

placard *nm* **1** Renfoncement dans un mur, fermé par une porte et servant de rangement. **2** Écrit ou imprimé affiché. **3** IMPRIM Épreuve servant aux corrections. Loc Fam *Mettre qqn au placard* : le mettre à l'écart, le marginaliser.

placarder *vt* Afficher.

place *nf* **1** Dans une agglomération, espace découvert où aboutissent plusieurs rues. **2** Ville où se font les opérations financières ou commerciales. **3** Partie d'espace, endroit. **4** Siège, dans un véhicule, une salle de spectacle, etc. **5** Situation, condition, emploi de qqn. **6** Rang obtenu dans un classement. Loc *Place forte* : forteresse. *À la place de* : au lieu de, en remplacement de.

placé, ée *a* Se dit d'un cheval qui se classe dans les deux ou les trois premiers.

placebo *nm* MED Préparation inactive qu'on substitue à un médicament.

placement *nm* **1** Action de placer de l'argent ; l'argent ainsi placé. **2** Action de procurer une place, un emploi.

placenta [-sẽ-] *nm* **1** BIOL Organe qui assure, chez les mammifères, les échanges entre le fœtus et la mère, pendant la gestation. **2** BOT Partie de la paroi des carpelles ou s'insèrent les ovules.

placer *vt* **10 1** Mettre qqch ou qqn à une certaine place, dans une certaine situation. **2** Trouver preneur pour une marchandise.

3 Investir de l'argent. Loc Fam *Ne pas en placer une* : ne pouvoir intervenir dans une discussion.

placeur, euse *n* Qui s'occupe de conduire les gens à leur place.

placide *a* Lit Tranquille, paisible.

placidité *nf* Lit Caractère placide ; sérénité.

placier, ère *n* **1** Qui loue les places sur les marchés. **2** Représentant de commerce.

placoplâtre *nm* (n déposé) Panneau de plâtre moulé dans du carton.

plafond *nm* **1** Surface horizontale formant intérieurement la partie supérieure d'une pièce. **2** Couche nuageuse. **3** Limite supérieure qu'on ne doit pas dépasser.

plafonnement *nm* Fait de plafonner (II).

plafonner *vt* **1** Pourvoir d'un plafond. **2** Assigner une limite à. *Plafonner les prix.* ■ *vi* Atteindre une limite maximale.

plafonnier *nm* Lustre fixé au plafond.

plage *nf* **1** Partie basse d'une côte ou de la rive d'un cours d'eau, d'un lac. **2** Partie dégagée du pont d'un navire. **3** Partie d'un disque correspondant à un enregistrement. **4** Tablette horizontale entre la vitre et la banquette arrière d'une automobile. **5** Ensemble de valeurs comprises entre deux limites. **6** Espace de temps dans un programme, un planning.

plagiaire *n* Qui plagie.

plagiat *nm* Action de plagier ; copie.

plagier *vt* S'approprier les idées de qqn ; copier une œuvre.

plagiste *n* Exploitant d'une plage payante.

plaid *nm* Couverture de voyage écossaise.

plaider *vi* **1** Défendre oralement une cause devant les juges. **2** Être un argument favorable à qqn. ■ *vt* **1** Défendre en justice. *Plaider une affaire.* **2** Invoquer. *Plaider la folie.*

plaidoirie *nf* Action de plaider ; plaidoyer.

plaidoyer *nm* **1** Discours prononcé à l'audience par un avocat. **2** Exposé en faveur d'une cause.

plaie *nf* **1** Coupure, déchirure, brûlure de la peau, des chairs. **2** Blessure affective. **3** Chose, personne nuisible ou pénible.

plaignant, ante *n, a* Qui dépose une plainte en justice.

plain-chant nm Musique liturgique vocale, monodique. *Des plains-chants.*

plaindre vt 57 Témoigner de la compassion à qqn. ■ **vpr** 1 Manifester sa souffrance, sa douleur. 2 Témoigner son mécontentement au sujet de qqn, de qqch.

plaine nf Grande étendue plate et unie.

plain-pied (de) av 1 Sur le même niveau. 2 Sur un pied d'égalité.

plainte nf 1 Gémissement, cri de souffrance. 2 Récrimination. 3 Dénonciation, par la victime, d'une infraction pénale.

plaintif, ive a Qui a l'accent de la plainte.

plaire vti, vti 68 Être agréable à, charmer. **Loc** *S'il vous (te) plaît :* formule de politesse employée pour une demande, un conseil, un ordre. ■ **vpr** 1 Se trouver bien dans un lieu, une situation, une compagnie, etc. 2 Trouver du plaisir, de l'agrément à qqch. *Il se plaît à contredire son frère.*

plaisance nf Navigation faite par des amateurs pour leur seul plaisir.

plaisancier, ère n Qui pratique la navigation de plaisance.

plaisant, ante a 1 Qui plaît, agréable. 2 Qui fait rire, amusant. ■ **nm** Ce qui est plaisant.

plaisanter vi 1 Dire des choses destinées à faire rire, à amuser. 2 Dire ou faire qqch sans vouloir se prendre au sérieux, par jeu.

plaisanterie nf Propos destiné à faire rire, à amuser. **Loc** *C'est une plaisanterie :* c'est très facile ou c'est ridicule.

plaisantin n 1 Dont les propos manquent de sérieux ; farceur. 2 Personne sur qui on ne peut compter.

plaisir nm 1 Sensation, sentiment agréable. 2 Jouissance sexuelle. 3 Ce qui procure du plaisir ; divertissement, distraction.

1. plan nm 1 Surface plane. 2 GEOM Surface telle qu'une droite qui y a deux de ses points y est entièrement contenue. 3 Chacune des parties d'une image définie par son éloignement de l'œil. *Au deuxième plan.* 4 Importance relative de qqn ou de qqch. *Personnage de premier plan.* 5 Représentation graphique d'une construction, d'un lieu, d'un appareil, d'une installation. 6 Disposition des parties

d'un ouvrage littéraire. 7 Ensemble de dispositions en vue de l'exécution d'un projet. **Loc** *Plan comptable :* ensemble des règles pour la présentation des comptabilités. *En plan :* en suspens, en attente. *Plan d'eau :* étendue d'eau calme. *Sur le plan de :* du point de vue de. *Gros plan :* prise de vues rapprochée.

2. plan, plane a Qui ne présente aucune inégalité de niveau, aucune courbure ; plat et uni.

planche nf 1 Longue pièce de bois plate et peu épaisse. 2 Feuille contenant les illustrations, jointe à un ouvrage. 3 Petit espace de terre cultivée. **Loc** *Planche de salut :* ultime recours. *Faire la planche :* se laisser flotter sur le dos. *Planche à voile :* flotteur allongé muni d'une voile sur mât articulé. ■ **pl** La scène, le théâtre.

planche-contact nf Tirage par contact sur une feuille de papier de toutes les photos d'un film. *Des planches-contacts.*

planchéier vt Revêtir de planches, d'un plancher.

1. plancher nm 1 Séparation horizontale entre deux étages. 2 Partie supérieure de cette séparation, constituant le sol d'un appartement. 3 Niveau, seuil minimal. **Loc** Fam *Le plancher des vaches :* la terre ferme (par opposition à la mer, aux airs).

2. plancher vi Fam Faire un exposé.

planchette nf Petite planche.

planchiste n Qui pratique la planche à voile.

plancton nm Ensemble des êtres vivants, microscopiques en suspension dans l'eau.

plané am **Loc** *Vol plané :* vol d'un oiseau, d'un avion qui plane.

planéité nf Caractère d'une surface plane.

planer vi 1 Évoluer dans l'air sans battre des ailes (oiseau), sans l'aide d'un moteur (avion, planeur). 2 Considérer qqch sans s'arrêter aux détails ; survoler, dominer. 3 Fam Se sentir euphorique. 4 Fam Ne pas avoir le sens du concret. 5 Peser comme une menace.

planétaire a 1 Relatif aux planètes. 2 Mondial.

planétarium [-rjɔm] *nm* Salle à coupole où sont représentés les astres et leurs mouvements.

planète *nf* Corps céleste gravitant autour du Soleil ou d'une étoile.

planétologie *nf* Étude des planètes.

planeur *nm* Avion sans moteur qu'on fait planer en tirant parti des vents.

planèze *nf* Plateau basaltique.

planification *nf* **1** Action de planifier. **2** Organisation des moyens et des objectifs d'une politique économique.

planifier *vt* Organiser, prévoir selon un plan.

planimétrie *nf* Géométrie des surfaces planes.

planisphère *nm* Carte représentant les deux hémisphères de la sphère terrestre ou céleste en projection plane.

plan-masse *nm* Syn de plan de masse. Des plans-masses.

planning [-niŋ] *nm* Programme qui échelonne les phases d'un travail à accomplir. **Loc** *Planning familial :* contrôle des naissances.

planque *nf* Fam **1** Cachette. **2** Poste agréable, peu exposé.

planqué *nm* Fam Qui a trouvé une planque.

planquer *vt* Fam Cacher, mettre à l'abri.

plan-relief *nm* Maquette d'une ville, d'une place forte. Des plans-reliefs.

plan-séquence *nm* Séquence cinématographique constituée d'un seul plan. Des plans-séquences.

plant *nm* Jeune plante destinée à être transplantée ou repiquée.

plantain *nm* Plante herbacée dont la graine sert à nourrir les oiseaux.

plantaire *a* De la plante du pied.

plantation *nf* **1** Action de planter. **2** Ensemble des végétaux dont un terrain est planté. **3** Exploitation agricole dans les pays tropicaux.

plante *nf* Tout végétal enraciné au sol. **Loc** *Plante du pied :* sa face inférieure.

planter *vt* **1** Mettre en terre une plante pour qu'elle prenne racine. **2** Garnir un terrain de végétaux. *Une allée plantée d'arbres.* **3** Enfoncer, ficher, installer. *Planter un poteau.* ■ *vpr* **1** Se placer debout, immobile. **2** Fam Percuter un obstacle. **3** Fam Échouer, se tromper.

planteur *nm* Exploitant d'une plantation.

plantigrade *a, nm* ZOOL Qui pose toute la surface du pied sur le sol.

plantoir *nm* Outil servant à faire des trous dans le sol pour y mettre des graines.

planton *nm* Soldat ou employé affecté auprès d'un bureau, pour assurer les liaisons.

plantureux, euse *a* **1** Copieux, abondant. *Un repas plantureux.* **2** Bien en chair.

plaquage. V. placage.

plaque *nf* **1** Morceau plat et de faible épaisseur d'une matière rigide. *Des plaques d'ardoise.* **2** Insigne de certaines fonctions ou dignités. **3** Tache superficielle apparaissant sur la peau ou les muqueuses. **4** GÉOL Chacun des éléments mobiles constituant l'enveloppe externe de la Terre. **Loc** Fam *Être à côté de la plaque :* se tromper. *Plaque tournante :* centre de rencontres, d'opérations, de décisions. *Plaque dentaire :* enduit qui se dépose sur les dents et qui favorise l'apparition de caries. *Plaque à vent :* couche de neige instable agglomérée par le vent.

plaqué *nm* **1** Métal commun recouvert d'une mince couche de métal précieux. **2** Bois recouvert de placage.

plaquemine *nf* Syn de kaki.

plaqueminier *nm* Arbre des régions chaudes à bois très dur, fournissant le kaki.

plaquer *vt* **1** Appliquer une plaque, une feuille mince, une couche sur une surface. **2** Aplatir, maintenir contre qqch. **3** Fam Quitter, abandonner. *Il a plaqué sa femme.* **4** Au rugby, saisir un adversaire aux jambes pour le faire tomber. **Loc** *Plaquer un accord :* frapper simultanément les notes qui le composent.

plaquette *nf* **1** Petite plaque. **2** Petit livre. **3** BIOL Élément du sang qui joue un rôle important dans la coagulation.

plasma *nm* **1** PHYSIOL Partie liquide du sang où sont en suspension les hématies, les leucocytes, les plaquettes. **2** PHYS Gaz ionisé constituant le quatrième état de la matière.

plasmaphérèse *nf* MED Centrifugation du sang prélevé, pour en séparer les constituants.

plasmide nf BIOL Dans une bactérie, fragment d'A.D.N. indépendant du chromosome.

plasmodium [-djɔm] nm Protozoaire agent du paludisme.

plastic nm Explosif à la consistance de mastic.

plasticien, enne n Artiste qui se consacre aux arts plastiques.

plasticité nf Aptitude d'une matière à se laisser modeler.

plasticulture nf AGRIC Culture, sous abri, de matière plastique.

plastie nf Opération de chirurgie réparatrice.

plastifiant nm Produit qui augmente la plasticité d'un mélange.

plastification nf Action de plastifier.

plastifier vt Recouvrir d'une feuille ou d'un enduit en matière plastique.

plastique a 1 Qu'on peut modeler. Argile plastique. 2 De forme harmonieuse. Loc **Arts plastiques** : la peinture, la sculpture, le modelage. **Chirurgie plastique** : qui corrige les déformations, les malformations, qui restaure les tissus. **Matière plastique** : syn de plastique (nm). ■ nf 1 Formes d'un corps, d'une statue. 2 Art de modeler, de sculpter. ■ nm Produit obtenu par moulage de substances organiques ou synthétiques. Un sac en plastique.

plastiquer vt Faire sauter avec du plastic.

plastron nm Pièce d'étoffe appliquée sur le devant d'un corsage ou d'une chemise.

plasturgie nf Industrie des matières plastiques.

1. plat, plate a 1 Qui a une surface plane, unie. Terrain plat. 2 Peu profond, peu saillant. Assiette plate. 3 De peu d'épaisseur. Poissons plats. 4 Sans caractère, banal, insipide. Style plat. 5 Servile, obséquieux. Loc **A plat** : horizontalement, sur la face large ; épuisé, vidé. **À plat ventre** : couché le ventre contre le sol. **Mettre à plat** : considérer un problème dans toutes ses implications. **Eau plate** : non gazeuse. ■ nm Partie plate de qqch. Le plat de la main.

2. plat nm 1 Pièce de vaisselle dans laquelle on sert les mets. 2 Mets d'un menu. Loc Fam

Mettre les pieds dans le plat : entrer dans le vif du sujet. **Plat de résistance** : plat principal d'un repas.

platane nm Grand arbre dont l'écorce se détache par larges plaques.

plat-bord nm Surface horizontale qui termine le bord d'un navire. Des plats-bords.

plateau nm 1 Plaque, tablette destinée à présenter qqch ou à servir de support. 2 Disque d'un frein, d'un embrayage. 3 Roue dentée d'un pédalier de bicyclette. 4 Scène d'un théâtre, d'un studio de télévision ; ensemble des personnes présentes sur cette scène. 5 Grande surface plane située en altitude. Loc **Plateau technique** : ensemble des équipements d'un hôpital.

plateau-repas nm Plateau divisé en compartiments servi dans un avion, un self-service, etc. Des plateaux-repas.

plate-bande nf Bande de terre entourant un parterre, plantée de fleurs, d'arbustes. Des plates-bandes.

platée nf Contenu d'un plat.

plate-forme nf 1 Surface plane horizontale, généralement surélevée. 2 Support plat et surélevé équipé de différents matériels. 3 Structure destinée au forage et à l'exploitation d'un puits de pétrole sous-marin. 4 Structure munie d'un équipement adéquat pour telle activité économique. 5 Support électronique d'un logiciel. 6 Programme servant de point de départ à une politique. Des plates-formes.

platement av Sans originalité.

1. platine nf 1 Plaque qui soutient le mécanisme d'un mouvement d'horlogerie. 2 Ensemble constitué par le plateau et les organes moteurs d'un électrophone. 3 Plateau d'un microscope, sur lequel on place la préparation à examiner.

2. platine nm Métal précieux très ductile, de densité élevée.

platiné, ée a D'un blond très pâle. Loc **Vis platinée** : pastille de contact d'un système d'allumage de moteur automobile.

platinoïde nm CHIM Métal dont les propriétés sont analogues à celles du platine.

platitude nf Acte, propos d'une servilité, d'une banalité.

platonicien, enne *a, n* Relatif à la philosophie de Platon.

platonique *a* 1 Exempt de toute relation charnelle. *Amour platonique.* 2 Sans résultat pratique. *Vœu platonique.*

plâtras *nm* Débris de plâtre, de ciment, etc.

plâtre *nm* 1 Poudre blanche provenant de la calcination du gypse qui, mélangée à de l'eau, forme une pâte plastique qui sert en construction. 2 Ouvrage moulé en plâtre. 3 MED Appareil utilisé pour le traitement d'une fracture.

plâtrer *vt* 1 Couvrir, enduire de plâtre. 2 Mettre un membre fracturé dans un plâtre.

plâtreux, euse *a* 1 Qui contient du plâtre. 2 Qui a, évoque l'aspect du plâtre. *Teint plâtreux.*

plâtrier *nm* Qui travaille le plâtre ou qui vend du plâtre.

plâtrière *nf* Carrière de gypse.

platyrhinien *nm* ZOOL Singe d'Amérique, tel que le ouistiti et le sajou.

plausible *a* Qui peut être considéré comme vrai. *Explication plausible.*

play-back [plebak] *nm inv* Technique qui consiste à chanter en synchronisme avec un enregistrement effectué préalablement.

play-boy [plɛbɔj] *nm* Jeune homme au physique séduisant. *Des play-boys.*

plèbe *nf* 1 ANTIQ À Rome, la classe populaire. 2 Litt Bas peuple.

plébéien, enne *a, n* De la plèbe.

plébiscite *nm* Vote direct du peuple, par lequel il est appelé à investir une personne du pouvoir de diriger l'État.

plébisciter *vt* Élire, approuver à une très forte majorité.

plectre *nm* MUS Médiator.

pléiade *nf* Litt Groupe de personnes ou de choses remarquables.

plein, pleine *a* 1 Qui contient tout ce qu'il peut contenir ; rempli. *Un verre plein.* 2 Qui contient une grande quantité de, qui a beaucoup de. *Une chemise pleine de taches.* 3 Qui porte des petits. *Femelle pleine.* 4 Dont la matière occupe la masse entière. *Brique pleine.* 5 Qui est complet, entier ; qui est à son maximum. *Un jour plein. La lune est pleine. La mer*

est pleine. Loc *En plein(e)* (+ n) : tout à fait dans, pendant, au milieu de. ■ *nm* 1 Ce qui est plein, rempli. 2 Partie grasse d'un caractère calligraphié. Loc *Faire le plein :* remplir un réservoir ; remplir un lieu au maximum ; obtenir le maximum. *Battre son plein :* être à son degré le plus intense. ■ *av* Loc Fam *Plein de :* beaucoup de. *En plein :* exactement. *À plein :* entièrement, au maximum. ■ *prép* En abondance dans, sur. *De l'argent plein les poches.*

plein-air [plɛnɛʁ] *nm inv* Activités sportives d'un établissement scolaire pratiquées à l'extérieur.

pleinement *av* Totalement.

plein-emploi *nm* Situation où toute la main-d'œuvre peut trouver un emploi.

plein-temps *nm* Situation d'un travailleur employé pendant le temps normal de travail. *Des pleins-temps.*

plein-vent *nm* Arbre fruitier qui n'est pas en espalier. *Des pleins-vents.*

pléistocène *nm* GEOL Début du quaternaire.

plénier, ère *a* Où tous les membres d'un corps sont convoqués.

plénipotentiaire *nm* Agent diplomatique investi de pleins pouvoirs.

plénitude *nf* Litt Totalité, intégrité.

plénum [-nɔm] *nm* Réunion plénière d'une assemblée, d'un comité, etc.

pléonasme *nm* Emploi de mots renforçant l'idée ou l'indication déjà exprimée (ex. : *je l'ai vu de mes yeux, sortir dehors*).

plésiosaure *nm* GEOL Grand reptile marin fossile du secondaire.

pléthore *nf* Abondance excessive.

pléthorique *a* Surabondant.

pleur *nm* Litt (surtout pl) Larme.

pleurage *nm* Déformation d'un son enregistré (disque, cassette).

pleural, ale, aux *a* ANAT De la plèvre.

pleurer *vi* 1 Verser des larmes. 2 Se lamenter, déplorer qqch. *Pleurer sur son sort.* ■ *vt* S'affliger de la disparition de qqn. *Pleurer un ami.*

pleurésie *nf* Inflammation de la plèvre.

pleureur, euse ■ Loc *Saule pleureur :* dont les branches retombent. ■ *nf* Femme payée pour pleurer le défunt, dans certaines civilisations.

pleurnicher *vi* 1 Pleurer sans raison précise. 2 Prendre un ton larmoyant.

pleurnicheur, euse ou **pleurnichard, arde** *a, n* Qui pleurniche.

pleurote *nm* Champignon comestible qui pousse sur les troncs d'arbres.

pleutre *nm, a* Litt Homme sans courage.

pleuvasser, pleuvoter ou **pleuviner** *v impers* Pleuvoir à fines gouttes, bruiner.

pleuvoir *v impers* 38 Tomber (pluie). ■ *vi* Tomber en grande quantité. *Les critiques pleuvent.*

plèvre *nf* Membrane séreuse enveloppant les poumons.

plexiglas [-glas] *nm* (n déposé) Matière plastique transparente et flexible.

plexus [plɛksys] *nm* ANAT Entrelacement de filets nerveux ou de vaisseaux. **Loc** *Plexus solaire :* centre neurovégétatif, situé dans l'abdomen.

pli *nm* 1 Rabat d'une étoffe, d'une feuille, etc, sur elle-même. *Jupe à plis.* 2 Marque qui reste à l'endroit où une chose a été pliée. 3 Ondulation, sinuosité. *Les plis d'un rideau.* 4 GEOL Ondulation des couches de terrain à la suite d'une contrainte tectonique. *Pli convexe* (anticlinal), *concave* (synclinal). 5 Bourrelet ou ride de la peau. 6 Enveloppe d'une lettre ; missive. 7 Levée, aux cartes. 8 Habitude. *Prendre le pli.* **Loc** *Mise en plis :* fait de donner une forme aux cheveux en les séchant.

pliage *nm* Action de plier ; manière dont une chose est pliée.

pliant, ante *a* Spécialement conçu pour être plié en cas de besoin. *Lit pliant.* ■ *nm* Petit siège de toile pliant.

plie *nf* Poisson plat, dit aussi *carrelet.*

plier *vt* 1 Rabattre sur lui-même un objet fait d'une matière souple ou un objet articulé. *Plier un éventail. Plier une couverture.* 2 Ployer, courber une chose flexible. *Plier une branche.* 3 Assujettir. *Plier qqn à sa volonté.*

■ *vi* 1 Se courber, ployer. 2 Céder, se soumettre. ■ *vpr* Se conformer. *Se plier aux coutumes.*

plinthe *nf* Bande en relief appliquée au bas d'un mur.

pliocène *nm* GEOL Dernier étage du tertiaire.

plissé *nm* Aspect de ce qu'on a plissé.

plissement *nm* 1 Action de plisser. 2 Déformation de l'écorce terrestre.

plisser *vt* Marquer de plis. *Plisser une jupe. Plisser le front.* ■ *vi* Faire des faux plis.

pliure *nf* 1 Action de plier les feuilles de papier. 2 Endroit où se forme un pli.

plomb *nm* 1 Métal gris, lourd et très malléable. 2 Grain de ce métal garnissant une cartouche ou lestant une ligne de pêche. 3 Fusible d'un circuit électrique. 4 Petit sceau de ce métal. 5 Composition typographique.

plombage *nm* 1 Action de plomber. 2 Amalgame qui plombe une dent.

plombagine *nf* Graphite dont on fait les mines de crayons.

plombe *nf* Pop Heure. *À trois plombes du matin.*

plombé, ée *a* Grisâtre. *Ciel plombé.*

plomber *vt* 1 Garnir de plomb. 2 Obturer une dent avec un plombage. 3 Sceller avec du plomb.

plomberie *nf* 1 Métier du plombier (pose de canalisations, des installations sanitaires). 2 Ensemble des canalisations domestiques.

plombier *nm* Ouvrier ou entrepreneur en plomberie.

plombières *nf* Glace aux fruits confits.

plombifère *a* Qui contient du plomb.

plonge *nf* **Loc** *Faire la plonge :* laver la vaisselle, dans un restaurant.

plongeant, ante *a* Dirigé de haut en bas.

plongée *nf* 1 Action de s'enfoncer dans l'eau et d'y demeurer un certain temps. 2 Prise de vues effectuée en dirigeant la caméra vers le bas.

plongeoir *nm* Tremplin d'où on plonge.

plongeon *nm* 1 Saut dans l'eau la tête première. 2 Oiseau aquatique des régions septentrionales.

plonger vt 11 1 Enfoncer dans un liquide. 2 Enfoncer profondément et d'un seul coup. *Plonger un poignard dans la poitrine de qqn.* 3 Jeter dans telle situation, tel état. *Cette nouvelle l'a plongé dans le désespoir.* ■ vi 1 S'immerger entièrement en faisant un plongeon ou une plongée. 2 Suivre une direction de haut en bas. *D'ici, la vue plonge sur la vallée.* 3 S'enfoncer profondément. *Racine qui plonge dans la terre.* 4 Se jeter à terre. ■ vpr Se livrer tout entier à une occupation.

plongeur, euse n 1 Qui plonge, pratique la plongée. 2 Qui fait la plonge, dans un restaurant.

plot nm ELECTR Petite pièce métallique servant à établir un contact.

plouc n, a Fam Personne fruste.

plouf ! interj Imite le bruit d'un objet qui tombe dans l'eau.

ploutocrate n Homme riche et puissant.

ploutocratie nf Gouvernement des riches.

ployer vi 22 Fléchir sous un poids, une pression.

pluches nfpl Fam Épluchures.

pluie nf 1 Eau qui tombe en gouttes des nuages. 2 Chute d'objets nombreux. *Pluie de projectiles.* 3 Distribution en grand nombre. *Pluie de récompenses.*

plumage nm Plumes d'un oiseau.

plumard nm Pop Lit.

plume nf 1 Tige creuse garnie de barbes qui couvre en grand nombre le corps d'un oiseau. 2 Petite pièce métallique servant à écrire. Loc *Poids plume :* boxeur pesant de 53 à 57 kg.

plumeau nm Petite balayette garnie de plumes qu'on utilise pour l'époussetage.

plumer vt 1 Dépouiller un oiseau de ses plumes. 2 Fam Voler, dépouiller qqn.

plumet nm Bouquet de plumes ornemental.

plumier nm Boîte allongée servant à ranger les plumes, les crayons, etc.

plupart (la) nf Le plus grand nombre, la majorité. Loc *La plupart du temps :* le plus souvent.

plural, ale,aux a Qui renferme plusieurs éléments. Loc *Vote plural :* dans lequel certains votants disposent de plusieurs voix.

pluralisme nm Mode d'organisation de la vie collective qui admet la diversité des opinions.

pluralité nf Fait de n'être pas unique.

pluriannuel, elle a Sur plusieurs années.

pluricellulaire a BIOL Formé de plusieurs cellules.

pluridimensionnel, elle a À plusieurs dimensions.

pluridisciplinaire a Qui concerne plusieurs sciences ou disciplines.

pluriel, elle a Qui indique la pluralité. ■ nm Catégorie grammaticale correspondant à l'expression de la pluralité.

pluriethnique a Constitué de plusieurs ethnies.

plurilatéral, ale,aux a Qui concerne plusieurs parties.

plurilingue a, n Qui utilise plusieurs langues.

plurinominal, ale,aux a Qui donne lieu à un vote pour plusieurs candidats.

pluripartisme nm Existence simultanée de plusieurs partis politiques.

plurivalent, ente a Qui peut prendre plusieurs valeurs.

plurivoque a Qui a plusieurs sens.

1. plus [ply] ou [plys] ou [plyz] av 1 Indique la supériorité en quantité, en degré. *Il y a plus de vingt ans. Ceci est plus grave. Sa maison est la plus belle.* 2 Indique l'addition. *Trois plus (+) quatre égale sept.* Loc *Au plus :* au maximum. *Tout au plus :* beaucoup, abondamment. *Plus ou moins :* à un degré incertain. *Ni plus ni moins :* exactement. ■ nm Supériorité, avantage. *La maîtrise de deux langues étrangères est un plus.*

2. plus [ply] ou [plyz] av Avec ne, indique la cessation de qqch. *Il ne pleut plus.*

plusieurs a, pr Plus d'un, plus d'une. *Plusieurs personnes sont là. Il a plusieurs maisons.*

plus-que-parfait nm Temps de l'indicatif et du subjonctif marquant le passé par rapport à un temps déjà passé (ex. : *j'avais prévu*).

plus-value nf Augmentation de la valeur d'un bien, majoration de prix. *Des plus-values.*

plutonigène a Qui produit du plutonium.

plutonique a GEOL Se dit d'une roche formée en profondeur.

plutonium [-njɔm] nm Élément radioactif artificiel, utilisé dans les bombes atomiques.

plutôt av 1 De préférence. 2 Assez, passablement.

pluvial, ale, aux a De la pluie.

pluvier nm Échassier nichant au bord des eaux.

pluvieux, euse a Caractérisé par la pluie.

pluviomètre nm Instrument de pluviométrie.

pluviométrie nf Mesure de la quantité d'eau de pluie tombée.

pluviôse nm HIST Cinquième mois du calendrier républicain (janvier-février).

pluviosité nf Quantité de pluie tombée dans une région pendant un temps donné.

p.m. Abrév de post meridiem : après-midi.

P.M.E. Sigle de petite et moyenne entreprise.

P.N.B. nm Sigle de produit national brut.

pneu nm Bandage d'une roue, constitué de caoutchouc, qui enveloppe une chambre à air. Des pneus.

pneumatique a 1 Qui fonctionne à l'air comprimé. 2 Gonflable. ■ nm Pneu.

pneumoconiose nf Maladie pulmonaire causée par l'inhalation de poussières.

pneumocoque nm Bacille de la pneumonie.

pneumocystose nf Pneumopathie grave, intervenant souvent en phase terminale du sida.

pneumogastrique a, nm ANAT Chacun des deux nerfs crâniens qui innervent le larynx, le pharynx, le cœur, l'estomac, les intestins et le foie. Syn. nerf vague.

pneumologie nf Étude du poumon et de ses maladies.

pneumonie nf Inflammation aiguë du poumon, due au pneumocoque.

pneumopathie nf MED Affection pulmonaire.

pneumothorax nm MED Épanchement d'air dans la cavité pleurale.

pochade nf 1 Peinture exécutée en quelques coups de pinceau. 2 Œuvre littéraire rapidement écrite.

pochard, arde n Fam Ivrogne, ivrognesse.

poche nf 1 Partie d'un vêtement formant un petit sac pour contenir ce qu'on veut porter sur soi. 2 Partie séparée d'un sac, d'une valise, etc. 3 Sac. Poche de papier. 4 Cavité où une substance est accumulée. 5 Renflement, boursouflure. 6 Secteur limité où se manifeste qqch. Poche de résistance. Loc De poche : de format réduit. Poche. Argent de poche : pour les dépenses personnelles. ■ nm Livre de poche.

pocher vt 1 CUIS Plonger dans un liquide bouillant des œufs sans leur coquille, des fruits, etc. 2 Dessiner en quelques coups de pinceau. Loc Fam Pocher l'œil à qqn : lui donner un coup qui occasionne une meurtrissure.

pochette nf 1 Petit mouchoir qui orne la poche de poitrine d'un veston. 2 Enveloppe, sachet. Pochette de disque.

pochette-surprise nf Cornet de papier dont le contenu est censé émerveiller les enfants. Des pochettes-surprises.

pochoir nm Plaque découpée permettant de peindre facilement des lettres, des dessins.

pochoiriste n Qui dessine au pochoir.

pochon nm Petit sac qui se fixe à la ceinture.

pochothèque nf Librairie spécialisée dans les livres de poche.

podium [-djɔm] nm Estrade sur laquelle les sportifs vainqueurs reçoivent leur prix.

podologie nf MED Étude et soins du pied.

podologue nm Spécialiste de podologie.

podomètre nm Appareil qui enregistre le nombre de pas d'un piéton.

podzol nm Sol acide des régions froides.

1. poêle [pwal] nm 1 Appareil de chauffage à foyer clos. 2 Drap dont on couvre le cercueil pendant un enterrement.

2. poêle [pwal] nf Ustensile de cuisine peu profond, pour les fritures.

poêlée [pwale] nf Contenu d'une poêle.

poêler [pwale] vt Cuire, passer à la poêle.

poêlon [pwalɔ̃] nm Casserole épaisse, à manche creux.

poème nm Ouvrage en vers ou en prose dont le style et l'inspiration relèvent de la poésie.

poésie nf 1 Forme d'expression littéraire caractérisée par une utilisation harmonieuse des sons et des rythmes du langage et par une grande richesse d'images. 2 Poème. *Un choix de poésies.* 3 Caractère poétique.

poète nm 1 Écrivain qui s'adonne à la poésie. 2 Qui a une vision poétique des choses. 3 Qui manque de réalisme.

poétesse nf Femme poète.

poétique a 1 De la poésie. *Style poétique.* 2 Qui suscite une émotion esthétique. *Paysage poétique.* ■ nf Technique de la poésie.

pogne nf Pop Main.

pognon nm Pop Argent.

pogrome nm Émeute antisémite souvent accompagnée de massacres.

poids nm 1 Force qui s'exerce sur un corps du fait de l'attraction terrestre. 2 Masse de métal marquée servant à peser. 3 Masse pesante. *Horloge ancienne à poids.* 4 Ce qui accable, oppresse. 5 Importance, force de qqch ou de qqn. *Un argument de poids.*

poids lourd nm 1 Gros camion. 2 Fam Personne ou entreprise qui compte dans son domaine. *Des poids lourds.*

poignant, ante a Qui cause une impression vive et pénible ; qui étreint le cœur.

poignard nm Couteau à lame courte et large.

poignarder vt Frapper avec un poignard.

poigne nf 1 Force du poignet, de la main. 2 Fam Autorité, énergie pour se faire obéir.

poignée nf 1 Quantité que peut contenir la main fermée. 2 Petit nombre de personnes. 3 Partie d'un objet destinée à être tenue dans la main fermée. Loc *Poignée de main* : geste de salutation ou d'accord.

poignet nm 1 Articulation de l'avant-bras avec la main. 2 Extrémité de la manche d'un vêtement, près de la main.

poil nm 1 Production filamenteuse de la peau des mammifères. *Des poils de barbe. Un chien à poil ras.* 2 Filament de certaines plantes. 3 Partie velue d'une étoffe. Loc *De tout*

poil : de toute nature, de toute espèce. Fam Pop *À poil* : tout nu. Pop *Au poil* : très bon, parfait.

poil-de-carotte a inv Fam Roux.

poiler (se) vpr Pop Rire.

poilu, ue a Couvert de poils abondants. ■ nm Fam Combattant français de la guerre de 1914-1918.

poinçon nm 1 Tige d'acier à extrémité pointue, qui sert à percer, à découper, à emboutir. 2 Instrument qui sert à marquer les objets soumis à un contrôle ; marque ainsi produite.

poinçonner vt 1 Marquer au poinçon. 2 Perforer, oblitérer un billet de train, un ticket, etc.

poinçonneur, euse n Qui poinçonne. ■ nf Machine à poinçonner les billets.

poindre vi 62 Litt Commencer à apparaître (jour, branche, sentiment).

poing nm Main fermée. Loc *Dormir à poings fermés* : profondément.

1. point nm 1 Signe de ponctuation ou d'écriture. *Mettre un point à la fin d'une phrase. Point d'interrogation. Le point de i, de j.* 2 Endroit fixe, déterminé. *Point de ralliement.* 3 GEOM Lieu sans étendue, marquant une position dans un plan, dans l'espace. 4 Question, sujet traité ; division d'un discours. 5 Degré dans une évolution. *Point de congélation.* 6 Unité de notation d'un travail scolaire, d'une épreuve sportive, etc. 7 Piqûre faite en cousant ; marque du fil entre deux piqûres. 8 Manière d'exécuter des travaux d'aiguille. 9 Douleur aiguë. *Point de côté. Avoir un point dans le dos.* Loc *Au point* : exactement réglé. *À point* : au moment ou au degré voulu. *En tout point* : exactement. *Faire le point* : déterminer la position d'un navire, d'un avion ; examiner clairement la situation. *Être sur le point de* : être prêt à, près de. *Point du jour* : lever du jour. *Point mort* : position débrayée du changement de vitesses ; état d'une situation qui n'évolue plus ; niveau minimal d'une production assurant l'équilibre des comptes. *Mettre son point d'honneur à faire qqch* : s'en faire une obligation absolue.

2. point av Vx Pas. *On ne l'aime point.*

pointage nm Action de pointer.

point de vue nm 1 Lieu d'où on voit bien un paysage. 2 Manière de voir, d'envisager qqch. *Exposer son point de vue*. **Loc** *Au (ou du) point de vue de :* relativement à. *Des points de vue.*

pointe nf 1 Bout piquant, aigu. *La pointe d'une aiguille*. 2 Extrémité effilée d'un objet. *Pointe d'asperge*. 3 Très petite quantité. *Une pointe d'ail*. 4 Clou cylindrique. 5 Petit châle triangulaire. 6 Accélération momentanée. *Pointe de vitesse*. 7 Moment de plus grande intensité d'un phénomène. *Une pointe d'activité économique*. **Loc** *Pointe sèche :* procédé de gravure utilisant un stylet d'acier ; ce stylet. ■ *pl* Attitude d'une danseuse dressée sur le bout de ses chaussons.

pointeau nm TECH Tige pointue pour régler le débit d'un fluide.

1. pointer vt 1 Marquer d'un point, d'un signe. 2 Contrôler. *Pointer les entrées*. 3 Diriger vers un point, un but ; braquer. 4 Dresser en pointe. *Pointer les oreilles*. 4 Signaler, dénoncer. *Pointer un abus*. ■ vi 1 Enregistrer son arrivée ou son départ sur une horloge pointeuse. 2 Commencer à paraître. *Le jour pointe*. 3 Se dresser en pointe. 4 Aux boules, lancer la boule le plus près possible du but. ■ vpr Fam Arriver.

2. pointer [-tɛʀ] nm Chien d'arrêt anglais.

pointeur, euse a, n Qui effectue un contrôle. ■ nf Horloge enregistreuse.

pointillé nm Ligne formée d'une suite de petits points, de petits trous.

pointilleux, euse a Exigeant jusque dans les moindres détails ; minutieux.

pointillisme nm Technique picturale qui consiste à juxtaposer des touches très petites.

pointu, ue a 1 Qui se termine en pointe. 2 Hautement spécialisé. *Formation pointue*. 3 Très raffiné, très subtil. *Raisonnement pointu*.

pointure nf 1 Taille des chaussures, des gants, etc. 2 Fam Personnage important.

point-virgule nm Signe de ponctuation (;) intermédiaire entre la virgule et le point. *Des points-virgules.*

poire nf 1 Fruit comestible du poirier. 2 Objet en forme de poire. 3 Pop Tête, figure. 4 Fam Qui se laisse exploiter.

poiré nm Jus de poire fermenté.

poireau nm Plante potagère.

poireauter ou **poiroter** vi Fam Attendre longtemps.

poirier nm Arbre fruitier produisant des poires. **Loc** *Faire le poirier :* se tenir en équilibre, la tête et les mains appuyées sur le sol.

pois nm 1 Plante potagère dont les gousses et les graines (*petits pois*) fournissent un légume apprécié. 2 Petit rond décoratif sur un tissu, etc. *Cravate à pois*. **Loc** *Pois de senteur :* plante ornementale grimpante à fleurs odorantes.

poison nm 1 Substance qui peut tuer ou altérer les fonctions vitales. 2 Litt Ce qui exerce une influence pernicieuse. ■ n Fam Personne méchante, insupportable.

poissard, arde a Vx Qui utilise le langage de la populace. ■ nf Vx Femme au langage vital.

poisse nf Pop Malchance, déveine.

poisser vt 1 Enduire de poix. 2 Salir avec une substance gluante. 3 Pop Prendre, arrêter un malfaiteur, un voleur, etc.

poisseux, euse a Collant, gluant.

poisson nm Vertébré aquatique à branchies, possédant des nageoires. **Loc** *Finir en queue de poisson :* s'arrêter soudain sans conclusion. *Faire une queue de poisson :* rabattre brusquement son véhicule juste devant celui qu'on vient de doubler. *Poisson d'avril :* attrape, mystification qu'on fait le 1er avril.

poisson-chat nm Silure. *Des poissons-chats.*

poissonnerie nf Magasin où on vend du poisson, des crustacés, des coquillages, etc.

poissonneux, euse a Qui abonde en poisson.

poissonnier, ère n Commerçant qui vend du poisson. ■ nf Récipient allongé pour faire cuire le poisson.

poitevin, ine a, n De Poitiers, du Poitou.

poitrail nm Partie antérieure du corps des équidés, entre les épaules et la base du cou.

poitrinaire a, n Vx Tuberculeux.

poitrine nf 1 Partie du tronc qui contient les poumons et le cœur. 2 Devant du thorax. 3 Partie antérieure des côtes d'un animal de boucherie. 4 Seins de la femme.

poivrade nf 1 Sauce au poivre. 2 Petit artichaut violet.

poivre nm Fruit du poivrier ; épice de saveur piquante faite de ce fruit séché.

poivrer vt Assaisonner avec du poivre. ■ vpr Pop S'enivrer.

poivrier nm 1 Arbrisseau grimpant qui donne le poivre. 2 Petit récipient pour le poivre.

poivrière nf 1 Ustensile de table pour le poivre. 2 Plantation de poivriers.

poivron nm Fruit du piment doux, vert, jaune ou rouge.

poivrot, ote n Pop Ivrogne.

poix nf Matière résineuse ou bitumineuse de consistance visqueuse.

poker [pɔkɛʀ] nm Jeu de cartes. Loc *Poker d'as :* jeu de dés inspiré du poker. *Coup de poker :* opération hasardeuse.

polaire a 1 Relatif à un pôle, aux pôles, qui est près des pôles. 2 Glacial. *Froid polaire.* Loc *Cercle polaire :* cercle situé à 66° 34' de latitude, qui marque la limite des régions polaires.

polar nm Fam Roman ou film policier.

polarisation nf 1 PHYS Phénomène par lequel les vibrations lumineuses s'orientent dans un plan. 2 ELECTR Phénomène interne à une pile, qui se traduit par une diminution du courant débité. 3 Action de polariser ; fait de se polariser. *Polarisation de la vie politique.*

polariser vt 1 ELECTR Provoquer la polarisation d'un appareil, d'un dispositif. 2 Orienter vers soi, attirer à soi. *Polariser l'intérêt général.* 3 Concentrer sur un point ou sur deux points opposés. ■ vpr Fam Se fixer, se concentrer.

polarité nf État d'un système dans lequel on peut distinguer deux pôles opposés.

polaroïd nm (n déposé) Appareil photographique à développement instantané.

polatouche nm Écureuil volant.

polder [-dɛʀ] nm Terre située en dessous du niveau de la mer, endiguée et asséchée.

poldérisation nf Transformation d'une région en polder.

pôle nm 1 ASTRO Chacun des points où l'axe imaginaire de rotation de la Terre rencontre la sphère céleste. 2 GEOGR Chacune des extrémités de l'axe de rotation de la Terre sur elle-même. 3 Région de la Terre située près d'un pôle. 4 Point qui attire l'attention, l'intérêt. 5 Zone, région. *Pôle de développement.* 6 Chacune des bornes (positive ou négative) d'un circuit électrique. *Pôles d'une pile.* Loc *Pôles magnétiques :* points du globe où l'inclinaison magnétique est de 90°.

polémique a Qui appartient à la dispute ; qui incite à la discussion par un ton agressif. ■ nf Querelle, débat plus ou moins violent.

polémiquer vi Faire de la polémique.

polémologie nf Étude sociologique de la guerre.

polenta [-lɛnta] nf Bouillie de farine de maïs.

pole position nf Dans une course automobile, meilleure place de départ accordée au véhicule qui a réalisé les meilleurs temps aux essais.

poli, ie a 1 Qui respecte les règles de la politesse. 2 Lisse et luisant. ■ nm Lustre, éclat.

police nf 1 Maintien de l'ordre public et de la sécurité des citoyens. 2 Administration, ensemble des agents de la force publique. 3 Organisme privé chargé d'une mission de surveillance. 4 Contrat d'assurance. Loc *Tribunal de police :* qui juge les contraventions. *Salle de police :* où sont consignés les militaires punis.

policé, ée a Litt Dont les mœurs sont adoucies ; civilisé.

polichinelle nm Personnage ridicule, grotesque ; personne sans caractère. Loc *Secret de Polichinelle :* chose qui est connue de tous.

policier, ère a 1 Relatif à la police. 2 Qui s'appuie sur la police. *État policier.* 3 Centré sur une enquête policière. *Roman policier.* ■ nm 1 Membre de la police. 2 Roman, film policier.

policlinique nf Établissement où les malades reçoivent des soins, mais ne sont pas hospitalisés.

poliment av Courtoisement.

polio Abrév de *poliomyélite*.

poliomyélite nf Maladie infectieuse aiguë qui provoque des paralysies locales.

polir vt **1** Rendre lisse et luisant à force de frotter. **2** Litt Corriger avec soin, parfaire.

polissage nm Opération qui consiste à donner un poli, un brillant poussé.

polissoir nm Instrument servant à polir.

polisson, onne n Fam Enfant dissipé, espiègle. ■ a, n Égrillard, licencieux.

politesse nf Règles de bienséance dans un groupe social ; comportement qui s'y conforme.

politicard, arde nm, a Fam Politicien peu scrupuleux.

politicien, enne n Qui s'occupe professionnellement de politique. ■ a Qui relève de l'habileté politique. *Politique politicienne.*

politique a **1** Relatif au gouvernement d'un État, aux relations des divers États. *Homme politique. Milieu politique.* **2** Qui montre une prudence calculée. ■ nf **1** Science ou art de gouverner un État ; conduite des affaires politiques. **2** Ensemble des affaires publiques. **3** Manière ou mener une affaire. **4** Conduite calculée pour atteindre un but précis. ■ n **1** Qui s'occupe des affaires publiques, fait de la politique. **2** Personne habile, avisée. **3** Prisonnier politique.

politiquement av **1** Du point de vue politique. **2** Adroitement.

politisation nf Action de politiser.

politiser vt Donner un caractère politique à qqch.

politiste n Spécialiste de science politique.

politologie nf Étude des faits politiques.

politologue n Spécialiste de politologie.

poljé [pɔlje] nm GEOL Vaste dépression calcaire à fond plat des régions karstiques.

polka nf Ancienne danse, d'origine polonaise, à deux temps, d'un rythme vif.

pollen [pɔlɛn] nm Poussière colorée opérant la fécondation des fleurs.

pollinique a Relatif au pollen.

pollinisation nf BOT Transport du pollen depuis l'étamine jusqu'au stigmate de l'ovaire.

polluant, ante a, nm Qui pollue.

polluer vt Souiller, rendre malsain ou impropre à la vie. *Polluer l'atmosphère.*

pollueur, euse a, n Responsable de pollution.

pollution nf Souillure, infection contribuant à la dégradation d'un milieu vivant.

polo nm **1** Sport équestre d'équipe qui se joue avec une boule et des maillets. **2** Chemise en tricot à col rabattu.

polochon nm Fam Traversin.

polonais, aise a, n De Pologne. ■ nm Langue slave parlée en Pologne. ■ nf **1** Danse de Pologne. **2** Air à trois temps de cette danse.

poltron, onne a, n Qui manque de courage.

polyamide nm Matière plastique synthétique.

polyandrie nf Situation d'une femme mariée à plusieurs hommes.

polyarthrite nf Inflammation portant sur plusieurs articulations.

polycentrisme nm Existence de plusieurs centres de pouvoir au sein d'une organisation.

polychrome a Peint de plusieurs couleurs.

polyclinique nf Clinique de médecine générale.

polycopie nf Reproduction d'un document, en particulier au moyen d'un stencil.

polycopié nm Cours polycopié.

polycopier vt Reproduire par polycopie.

polyculture nf Pratique simultanée de plusieurs cultures dans une même exploitation.

polyèdre nm GEOM Solide dont les faces sont des polygones.

polyester nm Matière plastique synthétique.

polygame a, n **1** Qui a simultanément plusieurs conjoints. **2** BOT Qui porte des fleurs hermaphrodites et des fleurs unisexuées.

polygamie nf État de polygame.

polyglotte a, n Qui connaît plusieurs langues.

polygone nm GEOM Figure plane limitée par des segments de droite.

polygraphe n Auteur qui écrit sur des sujets variés sans en être un spécialiste.

polymère a, nm CHIM Se dit d'un composé provenant d'une polymérisation.

polymérisation nf Réaction chimique consistant en l'union de molécules d'un même composé en une seule molécule plus grosse.

polymorphe a Qui peut se présenter sous plusieurs formes.

polymorphisme nm Caractère polymorphe.

polynésien, enne a, n De Polynésie.

polynévrite nf Affection qui touche plusieurs nerfs périphériques.

polynôme nm MATH Somme de monômes.

polynucléaire a BIOL Qui comporte plusieurs noyaux. ■ nm Globule blanc polynucléaire.

polype nm 1 Animal marin tubulaire fixé à un support par sa base. 2 MED Excroissance molle de la muqueuse des cavités naturelles.

polypeptide nm CHIM Molécule résultant de la condensation de plusieurs acides aminés.

polyphonie nf MUS Ensemble de voix, d'instruments ordonnés en contrepoint.

polyphonique a De la polyphonie.

polypier nm ZOOL Squelette corné ou calcaire de corail, de madrépore.

polypode nm BOT Fougère commune.

polypore nm Champignon coriace poussant sur les troncs d'arbres.

polyptyque nm Peinture exécutée sur plusieurs panneaux qui se rabattent ou restent fixes.

polysémie nf Pluralité de sens d'un mot.

polysémique a De la polysémie.

polystyrène nm Matière plastique synthétique.

polytechnicien, enne n Élève de Polytechnique.

polytechnique a Qui concerne plusieurs techniques. Loc *École polytechnique :* établissement militaire qui forme des ingénieurs et des officiers.

polythéisme nm Religion qui admet l'existence de plusieurs dieux.

polyuréthane nm Matière plastique servant à fabriquer des produits de très faible densité.

polyvalence nf Caractère polyvalent.

polyvalent, ente a Apte à plusieurs usages, à diverses fonctions. ■ nm Agent du fisc chargé de vérifier les comptes des entreprises.

pomelo nm Pamplemousse.

pomiculteur, trice n Qui cultive des arbres produisant des fruits à pépins.

pommade nf Pâte médicamenteuse grasse utilisée en onctions locales. Loc Fam *Passer de la pommade à qqn :* le flatter.

pomme nf 1 Fruit comestible du pommier. 2 Pomme de terre. 3 Ornement en forme de pomme, de boule. 4 Pop Personne crédule ; dupe. Loc *Pomme d'Adam :* saillie du cartilage thyroïde, à la partie antérieure du cou d'un homme. *Pomme de pin :* cône de pin, constitué d'écailles renfermant les graines. *Pomme d'arrosoir, de douche :* pièce percée de multiples trous qui disperse l'eau en pluie. *Pomme de discorde :* sujet de dispute. Fam *Tomber dans les pommes :* perdre connaissance.

pommé, ée a Rond et compact comme une pomme (chou, salade).

pommeau nm 1 Boule servant de poignée à une canne, une épée, etc. 2 Partie antérieure de l'arçon d'une selle. 3 Boisson constituée d'un mélange de jus de pomme et de calvados.

pomme de terre nf Plante à tubercules comestibles. *Des pommes de terre.*

pommelé, ée a 1 Dont la robe, à fond blanc, est couverte de taches grises (cheval). 2 Couvert de petits nuages (ciel).

pommeraie nf Plantation de pommiers.

pommette nf Partie saillante de la joue, au-dessous de l'angle externe de l'œil.

pommier nm Arbre qui produit la pomme.

1. pompe nf Litt 1 Cérémonial somptueux. 2 Péjor Emphase, solennité affectée. ■ pl Loc *Pompes funèbres :* service chargé des enterrements.

2. pompe *nf* **1** Appareil destiné à aspirer ou à refouler un liquide, un gaz. **2** Pop Chaussure. **Loc** *Coup de pompe* : sensation de grande fatigue. *À toute pompe* : à toute vitesse.

pomper *vt* **1** Puiser, aspirer ou refouler avec une pompe. **2** Absorber un liquide. **3** Fam Épuiser, lasser. **4** Fam Copier.

pompette *a* Fam Légèrement ivre.

pompeux, euse *a* Emphatique, d'une solennité ridicule.

1. pompier *nm* Qui fait partie d'un corps organisé pour combattre les incendies et les sinistres.

2. pompier, ère *a* Conventionnel et emphatique. *Style pompier.*

pompiste *n* Qui distribue le carburant dans une station-service.

pompon *nm* Houppe ronde de brins de laine, de soie, etc., qui sert d'ornement. **Loc** *Rose pompon* : variété de roses à petites fleurs globuleuses. Fam *Avoir, tenir le pompon* : l'emporter sur les autres.

pomponner *vt* Parer avec beaucoup de soin.

ponant *nm* Vent d'ouest, dans le Midi.

ponce *nf* Roche poreuse très légère, d'origine volcanique, appelée aussi *pierre ponce.*

ponceau *a inv* Rouge vif.

poncer *vt* **10** Décaper, polir au moyen d'un abrasif.

ponceuse *n f* Machine à poncer.

poncho *nm* Manteau fait d'une couverture percée pour y passer la tête.

poncif *nm* Idée conventionnelle, rebattue ; lieu commun, cliché.

ponction *nf* **1** MED Prélèvement d'un liquide dans une cavité du corps, au moyen d'un trocart. **2** Prélèvement d'argent.

ponctionner *vt* Opérer une ponction.

ponctualité *nf* Exactitude à faire les choses en temps voulu. **2** Habitude, fait d'être à l'heure.

ponctuation *nf* **1** Système de signes graphiques (point, virgule, guillemets, etc.) marquant les relations syntaxiques ou des faits d'intonation. **2** Action, manière de ponctuer.

ponctuel, elle *a* **1** Exact, régulier, qui fait à point nommé ce qu'il doit faire. **2** Qui porte sur un point, une partie seulement.

ponctuellement *av* Avec ponctualité.

ponctuer *vt* **1** Marquer de signes de ponctuation. **2** Accompagner, souligner ses paroles de gestes, de bruits.

pondaison *nf* ZOOL Époque de la ponte.

pondérable *a* Qui peut être pesé.

pondéral, ale, aux *a* Du poids. *Analyse pondérale.*

pondérateur, trice *a* Qui a une influence modératrice, qui atténue, tempère.

pondération *nf* **1** Action, fait de pondérer. **2** Calme, équilibre, modération.

pondéré, ée *a* Qui fait preuve de pondération.

pondérer *vt* **12** Équilibrer des forces, des tendances ; modérer, tempérer.

pondéreux, euse *a* Très pesant.

pondeuse *nf* Poule qui pond.

pondoir *nm* Endroit où pondent les poules.

pondre *vt* **5 1** Expulser de son corps des œufs (oiseaux). **2** Fam Produire un texte écrit.

poney *nm* Cheval de petite taille.

pongiste *n* Joueur de ping-pong.

pont *nm* **1** Construction permettant de franchir un cours d'eau, une route, une voie ferrée, etc. **2** Ce qui sert de lien entre deux choses. **3** Jour chômé entre deux jours fériés. **4** Ensemble des organes transmettant le mouvement de l'arbre aux roues arrière d'une automobile. **5** Plan horizontal fermant la coque d'un bateau. **Loc** *Pont aérien* : va-et-vient d'avions établissant une liaison d'urgence. *Tête de pont* : position conquise sur une côte ou une rive ennemie. *Couper les ponts* : cesser toutes relations. ■ *pl Ponts et Chaussées* : service public qui s'occupe de la construction et de l'entretien des ponts, des routes, etc.

pontage *nm* CHIR Réunion de deux artères à l'aide d'une prothèse.

1. ponte *nf* Action de pondre.

2. ponte *nm* Fam Personnage important.

pontet *nm* Demi-cercle d'acier qui protège la détente d'une arme à feu.

pontife nm **1** ANTIQ Gardien de la religion, à Rome. **2** Personne gonflée de son importance. Loc *Le souverain pontife* : le pape.

pontifical, ale, aux a Qui a rapport au pape.

pontificat nm Dignité de pontife, de pape ; durée de cette fonction.

pontifier vi Fam Discourir de manière solennelle et emphatique.

pont-l'évêque nm inv Fromage de lait de vache à pâte molle.

pont-levis [-vi] nm Pont mobile qu'on pouvait abaisser ou relever au-dessus du fossé entourant un château fort. *Des ponts-levis.*

ponton nm **1** Plate-forme flottante reliée à la terre. **2** Navire désaffecté transformé en dépôt de matériel, en prison.

pontonnier nm Militaire du génie chargé des ponts mobiles.

pool [pul] nm **1** Groupement provisoire d'entreprises en vue d'une opération déterminée. **2** Équipe d'employés d'un même service.

pop nf, a inv Abrév de *pop music.*

pop'art [pɔpaʀt] nm Mouvement artistique contemporain s'inspirant des objets les plus quotidiens.

pop-corn nm inv Friandise faite de grains de maïs soufflés à chaud.

pope nm Prêtre de l'Église orthodoxe.

popeline nf Tissu léger, de soie ou de coton.

pop music nf Musique d'origine anglo-américaine issue du rock and roll.

popote nf Fam **1** Cuisine. *Faire la popote.* **2** Groupe de militaires qui prennent leur repas en commun. ■ a inv Fam Excessivement attaché à son ménage ; casanier et terre à terre.

popotin nm Fam Fesses, derrière.

populace nf Litt Bas peuple.

populage nm Herbe vivace à fleurs jaunes, des lieux humides.

populaire a **1** Qui fait partie du peuple. **2** Constitué, organisé par le peuple. *Gouvernement populaire.* **3** Propre au peuple. **4** Connu et aimé d'un large public. *Chanteur populaire.*

populariser vt Rendre populaire, connu.

popularité nf Fait d'être populaire, de plaire au plus grand nombre.

population nf **1** Ensemble des habitants d'un pays, d'une ville, etc. **2** Ensemble des membres d'une classe, d'une catégorie particulière.

populationniste a, n Favorable à l'accroissement de la population.

populeux, euse a Très peuplé.

populisme nm **1** Courant littéraire, pictural ou cinématographique qui s'attache à la représentation de la vie des petites gens. **2** Idéologie démagogique.

populo nm Pop Le peuple, les petites gens.

porc [pɔʀ] nm **1** Mammifère domestique omnivore (cochon), élevé pour sa chair et pour son cuir. **2** Fam Homme malpropre ou grossier.

porcelaine nf **1** Produit céramique non coloré, fin et translucide, recouvert d'un enduit vitrifié. **2** Objet de cette matière.

porcelainier, ère n Fabricant, marchand de porcelaine.

porcelet nm Jeune porc.

porc-épic [pɔʀkepik] nm Rongeur dont le corps est couvert de longs piquants. *Des porcs-épics.*

porche nm Espace couvert donnant accès à la porte d'entrée d'un édifice.

porcher, ère n Gardien de porcs.

porcherie nf **1** Bâtiment dans lequel on loge, on élève les porcs. **2** Lieu très sale.

porcin, ine a **1** Relatif au porc. **2** Dont l'apparence évoque le porc. *Visage porcin.* ■ nm ZOOL Mammifère d'un groupe qui comprend les porcs, les hippopotames, les phacochères.

pore nm **1** Orifice microscopique à la surface de la peau. **2** Très petite cavité de certaines matières minérales.

poreux, euse a Qui a des pores.

porno a Fam Pornographique. ■ nm Fam Pornographie, genre pornographique.

pornographie nf Production de livres, de films, etc., à caractère obscène.

pornographique a De la pornographie.

porosité nf État poreux.

porphyre nm Roche volcanique présentant de grosses inclusions cristallines.

porridge nm Bouillie de flocons d'avoine.

1. port nm **1** Abri aménagé pour recevoir les navires, charger ou décharger leur cargaison, etc. **2** Ville bâtie autour d'un port. **3** Col, dans les Pyrénées.

2. port nm **1** Action, fait de porter sur soi. **2** Façon de se tenir, maintien. **3** Allure générale d'une plante, d'un arbre. **4** Prix du transport d'un colis, d'une lettre.

portable a, nm Qu'on peut porter.

portage nm Transport d'une charge à dos d'homme.

portail nm Entrée monumentale d'un édifice, d'un parc, etc.

portance nf Force qui assure la sustentation d'un avion en vol.

portant, ante a Qui porte, qui soutient. Mur portant. Loc Bien, mal portant : en bonne, en mauvaise santé. ■ nm Châssis qui soutient les décors d'un théâtre.

portatif, ive a Qui peut être porté facilement.

1. porte nf **1** Ouverture pratiquée dans un mur, une clôture quelconque. **2** Panneau mobile qui ferme une ouverture. **3** Ouverture dans l'enceinte d'une ville fortifiée ; emplacement actuel de cette ancienne ouverture. **4** Chacun des couples de piquets marquant un passage, sur une piste de slalom.

2. porte nf Loc ANAT *Veine porte* : qui amène au foie le sang provenant des organes digestifs.

porté, ée a Loc *Être porté à* : avoir tendance à. *Être porté sur* : avoir un goût prononcé pour.

porte-à-faux nm inv Loc *En porte à faux* : en position instable, mal assurée.

porte-à-porte nm inv Méthode de vente qui consiste à proposer des produits à des particuliers à leur domicile.

porte-avions nm inv Navire aménagé pour transporter des avions de combat.

porte-bagages nm inv Filet, grillage, support, etc., destiné à recevoir les bagages dans ou sur un véhicule.

porte-bébé nm Panier, siège ou sac qui sert à transporter un bébé. *Des porte-bébés.*

porte-bonheur nm inv Objet censé porter chance.

porte-cartes nm inv **1** Petit étui contenant les papiers que l'on a habituellement sur soi. **2** Étui de rangement de cartes géographiques.

porte-clés ou **porte-clefs** nm inv Anneau ou étui pour porter des clés.

porte-conteneurs nm inv Navire aménagé pour le transport des conteneurs.

porte-couteau nm Petit support destiné à empêcher la lame du couteau de salir la nappe. *Des porte-couteaux.*

porte-documents nm inv Serviette plate qui sert à porter des papiers.

porte-drapeau nm **1** Celui qui porte le drapeau. **2** Chef de file d'un mouvement. *Des porte-drapeaux.*

portée nf **1** Distance à laquelle une arme peut lancer un projectile, la voix peut se faire entendre. **2** Distance entre les points d'appui d'une pièce. *Portée d'un pont.* **3** Importance des effets de qqch. *Une découverte d'une portée considérable.* **4** ZOOL Ensemble des petits qu'une femelle a mis bas en une fois. **5** Ensemble des lignes parallèles utilisées pour noter la musique. Loc *À la portée de* : qui peut être atteint par qqn ; accessible à.

porte-fenêtre nf Porte vitrée donnant sur une terrasse, un balcon, etc. *Des portes-fenêtres.*

portefeuille nm **1** Étui à compartiments où l'on range des billets, des papiers, etc. **2** Fonction de direction d'un département ministériel. **3** Ensemble de valeurs mobilières et d'effets de commerce appartenant à qqn.

porte-greffe nm Arbre sur lequel on fixe un ou des greffons. *Des porte-greffes.*

porte-jarretelles nm inv Ceinture féminine à laquelle sont fixées les jarretelles.

porte-malheur nm inv Objet censé porter malheur.

portemanteau nm Applique murale ou support sur pied portant des patères, pour suspendre les vêtements.

portemine nm Tube contenant une mine et utilisé comme crayon.

porte-monnaie nm inv Petite pochette, pour les pièces de monnaie.

porte-parole nm inv Personne qui parle au nom d'une autre, d'un groupe, etc.

porte-plume nm inv Instrument au bout duquel on fixe une plume à écrire.

porter vt 1 Soutenir, maintenir. Porter un enfant sur ses épaules. 2 Transporter, apporter. Porter une robe chez le teinturier. 3 Avoir en son sein, en gestation. Une chienne qui porte ses petits. 4 Produire des fruits. Une vigne qui porte de belles grappes. 5 Avoir sur soi. Porter un manteau, une bague. Porter la barbe. Porter un nom. 6 Inscrire, coucher par écrit. Porter son nom sur une liste. 7 Tenir de telle ou telle façon. Porter la tête haute. 8 Amener à un certain degré. Porter un métal au rouge. Cette mort porte à vingt le nombre des victimes. 9 Inciter. Porter qqn à l'indulgence. 10 Éprouver un sentiment, un intérêt. Porter de la sympathie à qqn. Porter attention à qqch. 11 Procurer, fournir. Porter secours à qqn. Loc Porter un jugement : l'exprimer. Porter la main sur qqn : le frapper. ■ vti 1 Avoir pour point d'appui, pour fondement. Le bâtiment porte sur des colonnes. 2 Avoir pour objet, concerner. Ma remarque porte sur deux points. Loc Porter sur les nerfs : irriter, exaspérer. ■ vi 1 Avoir telle ou telle portée. 2 Atteindre son but. Cette critique a porté. ■ vpr 1 Aller, se rendre. Se porter au-devant de qqn. 2 Se présenter comme. Se porter candidat. 3 Être en tel ou tel état de santé. Il se porte bien.

porte-savon nm Support destiné à recevoir le savon. Des porte-savons.

porte-serviettes nm inv Support destiné à recevoir des serviettes de toilette.

porteur, euse n Dont le métier est de porter des fardeaux. ■ nm Possesseur d'un titre, d'une valeur mobilière. Bon payable au porteur. ■ a 1 Qui porte. 2 Se dit d'un marché qui offre des débouchés.

porte-voix nm inv Instrument portatif destiné à faire entendre la voix à distance.

portfolio [pɔʁtfoljo] nm BX-A Emboîtage de photographies, d'estampes, à tirage limité.

portier, ère n Employé qui garde l'entrée de certains établissements.

portière nf 1 Tenture destinée à masquer une porte. 2 Porte d'automobile, de voiture de chemin de fer.

portillon nm Porte à battant généralement bas, qui ferme un passage public.

portion nf 1 Partie d'un tout divisé. Une portion de droite. 2 Quantité d'un mets destinée à un convive, dans un repas.

portique nm 1 Galerie à l'air libre dont le plafond est soutenu par des colonnes. 2 Support constitué de deux éléments verticaux reliés par un élément horizontal. 3 Dans un aéroport, dispositif électronique de sécurité, détectant les métaux.

porto nm Vin liquoreux du Portugal.

portoricain, aine a, n De Porto Rico.

portrait nm 1 Représentation de qqn par le dessin, la peinture, la photographie. 2 Description de qqn, de qqch.

portraitiste n Artiste spécialisé dans le portrait.

portrait-robot nm Portrait d'un individu recherché, réalisé d'après les indications fournies par les témoins. Des portraits-robots.

port-salut nm inv (n déposé) Fromage jaunâtre, au lait de vache.

portuaire a Relatif à un port.

portugais, aise a De Portugal. ■ nm Langue romane parlée au Portugal et au Brésil. ■ nf Variété d'huître.

pose nf 1 Action de poser ; mise en place. Pose d'un lavabo. 2 Attitude que prend un modèle devant un artiste. 3 Attitude, maintien du corps. 4 Attitude affectée. 5 PHOTO Durée d'une exposition à la lumière.

posé, ée a Sérieux, calme, pondéré.

posément av De façon posée, sans hâte.

posemètre nm PHOTO Appareil servant à déterminer le meilleur temps de pose.

poser vt 1 Placer, mettre ; déposer. Poser un vase sur un meuble. 2 Disposer, installer. Poser une moquette. 3 Disposer par écrit. Poser une multiplication. 4 Établir. Poser un principe. 5 Formuler. Poser une question. 6 Conférer de l'importance à qqn. Loc Poser un problème : être cause de difficultés. ■ vi 1 Être appuyé, porter sur qqch. 2 Prendre une attitude. Poser pour un photographe. 3 Prendre des airs affectés. ■ *vpr* **1** Atterrir ; se percher. *L'avion, l'oiseau s'est posé.* **2** S'ériger, se constituer. *Se poser en arbitre.* **3** Requérir une réponse, une solution. *La question, le problème se pose.*

poseur, euse *n* Qui pose, qui met en place. ■ *n, a* Prétentieux, affecté.

posidonie *nf* Plante aquatique vivant près des côtes, en vastes herbiers.

positif, ive *a* **1** Qui exprime une affirmation. *Sa réponse a été positive.* Ant. négatif. **2** Certain, assuré, fondé sur l'expérience. **3** Réaliste, pratique. *Esprit positif.* **4** Favorable, propre à amener un progrès. *Bilan positif.* **5** Qui confirme la présence d'un élément recherché dans une analyse. *Test positif.* Loc *Droit positif :* ensemble de règles juridiques institutionnelles (par oppos. au droit naturel). *Électricité positive :* celle qui est acquise par le verre frotté avec une étoffe. *Épreuve positive :* photographie obtenue par tirage à partir d'un cliché négatif. *Nombre positif :* nombre supérieur à zéro. ■ *nm* **1** Ce qui est établi, positif. **2** GRAM Degré de l'adjectif ou de l'adverbe sans idée de comparaison.

position *nf* **1** Situation en un lieu. **2** Zone de terrain qu'un corps de troupes a pour mission de défendre. **3** Attitude, posture. **4** Ensemble des circonstances dans lesquelles on se trouve, situation. **5** Condition sociale, fonction que l'on remplit. **6** Place dans un ordre, une série, un rang. **7** Option, attitude adoptée. *Quelle est votre position sur cette question ?* **8** Situation débitrice ou créditrice d'un compte bancaire.

positionnement *nm* Action de positionner.

positionner *vt* **1** Amener à la position voulue. **2** Déterminer exactement la position de. **3** ECON Définir la place d'un produit sur le marché. ■ *vpr* Prendre position, se situer.

positivement *av* **1** De façon positive. **2** Véritablement, tout à fait.

positivisme *nm* Système philosophique d'Auguste Comte, selon lequel la vérification des connaissances par l'expérience est l'unique critère de vérité.

positiviste *a, n* Qui relève du positivisme.

positon ou **positron** *nm* PHYS Électron positif, antiparticule de l'électron.

posologie *nf* Quantité d'un médicament à administrer à un malade.

possédé, ée *a, n* Habité sous une puissance diabolique.

posséder *vt* 121 Avoir en sa possession ou à sa disposition ; détenir. **2** Avoir une qualité, une propriété. *Cette solution possède un avantage.* **3** Connaître bien, maîtriser. *Posséder une langue étrangère.* **4** Fam Tromper, duper.

possesseur *nm* Qui possède.

possessif, ive *a, nm* GRAM Qui indique la possession, l'appartenance. *Adjectif possessif.* ■ *a* Qui a des sentiments de possession, de domination envers les autres. *Mère possessive.*

possession *nf* **1** Fait de détenir qqch, d'en disposer. **2** État d'une personne dominée par une puissance diabolique. **3** Chose possédée ; territoire possédé, colonie.

possibilité *nf* **1** Caractère possible. **2** Chose possible. ■ *pl* GRAM Ressources, moyens dont on dispose. *Cet achat dépasse mes possibilités.*

possible *a* Qui peut être, qui peut exister ; qui peut se faire. *Un échec est possible.* Il est possible qu'il soit absent. ■ *av* Renforce un superlatif. Loc *Le plus..., le moins... possible :* le plus..., le moins... qu'il se peut. ■ *nm* Ce qui est possible. Loc *Faire son possible pour :* s'efforcer de. *Au possible :* extrêmement.

postal, ale,aux *a* De la poste.

postcure *nf* Séjour de convalescence sous surveillance médicale.

postdater *vt* Dater d'une date postérieure à la date réelle.

1. poste *nf* **1** Administration publique chargée d'acheminer le courrier, d'assurer les télécommunications, etc. **2** Bureau de l'administration des Postes ouvert au public. Loc *Poste restante :* service permettant le retrait du courrier à un bureau de poste.

2. poste *nm* **1** Fonction à laquelle on est nommé ; lieu où on exerce. **2** Lieu d'affectation d'un soldat, d'une unité militaire. **3** Corps de garde où des agents de police assurent une permanence. **4** Endroit, local affecté à un service. *Poste d'aiguillage. Poste de pilotage d'un avion.* **5** Chapitre d'un budget. *Poste d'essence.* **6** Appareil de radio, de télévision, de téléphone.

posté, ée a *Loc Travail posté :* organisé avec un système d'équipes qui se relaient.

1. poster vt Mettre à la poste. *Poster le courrier.*

2. poster vt Mettre à un poste. *Poster des sentinelles.*

3. poster [pɔstɛr] nm Affiche décorative.

postérieur, eure a **1** Qui suit, qui vient après dans le temps. *Ce testament est postérieur à son mariage.* **2** Qui est derrière. *Partie postérieure du corps.* ■ nm Fam Fesses d'une personne.

postérieurement av Après, plus tard.

postérité nf **1** Suite des descendants d'une même origine. **2** Les générations futures.

postface nf Commentaire placé à la fin d'un ouvrage.

posthite nf Inflammation du prépuce.

posthume a **1** Né après la mort de son père. **2** Publié après la mort de son auteur. **3** Qui se produit après la mort. *Gloire posthume.*

postiche a **1** Fait et ajouté après coup. **2** Factice. *Barbe postiche.* ■ nm Faux cheveux.

postier, ère n Employé de la Poste.

postillon nm **1** Homme qui conduisait les chevaux d'une voiture de poste. **2** Fam Gouttelette de salive projetée en parlant.

postillonner vi Fam Projeter des postillons.

postopératoire a CHIR Qui suit une opération.

postposer vt GRAM Placer un mot après un autre.

post-scriptum [-tɔm] nm inv Ce que l'on ajoute à une lettre après la signature. (Abrév : P.-S.)

postsynchronisation nf Sonorisation d'un film après son tournage.

postulant, ante n Qui postule un emploi.

postulat nm Proposition que l'on demande d'admettre comme vraie sans démonstration.

postuler vt, vti Se porter candidat à un poste, à un emploi. ■ vt Poser comme point de départ d'un raisonnement.

posture nf **1** Position, attitude du corps. **2** Situation. *Être en mauvaise posture.*

pot nm **1** Récipient à usage domestique. *Pot à eau. Pot de yaourt. Pot de fleurs.* **2** Fam Rafraîchissement, boisson. *On va prendre un pot ?* **3** Fam Réunion où l'on boit. *Être invité à un pot.* **4** Fam Chance. *Avoir du pot.* **5** Totalité des enjeux misés par les joueurs à certains jeux. *Loc Pot d'échappement :* dispositif d'évacuation des gaz brûlés d'un moteur à explosion.

potable a **1** Qu'on peut boire sans danger. *Eau potable.* **2** Fam Passable. *Film potable.*

potache nm Fam Collégien ou lycéen.

potage nm Aliment liquide fait de légumes bouillis, de suc de viande, etc.

potager, ère a *Se dit des plantes utilisées comme légumes.* ■ nm Jardin réservé à la culture des légumes.

potamochère nm Porc sauvage d'Afrique.

potasse nf Composé du potassium, utilisé en blanchissage, comme engrais, etc.

potasser vt Fam Étudier un sujet avec ardeur.

potassique a De la potasse ou du potassium.

potassium [-sjɔm] nm Métal alcalin dont les composés sont abondants dans la nature.

pot-au-feu [potofø] nm inv **1** Plat de viande de bœuf bouillie avec des légumes. **2** Morceau de bœuf avec lequel on prépare ce plat. **3** Marmite qui sert à le faire cuire. ■ a inv **1** Fam Terre à terre et casanier.

pot-de-vin nm Somme d'argent donnée en sous-main à qqn, permettant d'enlever ou de conclure une affaire. *Des pots-de-vin.*

pote nm Fam Camarade, ami.

poteau nm Longue pièce de bois, de métal, de ciment, etc., fichée verticalement en terre. *Poteau télégraphique.*

potée nf Plat de viande bouillie avec des légumes.

potelé, ée a Dodu. *Enfant potelé.*

potelet nm Obstacle érigé sur les trottoirs pour y empêcher le stationnement abusif.

potence nf 1 Assemblage de pièces en équerre, servant de support. 2 Instrument servant au supplice de la pendaison.

potentat nm Homme qui exerce un pouvoir despotique ; tyran.

potentialiser vt Augmenter l'effet de qqch.

potentialité nf Caractère potentiel ou virtuel.

potentiel, elle a Qui a une possibilité d'action, qui existe en puissance ; virtuel. ■ nm 1 Ensemble des ressources dont dispose une collectivité ; capacité. *Potentiel industriel.* 2 GRAM Forme verbale exprimant une action future dépendant d'une condition. **Loc** ELECTR *Différence de potentiel :* quotient de la puissance absorbée entre deux points d'un circuit et de l'intensité du courant. **Syn.** tension.

potentiellement av En puissance, virtuellement.

potentille nf Plante ornementale à fleurs pâles.

potentiomètre nm 1 Appareil servant à mesurer les différences de potentiel électrique. 2 Résistance réglable, rhéostat.

poterie nf 1 Fabrication d'objets en terre cuite. 2 Objet ainsi fabriqué.

poterne nf Porte dérobée percée dans la muraille d'une fortification.

potiche nf 1 Grand vase de porcelaine, de faïence, etc. 2 Personne qui joue un rôle de représentation, sans pouvoir réel.

potier, ère n Qui fabrique ou qui vend des poteries.

potimarron nm Courge au goût musqué.

potin nm 1 Fam Commérage, cancan. 2 Fam Grand bruit, tapage.

potion nf Médicament à boire.

potiron nm Grosse courge à chair jaune.

potlatch nm ETHNOL Échange rituel de cadeaux entre deux groupes sociaux.

pot-pourri nm 1 Ouvrage littéraire ou musical composé de morceaux disparates, d'airs connus. 2 Assemblage composite. *Des pots-pourris.*

pou nm Insecte parasite externe de l'homme et de divers animaux.

pouah ! interj Exprime le dégoût.

poubelle nf Récipient à couvercle destiné à recevoir les ordures ménagères.

pouce nm 1 Le plus court des doigts de la main, opposable aux autres. 2 Le gros orteil. 3 Ancienne mesure de longueur de 27 mm. 4 Très petite quantité. **Loc** *Donner un coup de pouce :* intervenir pour faire aboutir une affaire, avantager qqn, etc.

pouce-pied nm Anatife. *Des pouces-pieds.*

pouding. V. pudding.

poudre nf 1 Substance solide réduite en petits grains, en corpuscules. *Poudre d'or.* 2 Explosif pulvérulent. 3 Substance pulvérulente utilisée pour le maquillage féminin.

poudrer vt Couvrir de poudre.

poudrerie nf Fabrique d'explosifs.

poudreux, euse a Qui a l'aspect, la consistance de la poudre. ■ nf 1 Neige poudreuse. 2 Machine agricole pour répandre des produits en poudre (insecticides, engrais).

poudrier nm Petit boîtier plat qui renferme de la poudre pour le maquillage.

poudrière nf 1 Entrepôt où l'on gardait les explosifs. 2 Région où le moindre incident peut dégénérer en conflagration générale.

poudroyer vi 22 Produire de la poussière ; s'élever en poussière.

pouf ! interj Évoque le bruit sourd d'une chute. ■ nm Gros coussin qui sert de siège.

pouffer vi Éclater de rire comme en étouffant son rire.

pouffiasse nf Pop Femme grosse et vulgaire.

pouilleux, euse a, n 1 Qui a des poux. 2 Fam Miséreux.

poulailler nm 1 Abri, enclos pour les volailles. 2 Fam Galerie supérieure d'un théâtre.

poulain nm 1 Petit de la jument, ayant moins de dix-huit mois. 2 Jeune talent, jeune espoir patronné par une personnalité. 3 TECH Rampe constituée de deux longues pièces parallèles, servant à la manutention des grosses charges.

poularde nf Jeune poule engraissée.

poule

1. poule nf 1 Femelle du coq domestique que l'on élève pour sa chair et pour ses œufs. 2 Terme d'affection. *Ma poule.* 3 Pop Maîtresse, épouse. Loc *Poule faisane :* femelle du faisan. *Poule d'eau :* oiseau aquatique. *Mère poule :* mère très attentionnée. Fam *Poule mouillée :* personne timorée.

2. poule nf Épreuve sportive dans laquelle chacun des concurrents rencontre successivement chacun de ses adversaires.

poulet, ette a 1 Jeune coq, jeune poule. 2 Fam Terme d'affection. *Mon poulet.* ■ nm Pop Policier.

pouliche nf Jeune jument de plus de dix-huit mois et de moins de trois ans.

poulie nf Roue tournant autour d'un axe sur le pourtour de laquelle passe une courroie, un câble, etc.

pouliner vi Mettre bas (jument).

poulinière a, nf Loc *Jument poulinière :* destinée à la reproduction.

poulpe nm Syn de *pieuvre.*

pouls [pu] nm Pulsation du sang dans les artères.

poumon nm Chacun des deux organes thoraciques qui assurent les échanges respiratoires.

poupe nf Partie arrière d'un navire. Loc *Avoir le vent en poupe :* être favorisé par les circonstances.

poupée nf 1 Figurine représentant un être humain et servant de jouet, de décor. 2 Jeune femme, jeune fille qui a une grâce mièvre et affectée. 3 Fam Pansement entourant un doigt.

poupin, ine a Qui a un visage rond, des traits enfantins.

poupon nm 1 Bébé. 2 Poupée figurant un bébé.

pouponner vt, vi Fam Dorloter un petit enfant.

pouponnière nf Établissement où l'on garde les bébés.

pour prép Exprime le but, la destination, l'intérêt, la substitution, le remplacement, l'échange, la durée ou le terme d'une durée, la cause, le point de vue, la conséquence. Loc

Pour que (+ subj) : de manière à, afin de, dans l'intention de. ■ nm Loc *Le pour et le contre :* les avantages et les inconvénients.

pourboire nm Gratification qu'un client laisse au personnel.

pour-cent nm inv Taux d'intérêt, commission calculés au pourcentage.

pourcentage nm 1 Rapport exprimé en centièmes d'une quantité à une autre. 2 Taux d'un intérêt ou d'une commission.

pourchasser vt Poursuivre sans relâche, avec opiniâtreté, ténacité.

pourlécher (se) vpr 12 Se passer la langue sur les lèvres avec gourmandise.

pourparlers nmpl Conférence, discussion visant à régler une affaire, négociation.

pourpier nm Plante à feuilles épaisses qui se mangent en salade.

pourpoint nm Anc Vêtement masculin qui couvrait le buste.

pourpre nf 1 Matière colorante d'un rouge foncé que les Anciens tiraient d'un mollusque. 2 Étoffe teinte avec cette matière. 3 Dignité de cardinal. ■ a, nm Rouge foncé tirant sur le violet.

pourquoi av Pour quelle cause, quel motif. *Il part sans dire pourquoi.* ■ nm inv Cause, raison. *Savoir le pourquoi d'une affaire.*

pourri, ie a 1 Altéré par la décomposition. *Pomme pourrie.* 2 Très humide (temps). 3 Gâté, corrompu moralement. 4 Fam Qui a qqch en abondance. *Un garçon pourri de qualités.* 5 Fam Mauvais, abîmé, malsain. *Un sujet pourri.* ■ nm Ce qui est pourri. *Une odeur de pourri.* ■ n Pop Individu corrompu, méprisable.

pourrir vi 1 Tomber en décomposition, en putréfaction. *Laisser des fruits pourrir.* 2 Se détériorer. *Laisser pourrir une situation.* 3 Demeurer longtemps en un lieu. *Pourrir en prison.* ■ vt 1 Attaquer en provoquant la décomposition de. *L'eau pourrit le bois.* 2 Gâter par excès de soins. *Ils pourrissent le petit.*

pourrissement nm Dégradation, détérioration. *Le pourrissement d'une situation.*

pourriture nf 1 État de ce qui est pourri. 2 Partie pourrie. 3 Décadence morale, corruption. 4 Pop Ignoble individu.

poursuite nf 1 Action de poursuivre, de courir après qqch, qqn. 2 (souvent pl) DR Action en justice engagée contre qqn.

poursuivant, ante n, a Qui poursuit.

poursuivre vt 73 1 Suivre rapidement pour atteindre. Animal qui poursuit sa proie. 2 Tenter d'obtenir. Poursuivre les honneurs. 3 Harceler, ne pas laisser en paix. Le remords le poursuit. 4 DR Intenter une action en justice contre qqn. 5 Continuer ce qu'on a commencé. Poursuivre ses études. ■ vpr Continuer. Les recherches se poursuivent.

pourtant av Cependant, néanmoins.

pourtour nm Ligne, partie qui fait le tour d'un objet, d'une surface.

pourvoi nm DR Action par lequel on demande à une autorité supérieure l'annulation d'une décision judiciaire.

pourvoir vti 39 Fournir ce qui est nécessaire. Il pourvoit à tous ses besoins. ■ vt Munir, équiper, doter. ■ vpr DR Intenter un pourvoi.

pourvoyeur, euse n Qui fournit, procure.

pourvu que conj 1 À condition que. 2 Exprime un souhait. Pourvu qu'il vienne !

poussah nm Homme gros et gras.

pousse nf 1 Fait de pousser, de croître. La pousse des cheveux. 2 Partie jeune d'un végétal.

poussé, ée a Approfondi, minutieux. Étude poussée.

pousse-café nm inv Fam Petit verre d'alcool que l'on prend après le café.

poussée nf 1 Action de pousser ; son résultat. 2 Manifestation subite, accès. Une poussée de fièvre. 3 Pression exercée par une force, un corps.

pousse-pousse nm inv Voiture légère tirée par un homme, en Extrême-Orient.

pousser vt 1 Peser sur, peser contre, pour déplacer, pour faire avancer. Pousser un meuble. ■ vi Faire avancer, engager, soutenir qqn dans une entreprise, une carrière. Son père l'a poussé dans ses études. 3 Étendre, porter plus loin. Pousser ses conquêtes jusqu'à la mer. 4 Amener qqn dans un certain état. Pousser qqn à bout. 5 Inciter à, faire agir. 6 Proférer,

exhaler un cri, un soupir, etc. 7 Produire, faire sortir de soi (être vivant). Bébé qui pousse ses dents. ■ vi 1 Croître, se développer. Les feuilles poussent. 2 Continuer son chemin. Ils poussèrent jusqu'à la ville. 3 Fam Exagérer. ■ vpr Chercher à s'élever socialement.

poussette nf 1 Petite voiture d'enfant. 2 Fam Action d'aider un coureur cycliste en le poussant dans une côte.

pousseur nm Bateau à moteur utilisé pour propulser des barges.

poussier nm Poussière de charbon.

poussière nf Poudre très fine de terre ou de quelque autre matière broyée, usée, etc. Des meubles couverts de poussière.

poussiéreux, euse a Couvert de poussière.

poussif, ive a 1 Qui manque de souffle, qui perd facilement haleine. 2 Fam Se dit d'une automobile qui avance difficilement.

poussin nm Poulet qui vient d'éclore.

poussoir nm Bouton qu'on presse pour agir sur un mécanisme.

poutargue nf Œufs de poisson salés et pressés.

poutre nf 1 Élément de charpente allongé et de forte section. Poutre en bois, en béton, en acier. 2 Appareil de gymnastique constitué par une barre de bois horizontale.

poutrelle nf Petite poutre.

pouvoir vt 48 1 Avoir la faculté, la possibilité de. Le blessé ne peut pas marcher. 2 Avoir le droit, l'autorisation de. Puis-je m'asseoir ? 3 Avoir le front, l'audace de. Comment pouvez-vous mentir ainsi ? 4 Exprime une éventualité, une possibilité. Je peux me tromper. 5 Litt Au subjonctif, exprime un souhait. Puissiez-vous avoir raison ! Loc **N'en pouvoir plus** : être à bout de forces. ■ vpr Être possible. Cela ne se peut pas. Il se peut que j'aie tort. Loc **Autant que faire se peut** : autant qu'il est possible. ■ nm 1 Puissance, possibilité. Avoir un grand pouvoir. 2 Acte par lequel qqn donne la faculté d'agir à sa place ; procuration. 3 Empire, ascendant exercé sur qqn ; influence. 4 Aptitude, propriété de qqch. Pouvoir blanchissant d'une lessive. 5 Autorité

Pouvoir législatif. **6** Gouvernement d'un État. ■ *pl* Loc **Les pouvoirs publics :** les autorités constituées.

pouzzolane [pudzɔ-] *nf* Cendre volcanique claire et friable, utilisée en construction.

practice *nm* Installation pour s'entraîner au golf.

pragmatique *a* Qui considère la valeur pratique, concrète des choses.

pragmatisme *nm* **1** PHILO Doctrine qui considère l'utilité pratique d'une idée comme le critère de sa vérité. **2** Attitude de qqn qui recherche les résultats pratiques, qui s'adapte avec réalisme.

pragois ou **praguois, oise** *a, n* De Prague.

praire *nf* Mollusque comestible à coquille bivalve striée.

prairial *nm* Neuvième mois du calendrier républicain (mai-juin).

prairie *nf* Terrain couvert d'herbes propres à la pâture et à la production de fourrage.

pralin *nm* **1** Préparation à base de pralines pilées. **2** AGRIC Mélange fertilisant de boue et d'engrais.

praline *nf* Friandise faite d'une amande enrobée de sucre.

praliné *nm* Mélange de pralin et de chocolat.

prame *nf* Petite embarcation à fond plat.

prao *nm* Voilier multicoque d'origine malaise.

praticable *a* **1** Qu'on peut pratiquer, mettre à exécution. **2** Où on peut passer. *Gué praticable.* ■ *nm* **1** Plate-forme amovible où on place les caméras, les projecteurs. **2** Élément de décor où les acteurs peuvent se tenir, évoluer.

praticien, enne *n* Médecin, dentiste, vétérinaire.

pratiquant, ante *a, n* Qui observe les pratiques d'une religion, qui pratique un sport.

pratique *nf* **1** Application des règles et des principes d'un art, d'une science, d'une technique. *La pratique de l'architecture.* **2** Fait de pratiquer une activité, de s'y adonner habituellement. *La pratique d'un sport.* **3** Expérience, habitude acquise par cet exercice

régulier. *Avoir la pratique des affaires.* **4** Observance des devoirs d'une religion. **5** Usage, coutume. *C'est la pratique du pays.* ■ *a* **1** Qui a trait à l'action, à la réalisation concrète. Ant. théorique. **2** Qui vise à l'utile, qui a le sens des réalités. *Un esprit pratique.* **3** Commode, bien adapté à sa fonction. *Un outil pratique.* Loc **Travaux pratiques :** exercices d'application, par oppos. aux cours théoriques. (Abrév : T.P.)

pratiquement *av* **1** Dans la pratique ; en fait. **2** Abusiv À peu près ; presque. *Il est pratiquement ruiné.*

pratiquer *vt* **1** Mettre en pratique, exercer. *Pratiquer un métier, un art.* **2** Faire, réaliser. *Pratiquer une ouverture.* ■ *vt, vi* Accomplir fidèlement les actes commandés par une religion. ■ *vpr* Être en usage.

praxis *nf* PHILO Activité humaine susceptible de modifier les rapports sociaux.

pré *nm* Petite prairie. Loc **Pré carré :** domaine réservé.

préaccord *nm* Accord qui précède et prépare un accord définitif.

préadolescent, ente *n* Jeune à l'entrée de l'adolescence.

préalable *a* Qui doit être examiné, réglé, réalisé avant autre chose. *Condition préalable à un accord.* ■ *nm* Ce qui est mis comme condition à la conclusion d'un accord, à l'ouverture de négociations, etc. Loc **Au préalable :** préalablement, auparavant.

préalablement *av* Auparavant.

préalpin, ine *a* Des Préalpes.

préambule *nm* **1** Avant-propos, introduction, exorde. **2** Ce qui précède qqch et l'annonce.

préau *nm* **1** Cour d'un cloître, d'une prison. **2** Partie couverte d'une cour d'école.

préavis *nm* Avis, notification préalable.

prébende *nf* **1** Autrefois, revenu attaché à certains titres ecclésiastiques. **2** Litt Revenu tiré d'une charge lucrative.

précaire *a* Qui est incertain, provisoire, sans base assurée. *Situation précaire.*

précambrien *nm* Ère géologique la plus ancienne.

précariser *vt* Rendre précaire.

précarité *nf* Caractère précaire.

précaution *nf* **1** Disposition prise par prévoyance. **2** Circonspection, prudence.

précautionneux, euse *a* ▸ Prévoyant et circonspect.

précédemment *av* Auparavant.

précédent, ente *a* Qui précède. ■ *nm* Fait, événement, qui peut servir d'exemple.

précéder *vt* **12** **1** Se produire avant ; être placé avant, devant. **2** Arriver, se trouver quelque part avant qqn. **3** Aller, marcher devant.

précepte *nm* Règle de conduite.

précepteur, trice *n* Chargé de l'éducation et de l'instruction d'un enfant à domicile.

préceptorat *nm* Fonction de précepteur.

préchauffage *nm* Chauffage préalable.

préchauffer *vt* Pratiquer un préchauffage.

prêche *nm* Sermon, discours moralisateur.

prêcher *vt* **1** Enseigner la parole divine. *Prêcher l'Évangile.* **2** Engager, exhorter à une qualité, à une vertu. *Prêcher la patience.* ■ *vi* Faire un sermon.

prêcheur, euse *n, a* Qui moralise, sermonne. Loc *Frère prêcheur :* dominicain.

préchi-prêcha *nm inv* Fam Sermon ennuyeux.

précieusement *av* Avec grand soin.

précieux, euse *a* **1** De grand prix. *Métaux précieux.* **2** D'une haute importance, d'une grande utilité. *Perdre un temps précieux.* ■ *a, n* Qui a des manières affectées. ■ *nf* Femme du monde qui, au XVIIe s., cherchait à se distinguer par un langage, des manières affectés.

préciosité *nf* **1** Recherche ou affectation dans le langage, les manières. **2** HIST Mode culturelle du XVIIe s., illustrée par les précieuses.

précipice *nm* Ravin, gouffre.

précipitamment *av* Avec précipitation.

précipitation *nf* **1** Grande hâte, excès de hâte. *Agir sans précipitation.* **2** CHIM Passage à l'état solide d'un corps dissous qui se sépare de son solvant. **3** Phénomène atmosphérique tel que la pluie, la grêle, la neige, le brouillard.

précipité, ée *a* Qui se fait dans la précipitation. *Départ précipité.* ■ *nm* CHIM Substance solide qui se forme par précipitation.

précipiter *vt* **1** Jeter d'un lieu élevé. *Précipiter qqn d'un balcon.* **2** Hâter, accélérer. *Précipiter ses pas.* **3** Faire tomber dans une situation désastreuse. ■ *vi* CHIM Se former par précipitation. ■ *vpr* **1** Se jeter de haut en bas. **2** Se jeter, s'élancer. *Se précipiter sur son adversaire.* **3** Prendre un cours accéléré (événement).

précis, ise *a* **1** Nettement défini, déterminé, sans équivoque. **2** Qui procède avec exactitude, sûreté. *Des gestes précis.* **3** Exact, juste. *Mesure précise.* ■ *nm* Livre d'enseignement contenant l'essentiel d'une matière.

précisément *av* **1** Avec précision. **2** Justement. *On a fait précisément ce qu'il fallait éviter.*

préciser *vt* Exprimer de façon précise ou plus précise. *Préciser une date.*

précision *nf* **1** Caractère précis, exactitude. **2** Donnée précise ; éclaircissement.

précité, ée *a* Cité précédemment.

préclassique *a* Qui précède le classicisme.

précoce *a* **1** Qui se développe avant le temps habituel. *Fruit précoce. Talent précoce.* **2** Prématuré. *Printemps précoce.*

précocité *nf* Caractère précoce.

précolombien, enne *a, n* Qui, en Amérique, a précédé l'arrivée de Colomb (1492).

précompte *nm* Calcul préalable des sommes à déduire.

préconçu, ue *a* Loc *Idée préconçue :* adoptée avant tout examen critique ; préjugé.

préconiser *vt* Recommander vivement, conseiller d'adopter, de prendre qqch.

précuit, cuite *a* Soumis à une cuisson avant conditionnement (aliment).

précurseur *nm* Personne dont l'action, l'œuvre, les idées ont ouvert la voie à une autre personne, à un mouvement, etc. ■ *am* Qui précède et annonce ; avant-coureur.

prédateur, trice *nm, a* Qui vit de proies, des produits de la chasse et de la pêche.

prédécesseur *nm* Qui a précédé qqn dans un emploi, un domaine d'activité, une dignité.

prédécoupé, ée *a* Découpé à l'avance.

prédélinquant, ante *n* Jeune exposé, par son milieu, ses conditions de vie, à tomber dans la délinquance.

prédestination *nf* **1** THEOL Volonté de Dieu qui destinerait chacune de ses créatures à être sauvée ou damnée. **2** Litt Détermination apparemment fatale des événements.

prédestiner *vt* Destiner par avance à qqch.

prédéterminer *vt* Déterminer d'avance.

prédicat *nm* **1** LOG Attribut, affirmé ou nié, d'un sujet. **2** LING Ce qui, dans un énoncé, est dit de l'objet dont on parle (sujet). Ex. : *Jean* (sujet) *travaille* (prédicat).

prédicateur *nm* Qui prêche.

prédicatif, ive *a* Du prédicat.

prédication *nf* Action de prêcher ; sermon.

prédictible *a* Qu'on peut prédire.

prédictif, ive *a* Qui vise à prédire un processus, une évolution.

prédiction *nf* **1** Action de prédire. **2** Ce qui est prédit. *Des prédictions aventureuses.*

prédilection *nf* Préférence d'affection, d'amitié, de goût.

prédire *vt 60* Annoncer ce qui doit arriver.

prédisposer *vt* Mettre par avance dans des conditions favorables à ; préparer à.

prédisposition *nf* Disposition marquée, aptitude naturelle.

prédominance *nf* Fait de prédominer.

prédominer *vi* Être le plus important ou le plus fréquent ; prévaloir.

prééminence *nf* Supériorité de droit, de rang, d'influence.

prééminent, ente *a* Qui a la prééminence.

préemption *nf* Loc DR *Droit de préemption :* droit prioritaire d'acquisition.

préencollé, ée *a* Encollé à l'avance.

préenregistré, ée *a* Enregistré à l'avance.

préétablir *vt* Établir, fixer par avance.

préexistence *nf* Fait d'exister avant.

préexister *vi, vti* Exister avant.

préfabriqué, ée *a* **1** Se dit d'un élément de construction fabriqué avant un montage sur le chantier. **2** Formé uniquement d'éléments préfabriqués. *Maison préfabriquée.* ■ *nm* Ce qui est préfabriqué.

préface *nf* Texte de présentation placé en tête d'un livre.

préfacer *vt 10* Présenter par une préface.

préfectoral, ale, aux *a* Du préfet.

préfecture *nf* **1** Charge, fonctions d'un préfet ; durée de ces fonctions. **2** Étendue de territoire administrée par un préfet. **3** Ville où réside un préfet. **4** Bâtiment, ensemble des bureaux où sont installés les services préfectoraux.

préférable *a* Qui mérite d'être préféré.

préférence *nf* **1** Fait de préférer. **2** Ce qu'on préfère.

préférentiel, elle *a* Qui crée une préférence, un avantage. *Tarif préférentiel.*

préférer *vt 12* Aimer mieux. *Nous préférons partir. Je préfère ma voiture à la vôtre.*

préfet *nm* **1** ANTIQ Administrateur d'une province de l'Empire romain. **2** Haut fonctionnaire qui représente le gouvernement dans le département, la région qu'il administre. Loc *Préfet de police :* haut fonctionnaire chargé de la direction de la police à Paris.

préfète *nf* **1** Femme d'un préfet. **2** Abusiv Femme préfet.

préfiguration *nf* Fait de préfigurer ; ce qui préfigure qqch.

préfigurer *vt* Figurer, être d'avance la représentation de qqch.

préfinancer *vt* Doter de crédits pour financer une opération future.

préfixe *nm* **1** Élément qui précède le radical et en modifie le sens (ex. : *in* dans *incomplet*). **2** Premiers chiffres d'un numéro de téléphone.

préfixer *vt* **1** LING Adjoindre un préfixe à un radical. **2** DR Fixer par avance un délai.

préglaciaire *a* GEOL Antérieur à une glaciation.

prégnant, ante *a* Litt Qui s'impose à l'esprit.

préhensile *a* ZOOL Qui a la faculté de saisir. *Les pieds préhensiles des singes.*

préhension *nf* Didac Action de saisir.

préhistoire nf Période de la vie de l'humanité antérieure à l'apparition de l'écriture.

préhistorien, enne n Spécialiste de la préhistoire.

préhistorique a Relatif à la préhistoire.

préhominien nm Primate fossile de la lignée humaine.

préjudice nm Tort, dommage causé à qqn. Loc *Sans préjudice de* : sans renoncer à.

préjudiciable a Qui cause un préjudice.

préjugé nm Opinion, idée préconçue, adoptée sans examen.

préjuger vt, vti 11 Juger sans examen, se faire une opinion hâtive. *Sans rien préjuger. Peut-on préjuger du résultat ?*

prélasser (se) vpr Se délasser en adoptant une pose nonchalante.

prélat nm Dignitaire ecclésiastique.

prélavage nm Lavage préliminaire du linge ou de la vaisselle, à la machine.

prèle ou **prêle** nf Plante des lieux humides, à rhizome traçant.

prélèvement nm Action de prélever ; ce qui est prélevé. Loc *Prélèvements obligatoires* : les impôts et les cotisations sociales.

prélever vt 15 Soustraire d'un ensemble, prendre une partie d'un tout. *Prélever des échantillons, du sang. Prélever un pourcentage sur les bénéfices.*

préliminaire a, nm Qui précède et prépare la chose principale. ■ nmpl Ensemble de discussions, de démarches préparant un accord.

prélude nm 1 Introduction musicale précédant un morceau. 2 Composition musicale libre, constituant un morceau autonome. 3 Ce qui précède, annonce un fait, un événement.

préluder vti Annoncer en précédant. *Des escarmouches préludèrent à la bataille.*

prématuré, ée a 1 Qui a lieu avant le temps normal. *Accouchement prématuré.* 2 Qui se manifeste trop tôt. *Réjouissances prématurées.* ■ a, n Enfant né vivant avant terme.

prématurément av Avant le temps normal.

prématurité nf Caractère d'une naissance prématurée.

prémédication nf Administration de médicaments avant une opération chirurgicale.

préméditation nf Action de préméditer.

préméditer vt Mûrir un projet ; calculer, combiner à l'avance. *Préméditer un mauvais coup.*

prémices nfpl Litt Début, commencement.

premier, ère a, n Qui précède les autres dans le temps, l'espace, un classement. *Au premier siècle de notre ère. La première rue à droite. Être reçu premier à un concours.* ■ a 1 Qui forme la base, le rudiment de qqch. *Les premières notions d'une science.* 2 Qui est dans son état originel. *Un ressort qui reprend sa forme première.* ■ n Loc *Jeune premier, jeune première* : acteurs qui jouent un rôle d'amoureux. ■ nm 1 Premier étage. 2 Premier arrondissement d'une ville. 3 Premier jour du mois. ■ nf 1 Classe qui précède la terminale. 2 Première représentation d'une pièce. 3 Première vitesse d'un véhicule. 4 Première ascension. 5 Exploit inédit.

premièrement av En premier lieu.

premier-né, première-née n Premier enfant d'une famille. *Des premier(e)s-né(e)s.*

prémisse nf 1 PHILO Chacune des deux premières propositions d'un syllogisme. 2 Argument dont découle un raisonnement.

prémolaire nf Dent implantée entre les canines et les molaires.

prémonition nf Avertissement perçu mystérieusement ; pressentiment.

prémonitoire a De la prémonition.

prémunir vt Préserver, garantir d'un mal, d'un danger. ■ vpr Se protéger contre.

prenant, ante a 1 Qui prend. 2 Qui saisit l'esprit, qui captive. *Lecture prenante.* 3 Qui occupe. *Travail prenant.* Loc *Être partie prenante* : avoir des intérêts dans une affaire.

prénatal, ale,als a Qui précède la naissance.

prendre vt 70 1 Saisir, s'emparer de, attraper. *Prendre une assiette dans le buffet. Prendre un papillon.* 2 Emporter, emmener avec soi. *Prendre son parapluie. Je passerai vous prendre.* 3 Tirer, enlever, soustraire qqch. *Prendre de l'eau à la rivière.* 4 Surprendre. *Prendre qqn au dépourvu.* 5 Demander, exiger. *Ce travail prend du temps.* **6** Manger, boire, absorber. *Je n'ai rien pris de la journée.* **7** Se comporter de telle ou telle façon avec qqn, à l'égard de qqch. *Il faut le prendre par la douceur. Il a mal pris la plaisanterie.* **8** Obtenir, se procurer. *Prendre un billet d'avion. Prendre un interprète.* **9** Recueillir. *Prendre des notes, des mesures.* **10** Contracter, attraper. *Prendre un rhume.* **11** Faire usage de, utiliser, emprunter. *Prendre des précautions. Prendre l'avion. Prendre un chemin.* **12** Acquérir un certain aspect. *Projet qui prend forme.* **Loc** *Prendre de l'âge.* **13** Éprouver tel sentiment, telle impression. *Prendre intérêt, plaisir à faire qqch.* **Loc** *Prendre pour :* considérer comme. ■ *vi* **1** Devenir consistant ; faire sa prise. *Le ciment a pris.* **2** S'allumer, s'embraser. *Le feu a pris tout seul.* **3** S'enraciner. *Cette bouture a bien pris.* **4** Réussir. *Le vaccin a pris.* **Loc** *Prendre sur soi :* se dominer. *Prendre sur soi de :* prendre l'initiative de. ■ *vpr* **Loc** *S'en prendre à qqn :* l'attaquer, le provoquer. *S'y prendre bien, mal :* faire preuve d'adresse, de maladresse.

preneur, euse *n* Qui achète ; acquéreur. **Loc** *Preneur de son :* opérateur de prise de son.

prénom *nm* Nom particulier joint au patronyme.

prénommer *vt* Donner tel prénom à. ■ *vpr* Avoir tel prénom.

prénuptial, ale, aux *a* Qui précède le mariage.

préoccupation *nf* Souci, inquiétude.

préoccuper *vt* Occuper fortement l'esprit de qqn ; inquiéter, tourmenter. *Cette affaire me préoccupe.* ■ *vpr* Se soucier de.

préopératoire *a* CHIR Qui précède une opération.

prépa *nf* Fam Classe préparatoire.

prépaiement *nm* Paiement à l'avance.

préparateur, trice *n* Qui prépare. **Loc** *Préparateur en pharmacie :* employé chargé de faire des préparations, des analyses, etc.

préparatif *nm* (surtout pl) Dispositions qu'on prend pour préparer une action.

préparation *nf* **1** Action de préparer, de se préparer. *Préparation d'un repas. Préparation à un examen.* **2** Chose préparée. *Préparation pharmaceutique.*

préparatoire *a* Qui prépare. **Loc** *Cours préparatoire :* première année de l'enseignement primaire. *Classes préparatoires :* qui préparent aux grandes écoles.

préparer *vt* **1** Apprêter, disposer ; mettre en état. *Préparer un repas. Préparer une chambre pour ses invités.* **2** Combiner par avance. *Préparer ses vacances.* **3** Ménager, réserver pour l'avenir. *Cela nous prépare de grands malheurs.* **4** Mettre qqn en mesure de supporter ou de faire qqch. *Préparer un élève à un examen.* **5** Mettre qqn dans un certain état d'esprit. *Préparer qqn à une mauvaise nouvelle.* **6** S'entraîner pour réussir à. *Préparer un concours.* ■ *vpr* **1** Se mettre en état de. *Se préparer pour sortir.* **2** Être sur le point de. **3** Être imminent. *Un orage se prépare.*

prépondérance *nf* Supériorité, domination.

prépondérant, ante *a* Qui domine par le poids, l'autorité, le prestige.

préposé, ée *n* **1** Chargé d'un service particulier. **2** Facteur.

prépositif, ive ou **prépositionnel, elle** *a* GRAM De la préposition.

préposition *nf* GRAM Mot invariable reliant un élément de la phrase à un autre élément.

prépuce *nm* ANAT Repli cutané qui recouvre le gland de la verge.

préraphaélisme *nm* Mouvement pictural anglais de la fin du XIXe s., inspiré par la Renaissance italienne.

prérasage *nm* Produit destiné à nettoyer et à préparer la peau avant le rasage.

préréglé, ée *a* Qui a été préalablement réglé sur des stations données.

prérentrée *nf* Rentrée des enseignants, précédant la rentrée des élèves.

préretraite *nf* Retraite anticipée.

préretraité, ée *n* Qui bénéficie d'une préretraite.

prérogative *nf* Avantage, privilège attaché à une fonction, à un état.

préromantisme *nm* Période qui a préparé le romantisme.

près *av* Non loin, à une courte distance. *La ville est tout près.* **Loc A... près :** indique une évaluation par approximation. *À peu près :* environ. ■ *prép* Marque la proximité dans l'espace ou dans le temps. *Venez près de moi.*

présage *nm* 1 Signe interprété comme favorable ou défavorable pour l'avenir. 2 Conjecture que l'on tire de qqch.

présager *vt* 11 Annoncer une chose à venir.

présalaire *nm* Allocation d'études.

pré-salé *a, n* Mouton qui a pâturé l'herbe de prairies voisines de la mer. *Des prés-salés.*

presbyte *a, n* Atteint de presbytie.

presbytère *nm* Habitation du curé, du pasteur, dans une paroisse.

presbytérianisme *nm* Doctrine et Église des presbytériens, unissant ecclésiastiques et laïcs dans la direction des affaires religieuses.

presbytérien, enne *a, n* Qui relève du presbytérianisme.

presbytie [-si] *nf* Difficulté à voir nettement de près.

prescience *nf* Connaissance du futur.

prescripteur *nm* Qui conseille ou prescrit l'achat d'un produit.

prescription *nf* 1 Action de prescrire. 2 Ce qui est prescrit ; ordre ; précepte. 3 DR Délai au terme duquel on ne peut plus, soit contester la propriété d'un possesseur, soit poursuivre la répression d'une infraction.

prescrire *vt* 61 1 Commander, ordonner qqch. 2 Préconiser un traitement, un régime, etc. 3 DR Acquérir qqch, se libérer d'une obligation par prescription.

préséance *nf* Supériorité, priorité selon l'usage, l'étiquette.

présélection *nf* Sélection préalable.

présélectionner *vt* Effectuer une présélection.

présence *nf* 1 Fait d'être dans un lieu déterminé. 2 Personnalité, tempérament. *Avoir de la présence.* **Loc En présence :** face à face, en vue. *Présence d'esprit :* vivacité, à-propos.

1. présent, ente *a* 1 Qui est dans le lieu dont on parle (par oppos. à absent). *Étiez-vous*

présent à la réunion d'hier ? 2 Dont il est question en ce moment. *La présente lettre.* 3 Qui existe actuellement (par oppos. à passé et futur). *Dans la minute présente.* ■ *nm* 1 Partie du temps qui est en train de passer actuellement. 2 Temps du verbe situant ce qui est énoncé au moment actuel. ■ *nf* Loc *La présente :* la lettre que voici.

2. présent *nm* Litt Don, cadeau.

présentable *a* Qui a bon aspect ; convenable.

présentateur, trice *n* 1 Qui propose une marchandise, un appareil, etc. ; démonstrateur. 2 Qui présente un spectacle, une émission.

présentation *nf* 1 Action de présenter, de se présenter. 2 Maintien, manières ; aspect physique.

présentement *av* Maintenant.

présenter *vt* 1 Disposer devant qqn, proposer, offrir. *Présenter une chaise à qqn.* 2 Montrer, exposer. *Présenter ses papiers. Présenter les faits avec objectivité.* 3 Formuler, adresser. *Présenter ses excuses.* 4 Introduire qqn auprès d'une personne, la faire connaître par son nom. *Je vous présente M. Durand.* ■ *vpr* 1 Paraître devant qqn, se montrer. 2 Énoncer son nom, dire qui l'on est. 3 Se proposer, être candidat. *Se présenter pour un poste.* 4 Apparaître, survenir. *Quand l'occasion s'en présente.*

présentoir *nm* Support destiné à mettre en valeur les produits dans un magasin.

présérie *nf* Fabrication d'une première série de produits avant le lancement de la fabrication.

préservatif *nm* Capuchon en caoutchouc destiné à être adapté au pénis avant un rapport sexuel.

préservation *nf* Action de préserver.

préserver *vt* Garantir de qqch de nuisible ; protéger.

présidence *nf* 1 Fonction, dignité de président. 2 Temps pendant lequel qqn exerce cette fonction. 3 Résidence d'un président. 4 Bureaux et services placés sous l'autorité d'un président.

président, ente n **1** Qui préside une assemblée, qui dirige ses débats. **2** Personne, généralement élue, qui dirige, administre. *Loc Président de la République :* chef de l'État. ■ *nf* Épouse du président.

présidentiable a, n Susceptible d'accéder à la fonction de président.

présidentiel, elle a D'un président et spécialement du président de la République. *Loc Régime présidentiel :* où le pouvoir exécutif relève du seul président. ■ *nfpl* Élections pour la désignation du président de la République.

présider vt Diriger une assemblée, ses débats. ■ *vti* Veiller sur, diriger. *Présider aux destinées du pays.*

présocratique a, n Se dit des philosophes grecs antérieurs à Socrate.

présomptif, ive a *Loc Héritier présomptif :* appelé à hériter de qqn ou à lui succéder.

présomption nf **1** Conjecture, opinion fondée sur de simples indices. *Juger qqn sur des présomptions.* **2** Opinion trop avantageuse que qqn a de lui-même ; prétention, suffisance.

présomptueux, euse a, n Qui se surestime ; prétentieux, suffisant.

présonorisation nf Syn de *play-back.*

presque av Pas tout à fait.

presqu'île nf Promontoire relié au continent par une étroite bande de terre.

pressant, ante a **1** Insistant. *Recommandation pressante.* **2** Urgent. *Un besoin pressant.*

pressbook [prɛsbuk] nm Dossier constitué par des coupures de presse.

presse nf **1** Dispositif, machine destinée à comprimer ou à déformer des objets. **2** Machine à imprimer. **3** Ensemble des journaux ; journalisme. **4** Nécessité de hâter le travail. *Loc Sous presse :* en cours d'impression.

pressé, ée a **1** Contraint de se hâter. *Faites vite, je suis pressé.* **2** Urgent. *Affaire pressée.* ■ *nm Loc Aller au plus pressé :* s'occuper d'abord de ce qui est le plus urgent.

presse-bouton a inv Se dit d'une action extrêmement automatisée. *Guerre presse-bouton.*

presse-citron nm inv Ustensile servant à extraire par pression le jus des agrumes.

presse-fruits nm inv Ustensile pour presser les fruits.

pressentiment nm Sentiment instinctif d'un événement à venir.

pressentir vt 29 **1** Prévoir confusément. *Pressentir un malheur.* **2** Sonder les dispositions, les sentiments de qqn.

presse-papiers nm inv Objet pesant servant à maintenir des papiers sur un bureau.

presse-purée nm inv Ustensile servant à faire des purées de légumes.

presser vt **1** Serrer avec plus ou moins de force, comprimer. **2** Appuyer sur. *Presser un bouton.* **3** Poursuivre sans relâche. *Presser l'ennemi.* **4** Hâter, précipiter. *Presser son départ.* **5** Engager vivement à. *On me presse de conclure.* ■ *vi* Être urgent. *Dépêchez-vous, ça presse.* ■ *vpr* **1** Se serrer, se tasser. **2** Se hâter.

presse-raquette nm inv Dispositif servant à maintenir la rigidité d'une raquette de tennis.

pressing [-siŋ] nm **1** Magasin où l'on fait nettoyer et repasser ses vêtements. **2** SPORT Attaque insistante. *Faire le pressing.*

pression nf **1** Action de presser ; force exercée par ce qui presse. **2** Influence plus ou moins contraignante qui s'exerce sur qqn. *Loc Pression artérielle :* pression du sang sur les parois des artères. *Pression atmosphérique :* poids de la masse d'air au niveau du sol. *Groupe de pression :* qui cherche à influencer les décideurs ou le public en vue de satisfaire ses intérêts. *Syn.* lobby. *Fam Pression fiscale :* charge des impôts.

pressoir nm Presse utilisée pour exprimer le jus ou l'huile ; bâtiment où elle se trouve.

pressurer vt **1** Écraser au moyen du pressoir. **2** Accabler par de continuelles extorsions d'argent. ■ *vpr Loc Fam Se pressurer le cerveau :* faire un intense effort intellectuel.

pressurisation nf Action de pressuriser.

pressuriser vt Maintenir une enceinte, une installation, etc., à la pression atmosphérique normale.

prestance nf Maintien plein d'élégance.

prestataire n Qui fournit une prestation ; qui vend des services à une clientèle.

prestation nf 1 Service fourni. 2 (souvent pl) Allocation versée par un organisme officiel. Prestations de la Sécurité sociale. 3 Abusiv Spectacle que donne un artiste, un sportif qui se produit en public. **Loc Prestation de serment** : action de prêter serment.

preste a Prompt et agile.

prestement av Vivement, promptement.

prestidigitateur, trice n Artiste qui fait des tours de prestidigitation.

prestidigitation nf Art de produire des illusions au moyen de trucages, de manipulations.

prestige nm Séduction, attrait qui inspire l'admiration.

prestigieux, euse a Qui a du prestige.

presto av, nm MUS Rapidement.

présumé, ée a Cru par supposition, censé, réputé. Rendement présumé d'une machine.

présumer vt Juger par conjecture, croire, supposer. Je présume qu'il y a raison. ■ vti Avoir une opinion trop avantageuse de. Présumer de ses forces.

présupposé nm Point préalablement admis, sans examen.

présure nf Matière utilisée pour faire cailler le lait.

1. prêt nm Action de prêter ; chose prêtée.

2. prêt, prête a Disposé, préparé. Le dîner est prêt. Être prêt à partir.

prêt-à-porter nm Vêtements de confection.

prétendant, ante n Qui prétend avoir des droits à un trône. ■ nm Homme qui espère épouser une femme.

prétendre vt 5 1 Demander à, revendiquer de. Il prétend commander ici. 2 Affirmer, soutenir qqch de contestable. Il prétend que j'ai menti. ■ vti Litt Aspirer à ; revendiquer. Prétendre à une indemnité.

prétendument av Faussement, à tort.

prête-nom nm Dont le nom apparaît dans un acte à la place de celui du véritable contractant. Des prête-noms.

prétentieux, euse a, n Qui a une trop haute opinion de soi-même ; vaniteux.

prétention nf 1 Revendication, exigence. Rabattre de ses prétentions. 2 Caractère prétentieux.

prêter vt 1 Mettre provisoirement à la disposition de qqn. Il lui a prêté sa bicyclette. 2 Attribuer. Il lui prête des qualités qu'il n'a pas. **Loc Prêter l'oreille** : écouter. **Prêter attention** : être attentif. **Prêter serment** : jurer. ■ vti Donner prise, donner matière à. Prêter à la critique, à la censure, à rire. ■ vpr 1 Accepter, consentir à. Prêtez-vous à cet accord. 2 Aller bien, convenir à. Une région qui se prête à la vigne.

prétérit nm GRAM Forme verbale qui exprime le passé dans certaines langues.

prétérition nf RHET Figure de style qui consiste à dire qqch en déclarant qu'on se gardera bien de l'affirmer (ex. : inutile de vous dire que...).

prêteur, euse n, a Qui prête.

prétexte nm Raison alléguée pour cacher le véritable motif.

prétexter vt Donner comme prétexte.

prétoire nm Salle d'audience d'un tribunal.

prétraité, ée a Soumis à un traitement préalable. Semoule prétraitée.

prêtre nm 1 Qui exerce un ministère sacré, qui préside aux cérémonies d'un culte. 2 Qui a reçu le sacrement de l'ordre, dans l'Église catholique.

prêtresse nf Femme célébrant le culte d'une divinité.

prêtrise nf Dignité de prêtre.

preuve nf 1 Ce qui établit la vérité, l'exactitude, l'existence de qqch. 2 Marque, signe. Donner des preuves de bonne volonté. **Loc Faire preuve de** : montrer. **Faire ses preuves** : montrer ses capacités.

preux am, nm Litt Brave et vaillant.

prévalence nf MED Rapport du nombre de cas d'une maladie à l'effectif d'une population.

prévaloir vi **44** Être supérieur, s'imposer. *Sa solution a prévalu.* ■ *vpr* Tirer vanité. *Se prévaloir de ses relations.*

prévarication nf DR Acte d'un responsable qui manque aux devoirs de sa charge.

prévenance nf Fait de prévenir les désirs de qqn ; délicatesse, attention.

prévenant, ante a Plein de prévenance.

prévenir vt **35** 1 Informer, avertir. *Prévenir les pompiers.* 2 Prendre des précautions pour empêcher. *Prévenir une attaque ennemie.* 3 Satisfaire par avance, aller au-devant de. *Prévenir les désirs de ses chefs.* 4 Disposer qqn défavorablement à l'égard de qqn.

préventif, ive a Qui a pour but de prévenir, d'empêcher. Loc *Détention préventive* : incarcération avant un jugement.

prévention nf 1 Ensemble de mesures destinées à prévenir certains risques. *Prévention routière.* 2 Idée préconçue. 3 DR Des préventions contre qqn. 3 DR Temps passé en prison avant un jugement.

préventologie nf Étude scientifique de la prévention des maladies, des accidents.

préventorium [-rjɔm] nm Établissement où on traite les personnes atteintes de primoinfection tuberculeuse.

prévenu, ue n DR Qui comparaît devant un tribunal pour répondre d'un délit.

prévisible a Qui peut être prévu ; conjecture.

prévision nf 1 Action de prévoir. 2 Ce qui est prévu ; conjecture.

prévisionnel, elle a Fait par prévision.

prévoir vt **41** 1 Se représenter ce qui doit arriver. *Qui pouvait prévoir les événements actuels ?* 2 Envisager. *Il prévoit de rentrer le 15 août.* 3 Prendre des dispositions en vue de qqch. *Les juristes n'ont pas prévu cette éventualité.*

prévôt nm 1 HIST Titre de certains magistrats. 2 Officier de gendarmerie en fonction dans une prévôté. 3 Surveillant de prison choisi parmi les détenus.

prévôté nf 1 HIST Circonscription du prévôt sous l'Ancien Régime. 2 Formation de gendarmerie qui joue le rôle de police militaire.

prévoyance nf Qualité de qqn qui prévoit.

prévoyant, ante a Qui fait preuve de prévoyance.

prie-Dieu nm inv Siège bas sur lequel on s'agenouille pour prier.

prier vt 1 S'adresser à Dieu, à une divinité, à un être surnaturel pour l'adorer, lui demander une grâce. 2 Demander à qqn. *Je vous prie de m'écouter.* 3 Ordonner. *Il le pria de se taire.*

prière nf 1 Fait de prier Dieu, une divinité. 2 Texte qu'on récite pour prier. 3 Demande faite instamment.

prieur, eure n Religieux(euse) qui dirige certains monastères.

prieuré nm Établissement religieux dirigé par un prieur ou une prieure.

prima donna nf inv Principale cantatrice d'un opéra.

primaire a 1 Se dit de l'enseignement du premier degré. 2 Simpliste, borné. *Antiparlementarisme primaire.* Loc *Élection primaire* : élection servant à désigner les candidats à l'élection réelle. *Ère primaire* : la plus ancienne des ères géologiques. ECON *Secteur primaire* : activités qui produisent des matières premières (agriculture, mines). ■ nm 1 Enseignement primaire. 2 Ère primaire. 3 Secteur primaire. ■ nf Élection primaire.

primat nm 1 Litt Supériorité, primauté. 2 Titre donné à certains archevêques.

primate nm 1 Mammifère tel que les singes et l'homme. 2 Fam Homme grossier.

primatologie nf Étude scientifique des primates.

primature nf Services du Premier ministre.

primauté nf Prééminence, premier rang.

1. prime a Se dit d'une lettre affectée d'un signe : *A'* (A prime). Loc *De prime abord* : à première vue. *La prime jeunesse* : le plus jeune âge.

2. prime nf 1 Cadeau offert à un acheteur. 2 Somme accordée à titre d'encouragement ou d'indemnité. 3 Somme due par l'assuré à sa compagnie d'assurances.

1. primer vt, vti Être plus important que, prévaloir sur. *L'intérêt général prime (sur) les intérêts particuliers.*

2. primer vt Accorder une récompense à. *Taureau primé au concours agricole.*

primerose nf Syn de *rose trémière*.

primesautier, ère [-so-] a Litt Spontané.

prime time [prajmtajm] nm À la télévision, heure de grande écoute.

primeur nf Faveur d'être le premier à connaître qqch. *Réserver à qqn la primeur d'une information.* Loc *Vin de primeur :* vin de l'année vendu dès la fin de la fermentation. ■ pl Fruits et légumes vendus avant la saison normale.

primevère nf Plante herbacée à floraison précoce.

primipare a, nf Qui accouche ou met bas pour la première fois.

primitif, ive a 1 Le plus ancien, le premier, le plus près de l'origine. 2 Se dit des sociétés qui ne connaissent pas l'écriture et ne pratiquent ni culture ni élevage. 3 Peu élaboré, fruste. ■ nm Artiste qui a précédé la Renaissance.

primo av Premièrement.

primo-infection nf Première infection par un germe. *Des primo-infections.*

primordial, ale, aux a Essentiel.

prince nm 1 Souverain ou membre d'une famille souveraine. 2 Haut titre de noblesse. Loc *Prince du sang :* membre de la famille royale. *Le fait du prince :* acte arbitraire du gouvernement.

prince-de-galles nm inv Tissu écossais, aux teintes discrètes.

princeps a Loc *Édition princeps :* originale.

princesse nf Femme ou fille de prince, de roi. Loc *Aux frais de la princesse :* tous frais payés.

princier, ère a 1 De prince. 2 Somptueux. *Repas princier.*

principal, ale, aux a, nm Le plus important. *C'est la raison principale. Le principal, c'est que vous veniez.* Loc GRAM *Proposition principale :* proposition dont dépendent les subordonnées. ■ nm 1 Ce qui constitue l'objet essentiel d'une action en justice. 2 Capital d'une dette (par oppos. aux intérêts). ■ n Personne qui dirige un collège.

principalement av Particulièrement.

principauté nf État gouverné par un prince.

principe nm 1 Origine, cause première. 2 Loi générale, non démontrée, mais vérifiée expérimentalement. 3 Fondement théorique du fonctionnement d'une chose. 4 Règle de conduite. *Principe de morale.* ■ pl 1 Premiers rudiments d'une science. 2 Convictions morales. *Être fidèle à ses principes.*

printanier, ère a Du printemps.

printemps nm 1 La première des quatre saisons. 2 Litt Année. *Avoir seize printemps.*

prion nm Particule protéique infectieuse.

prioritaire a Qui a la priorité.

priorité nf 1 Préférence. *Donner la priorité.* 2 Droit de passer avant les autres. *Respecter la priorité à droite.*

pris, prise a Retenu par ses occupations. *Être pris toute la journée.* Loc *Pris de boisson :* ivre.

prise nf 1 Action de prendre, de s'emparer de. 2 Ce dont on s'est emparé. *Une bonne prise.* 3 Moyen, manière de prendre, de saisir. *On n'a pas prise. Prise de judo.* 4 Durcissement. *Ciment à prise rapide.* 5 Pincée de tabac à priser. Loc *Donner prise :* fournir l'occasion de. *Être aux prises avec :* lutter contre. *Prise directe :* dispositif mécanique d'accouplement direct. *Prise d'eau :* robinet. *Prise de courant :* dispositif permettant d'alimenter une installation mobile en courant électrique. *Prise d'armes :* parade, revue militaire. *Prise de conscience :* fait de devenir conscient de qqch.

1. priser vt Aspirer du tabac par le nez.

2. priser vt Litt Estimer.

prisme nm Corps présentant deux faces planes ayant une arête commune.

prison nf 1 Lieu de détention. 2 Peine d'emprisonnement. 3 Ce qui enferme, retient.

prisonnier, ère n Détenu. ■ a Aliéné par qqch. *Prisonnier de ses préjugés.*

privatif, ive a 1 GRAM Qui marque la suppression. *Préfixe privatif.* 2 DR Qui prive. *Peine privative de liberté.* 3 Dont on jouit seul ou être propriétaire. *Jardin privatif.*

privation nf Perte, suppression. ■ pl Besoins non satisfaits, pénurie.

privatisation nf Action de privatiser.

privatiser vt Transférer une entreprise du secteur public au secteur privé.

privautés nfpl Familiarités déplacées.

privé, ée a, nm 1 Réservé, non ouvert au public. *Club privé.* 2 Personnel. *Vie privée.* 3 Qui appartient à qqn. *Propriété privée.* 4 Où l'État n'intervient pas. *Secteur privé.* Ant. public. Loc *Détective privé* : détective chargé d'enquêtes policières privées.

priver vt Refuser, ôter qqch à qqn. *Priver un enfant de dessert.* ■ vpr 1 S'abstenir de. *Il ne se prive pas de critiquer.* 2 Faire des sacrifices. *Il se prive pour élever ses enfants.*

privilège nm 1 Droit exceptionnel ou exclusif de faire qqch, de jouir d'un avantage. 2 Caractère, avantage unique. *La raison est le privilège de l'être humain.*

privilégié, ée a, n Qui bénéficie de privilèges.

privilégier vt 1 Accorder un privilège à qqch, à qqn. 2 Avantager.

prix nm 1 Valeur de qqch exprimée en monnaie. *Prix élevé.* 2 Récompense, distinction. *Prix Nobel.* 3 Ouvrage qui a obtenu un prix. 4 Compétition qui donne lieu à un prix. *Grand prix automobile.* 5 Valeur, importance de qqch. *Le prix de la liberté.* Loc *À tout prix* : coûte que coûte.

probabilisme nm Théorie selon laquelle il n'y a pas de certitudes mais seulement des opinions probables.

probabilité nf Caractère probable, vraisemblable. Loc *Calcul des probabilités* : science visant à déterminer la vraisemblance d'un événement.

probable a 1 Qui a une apparence de vérité. 2 Qui a des chances de se produire.

probablement av Vraisemblablement.

probant, ante a Concluant.

probation nf DR Mise à l'épreuve d'un délinquant.

probatoire a Destiné à tester qqn.

probe a Litt Qui a de la probité.

probité nf Droiture, intégrité.

problématique a Douteux. *Résultat problématique.* ■ nf Ensemble des problèmes concernant un sujet.

problème nm 1 Question à résoudre dans une science. *Problème de physique théorique.* 2 Exercice scolaire consistant à résoudre une question posée. 3 Ennui, difficulté ; situation compliquée.

proboscidien nm ZOOL Mammifère à trompe, tel l'éléphant.

procédé nm 1 Méthode d'exécution. *Procédé de fabrication.* 2 Manière d'agir. *Des procédés inadmissibles.* 3 Rondelle de cuir collée à la pointe d'une queue de billard.

procéder vi 12 Agir. *Procéder avec méthode.* ■ vti 1 Exécuter en se conformant aux règles. *Procéder à l'arrestation d'un voleur.* 2 Litt Provenir, découler de.

procédure nf 1 Ensemble de consignes à appliquer. *Procédure d'atterrissage.* 2 DR Manière de procéder en justice ; partie du droit qui étudie ces manières. 3 Ensemble des règles suivant lesquelles un procès est instruit.

procès nm Instance devant un tribunal sur un différend entre deux ou plusieurs parties.

processeur nm INFORM Organe d'un ordinateur destiné à exécuter une série d'instructions.

procession nf 1 Cortège religieux. 2 Défilé.

processionnaire nf Chenille qui se déplace avec d'autres en file régulière.

processus [-sys] nm Enchaînement de phénomènes, suite d'opérations. *Processus de fabrication.*

procès-verbal nm 1 DR Acte par lequel une autorité compétente constate un fait, un délit. 2 Compte rendu écrit d'une délibération. *Des procès-verbaux.*

prochain, aine a Qui est près d'arriver ; suivant. *Le mois prochain. Le prochain village.* ■ nm Être humain considéré dans ses rapports moraux avec autrui. ■ nf Loc Fam *À la prochaine* : à la station suivante ; à une autre fois.

prochainement av Bientôt.

proche a 1 Voisin. *La proche banlieue.* 2 Qui est près d'arriver. *Noël est proche.* 3 Qui a une relation étroite avec. Loc *De proche en proche* : progressivement. ■ nm Parent. *Très aimé de ses proches.*

proche-oriental, ale, aux a, n Du Proche-Orient.

proclamation nf 1 Action de proclamer. 2 Écrit, discours proclamé ; appel solennel, public.

proclamer vt 1 Annoncer avec solennité. *Proclamer sa foi.* 2 Reconnaître publiquement. *Proclamer la république.*

proconsul nm ANTIQ Consul sortant de charge qui recevait une prolongation de ses pouvoirs.

procréateur, trice a Qui procrée.

procréation nf Action de procréer.

procréatique nf Étude de la procréation artificielle (fécondation in vitro, insémination).

procréer vt Engendrer un être humain.

proctologie nf Partie de la médecine qui traite du rectum et de l'anus.

procuration nf Pouvoir donné à qqn d'agir au nom de son mandant.

procurer vt 1 Faire avoir, fournir qqch à qqn. 2 Être la cause de. *Cela procure des avantages.*

procureur nm Loc *Procureur de la République :* magistrat qui dirige le parquet dans un tribunal de grande instance. *Procureur général :* chef du parquet de la Cour de cassation.

prodigalité nf Litt Caractère prodigue. ■ pl Dépenses exagérées.

prodige nm 1 Phénomène surprenant auquel on prête un caractère surnaturel. 2 Action, personne extraordinaire. *Les prodiges de la médecine.*

prodigieux, euse a Extraordinaire.

prodigue a, n Litt Qui fait des dépenses excessives pour ses moyens. ■ a Litt Qui donne abondamment. *Être prodigue de promesses.* Loc Litt *Enfant prodigue :* qui revient, repentant, chez ses parents.

prodiguer vt Litt Donner à profusion. *Prodiguer des conseils.*

prodrome nm MED Signe précurseur, symptômes qui annoncent une maladie.

producteur, trice n, a 1 Qui produit des biens, des services. 2 Qui finance une œuvre de l'industrie du spectacle.

productif, ive a Qui produit une richesse, un profit ; rentable.

production nf 1 Action de produire des biens ; les biens produits. 2 Action de produire un film, une émission ; le film, l'émission. 3 Fait de se produire. *Production d'une réaction chimique.*

productique nf Technique informatique d'amélioration de la productivité.

productivisme nm Recherche systématique de la productivité.

productivité nf 1 Capacité de produire. 2 Rapport entre la quantité de biens produits et les moyens utilisés.

produire vt 67 1 Créer des richesses économiques. *Terre qui produit du blé.* 2 Créer une œuvre. *Cet écrivain produit des romans.* 3 Assurer l'organisation matérielle et le financement (film, émission, disque, etc.). 4 Rapporter. *Capital qui produit des intérêts.* 5 Causer, déterminer. *Produire des résultats inattendus.* 6 Montrer, présenter. *Produire ses papiers.* ■ vpr 1 Avoir lieu. *Cela s'est bien produit.* 2 Apparaître en public. *Chanteur qui se produit au cabaret.*

produit nm 1 Ce que rapporte une charge, une activité, un impôt, etc. *Le produit d'une opération commerciale.* 2 Ce qui est créé par la nature ou par l'homme. *Les produits de la terre. Produits finis.* 3 Résultat. *Produit de son imagination.* 4 MATH Résultat d'une multiplication. Loc *Produit national brut* ou *P.N.B. :* résultat de l'activité économique d'un pays.

proéminence nf Litt État proéminent ; saillie.

proéminent, ente a Qui fait saillie ; en relief.

prof n Fam Professeur.

profanateur, trice n, a Litt Qui profane qqch.

profanation nf Action de profaner.

profane a, n 1 Qui n'a pas un caractère religieux, sacré. 2 Qui ignore tout d'un art, d'une science.

profaner vt Violer le caractère sacré de. *Profaner une tombe.*

proférer vt 12 Prononcer, dire à haute voix. *Proférer des menaces.*

professer vt Déclarer, manifester ouvertement (opinion, sentiment, etc.). ■ vi Enseigner. *Il professe à l'université.*

professeur nm 1 Qui a pour métier d'enseigner. *Professeur de chant.* 2 Enseignant du secondaire ou du supérieur.

profession nf 1 Activité rémunératrice exercée par qqn. 2 Corps constitué par tous ceux qui pratiquent le même métier. Loc *Faire profession de :* professer. *Profession de foi :* déclaration publique de ses convictions.

professionnaliser vt Adapter un enseignement à une pratique professionnelle.

professionnalisme nm Caractère professionnel d'un travail.

professionnel, elle a D'une profession. *Obligations professionnelles.* ■ n, a 1 Qui pratique une activité, un sport comme métier rétribué. Ant. amateur. 2 Qui est expérimenté, compétent dans une activité.

professoral, ale,aux a De professeur.

professorat nm Métier de professeur.

profil nm 1 Contour d'un visage vu de côté. 2 Forme ou représentation d'une chose vue de côté. 3 Ensemble des caractéristiques psychologiques et professionnelles d'un individu. *Un profil de gagneur.* 4 Configuration générale de qqch (situation, évolution). *Le profil de la crise monétaire.*

profiler vt Donner un profil à un objet. ■ vpr Se dessiner, s'ébaucher, apparaître. *Une solution se profile.*

profit nm 1 Gain, bénéfice. 2 Avantage matériel ou moral. Loc *Mettre qqch à profit :* l'utiliser au mieux. *Au profit de :* à l'avantage de.

profitable a Qui offre un avantage.

profiter vti 1 Tirer profit de. *Profiter de l'occasion.* 2 Être utile à. *Cette expérience lui a profité.* ■ vi Fam Croître, se fortifier.

profiterole nf Chou garni de glace à la vanille, nappé de chocolat chaud.

profiteur, euse n Qui tire profit de tout, de façon peu scrupuleuse.

profond, onde a 1 Dont le fond est éloigné de la surface, du bord. *Puits profond.* 2 Si-

tué très bas par rapport à la surface. 3 Qui s'enfonce très avant. *Racine profonde.* 4 Se dit d'une voix grave. 5 Caché. *Le sens profond d'un symbole.* 6 Qui ne s'arrête pas aux apparences. *Esprit profond.* 7 Très grand, intense. *Profond chagrin.*

profondément av 1 De façon profonde. 2 À un haut degré. *Il est profondément ému.*

profondeur nf 1 Distance de la surface, du bord jusqu'au fond. 2 Qualité de qqn qui approfondit les choses.

pro forma a inv Loc *Facture pro forma :* établie à titre indicatif avant la livraison.

profusion nf Abondance extrême.

progéniture nf Enfants, descendance.

progestatif, ive a, nm Qui possède la même action que la progestérone.

progestérone nf Hormone sexuelle femelle.

progiciel nm INFORM Programme conçu pour différents utilisateurs et destiné à un même type d'applications.

prognathe a, n Dont les machoires sont proéminentes.

programmable a Qu'on peut programmer.

programmateur, trice n Chargé d'établir un programme de radio, de télévision, etc. ■ nm Dispositif commandant les opérations de fonctionnement d'un appareil.

programmation nf Établissement d'un programme.

programmatique a D'un programme. *Textes programmatiques d'un parti.*

programme nm 1 Texte indiquant ce qui est prévu pour une représentation, une fête ; liste des émissions, des films, etc., à venir. 2 Ensemble des matières et des sujets sur lesquels doit porter un enseignement. 3 Exposé des vues d'un parti, d'un candidat. 4 Ensemble de ce que l'on prévoit de faire. 5 INFORM Suite d'instructions utilisées par l'ordinateur pour effectuer un traitement déterminé.

programmer vt 1 Mettre un film, une émission dans un programme. 2 INFORM Écrire un programme. 3 Prévoir. *Programmer un achat.*

promener

programmeur, euse n INFORM Spécialiste de la programmation.

progrès nm 1 Avance, développement, extension. *Les progrès d'un feu de forêt.* 2 Amélioration. *Faire des progrès.* 3 Évolution de la société. *Croire au progrès.*

progresser vi 1 Avancer, se développer. 2 Faire des progrès. *Élève qui progresse.*

progressif, ive a 1 Qui croît selon une progression. *Impôt progressif.* 2 Qui se fait graduellement. *Évolution progressive.*

progression nf 1 Action d'avancer ; propagation. *La progression du feu.* 2 Fait de se développer. *La progression de la criminalité.* 3 MATH Suite de nombres tels que chacun d'eux s'obtient en ajoutant au précédent (*progression arithmétique*) ou en le multipliant (*progression géométrique*) par un nombre constant.

progressiste a, n Partisan des réformes, du progrès social.

prohiber vt DR Interdire par voie légale.

prohibitif, ive a 1 Qui prohibe. 2 Exorbitant.

prohibition nf 1 Action de prohiber. 2 HIST Interdiction des boissons alcooliques aux États-Unis de 1919 à 1933.

proie nf 1 Être vivant dont un animal s'empare pour en faire sa nourriture. 2 Personne, chose dont on s'empare. Loc *Oiseau de proie* : rapace.

projecteur nm 1 Appareil qui envoie un faisceau lumineux. 2 Appareil de projection de diapositives, de films. 3 Ce qui dirige l'attention du public sur qqn ou qqch.

projectile nm Toute chose lancée avec force, en particulier avec une arme.

projection nf 1 Action de projeter ; matières projetées. 2 Action de former une image sur un écran. 3 GEOM Transformation par laquelle on fait correspondre à tout point d'une surface donnée un point d'une autre surface.

projectionniste n Dont le métier est de projeter des films.

projet nm 1 Ce qu'on se propose de faire. 2 Première rédaction d'un texte. 3 Indications avec dessins et devis d'une construction,

d'une machine. Loc *Projet de loi* : texte du gouvernement soumis au vote du Parlement.

projeter vt 19 1 Lancer. *Projeter de la boue.* 2 Émettre une lumière ; produire une image sur une surface. *Projeter une ombre.* 3 Faire passer un film. 4 GEOM Représenter un corps par sa projection sur un plan. 5 Former le projet de. *Projeter un achat.*

prolepse nf Figure de style consistant à réfuter par avance une objection éventuelle.

prolétaire n Qui ne vit que du produit d'une activité salariée et dont le niveau de vie est en général bas.

prolétariat nm Classe des prolétaires.

prolétarien, enne a Du prolétariat.

prolétariser vt Réduire à l'état de prolétaire. ■ vpr Devenir prolétaire.

prolifération nf 1 BIOL Multiplication d'une cellule. 2 Multiplication excessive et rapide.

proliférer vi 12 1 Se reproduire, se multiplier. *Cellules qui prolifèrent.* 2 Se multiplier rapidement, foisonner.

prolifique a 1 Qui se reproduit rapidement. *Espèces prolifiques.* 2 Qui produit en abondance. *Écrivain prolifique.*

prolixe a Litt Bavard, trop long. *Orateur prolixe.*

prologue nm 1 Première partie d'une œuvre littéraire ou dramatique. 2 Préface, introduction, avant-propos.

prolongateur nm Rallonge électrique.

prolongation nf Action de prolonger dans le temps ; temps ajouté.

prolongement nm 1 Action de prolonger. *Le prolongement d'une route.* 2 Ce qui prolonge. 3 (souvent pl) Suite, conséquence.

prolonger vt 11 Continuer dans l'espace ou le temps. ■ vpr Continuer au-delà du temps prévu.

promenade nf 1 Action de se promener. 2 Voie, allée où l'on se promène.

promener vt 15 1 Faire sortir pour l'agrément ou la santé. *Promener un animal.* 2 Faire passer, déplacer çà et là. *Promener le doigt sur* la page. ■ **vpr** Faire une promenade d'agrément. **Loc Fam Envoyer promener :** rejeter avec impatience.

promeneur, euse n Qui se promène.

promenoir nm Lieu couvert destiné à la promenade.

promesse nf 1 Action de promettre, engagement. 2 Espérance. *Jeune plein de promesses.*

prometteur, euse a Plein de promesses.

promettre vt 54 1 S'engager à faire qqch. *Il m'a promis de venir.* 2 Annoncer comme sûr, prédire. 3 Laisser espérer. *Ce ciel promet du beau temps.* ■ vi Donner, laisser de grands espoirs. *Un jeune homme qui promet.* ■ vpr Prendre une résolution. *Elle s'est promis de ne plus le voir.*

promis, ise a 1 Dont on a fait la promesse. 2 Voué à. *Jeune promis à un grand avenir.* ■ n Vx Fiancé(e).

promiscuité nf Voisinage fâcheux qui empêche l'intimité.

promontoire nm Pointe de terre élevée qui s'avance dans la mer.

promoteur, trice n 1 Litt Qui donne la première impulsion à qqch. *Le promoteur d'une mode.* 2 Homme d'affaires qui construit des immeubles pour les vendre ou les louer.

promotion nf 1 Admission simultanée de candidats à une grande école ; ensemble des candidats admis. 2 Nomination à un emploi, à un grade supérieur. 3 Technique consistant à améliorer les ventes. **Loc Promotion immobilière :** activité du promoteur. **Article en promotion :** en réclame.

promotionnel, elle a Destiné à améliorer les ventes. *Prix promotionnel.*

promouvoir vt 42 1 Élever à une dignité, à un grade supérieur. 2 Favoriser le développement de. 3 Accroître la vente d'un produit.

prompt, prompte [prɔ̃, prɔ̃t] a Litt 1 Qui s'effectue rapidement. 2 Qui réagit vite. *Avoir l'esprit prompt.*

prompteur nm Appareil sur lequel défile le texte lu par le présentateur de télévision.

promu, ue a, n Qui a reçu une promotion.

promulguer vt Publier une loi dans les formes requises pour la rendre exécutoire.

prône nm Recommandation, annonces du prêtre au cours de la messe.

prôner vt Vanter, louer, recommander.

pronom nm Mot grammatical qui, en général, représente un nom. (On distingue les pronoms personnels, possessifs, démonstratifs, relatifs, interrogatifs et indéfinis.)

pronominal, ale, aux a Relatif au pronom. **Loc Verbe pronominal :** qui se conjugue avec deux pronoms de la même personne (ex. : *je me suis évanoui*). ■ nm Verbe pronominal.

prononçable a Qui peut se prononcer.

prononcer vt 10 1 Articuler les sons qui composent les mots. 2 Dire, énoncer. *Prononcer un discours.* 3 Déclarer en vertu de son autorité. *Prononcer un arrêt.* ■ vpr 1 Se dessiner nettement. *Une amélioration se prononce.* 2 Formuler son avis.

prononciation nf Manière de prononcer les sons d'une langue.

pronostic nm 1 Prévision, estimation de ce qui doit arriver. *Pronostic des courses.* 2 Jugement porté par un médecin sur l'évolution de la maladie.

pronostiquer vt Laisser prévoir, annoncer.

pronostiqueur, euse n Qui pronostique en matière de courses.

propagande nf Activité tendant à propager des idées.

propagateur, trice a, n Qui propage.

propagation nf 1 Action de se propager, de se répandre ; extension, progrès. *La propagation du feu.* 2 PHYS Déplacement dans l'espace d'un phénomène vibratoire.

propager vt 11 1 Multiplier, reproduire. *Propager une espèce.* 2 Répandre, faire connaître. ■ vpr Se répandre, gagner. *Le feu s'est propagé aux immeubles voisins.*

propane nm Hydrocarbure gazeux utilisé comme combustible.

propanier nm Navire transporteur de propane liquéfié.

propension nf Tendance naturelle.

propergol nm Carburant des moteurs-fusées.

prophète nm 1 Chez les Hébreux, personne qui parle au nom de Dieu. 2 Qui annonce l'avenir, ce qui doit arriver. *Vous avez été bon prophète.*

prophétesse nf Femme inspirée interprète de la divinité.

prophétie [-si] nf Prédiction.

prophétique a Du prophète ou de la prophétie. *Rêve prophétique.*

prophétiser vt 1 Annoncer l'avenir par inspiration surnaturelle. 2 Prédire, prévoir.

prophylaxie nf Mesures qui ont pour objet de prévenir les maladies.

propice a Qui convient bien, opportun. *Arriver au moment propice.*

proportion nf 1 Rapport de grandeur entre les différentes parties d'un tout. 2 Rapport quantitatif, pourcentage. ■ pl Dimensions. *Des proportions importantes.*

proportionné, ée a Dans un rapport convenable, harmonieux.

proportionnel, elle a Qualifie une quantité en proportion avec une autre. **Loc Représentation proportionnelle :** système électoral accordant aux divers partis une représentation suivant le pourcentage des suffrages obtenus. ■ nf Représentation proportionnelle.

propos nm Litt Intention, dessein. *Mon propos n'est pas de vous condamner.* **Loc À propos de :** au sujet de. **À tout propos :** à chaque instant. **À propos :** au fait. **Mal à propos :** inopportun. ■ pl Paroles, discours. *Des propos désobligeants.*

proposer vt Offrir au choix, soumettre à l'avis d'autrui. ■ vpr 1 Offrir ses services. *Elle s'est proposée pour aider.* 2 Avoir comme but. *Se proposer de partir.*

proposition nf 1 Action de proposer ; chose proposée. *Proposition de mariage.* 2 Structure grammaticale élémentaire autour du verbe. *Proposition principale, subordonnée.*

propre a 1 Qui appartient à, qui caractérise. *Facultés propres à l'homme.* Syn. particulier. 2 Qui convient à. *Eau propre à la consommation.* Syn. approprié, adéquat. 3 (après un possessif) Marque avec emphase

la possession. *Ce sont ses propres termes.* 4 Net, sans taches. *Vêtements propres.* Ant. sale. 5 Soigné, bien ordonné. *Un jardin propre.* Un travail propre. 6 Qui contrôle ses fonctions naturelles. *Cet enfant ira à l'école quand il sera propre.* 7 De moralité incontestable. *Des gens propres en affaires.* Ant. douteux. **Loc Sens propre :** littéral, originel (par oppos. au sens figuré). ■ nm Qualité, caractère particulier. *Le rire est le propre de l'homme.* **Loc En propre :** en propriété exclusive.

proprement av 1 De façon soignée. *Travailler proprement.* 2 Honnêtement. *Il s'est conduit proprement.* 3 Précisément, exactement. 4 Comme il faut. *Il l'a proprement remis en place.*

propret, ette a Coquet, simple et propre.

propreté nf 1 État de ce qui est propre. *La propreté d'une maison.* 2 Qualité d'une personne soigneuse.

propriétaire n, a 1 À qui appartient en propriété. 2 À qui appartient un immeuble donné en location.

propriété nf 1 Droit de jouir ou de disposer de qqch qu'on possède en propre. 2 La chose même qui fait l'objet du droit de propriété. 3 Domaine. *Une propriété de 50 hectares.* 4 Caractère, qualité propre à qqch. *Les propriétés physiques des corps.* 5 Exactitude d'un terme employé.

propulser vt 1 Faire avancer. *Le moteur qui propulse une fusée.* 2 Fam Pousser en avant.

propulseur nm Dispositif de propulsion (hélice, réacteur, gaz, etc.).

propulsion nf Action, mouvement qui pousse en avant. *Propulsion à réaction.*

propylée nm ANTIQ Porte monumentale d'un temple grec.

propylène nm Hydrocarbure dérivé du propane.

prorata nm inv **Loc Au prorata de :** proportionnellement à.

proroger vt 11 Prolonger le délai fixé, la durée. *Proroger un traité.*

prosaïque a Exempt de poésie ; terre à terre.

prosateur *nm* Auteur qui écrit en prose.

proscrire *vt 61* 1 Bannir, chasser qqn d'un pays, d'une communauté. 2 Interdire, défendre qqch formellement.

proscrit, ite *a, n* Frappé de proscription.

prose *nf* 1 Discours écrit qui n'est pas formellement de la poésie. 2 *Fam* Lettre, écrit. *J'ai reçu votre prose.*

prosélyte *nm* Nouvellement converti à une religion, à une doctrine.

prosélytisme *nm* Zèle déployé pour faire de nouveaux adeptes.

prosodie *nf* Étude des règles relatives à la métrique, particulièrement étude de la durée et de l'intensité des sons.

prosopopée *nf* Figure de style qui consiste à faire parler un mort, une chose personnifiée.

prospect *nm* 1 Distance minimale autorisée entre deux bâtiments. 2 Client potentiel d'une entreprise.

prospecter *vt* 1 Explorer un terrain en vue d'y découvrir des gisements. 2 Rechercher une clientèle.

prospecteur, trice *n* Qui prospecte.

prospectif, ive *a* Qui concerne le futur. *Étude prospective.* ■ *nf* Ensemble des recherches qui ont pour objet l'évolution des sociétés dans un avenir prévisible.

prospection *nf* Action de prospecter.

prospectus [-tys] *nm* Feuille volante, brochure publicitaire distribuée au public.

prospère *a* Qui connaît le succès.

prospérer *vi* 12 1 Avoir du succès, se développer. *Ses affaires prospèrent.* 2 Proliférer. *L'olivier prospère en Italie.*

prospérité *nf* Situation prospère.

prostaglandine *nf* Hormone intervenant dans la reproduction.

prostate *nf* Glande de l'appareil génital masculin, située sous la vessie.

prostatectomie *nf* Ablation de la prostate.

prostatite *nf* Inflammation de la prostate.

prosternation *nf* ou **prosternement** *nm* Action, fait de se prosterner.

prosterner (se) *vpr* S'incliner très bas en signe de respect profond.

prostitué, ée *n* Qui se prostitue.

prostituer *vt* 1 Livrer qqn à la prostitution. 2 *Litt* Avilir par intérêt. *Prostituer son talent.* ■ *vpr* Se livrer à la prostitution.

prostitution *nf* Activité professionnelle qui consiste à avoir des rapports sexuels payés.

prostration *nf* Abattement profond.

prostré, ée *a* Profondément abattu.

protagoniste *nm* Qui joue un rôle important dans une affaire, une entreprise, un récit.

protéagineux, euse *nm, a* Plante riche en protéines (pois, lentilles, soja).

protecteur, trice *n, a* Qui protège. ■ *a* Plein de condescendance. *Prendre un air protecteur.*

protection *nf* 1 Action de protéger ; ensemble de mesures prises pour protéger les personnes et les biens. 2 Personne ou chose qui protège. *Une protection efficace.*

protectionnisme *nm* Mesures visant à limiter l'entrée des produits étrangers afin de protéger les intérêts économiques nationaux.

protectorat *nm* Régime juridique international instituant la protection d'un État faible par un État fort ; l'État dépendant.

protégé, ée *n* Qui est favorisé. *Le protégé du patron.*

protège-cahier *nm* Couverture souple pour cahier d'écolier. *Des protège-cahiers.*

protège-dents *nm inv* Appareil de protection des dents (boxe, rugby).

protéger *vt* 13 1 Assister, prêter secours à qqn. 2 Garantir. *Protéger la liberté du culte.* 3 Préserver. *Protéger son visage du soleil.* 4 Favoriser. *Protéger les arts.*

protège-tibia *nm* Dispositif rembourré qui protège le tibia (rugby, football, etc.). *Des protège-tibias.*

protéine *nf* Composé d'acides aminés présent dans tous les tissus de l'organisme.

protéique ou **protéinique** *a* Des protéines.

protestant, ante *n, a* Qui appartient à l'une des Églises réformées.

protestantisme *nm* Doctrine et culte de la religion réformée ; ensemble des Églises protestantes.

protestataire *a, n* Qui proteste ; contestataire.

protestation *nf* Action de protester.

protester *vti* Lit Affirmer avec force. *Protester de son innocence.* ■ *vi* S'élever avec force contre qqch, déclarer son opposition.

prothèse *nf* Remplacement d'un membre ou d'un organe par un appareillage approprié ; cet appareillage.

prothésiste *n* Fabricant de prothèses.

prothrombine *nf* BIOL Globuline favorisant la coagulation sanguine.

protide *nm* Vx Syn de protéine.

protocolaire *a* Conforme au protocole.

protocole *nm* **1** Formulaire contenant les modèles des actes publics. **2** Usages qui régissent les cérémonies et les relations officielles. **3** Procès-verbal de déclarations d'une conférence, d'une assemblée. *Signer un protocole d'accord.* **4** Déroulement d'une expérience scientifique, d'un test.

protohistoire *nf* Période intermédiaire entre la préhistoire et l'histoire.

proton *nm* PHYS Particule constitutive du noyau de l'atome, dont la charge, positive, est égale à celle de l'électron.

protoplasme ou **protoplasma** *nm* BIOL Matière de la cellule vivante.

prototype *nm* **1** Original, modèle. **2** Premier exemplaire d'un produit industriel.

protoxyde *nm* Loc *Protoxyde d'azote :* gaz utilisé en anesthésie.

protozoaire *nm* ZOOL Animal unicellulaire.

protubérance *nf* Bosse, excroissance.

prou *av* Loc Lit *Peu ou prou :* plus ou moins.

proue *nf* Avant d'un navire.

prouesse *nf* Exploit. *Prouesse sportive.*

prouver *vt* **1** Établir la vérité, la réalité de qqch par le raisonnement, ou par des pièces à conviction. **2** Indiquer avec certitude. *Cet exposé prouve une bonne connaissance du sujet.*

provenance *nf* Origine, source.

provençal, ale,aux *a, n* De la Provence et des régions avoisinantes. ■ *nm* Parler occitan.

provenir *vi* 35 [aux être] **1** Venir d'un lieu. *Ces oranges proviennent de Corse.* **2** Avoir son origine. *Je sais d'où provient sa haine.*

proverbe *nm* Formule figée exprimant une vérité d'expérience, un conseil (ex. : *qui ne dit mot consent*).

proverbial, ale,aux *a* **1** Du proverbe. *Phrase proverbiale.* **2** Célèbre ; digne d'être cité en modèle. *Une honnêteté proverbiale.*

providence *nf* **1** (avec majusc) Volonté divine. **2** Ce qui aide, secourt comme par miracle. *État providence.*

providentiel, elle *a* **1** Dû à la Providence. **2** Dû à un hasard heureux.

province *nf* **1** Division administrative d'un État. **2** Région, partie d'un pays. **3** Les régions du pays par oppos. à la capitale, à Paris.

provincial, ale,aux *a* **1** D'une province. *Une coutume provinciale.* **2** De la province. *Préférer la vie provinciale.* ■ *n* Qui habite la province.

provincialisme *nm* **1** Locution propre à une province. **2** Péjor Comportement gauche prêté aux provinciaux.

proviseur *nm* Fonctionnaire chargé de la direction d'un lycée.

provision *nf* **1** Réserve de choses nécessaires, utiles. *Provision de charbon.* **2** Ce qu'on alloue préalablement à l'une des parties, en attendant le jugement définitif. *Provision alimentaire.* **3** Somme déposée comme acompte ou pour assurer le paiement d'un titre bancaire. ■ *pl* Vivres.

provisionnel, elle *a* Qui se fait en attendant un règlement. *Acompte provisionnel.*

provisionner *vt* Créditer un compte d'une somme suffisante.

provisoire *a* Transitoire, temporaire. *Gouvernement provisoire.* ■ *nm* Tout ce qui est censé ne pas durer.

provocant, ante *a* **1** Agressif. *Ton provocant.* **2** Excitant. *Une femme provocante.*

provocateur, trice *a* Qui incite à la violence. ■ *nm* Chargé de provoquer des troubles pour justifier leur répression.

provocation *nf* **1** Action de provoquer. **2** DR Incitation à commettre qqch d'illégal.

provoquer vt 1 Pousser qqn à qqch en le défiant. 2 Défier qqn, l'inciter à se battre. 3 Chercher à susciter le désir sensuel, aguicher. 4 Être la cause de qqch, à son origine. *Un court-circuit a provoqué l'incendie.*

proxénète n Qui se livre au proxénétisme.

proxénétisme nm Délit qui consiste à tirer profit de la prostitution d'autrui.

proximité nf Caractère proche, dans l'espace ou dans le temps.

prude a, nf Litt Qui affecte une pudeur outrée.

prudence nf Refus de courir des risques inutiles.

prudent, ente a, n Qui se comporte avec prudence. ■ a Déterminé par la prudence. *Réponse prudente.*

prud'homal, ale, aux a Du conseil des prud'hommes.

prud'homme nm Loc *Conseil de prud'hommes* : juridiction paritaire qui juge les conflits entre employeurs et employés.

prune nf Fruit du prunier, sucré et juteux. ■ a inv Violet sombre tirant sur le rouge.

pruneau nm 1 Prune séchée. 2 Pop Balle de fusil, de revolver.

prunelle nf 1 Petit fruit noir du prunellier. 2 Pupille de l'œil.

prunellier nm Prunier sauvage, épineux.

prunier nm Arbre qui produit les prunes.

prunus nm Prunier ornemental.

prurigineux, euse a Qui provoque le prurit.

prurigo nm Dermatose se manifestant par des lésions et des démangeaisons.

prurit [-Rit] nm MED Forte démangeaison.

prussien, enne a, n De Prusse.

prussique a Loc *Acide prussique* : poison très violent.

prytanée nm Établissement militaire d'enseignement.

psalliote nf Champignon comestible à lames rosées et à anneau.

psalmodie nf Chant ou déclamation monotone.

psalmodier vi Chanter les psaumes sans inflexion de voix. ■ vt Dire, énoncer de manière monotone. *Psalmodier des plaintes.*

psaume nm Chant sacré jouant un rôle dans les cultes juif et chrétien.

psautier nm Recueil de psaumes.

pseudonyme nm Nom d'emprunt choisi par un artiste, un écrivain, pour signer ses œuvres.

pseudopode nm BIOL Prolongement du cytoplasme, qu'émettent certaines cellules.

psi nm Lettre de l'alphabet grec, notant *ps.*

psilocybe nm Champignon hallucinogène.

psittacisme nm PSYCHO Répétition mécanique de mots et de phrases.

psittacose nf Maladie infectieuse des perroquets, transmissible à l'homme.

psoriasis nm Dermatose formant des écailles aux genoux, aux coudes, au cuir chevelu.

psychanalyse [-ka-] nf Méthode de psychothérapie fondée sur les théories de Freud.

psychanalyser vt Traiter par la psychanalyse.

psychanalyste n Spécialiste de psychanalyse.

psychasthénie [-kas-] nf PSYCHIAT Névrose caractérisée par l'aboulie, l'obsession, le doute.

psyché [-ʃe] a Grand miroir mobile qu'on incline à volonté.

psychédélique [-ke-] a Qui résulte de l'absorption de drogues hallucinogènes.

psychiatre n Spécialiste de psychiatrie.

psychiatrie [-kja-] nf Étude et traitement des maladies mentales.

psychiatrique a De la psychiatrie.

psychiatriser vt Soumettre abusivement qqn à un traitement psychiatrique.

psychique a Qui concerne l'esprit, la pensée. *L'activité psychique.*

psychisme nm La vie psychique.

psychodrame [-ko-] nm 1 Jeu dramatique improvisé à but thérapeutique. 2 Conflit spectaculaire au sein d'un groupe.

psycholinguistique [-ko-] *nf, a* Étude psychologique des comportements linguistiques.

psychologie [-ko-] *nf* **1** Étude scientifique des faits psychiques. **2** Connaissance empirique des sentiments d'autrui, intuition. *Manquer de psychologie.* **3** Mentalité, état d'esprit. *Une psychologie très fruste.*

psychologique *a* De la psychologie.

psychologue *a, n* **1** Spécialiste de psychologie. **2** Qui comprend intuitivement les sentiments d'autrui.

psychomoteur, trice *a* Qui a trait à la fois aux fonctions psychiques et motrices.

psychopathe *n* Malade mental.

psychopathologie *nf* Étude des troubles mentaux en général.

psychopédagogie *nf* Psychologie appliquée à la pédagogie.

psychopharmacologie *nf* Science qui étudie l'effet des médicaments sur le psychisme.

psychophysiologie *nf* Étude des rapports entre le psychisme et l'activité physiologique.

psychose [-koz] *nf* **1** Maladie mentale caractérisée par la perte du contact avec le réel. **2** Obsession, angoisse collective. *La psychose du terrorisme.*

psychosociologie *nf* Étude des rapports entre faits sociaux et faits psychiques.

psychosomatique *a* Se dit des troubles physiques d'origine psychique.

psychostimulant, ante *a, nm* Psychotonique.

psychotechnique *a* Destiné à mesurer l'aptitude professionnelle (test).

psychothérapeute *n* Qui pratique la psychothérapie.

psychothérapie *nf* Toute thérapie par des moyens psychiques.

psychotique *a* De la psychose. ■ *a, n* Atteint de psychose.

psychotonique *nm, a* Substance qui stimule l'activité psychique.

psychotrope [-ko-] *a, nm* Toute substance qui agit sur le psychisme.

ptéranodon *nm* Reptile fossile volant du secondaire.

ptérodactyle *nm* Reptile volant fossile du jurassique.

puanteur *nf* Odeur infecte, fétide.

1. pub [pœb] *nf* En Angleterre, établissement qui sert des boissons alcoolisées.

2. pub *nf* Fam Abrév de publicité.

pubalgie *nf* Inflammation des tendons de la région pubienne.

pubère *a, n* Qui a atteint l'âge de la puberté.

puberté *nf* Ensemble des modifications morphologiques, physiologiques et psychologiques chez l'être humain au moment du passage de l'enfance à l'adolescence.

pubescent, ente *a* BOT Couvert d'un fin duvet.

pubien, enne *a* Du pubis.

pubis *nm* Région inférieure du bas-ventre.

publiable *a* Qui peut être publié.

public, ique *a* **1** Qui appartient à la nation, à l'État. *Le Trésor public. Édifices publics.* **2** Commun, à l'usage de tous. *Voie publique.* **3** Manifeste, connu de tous. *De notoriété publique.* **4** Où tout le monde est admis. *Audience publique.* ■ *nm* **1** Les gens en général. *L'intérêt du public.* **2** Personnes réunies pour assister à un spectacle. *Un public de connaisseurs.*

publication *nf* **1** Action de publier. **2** Ouvrage publié.

publiciste *n* **1** Vx Journaliste. **2** Spécialiste de droit public. **3** Abusiv Publicitaire.

publicitaire *a* De la publicité. *Message publicitaire.* ■ *n* Qui s'occupe de publicité.

publicité *nf* **1** Caractère public. *La publicité des débats parlementaires.* **2** Activité ayant pour but d'inciter les consommateurs à acheter un produit, à utiliser les services d'une entreprise, etc. **3** Annonce, affiche, film publicitaire. **Loc** *Publicité rédactionnelle* : qui se présente comme un article de journal.

publier *vt* **1** Rendre public. *Publier des bans.* **2** Faire paraître un écrit. **3** Divulguer une nouvelle.

publiphone *nm* (n déposé) Téléphone public.

publipostage

publipostage nm Syn de *mailing*.

publiquement av En public.

publireportage nm Reportage qui est, en fait, un article de publicité rédactionnelle.

puce nf 1 Insecte dépourvu d'ailes, brun, sauteur, parasite des mammifères. 2 Plaquette de silicium sur laquelle est gravé un microprocesseur. Loc **Marché aux puces :** marché de brocante et d'objets d'occasion. ■ a inv Brun-rouge foncé.

puceau nm Fam Garçon vierge.

pucelage nm Fam Virginité.

pucelle nf Fam Fille vierge.

puceron nm Insecte qui suce la sève des plantes.

pudding ou **pouding** [pudiŋ] nm Gâteau anglais parfumé au rhum.

pudeur nf 1 Gêne, honte devant ce qui touche à la sexualité. 2 Retenue, réserve.

pudibond, onde a Exagérément pudique.

pudibonderie nf Affectation de pudeur.

pudique a Plein de pudeur.

pudiquement av De façon pudique.

puer vi, vt Exhaler une odeur désagréable ; sentir mauvais.

puéricultrice nf Spécialiste en puériculture.

puériculture nf Ensemble des méthodes propres à assurer le développement des petits enfants.

puéril, ile a Enfantin, qui ne convient pas à un adulte. *Discussion puérile.*

puérilité nf Caractère puéril, futile.

puerpéral, ale, aux a MED Relatif aux femmes en couches.

puffin nm Oiseau marin migrateur.

pugilat nm Combat, rixe à coups de poing.

pugilistique a Relatif à la boxe.

pugnace [-gnas] a Litt Qui aime la lutte ; combatif.

pugnacité [-gna-] nf Litt Combativité.

puîné, ée a, n Né après un frère ou une sœur.

puis av Ensuite, après. Loc **Et puis :** d'ailleurs, en outre, en plus.

puisard nm Excavation pratiquée dans le sol pour évacuer les eaux de pluie.

puisatier nm Qui creuse ou qui répare les puits.

puiser vt 1 Prendre du liquide au moyen d'un récipient. *Puiser de l'eau dans une mare.* 2 Prendre. *Puiser dans la caisse.* Loc **Puiser aux sources :** consulter les originaux.

puisque conj Du moment que, étant donné que. *Puisqu'il pleut, je reste ici.*

puissance nf 1 Pouvoir, autorité. *La puissance royale.* 2 Pouvoir dans la société. *Asseoir sa puissance sur l'argent.* 3 PHYS Travail fourni par unité de temps. *La puissance s'exprime en watts.* 4 Pouvoir d'action d'un appareil, d'un mécanisme. *Puissance d'un moteur.* 5 MATH Nombre multiplié n fois par lui-même. 6 État souverain. *Les grandes puissances.* 7 Ensemble d'individus, d'entreprises, etc., jouissant d'une grande influence. *Les puissances d'argent.* Loc **En puissance :** éventuel, virtuel.

puissant, ante a 1 Capable de grands effets. *Un remède puissant.* 2 Qui peut développer une grande énergie. *Moteur puissant.* 3 Fort. 4 Qui a un grand pouvoir. *Un roi puissant.* ■ nm Personne influente.

puits nm 1 Profonde excavation creusée dans le sol pour recueillir les eaux d'infiltration. 2 Excavation destinée à l'exploitation d'un gisement. *Puits de pétrole.*

pullman nm Autocar très confortable.

pull-over [pylɔvɛr] ou **pull** nm Tricot qu'on enfile par la tête. *Des pull-overs.*

pullulement nm ou **pullulation** nf Fait de pulluler ; multitude.

pulluler vi 1 Se multiplier vite et abondamment. 2 Être en abondance, foisonner.

pulmonaire a Du poumon.

pulpe nf 1 Tissu charnu des fruits. 2 Tissu conjonctif de la cavité dentaire.

pulpeux, euse a 1 Qui contient de la pulpe. 2 Fam Qui a des formes sensuelles.

pulsar nm ASTRO Étoile à neutrons dont les impulsions sont régulièrement espacées.

pulsation nf Battement du cœur, des artères.

pulsé *am* Loc *Air pulsé* : qui circule sous pression.

pulsion *nf* PSYCHO Manifestation de l'inconscient qui pousse à certaines actions.

pulvérisateur *nm* Instrument pour projeter de fines gouttelettes, une poudre.

pulvérisation *nf* Action de pulvériser.

pulvériser *vt* **1** Réduire en poudre. *Pulvériser du sucre.* **2** Projeter en fines gouttelettes. *Pulvériser un parfum.* **3** Détruire, anéantir.

pulvériseur *nm* Machine agricole destinée à ameublir la terre.

pulvérulent, ente *a* Sous forme de poudre ; réduit en poudre.

puma *nm* Félin américain carnassier.

punaise *nf* **1** Petit insecte malodorant, qui pique l'homme pour se nourrir de son sang. **2** Petit clou à large tête plate et à pointe fine et courte.

punaiser *vt* Fixer au moyen de punaises.

1. punch [pɔ̃ʃ] *nm* **1** Boisson alcoolisée à base de rhum, citron, sucre et cannelle. *Des punchs.*

2. punch [pœnʃ] *nm* **1** Puissance de frappe, pour un boxeur. **2** Fam Énergie, vitalité.

puncheur [pœnʃ-] *nm* Boxeur qui a du punch.

punching-ball [pœnʃinbɔl] *nm* Ballon fixé par des liens élastiques sur lequel les boxeurs s'entraînent. *Des punching-balls.*

punique *a, n* HIST Relatif aux Carthaginois.

punir *vt* **1** Infliger un châtiment à qqn. *Punir qqn de prison.* **2** Sanctionner une peine. *Punir un crime.*

punitif, ive *a* Dont le but est de punir. *Expédition punitive.*

punition *nf* **1** Action de punir. **2** Châtiment infligé.

punk [pœk] *a inv* Se dit d'un mouvement culturel et musical né en Grande-Bretagne, vers 1975, en réaction contre la société. ■ *n* Qui appartient à ce mouvement.

1. pupille [-pij] ou [-pil] *n* Orphelin mineur qui est sous l'autorité d'un tuteur.

2. pupille [-pij] ou [-pil] *nf* Orifice circulaire au centre de l'iris de l'œil.

pupitre *nm* **1** Petit meuble en plan incliné pour poser des livres, des partitions. **2** Tableau de commande d'un ordinateur.

pupitreur, euse *n* Qui travaille au pupitre d'un ordinateur.

pur, pure *a* **1** Qui n'est pas mélangé. *Or pur.* **2** Exempt de toute souillure morale. *Une conscience pure.* **3** Sans fioritures. *Style pur.* **4** Théorique. *Mathématiques pures.* Ant. appliqué. **5** Qui est bien tel (et non autre). *Agir par pure bêtise.* Loc Fam *Pur et dur* : rigoureux. ■ *n* Orthodoxe rigoureux d'un parti ; qui se conforme à ses principes.

purée *nf* **1** Préparation de légumes cuits dans l'eau et écrasés. **2** Pop Misère, situation fâcheuse.

purement *av* Uniquement, exclusivement.

pureté *nf* **1** Caractère pur, sans mélange. *Pureté de l'eau.* **2** Qualité de ce qui est pur sur un plan moral. *Pureté des intentions.* **3** Dépouillement. *Pureté des formes.*

purgatif, ive *a, nm* Se dit d'un médicament qui stimule l'évacuation des excréments.

purgation *nf* Action de purger.

purgatoire *nm* **1** Lieu où les âmes des justes expient leurs fautes avant d'accéder au Paradis. **2** Période difficile.

purge *nf* **1** Action d'évacuer d'une canalisation ou d'un récipient un fluide indésirable (air pour un chauffage ou l'eau chaude). **2** Médicament purgatif. **3** Épuration politique.

purger *vt* **1 1** Soigner au moyen d'un purgatif. **2** Effectuer la purge d'une canalisation. **3** Débarrasser une société d'individus indésirables. Loc *Purger une peine* : la subir. *Purger les hypothèques* : libérer un bien des hypothèques qui le grèvent.

purgeur *nm* Robinet de purge.

purificateur, trice *a, nm* Qui sert à purifier.

purification *nf* Action de purifier.

purifier *vt* **1** Rendre pur. **2** Débarrasser de ce qui altère. *Purifier l'eau.*

purin *nm* Liquide s'égouttant du fumier.

purisme *nm* **1** Respect excessif de la correction du langage. **2** Perfectionnisme.

puriste *n, a* Qui relève du purisme.

puritain, aine n, a Qui a un respect sévère et intransigeant des principes moraux.

puritanisme nm Attitude puritaine.

purpura nm MED Épanchement de sang, faisant apparaître des taches rouges sous la peau.

purpurin, ine a Litt De couleur pourpre.

pur-sang nm inv Cheval de course de race pure, définie par des standards rigoureux.

purulent, ente a Qui a la nature ou l'aspect du pus ; qui produit du pus.

pus [py] nm Liquide pathologique opaque, jaunâtre, résultant d'une infection.

pusillanime [-zila-] a Litt Qui manque de courage, de caractère.

pustule nf Lésion cutanée de l'épiderme contenant du pus.

putain nf ou **pute** nf Pop Prostituée. Loc Pop *Putain !* : marque la surprise, l'indignation.

putatif, ive a DR Qui juridiquement est réputé être ce qui n'est pas en réalité.

putois nm Mammifère carnivore brun tacheté de blanc, à l'odeur désagréable.

putréfaction nf Décomposition des organismes privés de vie.

putréfier vt Corrompre, pourrir.

putrescible a Qui peut se putréfier.

putride a En putréfaction.

putsch [putʃ] nm Coup de force effectué par un groupe armé en vue d'une prise de pouvoir.

putt [pœt] nm Au golf, coup joué sur le green pour amener la balle dans le trou.

putter [pœtœʀ] nm Club spécial pour jouer les putts.

puzzle [pœzl] nm 1 Jeu de patience formé de petites pièces à assembler pour former une image. 2 Situation compliquée, confuse.

p.-v. nm Fam Procès-verbal.

P.V.C. [pevese] nm Polychlorure de vinyle, matière plastique très répandue.

pygargue nm Grand oiseau rapace diurne.

pyjama nm Vêtement de nuit composé d'une veste et d'un pantalon amples.

pylône nm Construction métallique ou en béton servant de support à des câbles aériens, à une antenne de radio, etc.

pylore nm ANAT Orifice intérieur de l'estomac.

pyorrhée nf MED Écoulement de pus.

pyrale nm Chenille nuisible pour les cultures.

pyralène nm Composé utilisé en isolation et dont la décomposition provoque des émanations très polluantes.

pyramidal, ale, aux a En forme de pyramide.

pyramide nf 1 Solide qui a pour base un polygone et pour faces latérales des triangles dont les sommets se réunissent en un même point. 2 Monument en forme de pyramide. 3 Entassement en forme de pyramide.

pyrénéen, enne a Des Pyrénées.

pyrèthre nm Chrysanthème sauvage.

pyréthrinoïde nm Insecticide extrait du pyrèthre.

pyrex nm (n déposé) Verre résistant aux chocs thermiques et aux agents chimiques.

pyrite nf Sulfure de fer.

pyroclastique a GEOL Qui concerne les projections volcaniques.

pyrogravure nf Dessin sur bois ou cuir avec une pointe chauffée.

pyrolyse nf CHIM Décomposition par la chaleur.

pyromane n Atteint de pyromanie.

pyromanie nf Impulsion qui pousse à allumer des incendies.

pyrotechnie [-tɛk-] nf Technique des feux d'artifice et des mélanges fusants.

pyrotechnique a De la pyrotechnie.

pyroxène nm Minéral des roches basaltiques et métamorphiques.

pythagoricien, enne a, n Adepte de Pythagore.

pythie nf ANTIQ Prêtresse d'Apollon, qui rendait les oracles à Delphes.

python nm Serpent non venimeux de grande taille qui étouffe ses proies.

q

q *nm* Dix-septième lettre (consonne) de l'alphabet.

qatari, ie *a, n* Du Qatar.

Q.C.M. *nm* Questionnaire à choix multiple, utilisé pour certains examens scolaires.

Q.G. *nm* Quartier général.

Q.H.S. *nm* Quartier de haute sécurité.

Q.I. *nm* Quotient intellectuel.

Q.S.R. *nm* Quartier de sécurité renforcée.

quadragénaire [kwa-] *a, n* Qui a entre quarante et quarante-neuf ans.

quadrangulaire [kwa-] *a* Qui a quatre angles.

quadrant *nm* Quart de la circonférence.

quadrature [kwa-] *nf* Réduction d'une figure quelconque à un carré de surface égale. Loc *Quadrature du cercle* : question insoluble.

quadrichromie [kwa-] *nf* Impression en quatre couleurs (rouge, jaune, bleu, noir).

quadriennal, ale,aux [kwa-] *a* Qui dure quatre ans ou revient tous les quatre ans.

quadrige *nm* ANTIQ Char à deux roues, attelé de quatre chevaux de front.

quadrilatère [kwa-] ou [ka-] *nm* Polygone à quatre côtés.

quadrillage *nm* 1 Disposition en carrés ou en rectangles. 2 Opération militaire ou policière pour contrôler une zone, une région.

quadrille *nm* 1 Ancienne danse exécutée par quatre couples de danseurs. 2 Troupe de cavaliers dans un carrousel.

quadriller *vt* 1 Tracer un quadrillage sur du papier. 2 Opérer le quadrillage d'une zone.

quadrimoteur *nm* Avion à quatre moteurs.

quadripartite [kwa-] ou [ka-] *a* Où sont impliquées quatre parties.

quadriphonie [kwa-] *nf* Enregistrement et restitution des sons utilisant quatre canaux.

quadriréacteur [kwa-] ou [ka-] *nm* Avion à quatre réacteurs.

quadrisyllabe [kwa-] ou [ka-] *a, nm* Qui a quatre syllabes.

quadrumane [kwa-] ou [ka-] *a, nm* ZOOL Qui a quatre mains.

quadrupède [kwa-] ou [ka-] *a, nm* Qui a quatre pattes.

quadruple [kwa-] ou [ka-] *a, nm* Qui vaut quatre fois autant.

quadrupler *vt, vi* (Se) multiplier par quatre.

quadruplés, ées *npl* Enfants nés au nombre de quatre d'un même accouchement.

quadruplet *nm* MATH Séquence de quatre éléments.

quai *nm* 1 Ouvrage de maçonnerie élevé le long d'un cours d'eau pour éviter qu'il ne déborde. 2 Voie carrossable longeant un cours d'eau. 3 Ouvrage dans un port pour le chargement et le déchargement des navires. 4 Plateforme le long de la voie ferrée, dans une gare.

quaker, quakeresse [kwεkœr] *n* Membre d'un mouvement religieux protestant.

qualifiable *a* Qui peut être qualifié.

qualificatif, ive *a* Qui qualifie. *Test qualificatif.* Loc *Adjectif qualificatif* : qui exprime une qualité. ■ *nm* Mot qui sert à qualifier qqn, qqch. *Un qualificatif injurieux.*

qualification *nf* 1 Attribution d'un titre, d'un nom. 2 Niveau de capacité reconnu à un ouvrier, à un employé. 3 Pour un sportif, fait d'être qualifié.

qualifié, ée *a* Loc *Ouvrier qualifié* : ouvrier professionnel spécialisé. *Vol qualifié* : avec circonstances aggravantes.

qualifier *vt* 1 Caractériser qqn, qqch. 2 Conférer une qualité, une compétence à. *Son expérience la qualifie pour ce travail.* 3 Donner à un concurrent, à une équipe le droit de participer à une épreuve sportive. ■ *vpr* Obtenir ce droit. *Se qualifier pour la finale.*

qualitatif, ive *a* Relatif à la qualité, à la nature des choses. *Changement qualitatif.*

qualité *nf* 1 Manière d'être, propriété bonne ou mauvaise de qqch. 2 Supériorité de qqch. *Des produits de qualité.* 3 Aptitude, disposition heureuse de qqn. *Un garçon plein de*

quand

qualités. **4** Condition sociale, civile. *Décliner ses nom, prénom et qualité.* **Loc** *Cercle de qualité :* constitué dans une entreprise pour obtenir des produits sans défauts.

quand *conj* **1** Exprime le temps ; lorsque. **2** Exprime l'opposition (avec le conditionnel) ; quoique. **Loc** *Quand même :* malgré tout. ■ *av interrog* À quelle époque. *Quand venez-vous ?*

quanta. V. quantum.

quant à *prép* En ce qui concerne.

quant-à-soi *nm inv* Réserve plus ou moins affectée.

quantième *nm* Numéro d'ordre du jour (dans le mois).

quantifiable *a* Qu'on peut quantifier.

quantificateur *nm* LOG Symbole logique liant une variable à une quantité.

quantifier *vt* Déterminer la quantité de, chiffrer. *Quantifier les dépenses.*

quantique [kwã- ou [kã-] *a* PHYS Des quanta.

quantitatif, ive *a* Relatif à la quantité.

quantité *nf* **1** Multitude, grand nombre, abondance de. **2** Propriété d'être mesurable, comptable.

quantum [kwãtɔm] *nm* **1** Quantité déterminée. **2** PHYS Plus petite quantité d'une grandeur physique susceptible d'être échangée. *Des quanta.*

quarantaine *nf* **1** Nombre de quarante ou environ. **2** Âge de quarante ans. **3** Isolement sanitaire des personnes, animaux et marchandises provenant d'un pays où sévit une maladie contagieuse.

quarante *a num* **1** Quatre fois dix. **2** Quarantième. *La page quarante.* ■ *nm inv* Nombre, numéro quarante.

quarante-huitard, arde, *n* HIST Relatif aux révolutionnaires de 1848.

quarantenaire *a* **1** Qui dure quarante ans. **2** De la quarantaine sanitaire. ■ *n* Abusiv Quadragénaire.

quarantième *a num* Au rang, au degré quarante. ■ *a, nm* Contenu quarante fois dans le tout.

quart *nm* **1** Chaque partie d'un tout divisé en quatre parties égales. **2** Gobelet d'environ

un quart de litre. **3** Période pendant laquelle une partie de l'équipage d'un navire est de service, à son tour. **Loc** *Quart d'heure :* quinze minutes. *Quart de finale :* épreuve éliminatoire opposant deux à deux huit équipes.

quart-de-rond *nm* Moulure ayant le profil d'un quart de cercle. *Des quarts-de-rond.*

quarté [kaʁ-] *nm* Pari sur quatre chevaux.

1. quarteron *nm* **1** Fam, péjor Petit nombre de personnes. **2** Vx Quart d'un cent.

2. quarteron, onne *n* Métis né d'un(e) métis(se) et d'une Blanche ou d'un Blanc.

quartette [kwa-] *nm* Formation de jazz comprenant quatre musiciens.

quartier *nm* **1** Quart environ d'une chose ; portion, morceau. **2** Chacune des phases de la Lune. **3** Division, partie d'une ville. **4** Cantonnement d'un corps de troupe. **Loc** *Quartier général (Q.G.) :* poste de commandement. *Quartier de haute sécurité (Q.H.S.)* ou *quartier de sécurité renforcée (Q.S.R.) :* partie d'une prison réservée aux détenus réputés dangereux. *Avoir quartier libre :* avoir liberté de sortir, de faire ce qu'on veut. *Ne pas faire de quartier :* n'épargner personne. *Quartier de noblesse :* ascendance noble.

quartier-maître *nm* Grade au-dessus de matelot. *Des quartiers-maîtres.*

quart-monde *nm* Les classes les plus défavorisées de la population. *Des quarts-mondes.*

quarto [kwa-] *av* Quatrièmement.

quartz [kwaʁts] *nm* Silice cristallisée.

quartzifère [kwa-] *a* Qui contient du quartz.

quartzite [kwa-] *nm* Roche constituée essentiellement de quartz.

quasar *nm* Astre d'une grande luminosité hors de la galaxie.

1. quasi *nm* Partie de la cuisse du veau.

2. quasi ou **quasiment** *av* Presque. (Devant un nom, forme un mot composé avec trait d'union. *Un quasi-délit.*)

quasimodo *nf* Premier dimanche après Pâques.

quater [kwatɛʁ] *av* Pour la quatrième fois.

quaternaire [kwa-] *nm, a* Ère géologique récente, marquée par l'apparition de l'homme.

quatorze *a num* 1 Dix plus quatre. 2 Quatorzième. *Louis XIV.* ■ *nm inv* Nombre, numéro quatorze.

quatorzième *a num* Au rang, au degré quatorze. ■ *a, nm* Contenu quatorze fois dans un tout.

quatrain *nm* Poème ou strophe de quatre vers.

quatre *a num* 1 Trois plus un (4). 2 Quatrième. *Henri IV.* **Loc** *Monter quatre à quatre* : précipitamment. *Se mettre en quatre* : faire de grands efforts pour obliger qqn. *Comme quatre* : beaucoup. ■ *nm inv* Nombre, numéro quatre.

quatre-heures *nm inv* Fam Goûter.

quatre-mâts *nm inv* Voilier à quatre mâts.

quatre-quarts *nm inv* Gâteau dans lequel il entre un poids égal de beurre, de farine, de sucre et d'œufs.

quatre-quatre *nm inv* Véhicule à quatre roues motrices.

quatre-vingt(s) *a num* 1 (prend un s quand il n'est suivi d'aucun autre adjectif numéral.) Huit fois dix. 2 Quatre-vingtième. *Page quatre-vingt.* ■ *nm inv* Nombre, numéro quatre-vingts.

quatre-vingt-dix *a num* 1 Neuf fois dix. 2 Quatre-vingt-dixième. *Page quatre-vingt-dix.* ■ *nm inv* Nombre, numéro quatre-vingt-dix.

quatre-vingt-dixième *a num* Au rang, au degré quatre-vingt-dix. ■ *a, nm* Contenu quatre-vingt-dix fois dans un tout.

quatre-vingtième *a num* Au rang, au degré quatre-vingts. ■ *a, nm* Contenu quatre-vingts fois dans un tout.

quatrième *a num* Au rang, au degré quatre. ■ *a, nm* Contenu quatre fois dans un tout. ■ *nf* Troisième classe de l'enseignement secondaire.

quatrièmement *av* En quatrième lieu.

quatrillion *nm* Un million de trillions (10^{24}).

quattrocento [kwatʀɔtʃɛnto] *nm* Quinzième siècle italien.

quatuor [kwa-] *nm* 1 Morceau de musique à quatre parties. 2 Formation de quatre musiciens.

que *pr rel* Désigne qqn, qqch. *L'homme que vous avez vu. Le livre qu'elle vous donne.* ■ *pr interrog* Interroge sur qqch. *Que mangeons-nous ?* ■ *conj* 1 Introduit une complétive ou forme avec un adverbe une locution conjonctive (*afin que, avant que,* etc.). *Je dis qu'il fait beau. Avant que tu ne partes.* 2 Indique un ordre. *Qu'il rentre.* ■ *av* Combien. *Qu'il est lait !* **Loc** *Ne... que* :seulement.

québécisme *nm* Expression propre au français du Québec.

québécois, oise *a, n* Du Québec.

quechua [ketʃwa] *nm, a* Langue amérindienne du Pérou et de Bolivie.

quel, quelle *a interrog* 1 Interroge sur la nature de qqch, de qqn. *Quel temps fait-il ?* 2 Avec une valeur exclamative. *Quelle merveille !* ■ *a indéf* **Loc** *Quel que, quelle que* : de quelque nature que. *Quelles que soient vos intentions.*

quelconque *a indéf* N'importe lequel. *Un prétexte quelconque.* ■ *a* Ordinaire, commun, médiocre. *Une personne très quelconque.*

quelque *a indéf* Indique un nombre ou une quantité indéterminée. *Il a quelque difficulté à agir. Quelques artistes.* **Loc** *Quelque...que* : marque la concession. *Quelques efforts que vous fassiez.* ■ *av* Litt 1 Environ. *Ils étaient quelque deux cents.* 2 Si, à quelque degré que. *Quelque riches qu'ils soient.*

quelque chose *pr indéf* Indique une chose de manière indéterminée.

quelquefois *av* Parfois, de temps en temps.

quelque part *av* Indique un lieu quelconque.

quelques-uns, quelques-unes *pr indéf pl* Un petit nombre de.

quelqu'un *pr indéf* 1 Une personne. *Quelqu'un est venu.* 2 Personne importante. *Se prendre pour quelqu'un.*

quémander *vt* Demander humblement et avec insistance.

qu'en-dira-t-on nm inv Opinion des gens.

quenelle nf Rouleau de viande ou de poisson haché lié à l'œuf.

quenotte nf Fam Petite dent.

quenouille nf Tige servant autrefois à fixer le textile à filer.

quéquette nf Fam Pénis.

querelle nf Contestation, dispute.

quereller vt Réprimander. ■ vpr Se disputer.

querelleur, euse a, n Qui cherche querelle.

quérir vt 34 Loc Litt Envoyer, aller, etc., quérir : envoyer, aller chercher.

questeur nm 1 ANTIQ Magistrat romain chargé de la gestion des fonds publics. 2 Membre d'une assemblée parlementaire responsable de l'administration intérieure et du budget.

question nf 1 Interrogation, demande. 2 Problème, sujet à discussion. 3 HIST Torture judiciaire. Loc Être en question : être en cause.

questionnaire nm Série de questions pour une enquête.

questionnement nm Ensemble de questions.

questionner vt Interroger ; poser des questions. On l'a questionné sur ses relations.

questure nf 1 ANTIQ Charge de questeur. 2 Bureau du questeur au Parlement.

quête nf Action de recueillir des aumônes pour des œuvres, collecte. Loc En quête de : à la recherche de.

quêter vt Rechercher, solliciter. Quêter des louanges. ■ vi Faire la quête.

quêteur, euse n Qui fait la quête.

quetsche [kwɛtʃ] nf Prune allongée, à peau violacée.

queue nf 1 Prolongement flexible de la colonne vertébrale de nombreux mammifères. 2 Extrémité postérieure du corps de certains animaux. Queue d'un lézard, d'un chat. 3 Traîne d'une robe ; pan d'un vêtement. 4 BOT Pétiole ou pédoncule. 5 Partie allongée qui sert à saisir certains objets. 6 Empennage d'un avion. 7 Bout, extrémité, fin de qqch.

8 File d'attente. 9 Au billard, bâton dont on se sert pour propulser les billes. Loc Fam Sans queue ni tête : incohérent.

queue-de-cheval nf Coiffure aux cheveux tirés vers l'arrière et retombant sur la nuque. Des queues-de-cheval.

queue-de-pie nf Habit de cérémonie à longues basques. Des queues-de-pie.

queue-de-poisson nf Manœuvre dangereuse d'un automobiliste qui se rabat trop vite après un dépassement. Des queues-de-poisson.

qui pr rel 1 Désigne qqn, qqch ; lequel (avec antécédent). L'homme qui travaille. Tout ce qui me plaît. 2 Celui qui (sans antécédent). Loc Fam Qui, que (+ subj) : quelque personne qui. ■ pr interrog Interroge sur qqn. Qui est là ?

quiche nf Tarte salée garnie de crème, d'œufs et de lardons.

quiconque pr rel Qui que ce soit, toute personne qui. Quiconque l'a vu. ■ pr indéf N'importe qui. C'est à la portée de quiconque.

quid [kwid] av Fam Sert à interroger.

quidam [kidam] nm Individu quelconque.

quiétisme nm HIST Doctrine selon laquelle la perfection chrétienne consiste dans la contemplation passive.

quiétude nf Litt Calme, repos.

quignon nm Morceau de pain.

quille nf 1 Pièce oblongue placée verticalement qu'on doit abattre avec une boule. 2 Pop Jambe. 3 Fam Fin du service militaire. 4 Partie inférieure de la coque d'un navire.

quincaillerie nf Commerce des ustensiles de ménage en métal, clous, serrurerie pour les bâtiments, etc. ; ces articles eux-mêmes.

quincaillier, ère n Qui vend ou fabrique de la quincaillerie.

quinconce [kɛ̃kɔ̃s] nm Loc En quinconce : disposé par cinq, quatre aux angles d'un quadrilatère et un au milieu.

quinine nf Alcaloïde de l'écorce du quinquina, utilisé contre le paludisme.

quinquagénaire n ou a, n Qui a entre cinquante et soixante ans.

quinquennal, ale, aux a Qui dure cinq ans ou se produit tous les cinq ans.

quinquennat *nm* Durée d'une fonction de cinq ans.

quinquina *nm* **1** Arbre cultivé pour son écorce qui fournit la quinine. **2** Vin préparé avec cette écorce.

quintal, aux *nm* Unité de mesure valant 100 kilogrammes.

quinte *nf* **1** MUS Intervalle de cinq degrés. **2** Série de cinq cartes qui se suivent dans la même couleur. **3** Accès de toux.

quintessence *nf* Litt Ce qu'il y a de plus raffiné, de plus précieux.

quintette *nm* **1** Morceau de musique à cinq parties. **2** Formation comprenant cinq musiciens ou cinq chanteurs.

quintillion *nm* Un million de quatrillions.

quintuple *a, nm* Qui vaut cinq fois autant.

quintupler *vt, vi* (Se) multiplier par cinq.

quintuplés, ées *npl* Enfants nés au nombre de cinq d'un même accouchement.

quinzaine *nf* **1** Ensemble de quinze éléments. **2** Deux semaines.

quinze *a num* **1** Dix plus cinq (15). **2** Quinzième. *Chapitre quinze.* ■ *nm inv* **1** Le nombre, le numéro quinze. **2** Équipe de rugby.

quinzième *a num* Au rang, au degré quinze. ■ *nm* Qui se trouve quinze fois dans un tout.

quinziste *nm* Joueur de rugby à quinze.

quiproquo *nm* Méprise qui fait prendre une chose pour une autre.

quittance *nf* Document par lequel un créancier atteste qu'un débiteur s'est acquitté de sa dette.

quitte *a* **1** Libéré d'une obligation. Loc *En être quitte pour :* n'avoir à supporter comme inconvénient que. *Quitte à* (+ inf) : au risque de. *Jouer à quitte ou double :* risquer tout.

quitter *vt* **1** Abandonner un lieu, une activité, un métier. *Quitter Paris.* **2** Ôter un vêtement. **3** Se séparer de qqn. *Son mari l'a quittée.*

quitus [-tys] *nm inv* Loc *Donner quitus à qqn :* reconnaître exacte sa gestion.

qui-vive *nm inv* Loc *Sur le qui-vive :* sur ses gardes.

quiz [kwiz] *nm* Jeu par questions et réponses.

quôc-ngu *nm inv* Alphabet vietnamien.

quoi *pr interrog* Quelle chose ? *À quoi penses-tu ?* ■ *pr rel* Loc *Il n'y a pas de quoi :* il n'y a pas de raison que. *Quoi que :* quelque chose que. *Quoi qu'il en soit :* en tout état de cause. *Sans quoi :* sinon.

quoique *conj* Exprime l'opposition, la concession ; bien que.

quolibet *nm* Raillerie.

quorum [kɔʀɔm] ou [kwɔʀɔm] *nm* Nombre minimum de votants d'une assemblée pour qu'un vote soit valable.

quota [kɔ-] ou [kwɔ-] *nm* Pourcentage, contingent fixé. *Des quotas d'importation.*

quote-part *nf* Part que chacun doit payer ou recevoir dans une répartition. *Des quotes-parts.*

quotidien, enne *a, nm* Qui a lieu chaque jour. ■ *nm* Journal qui paraît chaque jour.

quotient *nm* MATH Résultat de la division d'un nombre par un autre. Loc *Quotient intellectuel (Q.I.) :* indice déterminé par des tests et servant à évaluer l'âge mental d'un sujet.

quotité *nf* Montant d'une quote-part.

r

r nm Dix-huitième lettre (consonne) de l'alphabet. *R grasseyé. R roulé.*

rab nm Fam Rabiot.

rabâcher vt Répéter de façon fastidieuse.

rabais nm Diminution de la valeur primitive de qqch.

rabaisser vt **1** Mettre plus bas. **2** Diminuer, déprécier. ■ *vpr* S'humilier.

rabane nf Tissu en fibres de raphia.

rabat nm **1** Cravate portée par les magistrats en robe. **2** Partie d'un objet souple qui peut se rabattre sur une autre.

rabat-joie n inv, a inv Qui par son humeur chagrine trouble la joie d'autrui.

rabatteur, euse n Qui rabat le gibier.

rabattre vt **77 1** Rabaisser, faire descendre plus bas. **2** Aplatir, replier, refermer. *Rabattre un couvercle.* **3** Débusquer le gibier vers le lieu où sont les chasseurs. **4** Retrancher une partie du prix de vente. ■ *vti* Loc **En rabattre :** diminuer ses exigences. ■ *vpr* **1** Changer brusquement de direction vers le côté. **2** En venir à choisir qqch, qqn, faute de mieux. *Se rabattre sur une voiture d'occasion.*

rabbin nm Chef spirituel d'une communauté juive.

rabbinat nm Dignité, fonction de rabbin.

rabelaisien, enne a Qui rappelle la truculence de Rabelais.

rabibocher vt Fam **1** Raccommoder. **2** Réconcilier.

rabiot nm Fam Ce qui est donné, fait ou imposé de surplus ; supplément.

rabioter vt Fam S'approprier indûment ou par surcroît.

rabique a De la rage.

râble nm Partie du lièvre, du lapin allant du bas des côtes à la queue.

râblé, ée a Trapu et musclé.

rabot nm Outil de menuisier pour aplanir ou façonner le bois.

raboter vt Rendre uni, aplanir au rabot.

raboteuse nf Machine-outil servant à raboter le bois, le métal.

raboteux, euse a Noueux, inégal.

rabougri, ie a Chétif, malingre.

rabougrir (se) vpr Se recroqueviller en raison de la sécheresse, de l'âge.

rabouter vt Assembler bout à bout.

rabrouer vt Traiter, repousser durement.

racaille nf Rebut de la population.

raccommoder vt **1** Réparer un vêtement, du linge. **2** Réconcilier.

raccompagner vt Reconduire qqn chez lui.

raccord nm **1** Liaison, ajustement entre deux parties d'un ouvrage. **2** Pièce de raccordement.

raccordement nm Jonction de deux conduits, de deux voies ferrées, etc.

raccorder vt **1** Relier deux choses séparées. **2** Mettre en communication avec un réseau.

raccourci nm **1** Chemin plus court. **2** Abrégé, résumé. *Un raccourci évocateur.*

raccourcir vt Rendre plus court. ■ *vi* Devenir plus court. *Les jours raccourcissent.*

raccourcissement nm Fait de raccourcir.

raccroc nm Loc **Par raccroc :** par chance.

raccrocher vt **1** Accrocher de nouveau. **2** Rattraper ce qui semblait perdu. **3** Arrêter qqn au passage. ■ *vi* **1** Interrompre une conversation téléphonique. **2** Fam Cesser définitivement une activité. ■ *vpr* Se retenir à qqch. *Se raccrocher à des prétextes.*

race nf **1** Division de l'espèce humaine, fondée sur certains caractères physiques. **2** Subdivision d'une espèce animale. **3** Litt Ascendants et descendants d'une famille. **4** Catégorie de personnes ayant un même comportement. *La race des pédants.*

racé, ée a **1** Qui a les qualités propres à sa race. **2** Qui a une distinction naturelle.

rachat nm Action de racheter.

racheter vt **17 1** Acheter de nouveau ou acheter ce qu'on a vendu. **2** Se libérer d'une obligation moyennant une somme. **3** Obtenir le pardon de ses péchés, faire oublier ses fautes. **4** Compenser. ■ *vpr* Se réhabiliter.

rachidien, enne a Du rachis.

rachis [ʀaʃis] nm ANAT Colonne vertébrale.

rachitique a, n Atteint de rachitisme. ■ a Maigre, peu développé.

rachitisme nm Maladie de la croissance affectant le squelette.

racial, ale,aux a Relatif à la race.

racine nf 1 Partie des végétaux qui les fixe au sol et par où ils se nourrissent. 2 Lien, attache solide qui fonde la stabilité de qqch, de qqn. *Chercher à retrouver ses racines.* 3 Cause profonde, principe. *Prendre le mal à sa racine.* 4 Partie par laquelle est implanté un organe. *Racine des cheveux, des dents. Racine d'un nerf.* 5 GRAM Élément irréductible de tous les mots de même famille morphologique. **Loc** MATH *Racine carrée, cubique d'un nombre A :* nombre dont le carré, le cube est égal au nombre A.

racinien, enne a Propre à l'œuvre de Racine.

racisme nm Théorie fondée sur l'idée de la supériorité de certaines races sur les autres ; comportement d'exclusion qui en résulte.

raciste a, n Qui relève du racisme.

rack nm Meuble de rangement pour appareils hi-fi, aux dimensions normalisées.

racket [ʀakɛt] nm Extorsion de fonds par intimidation, terreur ou chantage.

racketter vt Soumettre à un racket.

raclée nf Fam Volée de coups ; écrasante défaite.

raclement nm Bruit fait en raclant.

racler vt Frotter en grattant.

raclette nf 1 Fondue faite avec du fromage dont on racle la surface amollie à la flamme ; fromage servant à faire ce mets. 2 Racloir.

racloir nm Instrument pour racler.

raclure nf Petite parcelle enlevée en raclant.

racolage nm Action de racoler.

racoler vt 1 Recruter plus ou moins honnêtement. 2 Solliciter un client, en parlant d'un(e) prostitué(e).

racoleur, euse a, n Qui racole.

racontar nm Médisance, commérage.

raconter vt Faire le récit de.

racornir vt Rendre dur et coriace. ■ vpr Devenir dur en se ratatinant.

radar nm Dispositif permettant de déterminer la direction et distance d'un objet par réflexion d'ondes électromagnétiques.

rade nf Vaste bassin naturel ayant une libre issue vers la mer. **Loc** Fam *Laisser, rester en rade :* abandonner, être abandonné.

radeau nm 1 Assemblage de pièces de bois formant une plate-forme flottante. 2 Embarcation pneumatique insubmersible.

radiaire a Didac Disposé en rayons.

radial, ale,aux a 1 ANAT Du radius. 2 Relatif au rayon d'un cercle. ■ nf Voie joignant le centre d'une ville à sa périphérique.

radian nm GEOM Unité de mesure d'angle.

radiant, ante a Qui émet un rayonnement.

radiateur nm 1 Appareil de chauffage. 2 Organe de refroidissement des moteurs.

radiation nf 1 PHYS Flux de particules. 2 Action de radier d'une liste, d'un compte, etc.

radical, ale,aux a 1 BOT Relatif aux racines. 2 Qui concerne la nature de qqch : *un changement radical.* 3 Intransigeant, résolu. *Un refus radical.* 4 Efficace, énergique. *Des moyens radicaux.* ■ a, n Qui appartient à un parti radical, au radicalisme. ■ nm 1 GRAM Partie du mot indépendante des désinences. 2 PHYS Groupement d'atomes susceptibles d'être séparés d'une molécule. 3 MATH Symbole (√) notant l'extraction d'une racine.

radicalement av De façon radicale.

radicaliser vt Durcir une position politique.

radicalisme nm 1 Doctrine préconisant une réforme des institutions. 2 Attitude intransigeante.

radical-socialisme nm Doctrine politique du centre gauche en France.

radicelle nf BOT Racine secondaire.

radiculaire a Didac D'une racine ou d'un radicule.

radicule nf BOT Partie inférieure de la plantule qui deviendra la racine.

radiculite nf MED Lésion de la racine d'un nerf.

1. radier *nm* Dalle épaisse qui recouvre le fond d'un canal, d'une fosse.

2. radier *vt* **1** Rayer d'une liste. **2** Exclure qqn d'un corps.

radiesthésie *nf* Sensibilité prétendue aux radiations qu'émettraient différents corps ; procédé de détection de cette sensibilité.

radieux, euse *a* **1** D'une luminosité éclatante. **2** Rayonnant de joie, de bonheur.

radifère *a* CHIM Qui contient du radium.

radin, ine *n, a,* Fam Avare.

radiner *vi* ou **se radiner** *vpr* Pop Arriver, venir.

radinerie *nf* Fam Avarice.

radio *nf* **1** Station émettrice d'émissions radiophoniques. **2** Abrév de *radiodiffusion, radiorécepteur, radiographie.*

radioactif, ive *a* Doué de radioactivité.

radioactivité *nf* Émission, par certains éléments chimiques, de rayonnements divers, résultant de réactions nucléaires.

radioamateur *nm* Qui émet ou reçoit, sur un appareil lui appartenant, des émissions radiophoniques.

radioastronomie *nf* Étude des ondes radioélectriques émises par les astres.

radiobiologie *nf* Étude de l'action des radiations sur les êtres vivants.

radiocarbone *nm* Isotope radioactif du carbone, utilisé pour la datation.

radiocassette *nf* Appareil combinant un récepteur de radio et un lecteur de cassettes.

radiocommande *nf* Commande radioélectrique à distance.

radiocommunication *nf* Télécommunication par ondes radioélectriques.

radiocompas *nm* Appareil guidant l'avion ou le navire par rapport à un émetteur radio.

radiodermite *nf* Affection de la peau causée par des radiations.

radiodiagnostic [-gnɔs-] *nm* MED Diagnostic reposant sur l'examen d'images radiologiques.

radiodiffuser *vt* Diffuser par la radio.

radiodiffusion *nf* Transmission de programmes par les ondes hertziennes.

radioélectricité *nf* Transmission de signaux par des ondes électromagnétiques.

radioélectrique *a* Propre à la radioélectricité.

radioélément *nm* Élément radioactif.

radiofréquence *nf* Fréquence d'une onde radioélectrique.

radiogoniométrie *nf* Détermination de la position d'émetteurs radioélectriques.

radiographie *nf* **1** Obtention sur une surface sensible de l'image d'un objet exposé aux rayons X. **2** Description en profondeur d'un phénomène, d'une situation.

radiographier *vt* Effectuer une radiographie.

radioguidage *nm* Guidage à distance d'un avion, d'un navire, d'un engin, etc.

radiolaire *nm* ZOOL Protozoaire marin à squelette siliceux.

radiologie *nf* Utilisation médicale des rayonnements, des ultrasons.

radiologue ou **radiologiste** *n* Spécialiste de radiologie.

radiolyse *nf* Décomposition d'une substance par des rayonnements ionisants.

radionavigation *nf* Technique de navigation par guidage radioélectrique.

radionécrose *nf* MED Nécrose d'un tissu due aux rayons X ou à la radioactivité.

radiophonie *nf* Transmission des sons au moyen d'ondes radioélectriques.

radioprotection *nf* Protection contre les rayonnements.

radiorécepteur *nm* Récepteur de radiodiffusion.

radioreportage *nm* Reportage radiodiffusé.

radioréveil *nm* Appareil combinant un récepteur radio et un réveil.

radioscopie *nf* Observation de l'image d'un corps traversé par les rayons X.

radiosonde *nf* Ballon-sonde transmettant des renseignements météorologiques.

radiosource *nf* Objet céleste connu par son émission d'ondes radioélectriques.

radio-taxi *nm* Taxi équipé d'un émetteur-récepteur radio. Des radio-taxis.

radiotechnique [-tɛk-] *nf* Utilisation des rayonnements radioélectriques.

radiotélégraphie nf Télégraphie sans fil.

radiotéléphone nm Téléphone sans fil.

radiotélescope nm Appareil captant les ondes émises par les astres.

radiotélévisé, ée a Diffusé par radio et télévision.

radiothérapie nf Traitement par des radiations ionisantes.

radiotoxique a, nm Qui émet des rayonnements nocifs pour l'organisme.

radis nm Plante potagère cultivée pour sa racine que l'on mange crue.

radium [-djɔm] nm Métal radioactif.

radius [-djys] nm Os de l'avant-bras.

radja. V. rajah.

radôme nm Vaste dôme abritant un radar.

radon nm Élément gazeux radioactif.

radoter vi Tenir des propos débiles ; rabâcher.

radoub nm Loc Bassin de radoub : destiné aux réparations des navires.

radoucir vt Rendre plus doux. ■ vpr Devenir plus doux.

radoucissement nm Fait de se radoucir.

rafale nf 1 Coup de vent violent. 2 Suite de coups de feu.

raffermir vt Rendre plus ferme, plus dur. ■ vpr Devenir plus ferme.

raffinage nm Action de raffiner un produit.

raffiné, ée a 1 Rendu plus pur. Sucre raffiné. 2 Fin, subtil. Goûts raffinés. ■ a, n D'esprit très délicat ; très recherché dans ses sentiments.

raffinement nm 1 Extrême délicatesse, subtilité. 2 Recherche excessive.

raffiner vt 1 Épurer une matière brute. Raffiner du pétrole. 2 Litt Rendre plus fin, plus délicat. ■ vi Rechercher une subtilité excessive.

raffinerie nf Lieu où l'on raffine un produit.

raffineur, euse n Qui raffine un produit.

rafflésie nf Plante tropicale à grandes fleurs.

raffoler vti Aimer beaucoup, se passionner pour. Il raffole d'opéra.

raffut nm Fam Tapage.

rafiot nm Fam Mauvais bateau.

rafistoler vt Fam Réparer sans grand soin.

rafle nf 1 Action de rafler. 2 Arrestation en masse faite à l'improviste par la police. 3 BOT Axe central d'une grappe de raisin, d'un épi de maïs. Syn. râpe.

rafler vt Fam Prendre promptement tout ce qu'on trouve.

rafraîchir vt 1 Rendre frais. 2 Remettre en état. Rafraîchir un tableau. Loc Fam Rafraîchir la mémoire : rappeler à qqn ce qu'il prétend avoir oublié. ■ vi, vpr Devenir plus frais. ■ vpr Se désaltérer.

rafraîchissement nm 1 Fait de se rafraîchir. 2 Boisson fraîche.

raft ou **rafting** [-tiŋ] nm Descente sportive d'un torrent sur un radeau (raft).

raga nm inv Pièce mélodique de la musique indienne.

ragaillardir vt Redonner des forces, de la gaieté.

rage nf 1 Maladie virale de certains animaux, transmissible par morsure. 2 Colère violente. 3 Passion excessive. Loc Faire rage : être à son paroxysme. Rage de dents : violent mal aux dents.

rager vi 11 Fam Être très irrité.

rageur, euse a 1 Porté à des colères violentes. 2 Qui dénote la colère.

rageusement av Avec rage, avec hargne.

ragian nm Pardessus ample à manches droites remontant jusqu'au col.

ragondin nm Gros rongeur amphibie.

ragot nm Fam Commérage malveillant.

ragoût nm Plat de viande et de légumes, coupés en morceaux et cuits dans une sauce.

ragoûtant, ante a Loc Peu ragoûtant : peu appétissant.

ragtime [-tajm] nm Style de musique pour piano, qui fut une source du jazz.

rahat-loukoum ou **loukoum** nm Confiserie orientale faite d'une pâte sucrée et parfumée. Des rahat-loukoums.

rai nm Litt Rayon de lumière.

raï [raj] nm Musique populaire algérienne.

raid nm 1 Rapide opération menée chez l'ennemi. 2 Mission de bombardement aérien. 3 Épreuve sportive d'endurance sur une grande distance.

raide a 1 Tendu, rigide, qui ne plie pas. 2 Sans souplesse. *Attitude raide.* 3 Abrupt. *Pente raide.* 4 Fam Étonnant, difficile à croire. 5 Fortement alcoolisé (boisson). ■ av Subitement. *Tomber raide.*

raider [REDER] nm Qui, par des opérations financières, prend le contrôle d'une entreprise.

raideur nf Caractère raide, rigide.

raidillon nm Chemin en pente raide.

raidir vt Rendre raide ; tendre. ■ vi, vpr Devenir raide. ■ vpr Résister avec fermeté.

1. raie nf 1 Trait, ligne, bande. 2 Ligne de séparation des cheveux. 3 AGRIC Sillon d'un champ.

2. raie nf Poisson cartilagineux au corps aplati.

raifort nm Plante dont la racine sert comme condiment.

rail nm 1 Bande d'acier servant de support et de guide pour les trains. 2 Bordure métallique le long d'une route. 3 Transport ferroviaire.

railler vt Tourner en dérision ; se moquer de.

raillerie nf Moquerie.

railleur, euse a Qui raille.

rail-route a inv Loc *Transport rail-route* : ferroutage.

rainette nf Petite grenouille arboricole.

rainure nf Entaille longue et étroite.

rainurer vt Creuser des rainures.

raiponce nf Campanule qui se mange en salade.

raïs nm Chef d'État en Égypte.

raisin nm 1 Fruit de la vigne. 2 Format de papier (50 × 65 cm).

raisiné nm 1 Confiture de raisin. 2 Pop Sang.

raison nf 1 Faculté de connaître, de juger. 2 Cause, motif. *Il a des raisons de protester.* 3 MATH Rapport de deux quantités. Loc *À raison de* : à proportion de. *En raison de* : à cause de. *Avoir raison* : être dans la vérité. *Avoir raison de qqn* : triompher de lui. *Raison d'État* : intérêt supérieur de la nation. *Se faire une raison* : se résigner. *Se rendre aux raisons de qqn* : se laisser persuader. *Raison sociale* : désignation d'une société.

raisonnable a 1 Doué de raison. 2 Qui agit avec sagesse ; modéré. *Un enfant raisonnable.* 3 Convenable. *Prix raisonnable.*

raisonné, ée a Fondé sur le raisonnement.

raisonnement nm Enchaînement des arguments préparant une conclusion.

raisonner vi 1 Se servir de sa raison pour juger, démontrer. 2 Alléguer des raisons, des excuses. ■ vt Chercher à amener qqn à la raison.

raisonneur, euse a, n Qui réplique, discute les ordres.

rajah ou **radjah** nm inv Prince en Inde.

rajeunir vt 1 Rendre la jeunesse à ; faire paraître plus jeune. 2 Attribuer à qqn un âge moindre. 3 Donner un aspect nouveau à qqch. ■ vi Redevenir jeune.

rajeunissement nm Fait de rajeunir.

rajout nm Chose rajoutée.

rajouter vt Ajouter encore.

rajustement ou **réajustement** nm Fait de rajuster.

rajuster ou **réajuster** vt 1 Ajuster de nouveau ; remettre en ordre. 2 Remettre à son juste niveau.

raki nm Eau-de-vie parfumée à l'anis.

râle nm 1 Bruit anormal perçu à l'auscultation. 2 Respiration bruyante des moribonds. 3 Oiseau échassier.

ralenti nm 1 Bas régime d'un moteur. 2 Procédé de prise de vues faisant paraître les mouvements plus lents que dans la réalité.

ralentir vt Rendre plus lent. ■ vi Réduire sa vitesse.

ralentissement nm Diminution de vitesse, d'activité.

ralentisseur nm Dispositif aménagé pour obliger les automobilistes à ralentir.

râler vi 1 Faire entendre un râle d'agonisant. 2 Fam Protester, récriminer.

râleur, euse a, n Fam Qui se plaint à tout propos. *Un vieux râleur.*

ralliement nm Action de rallier, de se rallier. Loc *Point de ralliement* : lieu de rassemblement.

rallier vt 1 Rassembler des personnes dispersées. 2 Gagner à un parti, à une opinion, une cause. **3** Rejoindre un lieu. ■ *vpr* Adhérer à une opinion. *Se rallier à l'avis de la majorité.*

rallonge *nf* **1** Ce qui sert à rallonger. **2** Planche à coulisse qui permet d'augmenter la longueur d'une table. **3** Fam Supplément de temps, d'argent.

rallonger *vt* **11** Rendre plus long. ■ *vi* Devenir plus long. *Les jours allongent.*

rallumer *vt* **1** Allumer de nouveau. **2** Raviver. *Rallumer un conflit.* ■ *vpr* Être de nouveau allumé.

rallye *nm* **1** Compétition où les concurrents doivent rallier un point déterminé après certaines épreuves. **2** Cycle de surprises-parties, chez les gens huppés.

ramadan *nm* Neuvième mois de l'année lunaire musulmane, pendant lequel le jeûne est prescrit du lever au coucher du soleil.

ramage *nm* Litt Chant des oiseaux. ■ *pl* Dessins de rameaux feuillus et fleuris.

ramassage *nm* Action de ramasser. Loc **Ramassage scolaire :** transport, par autocar, des élèves habitant loin des établissements scolaires.

ramasse-miettes *nm inv* Instrument servant à ramasser les miettes sur une table.

ramasser *vt* **1** Prendre à terre. **2** Fam Attraper, une gifle. **3** Rassembler ce qui est épars. **4** Collecter, réunir, recueillir. ■ *vpr* Fam Tomber.

ramasseur, euse *n* Qui ramasse des balles au tennis, les champignons, etc.

ramassis *nm* Ensemble de choses, de personnes sans valeur.

rambarde *nf* Garde-fou, parapet.

ramboutan *nm* Variété de litchi.

ramdam [Ramdam] *nm* Pop Tapage, vacarme.

rame *nf* **1** Branche plantée en terre pour servir d'appui à une plante grimpante. **2** File de wagons attelés. **3** Ensemble de cinq cents feuilles de papier. **4** Longue pièce de bois aplatie à l'une des extrémités servant à propulser une embarcation.

rameau *nm* **1** Petite branche d'arbre. **2** Subdivision d'un nerf, d'un vaisseau. **3** Subdivision d'un système. *Rameau d'un arbre généalogique.*

ramée *nf* Litt Branches d'un arbre, couvertes de leurs feuilles.

ramener *vt* **15I 1** Amener de nouveau. **2** Reconduire qqn, un animal. **3** Rétablir dans son état initial. ■ *vpr* **1** Se réduire à. **2** Pop Arriver, venir.

ramequin *nm* Petit récipient allant au four.

ramer *vt* Soutenir par des rames des plantes grimpantes. ■ *vi* **1** Manœuvrer les rames pour faire avancer une embarcation. **2** Fam Faire des efforts pour surmonter des obstacles.

ramette *nf* Rame de papier, de petit format.

rameur, euse *n* Qui rame.

rameuter *vt* Regrouper. *Rameuter la population.*

rami *nm* Jeu de cartes.

ramier *nm* Grand pigeon des champs.

ramification *nf* **1** Division d'un végétal, d'un nerf, d'un vaisseau. **2** Subdivision d'une science, d'une organisation, etc.

ramifier (se) *vpr* Se subdiviser en rameaux, en ramifications.

ramilles *nfpl* BOT Les plus petits rameaux.

ramolli, ie *a, n* Fam Déficient intellectuellement.

ramollir *vt* Rendre plus mou. ■ *vpr* **1** Devenir plus mou. **2** Perdre ses forces.

ramollissement *nm* Fait de se ramollir ; état ramolli.

ramollo *a, n* Pop Gâteux.

ramoner *vt* Nettoyer une cheminée.

ramoneur *nm* Qui ramone les cheminées.

rampant, ante *a* **1** Qui rampe. **2** Obséquieux, servile. **3** Difficile à percevoir. *Inflation rampante.* **4** ARCHI Incliné, en pente. ■ *nm* Fam Membre du personnel au sol dans l'aviation.

rampe *nf* **1** Plan incliné destiné à permettre le passage entre deux niveaux. **2** Barre, à hauteur d'appui, longeant un escalier. **3** Rangée de lumières au bord d'une scène de théâtre. Loc **Rampe de lancement :** dispositif assurant le guidage d'une fusée lors de son lancement.

ramper *vi* **1** Progresser par ondulations du corps (animaux dépourvus de membres). **2** Progresser en s'aplatissant à terre, ventre contre le sol (personnes). **3** S'abaisser, s'humilier devant.

ramure nf **1** Ensemble des branches, des ramifications. **2** Bois d'un cerf, d'un daim.

rancard ou **rencard** nm Pop **1** Rendez-vous. **2** Renseignement.

rancart nm Loc Fam *Mettre au rancart :* au rebut.

rance a Qui a pris en vieillissant une saveur et une odeur âcre (corps gras). ■ nm Odeur, saveur rance.

ranch [ʀɑ̃ʃ] ou [ʀɑ̃tʃ] nm Aux États-Unis, exploitation agricole, dans la Prairie.

rancir vi Devenir rance.

rancœur nf Amertume tenace.

rançon nf **1** Somme d'argent exigée pour la liberté d'un captif, d'un otage. **2** Contrepartie pénible de qqch d'agréable. *La rançon du succès.*

rançonner vt Exiger qqch de qqn sous la menace.

rancune nf Ressentiment profond.

rancunier, ère a, n Qui garde facilement de la rancune.

randomiser vt STATIS Valider un résultat à partir d'un échantillon choisi au hasard.

randonnée nf Grande promenade.

randonneur, euse n Qui aime à faire une randonnée.

rang nm **1** Série de personnes, de choses, disposées en ligne. **2** Position dans une hiérarchie, une échelle de valeurs.

rangé, ée a Qui mène une existence tranquille, sérieuse. Loc *Bataille rangée :* rixe violente.

rangée nf Suite de choses ou de personnes placées sur une même ligne.

rangement nm **1** Action de ranger. **2** Lieu où on range ; placard.

1. ranger vt **1 1** Mettre en rangs ou en files. **2** Disposer en bon ordre. Ranger ses papiers. **3** Faire figurer parmi. Ranger un poète parmi les classiques. **4** Garer. Ranger un camion. ■ vpr **1** Se mettre en rangs. **2** S'écarter pour laisser le passage. **3** Fam S'assagir. **4** Se rallier à un avis, à une autorité.

2. ranger [ʀɑ̃dʒœʀ] nm **1** Soldat d'un corps d'élite de l'armée de terre américaine. **2** Brodequin muni d'une guêtre.

ranidé nm ZOOL Amphibien anoure (grenouille).

ranimer vt **1** Faire revenir à la conscience, à la vie. **2** Redonner de la vivacité. ■ vpr **1** Reprendre conscience. **2** Retrouver une activité nouvelle.

raout [ʀaut] nm Vx Réunion mondaine.

rap nm Style musical accompagnant un rythme martelé de paroles improvisées.

rapace nm Oiseau carnivore. ■ a Avide de gain, cupide.

rapatrié, ée n Ramené dans sa patrie.

rapatrier vt Faire revenir dans son pays.

râpe nf **1** Lime à grosses aspérités. **2** Ustensile de cuisine pour réduire certaines substances en poudre ou en fragments. **3** BOT Syn de rafle.

râpé, ée a Usé jusqu'à la corde (tissu). Loc Fam *C'est râpé :* il ne faut pas y compter. ■ nm Fromage réduit à la râpe.

râper vt **1** Réduire en poudre, en fragments avec une râpe. Râper du fromage. **2** User la surface d'un corps avec une râpe.

rapetasser vt Fam Raccommoder grossièrement.

rapetisser vt **1** Rendre plus petit. **2** Diminuer le mérite. ■ vi, vpr Devenir plus petit, plus court. Les jours rapetissent.

râpeux, euse a **1** Rugueux. **2** Âpre au goût, à l'oreille. Voix râpeuse.

raphia nm Palmier dont on tire une fibre souple et résistante.

rapiat, ate a, n Fam Pingre, cupide.

rapide a **1** Qui va très vite. Voiture rapide. **2** Qui se fait à une vitesse élevée. Course rapide. **3** Qui comprend, qui agit vite. **4** De forte déclivité. Pente rapide. ■ nm **1** Portion d'une rivière où le courant devient rapide et tourbillonnant. **2** Train qui ne s'arrête que dans les villes importantes.

rapidement av De façon rapide ; vite.

rapidité nf Grande vitesse, célérité.

rapiécer vt **1 2** Raccommoder en posant des pièces.

rapière nf Anc Épée à longue lame.

rapin nm Peintre médiocre.

rapine nf Litt Larcin, pillage.

raplapla a inv Fam Très fatigué.

raplatir vt Aplatir de nouveau ou davantage.

rappareiller vt Réassortir.

rapparier vt Réunir en une paire.

rappel nm 1 Action de rappeler, de faire revenir. 2 Nouvelle administration de vaccin. 3 Paiement rétroactif d'appointements restés en suspens. 4 Manœuvre de descente d'une paroi verticale à l'aide d'une corde double. Loc *Rappel à l'ordre* : réprimande.

rappelé, ée a, n Appelé de nouveau sous les drapeaux.

rappeler vt 18 1 Appeler de nouveau (partic., par téléphone). 2 Faire revenir. 3 Remettre en mémoire. *Rappeler une promesse à qqn.* 4 Faire penser par ressemblance. Loc *Rappeler à l'ordre* : avertir ; réprimander. *Rappeler à la vie* : ranimer. ■ vpr Se souvenir. *Se rappeler un fait. Il se le rappelle.*

rappeur, euse n Interprète de rap.

rappliquer vt Pop Revenir, arriver.

rapport nm 1 Revenu, produit. *Vigne d'un bon rapport.* 2 Compte rendu ou exposé. 3 Relation entre plusieurs choses. *Faire le rapport entre deux incidents.* 4 Analogie, accord, conformité. Loc *Par rapport à* : relativement à, en fonction de. *Rapport sexuel* : coït. ■ pl Relations entre des personnes, des États.

rapporté, ée a Ajouté à un ensemble par assemblage. Loc Fam *Pièce rapportée* : membre par alliance d'une famille.

rapporter vt 1 Apporter de nouveau. 2 Apporter en revenant d'un lieu. *Rapporter un masque d'Afrique.* 3 Donner un revenu, un profit. *Ces plantations ne rapportent rien.* 4 DR Abroger, annuler. *Rapporter un arrêté.* 5 Faire le récit de. *Rapporter un fait.* 6 Redire, répéter par indiscrétion, légèreté ou malice. 7 Rattacher un fait à un autre, à une cause. ■ vpr Avoir rapport, se rattacher à.

rapporteur, euse a, n Qui rapporte, répète ; mouchard. ■ nm 1 Chargé d'un rapport, d'un compte rendu. 2 Demi-cercle gradué, qui sert à mesurer les angles.

rapprendre. V. réapprendre.

rapprochement nm 1 Action de rapprocher. 2 Établissement de relations plus étroites. 3 Confrontation, comparaison.

rapprocher vt 1 Mettre plus près. 2 Réconcilier. 3 Comparer, confronter. ■ vpr 1 Venir plus près. 2 Devenir plus proche. 3 Être plus ou moins comparable, conforme à qqn, qqch.

rapprovisionner. V. réapprovisionner.

rapsode, rapsodie. V. rhapsode, rhapsodie.

rapt nm Enlèvement illégal ou crapuleux.

raquer vt Pop Payer.

raquette nf 1 Instrument garni de cordes ou d'une matière élastique qui sert à renvoyer la balle, à différents jeux. 2 Large semelle pour marcher sur la neige. 3 Au basket-ball, zone située à proximité immédiate du panier. 4 Tige aplatie du nopal, portant les épines.

rare a 1 Qui n'est pas commun. *Perle rare.* 2 Qui n'est pas fréquent. *Incident rare.* 3 Exceptionnel, remarquable. *Une rare intelligence.* 4 Peu dense, clairsemé. *Cheveux rares.*

raréfaction nf Fait de se raréfier.

raréfier vt Rendre rare. ■ vpr Devenir rare.

rarement av Peu souvent.

rareté nf Caractère rare ; chose rare.

rarissime a Très rare.

1. ras [RAS] nm Chef éthiopien.

2. ras, rase a Dont les poils, les brins sont coupés au plus court. Loc *En rase campagne* : en terrain découvert. ■ nm Loc *À ras de, au ras de* : presque au niveau de. ■ av De très près. *Couper ras.* Loc Fam *En avoir ras le bol* : être excédé, dégoûté.

rasade nf Contenu d'un verre plein à ras bord.

rasant, ante a 1 Qui effleure. 2 Fam Ennuyeux.

rascasse nf Poisson de la Méditerranée, hérissé de piquants.

ras-du-cou nm inv Vêtement, pull dont l'encolure s'arrête au niveau du cou.

rase-mottes nm inv Vol au ras du sol.

raser vt 1 Couper très court les poils, les cheveux, la barbe. 2 Abattre un édifice. 3 Passer très près. *Une balle l'a rasé.* 4 Fam Ennuyer. ■ vpr 1 Se couper la barbe. 2 Fam S'ennuyer.

raseur, euse n Fam Personne ennuyeuse.

ras-le-bol nm Exaspération.

rasoir nm Instrument qui sert à se raser. ■ *a inv* Fam Ennuyeux. *Un discours rasoir.*

rassasier vt 1 Apaiser complètement la faim de. 2 Satisfaire totalement.

rassemblement nm 1 Action de rassembler. 2 Attroupement. 3 Groupement politique.

rassembler vt 1 Réunir, regrouper des personnes. 2 Mettre ensemble des choses. 3 Concentrer. *Rassembler son courage.* ■ *vpr* Se réunir, se grouper.

rasseoir vt 40 Asseoir de nouveau. ■ *vpr* S'asseoir après s'être levé.

rasséréner vt 12 Litt Faire redevenir serein, calme. ■ *vpr* Retrouver sa sérénité.

rassis an Loc *Pain rassis* : qui n'est plus frais. *Esprit rassis* : calme, posé.

rassortiment, rassortir. V. réassortiment, réassortir.

rassurant, ante a Qui rassure.

rassurer vt Redonner la confiance. ■ *vpr* Reprendre confiance.

rasta ou **rastafari** n, a Adepte d'un mouvement culturel d'origine jamaïcaine.

rastaquouère nm Fam Étranger, aux ressources douteuses.

rat nm Rongeur très prolifique. Loc *Rat de bibliothèque* : qui fréquente assidûment les bibliothèques. *Rat d'hôtel* : voleur qui opère dans les hôtels. *Petit rat de l'Opéra* : jeune élève de la classe de danse de l'Opéra. *Rat de cave* : mince bougie enroulée sur elle-même. ■ *a* Fam Avare.

rata nm Pop Ragoût médiocre.

ratafia nm Liqueur à base d'eau-de-vie sucrée.

ratatiner vt Fam 1 Exterminer, massacrer, démolir. 2 Battre à plate couture. ■ *vpr* Se déformer en se plissant, se tasser.

ratatouille nf 1 Fam Ragoût peu appétissant. 2 Plat provençal fait d'aubergines, de tomates, de courgettes, etc., cuites dans l'huile d'olive.

1. rate nf Femelle du rat.

2. rate nf Glande située entre l'estomac et les fausses côtes. Loc Fam *Se dilater la rate* : rire.

raté, ée n, a Qui n'a pas réussi dans sa carrière, dans sa vie. ■ nm 1 Fait de rater ; dysfonctionnement. 2 Bruit produit par un moteur à explosion dont l'allumage est défectueux.

râteau nm Instrument à dents, qui sert à ramasser.

râteler vt 18 Ramasser avec un râteau.

râtelier nm 1 Claie fixée au mur d'une étable et destinée à recevoir le fourrage. 2 Fam Dentier. Loc Fam *Manger à tous les râteliers* : tirer profit de plusieurs sources, même opposées.

rater vi 1 Ne pas partir (arme à feu). 2 Échouer. *L'affaire a raté.* ■ vt 1 Ne pas atteindre, manquer. 2 Ne pas réussir. *Rater un plat.*

ratiboiser vt Fam Ruiner, rafler tout.

raticide nm Produit contre les rats.

ratier nm Chien qui chasse les rats.

ratière nf Piège à rats.

ratification nf Action de ratifier.

ratifier vt Approuver, confirmer dans la forme requise ce qui a été fait ou promis.

ratine nf Étoffe de laine au poil tiré et frisé.

rating [ratiŋ] nm Indice servant à classer les voiliers en vue d'une course.

ratio [-sjo] nm Didac Rapport entre deux grandeurs économiques ou financières.

ratiociner [-sjo-] vi Litt Faire des raisonnements oiseux.

ration nf 1 Quantité de nourriture donnée aux hommes, aux animaux pour une durée déterminée. 2 Part, dose, lot donné pour le sort et considéré comme suffisant.

rationalisation nf Action de rationaliser.

rationaliser vt 1 Rendre rationnel. 2 Organiser une activité selon des principes rationnels pour la rendre plus rentable, plus efficace.

rationalisme nm PHILO Doctrine selon laquelle tout ce qui existe est intelligible par la raison humaine.

rationnel, elle a 1 Fondé sur la raison. 2 Conforme au sens commun ; bien conçu, pratique. *Rangement rationnel.*

rationnement nm Action de rationner.

rationner vt Restreindre, limiter, contingenter la consommation de qqch.

ratisser *vt* 1 Nettoyer avec un râteau. 2 Explorer minutieusement une zone au cours d'une opération militaire ou de police. 3 Fam Ruiner qqn.

ratite *nm* ZOOL Oiseau coureur, telle l'autruche.

raton *nm* 1 Petit du rat. 2 Pop Terme raciste désignant un Nord-Africain. Loc *Raton laveur* : mammifère carnivore d'Amérique.

ratonnade *nf* Pop Violences racistes exercées contre les Nord-Africains.

rattachement *nm* Action de rattacher.

rattacher *vt* 1 Attacher de nouveau. *Rattacher ses lacets.* 2 Relier des choses, des personnes. *Rattacher un problème à un autre.* ■ *vpr* Être relié à.

rattraper *vt* 1 Attraper de nouveau. 2 Rejoindre qqn, qqch qui a pris de l'avance. 3 Regagner, recouvrer le temps ou l'argent perdu. 4 Compenser les inconvénients de qqch. ■ *vpr* 1 Se retenir. *Se rattraper à une branche.* 2 Profiter de ce dont on a été longtemps privé.

rature *nf* Trait pour annuler ce qui est écrit.

raturer *vt* Annuler par des ratures.

rauque *a* Rude, âpre (voix).

rauwolfia *nm* Vx Arbuste tropical dont on extrait la réserpine.

ravage *nm* Grands dommages, désastres causés par l'homme, les fléaux de la nature, des produits nocifs.

ravagé, ée *a* Fam Fou, inconscient.

ravager *vt* 11 Dévaster, détériorer gravement.

ravageur, euse *a, n* Qui ravage.

ravalement *nm* Nettoyage et restauration de la façade d'un immeuble.

ravaler *vt* 1 Avaler de nouveau. *Ravaler sa salive.* 2 Déprécier, rabaisser. *Ravaler qqn, ses mérites.* 3 Retenir. *Ravaler son indignation.* 4 Faire le ravalement d'une façade.

ravauder *vt* Vx Raccommoder.

rave *nf* Plante potagère à racine comestible.

ravenala *nm* Plante tropicale voisine du bananier.

ravenelle *nf* Moutarde sauvage.

ravi, ie *a* Enchanté, très content.

ravier *nm* Petit plat pour les hors-d'œuvre.

ravigote *nf* Vinaigrette relevée d'échalotes.

ravigoter *vt* Fam Redonner de la vigueur.

ravin *nm* 1 Lit creusé par un torrent. 2 Vallée profonde et encaissée.

ravine *nf* Lit creusé par un ruisseau.

ravinement *nm* Action de raviner.

raviner *vt* Creuser le sol de ravines.

raviole *nf* Petit carré de pâte farci de fromage.

ravioli *nm* Petit carré de pâte farci d'un hachis de viande.

ravir *vt* 1 Litt Enlever de force. 2 Charmer, transporter d'admiration. *Cette musique m'a ravie.* Loc *À ravir* : admirablement.

raviser (se) *vpr* Changer d'avis.

ravissant, ante *a* Très joli.

ravissement *nm* Transport de joie, d'admiration.

ravisseur, euse *n* Qui a commis un rapt.

ravitaillement *nm* 1 Action de ravitailler. 2 Denrées nécessaires à la consommation.

ravitailler *vt* Fournir en vivres, en munitions, en carburant.

ravitailleur *nm* Navire, avion équipé pour ravitailler les bateaux en mer, les avions en vol.

raviver *vt* 1 Rendre plus vif. 2 Ranimer, faire revivre. *Raviver un souvenir.*

ravoir *vt* (seulement inf) 1 Recouvrer. 2 Fam Redonner à un objet son aspect initial.

rayé, ée *a* Qui porte des raies, des éraflures ou des cannelures.

rayer *vt* 20 1 Faire des raies sur. *Rayer une feuille.* 2 Faire des éraflures sur. 3 Annuler, supprimer, exclure. *Rayer un nom.*

rayon *nm* 1 Émanation de lumière. *Un rayon de soleil.* 2 Pièce qui relie le moyeu d'une roue à sa jante. 3 Ligne reliant le centre d'un cercle à un point quelconque de sa circonférence. 4 Ce qui répand la joie. *Rayon d'espoir.* 5 Gâteau de cire fait par les abeilles. 6 Étagère servant au rangement. 7 Secteur d'un magasin où l'on vend des produits de même nature. Loc *Rayon d'action* : zone d'action. ■ *pl* Rayonnement. *Rayons cosmiques.*

rayonnage *nm* Ensemble d'étagères.

rayonnant, ante *a* 1 Qui rayonne. 2 Radieux.

rayonne *nf* Fibre textile artificielle.

rayonnement *nm* 1 Fait de rayonner ; éclat de ce qui rayonne. 2 PHYS Propagation d'énergie sous forme de particules ou de vibrations. 3 Influence bienfaisante. *Rayonnement d'une culture.*

rayonner *vi* 1 Émettre des rayons lumineux, de l'énergie. 2 Faire sentir au loin son action. 3 Laisser paraître un bonheur intense. *Rayonner de joie.* 4 Partir d'un même point dans des directions diverses.

rayure *nf* 1 Ligne, bande étroite sur un fond de couleur différente. 2 Trace, éraflure laissée par un corps pointu ou coupant.

raz de marée [RA] *nm inv* 1 Très haute vague d'origine sismique qui pénètre dans les terres. 2 Bouleversement important.

razzia *nf* Fait de tout emporter par violence ou par surprise.

ré *nm* Deuxième note de la gamme.

réa *nm* TECH Roue à gorge d'une poulie.

réabonner *vt* Abonner de nouveau. ■ *vpr* Renouveler son abonnement.

réac *a, n* Fam Abrév de *réactionnaire.*

réaccoutumer *vt* Litt Habituer de nouveau. ■ *vpr* Litt Se réhabituer à.

réacteur *nm* Moteur à réaction. **Loc** *Réacteur nucléaire :* appareil qui produit de l'énergie à partir des réactions de fission nucléaire.

réactif, ive *a* Qui réagit. ■ *nm* CHIM Substance utilisée en raison de la réaction qu'elle produit.

réaction *nf* 1 Comportement, acte de qqn en réponse à un événement, à une action, à un stimulus. 2 Courant de pensée opposé aux innovations, et favorable au rétablissement des institutions du passé. 3 PHYS Force qui résulte de l'action exercée par un corps sur un autre corps qui agit en retour. *Avion à réaction.* 4 CHIM Transformation de corps chimiques en contact. **Loc** *Réaction nucléaire :* qui met en jeu les constituants du noyau de l'atome.

réactionnaire *a, n* Qui s'oppose au progrès.

réactionnel, elle *a* Didac Relatif à une réaction physique, chimique, psychologique.

réactiver *vt* Activer de nouveau ; redonner une nouvelle vigueur.

réactivité *nf* Aptitude à réagir.

réactualiser *vt* Remettre à jour ; moderniser.

réadaptation *nf* Fait de (se) réadapter.

réadapter *vt* Adapter de nouveau. ■ *vpr* S'adapter à de nouvelles conditions.

réadmission *nf* Nouvelle admission.

ready-made [Redimed] *nm inv* BX-A Objet manufacturé promu objet artistique.

réaffirmer *vt* Affirmer de nouveau, avec plus de fermeté.

réagir *vti, vi* 1 Exercer une action en sens contraire ou en retour sur un corps ou sur qqn. 2 Manifester un changement d'attitude en réponse à un événement. *Réagir à une provocation.* 3 S'opposer, résister à. *Réagir contre une influence.* 4 CHIM Entrer en réaction (espèces chimiques).

réajustement, réajuster. V. rajustement, rajuster.

réalgar *nm* Minerai d'arsenic.

réalignement *nm* ECON Fixation d'un nouveau taux de change d'une monnaie.

réalisateur, trice *a, n* 1 Qui réalise, qui a des aptitudes pour réaliser. 2 Qui dirige la réalisation d'un film, d'une émission.

réalisation *nf* 1 Action de réaliser. 2 Chose réalisée. 3 Conversion d'un bien en espèces. 4 Mise en scène d'un film ou d'une émission.

réaliser *vt* 1 Effectuer, accomplir. *Réaliser un projet, un barrage, des prouesses.* 2 Convertir en espèces, en capitaux. 3 Comprendre, saisir, se représenter clairement. ■ *vpr* 1 Devenir effectif, réel. *Ses espoirs se réalisent.* 2 S'accomplir en tant que personne. *Se réaliser dans son métier.*

réalisme *nm* 1 Courant littéraire et artistique visant à représenter le monde, les hommes tels qu'ils sont. 2 Aptitude à tenir compte de la réalité. *Faire preuve de réalisme.*

réalité *nf* 1 Caractère de ce qui a une existence réelle. 2 Chose réelle. *Rêve qui devient réalité.*

realpolitik [Real-] *nf* Stratégie politique qui ne s'embarrasse pas de considérations morales.

réaménager *vt* 11 Aménager sur de nouvelles bases.

réanimation *nf* Technique médicale employée pour rétablir les grandes fonctions vitales.

réanimer *vt* Faire revenir à la vie par la réanimation.

réapparaître *vt* 55 [aux être ou avoir] Apparaître de nouveau.

réapparition *nf* Nouvelle apparition.

réapprendre ou **rapprendre** *vt* 70 Apprendre de nouveau.

réapprovisionner ou **rapprovisionner** *vt* Approvisionner de nouveau.

réarmer *vt* Armer de nouveau. ■ *vi* S'armer de nouveau.

réassort *nm* Marchandises destinées à réapprovisionner un commerçant.

réassortiment ou **rassortiment** *nm* Action de réassortir.

réassortir ou **rassortir** *vt* Assortir de nouveau.

réassurance *nf* Assurance par laquelle un assureur se fait garantir ses propres risques par une autre compagnie.

rebaptiser *vt* Donner un nouveau nom.

rébarbatif, ive *a* Qui rebute par un aspect peu avenant. *Visage rébarbatif.*

rebâtir *vt* Bâtir de nouveau.

rebattre *vt* 77 Battre de nouveau.

rebattu, ue *a* Qui a perdu tout intérêt à force d'être répété.

rebec *nm* Instrument de musique médiéval à trois cordes et à archet.

rebelle *a, n* Qui refuse de se soumettre à une autorité, se révolte. ■ *a* 1 Qui refuse de se plier à. 2 Qui résiste au traitement. *Maladie rebelle.*

rebeller (se) *vpr* Se révolter contre.

rébellion *nf* Révolte ; ensemble des rebelles.

rebelote *nf* Fam Se dit quand une situation se reproduit à l'identique.

rebiffer (se) *vpr* Fam Regimber, refuser vivement une contrainte.

rebiquer *vi* Fam Se redresser.

reblochon *nm* Fromage savoyard au lait de vache, à pâte grasse.

reboire *vi, vt* 52 Boire de nouveau.

reboiser *vt* Planter d'arbres un terrain déboisé.

rebond *nm* Fait de faire un nouveau bond.

rebondi, ie *a* Rond et charnu. *Des joues rebondies.*

rebondir *vi* 1 Faire un ou plusieurs bonds après un heurt. 2 Connaître des développements nouveaux. *L'affaire rebondit.* 3 Retrouver un nouvel élan après une période difficile.

rebondissement *nm* 1 Action de rebondir. 2 Épisode nouveau et inattendu.

rebord *nm* Bord en saillie ou replié.

reboucher *vt* Boucher de nouveau.

rebours (à) *av* En sens contraire, au contraire de ce qu'il faut. *Loc Compte à rebours :* horaire minuté précédant une opération.

rebouteux, euse *n* Fam Qui, sans être médecin, s'emploie à guérir les fractures, les luxations.

reboutonner *vt* Boutonner de nouveau.

rebroder *vt* Garnir un tissu, un vêtement d'une broderie après sa fabrication.

rebrousse-poil (à) *av* 1 À l'opposé du sens naturel des poils. 2 Avec maladresse.

rebrousser *vt* Relever dans un sens contraire à la direction naturelle. *Loc Rebrousser chemin :* faire demi-tour.

rebuffade *nf* Mauvais accueil, refus brutal.

rébus [-bys] *nm* 1 Suite de lettres, de dessins, représentant le mot ou la phrase qu'on veut faire deviner. 2 Chose malaisée à comprendre, énigme.

rebut [-by] *nm* Ce qu'on a rejeté, ce qu'il y a de plus mauvais. *Loc Mettre au rebut :* rejeter comme sans valeur.

rebuter *vt* Décourager, dégoûter.

recalcification *nf* Augmentation du calcaire dans l'organisme.

recalcifier *vt* Enrichir en calcium.

récalcitrant, ante *a*, *n* Qui résiste avec opiniâtreté.

recalculer *vt* Calculer de nouveau.

recaler *vt* Fam Refuser à un examen.

recapitaliser *vt* ÉCON Augmenter le capital d'une entreprise.

récapitulatif, ive *a*, *nm* Qui récapitule. *Tableau récapitulatif. Établir un récapitulatif.*

récapituler *vt* Résumer, reprendre sommairement.

recaser *vt* Fam Caser, établir de nouveau.

recel *nm* Action de receler.

receler ou **recéler** *vt 16* ou *12 1* Détenir et cacher qqch illégalement. *2* Contenir, renfermer. *L'épave recèle un trésor.*

receleur, euse *n* Coupable de recel.

récemment *av* À une époque récente.

recensement *nm 1* Action de recenser. *2* Dénombrement officiel des habitants d'une ville, d'un État, etc.

recenser *vt* Dénombrer, inventorier.

recension *nf* Compte rendu critique d'un ouvrage dans une revue.

récent, ente *a* Qui existe depuis peu.

recentrer *vt* Déplacer vers le centre ; remettre au centre. *Recentrer un parti politique.*

récépissé *nm* Écrit attestant qu'on a reçu qqch.

réceptacle *nm 1* Lieu où se reçoit des choses de provenances diverses. *2* BOT Extrémité du pédoncule de la fleur.

récepteur, trice *a* Qui reçoit, dont la fonction est de recevoir. ■ *nm 1* Appareil recevant des signaux électriques et les transformant en images ou en sons. *2* PHYSIOL Structure organique recevant les signaux extérieurs et les transformant en influx nerveux.

réceptif, ive *a* Susceptible de recevoir facilement des impressions ; sensible à.

réception *nf 1* Action, fait de recevoir qqch, qqn. *2* Service d'accueil d'un hôtel ou d'une entreprise. *S'adresser à la réception. 3* Réunion mondaine. *4* Action de recevoir le ballon. *5* Manière de se recevoir au sol après un saut.

réceptionnaire *n*, *a* Qui reçoit une marchandise.

réceptionner *vt* Accepter une livraison après vérification.

réceptionniste *n* Chargé de la réception des clients d'un hôtel.

réceptivité *nf* Caractère réceptif.

récessif, ive *a* BIOL Se dit d'un gène, d'un caractère héréditaire ne se manifestant qu'en l'absence du caractère opposé.

récession *nf* Ralentissement de l'activité économique.

recette *nf 1* Ce qui est reçu, perçu en argent. *2* Bureau où on perçoit les taxes. *3* Indications qui permettent de confectionner un mets. *Recette d'un gâteau. 4* Moyen, procédé pour réussir qqch.

receveur, euse *n 1* Fonctionnaire, employé recevant les deniers publics, un paiement. *2* Qui reçoit du sang, un organe, dans une transfusion, une greffe.

recevoir *vt 43 1* Se voir donner, envoyer, adresser qqch. *Recevoir une lettre. 2* Prendre sur soi, subir. *Recevoir des coups, une averse. 3* Laisser entrer ; recueillir. *Cette pièce reçoit le soleil. 4* Accueillir ; faire un certain accueil à. *Il nous a bien reçus. 5* Admettre à un examen, dans une société. ■ *vpr* Retomber d'une certaine manière après un saut.

rechampir ou **réchampir** *vt* TECH Détacher un ornement sur un fond.

rechange *nm* Loc *De rechange :* qui peut remplacer qqch.

rechaper *vt* Appliquer une nouvelle couche de gomme sur un pneu usé.

réchapper *vti* [aux avoir ou être] Se tirer d'un grand danger. *Réchapper à un (ou d'un) accident.*

recharge *nf 1* Action de recharger. *2* Ce qui sert à recharger. *Recharge de briquet.*

recharger *vt 11* Charger de nouveau.

réchaud *nm* Petit fourneau portatif.

réchauffé, ée *a*, *nm* Vieux et trop connu. *Histoires réchauffées.*

réchauffement *nm* Fait de se réchauffer.

réchauffer *vt 1* Chauffer ce qui était froid ou refroidi. *2* Ranimer, réconforter. ■ *vpr* Devenir plus chaud.

rêche *a 1* Rude au toucher. *2* Peu aimable.

recherche nf **1** Action de rechercher. **2** Travail scientifique. *Recherches sur le cancer.* **3** Soin, raffinement. *Recherche dans la toilette.*

recherché, ée a **1** Peu commun, rare. **2** Qui témoigne du raffinement. *Élégance recherchée.*

recherche-développement nf Processus économique qui s'étend de la conception d'un nouveau produit à sa mise sur le marché.

rechercher vt **1** Chercher avec soin pour découvrir, connaître. **2** Tâcher d'obtenir. *Rechercher les honneurs.*

rechigner vti Témoigner de la répugnance pour. *Rechigner au travail.*

rechute nf Fait de retomber dans une maladie, une toxicomanie, une mauvaise habitude.

récidive nf **1** MED Réapparition d'une maladie, d'un mal. **2** DR Action de refaire la même faute, de commettre une nouvelle infraction.

récidiver vi **1** Réapparaître (maladie). **2** Refaire la même faute, commettre une nouvelle infraction.

récidiviste n Qui commet une récidive.

récif nm Rocher ou ensemble de rochers à fleur d'eau.

récipiendaire n Personne reçue dans un corps, une compagnie avec cérémonie.

récipient nm Ustensile destiné à contenir une substance quelconque.

réciprocité nf Caractère réciproque.

réciproque a Mutuel. *Amour réciproque. Influence réciproque.* Loc GRAM *Verbes réciproques* : verbes pronominaux où les sujets exercent l'action les uns sur les autres (ex. : *ils se battent*). ■ nf La pareille. *Rendre la réciproque.*

récit nm Narration de faits réels ou imaginaires. *Récit d'aventures.*

récital nm Concert donné par un seul artiste ou consacré à un seul genre. *Des récitals.*

récitant, ante n **1** Qui dit un texte. **2** Qui chante un récitatif.

récitatif nm Partie narrative déclamée dans un opéra.

récitation nf Texte de poésie qu'un écolier doit apprendre par cœur.

réciter vt Dire par cœur. *Réciter une leçon.*

réclamation nf Action de réclamer.

réclame nf Vx Publicité commerciale. Loc *En réclame* : à prix réduit.

réclamer vt **1** Demander de façon pressante ce dont on a besoin ou ce à quoi on a droit. **2** Nécessiter. *Ceci réclame des précautions.* ■ vpr Se prévaloir de qqn, de qqch.

reclasser vt **1** Classer de nouveau. **2** Affecter qqn qui ne peut plus exercer son emploi dans un secteur différent. **3** Réajuster le traitement d'une catégorie d'employés, de fonctionnaires.

reclus, use a, n Enfermé, isolé du monde.

réclusion nf **1** Litt État de qqn reclus. **2** DR Peine privative de liberté, avec obligation de travailler.

récognition nf PHILO Reconnaissance par la mémoire.

recoiffer vt Coiffer de nouveau. ■ vpr **1** Arranger ses cheveux. **2** Remettre son chapeau.

recoin nm Coin bien caché.

recoller vt Coller de nouveau.

récoltant, ante a, n Qui fait sa récolte.

récolte nf **1** Action de recueillir des produits de la terre ; produits recueillis. **2** Ce qu'on rassemble au prix d'un certain effort. *Récolte de renseignements.*

récolter vt **1** Faire une récolte de. *Récolter des céréales.* **2** Recueillir, obtenir. *Récolter de mauvaises notes.*

recommandable a Digne d'être recommandé, estimé. *Personne peu recommandable.*

recommandation nf **1** Conseil. **2** Action de recommander qqn. **3** Formalité par laquelle on recommande une lettre, un colis.

recommandé, ée a, nm À quoi s'applique la recommandation postale.

recommander vt **1** Indiquer, conseiller qqch à qqn ; exhorter. *Recommander la prudence.* **2** Demander à qqn d'être favorable à. *Recommander un élève.* **3** S'assurer, en payant une taxe, qu'un envoi postal sera remis en main propre au destinataire. ■ vpr Se prévaloir de l'appui de qqn.

recommencer vt, vi **10** Commencer de nouveau ; refaire.

récompense *nf* Ce qu'on donne à qqn pour un service rendu, un mérite particulier.

récompenser *vt* Donner une récompense à qqn.

recomposer *vt* Reconstituer.

réconciliation *nf* Action de se réconcilier.

réconcilier *vt* **1** Remettre d'accord des personnes brouillées. **2** Faire revenir sur une opinion défavorable. ■ *vpr* Se remettre d'accord avec qqn.

reconduction *nf* Action de reconduire, de renouveler.

reconduire *vt* 67 **1** Accompagner qqn qui s'en va. **2** Renouveler, proroger. *Reconduire un contrat.*

reconduite *nf* Loc *Reconduite à la frontière :* expulsion d'un étranger en situation irrégulière.

réconfort *nm* Consolation, appui.

réconforter *vt* Redonner de la force physique ou morale à qqn.

reconnaissance *nf* **1** Action de reconnaître qqn, qqch. **2** Fait d'admettre pour tel ou de reconnaître la légitimité de. **3** Acte écrit par lequel on reconnaît une obligation. *Reconnaissance de dette.* **4** MILIT Exploration d'un lieu. *Vol de reconnaissance.* **5** Sentiment qui porte à témoigner qu'on est redevable d'un bienfait reçu ; gratitude.

reconnaissant, ante *a* Qui éprouve de la reconnaissance.

reconnaître *vt* 55 **1** Identifier qqn, qqch. *Reconnaître une odeur.* **2** Admettre comme vrai, certain ; avouer. **3** Explorer un lieu. Loc *Reconnaître un enfant :* déclarer officiellement qu'on en est le père ou la mère. *Reconnaître un gouvernement :* admettre sa légitimité. ■ *vpr* **1** Retrouver son image dans. **2** S'avouer comme tel. *Se reconnaître coupable.*

reconnu, ue *a* Dont la valeur n'est pas mise en doute. *Un musicien reconnu.*

reconquérir *vt* 34 Conquérir de nouveau.

reconsidérer *vt* 12 Réexaminer.

reconstituant, ante *a, nm* Qui redonne des forces.

reconstituer *vt* **1** Constituer, créer de nouveau. **2** Rétablir un fait tel qu'il s'est produit. *Reconstituer un crime.*

reconstruction *nf* Action de reconstruire.

reconstruire *vt* 67 Construire de nouveau ce qui a été détruit ; rebâtir.

reconversion *nf* **1** Adaptation de l'économie, d'une entreprise à de nouvelles conditions. **2** Changement de métier d'un travailleur par une nouvelle qualification.

recopier *vt* Copier un texte ; le mettre au propre.

record *nm* Exploit, performance surpassant ce qui a été fait jusqu'alors. ■ *a inv* Jamais atteint auparavant. *Températures record.*

recorder *vt* Munir de nouvelles cordes.

recordman [ʀəkɔʀdman] *nm*, **recordwoman** [-wuman] *nf* Qui détient un record sportif.

recoucher *vt* Coucher de nouveau. ■ *vpr* Se remettre au lit.

recoudre *vt* 56 Coudre une étoffe décousue ou déchirée.

recoupement *nm* Vérification d'un fait, d'une information par d'autres sources.

recouper *vt* **1** Couper de nouveau. **2** Apporter une confirmation par d'autres sources. ■ *vi* Couper une seconde fois les cartes.

recourber *vt* Courber une nouvelle fois ou à son extrémité.

recourir *vi, vt* 25 Courir de nouveau. ■ *vti* Faire appel à qqn, à qqch. *Recourir au médecin.*

recours *nm* **1** Action de faire appel à qqn, à qqch ; ce à quoi on recourt. **2** DR Action qu'on fait contre qqn pour être indemnisé ou garanti. **3** DR Pourvoi. *Recours en grâce.*

recouvrement *nm* **1** Action de recouvrer ce qui était perdu. **2** Perception de sommes dues. *Le recouvrement des impôts.* **3** Fait de recouvrir. *Recouvrement d'un toit.*

recouvrer *vt* **1** Rentrer en possession de. *Recouvrer la vue.* **2** Percevoir des sommes dues.

recouvrir *vt* 31 **1** Couvrir de nouveau ou complètement. **2** Masquer, cacher. **3** Inclure dans, coïncider avec.

recracher vt Rejeter ce qu'on a mis dans la bouche.

récréatif, ive a Divertissant.

récréation nf **1** Délassement, détente. **2** Temps accordé à des élèves pour se détendre entre les heures de classe. (Abrév fam : récré.)

recréer vt Créer à nouveau ; reconstituer.

récrier (se) vpr S'exclamer d'indignation ou d'admiration.

récriminateur, trice a Qui récrimine.

récrimination nf Plainte, protestation acerbe, revendication.

récriminer vi Protester, critiquer amèrement.

récrire ou **réécrire** vt **61 1** Écrire de nouveau. **2** Rédiger à nouveau, en modifiant.

recristallisation nf GEOL Modification en profondeur des cristaux d'une roche.

récriture ou **réécriture** nf Action de rédiger en modifiant.

recroqueviller (se) vpr **1** Se replier en séchant, se rétracter. **2** Se ramasser sur soi.

recru, ue a Loc Litt *Recru de fatigue* : harassé.

recrudescence nf Réapparition avec une augmentation d'intensité.

recrudescent, ente a Qui s'intensifie.

recrue nf **1** Soldat nouvellement incorporé. **2** Nouveau membre d'un groupement.

recrutement nm Action de recruter.

recruter vt **1** Appeler des recrues. *Recruter une troupe.* **2** Engager du personnel. **3** Attirer dans un groupe, un parti. *Recruter des partisans.*

recruteur, euse n Qui recrute.

recta av Fam Exactement.

rectangle nm Quadrilatère dont les angles sont droits et les côtés opposés égaux. ■ *a* Loc *Triangle rectangle* : qui a un angle droit.

rectangulaire a **1** En forme de rectangle. **2** Qui forme un angle droit.

recteur nm Fonctionnaire de l'Éducation nationale responsable d'une académie.

rectificatif, ive a Qui sert à rectifier une erreur. ■ nm Document apportant une rectification.

rectification nf Action de corriger ce qui est inexact ; mise au point.

rectifier vt Rendre correct, exact ; redresser, corriger.

rectifieur, euse n Qui rectifie une pièce usinée. ■ nf Machine-outil servant à rectifier une pièce.

rectiligne a En ligne droite.

rectitude nf **1** Qualité de ce qui est droit. *Rectitude d'une ligne.* **2** Qualité juste, conforme à la raison ; rigueur morale.

recto nm Première page d'un feuillet (par oppos. à verso).

rectorat nm Charge, dignité de recteur d'académie ; bureaux du recteur.

rectrice nf Plume de la queue des oiseaux.

rectum [-tɔm] nm Segment terminal du gros intestin.

reçu, ue a Loc *Idée reçue* : toute faite, banale, souvent fausse. ■ *a, n* Admis à un examen, un concours. ■ nm Écrit par lequel on reconnaît avoir reçu une somme d'argent, un objet.

recueil nm Volume réunissant des écrits de provenances diverses.

recueillement nm État d'esprit d'une personne qui se recueille.

recueillir vt **26 1** Rassembler, collecter. **2** Remporter, obtenir. *Il a recueilli tous les suffrages.* **3** DR Recevoir par héritage. **4** Recevoir chez soi, héberger. ■ vpr **1** Se livrer à ses méditations. **2** Réfléchir, méditer.

recuire vt, vi **67** Cuire de nouveau.

recuit nm TECH Chauffage d'un métal, d'un verre pour en améliorer la qualité.

recul nm **1** Mouvement de ce qui recule. **2** Régression, diminution. *Recul de la production.* **3** Distance prise pour juger un événement. *Manquer de recul pour juger.*

reculade nf Dérobade.

reculé, ée a Éloigné. *Époque reculée.*

reculer vi **1** Aller en arrière. **2** Hésiter à renoncer à qqch. Loc *Ne reculer devant rien* : n'avoir aucun scrupule. ■ vt **1** Tirer ou repousser en arrière. *Reculer sa chaise.* **2** Retarder, différer. *Reculer la date du départ.*

reculons (à) av En reculant.

récupération nf Action de récupérer.

récupérer vt 12 1 Recouvrer, rentrer en possession de ce qu'on avait perdu. 2 Recueillir les déchets pour les utiliser. 3 Compenser par des heures de travail des moments perdus. 4 Détourner à son profit un mouvement de contestation en le dénaturant. ■ vi Recouvrer ses forces.

récurer vt Nettoyer en frottant.

récurrent, ente a Didac Qui revient par intermittence, régulièrement.

récursif, ive a Didac Qui peut être répété un nombre infini de fois.

récuser vt 1 DR Refuser en tant que juré, expert, témoin. 2 Contester, n'accorder aucune valeur à qqch, aucune autorité à qqn. ■ vpr Refuser de prendre une responsabilité.

recyclage nm 1 Réutilisation de produits industriels usagés. 2 Formation donnée à qqn pour s'adapter à un nouveau travail.

recycler vt Soumettre à un recyclage. ■ vpr Acquérir une nouvelle formation.

rédacteur, trice n Qui a pour profession de rédiger des textes destinés à la diffusion.

rédaction nf 1 Action de rédiger. 2 Narration, composition française. 3 Ensemble des rédacteurs d'un journal, d'un livre ; lieu où ils travaillent.

rédactionnel, elle a De la rédaction.

reddition nf Capitulation.

redécoupage nm Division d'une région en nouvelles circonscriptions électorales.

redécouvrir vt 31 Découvrir de nouveau.

redéfinir vt Définir à nouveau.

redemander vt Demander de nouveau.

redémarrer vi Prendre un nouveau départ.

rédempteur, trice a, nm Litt Qui rachète les péchés.

rédemption nf RELIG 1 Rachat des péchés. 2 (avec majusc) Rachat du genre humain par la mort du Christ.

redéploiement nm Action de redéployer.

redéployer vt 21 1 Réorganiser un dispositif de combat. 2 Réorganiser une activité industrielle en multipliant les points d'échange, de production.

redescendre vi, vt 5 [aux être pour le vi] Descendre une nouvelle fois.

redevable a Qui doit qqch à qqn.

redevance nf Taxe due à échéances déterminées.

redevenir vi 35 [aux être] Devenir de nouveau.

rédhibitoire a Qui constitue un empêchement absolu. Loc DR Vice rédhibitoire : défaut caché qui constitue un motif d'annulation de la vente.

rediffuser vt Diffuser une nouvelle fois.

rediffusion nf Action de rediffuser ; émission rediffusée.

rédiger vt 11 Exprimer par écrit.

redingote nf 1 Anc Manteau d'homme à longues basques. 2 Manteau de femme cintré à la taille.

redire vt 60 Répéter. Loc Trouver, avoir à redire : critiquer.

rediscuter vt Discuter de nouveau.

redistribuer vt Distribuer de nouveau, différemment.

redite nf Répétition inutile.

redondance nf Répétition superflue, redite.

redondant, ante a 1 Superflu. 2 Qui comporte des redondances, des redites. 3 INFORM Qui emploie plus de symboles que nécessaire pour la transmission d'une information.

redonner vt 1 Donner de nouveau. 2 Rendre ce qui a été perdu, restituer.

redorer vt Dorer de nouveau.

redoublant, ante n Qui redouble une classe.

redoublé, ée a Répété. Loc À coups redoublés : violemment.

redoubler vt 1 Doubler, répéter. 2 Renouveler avec insistance ; accroître. Redoubler ses prières. Renouveler une classe. ■ vti Agir avec encore plus de. Redoubler de vigilance. ■ vi Augmenter, s'accroître. La pluie redouble.

redoutable a Dangereux, terrible.

redoute nf Anc Ouvrage de fortification isolé.

redouter vt Avoir peur de, craindre.

redoux nm Radoucissement de la température après une période de froid.

redresse (à la) a Pop Qui se fait respecter.

redressement nm Action de (se) redresser. Loc *Redressement fiscal :* rectification de l'impôt après une déclaration erronée.

redresser vt 1 Remettre dans sa position verticale ; rendre une forme droite. 2 Remettre en bon ordre, dans un état satisfaisant. ■ vpr 1 Se remettre debout, droit. 2 Retrouver sa puissance, son développement.

redresseur nm Loc *Redresseur de torts :* qui prétend faire régner la justice autour de lui.

réducteur, trice a 1 Qui réduit. 2 Qui simplifie abusivement. *Analyse réductrice.*

réduction nf 1 Action de rendre plus petit ; diminution. *Réduction d'impôt.* 2 Fait de ramener une chose complexe à une autre plus simple. 3 Remise en place des os fracturés.

réductionnisme nm Tendance à simplifier exagérément un phénomène.

réduire vt 67 1 Restreindre, diminuer, rendre plus petit. 2 Reproduire avec des dimensions plus petites. 3 Transformer par broyage, trituration, pulvérisation, etc. 4 Amener à une forme plus simple. *Réduire une fraction.* 5 Remettre à leur place des os fracturés. 6 Rendre plus concentré par une longue cuisson. *Réduire une sauce.* 7 Obliger à. *Réduire qqn au silence.* 8 Soumettre, mater. *Réduire la résistance.* ■ vi Diminuer de volume. *La sauce a réduit.* ■ vpr Se limiter à.

réduit nm Petit local sombre.

rééchelonner vt Étaler sur une période plus longue le remboursement d'une dette.

réécouter vt Écouter de nouveau.

réécrire, réécrire. V. récrire, récriture.

rééditer vt 1 Éditer de nouveau. 2 Répéter, refaire. *Rééditer un exploit.*

rééducation nf Action de rééduquer.

rééduquer vt 1 Appliquer un traitement visant à recouvrer une fonction organique lésée. 2 Réadapter socialement.

réel, réelle a 1 Qui existe effectivement. *Personnage réel.* 2 Véritable, authentique. *Améliorations réelles.* ■ nm Les choses, les faits qui existent effectivement.

réélire vt 63 Élire de nouveau.

réellement av En réalité, effectivement.

réémetteur nm Émetteur retransmettant les signaux d'un émetteur principal.

réemployer ou **remployer** vt 22 Employer de nouveau.

réemprunter ou **remprunter** vt Emprunter de nouveau.

réengagement, réengager. V. rengagement, rengager.

rééquilibrer vt Rétablir l'équilibre.

réescompte nm Escompte consenti à une banque par un autre établissement, sur des effets de commerce déjà escomptés.

réessayer ou **ressayer** vt 20 Essayer de nouveau.

réévaluer vt 1 Évaluer sur des bases nouvelles. 2 Augmenter le taux de change d'une monnaie.

réexaminer vt Examiner de nouveau.

réexpédier vt Expédier de nouveau.

réexporter vt Exporter des marchandises importées.

refaçonner vt Façonner de nouveau.

refaire vt 9 1 Faire de nouveau ce qui a été fait. 2 Remettre en état, réparer. 3 Fam Duper, tromper qqn. ■ vpr Fam Rétablir ses finances.

réfection nf Action de remettre en état.

réfectoire nm Lieu où les membres d'une collectivité prennent ensemble des repas.

refend nm Loc *Bois de refend :* scié en long. *Mur de refend :* mur de soutien intérieur.

refendre vt 5 Fendre ou scier en long.

référé nm DR Procédure rapide pour juger une affaire urgente.

référé-liberté nm DR Procédure de suspension d'une mise en détention jugée abusive. *Des référés-libertés.*

référence nf 1 Action de se référer à qqch ; ce à quoi l'on se réfère. 2 Indication précise des ouvrages auxquels on renvoie le lecteur. 3 Indication, portée en tête d'une lettre, qui désigne l'affaire concernée. ■ pl Attestation d'un employeur servant de recommandation.

référencer vt 10 Indiquer la référence de qqch. *Référencer des marchandises.*

référendaire a Du référendum. Loc *Conseiller référendaire :* magistrat chargé de vérifier la comptabilité publique.

référendum [-dɔm] *nm* **1** Vote direct par lequel les citoyens se prononcent sur une proposition législative ou constitutionnelle. **2** Consultation des membres d'un groupe.

référent *nm* LING Ce à quoi se réfère un signe linguistique.

référer *vti* **12** En appeler à. *En référer à un supérieur.* ■ *vpr* Se rapporter à qqn ou qqch.

refermer *vt* Fermer ce qui s'était ouvert ou qu'on avait ouvert.

refiler *vt* Fam Donner qqch à qqn.

refinancer (se) *vpr* **10** ECON Se procurer de nouvelles ressources sur le marché financier.

réfléchi, ie *a* **1** Fait ou dit avec réflexion. **2** Qui agit avec réflexion. *Loc* GRAM *Verbe, pronom réfléchi :* indique que l'action est réalisée par le sujet sur lui-même.

réfléchir *vt* Renvoyer par réflexion dans une nouvelle direction. *Miroir qui réfléchit une image.* ■ *vi, vti* Penser mûrement. *Réfléchis avant de parler. Réfléchir à un problème.* ■ *vpr* Donner une image par réflexion.

réfléchissant, ante *a* Qui réfléchit la lumière.

réflecteur *nm* Appareil destiné à réfléchir des rayonnements.

reflet *nm* **1** Lumière renvoyée par la surface d'un corps ; image réfléchie. **2** Reproduction affaiblie.

refléter *vt* **12** **1** Renvoyer de manière affaiblie la lumière, une image. **2** Indiquer, traduire, exprimer. ■ *vpr* Se réfléchir.

refleurir *vi, vt* Fleurir de nouveau.

reflex [RE-] *nm* Appareil photographique dont le viseur présente, grâce à un miroir, une image cadrée exactement.

réflexe *nm* **1** Réaction organique, immédiate, involontaire et prévisible à un stimulus donné. **2** Réaction rapide à une situation imprévue. ■ *a* Qui relève du réflexe. *Mouvement réflexe.*

réflexion *nf* **1** PHYS Changement de direction d'une onde lumineuse, acoustique, radioélectrique causé par un obstacle. **2** Fait de réfléchir, de penser mûrement à qqch ; pensée exprimée. **3** Critique désobligeante.

refluer *vi* **1** Se mettre à couler en sens inverse. **2** Reculer vers son point de départ.

reflux [-fly] *nm* **1** Mouvement de la mer se retirant du rivage. *Syn* jusant. **2** Mouvement de ce qui reflue. *Le reflux de la foule.*

refondre *vt* **51** Fondre de nouveau un métal. **2** Refaire complètement. *Refondre un livre.*

refonte *nf* Action de refondre.

reforestation *nf* Syn de *reboisement.*

réformateur, trice *n, a* Qui propose des réformes, vise à réformer.

réforme *nf* Changement en vue d'améliorer. *Réforme fiscale, agraire.*

réformé, ée *a* **1** Qui relève du protestantisme. **2** Reconnu inapte au service militaire.

reformer *vt* Former de nouveau, refaire.

réformer *vt* **1** Corriger en supprimant ce qui est nuisible. **2** MILIT Retirer du service, reconnaître comme inapte.

réformisme *nm* Doctrine politique des partisans de la transformation progressive et légale de la société.

refoulé, ée *a, n* Qui réprime l'expression de ses sentiments, de sa sexualité.

refoulement *nm* **1** Action de refouler, de faire reculer. **2** PSYCHAN Action de s'interdire d'exprimer un désir, un sentiment qui subsistent de façon inconsciente.

refouler *vt* **1** Faire reculer, refluer. *Refouler des manifestants.* **2** S'interdire d'exprimer un sentiment, un désir. *Refouler ses larmes, sa colère.* **3** PSYCHAN Rejeter dans son inconscient.

réfractaire *a, n* **1** Qui refuse de se soumettre, d'obéir. **2** HIST Sous la Révolution, prêtre qui avait refusé de prêter serment. ■ *a* **1** Inaccessible, insensible à qqch. **2** Qui résiste à de très hautes températures. *Brique réfractaire.*

réfraction *nf* PHYS Déviation d'un rayon lumineux qui passe d'un milieu dans un autre.

refrain *nm* **1** Reprise de quelques phrases à la fin de chaque couplet d'une chanson. **2** Paroles qui reviennent sans cesse.

réfréner *vt* **12** Réprimer. *Réfréner sa colère.*

réfrigérant, ante *a* **1** Qui sert à produire du froid. **2** Glacial. *Accueil réfrigérant.*

réfrigérateur nm Appareil destiné à conserver les aliments par le froid.

réfrigération nf Abaissement de la température par des moyens artificiels.

réfrigérer vt 12 Refroidir par réfrigération. Loc Fam Être réfrigéré : avoir très froid.

réfringent, ente a PHYS Qui a la propriété de renvoyer les rayons lumineux.

refroidir vt 1 Rendre froid, plus froid. 2 Diminuer l'ardeur, le courage. 3 Pop Assassiner. ■ vi, ref Devenir froid ou moins chaud. ■ vpr 1 Attraper froid. 2 Devenir plus frais.

refroidissement nm 1 Abaissement de la température. 2 Indisposition causée par une baisse de la température. 3 Diminution de l'enthousiasme, de l'affection.

refuge nm 1 Lieu où on se retire pour être en sûreté. 2 Abri destiné aux alpinistes en montagne. 3 Emplacement au milieu d'une voie pour être à l'abri de la circulation.

réfugié, ée n, a Qui a dû quitter son pays, sa région pour fuir un danger.

réfugier (se) vpr Se retirer en un lieu pour se mettre à l'abri.

refus nm Action de refuser.

refuser vt 1 Ne pas accepter. Refuser une invitation. 2 Ne pas accorder. Refuser une autorisation. 3 Ne pas consentir. Refuser d'obéir. 4 Ne pas reconnaître une qualité à qqn. 5 Ne pas recevoir à un examen. 6 Ne pas laisser entrer. On refuse du monde. ■ vpr 1 Se priver de. Il ne se refuse rien ! 2 Ne pas accepter. Se refuser à travailler dans ces conditions.

réfutable a Qu'on peut réfuter.

réfuter vt Démontrer la fausseté de qqch.

reg nm Plateau caillouteux des déserts.

regagner vt 1 Gagner de nouveau. Regagner le temps perdu. 2 Retourner à un endroit.

regain nm 1 AGRIC Herbe qui repousse après la première fauchaison. 2 Retour de ce qui paraissait perdu, fini. Un regain de jeunesse.

régal, als nm 1 Mets délicieux. 2 Grand plaisir causé par qqch. Un régal pour les yeux.

régalade nf Loc Boire à la régalade : boire en faisant couler la boisson dans la bouche sans que le récipient touche les lèvres.

régaler vt Offrir un bon repas à qqn. ■ vpr 1 Prendre un grand plaisir à déguster un mets. 2 Éprouver un vif plaisir.

régalien, enne a Propre au roi, au chef de l'État. Décision régalienne.

regard nm 1 Action de regarder, d'observer. 2 Expression des yeux de qqn. Un regard intelligent. 3 TECH Ouverture pour permettre la visite et le nettoyage d'un conduit. Loc Droit de regard : possibilité d'exercer un contrôle. Au regard de : par rapport à. En regard : vis-à-vis.

regardant, ante a Fam Qui regarde trop à la dépense.

regarder vt 1 Porter les yeux, la vue sur. 2 Considérer. Regarder les choses d'un bon œil. 3 Concerner. Ceci me regarde. 4 Être tourné vers. Maison qui regarde la mer. ■ vti Loc Regarder à la dépense : hésiter à dépenser. ■ vpr 1 Regarder sa propre image. Se regarder dans un miroir. 2 Porter ses regards l'un sur l'autre.

régate nf Course de voiliers.

régater vi Participer à une régate ; lutter de vitesse avec un autre voilier.

régatier nm Qui participe à une régate.

regel nm Retour du gel.

régence nf Direction d'un État par un régent ; fonction de régent. ■ a Propre à l'époque de la régence de Philippe d'Orléans au XVIIIe s.

régénérer vt 12 1 BIOL Reconstituer ce qui était détruit. 2 Litt Renouveler moralement.

régent, ente n Qui gouverne l'État pendant la minorité ou l'absence du souverain.

régenter vt Diriger de façon autoritaire.

reggae [Rege] nm Musique des Noirs jamaïcains.

régicide n, a Assassin d'un roi. ■ nm Assassinat d'un roi.

régie nf 1 Entreprise d'intérêt public gérée par l'Administration. 2 Direction d'un théâtre, d'une production de cinéma, de télévision. 3 Local à partir duquel le réalisateur dirige les prises de vues ou de son.

regimber vi ou **se regimber** vpr 1 Refuser d'avancer, en ruant (cheval, âne). 2 Résister en refusant d'obéir. *Regimber contre un ordre.*

régime nm 1 Ordre, constitution, forme d'un État. *Régime parlementaire.* 2 Dispositions réglementaires ou légales qui régissent certaines institutions. *Le régime des hôpitaux. Régimes matrimoniaux.* 3 Prescriptions, règles concernant l'alimentation. *Suivre un régime.* 4 Vitesse de rotation d'un moteur. 5 Mode d'évolution de certains processus hydrologiques et météorologiques. *Régime des pluies.* 6 LING Mot régi par un autre, dans la phrase. 7 Grosse grappe des bananiers.

régiment nm 1 Corps militaire composé de plusieurs unités. 2 Fam Multitude.

région nf 1 Grande étendue de pays aux caractéristiques en font l'unité. *Les régions polaires.* 2 Étendue de pays autour d'une ville. 3 (avec majusc) Division administrative française englobant plusieurs départements. 4 Partie déterminée du corps. *Région lombaire.*

régional, ale, aux a Relatif à une région.

régionaliser vt Décentraliser au profit des régions.

régionalisme nm 1 Système politique tendant à assurer une certaine autonomie aux régions. 2 Locution, mot propre à une région.

régionaliste a, n 1 Partisan du régionalisme. 2 Dont l'œuvre littéraire relève de la spécificité d'une région.

régir vt Déterminer, commander, gouverner (loi, règle, etc.).

régisseur, euse n 1 Qui administre une propriété. 2 Qui a la charge de l'organisation matérielle d'un spectacle.

registre nm 1 Livre sur lequel on consigne les actes, les affaires de chaque jour. *Les registres de l'état civil.* 2 Étendue totale de l'échelle vocale ou musicale. 3 Tonalité propre d'une œuvre, d'un discours. 4 INFORM Mémoire qui sert à stocker une information élémentaire.

réglage nm Action de régler un mécanisme ; manière dont un mécanisme est réglé.

règle nf 1 Instrument qui sert à tracer des lignes. 2 Principe de conduite. *Les règles de la*

morale. 3 Conventions propres à un jeu, à une discipline, à une technique. 4 Statuts d'un ordre religieux. ■ pl Écoulement menstruel.

réglé, ée a 1 Rayé. *Papier réglé.* 2 Discipliné, ordonné. ■ af Qui a ses règles (femme).

règlement nm 1 Acte législatif qui émane d'une autre autorité que le Parlement. *Règlement de police.* 2 Prescriptions propres à un groupe, à une assemblée. 3 Action de régler une affaire, de régler une somme due. 4 Fait d'acquitter une somme due. Loc **Règlement de comptes :** action de faire justice soi-même.

réglementaire a Propre à un règlement, fixé par un règlement.

réglementarisme nm Tendance à vouloir tout réglementer.

réglementation nf Action de règlementer ; ensemble des règlements.

réglementer vt Soumettre à des règlements.

régler vt 12 1 Couvrir de lignes droites parallèles. 2 Fixer, déterminer. *Régler l'ordre d'une cérémonie.* 3 Résoudre qqch définitivement. *Régler un conflit.* 4 Payer une dette, un fournisseur. 5 Mettre au point un mécanisme, un appareil. Loc **Régler son compte à qqn :** le tuer, le punir sévèrement. ■ vpr Prendre modèle sur qqn.

régleur, euse n Chargé du réglage des appareils, des machines.

réglisse nf Plante dont la racine a des propriétés médicinales.

réglo a inv Fam Correct, régulier, loyal.

régnant, ante a 1 Qui règne. *Dynastie régnante.* 2 Dominant. *Morale régnante.*

règne nm 1 Gouvernement d'un souverain ; durée de ce gouvernement. 2 Domination, influence prédominante. *Le règne de la justice.* 3 Chacune des grandes divisions dans la nature. *Règne minéral, végétal et animal.*

régner vi 12 1 Exercer le pouvoir monarchique. 2 Dominer, s'imposer. *Le silence règne.* 3 Exister, prédominer. *Le mauvais temps qui règne actuellement.*

régolite nf GÉOL Manteau de débris, issu de l'altération de la roche sous-jacente.

regonfler vt, vi Gonfler de nouveau.

regorger *vti* **11** Avoir en grande abondance. *Le pays regorge de blé.*

régresser *vi* Diminuer, reculer ; revenir en arrière.

régression *nf* **1** Retour à un état antérieur. **2** Recul, diminution en force, en intensité ou en nombre.

regret *nm* Chagrin causé par le fait d'avoir ou de ne pas avoir fait qqch, par l'absence de qqn ou de qqch. **Loc** *À regret :* malgré soi.

regrettable *a* Déplorable, fâcheux.

regretter *vt* Éprouver de la peine, au souvenir de ce qui n'est plus, éprouver du mécontentement d'avoir ou de ne pas avoir fait qqch, de voir ce qui s'oppose à son désir.

regrossir *vi, vt* Grossir de nouveau.

regroupement *nm* Action de regrouper.

regrouper *vt* Rassembler en un même lieu ou à une même fin.

régulariser *vt* **1** Rendre conforme aux lois, aux règlements. *Régulariser sa situation.* **2** Rendre régulier. *Régulariser un mouvement.*

régularité *nf* **1** Caractère régulier, légal. **2** Caractère uniforme, constant.

régulateur, trice *a* Qui régularise. ■ *nm* Dispositif qui règle la température, la pression, la vitesse, l'intensité électrique, etc.

régulation *nf* Action de régler un mouvement, un débit, un mécanisme.

régulier, ère *a* **1** Conforme aux règles, à la norme, à la loi, aux conventions. **2** Qui a lieu à des intervalles égaux ; périodique. **3** Exact, ponctuel. **4** Harmonieux, bien proportionné. *Visage régulier.* **Loc** *Clergé régulier :* ordres religieux. ■ *nf* Pop Épouse ; maîtresse.

régurgitation *nf* Retour dans la bouche d'aliments non digérés.

réhabiliter *vt* **1** Rétablir qqn dans ses droits. **2** Faire recouvrer l'estime d'autrui à. **3** Remettre en état un immeuble, un quartier délabré. **4** Réintégrer dans la société. *Réhabiliter un toxicomane.*

rehausser *vt* **1** Hausser davantage. **2** Faire valoir, mettre en relief.

réhydrater *vt* Hydrater ce qui est desséché.

réimplanter *vt* Remettre en place qqch.

réimporter *vt* Importer de nouveau.

réimpression *nf* Action de réimprimer.

réimprimer *vt* Imprimer de nouveau.

rein *nm* Organe qui sécrète l'urine. **Loc** *Rein artificiel :* appareil qui assure l'épuration du sang en cas d'insuffisance rénale. ■ *pl* Lombes, partie inférieure du dos.

réincarcérer *vt* **12** Incarcérer de nouveau.

réincarnation *nf* Nouvelle incarnation.

réincarner (se) *vpr* Revivre sous une autre forme.

reine *nf* **1** Épouse d'un roi. **2** Souveraine d'un royaume. **3** Femme qui l'emporte sur toutes les autres dans une circonstance particulière. **4** Pièce du jeu d'échecs qui a la marche la plus élevée. **5** Femelle pondeuse, chez certains insectes (abeilles, fourmis).

reine-claude *nf* Prune ronde et verte. *Des reines-claudes.*

reine-des-prés *nf* Plante des lieux humides, aux fleurs blanches. *Des reines-des-prés.*

reine-marguerite *nf* Plante proche de la marguerite. *Des reines-marguerites.*

reinette *nf* Pomme à peau grisâtre ou tachetée de rouge (*reine des reinettes*).

réinscrire *vt* **61** Inscrire à nouveau.

réinsérer *vt* **12** Assurer une nouvelle insertion sociale à qqn.

réinsertion *nf* Fait de réinsérer.

réinstaller *vt* Installer une nouvelle fois.

réintégrer *vt* **12** **1** DR Rétablir qqn dans la possession de ce dont il avait été dépouillé. **2** Rentrer dans. *Réintégrer son domicile.*

réintroduire *vt* **67** Introduire de nouveau.

réinventer *vt* Imaginer de nouveau.

réinvestir *vt* Investir de nouveau.

réinviter *vt* Inviter de nouveau.

réitérer *vt* **12** Litt Répéter, recommencer.

reître *nm* Litt Soudard, brute.

rejaillir *vi* **1** Jaillir avec force. **2** Retomber sur qqn. *Le scandale rejaillit sur lui.*

rejet *nm* **1** Action de rejeter. **2** LITTER Enjambement. **3** MED Réaction immunitaire aboutissant à l'élimination d'un greffon par l'organisme. **4** BOT Nouvelle pousse d'une plante.

rejeter *vt* **19** **1** Jeter en retour ; renvoyer. **2** Jeter hors de soi, restituer. **3** Faire supporter par qqn d'autre. *Rejeter la faute sur son associé.* **4** Refuser, écarter, repousser. *Rejeter une candidature.* ■ **vpr** Loc *Se rejeter en arrière :* reculer brusquement.

rejeton *nm* **1** BOT Nouvelle pousse d'une plante. **2** Fam Enfant.

rejoindre *vt* 62 **1** Aller retrouver des gens. **2** Rattraper qqn. **3** Avoir des points communs avec. *Vos affirmations rejoignent les siennes.* ■ **vpr** Se réunir.

rejouer *vi, vt* Jouer de nouveau.

réjouir *vt* Apporter de la joie, faire plaisir à qqn. ■ **vpr** Être content. *Je me réjouis de le revoir.*

réjouissance *nf* Joie collective. ■ **pl** Fête publique.

rejuger *vt* 11 Juger de nouveau.

relâche *nf* **1** Interruption d'un travail ; pause, détente. **2** Escale. **3** Suspension momentanée des représentations, dans une salle de spectacle.

relâché, ée *a* Qui manque de rigueur.

relâchement *nm* Diminution d'ardeur, d'activité, de zèle.

relâcher *vt* **1** Desserrer, détendre. *Relâcher une courroie.* **2** Rendre moins rigoureux. *Relâcher la discipline.* **3** Libérer, élargir. *Relâcher un prisonnier.* ■ **vpr** **1** Devenir moins tendu, moins serré. **2** Perdre de sa rigueur, de sa fermeté. ■ **vi** MAR Faire escale.

relais *nm* **1** Dispositif destiné à relayer des signaux radioélectriques. **2** Intermédiaire, étape. Loc *Course de relais :* opposant des équipes de coureurs ou de nageurs qui se succèdent.

relance *nf* **1** Nouvel élan donné à qqch. **2** Nouvelle sollicitation. **3** Action de surenchérir, à certains jeux de cartes.

relancer *vt* 10 **1** Lancer de nouveau ou en sens inverse. **2** Solliciter qqn avec insistance. *Relancer un débiteur.* **3** Donner un nouvel élan. *Relancer l'économie.*

relaps, apse *a,* n RELIG De nouveau tombé dans l'hérésie.

relater *vt* Raconter, rapporter.

relatif, ive *a* **1** Qui n'a pas de valeur en soi, mais seulement par rapport à autre chose. **2** Moyen, incomplet, insuffisant. *Une tran-*

quillité très relative. **3** Qui a rapport à. *Les lois relatives au divorce.* **4** GRAM Se dit des termes reliant le nom ou le pronom qu'ils représentent (antécédent) et une proposition (*proposition relative*). ■ *nm* Pronom ou adjectif relatif. ■ *nf* Proposition relative.

relation *nf* **1** Narration, récit. **2** Rapport entre des choses. *Relation de cause à effet.* **3** Rapport entre des personnes. **4** Personne avec qui on est en rapport. ■ *pl* Loc *Relations publiques :* moyens d'information du public par une entreprise privée ou publique.

relationnel, elle *a* Qui concerne une relation.

relativement *av* **1** De façon relative, non absolue. **2** Passablement. *C'est relativement facile.* Loc *Relativement à :* quant à, par rapport à.

relativiser *vt* Considérer par rapport à d'autres choses comparables.

relativisme *nm* Doctrine selon laquelle la connaissance humaine ou la morale ne peut être que relative.

relativité *nf* **1** Caractère relatif. **2** PHYS Théorie d'Einstein remettant en question les notions d'espace et de temps.

relax ou **relaxe** *a* Fam Détendu.

relaxant, ante *a* Qui relaxe.

relaxation *nf* Relâchement musculaire destiné à provoquer une détente psychique.

relaxe *nf* DR Décision judiciaire abandonnant l'action contre un prévenu.

relaxer *vt* **1** DR Remettre en liberté une personne reconnue non coupable. **2** MED Détendre, décontracter. ■ **vpr** Fam Se détendre.

relayer *vt* 20 **1** Remplacer qqn dans un travail. **2** Retransmettre une émission en utilisant un relais hertzien, un satellite.

relayeur, euse *n* Coureur(euse) de relais.

relecture *nf* Nouvelle lecture.

reléguer *vt* 12 Mettre qqch ou qqn à l'écart.

relent *nm* **1** Mauvaise odeur. **2** Trace. *Un relent de mauvaise foi.*

relève *nf* Remplacement de qqn, d'un groupe dans une tâche ; ce groupe. Loc *Prendre la relève :* relayer.

relevé, ée *a* Épicé. *Sauce relevée.* ■ *nm* **1** État, liste. *Relevé d'identité bancaire.* **2** Établissement du plan d'un bâtiment.

relèvement *nm* **1** Action de relever, de remettre debout. **2** Hausse, majoration.

relever *vt* **151** Remettre qqn debout, remettre qqch à la verticale. **2** Ramasser. *Relever des copies.* **3** Noter, constater. *Relever une erreur.* **4** Redresser. *Relever la tête.* **5** Augmenter. *Relever les salaires.* **6** Donner plus de relief, plus d'éclat à. **7** Remplacer qqn dans une occupation. *Relever une sentinelle.* **8** Libérer d'une obligation. *Relever un religieux de ses vœux.* **9** Révoquer qqn. ■ *vti* Se rétablir de. *Relever de maladie.* **2** Dépendre de. *Cette affaire relève de la justice.* ■ *vpr* Se remettre debout. **2** Sortir de nouveau du lit.

relief *nm* **1** Saillie qui présente une surface. **2** Ensemble des inégalités de la surface terrestre. **3** Sculpture en saillie sur un fond. **4** Caractère marqué de qqch résultant du contraste avec autre chose. **Loc** *Mettre en relief* : en évidence. ■ *pl* Litt Restes d'un repas.

relier *vt* **1** Assembler les feuillets d'un livre, et les munir d'une couverture rigide. **2** Rattacher, joindre. *Ligne qui relie deux points.* **3** Établir un lien, un rapport entre. *Relier des idées.* **4** Faire communiquer. *Pont qui relie deux berges.*

relieur, euse *n* Qui relie des livres.

religieusement *av* **1** De façon religieuse. **2** Scrupuleusement. *Écouter religieusement.*

religieux, euse *a* **1** Relatif à la religion ; conforme aux rites d'une religion. **2** Pieux, croyant. **3** Respectueux, scrupuleux. ■ *n* Membre d'un ordre ou d'une congrégation obéissant à certaines règles approuvées par l'Église. ■ *nf* Pâtisserie fourrée de crème.

religion *nf* **1** Croyances et pratiques culturelles constituant les rapports de l'homme avec la divinité ou le sacré. **2** Vénération profonde pour qqch. *Avoir la religion du progrès.* **Loc** *Entrer en religion* : dans les ordres.

reliquaire *nm* Coffret où l'on conserve des reliques.

reliquat [-ka] *nm* Ce qui reste d'une somme due, d'un compte arrêté.

relique *nf* **1** Ce qui reste du corps d'un saint et qui est l'objet d'une vénération. **2** Fam Vieil objet que l'on garde soigneusement.

relire *vt* **63** Lire de nouveau, pour corriger.

reliure *nf* **1** Art du relieur. **2** Couverture rigide d'un livre.

reloger *vt* **11** Procurer un nouveau logement.

relooker [Rəluke] *vt* Fam Donner un nouveau look, une nouvelle allure.

reluire *vi* **67** Briller.

reluisant, ante *a* Qui reluit. **Loc** *Peu reluisant* : médiocre.

reluquer *vt* Fam Lorgner avec curiosité ou convoitise.

rem *nm* Unité caractérisant l'effet biologique d'une irradiation.

remâcher *vt* **1** Mâcher de nouveau. **2** Repasser dans son esprit, ressasser, ruminer.

remailler V. remmailler.

remake [Rimɛk] *nm* Reprise d'un sujet, d'un thème, d'un film déjà traité.

rémanence *nf* Persistance d'un phénomène, d'une sensation.

remaniement *nm* Action de remanier.

remanier *vt* Retoucher, modifier.

remaquiller *vt* Maquiller de nouveau.

remariage *nm* Nouveau mariage.

remarier (se) *vpr* Se marier de nouveau.

remarquable *a* Éminent, extraordinaire.

remarque *nf* Observation orale ou écrite.

remarqué, ée *a* Qui a attiré l'attention.

remarquer *vt* **1** Constater, noter qqch ; observer. **2** Distinguer parmi d'autres.

remballer *vt* Emballer de nouveau.

rembarquer *vt, vi* Embarquer de nouveau.

rembarrer *vt* Fam Repousser vivement qqn par des paroles désobligeantes.

remblai *nm* Masse de matériaux rapportés pour élever un terrain, combler un creux.

remblaiement *nm* Dépôt d'alluvions.

remblayer *vt* **20** Combler par un remblai.

rembobiner *vt* Embobiner de nouveau.

remboîter *vt* Remettre en place ce qui était déboîté.

rembourrage *nm* Action de rembourrer ; matière servant à rembourrer.

rembourrer vt Garnir de bourre, de crin, etc.

remboursement nm Action de rembourser.

rembourser vt Rendre à qqn l'argent qu'il a déboursé ou avancé.

rembrunir (se) vpr Prendre un air soucieux.

remède nm 1 Vx Médicament. 2 Ce qui sert à prévenir, à apaiser, à faire cesser un mal.

remédier vti Porter remède à.

remembrement nm Opération consistant à regrouper les propriétés rurales morcelées.

remémorer vt Litt Remettre en mémoire.

remerciement nm Action de remercier.

remercier vt 1 Exprimer sa gratitude à. *Remercier qqn de (pour) son hospitalité.* 2 Fam Congédier.

réméré nm DR Clause de rachat.

remettre vt 1 Mettre qqch à sa place. 2 Rétablir dans son état antérieur. *Remettre un dossier en ordre.* 3 Rétablir la santé de qqn. 4 Mettre de nouveau un vêtement. 5 Mettre de nouveau, en plus. *Remettre de l'eau dans la carafe.* 6 Livrer, confier qqch à qqn. 7 Pardonner, faire grâce de qqch. 8 Ajourner, différer. ■ vpr 1 Recommencer. *Se remettre à boire.* 2 Recouvrer la santé. 3 Retrouver son calme, ses esprits. *Se remettre d'une émotion.* Loc *En remettre* : exagérer. *S'en remettre à qqn* : lui faire confiance.

remeubler vt Meubler de nouveau.

rémige nf ZOOL Grande plume rigide des ailes des oiseaux.

remilitariser vt Militariser de nouveau.

réminiscence nf Souvenir vague et confus.

remise nf 1 Action de remettre, de livrer, de donner. *Remise des prix.* 2 Réduction consentie par un commerçant. 3 Renvoi à plus tard. 4 Local destiné à abriter les véhicules, à ranger des outils, etc. Loc *Remise de peine* : grâce partielle accordée à un condamné.

remiser vt 1 Placer dans une remise. 2 Ranger.

remisier nm Intermédiaire en Bourse.

rémission nf 1 RELIG Pardon des péchés. 2 MED Diminution temporaire d'une maladie. Loc *Sans rémission* : sans délai.

rémittent, ente a MED Sujet à des rémissions.

remixer vt Arranger informatiquement une musique de variétés.

remmailler ou **remailler** vt Relever, réparer les mailles usées ou rompues.

remmener vt 15 Emmener après avoir amené.

remnographie nf MED Image obtenue par résonance magnétique nucléaire (R.M.N.).

remodeler vt 15 Modifier plus ou moins profondément pour adapter.

rémois, oise a, n De Reims.

remontant, ante a AGRIC Qui redonne des fleurs ou des fruits à l'arrière-saison. ■ nm Boisson, médicament qui redonne des forces.

remonte nf Action de remonter un cours d'eau (poissons).

remontée nf Action, fait de remonter. *Remontée d'une rivière à la nage.* Loc *Remontée mécanique* : tout dispositif qui permet de remonter des skieurs en haut d'une pente.

remonte-pente nf Remontée mécanique à câble mobile muni de perches. Syn. téléski. *Des remonte-pentes.*

remonter vi [aux avoir ou être] 1 Monter de nouveau. *Remonter à son appartement.* 2 S'élever de nouveau. *Le soleil remonte à l'horizon.* 3 S'accroître de nouveau. *Les actions remontent.* 4 Aller vers l'origine. *Remonter au début d'une affaire.* ■ vt 1 Monter de nouveau. *Remonter l'escalier.* 2 Aller contre le cours de. *Remonter une rivière.* 3 Retendre le ressort de. 4 Remettre ensemble les pièces de ce qui était démonté. 5 Redonner de l'énergie à qqn. ■ vpr Reprendre de la vigueur.

remontoir nm Organe qui permet de remonter un mécanisme.

remontrance nf Observation, reproche.

remontrer vt Montrer de nouveau. Loc *En remontrer à qqn* : lui faire la leçon ; montrer une compétence supérieure.

rémora nm Poisson des mers chaudes ayant sur la tête un disque formant ventouse.

remords nm Malaise moral dû au sentiment d'avoir mal agi.

remorque nf 1 Câble qui sert au remorquage. 2 Véhicule sans moteur tiré par un autre. *Loc* **Prendre en remorque :** remorquer. **Être à la remorque de qqn :** se laisser diriger par lui.

remorquer vt Traîner derrière soi.

remorqueur nm Navire spécialement construit pour le remorquage.

rémoulade nf Sauce piquante à base de mayonnaise additionnée de moutarde.

rémouleur nm Qui aiguise les couteaux, les outils tranchants.

remous nm 1 Tourbillon dû à un obstacle qui s'oppose à l'écoulement d'un fluide. 2 Agitation confuse.

rempailler vt Garnir un siège d'une nouvelle paille.

rempailleur, euse n Qui rempaille les sièges.

rempaqueter vt 19 Remballer.

rempart nm 1 Muraille entourant et protégeant une place fortifiée. 2 Litt Ce qui sert de défense.

rempiler vi Fam Signer un nouvel engagement dans l'armée.

remplaçant, ante n Qui remplace une autre personne dans ses fonctions.

remplacement nm Action de remplacer.

remplacer vt 10 1 Mettre à la place de. 2 Prendre la place de qqn, lui succéder, le relayer.

remplir vt 1 Rendre plein un récipient, un espace, un temps vide. 2 Occuper entièrement, combler. *Cette nouvelle l'a rempli de joie.* 3 Compléter. *Remplir un questionnaire.* 4 Accomplir, exécuter. *Remplir son devoir.* 5 Exercer. *Remplir un emploi.* 6 Satisfaire à. *Remplir une condition.*

remplissage nm 1 Action de remplir. 2 Développement inutile.

remployer. V. réemployer.

remplumer (se) vpr 1 Se couvrir de plumes nouvelles (oiseaux). 2 Fam Reprendre du poids.

rempocher vt Fam Remettre dans sa poche.

remporter vt 1 Repartir avec ce qu'on avait apporté. 2 Obtenir. *Remporter la victoire.*

rempoter vt Changer une plante de pot.

remprunter. V. réemprunter.

remuant, ante a Qui s'agite sans cesse.

remue-ménage nm inv 1 Bruit accompagnant une agitation désordonnée. 2 Trouble, agitation.

remue-méninges nm inv Brainstorming.

remuer vt 1 Faire changer de place. *Remuer des meubles.* 2 Faire bouger une partie du corps. 3 Secouer, agiter. *Remuer la salade.* 4 Émouvoir. ■ vi, vpr Bouger. ■ vpr Fam Se donner de la peine pour.

remugle nm Litt Odeur de renfermé.

rémunérateur, trice a Qui procure de l'argent.

rémunération nf Paiement, rétribution.

rémunérer vt 12 Payer, rétribuer pour un travail.

renâcler vi Renifler avec bruit (animal). ■ vti Fam Témoigner de la répugnance, rechigner. *Renâcler à obéir.*

renaissance nf Nouvel essor, renouveau.

renaître vi 66 1 Naître de nouveau, repousser. *Les fleurs renaissent au printemps.* 2 Reparaître. *L'espoir renaît.* ■ vti Litt Recouvrer la santé, le bonheur. *Renaître à la vie.*

rénal, ale, aux a Des reins.

renard nm 1 Mammifère carnivore au museau pointu, à la queue longue. 2 Fourrure de cet animal. 3 Homme rusé.

renarde nf Femelle du renard.

renardeau nm Jeune renard.

renardière nf Tanière du renard.

rencaisser vt Remettre dans une caisse.

rencard. V. rancard.

renchérir vi 1 Augmenter de prix. 2 Faire une enchère supérieure. 3 Dire ou faire plus qu'un autre.

renchérissement nm Hausse de prix.

rencontre nf 1 Fait de se rencontrer. 2 Compétition sportive.

rencontrer vt 1 Se trouver en présence de ; entrer en relation avec qqn. 2 Affronter dans un match. ■ **vpr** 1 Se trouver en présence l'un de l'autre. 2 Se toucher, se heurter. 3 Exister, se trouver. *Cela peut se rencontrer.*

rendement *nm* 1 Produit, gain obtenu, rentabilité de capitaux. 2 Rapport entre le temps passé à faire un travail et le résultat obtenu.

rendez-vous *nm inv* 1 Rencontre ménagée à l'avance entre des personnes. 2 Lieu où on se retrouve habituellement.

rendormir *vt* 29 Faire dormir de nouveau. ■ **vpr** S'endormir à nouveau.

rendosser *vt* Endosser de nouveau.

rendre *vt* 51 Remettre, redonner, restituer à qqn. 2 Donner en contrepartie. *Rendre une invitation.* 3 *Fam* Vomir. 4 Produire. *Rendre un son harmonieux.* 5 Exprimer. *Ces mots rendent bien ma pensée.* 6 Faire devenir. *Le chagrin l'a rendu fou.* **Loc** *Rendre justice à qqn :* reconnaître son droit. ■ **vi** Avoir un certain rendement. ■ **vpr** 1 Aller, se diriger vers. *Se rendre à son travail.* 2 Se soumettre. *Se rendre à l'évidence.* 3 S'avouer vaincu. 4 Devenir tel. *Se rendre odieux.*

rendu, ue *a* 1 Arrivé. *Vous voilà rendus.* 2 *Vx* Exténué. ■ *nm* Représentation artistique exacte de la réalité.

rêne *nf* Courroie fixée au mors d'un cheval et par laquelle on le conduit. **Loc** *Litt Tenir les rênes :* diriger.

renégat, ate *n* Qui a renié sa religion, trahi son parti ou sa patrie.

renégocier *vt* Négocier de nouveau.

reneiger *vi* 11 Neiger de nouveau.

renfermé, ée *a* Qui n'est pas ouvert, communicatif. *Un garçon renfermé.* ■ *nm* Mauvaise odeur d'un local non aéré.

renfermer *vt* 1 Enfermer de nouveau. 2 Contenir. ■ **vpr** Ne pas s'extérioriser.

renfiler ou **réenfiler** *vt* Enfiler de nouveau.

renflé, ée *a* Dont le diamètre est plus grand à certains endroits.

renflement *nm* État renflé ; partie renflée.

renflouer *vt* 1 Remettre à flot. 2 *Fam* Procurer des fonds à qqn, à une entreprise, pour rétablir sa situation.

renfoncement *nm* Partie en retrait.

renforcer *vt* 10 Accroître la force, le nombre, la solidité, l'intensité de.

renfort *nm* 1 Effectif, matériel qui vient renforcer un groupe, une armée. 2 Pièce servant à augmenter la solidité d'une autre. **Loc** *À grand renfort de :* en se servant d'une grande quantité de.

renfrogner (se) *vpr* Prendre une expression de mécontentement.

rengagé, ée *n* Militaire qui a rengagé.

rengager ou **réengager** *vt* 10 Engager de nouveau. ■ **vi, vpr** Renouveler son engagement dans l'armée.

rengaine *nf* 1 Banalité répétée de façon lassante. 2 Chanson qu'on entend sans cesse.

rengainer *vt* 1 Remettre dans la gaine, dans le fourreau. 2 *Fam* Ne pas achever ce qu'on allait dire. *Rengainer un compliment.*

rengorger (se) *vpr* 11 Prendre des airs avantageux.

renier *vt* 1 Refuser de reconnaître comme sien. *Renier ses origines.* 2 Abjurer. *Renier ses opinions.*

renifler *vi, vt* Aspirer par le nez avec bruit. ■ *vt* *Fam* Pressentir, flairer.

réniforme *a* *Didac* En forme de rein.

rénine *nf* *BIOL* Enzyme sécrétée par le rein.

renne *nm* Cervidé des régions arctiques.

renom *nm* ou **renommée** *nf* Réputation, célébrité.

renommé, ée *a* De grande réputation.

renommer *vt* Nommer de nouveau.

renoncement *nm* Action de renoncer.

renoncer *vti* 10 1 Abandonner un bien, un pouvoir, un droit, une action entreprise. *Renoncer à une succession, à un projet.* 2 Cesser de vouloir, d'envisager. *Renoncer à punir qqn.*

renonciation *nf* Action de renoncer à un droit.

renonculacée *nf* *BOT* Plante aux pièces florales disposées en spirale.

renoncule *nf* Plante dite aussi *bouton d'or*.

renouer *vt* 1 Nouer qqch de dénoué. 2 Reprendre ce qui a été interrompu. ■ *vti* Entrer de nouveau en relation avec. *Renouer avec de vieux amis.*

renouveau *nm* *Litt* 1 Printemps. 2 Renaissance.

renouveler vt 18 1 Rendre nouveau en remplaçant qqn, qqch. *Renouveler l'armement. Renouveler une équipe.* 2 Donner un caractère nouveau à. *Renouveler son style.* 3 Faire de nouveau. *Renouveler une erreur.* 4 Reconduire. *Renouveler un bail.* ■ *vpr* 1 Changer. *Artiste qui se renouvelle.* 2 Se répéter. *Fait qui se renouvelle.*

renouvellement nm Action de renouveler, fait de se renouveler.

rénovation nf Transformation, modernisation.

rénover vt 1 Donner une forme nouvelle. *Rénover la pédagogie.* 2 Remettre à neuf. *Rénover un immeuble.*

renseignement nm 1 Ce qu'on fait connaître à qqn ; information, éclaircissement. 2 Information d'intérêt militaire ou politique. *Service de renseignements.*

renseigner vt Fournir à qqn des indications, des précisions sur qqn, qqch. ■ *vpr* Prendre des renseignements, s'informer.

rentabiliser vt Assurer la bonne rentabilité d'une opération, d'une entreprise.

rentabilité nf Caractère rentable.

rentable a Qui produit un bénéfice.

rente nf 1 Revenu régulier qu'on tire d'un bien, d'un capital. 2 Paiement annuel résultant d'un contrat. 3 Emprunt de l'État qui donne droit à un intérêt. Loc *Rente de situation* : avantage procuré par le seul fait d'occuper une situation bien placée.

rentier, ère n Qui vit de ses rentes.

rentoiler vt Coller la toile d'un tableau sur une toile neuve.

rentrant, ante a Loc *Angle rentrant* : dont le sommet est tourné vers l'intérieur d'une figure.

rentré, ée a Qu'on n'extériorise pas. *Colère rentrée.* ■ nm Repli de tissu maintenu vers l'intérieur par une couture.

rentrée nf 1 Action de rentrer dans un lieu. 2 Reprise des activités après les vacances ; époque où elle a lieu. 3 Somme recouvrée.

rentrer vi 1 Entrer, revenir dans un lieu après en être sorti. 2 Reprendre ses fonctions. 3 Être compris dans qqch. *Cela rentre dans vos attributions.* 4 Pénétrer, s'emboîter. *La valise*

ne rentre pas dans le coffre. 5 Entrer violemment en contact avec. *La voiture est rentrée dans un camion.* 6 Abusiv Entrer dans une boutique. ■ *vt* 1 Amener, transporter à l'intérieur, mettre à l'abri. 2 Introduire qqch dans. 3 Rétracter. *Rentrer ses griffes.*

renversant, ante a Fam Très étonnant.

renverse nf Loc *À la renverse* : sur le dos.

renversé, ée a Inversé par rapport à la position habituelle.

renverser vt 1 Retourner qqch de façon que ce qui était en haut soit en bas ou faire aller en sens inverse ; inverser. 2 Jeter à terre, faire tomber. *Renverser de l'eau.* 3 Provoquer la chute. *Renverser un régime.* 4 Éliminer, supprimer. *Renverser les obstacles.* 5 Stupéfier. ■ *vpr* 1 Se retourner. 2 Pencher le corps en arrière.

renvoi nm 1 Action de renvoyer. 2 Licenciement, exclusion. 3 Marque renvoyant le lecteur à d'autres passages. 4 Remise, ajournement. *Renvoi d'un procès.* 5 Éructation, rot.

renvoyer vt 23 1 Faire retourner. *Renvoyer un malade à l'hôpital.* 2 Congédier, licencier. 3 Faire reporter à qqn. *Renvoyer un objet oublié.* 4 Lancer en retour. *Renvoyer une balle.* 5 Réfléchir des ondes. *L'écho renvoie les sons.* 6 Adresser à. *Renvoyer une affaire à une commission.* 7 Remettre à plus tard, ajourner.

réoccuper vt Occuper de nouveau.

réopérer vt 12 Opérer de nouveau.

réorchestrer vt Orchestrer de nouveau.

réorganiser vt Organiser autrement.

réorienter vt Donner une nouvelle orientation.

réouverture nf Action de rouvrir.

repaire nm Lieu où s'abritent des animaux sauvages, des bandits ; tanière.

repaître vt 55 Litt Rassasier. ■ *vpr* Litt Se nourrir, se rassasier.

répandre vt 5 1 Verser. *Répandre des larmes, des graviers.* 2 Dégager, émettre. *Répandre de la chaleur, une odeur.* 3 Distribuer généreusement. 4 Faire connaître à un vaste public. *Répandre une nouvelle.* ■ *vpr*

1 S'écouler en s'étalant. 2 Se disperser en occupant un lieu. *Les invités se répandent dans le jardin.* 3 Se propager. *Mode qui se répand.*

répandu, ue *a* Communément admis.

reparaître *vi* 55 [aux *avoir* ou *être*] Paraître de nouveau.

réparateur, trice *n, a* Qui répare. **Loc** *Chirurgie réparatrice* : syn de *chirurgie plastique*.

réparation *nf* Action de réparer.

réparer *vt* 1 Remettre en bon état, en état de fonctionnement. 2 Faire disparaître les effets d'une faute, d'un dommage. *Réparer une maladresse.*

reparler *vi, vti* Parler de nouveau.

repartager *vt* 11 Partager de nouveau.

repartie [RE-] *nf* Vive réplique.

1. repartir [RE-] ou [RA-] *vi* 29 [aux *avoir*] Litt Répliquer.

2. repartir *vi* 29 [aux *être*] Partir de nouveau.

répartir *vt* Partager, distribuer, échelonner. *Répartir les paiements sur cinq ans.*

répartiteur *nm* Qui assure une répartition.

répartition *nf* Partage, division, distribution.

reparution *nf* Fait de reparaître.

repas *nm* Nourriture prise chaque jour à des heures régulières.

repassage *nm* Action de repasser des couteaux, du linge.

repasser *vi* [aux *être* ou *avoir*] Passer de nouveau qqpart. ■ *vt* 1 Traverser de nouveau. 2 Faire passer de nouveau. *Repasser un disque.* 3 Revenir sur ce qu'on a étudié, appris. *Repasser sa leçon.* 4 Aiguiser. 5 Défroisser du linge avec un fer chaud.

repasseuse *nf* Personne ou machine qui repasse le linge.

repêcher *vt* 1 Retirer de l'eau ce qui y est tombé. 2 Fam Donner une nouvelle chance à un candidat, plus à un concurrent.

repeindre *vt* 69 Peindre de nouveau.

repenser *vt, vti* Penser, réfléchir de nouveau.

repentant, ante *a* Qui se repent.

repenti, ie *a, n* Qui s'est repenti.

repentir (se) *vpr* 29 Regretter vivement. ■ *nm* 1 Vif regret. 2 Correction effectuée par l'artiste sur un tableau.

répercussion *nf* Suite, contrecoup.

répercuter *vt* 1 Renvoyer un son. *Cri répercuté par l'écho.* 2 Faire payer une charge à d'autres. *Répercuter une augmentation.* 3 Transmettre à qqn d'autre. *Répercuter des directives.* ■ *vpr* Avoir des conséquences par contrecoup.

repère *nm* Marque, signe pour retrouver une place, une distance, un niveau, etc. **Loc** *Point de repère* : ce qui sert à se retrouver, à situer qqch dans l'espace, dans le temps.

repérer *vt* 12 1 Déterminer la position ; localiser. *Repérer un avion à l'aide de radars.* 2 Découvrir, remarquer. *Repérer un individu bizarre.* ■ *vpr* Se retrouver grâce à des repères.

répertoire *nm* 1 Recueil où les matières sont rangées dans un certain ordre. 2 Liste des pièces jouées habituellement dans un théâtre. 3 Œuvres qu'un comédien, un chanteur, etc., interprète habituellement.

répertorier *vt* Inventorier.

répéter *vt* 12 1 Dire ce qui a été déjà dit. 2 Refaire, recommencer. 3 Participer à la répétition d'une pièce, d'un morceau de musique. 4 Reproduire qqch. *Répéter des signaux.* ■ *vpr* 1 Redire inutilement les mêmes choses ; rabâcher. *Romancier qui se répète.* 2 Se produire à plusieurs reprises.

répéteur *nm* Amplificateur installé sur un câble de télécommunications.

répétiteur, trice *n* Anc Qui donne des leçons particulières à un élève.

répétitif, ive *a* Qui se répète.

répétition *nf* 1 Action de (se) répéter ; redite. 2 Action de reproduire ; réitération. 3 Séance de mise au point d'une représentation, d'un spectacle. 4 Vx Leçon particulière.

repeupler *vt* Peupler de nouveau.

repiquer *vt* 1 Piquer de nouveau. 2 Transplanter un jeune plant issu d'un semis. *Repiquer des salades.* 3 Enregistrer sur un nouveau support. *Repiquer un disque.*

répit *nm* Arrêt de qqch de pénible ; détente, repos.

replacer *vt* 10 Remettre en place ou placer ailleurs.

replanter *vt* Planter de nouveau.

replat *nm* Partie plate en terrasse au flanc d'un versant.

replâtrage *nm* Litt Réparation sommaire ; arrangement précaire.

replet, ète *a* Gras, dodu.

repli *nm* 1 Rebord plié. 2 Régression, recul. 3 Retraite sur ordre, d'une troupe. **Loc** *Repli de terrain* : ondulation. ■ *pl* Litt Ce qui est caché, secret. *Les replis de l'âme humaine.*

réplication *nf* BIOL Duplication d'une molécule d'acide nucléique.

replier *vt* 1 Plier ce qui avait été déplié. 2 Faire reculer sur ordre une troupe. ■ *vpr* Reculer, faire retraite. **Loc** *Se replier sur soi-même* : se fermer, s'isoler.

réplique *nf* 1 Réponse, repartie. 2 Ce qu'un acteur répond à un autre. 3 Copie, double d'une œuvre d'art.

répliquer *vt* Répondre vivement.

répondant, ante *n* Caution, garant. **Loc** Fam *Avoir du répondant :* de l'argent en réserve.

répondeur *nm* Appareil automatique, relié au téléphone, qui peut enregistrer le message du correspondant.

répondre *vt, vi* 5 Faire réponse à ce qui a été dit, demandé. ■ *vti* 1 Dire, écrire en réponse à. *Je réponds à votre lettre.* 2 Correspondre à. *Le résultat répond à ses efforts.* 3 Donner en retour à. *Répondre à l'affection des siens.* 4 Réagir à l'action de. *Les freins ne répondent plus (à la pédale).* 5 Servir de garant, de caution à. *Je réponds entièrement de lui.*

répons [-pɔ̃] *nm* Chant liturgique exécuté tour à tour par une voix et par le chœur.

réponse *nf* 1 Ce qui est dit ou écrit en retour à une question, à une lettre. 2 Solution, explication. *Réponse à un problème.* 3 PHYSIOL Réaction à un stimulus. **Loc** *Droit de réponse :* droit que possède une personne mise en cause, de répondre par le média responsable.

repopulation *nf* Retour à l'accroissement de la population.

report *nm* 1 Action de reporter. 2 Renvoi à plus tard. **Loc** *Report des voix :* transfert des votes d'un candidat sur un autre au second tour d'une élection.

reportage *nm* Article d'un journaliste à partir d'informations recueillies sur place.

1. reporter *vt* 1 Porter une chose là où elle se trouvait auparavant. 2 Transporter par la pensée à une époque antérieure. 3 Transcrire ailleurs. 4 Différer, ajourner. 5 Porter sur une autre destination. *Reporter son affection sur son fils.* ■ *vpr* Se référer. *Se reporter à la préface.*

2. reporter [-tɛʀ] *nm* Journaliste qui fait des reportages.

repos *nm* 1 Immobilité. 2 Fait de se délasser. *Prendre du repos.* 3 Congé. *Jour de repos.* 4 Position du soldat qui abandonne le garde-à-vous. **Loc** Lit *Repos éternel :* mort.

reposant, ante *a* Qui délasse.

repose *nf* Action de remettre en place.

repose-pieds *nm inv* Support pour le pied.

reposer *vt* 1 Poser de nouveau. *Reposer une vitre, une question.* 2 Appuyer. *Reposer sa tête sur un oreiller.* 3 Délasser. *Cela repose l'esprit.* ■ *vi* 1 Litt Dormir. 2 Litt Être enterré. **Loc** *Laisser reposer :* laisser se décanter, laisser sans être agité. ■ *vti* Être fondé sur. *Ceci repose sur une hypothèse.* ■ *vpr* Se délasser. **Loc** *Se reposer sur qqn* : lui faire confiance ; lui laisser la responsabilité d'une affaire.

repose-tête *nm inv* Appui pour la tête.

repositionner *vt* Positionner de nouveau.

reposoir *nm* 1 Autel élevé sur le parcours d'une procession. 2 Local d'un hôpital, où est exposé le corps des défunts.

repoussant, ante *a* Qui inspire de l'aversion, du dégoût.

repousser *vt* 1 Faire reculer, pousser en arrière. 2 Travailler le métal, le cuir, par repoussage. 3 Rejeter. *Repousser une demande.* 4 Ajourner, ajourner un délai de livraison. ■ *vi* Pousser, croître de nouveau.

repoussoir *nm* 1 Chose ou personne qui en fait valoir une autre par contraste. 2 Personne très laide.

répréhensible *a* Digne de blâme.

reprendre *vi* 70 **1** Augmenter, croître de nouveau. *L'arbre reprend. Les affaires reprennent.* **2** Recommencer. *Le froid a repris.* ■ *vt* **1** Prendre de nouveau. *Reprendre une ville. Reprendre du pain.* **2** Retrouver. *Reprendre courage.* **3** Prendre ce qu'on avait donné, retirer. *Reprendre sa parole.* **4** Continuer après une interruption. *Reprendre son travail.* **5** Redire, répéter. *Reprendre le refrain.* **6** Améliorer en modifiant. *Reprendre les détails d'un projet.* **7** Réprimander. *Reprendre qqn sur ce que l'on a dit.* ■ *vpr* **1** Rectifier ce que l'on a dit. **2** Retrouver ses esprits.

repreneur *nm* ÉCON Qui prend le contrôle d'une entreprise en difficulté.

représailles *nfpl* Violences qu'on fait subir à qqn pour se venger.

représentant, ante *n* **1** Qui représente qqn, un groupe, qui peut agir en son nom. **2** Commis voyageur, courtier.

représentatif, ive *a* **1** Qui représente bien qqn, un groupe. *Gouvernement représentatif.* **2** Caractéristique ; considéré comme typique. *Il est représentatif de son milieu.*

représentation *nf* **1** Fait de représenter qqch par une image, un symbole ; image, symbole qui représente. **2** Train de vie imposé par une grosse situation. **3** Métier de représentant de commerce. **4** Spectacle donné devant un public. Loc **Représentation nationale :** pouvoir législatif des élus du peuple.

représenter *vt* **1** Présenter de nouveau. **2** Rendre présent à l'esprit, à la vue. **3** Jouer une pièce en public. **4** Personnifier, symboliser. **5** Faire observer. *Représenter les difficultés du projet.* **6** Tenir la place de qqn ; avoir mandat pour parler, décider en son nom. *Ce député représente telle circonscription.* **7** Équivaloir à. *Cette dépense représente un mois de salaire.* ■ *vpr* **1** Se présenter de nouveau. **2** Imaginer qqch.

répression *nf* Action de réprimer.

réprimande *nf* Blâme.

réprimander *vt* Blâmer, admonester.

réprimer *vt* **1** Contenir, dominer. *Réprimer sa colère.* **2** Empêcher qqch jugé dangereux de se développer. *Réprimer une révolte.*

reprint [-pʀint] *nm* Réimpression en facsimilé d'un ouvrage épuisé.

repris de justice *nm inv* Qui a subi une ou plusieurs condamnations pénales.

reprise *nf* **1** Action de reprendre. *La reprise des hostilités.* **2** Regain d'activité. *La reprise s'amorce.* **3** MUS Fragment d'un morceau qu'on doit rejouer. **4** Réparation d'une étoffe à l'aiguille. **5** Chacune des parties d'un combat de boxe, d'un assaut d'escrime. **6** Accélération rapide d'un moteur. **7** Somme payée par un locataire pour des aménagements rétrocédés par l'occupant précédent. **8** Fait de rejouer un film, une pièce. **9** Leçon d'équitation. ■ *pl* Loc **A plusieurs reprises :** de nombreuses fois.

repriser *vt* Raccommoder.

réprobateur, trice *a* Qui réprouve.

réprobation *nf* Blâme sévère, désapprobation.

reproche *nm* Blâme adressé à qqn sur sa conduite. Loc **Sans reproche(s) :** parfait.

reprocher *vt* Blâmer, critiquer qqn au sujet de qqch. *Reprocher à qqn son ingratitude.* ■ *vpr* Se considérer comme coupable de.

reproducteur, trice *a* Qui reproduit. ■ *nm* Animal destiné à la reproduction.

reproductible *a* Qui peut être reproduit.

reproduction *nf* **1** Processus par lequel un être vivant produit d'autres êtres de même espèce. **2** Action de reproduire, d'imiter. **3** Copie, réplique. *Une reproduction de « la Joconde ».*

reproduire *vt* 67 Répéter, copier, représenter exactement ; restituer fidèlement. ■ *vpr* **1** Donner naissance à des individus de même espèce. **2** Se produire de nouveau. *Les mêmes événements se sont reproduits.*

reprogrammer *vt* Mettre de nouveau au programme.

reprographie *nf* Ensemble des techniques de reproduction des documents écrits.

réprouver *vt* **1** Rejeter, blâmer, condamner. **2** THÉOL Exclure du nombre des élus.

reps *nm* Tissu d'ameublement à côtes.

reptation *nf* Action de ramper.

reptile *nm* Vertébré rampant, comme les serpents, les lézards, les tortues.

repu, ue *a* Rassasié.

républicain, aine *a* De la république.
■ *a, n* Partisan de la république.

républicanisme *nm* Attachement à la république.

république *nf* Forme de gouvernement où des représentants élus par le peuple sont responsables devant la nation.

répudier *vt* **1** Dans certains pays, renvoyer son épouse selon les formes légales. **2** Rejeter, abandonner une opinion, un sentiment.

répugnance *nf* Répulsion, dégoût.

répugnant, ante *a* Dégoûtant, infect.

répugner *vti* **1** Éprouver du dégoût, de l'aversion à. *Répugner à la violence.* **2** Dégoûter. *Son aspect me répugne.*

répulsion *nf* Aversion, dégoût, répugnance.

réputation *nf* **1** Opinion commune sur qqch, sur qqn. *Mauvaise réputation.* **2** Considération dont jouit qqn. *Tenir à sa réputation.*

réputé, ée *a* **1** De grand renom. *Vin réputé.* **2** Considéré comme. *Elle est réputée compétente.*

requérir *vt 34* **1** Réclamer légalement. *Requérir la force armée.* **2** Demander en justice. **3** Exiger. *Cela requiert tous vos soins.*

requête *nf* **1** Demande verbale ou écrite ; supplique. **2** DR Demande adressée à un magistrat ayant pouvoir de décision. Loc *Sur la requête de :* à la demande de. *Maître des requêtes :* titre de certains membres du Conseil d'État.

requiem [ʀekɥijɛm] *nm inv* Prière, messe, chant religieux pour le repos des morts.

requin *nm* **1** Poisson marin cartilagineux au museau pointu, parfois dangereux pour l'homme. **2** Homme d'affaires sans scrupule.

requinquer *vt* Fam Redonner de l'énergie, de la vitalité. ■ *vpr* Fam Se rétablir (santé).

requis, ise *a* Fam Demandé, exigé. ■ *nm* Mobilisé par l'autorité civile pour effectuer un travail.

réquisition *nf* Fait, pour une autorité, d'imposer à qqn ou à une collectivité une prestation de services ou la remise de certains biens. ■ *pl* DR Réquisitoire.

réquisitionner *vt* **1** Se faire remettre un bien, user des services de qqn par voie de réquisition. **2** Fam Faire appel à qqn.

réquisitoire *nm* **1** DR Discours prononcé à l'audience par le ministère public pour demander l'application de la loi à l'accusé. **2** Violente accusation contre qqn, qqch.

rescapé, ée *a, n* Sorti vivant d'une catastrophe, d'un accident.

rescousse *nf* Loc *À la rescousse :* au secours.

réseau *nm* **1** Entrelacement de fils, de lignes, etc. **2** Ensemble de voies, de canalisations, de conducteurs reliés les uns aux autres. **3** Personnes, organismes, établissements, etc., qui sont en relation pour agir ensemble.

résection *nf* CHIR Opération consistant à enlever un fragment d'un organe.

réséda *nm* Plante aux petites fleurs très fumées.

réserpine *nf* Alcaloïde du rauwolfia, utilisé comme hypotenseur.

réservataire *a, nm* DR Qui ne peut être écarté de la succession.

réservation *nf* Action de réserver une place, une chambre, etc.

réserve *nf* **1** Quantité de choses accumulées en cas de besoin. **2** Quantité de richesses minérales qu'on peut tirer de la terre. **3** Ensemble des citoyens mobilisables en cas de besoin pour renforcer l'armée active. **4** Local où sont stockées des marchandises. **5** Territoire où la plantes et les animaux sont protégés. **6** Territoire assigné à des indigènes. **7** Restriction nuançant ou réfutant par une appréciation. **8** Discrétion, retenue, prudence. *Garder une prudente réserve.* **9** DR Part d'un patrimoine réservée par la loi aux héritiers réservataires. Loc *Sans réserve :* sans restriction. *Sous toutes réserves :* sans garantie.

réservé, ée *a* **1** Destiné exclusivement à un usage. *Chasse réservée.* **2** Discret, circonspect.

réserver *vt* **1** Mettre de côté. **2** Retenir à l'avance une place, une chambre, etc. **3** Destiner qqch à qqn en particulier. ■ *vpr* **1** Mettre de côté pour soi. **2** Attendre le moment opportun pour faire qqch. *Je me réserve d'intervenir plus tard.*

réserviste nm Qui fait partie de la réserve de l'armée.

réservoir nm Cavité, bassin, récipient pour garder un liquide ou un gaz.

résidant, ante a, n Qui réside en un lieu.

résidence nf **1** Fait de résider dans un lieu ; ce lieu. **2** Séjour obligatoire dans le lieu où on exerce ses fonctions. **3** Bâtiment d'habitation très confortable. Loc *Résidence mobile :* syn de mobile-home. *Résidence secondaire :* maison de vacances ou de week-end.

résident, ente n **1** Qui réside ailleurs que dans son pays d'origine. **2** Titre de certains agents diplomatiques. **3** Habitant d'une résidence.

résidentiel, elle a Se dit des zones urbaines où dominent les maisons d'habitation.

résider vi **1** Demeurer, habiter dans tel endroit. **2** Se trouver, exister dans. *Là réside la difficulté.*

résidu nm Déchet, détritus.

résiduel, elle a Qui constitue un résidu.

résignation nf DR Abandon de qqch en faveur de qqn. **2** État d'esprit de qqn qui se résigne.

résigner vt DR Abandonner volontairement une charge. ■ vpr Accepter, se soumettre sans révolte à qqch. *Se résigner à son sort.*

résilier vt Mettre fin à un contrat.

résille nf Filet qui enveloppe les cheveux. Loc *Bas résille :* à mailles peu serrées.

résine nf **1** Substance visqueuse sécrétée par divers végétaux. **2** Substance chimique servant à la fabrication d'une matière plastique. **3** Substance végétale fossile, comme l'ambre.

résiné nm Vin qui contient de la résine.

résineux, euse a Qui produit de la résine. ■ nm Arbre riche en résine, tels les conifères.

résinier, ère a Relatif à la résine. ■ n Qui récolte la résine des pins.

résistance nf **1** Action ou propriété d'un corps qui résiste à une action. **2** ELECTR Grandeur (exprimée en ohms) mesurant l'aptitude d'un corps à s'opposer au passage d'un courant ; conducteur utilisé en particulier pour produire de la chaleur. **3** Aptitude à supporter la fatigue, les privations, etc. **4** Action de résister physiquement ou moralement à qqn, à une autorité, à une occupation étrangère. Loc *Plat de résistance :* plat principal d'un repas.

résistant, ante a Qui résiste à la fatigue, à la maladie ; robuste, solide. ■ n Qui s'oppose à une occupation étrangère ; en particulier personne ayant pris part à la Résistance.

résister vti **1** Ne pas céder sous l'action de. **2** Avoir les forces nécessaires pour supporter qqch. *Résister à la maladie.* **3** Tenir ferme contre qqn, qqch. *Résister à une impulsion.*

resocialiser vt Réinsérer dans la vie sociale.

résolu, ue a Déterminé, hardi.

résoluble a Qu'on peut annuler.

résolution nf **1** Fait, pour un corps, de se résoudre. **2** DR Annulation d'un contrat pour inexécution des conditions. **3** Fait de résoudre un problème. **4** Décision fermement arrêtée. **5** Motion adoptée par une assemblée. **6** MED Disparition d'une inflammation.

résolutoire a DR Qui annule un acte.

résonance nf **1** Propriété au sujet certains objets ou lieux, de résonner ; son qu'ils provoquent. **2** Litt Effet produit sur l'esprit. Loc *Résonance magnétique nucléaire (R.M.N.) :* technique utilisée en imagerie médicale.

résonateur nm Appareil qui vibre par résonance.

résonner vi **1** Réfléchir le son en le renforçant ou en le prolongeant. **2** Rendre un son vibrant.

résorber vt Faire disparaître peu à peu un mal, une gêne, etc. ■ vpr Disparaître.

résoudre vt st **1** Donner une solution à. *Résoudre un problème.* **2** Dissocier un corps en ses éléments. **3** Faire disparaître, résorber. **4** Décider. *Il résolut d'attendre.* **5** DR Annuler. ■ vpr Se décider à. *Se résoudre à partir.* ■ **2** être transformé en.

respect [-pε] nm **1** Considération qu'on a pour qqn manifestée par une attitude déférente envers lui. **2** Souci de ne pas porter atteinte à. *Le respect des lois.* Loc *Respect humain :* crainte du jugement d'autrui. *Sauf votre respect :* sans vous offenser. *Tenir qqn en respect :* le menacer d'une arme.

respectabiliser vt Rendre respectable.

respectable a 1 Qui mérite du respect. 2 Important. *Un nombre respectable de.*

respecter vt 1 Éprouver du respect pour qqn. 2 Observer une prescription, une règle. ■ vpr Se conduire de manière à garder l'estime de soi.

respectif, ive a Qui concerne chaque chose, chaque personne par rapport aux autres.

respectivement av Chacun en ce qui le concerne. *Ils ont respectivement 15 et 20 ans.*

respectueux, euse a Qui témoigne du respect.

respirable a Qu'on peut respirer.

respirateur nm MED Appareil destiné à la ventilation pulmonaire d'un sujet.

respiration nf 1 Fait de respirer. 2 PHYSIOL Fonction qui préside aux échanges gazeux entre un être vivant et le milieu extérieur.

respiratoire a De la respiration.

respirer vi 1 Absorber de l'oxygène et rejeter du gaz carbonique. 2 Être vivant. 3 Avoir un moment de répit. ■ vt 1 Aspirer par les organes respiratoires. *Respirer un air vicié.* 2 Donner des signes extérieurs de. *Respirer l'honnêteté.*

resplendir vi Briller avec éclat.

resplendissant, ante a Qui resplendit.

responsabiliser vt Rendre qqn responsable, conscient de ses responsabilités.

responsabilité nf 1 Fait d'être responsable. 2 Capacité, pouvoir de prendre des décisions.

responsable a 1 Tenu de répondre de ses actes ou, dans certains cas, de ceux d'autrui. 2 Qui est réfléchi. *Agir en homme responsable.* ■ a, n 1 Qui est la cause de, coupable de. *Retrouver le responsable d'un accident.* 2 Qui a le pouvoir de prendre des décisions.

resquiller vt, vi Fam Profiter de qqch, sans y avoir droit, sans le payer.

resquilleur, euse n, a Fam Qui resquille.

ressac [Rə-] nm Retour des vagues sur elles-mêmes après avoir frappé un obstacle.

ressaisir vt Saisir de nouveau. ■ vpr Redevenir maître de soi.

ressasser vt Répéter à satiété.

ressaut nm Saillie d'un mur, d'une paroi.

ressayer. V. réessayer.

ressemblance nf Fait de ressembler ou de se ressembler.

ressembler vti Avoir avec qqn, qqch des traits communs. ■ vpr Présenter une ressemblance mutuelle.

ressemeler vt 18 Mettre une nouvelle semelle à une chaussure.

ressentiment nm Souvenir gardé d'offenses qu'on n'a pas pardonnées.

ressentir vt 29 Éprouver. *Ressentir une douleur, de l'affection pour qqn.* ■ vpr Subir les conséquences de. *Se ressentir d'une maladie.*

resserre nf Remise pour les outils, les objets de jardin, etc.

resserrer vt 1 Serrer davantage. 2 Rendre plus étroit. *Resserrer l'amitié.* ■ vpr Devenir plus serré, plus étroit.

resservir vi, vt 29 Servir de nouveau.

1. ressort nm 1 Pièce élastique qui tend à reprendre sa forme initiale après avoir été comprimée. 2 Force, énergie. 3 Litt Cause, motif. *L'argent est le ressort de la guerre.*

2. ressort nm DR Étendue d'une juridiction ; limite de compétence. Loc *En dernier ressort :* en définitive.

1. ressortir vi 29 [aux être] 1 Sortir après être entré. 2 Se distinguer nettement par contraste. Loc *Faire ressortir qqch :* le mettre en relief. ■ v impers Résulter. *Il ressort de tout ceci que...* ■ vt 1 Sortir de nouveau. *J'ai ressorti mon vieux manteau.* 2 Fam Répéter.

2. ressortir vti 29 [aux être] DR Être de la compétence de. *Cette affaire ressortit au juge.*

ressortissant, ante a Qui dépend de la législation d'un pays, du fait de sa nationalité.

ressource nf Moyen employé pour se tirer d'embarras. ■ pl 1 Moyens pécuniaires ; ri-

ressourcer (se)

chesses d'un pays. **2** Moyens d'action. **Loc Ressources humaines :** personnel d'une entreprise.

ressourcer (se) vpr Litt Revenir à ses racines.

ressurgir. V. resurgir.

ressusciter vi [aux avoir ou être] Renaître, se ranimer. ■ vt **1** Ramener qqn de la mort à la vie. **2** Faire revivre qqch.

restant, ante a Qui reste. ■ nm Ce qui reste.

restaurant nm Établissement public où on sert des repas moyennant paiement.

restaurateur, trice n **1** Spécialiste en restauration d'objets. **2** Qui tient un restaurant.

restauration nf **1** Action de réparer. **2** Métier de qui tient un restaurant ; ensemble des restaurants. **3** Rétablissement dans son état premier, dans sa fonction. **Loc Restauration rapide :** fast food.

restaurer vt **1** Réparer, remettre en son état premier. **2** Donner à manger. ■ vpr Prendre un repas, de la nourriture.

reste nm **1** Ce qui demeure d'un tout relativement à la partie retranchée. **2** Ce qu'il y a encore à faire, à dire. **3** Petite quantité. *Un reste de jour, d'espoir.* **4** MATH Différence de deux nombres dans une soustraction. **Loc Au reste, du reste :** d'ailleurs. *Être en reste avec qqn :* demeurer son débiteur. **Loc En reste à :** s'en tenir à. **Il reste que :** il est néanmoins vrai que.

rester vi [aux être] **1** Continuer d'être à tel endroit, dans tel état. *Rester chez soi. Rester calme.* **2** Subsister. *Ce qui reste à faire.* **Loc En rester à :** s'en tenir à.

restituer vt **1** Rendre ce qui est possédé indûment ou ce qui a été accumulé. **2** Rétablir dans son état premier. *Restituer un texte.* **3** Reproduire un son enregistré.

restitution nf Action de restituer.

restoroute nm (n déposé) Restaurant sur une autoroute ou une route à grande circulation.

restreindre vt 69 Réduire, limiter. ■ vpr Réduire sa dépense, sa consommation.

restrictif, ive a Qui restreint.

restriction nf **1** Condition qui restreint ; réserve. **2** Réduction de la quantité, de l'importance. **Loc Restriction mentale :** réserve faite en soi-même pour tromper l'interlocuteur. ■ pl Rationnement, limitation de la consommation.

restructuration nf Action de restructurer.

restructurer vt Réorganiser.

resucée nf Fam Reprise, répétition sans intérêt.

résultante nf Effet découlant de plusieurs causes convergentes ; résultat.

résultat nm Ce qui résulte d'une action, d'un fait, d'un calcul. ■ pl **1** Succès ou échec à un examen, à un concours. **2** Bénéfices ou pertes d'une entreprise.

résulter vi [aux être ou avoir] S'ensuivre ; être la conséquence de ; découler de.

résumé nm Précis, abrégé.

résumer vt Exprimer en moins de mots. ■ vpr **1** Reprendre brièvement ce que l'on a dit, écrit. **2** Consister essentiellement en. *Cela se résume à une capitulation.*

résurgence nf Réapparition. *Résurgence d'une nappe d'eau souterraine.*

résurgent, ente a Qui réapparaît avec un trajet souterrain (eau, rivière).

resurgir ou **ressurgir** vi Surgir de nouveau.

résurrection nf **1** Retour de la mort à la vie. **2** (avec majusc) Retour à la vie du Christ ; la fête qu'on la célèbre. **3** Réapparition ; nouvel essor.

retable nm Panneau vertical derrière un autel, peint et richement orné.

rétablir vt **1** Remettre en son premier état, en bon état, en fonctionnement. **2** Redonner la santé à qqn. ■ vpr Recouvrer la santé.

rétablissement nm **1** Action de rétablir. **2** Retour à la santé. **3** Mouvement qui consiste à se redresser après traction des bras tendus.

rétamer vt **1** Étamer de nouveau. **2** Fam Épuiser.

retape nf Pop **1** Racolage (prostituée). **2** Publicité outrancière.

retaper vt Fam **1** Remettre sommairement en état. **2** Rétablir les forces, la santé de qqn.

retard nm **1** Fait d'arriver, de se produire, après le moment fixé. *Être en retard.* **2** Différence négative entre l'heure marquée par une horloge et l'heure réelle. **3** Moindre avancement, moindre développement de qqn, d'un pays, d'une industrie.

retardataire a, n Qui a du retard.

retardé, ée a, n Fam En retard dans son développement intellectuel.

retardement nm Loc **À retardement :** après coup ; de manière différée.

retarder vt **1** Mettre qqn en retard. **2** Faire indiquer à une montre une heure moins avancée. **3** Différer. *Retarder son départ.* ■ vi **1** Aller trop lentement, indiquer une heure déjà passée. **2** Fam Avoir une attitude rétrograde ; être en retard sur une information.

retenir vt 35 **1** Garder qqch par devers soi. **2** Garder dans sa mémoire. *Retenir sa leçon.* **3** Réserver. *Retenir une place d'avion.* **4** Déduire d'une somme ; prélever. **5** Considérer favorablement, agréer. *Retenir une candidature.* **6** Faire demeurer en un lieu. *Retenir qqn à dîner.* **7** Maintenir en place, contenir, empêcher d'aller. *La prudence l'a retenu.* ■ vpr **1** Saisir qqch pour ne pas tomber. **2** Réprimer l'envie de faire. *Se retenir de rire.*

rétention nf **1** Action de retenir, de conserver. **2** MED Accumulation d'une substance destinée à être évacuée.

retentir vi **1** Faire entendre, renvoyer un son puissant, éclatant. **2** Avoir des répercussions sur. *La fatigue retentit sur le caractère.*

retentissement nm Répercussion.

retenue nf **1** Prélèvement fait sur la rémunération d'un salarié. **2** Punition scolaire consistant en une privation de sortie. **3** Discrétion, réserve. *Manquer de retenue.* **4** Masse d'eau retenue par un barrage. **5** Chiffre que l'on reporte, dans une opération arithmétique.

réticence nf **1** Omission volontaire de qqch qu'on devrait dire. **2** Abusiv Attitude réserve, de désapprobation.

réticent, ente a Qui manifeste de la réticence.

réticule nm **1** Petit sac à main. **2** PHYS Système de fils croisés définissant l'axe de visée d'un instrument d'optique.

réticulé, ée a Qui figure un réseau.

réticuloendothélial, ale,aux a ANAT Se dit d'un tissu disséminé dans l'organisme et jouant un important rôle immunitaire.

réticulosarcome nm Cancer du tissu réticuloendothélial.

réticulum [-lɔm] nm ANAT Réseau de fibres ou de vaisseaux.

rétif, ive a **1** Se dit d'une monture qui refuse d'obéir. **2** Récalcitrant.

rétine nf Membrane du fond de l'œil sensible à la lumière.

retirage nm Nouveau tirage d'un livre, d'une photo, d'une gravure.

retiré, ée a **1** Situé à l'écart, peu fréquenté. **2** Qui a abandonné ses occupations professionnelles.

retirer vt **1** Tirer en arrière. *Retirer sa main.* **2** Ne pas maintenir ce qu'on avait dit. *Retirer une plainte.* **3** Reprendre à qqn. *On lui a retiré son permis.* **4** Faire sortir qqch, qqn du lieu où il se trouvait. **5** Enlever, ôter un vêtement. **6** Recueillir un profit. **7** Refaire le tirage d'un livre, d'une photo, etc. **8** Tirer de nouveau un coup de feu. ■ vpr **1** Partir, prendre congé. **2** Reculer, s'éloigner. **3** Quitter une activité, une profession. **4** Refluer (mer).

retombées nfpl **1** Ce qui retombe. *Des retombées radioactives.* **2** Effets à plus ou moins long terme.

retomber vi [aux être] **1** Faire une nouvelle chute. **2** Revenir à la situation antérieure. *Tout est retombé dans l'ordre.* **3** Fam Rencontrer, trouver qqch par hasard, une nouvelle fois. *Retomber sur une bonne occasion.* **4** Atteindre le sol après un saut, un rebond, après s'être élevé. **5** Devenir moins intense, moins soutenu. **6** S'abaisser, pendre en restant maintenu par le haut. **7** Peser sur, incomber à qqn. *Toute la responsabilité retombera sur vous.*

retordre vt 5 Tordre de nouveau. Loc **Donner du fil à retordre à qqn :** lui résister.

rétorquer vt Répondre, répliquer.

retors, orse a **1** TECH Retordu. *Fil retors.* **2** Rusé, artificieux. *Adversaire retors.*

rétorsion

646

rétorsion nf Loc *Mesure de rétorsion :* représailles.

retouche nf Rectification, correction.

retoucher vt Corriger, modifier. *Retoucher une photo, un vêtement.*

retoucheur, euse n Qui effectue des retouches en photographie, en couture.

retour nm 1 Action de revenir à son point de départ, de repartir en arrière. 2 Fait de revenir à un état, à un stade antérieur. 3 Réapparition périodique de qqch. 4 Changement, revirement. *Retour de fortune.* 5 Action de renvoyer qqch à qqn. Loc *En retour :* en échange. *Retour d'âge :* ménopause. *Sans retour :* pour toujours. *Retour sur soi-même :* réflexion sur sa conduite. *Retour de manivelle :* choc en retour malheureux. *Retour en arrière :* évocation de faits passés.

retournement nm Revirement, volte-face.

retourner vt 1 Mettre à l'envers. 2 Renvoyer. *Retourner une lettre.* 3 Examiner sous tous les angles. 4 Troubler, émouvoir qqn fortement. ■ vi [aux être] Revenir, rentrer. *Il est retourné chez lui.* ■ vti 1 Être rendu à qqn. *Ces biens retournent à leur possesseur.* 2 Revenir à un état antérieur. *Retourner à l'état sauvage.* ■ vpr 1 Se tourner d'un autre côté ; tourner la tête, le regard en arrière. 2 Adopter une autre manière d'agir. Loc *S'en retourner :* repartir, revenir. ■ v impers Fam *De quoi il retourne :* de quoi il s'agit.

retracer vt 10 1 Tracer de nouveau. 2 Raconter, décrire.

rétracter vt 1 Nier, désavouer. 2 Retirer, faire rentrer dedans. *Rétracter ses griffes.* ■ vpr 1 Déclarer faux ce qu'on avait affirmé précédemment. 2 Se contracter.

rétractile a Qui peut se contracter.

rétraction nf Raccourcissement.

retrait nm 1 Action de se retirer. *Retrait des troupes.* 2 Action de reprendre, de retirer qqch. *Retrait d'un projet.* 3 TECH Contraction d'un matériau qui sèche ou refroidit. Loc *En retrait :* en arrière.

retraite nf 1 Repli effectué par les troupes. 2 Éloignement de la vie active pour une médi-

tation religieuse. 3 Cessation d'activité professionnelle ; pension reçue pour cette cessation. 4 Lieu où on se retire.

retraité, ée a, n Qui est à la retraite.

retraiter vt Traiter un combustible nucléaire irradié, un produit polluant pour le rendre inoffensif.

retranchement nm 1 Action de retrancher, de supprimer. 2 Obstacle utilisé pour se protéger des attaques ennemies.

retrancher vt Enlever, supprimer d'un tout. ■ vpr Se mettre à l'abri.

retranscrire vt 61 Transcrire de nouveau.

retransmettre vt 64 1 Transmettre de nouveau. 2 Diffuser une émission de radio, de télévision.

retransmission nf 1 Action de retransmettre. 2 Émission retransmise.

retravailler vi, vt Travailler de nouveau.

rétrécir vt Rendre plus étroit. ■ vi, vpr Devenir plus étroit.

rétrécissement nm Fait de rétrécir.

retremper vt 1 Plonger de nouveau dans un liquide. 2 Donner une nouvelle trempe ; durcir. ■ vpr Se replonger dans une activité, un état.

rétribuer vt Payer qqn pour un travail.

rétribution nf Salaire, rémunération reçus pour un travail.

rétro a inv, nm Qui fait référence aux modes, au style d'un passé récent.

rétroactif, ive a Qui exerce une action sur ce qui est passé.

rétroaction nf Effet rétroactif. Syn. feedback.

rétroactivité nf Caractère rétroactif.

rétrocéder vt 12 Céder, vendre à qqn ce qu'on avait acheté pour soi.

rétrofusée nf Fusée qui sert à ralentir un engin spatial.

rétrogradation nf 1 Action de rétrograder. 2 Mesure disciplinaire consistant à redescendre qqn à un échelon inférieur.

rétrograde a 1 Qui va en arrière. 2 Opposé à toute innovation, à tout progrès.

rétrograder vi 1 Revenir, retourner en arrière. 2 Régresser. 3 Passer à la vitesse inférieure. ■ vt Frapper qqn de rétrogradation.

rétroprojecteur nm Projecteur permettant de projeter sur un écran un texte, une image.

rétropropulsion nf Freinage par rétrofusée.

rétrospectif, ive a 1 Qui concerne le passé. 2 Éprouvé après coup. *Peur rétrospective.* ■ nf Exposition réunissant les œuvres d'un artiste ou d'une période.

retroussé, ée a Relevé. *Manches retroussées.*

retrousser vt Ramener vers le haut.

retrouvailles nfpl Fam Fait de se retrouver après une séparation.

retrouver vt 1 Trouver de nouveau ; trouver ce qui était perdu, ce qu'on cherchait. 2 Rejoindre qqn. ■ vpr 1 Être à nouveau visible, se revoir. 2 Retrouver son chemin, s'orienter. 3 Être subitement dans telle situation. *Se retrouver seul.* Loc Fam *S'y retrouver* : rentrer dans ses frais ; faire un bénéfice.

rétroviral, ale, aux a D'un rétrovirus.

rétrovirologie nf Science des rétrovirus.

rétrovirus nm Virus, tel que le V.I.H., agent du sida.

rétroviseur nm Miroir qui permet au conducteur de voir la route derrière lui.

rets [RE] nm Litt Piège, filets.

retsina nm Vin grec résiné.

réunifier vt Restaurer l'unité d'un pays, d'un parti.

réunion nf 1 Action de réunir, de joindre, de rassembler. 2 Groupe de personnes rassemblées. 3 Temps pendant lequel se tient une assemblée.

réunionnais, aise a, n De la Réunion.

réunionnite nf Fam Manie de faire des réunions.

réunir vt 1 Rassembler, grouper des choses, des gens. 2 Joindre qqch à une autre chose. 3 Convoquer des gens. 4 Comporter, avoir plusieurs choses en soi. *Il réunit les qualités requises.* ■ vpr Se rassembler, tenir une assemblée.

réussir vi 1 Avoir une issue satisfaisante, heureuse. 2 Avoir du succès dans ce qu'on entreprend. ■ vt 1 Parvenir à. *J'ai réussi à le ren-* contrer. 2 Être favorable à qqn. *Tout lui réussit.* ■ vt Mener à bien, faire avec succès. *Réussir un plat.*

réussite nf 1 Résultat favorable. 2 Fait de réussir dans la vie. 3 Jeu de cartes solitaire. Syn. patience.

réutiliser vt Utiliser de nouveau.

revaloir vt 44 Rendre la pareille à qqn, en bien ou en mal. *Je vous revaudrai cela.*

revaloriser vt Rendre à qqch sa valeur ou une valeur plus grande.

revanchard, arde a, n Fam Qui nourrit un désir de revanche.

revanche nf 1 Fait de rendre la pareille pour le mal reçu. 2 Nouvelle partie permettant au perdant de tenter de nouveau sa chance. Loc *À charge de revanche* : sous condition de rendre la pareille. *En revanche* : en retour, au contraire.

revanchisme nm En politique, volonté de revanche.

rêvasser vi S'abandonner à la rêverie.

rêvasserie nf Action de rêvasser.

rêve nm 1 Combinaison d'images résultant de l'activité psychique pendant le sommeil. 2 Production de l'imagination. *Poursuivre un rêve.* Loc *De rêve* : idéal.

rêvé, ée a Idéal, parfait. *La vie rêvée.*

revêche a Rude, rébarbatif.

réveil nm 1 Passage du sommeil à l'état de veille. 2 Retour à l'activité. *Réveil de l'économie.* 3 Petite pendule dont la sonnerie se déclenche à une heure réglée à l'avance.

réveille-matin nm inv Syn de réveil (sens 3).

réveiller vt 1 Tirer qqn du sommeil. 2 Ranimer, faire renaître. *Réveiller des souvenirs.* ■ vpr 1 Cesser de dormir. 2 Se ranimer, renaître.

réveillon nm Souper de fête des nuits de Noël et du nouvel an.

réveillonner vi Faire un réveillon.

révélateur, trice a Qui révèle. *Lapsus révélateur.* ■ nm 1 Ce qui révèle, fait apparaître une situation. 2 PHOTO Composition chimique qui rend visible l'image latente.

révélation nf 1 Action de révéler ; ce qui est révélé. 2 Manifestation de Dieu, faisant

révéler

connaître des vérités inaccessibles à la raison. **3** Découverte soudaine de qqch qu'on avait jusque-là ignoré. **4** Personne dont les dons se révèlent subitement.

révéler vt 12 **1** Faire connaître ce qui était inconnu ou secret. **2** Laisser apparaître, montrer. *Le tableau révèle sa maîtrise.* **3** PHOTO Faire apparaître l'image latente sur un film. ■ vpr Apparaître, devenir manifeste. *Cela s'est révélé exact.*

revenant, ante n Fam Qui revient après une longue absence. ■ nm Esprit d'un mort supposé revenir.

revendeur, euse n Qui achète pour revendre.

revendication nf Action de revendiquer ; ce qu'on revendique.

revendiquer vt **1** Réclamer ce que l'on considère comme son droit, son bien, son dû. **2** Assumer. *Revendiquer une responsabilité.*

revendre vt 5 Vendre ce qu'on a acheté ; vendre de nouveau. Loc Fam *À revendre* : en abondance.

revenez-y nm inv Loc Fam *Un goût de revenez-y* : qui donne envie de reprendre de qqch.

revenir vi, vti 35 [aux être] **1** Venir de nouveau. **2** Rentrer, retourner au lieu d'où on est parti. **3** Se produire de nouveau, reparaître. **4** Se présenter de nouveau à l'esprit de qqn, à sa mémoire. *Cela me revient.* **5** Équivaloir à. *Cela revient à céder.* **6** Coûter. *Cela revient cher.* **7** Fam Inspirer confiance. *Sa tête ne me revient pas.* **8** Annuler. *Revenir sur sa promesse.* **9** Être dévolu à. *Cette part lui revient.* **10** Quitter tel état, s'en débarrasser. *Revenir d'une maladie, d'une erreur.* Loc *Faire revenir un aliment* : le dorer légèrement dans une matière grasse.

revente nf Action de revendre.

revenu nm Ce que perçoit qqn au titre de son activité ou de ses biens (rentes, loyers, etc.). Loc *Revenu minimum d'insertion* ou *R.M.I.* : allocation accordée aux plus démunis. *Revenu national* : valeur de la production nationale annuelle des biens et des services.

rêver vi **1** Faire un rêve. **2** Laisser aller son imagination. ■ vti **1** Voir qqn, qqch en rêve. *J'ai rêvé de vous.* **2** Songer à qqch. *À quoi rêvez-vous ?* ■ vt Concevoir, imaginer, voir en rêve. *J'ai rêvé cela il y a longtemps.*

réverbération nf Réflexion de la lumière, de la chaleur, du son.

réverbère nm Appareil d'éclairage de la voie publique.

reverchon nm Variété précoce de bigarreau.

reverdir vt Rendre vert. ■ vi Redevenir vert.

révérence nf **1** Salut respectueux en penchant le buste. **2** Litt Respect profond. Loc Fam *Tirer sa révérence à qqn* : s'en aller.

révérencieux, euse a Litt Respectueux.

révérend, ende a, n **1** Titre d'honneur donné à un religieux ou à une religieuse. **2** Titre donné aux pasteurs des Églises réformées.

révérer vt Honorer, traiter avec respect.

rêverie nf État de l'esprit qui s'abandonne à des pensées vagues.

revers nm **1** Côté opposé au côté principal ; envers. **2** Côté d'une monnaie opposé à celui qui porte la figure (avers). **3** Partie d'un vêtement repliée en dehors. **4** Au tennis, renvoi de la balle avec la raquette tenue dos de la main en avant. **5** Échec. *Essuyer des revers.* Loc *Revers de la main* : côté opposé à la paume. *Revers de la médaille* : mauvais côté de qqch.

reverser vt **1** Verser de nouveau. **2** Reporter. *Reverser une somme sur un compte.*

réversible a **1** Qui peut s'effectuer en sens inverse. **2** Se dit d'un vêtement utilisable à l'envers comme à l'endroit.

réversion nf Loc *Pension de réversion* : versée, après la mort d'un pensionné, d'un retraité, à son conjoint.

revêtement nm Ce dont on recouvre qqch pour l'orner, le protéger, le consolider.

revêtir vt 32 **1** Mettre un vêtement à qqn, mettre un habit sur soi. **2** Garnir d'un revêtement. *Revêtir une piste de béton.* **3** Pourvoir de qqch. *Revêtir d'une signature.* **4** Prendre tel aspect. *Revêtir un caractère politique.*

rêveur, euse a, n **1** Porté à la rêverie. ■ a

revient nm Loc *Prix de revient :* dépenses faites pour élaborer et distribuer un produit.

revigorer vt Redonner de la vigueur à.

revirement nm Changement brusque et complet, volte-face.

réviser vt 1 Examiner de nouveau pour mettre au point. 2 Remettre en bon état de marche. *Réviser une machine.* 3 Relire pour se remettre en mémoire. *Réviser un examen.*

révision nf Action de réviser. *Révision de la Constitution.* Loc *Conseil de révision :* chargé d'examiner l'aptitude des conscrits.

révisionnisme nm Position de ceux qui remettent en cause les bases fondamentales d'une doctrine, d'un jugement, de certains aspects de l'histoire.

revisiter vt Donner d'une œuvre une interprétation radicalement nouvelle.

revitaliser vt Redonner de la vitalité à.

revival nm Renouveau d'une idée, d'une mode, d'un mouvement. *Des revivals.*

reviviscence nf 1 Litt Fait de reprendre vie. 2 BIOL Propriété de certains organismes qui reprennent vie après avoir été desséchés, lorsqu'ils se trouvent en présence d'eau.

revivre vi 76 1 Revenir à la vie. 2 Reprendre des forces. 3 Renaître, se renouveler. ■ vt Éprouver de nouveau. *Revivre une angoisse.*

révocation nf Action de révoquer.

revoici, revoilà prép Fam Voici, voilà de nouveau.

revoir vt 45 1 Voir de nouveau. 2 Revenir, retourner dans un lieu. 3 Voir de nouveau en esprit, se représenter. *Je le revois enfant.* 4 Examiner de nouveau, réviser. *Ce texte est à revoir.* ■ nm Loc *Au revoir :* formule pour prendre congé.

révoltant, ante a Qui révolte, indigne.

révolte nf 1 Soulèvement contre l'autorité établie. 2 Refus indigné de ce qui est éprouvé comme intolérable.

révolté, ée a, n Qui est en révolte.

révolter vt Indigner, choquer. ■ vpr 1 Se soulever contre une autorité. 2 S'indigner.

révolu, ue a 1 Achevé, accompli. *Avoir trente ans révolus.* 2 Passé. *Époque révolue.*

révolution nf 1 Mouvement d'un corps autour de son axe ou d'un centre central.

2 Changement brutal d'ordre scientifique, social, industriel, etc. 3 Bouleversement d'un régime politique consécutif à une action violente. 4 Fam Agitation, effervescence. Loc *Révolution de palais :* bouleversement politique limité à un changement de dirigeants.

révolutionnaire a 1 Relatif à une révolution. 2 Qui apporte des changements radicaux. *Méthode révolutionnaire.* ■ a, n Partisan, acteur d'une révolution.

révolutionner vt 1 Agiter, troubler vivement qqn. 2 Transformer profondément qqch.

revolver [ʀevɔlvɛʀ] nm Arme de poing à répétition, dont le magasin est un barillet.

revolving [-viŋ] a inv Loc *Crédit revolving :* à moyen terme et à taux révisable.

révoquer vt 1 Destituer d'une fonction. 2 DR Annuler. *Révoquer un arrêt.*

revoter vt, vi Voter de nouveau.

revue nf, vt 1 Examen détaillé. 2 Parade militaire. 3 Publication périodique. 4 Spectacle de variétés ou de music-hall.

révulser vt 1 Retourner, bouleverser le visage, les yeux. 2 Dégoûter, écœurer.

révulsion nf MED Afflux sanguin provoqué pour faire cesser une congestion.

rewriter [ʀəʀajte] vt Récrire un texte.

rez-de-chaussée nm inv Partie d'une habitation qui est au niveau du sol.

rez-de-jardin nm inv Partie d'une construction de plain-pied avec un jardin.

rhabiller vt 1 Réparer, remettre en état. *Rhabiller une montre.* 2 Habiller de nouveau. ■ vpr Remettre ses vêtements.

rhapsode ou **rapsode** nm ANTIQ Chanteur qui récitait des poèmes épiques.

rhapsodie ou **rapsodie** nf Composition musicale de forme libre.

rhénan, ane a Du Rhin, de la Rhénanie.

rhénium [-njɔm] nm Métal rare, dense.

rhéologie nf PHYS Science de la viscosité, de la plasticité et de l'élasticité de la matière.

rhéostat nm Appareil qui, intercalé dans un circuit électrique, permet de régler l'intensité du courant.

rhésus [-zys] nm Singe de l'Inde et de la Chine. Loc *Facteur rhésus :* antigène des globules rouges créant une incompatibilité sanguine envers ceux qui en sont dépourvus.

rhéteur nm **1** ANTIQ Maître de rhétorique. **2** Litt Phraseur.

rhétoricien, enne n Spécialiste de rhétorique.

rhétorique nf **1** Art de bien parler. **2** Fam Emphase. **3** Anc Classe de première des lycées.

rhétoriqueur : nom que se donnaient au XVᵉ s. et au XVIᵉ s. certains poètes au style raffiné.

rhinencéphale nm ANAT Partie la plus ancienne du cortex cérébral.

rhinite nf Inflammation de la muqueuse nasale.

rhinocéros nm Grand mammifère, aux formes massives, à une ou deux cornes.

rhinopharyngite nf Inflammation du rhinopharynx.

rhinopharynx nm ANAT Partie haute du pharynx, en arrière des fosses nasales.

rhizome nm BOT Tige souterraine de certaines plantes.

rhô nm Lettre grecque, correspondant à r.

rhodanien, enne a Du Rhône.

rhodium [-djɔm] nm Métal rare, utilisé dans les alliages.

rhododendron [-dé-] nm Plante arbustive, ornementale, des montagnes.

rhodoïd nm (n déposé) Matière plastique à base d'acétate de cellulose.

rhomboèdre nm GEOM Parallélépipède dont les faces sont des losanges.

rhomboïde nm ANAT Muscle dorsal, élévateur de l'omoplate, en forme de losange.

rhônalpin, ine a, n De la Région Rhône-Alpes.

rhovyl nm (n déposé) Tissu synthétique.

rhubarbe nf Plante potagère aux larges feuilles vertes et à tige comestible.

rhum [rɔm] nm Eau-de-vie de canne à sucre.

rhumatisant, ante a, n Atteint de rhumatismes.

rhumatismal, ale, aux a Du rhumatisme.

rhumatisme nm Affection articulaire douloureuse.

rhumatologie nf Partie de la médecine qui traite des rhumatismes.

rhume nm Inflammation aiguë des muqueuses des voies respiratoires. **Loc** *Rhume de cerveau* : coryza.

rhumerie [ʀɔmʀi] nf Distillerie de rhum.

rhyolite nf Roche volcanique acide.

ria nf Vallée fluviale envahie par la mer.

riant, riante a **1** Qui montre de la joie, de la gaieté. **2** Plaisant, engageant.

ribambelle nf Fam Longue suite de personnes ou de choses.

riboflavine nf Vitamine B2.

ribonucléique a **Loc** *Acide ribonucléique* : acide nucléique assurant la synthèse des protéines. **Syn.** A.R.N.

ribosome nm BIOL Organite cellulaire, qui décode les séquences d'A.R.N.

ribozyme nm BIOL Fragment d'A.R.N. du ribosome.

ricain, aine a, n Pop Des États-Unis.

ricaner vi Rire à demi, avec une intention moqueuse.

richard, arde n Fam Personne très riche.

riche a, n Qui a de l'argent, des biens en abondance. **Loc** *Nouveau riche* : parvenu. ■ a **1** Abondant, fertile, fécond. *Région riche*. **2** Qui renferme qqch en abondance. *Sol riche en or*. **Loc** *Rimes riches* : à trois éléments (consonne ou voyelle) communs.

richesse nf **1** Abondance de biens, opulence, fortune. **2** Caractère riche. *Richesse d'un gisement, de l'imagination*. **3** Magnificence, somptuosité. ■ pl **1** Choses précieuses. *Les richesses d'un musée*. **2** Ressources naturelles. *Richesses minières*.

richissime a Fam Extrêmement riche.

ricin nm Plante à fleurs en grappes, originaire d'Asie. **Loc** *Huile de ricin* : purgatif tiré des graines de cette plante.

rickettsie nf Bactérie responsable de maladies contagieuses (typhus).

ricocher vi Faire ricochet, rebondir.

ricochet nm Rebond d'un objet plat lancé obliquement sur l'eau, ou d'un projectile rebondissant sur une surface dure.

ricotta nf Fromage italien au lait de vache.

ric-rac av 1 Fam Avec une exactitude rigoureuse. 2 Tout juste, de justesse. *Il est passé ric-rac.*

rictus [-tys] nm Contraction des lèvres produisant un sourire forcé et grimaçant.

ride nf 1 Pli sur la peau du visage et du cou, sous l'effet de l'âge. 2 Ondulation, strie.

rideau nm 1 Pièce d'étoffe destinée à intercepter la lumière, à masquer qqch ou à décorer. 2 Draperie placée devant la scène ou l'écran d'une salle de spectacle. 3 Ce qui forme écran. *Un rideau d'arbres.* **Loc Rideau de fer** : frontière entre les États socialistes et les démocraties occidentales, de 1946 à 1990. Fam **En rideau** : en panne.

ridelle nf Chacun des deux côtés d'un camion, servant à maintenir le chargement.

rider vt 1 Faire, causer des rides à. 2 Dessiner des ondulations sur. *Le vent ride l'étang.*

ridicule a 1 Digne de risée, de moquerie. 2 Très petit, insignifiant. *Une somme ridicule.* ■ nm Ce qui est ridicule. **Loc Tourner en ridicule** : se moquer de.

ridiculiser vt Rendre ridicule.

ridule nf Petite ride.

rien pr indéf 1 Nulle chose, néant (avec ne). *Je ne veux rien.* 2 Quelque chose, quoi que ce soit (sans négation). *Est-il rien de si beau ?* **Loc Rien que...** : seulement. **De rien (du tout)** : insignifiant, sans valeur. ■ nm 1 Peu de chose. *Un rien le fâche.* 2 Petite quantité. *Ajoutez un rien de sel.* 3 Chose sans importance, sans valeur. *S'amuser à des riens.*

riesling [Rislin] nm Cépage blanc d'Alsace.

rieur, rieuse a, n Qui rit ou aime rire.

riff nm En jazz, courte phrase mélodique servant à rythmer un morceau.

rififi nm Pop Dispute violente, bagarre.

riflard nm 1 Grand rabot, grosse lime à métaux servant à dégrossir. 2 Couteau de plâtrier.

rifle nm Carabine de petit calibre.

rift nm GÉOL Fossé d'effondrement.

rigaudon ou **rigodon** nm Danse animée, à la mode aux XVIIe et XVIIIe s.

rigide a 1 D'une sévérité, d'une austérité inflexible. *Morale rigide.* 2 Raide, peu flexible.

rigidifier vt Rendre rigide.

rigidité nf Caractère rigide ; raideur.

rigolade nf Fam 1 Plaisanterie, amusement. 2 Chose sans gravité, sans importance.

rigolard, arde a Fam Qui rit, enjoué.

rigole nf 1 Petit fossé étroit pour l'écoulement des eaux. 2 Filet d'eau de ruisselement.

rigoler vi Fam 1 Rire, se divertir. 2 Plaisanter, ne pas parler sérieusement.

rigolo, ote a Fam Qui fait rigoler, amusant. ■ n Fam 1 Boute-en-train. 2 Personne peu sérieuse.

rigorisme nm Austérité extrême en matière de religion ou de morale.

rigoureusement av 1 Avec rigueur. 2 Incontestablement. *C'est rigoureusement exact.*

rigoureux, euse a 1 Dur à supporter. *Hiver rigoureux.* 2 Rigide, inflexible. *Juges rigoureux.* 3 Strict, précis. *Raisonnement rigoureux.*

rigueur nf 1 Sévérité, dureté. 2 Grande exactitude. 3 Dureté du climat. **Loc À la rigueur** : au pis aller. **De rigueur** : exigé par les règlements, imposé. **Tenir rigueur** : garder rancune.

rikiki. V. riquiqui.

rillettes nfpl Viande de porc ou d'oie, découpée et cuite dans sa graisse.

rillons nmpl Cubes de chair de porc cuits dans la graisse.

rilsan nm (n déposé) Fibre textile synthétique.

rimailler vi Vx Faire de mauvais vers.

rimaye nf GÉOGR Crevasse qui sépare un glacier de son névé.

rime nf Retour des mêmes sons à la fin de deux vers. **Loc Sans rime ni raison** : d'une manière dénuée de sens.

rimer vi Constituer une rime. **Loc Ne rimer à rien** : n'avoir aucun sens. ■ vt Mettre en vers.

rimmel nm (n déposé) Fard à cils.

rinceau nm ARCHI Ornement en forme de branchages entrelacés.

rince-doigts nm inv Petit récipient d'eau tiède, pour se rincer les doigts à table.

rincer vt **1** Nettoyer, laver à l'eau. **2** Passer à l'eau claire pour éliminer un produit de lavage. **3** Pop Ruiner. Loc Fam **Se faire rincer :** mouiller par la pluie.

rincette nf Fam Eau-de-vie qu'on boit dans la tasse après le café.

ring [ʀiŋ] nm Estrade entourée de cordes pour les combats de boxe et de catch.

ringard, arde n Fam **1** Acteur sans talent. **2** Médiocre, sans capacités. ■ a Fam Démodé, de mauvaise qualité.

rioja [ʀjɔʀa] nm Vin rouge espagnol.

ripaille nf Fam Débauche de table.

ripaton nm Pop Pied.

riper vt Déplacer un fardeau en le faisant glisser. ■ vi Glisser, déraper.

riposte nf **1** Prompte repartie. **2** Contre-attaque vigoureuse.

riposter vi **1** Répondre avec vivacité à. **2** Contre-attaquer.

ripou a, nm Fam Policier corrompu. Des ripoux.

riquiqui ou **rikiki** a inv Fam Très petit, étriqué.

rire vi 72 **1** Marquer la gaieté par un mouvement de la bouche, accompagné de sons saccadés. **2** Se divertir, se réjouir. **3** Ne pas parler, ne pas agir sérieusement. ■ vti Se moquer de. Les gens rient de lui. ■ vti Triompher aisément de. Se rire des difficultés. ■ nm Action de rire. Éclater de rire. Loc **Fou rire :** rire incontrôlé.

1. ris nm MAR Partie d'une voile qu'on peut serrer pour diminuer l'emprise du vent.

2. ris nm Thymus comestible du veau, de l'agneau.

risée nf **1** Moquerie collective. **2** MAR Augmentation passagère de la force du vent.

risette nf Fam Sourire d'un petit enfant.

risible a Digne de moquerie.

risotto nm Plat italien à base de riz.

risque nm **1** Danger, inconvénient. **2** Perte, préjudice éventuels garantis par une assurance.

risqué, ée a **1** Hasardeux, dangereux. **2** Osé, trop libre. Plaisanterie risquée.

risquer vt **1** Mettre en danger. Risquer sa vie. **2** Essayer, sans être assuré du résultat. Risquer le coup. **3** S'exposer à un danger, à une peine. Il risque la mort, une forte amende. **4** S'exposer à. Risquer de tout perdre. ■ vpr Se hasarder.

risque-tout n inv Fam Audacieux, imprudent.

rissole nf Petit pâté de viande ou de poisson, cuit dans la friture.

rissoler vt, vi Cuire en donnant une couleur dorée.

ristourne nf Remise faite par un commerçant à un client.

rital, ale, als n, a Pop Italien.

rite nm **1** Ensemble des règles qui régissent la pratique d'un culte. **2** Pratique habituelle, coutume, usage.

ritournelle nf **1** Courte phrase instrumentale jouée à la fin de chaque couplet d'une chanson. **2** Propos rabâché, rebattu.

ritualiser vt Rendre rituel, codifier.

ritualisme nm Respect strict des rites.

rituel, elle a Qui constitue un rite. Prières rituelles. **2** Habituel. Promenade rituelle. ■ nm **1** Ensemble des rites. **2** Livre liturgique contenant les rites catholiques.

rivage nm Bande de terre qui limite une étendue d'eau marine.

rival, ale, aux n Qui dispute qqch à qqn, qui prétend au même succès qu'un autre concurrent. ■ a Concurrent. Entreprises rivales.

rivaliser vi S'efforcer de surpasser qqn. Rivaliser d'adresse avec qqn.

rivalité nf Concurrence, antagonisme.

rive nf **1** Bord d'un cours d'eau, d'un lac. **2** Bord rectiligne d'une pièce de bois, de métal. Loc **Rive droite, gauche :** quartier d'une ville bordant un fleuve.

river vt **1** Assujettir une pièce métallique. **2** Rabattre la pointe d'un clou. **3** Immobiliser qqn. La maladie l'a rivé au lit.

riverain, aine a, n Qui habite, qui est situé le long d'un cours d'eau, d'un lac, etc.

rivesaltes nm Vin doux naturel du Roussillon.

rivet nm Courte tige en métal destinée à être rivée.

riveter *vt 19* Fixer au moyen de rivets.

riveteuse *nf* Machine à poser des rivets.

rivière *nf* Cours d'eau qui se jette dans un autre cours d'eau. Loc *Rivière de diamants :* collier de diamants.

rixe *nf* Querelle violente accompagnée de coups ; bagarre.

riz *nm 1* Graminée céréalière des régions chaudes et humides. *2* Grain comestible de cette plante. Loc *Poudre de riz :* cosmétique fait de fécule de riz.

rizerie *nf* Usine de traitement du riz.

riziculture *nf* Culture du riz.

rizière *nf* Terrain où on cultive le riz.

R.M.I. *nm* Revenu minimum d'insertion.

RMiste *n* Bénéficiaire du R.M.I.

robe *nf 1* Vêtement féminin fait d'un corsage et d'une jupe d'un seul tenant. *2* Vêtement long des juges, des avocats dans l'exercice de leurs fonctions. *3* Enveloppe de certains légumes ou fruits. *4* Pelage du cheval, du bœuf, etc. *5* Couleur d'un vin. *6* Feuille de tabac enveloppant un cigare. Loc *Robe de chambre :* vêtement d'intérieur long et ample.

robinet *nm* Dispositif qui permet de régler l'écoulement d'un fluide dans une canalisation.

robinetterie *nf 1* Industrie, commerce des robinets. *2* Ensemble de robinets.

robinier *nm* Arbre aux fleurs blanches en grappes, appelé aussi *faux acacia.*

robinson *nm* Litt Qui vit seul dans la nature.

roboratif, ive *a* Litt Fortifiant.

robot *nm 1* Machine automatique, capable de se substituer à l'homme pour effectuer certains travaux. *2* Qui agit comme un automate.

robotique *nf* Science des robots.

robotiser *vt 1* Transformer qqn en robot. *2* Équiper de robots, automatiser.

robusta *nm* Variété de café.

robuste *a* Fort, solide, résistant.

robustesse *nf* Qualité robuste ; force.

roc *nm 1* Masse de pierre très dure. *2* Litt Symbole de solidité.

rocade *nf* Voie routière de dérivation, qui évite le centre d'une ville.

rocaille *nf 1* Étendue jonchée de pierres, de cailloux ; pierraille. *2* Ouvrage fait de pierres cimentées ou brutes, incrustées de coquillages. ■ *a inv* Se dit d'un style décoratif en vogue sous Louis XV.

rocailleux, euse *a 1* Pierreux, caillouteux. *2* Dur, heurté ; rauque. *Voix rocailleuse.*

rocamadour *nm* Petit fromage rond du Quercy, au lait de brebis.

rocambolesque *a* Extravagant.

roche *nf* Matière formée de minéraux et constituant l'écorce terrestre ; bloc ou morceau de cette matière.

rocher *nm 1* Masse de pierre, souvent escarpée. *2* ANAT Pièce osseuse qui forme la partie interne de l'os temporal. *3* Pâtisserie ayant l'aspect d'un rocher.

rocheux, euse *a* Couvert, formé de roches.

rock ou **rock and roll** [ʀɔkɛnʀɔl] *nm* Musique d'origine américaine, très rythmée.

rocker [-kœʀ] *nm* ou **rockeur, euse** *n 1* Musicien de rock. *2* Jeune amateur de rock.

rocking-chair [ʀɔkiŋtʃɛʀ] *nm* Fauteuil à bascule. *Des rocking-chairs.*

rococo *a inv* Se dit d'un style rocaille très surchargé, en vogue au XVIII⁰ s. ■ *a inv* Passé de mode.

rocou *nm* Colorant végétal rouge.

rodé, ée *a* Expérimenté.

rodéo *nm 1* Fête donnée à l'occasion du marquage du bétail aux États-Unis. *2* Fam Course, poursuite bruyante de voitures, de motos.

roder *vt 1* User par frottement une pièce pour qu'elle s'adapte à une autre. *2* Faire fonctionner à vitesse réduite un moteur pour permettre un ajustage progressif. *3* Mettre au point progressivement. *Roder une organisation.*

rôder *vi* Aller et venir çà et là, parfois avec des intentions suspectes.

rôdeur, euse *n* Individu qui rôde à la recherche d'un mauvais coup.

rodomontade *nf* Litt Fanfaronnade.

rogations *nfpl* RELIG Prières publiques et processions, destinées à attirer la bénédiction divine sur les récoltes.

rogatoire a DR Relatif à une demande. Loc **Commission rogatoire** : délégation judiciaire donnée par un juge pour l'accomplissement d'un acte qu'il ne peut accomplir lui-même.

rogatons nmpl Fam Restes de nourriture.

rogne nf Fam Mauvaise humeur, colère.

rogner vt 1 Couper sur les bords. Rogner les pages d'un livre. 2 Diminuer partiellement. Ces dépenses ont rogné mes économies. ■ vti Prendre sur. Rogner sur ses vacances.

rognon nm 1 Rein comestible de certains animaux. 2 GÉOL Concrétion rocheuse.

rognure nf Déchet restant après avoir coupé les bords de qqch.

rogomme nm Loc Fam **Voix de rogomme** : enrouée par l'alcool.

rogue a Arrogant, plein de morgue.

roi nm 1 Chef d'État qui exerce le pouvoir souverain, en vertu d'un droit héréditaire. 2 Celui qui domine, qui a la prépondérance dans un domaine. Les rois du pétrole. 3 Pièce du jeu d'échecs. 4 Carte figurant un roi. Loc **Tirer les rois** : manger la galette contenant la fève lors de l'Épiphanie. ■ a inv Loc **Bleu roi** : très vif, outremer.

roitelet nm 1 Roi d'un très petit État. 2 Passereau de très petite taille.

rôle nm 1 DR Feuillet sur lequel sont transcrits certains actes juridiques. 2 Registre officiel portant la liste des contribuables d'une commune et le montant de leurs impôts. 3 Ensemble des répliques d'un acteur dans une pièce de théâtre, un film. 4 Personnage joué par l'acteur. 5 Conduite apparente de qqn. 6 Fonction, emploi. Le rôle du médecin. 7 Action, influence. Le rôle de l'argent dans la politique. 8 Liste officielle des membres de l'équipage d'un navire. Loc **Jeu de rôles** : psychodrame.

rôle-titre nm Rôle du personnage qui donne son nom à l'œuvre interprétée. Des rôles-titres.

roller [ʀɔlœʀ] nm 1 Chaussure montante munie de roulettes. 2 Crayon à bille.

rollmops nm inv Petit hareng roulé conservé dans du vin blanc.

roll on-roll off nm inv Manutention par roulage.

rollot nm Fromage picard au lait de vache.

romain, aine a, n 1 De l'ancienne Rome. 2 De la ville de Rome. ■ a, nm Caractère d'imprimerie dont les jambages sont perpendiculaires à la ligne ; écriture dans ce caractère. ■ a Loc **Chiffres romains** : I, V, X, L, C, D, M, correspondant aux chiffres arabes 1, 5, 10, 50, 100, 500, 1000. **Église romaine** : catholique. ■ nf 1 Balance composée d'un fléau aux bras inégaux, dont le plus long, gradué, est muni d'un poids mobile. 2 Laitue à feuilles croquantes.

1. roman, ane a, nm 1 Se dit des langues issues du latin populaire parlé dans les pays romanisés (français, italien, espagnol, portugais, roumain, catalan, provençal, etc.). 2 Se dit de l'art répandu dans les pays d'Europe occidentale, avant l'apparition du gothique.

2. roman nm 1 Récit médiéval écrit en langue romane. 2 Récit de fiction en prose relativement long. 3 Suite d'aventures extraordinaires. Sa vie est un roman. 4 Histoire mensongère ; fable.

romance nf Chanson sentimentale.

romancer vt 10 Présenter comme un roman.

romancero [-seʀo] nm Recueil de poèmes épiques espagnols.

romanche nm Parler roman en usage dans les Grisons, quatrième langue de la Suisse.

romancier, ère n Auteur de romans.

romand, ande a, n Se dit de la Suisse francophone et de ses habitants.

romanée nm Bourgogne rouge, très réputé.

romanesque a 1 Qui tient du roman. 2 Imaginatif, rêveur.

roman-feuilleton nm Roman à péripéties multiples, publié en feuilleton. Des romans-feuilletons.

romani nm Langue des Tsiganes.

romanichel, elle n Vx 1 Tsigane nomade. 2 Vagabond.

romaniser vt 1 Rendre romain. 2 Transcrire en caractères latins.

romaniste n Spécialiste des langues romanes.

roman-photo nm Histoire romanesque racontée par des photos accompagnées de textes. *Des romans-photos.*

romantique a, n 1 Qui relève du romantisme. 2 Qui a un caractère sentimental et passionné.

romantisme nm 1 Mouvement artistique et littéraire du XIXe s., qui fit prévaloir les sentiments sur la raison. 2 Sensibilité, esprit, caractère passionné, sentimental.

romarin nm Arbrisseau odorant.

rombière nf Pop Femme âgée prétentieuse et ennuyeuse.

rompre vt 78 1 Litt Briser, casser, faire céder. 2 Faire cesser, mettre fin à. *Rompre un marché. Rompre des fiançailles.* 3 Défaire, déranger. *Rompre la monotonie, le rythme.* ■ vi, vpr Se casser, se briser, céder. ■ vi 1 Cesser d'avoir des relations avec qqn. 2 Renoncer à une habitude.

rompu, ue a Loc *Être rompu (de fatigue) :* extrêmement fatigué. *Être rompu à qqch :* y être parfaitement exercé.

romsteck ou **rumsteck** [Rɔm-] nm Morceau du bœuf fournissant des biftecks.

ronce nf 1 Plante épineuse dont le fruit est la mûre. 2 Bois recherché en ébénisterie, présentant des irrégularités dans ses veines.

ronceraie nf Lieu couvert de ronces.

ronchon, onne ou **ronchonneur, euse** a, n Fam Qui ronchonne sans cesse.

ronchonner vi Fam Manifester de la mauvaise humeur en maugréant.

roncier nm ou **roncière** nf Buisson de ronces.

rond, ronde a 1 De forme circulaire, sphérique, courbe ou arrondie. 2 Petit et gros. 3 Sans détours, franc. *Être rond en affaires.* 4 Fam Ivre. 5 Qui ne comporte pas de décimales. *Chiffre, compte rond.* ■ av Loc *Tourner rond :* fonctionner sans à-coups. ■ nm 1 Figure de forme circulaire. 2 Objet de forme circulaire. 3 Pop Argent. *N'avoir pas le rond.*

rond-de-cuir nm Fam Employé de bureau. *Des ronds-de-cuir.*

ronde nf 1 Danse dans laquelle plusieurs personnes tournent en se tenant par la main ; chanson de cette danse. 2 Inspection, surveillance, pour s'assurer que tout est en ordre. 3 Note de musique valant deux blanches. Loc *À la ronde :* alentour ; tour à tour.

rondeau nm Poème médiéval à deux rimes.

ronde-bosse nf Sculpture représentant le sujet sous ses trois dimensions. *Des rondes-bosses.*

rondelet, ette a 1 Qui a un peu d'embonpoint. 2 Fam Assez important. *Une somme rondelette.*

rondelle nf 1 Petit disque. 2 Petite tranche mince et ronde. *Rondelle de saucisson.*

rondement av Rapidité, décision.

rondeur nf 1 Caractère rond, sphérique. 2 Chose, forme ronde, arrondie. 3 Bonhomie.

rondin nm 1 Morceau cylindrique de bois à brûler. 2 Tronc de bois utilisé en construction.

rondo nm Pièce musicale caractérisée par l'alternance d'un refrain et de couplets.

rondouillard, arde a Fam Grassouillet.

rond-point nm Carrefour circulaire. *Des ronds-points.*

ronéo nf (n déposé) Machine à reproduire les textes au moyen de stencils.

ronflant, ante a 1 Qui produit un bruit sourd et continu. 2 Fam Emphatique, grandiloquent.

ronflement nm 1 Bruit produit par qqn qui ronfle. 2 Bruit sourd et continu.

ronfler vi 1 Faire un bruit particulier de la gorge en respirant pendant le sommeil. 2 Fam Dormir. 3 Faire un bruit sourd et continu.

ronfleur, euse nm Qui ronfle. ■ nm Avertisseur à lame vibrante, qui produit une sonnerie sourde.

ronger vt 11 1 Entamer, user peu à peu à coups de dents. 2 Détruire par une action lente, progressive ; miner.

rongeur nm ZOOL Mammifère à longues incisives tranchantes (rat, lièvre, écureuil).

ronin nm HIST Samouraï sans maître.

ronron ou **ronronnement** nm 1 Petit grondement régulier du chat. 2 Fam Bruit, bourdonnement continu, sourd et régulier. 3 Fam Routine, monotonie.

ronronner vi 1 Faire entendre des ronrons (chat). 2 Produire un bourdonnement sourd.

röntgen [ʀœtgɛn] *nm* Unité de dose de rayonnement ionisant.

roof. V. rouf.

roque *nm* Aux échecs, coup consistant à déplacer simultanément le roi et une tour.

roquefort *nm* Fromage de lait de brebis, ensemencé d'une moisissure spéciale.

roquet *nm* 1 Petit chien hargneux. 2 Fam Personne hargneuse.

roquette *nf* 1 Projectile autopropulsé. 2 Plante qui se mange en salade. Syn. roquette.

rorqual *nm* Cétacé voisin des baleines. *Des rorquals.*

rosace *nf* 1 Ornement circulaire en forme de rose. 2 Grand vitrail rond.

rosacée *nf* 1 BOT Plante dicotylédone, tels le rosier et le pommier. 2 MED Couperose.

rosaire *nm* RELIG 1 Grand chapelet comportant quinze dizaines de petits grains. 2 Récitation de ce chapelet.

rosâtre *a* D'un rose indécis ou sale.

rosbif *nm* Morceau de bœuf à rôtir.

rose *nf* 1 Fleur du rosier. 2 Grande baie ornée de vitraux des églises gothiques. *Loc Rose des sables :* concrétion siliceuse des déserts sableux. *Rose des vents :* étoile dont les branches donnent les points cardinaux et intermédiaires. *Bois de rose :* bois précieux de plusieurs arbres d'Amérique du Sud. ■ *a* Entre rouge et blanc. ■ *nm* Couleur rose.

rosé, ée *a* Teinté de rose ou de rouge clair. ■ *nm* Vin de couleur rouge clair.

roseau *nm* Plante croissant au bord des eaux.

rosé-des-prés *nm* Champignon comestible à lames roses. *Des rosés-des-prés.*

rosée *nf* Condensation de la vapeur d'eau de l'atmosphère en gouttelettes.

roséole *nf* MED Éruption de taches rose pâle.

roseraie *nf* Terrain planté de rosiers.

rosette *nf* 1 Nœud, ornement en forme de rose. 2 Insigne de certains ordres.

roseval *nf* Pomme de terre à pulpe rosée. *Des rosevals.*

Rosh ha-Shana *nm* Nouvel an juif.

rosier *nm* Arbrisseau épineux, aux fleurs odoriférantes.

rosière *nf* Vx Jeune fille vertueuse récompensée solennellement.

rosir *vi* Prendre une teinte rose. ■ *vt* Rendre rose.

rosse *nf* Fam 1 Mauvais cheval. 2 Personne sévère jusqu'à la méchanceté. ■ *a* Fam 1 Mordant, caustique. 2 Dur, sévère.

rossée *nf* Fam Volée de coups.

rosser *vt* Fam Battre qqn violemment.

rosserie *nf* Fam Méchanceté.

rossignol *nm* 1 Oiseau au chant mélodieux. 2 Instrument pour forcer les serrures. 3 Fam Objet démodé ; marchandise invendable.

rossinante *nf* Litt Cheval maigre.

rösti [ʀøʃti] *nmpl* Minces tranches de pommes de terre rissolées.

rostre *nm* 1 ANTIQ Éperon qui armait la proue des navires de guerre. 2 Appendice effilé de divers animaux. *Le rostre de l'espadon.* 3 Partie de la carapace de certains crustacés, qui fait saillie entre les yeux. 4 Pièces buccales, allongées en tube, de certains insectes.

rot *nm* Pop Émission bruyante, par la bouche, de gaz stomacaux.

rotang *nm* Palmier qui fournit le rotin.

rotatif, ive *a* Qui agit en tournant.

rotation *nf* 1 Mouvement de ce qui pivote, de ce qui tourne autour d'un axe. 2 Renouvellement ; roulement. *Rotation du stock.* 3 Succession, alternance cyclique d'opérations.

rotative *nf* Presse cylindrique pour l'impression des journaux.

rote *nf* RELIG Tribunal du Saint-Siège, qui instruit les demandes d'annulation de mariage.

roter *vi* Pop Faire un, des rots.

rôti, ie *a* Cuit à feu vif ou au four. *Poulet rôti.* ■ *nm* Pièce de viande rôtie. ■ *nf* Tranche de pain grillé.

rotin *nm* 1 Tige du rotang utilisée pour le cannage des sièges. 2 Fam Pop Sou.

rôtir *vt* Faire cuire une viande à feu vif ou au four. ■ *vi* Cuire à feu vif ou au four. ■ *vi, vpr* Être exposé à une chaleur très vive. *Se rôtir au soleil.*

rôtisserie nf 1 Restaurant servant des viandes rôties. 2 Boutique vendant de la viande rôtie.

rôtissoire nf Ustensile pour rôtir la viande.

rotonde nf Édifice de forme circulaire.

rotondité nf Caractère sphérique.

rotor nm Partie mobile d'une machine électrique, d'une turbine.

rotule nf 1 ANAT Petit os du genou. 2 TECH Articulation formée d'une pièce sphérique tournant dans un logement.

roture nf État de roturier.

roturier, ère a, n Qui ne fait pas partie de la noblesse.

rouage nm 1 Chacune des pièces circulaires tournantes d'un mécanisme. 2 Chacun des éléments nécessaires au fonctionnement d'une organisation.

roubignoles nfpl Pop Testicules.

roublard, arde a, n Fam Rusé.

roublardise nf Fam Ruse, rouerie.

rouble nm Unité monétaire de la Russie.

rouchi nm Dialecte picard.

roucoulement nm ou **roucoulade** nf 1 Cri du pigeon et de la tourterelle. 2 Paroles tendres et langoureuses.

roucouler vi Émettre des roucoulements.

roue nf 1 Pièce rigide, circulaire, qui tourne autour d'un axe. 2 HIST Supplice qui consistait à briser les membres d'un condamné attaché à une roue. **Loc Grande roue** : attraction foraine.

roué, ée a, n Rusé, sans scrupule. ■ a Rompu. Être roué de fatigue. ■ nm HIST Compagnon de débauche de Philippe d'Orléans (au XVIIIe s.).

rouelle nf Partie de la cuisse de veau, coupée en travers.

rouer vt Faire subir le supplice de la roue. **Loc Rouer de coups** : frapper violemment.

rouerie nf Litt Fourberie, ruse.

rouet nm Roue actionnée par une pédale servant à filer.

rouf ou **roof** nm MAR Superstructure élevée sur le pont supérieur d'un navire.

rouflaquette nf Fam Accroche-cœur, favori.

rouge a 1 De la couleur du sang. 2 Qui a le visage coloré par un afflux de sang. Être rouge de colère. 3 Qui a pris la couleur du feu par la chaleur. ■ a, n Qui a des opinions d'extrême gauche ; révolutionnaire. ■ av **Loc Se fâcher tout rouge, voir rouge** : entrer dans une violente colère. ■ nm 1 Couleur rouge. 2 Fard rouge. 3 Fam Vin rouge. 4 Coloration rouge du visage. 5 Chacun des signaux d'arrêt, d'interdiction. **Loc Être dans le rouge** : dans une situation financière difficile ou déficitaire.

rougeâtre a Qui tire sur le rouge.

rougeaud, aude a, n Rubicond.

rouge-gorge nm Passereau à la gorge rouge sombre. Des rouges-gorges.

rougeole nf Maladie virale aiguë, très contagieuse, caractérisée par des taches rouges.

rougeoyer vi 22 Avoir des reflets rouges et changeants.

rouget nm Nom de divers poissons comestibles (rouget grondin et rouget barbet).

rougeur nf 1 Teinte rouge. 2 Coloration rouge du visage, due à une émotion. 3 Tache rouge qui apparaît sur la peau.

rough [Rœf] nm Syn de crayonné.

rougir vt Donner une couleur rouge. ■ vi 1 Devenir rouge. 2 Avoir honte, être confus.

rouille nf 1 Oxyde de fer dont se couvrent le fer et l'acier corrodés par l'humidité. 2 BOT Maladie cryptogamique des céréales. 3 Aïoli au piment rouge. ■ a inv Brun orangé.

rouillé, ée a 1 Attaqué, rongé par la rouille. Clé rouillée. 2 Qui a perdu une partie de ses capacités par manque d'exercice.

rouiller vt Rendre rouillé. ■ vi, vpr Devenir rouillé. Se rouiller n'a rien faire.

rouir vt TECH Faire tremper dans l'eau du lin, du chanvre afin que les fibres textiles se séparent de la partie ligneuse.

roulade nf 1 Suite de notes légères chantées sur une seule syllabe. 2 Tranche de viande roulée et farcie. 3 Syn de roulé-boulé.

roulage nm 1 Action de rouler qqch. 2 Transport des marchandises sur les camions qui embarquent à bord d'un navire.

roulant, ante a 1 Qui peut rouler ; monté sur roues, sur roulettes. Table roulante. 2 Fam

roulé

Très amusant. **Loc** *Feu roulant* : tir continu d'armes à feu. **Personnel roulant** : employé à bord d'un train, d'un autobus, etc.

roulé, ée *a* Dont on a fait un rouleau. *Couverture roulée.* **Loc Fam** *Femme bien roulée* : bien faite. ■ *nm* Gâteau dont la pâte est enroulée.

rouleau *nm* 1 Objet cylindrique. 2 Cylindre destiné à presser, à aplatir. 3 Ustensile de peintre en bâtiment, servant à étaler la peinture. 4 Bigoudi. 5 Lame qui brise près d'une plage. 6 Saut en hauteur consistant à faire tourner horizontalement le corps au-dessus de la barre.

roulé-boulé *nm* Action de se ramasser sur soi-même et de se laisser rouler à terre. Syn. roulade. *Des roulés-boulés.*

roulement *nm* 1 Mouvement de ce qui roule. 2 Mécanisme utilisant ce mouvement et servant à réduire les frottements. 3 Bruit sourd et continu produit par qqch qui roule ou dont évoque ce mouvement. 4 Alternance de personnes qui se remplacent pour certains travaux. 5 Circulation de l'argent. *Fonds de roulement.*

rouler *vt* 1 Pousser qqch en le faisant tourner sur lui-même. *Rouler un tonneau.* 2 Déplacer un objet comportant des roues. 3 Enrouler qqch. *Rouler une couverture.* 4 Aplanir au rouleau. *Rouler la pâte.* 5 Fam Duper. *Se faire rouler.* 6 Tourner et retourner dans son esprit. *Rouler des projets.* ■ *vi* 1 Avancer, se déplacer en tournant sur soi-même. 2 Avancer sur des roues. *Train qui roule à grande vitesse.* 3 MAR Être balancé par le roulis. 4 Circuler (argent). 5 Porter sur le sujet. *La négociation roule sur un problème important.* ■ *vpr* 1 Se tourner de côté et d'autre, étant couché. 2 S'envelopper de qqch. 3 Se mettre en boule. **Loc Fam** *Se rouler les pouces, se les rouler* : ne rien faire.

roulette *nf* 1 Petite roue. 2 Jeu de hasard. 3 Fam Fraise de dentiste.

rouleur *nm* Cycliste particulièrement doué dans les courses sur le plat.

roulier *nm* Navire aménagé pour le roulage.

roulis *nm* Oscillation d'un navire, d'un véhicule d'un bord sur l'autre sous l'effet de la houle.

roulotte *nf* Voiture des forains, des nomades. **Loc** *Vol à la roulotte* : dans les véhicules en stationnement.

roulotté *nm* COUT Ourlet constitué d'un rouleau très fin.

roulure *nf* Pop Prostituée.

roumain, aine *a, n* De la Roumanie. ■ *nm* Langue romane parlée en Roumanie.

roumi *n* Européen, pour les musulmans.

round *nm* À la boxe, reprise lors d'un combat.

roupie *nf* Unité monétaire de l'Inde, du Sri Lanka, du Népal, de l'Indonésie, du Pakistan, de l'île Maurice, etc.

roupiller *vi* Pop Dormir.

roupillon *nm* Pop Petit somme.

rouquette *nf* Syn de roquette.

rouquin, ine *a, n* Fam Qui a les cheveux roux.

rouscailler *vi* Pop Protester.

rouspéter *vi* 12 Fam Protester, réclamer.

rouspéteur, euse *a, n* Fam Qui rouspète.

roussâtre *a* Qui tire sur le roux.

rousserolle *nf* Passereau proche de la fauvette.

roussette *nf* 1 Grande chauve-souris d'Afrique et d'Asie. 2 Petit requin. Syn. chien de mer.

rousseur *nf* Couleur rousse. **Loc** *Tache de rousseur* : petite tache pigmentaire brun clair.

roussi *nm* Odeur de ce qui a commencé à brûler.

roussir *vt, vi* Brûler superficiellement.

rouste *nf* Pop Volée de coups.

routage *nm* Action de router.

routard, arde *n* Fam Voyageur qui prend la route à pied ou en auto-stop.

route *nf* 1 Voie terrestre carrossable ; moyen de communication utilisant ces voies. 2 Direction à prendre ; itinéraire. 3 Ligne de conduite, chemin suivi dans la vie.

router vt **1** Grouper par destination des imprimés, des journaux. **2** Déterminer la route que doit suivre un bateau.

routeur nm Qui effectue un routage.

routier, ère a Des routes. *Trafic routier.* ■ nm **1** Chauffeur de poids lourds. **2** Cycliste spécialisé dans les épreuves sur route. **3** HIST Soldat pillard au Moyen Âge. Loc *Vieux routier* : très expérimenté. ■ nf Automobile conçue pour faire de longs parcours sur route.

routine nf **1** Habitude d'agir et de penser toujours de la même manière. **2** INFORM Séquence d'instructions réalisant une fonction particulière.

routinier, ère n, a Qui agit par routine. ■ a Qui se fait par routine.

rouvre nm Chêne commun en France.

rouvrir vt, vi **31** Ouvrir de nouveau.

roux, rousse a D'une couleur entre le jaune orangé et le brun. *Qui a les cheveux roux.* ■ nm **1** Couleur rousse. **2** CUIS Mélange de farine et de beurre roussi, servant à lier une sauce.

royal, ale, aux a **1** Du roi. **2** Digne du roi ; magnifique. **3** Se dit d'espèces remarquables par leur beauté. *Tigre royal.* Loc *Voie royale* : moyen direct et glorieux d'accomplir qqch.

royalisme nm Attachement à la royauté.

royalties [-tiz] nfpl Redevance payée à un inventeur, à un auteur, à un propriétaire de gisement de pétrole, etc.

royaume nm État gouverné par un roi. Loc *Le royaume de Dieu* : le paradis.

royauté nf **1** Dignité de roi. **2** Régime monarchique.

ru nm Vx Ruisseau.

ruade nf Mouvement d'une bête qui rue.

ruandais, e a, n. V. rwandais.

ruban nm **1** COUT Bandelette de tissu, mince et étroite. **2** Petit morceau de tissu servant de décoration. **3** TECH Bande étroite de métal. *Scie à ruban.*

rubéfaction nf Irritation, rougeur de la peau.

rubéole nf Maladie infectieuse et contagieuse.

rubescent, ente a Litt Qui devient rougeâtre.

rubiacée nf BOT Plante gamopétale, tels le caféier, le quinquina.

rubicond, onde a Très rouge de teint.

rubidium [-djom] nm Métal blanc, brillant qui se rapproche du potassium.

rubigineux, euse a Couvert de rouille.

rubis nm **1** Pierre précieuse rouge. **2** Pivot en pierre dure, dans un rouage d'horlogerie.

rubrique nf **1** Article publié régulièrement par un périodique et traitant d'un même domaine. **2** Titre, indication de la matière, de la classe, de la catégorie.

rubriquer vt Donner une rubrique à qqch.

ruche nf **1** Habitation des abeilles ; essaim qui y habite. **2** Litt Lieu où règne une activité intense. **3** COUT Bande plissée de tulle, de dentelles.

rucher nm Ensemble de ruches.

rude a **1** Dont le contact est dur. **2** Difficile à supporter, pénible. *Hiver rude.* Une rude épreuve. **3** Dur, sévère, brutal. **4** Fam Considérable, remarquable. *Une rude chance.*

rudement av **1** De façon rude. *Parler rudement.* **2** Fam Très. *J'ai rudement faim.*

rudéral, ale, aux a BOT Qui pousse dans les décombres.

rudesse nf Caractère rude, pénible.

rudiment nm Forme ébauchée ou atrophiée d'un organe. ■ pl Premières notions d'une science, d'un art.

rudimentaire a Sommaire, peu développé.

rudoyer vt **22** Traiter rudement qqn.

rue nf Voie bordée de maisons, dans une agglomération.

ruée nf Fait de se précipiter en grand nombre vers un même lieu.

ruelle nf **1** Petite rue étroite. **2** Espace laissé entre un lit et un mur.

ruer vi Lancer en l'air avec force les pieds de derrière (cheval, âne). ■ vpr Se lancer vivement, impétueusement. *Se ruer vers la sortie.*

ruffian nm Vx Aventurier sans scrupules.

rugby nm Sport qui oppose deux équipes et qui se joue avec un ballon ovale à la main et au pied.

rugbyman [-man] nm Joueur de rugby.

rugir

rugir vi Pousser un rugissement (lion). ■ vi, vt Hurler, vociférer.

rugissement nm 1 Cri du lion, de bêtes féroces. 2 Hurlement de qqn.

rugosité nf 1 Aspérité sur une surface. 2 Caractère d'une surface rugueuse.

rugueux, euse a Rude au toucher.

ruine nf 1 Dégradation, écroulement d'un édifice. *Tomber en ruine.* 2 Effondrement, destruction. *La ruine d'un État.* 3 Perte des biens, de la fortune. 4 Personne dégradée physiquement ou moralement. ■ pl Débris d'une ville, d'un édifice détruits.

ruiner vt 1 Causer la ruine, la perte, la destruction de qqch ou qqn. 2 Infirmer. *Ruiner une hypothèse.* ■ vpr 1 Perdre sa fortune. 2 Dépenser trop. *Se ruiner en cadeaux.*

ruineux, euse a Qui entraîne à des dépenses excessives.

ruiniforme a Qui a un aspect de ruine, du fait de l'érosion.

ruisseau nm 1 Petit cours d'eau. 2 Litt Filet de liquide qui coule, s'épanche. *Des ruisseaux de larmes.* 3 Caniveau.

ruisseler vi 18 1 Couler en filets d'eau. 2 Être inondé de. *Ruisseler de sueur.*

ruisselet nm Petit ruisseau.

ruissellement nm Fait de ruisseler.

rumba [Rum-] nf Danse cubaine.

rumeur nf 1 Bruit confus de voix. 2 Bruit, nouvelle qui court dans le public.

ruminant, ante a Qui rumine. ■ nm ZOOL Mammifère pourvu d'un appareil digestif propre à la rumination (bovidés, cervidés, etc.).

ruminer vt 1 ZOOL Ramener les aliments de la panse dans la bouche pour les remâcher. 2 Ressasser, repenser à qqch. *Ruminer un projet.*

rumsteck. V. romsteck.

runabout [Rœnabawt] nm Canot de course.

rune nf Signe des anciens alphabets germanique et scandinave.

ruolz nm Alliage blanc, composé de cuivre, de nickel et d'argent.

rupestre a 1 BOT Qui croît sur les rochers. 2 Exécuté sur les parois des cavernes.

rupin, ine a, n Pop Riche.

rupteur nm ELECTR Appareil d'ouverture et de fermeture du circuit.

rupture nf 1 Action de rompre, fait de se rompre. 2 Séparation de personnes qui étaient liées. Loc *Rupture de stock* : stock insuffisant pour satisfaire les commandes. *Rupture de pente* : modification brutale d'une pente.

rural, ale, aux a De la campagne. *Le monde rural.* ■ nmpl Paysans.

ruralisme nm Idéalisation de la vie à la campagne.

rurbain, aine a, n De la rurbanisation.

rurbanisation nf SOCIOL Peuplement des villages proches des villes par des personnes qui travaillent dans celles-ci.

ruse nf 1 Stratagème pour tromper. 2 Habileté à tromper, à feindre. *Vaincre par la ruse.*

rusé, ée a, n Qui a de la ruse.

ruser vi Agir avec ruse.

rush [Rœʃ] nm 1 Ruée d'un groupe de joueurs. 2 Effort final d'un concurrent. 3 Ruée, afflux. *Le rush des vacanciers. Des rushes.* ■ pl Au cinéma, à la télévision, prises de vue avant montage.

russe a, n De la Russie. ■ nm Langue slave parlée en Russie.

russifier vt Faire adopter les institutions, la langue russes à.

russophone a, n De langue russe.

russule nf Champignon des bois, à lames.

rustaud, aude a, n Gauche, grossier, pataud.

rusticité nf Caractère rustique.

rustine nf (n déposé) Rondelle adhésive de caoutchouc qui sert à réparer les chambres à air.

rustique a 1 Simple et traditionnel. *Vie rustique.* 2 Qui s'adapte à toutes les conditions climatiques. *Plante rustique.*

rustre a, n Grossier, sans éducation.

rut nm État physiologique des mammifères, qui les pousse à l'accouplement.

rutabaga nm Navet à racine comestible.

rutacée nf BOT Plante dicotylédone, comme l'oranger, le citronnier.

ruthénium [-njɔm] nm Métal du groupe du platine.

rutilant, ante *a* Qui brille d'un vif éclat.
rutiler *vi* Briller d'un vif éclat.
rwandais ou **ruandais, aise** *a, n* Du Rwanda.

rythme *nm* **1** Retour périodique des temps forts et des temps faibles dans une phrase musicale, un vers, etc. **2** Alternance régulière. *Le rythme des saisons.* **3** Mouvement périodique ou cadencé. *Rythme cardiaque.* **4** Allure d'un processus quelconque. *Vivre au rythme de son temps.*

rythmer *vt* Donner du rythme à.

rythmique *a* Relatif au rythme. ■ *nf* **1** Danse, gymnastique faite selon un rythme. **2** Science des rythmes en prose et en poésie.

S

s *nm* Dix-neuvième lettre (consonne) de l'alphabet.

sa. V. son 1.

sabayon *nm* Crème à base de vin, d'œufs, de sucre et d'aromates.

sabbat *nm* 1 Repos consacré au culte observé par les juifs le samedi. Syn. shabbat. 2 Assemblée nocturne de sorciers et de sorcières.

sabbatique *a* Du sabbat. Loc **Année sabbatique :** année de congé.

sabir *nm* 1 Langue mixte d'arabe et de langues romanes. 2 Charabia.

sable *nm* 1 Roche détritique meuble composée de petits grains. 2 HÉRALD Couleur noire avec hachures verticales et horizontales croisées. Loc **Sables mouvants :** sable où l'on risque de s'enliser. ■ *a inv* Beige clair.

sablé, ée *a* Couvert de sable. Loc **Pâte sablée :** pâte friable, à forte proportion de beurre. ■ *nm* Petit gâteau sec à pâte sablée.

sabler *vt* Couvrir de sable. Sabler une allée. Loc **Sabler le champagne :** boire du champagne pour fêter un événement.

sableux, euse *a* Qui contient du sable. ■ *nf* 1 Machine qui projette un jet de sable pour décaper. 2 Machine pour sabler les chaussées.

sablier *nm* Appareil pour mesurer le temps par l'écoulement du sable d'une ampoule dans une autre.

sablière *nf* 1 Poutre horizontale sur laquelle s'appuie la charpente. 2 Carrière de sable.

sablon *nm* Sable très fin.

sablonneux, euse *a* Où le sable abonde.

sabord *nm* Ouverture quadrangulaire dans la muraille d'un navire.

saborder *vt* 1 Percer un navire sous la flottaison pour le couler. 2 Mettre volontairement fin à l'existence de qqch, de qqn.

sabot *nm* 1 Chaussure de bois. 2 Enveloppe cornée du pied de certains animaux (ongulés).

3 Pièce du frein, qui s'applique contre le bandage d'une roue. 4 Fam Instrument qui ne vaut rien. Loc **Sabot de Denver :** grosse pince utilisée par la police pour bloquer la roue d'un véhicule en stationnement illicite. **Baignoire sabot :** petite baignoire dans laquelle on se tient assis.

sabotage *nm* Action de saboter.

saboter *vt* 1 Faire vite et mal. Saboter un travail. 2 Détruire, détériorer une machine, une installation, un organisme.

saboteur, euse *n* Qui fabrique des sabots.

sabra *n* Juif né en Israël.

sabre *nm* Arme blanche, tranchante d'un seul côté. Loc **Le sabre et le goupillon :** l'armée et l'Église.

sabrer *vt* 1 Frapper à coups de sabre. 2 Fam Biffer, amputer largement un texte. 3 Fam Congédier qqn, le refuser à un examen. 4 Fam Faire vite et mal un travail.

sac *nm* 1 Poche en toile, en papier, en cuir, etc., ouverte seulement par le haut et servant de contenant ; son contenu. 2 ANAT Cavité, enveloppe organique. 3 Pillage. Loc **Sac à main :** servant à contenir les papiers, les fards, etc. **Sac de couchage :** dans lequel on se glisse pour dormir, utilisé par les campeurs. **Mettre à sac :** piller. Fam **Sac à vin :** ivrogne.

saccade *nf* Mouvement brusque et irrégulier ; secousse.

saccadé, ée *a* Irrégulier et brusque.

saccage *nm* Pillage, dévastation.

saccager *vt* 1 Dévaster. Saccager un pays. 2 Bouleverser. Saccager un appartement.

saccharine [-ka-] *nf* Succédané du sucre.

saccharose [-ka-] *nm* Sucre alimentaire, constitué de glucose et de fructose.

sacerdoce *nm* 1 Dignité et fonction du ministre d'un culte. 2 Toute fonction qui requiert de l'abnégation.

sacerdotal, ale, aux *a* Du sacerdoce, du prêtre.

sachem *nm* Vieillard faisant partie du conseil de la tribu, chez les Indiens d'Amérique.

sachet *nm* Petit sac.

sacoche *nf* Sac de cuir, de toile, etc.

sac-poubelle nm Sac de plastique pour les ordures ménagères. *Des sacs-poubelles.*

sacquer ou **saquer** vt Fam 1 Congédier, renvoyer. 2 Punir sévèrement.

sacraliser vt Rendre sacré.

sacramentel, elle a Rituel, solennel.

1. sacre nm 1 Cérémonie religieuse par laquelle on consacre un souverain, un évêque.

2. sacre nm Grand faucon.

1. sacré, ée a 1 Qui concerne la religion, le culte. Ant. profane. 2 Qui appelle un respect absolu. *Devoir sacré.* 3 Fam (avant le nom) Renforce un terme injurieux ou admiratif. *Une sacrée chance.* **Loc** *Le Sacré Collège :* ensemble des cardinaux de l'Église romaine. ■ nm Ce qui est sacré. *Le sacré et le profane.*

2. sacré, ée a ANAT Relatif au sacrum.

sacrebleu ! interj Juron.

sacrement nm Signe concret et efficace de la grâce, institué par le Christ pour sanctifier les hommes. **Loc** *Le saint sacrement :* l'eucharistie.

sacrément av Fam Extrêmement.

sacrer vt 1 Conférer, par une cérémonie religieuse, un caractère sacré à qqn, à qqch. 2 Déclarer solennellement tel. *Elle fut sacrée meilleure actrice de sa génération.*

sacrifice nm 1 Offrande faite à une divinité. 2 Renoncement, privation volontaire ou forcée.

sacrifié, ée a, n Qui se sacrifie pour autrui.

sacrifier vt 1 Offrir, immoler en sacrifice à une divinité. 2 Renoncer à qqch, abandonner au profit de qqn, de qqch. *Sacrifier sa famille à son travail.* 3 Fam Céder à bas prix des marchandises. ■ vti Se conformer à qqch. *Sacrifier à la mode.* ■ vpr Se dévouer sans réserve.

sacrilège nm 1 Profanation impie de ce qui est sacré. 2 Outrage à qqn, à qqch particulièrement digne de respect. ■ a, n Qui commet un sacrilège. ■ a Propre à un sacrilège. *Paroles sacrilèges.*

sacripant nm Fam Mauvais sujet.

sacristain nm Employé qui a la charge de la sacristie et de l'entretien d'une église.

sacristie nf Salle, attenante à une église, où on range les objets du culte.

sacro-iliaque a Du sacrum et de l'os iliaque.

sacro-saint, sacro-sainte a Qui fait l'objet d'un respect absolu. *Des principes sacro-saints.*

sacrum [-kʁɔm] nm ANAT Os situé au bas de la colonne vertébrale.

sadique a, n Qui relève du sadisme.

sadisme nm Goût à faire ou à voir souffrir autrui.

sadomasochisme nm PSYCHO Association de sadisme et de masochisme chez le même individu.

safari nm Expédition de chasse en Afrique.

safari-photo nm Excursion au cours de laquelle on photographie les bêtes sauvages. *Des safaris-photos.*

1. safran nm 1 Crocus. 2 Poudre faite avec les stigmates floraux du crocus, servant de colorant ou de condiment. ■ a inv Jaune.

2. safran nm MAR Partie plate du gouvernail.

saga nf 1 Conte ou légende du Moyen Âge scandinave. 2 Cycle romanesque racontant l'épopée d'une famille.

sagacité nf Pénétration, finesse d'esprit.

sagaie nf Javelot utilisé par divers peuples.

sage a, n 1 Modéré, prudent, raisonnable. ■ a 1 Tranquille, obéissant. *Enfant sage.* 2 Qui évite les excès ; chaste. *Une mode sage.* ■ nm 1 Que son art de vivre met à l'abri des passions, de l'agitation. 2 Expert chargé d'étudier une question politique ou économique.

sage-femme nf Celle dont la profession est d'accoucher les femmes. *Des sages-femmes.*

sagesse nf 1 Modération, prudence, circonspection. 2 Réserve dans la conduite. 3 Tranquillité, docilité. 4 Philosophie du sage.

sagittaire nf Plante monocotylédone aquatique à feuilles en forme de flèches.

sagittal, ale, aux a ANAT Médian et suivant le plan de symétrie. *Coupe sagittale.*

sagouin, ouine n Fam Homme, enfant malpropre, grossier. ■ nm Petit singe.

saharien, enne a, n Du Sahara. ■ nf Veste de toile légère.

sahélien, enne a Du Sahel.

sahib nm En Inde, Monsieur (titre de respect).

sahraoui, ie a, n Du Sahara occidental.

saï nm Petit singe d'Amérique du Sud.

saignant, ante a Qui saigne. Loc *Viande saignante* : très peu cuite.

saignée nf 1 Opération visant à tirer des veines une certaine quantité de sang. 2 Pli formé par le bras et l'avant-bras. 3 Prélèvement abondant. *Saignée fiscale.* 4 Litt Grande perte d'hommes. 5 TECH Rigole pour un drainage, une irrigation. 6 Longue entaille, rainure sur une pièce.

saignement nm Épanchement de sang.

saigner vi Perdre du sang. *Saigner du nez. Blessure qui saigne.* ▪ vt 1 Tirer du sang à qqn en ouvrant une veine. 2 Vider un animal de son sang pour le tuer. 3 Épuiser en soutirant toutes les ressources. ▪ vpr Faire pour qqn tous les sacrifices possibles.

saillant, ante a 1 Qui fait saillie. 2 Qui appelle l'attention, marquant. ▪ nm Partie qui fait saillie.

saillie nf 1 Partie qui avance ; saillant. 2 Accouplement des animaux domestiques. 3 Litt Trait d'esprit.

saillir vi 1 Être en saillie, former un relief. ▪ vt 2 Couvrir la femelle.

sain, saine a 1 En bonne santé. 2 Qui n'est pas abîmé, gâté. *Fruit sain.* 3 Sensé, conforme à la raison. *Jugement sain.* 4 Favorable à la santé. *Alimentation saine.* 5 Qui ne comporte pas de vices cachés. *Une affaire saine.* Loc *Sain et sauf* : sans dommage ; indemne.

sainbois nm Syn de garou.

saindoux nm Graisse de porc fondue.

sainfoin nm Plante cultivée comme fourrage.

saint, sainte a, n 1 Qui, ayant porté à un degré exemplaire la pratique des vertus chrétiennes, a été canonisé par l'Église catholique. 2 Qui mène une vie exemplaire. ▪ a 1 Conforme aux lois de la religion. 2 Consacré. *La sainte table.* 3 Fam Extrême. *Avoir une sainte horreur de l'eau.* ▪ nm Loc *Le saint des saints* : lieu secret.

saint-bernard nm inv Chien alpestre de grande taille.

saint-cyrien nm Élève de l'École militaire de Saint-Cyr. *Des saint-cyriens.*

sainte-maure nf inv Fromage de chèvre cylindrique, fabriqué en Touraine.

saint-émilion nm inv Bordeaux rouge réputé.

sainte-nitouche nf Fam Qui affecte des airs d'innocence ou de pruderie. *Des saintes-nitouches.*

Saint-Esprit nm Troisième personne de la Sainte-Trinité.

sainteté nf Caractère saint. Loc *Sa Sainteté* : titre donné au pape.

saint-florentin nm inv Fromage bourguignon de lait de vache à pâte molle.

saint-glinglin (à la) av Fam Jamais.

saint-honoré nm inv Gâteau garni de crème chantilly.

saint-marcellin nm inv Petit fromage rond du Dauphiné, au lait de vache.

saint-nectaire nm inv Fromage d'Auvergne, au lait de vache à pâte pressée.

saint-paulin nm inv Fromage de vache à pâte ferme non cuite.

Saint-Père nm Le pape.

saint-pierre nm inv Poisson plat des mers tempérées.

saint-simonisme nm Doctrine sociale de Claude de Saint-Simon et de ses disciples.

saisie nf 1 DR Acte par lequel un créancier frappe d'indisponibilité, dans les formes légales, les biens de son débiteur. 2 Prise de possession de qqch par voie administrative ou judiciaire. 3 INFORM Enregistrement de données par un ordinateur en vue de leur traitement.

saisie-arrêt nf DR Saisie effectuée par un créancier sur les sommes dues à son débiteur par un tiers. *Des saisies-arrêts.*

saisine nf DR Formalité par laquelle une juridiction est amenée à connaître d'une affaire.

saisir vt 1 Prendre vivement. *Saisir qqn à bras le corps.* 2 Mettre immédiatement à profit. *Saisir l'occasion.* 3 Prendre, attraper un objet. 4 Comprendre, sentir. *Saisir les intentions de qqn.* 5 Litt S'emparer de qqn. *La fièvre* *l'a saisi. Être saisi d'admiration.* **6** Exposer peu de temps à un feu vif un aliment. *Saisir une viande.* **7** DR Opérer la saisie de. *Saisir des meubles.* **8** DR Porter une affaire devant un tribunal. **9** INFORM Effectuer une saisie. ■ *vpr* S'emparer, se rendre maître de.

saisissant, ante *a* Qui fait une vive impression. *Spectacle saisissant.*

saisissement *nm* Émotion soudaine.

saison *nf* **1** Période de l'année caractérisée par certaines conditions climatiques et par l'état de la végétation. **2** Période de l'année où une activité est son plein. *La saison touristique.*

saisonnier, ère *a* **1** Propre à une saison. **2** Qui ne dure que l'espace d'une saison. ■ *nm* Ouvrier qui fait du travail saisonnier.

sajou ou **sapajou** *nm* Petit singe d'Amérique du Sud, à longue queue préhensile.

saké *nm* Boisson alcoolique japonaise, obtenue par fermentation du riz.

saki *nm* Petit singe d'Amérique du Sud.

salace *a* Litt Lubrique, licencieux.

salade *nf* **1** Mets composé d'herbes potagères crues, assaisonnées de vinaigrette. **2** Plante potagère (laitue, endive, pissenlit, mâche, etc.). **3** Fam Discours mensonger (surtout pl). Loc *Salade de fruits :* mélange de fruits coupés en morceaux servis avec du sirop. *Salade russe :* macédoine de légumes.

saladier *nm* Récipient dans lequel on sert la salade.

salaire *nm* **1** Rémunération d'un travail payée régulièrement par un employeur à ses employés en vertu d'un contrat de travail. **2** Litt Récompense ou punition méritée pour une action.

salaison *nf* Action de saler des aliments pour les conserver ; aliment ainsi conservé.

salamalecs *nmpl* Fam Politesses exagérées.

salamandre *nf* Petit amphibien terrestre.

salami *nm* Gros saucisson sec.

salangane *nf* Martinet de l'Extrême-Orient dont les nids, faits de salive et d'algues, sont consommés dans la cuisine chinoise.

salant *am* Loc *Marais salant :* bassin en bord de mer, où on recueille le sel, après évaporation de l'eau. ■ *nm* Rég Prés salés.

salarial, ale,aux *a* Du salaire. Loc *Masse salariale :* montant global des salaires dans une entreprise, un pays.

salariat *nm* Mode de rémunération du travail par le salaire.

salarié, ée *a, n* Qui reçoit un salaire.

salaud *nm, am* Pop Homme moralement méprisable (injure).

sale *a* **1** Malpropre, dont la pureté est altérée. *Eau sale.* **2** Mal lavé, crasseux. **3** Désagréable ou dangereux. *Une sale affaire. Sale temps.* **4** Fam (avant le nom) Méprisable, détestable. *Un sale type.*

salé, ée *a* **1** Qui contient du sel, conservé dans du sel. **2** Licencieux, grivois. *Plaisanterie salée.* **3** Fam Exagéré, excessif. *Addition salée.* ■ *nm* Viande de porc salée. Loc *Petit salé :* morceau de porc légèrement salé.

salement *av* **1** De façon sale. **2** Pop Grandement, très.

saler *vt* **1** Assaisonner avec du sel. **2** Imprégner de sel, pour conserver. **3** Fam Demander un prix exagéré. **4** Fam Punir sévèrement.

salers *nm* Cantal de fabrication artisanale.

saleté *nf* **1** État de ce qui est sale. **2** Chose sale. *Balayer les saletés.* **3** Obscénité. *Dire des saletés.* **4** Action méprisable, malhonnête.

salicaire *nf* Plante herbacée des lieux humides.

salicorne *nf* Plante des zones littorales, qui pousse sur les vases salées.

saliculture *nf* Exploitation des marais salants.

salicylique *a* Loc *Acide salicylique :* antiseptique et anti-inflammatoire (aspirine).

salière *nf* **1** Petit récipient destiné à contenir du sel. **2** Creux en arrière de la clavicule, chez les personnes maigres.

saligaud, aude *n* Pop Personne ignoble, moralement répugnante.

salin, ine *a* Qui contient du sel. ■ *nm* Marais salant. ■ *nf* Entreprise industrielle de production de sel (gemme ou marin).

salinité *nf* CHIM Proportion de sel dans une solution.

salir vt 1 Souiller, maculer. 2 Avilir, déshonorer.

salissant, ante a 1 Qui salit. 2 Qui se salit facilement.

salissure nf Saleté, souillure.

salivaire a De la salive. *Sécrétion salivaire*.

salive nf Liquide sécrété par les glandes salivaires.

saliver vi Sécréter de la salive.

salle nf 1 Pièce d'un appartement, d'une maison, destinée à un usage particulier. *Salle à manger. Salle de bains*. 2 Local affecté à un usage collectif. *Salle d'attente*. 3 Public de la salle. Loc *Salle obscure* : cinéma. *Salle des pas perdus* : grand hall. *Salle de marché* : dans une banque, lieu où l'on traite les opérations portant sur les devises, les titres.

salmigondis nm Fam Mélange de choses disparates.

salmis nm Ragoût de pièces de gibier préalablement cuites.

salmonelle nf Bacille agent des salmonelloses.

salmonellose nf MED Infection due à une salmonelle (typhoïde, intoxications).

salmoniculture nf Élevage du saumon.

salmonidé nm ZOOL Poisson osseux, tels les saumons, les truites, les ombles.

saloir nm Récipient pour saler les denrées.

salon nm 1 Pièce de réception d'un appartement, d'une maison privée. 2 Réception mondaine; société qui fréquente ces réceptions. 3 Local où l'on reçoit la clientèle dans certains commerces. *Salon de coiffure*. 4 (avec majusc) Exposition périodique d'œuvres d'art, de produits de l'industrie. *Le Salon de l'automobile*.

saloon [-lun] nm Bar du Far West américain.

salopard nm Pop Salaud.

salope nf Pop 1 Femme malfaisante, méprisable ; garce. 2 Individu infâme, abject.

saloper vt Pop 1 Effectuer sans soin un travail. 2 Salir, endommager.

saloperie nf Pop 1 Grande malpropreté. 2 Propos orduriers. 3 Mauvais procédé, vilenie. 4 Objet de mauvaise qualité.

salopette nf Vêtement composé d'un pantalon et d'un plastron à bretelles.

salpêtre nm Nitrate de potassium.

salpingite nf Inflammation des trompes utérines.

salsa nf Danse et musique des Caraïbes.

salsepareille nf Arbrisseau à racines dépuratives.

salsifis nm Plante potagère à racines comestibles.

saltimbanque nm Jongleur, bateleur qui fait des tours d'adresse en public.

salto nm SPORT Saut périlleux.

salubre a Favorable à la santé.

salubrité nf Caractère salubre. *Mesures de salubrité publique*.

saluer vt 1 Donner une marque extérieure de civilité, de respect à qqn. 2 Rendre hommage à qqch. *Saluer le courage de qqn*. 3 Accueillir par des manifestations de joie, de mépris, etc.

salut nm 1 Action de saluer ; geste ou parole de civilité. 2 Fait d'échapper à un danger, de se sauver ou d'être sauvé. 3 RELIG Félicité éternelle. ■ interj Fam Bonjour ou au revoir.

salutaire a Bienfaisant, profitable.

salutation nf Litt Action de saluer avec des marques ostentatoires de respect. ■ Pl Formule de politesse pour terminer une lettre.

salvadorien, enne a, n Du Salvador.

salvateur, trice a Litt Qui sauve.

salve nf Décharge simultanée de plusieurs armes à feu. Loc *Salve d'applaudissements* : applaudissements simultanés.

samba nf Danse populaire brésilienne.

samedi nm Sixième jour de la semaine.

samoussa nm Petit feuilleté de viande ou de légumes.

samouraï nm Guerrier dans le Japon féodal.

samovar nm Ustensile russe destiné à la préparation du thé.

sampan nm Bateau chinois non ponté.

sampling nm Collage électronique de morceaux de musique par le disc-jockey.

SAMU nm Abrév de *service d'aide médicale d'urgence*.

sanatorium [-RjɔM] ou **sana** nm Établissement destiné au traitement de la tuberculose.

sancerre nm Vin de Loire.

sanctifiant, ante ou **sanctificateur, trice** n, a RELIG Qui sanctifie.

sanctifier vt RELIG 1 Rendre saint. *La grâce qui sanctifie les âmes.* 2 Honorer comme saint. 3 Célébrer comme le veut l'Église. *Sanctifier le dimanche.*

sanction nf 1 Approbation, ratification. 2 Conséquence naturelle. *Ses difficultés sont la sanction de son imprévoyance.* 3 Peine impliquée par la loi. *Sanction pénale.* 4 Mesure répressive.

sanctionner vt 1 Approuver, confirmer. 2 Réprimer, punir.

sanctuaire nm 1 Édifice sacré ; endroit où l'on célèbre un culte. 2 Lieu inviolable, sûr, refuge. 3 MILIT Territoire rendu inaccessible aux coups de l'ennemi.

sandale nf Chaussure formée d'une semelle qui s'attache au pied par des lanières.

sandalette nf Sandale légère.

sandiniste n, a HIST Qui relève d'un mouvement révolutionnaire nicaraguayen.

sandow [-do] nm (n déposé) Cordon élastique qui sert à fixer des colis sur un support.

sandre nm Poisson d'eau douce, voisin de la perche.

sandwich [sɑ̃dwitʃ] nm 1 Tranches de pain entre lesquelles on a placé des aliments froids. 2 TECH Matériau composite constitué d'une couche prise entre deux plaques minces. **Loc** Fam *En sandwich* : coincé entre deux objets, deux personnes.

sang nm 1 Liquide rouge, visqueux, qui circule dans l'organisme par un système de vaisseaux. 2 Race, famille. *Liens du sang. Être de sang royal.* **Loc** Fam *Coup de sang* : congestion, accès de colère. Fam *Se faire du mauvais sang, un sang d'encre, se ronger les sangs* : s'inquiéter.

sang-froid nm inv Maîtrise de soi, calme.

sanglant, ante a 1 Couvert, souillé de sang. 2 Qui fait couler beaucoup de sang. *Combat sanglant.* 3 Offensant. *Reproches sanglants.*

sangle nf Bande plate et large qui sert à ceindre, à serrer.

sangler vt Serrer fortement avec une sangle.

sanglier nm Porc sauvage.

sanglot nm Spasme bruyant de qqn qui pleure.

sangloter vi Pleurer avec des sanglots.

sang-mêlé n inv Métis, métisse.

sangria nf Boisson espagnole faite de vin rouge sucré dans lequel ont macéré des fruits.

sangsue [sɑ̃sy] nf 1 Ver des eaux stagnantes, qui se fixe par une ventouse à la peau. 2 Fam Personne avide, accaparante.

sanguin, ine a Du sang. *Transfusion sanguine.* ■ nm Qui est impulsif, coléreux.

sanguinaire a Qui se plaît à répandre le sang ; cruel.

sanguine nf 1 Dessin exécuté avec un crayon d'ocre rouge. 2 Orange à pulpe rouge.

sanguinolent, ente a Mêlé de sang, teinté de sang.

sanhédrin nm HIST Tribunal civil et religieux des Juifs de l'Antiquité.

sanie nf MED Pus mêlé de sang.

sanisette nf (n déposé) Toilettes publiques payantes.

sanitaire a Relatif à la santé et à l'hygiène. ■ nmpl Ensemble des appareils et locaux de propreté (lavabos, W.-C., etc.).

sans prép Marque l'absence, la privation, l'exclusion. **Loc** *Non sans* : avec. *Sans que* (+ subj) : de telle manière que qqch ne se fasse pas. *Sans quoi, sans ça* : sinon.

sans-abri n inv Qui n'a plus de logement.

sans-cœur a, n inv Fam Dur, insensible.

sanscrit. V. sanskrit.

sans-culotte nm HIST Révolutionnaire sous la Convention. *Des sans-culottes.*

sans-emploi n inv Chômeur, chômeuse.

sans-faute nm inv Épreuve accomplie sans erreur.

sans-gêne nm inv Désinvolture inconvenante. ■ a inv, n inv Qui agit sans se préoccuper des autres ; grossier, impoli.

sanskrit ou **sanscrit** nm Ancienne langue sacrée de l'Inde.

sans-le-sou n inv Fam Qui n'a pas d'argent.

sans-logis n inv Sans domicile.

sansonnet nm Étourneau.

sans-papiers n inv Personne dépourvue de papiers d'identité et en situation irrégulière.

santal nm Arbre d'Asie tropicale cultivé pour son bois odorant. Des santals.

santé nf 1 État de qqn chez qui le fonctionnement de tous les organes est régulier ; bon état physiologique. 2 Équilibre mental. 3 État de l'organisme. Avoir bonne, mauvaise santé. 4 État sanitaire d'une collectivité. Loc À la santé de : en l'honneur de.

santiag nf Botte à bout pointu.

santon nm Figurine de terre cuite qui orne la crèche de Noël, en Provence.

saoudien, enne a, n D'Arabie Saoudite.

saoul, saouler. V. soûl, soûler.

sapajou. V. sajou.

sape nf Tranchée, boyau, galerie creusée sous une construction pour la faire écrouler. Loc Travail de sape : intrigue souterraine.

sapé, ée a Pop Habillé. Être bien sapé.

saper vt 1 Détruire les fondements d'une construction pour la faire tomber. 2 Travailler à détruire, miner. Saper le moral. ■ vpr Pop S'habiller.

sapeur nm Soldat du génie.

sapeur-pompier nm Pompier. Des sapeurs-pompiers.

saphène nf ANAT Veine du membre inférieur.

saphir nm 1 Pierre précieuse bleue. 2 Petite pointe, constituant principal d'une tête de lecture d'électrophone.

saphisme nm Homosexualité féminine.

sapide a Qui a de la saveur. Ant. insipide.

sapin nm Résineux aux feuilles persistantes en aiguilles.

sapinette nf Épicéa.

sapinière nf Plantation de sapins.

saponacé, ée a Qui a les caractères du savon.

saponaire nf Plante à fleurs roses.

saponifier vt Transformer un corps gras en savon.

sapotille nf Fruit du sapotillier.

sapotillier nm Arbre des Antilles, au fruit comestible.

sapristi ! interj Fam Exprime l'étonnement.

saprophage a, nm ZOOL Qui se nourrit de matières organiques en décomposition.

saprophyte a, nm 1 BOT Végétal vivant sur des matières organiques en décomposition. 2 MED Microbe non pathogène.

saquer. V. sacquer.

sarabande nf 1 Danse en vogue du XVIe s. au XVIIIe s. 2 Fam Agitation vive, bruyante.

sarbacane nf Tuyau avec lequel on lance, par la force du souffle, des projectiles légers.

sarcasme nm Raillerie acerbe, insultante.

sarcastique a Ironique et méchant.

sarcelle nf Petit canard sauvage.

sarcler vt Arracher les mauvaises herbes.

sarcloir nm Outil à sarcler.

sarcome nm Tumeur maligne.

sarcophage nm ANTIQ Cercueil.

sarcopte nm Acarien occasionnant la gale.

sardane nf Danse catalane.

sarde a, n De la Sardaigne. ■ nm Langue romane parlée en Sardaigne.

sardine nf 1 Poisson des eaux tempérées qui se déplace par bancs. 2 Fam Galon de sous-officier.

sardinerie nf Usine où l'on met les sardines en boîtes.

sardinier, ère a Relatif à la sardine. ■ n Qui travaille dans une sardinerie. ■ nm 1 Bateau pour la pêche à la sardine. 2 Pêcheur de sardines.

sardoine nf Calcédoine brune ou rouge.

sardonique a Méchant, sarcastique.

sargasse nf Algue brune, fixée ou libre.

sari nm Costume féminin de l'Inde, fait d'une longue pièce d'étoffe drapée.

sarigue nf Mammifère d'Amérique, de la famille des marsupiaux.

S.A.R.L. nf Société à responsabilité limitée.

sarment nm 1 Branche de vigne de l'année. 2 Tige ou branche ligneuse et grimpante.

sauf

sarong [-ʀɔ̃g] nm Long pagne d'Asie du Sud.

saroual nm Pantalon de toile, très large. Des sarouals.

sarrasin nm Céréale appelée aussi blé noir.

sarrau nm Blouse courte et ample. Des sarraus.

sarriette nf Herbe aux feuilles très odorantes.

sas [sɑs] ou [sɑ] nm 1 Tamis. 2 Bassin compris entre les deux portes d'une écluse. 3 Compartiment étanche qui permet de passer dans des milieux de pression différente.

sashimi nm CUIS Poisson cru en lamelles.

sassafras [-fʀa] nm Arbre d'Amérique aux feuilles employées comme condiment.

satané, ée Fam Sacré, maudit. Un satané vaniteux.

satanique a Diabolique.

satanisme nm Culte rendu à Satan.

satelliser vt 1 Mettre sur orbite autour d'un corps céleste, de la Terre. 2 Rendre dépendant, assujettir.

satellitaire a D'un satellite.

satellite nm 1 Astre qui gravite autour d'une planète. 2 Engin mis en orbite autour de la Terre ou d'une autre planète. 3 Dans un aérogare, bâtiment servant à l'embarquement et au débarquement des passagers. ■ a, nm Qui est sous la dépendance d'un autre, plus puissant.

satiété [-sje-] nf État de qqn complètement rassasié. Loc À satiété : jusqu'au dégoût.

satin nm Étoffe fine, douce et lustrée.

satiné, ée a Qui a le poli, le brillant du satin.

satinette nf Étoffe de coton imitant le satin.

satire nf Écrit ou discours piquant qui raille ou critique qqn, qqch.

satirique a 1 Qui appartient à la satire. 2 Caustique, médisant.

satisfaction nf 1 Contentement, plaisir. 2 Fait d'accorder à qqn ce qu'il demande.

satisfaire vt 9 Contenter. ■ vti Faire ce qui est exigé par qqch. Satisfaire aux clauses d'un contrat. ■ vpr Se contenter de qqch.

satisfaisant, ante [-fə-] a Acceptable.

satisfait, aite a Dont les désirs sont comblés ; content. Vous serez satisfait ou remboursé.

satisfecit [satisfesit] nm inv Litt Témoignage de satisfaction.

satrape nm Litt Despote menant une vie fastueuse.

saturateur nm Récipient contenant de l'eau, pour humidifier l'atmosphère.

saturation nf Action de saturer ; état saturé.

saturer vt 1 CHIM Dissoudre un corps dans un liquide jusqu'à concentration maximale. 2 Rassasier jusqu'au dégoût. 3 Remplir de façon excessive.

saturnales nfpl ANTIQ Fêtes célébrées en l'honneur de Saturne au cours desquelles les esclaves prenaient la place de leurs maîtres.

saturnien, enne a De Saturne.

saturnisme nm Intoxication par le plomb.

satyre nm 1 ANTIQ Demi-dieu champêtre de la suite de Dionysos. 2 Homme lubrique ; exhibitionniste, voyeur.

sauce nf 1 Assaisonnement liquide accompagnant certains mets. 2 Fam Accompagnement inutile.

saucée nf Fam Averse.

saucer vt 10 1 Débarrasser la sauce avec un morceau de pain. 2 Tremper dans la sauce.

saucier nm 1 Cuisinier spécialisé dans les sauces. 2 Appareil ménager pour faire les sauces.

saucière nf Récipient pour servir les sauces.

sauciflard nm Pop Saucisson.

saucisse nf Boyau rempli de viande hachée et assaisonnée.

saucisson nm Grosse saucisse, crue ou cuite.

saucissonner vi Fam Se restaurer sommairement. ■ vt Fam 1 Serrer, ficeler étroitement. 2 Découper en tranches.

1. sauf, sauve a Hors de danger, d'atteinte. Sain et sauf. Avoir la vie sauve.

2. sauf prép Hormis, excepté. Sauf erreur ou omission. Loc Sauf que (+ ind) : en écartant le fait que.

sauf-conduit nm Pièce délivrée par l'autorité, permettant d'aller ou de séjourner qqpart, librement. *Des sauf-conduits.*

sauge nf Plante médicinale et aromatique.

saugrenu, ue a Absurde, bizarre, déroutant.

saule nm Arbre des lieux humides.

saumâtre a Qui a le goût salé de l'eau de mer.

saumon nm Poisson à la chair rose très estimée. ■ a inv Rose orangé.

saumoné, ée a À chair rose comme celle du saumon.

saumure nf Solution salée pour conserver des aliments.

sauna nm Établissement où on prend des bains de vapeur sèche ; ce bain lui-même.

saunier, ère n Qui travaille à l'extraction du sel ou qui en vend.

saupiquet nm CUIS Sauce piquante.

saupoudrer vt 1 Recouvrir qqch d'une matière en poudre. 2 Parsemer en dispersant.

saupoudreuse nf Flacon pour saupoudrer.

saur am Loc *Hareng saur* : salé et fumé.

saurien nm ZOOL Reptile, tels le lézard, l'orvet, le caméléon. Syn. lacertilien.

saut nm 1 Mouvement brusque d'extension en haut, en avant par lequel on quitte le sol. 2 Fait de se laisser tomber d'un endroit élevé. 3 Mouvement brusque et discontinu. *La pensée procède par sauts.* 4 Chute d'eau. Loc *Saut périlleux* : au cours duquel le corps fait un tour complet sur lui-même.

saut-de-lit nm Peignoir féminin léger. *Des sauts-de-lit.*

saute nf Changement subit. *Saute d'humeur.*

sauté nm CUIS Viande cuite à feu vif.

saute-mouton nm inv Jeu dans lequel on saute successivement par-dessus tous ses partenaires.

sauter vi 1 Faire un saut, des sauts. 2 Se jeter dans le vide. 3 S'élancer sur qqch. *Le chien lui a sauté dessus.* 4 Passer sans transition d'une chose à une autre. *Sauter à la page 3.* 5 Exploser, voler en éclats. 6 Être omis. *La ligne a sauté.* 7 Fam Être congédié. Loc *Faire*

sauter de la viande, des légumes : les faire revenir à feu vif, en un corps gras. ■ vt 1 Franchir d'un saut. 2 Omettre, passer. *Sauter une ligne.* 3 Pop Posséder sexuellement. Loc *Sauter le pas* : prendre une décision.

sauterelle nf 1 Insecte qui se déplace en sautant. 2 Fam Femme maigre et dégingandée.

sauterie nf Fam Petite soirée dansante.

sauternes nm Bordeaux blanc liquoreux.

saute-ruisseau nm inv Vx Garçon de courses.

sauteur, euse n Athlète qui pratique le saut. ■ a Se dit des animaux qui se déplacent par sauts. ■ nf Casserole large et plate.

sautiller vi Effectuer des petits sauts.

sautoir nm 1 Long collier ou longue chaîne. 2 Endroit où les athlètes s'exercent au saut.

sauvage a 1 Qui n'est pas domestiqué (animal). 2 Qui croît naturellement sans être cultivé (végétal). 3 Inculte, inhabité (région). 4 Qui se fait spontanément. *Grève sauvage.* ■ a, n 1 Qui recherche la solitude. 2 Brutal, féroce. 3 Vx Qui vit en dehors de la civilisation (peuple).

sauvagement av De façon cruelle.

sauvageon, onne n 1 Enfant au caractère sauvage. ■ nm Jeune arbre non greffé.

sauvagerie nf Caractère sauvage, féroce, cruel.

sauvagine nf Gibier d'eau.

sauvegarde nf 1 Protection accordée par une autorité. 2 Ce qui sert de garantie, de défense contre un danger. 3 INFORM Copie des données faite par sécurité.

sauvegarder vt 1 Défendre, protéger. 2 INFORM Effectuer une sauvegarde.

sauve-qui-peut nm inv Panique générale.

sauver vt 1 Tirer qqn du danger. 2 Préserver qqch de la destruction. 3 RELIG Procurer le salut éternel. ■ vpr 1 S'enfuir devant un danger. 2 Fam S'en aller rapidement.

sauvetage nm Action de sauver qqn d'un danger, qqch de la destruction.

sauveteur nm Qui participe à un sauvetage.

sauvette (à la) av Avec précipitation, en cachette. **Loc Vente à la sauvette :** vente sur la voie publique, sans autorisation.

sauveur nm Qui sauve. **Loc Le Sauveur :** Jésus-Christ.

sauvignon nm Cépage blanc très répandu.

savamment av De façon savante.

savane nf Plaine herbeuse, aux arbres rares, des régions tropicales.

savant, ante a, n Qui sait beaucoup de choses, qui possède une grande érudition. ■ a 1 Se dit d'un animal dressé. 2 Qui suppose des connaissances, difficile. Un raisonnement savant. 3 Habile, bien calculé. Une manœuvre savante. ■ nm Qui a une notoriété scientifique.

savarin nm Grand baba en forme de couronne.

savate nf 1 Vieille pantoufle, vieux soulier très usé. 2 Sport de combat associant les poings aux coups de pied. Syn. boxe française.

savetier nm Vx Cordonnier.

saveur nf 1 Impression produite par un corps sur l'organe du goût. 2 Charme, agrément.

savoir vt 46 1 Connaître, être informé de. Tu sais la nouvelle ? On ne savait pas qui était son père. 2 Avoir présent dans la mémoire. Il sait sa leçon par cœur. 3 Avoir une bonne connaissance de. Elle croit tout savoir. 4 Être capable de. Un ami qui sait écouter. 5 Avoir conscience de. Il ne savait plus ce qu'il faisait. **Loc À savoir** ou **savoir :** c'est-à-dire. **Un je ne sais quoi :** qqch d'indéfinissable. ■ nm Connaissances acquises.

savoir-faire nm inv Habileté, compétence.

savoir-vivre nm inv Connaissance des règles de politesse, des usages.

savon nm 1 Produit obtenu par action d'un agent alcalin sur des corps gras. 2 Morceau de ce produit servant au nettoyage. 3 Fam Réprimande, semonce.

savonner vt Laver au savon.

savonnette nf Petit savon pour la toilette.

savonneux, euse a Qui contient du savon.

savourer vt 1 Déguster. Savourer un vin. 2 Jouir avec délectation de qqch. Savourer une vengeance.

savoureux, euse a 1 Qui a une saveur, un goût agréable. 2 Qui stimule agréablement l'intérêt. Un récit savoureux.

savoyard, arde a, n De la Savoie.

saxe nm Porcelaine de Saxe.

saxhorn nm Instrument à vent en cuivre, à embouchure et à pistons.

saxifrage nf Plante herbacée ornementale.

saxo nm Saxophone. ■ n Saxophoniste.

saxon, onne a, n De la Saxe.

saxophone nm Instrument de musique à vent en cuivre, à clefs et à bec de clarinette.

saxophoniste n Joueur de saxophone.

saynète nf Courte comédie.

sbire nm Litt Homme de main.

scabieuse nf Plante à fleurs violettes, roses ou blanches, groupées en capitules.

scabreux, euse a 1 Qui comporte des risques. 2 Indécent. Plaisanterie scabreuse.

scalaire nm Poisson au corps très aplati.

scalde nm HIST Ancien poète scandinave.

scalène a Loc GEOM Triangle scalène : dont les trois côtés sont inégaux.

scalp nm Chevelure d'un ennemi conservée comme trophée.

scalpel nm Bistouri utilisé pour la dissection.

scalper vt Découper la peau du crâne avec et l'arracher avec sa chevelure.

scampi nmpl Grosses crevettes frites.

scandale nm 1 Effet, indignation que suscite un acte qui choque la morale. 2 Événement, fait révoltant. 3 Affaire malhonnête qui a la connaissance du public. 4 Bruit, désordre. Scandale sur la voie publique.

scandaleux, euse a 1 Honteux, révoltant.

scandaliser vt Provoquer le scandale ; révolter, choquer. ■ vpr S'indigner.

scander vt 1 Marquer la mesure d'un vers. 2 Prononcer en appuyant sur chaque syllabe.

scandinave a, n De la Scandinavie ; nordique.

scandium [-djɔm] nm CHIM Élément métallique très léger, proche des terres rares.

scanner [-nɛʀ] nm 1 Appareil qui analyse par rayon lumineux, point par point, le document à reproduire. 2 Syn de *scanographie*.

scanographe nm MED Appareil de radiographie par rayons X permettant d'obtenir des séries d'images traitées par ordinateur.

scansion nf Manière de scander un vers.

scaphandre nm 1 Équipement isolant individuel des plongeurs, des astronautes, etc.

scaphandrier nm Plongeur équipé d'un scaphandre.

scaphoïde nm ANAT Petit os du carpe et du tarse.

scapulaire nm 1 Vêtement à capuchon porté par certains religieux. 2 Objet de dévotion qui s'attache autour du cou. ■ a ANAT De l'épaule.

scarabée nm Coléoptère aux élytres colorés.

scarifier vt 1 MED Faire des incisions peu profondes (pour vacciner par ex.). 2 Labourer légèrement pour ameublir la terre.

scarlatine nf Maladie infectieuse avec fièvre et rougeurs.

scarole nf Chicorée aux longues feuilles que l'on mange en salade.

scat nm Style de jazz vocal rempli d'onomatopées.

scatologie nf Propos, écrits portant sur les excréments.

sceau nm 1 Cachet fait sur des actes pour les rendre authentiques ou les clore. 2 Litt Marque, signe. *Le sceau du génie.* Loc **Le garde des Sceaux** : ministre de la Justice en France.

sceau-de-Salomon nm Plante des bois à fleurs blanchâtres. *Des sceaux-de-Salomon.*

scélérat, ate a, n Litt Criminel, bandit. ■ a Litt Infâme. *Loi scélérate.*

scellement nm Action de sceller, de fixer dans un trou.

sceller vt 1 Appliquer un sceau sur un acte. 2 Mettre les scellés sur un meuble, sur une porte, etc. 3 Cacheter une lettre, fermer hermétiquement. 4 Confirmer, ratifier. *Sceller un accord.*

scellés nmpl Bande de papier et cachet de cire apposés par autorité de justice pour empêcher d'ouvrir un meuble ou un local.

scénario nm 1 Description détaillée des différentes scènes d'un film, d'une bande dessinée. 2 Déroulement préétabli, concerté d'une action.

scénariste n Auteur d'un scénario.

scène nf 1 Partie du théâtre où jouent les acteurs. *Entrer en scène.* 2 Art du théâtre. 3 Lieu où se passe l'action ; décor. *La scène est à Paris.* 4 Partie d'un acte dans une pièce de théâtre. 5 Action, événement remarquable, émouvant, drôle, etc. 6 Fam Querelle. Loc **Mettre en scène** : assurer la réalisation d'un film, d'une pièce.

scénique a De la scène, du théâtre.

scénographie nf Technique des aménagements intérieurs des théâtres, de la scène.

scepticisme nm 1 PHILO Doctrine philosophique qui érige le doute en système. 2 Incrédulité, doute.

sceptique a, n 1 PHILO Qui doute de toute connaissance non évidente. 2 Incrédule, non convaincu de qqch.

sceptre nm Bâton, symbole de l'autorité monarchique.

schah, shah ou **chah** nm Souverain d'Iran.

schako. V. shako.

scheikh. V. cheik.

schelem. V. chelem.

schéma nm Représentation simplifiée d'un objet, d'un organisme, d'un projet, d'un ouvrage ; plan sommaire.

schématique a 1 Qui constitue un schéma. 2 Sommaire, rudimentaire.

schématiser vt Représenter de façon schématique, sommaire.

schématisme nm Simplification excessive.

schème nm PHILO Disposition, forme, structure.

scherzo [skɛʀdzo] nm, av MUS Morceau de caractère vif, léger.

schiedam [ʃjidam] nm Eau-de-vie parfumée au genièvre.

schilling nm Unité monétaire de l'Autriche.

schisme nm 1 Séparation, rupture au sein d'une religion. 2 Division dans un parti.

schiste nm Roche sédimentaire feuilletée.

schisteux, euse a Du schiste.

schistosité nf Structure feuilletée d'une roche.

schizophrène n Atteint de schizophrénie.

schizophrénie [ski-] nf Psychose caractérisée par une perte de contact avec la réalité et un repli sur soi.

schlague nf Punition corporelle en usage dans les anciennes armées allemandes. **Loc À la schlague :** de façon brutale, autoritaire.

schlass a inv Pop Ivre.

schlitte nf Traîneau vosgien pour descendre le bois abattu, dans les vallées.

schnaps nm Fam Eau-de-vie.

schnock a inv, nm Fam Imbécile, fou.

schnouf nf Pop Drogue.

schuss [ʃus] nm Au ski, descente directe suivant la ligne de la plus grande pente.

scialytique nm (déposé) Appareil d'éclairage à miroirs éliminant les ombres.

sciant, ante a Fam Surprenant.

sciatique a ANAT De la hanche. **Loc Nerf sciatique :** qui innerve le bassin, la fesse et la cuisse. ■ nf Affection douloureuse due à l'irritation du nerf sciatique.

scie nf 1 Lame d'acier munie de dents pour couper les matières dures. 2 Fam Chanson, refrain dont la répétition fatigue ; rengaine.

sciemment [sjamã] av De propos délibéré, volontairement.

science nf 1 Savoir, ensemble de connaissances acquises par l'étude. 2 Activité humaine tendant à découvrir les lois régissant les phénomènes. 3 Savoir-faire, compétence, habileté. ■ pl 1 Branche du savoir. Les sciences naturelles. 2 Corps de connaissances constituées sur le calcul et l'expérimentation ou l'observation.

science-fiction nf Récit qui cherche à décrire une réalité à venir, en extrapolant les données scientifiques du présent.

sciène nf Grand poisson de l'Atlantique, à chair estimée. Syn. maigre.

scientifique a 1 Relatif à la science. 2 Conforme aux procédés rigoureux des sciences. ■ n Spécialiste d'une ou des sciences.

scientisme nm Attitude de ceux qui pensent que tout phénomène relève de la connaissance scientifique.

scier vt 1 Fendre, couper avec une scie. 2 Fam Surprendre, étonner fortement.

scierie nf Usine où l'on scie le bois.

scieur nm Ouvrier qui scie le bois.

scille nf Plante bulbeuse à propriétés diurétiques.

scinder vt Couper, diviser, fractionner qqch, un groupe. ■ vpr Se diviser.

scintigraphie nf MED Diagnostic fondé sur le cheminement dans l'organisme d'un isotope radioactif.

scintillement nm ou **scintillation** nf Fait de scintiller ; éclat de ce qui scintille.

scintiller vi 1 Briller d'un éclat irrégulier et tremblotant. 2 Briller en jetant des éclats de lumière. Ce diamant scintille.

scion nm Jeune rameau mince et flexible.

scission nf Division dans un groupe, un parti.

scissionniste a, n Qui provoque une scission.

scissiparité nf BIOL Mode de reproduction asexuée par division en deux.

scissure nf ANAT Sillon à la surface d'un organe.

sciure nf Poussière résultant du sciage.

sciuridé nm ZOOL Mammifère rongeur, tel l'écureuil.

sclérose nf 1 MED Durcissement pathologique d'un organe ou d'un tissu. 2 Perte des facultés d'adaptation, d'évolution. **Loc Sclérose en plaques :** maladie caractérisée par la dégradation progressive de la myéline du système nerveux.

scléroser vt Provoquer une sclérose ; figer, durcir. ■ vpr Perdre toute faculté d'évoluer.

sclérotique nf ANAT Membrane blanche formant l'enveloppe du globe oculaire.

scolaire a 1 Relatif à l'école, à l'enseignement. 2 Péjor Laborieux et conventionnel. **Loc Âge scolaire :** âge légal où l'enfant est tenu d'aller à l'école. ■ n Enfant d'âge scolaire.

scolariser vt Mettre, envoyer à l'école.

scolarité nf Fait de fréquenter l'école ; études suivies à l'école ; durée de ces études.

scolastique nf Enseignement de la philosophie et de la théologie donné dans les universités médiévales. ■ a 1 De la scolastique. 2 Péjor D'un formalisme étroit.

scoliose nf Déviation latérale de la colonne vertébrale.

scolopendre nf 1 Fougère de grande taille. 2 Mille-pattes carnassier.

scolyte nm Coléoptère nuisible pour les arbres.

sconse ou **skunks** [skɔ̃s] nm Fourrure de la mouffette.

scoop [skup] nm Information donnée en exclusivité par un média.

scooter [skutœr] nm Motocycle léger qu'on conduit assis.

scorbut [-byt] nm Maladie provoquée par une carence en vitamine C (hémorragies, déchaussement des dents, anémie).

score nm Décompte des points marqués par chacune des équipes au cours d'un match ; nombre de voix à une élection.

scorie nf Résidu solide résultant de la fusion des minerais, de l'affinage de métaux.

scorpène nf Rascasse.

scorpion nm Arachnide dont l'abdomen est terminé par un aiguillon venimeux recourbé.

scorsonère nf Salsifis noir.

1. scotch nm Whisky écossais.

2. scotch nm (n déposé) Ruban adhésif.

scotcher vt Fixer avec du ruban adhésif.

scotome nm MED Lacune dans le champ visuel.

scotomiser vt Éliminer une réalité de sa conscience.

scottish-terrier nm Terrier d'Écosse, au poil dru et rude. Des scottish-terriers.

scoumoune nf Pop Malchance.

scout, e n Garçon ou fille qui adhère à un mouvement de scoutisme. ■ a Propre au scoutisme.

scoutisme nm Mouvement éducatif qui a pour but le développement des qualités morales et physiques des jeunes gens par la vie en commun et les activités de plein air.

scrabble nm (n déposé) Jeu de société consistant à former des mots sur une grille, à l'aide de jetons portant une lettre.

scraper [-pœr] nm Engin de terrassement servant à décaper les sols.

scribe nm 1 ANTIQ Lettré qui rédigeait ou copiait les actes publics. 2 Employé de bureau.

scribouillard, arde n Fam Employé(e) de bureau.

script nm 1 Écriture manuscrite proche des caractères d'imprimerie. 2 Scénario écrit comportant le découpage et les dialogues.

scripte n Assistant(e) du réalisateur chargé(e) de noter les détails des prises de vues.

scripteur nm LING Qui écrit un texte (par oppos. à locuteur).

scripturaire a De l'Écriture sainte.

scriptural, ale, aux a Loc Monnaie scripturale : moyen de paiement fondé sur des écritures (comptes en banque, effets de commerce).

scrofulaire nf Plante médicinale, appelée aussi herbe aux écrouelles.

scrofule nf Écrouelles, inflammation des ganglions lymphatiques.

scrotum [-tɔm] nm ANAT Enveloppe cutanée des testicules.

scrupule nm 1 Doute, hésitation d'ordre moral. Avoir des scrupules. 2 Souci extrême du devoir, grande délicatesse morale.

scrupuleux, euse a, n Sujet à avoir des scrupules. ■ a D'une grande minutie.

scrutateur, trice a Qui scrute. Regard scrutateur. ■ n Chargé du dépouillement, de la vérification d'un scrutin.

scruter vt Examiner très attentivement.

scrutin nm 1 Vote émis au moyen de bulletins déposés dans une urne. 2 Opération par laquelle sont désignés des représentants élus.

sculpter [skylte] vt Travailler une matière dure pour obtenir une figure, un ornement.

sculpteur nm Artiste qui pratique la sculpture.

sculptural, ale, aux a 1 Relatif à la sculpture. 2 Litt D'une grande beauté plastique.

sculpture nf Art de sculpter ; pièce sculptée.

sdf [esdeef] *n* Personne sans domicile fixe ; vagabond, clochard.

se *pr pers* Complément réfléchi de la 3e personne des deux genres et des deux nombres.

séance *nf* 1 Réunion d'une assemblée pour délibérer ; durée d'une telle réunion. 2 Temps passé à une activité déterminée. *Séance de pose chez un peintre.* 3 Représentation d'un spectacle à un horaire déterminé. **Loc** *Séance tenante :* immédiatement.

séant, ante *a* Litt Convenable, décent. ■ **nm** Loc Litt *Sur son séant :* assis.

seau *nm* Récipient pour puiser ou transporter les liquides, des matières pulvérulentes, etc.

sébacé, ée *a* ANAT Du sébum. **Loc** *Glande sébacée :* qui sécrète le sébum à la base des poils.

sébile *nf* Petit récipient rond et creux.

sebkha *nf* GEOGR En Afrique du Nord, lac salé temporaire.

séborrhée *nf* Augmentation pathologique de la sécrétion des glandes sébacées.

sébum [-bɔm] *nm* Substance grasse des glandes sébacées, protégeant la peau.

sec, sèche *a* 1 Qui est peu ou qui n'est pas humide ; aride. 2 Qui a séché. *Fossé sec.* 3 Qui n'est plus imprégné de liquide. *Avoir la gorge sèche.* 4 Peu sensible. *Un cœur sec.* 5 Sans douceur. *Ton sec.* 6 Dénué de charme, d'agrément. *Style sec.* 7 Brusque. *Réponse sèche. Coup sec.* **Loc** *Régime sec :* sans boisson alcoolique. *Perte sèche :* sans compensation. ■ **nm** Ce qui est sans humidité. *À conserver au sec.* ■ *av* Avec rudesse.

sécable *a* Qui peut être coupé, divisé.

sécant, ante *a* GEOM Qui coupe une courbe ou une surface. ■ *nf* Droite sécante.

sécateur *nm* Outil de jardinier pour couper des arbustes, des rameaux, etc.

sécession *nf* Fait de se séparer d'une collectivité, d'un groupe, d'un pays.

sécessionnisme *nm* Volonté de sécession.

sèche *nf* Pop Cigarette.

sèche-cheveux *nm inv* Appareil électrique pour sécher les cheveux.

sèche-linge *nm inv* Appareil pour sécher le linge.

sèche-mains *nm inv* Appareil à air pulsé pour sécher les mains.

sèchement *av* Avec dureté, froideur, brutalité. *Répondre sèchement.*

sécher *vt* 12 1 Rendre sec, éliminer un liquide par absorption ou évaporation. *Sécher l'encre avec un buvard.* 2 Fam Ne pas assister volontairement à un cours. ■ *vi* 1 Devenir sec. 2 Fam Ne pas savoir répondre.

sécheresse *nf* 1 État de ce qui est sec. 2 Temps très sec. 3 Froideur, dureté. *Sécheresse de cœur.*

séchoir *nm* Dispositif ou appareil pour le séchage.

second, onde [səgɔ̃] *a, n* Qui vient après le premier. ■ *a* Autre, nouveau. *C'est un second César.* **Loc** *État second :* état de qqn qui agit sans avoir conscience de ce qu'il fait. ■ **nm** 1 Second étage d'une maison. 2 Adjoint, collaborateur immédiat. 3 Officier de marine qui vient immédiatement après le commandant. ■ *nf* 1 Classe qui précède la première. 2 Seconde classe, dans les transports en commun. 3 Seconde vitesse d'une automobile. 4 Soixantième partie de la minute. 5 Temps très court. *Attendez une seconde.* 6 MATH Unité de mesure d'angle.

secondaire *a* 1 Qui n'est pas de première importance. 2 Se dit de l'enseignement du second degré, après l'enseignement primaire et avant le supérieur. **Loc** *Ère secondaire :* période géologique succédant au primaire. ECON *Secteur secondaire :* activité de la transformation des matières premières. ■ **nm** 1 Enseignement secondaire. 2 Ère secondaire. 3 Secteur secondaire.

seconder *vt* Aider qqn dans ses activités ; être son collaborateur.

secouer *vt* 1 Remuer, agiter fortement. *Secouer un arbre.* 2 Éliminer par des mouvements vifs. *Secouer la poussière.* 3 Ébranler physiquement ou moralement. *Cet accident l'a secoué.* ■ *vpr* Fam Réagir contre la paresse, la fatigue, l'ennui. *Secouez-vous un peu !*

secourable *a* Qui porte secours à autrui.

secourir vt 25 Aider qqn dans une situation critique.

secourisme nm Assistance de premier secours aux blessés, aux accidentés.

secouriste n Qui pratique le secourisme.

secours nm 1 Aide, assistance à qqn dans le besoin, en danger. *Porter secours à qqn.* 2 Renfort en hommes ou en matériel. ■ *pl* Soins donnés rapidement à un blessé, à un malade ; aide matérielle apportée à qqn, à un groupe en difficulté.

secousse nf 1 Mouvement qui secoue. 2 Tremblement de terre. 3 Choc émotif.

secret, ète a 1 Qui n'est pas ce qui ne doit pas être connu d'autrui. 2 Dissimulé au regard, dérobé. *Tiroir secret.* 3 Non extériorisé, caché. *Des sentiments secrets.* 4 Qui ne se livre pas facilement. *Un garçon très secret.* ■ nm 1 Ce qui doit rester secret. *Confier un secret.* 2 Silence que l'on doit observer sur une information. *Secret professionnel.* 3 Moyen particulier en vue d'un résultat. *Le secret de la réussite.* 4 Mécanisme connu seulement de quelques-uns. *Serrure à secret.* Loc *Secret d'État :* chose tenue secrète dans l'intérêt de l'État.

secrétaire n 1 Employé(e) chargé(e) de rédiger, de classer le courrier de qqn, de répondre au téléphone. 2 Cadre, employé chargé de certaines tâches administratives. *Secrétaire d'État :* en France, membre du gouvernement qui a la charge d'un département ministériel ; aux États-Unis, ministre des Affaires étrangères. ■ nm Meuble à tiroirs comportant un abattant pour écrire.

secrétariat nm 1 Fonction de secrétaire. 2 Bureau où travaillent les secrétaires ; ensemble des secrétaires.

sécréter vt 12 Produire par sécrétion.

sécréteur, trice a Qui produit une sécrétion.

sécrétion nf Phénomène par lequel certains tissus produisent une substance déversée dans le sang ou évacuée ; cette substance.

sectaire n, a Qui fait preuve d'intolérance.

sectarisme nm Attitude sectaire.

sectateur, trice n Membre d'une secte.

secte nf 1 Groupe de personnes qui professent les mêmes opinions religieuses. 2 Groupe idéologique ou religieux vivant en communauté sous l'influence d'un guide spirituel.

secteur nm 1 GEOM Portion de plan comprise entre un arc de cercle et les deux rayons qui le délimitent. 2 MILIT Partie du front de bataille occupée par une unité. 3 Subdivision d'une zone urbaine, d'une région. 4 Ensemble d'activités économiques de même nature. *Secteur tertiaire. Secteur public.* 5 Fam Endroit, lieu. *Il n'y a personne dans le secteur.*

section nf 1 Action de couper ; endroit de la coupure. 2 Représentation de qqch selon un plan transversal ; coupe. 3 GEOM Lieu de l'espace où deux lignes, deux surfaces se coupent. 4 Division dans une organisation. *Section syndicale. Section de vote.* 5 MILIT Subdivision d'une compagnie, d'une batterie. 6 Portion d'une route, d'un parcours. 7 Subdivision d'un ouvrage.

sectionner vt 1 Couper net, trancher. 2 Diviser en sections.

sectoriel, elle a Qui concerne particulièrement un secteur. *Chômage sectoriel.*

sectorisation nf Division en secteurs.

séculaire a Qui existe depuis un ou plusieurs siècles ; très ancien. *Coutume séculaire.*

séculariser vt Faire passer du domaine ecclésiastique au domaine laïc.

séculier, ère a 1 HIST Qui appartenait au monde laïque, et non à l'Église. 2 Se dit des ecclésiastiques qui n'appartiennent pas à un ordre religieux. Loc *Bras séculier :* autorité temporelle.

secundo [-ɡɔ̃-] av En second lieu.

sécuriser vt 1 Donner un sentiment de sécurité, rassurer. 2 Rendre qqch plus sûr, le mettre à l'abri des accidents.

sécuritaire a Qui concerne la sécurité publique.

sécurité nf Situation dans laquelle aucun danger n'est à redouter ; absence d'inquiétude résultant d'une telle situation. Loc *Sécurité routière :* mesures visant à assurer la sécurité des usagers de la route. *Sécurité sociale :* organisation officielle visant à assurer la sécurité matérielle des travailleurs et de leur famille contre certains risques.

sédatif, ive a, nm MED Calmant.

sédentaire a, n 1 Qui sort rarement de chez soi. 2 Qui n'est pas nomade ; dont l'habitat est fixe. ■ a Qui ne nécessite pas de déplacements. *Emploi sédentaire.*

sédentariser vt Rendre sédentaire, fixer. ■ vpr Devenir sédentaire.

sédiment nm GEOL Dépôt abandonné par les eaux, les glaces ou le vent.

sédimentaire a De la nature du sédiment.

sédimentation nf GEOL Formation de sédiments.

séditieux, euse a Litt Qui incite à une sédition.

sédition nf Litt Révolte, soulèvement concertés.

séducteur, trice n, a Qui sait plaire, charmer.

séduction nf Action de séduire ; charme, attrait.

séduire vt 67 1 Plaire à qqn et obtenir amour ou faveurs. 2 Conquérir l'admiration, l'estime, la confiance de qqn ; captiver, charmer.

séduisant, ante a Qui séduit, attire, plaît.

séfarade n, a Juif originaire d'Afrique du Nord (par oppos. à ashkénaze).

segment nm Partie séparée d'un tout, d'un ensemble. **Loc** GEOM *Segment de droite :* portion de droite entre deux points. *Segment de cercle :* surface entre un arc de cercle et sa corde. *Segment de frein :* pièce qui s'applique contre le tambour du frein.

segmenter vt Diviser en segments ; couper.

ségrégation nf Action de mettre à part, de séparer. **Loc** *Ségrégation raciale :* discrimination organisée entre les groupes raciaux.

ségrégationnisme nm Politique de ségrégation raciale.

séguedille nf Danse espagnole, à rythme rapide.

seiche nf Mollusque marin qui, menacé, rejette de sa poche ventrale une encre noire.

séide [seid] nm Litt Fanatique qui obéit aveuglément à un chef.

seigle nm Céréale poussant sur les terrains pauvres.

seigneur nm 1 FEOD Possesseur d'un fief, d'une terre. 2 Titre honorifique donné autrefois à des personnes de haut rang. **Loc** *Le Seigneur :* Dieu. *En grand seigneur :* avec magnificence.

seigneurial, ale,aux a Du seigneur.

seigneurie nf 1 FEOD Autorité du seigneur. 2 Terre seigneuriale. 3 Titre honorifique des membres de la Chambre des lords de Grande-Bretagne.

sein nm 1 Chacune des deux mamelles de la femme. 2 Litt Poitrine humaine. *Presser sur son sein.* 3 Litt Ventre de la femme. *Porter un enfant dans son sein.* **Loc** *Au sein de :* au milieu de, dans.

seine. V. senne.

seing [sɛ̃] nm DR Signature qui rend un acte valable. **Loc** *Seing privé :* signature d'un acte qui n'a pas été reçu par un officier public (par oppos. à authentique).

séisme nm 1 Tremblement de terre. 2 Bouleversement important. *Séisme politique.*

séismicité, séismique. V. sismicité, sismique.

seize a num 1 Dix plus six (16). 2 Seizième. *Chapitre seize.* ■ nm inv Nombre, numéro seize.

seizième a num Au rang, au degré seize. ■ a, nm Contenu seize fois dans le tout.

séjour nm 1 Fait de séjourner ; durée pendant laquelle on séjourne ; lieu où l'on séjourne. **Loc** *Permis de séjour :* autorisation officielle de séjourner dans un pays pour une période déterminée. *(Salle de) séjour :* pièce principale, living.

séjourner vi Demeurer quelque temps dans un lieu. *Séjourner à la montagne.*

sel nm 1 Chlorure de sodium utilisé pour assaisonner ou conserver les aliments. 2 Litt Ce qu'il y a de piquant, de spirituel dans une situation, un propos. 3 CHIM Composé provenant du remplacement de l'hydrogène d'un acide par un métal. ■ pl Ce qu'on donnait à respirer à qqn pour le ranimer.

sélacien nm ZOOL Poisson marin cartilagineux, tels le requin, la raie, etc.

sélect, ecte a Fam Élégant, distingué.

sélecteur nm TECH Dispositif de sélection ; commutateur.

sélectif, ive a Qui opère une sélection, un choix. *Classement sélectif.*

sélection nf 1 Choix entre des personnes en fonction de critères déterminés ; personnes ou choses ainsi retenues. 2 Choix des types reproducteurs pour la perpétuation d'une espèce animale ou végétale. Loc *Sélection naturelle :* survivance des espèces les mieux adaptées.

sélectionné, ée n Sportif choisi pour représenter son club, son pays.

sélectionner vt Choisir par sélection.

sélectionneur, euse n Qui procède à une sélection, en particulier en sport.

sélénium [-njom] nm Corps simple de la famille du soufre, possédant des propriétés photoélectriques.

sélénologie nf Étude de la Lune.

self-control nm Maîtrise de soi.

self-induction nf PHYS Induction d'un courant électrique sur lui-même. *Des self-inductions.*

self-made-man [selfmedman] nm Homme qui ne doit qu'à lui-même sa situation sociale. *Des self-made-mans ou des self-made-men.*

self-service ou **self** nm Libre-service. *Des self-services.*

selle nf 1 Petit siège qu'on sangle sur le cheval pour le monter. 2 Siège d'une bicyclette, d'une motocyclette. 3 Partie du mouton entre les côtes et le gigot. Loc *Aller à la selle :* expulser les excréments. ■ pl Matières fécales.

seller vt Munir une monture d'une selle.

sellerie nf Art, industrie, commerce du sellier.

sellette nf Petit siège. Loc *Être sur la sellette :* être mis en cause. *Mettre sur la sellette :* presser de questions.

sellier nm Qui fabrique et vend des selles, des articles de harnachement, etc.

selon prép Suivant, conformément à, d'après. Loc *Selon que* (+ ind) : eu égard à ce que fait que.

semailles nfpl Action de semer ; époque où l'on sème.

semaine nf 1 Période de sept jours consécutifs. 2 Cette période, envisagée relativement au temps de travail, aux jours ouvrables. Loc *En semaine :* un jour ouvrable de la semaine. Fam *À la petite semaine :* au jour le jour. *Fin de semaine :* week-end.

semainier nm 1 Agenda de bureau. 2 Commode à sept tiroirs.

sémantique nf LING Étude du sens des mots. ■ a Relatif au sens des mots.

sémaphore nm Appareil utilisé pour transmettre des informations par signaux optiques.

semblable a 1 De même apparence, pareil. *Une maison semblable aux autres.* 2 Tel, de cette nature. *Pourquoi tenir de semblables propos ?* ■ n 1 Personne, chose comparable. *Il n'a pas son semblable.* 2 Être humain, considéré par rapport aux autres. *Secourir ses semblables.*

semblant nm Apparence. *Un semblant de vérité.* Loc *Faire semblant de :* feindre de, avoir l'air de.

sembler vi Avoir l'air, paraître ; donner l'impression de. *Ce fruit me semble mûr.* ■ v impers Il apparaît, on dirait. *Il semble que tout va bien, que tout aille bien.* Loc *Il me semble que :* je crois que.

sème nm LING Unité minimale de signification.

semelle nf 1 Pièce constituant le dessous de la chaussure. 2 Pièce découpée à la forme du pied que l'on met à l'intérieur de la chaussure. 3 Dessous du ski. 4 Fam Viande coriace.

semence nf 1 Organe végétal qui se sème (graines, noyaux, pépins, etc.). 2 Sperme. 3 Clou à tête large et à tige courte.

semencier nm Entreprise qui produit et commercialise des semences.

semer vt 15 1 Mettre en terre des graines. *Semer du blé.* 2 Litt Répandre çà et là. 3 Fam Se débarrasser de qqn en lui faussant compagnie.

semestre nm Période de six mois consécutifs.

semestriel, elle a Qui se fait, qui a lieu, qui paraît chaque semestre.

semeur, euse n Qui sème.

semi-aride a Qui est très sec sans être complètement aride. *Des régions semi-arides.*

semi-auxiliaire GRAM Verbe qui joue le rôle d'un auxiliaire devant un infinitif (ex. : *aller* dans je vais partir). *Des semi-auxiliaires.*

semi-circulaire a En forme de demi-cercle.

semi-conducteur nm ELECTR Matériau dont la résistivité varie sous l'influence de la température, de l'éclairement, du champ électrique. *Des semi-conducteurs.*

semi-conserve nf Conserve alimentaire qui doit être gardée au frais. *Des semi-conserves.*

semi-consonne nf Syn de *semi-voyelle*. *Des semi-consonnes.*

semi-fini, ie a Qui doit subir d'autres transformations avant d'être livré sur le marché. *Des produits semi-finis.*

semi-grossiste n Commerçant qui vend en demi-gros. *Des semi-grossistes.*

semi-liberté nf DR Régime pénitentiaire permettant à un condamné de quitter temporairement la prison.

sémillant, ante a Pétulant, plein de vivacité.

sémillon nm Cépage blanc du Bordelais.

séminaire nm 1 Établissement préparant des jeunes gens à l'état ecclésiastique. 2 Groupe de spécialistes réunis pour étudier certaines questions particulières.

séminal, ale,aux a Relatif au sperme.

séminariste nm Élève d'un séminaire.

séminifère a ANAT Qui conduit le sperme.

semi-nomadisme nm Genre de vie combinant élevage nomade et agriculture.

séminome nm Tumeur maligne du testicule.

semi-officiel, elle a Qui n'a pas de caractère officiel, tout en étant inspiré par les autorités.

sémiologie nf 1 MED Étude des signes des maladies. 2 LING Science qui étudie les systèmes de signes au sein de la vie sociale.

sémiotique nf LING Théorie générale des signes et des systèmes de signes, linguistiques et non linguistiques. ■ a De la sémiotique.

semi-précieuse af Se dit, en bijouterie, d'une pierre fine. *Des pierres semi-précieuses.*

semi-produit nm Matière première ayant subi une transformation. *Des semi-produits.*

semi-public, ique a Qui relève à la fois du droit privé et du droit public.

semi-remorque nf Remorque pour le transport routier, dont l'avant, dépourvu de roues, repose sur le tracteur. ■ nm Ensemble constitué par la semi-remorque et son tracteur. *Des semi-remorques.*

semis nm 1 Action de semer. 2 Ensemble de graines qui lèvent. 3 Terrain où poussent ces graines.

sémite a, n Se dit des peuples qui parlent les langues sémitiques.

sémitique a Se dit de langues d'Asie occidentale et d'Afrique du Nord (hébreu, arabe).

semi-voyelle nf Phonème intermédiaire entre la consonne et la voyelle, ainsi le [j] de [pje] *(pied)*, le [ɥ] de [tɥe] *(tuer)*, le [w] de [fwɛ] *(fouet)*. Syn. semi-consonne. *Des semi-voyelles.*

semnopithèque nm Grand singe de l'Inde.

semoir nm Machine agricole destinée à semer les graines.

semonce nf Avertissement, réprimande. Loc *Coup de semonce :* avertissement brutal avant une action violente.

semoule nf Farine granulée de blé dur. Loc *Sucre semoule :* sucre en poudre à gros grains.

sempiternel, elle a Litt Continuel, perpétuel.

sénat nm 1 HIST Assemblée politique importante dans différents États, à diverses époques. 2 (avec majusc) En France, celle des deux assemblées délibérantes constituant le Parlement. 3 Édifice où siège cette assemblée.

sénateur nm Membre d'un sénat.

sénatorial, ale,aux a De sénateur.

sénatus-consulte nm HIST Décision du sénat dans la Rome antique, sous le Consulat, l'Empire. *Des sénatus-consultes.*

séné nm Plante dont on extrait un laxatif.

sénéchal, aux nm HIST Officier royal ayant des attributions judiciaires et financières.

sénéchaussée nf HIST Tribunal d'un sénéchal.

séneçon nm Plante à petites fleurs jaunes.

sénégalais, aise a, n Du Sénégal.

sénescence nf Vieillissement des tissus et de l'organisme.

senestre a, nf Vx Côté gauche.

sénevé nm Moutarde sauvage.

sénile a Atteint de sénilité.

sénilité nf État d'une personne âgée dont les capacités intellectuelles sont très diminuées.

senior [se-] n 1 Sportif de la catégorie intermédiaire entre celle des juniors et celle des vétérans. 2 Personne âgée ; retraité.

senne ou **seine** nf Long filet qu'on traîne sur les fonds sableux.

sens nm. 1 Faculté d'éprouver des sensations visuelles, auditives, tactiles, olfactives, gustatives. *Les organes des sens.* 2 Connaissance spontanée, intuitive. *Avoir le sens des nuances.* 3 Manière de juger, opinion. *Abonder dans le sens de qqn.* 4 Signification. *Préciser le sens d'un mot.* 5 Orientation, direction. *Scier une planche dans le sens de la longueur. Courir dans tous les sens.* Loc **Bon sens, sens commun** : faculté de bien juger. **Sens pratique** : habileté à résoudre les problèmes de la vie quotidienne. **Sixième sens** : intuition. ■ pl Sexualité. *Les plaisirs des sens.*

sensass a inv Fam Sensationnel.

sensation nf 1 Ce qu'on ressent physiquement. *Une sensation de froid.* 2 Émotion, impression. *Une sensation :* destiné à attirer l'attention. Loc **À sensation** : destiné à attirer l'attention.

sensationnalisme nm Goût du sensationnel.

sensationnel, elle a, nm Qui fait sensation. *Une nouvelle sensationnelle.* ■ a Fam Extraordinaire, remarquable.

sensé, ée a Qui a ou dénote du bon sens.

sensibiliser vt 1 Rendre sensible. 2 Rendre attentif, susceptible de réaction à qqch. *Sensibiliser l'opinion aux questions d'écologie.*

sensibilité nf 1 Caractère d'un être, d'un organisme sensible physiquement. *Sensibilité à la douleur.* 2 Caractère sensible, au point de vue affectif, esthétique, moral. 3 Propriété d'une chose sensible. *Sensibilité d'une balance.*

sensible a 1 Qui éprouve des sensations. 2 Qui a la propriété de réagir à certains agents extérieurs. 3 Qui devient facilement douloureux. *Point sensible.* 4 Qui ressent vivement certaines impressions morales, esthétiques. *Être sensible à la misère.* 5 Qui réagit à de faibles variations (instruments, appareils). *Balance sensible.* 6 PHILO Qui peut être perçu par les sens (par oppos. à intelligible). *Le monde sensible.* 7 Perceptible, appréciable, notable. *Faire des progrès sensibles.* 8 Qui pose des problèmes de sécurité publique. *Dossier sensible.* Loc **Note sensible** : placée à un demi-ton au-dessous de la tonique.

sensiblement av 1 De façon appréciable. 2 À peu près. *Ils sont sensiblement du même âge.*

sensiblerie nf Sensibilité puérile, outrée.

sensitif, ive a Qui transmet les sensations (nerfs). ■ a, n Qui est d'une sensibilité extrême.

sensoriel, elle a Relatif aux organes des sens.

sensorimoteur, trice a Qui concerne la sensibilité et la motricité.

sensualisme nm PHILO Doctrine selon laquelle toute connaissance dérive de la sensation.

sensualité nf Caractère sensuel.

sensuel, elle a Agréable aux sens. ■ a, n Attaché aux plaisirs des sens et spécialement aux plaisirs sexuels.

sente nf Litt Sentier.

sentence nf 1 Décision, verdict. 2 Litt Maxime, précepte.

sentencieux, euse a D'une gravité affectée ; solennel. *Ton sentencieux.*

senteur nf Litt Odeur, parfum.

senti, ie a Loc *Bien senti* : exprimé avec force et conviction.

sentier nm Chemin étroit.

sentiment nm 1 Tendance affective liée à des émotions, des représentations, des sensations ; état qui en résulte (désir, joie, peur, etc.). 2 État affectif d'origine morale. *Avoir le sentiment de l'honneur.* 3 Conscience, connaissance intuitive. *Avoir le sentiment de son infériorité.* 4 Litt Opinion, avis. *Quel est votre sentiment sur sa conduite ?*

sentimental, ale,aux a Relatif aux sentiments et spécialement à l'amour. *La vie sentimentale de qqn.* ■ a, n Qui a une sensibilité romanesque, souvent un peu naïve.

sentimentalisme nm Tendance à manifester une sentimentalité excessive dans sa conduite.

sentimentalité nf 1 Fait d'être sentimental. 2 Caractère sentimental.

sentinelle nf 1 Soldat armé qui est en faction. 2 Qui guette, qui surveille.

sentir vt 29 1 Éprouver une sensation physique. *Sentir une douleur. Sentir l'odeur des foins.* 2 Respirer volontairement l'odeur de. *Sentez cette rose !* 3 Révéler, trahir. *Ce texte sent l'effort.* 4 Être sensible à, percevoir intuitivement. *Sentir le ridicule de la situation.* ■ vt, vi 1 Exhaler une odeur. *Cela sent le brûlé.* 2 Avoir une odeur désagréable. *Cette viande commence à sentir.* ■ vpr Éprouver telle sensation, tel sentiment. *Se sentir en pleine forme.*

seoir vi 40 Litt Aller bien à, être convenable pour. *Cette robe vous sied.* ■ v impers Loc Litt *Il sied de* : il est convenable, opportun de.

sep nm Partie de la charrue qui porte le soc.

sépale nm BOT Pièce du calice d'une fleur.

séparateur, trice a, nm Qui a la propriété de séparer. Loc PHYS *Pouvoir séparateur* : capacité d'un instrument d'optique à donner des images séparées d'objets très rapprochés.

séparation nf 1 Action de séparer, de se séparer. 2 Chose qui sépare un espace, un objet d'un autre. Loc DR *Séparation de corps* : suppression, par décision judiciaire, du devoir

de cohabitation des époux. *Séparation de biens* : régime matrimonial permettant à chaque époux d'administrer ses biens.

séparatisme nm Opinion de ceux qui souhaitent une sécession politique entre leur région et l'État.

séparé, ée a 1 Différent, distinct. 2 Se dit de personnes qui ne vivent plus ensemble.

séparer vt 1 Mettre à part, isoler d'un autre élément ou d'un ensemble. *Séparer une phrase de son contexte. Séparer les combattants.* 2 Diviser. *Séparer un appartement en deux.* 3 Être interposé entre deux choses. *Un mur qui sépare deux propriétés.* ■ vpr 1 S'éloigner l'un de l'autre, diverger. *Nos routes se séparent.* 2 Cesser de vivre ensemble.

sépia nf 1 Matière colorante d'un brun chaud. 2 Dessin, lavis exécuté avec la sépia. ■ a inv Qui est de cette couleur.

sépiole nf Petite seiche.

sépiolite nf Écume de mer.

sept [sɛt] a num 1 Six plus un (7). 2 Septième. ■ nm inv Chiffre sept, nombre sept.

septante a num Soixante-dix (Belgique, Suisse).

septembre nm Neuvième mois de l'année.

septennat nm Durée de sept ans d'une fonction (président de la République).

septentrion nm Litt Nord.

septentrional, ale,aux a Du nord.

septicémie nf Infection générale due à la dissémination dans le sang de germes pathogènes.

septième [sɛtjɛm] a num Au rang, au degré sept. *Il est arrivé septième.* ■ a, nm Contenu sept fois dans le tout. ■ nf Dernière classe de l'enseignement du premier degré.

septique a MED Qui provoque ou peut provoquer l'infection. Loc *Fosse septique* : fosse d'aisances dans laquelle les matières organiques se décomposent par fermentation.

septuagénaire a, n Qui a entre soixante-dix et quatre-vingts ans.

septum [-tɔm] nm BIOL Cloison entre deux cavités, deux parties d'un organe.

septuor nm 1 Composition pour sept voix ou sept instruments. 2 Ensemble de sept exécutants.

septupler vt, vi (Se) multiplier par sept.

sépulcral, ale, aux a Litt Du sépulcre. Loc *Voix sépulcrale* : caverneuse.

sépulcre nm Litt Tombeau.

sépulture nf Lieu où on enterre un mort.

séquelle nf Trouble qui persiste après une maladie, un accident, un événement, etc.

séquençage nm BIOL Ordre de quatre composants de l'A.D.N.

séquence nf 1 Suite ordonnée d'éléments, d'opérations. 2 Suite de plans constituant une des divisions du récit cinématographique.

séquentiel, elle a D'une séquence. *Déroulement séquentiel.*

séquestre nm DR Remise d'une chose litigieuse à un tiers jusqu'au règlement de la contestation.

séquestrer vt 1 DR Mettre sous séquestre. 2 Tenir qqn enfermé arbitrairement et illégalement.

sequin nm Ancienne monnaie d'or de Venise.

séquoia nm Grand conifère de Californie.

sérac nm Bloc ou amas de blocs de glace dû à la fragmentation d'un glacier.

sérail nm 1 HIST Palais, harem d'un prince turc. 2 Milieu fermé des personnes proches du pouvoir.

séraphin nm RELIG Ange céleste.

séraphique a Litt Angélique, éthéré.

serbe a, n De Serbie.

serbo-croate nm Langue slave parlée en Serbie et en Croatie.

serein, eine a 1 Pur et calme. *Ciel serein.* 2 Exempt d'inquiétude. *Un esprit serein.*

sérénade nf 1 Concert donné la nuit sous les fenêtres de qqn. 2 Composition instrumentale ou vocale en plusieurs mouvements. 3 Fam Tapage, réprimande.

sérénissime a Titre honorifique donné à certains princes.

sérénité nf Caractère serein, tranquille.

séreux, euse a MED Qui a les caractères de la sérosité. ■ nf Membrane qui tapisse les cavités de l'organisme.

serf, serve n, a FEOD Attaché à une terre et vivant dans la dépendance d'un seigneur.

serfouette nf Outil de jardinage dont le fer forme une houe d'un côté et deux dents de l'autre.

serfouir vt Sarcler avec une serfouette.

serge nf Tissu de laine sec et serré.

sergé nm Tissage à côtes obliques.

sergent nm Sous-officier du grade le plus bas (infanterie, génie, aviation, etc.).

sergent-chef nm Sous-officier d'un grade intermédiaire entre ceux de sergent et d'adjudant. *Des sergents-chefs.*

serial [se-] nm Film à épisodes. *Des serials.*

sériciculture nf Élevage des vers à soie.

série nf 1 Suite, succession de choses analogues et constituant un ensemble. 2 Catégorie ; groupe correspondant à une division ou à une sélection dans un classement. Loc *Série noire* : suite de malheurs, de revers. *Série télévisée* : téléfilm à épisodes. *De série* : fabriqué à de nombreux exemplaires ; de qualité médiocre. *Fabrication en série* : fabrication normalisée et en grand nombre d'un produit. *Hors série* : d'exception.

sériel, elle a D'une série. *Ordre sériel.* Loc *Musique sérielle* : variante de la musique dodécaphonique.

sérier vt Classer par séries, ordonner.

sérieusement av 1 De façon sérieuse. 2 Réellement, vraiment. *Il en a sérieusement besoin.*

sérieux, euse a 1 Réfléchi, digne de confiance. *Un garçon sérieux.* 2 Qui ne manifeste pas de gaieté ; grave. *Une mine sérieuse.* 3 Important, digne de considération. *Un incident sérieux.* ■ nm Qualité d'une personne ou d'une chose sérieuse. *Plaisanter en gardant son sérieux. Le sérieux d'une maladie.*

sérigraphie nf Procédé d'impression utilisant des écrans en toile à mailles quadrillées.

serin nm 1 Petit oiseau au plumage jaune ou vert. 2 Fam Niais, nigaud.

seriner vt Répéter sans cesse qqch à qqn.

seringa ou **seringat** *nm* Arbrisseau à fleurs blanches odorantes.

seringue *nf* Petite pompe servant à injecter des liquides dans l'organisme, ou à en extraire, à en prélever.

serment *nm* Déclaration, promesse solennelle. *Prêter serment de dire toute la vérité.*

sermon *nm* 1 Discours religieux destiné à instruire et à exhorter les fidèles. 2 Discours ennuyeux et moralisateur.

sermonner *vt* Adresser des remontrances à qqn.

sérodiagnostic *nm* MED Méthode de diagnostic fondée sur l'examen du sérum.

sérologie *nf* MED Étude des sérums, de leurs propriétés.

séronégatif, ive *a* Chez qui le sérodiagnostic donne un résultat négatif.

séropositif, ive *a, n* Chez qui le sérodiagnostic donne un résultat positif, spécialement pour le virus du sida.

sérosité *nf* MED Liquide analogue au sérum sanguin, qui se forme dans les séreuses.

sérothérapie *nf* MED Emploi thérapeutique d'un sérum.

sérotonine *nf* BIOL Médiateur chimique du système nerveux.

serpe *nf* Outil tranchant à large lame recourbée.

serpent *nm* Reptile au corps allongé, sans membres, qui se déplace par reptation. Loc Fam *Serpent de mer* : sujet de conversation qui revient de temps à autre. *Langue de serpent* : personne médisante.

serpentaire *nm* Oiseau d'Afrique qui se nourrit de serpents.

serpenter *vi* Former des sinuosités. *Un sentier qui serpente.*

serpentin *nm* 1 Tuyauterie sinueuse ou en hélice. 2 Petit rouleau étroit de papier, qui se déroule quand on le lance.

serpentine *nf* Roche métamorphique vert sombre.

serpette *nf* Petite serpe.

serpillière [-jɛʀ] *nf* Torchon fait de grosse toile, utilisé pour laver les sols.

serpolet *nm* Thym sauvage.

serpule *nf* Ver marin vivant dans un tube calcaire.

serran *nm* Poisson marin très vorace.

serre *nf* 1 Abri clos à parois translucides destiné à protéger les végétaux du froid. 2 Griffe puissante des rapaces. Loc *Effet de serre* : réchauffement de l'atmosphère, augmenté par certains gaz.

serré, ée *a* 1 Dont les éléments sont étroitement rapprochés. *Un gazon dru et serré.* 2 Qui dénote la rigueur. *Raisonnement serré.* 3 Gêné par des difficultés financières. Loc *Café serré* : café fort. ■ *av* Avec vigilance. *Jouer serré.*

serre-file *nm* Gradé placé en queue de colonne d'une troupe en marche. *Des serre-files.*

serre-fils *nm inv* ELECTR Pièce servant à connecter deux fils par serrage.

serre-joint *nm* Instrument assurant le serrage de pièces de bois. *Des serre-joints.*

serre-livres *nm inv* Chacun des deux objets lourds entre lesquels on maintient des livres.

serrement *nm* Loc *Serrement de main* : poignée de main. *Serrement de cœur* : émotion qui attriste.

serrer *vt* 1 Tenir en exerçant une pression, étreindre. *Serrer la main de qqn.* 2 Tenir trop étroitement. *Col qui serre le cou.* 3 Tirer, manœuvrer, pousser de façon à comprimer. *Serrer un nœud. Serrer un écrou. Serrer les rangs.* 4 Longer de très près. *Serrer le trottoir.*

serre-tête *nm inv* Bandeau rigide qui retient la chevelure.

serrure *nf* Dispositif qui permet de bloquer en position fermée au moyen d'une clé.

serrurerie *nf* Art, métier du serrurier.

serrurier *nm* Qui fabrique, pose, vend des serrures.

sertão [sɛʀtã] *nm* GEOGR Au Brésil, zone semi-aride où l'on pratique l'élevage extensif.

sertir *vt* 1 Enchâsser une pierre dans un chaton. 2 Assujettir une pièce métallique.

sertisseur, euse *n* Dont le métier est de sertir. ■ *nm* Appareil pour sertir des boîtes de conserve.

sertissure *nf* Manière dont une pierre précieuse est sertie.

sérum [-ʀɔm] *nm* **1** Partie liquide du sang, plasma débarrassé de la fibrine et de certains agents de la coagulation. **2** Produit tiré du sérum d'un animal immunisé, qu'on injecte comme vaccin. Loc *Sérum physiologique :* solution à 9 ‰ de chlorure de sodium. *Sérum de vérité :* composé barbiturique employé dans un but d'investigation psychologique.

servage *nm* **1** HIST État de serf. **2** Servitude, dépendance.

serval *nm* Petit félidé africain. *Des servals.*

servant *am* Loc *Cavalier, chevalier servant :* compagnon empressé d'une femme. ■ *nm* Artilleur chargé d'approvisionner une pièce pendant le tir.

servante *nf* Femme, jeune fille employée comme domestique.

serveur, euse *n* **1** Qui sert les repas ou les consommations, dans un restaurant, un café. **2** Qui met la balle en jeu au tennis, au volley-ball, etc. ■ *nm* INFORM Système de consultation à distance de banques de données.

serviable *a* Qui rend volontiers service.

service *nm* **1** Fonction de qqn qui sert une personne, une clientèle, son pays, une cause, etc. *Un chauffeur au service du directeur.* Faire son *service militaire.* **2** Pourcentage d'une note d'hôtel, de restaurant, destiné au personnel. *Service compris.* **3** Activité professionnelle. *Prendre son service à 8 heures.* **4** Branche d'activité d'une entreprise, d'une administration. *Service de cardiologie d'un hôpital.* **5** Ce qu'on fait bénévolement pour être utile à qqn. *Rendre service à un voisin.* **6** Envoi, fourniture. *Faire le service d'un journal à qqn.* **7** Action de servir au tennis, au volley-ball, etc. **8** Assortiment de vaisselle, de linge de table. Loc *En service, hors service :* en état, hors d'état de fonctionner. *Service religieux :* célébration d'un office religieux. *Service d'ordre :* ensemble de personnes chargées du maintien de l'ordre. *Service funèbre :* cérémonie pour un mort. *Service public :* activité d'intérêt général assurée par un organisme ; cet organisme. ■ *pl* **1** Travail rémunéré. *Être satisfait des services de qqn.* **2** Activités économiques qui ne produisent pas directement des biens matériels.

serviette *nf* **1** Linge qu'on utilise à table ou pour la toilette. **2** Sac rectangulaire à rabat dans lequel on transporte des livres, des documents, etc. Loc *Serviette hygiénique :* portée par les femmes pendant leurs règles.

serviette-éponge *nf* Serviette de toilette en tissu-éponge. *Des serviettes-éponges.*

servile *a* **1** Qui s'abaisse de façon dégradante ; obséquieux. **2** Qui ne prend pas assez de liberté à l'égard d'un modèle.

servir *vt* **29 1** Consacrer son activité à qqn, à qqch. *Servir ses amis. Servir son pays.* **2** Fournir un client. *Le boucher nous sert bien.* **3** Présenter un mets, une boisson. *Servir un plat bien chaud. Servir les invités.* **4** Payer régulièrement. *Servir une rente.* **5** Mettre une pièce d'artillerie en état de fonctionner. Loc *Servir la messe :* assister le prêtre durant la messe. ■ *vti, vi* **1** Être utile à qqn. *Ce conseil lui a servi.* **2** Être propre, utile à qqch. *Cet outil sert à creuser. Le tissu peut encore servir.* **3** Faire office de. *Ce bâton lui sert de canne.* ■ *vi* **1** Être militaire. **2** Mettre la balle en jeu au tennis, au volley-ball, etc. ■ *vpr* **1** Prendre soi-même ce qui est disponible. **2** Utiliser. *Se servir d'un couteau.*

serviteur *nm* Qui est au service de qqn, d'une collectivité. *Les serviteurs de l'État.*

servitude *nf* **1** État d'une personne ou d'un peuple privés de leur indépendance ; esclavage. **2** Contrainte, assujettissement.

servofrein *nm* Mécanisme agissant sur les organes de freinage.

servomécanisme *nm* TECH Dispositif automatique de régulation d'un système.

ses. V. son 1.

sésame *nm* **1** Plante dont les graines fournissent une huile alimentaire. **2** Ce qui permet de surmonter les obstacles, comme par enchantement.

sessile *a* BOT Inséré directement sur un organe, sans pédoncule.

session *nf* Temps pendant lequel siège une assemblée, un tribunal, un jury d'examen.

sesterce *nm* ANTIQ Monnaie romaine.

set nm Manche d'une partie de tennis, de tennis de table, de volley-ball. **Loc Set de table :** napperon que l'on place sous les assiettes.

setter [sɛtɛʀ] nm Grand chien d'arrêt à longs poils.

seuil nm 1 Entrée d'une maison, d'une pièce ; commencement d'un lieu. 2 GEOGR Élévation d'un terrain. 3 Valeur à partir de laquelle un phénomène se produit ; point critique. *Seuil de rentabilité.* **Loc Au seuil de :** au début de.

seul, seule a 1 Momentanément sans compagnie. *Se promener seul, tout seul.* 2 Généralement isolé, qui vit sans amis. *Il est seul au monde.* 3 Unique. *Le seul bien qui lui reste.* 4 Seulement. *Spectacle que seuls les enfants apprécient.*

seulement av 1 Sans rien de plus. *Ils sont seulement trois dans le secret.* 2 Pas avant. *Il arrive seulement demain.* 3 À l'instant, tout récemment. *Il vient seulement de partir.* 4 Toutefois, mais. *Il le savait, seulement il n'a rien dit.* **Loc Pas seulement :** pas même. **Sans seulement :** sans même. **Si seulement :** si au moins.

seulet, ette a Litt Seul.

sève nf 1 Liquide nourricier des végétaux. 2 Litt Force, vigueur, énergie.

sévère a 1 Dépourvu d'indulgence. *Un juge sévère.* 2 Dur, rigoureux. *Punition sévère. Ton sévère.* 3 Sans ornements, austère. *Un style sévère.* 4 Important, grave. *Des pertes sévères.*

sévérité nf Caractère sévère.

sévices nmpl Violences corporelles, mauvais traitements.

sévir vi 1 Punir, réprimer avec rigueur. 2 Causer de gros dégâts, exercer une action néfaste.

sevrage nm 1 Remplacement progressif de l'allaitement par une alimentation plus solide. 2 Action de priver un toxicomane de drogue.

sevrer vt 151 Procéder au sevrage. 2 Litt Priver d'un plaisir.

sèvres nm Porcelaine fabriquée à la manufacture nationale de Sèvres.

sexagénaire a, n Qui a entre soixante et soixante-dix ans.

sex-appeal [sɛksapil] nm Attrait sexuel qu'exerce une femme. *Des sex-appeals.*

sexe nm 1 Caractéristiques physiques qui permettent de différencier le mâle de la femelle, l'homme de la femme. 2 Ensemble des individus du même sexe. 3 Sexualité. 4 Organes génitaux externes. **Loc Le sexe fort :** les hommes. **Le sexe faible, le beau sexe :** les femmes.

sexisme nm Attitude de discrimination à l'encontre des femmes.

sexologie nf Étude de la sexualité humaine.

sex-ratio nm inv Rapport entre les naissances de sexe masculin et celles de sexe féminin.

sex-shop nm Magasin spécialisé dans la vente de publications et d'objets pornographiques. *Des sex-shops.*

sex-symbol nm Vedette symbolisant l'idéal sensuel. *Des sex-symbols.*

sextant nm Instrument de navigation utilisé pour mesurer des distances angulaires des hauteurs d'astres au-dessus de l'horizon.

sextuor nm 1 Morceau écrit pour six voix ou pour six instruments. 2 Ensemble formé de six interprètes.

sextupler vt, vi (Se) multiplier par six.

sexualité nf Ensemble des caractères et des comportements liés au sexe, à l'instinct sexuel.

sexué, ée a Pourvu d'organes sexuels. **Loc Reproduction sexuée :** par conjonction des deux sexes.

sexuel, elle a Relatif au sexe, à la sexualité.

sexy a inv Fam Qui a du sex-appeal.

seyant, ante a Qui va bien à qqn.

seychellois, oise a, n Des Seychelles.

sézigue pr Pop Soi, lui.

sforzando av MUS En renforçant le son.

S.G.B.D. nm INFORM Abrév de *système de gestion de bases de données*, logiciel de traitement de fichiers.

shabbat [-bat] nm Syn de *sabbat*.

shah V. *schah*.

shaker

shaker [ʃekœʀ] *nm* Récipient dans lequel on mélange les ingrédients d'un cocktail.

shakespearien, enne [ʃekspiʀjɛ̃] *a* Qui rappelle les tragédies de Shakespeare.

shako ou **schako** *nm* Coiffure militaire rigide, à visière, de forme tronconique.

shampoing ou **shampooing** [ʃɑ̃pwɛ̃] *nm* 1 Lavage des cheveux. 2 Produit utilisé pour ce lavage. 3 Produit de nettoyage pour moquettes.

shampouiner [ʃɑ̃pwine] *vt* Faire un shampoing à.

shampouineur, euse [ʃɑ̃pwi-] *n* Employé(e) d'un salon de coiffure qui fait les shampoings. ■ *nf* Appareil servant à nettoyer les moquettes.

shantung ou **chantoung** [ʃɑ̃tuŋ] *nm* Tissu de soie léger d'aspect irrégulier.

shekel *nm* Unité monétaire d'Israël.

shérif *nm* 1 Aux États-Unis, chef de la police d'un comté. 2 *Fam* Policier aux manières expéditives.

sherpa *nm* Porteur, guide de montagne, dans l'Himalaya.

sherry *nm* Nom anglais du Xérès.

shetland [ʃetlɑ̃d] *nm* 1 Laine d'Écosse. 2 Tricot fait avec cette laine.

shiitake [-ke] *nm inv* Champignon comestible à chair ferme, originaire d'Extrême-Orient.

shilling [ʃiliŋ] *nm* 1 Ancienne division (1/20) de la livre sterling. 2 Unité monétaire de certains pays d'Afrique.

shilom *nm* Petite pipe utilisée pour fumer le haschich ou l'opium.

shimmy *nm* Vibration ou flottement dans le train avant d'une automobile.

shinto ou **shintoïsme** [ʃin-] *nm* Religion propre au Japon.

shogoun *nm* HIST Chef militaire et civil du Japon, de 1192 à 1868.

shoot [ʃut] *nm* Au football, coup de pied sec et puissant donné dans le ballon.

shooter [ʃute] *vi* Faire un shoot, au football. ■ *vpr* Pop S'injecter une drogue.

shopping [ʃɔpiŋ] *nm* Loc *Faire du shopping :* courir les magasins.

short [ʃɔʀt] *nm* Culotte courte portée pour faire du sport, en vacances, etc.

shosha *nf* Société de commerce japonaise.

show [ʃo] *nm* Spectacle de variétés.

show-business [ʃobiznɛs] ou **show-biz** [ʃobiz] *nm inv* Industrie du spectacle.

show-room [ʃoʀum] *nm* Stand d'exposition ouvert par un industriel. *Des show-rooms.*

shunt [ʃœ̃t] *nm* ELECTR Résistance placée en dérivation entre les bornes d'une portion de circuit.

1. si *conj* 1 Au cas où, en admettant que. *Si la pluie cesse, j'irai me promener. Si c'était vrai, on le saurait.* 2 Bien que, sans doute que c'est impossible (mais...). *Si c'est difficile, ce n'est quand même pas impossible.* 3 Exprime une supposition, un souhait. *Si on y allait ? Si cela pouvait être vrai !* Loc *Si ce n'est (que) :* sauf (que), excepté (que). *Si tant est que :* même en admettant que. ■ *av* 1 Exprime l'affirmation en réponse à une phrase négative. *Ça ne t'intéresse pas ? - Si !* 2 Tellement. *Il était si fatigué qu'il s'est endormi.* 3 Aussi, à ce point. *Je n'avais jamais rien vu de si beau.* Loc *Si bien que :* de sorte que.

2. si *nm inv* Septième note de la gamme.

siamois, oise *a, n* Du Siam. Loc *Chat siamois :* chat aux yeux bleus et au pelage beige et brun. *Frères siamois, sœurs siamoises :* jumeaux, jumelles attachés l'un à l'autre par une partie du corps.

sibérien, enne *a, n* De Sibérie.

sibilant, ante *a* MED Qui produit un sifflement.

sibylle *nf* ANTIQ Femme chez qui passait pour avoir reçu d'Apollon le don de prédire l'avenir.

sibyllin, ine *a* Litt Énigmatique, ambigu.

sic *av* Se met entre parenthèses à la suite d'un passage pour indiquer qu'il a été cité textuellement.

sicaire *nm* Litt Assassin à gages.

sicav *nf inv* Société d'investissement à capital variable gérant un portefeuille de valeurs mobilières.

siccatif, ive *a, nm* Qui facilite le séchage d'une peinture.

sicilien, enne *a* De Sicile. ■ *nf* Danse en vogue au XVIIIe s.

sida nm État pathologique dû à un effondrement des défenses immunitaires, causé par un agent viral transmissible par voie sanguine ou sexuelle.

side-car nm Véhicule composé d'une petite nacelle munie d'une roue, fixée sur le côté d'une motocyclette. *Des side-cars.*

sidéen, enne a, n Atteint du sida.

sidéral, ale,aux a Relatif aux astres.

sidérer vt 12 Fam Stupéfier, étonner fortement.

sidérurgie nf Métallurgie du fer ; production de la fonte et de l'acier.

sidérurgiste n Qui travaille dans la sidérurgie.

siècle nm 1 Durée de cent ans. 2 Durée de cent ans comptée à partir du début d'une ère. *Le troisième siècle après Jésus-Christ.* 3 Période historique marquée par tel événement, tel personnage. *Le siècle de Louis XIV.* 4 Fam Très longue période.

siège nm 1 Meuble fait pour s'asseoir. 2 Place, fonction dans une assemblée d'élus. 3 Fesses. *Bain de siège.* 4 Lieu où réside une autorité, une administration. *Siège d'un tribunal. Siège social d'une société.* 5 Endroit d'où part, où se fait sentir un phénomène. *Le siège d'une douleur.* 6 Opération militaire visant à prendre une place forte. *Loc État de siège :* régime exceptionnel sous lequel l'armée assume le maintien de l'ordre. *Siège social :* domicile légal d'une société.

siéger vi 13 1 Tenir séance. 2 Avoir un siège dans une assemblée. 3 Se situer, se localiser.

siemens [simɛns] nm Unité de mesure de la conductance électrique.

sien, sienne a poss Litt Qui est à lui, à elle. *Un sien cousin.* ■ pr poss Ce qui lui appartient. *Ce livre, c'est le sien.* ■ nmpl Les membres de sa famille, ses amis.

sierra nf GÉOGR Chaîne de montagnes.

sierra-léonais, aise a, n De la Sierra Leone.

sieste nf Repos pris après le repas de midi.

sieur nm DR Monsieur. *Le sieur X.*

sievert [sivɛʀt] nm Unité de mesure de radioactivité.

sifflement nm Son produit par qqn ou par qqch qui siffle.

siffler vi Produire un son aigu, en chassant l'air par une ouverture étroite (dents, lèvres, sifflet, etc.). ■ vt 1 Moduler un air en sifflant. 2 Appeler en sifflant. 3 Conspuer, huer par des sifflets. 4 Indiquer par un coup de sifflet. 5 Fam Avaler un trait.

sifflet nm 1 Petit instrument avec lequel on siffle. 2 Marque de désapprobation faite en sifflant.

siffleur, euse a, n Qui siffle.

siffloter vi, vt Siffler doucement.

sigillé, ée a Marqué d'un sceau.

siglaison nf Formation des sigles.

sigle nm Ensemble de lettres initiales servant d'abréviation (ex. : O.N.U., pour *Organisation des Nations unies*).

sigma nm Lettre de l'alphabet grec, correspondant à s.

signal, aux nm 1 Signe convenu utilisé pour servir d'avertissement, provoquer un comportement, transmettre une information. *Le signal du départ.* 2 Appareil, dispositif servant à ce signal. *Les signaux routiers du code de la route.* 3 Fait qui annonce quelque chose ou la détermine.

signalé, ée a Litt Remarquable.

signalement nm Description des caractères physiques de qqn.

signaler vt 1 Annoncer par un signal, par des signaux. 2 Appeler l'attention sur, faire remarquer. 3 Mentionner, indiquer. ■ vpr Se faire remarquer par sa conduite.

signalétique a Qui donne un signalement. *Fiche signalétique.* ■ nf Ensemble des moyens de signalisation équipant un lieu.

signalisation nf 1 Utilisation de signaux. 2 Ensemble des signaux par lesquels la circulation est réglée.

signaliser vt Pourvoir d'une signalisation.

signataire n Qui a signé qqch.

signature nf 1 Nom d'une personne, écrit de sa main, comme témoignage d'authenticité, de responsabilité. 2 Action de signer. *La signature d'un traité.*

signe nm 1 Chose qui est l'indice d'une autre. *La fièvre est le signe d'une infection.* 2 Ce qui permet de reconnaître, de distinguer.

3 Geste, expression qui permet de faire connaître qqch à qqn. **4** Ce qui est utilisé conventionnellement pour représenter, noter. *Signes de ponctuation.* **Loc Les signes du zodiaque :** les douze divisions du zodiaque.

signer *vt* Revêtir de sa signature, authentifier de son nom. *Signer une lettre. Signer un roman.* ■ *vpr* Faire le signe de la croix.

signet *nm* Petit ruban fixé au dos d'un livre, qui sert à marquer une page.

signifiant, ante *a* Chargé de sens. ■ *nm* LING Forme concrète du signe linguistique.

significatif, ive *a* **1** Qui exprime qqch nettement, précisément ; révélateur. **2** Important, marquant. *Jouer un rôle significatif.*

signification *nf* **1** Ce que signifie une chose, un mot. **2** DR Notification d'un acte, d'un jugement à qqn, par les voies légales.

signifié *nm* LING Contenu du signe linguistique, manifesté concrètement par le signifiant.

signifier *vt* **1** Avoir pour sens, vouloir dire. **2** Notifier qqch à qqn de façon expresse ou par voie de droit. *Signifier son congé à qqn.*

sikh, sikhe *a, n* Adepte du sikhisme.

sikhisme *nm* Secte religieuse indienne.

silence *nm* **1** Fait de se taire, de s'abstenir de parler. **2** Absence de bruit. *Le silence de la nuit.* **3** MUS Interruption du son d'une durée déterminée ; signe graphique qui indique cette interruption.

silencieux, euse *a* **1** Où on n'entend aucun bruit. *Un endroit très silencieux.* **2** Qui a lieu, qui se fait sans bruit ; qui fonctionne sans bruit. *Moteur silencieux.* **3** Qui garde le silence, qui s'abstient de parler. ■ *nm* Dispositif conçu pour amortir le bruit d'une arme à feu, d'un moteur à explosion.

silène *nm* **1** Plante herbacée ornementale au calice en forme d'outre. **2** Nom d'un papillon.

silex *nm* Roche siliceuse très dure.

silhouette *nf* **1** Dessin au trait réduit à un contour. **2** Aspect général que la corpulence et le maintien donnent au corps. **3** Forme vague de qqn, de qqch.

silicate *nm* Minéral constituant essentiel des roches magmatiques et métamorphiques.

silice *nf* Oxyde de silicium présent dans de très nombreux minéraux.

siliceux, euse *a* Formé de silice.

silicium [-sjɔm] *nm* Corps simple utilisé notamment dans des alliages et en électronique.

silicone *nf* Matière plastique dérivée du silicium.

silicose *nf* Maladie professionnelle due à l'inhalation de poussières de silice.

silique *nf* BOT Fruit sec des crucifères, qui s'ouvre à maturité.

sillage *nm* Trace qu'un navire en marche laisse derrière lui à la surface de l'eau. **Loc Marcher dans le sillage de qqn :** suivre son exemple.

sillet *nm* MUS Petit morceau de bois ou d'ivoire qui supporte les cordes des instruments à cordes.

sillon *nm* **1** Longue tranchée tracée par le soc de la charrue. **2** Rainure. **3** Piste d'un disque.

sillonner *vt* Parcourir en tous sens. *Des patrouilles sillonnent la ville.*

silo *nm* **1** Réservoir servant à conserver des produits agricoles. **2** Construction souterraine abritant des missiles.

silotage *nm* Syn de *ensilage.*

silure *nm* Poisson d'eau douce à la tête porte de longs barbillons. **Syn** poisson-chat.

silurien *a* GÉOL Période de l'ère primaire.

simagrées *nfpl* Manières affectées.

simien, enne *a* Qui concerne le singe. ■ *nm* ZOOL Mammifère primate, tel que le singe.

simiesque *a* Qui rappelle le singe.

similaire *a* Semblable, analogue.

similarité *nf* Caractère similaire.

simili *nm* Imitation d'une matière.

similitude *nf* Rapport qui unit des choses semblables ; analogie.

simonie *nf* RELIG Trafic de biens spirituels (sacrements, dignités, etc.).

simoun *nm* Vent brûlant du désert.

simple *a* **1** Qui n'est pas composé de parties, d'éléments divers. **2** Qui est seulement cela. *Une simple lettre vous suffira.* **3** Facile à comprendre, à employer, à exécuter. *Un appareil très simple.* **4** Qui est dénué d'ornements, de fioritures, sans luxe. *Une maison toute simple.* **5** Qui agit sans vanité, sans ostentation. *Il est resté très simple.* **6** Naïf, crédule, qui se laisse facilement abuser. **Loc Simple particulier :** personne quelconque, sans fonction officielle. ■ **n Loc Simple d'esprit :** dont l'intelligence est débile. ■ **nm Loc Du simple au double :** dans la proportion de 1 à 2. ■ **pl** BOT Plantes médicinales.

simplet, ette a, n Fam D'une simplicité niaise.

simplicité nf Caractère simple.

simplification nf Action de simplifier.

simplifier vt Rendre plus simple ; faciliter.

simpliste a, n Qui simplifie à l'excès.

simulacre nm Apparence qui se donne pour une réalité ; action simulée.

simulateur, trice n Qui simule. ■ **nm** Appareil, installation qui permet de simuler une situation, un phénomène.

simulation nf **1** Action de simuler. **2** Établissement d'un modèle mathématique destiné à l'étude d'un système.

simuler vt **1** Faire paraître comme réelle une chose qui ne l'est pas. *Simuler la folie.* **2** TECH Procéder à la simulation de. *Simuler un vol spatial.*

simulie nf Moustique tropical, vecteur de graves maladies parasitaires.

simultané, ée a Qui se produit en même temps. *L'arrivée simultanée de deux bateaux.*

simultanéité nf Caractère simultané ; existence simultanée de plusieurs choses.

simultanément av Au même moment.

sinanthrope nm PALÉONT Fossile hominien, appelé aussi *homme de Pékin.*

sinapisme nm MED Cataplasme à base de farine de moutarde.

sincère a **1** Qui exprime ses pensées, ses sentiments sans les déguiser. **2** Réellement pensé ou senti. *Sentiments, paroles sincères.*

sincérité nf Caractère sincère.

sinécure nf Place qui procure des ressources sans exiger beaucoup de travail. **Loc** Fam *Ce n'est pas une sinécure :* ce n'est pas facile.

sine die [sinedje] av Sans fixer de date.

sine qua non [sinekwanɔn] a inv **Loc** *Condition sine qua non :* obligatoire, indispensable.

singapourien, enne a, n De Singapour.

singe nm **1** Mammifère primate anthropoïde à la face glabre, aux pieds et aux mains préhensiles. **2** Qui imite les gestes, les mimiques, les attitudes d'un autre. **3** Pop Patron. **Loc** *Payer en monnaie de singe :* en paroles creuses.

singer vt **11** Imiter, contrefaire.

singerie nf **1** Grimace, tour de malice. **2** Cage des singes, dans une ménagerie.

single [singœl] nm **1** Cabine, chambre, compartiment occupés par une seule personne. **2** Disque ne comportant qu'un seul morceau par face.

singleton nm Au bridge, carte seule de sa couleur dans la main d'un joueur.

singulariser vt Rendre singulier, extraordinaire. ■ **vpr** Se faire remarquer.

singularité nf **1** Fait d'être singulier, unique, irremplaçable. **2** Chose, manière singulière.

singulier, ère a **1** Individuel, qui distingue des autres. **2** Bizarre, étonnant. *Un détail singulier.* **Loc** *Combat singulier :* qui oppose un seul adversaire à un seul autre. ■ **nm** Catégorie grammaticale qui exprime l'unité. Ant. pluriel.

singulièrement av **1** Particulièrement, principalement. **2** Beaucoup, extrêmement. *Il est singulièrement déçu.*

siniser vt Faire adopter la civilisation, la langue, les mœurs chinoises à.

sinistre a **1** Qui fait craindre quelque malheur. *Un sinistre présage.* **2** Lugubre ; très ennuyeux. *Un quartier sinistre. Une soirée sinistre.* ■ **nm 1** Catastrophe qui cause des pertes considérables. **2** DR Tout dommage qui entraîne une indemnisation. *Règlement d'un sinistre.*

sinistré, ée a, n Victime d'un sinistre.

sinistrose nf Fam Pessimisme excessif.

sinologie nf Étude de la langue, de la culture et de l'histoire de la Chine.

sinon conj **1** Autrement, sans quoi. *N'insistez pas, sinon il se fâchera.* **2** Si ce n'est ; sauf.

Il ne lit rien, sinon son journal. **3** Peut-être même. *Il était l'un des rares, sinon le seul, à savoir cela.*

sinoque *a, n* Fam Fou.

sinueux, euse *a* **1** Qui forme des courbes nombreuses. *Sentier sinueux.* **2** Qui procède par détours, tortueux. *Une approche sinueuse.*

sinuosité *nf* Chacune des courbes d'une ligne sinueuse.

sinus [sinys] *nm* **1** ANAT Cavité irrégulière à l'intérieur de certains ou du crâne et de la face. **2** MATH Valeur d'un angle d'un triangle rectangle définie par le rapport entre le côté opposé à cet angle et l'hypoténuse.

sinusite *nf* Atteinte inflammatoire ou infectieuse des muqueuses des sinus de la face.

sinusoïde *nf* GEOM Ligne continue constituée par des courbes régulièrement inversées.

sionisme *nm* Mouvement de restauration d'un État juif indépendant en Palestine.

siphon *nm* **1** Tube recourbé permettant de transvaser un liquide d'un niveau donné à un niveau inférieur. **2** Dispositif intercalé entre un appareil sanitaire et son tuyau de vidange. **3** En spéléologie, galerie ou boyau inondé. **4** Bouteille munie d'un bouchon mécanique à levier et contenant de l'eau gazéifiée sous pression.

siphonné, ée *a* Pop Un peu fou.

siphonner *vt* Transvaser un liquide au moyen d'un siphon.

sire *nm* Titre que l'on donne à un souverain lorsqu'on s'adresse à lui. Loc Fam **Un triste sire** : un individu peu estimable.

sirène *nf* **1** Être mythique constitué d'un buste de femme et d'une queue de poisson. **2** Appareil de signalisation sonore.

sirénien *nm* ZOOL Mammifère aquatique, tel que le dugong, le lamantin.

sirocco *nm* Vent chaud et sec, qui souffle du Sahara sur l'Algérie, la Tunisie, la Sicile.

sirop *nm* Solution concentrée de sucre et additionnée ou non de substances aromatiques ou médicamenteuses.

siroter *vt, vi* Fam Boire à petites gorgées, en prenant son temps.

sirupeux, euse *a* **1** Qui a la consistance du sirop ; visqueux. **2** D'une douceur mièvre.

sis, sise *a* DR ou litt Situé. *Hôtel sis à Lyon.*

sisal *nm* **1** Agave fournissant une fibre textile. **2** Cette fibre elle-même.

sismicité *nf* GEOL Fréquence et intensité des séismes dans une région donnée.

sismique *a* Relatif aux séismes.

sismographe *nm* Appareil enregistrant les mouvements sismiques.

sismologie *nf* GEOL Étude des séismes.

sismothérapie *nf* MED Syn de *électrochoc.*

sistre *nm* Instrument de musique constitué d'un cadre supportant des tiges qui s'entrechoquent.

sitar *nm* Instrument de musique à cordes pincées, originaire du nord de l'Inde.

sitcom *nm* Téléfilm inspiré de situations tirées de la vie quotidienne.

site *nm* **1** Lieu, tel qu'il s'offre aux yeux de l'observateur ; paysage pittoresque. **2** Emplacement affecté à un usage. *Site industriel.*

sit-in [sitin] *nm inv* Manifestation non violente dans laquelle les participants occupent un endroit public en s'asseyant par terre.

sitôt *av* Aussitôt. *Sitôt dit, sitôt fait. Sitôt qu'il partira.* Loc **Pas de sitôt** : pas avant longtemps.

situation *nf* **1** Position, emplacement d'une ville, d'une maison, d'un terrain. **2** Ensemble des conditions dans lesquelles se trouve qqn à un moment donné. *Situation pécuniaire, familiale.* **3** Emploi, profession. **4** État des affaires ; conjoncture. *La situation politique.* **5** Moment important de l'action, dans une œuvre littéraire.

situé, ée *a* Placé à tel endroit, de telle façon. *Une maison mal située.*

situer *vt* Déterminer la place de qqch, de qqn, dans l'espace, dans le temps, dans un ensemble. *Où situez-vous cette ville ?*

sivaïsme ou **shivaïsme** *nm* Secte hindouiste vénérant le dieu Siva.

six *a num* **1** Cinq plus un (6). **2** Sixième. *Charles VI.* ■ *nm inv* Chiffre, nombre six.

six-huit *nm inv* MUS Mesure à deux temps ayant la noire pointée pour unité de mesure.

sixième *a num* Au rang, au degré six. ■ *a, nm* Contenu six fois dans le tout. ■ *nf* Première classe de l'enseignement secondaire.

six-quatre-deux (à la) *av* Fam Sans soin.

sixte *nf* MUS Intervalle de six degrés.

sizain *nm* LITTER Strophe de six vers construite sur deux ou trois rimes.

skaï [skaj] *nm* (n déposé) Matière synthétique imitant le cuir.

skate-board [sketbɔrd] *nm* Planche à roulettes. *Des skate-boards.*

skating [sketiŋ] *nm* Patinage à roulettes.

sketch *nm* Petite scène, généralement gaie.

ski *nm* **1** Long patin de bois, de fibre de verre, etc., utilisé pour glisser sur la neige, sur l'eau. **2** Sport pratiqué sur skis. *Faire du ski.*

skier *vi* Aller à skis, pratiquer le ski.

skieur, euse *n* Qui pratique le ski.

skiff *nm* Bateau de course, long et très étroit, pour un seul rameur.

skinhead [skinɛd] ou **skin** [skin] *nm* Marginal agressif et xénophobe, au crâne rasé.

skipper [skipœr] *nm* **1** Chef de bord d'un yacht. **2** Barreur d'un bateau à voile de régate.

skunks. V. sconce.

slalom [-lɔm] *nm* **1** Descente à skis sur un parcours sinueux jalonné de piquets. **2** Tout parcours sinueux.

slang *nm* Argot anglais.

slave *a, n* Qui appartient aux peuples de même famille linguistique habitant l'Europe centrale et orientale. ■ *nm* Langue indoeuropéenne qui s'est diversifiée en plusieurs langues (russe, polonais, ukrainien, tchèque, bulgare, serbo-croate, etc.).

slavon *nm* Langue liturgique des Slaves orthodoxes.

slip *nm* Culotte très courte et ajustée servant de sous-vêtement ou maillot de bain.

slogan *nm* Formule brève et frappante utilisée dans la publicité, la propagande politique, etc.

sloop [slup] *nm* Bateau à voiles à un mât, avec un seul foc à l'avant.

sloughi *nm* Lévrier d'Afrique à poil ras.

slovaque *a, n* De Slovaquie. ■ *nm* Langue slave de Slovaquie.

slovène *a, n* De Slovénie. ■ *nm* Langue slave de Slovénie.

slow [slo] *nm* Danse sur une musique lente.

smala ou **smalah** *nf* **1** HIST Ensemble des personnes et du matériel suivant un chef arabe. **2** Fam Famille nombreuse.

smash [smaʃ] *nm* Coup violent qui rabat au sol une balle haute (tennis, volley-ball).

S.M.I.C. *nm* Salaire minimum interprofessionnel de croissance.

smicard, arde *n* Fam Payé au S.M.I.C.

smocks *nmpl* COUT Fronces à plusieurs rangs rebrodées sur l'endroit.

smog *nm* Brouillard épais et mêlé de fumée.

smoking [-kiŋ] *nm* Costume habillé d'homme, comportant une veste à revers de soie.

snack-bar ou **snack** *nm* Café-restaurant à service rapide. *Des snack-bars.*

sniffer *vt* Pop Priser un stupéfiant en poudre.

snob *n, a* Qui affecte ostensiblement des manières jugées distinguées, à la mode.

snober *vt* Traiter de haut, avec mépris.

snobinard, arde *n, a* Fam Snob.

snobisme *nm* Attitude d'un snob.

snow-boot [snobut] *nm* Chaussure de caoutchouc qu'on peut mettre par-dessus ses chaussures. *Des snow-boots.*

soap-opera [sopɔpera] *nm* Feuilleton télévisé à épisodes multiples. *Des soap-operas.*

sobre *a* **1** Tempérant dans le boire et le manger. **2** Lit Qui fait preuve de discrétion, de retenue. **3** Sans fioritures ; dépouillé.

sobriété *nf* **1** Frugalité, tempérance, discrétion. **2** Modération.

sobriquet *nm* Surnom familier.

soc *nm* Fer d'une charrue, qui creuse un sillon.

sociable *a* Ouvert et accommodant.

social, ale,aux *a* **1** Qui vit en société. *Insectes sociaux.* **2** Qui concerne la vie en société, son organisation. *Morale sociale. Classes sociales.* **3** Relatif au monde du travail. *Conflits sociaux.* **4** Qui vise à l'amélioration des conditions de vie. *Logements sociaux.*

5 Relatif à une société commerciale. *Raison sociale.* Loc *Sciences sociales :* sociologie, droit, économie, etc. *Travailleurs sociaux :* chargés de venir en aide aux membres d'une collectivité.

social-démocratie nf Courant politique partisan d'un socialisme réformiste. *Des social-démocraties.*

socialisation nf **1** Apprentissage de la vie de groupe par l'enfant. **2** Appropriation des moyens de production par la collectivité.

socialisme nm **1** Doctrine économique et politique préconisant la disparition de la propriété privée des moyens de production et l'appropriation de ceux-ci par la collectivité. **2** Ensemble des doctrines, des partis de la gauche non marxiste.

socialiste a, n Qui relève du socialisme.

sociétaire a, n Qui fait partie de certaines sociétés ou associations.

société nf **1** État des êtres qui vivent en groupe organisé. *La vie en société.* **2** Ensemble d'individus unis au sein d'un même groupe par des institutions, une culture, etc. **3** Réunion de personnes qui s'assemblent pour le plaisir, la conversation, le jeu. **4** Groupe, régi par des statuts, de personnes réunies par des intérêts communs d'ordre économique, culturel, etc.

socioculturel, elle a Qui concerne la société et la culture qui lui est propre.

sociodrame nm Psychodrame collectif.

socioéconomique a Qui concerne le domaine social et le domaine économique.

socioéducatif, ive a Des phénomènes sociaux en relation avec l'enseignement.

sociolinguistique [-gɥis-] nf Étude de la langue dans ses relations avec la société.

sociologie nf Étude des phénomènes sociaux.

sociologique a De la sociologie.

sociologue n Spécialiste de sociologie.

sociopathe n Malade mental.

socioprofessionnel, elle a Qui concerne le groupe professionnel dans la société. ■ a, n Élu ou responsable dans un syndicat, une chambre de métiers, etc.

sociothérapie nf Thérapie de groupe.

socle nm Base sur laquelle repose un édifice, une colonne, une statue, etc.

socque nm Chaussure à semelle de bois.

socquette nf Chaussette très courte.

socratique a Relatif à Socrate, à sa pensée.

soda nm Boisson gazeuse ordinairement aromatisée aux fruits.

sodé, ée a Qui contient de la soude ou du sodium.

sodium [-djɔm] nm Métal blanc, abondant dans la nature sous forme de chlorure.

sodomie nf Pratique du coït anal.

sodomiser vt Se livrer à la sodomie sur qqn.

sœur nf **1** Celle qui est née de même père et de même mère qu'une autre personne. **2** Titre donné aux religieuses dans certains ordres. Loc Fam *Bonne sœur :* religieuse.

sœurette nf Petite sœur (terme d'affection).

sofa nm Lit de repos à trois appuis pouvant être utilisé comme siège.

software [sɔftwɛʀ] ou **soft** nm En informatique et en audiovisuel, industrie des programmes. Ant *hardware.*

soi pr pers Pronom des deux genres et des deux nombres, représentant le plus souvent un sujet indéterminé. *Chacun pense à soi.*

soi-disant av inv Qui se dit tel ou telle. *De soi-disant savants.* ■ av Prétendument. *Il est venu, soi-disant pour la distraire.*

soie nf **1** Substance sécrétée et filée par les chenilles du bombyx du mûrier, dites *vers à soie.* **2** Fibre textile souple et brillante tirée de cette substance. **3** Poil long et rude de certains mammifères (porc, sanglier). Loc *Papier de soie :* papier mince, translucide et brillant.

soierie nf **1** Étoffe de soie. **2** Industrie, commerce de la soie.

soif nf **1** Désir de boire. **2** Désir avide. *La soif des honneurs.*

soiffard, arde n Pop Qui a toujours envie de boire de l'alcool.

soignant, ante a, n Qui soigne. *Personnel soignant d'un hôpital.*

soigner vt **1** Exécuter, traiter avec soin, application. *Soigner son style.* **2** Administrer des soins médicaux à, traiter. *Soigner un malade.*

soigneur *nm* Qui soigne, masse un athlète, un sportif.

soigneux, euse *a* 1 Qui apporte soin et attention à ce qu'il fait ; attentif. 2 Fait avec soin, précision.

soin *nm* 1 Attention, application que l'on met à faire qqch. *Travailler avec soin.* 2 Charge, devoir de s'occuper de qqch ou de qqn. *Il lui a laissé le soin de ses affaires.* ■ *pl* Actions, moyens visant à l'entretien du corps et de la santé, ou au rétablissement de celle-ci.

soir *nm* Dernières heures du jour ; tombée de la nuit. Loc Litt *Le soir de la vie* : la vieillesse.

soirée *nf* 1 Espace de temps compris entre le déclin du jour et le moment où l'on se couche. 2 Assemblée, réunion qui a lieu le soir. 3 Séance de spectacle donnée le soir.

soit *conj* 1 À savoir, c'est-à-dire. *Trois objets à 10 francs, soit 30 francs.* 2 Exprime une supposition, une hypothèse. *Soit un triangle rectangle.* 3 Exprime une alternative. *Soit l'un, soit l'autre.* ■ *av* Bien, admettons. *Vous partez ? Soit, mais soyez prudents.*

soixantaine *nf* 1 Nombre de soixante ou environ. 2 Âge de soixante ans.

soixante *a num* 1 Six fois dix (60). 2 Soixantième. *La page soixante.* ■ *nm inv* Nombre soixante.

soixante-dix *a num* 1 Sept fois dix (70). 2 Soixante-dixième. ■ *nm* Nombre soixante-dix.

soixante-dixième *a num* Au rang, au degré soixante-dix. ■ *a, nm* Contenu soixante-dix fois dans le tout.

soixante-huitard, arde *a, n* Qui a participé aux événements de mai 1968.

soixantième *a num* Au rang, au degré soixante. ■ *a, nm* Contenu soixante fois dans le tout.

soja *nm* Plante grimpante originaire d'Extrême-Orient, à graine oléagineuse.

1. sol *nm inv* Cinquième note de la gamme.

2. sol *nm* 1 Surface sur laquelle on se tient, on marche, on bâtit, etc. *Coucher sur le sol.* 2 Terrain considéré quant à sa nature ou à ses qualités productives.

solaire *a* 1 Relatif au Soleil. 2 Qui est dû au Soleil, à ses rayonnements. *Chaleur solaire.* 3 Qui protège du soleil. *Crème solaire.*

solanacée *nf* ou **solanée** *nf* BOT Plante dicotylédone, telle que la pomme de terre, la tomate.

solarium [-ʀjɔm] *nm* Lieu où on prend des bains de soleil.

soldat *nm* 1 Homme qui sert dans une armée ; militaire. 2 Militaire non gradé des armées de terre et de l'air ; homme de troupe.

soldatesque *nf* Litt Soldats brutaux et indisciplinés.

1. solde *nf* Rémunération versée aux militaires.

2. solde *nm* 1 Différence entre le débit et le crédit d'un compte. *Solde débiteur, créditeur.* 2 Ce qui reste à payer. ■ *pl* Articles vendus au rabais.

solder *vt* 1 Acquitter entièrement un compte en payant ce qui reste dû. 2 Vendre en soldes. ■ *vpr* Avoir pour résultat final. *La campagne se solda par un échec.*

solderie *nf* Magasin spécialisé dans la vente de marchandises soldées.

soldeur, euse *n* Personne qui fait commerce d'articles en soldes.

1. sole *nf* 1 ZOOL Partie cornée formant le dessous du sabot des ongulés. 2 Pièce de bois d'une charpente, posée à plat et servant d'appui. 3 Partie horizontale d'un four. 4 Partie d'un domaine cultivé soumise à l'assolement.

2. sole *nf* Poisson de forme aplatie, à chair très estimée.

solécisme *nm* GRAM Faute de syntaxe.

soleil *nm* 1 (avec majusc) Astre qui produit la lumière du jour. 2 Rayonnement, chaleur, lumière du Soleil. *Il fait soleil. S'exposer au soleil.* 3 Grande fleur à pétales jaune d'or, appelée aussi *hélianthe.* 4 Grand tour exécuté le corps droit et les bras tendus, à la barre fixe. 5 Pièce d'artifice tournante. Loc *Coup de soleil* : brûlure causée par les rayons du soleil.

solennel, elle [sɔlanɛl] *a* 1 Célébré par des cérémonies publiques, avec apparat. *Fête solennelle.* 2 Empreint de gravité. *Paroles solennelles.*

solennité [-la-] nf 1 Fête solennelle. 2 Caractère solennel, gravité.

solénoïde nm ÉLECTR Conducteur enroulé sur un cylindre, et qui produit un champ magnétique lorsqu'il est parcouru par un courant.

solfatare nf Terrain volcanique d'où sortent des fumerolles sulfureuses chaudes.

solfège nm 1 Étude des premiers éléments de la théorie musicale. 2 Manuel servant à cette étude.

solfier vt Chanter un morceau de musique en nommant les notes.

solidaire a 1 Se dit de personnes liées entre elles par une obligation commune ou une dépendance mutuelle d'intérêts. 2 Se dit de choses qui dépendent les unes des autres, qui sont associées.

solidariser vt Rendre solidaire. ■ vpr Se déclarer solidaire de qqn.

solidarité nf 1 Situation de personnes solidaires. 2 Lien qui porte des personnes à s'entraider.

solide a 1 Qui présente une consistance ferme, qui n'est pas fluide. 2 Qui résiste à l'effort, aux chocs, à l'usure. 3 Vigoureux, robuste. Un solide gaillard. 4 Stable, ferme, durable. Une solide amitié. 5 Fam Considérable, fort. Une solide réputation d'avarice. ■ nm Corps solide (par oppos. à liquide, à gaz).

solidifier vt Rendre solide, consistant.

solidité nf Caractère solide.

soliflore nm Vase pour une seule fleur.

soliloque nm Discours que qqn se tient à lui-même.

soliste n, a MUS Qui exécute un solo.

solitaire a, n 1 Qui est seul, isolé ; qui aime vivre seul. 2 Que l'on fait seul, qui a lieu dans la solitude. Une randonnée solitaire. Loc Ver solitaire : ténia. ■ nm 1 Vieux sanglier mâle vivant seul. 2 Diamant monté seul. 3 Jeu de combinaisons auquel on joue seul.

solitude nf 1 Fait d'être solitaire. 2 Caractère d'un lieu solitaire, désert.

solive nf Pièce de charpente horizontale supportant un plancher.

soliveau nm Petite solive.

sollicitation nf Action de solliciter qqn.

solliciter vt 1 Prier instamment qqn en vue d'obtenir qqch. Solliciter des clients à domicile. 2 Prier d'accorder qqch. Solliciter une faveur. 3 Attirer l'attention, la curiosité, l'intérêt, etc. Spectacle qui sollicite le regard.

sollicitude nf Prévenance qu'on a pour qqn, soins attentifs dont on l'entoure.

solo nm MUS Morceau ou passage exécuté par un seul. ■ a Qui joue seul.

solognot, ote a, n De la Sologne.

solstice nm ASTRO Époque de l'année à laquelle la hauteur du Soleil au-dessus du plan équatorial est maximale (solstice d'été, vers le 21 juin) ou minimale (solstice d'hiver, vers le 21 décembre).

solubiliser vt Rendre soluble une substance dissous.

soluble a 1 Qui peut se dissoudre dans un liquide, un solvant. 2 Qui peut être résolu.

soluté nm Liquide contenant un médicament dissous.

solution nf 1 Réponse à un problème, règlement d'une difficulté ; dénouement. La solution d'une énigme. La solution d'un conflit. 2 Liquide contenant un corps dissous. Loc Solution de continuité : rupture de la continuité entre les choses. Solution finale : plan d'extermination des Juifs, élaboré par les nazis.

solutionner vt Abusiv Apporter une solution à, résoudre une difficulté.

solutréen nm PRÉHIST Période du paléolithique supérieur.

solvable a Qui a de quoi payer ce qu'il doit.

solvant nm Liquide dans lequel des substances peuvent être dissoutes.

somali, ie ou **somalien, enne** a, n De Somalie. ■ nm Langue parlée en Somalie.

somatique a Qui concerne le corps (par oppos. à psychique).

somatiser vt Convertir des troubles psychiques en symptômes somatiques.

somatotrophine nf BIOL Hormone agissant sur la croissance.

sombre *a* **1** Où il y a peu de lumière. *Une pièce sombre.* **2** Tirant sur le noir. *Un tissu sombre.* **3** Triste, marqué d'inquiétude. *Humeur sombre. Une sombre journée.*

sombrer *vi* **1** S'engloutir, couler (navire). **2** Disparaître, se perdre. *Sombrer dans le désespoir.*

sombrero [sɔ̃brero] *nm* Chapeau à larges bords porté dans certains pays hispaniques.

sommaire *a* **1** Abrégé, peu développé. *Exposé sommaire.* **2** Expéditif, rapide, sans jugement. *Exécution sommaire.* ■ *nm* **1** Résumé d'un livre, d'un chapitre. **2** Liste des chapitres.

sommation *nf* **1** Action de sommer qqn de faire qqch. **2** Avertissement, appel solennel préalable au recours à la force. **3** MATH Calcul d'une somme, addition.

1. somme *nf* **1** Résultat d'une addition. **2** Quantité d'argent. *Dépenser de grosses sommes.* **3** Ensemble de choses rassemblées. *La somme de nos efforts.*

2. somme *nf* Loc *Bête de somme* : animal employé à porter des fardeaux (par oppos. à bête de trait).

3. somme *nm* Sommeil de courte durée.

sommeil *nm* **1** Suspension périodique et naturelle de la vie consciente de quelqu'un. **2** Besoin de dormir. *Avoir sommeil.* **3** État provisoire d'inactivité, d'inertie. *Industrie en sommeil.* Loc Litt *Le sommeil éternel* : la mort.

sommeiller *vi* **1** Dormir d'un sommeil léger. **2** Exister de façon potentielle, latente.

sommelier, ère *n* Chargé du service des vins et des liqueurs dans un restaurant.

sommer *vt* **1** Intimer à qqn, dans les formes établies, l'ordre de faire qqch. *Sommer qqn de payer.* **2** Adresser une injonction à qqn. **3** MATH Calculer une somme.

sommet *nm* **1** Partie la plus élevée de certaines choses, cime. **2** Plus haut degré. *Le sommet de la gloire.* Loc *(Conférence au) sommet* : à laquelle ne participent que des chefs d'État ou de gouvernement. GEOM *Sommet d'un angle* : point où se coupent ses deux côtés.

sommier *nm* **1** Partie d'un lit sur laquelle repose le matelas. **2** ARCHI Pierre qui reçoit la retombée d'une voûte ou d'un arc ; pièce de charpente servant de linteau. **3** Gros registre ; fichier des condamnations.

sommité *nf* **1** Qui se distingue particulièrement. *Les sommités de la science.* **2** Didac Extrémité d'une tige, d'une branche.

somnambule *n, a* Qui agit, marche pendant son sommeil.

somnambulisme *nm* État d'une personne somnambule.

somnifère *a, nm* Qui provoque le sommeil.

somnolence *nf* État somnolent.

somnolent, ente *a* **1** Qui dort à moitié. **2** Engourdi, peu actif. *Volonté somnolente.*

somnoler *vi* Être assoupi.

somptuaire *a* Abusiv Se dit d'une dépense excessive faite par goût du luxe.

somptueux, euse *a* Luxueux, magnifique, superbe.

somptuosité *nf* Caractère somptueux ; magnificence, luxe coûteux.

1. son, sa, ses *a poss* Troisième personne du singulier ; de lui, d'elle, de soi. *Son visage. Sa barbe. Ses yeux.*

2. son *nm* **1** Sensation auditive engendrée par une vibration acoustique ; cette vibration elle-même. *Son grave, aigu.* **2** Ensemble des procédés et des moyens d'enregistrement et de diffusion des sons. *Un ingénieur du son.*

3. son *nm* Déchet de la mouture du blé, des céréales, formé par les enveloppes des graines.

sonar *nm* Appareil de détection sous-marine par émission d'ondes sonores.

sonate *nf* Pièce de musique instrumentale comportant trois ou quatre mouvements.

sonatine *nf* Petite sonate.

sondage *nm* **1** Action de sonder. **2** Enquête menée auprès de personnes considérées comme représentatives d'un ensemble social en vue d'obtenir des renseignements statistiques sur une question.

sonde *nf* **1** Instrument servant à mesurer la profondeur de l'eau et à déterminer la nature du fond. **2** Instrument destiné à pénétrer dans un conduit, à des fins diagnostiques ou thérapeutiques. **3** Instrument servant à prélever un échantillon d'un produit. Loc **Sonde spatiale** : véhicule spatial non habité.

sondé, ée n Interrogé lors d'un sondage.

sonder vt **1** Explorer, reconnaître au moyen d'une sonde. *Sonder une rivière. Sonder un terrain.* **2** Chercher à pénétrer, à connaître. *Sonder les intentions de qqn.* **3** Soumettre à un sondage d'opinion.

sondeur, euse n Qui effectue des sondages. ■ nm ou nf Appareil servant à des sondages.

songe nm Litt **1** Rêve. **2** Chimère, illusion.

songer vti **1 1** Penser. *Songer à l'avenir. Songez que c'est très grave.* **2** Envisager, projeter. *Il songe à démissionner.*

songerie nf Rêverie.

songeur, euse a Absorbé dans une rêverie, pensif, perplexe.

sonique a Qui concerne la vitesse du son.

sonnaille nf Clochette attachée au cou des bêtes qui paissent ou voyagent. ■ pl Son produit par des cloches.

sonnant, ante a **1** Qui sonne. **2** Se dit d'une heure précise. *À six heures sonnantes.*

sonné, ée a **1** Annoncé par une cloche, une sonnerie. **2** Fam Assommé par les coups. **3** Fam Fou. **4** Fam Révolu. *À cinquante ans sonnés.*

sonner vi **1** Rendre un son, retentir sous l'effet de chocs. *Le réveil sonne. Le clairon sonne.* **2** Être annoncé par une sonnerie. *Huit heures ont sonné.* **3** Être prononcé clairement. *Faire sonner une consonne.* **4** Actionner une sonnette, une sonnerie. *Le facteur a sonné.* ■ vt **1** Faire rendre des sons à un instrument, une cloche. *Sonner les cloches.* **2** Annoncer, indiquer par une sonnerie. *Sonner la charge. L'horloge sonne minuit.* **3** Appeler qqn avec une sonnette. **4** Fam Assommer, abrutir.

sonnerie nf **1** Son produit par des cloches ou par un timbre. **2** Air joué par un instrument de cuivre à embouchure.

sonnet nm Pièce de quatorze vers en deux quatrains et deux tercets.

sonnette nf Clochette pour avertir, pour appeler. Loc **Serpent à sonnette** : crotale.

sonneur nm Qui sonne les cloches, joue de la trompe, du cor.

sono nf Fam Sonorisation (sens 2).

sonore a **1** Qui produit un son. **2** Dont le son est puissant, éclatant. **3** Qui résonne, où le son retentit. **4** Relatif au son. *Ondes sonores.*

sonorisation nf **1** Action d'équiper un lieu d'appareils servant à amplifier les sons (paroles, musique). **2** Ensemble des appareils utilisés pour cela. **3** Opération consistant à reporter l'enregistrement du son sur la bande d'un film.

sonorité nf **1** Caractère de ce qui est sonore. **2** Qualité du son d'un instrument de musique, d'un appareil électroacoustique. ■ pl Sons d'une voix. *Une voix aux sonorités rauques.*

sophisme nm Raisonnement valide en apparence, mais dont un des éléments est fautif.

sophiste n **1** ANTIQ Maître de philosophie, de rhétorique. **2** Qui use de sophismes.

sophistiqué, ée a **1** Extrêmement recherché, qui laisse peu de place au naturel. **2** Extrêmement perfectionné ; d'une technologie très élaborée. *Matériel sophistiqué.*

sophora nm Grand arbre originaire d'Asie.

sophrologie nf Pratique destinée à dominer les sensations douloureuses par des moyens psychologiques.

soporifique a **1** Qui fait naître le sommeil. **2** Ennuyeux. ■ nm Substance somnifère.

soprano nm La plus haute des voix (femme ou jeune garçon). ■ n Chanteur, chanteuse qui a cette voix.

sorbe nm Fruit du sorbier, sorte de petite poire.

sorbet nm Glace aux fruits, sans crème.

sorbetière nf Appareil pour préparer les glaces, les sorbets.

sorbier nm Arbre aux feuilles composées, cultivé pour ses fruits (sorbes) et son bois dur.

sorbitol nm Produit employé en pharmacie et comme édulcorant.

sorcellerie nf **1** Pratiques occultes des sorciers. **2** Fam Phénomène extraordinaire, mystérieux.

sorcier, ère n Qui est censé agir mystérieusement sur les êtres et les choses au moyen de pratiques occultes. **Loc** *Chasse aux sorcières :* poursuite systématique des opposants. ■ **am Loc Fam** *Ce n'est pas sorcier :* ce n'est pas compliqué.

sordide a 1 Sale, misérable. *Quartier sordide.* 2 Méprisable, ignoble. *Des calculs sordides.*

sorgho nm Plante alimentaire et fourragère des régions chaudes.

sornette nf Fam (surtout pl) Propos frivole, bagatelle, bêtise.

sororal, ale, aux a De la sœur.

sort nm 1 Hasard, destin. *Les caprices du sort.* 2 Situation d'une personne, destinée. *Être satisfait de son sort.* 3 Maléfice. *Jeter un sort à qqn.* **Loc** *Tirer au sort :* s'en remettre au hasard pour un choix. *Faire un sort à qqch :* en faire usage ; le mettre en valeur.

sortable a Fam Que l'on peut montrer en public, présentable ; bien élevé.

sortant, ante a, n 1 Qui sort d'un lieu. 2 Dont le mandat vient d'expirer (député). ■ a Tiré au hasard. *Numéro sortant.*

sorte nf Espèce, genre. *Diverses sortes d'animaux. Cette sorte d'affaires.* **Loc** *De la sorte :* de cette manière. *En quelque sorte :* presque, pour ainsi dire. *De sorte que, en sorte que :* de telle façon que, si bien que.

sortie nf 1 Action de sortir. 2 Porte, issue. *Sortie de secours.* 3 Somme dépensée. *Les entrées et les sorties.* 4 Mise en vente, présentation au public. *La sortie d'un roman.* 5 Brusque emportement contre qqn. *Faire une sortie.*

sortie-de-bain nf Peignoir. *Des sorties-de-bain.*

sortilège nm Maléfice ; action magique.

sortir vi 29 [aux être] 1 Passer du dedans au dehors. *Sortir de chez soi.* 2 Commencer à paraître, pousser. *Les bourgeons sortent.* 3 Dépasser à l'extérieur. *Le rocher sort de l'eau.* 4 S'échapper, s'exhaler. *La fumée sort de la cheminée.* 5 Paraître, être présenté au public. *Le film sort le mois prochain.* 6 Être désigné par le hasard, dans un tirage au sort. 7 Cesser d'être dans telle situation. *Sortir de maladie.* 8 Être issu de, provenir. *Sortir d'une famille paysanne.* ■ vt 1 Conduire dehors qqn. *Sortir*

des enfants. 2 Mettre dehors. *Sortir sa voiture du garage.* 3 Tirer. *Sortir qqn d'un mauvais pas.* 4 Faire paraître, rendre public. *Sortir un roman.* 5 Fam Dire. *Il en sort de bonnes.* ■ vpr Se tirer de. *Se sortir d'un mauvais pas.* ■ nm **Loc** *Au sortir de :* à l'issue, à la fin de.

S.O.S. nm 1 Signal de détresse radiotélégraphique. 2 Appel à l'aide.

sosie nm Qui ressemble parfaitement à un autre.

sot, sotte a, n Sans intelligence ni jugement. ■ a Qui dénote la sottise. *Une sotte idée.*

sotie ou **sottie** nf Farce satirique, aux XIVe et XVe s.

sot-l'y-laisse nm inv Morceau de saveur délicate, au-dessus du croupion des volailles.

sottise nf 1 Caractère sot. 2 Parole ou action sotte. 3 Action répréhensible d'un enfant.

sottisier nm Recueil de sottises.

sou nm Autrefois pièce de cinq centimes. **Loc** *Appareil, machine à sous :* jeu de hasard où l'on gagne des pièces de monnaie. *N'avoir pas le sou, être sans le sou :* ne pas avoir d'argent. *Propre comme un sou neuf :* très propre. ■ pl Fam Argent.

souahéli. V. swahili.

soubassement nm Partie inférieure d'un édifice, reposant sur les fondations.

soubresaut [-so] nm Mouvement brusque et inopiné.

soubrette nf Servante de comédie.

souche nf 1 Partie d'un arbre (bas du tronc et racines) qui reste en terre après l'abattage. 2 Personne dont descend une famille. 3 Origine, source de qqch. 4 Partie d'un carnet, d'un registre, qui reste quand on en a détaché les feuilles, et qui permet d'éventuels contrôles.

souchong nm Thé noir de Chine.

souci nm 1 Préoccupation, contrariété. 2 Ce qui contrarie, préoccupe. 3 Plante ornementale aux fleurs jaunes ou orange. **Loc** *Souci d'eau :* populage.

soucier (se) vpr Se préoccuper de. *Ne vous souciez de rien.*

soucieux, euse a **1** Inquiet, préoccupé. **2** Attentif à. *Être soucieux de sa réputation.*

soucoupe nf Petite assiette qui se place sous une tasse.

soudain, aine a Subit, brusque. *Départ soudain.* ■ av Tout à coup. *Soudain il s'enfuit.*

soudanais, aise a, n Du Soudan.

soudard nm Soldat grossier et brutal.

soude nf Carbonate de sodium, base très forte et caustique.

souder vt **1** Joindre à chaud des pièces de métal, de manière à former un tout solidaire. **2** Unir étroitement, joindre.

soudeur, euse n Qui soude.

soudière nf Usine de soude.

soudoyer vt 22 S'assurer à prix d'argent le secours, la complaisance de qqn.

soudure nf **1** Composition métallique utilisée pour souder. **2** Partie soudée ; assemblage fait en soudant. **3** Union, adhérence étroite. *Soudure des os du crâne.*

soufflant, ante a Fam Stupéfiant.

souffle nm **1** Mouvement de l'air que l'on expulse par la bouche ou par le nez. *Avoir le souffle coupé.* **2** Inspiration. *Le souffle du génie.* **3** Agitation de l'air causée par le vent ou par une explosion. **4** MED Bruit anormal perçu à l'auscultation. **Loc** *Second souffle* : regain d'activité.

soufflé nm Mets dont la pâte gonfle beaucoup à la cuisson.

souffler vi **1** Expulser de l'air par la bouche ou le nez volontairement. **2** Respirer avec effort. *Souffler comme un bœuf.* **3** Reprendre haleine, se reposer. *Souffler un moment.* **4** Agiter l'air. *La bise souffle.* ■ vt **1** Envoyer un courant d'air sur qqch. *Souffler une bougie.* **2** Fam Subtiliser, voler. *On lui a soufflé son invention.* **3** Dire tout bas ; suggérer. *Souffler qqch à l'oreille de qqn.* **4** Détruire par effet de souffle. *L'explosion a soufflé les vitres.* **5** Fam Étonner fortement. *Son aplomb m'a toujours soufflé.* **Loc** *Souffler du verre* : façonner le verre en fusion en y insufflant de l'air.

soufflerie nf Appareillage destiné à souffler de l'air, un gaz. *Soufflerie d'un orgue.*

soufflet nm **1** Instrument destiné à souffler de l'air sur un foyer. **2** Partie garnie de cuir ou de tissu à plis. *Soufflets entre deux wagons de chemin de fer.* **3** Litt Gifle.

souffleter vt 19 Litt Gifler qqn.

souffleur, euse n **1** Qui souffle le verre. **2** Au théâtre, qui souffle leur texte aux comédiens si besoin est.

souffrance nf Fait de souffrir, physiquement ou moralement. **Loc** *En souffrance* : en attente.

souffrant, ante a Légèrement malade.

souffre-douleur nm inv En butte au mépris et aux mauvais traitements des autres.

souffreteux, euse a De constitution débile, maladive.

souffrir vt 311 **1** Éprouver une sensation douloureuse ou pénible. *Souffrir du froid, de la solitude.* **2** Éprouver un dommage. *Les vignes ont souffert de la gelée.* ■ vt **1** Endurer, éprouver. *Souffrir le martyre.* **2** Litt Tolérer, admettre. **Loc** *Ne pas pouvoir souffrir qqn, qqch* : ne pas pouvoir le supporter, l'exécrer.

soufisme nm Doctrine mystique de l'islam.

soufre nm Corps simple solide, jaune et cassant.

soufrer vt **1** Enduire de soufre. **2** Saupoudrer des végétaux de soufre pulvérulent.

soufrière nf Carrière de soufre.

souhait nm Désir d'obtenir ou de voir se réaliser qqch. **Loc** *À vos souhaits* : formule adressée à qqn qui éternue. *À souhait* : parfaitement.

souhaiter vt Désirer, former des vœux pour. *Souhaiter à qqn un bon voyage.*

souillard nm Trou dans un mur, pour l'écoulement des eaux pluviales.

souiller vt Litt **1** Salir. *Souiller ses chaussures.* **2** Avilir. *Souiller la mémoire de qqn.*

souillon n Fam Personne peu soigneuse, sale.

souillure nf Litt Flétrissure morale.

souïmanga nm Passereau d'Afrique, aux couleurs éclatantes.

souk nm **1** Marché, dans les pays arabes. **2** Fam Grand désordre.

soûl, soûle ou **saoul, saoule** [su, sul] *a* **1** Ivre. **2** *Litt* Rassasié. *Soûl de compliments.* ■ **nm** *Loc Tout son soûl* : à satiété.

soulagement *nm* **1** Fait de soulager, d'être soulagé. **2** Ce qui soulage.

soulager *vt* **11 1** Débarrasser d'un fardeau, d'une charge, de ce qui est pénible. *Soulager une poutre. Soulager des malheureux.* **2** Rendre qqch moins pénible à supporter. *Cette piqûre doit soulager ses douleurs.* ■ *vpr* *Fam* Faire ses besoins.

soûlard, arde, soûlaud, aude ou **soûlot, ote** *n* *Pop* Ivrogne, ivrognesse.

soûler ou **saouler** *vt* *Fam* **1** Enivrer, griser. **2** Ennuyer, fatiguer. *Tu nous soûles !* ■ *vpr* S'enivrer, se griser.

soûlerie *nf* *Fam* Ivresse, beuverie.

soulèvement *nm* **1** Fait de se soulever, d'être soulevé. *Soulèvement de terrain.* **2** Vaste mouvement de révolte.

soulever *vt* **15 1** Lever à une faible hauteur. *Soulever un meuble pour le déplacer.* **2** Relever. *Soulever un voile.* **3** Exciter, provoquer. *Ces propos soulèvent l'indignation.* **4** Pousser à la révolte. *Soulever les travailleurs.* **5** Susciter, provoquer. *Soulever un problème, une question.* ■ *vpr* **1** S'élever légèrement. **2** Se révolter. *L'armée s'est soulevée.*

soulier *nm* Chaussure couvrant le pied et, éventuellement, la cheville.

souligner *vt* **1** Tirer un trait sous un mot, une phrase, etc. **2** Faire ressortir, faire remarquer.

soûlographe *n* *Fam* Ivrogne.

soûlot, ote. V. soûlard.

soulte *nf* *DR* Somme versée comme compensation dans un partage, un échange.

soumaintrain *nm* Fromage de l'Yonne, au lait de vache.

soumettre *vt* **64 1** Amener ou ramener à l'obéissance. *Soumettre des rebelles.* **2** Assujettir à une loi, à un règlement. *Soumettre les revenus à l'impôt.* **3** Faire subir qqch à qqn. *Le médecin l'a soumis à un régime sévère.* **4** Proposer à l'examen, au jugement de. *Le problème a été soumis à la commission.* ■ *vpr* Revenir à l'obéissance ; se rendre.

soumis, ise *a* Obéissant, docile.

soumission *nf* **1** Disposition à obéir. **2** Fait de se soumettre, d'être soumis. **3** *DR* Acte écrit par lequel un entrepreneur se propose pour conclure un marché par adjudication.

soumissionner *vt* *DR* Faire une soumission.

soupape *nf* Obturateur mobile destiné à empêcher ou à régler la circulation d'un fluide. *Loc Soupape de sûreté* : appareil disposé sur la chaudière pour empêcher une explosion ; ce qui sert d'exutoire.

soupçon *nm* **1** Présomption de culpabilité, sans preuves précises. **2** Supposition, conjecture. **3** Très petite quantité. *Un soupçon de sel.*

soupçonner *vt* **1** Avoir des soupçons sur qqn. **2** Pressentir qqch d'après certaines apparences.

soupçonneux, euse *a* Enclin aux soupçons.

soupe *nf* **1** Potage fait de bouillon et de légumes, de pain, de pâtes, etc. **2** *Fam* Repas. **3** *Fam* Neige fondante. *Loc BIOL Soupe primitive* : milieu liquide qui aurait permis l'apparition de la vie.

soupente *nf* Réduit pratiqué dans la hauteur d'une pièce ou sous un escalier.

souper *vi* Faire un souper. *Loc Fam En avoir soupé d'une chose* : en être excédé. ■ *nm* Repas qu'on prend à une heure avancée de la nuit.

soupeser *vt* **15 1** Tenir dans la main pour juger approximativement du poids. **2** Évaluer. *Soupeser un argument.*

soupière *nf* Récipient pour la soupe, le potage.

soupir *nm* **1** Expiration bruyante et prolongée. **2** *MUS* Silence d'une durée égale à celle d'une noire.

soupirail, aux *nm* Ouverture pratiquée pour donner de l'air ou du jour à une cave.

soupirant *nm* Qui courtise une femme.

soupirer *vi* **1** Pousser des soupirs. *Loc Litt Soupirer après qqch* : le désirer.

souple *a* **1** Qui se courbe ou se plie aisément. *Un plastique souple.* **2** Qui peut se mouvoir avec aisance ; agile. *Avoir le poignet*

souplesse

souple. 3 Capable de s'adapter, accommodant. *Caractère, qualité souple. Règlement souple.*

souplesse nf Caractère, qualité souple. **Loc En souplesse :** avec aisance, facilité.

souquer vt MAR Serrer très fort un nœud, un amarrage. ■ vi Tirer fort sur les avirons.

sourate. V. surate.

source nf 1 Eau qui sort du sol. 2 Origine d'un cours d'eau. 3 Point de départ, origine de qqch. *La source d'un malentendu, d'une information. Citer ses sources.* 4 Système qui produit des ondes lumineuses, électriques, sonores, etc.

sourcier, ère n À qui on attribue le talent de découvrir des sources.

sourcil [-si] nm Éminence arquée, garnie de poils, au-dessus de l'orbite de l'œil.

sourcilier, ère a Des sourcils.

sourciller vi Loc **Ne pas sourciller :** ne pas laisser paraître son trouble, son mécontentement.

sourcilleux, euse a Litt Sévère, pointilleux.

sourd, sourde a, n Qui n'entend pas les sons ou les perçoit mal. Loc **Crier comme un sourd :** à toute force. **Dialogue de sourds :** où chacun reste sur ses positions. ■ a 1 Qui manque de sonorité. *Un bruit sourd.* 2 Qui ne se manifeste pas nettement. *Douleur sourde. Lutte sourde.* 3 Indifférent, insensible. *Rester sourd aux prières de qqn.*

sourdine nf Appareil que l'on adapte à certains instruments de musique pour assourdir leur son. Loc **En sourdine :** très doucement.

sourdingue a, n Pop Sourd.

sourd-muet, sourde-muette n, a Atteint à la fois de surdité et de mutité. *Des sourds-muets. Des sourdes-muettes.*

sourdre vi 5 Litt 1 Jaillir, sortir du sol (eau). 2 Naître, commencer à se développer.

souriant, ante a Qui sourit.

souriceau nm Petit de la souris.

souricière nf 1 Piège à souris. 2 Piège tendu par la police.

sourire vi 72 Prendre une expression rieuse par un léger mouvement de la bouche et des yeux. ■ vti 1 Être agréable à qqn. *Cette idée*

ne lui sourit guère. 2 Litt Être favorable. *La chance lui sourit.* ■ nm Action de sourire ; expression d'un visage qui sourit. *Garder le sourire.*

souris nf 1 Petit mammifère rongeur de la même famille que le rat. 2 Muscle charnu à l'extrémité de l'os du gigot. 3 INFORM Dispositif mobile, permettant de repérer un point sur l'écran.

sournois, oise a, n Qui dissimule ses véritables sentiments ou intentions ; hypocrite.

sournoiserie nf Litt 1 Caractère sournois. 2 Action faite sournoisement.

sous prép Marque la position de ce qui est plus bas, l'infériorité, la dépendance, le délai, la cause, le moyen, la manière, etc.

sous-alimenté, ée a Insuffisamment nourri.

sous-bois nm inv Végétation qui pousse sous les arbres d'un bois.

sous-chef nm Qui vient immédiatement après le chef. *Des sous-chefs.*

sous-classe nf SC NAT Division de la classe. *Des sous-classes.*

sous-continent nm Vaste partie, délimitée, d'un continent. *Le sous-continent indien. Des sous-continents.*

souscripteur, trice n 1 Qui souscrit un effet de commerce. 2 Qui prend part à une souscription.

souscription nf Action de souscrire à un emprunt ; somme versée par le souscripteur.

souscrire vt 61 Signer un acte pour l'approuver. *Souscrire un contrat.* ■ vti Adhérer à, se déclarer d'accord avec. *Souscrire à une décision.* Loc **Souscrire à un emprunt :** en acquérir des titres au moment de son émission. ■ vti, vi S'engager à donner une somme pour une dépense commune, une publication, etc.

sous-cutané, ée a Situé ou pratiqué sous la peau. Syn. hypodermique.

sous-développé, ée a Se dit d'un pays dont l'économie est insuffisamment développée (on dit aussi *en voie de développement*).

sous-développement nm État d'un pays sous-développé. *Des sous-développements.*

sous-directeur, trice *n* Qui dirige en second. *Des sous-directeurs, -directrices.*

sous-effectif *nm* Effectif, personnel en nombre insuffisant.

sous-employer *vt 22* Employer au-dessous de ses capacités.

sous-ensemble *nm* MATH Ensemble contenu dans un autre ensemble. *Des sous-ensembles.*

sous-entendre *vt 71* Laisser comprendre qqch sans l'exprimer explicitement.

sous-entendu *a* Implicite. ■ *nm* Ce qui est sous-entendu. *Des sous-entendus.*

sous-équipé, ée *a* Dont l'équipement industriel est insuffisant. *Des pays sous-équipés.*

sous-estimer *vt* Estimer au-dessous de sa valeur, de son importance.

sous-évaluer *vt* Évaluer au-dessous de sa valeur marchande.

sous-exploiter *vt* Exploiter insuffisamment.

sous-exposer *vt* Soumettre une pellicule, un film à un temps de pose insuffisant.

sous-famille *nf* SC NAT Subdivision de la famille. *Des sous-familles.*

sous-fifre *nm* Fam Qui occupe une situation très subalterne. *Des sous-fifres.*

sous-groupe *nm* Subdivision d'un groupe. *Des sous-groupes.*

sous-homme *nm* Homme jugé inférieur. *Des sous-hommes.*

sous-jacent, ente *a 1* Situé au-dessous. *Couche sous-jacente.* **2** Qui n'est pas clairement manifesté. *Motivations sous-jacentes.*

sous-lieutenant *nm* Officier du grade le moins élevé dans les armées de terre et de l'air. *Des sous-lieutenants.*

sous-locataire *n* Qui occupe un local sous-loué. *Des sous-locataires.*

sous-louer *vt 1* Donner à loyer tout ou partie de ce dont on est soi-même locataire. **2** Être locataire en second d'une maison, d'une terre.

sous-main *nm inv* Support posé sur un bureau, et sur lequel on écrit. **Loc** *En sous-main* : en secret, clandestinement.

sous-marin, ine *a 1* Qui est dans ou sous la mer. *Relief sous-marin.* **2** Qui a lieu sous la

mer. *Navigation sous-marine.* ■ *nm 1* Navire capable de naviguer en plongée. **Sim** submersible. **2** Fam Qui s'introduit dans un groupe pour l'espionner. *Des sous-marins.*

sous-marinier *nm* Membre de l'équipage d'un sous-marin. *Des sous-mariniers.*

sous-marque *nf* Produit fabriqué par une entreprise qui dépend d'une autre plus connue. *Des sous-marques.*

sous-médicalisé, ée *a* Qui a un nombre de médecins, d'hôpitaux insuffisant.

sous-multiple *nm* MATH Quantité contenue un nombre entier de fois dans une autre. *Trois est un des sous-multiples de douze.*

sous-œuvre *nm* Fondement d'une construction. *Des sous-œuvres.*

sous-off *nm* Fam Sous-officier. *Des sous-offs.*

sous-officier *nm* Militaire d'un grade inférieur à ceux des officiers. *Des sous-officiers.*

sous-ordre *nm 1* SC NAT Division de l'ordre. **2** Employé subalterne. *Des sous-ordres.*

sous-payer *vt 20* Payer au-dessous de la normale, payer trop peu. *Sous-payer des ouvriers.*

sous-peuplé, ée *a* Trop peu peuplé.

sous-préfecture *nf 1* Ville où réside un sous-préfet. **2** Bâtiment où sont les bureaux du sous-préfet. *Des sous-préfectures.*

sous-préfet *nm* Fonctionnaire subordonné au préfet. *Des sous-préfets.*

sous-produit *nm* Produit tiré d'un autre. *Des sous-produits.*

sous-pull *nm* Pull-over fin et à col roulé, qui se porte sous un autre. *Des sous-pulls.*

soussigné, ée *a, n* Dont la signature est ci-dessous. *Je, soussigné Untel, déclare...*

sous-sol *nm 1* Ce qui est dans ou sous la couche arable. **2** Étage d'un bâtiment inférieur au niveau du sol. *Des sous-sols.*

sous-tasse *nf* Soucoupe. *Des sous-tasses.*

sous-tendre *vt 5* Constituer les fondements, les bases d'un raisonnement.

sous-titre *nm 1* Titre secondaire d'une œuvre littéraire, d'un article de journal. **2** Dans un film en version originale, traduction du dialogue au bas de l'image. *Des sous-titres.*

sous-titrer vt Doter de sous-titres.

soustraction nf 1 Action de dérober qqch. 2 Opération consistant à retrancher un nombre d'un autre.

soustraire vt 74 1 Dérober, subtiliser. 2 Faire échapper qqn à qqch. *Soustraire qqn à une influence.* 3 MATH Retirer par soustraction. ■ vpr Se dérober à qqch. *Se soustraire à une corvée.*

sous-traitant, ante nm, a Qui exécute un travail pour le compte de l'entrepreneur principal. *Des sous-traitants.*

sous-traiter vt Prendre en charge comme sous-traitant ou confier à un sous-traitant.

sous-ventrière nf Courroie qui passe sous le ventre du cheval. *Des sous-ventrières.*

sous-verre nm inv Gravure, photographie placée entre une plaque de verre et un carton.

sous-vêtement nm Vêtement de dessous. *Des sous-vêtements.*

sous-virer vi Ne pas répondre suffisamment à la manœuvre de virage (automobile).

soutane nf Longue robe noire boutonnée par-devant portée naguère par la plupart des prêtres catholiques.

soute nf Magasin, dépôt situé dans le fond d'un navire, dans un avion.

soutenable a 1 Qui peut être soutenu par des raisons valables. 2 Supportable.

soutenance nf Action de soutenir une thèse de doctorat.

soutènement nm Dispositif destiné à soutenir ; contrefort, appui.

souteneur nm Proxénète.

soutenir vt 35 1 Tenir par-dessous, pour supporter, pour servir d'appui. *Les colonnes qui soutiennent la voûte.* 2 Réconforter, encourager, aider. *Je l'ai soutenu dans son épreuve. Soutenir un candidat.* 3 Faire valoir, défendre un point de vue. *Soutenir une opinion.* 4 Affirmer, prétendre que. *Je soutiens qu'il a tort.* 5 Maintenir, faire durer. *Soutenir son effort.* 6 Subir sans fléchir. *Soutenir un siège.* Loc *Soutenir une thèse :* l'exposer devant le jury.

soutenu, ue a 1 Qui ne se relâche pas, qui ne faiblit pas. 2 Accentué, prononcé. *Couleur soutenue.* 3 Recherché (style, langage).

souterrain, aine a 1 Qui est sous terre. *Conduit souterrain.* 2 Caché, secret. *Menées souterraines.* ■ nm Galerie creusée sous le sol.

soutien nm 1 Chose ou personne qui soutient, supporte. 2 Action de soutenir, d'aider ; appui. *Vous pouvez compter sur notre soutien.*

soutien-gorge nm Sous-vêtement féminin soutenant la poitrine. *Des soutiens-gorge.*

soutier nm Qui travaille dans les soutes.

soutirer vt 1 Transvaser un liquide d'un récipient dans un autre. 2 Obtenir par tromperie. *Soutirer de l'argent à qqn.*

soutra. V. sutra.

souvenance nf Litt Souvenir.

1. souvenir (se) vpr 35 Avoir de nouveau à l'esprit, se rappeler. *Se souvenir de son enfance.*

2. souvenir nm 1 Mémoire. *Cela s'était effacé de son souvenir.* 2 Image, idée, représentation que la mémoire conserve. *Souvenirs d'enfance.* 3 (dans les formules de politesse) *Pensée amicale. Mon meilleur souvenir à vos parents.* 4 Ce qui rappelle qqn, qqch. *Cette photo est un souvenir de lui.*

souvent av 1 Fréquemment, plusieurs fois. 2 D'ordinaire, en général.

souverain, aine a 1 Suprême. *Le souverain bien.* 2 De la plus grande efficacité. *Un remède souverain.* 3 Qui possède l'autorité suprême ; totalement indépendant. *Puissance souveraine.* ■ n Monarque. ■ nm Ancienne monnaie d'or anglaise.

souverainement av 1 Suprêmement. 2 DR Sans appel. *Juger souverainement.*

souveraineté nf 1 Autorité suprême. 2 Caractère d'un État souverain, indépendant.

soviet -[vjɛt] nm HIST Assemblée de représentants élus, en U.R.S.S.

soviétique a, n HIST De l'U.R.S.S.

sovkhoze nm HIST Grande ferme d'État, en U.R.S.S.

soyeux, euse a Doux et fin comme de la soie. ■ nm Fabricant de soieries, à Lyon.

spacieux, euse a Grand, vaste.

spadassin nm Litt Assassin à gages.

spaghetti *nm* Pâte alimentaire en forme de longue baguette fine.

spahi *nm* Anc Cavalier servant dans l'armée française en Algérie.

sparadrap *nm* Bande adhésive servant à fixer un pansement.

spart ou **sparte** *nm* BOT Nom de diverses plantes, notamment le genêt et l'alfa.

spartakisme *nm* HIST Mouvement révolutionnaire allemand, entre 1914 et 1918.

sparterie *nf* **1** Confection d'objets en fibres végétales. **2** Objet ainsi confectionné.

spartiate *a, n* **1** De Sparte. **2** D'une austérité stoïque. ■ *nf* Sandale à lanières.

spasme *nm* Contraction musculaire involontaire, intense et passagère.

spasmodique *a* Accompagné de spasmes.

spasmophilie *nf* MED Excitabilité neuromusculaire excessive.

spath *nm* Calcite cristallisée, très pure.

spatial, ale, aux *a* [-sjal] *a* Relatif à l'espace, en particulier à l'espace interplanétaire. *Vaisseau spatial.*

spatialiser *vt* PHYSIOL Percevoir dans l'espace les rapports de positions, de distances, etc.

spationaute *n* Astronaute, cosmonaute.

spatiotemporel, elle *a* Relatif à la fois à l'espace et au temps.

spatule *nf* **1** Lame plate et souple, qui sert à remuer, à étendre une matière pâteuse. **2** Extrémité antérieure d'un ski. **3** Oiseau échassier au bec aplati et élargi à son extrémité.

speaker [spikœʁ] *nm*, **speakerine** [spikʁin] *nf* Qui fait les annonces, donne des informations, à la radio et à la télévision.

spécial, ale, aux *a* **1** Propre à une chose, à une personne. *Lessive spéciale pour les lainages.* **2** Exceptionnel, qui sort de l'ordinaire. *Édition spéciale.* **3** Particulier dans son genre ; déconcertant. *Une musique très spéciale.* ■ *nf* **1** Huître grasse. **2** Épreuve d'un rallye automobile courue sur un parcours imposé.

spécialement *av* Particulièrement.

spécialisation *nf* Action de (se) spécialiser dans un domaine particulier.

spécialisé, ée *a* Qui est consacré à un domaine déterminé. *Loc* **Ouvrier spécialisé (O.S.)** : sans qualification professionnelle.

spécialiser *vt* Affecter à une spécialité. ■ *vpr* Se consacrer à un domaine particulier.

spécialiste *n* Qui a acquis une compétence particulière dans un domaine. *Ant.* généraliste.

spécialité *nf* **1** Domaine dans lequel qqn est spécialisé. **2** Fam Habitude, comportement fréquent. *Les gaffes, c'est sa spécialité.* **3** Produit particulier à une région, à un fabricant.

spéciation *nf* BIOL Apparition d'une nouvelle espèce par différenciation au sein d'une population.

spécieux, euse *a* Qui est trompeur sous une apparence de vérité. *Raisonnement spécieux.*

spécification *nf* **1** Fait de spécifier. **2** Désignation précise des caractères essentiels requis pour un matériel, une installation, etc.

spécificité *nf* Caractère spécifique.

spécifier *vt* Exprimer, indiquer de façon précise. *Spécifier les conditions de rémunération.*

spécifique *a* Propre à une espèce, à une chose.

spécimen [-men] *nm* **1** Être ou objet représentatif de son espèce ; échantillon. **2** Exemplaire d'un livre, d'une revue donné gratuitement.

spectacle *nm* **1** Ce qui s'offre au regard. **2** Représentation donnée au public (pièce de théâtre, film, ballet, etc.). *Loc* **Pièce, film à grand spectacle** : à la mise en scène fastueuse.

spectaculaire *a* Qui surprend, frappe l'imagination de ceux qui en sont témoins.

spectateur, trice *n* **1** Témoin oculaire d'un événement, d'une action. **2** Qui assiste à un spectacle théâtral, cinématographique, etc.

spectral, ale, aux *a* **1** Litt Qui tient du spectre, du fantôme. **2** PHYS Relatif à un spectre lumineux, solaire, magnétique, etc.

spectre

spectre *nm* 1 Fantôme. 2 Perspective effrayante. *Le spectre de la famine.* 3 PHYS Succession de raies colorées résultant de la décomposition d'un rayonnement lumineux.

spectrographe ou **spectromètre** *nm* PHYS Appareil servant à enregistrer le spectre d'un rayonnement.

spectrographie ou **spectrométrie** *nf* PHYS Enregistrement et étude des spectres des rayonnements.

spéculaire *a* Qui a rapport au miroir. ■ *nf* Plante à fleurs violettes.

spéculateur, trice *n* Qui fait des spéculations financières.

spéculatif, ive *a* De la spéculation (philosophique ou financière).

spéculation *nf* 1 PHILO Étude, recherche purement théorique. 2 Opération financière ou commerciale par laquelle on joue sur les fluctuations des cours du marché.

spéculer *vti* 1 Réfléchir, méditer profondément. *Spéculer sur l'origine de la vie.* 2 Faire des spéculations financières. *Spéculer sur l'or.* 3 Tabler sur qqch pour parvenir à ses fins. *Spéculer sur la crédulité de qqn.*

spéculos [-los] *nm* Biscuit sec très sucré.

spéculum [-lɔm] *nm* MED Instrument destiné à écarter une cavité du corps.

speech [spitʃ] *nm* Fam Brève allocution.

spéléologie *nf* Exploration des cavités naturelles (grottes, gouffres) et des cours d'eau souterrains.

spencer [spɛnsœʀ] *nm* Veste s'arrêtant à la ceinture.

spermaceti *nm* Substance huileuse contenue dans la tête du cachalot.

spermatogenèse *nf* BIOL Formation des spermatozoïdes.

spermatozoïde *nm* BIOL Cellule reproductrice mâle.

sperme *nm* Liquide émis par le mâle lors de l'accouplement et qui contient des spermatozoïdes.

spermicide *a, nm* Se dit d'un produit contraceptif qui détruit les spermatozoïdes.

spermogramme *nm* MED Examen du sperme.

sphénoïde *nm* ANAT Os de la tête qui forme le plancher central de la boîte crânienne.

sphère *nf* 1 MATH Ensemble des points situés à égale distance d'un point appelé centre (dans un espace à 3 dimensions). 2 Corps sphérique. 3 Étendue, domaine du pouvoir, de l'activité de qqn, de qqch. *Les hautes sphères de la finance.*

sphérique *a* En forme de sphère ; relatif à la sphère.

sphincter [sfɛktɛʀ] *nm* Muscle contrôlant l'ouverture d'un orifice naturel. *Sphincter anal.*

sphinx *nm* 1 Monstre ayant l'aspect d'un lion ailé à buste et à tête de femme. 2 Personnage énigmatique, impénétrable. 3 Papillon nocturne ou crépusculaire.

sphygmomanomètre *nm* Appareil servant à mesurer la tension artérielle.

spin [spin] *nm* PHYS Mouvement de rotation des particules élémentaires sur elles-mêmes.

spinal, ale, aux *a* ANAT Du rachis ou de la moElle épinière.

spinnaker [spinɛkœʀ] ou **spi** *nm* Voile triangulaire d'avant, de grande surface, utilisée sur les regates.

spiral, ale, aux *a* En forme de spirale. ■ *nm* Ressort qui assure les oscillations du balancier d'une montre. ■ *nf* 1 Courbe qui s'éloigne de plus en plus d'un point central à mesure qu'elle tourne autour de lui. 2 Courbe en forme d'hélice. *Escalier en spirale.* 3 Évolution d'un phénomène qui s'amplifie sans cesse. *Spirale inflationniste.*

spire *nf* Tour d'enroulement d'une spirale, d'une hélice, d'une coquille.

spirée *nf* Syn de *reine-des-prés.*

spirille *nm* Bactérie en forme de spirale.

spiritisme *nm* Doctrine qui admet la possibilité de communication entre les vivants et les esprits des défunts.

spiritualisme *nm* PHILO Doctrine qui considère comme distinctes la matière et l'esprit et proclame la supériorité de celui-ci.

spiritualité *nf* 1 Qualité de ce qui est de l'ordre de l'esprit. 2 Ce qui a trait à la vie spirituelle.

spirituel, elle a 1 De la nature de l'esprit, qui est esprit. 2 Relatif à la vie de l'âme. 3 Qui regarde la religion, l'Église. *Pouvoir temporel et pouvoir spirituel.* 4 D'un esprit vif et fin, plein de drôlerie.

spiritueux, euse a Qui contient de l'alcool. ■ nm Boisson riche en alcool.

spirographe nm Ver marin à fines branchies en panache sortant d'un tube membraneux.

spiroïdal, ale, aux a En spirale.

spiromètre nm Instrument servant à mesurer la capacité respiratoire de qqn.

spiruline nf Algue bleue des mers tropicales.

spleen [splin] nm Litt Ennui que rien ne paraît justifier, mélancolie.

splendeur nf 1 Beauté d'un grand éclat, magnificence. 2 Chose splendide.

splendide a 1 Très beau, d'une beauté éclatante. 2 Somptueux, luxueux.

splénectomie nf Ablation de la rate.

spoiler [spɔjlœʀ] nm Accessoire fixé sous le pare-chocs d'une automobile pour améliorer l'aérodynamisme.

spoliation nf Action de spolier.

spolier vt Litt Dépouiller, déposséder.

spondée nm VERSIF Pied d'un vers composé de deux syllabes longues.

spondylarthrite nf MED Rhumatisme chronique de la colonne vertébrale.

spongiaire nm ZOOL Animal primitif d'un embranchement comprenant les éponges.

spongieux, euse a 1 Qui rappelle l'éponge. 2 Qui s'imbibe d'eau. *Sol spongieux.*

sponsor nm Qui pratique le mécénat d'entreprise. Syn. commanditaire, parrain.

sponsoring [-ʀiŋ] nm Activité d'un sponsor : parrainage, commandite.

sponsoriser vt Parrainer et financer à des fins publicitaires un sportif, une équipe, etc.

spontané, ée a 1 Qu'on fait librement, sans y être contraint. *Aveu spontané.* 2 Qui agit, parle sans calcul ni arrière-pensée. *Un enfant spontané.* 3 BOT Qui pousse naturellement, sans intervention de l'homme.

spontanéisme nm Doctrine privilégiant la spontanéité révolutionnaire des masses.

spontanéité nf Caractère spontané.

sporadique a 1 Se dit d'une maladie qui touche quelques individus isolément (par opos. à épidémique, à endémique). 2 Qui apparaît, se produit irrégulièrement.

sporange nm BOT Organe des végétaux cryptogames, où se forment les spores.

spore nf BOT Élément reproducteur de certains végétaux (algues, champignons, mousses, etc.).

sport nm 1 Activité physique, qui a pour but la compétition, l'hygiène ou la simple distraction. 2 Fam Chose, entreprise difficile, qui demande une grande dépense de forces. Loc *Sports d'hiver* : activités sportives sur la neige ou la glace. ■ a inv Se dit d'un style de vêtements confortables. Loc *Être sport* : se montrer beau joueur.

sportif, ive a 1 Relatif au sport, à un sport. 2 Loyal, beau joueur. ■ a, n Qui aime, qui pratique le sport.

sportivement av Avec un esprit sportif.

sporuler vi BIOL Produire des spores.

spot [spɔt] nm 1 Appareil d'éclairage à faisceau lumineux de faible ouverture. 2 Court message publicitaire.

sprat [spʀat] nm Petit poisson proche du hareng.

spray [spʀɛ] nm 1 Nuage ou jet de liquide vaporisé en fines gouttelettes. 2 Atomiseur.

springbok nm Antilope d'Afrique du Sud.

sprinkler [spʀiŋklœʀ] nm Système d'arrosage tournant.

sprint [spʀint] nm 1 Accélération de l'allure à la fin d'une course. 2 Course de vitesse sur une petite distance.

1. sprinter [spʀintœʀ] nm Coureur de sprint.

2. sprinter [spʀinte] vi Effectuer un sprint.

spumeux, euse a Qui a l'aspect de l'écume.

squale [skwal] nm Requin.

squame [skwam] nf Lamelle qui se détache de la peau.

square [skwaʀ] nm Jardin public.

squash [skwaʃ] *nm* Sport pratiqué en salle avec une balle qui rebondit contre les murs.

squat [skwat] *nm* Immeuble ou maison occupés par des squatteurs.

squatter ou **squattériser** [skwa-t-] *vt* Occuper illégalement un logement vacant.

squatteur, euse ou **squatter** *n* Qui occupe illégalement un logement vacant.

squaw [skwo] *nf* Femme mariée, chez les Indiens d'Amérique du Nord.

squeezer [skwize] *vt* 1 Au bridge, obliger l'adversaire à se défausser. 2 *Fam* Contraindre, coincer qqn par une habile manœuvre.

squelette *nm* 1 Ensemble des os qui constituent la charpente du corps. 2 *Fam* Personne très maigre. 3 Armature, charpente, carcasse.

squelettique *a* 1 Du squelette. 2 Très maigre, décharné. 3 D'une concision excessive.

sri-lankais, aise *a, n* Du Sri Lanka.

stabilisateur, trice *a* Qui stabilise. ■ *nm* Dispositif tendant à maintenir l'équilibre.

stabiliser *vt* Rendre stable. ■ *vpr* Devenir stable.

stabilité *nf* Caractère stable.

stable *a* 1 Qui a une base ferme, solide, qui ne vacille pas. 2 Qui est et demeure dans le même état. *Valeurs stables.* 3 Constant, équilibré. *Un garçon très stable.*

stabulation *nf* Séjour des animaux à l'étable.

staccato *av, nm* MUS À jouer en détachant les notes.

stade *nm* 1 ANTIQ Mesure de longueur valant environ 180 m. 2 Terrain spécialement aménagé pour la pratique des sports. 3 Période, phase d'une évolution. *Les stades d'une maladie, d'une carrière.*

1. staff *nm* Matériau fait de plâtre et d'une matière fibreuse, servant à réaliser des décors.

2. staff *nm* 1 Ensemble des dirigeants d'une entreprise. 2 Équipe, service.

stage *nm* 1 Période d'activité dans une entreprise ou un service, dans un but de formation ou de perfectionnement. 2 Période d'entraînement à une discipline, à un art.

stagflation *nf* ÉCON Situation où coexistent la stagnation et l'inflation.

stagiaire *a, n* Qui fait un stage.

stagnation [stagna-] *nf* État d'inertie, d'inactivité, d'immobilité de ce qui stagne.

stagner [stagne] *vi* 1 Ne pas s'écouler (fluide). *Eaux qui stagnent.* 2 Ne marquer aucune évolution. *Les affaires stagnent.*

stakhanovisme *nm* HIST En U.R.S.S., méthode d'incitation au rendement dans le travail.

stalactite *nf* Concrétion calcaire pendante.

stalag *nm* HIST Camp de prisonniers de guerre en Allemagne (1939-1945).

stalagmite *nf* Concrétion calcaire dressée, qui se forme sous une stalactite.

stalinien, enne *a, n* Qui relève de Staline, du stalinisme.

stalinisme *nm* HIST Mode de gouvernement despotique pratiqué en U.R.S.S. sous Staline.

stalle *nf* 1 Chacun des sièges de bois disposés de chaque côté du chœur de certaines églises. 2 Compartiment assigné à un cheval, dans une écurie.

staminé, ée *a* BOT Se dit d'une fleur pourvue d'étamines.

stance *nf* LITTER Strophe. ■ *pl* Ensemble de strophes lyriques.

stand *nm* 1 Lieu aménagé pour le tir à la cible. 2 Dans une exposition, espace réservé à un exposant. 3 Dans un circuit automobile, emplacement réservé pour le ravitaillement et les réparations.

standard *nm* 1 Modèle, type, norme de fabrication. 2 Niveau de vie. 3 Dispositif assurant la répartition des communications téléphoniques d'une installation intérieure. 4 En jazz, morceau classique sur lequel on improvise. ■ *a* 1 Qui fait partie d'une production d'éléments normalisés. *Modèle standard.* 2 Ordinaire, courant. *Un visage standard.*

standardiser *vt* Rendre conforme à un standard, à une norme ; uniformiser, normaliser.

standardiste *n* Employé assurant le service d'un standard téléphonique.

stand-by [stãdbaj] *nm* Situation, position d'attente d'un passager qui n'a pas de réservation sur un avion.

standing [stãdiŋ] nm 1 Position sociale. *Améliorer son standing.* 2 Confort, luxe. *Immeuble de grand standing.*

stannifère a Qui contient de l'étain.

staphylin nm Coléoptère aux élytres courts.

staphylocoque nm Bactérie agent de diverses infections.

star nf Vedette de cinéma.

starking nf Variété de pomme rouge.

starlette nf Jeune actrice de cinéma.

star-system nm Système fondé sur la notoriété de certaines vedettes.

starter [-tɛR] nm 1 Qui donne le signal du départ dans une course. 2 Dispositif qui facilite le démarrage d'un moteur.

starting-block [-tiŋ-] nm Appareil servant d'appui aux pieds d'un coureur, au départ des courses. *Des starting-blocks.*

starting-gate [startiŋgɛt] nm Dispositif qui libère les chevaux au départ d'une course. *Des starting-gates.*

stase nf MED Ralentissement ou arrêt de la circulation d'un liquide dans l'organisme.

stathouder nm HIST Dans les Provinces-Unies, chef du pouvoir exécutif.

statice nm Plante à fleurs roses ou violacées.

statif nm Socle lourd et stable servant de support à des accessoires.

station nf 1 Fait de s'arrêter qqpart. 2 Fait de se tenir de telle façon. *La station debout.* 3 Lieu aménagé pour l'arrêt des véhicules. *Station d'autobus.* 4 Lieu de villégiature, de vacances. *Station thermale.* 5 Installation destinée à effectuer des observations. *Station météorologique.* 6 Ensemble d'installations émettrices. *Station de radio.* Loc **Station spatiale** ou **orbitale** : vaste installation pouvant assurer le séjour d'humains dans l'espace.

stationnaire a 1 Qui reste un certain temps à la même place. 2 Qui ne change pas, n'évolue pas. *L'état du blessé reste stationnaire.*

stationnement nm Action, fait de stationner.

stationner vi S'arrêter et demeurer à un endroit.

station-service nf Poste de distribution d'essence assurant des travaux d'entretien courant. *Des stations-service.*

statique a 1 PHYS Relatif à l'équilibre des forces. 2 Qui demeure dans le même état. Ant. dynamique. ■ nf PHYS Partie de la mécanique qui étudie les conditions d'équilibre des corps.

statisticien, enne n Spécialiste de statistique.

statistique nf 1 Science qui a pour objet l'étude mathématique de phénomènes relatifs à des groupes de gens ou d'objets. 2 Données numériques concernant l'état ou l'évolution d'un phénomène. *Les statistiques de la natalité.* ■ a De la statistique. *Évaluations statistiques.*

stator nm Partie fixe de certaines machines (par oppos. au rotor).

statuaire a Relatif aux statues. ■ nf Art de faire des statues. ■ nm Sculpteur qui fait des statues.

statue nf Figure sculptée ou moulée représentant en entier un être vivant.

statuer vi Prendre une décision. *Statuer sur un cas particulier.*

statuette nf Statue de petite taille.

statufier vt Représenter qqn par une statue.

statu quo [-kwo] nm inv Situation actuelle, état actuel des choses.

stature nf 1 Taille de qqn. 2 Importance, notoriété de qqn.

statut nm 1 Situation résultant de l'appartenance à un groupe régi par des dispositions juridiques. *Le statut de la fonction publique.* 2 Situation personnelle au sein d'un groupe. *Avoir un statut privilégié.* ■ pl Textes qui régissent le fonctionnement d'une société, d'une association.

statutaire a Conforme aux statuts.

steak [stɛk] nm Syn de bifteck.

steamer [stimœR] nm Vx Bateau à vapeur.

stéarine nf Solide blanc et translucide constitué d'acide stéarique et de paraffine.

stéarique a Loc *Acide stéarique :* abondant dans le suif et servant à fabriquer des bougies.

stéatite nf Roche compacte faite de talc.

steeple-chase [stipəlʃez] ou **steeple** nm Course d'obstacles pour chevaux. Loc *Trois mille mètres steeple :* course à pied de 3 000 m, avec divers obstacles. *Des steeple-chases* ou *des steeples.*

stégomyle nf Moustique vecteur de la fièvre jaune.

stégosaure nm Dinosaure qui portait des plaques osseuses dressées sur le dos.

steinbock nm Petite antilope d'Afrique du Sud.

stèle nf Monument monolithe dressé, portant une inscription ou une sculpture.

stellaire a Relatif aux étoiles. ■ nf Plante herbacée à fleurs blanches.

stem ou **stemm** nm Technique de virage à skis.

stencil [stɛn-] nm Papier paraffiné utilisé pour la reproduction d'un texte.

sténo nf ou n Abrév de *sténographie* et de *sténodactylo.*

sténodactylo n Qui pratique la sténodactylographie.

sténodactylographie nf Emploi combiné de la sténographie et de la dactylographie.

sténographie nf Procédé d'écriture rapide au moyen de signes conventionnels.

sténographier vt Écrire en sténographie.

sténose nf MED Rétrécissement pathologique d'un conduit, d'un orifice, d'un organe.

sténotype nf Machine à clavier qui permet de noter très rapidement la parole.

sténotypie nf Technique de la notation de la parole au moyen d'une sténotype.

stentor [stɑ̃tɔʀ] nm Loc *Voix de stentor :* forte, retentissante.

steppe nf Formation végétale des zones semi-arides, constituée par une couverture discontinue d'herbes courtes.

steppique a De la steppe.

stercoraire nm Gros oiseau des régions polaires. ■ a BIOL Qui vit ou croît sur des excréments.

stère nm Unité valant 1 mètre cube de bois.

stéréo nf Abrév de *stéréophonie.*

stéréochimie nf Étude de la disposition spatiale des atomes dans les molécules.

stéréogramme nm Image obtenue par stéréographie ou stéréoscopie.

stéréographie nf Représentation des solides par leurs projections sur des plans.

stéréophonie nf Procédé de reproduction des sons restituant un relief sonore.

stéréoscope nm Instrument d'optique restituant l'impression du relief à partir de deux images planes fusionnées d'un même sujet.

stéréoscopie nf Procédé qui restitue l'impression du relief par le stéréoscope.

stéréotype nm Idée toute faite, poncif, banalité.

stéréotypé, ée a Qui a le caractère convenu d'un stéréotype ; banal, sans originalité.

stérile a 1 Qui n'est pas apte à la reproduction. 2 Exempt de tout germe. *Pansement stérile.* 3 Qui ne produit rien, ne rapporte rien. *Une terre stérile.* 4 Qui n'aboutit à rien. *Discussion stérile.* ■ nmpl Déblais d'une exploitation minière.

stérilet nm Dispositif anticonceptionnel intra-utérin.

stérilisation nf Action de stériliser.

stériliser vt 1 Rendre inapte à la reproduction. 2 Rendre exempt de germes. *Stériliser du lait.*

stérilité nf État stérile.

sterling [-liŋ] a inv Loc *Livre sterling :* monnaie de compte de Grande-Bretagne.

sterne nf Oiseau proche des mouettes. Syn. hirondelle de mer.

sternum [-nɔm] nm Os plat de la poitrine sur lequel s'articulent les côtes et les clavicules.

stéroïde nm BIOL Hormone dérivée d'un stérol et sécrétée par les glandes endocrines.

stérol nm BIOL Alcool constituant l'essentiel des hormones génitales et surrénales.

stéthoscope *nm* Instrument permettant l'auscultation des bruits à travers les parois du corps.

stetson [-sɔn] *nm* Chapeau texan à larges bords.

steward [stjuward] *nm* Garçon de service à bord des paquebots, des avions.

stibine *nf* Minerai d'antimoine.

stick *nm* 1 Canne mince et flexible. 2 Groupe de parachutistes largués d'un même avion. 3 Produit conditionné sous forme de bâtonnet.

stigmate *nm* 1 Litt Marque que laisse une plaie ; cicatrice. 2 Litt Marque, trace honteuse. ■ *pl* Marques des cinq plaies du Christ visibles sur le corps de certains mystiques.

stigmatiser *vt* Blâmer, flétrir publiquement.

stilton [-tɔn] *nm* Fromage anglais au lait de vache, à moisissures internes.

stimulant, ante *a, nm* Qui stimule.

stimulateur *nm* Loc **Stimulateur cardiaque :** appareil électrique remédiant à certaines insuffisances cardiaques. *Syn.* pacemaker.

stimulation *nf* Action de stimuler.

stimuler *vt* 1 Inciter à l'action, encourager, motiver. 2 Exciter, réveiller une activité. *Stimuler la digestion.*

stimulus *nm* Facteur déclenchant une réaction physiologique ou psychologique.

stipe *nm* BOT Tige des palmiers et des fougères.

stipendier *vt* Litt Payer qqn pour l'exécution de mauvais desseins.

stipule *nf* BOT Petit appendice à la base du pétiole de certaines feuilles.

stipuler *vt* 1 Formuler comme condition dans un contrat. 2 Spécifier expressément.

stochastique [-kas-] *a* MATH Qui relève du calcul des probabilités.

stock *nm* 1 Quantité de marchandises en réserve. 2 Quantité de choses qu'on possède.

stockage *nm* Mise en stock.

stock-car *nm* Vieille automobile utilisée dans les courses où collisions et chocs volontaires sont autorisés. *Des stock-cars.*

stocker *vt* Mettre en stock, emmagasiner.

stockfish [-fiʃ] *nm* 1 Poisson salé et séché. 2 Morue séchée à l'air et non salée.

stock-option *nf* Rémunération des dirigeants d'entreprise par l'octroi d'actions de la société. *Des stock-options.*

stoïcien, enne *a, n* Qui relève du stoïcisme.

stoïcisme *nm* 1 Doctrine du philosophe grec Zénon. 2 Fermeté d'âme devant la douleur ou l'adversité.

stoïque *a, n* Qui supporte sans faiblir la douleur, l'adversité.

stolon *nm* BOT Tige rampante qui développe des racines et des feuilles, formant un nouveau pied.

stomacal, ale, aux *a* De l'estomac.

stomachique *a, nm* Qui facilite la digestion.

stomate *nm* BOT Organe épidermique des végétaux.

stomatite *nf* MED Inflammation de la muqueuse buccale.

stomatologie *nf* Étude et traitement des affections de la bouche et des dents.

stop *interj* Marque un ordre, un signal d'arrêt. ■ *nm* 1 Signal lumineux à l'arrière des véhicules, commandé par le frein. 2 Signal routier ordonnant l'arrêt absolu. 3 Fam Autostop. *Faire du stop.*

stoppage *nm* Action de raccommoder en stoppant.

stopper *vt* 1 Faire cesser d'avancer, de fonctionner un véhicule, une machine. 2 Arrêter le mouvement, la progression de qqn, de qqch. 3 Raccommoder une étoffe déchirée fil par fil. ■ *vi* S'arrêter. *Stopper au feu rouge.*

stoppeur, euse *n* Qui fait de l'auto-stop.

store *nm* Rideau souple placé devant une ouverture et qui se lève ou s'abaisse.

story-board [-bɔrd] *nm* Découpage du scénario d'un film en une suite de dessins.

stoupa. V. stupa.

stout [stawt] *nm* Bière anglaise forte.

strabisme *nm* Anomalie de la vision due à un défaut de parallélisme des yeux.

stradivarius *nm inv* Violon, alto ou violoncelle fabriqué par Stradivarius.

strangulation *nf* Action d'étrangler.

strapontin

strapontin *nm* **1** Siège qu'on peut relever ou abaisser dans certains véhicules, dans les salles de spectacle, etc. **2** Place, fonction d'importance secondaire.

strass *nm* Verre coloré très réfringent, utilisé pour imiter les pierres précieuses.

stratagème *nm* Ruse, tromperie habile.

strate *nf* **1** GÉOL Chacune des couches qui constituent un terrain. **2** Didac Chacun des niveaux d'un ensemble.

stratège *nm* **1** Personne compétente en matière de stratégie. **2** ANTIQ Magistrat grec qui commandait l'armée.

stratégie *nf* **1** Organisation de l'ensemble des opérations d'une guerre, de la défense d'un pays. **2** Art de combiner des opérations pour atteindre un objectif. *Stratégie électorale.*

stratégique *a* De la stratégie.

stratification *nf* Disposition en strates.

stratifié *nm* Matériau constitué de couches d'une matière souple imprégnées de résines artificielles.

stratifier *vt* Disposer en couches superposées.

stratigraphie *nf* GÉOL Étude des strates des terrains, des couches de l'écorce terrestre.

stratocratie *nf* SOCIOL Système dominé par l'armée.

stratocumulus ou **cumulostratus** [-tys] *nm inv* Nuages gris situés entre 1 000 et 2 000 m.

stratosphère *nf* Couche de l'atmosphère située entre 10 et 50 km d'altitude.

stratus [-tys] *nm* Nuage bas en couche grise assez uniforme.

streptocoque *nm* Bactérie de forme arrondie, agent de nombreuses infections.

streptomycine *nf* Antibiotique très actif.

stress *nm inv* Perturbation provoquée par des agents agresseurs variés (émotion, froid).

stresser *vt* Perturber par un stress.

stretch *nm* (n déposé) Type de tissu élastique.

stretching [-ʃiŋ] *nm* Méthode de gymnastique.

strict, stricte *a* **1** Qui doit être rigoureusement observé. *Consignes strictes.* **2** D'une exactitude ou d'une valeur absolue. *La stricte vérité.* **3** Intransigeant, sévère. **4** D'une sobriété un peu sévère. *Tailleur strict.*

striction *nf* Didac Resserrement.

stricto sensu *av* Au sens étroit.

strident, ente *a* Aigu et perçant (sons).

stridulation *nf* ZOOL Bruit aigu des cigales, des criquets, etc.

strie *nf* Ligne fine, en creux ou en relief, parallèle, sur une surface, à d'autres lignes.

strier *vt* Marquer, orner de stries.

string [striŋ] *nm* Cache-sexe maintenu par un cordon passant entre les fesses.

stripping [-piŋ] *nm* Traitement chirurgical des varices.

strip-tease [-tiz] *nm* Déshabillage progressif et suggestif d'une femme au cours d'un spectacle de cabaret. *Des strip-teases.*

strip-teaseuse [-tizøz] *nf* Femme exécutant des strip-teases. *Des strip-teaseuses.*

striure *nf* Strie ou ensemble de stries.

stroboscope *nm* Appareil d'observation des mouvements périodiques rapides.

strontium [-sjɔm] *nm* Métal blanc très oxydable.

strophaire *nm* Champignon à chapeau visqueux.

strophe *nf* Groupe de vers formant un système de rimes complet dans une œuvre poétique.

structural, ale, aux *a* D'une structure ou du structuralisme. *Analyse structurale.*

structuralisme *nm* Théorie et méthode d'analyse privilégiant les relations entre les faits à l'intérieur d'une structure.

structuration *nf* Action de (se) structurer.

structure *nf* **1** Agencement, disposition des différents éléments d'un tout concret ou abstrait ; constitution, contexture. **2** Ce qui soutient qqch, lui donne forme et rigidité ; ossature. **3** Système, ensemble solidaire dont les éléments sont unis par un rapport de dépendance.

structurel, elle *a* **1** Structural. **2** Qui relève des structures économiques. *Chômage structurel.* Ant. conjoncturel.

structurer *vt* Donner une structure à. ■ *vpr* Acquérir une structure.

strudel [ʃtʀudɛl] *nm* Gâteau fourré aux pommes et aux raisins secs.

strychnine [stʀik-] *nf* Alcaloïde très toxique extrait de la noix vomique.

stuc *nm* Matériau imitant le marbre.

stud-book [stœdbuk] *nm* Registre contenant les performances des chevaux pur-sang. *Des stud-books.*

studieux, euse *a* **1** Qui aime l'étude. *Élève studieux.* **2** Consacré à l'étude. *Vacances studieuses.*

studio *nm* **1** Logement constitué d'une seule pièce principale. **2** Endroit aménagé pour le tournage de films, d'émissions de télévision, etc. **3** Atelier d'artiste, de photographe.

stupa [stupa] ou **stoupa** *nm* Monument funéraire bouddhique.

stupéfaction *nf* Étonnement extrême.

stupéfait, aite *a* Frappé de stupeur.

stupéfiant, ante *a* Qui stupéfie. ■ *nm* Substance analgésique ou euphorisante dont l'usage peut entraîner une dépendance et des troubles graves.

stupéfier *vt* Causer un grand étonnement.

stupeur *nf* Étonnement profond.

stupide *a* Qui manque d'intelligence, de jugement ; idiot.

stupidité *nf* **1** Caractère stupide. **2** Parole, action stupide.

stupre *nm* Litt Débauche avilissante ; luxure.

stuquer *vt* Enduire de stuc.

style *nm* **1** Manière d'utiliser les moyens d'expression du langage. *Style clair. Style administratif.* **2** Ensemble des traits caractéristiques des œuvres d'un artiste, d'une époque. *Une décoration de style Régence.* **3** Ensemble des comportements habituels de qqn, manière d'agir. *Adopter un certain style de vie.* **4** BOT Partie du pistil qui surmonte l'ovaire.

stylé, ée *a* Se dit d'un employé qui accomplit son service dans les règles, avec élégance.

stylet *nm* Poignard à petite lame aiguë.

styliser *vt* Représenter en simplifiant les formes, dans un but décoratif.

stylisme *nm* Profession de styliste.

styliste *n* **1** Écrivain très soigneux de son style. **2** Dont le métier est de définir le style d'un produit industriel, de créer des modèles pour la mode, l'ameublement.

stylistique *a* Relatif au style, à la stylistique. ■ *nf* Étude de la mise en œuvre des moyens d'expression d'une langue.

stylo *nm* Porte-plume à réservoir d'encre.

stylo-feutre *nm* Stylo ayant une pointe en feutre ou en nylon. *Des stylos-feutres.*

styrax *nm* Arbrisseau fournissant le benjoin.

styrène, styrol ou **styrolène** *nm* Composé utilisé comme matière première dans l'industrie des plastiques.

su *nm* Loc *Vu et au su de tout le monde :* sans rien cacher.

suaire *nm* Litt Linceul.

suave *a* Litt D'une douceur agréable.

suavité *nf* Caractère suave.

subalpin, ine *a* Situé en bordure des Alpes.

subalterne *a, n* Dont la position est inférieure, subordonnée.

subaquatique [-kwa-] *a* Sous l'eau.

subconscient, ente *a, nm* Se dit d'un état psychique dont on n'a pas conscience.

subdiviser *vt* Soumettre à une nouvelle division. *Subdiviser un paragraphe.*

subdivision *nf* **1** Action de subdiviser. **2** Partie d'un tout divisé.

subduction *nf* GEOL Glissement des plaques océaniques sous les plaques voisines.

subéreux, euse *a* BOT De la nature du liège.

subir *vt* **1** Supporter ce qui est imposé. **2** Se soumettre ou être soumis à. *Subir une opération.* **3** Être l'objet de. *La Bourse subit une baisse.*

subit, ite *a* Soudain et imprévu.

subitement *av* De façon subite ; soudain.

subjectif, ive *a* **1** PHILO Qui a rapport au sujet pensant. **2** Qui dépend de la personnalité, des goûts de chacun ; individuel, partial. *Jugement subjectif.* Ant. objectif.

subjectile *nm* TECH Surface qui reçoit une couche de peinture.

subjectivisme *nm* Propension à tenir compte de ses seules certitudes personnelles.

subjectivité *nf* Caractère subjectif (par oppos. à objectivité).

subjonctif *nm* GRAM Mode personnel du verbe, employé dans certaines subordonnées ou pour exprimer le doute, l'éventualité.

subjuguer *vt* Exercer un ascendant absolu sur qqn.

sublime *a, nm* Très haut placé dans l'échelle des valeurs esthétiques ou morales ; admirable.

sublimer *vt* Purifier une tendance en l'idéalisant.

subliminal, ale, aux *a* PSYCHO Qui ne dépasse pas le seuil de la conscience.

submerger *vt* **1 1** Couvrir complètement d'eau, de liquide ; inonder. **2** Envahir, déborder. *Être submergé de travail.*

submersible *a* Qui peut être submergé. *Région submersible.* ■ *nm* Sous-marin.

subodorer *vt* Pressentir, deviner, flairer.

subordination *nf* **1** Dépendance à l'égard d'un autre. **2** GRAM Rapport syntaxique entre une proposition et une autre à laquelle elle est subordonnée.

subordonnant *nm* GRAM Élément qui établit une subordination (conjonction, relatif).

subordonné, ée *a, n* Qui est sous la dépendance de qqch, sous l'autorité de qqn. ■ *nf* GRAM Proposition qui se trouve dans une relation syntaxique de dépendance par rapport à une autre proposition (dite *principale*).

subordonner *vt* **1** Mettre qqn dans une situation hiérarchiquement inférieure à une autre. **2** Faire dépendre une chose d'une autre. *Il subordonne son départ à la réussite de ses affaires.*

subornation *nf* Fait de suborner un témoin.

suborner *vt* DR Corrompre un témoin.

subrepticement *adv* En se cachant.

subrogé, ée *a* Loc DR *Subrogé tuteur :* choisi pour surveiller le tuteur et le suppléer.

subséquent, ente *a* DR Qui suit.

subside *nm* Aide financière.

subsidence *nf* GÉOL Lent mouvement d'affaissement.

subsidiaire *a* Qui s'ajoute au principal pour le renforcer, le compléter. *Moyens subsidiaires.* Loc *Question subsidiaire :* question qui sert à départager les concurrents ex æquo.

subsistance *nf* **1** Fait de subsister. **2** Nourriture et entretien d'une personne. *Pourvoir à la subsistance de qqn.*

subsister *vi* **1** Exister encore. *Cette coutume subsiste.* **2** Subvenir à ses besoins essentiels.

subsonique *a* Inférieur à la vitesse du son.

substance *nf* **1** Substance, corps. *Substance minérale, liquide.* **2** Ce qu'il y a d'essentiel dans un discours, un écrit. *La substance d'un livre.* Loc *En substance :* en se bornant à l'essentiel, en résumé.

substantiel, elle *a* **1** Nourrissant. *Un plat substantiel.* **2** Important, non négligeable. *Des avantages substantiels.*

substantif *nm* GRAM Syn de *nom.*

substantiver *vt* Transformer en substantif.

substituer *vt* Mettre une personne, une chose à la place d'une autre. ■ *vpr* Remplacer qqn, qqch, prendre leur place.

substitut *nm* **1** DR Magistrat qui supplée le procureur. **2** Ce qui peut remplacer qqch ; succédané. *Chercher un substitut au tabac.*

substitution *nf* Action de substituer.

substrat *nm* Ce qui sert de base, qui est sous-jacent ; infrastructure.

subterfuge *nm* Moyen détourné, ruse.

subtil, ile *a* **1** Qui a une finesse, une ingéniosité remarquable. **2** Difficile à saisir pour l'esprit, les sens. *Nuance subtile.*

subtiliser *vt* Voler habilement qqch.

subtilité *nf* **1** Caractère subtil. **2** Raisonnement subtil.

subtropical, ale, aux *a* Situé sous les tropiques. *Climat subtropical.*

suburbain, aine *a* Situé près d'une ville.

subvenir *vti* 35 Pourvoir à des besoins matériels, financiers.

subvention *nf* Somme versée par l'État, un organisme, etc., pour permettre d'entreprendre une activité d'intérêt général.

subventionner *vt* Aider par des subventions.

subversif, ive a Qui tend à provoquer la subversion. *Propos subversifs.*

subversion nf Action visant au renversement de l'ordre politique existant.

suc nm Liquide organique susceptible d'être extrait d'un tissu animal ou végétal.

succédané nm 1 Produit qu'on peut substituer à un autre. *Les succédanés du café.* Syn. ersatz. 2 Ce qui remplace qqch en ayant une valeur moindre.

succéder vti 121 1 Venir après qqn et le remplacer dans une charge, un emploi. 2 Venir après qqch dans le temps ou l'espace. 3 DR Recueillir l'héritage de qqn. ■ vpr Venir l'un après l'autre. *Ils se sont succédé à ce poste.*

succès nm 1 Heureuse issue d'une opération, d'une entreprise. 2 Bon résultat obtenu par qqn. 3 Fait de gagner la faveur du public. *Film qui a du succès.*

successeur nm Qui succède à un autre dans ses fonctions, ses biens.

successif, ive a Qui se succèdent. *Les locataires successifs de cet appartement.*

succession nf 1 Fait de succéder à qqn. 2 Ensemble de personnes ou de choses qui se succèdent. *Une succession de catastrophes.* 3 DR Transmission par voie légale des biens d'une personne décédée ; biens dévolus aux successeurs.

successivement av L'un après l'autre.

successoral, ale, aux a DR Relatif aux successions.

succinct, incte [syksɛ̃, ɛ̃t] a 1 Bref, concis. *Description succincte.* 2 Fam Peu copieux. *Un repas succinct.*

succion [sysjɔ̃] nf Action de sucer.

succomber vi 1 Fléchir, avoir le dessous. *Succomber sous la charge, sous le nombre.* 2 Mourir. *Le blessé a succombé.* ■ vti Céder à qqch. *Succomber à la tentation.*

succube nm Démon d'apparence féminine.

succulent, ente a Très savoureux.

succursale nf Établissement commercial ou financier subordonné à un autre.

succursalisme nm Forme de commerce fondée sur un réseau de petits magasins.

sucer vt 10 1 Attirer un liquide dans sa bouche en aspirant. 2 Presser avec les lèvres et la langue en aspirant.

sucette nf 1 Bonbon fixé au bout d'un bâtonnet. 2 Petite tétine pour les bébés.

suceur, euse a Qui suce.

suçon nm Marque laissée sur la peau par une succion longue et forte.

suçoter vt Fam Sucer à petits coups.

sucre nm 1 Substance alimentaire de saveur douce que l'on tire principalement de la betterave et de la canne à sucre. 2 Fam Morceau de sucre. 3 CHIM Glucide. Loc *Sucre d'orge* : sucre parfumé roulé en bâton.

sucré, ée a Qui contient du sucre, qui a le goût du sucre. *Boisson sucrée.* ■ a, n Doucereux, mielleux. *Prendre un ton sucré.* Faire la sucrée.

sucrer vt 1 Mettre du sucre dans. *Sucrer son café.* 2 Fam Supprimer qqch. *Sucrer une permission à qqn.* ■ vpr 1 Additionner ses aliments de sucre. 2 Fam S'octroyer une bonne part de bénéfices, d'avantages matériels, etc.

sucrerie nf 1 Établissement où on fabrique le sucre. 2 Produit de confiserie.

sucrier, ère a Qui fournit du sucre. ■ nm 1 Pièce de vaisselle dans laquelle on sert le sucre. 2 Propriétaire d'une sucrerie.

sud nm 1 L'un des quatre points cardinaux (opposé au nord). 2 (avec majusc) Partie du globe terrestre, d'un pays, etc., qui s'étend vers le sud. 3 Ensemble des pays sous-développés. ■ a inv Situé au sud. *Le pôle Sud.*

sud-africain, aine a, n De la République d'Afrique du Sud.

sud-américain, aine a, n De l'Amérique du Sud.

sudation nf PHYSIOL Forte transpiration.

sud-coréen, enne a, n De la Corée du Sud.

sud-est nm 1 Point de l'horizon situé à égale distance entre le sud et l'est. 2 (avec majusc) Partie d'un pays, d'une région, qui s'étend vers le sud-est. ■ a inv Situé au sud-est.

sudiste n, a HIST Partisan des États esclavagistes du sud des États-Unis, pendant la guerre de Sécession.

sudoripare *a* Qui sécrète la sueur.

sud-ouest *nm* **1** Point de l'horizon situé entre le sud et l'ouest. **2** (avec majusc) Partie d'un pays située au sud-ouest. ■ *a inv* Situé au sud-ouest.

suède *nm* Peau dont le côté chair est à l'extérieur.

suédine *nf* Tissu qui imite le suède.

suédois, oise *a, n* De Suède. ■ *nm* Langue nordique parlée en Suède.

suée *nf* Fam Transpiration abondante.

suer *vi* **1** Rejeter de la sueur par les pores. **2** Fam Se donner beaucoup de peine pour faire qqch. ■ *vt* Dégager une impression de, exhaler. *Suer l'ennui, la peur.*

sueur *nf* Liquide salé de la transpiration cutanée. Loc *Avoir des sueurs froides :* avoir une grande peur.

suffire *vti* **791** Être en quantité satisfaisante, avoir les qualités requises pour. *Cette somme suffit à nos besoins. Votre parole me suffit.* **2** Pouvoir satisfaire à soi seul aux exigences de qqch, qqn. *Il ne suffit pas à la tâche.* ■ *v imp* Il faut seulement. *Il suffit d'y aller. Il suffit que vous le désiriez.* Loc *Cela suffit :* c'est assez. ■ *vpr* Ne pas avoir besoin des autres pour ses besoins propres.

suffisamment *av* Assez.

suffisance *nf* Caractère d'une personne suffisante. *Un air plein de suffisance.* Loc *En suffisance :* en quantité suffisante.

suffisant, ante *a* **1** Qui suffit. **2** Trop sûr de soi. *Je le trouve très suffisant.*

suffixation *nf* Dérivation à l'aide de suffixes.

suffixe *nm* Élément placé après le radical d'un mot et lui conférant une signification particulière (ex. : fortement).

suffixé, ée *a* Comportant un suffixe.

suffoquer *vt* **1** Gêner la respiration au point d'étouffer. **2** Fam Stupéfier. *Son aplomb m'a suffoqué.* ■ *vi* Respirer avec peine ; étouffer.

suffrage *nm* **1** Avis exprimé dans une élection, une délibération ; voix, vote. **2** Opinion, jugement favorable. *Cette pièce a mérité tous les suffrages.*

suffragette *nf* Citoyenne britannique qui militait pour le droit de vote des femmes.

suggérer [syg-] *vt* **12** Faire venir à l'esprit.

suggestif, ive *a* Qui suggère des idées, des sentiments (érotiques en particulier).

suggestion [sygʒɛsjɔ̃] *nf* **1** Action de suggérer. **2** Chose suggérée. **3** Influence psychique exercée sur qqn.

suicidaire *a* Qui mène au suicide. ■ *a, n* Psychiquement disposé au suicide.

suicide *nm* **1** Action de se donner volontairement la mort. **2** Fait de s'exposer dangereusement.

suicider (se) *vpr* Se tuer volontairement.

suidé *nm* ZOOL Animal de la famille du porc.

suie *nf* Matière noirâtre que la fumée dépose dans les conduits de cheminée.

suif *nm* Graisse des ruminants.

sui generis [sɥiʒeneʀis] *a inv* Caractéristique d'une espèce, d'une chose.

suint *nm* Matière grasse sécrétée par les animaux à laine et qui imprègne leurs poils.

suinter *vi* **1** S'écouler presque imperceptiblement. *Sang qui suinte d'une plaie.* **2** Laisser couler très lentement. *Vase poreux qui suinte.*

suisse *a* De Suisse. ■ *n* Citoyen(enne) de la Suisse. ■ *nm* Vx Employé d'église en uniforme. Loc Fam *Boire en suisse :* sans inviter les autres.

suite *nf* **1** Ensemble de ceux qui suivent un haut personnage dans ses déplacements. **2** Ce qui vient après, ce qui continue qqch. *Attendre la suite d'un récit.* **3** Ensemble de personnes ou de choses qui se suivent. *Une suite de maisons.* **4** Appartement loué dans un hôtel de luxe. **5** MUS Composition se développant en plusieurs morceaux. **6** Conséquence d'un événement. *Mourir des suites d'un accident.* **7** Enchaînement logique, cohérent. Loc *De suite :* successivement. *Ainsi de suite :* en continuant de la même façon. *Tout de suite :* immédiatement. *Par la suite :* plus tard. *Par suite de :* en conséquence de.

suivant, ante *a, n* Qui vient tout de suite après un autre. *Le client, le mois suivant. Au suivant !* ■ *prép* Conformément à, selon. *Suivant les circonstances.*

suiveur, euse n 1 Qui fait partie de l'escorte d'une course cycliste. 2 Qui se borne à suivre, à faire comme tout le monde.

suivi, ie a 1 Qui intéresse de nombreuses personnes. *Une émission très suivie.* 2 Continu, sans interruption. *Un travail suivi.* 3 Dont les parties sont liées de façon cohérente. *Raisonnement suivi.* ■ *nm* Continuité contrôlée. *Assurer le suivi d'une fabrication.*

suivisme *nm* Attitude de ceux qui suivent aveuglément une autorité, une mode, etc.

suivre vt 731 Marcher, aller derrière. *Suivre qqn à la trace.* 2 Accompagner qqn dans ses déplacements. 3 Être, venir après dans l'espace, dans le temps, dans une série. *Le nom qui suit le mien sur la liste.* 4 Parcourir ; longer. *Suivre un chemin. La route qui suit la voie ferrée.* 5 Se laisser entraîner par, se conformer à. *Suivre la mode.* 6 Se soumettre à ; fréquenter. *Suivre un traitement. Suivre des cours.* 7 Porter un intérêt soutenu à. *Suivre l'actualité.* 8 Comprendre qqch dans sa logique. *Suivre un raisonnement.* ■ *vpr* Se succéder ; s'enchaîner. *Les jours se suivent sans se ressembler.*

1. sujet, ette a Exposé, enclin à, susceptible de. *Être sujet aux rhumes.* Loc *Sujet à caution :* dont il vaut mieux se méfier. ■ n Personne soumise à une autorité ; ressortissant.

2. sujet *nm* 1 Ce qui est en question, matière, centre d'intérêt. *Un sujet de discussion.* 2 Motif, raison. *Un sujet de querelle.* 3 GRAM Terme d'une proposition qui confère ses marques (personne, nombre) au verbe. 4 Être vivant sur lequel portent des observations, des expériences. *Sujet guéri.*

sujétion *nf* 1 Assujettissement, asservissement, dépendance. 2 Contrainte imposée par qqch.

sulfamide *nm* Substance utilisée pour ses propriétés antibiotiques.

sulfate *nm* Sel de l'acide sulfurique.

sulfater vt Vaporiser sur des cultures une solution de sulfate de cuivre.

sulfateuse *nf* 1 Machine à sulfater. 2 Fam Mitraillette.

sulfhydrique a Loc *Acide sulfhydrique :* gaz à odeur d'œuf pourri, très toxique.

sulfite *nm* Sel de l'acide sulfureux.

sulfure *nm* 1 CHIM Combinaison de soufre avec un autre élément. 2 Morceau de cristal décoré dans la masse.

sulfureux, euse a 1 CHIM Relatif au soufre. 2 Lié à l'enfer ; démoniaque. *Un charme sulfureux.*

sulfurique a Loc *Acide sulfurique :* dérivé du soufre, corrosif, très employé dans l'industrie.

sulfurisé, ée a Se dit d'un papier imperméable, utilisé pour l'emballage des produits alimentaires.

sulky *nm* Voiture légère à deux roues pour les courses de trot.

sulpicien, enne a Se dit d'un art religieux conventionnel et fade.

sultan *nm* HIST 1 Souverain de l'Empire ottoman. 2 Titre de certains princes musulmans.

sultanat *nm* 1 Dignité de sultan. 2 État gouverné par un sultan.

sultane *nf* Épouse du sultan.

sumac *nm* Petit arbre dont on tire des vernis, des colorants, des laques.

sumérien, enne a, n De Sumer. ■ *nm* Langue des Sumériens écrite en cunéiformes.

summum [sɔmɔm] *nm* Plus haut point, plus haut degré.

sumo *nm inv* Lutte japonaise traditionnelle.

sunlight [sœnlajt] *nm* Puissant projecteur utilisé pour les prises de vues cinématographiques.

sunna *nf* Tradition de l'islam représentant l'orthodoxie musulmane.

sunnisme *nm* Courant majoritaire de l'islam, s'appuyant sur la sunna.

sunnite a, n Qui se conforme à la sunna.

super a, n inv Fam Extraordinaire, admirable. ■ *nm* Fam Supercarburant.

superbe a D'une grande beauté, magnifique. *Une femme superbe. Un temps superbe.* ■ *nf* Litt Maintien orgueilleux.

supercarburant *nm* Carburant d'un rendement supérieur à celui de l'essence ordinaire.

supercherie *nf* Tromperie, fraude.

supérette nf Petit supermarché.

superfétatoire a Litt Superflu, inutile.

superficie nf Étendue, aire, surface.

superficiel, elle a 1 Qui est à la surface. *Plaie superficielle*. 2 Futile, sans profondeur. *Sentiments superficiels*.

superflu, ue a, nm, Qui est en trop, inutile. *Ornements superflus. Se passer du superflu*.

supérieur, eure a 1 Situé au-dessus, en haut. *La mâchoire supérieure*. 2 Plus élevé en degré, en valeur, en grade. *Un poids supérieur à trois tonnes. Les officiers supérieurs*. 3 Hautain, arrogant. *Prendre un air supérieur*. ■ n 1 Personne de qui on dépend hiérarchiquement. 2 Qui dirige une communauté religieuse.

supériorité nf Fait d'être supérieur ; caractère supérieur. *Supériorité numérique*.

superlatif nm 1 GRAM Degré de l'adjectif ou de l'adverbe qui exprime le niveau extrême (ex. : *très beau, le moins grand*). 2 Terme emphatique, hyperbolique.

superman [-man] nm Fam Homme supérieur ; surhomme.

supermarché nm Magasin en libre-service, de grande surface.

supernova nf Explosion d'une étoile massive à un stade avancé de son évolution.

superphosphate nm Engrais constitué essentiellement de phosphate calcique.

superposer vt Poser des choses les unes sur les autres ; mettre par-dessus.

superposition nf Action de superposer ; état de choses superposées.

superproduction nf Film à grand spectacle, tourné avec de gros moyens financiers.

superpuissance nf État dont l'importance politique, militaire, économique est dominante.

supersonique a D'une vitesse supérieure à celle du son. ■ nm Avion supersonique.

superstar nf Vedette très célèbre.

superstitieux, euse a, n Qui est inspiré, influencé par la superstition. *Un geste superstitieux. Un homme superstitieux*.

superstition nf Croyance à la manifestation de forces mystérieuses liées à des actes, à

des objets, à des phénomènes. *Toucher du bois par superstition pour conjurer le mauvais sort*.

superstructure nf 1 Partie d'une construction située au-dessus du sol. 2 Construction édifiée au-dessus du pont supérieur d'un navire. 3 Ensemble formé par les idées et les institutions. Ant. Infrastructure.

supertanker nm Grand navire-citerne.

superviser vt Contrôler, vérifier un travail dans ses grandes lignes.

superviseur nm Qui supervise.

supervision nf Action de superviser.

superwelter nm Boxeur pesant entre 67 et 71 kg.

supin nm Forme nominale du verbe latin.

supplanter vt Prendre la place de, évincer.

suppléant, ante n, a Qui remplace qqn d'autre dans ses fonctions.

suppléer vt 12 Remplacer. *Un adjoint supplée le maire*. ■ vti Compenser une insuffisance. *Son jugement supplée à son inexpérience*.

supplément nm Ce qui vient en plus, ce qui est ajouté. *Un supplément de frais*.

supplémentaire a Qui vient en supplément, en plus. *Train supplémentaire*. **Loc Heures supplémentaires :** heures de travail accomplies en plus de l'horaire légal. GEOM **Angles supplémentaires :** dont la somme égale 180 degrés.

supplémenter vt Enrichir un aliment. *Lait supplémenté en vitamines*.

supplétif, ive a, nm Se dit de soldats constituant temporairement une force d'appoint.

supplication nf Prière instante et soumise.

supplice nm 1 HIST Punition corporelle grave, entraînant souvent la mort, ordonnée par une autorité. 2 Ce qui cause une vive souffrance physique ou morale.

supplicier vt Soumettre à un supplice.

supplier vt 1 Prier avec instance et soumission. 2 Prier de façon pressante.

supplique nf Requête par laquelle on demande une grâce à une autorité officielle.

support nm Ce sur quoi porte le poids de qqch ; soutien. Loc **Support publicitaire :** affiche, radio, etc., servant à diffuser un message publicitaire.

supportable a Qu'on peut supporter.

1. supporter vt 1 Servir de support à, soutenir. Les poutres qui supportent le toit. 2 Subir, endurer sans faiblir. Supporter le froid. 3 Tolérer un comportement désagréable, pénible. Il faut supporter sa mauvaise humeur. 4 Résister à une action. Poterie qui supporte le feu. 5 Avoir la charge. Supporter de gros frais. 6 Abusiv Encourager un sportif, une équipe. ■ vpr Se tolérer mutuellement.

2. supporter [-tɛʀ] ou **supporteur, trice** n Qui encourage un concurrent, une équipe sportive, un candidat, qui lui apporte son appui.

supposé, ée a 1 Admis par supposition. 2 DR Qui n'est pas authentique. Nom supposé. Loc **Supposé que :** en admettant que.

supposer vt 1 Poser, imaginer comme établi. Supposons deux droites parallèles. 2 Tenir pour probable. On suppose qu'il est mort. 3 Impliquer comme condition. La bonne entente suppose le respect.

supposition nf Hypothèse, opinion reposant sur de simples probabilités.

suppositoire nm Médicament à administrer par voie rectale.

suppôt nm Litt Auxiliaire de qqn de malfaisant.

suppression nf Action de supprimer.

supprimer vt 1 Faire disparaître, ôter, retrancher. Supprimer un paragraphe. 2 Assassiner. ■ vpr Se suicider.

suppurer vi Produire, laisser écouler du pus.

supputation nf Litt Évaluation, estimation.

supputer vt Litt Évaluer à partir de certains éléments, de certains indices.

supra av Ci-dessus, dans un passage antérieur.

supraconductivité ou **supraconduction** nf PHYS Conductivité très élevée de certains corps aux températures voisines du zéro absolu.

supranational, ale, aux a Qui a autorité sur les souverainetés nationales.

suprématie [-si] nf Supériorité de puissance ; prééminence. Suprématie économique.

suprême a 1 Au-dessus de tous, de tout. Le pouvoir suprême. 2 Très grand. Une habileté suprême. 3 Dernier, ultime. Faire une suprême tentative. Loc **Honneurs suprêmes :** funérailles. ■ nm CUIS Filets de volaille ou de poisson nappés de sauce à la crème.

1. sur prép Marque la position de ce qui est plus haut, la supériorité, la direction, l'approximation, la cause, le moyen, la manière, la proportion, etc. Loc **Sur ce :** après cela, ensuite.

2. sur, sure a Légèrement acide, aigre.

sûr, sûre a 1 Qui ne présente aucun risque ; sans danger. Mettre qqn, qqch en lieu sûr. 2 Digne de confiance ; sur qui on sur quoi l'on peut s'appuyer. Un ami sûr. Un matériel très sûr. 3 Ferme, assuré, rigoureux. Un geste sûr. 4 Qu'on peut mettre en question, incontestable. Je pars demain, c'est sûr. 5 Convaincu, certain, assuré. Il est sûr de réussir. Loc **Bien sûr ! :** évidemment, bien entendu.

surabondance nf Très grande abondance.

surabonder vi Être plus abondant qu'il n'est nécessaire.

suractivé, ée a Dont l'activité est accrue par un traitement spécial.

suraigu, uë a Très aigu.

surajouter vt Faire un nouvel ajout à.

suralimentation nf Fait de suralimenter.

suralimenter vt Fournir une alimentation plus abondante ou plus riche que la normale.

suranné, ée a Démodé, désuet, vieillot.

surarmement nm Armement trop important.

surarmer vt Armer au-delà du nécessaire.

surate ou **sourate** nf Chapitre du Coran.

surbaissé, ée a Qui est plus abaissé que la moyenne. Voûte surbaissée.

surcharge nf 1 Charge ajoutée à la charge normale. 2 Fait d'être trop chargé, trop plein-

dant. *La surcharge des programmes scolaires.*
3 Mot écrit au-dessus d'un autre pour le remplacer. **Loc Surcharge pondérale** : obésité.
surcharger *vt* **1** Charger de façon excessive. *Surcharger un camion.*

surchauffe *nf* **1** Action de surchauffer un liquide, de la vapeur. **2** ECON Inflation provenant d'une expansion mal maîtrisée.

surchauffer *vt* Chauffer excessivement.

surchoix *a inv, nm* De toute première qualité.

surclasser *vt* Dominer très nettement par ses performances, sa qualité.

surcomposé, ée *a* GRAM Se dit d'un temps verbal formé d'un auxiliaire à un temps composé et du participe passé (ex. : *quand j'ai eu terminé...*).

surconsommation *nf* Consommation supérieure aux besoins.

surcontre *nm* Au bridge, maintien d'une annonce contrée.

surcouper *vt* Aux cartes, couper avec un atout plus fort que celui qui vient d'être mis.

surcoût *nm* Coût supplémentaire.

surcroît *nm* Ce qui vient s'ajouter à qqch. *Surcroît de travail.* **Loc De** ou **par surcroît** : de plus, en outre.

surdétermination *nf* Didac Caractère de ce qui est déterminé par plusieurs causes à la fois.

surdéveloppé, ée *a* Qui a un développement économique trop important.

surdimensionné, ée *a* Trop grand.

surdi-mutité *nf* État du sourd-muet.

surdité *nf* Affaiblissement ou disparition du sens de l'ouïe, fait d'être sourd.

surdosage *nm* Dosage excessif.

surdose *nf* Syn de overdose.

surdoué, ée *a, n* Qui présente un développement intellectuel exceptionnel.

sureau *nm* Arbuste dont le bois renferme un large canal de moelle.

sureffectif *nm* Effectif trop nombreux.

surélévation *nf* Action de surélever, fait d'être surélevé ; son résultat.

surélever *vt* **15** Donner plus de hauteur à. *Surélever un bâtiment de deux étages.*

sûrement *av* **1** Avec régularité et constance, sans faillir. *Progresser lentement mais sûrement.* **2** Certainement, selon toute probabilité.

surenchère *nf* **1** Enchère supérieure à la précédente. **2** Promesse faite pour renchérir sur celle d'un autre.

surenchérir *vi* Faire une surenchère.

surendettement *nm* Endettement excessif.

surendetter *vt* Mettre en état de surendettement.

surentraînement *nm* Entraînement trop poussé d'un sportif.

suréquiper *vt* Équiper plus qu'il n'est nécessaire.

surestimer *vt* Estimer au-dessus de sa valeur.

suret, ette *a* Légèrement sur, acidulé.

sûreté *nf* **1** Fait d'être sûr ; caractère d'un lieu où l'on ne risque rien. **2** Fermeté, rigueur, justesse des gestes, des raisonnements, etc. **Loc Attentat, crime contre la sûreté de l'État** : infractions menées contre l'autorité de l'État ou l'intégrité du territoire.

surévaluation *nf* Fait de surévaluer.

surévaluer *vt* Évaluer qqch au-delà de sa valeur.

surexcitation *nf* Très grand énervement.

surexciter *vt* Exciter au plus haut point.

surexploiter *vt* Exploiter de façon excessive.

surexposer *vt* PHOTO Exposer trop longtemps à la lumière.

surexposition *nf* PHOTO Fait de surexposer.

surf [sœrf] *nm* Sport nautique qui consiste à se laisser porter sur les vagues par les rouleaux, en se maintenant en équilibre sur une planche.

surface *nf* **1** Partie extérieure d'un corps, limitant son volume. *La surface de la Terre.* **2** Aire, superficie. *Une surface de 100 m².* **3** Aspect extérieur. **4** Fam Situation sociale importante. **Loc Grande surface** : magasin en libre-service dont la surface de vente est supérieure à 400 m². **Faire surface** : émerger.

surfacer vt 10 TECH Donner un aspect régulier à une surface.

surfait, aite a Trop vanté, qui n'est pas à la hauteur de sa réputation.

surfer [sœʀfe] vi 1 Pratiquer le surf. 2 Fam Être porté par un phénomène puissant.

surfeur, euse [sœʀ-] n Qui pratique le surf.

surfil nm COUT Surjet fait en surfilant.

surfiler vt COUT Passer un fil sur les bords d'un tissu pour éviter qu'il ne s'effiloche.

surfin, ine a D'une très grande qualité.

surgelé nm Denrée qui a été congelée rapidement.

surgeler vt 16 Congeler rapidement une denrée périssable.

surgénérateur nm Réacteur nucléaire qui produit plus de matière fissile qu'il n'en a consommé.

surgeon nm Rejeton qui naît de la souche d'un arbre.

surgir vi Apparaître brusquement.

surhausser vt Exhausser, surélever.

surhomme nm Homme qui dépasse la mesure normale de la nature humaine.

surhumain, aine a Au-dessus des forces, des qualités et des aptitudes normales de l'homme.

surimi nm Chair de poisson aromatisée et conditionnée.

surimposer vt Frapper d'une majoration d'impôt ou d'un impôt excessif.

surimposition nf Imposition supplémentaire ou excessive.

surimpression nf Opération qui consiste à superposer un même support deux ou plusieurs images.

surin nm Pop Couteau, poignard.

surinfection nf Infection survenant chez un sujet présentant déjà une maladie infectieuse.

surinformation nf Surabondance d'information.

surintendance nf HIST Charge de surintendant.

surintendant nm HIST Nom de divers officiers chargés de la surveillance d'une administration, sous l'Ancien Régime.

surir vi Devenir sur, aigre.

surjet nm COUT Point de couture à cheval sur le bord du tissu.

sur-le-champ av Immédiatement.

surlendemain nm Jour qui suit le lendemain.

surligner vt Marquer un texte avec un surligneur.

surligneur nm Feutre à encre lumineuse servant à mettre qqch en valeur.

surmédicaliser vt Pratiquer un excès de soins médicaux sur qqn, sur une population.

surmenage nm Fait d'être surmené.

surmener vt 15 Fatiguer par un excès de travail.

surmoi nm inv PSYCHAN Élément du psychisme qui exerce un rôle de contrôle et de censure.

surmonter vt 1 Être placé au-dessus de. 2 Venir à bout de. Surmonter une difficulté. 3 Dominer, maîtriser une sensation, un sentiment, une émotion. Surmonter sa douleur.

surmortalité nf Mortalité plus importante dans un groupe donné par rapport à un autre.

surmulet nm Rouget de roche.

surmulot nm Rat d'égout.

surmultiplier vt Donner à l'arbre de transmission d'une voiture une vitesse supérieure à celle du moteur.

surnager vi 11 1 Se maintenir à la surface d'un liquide. 2 Subsister, persister.

surnaturel, elle a, nm 1 Qui semble échapper aux lois de la nature. 2 Qui ne paraît pas naturel, qui tient du prodige ; extraordinaire.

surnom nm Nom donné à qqn en plus de son nom véritable ; sobriquet.

surnombre nm Loc En surnombre : en excédent, en surplus.

surnommer vt Donner un surnom à qqn.

surnuméraire a, n En surnombre.

suroît nm MAR 1 Vent de sud-ouest. 2 Chapeau imperméable qui descend bas sur la nuque.

surpasser vt Être supérieur à, l'emporter sur. ■ vpr Faire mieux qu'à l'ordinaire.

surpâturage nm Exploitation excessive d'un pâturage.

surpayer vt 20 Payer, acheter trop cher.

surpêche nf Exploitation excessive des fonds.

surpeuplé, ée a Où la population est trop nombreuse.

surpeuplement nm État d'une région surpeuplée.

surpiqûre nf Piqûre apparente sur un tissu.

surplace nm Loc Faire du surplace : ne pas avancer.

surplis nm Tunique blanche plissée, portée par les prêtres et les enfants de chœur.

surplomb nm Partie d'un bâtiment qui est en saillie par rapport à la base.

surplomber vi Former un surplomb. ■ vt Dominer en formant une saillie au-dessus de. La falaise surplombe la plage.

surplus nm 1 Ce qui dépasse une quantité fixée. 2 Stock de produits invendus cédés à bas prix.

surpopulation nf Population excessive relativement aux possibilités économiques.

surprenant, ante a Étonnant.

surprendre vt 70 1 Prendre qqn sur le fait. Surprendre un voleur. 2 Arriver sur qqn inopinément. L'orage les a surpris. 3 Étonner. Tu me surprends en disant cela.

surpression nf Pression plus élevée que la normale.

surprime nf Prime supplémentaire demandée par une assurance.

surprise nf 1 Étonnement. 2 Chose qui surprend ; cadeau, plaisir inattendu. Loc Par surprise : en prenant au dépourvu.

surprise-partie nf Réunion dansante privée pour jeunes gens. Des surprises-parties.

surproduction nf Production trop forte par rapport aux besoins.

surprotéger vt 13 PSYCHO Protéger qqn de façon excessive.

surréalisme nm Mouvement littéraire et artistique du début du XXe s visant à libérer l'expression poétique de la logique et des valeurs morales et sociales de l'époque.

surréaliste a, n Qui relève du surréalisme. ■ a Qui évoque le surréalisme par son caractère bizarre, incongru.

surremise nf Remise supplémentaire accordée en cas d'achats importants.

surrénal, ale, aux a, nf ANAT Se dit des glandes endocrines qui coiffent les reins et sécrètent l'adrénaline.

sursalaire nm Supplément au salaire.

sursaturer vt PHYS Saturer au-delà de la normale.

sursaut nm 1 Mouvement brusque du corps. 2 Nouvel élan qui survient brusquement. Un sursaut d'énergie.

sursauter vi Avoir un sursaut, tressaillir violemment.

surseoir vti 40 DR Remettre à plus tard, différer. Surseoir à une exécution.

sursis nm 1 DR Suspension de l'exécution d'une peine. 2 Délai à l'exécution d'une obligation ; ajournement d'une décision.

sursitaire a, n Qui a obtenu un sursis.

surtaxe nf Taxe supplémentaire.

surtaxer vt Frapper d'une surtaxe.

surtension nf ELECTR Tension trop élevée.

surtitre nm Dans un journal, titre complémentaire placé au-dessus du titre d'un article.

surtout av Principalement, plus que toute autre chose. Loc Fam Surtout que : d'autant plus que.

surveillance nf Action de surveiller ; fait d'être surveillé.

surveillant, ante n Qui a pour fonction de surveiller.

surveiller vt 1 Observer attentivement pour contrôler, vérifier, éviter les dangers, les agressions. 2 Veiller à ce qu'on fait, ce qu'on dit. Surveiller ses expressions, sa conduite.

survenir vi 35 [aux être] Arriver de façon imprévue, brusquement.

survêtement nm Vêtement chaud qu'on met par-dessus une tenue de sport.

survie nf Fait de survivre.

survirer vi Déraper des roues arrière dans un virage.

survitrage nm Vitre supplémentaire isolant du bruit ou du froid.

sveltesse

survivance nf Persistance de ce que l'évolution aurait pu faire disparaître.

survivant, ante a, n Qui survit.

survivre vti 76 **1** Demeurer en vie après la mort de qqn, après la fin de qqch. *Survivre à ses enfants.* **2** Continuer d'exister. *Ses œuvres lui survivront longtemps.* ■ vti, vi Rester en vie après un danger. *Survivre à un accident.*

survol nm Fait de survoler.

survoler vt **1** Voler au-dessus de. *L'appareil survole Madrid.* **2** Voir superficiellement. *Survoler un problème.*

survolter vt **1** ELECTR Soumettre à une tension supérieure à la normale. **2** Surexciter.

sus av Loc *En sus (de)* : en plus (de). Litt *Courir sus à qqn* : le poursuivre avec violence.

susceptibilité nf Caractère de qqn qui s'offense facilement.

susceptible a **1** Qui se froisse, s'offense facilement. **2** Qui peut présenter certaines qualités. *Une affirmation susceptible de plusieurs interprétations.* **3** Éventuellement capable de. *Est-il susceptible de vous remplacer ?*

susciter vt Faire naître, provoquer. *Susciter l'enthousiasme. Susciter un scandale.*

suscription nf Adresse écrite sur l'enveloppe d'une lettre.

susdit, ite a, n Indiqué, cité ci-dessus.

sushi [suʃi] nm Boulette de riz couronnée de poisson cru.

susmentionné, ée a Mentionné ci-dessus.

susnommé, ée a, n Nommé plus haut.

suspect, ecte [syspɛ, ɛkt] a, n **1** Qui inspire la méfiance, éveille les soupçons. **2** Qui est soupçonné de qqch. *Être suspect de trahison.* **3** D'une qualité douteuse. *Une viande suspecte.*

suspecter vt Soupçonner, tenir pour suspect.

suspendre vt 5 **1** Attacher de manière à laisser pendre. *Suspendre une lampe au plafond.* **2** Interrompre momentanément le cours de ; remettre à plus tard. *Suspendre des travaux, une séance.* **3** Interdire momentanément l'usage, l'exercice, l'action de.

Suspendre une loi, un permis de conduire. **4** Démettre momentanément qqn d'une fonction.

suspendu, ue a Loc *Pont suspendu* : dont le tablier ne repose pas sur des piles. *Voiture bien, mal suspendue* : dont la suspension est bonne, mauvaise.

suspens (en) [-pɑ] av **1** Qui n'a pas encore été réglé. **2** Dans l'incertitude.

suspense [-pɛns] nm Dans un film, un roman, passage agencé en vue de tenir l'esprit dans une attente anxieuse.

suspension nf **1** Action de suspendre ; état d'une chose suspendue. **2** Appareil d'éclairage suspendu au plafond. **3** CHIM Dispersion de fines particules dans un liquide. **4** Dispositif situé entre le châssis et les roues d'un véhicule pour atténuer les trépidations. **5** Interruption. *Suspension de séance.* **6** Fait de retirer ses fonctions à un fonctionnaire.

suspente nf Chacun des cordages réunissant la nacelle d'un ballon au filet, ou la voilure d'un parachute au harnais.

suspicieux, euse a Rempli de suspicion.

suspicion nf Fait de tenir pour suspect ; défiance. Loc DR *Suspicion légitime* : demande de renvoi d'un procès devant un autre tribunal, en invoquant la partialité.

sustentation nf Fait pour un appareil de se maintenir dans l'air.

sustenter (se) vpr Se nourrir.

susurrer vi, vt Dire doucement, à voix basse.

sutra ou **soutra** nm Recueil de préceptes, concernant les règles de la morale, du rituel, etc., dans le sanskrit ou le brahmanisme.

suture nf CHIR Réunion à l'aide de fils de lèvres d'une plaie.

suturer vt CHIR Réunir par une suture.

suzerain, aine n FEOD Seigneur dont dépendaient des vassaux.

suzeraineté nf **1** FEOD Qualité de suzerain ; pouvoir de suzerain. **2** Autorité d'un État sur un autre.

svastika nm Croix gammée, symbole sacré de l'Inde.

svelte a Qui a un aspect mince, élancé.

sveltesse nf Caractère svelte.

S.V.P. Abrév de *s'il vous plaît.*

swahili, ie ou **souahéli, ie** *a, nm* Langue bantoue parlée en Afrique orientale.

swap *nm* FIN Échange de monnaie entre deux banques.

sweater [swetœr] *nm* Veste de jersey.

sweat-shirt [swetʃœrt] *nm* Pull-over en jersey molletonné, ras du cou. *Des sweat-shirts.*

sweepstake [swipstɛk] *nm* Loterie combinée à une course de chevaux.

swing [swiŋ] *nm* 1 À la boxe, coup de poing porté latéralement. 2 Au golf, balancement du tronc qui accompagne la frappe de la balle. 3 Balancement rythmique caractéristique du jazz.

sycomore *nm* Érable à fleurs pendantes.

syénite *nf* Roche magmatique grenue.

syllabaire *nm* 1 Livre destiné à l'apprentissage de la lecture. 2 LING Système d'écriture où chaque signe note une syllabe.

syllabe *nf* Unité phonétique qui se prononce d'une seule émission de voix.

syllabique *a* De la syllabe. Loc *Écriture syllabique* : dans laquelle chaque syllabe est représentée par un caractère.

syllepse *nf* GRAM Accord d'un mot selon le sens plutôt que selon les règles grammaticales.

syllogisme *nm* Déduction formelle entre trois propositions logiquement impliquées (ex. : *tous les hommes sont mortels ; or, Socrate est un homme ; donc Socrate est mortel*).

sylphe *nm* MYTH Génie de l'air.

sylphide *nf* 1 MYTH Sylphe féminin. 2 Litt Femme très gracieuse.

sylvaner *nm* Cépage blanc d'Alsace.

sylve *nf* Forêt dense équatoriale.

sylviculteur *nm* Qui pratique la sylviculture.

sylviculture *nf* Exploitation des forêts, culture des arbres.

symbiose *nf* 1 BIOL Association de deux êtres vivants d'espèces différentes. 2 Union étroite.

symbole *nm* 1 Représentation figurée, imagée, concrète d'une notion abstraite. 2 Signe conventionnel abréviatif. *Symbole chimique, mathématique.*

symbolique *a* 1 Qui constitue un symbole. 2 Qui n'a pas de valeur en soi. *Geste symbolique.* ■ *nf* Ensemble des symboles propres à une culture, une époque, etc.

symboliser *vt* 1 Représenter par des symboles. 2 Être le symbole de.

symbolisme *nm* 1 Système de symboles destinés à rappeler des faits ou à exprimer des croyances. 2 Mouvement littéraire et artistique de la fin du XIXe s.

symétrie *nf* 1 Régularité et harmonie dans l'ordonnance des parties d'un tout. 2 GEOM Similitude des deux moitiés d'un espace de part et d'autre d'un axe.

symétrique *a, nm* Qui présente une certaine symétrie avec qqch de semblable et d'opposé.

sympa *a* Fam Sympathique.

sympathie *nf* 1 Part qu'on prend aux peines ou plaisirs d'autrui. 2 Sentiment spontané d'attraction à l'égard de qqn. *Éprouver une vive sympathie pour qqn.*

sympathique *a* 1 Qui inspire la sympathie. 2 Très agréable. *Endroit sympathique.* ■ *nm, a* ANAT Partie du système nerveux dont dépendent les fonctions végétatives.

sympathisant, ante *a, n* Qui, sans adhérer à un parti, en partage les idées.

sympathiser *vi* Éprouver une sympathie pour qqn, s'entendre avec lui.

symphonie *nf* 1 MUS Composition pour un grand orchestre. 2 Ensemble harmonieux. *Symphonie de couleurs.*

symposium [-zjɔm] *nm* Réunion de spécialistes sur un sujet précis.

symptomatique *a* 1 MED Qui est le symptôme d'une maladie. 2 Qui est l'indice de qqch.

symptomatologie *nf* MED Étude des symptômes des maladies.

symptôme *nm* 1 Phénomène physiologique qui révèle un état pathologique. 2 Indice, présage, signe. *Les symptômes d'une révolution.*

synagogue *nf* Lieu de culte israélite.

synapse *nf* ANAT Zone de contact entre deux neurones.

synarchie nf Autorité détenue par plusieurs personnes à la fois.

synchrone a Qui se fait dans le même temps.

synchronie nf 1 Ensemble des faits de langue à une époque précise (par oppos. à diachronie). 2 Simultanéité d'événements.

synchronique a Qui a lieu dans le même temps, à la même époque.

synchronisation nf Fait de synchroniser, d'être synchronisé.

synchroniser vt 1 Rendre synchrones deux phénomènes. 2 Mettre en concordance les images et les sons dans un film.

synchroniseur nm Appareil servant à synchroniser.

synchronisme nm 1 Caractère synchrone. 2 Caractère synchronique.

synchrotron nm PHYS Accélérateur de particules.

synclinal, aux nm GEOL Partie concave d'un pli simple. Ant. anticlinal.

syncope nf 1 Suspension subite des battements du cœur, avec perte de connaissance. 2 MUS Élément sonore accentué sur un temps faible, et prolongé sur un temps fort.

syncopé, ée a MUS Qui comporte de fréquentes syncopes.

syncrétisme nm Combinaison de plusieurs systèmes de pensée, de plusieurs doctrines.

syndic nm DR Mandataire chargé de représenter les intérêts d'un groupe, en particulier de copropriétaires.

syndical, ale, aux a D'un syndicat ou du syndicalisme.

syndicaliser vt Organiser des travailleurs en un syndicat.

syndicalisme nm Activité des syndicats de salariés ; fait de militer dans un syndicat.

syndicaliste a Qui milite dans un syndicat.

syndicat nm Association de personnes ayant pour but la défense d'intérêts communs, spécialement dans le domaine professionnel. **Loc** *Syndicat d'initiative :* organisme chargé du tourisme dans une commune ou une région.

syndicataire n Membre d'un syndicat de propriétaires.

syndication nf Groupement de banques pour une opération financière.

syndiquer vt Organiser en syndicat. ■ **vpr** S'inscrire à un syndicat.

syndrome nm Ensemble de symptômes caractérisant un état pathologique.

synecdoque nf Figure de style consistant à prendre la partie pour le tout (ex. : *un toit pour une maison*), le contenant pour le contenu (ex. : *boire un verre*), etc.

synergie nf Didac Action d'éléments qui concourent au même résultat en se renforçant les uns les autres.

syngnathe nm Poisson marin au museau allongé.

synode nm Assemblée ecclésiastique.

synodique a Loc ASTRO *Révolution synodique :* durée comprise entre deux passages consécutifs d'une planète à un même point.

synonyme a, nm Qui a un sens identique ou très voisin (par ex. : *captif* et *prisonnier*).

synonymie nf LING Relation qui existe entre deux synonymes.

synopsis [-psis] nm Récit bref constituant le schéma d'un scénario.

synoptique a Qui permet de saisir d'un seul coup d'œil les diverses parties d'un ensemble. *Tableau synoptique.*

synovial, ale, aux a ANAT De la synovie. ■ nf Membrane des cavités articulaires sécrétant la synovie.

synovie nf ANAT Liquide organique jouant un rôle de lubrifiant dans les articulations.

syntagme nm LING Groupe de mots formant une unité fonctionnelle dans une phrase. *Syntagme verbal, nominal.*

syntaxe nf Partie de la grammaire qui étudie les règles régissant les relations entre les mots ou les syntagmes à l'intérieur d'une phrase.

synthèse nf 1 Méthode qui consiste à regrouper des faits épars et à les structurer en un tout. 2 Exposé méthodique. *Faire une rapide synthèse de la situation.* 3 CHIM Action de combiner des corps pour obtenir des corps plus complexes. 4 Reconstitution des sons à partir

de leurs constituants (fréquence, durée).
5 PHILO Troisième temps et conclusion du raisonnement dialectique (thèse, antithèse, synthèse).

synthétique *a* Qui réalise une synthèse. ■ *a, nm* Obtenu par synthèse de composés chimiques. *Le nylon, fibre textile synthétique.*

synthétiser *vt* Réunir, obtenir par synthèse.

synthétiseur *nm* Appareil électronique réalisant la synthèse des sons.

syphilis *nf* Maladie vénérienne contagieuse.

syphilitique *a, n* Atteint de syphilis.

syrah *nf* Cépage rouge du sud de la France.

syriaque *nm, a* Langue sémitique ancienne.

syrien, enne *a, n* De Syrie.

syrinx *nf* ZOOL Organe du chant chez les oiseaux.

systématique *a* **1** Méthodique et rigoureux. **2** Qui dénote un esprit de système. *Opposition systématique.* ■ *nf* **1** Science de la classification des êtres vivants. **2** Ensemble de faits organisés selon un système.

systématiser *vt* Organiser des éléments en système.

système *nm* **1** Ensemble cohérent de notions, de principes liés logiquement. **2** Ensemble organisé de règles, de moyens tendant à une même fin. *Système économique. Système républicain.* **4** Organisation sociale considérée comme aliénante. *Être prisonnier du système.* **5** Fam Moyen ingénieux. **6** Ensemble d'éléments remplissant une même fonction. *Système de transmission.* **Loc** Fam **Porter, taper sur le système :** agacer, irriter. *Système d'exploitation :* programme assurant la gestion d'un ordinateur et de ses périphériques.

systémique *a* Didac D'un système considéré dans son ensemble.

systole *nf* Phase de contraction du cœur.

syzygie *nf* ASTRO Conjonction ou opposition de la Lune avec le Soleil.

t nm Vingtième lettre (consonne) de l'alphabet.

ta. V. ton.

tabac [-ba] nm 1 Plante dont on fume les feuilles séchées, riches en nicotine. 2 Commerce où on vend des cigarettes, des cigares, du tabac. **Loc** Fam *Passer qqn à tabac* : le rouer de coups. *Coup de tabac* : grain, tempête. Fam *Faire un tabac* : remporter un grand succès.

tabagie nf Lieu rempli de fumée de tabac.

tabagisme nm Intoxication chronique due à l'abus de tabac.

tabasser vt Fam Frapper qqn à coups violents.

tabatière nf Petite boîte pour le tabac à priser. **Loc** *Fenêtre à tabatière* : qui pivote autour de son montant supérieur sur un toit.

tabernacle nm RELIG Petit coffre placé sur l'autel et abritant les hosties consacrées.

tabès nm MED Manifestation neurologique de la syphilis (ataxie, douleurs violentes).

tabla nm Petit tambour indien.

tablature nf MUS Notation de la musique propre à certains instruments.

table nf 1 Meuble formé d'une surface plane posée sur un ou plusieurs pieds. 2 Meuble de ce type destiné à prendre les repas. 3 Mets servi au cours d'un repas. 4 Surface plane de marbre, de métal ; partie plate d'une machine. 5 Tableau, panneau présentant des données ; recueil de données. *Table des matières. Table de multiplication.* **Loc** *Table ronde* : réunion de négociation. *Faire table rase de qqch* : le rejeter totalement.

tableau nm 1 Ouvrage de peinture exécuté sur un panneau de bois, sur une toile, etc. 2 Spectacle qui attire le regard. *Un charmant tableau.* 3 Représentation, évocation par un récit. 4 Au théâtre, subdivision d'un acte correspondant à un changement de décor. 5 Panneau sur lequel on écrit à la craie, dans une classe. 6 Panneau servant à afficher des renseignements. 7 Panneau où sont regroupés des appareils de mesure. *Tableau de bord d'un véhicule.* 8 Liste des personnes composant un corps. *Tableau d'avancement.* 9 Ensemble de renseignements rangés méthodiquement. *Tableau chronologique.*

tableautin nm Petit tableau.

tablée nf Réunion de personnes assises autour d'une table pour un repas.

tabler vti Compter sur qqch.

tablette nf 1 Petite planche, petite plaque disposée pour recevoir des objets. 2 Aliment présenté sous la forme d'une plaquette. *Une tablette de chocolat.*

tabletterie nf Petits objets d'ivoire, de bois.

tableur nm INFORM Logiciel permettant une partition de l'écran pour l'affichage de calculs.

tablier nm 1 Vêtement pour préserver ses vêtements en travaillant. *Tablier de forgeron.* 2 Rideau métallique qui ferme l'ouverture d'une cheminée. 3 Partie horizontale d'un pont.

tabloïd nm Format de journal plus petit que le format habituel, souvent utilisé pour la presse populaire.

tabou, oue a, nm 1 Frappé d'un interdit religieux ou rituel. 2 Dont on ne doit pas parler. *Un sujet tabou.*

taboulé nm Hors-d'œuvre à base de blé concassé et de légumes hachés.

tabouret nm Petit siège à pieds sans bras ni dossier.

tabulaire a En forme de table ; plat.

tabulateur nm Dispositif d'une machine de bureau qui permet d'aligner des caractères sur une même colonne.

tac nm **Loc** *Répondre du tac au tac* : rendre aussitôt la pareille.

tache nf 1 Salissure, marque qui salit. 2 Ce qui souille l'honneur de qqn. *Une réputation sans tache.* 3 Marque sur la peau, le poil ou le plumage d'un être vivant. 4 Marque quelconque de couleur ou de lumière. **Loc** *Faire tache d'huile* : se répandre.

tâche nf 1 Ouvrage qui doit être exécuté dans un temps donné. 2 Obligation à remplir par devoir.

tacher vt Faire une tache sur qqch. *Tacher sa robe.* ■ **vpr** Se salir.

tâcher vti, vt Faire des efforts pour, faire en sorte que. *Tâcher de donner satisfaction. Tâchez qu'il réussisse.*

tâcheron nm Qui exécute sur commande des tâches ingrates.

tacheter vt 19 Marquer de multiples petites taches.

tachisme nm Mouvement pictural non figuratif des années 1950.

tachycardie [-ki-] nf MED Accélération du rythme cardiaque.

tachygraphe ou **tachymètre** [-ki-] nm Enregistreur de vitesse.

tacite a Non formellement exprimé ; sous-entendu.

taciturne a De nature ou d'humeur à parler peu.

tacle nm Au football, manière de bloquer l'adversaire avec le pied.

tacot nm Fam Vieille voiture.

tact nm 1 PHYSIOL Sens du toucher. 2 Délicatesse dans les rapports avec autrui.

tacticien, enne n Qui manœuvre habilement.

tactile a PHYSIOL Du toucher.

tactique nf 1 MILIT Art de conduire une opération militaire limitée. 2 Moyens qu'on emploie pour atteindre un objectif. ■ a De la tactique. *Opération tactique.*

tadjik, a, n Du Tadjikistan. ■ **nm** Forme du persan parlée au Tadjikistan.

tadorne nm Sorte de canard migrateur.

taekwondo nm Sport de combat coréen.

taffetas nm Étoffe de soie mince.

tafia nm Eau-de-vie de canne à sucre.

tag nm Graffiti figurant une signature.

tagalog ou **tagal** nm Langue des Philippines.

tagine. V. tajine.

tagliatelle [talja-] nf Pâte alimentaire en forme de lamelles longues et minces.

tagueur nm Qui peint des tags sur les murs.

tahitien, enne a, n De Tahiti.

taïchi ou **taï-chi-chuan** nm inv Gymnastique chinoise.

taie nf 1 Enveloppe de tissu d'un oreiller. 2 MED Tache sur la cornée.

taïga nf Forêt de conifères des régions froides.

taillader vt Faire des entailles à, sur.

taillandier, ère n Vx Fabricant d'outils pour couper, tailler.

taille nf 1 Action de couper, de tailler ; manière d'être taillé, incision. *Taille d'une pierre.* 2 Dimensions, hauteur du corps de l'homme ou des animaux ; stature. 3 Dimensions d'un objet, d'un vêtement ; format. *Des grêlons de la taille d'un œuf.* 4 Partie du corps humain située à la jonction de l'abdomen et du thorax ; partie du vêtement qui marque cette partie. 5 HIST Impôt direct sur les roturiers. Loc *Être de taille à* : capable de mesurer. *Pierre de taille* : préparée pour la construction.

taillé, ée a Qui a une certaine stature. *Être taillé en hercule.*

taille-crayon nm Petit instrument pour tailler les crayons. *Des taille-crayons.*

taille-douce nf Gravure faite au burin sur une plaque en cuivre. *Des tailles-douces.*

tailler vt 1 Couper, retrancher qqch d'une pièce, d'un objet pour lui donner une certaine forme. 2 Couper dans l'étoffe les morceaux qui formeront un vêtement. ■ **vpr** 1 Prendre, obtenir pour soi. *Il s'est taillé un vif succès.* 2 Pop Partir rapidement.

taillerie nf Art de tailler les cristaux et les pierres précieuses.

tailleur nm 1 Qui taille un objet, un matériau. *Tailleur de pierre.* 2 Qui confectionne des costumes masculins sur mesure. 3 Costume féminin, composé d'une jupe et d'une veste du même tissu. Loc *Assis en tailleur* : les jambes repliées et les genoux écartés.

taillis nm Très jeunes arbres poussés après une taille dans un bois.

tailloir nm ARCHI Partie supérieure du chapiteau d'une colonne.

tain nm Amalgame d'étain dont on revêt l'envers d'une glace pour qu'elle réfléchisse la lumière.

taire vt 68 Ne pas dire, ne pas exprimer. ■ **vpr** 1 Garder le silence. 2 Cesser de se faire entendre. *Les canons se sont tus.*

taiwanais, aise [taj-] *a, n* De Taiwan.

tajine ou **tagine** *nm* Ragoût de mouton cuit à l'étouffée.

talc *nm* Poudre blanche issue d'un minéral et utilisée pour les soins de la peau.

talent *nm* **1** Disposition, aptitude naturelle ou acquise. **2** Aptitude remarquable. *Avoir du talent.* **3** Personne qui excelle en son genre.

talentueux, euse *a* Qui a beaucoup de talent.

taler *vt* Meurtrir un fruit.

taleth *nm* Châle dont les juifs se couvrent les épaules pour la prière.

talion *nm* Loc *Loi du talion* : code exigeant un châtiment égal au tort subi.

talisman *nm* Objet marqué de signes consacrés, auquel on attribue des vertus magiques.

talitre *nm* Puce de mer.

talkie-walkie [tokiwoki] *nm* Émetteur et récepteur portatif, de faible portée. *Des talkies-walkies.*

talk-show [tokʃo] *nm* Émission télévisée rassemblant des personnalités venues discuter d'un sujet déterminé. *Des talk-shows.*

talle *nf* BOT Tige adventive au pied d'une tige principale.

talmudiste *n* Savant versé dans le Talmud.

taloche *nf* **1** Planchette utilisée pour l'exécution des enduits. **2** Fam Gifle.

talon *nm* **1** Partie postérieure du pied. **2** Partie d'une chaussure, d'un bas dans laquelle se loge le talon. **3** Partie inamovible d'un chéquier, d'un carnet à souches. **4** Ce qui reste d'une chose entamée. *Un talon de saucisson.* **5** Ce qui reste de cartes après la distribution à chaque joueur. Loc *Talon d'Achille* : côté faible, vulnérable de qqn.

talonnade *nf* Action de frapper le ballon avec son talon.

talonner *vt* **1** Suivre, poursuivre qqn de très près. **2** Presser sans répit, harceler. **3** Au rugby, sortir le ballon d'une mêlée à coups de talon. ■ *vi* MAR Heurter le fond (bateau).

talonnette *nf* **1** Petite plaque de liège mise dans une chaussure. **2** Ruban de tissu cousu au bas d'un pantalon.

talonneur *nm* Au rugby, avant chargé de talonner le ballon.

talquer *vt* Enduire de talc.

talus *nm* **1** Terrain en pente formant le côté d'un fossé, etc. **2** Pente donnée à des élévations de terre.

talweg [-veg] *nm* GÉOGR Ligne qui joint les points les plus bas d'une vallée.

tamanoir *nm* Fourmilier d'Amérique du Sud.

tamarin *nm* **1** Petit singe à longue queue. **2** Fruit laxatif du tamarinier.

tamarinier *nm* Grand arbre cultivé dans les régions chaudes pour ses fruits.

tamaris [-ris] *nm* Arbuste ornemental à petites fleurs roses.

tamazigh ou **tamazirt** *nm* Langue berbère parlée en Algérie et au Maroc.

tambouille *nf* Fam Cuisine, repas.

tambour *nm* **1** Instrument formé d'une caisse tendue de deux peaux qu'on fait résonner avec des baguettes. **2** Personne qui bat du tambour. **3** Pièce de forme cylindrique. *Tambour d'un treuil.* **4** Portes vitrées tournant autour d'un même axe. Loc *Frein à tambour* : dans lequel les garnitures s'appliquent contre une partie cylindrique, solidaire de la roue.

tambourin *nm* Tambour allongé qu'on bat d'une seule baguette.

tambourinaire *n* Joueur de tambourin.

tambouriner *vi* Frapper sur qqch à coups répétés. ■ *vt* Annoncer à grand bruit.

tambour-major *nm* Sous-officier, chef des tambours d'un régiment. *Des tambours-majors.*

tamil. V. tamoul.

tamis *nm* **1** Instrument pour trier des matières pulvérulentes ou passer des liquides épais. **2** Cordage d'une raquette de tennis.

tamiser *vt* **1** Faire passer dans un tamis. *Tamiser du sable.* **2** Laisser passer en adoucissant. *Tamiser la lumière.*

tamoul, oule ou **tamil, ile** *a* Des Tamouls. ■ *nm* Langue dravidienne du sud de l'Inde et du Sri Lanka.

tamouré *nm* Danse de Polynésie.

tampon nm 1 Masse de matière souple comprimée, servant à boucher. 2 Morceau d'ouate, de gaze pour étancher le sang. 3 Plaque de caoutchouc gravée, qui, imprégnée d'encre, sert à imprimer un timbre administratif, un cachet ; le timbre lui-même. 4 Pièce de bois placée dans le trou d'un mur pour y enfoncer une vis. 5 Disque métallique placé à l'avant et à l'arrière d'une voiture de chemin de fer pour amortir les chocs.

tamponner vt 1 Boucher avec un tampon. 2 Placer un tampon dans un mur. 3 Heurter violemment. 4 Étancher avec un tampon d'ouate. 5 Apposer un cachet sur. *Tamponner une carte.* ■ vpr Se heurter violemment (véhicules). Loc Pop *S'en tamponner* : s'en moquer.

tamponneur, euse a Loc *Autos tamponneuses* : petites voitures de fête foraine, qui se heurtent sur une piste.

tamponnoir nm Pointe d'acier servant à percer les murs, pour y loger une cheville.

tam-tam [tamtam] nm 1 Gong chinois. 2 Tambour africain. 3 Fam Bruit, tapage, publicité tapageuse. *Des tam-tams.*

tan nm Écorce de chêne séchée et pulvérisée, employée pour le tannage.

tanagra nm et nf Statuette de terre cuite représentant une jeune femme.

tancer vt 10 Litt Réprimander.

tanche nf Poisson d'eau douce.

tandem nm 1 Bicyclette à deux places. 2 Association de deux personnes travaillant ensemble.

tandis que [-di] conj 1 Pendant le temps que. 2 Au lieu que.

tandoori [-duRi] nm CUIS Morceaux de viande marinés et rôtis dans un four spécial.

tangage nm Oscillation d'un navire d'avant en arrière. Ant roulis.

tangelo nm Hybride du pomelo et de la mandarine.

tangent, ente a 1 GEOM Qui n'a qu'un point de contact avec une ligne, une surface. 2 Fam Qui se produit de justesse. ■ nf 1 MATH Quotient du sinus d'un arc par son cosinus. 2 Fam Surveillant d'un examen. Loc Fam *Prendre la tangente* : s'esquiver habilement.

tangerine nf Hybride du mandarinier et du citronnier.

tangible a 1 Qui peut être perçu par le toucher. 2 Évident, manifeste.

tango nm 1 Danse argentine, sur un rythme à deux temps. ■ a inv Rouge orangé vif.

tanguer vi Être animé d'un mouvement de tangage.

tanière nf Abri d'une bête carnivore.

tanin ou **tannin** nm Substance astringente, abondante dans l'écorce de certains arbres, utilisée pour rendre les peaux imputrescibles.

tank nm 1 Grand réservoir. 2 Char de combat.

tanka nm Au Tibet, bannière peinte à représentation religieuse.

tanker [-kœʀ] nm Pétrolier.

tankiste nm Membre de l'équipage d'un tank.

tannage nm Transformation des peaux en cuir.

tanné, ée a 1 Qui a été tanné. *Peaux tannées.* 2 Brun clair ; hâlé. *Visage tanné.* ■ nf Pop Volée de coups.

tanner vt 1 Préparer les peaux avec du tanin. 2 Fam Lasser, agacer.

tanneur, euse n Qui tanne ou vend des cuirs.

tannin. V. tanin.

tansad nm Deuxième siège d'une motocyclette, derrière la selle.

tant av 1 Tellement. *Il a tant mangé ! Il a tant de peine.* 2 Quantité non précisée. *Son bien se monte à tant...* Loc Fam *Tant que...* : autant que. Fam *Tant qu'à* (+ inf) : puisqu'il est nécessaire de. *Tant mieux, tant pis* : marque la satisfaction ; le regret, le dépit. *Tant bien que mal* : ni bien ni mal. *Tant soit peu* : si peu que ce soit. *Tant s'en faut que* (+ subj) : il est très peu probable. *Si tant est que* : à supposer que. *En tant que* : dans la mesure où, en qualité de.

tantale nm Métal lourd, peu fusible.

tante nf 1 Sœur du père ou de la mère, femme de l'oncle. 2 Pop Homosexuel.

tantième nm Part proportionnelle sur une quantité déterminée.

tantinet nm Loc Fam *Un tantinet* : un peu.

tantôt av Fam Cet après-midi. Loc *Tantôt... tantôt* : marque une alternance.

tantra nm Texte sacré des hindous.

tantrisme nm Croyances issues de l'hindouisme et du bouddhisme.

tanzanien, enne a, n De la Tanzanie.

taoïsme nm Religion de la Chine.

taon [tã] nm Insecte dont la femelle pique les mammifères pour sucer leur sang.

tapage nm 1 Bruit accompagné de désordre. 2 Scandale, éclat.

tapageur, euse a 1 Qui fait du tapage. 2 Qui cherche l'éclat, le scandale ; provocant.

tapant, ante a Loc Fam À deux heures tapant(es) : juste à cette heure-là.

tapas [-pas] nmpl En Espagne, amuse-gueule.

tape nf Coup donné avec la main ouverte.

tape-à-l'œil a inv, nm inv Fam Qui cherche à éblouir par son caractère ostentatoire.

tapecul nm Fam Voiture dont la suspension est mauvaise.

tapée nf Fam Grand nombre, grande quantité.

tapenade nf Purée d'olives noires et d'anchois.

taper vt 1 Frapper, cogner. 2 Produire un son en frappant. 3 Dactylographier. 4 Fam Emprunter de l'argent à qqn. ■ vi Donner un coups. Taper avec un marteau. Taper du pied. Loc Fam Taper dans l'œil : séduire. ■ vpr 1 Fam S'offrir qqch d'agréable. 2 Pop Avoir des relations sexuelles avec. 3 Fam Faire qqch de pénible. Se taper une corvée. Loc Fam S'en taper : s'en moquer.

tapette nf 1 Petite tape. 2 Petite palette servant à battre les tapis, à tuer les mouches, etc. 3 Fam Bavard(e). 4 Pop Homosexuel.

tapeur, euse n Fam Qui emprunte fréquemment de l'argent.

tapin nm Loc Pop Faire le tapin : racoler, faire le trottoir.

tapiner vi Pop Faire le tapin.

tapineuse nf Pop Prostituée.

tapinois (en) av En cachette.

tapioca nm Fécule de manioc.

1. tapir nm Mammifère tropical, au museau allongé en une courte trompe.

2. tapir (se) vpr Se cacher en se blottissant.

tapis nm 1 Pièce d'étoffe destinée à être étendue sur le sol d'un local, sur un parquet, etc. 2 Ce qui recouvre une surface. Un tapis de fleurs.

tapis-brosse nm Paillasson. Des tapis-brosses.

tapisser vt 1 Revêtir les murs d'une pièce de papier peint. 2 Couvrir une surface. Affiches qui tapissent une chambre.

tapisserie nf 1 Pièce d'étoffe, papier peint utilisé comme décoration murale. 2 Ouvrage tissé au métier à main, destiné à parer une muraille ; ouvrage à l'aiguille fait sur un canevas. 3 Art de la fabrication de tels ouvrages. Loc Faire tapisserie : dans un bal, ne pas être invitée à danser.

tapissier, ère n Qui vend ou pose les tentures, les papiers peints, recouvre les fauteuils.

tapoter vt Frapper à petits coups répétés.

tapuscrit nm Texte dactylographié.

taquet nm 1 Petite pièce en bois, en métal servant de cale, de butoir, etc. 2 MAR Pièce utilisée pour amarrer des cordages.

taquin, ine a, n Qui se plaît à taquiner.

taquiner vt S'amuser à agacer qqn par de petites moqueries sans gravité. Loc Fam Taquiner le goujon : pêcher à la ligne.

taquinerie nf Action, parole d'un taquin.

tarabiscoté, ée a Surchargé à l'extrême.

tarabuster vt Fam Tracasser, importuner.

tarama nm Hors-d'œuvre à base d'œufs de cabillaud et d'huile émulsionnés.

tarare nm Appareil servant à vanner les grains.

tarasque nf Animal fabuleux, dragon amphibie des légendes provençales.

taraud nm TECH Outil servant à fileter.

tarauder vt 1 TECH Fileter au moyen d'un taraud. 2 Litt Tourmenter, torturer.

tarbouche nm Coiffure orientale en feutre rouge, ornée d'un gland de soie.

tard *av* 1 Après le temps déterminé, voulu ou habituel. 2 Vers la fin de la journée ou de la nuit. ■ *nm* Loc *Sur le tard :* vers la fin de la soirée ; vers la fin de la vie.

tarder *vti* Différer de faire qqch. *Tarder à partir.* ■ *vi* Mettre du temps à venir, se faire attendre. *Sa réponse n'a pas tardé.* ■ *v impers* Loc *Il me tarde de* (+ inf) : j'ai hâte de.

tardif, ive *a* 1 Qui vient tard. *Repentir tardif.* 2 Qui a lieu tard dans la journée. *Heure tardive.* 3 Qui mûrissent le plus tard (légumes, fruits).

tardigrade *nm* Animal aquatique minuscule qui se maintient en état de vie ralentie en cas de sécheresse.

tare *nf* 1 Poids de l'emballage d'une marchandise. 2 Poids mis dans l'un des plateaux d'une balance pour équilibrer la charge de l'autre. 3 Défectuosité physique ou psychique. *Tares héréditaires.* 4 Imperfection majeure dans l'ordre des choses.

taré, ée *a, n* 1 Qui présente une tare. 2 Fam Fou, ridicule, stupide.

tarentelle *nf* Danse populaire d'Italie.

tarentule *nf* Grosse araignée.

tarer *vt* Peser un emballage.

targette *nf* Petit verrou plat.

targuer (se) *vpr* Litt Se faire fort de. *Il se targue de tenir la distance.*

tarière *nf* 1 Grande vrille pour forer le bois. 2 ZOOL Organe des insectes servant à déposer leurs œufs.

tarif *nm* Tableau des prix de certaines marchandises ou de certains services ; montant de ces prix.

tarifaire *a* Qui concerne un tarif.

tarification *nf* Fait de fixer le prix, le tarif de ces prix.

tarin *nm* 1 Petit passereau. 2 Pop Nez.

tarir *vt* Mettre à sec. *La sécheresse a tari la source.* ■ *vi, vpr* Cesser de couler. *Cette source a tari, s'est tarie.*

tarlatane *nf* Étoffe de coton, au tissage lâche.

tarmac *nm* Partie de l'aérodrome réservée au stationnement et à la circulation des avions.

taro *nm* Plante comestible des pays tropicaux.

tarot *nm* Jeu de soixante-dix-huit cartes de grand format, comportant des figures différentes de celles des jeux de cartes ordinaires, utilisé aussi en cartomancie.

tarpon *nm* Gros poisson marin de Floride.

tarse *nm* 1 ANAT Partie postérieure du pied formée de sept os. 2 ZOOL Dernier segment de la patte des insectes.

tarsier *nm* Petit primate aux pattes postérieures adaptées au saut.

tartan *nm* 1 Tissu écossais à larges carreaux. 2 (n déposé) Revêtement de sol très résistant, à base de résine.

tartane *nf* Petit voilier de la Méditerranée.

tartare *a, n* Se disait des tribus mongoles. ■ *a* Loc *Sauce tartare :* mayonnaise avec oignons verts et ciboulette. *Steak tartare :* viande hachée crue et relevée, mêlée d'un jaune d'œuf.

tarte *nf* 1 Gâteau de pâte brisée ou feuilletée garni de fruits. 2 Pop Gifle. Loc Pop *C'est pas de la tarte :* c'est difficile. ■ *a* Fam Niais et ridicule.

tartelette *nf* Petite tarte.

Tartempion *nm* Fam Untel.

tartine *nf* 1 Tranche de pain sur laquelle on a étalé du beurre, de la confiture, etc. 2 Fam Texte, discours long de peu d'intérêt.

tartiner *vt* 1 Étaler du beurre, de la confiture, etc., sur une tranche de pain. 2 Fam Écrire des tartines.

tartrazine *nf* Colorant jaune.

tartre *nm* 1 Dépôt calcaire sur les parois des chaudières, des bouilloires, etc. 2 Dépôt produit par le vin dans un récipient. 3 Sédiment qui se forme sur les dents.

tartrique *a* Loc *Acide tartrique :* contenu dans le tartre et les lies du vin.

tartufe ou **tartuffe** *nm* Hypocrite.

tas *nm* 1 Accumulation de choses mises les unes sur les autres ; amas, monceau. 2 Grande quantité. *Il a un tas d'amis.* Loc Fam *Sur le tas :* sur le lieu de travail.

tasmanien, enne *a, n* De Tasmanie.

taxiway

tasse nf Petit récipient muni d'une anse. Loc Fam *Boire la tasse :* avaler de l'eau sans le vouloir, en nageant.

tasseau nm Petite pièce de bois servant de cale ou de support.

tasser vt Diminuer le volume de qqch en pressant ; serrer. Loc Fam *Bien tassé :* servi avec peu d'eau, fort. ■ vpr 1 S'affaisser sur soi-même. 2 Se serrer les uns contre les autres. 3 Fam S'arranger. *Ça finira par se tasser.*

tassili nm Plateau gréseux, au Sahara.

taste-vin nm inv ou **tâte-vin** nm inv Petite coupe en métal pour déguster le vin.

tata nf Fam Tante (pour les enfants).

tatami nm Tapis de paille de riz utilisé dans les arts martiaux.

tatane nf Pop Chaussure.

tâter vt 1 Toucher avec les doigts, évaluer par le tact. *Tâter le pouls.* 2 Essayer de connaître les capacités, les intentions de qqn. *Tâter l'ennemi.* ■ vti Faire l'expérience de. *Tâter d'un métier.* ■ vpr Fam Hésiter.

tatillon, onne a, n Fam Trop minutieux.

tâtonner vi 1 Chercher en tâtant les objets autour de soi. 2 Procéder par essais successifs.

tâtons (à) av En tâtonnant.

tatou nm Mammifère d'Amérique tropicale, fouisseur, pourvu d'une carapace cornée.

tatouage nm Action de tatouer ; dessin ainsi fait.

tatouer vt Tracer sur le corps un dessin indélébile.

tau nm 1 Lettre de l'alphabet grec correspondant à *t.* 2 Figure héraldique en forme de T.

taudis nm Logement misérable, insalubre.

taulard ou **tôlard, arde** n Pop Qui fait de la prison.

taule ou **tôle** nf Pop 1 Prison. 2 Chambre.

taulier ou **tôlier, ère** n Pop Patron d'un hôtel.

taupe nf 1 Petit mammifère qui vit dans des galeries sous terre ; fourrure de cet animal. 2 Engin de terrassement pour creuser les tunnels. 3 Classe de mathématiques préparant aux grandes écoles. 4 Fam Agent secret infiltré dans un organisme de son pays.

taupin nm Fam Élève d'une taupe.

taupinière nf Petit monticule de terre élevé par une taupe.

taureau nm Mâle de la vache. Loc *Prendre le taureau par les cornes :* affronter une difficulté.

taurillon nm Jeune taureau.

tauromachie nf Art de combattre les taureaux dans l'arène.

tautologie nf Répétition d'une même idée sous une autre forme ; redondance.

taux nm 1 Prix officiel de certains biens ou services. 2 Pourcentage annuel auquel les intérêts d'une somme placée sont réglés. 3 Rapport quantitatif, proportion, pourcentage. *Taux d'albumine dans le sang. Taux de natalité.*

tavel nm Vin rosé des Côtes-du-Rhône.

taveler vt 18 Parsemer de petites taches.

tavelure nf 1 État de ce qui est tavelé. 2 Maladie des arbres, dont les fruits se tachent et se crevassent.

taverne nf Café, restaurant au décor évocateur.

taxe nf Contribution, impôt. Loc *Taxe à la valeur ajoutée (T.V.A.) :* impôt indirect sur les biens de consommation. *Taxe professionnelle :* nouveau nom de la patente.

taxer vt 1 Faire payer une taxe, une taxe. 2 Accuser qqn de. *On le taxe d'orgueil.*

taxi nm Automobile de location à taximètre. Loc *Société taxi :* société fournissant de fausses factures destinées à frauder le fisc.

taxidermie nf Art d'empailler les animaux morts.

taxidermiste n Empailleur.

taxi-girl [-gœrl] nf Entraîneuse de cabaret. *Des taxi-girls.*

taximètre nm Compteur indiquant la somme à payer pour un trajet en taxi.

taxinomie nf 1 Science de la classification. 2 Classification, liste concernant une science, un domaine.

taxiphone nm (n déposé) Téléphone public.

taxiway nm Dans un aéroport, voie pour la circulation au sol des avions.

taylorisme nm Méthode d'organisation du travail industriel fondée sur la mesure des temps d'exécution.

tchadien, enne a, n Du Tchad.

tchador nm En Iran, voile noir des femmes musulmanes.

tchatche nf Pop Volubilité, bagou.

tchécoslovaque a, n De la Tchécoslovaquie.

tchèque a, n De la Bohême et de la Moravie. ■ nm Langue slave de ces régions.

te pr Forme complément du pronom personnel de la 2e personne du singulier des deux genres, placé avant le verbe.

té nm Règle plate en forme de T.

teasing [tiziŋ] nm Message publicitaire volontairement énigmatique.

technicien, enne [tɛk-] n Qui connaît une technique déterminée. ■ a Qui concerne la technique. *Civilisation technicienne.*

technico-commercial, ale, aux [tɛk-] a, n Qui a des compétences techniques sur les produits qu'il vend.

technicolor [tɛk-] nm (n déposé) Procédé de films en couleurs.

technique [tɛk-] nf Moyens, procédés mis en œuvre dans un métier, un art, une activité. ■ a Relatif à la technique, à une technique. *Mot technique. Enseignement technique.*

technocrate n Qui exerce par ses compétences techniques un pouvoir politique et social.

technocratie [tɛk-] nf Organisation politique et sociale dans laquelle les techniciens et les fonctionnaires exercent une influence prépondérante.

technocratique a De la technocratie.

technologie [tɛk-] nf Étude des techniques industrielles ; ensemble de ces techniques.

technologique [tɛk-] a De la technologie.

technopole [tɛk-] nf Ville regroupant des entreprises et des organismes de recherche.

technostructure [tɛk-] nf Pouvoir des techniciens dans la société moderne.

teck ou **tek** nm Arbre tropical au bois très dur.

teckel nm Basset d'origine allemande.

tectonique nf GEOL Étude des mouvements de l'écorce terrestre et de leurs conséquences géologiques. ■ a De la tectonique.

tectrice nf Plume couvrant l'aile des oiseaux.

Te Deum [tedeɔm] nm inv Cantique catholique d'action de grâces.

teenager [tinɛdʒœr] n Fam Adolescent.

tee-shirt ou **T-shirt** [tiʃœrt] nm Maillot de coton à manches courtes. *Des tee-shirts.*

téflon nm (n déposé) Matière plastique résistant à la chaleur.

tégénaire nf Grande araignée des maisons.

tégument nm ANAT Tissu formant l'enveloppe du corps d'un animal.

teigne nf 1 Petit papillon à la chenille très nuisible. 2 Maladie du cuir chevelu. 3 Fam Personne méchante.

teigneux, euse a, n 1 Atteint de la teigne. 2 Fam Hargneux, méchant.

teille nf Écorce de la tige du chanvre.

teindre vt 69 Imprégner d'une matière colorante ; colorer.

teint nm 1 Couleur donnée à une étoffe. 2 Couleur du visage. *Teint bronzé.*

teinte nf 1 Nuance d'une couleur. 2 Légère apparence, trace. *Une teinte de mélancolie.*

teinter vt 1 Colorer légèrement. 2 Nuancer. *Teinter ses propos d'ironie.*

teinture nf 1 Action de teindre ; couleur prise. 2 Matière colorante. 3 Litt Connaissance superficielle. 4 Solution d'un produit actif dans l'alcool. *Teinture d'iode.*

teinturerie nf Boutique de teinturier.

teinturier, ère n Qui se charge du nettoyage des vêtements.

tek. V. teck.

tel, telle a 1 De cette sorte. *Une telle conduite vous honore.* 2 Si grand. *Avec un tel enthousiasme.* Loc **En tant que tel** : dans sa nature propre. *Tel quel* : sans modification.

télé nf Fam Abrév de télévision ou de téléviseur.

téléachat nm Achat d'articles proposés à la télévision.

téléacteur, trice *n* Personne qui travaille au moyen d'un téléphone (vente, enquêtes).

téléaste *n* Réalisateur d'émissions télévisées.

télébenne ou **télécabine** *nf* Téléphérique à un seul câble avec de petites cabines.

télécarte *nf* (n déposé) Carte à mémoire pour téléphoner d'une cabine publique.

télécommande *nf* Commande à distance d'un appareil.

télécommander *vt* 1 Actionner par télécommande. 2 Influencer qqn à distance.

télécommunications *nfpl* Procédés de communication à distance.

téléconférence *nf* Conférence par les télécommunications.

télécopie *nf* Reproduction de documents par les télécommunications.

télécopieur *nm* Appareil de télécopie.

télédétection *nf* Étude de la surface terrestre par détection depuis l'espace.

télédiagnostic *nm* Diagnostic effectué à distance par télécommunications.

télédiffuser *vt* Diffuser par la télévision.

télédiffusion *nf* Diffusion par télévision.

télédistribution *nf* Diffusion par câbles d'émissions de télévision.

téléenseignement *nm* Enseignement par la radio et la télévision.

téléfax *nm* (n déposé) Système de télécopie.

téléfilm *nm* Film réalisé pour la télévision.

télégénique *a* Qui passe bien à la télévision.

télégramme *nm* Message télégraphique.

télégraphe *nm* Système de transmission à distance de messages.

télégraphique *a* 1 Du télégraphe. 2 Transmis par télégraphe. **Loc** *Style télégraphique* : réduit aux termes essentiels.

télégraphiste *n* Employé du service des télégrammes.

téléguider *vt* 1 Commander à distance les mouvements d'un mobile. 2 Manipuler, inspirer par un pouvoir éloigné.

téléimprimeur *nm* Appareil permettant d'imprimer directement à distance des textes.

télématique *nf* Technique associant les télécommunications et l'informatique. ■ *a* De la télématique.

télémessagerie *nf* Messagerie électronique.

télémesure *nf* Transmission à distance des résultats de mesures.

télémètre *nm* Appareil pour mesurer la distance d'un point éloigné.

téléobjectif *nm* Objectif pour photographier des objets éloignés.

téléologie *nf* PHILO Étude de la finalité du monde.

téléostéen *nm* ZOOL Poisson osseux au squelette entièrement ossifié.

télépathie *nf* Transmission de la pensée à distance, par des voies inconnues.

téléphérique *nm* Moyen de transport par cabine suspendue à un câble aérien.

téléphone *nm* 1 Dispositif pour transmettre la parole à longue distance. 2 Appareil, poste permettant cette transmission. **Loc** Fam *Téléphone arabe* : transmission d'informations de bouche à oreille.

téléphoner *vt* Transmettre par téléphone. ■ *vi, vti* Parler au téléphone.

téléphonie *nf* Transmission des sons à distance.

téléport *nm* Site industriel bien équipé en moyens de télécommunications.

téléreporter *n* Reporter de télévision.

télescope *nm* Instrument d'optique pour observer les objets éloignés, les astres.

télescoper *vt* Heurter violemment, enfoncer.

télescopique *a* 1 Qui se fait avec le télescope. 2 Dont les éléments s'insèrent les uns dans les autres.

téléscripteur *nm* Syn de *téléimprimeur*.

télésiège *nm* Remontée mécanique faite d'un câble, auquel sont suspendus des sièges.

téléski *nm* Remonte-pente.

téléspectateur, trice *n* Qui regarde la télévision.

télésurveillance *nf* Surveillance à l'aide d'une caméra vidéo.

télétex nm (n déposé) Transmission de textes sur réseaux publics par des machines communiquant entre elles.

télétraitement nm Traitement à distance de données informatiques.

télétransmission nf Action de transmettre à distance des informations.

télétravail nm Organisation télématique du travail.

télétype nm (n déposé) Téléimprimeur.

télévente nf Vente d'articles proposés à la télévision.

télévisé, ée a Transmis par télévision.

téléviseur nm Récepteur de télévision.

télévision nf 1 Transmission à distance des images. 2 Organisme qui diffuse des émissions par télévision. 3 Fam Téléviseur.

télex nm Système permettant la transmission de messages par téléimprimeurs.

tell nm Colline artificielle formée par les ruines d'une ville ancienne.

tellement av Marque l'intensité ; très, beaucoup.

tellure nm CHIM Corps simple proche du soufre.

tellurique ou **tellurien, enne** a De la Terre. *Mouvements telluriques.*

télougou ou **telugu** nm Langue dravidienne de l'Inde du Sud.

téméraire a, n Hardi jusqu'à l'imprudence.

témérité nf Hardiesse imprudente.

témoignage nm 1 Action de témoigner. 2 Preuve, marque. *Témoignage de sympathie.*

témoigner vi Porter témoignage devant la justice. ■ vti Constituer la preuve de. *Ce choix témoigne de son discernement.* ■ vt 1 Marquer, manifester. *Témoigner sa joie.* 2 Certifier la réalité de. *Elle a témoigné l'avoir entendu.*

témoin nm 1 Qui voit, entend qqch et peut le rapporter. 2 Personne appelée à faire connaître en justice ce qu'elle sait d'une affaire. 3 Personne qui sert de garant à l'authenticité d'un acte. 4 Bâton que se passent les coureurs dans une course de relais. 5 Œuvre ou artiste représentatifs de leur époque. Loc *Prendre qqn à témoin :* invoquer son témoignage. ■ a Qui sert de contrôle, de repère. *Lampe témoin.*

tempe nf Région latérale de la tête.

tempérament nm Constitution physiologique ou psychologique d'un individu. Loc *Avoir du tempérament :* une forte personnalité.

tempérance nf Modération dans l'usage des aliments et de l'alcool.

température nf 1 Degré de chaleur ou de froid dans un lieu. 2 Degré de chaleur d'un organisme animal ou humain. 3 Fièvre.

tempéré, ée a Ni très chaud ni très froid.

tempérer vt 12 Litt Modérer, atténuer.

tempête nf 1 Violente perturbation atmosphérique. 2 Manifestation soudaine et violente, explosion. *Une tempête d'injures.*

tempêter vi Exprimer bruyamment son mécontentement.

temple nm 1 Édifice consacré au culte d'une divinité. 2 Édifice consacré au culte protestant.

tempo [tempo] ou [tɛpo] nm 1 MUS Mouvement dans lequel doit être joué un morceau. 2 Rapidité plus ou moins grande d'une action.

temporaire a De durée limitée.

temporal, ale, aux a ANAT De la tempe. ■ nm Os du crâne dans la région de la tempe.

temporel, elle a 1 RELIG Qui concerne les choses matérielles. *Les biens temporels.* 2 GRAM Relatif au temps. *Subordonnée temporelle.* 3 Qui se déroule dans le temps.

temporiser vi Retarder le moment d'agir dans l'attente d'une occasion favorable.

temps nm 1 Durée durant laquelle se succèdent les événements, les actions, les jours et les nuits ; cette durée mesurable. 2 Moment d'une action, période de l'année, de l'histoire. 3 Moment propice ; occasion. 4 État de l'atmosphère. *Un temps orageux.* 5 MUS Division de la mesure servant à régler le rythme. 6 GRAM Série des formes du verbe marquant le temps (présent, passé ou futur). Loc *À temps :* au moment convenable, voulu. *De tout temps :* depuis toujours. *Tout le temps :* sans cesse. *De temps en temps :* quelquefois.

tenace a **1** Qui adhère fortement. **2** Difficile à faire disparaître. *Une migraine tenace.* **3** Opiniâtre, qui ne renonce pas.

ténacité nf Caractère tenace.

tenaille nf (au sing ou au pl) Pince servant à saisir et à serrer divers objets.

tenailler vt Faire souffrir, causer une vive douleur, tourmenter.

tenancier, ère n Qui gère un hôtel, un café.

tenant, ante a Loc *Séance tenante* : aussitôt. ■ n Qui soutient, défend une option. Loc *Tenant du titre* : qui détient un titre sportif. ■ nm Loc *D'un seul tenant* : d'un seul morceau.

tendance nf **1** Prédisposition naturelle. *Tendance à la rêverie.* **2** Orientation politique, intellectuelle, artistique, etc. **3** Évolution, orientation. *Tendance à la hausse.*

tendanciel, elle a Qui marque une tendance dans une évolution.

tendancieux, euse a Qui manifeste du parti pris. *Compte rendu tendancieux.* Ant. objectif.

tendeur nm Cordon élastique servant à fixer des colis.

tendinite nf Inflammation d'un tendon.

tendon nm Extrémité d'un muscle. Loc *Tendon d'Achille* : tendon du talon.

1. tendre a **1** Qui peut être facilement entamé, coupé. **2** Clair et délicat (couleurs). ■ a, n Affectueux ; facile à émouvoir.

2. tendre vt **5 1** Tirer en écartant les extrémités d'une pièce afin de la maintenir rigide. **2** Préparer, disposer un piège. **3** Étendre une tapisserie sur. **4** Présenter qqch en l'avançant. *Tendre un objet à qqn.* ■ vti Avoir pour objectif, avoir tendance à. *Tendre à la perfection. Déficit qui tend à se résorber.* ■ vpr Devenir difficile. *Leurs relations se tendent.*

tendresse nf Caractère tendre, affectueux de qqn ; amour.

tendreté nf Qualité d'une viande tendre.

tendron nm **1** Partie cartilagineuse de la viande. **2** Fam Très jeune fille.

tendu, ue a **1** Difficile, critique. *Situation tendue.* **2** Préoccupé, nerveux.

ténèbres nfpl Obscurité épaisse.

ténébreux, euse a Difficile à débrouiller. *Une ténébreuse affaire.*

ténébrion nm Coléoptère noir dont les larves s'attaquent aux farines.

teneur nf **1** Contenu d'un écrit, d'un discours. **2** Proportion d'une substance dans un corps, dans un mélange.

ténia nm Ver parasite de l'intestin de l'homme et des vertébrés.

tenir vt **35 1** Avoir à la main, maintenir ferme. *Tenir un objet.* **2** Avoir, garder en son pouvoir, sous son contrôle. *Tenir le coupable.* **3** Avoir, recevoir qqch de qqn. *Tenir la nouvelle d'un homme informé.* **4** Maintenir dans un état ; garder. *Tenir les yeux baissés.* **5** Contenir. *Le réservoir tient 20 litres.* **6** Considérer comme. *Tenir qqch pour vrai.* Loc *Tenir un discours* : s'exprimer. *Tenir sa parole* : respecter un engagement. *Tenir compte de* : prendre en considération. Fam *Tenir le coup, tenir le choc* : résister. *Tenir la route* : bien y adhérer (automobile) ; être convaincant (argument). *Tenir tête à* : affronter, résister. ■ vi Être fixé. *Le clou tient.* **2** Subsister, durer ; être valable. *Ses arguments tiennent. Son amitié tient bon.* **3** Être compris dans un espace. *On ne peut pas tenir tous ici.* ■ vti **1** Adhérer, être attaché. *Tenir au mur avec de la colle.* **2** Dépendre de. *Son erreur tient à son inexpérience.* **3** Désirer. *On tient à le voir.* **4** Ressembler à. *Cet enfant tient de sa mère.* ■ vpr **1** Demeurer dans un certain état. *Se tenir droit.* **2** Avoir lieu. *Le conseil se tient dans cette salle.* **3** S'accrocher à. *Se tenir à une branche.* Loc *S'en tenir à* : rester dans la limite de.

tennis nm **1** Sport pratiqué par deux ou quatre joueurs qui se renvoient une balle avec des raquettes, sur un terrain séparé en deux camps par un filet. **2** Chaussure de toile, à semelle de caoutchouc. Loc *Tennis de table* : ping-pong.

tennisman [-man] nm Joueur de tennis.

tenon nm Partie d'un assemblage, destinée à être enfoncée dans une partie connue.

ténor nm **1** Voix d'homme la plus haute ; chanteur qui a cette voix. **2** Personne tenant le premier rôle dans une activité. *Les ténors du barreau.*

tenseur *am, nm* ANAT Qui sert à tendre. *Muscle tenseur.*

tensioactif, ive *a* CHIM Qui modifie la tension d'un liquide.

tensiomètre *nm* Syn de *sphygmomanomètre.*

tension *nf* 1 Action de tendre ; état de ce qui est tendu. 2 Pression du sang dans les artères. 3 ÉLECTR Différence de potentiel. *Haute, basse tension.* 4 Forte concentration de l'esprit. 5 Discorde, hostilité. *Tension diplomatique.*

tentaculaire *a* Qui cherche à étendre son emprise de tous côtés.

tentacule *nm* Appendice allongé et mobile de certains mollusques.

tentant, ante *a* Qui provoque l'envie, le désir.

tentateur, trice *a, n* Qui tente, sollicite le désir.

tentation *nf* 1 Attrait vers une chose défendue. 2 Envie, désir de qqch ; ce qui suscite le désir.

tentative *nf* Action par laquelle on cherche à atteindre un but ; fait d'essayer.

tente *nf* Abri provisoire qu'on peut transporter et dresser facilement.

tenter *vt* 1 Entreprendre qqch avec le désir de réussir. *Tenter une ascension. Tenter de prouver qqch.* 2 Faire naître, provoquer l'envie de qqch. *Cette offre me tente.*

tenture *nf* Tapisserie, garniture murale en tissu, en papier.

tenu *nm* Faute commise par un joueur qui conserve irrégulièrement le ballon.

ténu, ue *a* Très mince, très fin. *Fil ténu.*

tenue *nf* 1 Temps pendant lequel certaines assemblées se tiennent. 2 Manière de conduire, de se présenter. *Avoir une mauvaise tenue.* 3 Manière de s'habiller. *Tenue de soirée.* 4 Action de tenir en ordre. Loc *Tenue de route :* qualité de bonne tenue d'une voiture.

tephillin *[-lin] nm* Petit étui contenant des versets de la Bible et servant au culte hébraïque. Syn. *phylactère.*

tequila *[te-] nf* Alcool d'agave du Mexique.

ter *av* Pour la troisième fois.

tératologie *nf* Étude des anomalies et monstruosités chez les êtres vivants.

tercet *nm* Strophe de trois vers.

térébenthine *nf* Loc *Essence de térébenthine :* liquide extrait de certaines résines et utilisé pour les vernis.

tergal, als *nm* (n déposé) Fibre synthétique.

tergiverser *vi* Litt User de détours ; atermoyer, hésiter.

terme *nm* 1 Limite, fin dans le temps. *Le terme de la vie.* 2 Moment de l'accouchement. *Enfant né avant terme.* 3 Temps fixé pour le paiement d'un loyer ; montant du loyer. 4 Mot, tournure, expression. *Terme technique.* 5 MATH Chacun des éléments appartenant à un rapport. *Termes d'une fraction.* Loc *Vente à terme :* avec un délai de paiement. *À court (long) terme :* après une brève (longue) période. ■ *pl* Loc *Être en bons (mauvais) termes avec qqn :* avoir de bonnes (mauvaises) relations avec lui. *Aux termes de :* selon ce qui est stipulé.

terminaison *nf* 1 Fin ou extrémité de qqch. 2 GRAM Désinence variable d'un mot.

terminal, ale,aux *a* Qui termine qqch. *La phase terminale.* Loc *Classe terminale :* classe de fin du cycle secondaire des lycées. ■ *nm* 1 Aérogare d'un centre urbain, terminus des liaisons avec les aéroports. 2 INFORM Organe périphérique d'entrée-sortie relié à un ordinateur central. 3 Installations à l'extrémité d'un pipe-line. 4 Point où aboutit une ligne de transport. ■ *nf* Classe terminale.

terminer *vt* 1 Marquer la fin de. *Citation qui termine un discours.* 2 Achever, finir. *Terminer un travail.* ■ *vpr* S'achever, finir.

terminologie *nf* Ensemble des termes techniques propres à une activité particulière.

terminus *[-nys] nm* Dernière station d'une ligne de chemin de fer, d'autobus.

termite *nm* Insecte qui creuse ses galeries dans le bois.

termitière *nf* Nid de termites.

ternaire *a* Formé de trois éléments.

terne *a* 1 Qui manque de luminosité, d'éclat. 2 Qui manque d'originalité ; médiocre.

ternir vt 1 Faire perdre son éclat à qqch.
2 Porter moralement atteinte à. *Ce scandale a
terni sa réputation.* ■ vpr Devenir terne.

terpène nm Hydrocarbure d'origine végétale.

terrain nm 1 Espace de terre déterminé. *Terrain de sport.* 2 Endroit où se déroule une activité, un affrontement. 3 Sol. *Terrain
cailouteux.* 4 Domaine, sujet, matière. *Un
terrain d'entente.* Loc **Homme de terrain** :
qui garde le contact avec les tâches concrètes, avec les gens. **Tout terrain** : qui peut
rouler partout (véhicule). ■ vpr Devenir terne.

terrasse nf 1 Levée de terre soutenue par
de la maçonnerie. 2 Plate-forme formant une
toiture horizontale au grand balcon. 3 Partie
du trottoir devant un café, où sont disposées
des tables et des chaises.

terrassement nm Travail de déblaiement
et de remblai effectué sur un terrain.

terrasser vt 1 Renverser, jeter à terre qqn.
2 Abattre physiquement ou moralement. *La
nouvelle, la fièvre l'a terrassé.*

terrassier nm Ouvrier travaillant à des travaux de terrassement.

terre nf 1 (avec majusc) Planète du système
solaire, habitée par l'espèce humaine. 2 Surface du globe qui n'est pas recouverte par les
eaux marines. 3 Litt Région, pays. *La terre de
France.* 4 Sol. *Tremblement de terre.* 5 Matière qui constitue le sol. *Terre végétale.* 6 Domaine rural ; terre cultivée. *Vendre une terre.*
Loc Fam **Avoir les pieds sur terre** : avoir le sens
des réalités concrètes. **Terre à terre** : commun, prosaïque. **Terre cuite** : argile façonnée
et durcie par le feu. CHIM **Terres rares** : oxydes
métalliques constituant des éléments chimiques.

terreau nm Terre riche en matières organiques.

terre-neuvas nm inv 1 Bateau armé pour
la pêche à la morue sur les bancs de Terre-
Neuve. 2 Marin qui fait cette pêche.

terre-neuve nm inv Gros chien, à la tête
forte et large, souvent dressé au sauvetage.

terre-plein nm 1 Surface plane et unie
d'une levée de terre. 2 Bande, surface qui sépare deux chaussées d'une route. *Des terre-
pleins.*

terrer (se) vpr Se cacher pour se mettre à
l'abri.

terrestre a 1 De la Terre. *La surface terrestre.* 2 Qui vit sur la terre ferme. *Animal terrestre.* 3 Qui se fait sur le sol (par oppos. à aérien
ou à maritime). *Transport terrestre.* 4 Litt Qui
n'est pas de nature spirituelle.

terreur nf 1 Sentiment de peur incontrôlée.
2 Mesures violentes par lesquelles un État, un
groupe établissent leur autorité. 3 Fam Personne qui inspire la peur.

terreux, euse a 1 De la nature de la terre,
mêlé de terre. 2 Grisâtre, pâle.

terrible a 1 Qui inspire la terreur ; épouvantable. 2 Fort, violent, intense. *Une chaleur terrible.* 3 Fam Extraordinaire, très étonnant. *Un
type terrible.*

terrien, enne a Qui possède des terres.
■ a, n De la Terre.

terrier nm 1 Trou dans la terre creusé par un
animal. 2 Chien de chasse.

terrifier vt Épouvanter.

terrigène a Loc GÉOL **Dépôts terrigènes** :
apportés à la mer par les fleuves.

terril ou **terri** nm Éminence formée par les
déblais d'une mine.

terrine nf 1 Récipient en terre, en porcelaine. 2 Pâté cuit dans une terrine.

territoire nm 1 Étendue de terre qui dépend d'un État, d'une juridiction, qui occupe
un groupe humain. 2 Zone où vit un animal,
qu'il interdit à ses rivaux potentiels.

territorial, ale, aux a D'un territoire.

territorialité nf Caractère juridique de ce
qui appartient à un territoire.

terroir nm 1 Région, du point de vue de la
production agricole. 2 La campagne, les régions rurales.

terroriser vt 1 Épouvanter. 2 Soumettre
une population à un régime de terreur.

terrorisme nm Recours à la violence pour
imposer ses idées politiques ou son autorité.

terroriste n, a Qui relève du terrorisme.

tertiaire [-sjɛʀ] *a* Loc GEOL *Ère tertiaire :* période marquée par le plissement alpin. ECON *Secteur tertiaire :* secteur comportant les activités de services (commerce, administration, etc.). ■ *nm* 1 Ère tertiaire. 2 Secteur tertiaire.

tertio [-sjo] *av* Troisièmement.

tertre *nm* Monticule.

tes. V. ton.

tesla *nm* PHYS Unité de mesure du champ magnétique.

tessiture *nf* MUS Étendue de l'échelle des sons couverte par la voix d'un chanteur.

tesson *nm* Débris de bouteille, de poterie.

test *nm* 1 Épreuve servant à évaluer les caractéristiques intellectuelles ou physiques des individus. 2 Épreuve, expérience en général servant à jauger qqch, à établir un diagnostic médical, etc. 3 ZOOL Enveloppe dure des oursins, des crustacés, etc.

testament *nm* 1 Acte par lequel une personne fait connaître ses dernières volontés. 2 Ultime expression d'un artiste, d'un homme politique.

testateur, trice *n* Qui fait un testament.

tester *vt* 1 Faire subir un test à qqn. 2 Soumettre qqch à des essais. ■ *vi* Faire son testament.

testeur, euse *n* Qui fait passer des tests.

testicule *nm* Glande génitale mâle.

testostérone *nf* BIOL Hormone sexuelle sécrétée par le testicule.

tétanie *nf* MED Contracture pathologique des muscles.

tétanique *a* Du tétanos.

tétaniser *vt* 1 MED Provoquer des tétanies. 2 Étonner qqn au point de le paralyser.

tétanos *nm* Maladie infectieuse aiguë caractérisée par des contractures musculaires intenses.

têtard *nm* Larve des batraciens.

tête *nf* 1 Partie supérieure du corps humain, comprenant la face et le crâne ; boîte crânienne. 2 Visage, physionomie. *Faire une drôle de tête.* 3 Facultés intellectuelles ; esprit. *Avoir une idée en tête. Avoir la tête dure.* 4 Individu, personne. *Un repas à tant par tête.* 5 Personne qui commande, qui dirige. 6 Partie supérieure ou terminale de qqch. *Une tête*

d'épingle. 7 Partie qui vient en premier ; début. *La tête du train. Tête de liste.* Loc *Tenir tête à :* résister, s'opposer. *Garder la tête froide :* rester maître de soi. *Coup de tête :* décision irréfléchie. *À la tête de :* au rang de chef ; en possession de. *Voix de tête :* voix de fausset. Fam *Avoir la grosse tête :* avoir des prétentions ridicules. SPORT *Tête de série :* concurrent que ses performances antérieures placent favori dans une épreuve éliminatoire.

tête-à-queue *nm inv* Demi-tour complet d'un véhicule sur lui-même.

tête-à-tête *nm inv* Situation de deux personnes seules l'une avec l'autre.

tête-bêche *av* Côte à côte et en sens inverse l'un de l'autre.

tête-de-loup *nf* Long balai pour nettoyer les plafonds. *Des têtes-de-loup.*

tête-de-Maure *nf* Fromage de Hollande. *Des têtes-de-Maure.*

tête-de-moine *nf* Variété de gruyère suisse. *Des têtes-de-moine.*

tête-de-nègre *a inv* Marron très foncé.

tétée *nf* 1 Action de téter. 2 Quantité de lait prise par un nourrisson en une fois.

téter *vt 12* Sucer en aspirant la mamelle ou le sein, un biberon pour en tirer le lait ; tirer le lait par succion.

têtière *nf* Partie de la bride qui passe derrière les oreilles du cheval.

tétine *nf* 1 Mamelle des mammifères. 2 Capuchon en caoutchouc qui s'adapte au biberon et que tète le nourrisson.

téton *nm* Fam Sein.

tétrachlorure *nm* Loc *Tétrachlorure de carbone :* liquide inflammable employé comme détachant.

tétraèdre *nm* GEOM Solide à quatre faces triangulaires.

tétragone *nf* Plante proche de l'épinard.

tétralogie *nf* Ensemble de quatre œuvres musicales, littéraires, picturales, etc., présentant une certaine unité.

tétraplégie *nf* Paralysie des quatre membres.

tétraplégique *a, n* Souffrant de tétraplégie.

tétrapode a, nm ZOOL Qui a quatre membres.

tétras [-tra] nm Coq de bruyère.

tétrasyllabe nm Groupe de quatre syllabes.

têtu, ue a Opiniâtre, obstiné.

teuton, onne a, n 1 HIST De l'ancienne Germanie. 2 Fam Allemand.

texan, ane a, n Du Texas.

texte nm 1 Ensemble des mots, des phrases qui constituent un écrit ; cet écrit imprimé ou manuscrit. 2 Œuvre littéraire ou fragment d'une œuvre littéraire. 3 Sujet d'un exercice scolaire. Loc *Dans le texte :* dans la langue originelle.

textile a Relatif à la fabrication des tissus. ■ nm 1 Tissu, étoffe, matière textile. 2 Industrie textile.

textuel, elle a Conforme au texte ; du texte. *Citation textuelle.*

texture nf 1 Disposition, arrangement des parties d'une substance. *Texture d'une roche.* 2 Agencement des différentes parties d'un tout.

T.G.V. nm (n déposé) Train à grande vitesse.

thaï, thaïe [taj] a Des Thaïs. ■ nm Groupe de langues de l'Asie du Sud-Est.

thaïlandais, aise a, n De la Thaïlande.

thalamus nm ANAT Noyaux de substance grise situés à la base du cerveau.

thalassocratie nf Grande puissance maritime.

thalassothérapie nf MED Traitement, cure par les bains de mer.

thalle nm BOT Appareil végétatif des champignons, algues et lichens.

thallium [-ljɔm] nm Métal mou et gris, ressemblant au plomb.

thanatologie nf Étude scientifique de la mort.

thanatopraxie nf Embaumement des cadavres.

thaumaturge nm Qui fait ou prétend faire des miracles.

thé nm 1 Feuilles séchées du théier. 2 Infusion préparée avec ces feuilles. 3 Réception donnée l'après-midi.

théâtral, ale, aux a 1 Du théâtre. 2 Exagéré, emphatique. *Ton théâtral.*

théâtre nm 1 Édifice où l'on représente des œuvres dramatiques, où l'on donne des spectacles. 2 Genre littéraire concernant les œuvres destinées à être jouées par des acteurs. 3 Art de la représentation de ces œuvres. 4 Ensemble des œuvres dramatiques d'un pays ou d'un auteur. 5 Lieu où se passe tel événement. *Le théâtre des opérations.* Loc *Coup de théâtre :* événement brutal et inattendu.

thébaïde nf Litt Retraite solitaire.

théier nm Arbrisseau à fleurs blanches d'Asie tropicale, cultivé pour ses feuilles (thé).

théière nf Récipient pour infuser le thé.

théine nf Alcaloïde du thé.

théisme nm Doctrine selon laquelle le principe de l'Univers est un Dieu.

thématique a Propre à un ou à des thèmes. ■ nf Ensemble organisé de thèmes.

thématiser vt Classer par thèmes des mots, des informations.

thème nm 1 Sujet, matière d'un ouvrage, d'un discours, d'une réflexion. 2 MUS Mélodie, motif mélodique. 3 Exercice de traduction de sa langue maternelle dans une autre langue. 4 LING Partie invariable d'un mot, à laquelle s'ajoutent les désinences. Loc Fam *Fort en thème :* très bon élève.

théocratie nf Gouvernement dans laquelle l'autorité est exercée par la caste sacerdotale.

théodolite nm Instrument servant à effectuer des levés de terrains.

théogonie nf Généalogie des dieux ; ensemble des divinités d'une mythologie.

théologal, ale, aux a De la théologie. Loc *Les trois vertus théologales :* la foi, l'espérance et la charité.

théologie nf Étude de la religion, des textes religieux.

théologien, enne n Spécialiste de théologie.

théophanie nf THEOL Manifestation de la divinité.

théorème nm Proposition démontrable qui découle de propositions précédentes.

théoricien, enne n 1 Qui connaît la théorie d'une science, d'un art. Ant. praticien. 2 Auteur d'une théorie, d'un système conceptuel.

théorie nf 1 Ensemble d'opinions, d'idées sur un sujet particulier. 2 Connaissance abstraite, spéculative. 3 Système conceptuel élaboré pour expliquer un certain ordre de phénomènes. 4 Litt Long défilé de personnes, de véhicules.

théorique a 1 De la théorie. 2 Qui n'existe qu'abstraitement ; hypothétique.

théoriser vt Mettre en théorie.

thérapeute n Médecin ; psychothérapeute.

thérapeutique a Relatif au traitement des maladies. ■ nf Traitement de telle ou telle maladie.

thérapie nf Traitement d'une maladie mentale.

thermal, ale, aux a Se dit des eaux minérales chaudes aux propriétés médicinales.

thermalisme nm Usage et exploitation des eaux thermales.

thermes nmpl 1 ANTIQ Établissement de bains publics. 2 Établissement thermal.

thermidor nm Onzième mois du calendrier républicain (juillet-août).

thermidorien, enne a m HIST Se dit des conventionnels qui renversèrent Robespierre le 9 Thermidor.

thermie nf PHYS Unité de quantité de chaleur.

thermique a PHYS De la chaleur. Loc Centrale thermique : produisant de l'électricité à partir du charbon, du gaz ou du pétrole. ■ nf PHYS Étude de la production et de l'utilisation de la chaleur.

thermocautère nm Instrument qui sert à faire des pointes de feu.

thermochimie nf Étude de la chaleur émise par des réactions chimiques.

thermocopie nf Procédé thermique de reprographie.

thermodurcissable a Se dit de plastiques qui durcissent à partir d'une certaine température.

thermodynamique nf Étude des transformations de l'énergie calorifique en énergie mécanique. ■ a De la thermodynamique.

thermoélectricité nf Électricité produite par la conversion de l'énergie thermique.

thermomètre nm 1 Instrument de mesure de la température. 2 Ce qui permet d'évaluer les variations de qqch.

thermométrie nf Mesure des températures.

thermonucléaire a Relatif à la fusion des noyaux atomiques. Loc Arme thermonucléaire : qui, par la fusion de noyaux d'atomes, dégage une énergie considérable.

thermoplastique a Syn de thermodurcissable.

thermorégulation nf ZOOL Régulation de la température interne du corps.

thermorésistant, ante a Qui résiste à la chaleur.

thermos [-mos] nm ou nf (n déposé) Bouteille isolante qui conserve un liquide à la même température.

thermosphère nf Région de l'atmosphère, située au-delà de 80 km, dans laquelle la température croît régulièrement avec l'altitude.

thermostat nm Dispositif destiné à maintenir une température constante.

thésard, arde n Fam Qui prépare une thèse universitaire.

thésauriser vi, vt Amasser de l'argent sans le dépenser.

thésaurus nm inv Recueil alphabétique de termes scientifiques, techniques, etc.

thèse nf 1 Proposition ou opinion qu'on s'attache à soutenir, à défendre. 2 Ouvrage présenté devant un jury universitaire pour l'obtention d'un titre de doctorat. 3 PHILO Premier temps du raisonnement dialectique (thèse, antithèse, synthèse).

thêta nm Huitième lettre de l'alphabet grec correspondant à th.

thiamine nf Vitamine B1.

thibaude nf Molleton placé entre le sol et une moquette.

thomisme nm Doctrine théologique et philosophique de saint Thomas d'Aquin.

thon *nm* Grand poisson marin, comestible.

thonier *nm* Bateau armé pour la pêche au thon.

thoracique *a* Du thorax.

thoracotomie *nf* Ouverture chirurgicale du thorax.

thorax *nm* Partie supérieure du tronc, limitée par les côtes et le diaphragme.

thorium [-ʀjɔm] *nm* Métal radioactif.

thriller [sʀilœʀ] *nm* Film, roman policier à suspense.

thrombine *nf* BIOL Enzyme qui provoque la coagulation du sang.

thrombolyse *nf* MED Résorption d'un caillot dans un vaisseau sanguin.

thrombose *nf* 1 MED Formation d'un caillot dans un vaisseau sanguin. 2 Fam Arrêt de la circulation, embouteillage.

thune *nf* Pop Argent.

thuriféraire *nm* Litt Flatteur, adulateur.

thuya *nm* Conifère ornemental.

thym [tɛ̃] *nm* Petite plante aromatique.

thymus *nm* ANAT Glande endocrine à la base du cou.

thyroïde *nf* ANAT Glande endocrine située en avant du larynx.

thysanoure *nm* ZOOL Petit insecte vivant dans les endroits humides.

tiare *nf* Haute coiffure à triple couronne que portait le pape.

tiaré *nm* Plante de Polynésie à fleurs très parfumées utilisées en cosmétique.

tibétain, aine *a, n* Du Tibet. ■ *nm* Langue parlée au Tibet.

tibia *nm* Le plus gros des deux os de la jambe, formant la partie interne de celle-ci.

tic *nm* 1 Mouvement convulsif, répété automatiquement. 2 Habitude, manie.

ticket *nm* 1 Billet d'acquittement d'un droit d'entrée, de transport, etc. 2 Équipe formée par les deux candidats d'un même parti pour les élections présidentielles aux États-Unis.

tic-tac *nm inv* Bruit cadencé d'un mécanisme.

tie-break [tajbʀɛk] *nm* Au tennis, jeu décisif à l'issue d'une manche où les joueurs sont à 6 jeux partout. *Des tie-breaks.*

tiède *a* Légèrement chaud. ■ *a, n* Qui manque de ferveur ou de conviction.

tiédeur *nf* 1 État de ce qui est tiède. 2 Manque d'ardeur, de zèle.

tiédir *vi* Devenir tiède. ■ *vt* Chauffer légèrement. *Tiédir du lait.*

tien, tienne *a poss* Litt Qui est à toi, qui t'appartient. *Ce livre est tien.* ■ *pr poss* Ce qui est à toi. *J'ai mes soucis, tu as les tiens.* ■ *nm* Loc *Mets-y du tien :* fais des concessions. ■ *nmpl* Tes parents, tes amis.

tierce *nf* 1 MUS Intervalle de trois degrés. 2 Suite de trois cartes de la même couleur.

tiercé *nm* Pari dans lequel il faut désigner les trois premiers chevaux d'une course.

tiers, tierce *a* Loc *Une tierce personne :* une troisième personne. HIST *Tiers état* ou *tiers :* sous l'Ancien Régime, fraction de la population n'appartenant ni à la noblesse ni au clergé. ■ *nm* 1 Troisième personne. *N'en parlez pas devant un tiers !* 2 Partie d'un tout divisé en trois parties égales.

tiers-monde *nm* Ensemble des pays en voie de développement.

tif *nm* Pop Cheveu.

tige *nf* 1 Partie aérienne des végétaux, qui porte les feuilles, les bourgeons et les branches. 2 Pièce longue et mince, souvent cylindrique. 3 Partie d'une botte, qui enveloppe la cheville, la jambe.

tignasse *nf* Fam Chevelure touffue, mal peignée.

tigre *nm* Félin, le plus grand et le plus puissant d'Asie, au pelage jaune rayé de noir. ■ *nf* Femme très jalouse et agressive.

tigré, ée *a* Rayé comme un tigre.

tigron ou **tiglon** *nm* Hybride d'un tigre et d'une lionne.

tilbury *nm* Anc Cabriolet léger.

tilde [-de] *nm* En espagnol, signe mis au-dessus de la lettre *n* pour lui donner le son mouillé (ñ).

tilleul *nm* 1 Arbre aux fleurs jaunes odorantes. 2 Infusion préparée avec ces fleurs séchées.

tilt *nm* Loc Fam *Faire tilt :* provoquer l'intuition de qqch ; faire comprendre brusquement.

timbale nf 1 Instrument à percussion constitué d'un bassin en cuivre couvert d'une peau. 2 Gobelet en métal. 3 Moule de cuisine haut et rond ; sorte de pâté en croûte cuit dans ce moule. Loc Fam *Décrocher la timbale :* réussir.

timbalier nm MUS Joueur de timbales.

timbre nm 1 Caractère, qualité sonore d'une voix, d'un instrument. 2 Marque d'une administration, d'une maison de commerce. 3 Instrument servant à apposer une marque. 4 Marque de la poste indiquant sur une lettre le lieu et la date de départ. 5 Timbre-poste ; timbre-quittance.

timbré, ée a 1 Qui a tel timbre, qui résonne. 2 Fam Fou.

timbre-poste nm Vignette servant à affranchir les lettres et les paquets postaux. *Des timbres-poste.*

timbre-quittance nm Vignette fiscale apposée sur des actes officiels. *Des timbres-quittances.*

timbrer vt Coller un timbre-poste sur ; affranchir. *Timbrer une lettre.*

timide a, n Qui manque de hardiesse, d'assurance ; timoré.

timidité nf Manque d'assurance, de hardiesse.

timing [tajmiŋ] nm Minutage précis.

timon nm Pièce du train d'une voiture hippomobile pour l'attelage des chevaux.

timonerie nf Partie couverte de la passerelle de navigation d'un navire.

timonier nm MAR Homme de barre, qui seconde sur la passerelle l'officier de quart.

timoré, ée a 1 Craintif, méfiant, timide. 2 Timidement.

tin nm MAR Pièce de bois qui soutient la quille d'un bâtiment en construction ou en réparation.

tinette nf Grand récipient mobile servant de fosse d'aisances.

tintamarre nm Vacarme.

tintement nm Son clair, musical que rendent une cloche qui tinte, des objets qu'on frappe.

tinter vi Sonner lentement par coups espacés (cloche). ■ vt Faire sonner une cloche.

tintin av Loc Pop *Faire tintin :* être privé de qqch.

tintinnabuler vi Litt Résonner comme un grelot.

tintouin nm Fam 1 Vacarme. 2 Embarras, souci.

tipi nm Tente conique des Indiens d'Amérique.

tipule nf Grand moustique qui vit sur les fleurs.

tique nf Insecte parasite de la peau du chien.

tiquer vi Fam Avoir un bref mouvement d'étonnement, de contrariété.

tir nm 1 Action, manière de tirer avec une arme, de lancer un projectile ; la trajectoire elle-même. 2 Action d'envoyer avec force le ballon.

tirade nf 1 Développement, longue phrase sur un sujet. 2 Au théâtre, suite de phrases qu'un acteur dit sans interruption.

tirage nm 1 Action, fait de tirer une loterie, de prendre au hasard. 2 Ensemble d'exemplaires imprimés, de disques pressés en une seule fois. 3 Exemplaire positif d'un cliché photographique. 4 Action d'émettre un chèque, une traite. 5 Mouvement ascensionnel des gaz chauds dans un conduit de fumée.

tiraillement nm 1 Sensation interne pénible de contraction. 2 Contestation, conflit.

tirailler vt 1 Tirer par petits coups, à diverses reprises. 2 Entraîner dans des sens différents. *Être tiraillé entre ses obligations et son intérêt.* ■ vi Tirer des coups répétés avec une arme à feu.

tirailleur nm Soldat d'infanterie légère.

tirant nm Pièce destinée à exercer un effort de traction. *Les tirants d'une botte.* Loc *Tirant d'eau :* distance entre la ligne de flottaison d'un navire et le bas de sa quille.

tire nf Pop Voiture. Loc *Vol à la tire :* consistant à voler le contenu des poches, d'un sac.

tiré, ée a Fatigué, amaigri. *Traits tirés.* Loc *Tiré à quatre épingles :* très élégant. ■ nm Taillis aménagé pour la chasse. Loc *Tiré à part :* tirage indépendant d'un article extrait d'une revue.

tire-au-flanc nm inv Pop Qui s'arrange pour éviter les corvées, un travail.

tire-botte nm Crochet qui sert à chausser une botte. Des tire-bottes.

tire-bouchon nm Instrument servant à déboucher les bouteilles. Loc *En tire-bouchon :* en forme de spirale, d'hélice. Des tire-bouchons.

tire-clou nm Outil servant à arracher les clous. Des tire-clous.

tire-d'aile (à) av Très rapidement.

tire-fesses nm inv Fam Remonte-pente.

tire-lait nm inv Appareil servant à aspirer le lait du sein.

tire-larigot (à) av Fam Beaucoup.

tirelire nf 1 Boîte qui comporte une fente par laquelle on glisse l'argent qu'on veut économiser. 2 Pop Tête, visage.

tirer vt 1 Faire mouvoir, amener vers soi, traîner derrière soi. Tirer un tiroir. Tirer un traîneau. 2 Mouvoir en faisant glisser, coulisser. Tirer le verrou. 3 Faire un effort pour tendre, allonger. Tirez ses bas. Tirer la langue. 4 Attirer. Tirer l'œil, le regard. 5 Ôter d'un endroit, d'une situation. Tirer de l'eau d'un puits. Tirer qqn de prison. 6 Prendre au hasard. Tirer une carte. 7 Extraire, exprimer. Substance qu'on tire des plantes. 8 Emprunter. Les mots que le français tire du grec. 9 Déduire, conclure. Qu'est-ce que tu tires de cela ? 10 Imprimer. Tirer un ouvrage. 11 Réaliser une épreuve photographique. 12 Émettre un chèque, une lettre de change. Loc *Tirer qqch au clair :* l'éclaircir. *Tirer parti de :* utiliser. *Tirer bénéfice :* bénéficier, profiter. *Tirer un plan, des plans :* projeter. ■ vt, vi, vti Lancer un projectile, faire feu. Tirer un lapin. Tirer au revolver. Tirer sur un lièvre. ■ vti 1 Tendre vers. Vert qui tire sur le bleu. 2 Exercer une traction sur. Tirer sur une corde. Loc *Tirer à sa fin :* être près de finir. *Tirer à conséquence :* avoir des conséquences. ■ vi 1 Être imprimé à tant d'exemplaires. 2 Avoir du tirage (cheminée). ■ vpr Pop S'en aller. Loc *S'en tirer :* sortir d'une difficulté, d'une maladie.

tiret nm Petit trait horizontal dans un texte.

tirette nf 1 Dispositif de commande manuelle. 2 Tablette horizontale coulissante d'un meuble.

tireur, euse n 1 Qui se sert d'une arme à feu. 2 Qui émet un chèque, une lettre de change. 3 Qui tire une balle, une boule vers le but. 4 Escrimeur. 5 Fam Voleur à la tire. Loc *Tireuse de cartes :* cartomancienne.

tiroir nm Casier coulissant, s'emboîtant dans un meuble.

tiroir-caisse nm Tiroir contenant la caisse d'un commerçant. Des tiroirs-caisses.

tisane nf Infusion ou décoction de plantes médicinales.

tison nm Reste encore brûlant d'un morceau de bois à moitié consumé.

tisonner vt Remuer les tisons pour ranimer le feu.

tisonnier nm Tige de fer qui sert à tisonner.

tissage nm Action, art de tisser un textile.

tisser vt 1 Fabriquer un tissu en entrecroisant les fils. 2 Former qqch par un assemblage d'éléments. Tisser une intrigue.

tisserand, ande n Qui tisse sur un métier des étoffes, des tapis.

tisserin nm Passereau dont les nids sont faits d'herbes entrelacées.

tissu nm 1 Étoffe obtenue par l'entrelacement régulier de fils textiles. 2 ANAT Ensemble de cellules concourant à une même fonction. Tissu conjonctif, musculaire. 3 Enchevêtrement. Un tissu de mensonges. 4 Ensemble d'éléments constituant une structure homogène. Tissu urbain, industriel.

tissu-éponge nm Étoffe spongieuse. Des tissus-éponges.

tissulaire a ANAT Qui concerne les tissus.

titan nm Litt Géant.

titane nm Métal blanc, dur, utilisé dans les alliages.

titanesque ou **titanique** a Litt Gigantesque.

titi nm Fam Gamin gouailleur et malicieux.

titiller vt 1 Litt Chatouiller légèrement. 2 Fam Taquiner, agacer.

titrage nm Détermination de la quantité de corps dissous dans une solution.

titre nm 1 Énoncé servant à nommer un texte, un article de journal et qui en évoque le contenu. 2 Dignité, qualification honorifique ou qualification sociale. Le titre de duc. Le titre de père, d'avocat, de champion. **3** Diplôme. *Titres universitaires.* **4** Acte écrit établissant un droit. *Titres de propriété.* **5** Ce qui permet de prétendre à qqch. *Un titre de gloire.* **6** CHIM Proportion d'un métal précieux pur dans un alliage, d'une substance dissoute dans un corps.

titré, ée *a* Qui a un titre de noblesse.

titrer *vt* **1** Donner un titre. **2** CHIM Déterminer par dosage la quantité de corps dissous dans une solution. **3** Mettre comme titre d'article.

titrisation *nf* FIN Transformation de créances en titres négociables.

tituber *vi* Marcher en chancelant.

titulaire *a, n* Possesseur d'une fonction garantie par un titre. ■ *a* Qui possède qqch selon le droit. *Titulaire d'un passeport.*

titulariser *vt* Nommer qqn titulaire d'une fonction.

T.N.T. *nm* Abrév de *trinitrotoluène.*

toast [tost] *nm* **1** Tranche de pain de mie grillée. Loc *Porter un toast :* boire à la santé de qqn, à la réussite d'une entreprise, etc.

toasteur [tos-] *nm* Grille-pain.

toboggan *nm* **1** Piste en forme de gouttière, utilisée comme jeu. **2** Dispositif destiné à la manutention des marchandises d'un étage à l'autre. **3** Viaduc routier démontable.

toc *Fam* Imitation, souvent de mauvais goût, d'une chose de prix.

tocante ou **toquante** *nf* Pop Montre.

tocard ou **toquard, arde** *a Fam* Laid, médiocre. ■ *nm Fam* **1** Mauvais cheval. **2** Individu incapable.

toccata *nf* MUS Composition écrite pour un instrument à clavier.

tocsin *nm* Sonnerie redoublée d'une cloche pour donner l'alarme.

toge *nf* **1** ANTIQ Vêtement ample que les Romains portaient sur la tunique. **2** Robe que portent les avocats, les magistrats, etc., dans l'exercice de leurs fonctions.

togolais, aise *a, n* Du Togo.

tohu-bohu *nm inv Fam* Confusion, désordre bruyant.

toi *pr pers* Forme tonique de la 2e personne du singulier des deux genres.

toile *nf* **1** Tissu de lin, de chanvre, de coton, etc. **2** Tissu tendu sur un cadre de bois pour être peint ; tableau peint. **3** Voilure d'un navire. Loc *Toile d'araignée :* réseau tissé par les araignées.

toilettage *nm* **1** Soins de propreté donnés à un chien, à un chat, etc. **2** *Fam* Retouche légère.

toilette *nf* **1** Action de se laver, de se coiffer, de s'habiller. **2** Soins de propreté donnés au corps. **3** Vêtement, costume féminins. Loc *Faire la toilette de qqch :* le nettoyer ou le retoucher. ■ *pl* Cabinets, W.-C.

toiletter *vt* Procéder à un toilettage.

toise *nf* Règle verticale graduée pour mesurer la taille de qqn.

toiser *vt* Regarder avec dédain, mépris.

toison *nf* **1** Poil épais et laineux de certains animaux, en particulier du mouton. **2** Chevelure, poils abondants.

toit *nm* **1** Couverture d'un bâtiment, d'un véhicule. **2** Maison, logement. Loc *Crier qqch sur les toits :* le faire savoir à tous.

toiture *nf* Toit d'une construction.

tokamak *nm* PHYS Appareil utilisé dans les recherches sur la fusion nucléaire contrôlée.

tokay ou **tokaï** [tɔkaj] *nm* **1** Vin blanc hongrois. **2** Cépage blanc d'Alsace, dit aussi *pinot gris.*

tokharien *nm* Langue indo-européenne morte du Turkestan.

tokyoïte *a, n* De Tokyo.

tôlard. V. taulard.

1. tôle *nf* Métal laminé en plaques minces.

2. tôle *nf. taule.*

tôlé, ée *a* Loc *Neige tôlée :* présentant une croûte de glace superficielle.

tolérable *a* Supportable.

tolérance *nf* **1** Fait d'accepter les opinions ou les pratiques religieuses, politiques, etc., d'autrui, même si on ne les partage pas. **2** Différence tolérée au regard d'une norme. **3** Fait, pour l'organisme, de bien supporter une substance donnée. Loc *Maison de tolérance :* établissement de prostitution.

tolérant, ante *a* Qui fait preuve de tolérance.

tolérer vt 12 1 Accepter sans autoriser formellement. 2 Supporter par indulgence. 3 Bien supporter un médicament, un traitement, etc.

tôlerie nf Industrie, commerce ou atelier du tôlier.

tolet nm MAR Cheville servant de point d'appui à l'aviron.

1. tôlier nm Qui travaille la tôle.

2. tôlier. V. taulier.

tolite nf Syn de trinitrotoluène.

tollé nm Cri collectif de protestation.

toluène nm Hydrocarbure extrait du benzol, utilisé pour la fabrication d'explosifs, de parfums, etc.

tom nm Tambour cylindrique utilisé dans la batterie de jazz.

tomahawk [-ok] nm Hache de guerre des Amérindiens.

tomaison nf Indication du tome d'un ouvrage en plusieurs livres.

tomate nf Plante cultivée pour ses fruits ; fruit rouge de cette plante.

tombal, ale,als a De la tombe.

tombe nf Lieu où est enterré un mort ; fosse couverte d'un monument.

tombeau nm Sépulture monumentale d'un mort ou du mourir. Loc Fam À tombeau ouvert : à toute allure.

tombée nf Loc À la tombée de la nuit, du jour : au crépuscule.

tomber vi [aux être] 1 Être entraîné subitement de haut en bas ; faire une chute. 2 Cesser, perdre sa force, disparaître. Son enthousiasme tombe. 3 Perdre le pouvoir, être renversé. Le gouvernement est tombé. 4 Arriver d'un lieu plus élevé. Le brouillard tombe. 5 Devenir plus bas, plus faible. Les cours tombent. 6 Déchoir, dégénérer. Il est tombé bien bas. 7 Pendre. Ses cheveux tombent sur les épaules. 8 (suivi d'un adjectif) Devenir. Tomber malade. 9 Survenir. Tomber bien, mal. Le 1ᵉʳ mai tombe un lundi. ■ vti Attaquer. Tomber sur qqn. ■ vt Loc Fam Tomber une femme : la séduire. Fam Tomber la veste : l'enlever.

tombereau nm Véhicule à caisse basculante utilisé pour le transport des matériaux.

tombeur nm Fam Séducteur.

tombola nf Loterie où le gagnant reçoit un lot en nature.

tome nm Division d'un ouvrage contenant plusieurs volumes.

tomme nf Fromage à pâte pressée.

tommette nf Briquette plate pour le revêtement des sols.

tomodensitomètre nm Syn de scanographe.

tomographie nf Procédé radiologique permettant de prendre des clichés d'un organe par plans.

1. ton, ta,tes a poss Deuxième personne du singulier ; de toi. Ton bras. Ta jambe.

2. ton nm 1 Degré de hauteur, intensité ou timbre de la voix. Ton sourd. 2 Inflexion expressive de la voix. Ton assuré. 3 Manière d'exprimer sa pensée, de se conduire en société. 4 MUS Hauteur des sons produits par la voix ou par un instrument. 5 Couleur, considérée dans son éclat.

tonal, ale a Relatif au ton, à la tonalité.

tonalité nf 1 Organisation des sons musicaux. 2 Caractère des sons produits par la voix ou par un instrument. 3 Son continu qu'on entend en décrochant le téléphone. 4 Couleur dominante ; impression qui s'en dégage.

tondeur, euse a Qui tond. ■ nf 1 Machine utilisée pour tondre le gazon. 2 Instrument utilisé pour tondre les cheveux ou le poil.

tondre vt 5 1 Couper les cheveux, l'herbe, etc. 2 Fam Dépouiller qqn de son argent. Tondre le client.

toner [tɔnœʀ] nm Encre pulvérulente pour imprimantes, photocopieurs, etc.

tong nf Chaussure constituée d'une semelle et d'une bride qui s'insère entre les orteils.

tonicardiaque a, nm Qui stimule le cœur.

tonicité nf Qualité, caractère tonique.

tonifier vt Fortifier, stimuler.

tonique a, nm Qui augmente la vigueur de l'organisme ; fortifiant. ■ a 1 Qui a ou procure du tonus ; stimulant. Promenade tonique.

2 LING Qui reçoit l'accent d'intensité ou de hauteur. ■ *nf* MUS Première note de la gamme du ton dans lequel un morceau est joué.

tonitruant, ante *a* Qui fait un bruit énorme.

tonnage *nm* **1** MAR Syn de *jauge.* **2** Quantité de marchandises transportées.

tonne *nf* **1** Grand tonneau. **2** Unité de masse valant 1 000 kilogrammes.

tonneau *nm* **1** Grand récipient de bois fait de douves assemblées par des cerceaux. Syn. barrique, fût. **2** Figure de voltige aérienne. **3** Tour complet d'une voiture sur elle-même. **4** MAR Unité de jauge d'un navire (2,83 m³).

tonnelet *nm* Petit tonneau.

tonnelier *nm* Qui fabrique les tonneaux.

tonnelle *nf* Treillage couvert de verdure.

tonnellerie *nf* **1** Industrie du tonnelier. **2** Ensemble de tonneaux.

tonner *v impers* Se faire entendre (tonnerre). ■ *vi* **1** Faire un bruit comparable au tonnerre. *Le canon tonne.* **2** Parler avec emportement. *Tonner contre les resquilleurs.*

tonnerre *nm* **1** Grondement qui accompagne la foudre. **2** Bruit violent et prolongé. *Un tonnerre d'applaudissements.* Loc Fam *Du tonnerre* : extraordinaire, enthousiasmant.

tonsure *nf* Petite tonsure circulaire rasée au sommet de la tête des ecclésiastiques.

tonte *nf* **1** Action de tondre les moutons, le gazon. **2** Laine qui a été tondue.

tontine *nf* Association d'épargnants constituant un fonds qui est remis à tour de rôle à chacun des associés.

tonton *nm* Fam Oncle.

tonus *nm* **1** Énergie, entrain, dynamisme. **2** MED Tension des muscles à l'état de repos.

top *nm* **1** Bref signal sonore. **2** Fam L'apogée, le sommet d'une réussite.

topaze *nf* Pierre fine jaune.

toper *vi* Taper dans la main du partenaire pour signifier un accord.

topiaire *nf* Art de tailler les arbres pour leur donner des formes originales.

topinambour *nm* Plante cultivée pour ses tubercules.

topique *a, nm* Médicament qui agit à l'endroit où il est appliqué.

topless *a* Qui a les seins nus.

top-modèle *nm* Mannequin de haute couture. *Des top-modèles.*

top-niveau *nm* Fam Premier rang, sommet d'une hiérarchie. *Des top-niveaux.*

topo *nm* Fam Exposé d'une question.

topographie *nf* **1** Représentation graphique d'un lieu, avec indication de son relief. **2** Relief, configuration d'un lieu.

topoguide *nm* Guide pour la randonnée.

topologie *nf* MATH Étude des propriétés de l'espace.

toponyme *nm* LING Nom de lieu.

toponymie *nf* LING Étude des noms de lieux.

top-secret *a inv* Fam Totalement secret.

toquade *nf* Fam Engouement passager, caprice.

toquante, toquard. V. tocante, tocard.

toque *nf* Coiffure ronde et sans bords.

toqué, ée *a, n* Fam Qui a le cerveau dérangé.

torche *nf* **1** Flambeau grossier fait d'un bâton enduit de résine. **2** Lampe électrique portative.

torcher *vt* Fam **1** Essuyer. *Torcher le nez d'un enfant.* **2** Exécuter vite et mal.

torchère *nf* **1** Grand candélabre destiné à recevoir des flambeaux. **2** Canalisation verticale servant à brûler les résidus gazeux d'une raffinerie.

torchis *nm* Matériau fait d'argile et de paille.

torchon *nm* **1** Pièce de toile pour essuyer la vaisselle. **2** Fam Écrit peu soigné. **3** Fam Journal peu estimable.

tordant, ante *a* Fam Très amusant.

tord-boyaux *nm inv* Fam Eau-de-vie très forte.

tordeuse *nf* Chenille de papillon qui s'enroule dans les feuilles.

tordre *vt* **5 1** Tourner en sens contraire les deux extrémités d'un corps ; plier. **2** Tourner violemment en forçant ou de travers. *Tordre le* bras à qqn. ■ *vpr* **1** Se plier en deux sous l'effet d'une sensation ou d'une émotion vive. *Se tordre de douleur.* **2** Fam Rire fort.

tordu, ue *a* Recourbé, déformé. Loc Fam *Coup tordu :* acte malveillant. ■ *n* Fam Fou.

tore *vi* Moulure épaisse au bas d'une colonne. **2** GEOM Anneau à section circulaire.

toréador *nm* Vx Syn de *torero.*

toréer *vi* Combattre le taureau dans l'arène.

torero [tɔʀeʀo] *nm* Qui torée.

torgnole *nf* Fam Coup, gifle.

toril [-ʀil] *nm* Annexe de l'arène où sont enfermés les taureaux avant le combat.

tornade *nf* Tourbillon de vent très violent.

toron *nm* Réunion de fils tordus ensemble.

torpédo *nf* Anc Automobile de forme allongée, à capote repliable.

torpeur *nf* **1** Engourdissement profond. **2** Ralentissement de l'activité ; apathie.

torpide *a* Caractérisé par la torpeur.

torpille *nf* **1** Poisson ayant un organe dont la décharge immobilise les proies. **2** Engin autopropulsé, destiné à la destruction de navires ennemis. **3** Bombe aérienne munie d'ailettes.

torpiller *vt* **1** Détruire à la torpille. **2** Faire échouer. *Torpiller des négociations.*

torpilleur *nm* **1** Bâtiment de guerre qui lance des torpilles. **2** Marin chargé du lancement des torpilles.

torque *nm* Collier de métal rigide.

torréfacteur *nm* Qui torréfie le café.

torréfaction *nf* Action de torréfier.

torréfier *vt* Soumettre à sec à l'action du feu. *Torréfier du café.*

torrent *nm* **1** Cours d'eau de montagne, à débit rapide. **2** Flot, écoulement violent et abondant. *Des torrents d'injures.*

torrentiel, elle *a* Qui s'écoule avec violence.

torride *a* Excessivement chaud (air, climat).

tors, torse *a* **1** Tordu, difforme. *Jambes torses.* **2** Contourné en hélice. *Colonne torse.*

torsade *nf* Assemblage de fils, de cordons, de cheveux, etc., enroulés en hélice.

torsader *vt* Mettre en torsade.

torse *nm* **1** Thorax d'un être humain. **2** Corps humain représenté du cou à la ceinture, sans tête et sans membres ;

torsion *nf* Action de tordre ; déformation.

tort *nm* **1** Action, comportement, pensée contraire à la justice ou à la raison. **2** Dommage, préjudice causé à qqn. Loc *Avoir tort :* n'avoir pas pour soi le droit. *Donner tort à qqn :* condamner sa conduite. *Être dans son tort :* être coupable d'une action blâmable. *À tort :* injustement. *À tort ou à raison :* avec ou sans motif. *À tort et à travers :* sans discernement.

torticolis *nm* Raidissement musculaire douloureux du cou.

tortillard *nm* Fam Train lent qui fait de nombreux détours.

tortiller *vt* Tourner et retourner. ■ *vpr* S'agiter en tous sens.

tortillon *nm* **1** Chose tortillée. **2** Bourrelet sur la tête pour porter un fardeau.

tortionnaire *nm* Qui torture.

tortue *nf* Reptile à carapace dorsale et à marche lente.

tortueux, euse *a* **1** Qui fait des tours et des détours. **2** Dépourvu de droiture.

torture *nf* **1** Souffrance grave, sévices qu'on fait subir à qqn. **2** Litt Souffrance morale intolérable.

torturer *vt* **1** Soumettre qqn à la torture. **2** Litt Causer une vive douleur morale.

torve *a* Loc *Œil torve :* en coin et menaçant.

tory *n, a* HIST Membre du parti conservateur anglais.

toscan, ane *a, n* De la Toscane. ■ *nm* Dialecte de Toscane, base de l'italien courant.

tosser *vi* MAR Cogner sous l'effet du ressac (bateau).

tôt *av* **1** À un moment antérieur au moment habituel. **2** De bonne heure.

total, ale, aux *a* Complet, entier. ■ *nm* Résultat d'une addition ou d'un ensemble d'opérations équivalentes.

totalement *av* Complètement.

totalisateur ou **totaliseur** *nm* Appareil qui additionne des valeurs.

totaliser vt **1** Réunir en un total, additionner. **2** Avoir au total.

totalitaire a Se dit d'un régime dans lequel la totalité des pouvoirs appartient à un parti unique que ne tolère aucune opposition.

totalitarisme nm Système politique totalitaire.

totalité nf Réunion de tous les éléments d'un ensemble.

totem [-tɛm] nm Animal, végétal représentant, dans de nombreuses tribus, l'ancêtre d'un clan ; cet emblème.

totémisme nm Culte du totem.

toton nm Petite toupie.

touareg, ègue a Relatif aux Touaregs. ■ nm Langue berbère parlée par les Touaregs.

toubib nm Fam Médecin.

toucan nm Oiseau d'Amérique du Sud au bec énorme.

touchant, ante a Attendrissant, émouvant.

touche nf **1** Fait, pour un poisson, de mordre à l'hameçon. **2** Coup qui atteint l'adversaire, à l'escrime. **3** Manière personnelle de peindre, d'écrire. **4** Fam Allure, aspect de qqn. **5** Au rugby, au football, etc., ligne de démarcation latérale du terrain. **6** Chacune des tablettes qui forment le clavier d'un orgue, d'un piano, etc. Loc **Être sur la touche** : être tenu à l'écart.

touche-à-tout nm inv Qui s'occupe de beaucoup de choses sans s'y consacrer à fond.

toucher vt **1** Mettre la main sur, entrer en contact avec. **2** Atteindre, avec une arme, un projectile. Il a été touché au bras. **3** Recevoir une somme d'argent. **4** Émouvoir, attendrir qqn. La remarque l'a touché. **5** Concerner. Ce qui touche cette affaire m'intéresse. ■ vti **1** Mettre la main en contact avec. Cet enfant touche à tout. **2** Apporter un changement à. Toucher à un texte. **3** Être presque arrivé à, aborder, parvenir. Toucher au port. Toucher à l'essentiel. **4** Être contigu à. Sa maison touche à la mienne. ■ vpr Être en contact. ■ nm **1** Sens par lequel nous percevons, par contact ou palpation, certaines propriétés des corps. **2** Manière de prendre contact, d'explorer avec la main.

touche-touche (à) av Fam Très près, en se touchant presque.

touffe nf Assemblage de choses qui poussent naturellement serrées.

touffeur nf Litt Chaleur lourde, étouffante.

touffu, ue a **1** Épais. Bois touffu. **2** Trop dense, embrouillé. Discours touffu.

touiller vt Fam Remuer pour mélanger.

toujours av **1** Pendant la totalité d'une durée. **2** De façon invariable. Il gagne toujours. **3** Encore. Je l'aime toujours.

toulonnais, aise a, n De Toulon.

touloupe nf Manteau en peau de mouton.

toulousain, aine a, n De Toulouse.

toundra nf GÉOGR Plaine des régions froides à la végétation discontinue (mousses, lichens).

toungouse nf Langue de Sibérie orientale.

toupaye [-paj] nm Mammifère proche des singes à l'allure d'un écureuil.

toupet nm **1** Touffe de cheveux. **2** Fam Hardiesse effrontée, aplomb.

toupie nf **1** Jouet de forme arrondie, muni d'une pointe sur laquelle on le fait tourner. **2** Machine pour travailler le bois.

touque nf Récipient de fer-blanc.

1. tour nf **1** Mouvement de rotation. Tour de vis, de clef. **2** Courbe limitant un corps, un lieu. Tour de taille. **3** Parcours plus ou moins circulaire autour d'un lieu. Tour de piste. **4** Action exigeant de l'adresse ou de la ruse. Tour de prestidigitation. **5** Manière dont se présente qqch. Affaire qui prend un tour dramatique. **6** Façon d'exprimer sa pensée. Un tour familier. **7** Rang, ordre des actions. Parler à son tour. **8** Machine-outil servant à façonner des pièces métalliques. Loc **Faire un tour** : une promenade. **Tour de chant** : programme d'un chanteur dans un spectacle. **Tour à tour** : alternativement. **Tour de reins** : lumbago.

2. tour nf **1** Immeuble de grande hauteur. **2** Bâtiment élevé de forme ronde ou carrée. **3** Au jeu d'échecs, pièce se déplaçant sur la verticale ou l'horizontale. Loc **Tour de lancement** : ouvrage servant au lancement d'un engin spatial. **Tour d'ivoire :** retraite intellectuelle à l'écart du monde. **Tour de forage :** derrick.

tourangeau, elle a, n De la Touraine ou de Tours.

tourbe nf Combustible noirâtre de qualité médiocre.

tourbière nf Gisement de tourbe.

tourbillon nm 1 Mouvement impétueux de l'air, d'un gaz. 2 Masse d'eau tournant avec violence. 3 Agitation tumultueuse.

tourbillonner vi 1 Tournoyer rapidement. 2 S'agiter confusément.

tourelle nf 1 Petite tour. 2 Abri blindé d'un char, d'un avion, d'un navire de guerre. 3 TECH Dispositif mobile autour d'un axe.

touret nm Petit tour servant à polir ou à graver.

tourillon nm Axe ou pivot pour assujettir.

tourin nm Potage à l'ail, du Sud-Ouest.

tourisme nm 1 Activité de loisir qui consiste à voyager pour son agrément. 2 Services et activités liés à cette activité.

touriste n Qui voyage pour son agrément. Loc **Classe touriste :** classe à tarif économique sur les paquebots, les avions.

touristique a 1 Relatif au tourisme. 2 Fréquenté par les touristes.

tourmaline nf Pierre fine de couleurs variées.

tourment nm Litt Grande inquiétude, grande souffrance morale.

tourmente nf Litt 1 Bourrasque, tempête violente. 2 Troubles graves. Tourmente révolutionnaire.

tourmenté, ée a Litt 1 En proie à un tourment. Âme tourmentée. 2 Très irrégulier. Relief tourmenté. 3 Agité. Époque tourmentée. 4 Qui manque de simplicité. Style tourmenté.

tourmenter vt Litt 1 Faire souffrir. Cet enfant est tourmenté par ses dents. 2 Importuner, préoccuper vivement. ■ vpr S'inquiéter vivement.

tournage nm 1 Action de façonner au tour. 2 Action de tourner un film.

tournant, ante a 1 Qui tourne, pivote. Pont tournant. 2 Qui contourne. Mouvement tournant. Loc **Grève tournante :** qui implique divers services successivement. ■ nm 1 Sinuosité de la route. 2 Moment où le cours des événements change de direction. Loc Fam **Attendre qqn au tournant :** se venger à la première occasion.

tourné, ée a 1 Qui a une certaine tournure. Lettre bien tournée. 2 Aigri. Lait tourné. Loc **Esprit mal tourné :** disposé à voir du mal partout.

tournebouler vt Fam Bouleverser.

tournebroche nm Dispositif pour faire tourner la broche à rôtir.

tourne-disque nm Appareil sur lequel on passe des disques. Des tourne-disques.

tournedos nm Tranche de filet de bœuf.

tournée nf 1 Voyage professionnel effectué selon un itinéraire fixé. 2 Fam Consommations offertes par qqn à tous ceux qui sont avec lui. 3 Pop Volée de coups.

tournemain (en un) av Vx En un instant.

tourner vt 1 Imprimer un mouvement de rotation à. Tourner la tête. 2 Présenter sous une autre face ; retourner. Tourner les pages. 3 Diriger. Tourner les yeux vers le ciel. 4 Éluder, éviter. Tourner une difficulté. 5 Transformer. Tourner les choses à son profit. 6 Composer, arranger d'une certaine manière. Tourner un compliment. Loc **Tourner un film :** réaliser un film. ■ vi 1 Se mouvoir en décrivant une courbe. La Terre tourne autour du Soleil. 2 Pivoter autour d'un axe. 3 Fonctionner. Machine qui tourne. 4 Changer de direction, virer. Tourner à gauche, à droite. 5 Se transformer en, tendre, évoluer vers. Affaire qui tourne à la catastrophe. 6 S'altérer, devenir aigre. Le lait a tourné. 7 Être acteur dans un film. Loc **Tourner court :** finir brusquement. Fam **Tourner de l'œil :** s'évanouir. ■ vpr 1 Changer de position. Se tourner vers la gauche. 2 Se diriger. Les regards se tournent vers lui.

tournesol nm Plante dont la fleur s'oriente vers le soleil et dont les graines fournissent une huile.

tourneur, euse n Qui façonne des ouvrages au tour. ■ a Qui tourne sur lui-même.

tournevis nm Outil pour serrer ou desserrer les vis.

tournicoter ou **tourniquer** *vi* Fam Tourner sur place, dans tous les sens.

tourniquet *nm* 1 Dispositif de fermeture, qui ne peut être franchi que par une personne à la fois. 2 Appareil d'arrosage tournant autour d'un axe. 3 Présentoir rotatif, dans un magasin.

tournis *nm* 1 Sensation de vertige. 2 Maladie des moutons provoquée par le cénure.

tournoi *nm* 1 Au Moyen Âge, combat de chevaliers. 2 Compétition comprenant plusieurs séries de rencontres.

tournoyer *vi* 22 Tourbillonner.

tournure *nf* 1 Aspect que présente qqn, qqch ; allure. *Prendre une mauvaise tournure.* 2 Agencement des mots dans une phrase. Loc *Tournure d'esprit :* manière de voir les choses.

touron *nm* Pâte d'amande parfumée.

tour-opérateur *nm* Syn de *voyagiste.* Des *tour-opérateurs.*

tourte *nf* Tarte ronde, recouverte de pâte, garnie de préparations salées.

tourteau *nm* 1 Résidus d'oléagineux constituant un aliment pour le bétail. 2 Gros crabe comestible.

tourtereau *nm* Jeune tourterelle. ■ *pl* Jeunes gens qui s'aiment tendrement.

tourterelle *nf* Oiseau plus petit que le pigeon dont il est voisin.

tourtière *nf* Ustensile pour faire les tartes et les tourtes.

tousser *vi* 1 Être pris d'un accès de toux. 2 Faire un bruit comparable à celui de la toux. *Moteur qui tousse.*

toussoter *vi* Tousser légèrement.

tout, toute, tous, toutes *a* 1 Entier, complet. *Tout l'univers. Veiller toute la nuit.* 2 Chaque, n'importe lequel. *À tout moment.* 3 Unique, seul. *Pour toute nourriture.* ■ *pl* L'ensemble, sans exception. *Tous les hommes.* ■ *pr indéf* Toutes les parties d'une chose ou chaque chose. *Tout est bon dans ce cochon, tout est bon dans ce cochon, tout est bon dans ce ouvrage.* Loc *À tout prendre :* tout bien considéré. *Comme tout :* sert de superlatif. *En tout :* pour l'ensemble. *En tout et pour tout :* au total. *Après tout :* en définitive. ■ *pl* Tout le monde. *Tous sont là.* ■ *nm*

1 Chose dans son entier. *Former un tout.* 2 L'essentiel. *Ce n'est pas le tout de s'amuser.* Loc *Du tout :* en aucune façon, nullement. *Du tout au tout :* complètement. ■ *av* (variable devant un féminin commençant par une consonne ou un h aspiré) *Tout* entièrement, complètement. *La ville tout entière. Elle est toute contente.* 2 Très. *De toutes jeunes filles. Parler tout haut.* Loc Fam *C'est tout comme :* cela revient au même. *Tout au plus :* à peine. *Tout en (+ gérondif) :* indique la simultanéité. *Tout... que :* indique la concession. *Tout à coup :* soudain. *Tout d'un coup :* d'un seul coup. *Tout à fait :* complètement. *Tout à l'heure :* dans peu de temps. *Tout de même :* cependant. *Tout de suite :* immédiatement. Fam *Tout plein :* beaucoup, très.

tout-à-l'égout *nm inv* Système d'évacuation directe dans les égouts des eaux usées.

toutefois *av* Néanmoins, cependant, mais.

toute-puissance *nf inv* Puissance absolue.

toutou *nm* Fam Chien.

Tout-Paris *nm inv* Les Parisiens les plus en vue dans la vie mondaine.

tout-petit *nm* Bébé. *Des tout-petits.*

tout-puissant, toute-puissante *a* Dont le pouvoir n'a pas de bornes. ■ *nm* Loc *Le Tout-Puissant :* Dieu.

tout-venant *nm inv* Choses ou personnes ordinaires, courantes.

toux *nf* Expiration bruyante, brusque, saccadée visant à dégager les voies respiratoires.

township [tauncouisin] *nm* Ville où vit la population noire en Afrique du Sud.

toxémie *nf* MED Intoxication due au passage des toxines dans le sang.

toxicité *nf* Caractère toxique.

toxico *n* Fam Toxicomane.

toxicologie *nf* Étude des toxiques, des poisons.

toxicomane *n* Atteint de toxicomanie.

toxicomanie *nf* Intoxication causée par la consommation de substances toxiques et entraînant un état de dépendance.

toxicomanogène *a* Qui provoque une toxicomanie.

toxicose *nf* Maladie grave et brutale du nourrisson.

toxi-infection *nf* Maladie infectieuse provoquée par des toxines. *Des toxi-infections.*

toxine *nf* Substance toxique élaborée par un organisme vivant (champignon, serpent, etc.).

toxique *a, nm* Se dit d'une substance nocive pour l'organisme.

toxoplasmose *nf* Maladie du fœtus due à un parasite.

traboule *nf* À Lyon, passage étroit à travers un pâté de maisons.

trac *nm* Angoisse ressentie au moment de se produire en public, de subir une épreuve, etc.

trac (tout à) *av* Vx Sans réfléchir.

traçant, ante *a* Loc *Balle traçante* : qui laisse derrière elle une trace lumineuse. *Table traçante* : syn de traceur.

tracas *nm* Souci d'ordre matériel.

tracasser *vt* Inquiéter, soucier. ■ *vpr* Se tourmenter.

tracasserie *nf* Ennui causé à qqn pour des choses insignifiantes.

trace *nf* 1 Marque, empreinte laissée par le passage de qqn, d'un animal, de qqch. 2 Marque laissée par une action, par un événement passé. 3 Quantité infime. *Traces d'albumine dans l'urine.*

tracé *nm* 1 Ensemble de lignes représentant qqch. 2 Ligne continue effectivement suivie. *Le tracé d'un fleuve.*

tracer *vt* 10 1 Dessiner schématiquement à l'aide de traits. *Tracer le plan d'une maison.* 2 Dépeindre, décrire. 3 Indiquer une direction. *Tracer sa conduite à qqn.* ■ *vi* Pop Se déplacer très vite, courir.

traceur *nm* 1 INFORM Appareil relié à un ordinateur, qui trace des courbes, des diagrammes. Syn. table traçante. 2 Didac Isotope radioactif permettant de suivre l'évolution d'un phénomène, d'une réaction. Syn. marqueur.

trachéal, ale, aux [-keal] *a* De la trachée.

trachée [traʃe] *nf* ANAT Conduit qui fait suite au pharynx et donne naissance aux bronches.

trachée-artère *nf* Vx Syn de trachée. *Des trachées-artères.*

trachéide [-keid] *nf* BOT Tube discontinu, élément conducteur de la sève.

trachéite [-keit] *nf* Inflammation de la trachée.

trachéoscopie [-ke-] *nf* MED Exploration de la trachée.

trachéotomie [-ke-] *nf* CHIR Ouverture de la trachée au niveau du cou pour permettre une respiration assistée.

trachome [-kom] *nm* Atteinte oculaire virale, cause fréquente de cécité.

trachyte [-kit] *nf* Roche volcanique riche en feldspath.

tract *nm* Feuille ou brochure de propagande.

tractation *nf* (surtout au pl) Négociation, marchandage laborieux.

tracter *vt* Remorquer à l'aide d'un véhicule ou par un procédé mécanique.

tracteur, trice *a* Capable de tracter. ■ *nm* Véhicule automobile utilisé pour remorquer plusieurs véhicules ou des instruments agricoles.

traction *nf* 1 Action de tirer pour tendre, allonger, déplacer. 2 Exercice où on tire sur les bras pour soulever le corps. Loc *Traction avant* : automobile aux roues avant motrices.

tractopelle *nf* Engin de travaux publics servant à pelleter.

trader [tʀɛdœʀ] *n* Spécialiste des transactions financières.

tradescantia [-kũsja] *nf* Plante ornementale à tiges retombantes. Syn. misère.

trade-union [tʀɛdynjɔn] *nf* nm En Grande-Bretagne, syndicat ouvrier. *Des trade-unions.*

tradition *nf* 1 Transmission de doctrines, d'opinions religieuses, politiques, morales de génération en génération ; ces opinions elles-mêmes. 2 Manière de penser, d'agir habituelle dans une collectivité.

traditionalisme *nm* Attachement aux valeurs transmises par la tradition.

traditionnel, elle *a* Fondé sur la tradition ; passé dans les usages.

traducteur, trice *n* Auteur d'une traduction.

traduction nf 1 Action de traduire. 2 Version traduite d'un ouvrage.

traduire vt 67 1 Faire passer d'une langue dans une autre. *Cet ouvrage a été traduit en anglais.* 2 Exprimer par des moyens divers. Loc *Traduire qqn en justice :* le faire passer devant un tribunal. ■ vpr Se manifester. *Sa nervosité se traduit par le tremblement de ses mains.*

trafic nm 1 Commerce clandestin, illicite. *Trafic de drogue.* 2 Fam Activité compliquée et mystérieuse. 3 Fréquence des trains, des avions, des navires, des voitures sur un itinéraire, une voie. Loc *Trafic d'influence :* infraction de qqn qui reçoit de l'argent pour obtenir ou donner un avantage.

traficoter vi Fam Trafiquer médiocrement.

trafiquant, ante n Qui fait du trafic (sens 1). *Trafiquant d'armes.*

trafiquer vi Faire du trafic, commercer illégalement. ■ vti Loc *Tirer profit de. Trafiquer de son influence.* ■ vt 1 Falsifier un produit. *Trafiquer du vin.* 2 Fam Manigancer.

tragédie nf 1 LITTER Œuvre dramatique de caractère héroïque et passionnel, propre à exciter la terreur ou la pitié. 2 Événement funeste, terrible.

tragédien, enne n Qui est spécialisé dans les rôles de tragédie.

tragi-comédie nf 1 LITTER Tragédie mêlée d'incidents comiques. 2 Situation où alternent des événements tragiques et comiques. *Des tragi-comédies.*

tragique a 1 De la tragédie. 2 Funeste, terrible, effroyable. ■ nm 1 Auteur de tragédies. 2 Le genre dramatique de la tragédie. 3 Caractère tragique. *Le tragique de la situation.*

trahir vt 1 Livrer par perfidie. *Trahir son pays.* 2 Être infidèle à l'égard de ; tromper. *Trahir un ami.* 3 Exprimer peu fidèlement. *Mes paroles ont trahi ma pensée.* 4 Révéler. *Son attitude trahissait son trouble.* 5 Abandonner. *Ses forces l'ont trahi.* ■ vpr Révéler ses sentiments cachés.

trahison nf 1 Intelligence avec l'ennemi. 2 Acte déloyal. Loc *Haute trahison :* grave manquement d'un président de la République à ses devoirs.

train nm 1 File de véhicules attachés les uns aux autres. *Train de péniches.* 2 Rame de wagons tirés par une locomotive ; chemin de fer. 3 Ensemble d'organes qui fonctionnent conjointement. *Train de pneus.* 4 Série de mesures. *Un train de lois.* 5 Partie portante d'un véhicule. *Train avant.* 6 Partie antérieure, postérieure d'un quadrupède. 7 Pop Derrière, fesses. *Se faire botter le train.* 8 Allure, vitesse. *Aller bon train.* Loc *Train de vie :* manière de vivre par rapport aux revenus. *Être en train de :* exprime le déroulement d'une action. *Train à grande vitesse (T.G.V.) :* qui roule à environ 260 km/h.

traînailler. V. traînasser.

traînant, ante a 1 Qui traîne par terre. 2 Se dit d'une voix lente.

traînard, arde n Qui reste à la traîne, en arrière d'un groupe.

traînasser ou **traînailler** vi Traîner paresseusement ; lambiner.

traîne nf Partie d'un vêtement qui traîne par terre ; queue.

traîneau nm Véhicule muni de patins, pour se déplacer sur la neige ou la glace.

traînée nf 1 Longue trace laissée sur une surface ou dans l'espace par une substance répandue, par un corps en mouvement. 2 Pop Prostituée.

traîner vt 1 Tirer derrière soi en faisant glisser. 2 Emmener qqn de force, péniblement. 3 Supporter avec peine un état qui dure. ■ vi 1 Pendre jusqu'à terre. *Votre robe traîne.* 2 S'attarder, être trop lent ; flâner. 3 Durer trop longtemps. *Sa maladie traîne.* 4 Être laissé n'importe comment. *Tes affaires traînent dans ta chambre.* ■ vpr 1 Marcher avec peine. 2 Être languissant. *L'action se traîne.* 3 Se déplacer en rampant.

traîne-savates n inv Fam Oisif sans ressources.

training [-niŋ] nm Syn de survêtement. Loc *Training autogène :* méthode de relaxation.

traintrain nm inv Fam Routine.

traire vt 74 Tirer le lait des mamelles d'une vache, d'une chèvre.

trait nm 1 Ligne tracée avec un crayon, une plume, etc. 2 Manière d'exprimer, de dépeindre. *S'exprimer en traits nets et précis.* **3** Litt Plaisanterie acerbe, blessante. *Un trait mordant.* **4** Élément auquel on reconnaît clairement qqn ou qqch. *Trait de caractère.* **5** Manifestation remarquable. *Trait de bravoure.* **6** Litt Projectile, flèche. **Loc Avoir trait à :** avoir un rapport avec. *D'un trait :* en une fois. **Bête de trait :** propre à tirer une charge. ■ *pl* Lignes caractéristiques du visage.

traitant, ante *a* Qui soigne. **Loc Médecin traitant :** qui soigne habituellement. *Officier traitant :* qui est en contact avec un espion.

trait d'union *nm* Signe de ponctuation qui joint des mots. *Des traits d'union.*

traite *nf* **1** Trafic, commerce de personnes. *Traite des Noirs.* **2** Lettre de change, effet de commerce. **3** Action de traire. **Loc D'une traite :** sans s'interrompre.

traité *nm* **1** Ouvrage traitant d'un sujet déterminé. **2** Convention entre des États.

traitement *nm* **1** Comportement, manière d'agir envers qqn. **2** Moyens mis en œuvre pour soigner une maladie, un malade. **3** Opérations destinées à transformer une substance. **4** Manière de traiter une question, un problème. **5** Appointements d'un fonctionnaire. **Loc Traitement de texte :** opérations informatiques pour saisir, modifier et stocker des documents. **Mauvais traitements :** violences.

traiter *vt* **1** Agir, se conduire envers qqn d'une certaine manière. *Traiter qqn en ami.* **2** Qualifier qqn de. *Traiter qqn de menteur.* **3** Exposer un sujet oralement ou par écrit, disserter sur. *Traiter un problème.* **4** Représenter, exprimer. *Artiste qui traite un sujet.* **5** Négocier. *Traiter une affaire.* **6** Soigner. *Traiter un malade.* **7** Soumettre à un traitement pour modifier. *Traiter un minerai.* **8** Recevoir à sa table. *Traiter qqn.* ■ *vti* **1** Avoir pour sujet. *Ouvrage qui traite d'astronomie.* **2** Négocier avec qqn.

traiteur *nm* Commerçant qui prépare des plats cuisinés.

traître, traîtresse *a, n* Qui trahit. ■ *a* Plus dangereux qu'il ne le paraît. *Un vin traître.* **Loc Ne pas dire un traître mot :** rester silencieux.

traîtrise *nf* **1** Caractère traître de qqn, de qqch. **2** Piège imprévisible.

trajectoire *nf* **1** Courbe décrite par un mobile, un projectile. **2** Cheminement. *Trajectoire professionnelle.*

trajet *nm* **1** Espace à parcourir d'un point à un autre. **2** Action de parcourir cet espace ; temps nécessaire pour l'accomplir.

tralala *nm* Fam Faste et affectation.

tram *nm* Abrév courante de *tramway.*

trame *nf* **1** Ensemble des fils passés au travers des fils de chaîne pour former un tissu. **2** Ce qui constitue le fond des événements, d'un ouvrage. **3** Lignes constituant l'image de télévision.

tramer *vt* **1** Tisser en passant la trame entre les fils de chaîne. **2** Élaborer une intrigue, un complot. ■ *vpr* Se préparer (intrigue, complot).

traminot *nm* Qui conduit un tramway.

tramontane *nf* Vent du nord du Languedoc.

trampoline *nm* Tremplin très souple sur lequel on exécute des sauts.

tramway [tramwε] *nm* Transport urbain électrifié, sur rails (abrév tram).

tranchant, ante *a* **1** Qui coupe bien. **2** Péremptoire, impérieux. *Ton tranchant.* ■ *nm* Fil d'une lame, d'une matière tranchante. **Loc À double tranchant :** qui peut se retourner contre celui qui utilise ce moyen.

tranche *nf* **1** Morceau mince coupé sur toute la largeur. *Tranche de jambon.* **2** Fraction d'un tout. *Tranche de vie. Les tranches de l'impôt sur le revenu.* **3** Bord, côté d'un objet. *Tranche d'une pièce de monnaie.* **4** En boucherie, partie moyenne de la cuisse du bœuf.

tranché, ée *a* **1** Net, bien marqué. *Couleurs tranchées.* **2** Catégorique. *Opinion tranchée.*

tranchée *nf* **1** Excavation pratiquée dans le sol pour asseoir des fondations, placer des conduites, etc. **2** MILIT Fossé aménagé pour servir de couvert et de position de tir. ■ *pl* MED Coliques violentes.

trancher *vt* **1** Séparer en coupant. *Trancher une amarre.* **2** Résoudre définitivement. *Il faut trancher cette difficulté.* ■ *vti* **1** Décider de façon catégorique. *Il tranche sur tout.* **2** Contraster, ressortir sur. *Ces couleurs tranchent sur le fond.*

tranchoir *nm* **1** Planche pour couper la viande. **2** Couteau servant à trancher.

tranquille *a* **1** Qui n'est pas agité. *Mer tranquille. Un enfant tranquille.* **2** En paix, sans inquiétude.

tranquillisant *nm* Médicament qui a un effet sédatif (neuroleptique) et dissipe l'anxiété.

tranquilliser *vt* Rassurer qqn. ■ *vpr* Cesser de se soucier, de s'inquiéter.

tranquillité *nf* **1** État de ce qui est calme. **2** État de qqn sans inquiétude, sans angoisse.

transaction *nf* **1** DR Accord entre les parties, moyennant des concessions réciproques. **2** Opération boursière ou commerciale.

transactionnel, elle *a* Propre à une transaction.

transalpin, ine *a* Au-delà des Alpes.

transaméricain, aine *a* Qui traverse l'Amérique.

transaminase *nf* Enzyme dont le taux s'élève en cas d'infarctus.

transandin, ine *a* Qui traverse les Andes.

transat [-zat] *nm* Fam Chaise longue pliante. ■ *nf* Course en solitaire, à bord d'un voilier, à travers l'Atlantique.

transatlantique *a* Qui traverse l'Atlantique. ■ *nm* Paquebot assurant la liaison régulière entre l'Europe et l'Amérique.

transbahuter *vt* Fam Transporter.

transborder *vt* Faire passer des voyageurs, des marchandises d'un navire à un autre, d'un avion, d'un train à un autre.

transbordeur *nm, am* Appareil servant à transborder. Syn. ferry-boat.

transcanadien, enne *a* Qui traverse le Canada.

transcendant, ante *a* **1** Qui excelle en son genre, supérieur. **2** PHILO Qui dépasse un certain ordre de réalités.

transcendental, ale, aux *a* PHILO Qui est condition a priori de l'expérience.

transcender *vt* **1** Dépasser, être supérieur. **2** PHILO Dépasser les possibilités de l'entendement. ■ *vpr* Se dépasser.

transcoder *vt* Traduire dans un autre code.

transcodeur *nm* Appareil servant à transcoder.

transcontinental, ale, aux *a* Qui traverse un continent.

transcription *nf* **1** Action de transcrire un écrit, une œuvre musicale. **2** DR Reproduction d'un acte juridique sur les registres publics.

transcrire *vt* **61 1** Copier, reporter fidèlement un écrit sur un autre support. **2** Transposer un énoncé d'un code dans un autre. *Transcrire un mot grec en caractères latins.* **3** MUS Arranger un morceau pour un instrument autre que celui pour lequel il a été écrit.

transculturel, elle *a* Propre aux relations entre cultures différentes.

transdermique ou **transcutané, ée** *a* PHARM Qui agit en traversant la peau (médicament).

transe *nf* Loc *Être, entrer en transe* : perdre tout contrôle de soi, être surexcité. ■ *pl* Loc *Être dans les transes* : très anxieux.

transept [-sept] *nm* Nef transversale d'une église formant une croix avec la nef principale.

transférer *vt* **12 1** Faire passer qqn, qqch d'un lieu, d'un emploi dans un autre. **2** Céder, transmettre légalement qqch à qqn.

transfert *nm* **1** Action de transférer qqn ou qqch. **2** ÉCON Redistribution des revenus par l'État, la Sécurité sociale, etc. **3** PSYCHAN Report d'un état affectif sur une autre personne que celle qui l'a provoquée.

transfigurer *vt* Transformer en rendant beau, radieux.

transfo *nm* Fam Transformateur.

transformateur, trice *a* Qui transforme. ■ *nm* Appareil usant d'une énergie électrique d'un circuit à un autre après en avoir modifié la tension.

transformation *nf* Action de transformer ; modification, changement.

transformer *vt* **1** Donner à qqn, qqch une autre forme, un autre aspect. **2** Changer le caractère de qqn. *Cette épreuve l'a transformé.* ■ *vpr* Prendre un aspect, un caractère différent.

transformisme *nm* Théorie de l'évolution des êtres vivants selon laquelle les organismes se transforment progressivement en d'autres.

transfrontalier, ère *a* Qui concerne les relations de deux pays limitrophes.

transfuge *nm* Militaire qui passe à l'ennemi. ■ *n* Qui abandonne son parti, ses opinions pour un parti, des opinions adverses.

transfuser *vt* Injecter du sang à qqn par une transfusion.

transfuseur *nm* Qui pratique des transfusions sanguines.

transfusion *nf* MED Opération consistant à injecter du sang dans les veines de qqn.

transgenèse *nf* BIOL Modification génétique d'un organisme.

transgénique *a* BIOL Se dit d'un être vivant dont on a modifié les caractères génétiques.

transgresser *vt* Contrevenir à un ordre, à une loi ; enfreindre.

transgression *nf* Action de transgresser.

transhumance *nf* Fait de transhumer.

transhumer *vt* Mener les troupeaux dans les alpages pour l'été et les en faire redescendre avant l'hiver. ■ *vi* Changer de pâturages selon les saisons (troupeaux).

transi, ie *a* Pénétré, saisi de froid.

transiger *vi* 11 1 Faire des concessions réciproques. 2 Être peu exigeant, manquer de fermeté. *Transiger avec sa conscience.*

transistor *nm* 1 Composant électronique pour amplifier les signaux. 2 Radiorécepteur portatif muni de transistors.

transit [-zit] *nm* 1 Passage de marchandises, de voyageurs, à travers un lieu situé sur leur itinéraire. 2 PHYSIOL Progression du bol alimentaire dans le tube digestif.

transitaire *a* Du transit. ■ *nm* Commissionnaire qui transite les marchandises.

transiter *vt* Faire passer en transit. ■ *vi* Voyager en transit.

transitif, ive *a*, *nm* GRAM Se dit d'un verbe qui admet un complément d'objet direct ou indirect (ex. : *manger un sandwich ; ressembler à son père*).

transition *nf* 1 Manière de passer d'une partie d'un discours à une autre, de lier des idées. 2 Passage graduel d'un état, d'un ordre à un autre.

transitoire *a* 1 Qui ne dure pas longtemps. 2 Qui forme une transition entre deux états.

translation *nf* 1 DR Action de transmettre une propriété, un droit. 2 MATH Transformation dans laquelle toutes les parties d'un corps gardent une direction constante.

translittération *nf* LING Transcription lettre pour lettre des mots d'une langue dans un autre alphabet.

translucide *a* Qui laisse passer la lumière sans être totalement transparent.

transmetteur, trice *a, nm* Qui transmet des sons, des signaux.

transmettre *vt* 64 1 Mettre en possession de qqn d'autre. *Transmettre un héritage.* 2 Communiquer qqch à qqn. *Transmettre une maladie.* 3 Faire passer d'un organe à un autre. *Dispositif qui transmet le mouvement.* ■ *vpr* Se propager. *Le sida se transmet par le sang.*

transmigration *nf* Métempsycose.

transmigrer *vi* RELIG Passer d'un corps dans un autre (âmes).

transmissible *a* Qui peut être transmis.

transmission *nf* 1 Action de transmettre. 2 TECH Organe qui transmet un mouvement. **Loc** *Transmission de pensée :* télépathie. ■ *pl* Moyens qui permettent aux troupes et aux états-majors de communiquer.

transmuer ou **transmuter** *vt* Transformer un corps en un autre de nature différente.

transnational, ale, aux *a* Qui dépasse le cadre national.

transocéanique *a* 1 Situé au-delà de l'océan. 2 Qui traverse l'océan.

transparaître *vi* 55 1 Paraître à travers qqch de transparent, de translucide. 2 Devenir visible. *Son émotion transparaît.*

transparence *nf* Propriété de ce qui est transparent.

transparent, ente *a* 1 Qui laisse passer la lumière au travers de quoi on voit distinctement. 2 Qui se laisse deviner. *Des intentions* *transparentes.* **3** Qui ne dissimule pas ses activités, ses revenus. ■ *nm* Surface de matière transparente permettant certaines opérations.

transpercer *vt* **10 1** Percer de part en part. **2** Pénétrer à travers. *La pluie a transpercé son manteau.*

transpiration *nf* Excrétion de la sueur par les pores de la peau.

transpirer *vi* **1** Suer. **2** Commencer à être connu. *Le secret avait transpiré.*

transplant *nm* CHIR Organe, tissu transplanté.

transplantation *nf* Action de transplanter.

transplanter *vt* **1** Sortir une plante de terre pour la replanter dans un autre endroit. **2** CHIR Greffer sur qqn (receveur) un organe prélevé sur un autre individu (donneur). **3** Faire passer d'un pays ou d'un milieu dans un autre.

transport *nm* **1** Action de transporter qqn, qqch dans un autre lieu. **2** Navire, avion destiné à transporter des troupes, du matériel. Loc Litt *Transport de joie* : grande joie. ■ *pl* Moyens permettant le déplacement de personnes ou des marchandises.

transporter *vt* **1** Porter d'un lieu dans un autre. **2** Faire passer dans un autre domaine. *Transporter des faits réels dans un roman.* **3** Mettre qqn hors de soi-même. *Être transporté d'admiration.* ■ *vpr* Se rendre en un lieu.

transporteur *nm* **1** Qui transporte des marchandises ou des personnes. **2** Engin destiné au transport continu de matériaux.

transposer *vt* **1** Présenter sous une autre forme ou dans un autre contexte. **2** Intervertir des objets ; permuter. **3** MUS Transcrire ou exécuter dans un autre ton que celui dans lequel le morceau a été écrit.

transposition *nf* Action de transposer.

transpyrénéen, enne *a* Qui traverse les Pyrénées.

transsaharien, enne *a* Qui traverse le Sahara.

transsexuel, elle *a, n* Qui est convaincu d'appartenir à l'autre sexe et qui se conforme à cette conviction.

transsibérien, enne *a* Qui traverse la Sibérie.

transsonique *a* PHYS Se dit d'une vitesse voisine de celle du son.

transuranien *nm* CHIM Élément produit dans les réacteurs nucléaires (p. ex. le plutonium).

transvaser *vt* Faire passer un liquide d'un récipient dans un autre.

transversal, ale, aux *a* **1** Qui coupe qqch en travers, perpendiculairement à l'axe principal. *Route transversale.* **2** Qui recoupe plusieurs domaines de la connaissance. ■ *nf* Ligne, droite, route transversale.

transverse *a* ANAT En travers de l'axe du corps.

trapèze *nm* **1** GEOM Quadrilatère comportant deux côtés parallèles et inégaux. **2** Appareil composé d'une barre de bois horizontale suspendue par ses extrémités à deux cordes. **3** ANAT Muscle du cou et de l'épaule.

trapéziste *n* Acrobate qui fait du trapèze.

trapézoïdal, ale, aux *a* En forme de trapèze.

trappe *nf* **1** Piège formé d'un trou recouvert par des branchages. **2** Ouverture munie d'un abattant, ménagée dans un plancher, un plafond, une paroi.

trappeur *nm* Chasseur de bêtes à fourrure, en Amérique du Nord.

trappiste *nm* **trappistine** *nf* Religieux, religieuse de l'ordre de la Trappe.

trapu, ue *a* **1** Large et court, donnant une impression de force et de solidité. **2** Pop Très fort, savant.

traque *nf* Fam Action de traquer.

traquenard *nm* **1** Piège pour prendre les animaux nuisibles. **2** Piège tendu à qqn.

traquer *vt* **1** Pourchasser du gibier en le rabattant vers les chasseurs. **2** Serrer de près, poursuivre qqn avec acharnement.

trattoria *nf* Petit restaurant italien.

trauma *nm* MED **1** Lésion produite par un impact. **2** Violent choc émotif.

traumatique *a* MED D'un trauma ou d'un traumatisme. *Choc traumatique.*

traumatiser vt Infliger un traumatisme à qqn.

traumatisme nm 1 Perturbation provoquée par un trauma. 2 Violent choc émotionnel.

traumatologie nf MED Traitement des traumatismes.

travail, aux nm 1 Effort long et pénible. *Ces lignes sentent le travail.* 2 MED Période de l'accouchement où se produisent les contractions utérines. 3 Altération ou déformation d'une matière. *Le travail du bois sous l'action de l'humidité.* 4 Activité, action de qqch. *Le travail d'une machine, de l'imagination.* 5 Activité économique du marché, d'un pays ; la population active. *La division du travail. Le monde du travail.* 6 Manière dont est façonnée une matière ; l'ouvrage obtenu. *Travail très soigné.* 7 Activité rémunérée ; lieu de cette activité. *Perdre son travail.* Loc *Travail d'intérêt général* : travail imposé à un délinquant comme substitution de peine. ■ pl **travaux** 1 Opérations propres à une activité. *Travaux ménagers.* 2 Discussions, débats d'une assemblée. 3 Recherches dans le domaine intellectuel ; ouvrage. Loc *Travaux publics* : ouvrages d'art, d'équipement, etc., exécutés pour le compte de l'État ou des collectivités locales. *Travaux forcés* : peine que le condamné exécutait dans un bagne.

travailler vi 1 Avoir une activité professionnelle. 2 Se consacrer à une tâche. 3 Fonctionner, produire. *Usine qui travaille pour l'exportation.* 4 Faire travailler son argent. 4 Se déformer, se modifier sous l'effet d'un agent extérieur. *Bois qui a travaillé.* ■ vt 1 Façonner. *Travailler le bois, la pâte.* 2 Soigner, perfectionner. *Travailler son style.* 3 Étudier. *Travailler le piano.* 4 Tourmenter, préoccuper. *Ce problème le travaille.* 5 Manipuler, chercher à influencer. *Travailler l'opinion.* ■ vti Se donner de la peine pour. *Travailler à un livre, à redresser la situation.*

travailleur, euse n 1 Qui travaille, se consacre à une tâche. *Travailleur manuel.* 2 Qui exerce une activité rémunérée. Loc *Travailleurs sociaux* : chargés de porter assistance aux personnes en difficulté. ■ a, n Qui aime le travail, est très actif.

travaillisme nm Doctrine, mouvement socialiste du Labour Party (parti du Travail), en Grande-Bretagne.

travée nf 1 Espace compris entre deux points d'appui d'une voûte, d'une charpente, etc. 2 Rangée de tables, de bancs.

traveller's chèque nm Chèque de voyage. *Des traveller's chèques.*

travelling [-liŋ] nm Mouvement de déplacement d'une caméra ; scène ainsi filmée.

travelo nm Pop Travesti (sens 2).

travers nm Petit défaut ou bizarrerie de l'esprit. Loc *À travers qqch* : en traversant. *Au travers (de)* : en traversant de part en part. *En travers de* : dans une position transversale. *De travers* : obliquement, de façon anormale ; mal, autrement qu'il ne faudrait. *À tort et à travers* : inconsidérément. *Travers de porc* : haut de côtes.

traverse nf 1 Pièce d'appui mise en travers dans certains ouvrages. 2 Pièce qui supporte les rails et maintient leur écartement. Loc *Chemin de traverse* : raccourci.

traversée nf Action de traverser la mer, un pays ; trajet ainsi fait. Loc *Traversée du désert* : éclipse dans la carrière d'un homme public.

traverser vt 1 Passer à travers, d'un côté à l'autre. *Traverser une rue.* 2 Couper. *La route nationale traverse une voie ferrée.* 3 Pénétrer. *La pluie a traversé son manteau.* 4 Vivre, passer par. *Elle a traversé des moments difficiles.*

traversière af Loc *Flûte traversière* : qu'on tient parallèlement à la bouche.

traversin nm Coussin qui s'étend sur toute la largeur du lit.

travertin nm Roche calcaire formée par les dépôts d'une source.

travesti, ie a, n Qui porte un déguisement. ■ a Où on est déguisé. *Bal travesti.* ■ nm 1 Déguisement. 2 Homosexuel qui s'habille en femme.

travestir vt 1 Déguiser. 2 Donner une apparence trompeuse ; falsifier. *Travestir la vérité.* ■ vpr Revêtir un déguisement.

travestisme nm Adoption par qqn des vêtements et des comportements de l'autre sexe.

travestissement nm 1 Déguisement.
2 Falsification.

traviole (de) av Fam De travers.

trayeuse nf Machine à traire.

trayon nm Extrémité du pis d'une vache,
d'une chèvre, etc.

trébuchant, ante a Loc *Espèces sonnantes et trébuchants :* argent liquide.

trébucher vi 1 Faire un faux pas, perdre
l'équilibre. *Trébucher sur, contre une pierre.*
2 Buter sur une difficulté.

trébuchet nm 1 Piège pour petits oiseaux.
2 Petite balance pour peser des corps légers.

tréfiler vt TECH Faire passer un métal à travers une filière pour l'étirer en fil.

trèfle nm 1 Plante aux feuilles composées
de trois folioles et qui fournit du fourrage.
2 Une des couleurs noires du jeu de cartes.

tréfonds nm Litt Ce qu'il y a de plus profond, de plus secret. *Au tréfonds de son âme.*

treillage nm Assemblage de lattes pour
faire les palissades, des espaliers, etc.

treille nf Vigne grimpant le long d'un mur,
d'un arbre, disposée sur un châssis, etc.

treillis nm 1 Réseau à claire-voie plus ou
moins serré. *Jardin clos par un treillis.* 2 Tenue
de combat des militaires.

treize a num 1 Dix plus trois (13). 2 Treizième. *Chapitre treize.* ■ nm inv Nombre, numéro treize. Loc *Jeu à treize :* rugby qui se
joue avec treize joueurs.

treizième a num 1 Au rang, au degré treize.
■ a, n Contenu treize fois dans un tout.

treiziste nm Joueur de rugby à treize.

trekking [tʀekiŋ] nm Randonnée pédestre
dans des sites difficiles d'accès.

tréma nm Signe graphique (¨) mis sur les
voyelles e, i, u pour indiquer qu'on doit prononcer séparément la voyelle qui le précède
(ex. : *aiguë, naïf*).

trématode nm ZOOL Ver plat parasite.

tremblant, ante a Qui tremble. *Voix
tremblante.* ■ nm Maladie virale du mouton.

tremble nm Peuplier aux feuilles très mobiles.

tremblement nm 1 Agitation rapide et involontaire du corps. 2 Oscillations, secousses
agitant qqch. 3 Variations d'intensité. *Avoir*
des tremblements dans la voix. Loc *Tremble-*
ment de terre : séisme, ébranlement de la
croûte terrestre.

trembler vi 1 Être pris de tremblements.
Trembler de froid. 2 Éprouver une grande
crainte ; avoir peur. 3 Être ébranlé, agité de secousses. *La terre a tremblé.* 4 Subir des variations d'intensité. *Ma voix tremble.*

tremblote nf Loc Fam *Avoir la tremblote :*
trembler de froid ou de peur.

trembloter vi Trembler légèrement.

trémie nf Grand récipient en forme de pyramide renversée, pour le stockage de produits
en vrac.

trémière af Loc *Rose trémière :* plante ornementale aux grandes fleurs colorées.

trémolo nm 1 Effet de vibration obtenu en
battant une note plusieurs fois d'un même
coup d'archet. 2 Tremblement de la voix.

trémousser (se) vpr S'agiter avec des
mouvements vifs et irréguliers.

trempe nf 1 TECH Refroidissement brusque
par immersion d'une pièce métallique portée
à haute température pour en augmenter la dureté. 2 Qualité, vigueur du caractère. 3 Pop Volée de coups.

trempé, ée a Loc *Bien trempé :* énergique.

tremper vt 1 Mouiller complètement. *Se*
faire tremper. 2 Plonger dans un liquide.
Tremper son pain dans son café. 3 Faire subir
la trempe à une pièce métallique. ■ vi 1 Demeurer dans un liquide. *Mettre du linge à*
tremper. 2 Prendre part à une action répréhensible. *Tremper dans un hold-up.*

trempette nf Loc Fam *Faire trempette :* se
baigner rapidement ou dans peu d'eau.

tremplin nm 1 Planche élastique sur laquelle court et rebondit un sauteur ou un plongeur. 2 Ce qui lance qqn, l'aide à parvenir à
une situation sociale élevée.

trench-coat [tʀɛnʃkot] nm Manteau imperméable. *Des trench-coats.*

trentaine nf 1 Nombre de trente ou environ. 2 Âge de trente ans.

trente a num **1** Trois fois dix (30). **2** Trentième. *Page trente.* ■ nm inv Nombre trente. Loc Fam *Se mettre sur son trente et un :* mettre ses vêtements les plus élégants.

trente-et-quarante nm inv Jeu de cartes de casino.

trentenaire a Qui dure trente ans. ■ *a, n* Qui a entre trente et quarante ans.

trente-six a num Nombre important indéterminé. *Voir trente-six chandelles.*

trentième a num Au rang, au degré trente. ■ *a, nm* Contenu trente fois dans un tout.

trépan nm **1** CHIR Instrument servant à percer les os du crâne. **2** TECH Instrument de forage.

trépanation nf CHIR Action de trépaner.

trépaner vt CHIR Perforer les os du crâne.

trépas nm Litt Décès, mort.

trépasser vi [aux être ou avoir] Litt Mourir.

trépidant, ante a Qui trépide. **2** Agité, fébrile. *Vie trépidante.*

trépider vi Être agité, trembler par petites secousses rapides.

trépied nm Meuble, support à trois pieds.

trépigner vi Frapper des pieds contre terre, à coups rapides et renouvelés.

trépointe nf TECH Bande de cuir servant à renforcer une couture.

tréponème nm Bactérie dont une espèce est l'agent de la syphilis.

très av Indique un degré élevé devant un adjectif, un adverbe.

trésor nm **1** Amas d'or, d'argent, d'objets précieux mis en réserve. **2** Bien particulièrement précieux. *Trésors artistiques.* **3** Personne très aimée. Loc *Le Trésor public* ou *le Trésor :* service de l'État assurant la rentrée des recettes et le règlement des dépenses publiques. ■ *pl* Abondance. *Dépenser des trésors de patience.*

trésorerie nf **1** Bureau d'un trésorier-payeur général. **2** Ressources immédiatement disponibles d'une entreprise ou d'un particulier.

trésorier, ère n Qui gère les finances d'une société, d'une association, etc.

trésorier-payeur nm Loc *Trésorier-payeur général :* fonctionnaire assumant la gestion des finances publiques dans un département. *Des trésoriers-payeurs.*

tressaillir vi 27 Avoir une brusque secousse involontaire sous l'effet d'une émotion, d'une douleur.

tressauter vi **1** Sursauter sous l'effet de la surprise. **2** Être secoué par des cahots.

tresse nf **1** Natte de cheveux entrelacés. **2** Cordon, galon fait de brins entrelacés.

tresser vt Mettre, arranger en tresse.

tréteau nm **1** Pièce de bois soutenant une table, une estrade. ■ *pl* Vx Théâtre.

treuil nm Tambour cylindrique sur lequel s'enroule un câble pour lever ou tirer une charge.

treuiller vt Lever des charges avec un treuil.

trêve nf **1** Suspension temporaire des hostilités d'un conflit. **2** Relâche, répit, repos. *Travailler sans trêve.* Loc *Trêve de :* assez de. *Trêve des confiseurs :* période de calme social et politique entre Noël et le jour de l'an.

trévise nf Salade rouge à feuilles allongées.

tri nm Action de trier.

triade nf **1** Groupe de trois unités, de trois personnes. **2** En Chine, société secrète, mafia.

trial nm Compétition de motos tout terrain. ■ nf Moto spécialement conçue pour ce sport. *Des trials.*

triangle nm **1** Polygone qui a trois côtés. **2** MUS Instrument fait d'une baguette métallique en triangle frappée avec une tige d'acier.

triangulaire a **1** En forme de triangle. **2** Dont la base est un triangle. **3** Qui oppose trois éléments, trois groupes. *Élection triangulaire.*

triangulation nf Établissement d'une carte en divisant le terrain en un réseau de triangles.

trias [-as] nm Période géologique la plus ancienne du secondaire.

triathlon nm Compétition comprenant trois épreuves (fond, course cycliste et natation).

triathlonien, enne n Qui pratique le triathlon.

tribal, ale, aux a Propre à la tribu.

tribalisme nm Organisation en tribus.

triboélectricité nf Électricité produite par frottement.

tribomètre nf PHYS Mesure des frottements.

tribord nm Côté droit d'un navire lorsqu'on regarde vers l'avant.

tribu nf 1 Groupe humain présentant une unité culturelle, dont les membres sous l'autorité d'un chef vivent sur un même territoire. 2 Fam Famille nombreuse.

tribulations nfpl Aventures, mésaventures.

tribun nm 1 ANTIQ Magistrat chargé de défendre les plébéiens. 2 Orateur populaire éloquent.

tribunal, aux nm 1 Lieu où la justice est rendue ; palais de justice. 2 Juridiction d'un ou de plusieurs magistrats ; ces magistrats. 3 Litt Ce qui juge. *Le tribunal de l'histoire.*

tribunat nm ANTIQ Charge de tribun.

tribune nf 1 Emplacement surélevé, réservé au public ou à quelques personnes dans des salles, des églises. *Tribune officielle.* 2 Dans un stade, un champ de courses, etc., gradins réservés aux spectateurs. 3 Estrade d'où parle un orateur. *Monter à la tribune.* 4 Rubrique d'un journal.

tribut nm Litt Contribution, impôt. **Loc** *Payer un lourd tribut à :* subir de graves dommages pour.

tributaire a Dépendant de. *Être tributaire de l'étranger pour l'électronique.* **Loc** *Fleuve tributaire d'une mer :* qui s'y jette.

tricard, arde n Pop Interdit de séjour.

tricentenaire nm Troisième centenaire.

tricéphale a Qui a trois têtes.

triceps nm ANAT Muscle ayant trois groupes de faisceaux musculaires.

triche nf Fam Action de tricher, de tromper.

tricher vi Agir d'une manière déloyale pour gagner, réussir. *Tricher au jeu. Tricher à un examen.* ■ vti 1 Tromper, mentir. *Tricher sur son âge.* 2 Dissimuler habilement un défaut.

tricherie nf Tromperie.

tricheur, euse n Qui triche.

trichine [-kin] nf Petit ver qui se développe dans l'intestin de l'homme et du porc.

trichinose [-kinoz] nf Maladie parasitaire due à une trichine.

trichloréthylène nm Composé chloré utilisé pour le nettoyage à sec.

tricholome [-kɔlɔm] nm Petit champignon à lamelles.

trichomonas [-kɔmɔnas] nm Protozoaire parasite de l'intestin ou du vagin.

trichromie nf Reproduction en couleurs à partir des trois couleurs primaires.

tricolore a De trois couleurs. ■ a, n Qui porte les couleurs (bleu, blanc, rouge) de la France.

tricorne nm Chapeau à trois cornes.

tricot nm 1 Action de tricoter, d'exécuter avec des aiguilles spéciales un tissu un mailles. 2 Tissu de mailles, fait à la main ou au métier. 3 Vêtement (veste, chandail, maillot de corps) couvrant le haut du corps.

tricoter vt, vi Confectionner au tricot.

tricoteur, euse n Qui tricote. ■ nf Machine à tricoter.

trictrac nm Jeu de dés, ancêtre du jacquet.

tricycle nm Cycle à trois roues.

tridacne nm Mollusque du Pacifique. **Syn.** bénitier.

tridactyle a Qui a trois doigts.

trident nm Fourche à trois dents.

tridimensionnel, elle a À trois dimensions.

trièdre a, nm Qui a trois faces.

triennal, ale,aux a 1 Qui dure trois ans. 2 Qui a lieu tous les trois ans.

trier vt 1 Choisir parmi plusieurs éléments en laissant de côté ce qui ne convient pas. *Trier des lentilles.* 2 Séparer pour répartir et regrouper. *Trier du courrier.*

trière ou **trirème** nf ANTIQ Vaisseau de guerre à trois rangs de rameurs superposés.

trieur, euse n Qui effectue un triage. ■ nf Machine utilisée pour trier.

trifouiller vi Fam Fouiller en tous sens.

triglycéride nm Lipide présent dans le sang.

trigone a, nm Qui a trois angles.

trigonocéphale nm Serpent très venimeux voisin du crotale.

trigonométrie nf Étude des relations entre les angles et les côtés d'un triangle.

trigramme nm 1 Mot de trois lettres. 2 Signe ou figure constitués de trois éléments.

trijumeau nm Nerf crânien divisé en trois branches (œil et maxillaires).

trilatéral, ale,aux a Qui a trois côtés.

trilingue a En trois langues. ■ a, n Qui parle trois langues.

trille nm MUS Ornement consistant en une alternance rapide entre deux notes voisines.

trillion nm Un milliard de milliards (10^{18}).

trilobite nm Arthropode fossile du primaire.

trilogie nf Ensemble de trois œuvres dont les sujets se font suite.

trimaran nm Voilier comportant une coque reliée par des bras à deux flotteurs latéraux.

trimbaler ou **trimballer** vt Fam Traîner, porter partout avec soi. ■ vpr Fam Aller et venir.

trimer vi Fam Travailler dur.

trimestre nm 1 Période de trois mois. 2 Division de l'année scolaire. 3 Somme payée ou reçue tous les trois mois.

trimestriel, elle a Qui a lieu tous les trois mois, qui dure trois mois.

tringle nf Tige métallique servant à soutenir un rideau, des cintres, etc.

trinidadien, enne a, n De Trinité-et-Tobago.

trinité nf (avec majusc) Dans la religion chrétienne, union de trois personnes distinctes qui ne forment qu'un seul Dieu : le Père, le Fils et l'Esprit-Saint.

trinitrotoluène nm Explosif de grande puissance (abrév : TNT).

trinôme nm MATH Polynôme à trois termes.

trinquer vi 1 Boire à la santé de qqn en choquant son verre. 2 Fam Subir de graves préjudices.

trinquet nm Salle où l'on joue à la pelote basque.

trio nm 1 Groupe de trois personnes. 2 Formation de trois musiciens. 3 Morceau de musique pour trois voix ou instruments.

triode nf Tube électronique à trois électrodes pour amplifier un signal.

triolet nm Petit poème de huit vers, sur deux rimes.

triomphal, ale,aux a 1 Qui constitue une réussite éclatante. Élection triomphale. 2 Enthousiaste. Accueil triomphal.

triomphalisme nm Attitude de confiance excessive dans les succès remportés.

triomphant, ante a 1 Victorieux. 2 Qui marque une intense satisfaction après un succès.

triomphateur, trice n Qui remporte un éclatant succès.

triomphe nm 1 Grande victoire, succès éclatant. 2 Manifestation la plus éclatante de. Le triomphe de la médiocrité.

triompher vti L'emporter sur un adversaire, se rendre maître d'une force contraire. Triompher d'une difficulté. ■ vi 1 Remporter un grand succès. 2 S'imposer avec éclat. La vérité triomphera. 3 Manifester, avec vanité, une grande joie.

trip nm Fam État hallucinatoire dû à la prise d'une drogue.

tripaille nf Fam Amas de tripes.

triparti, ie ou **tripartite** a 1 Partagé en trois. 2 Qui réunit trois parties contractantes.

tripartisme nm Gouvernement où le pouvoir est exercé par trois partis.

tripatouiller vt Fam 1 Faire subir des modifications malhonnêtes à qqch. Tripatouiller des comptes. 2 Manier avec précaution.

tripe nfpl 1 Estomac des ruminants préparé et cuisiné. 2 Pop Entrailles, viscères. 3 Fam Ce qu'il y a de plus intime chez qqn.

triperie nf Commerce du tripier.

tripette nf Loc Fam Ça ne vaut pas tripette : ça ne vaut rien.

triphasé, ée a ELECTR Se dit d'un système à trois phases.

tripier, ère n Qui vend des tripes et des abats.

triple a 1 Qui comporte trois éléments. Un triple nœud. 2 Fam Marque un degré élevé. Un triple idiot. ■ a, nm Trois fois plus grand. Une triple dose. Demander le triple.

triplé, ée n Chacun des trois enfants nés d'un même accouchement. ■ nm Série de trois victoires.

tripler vt, vi (Se) multiplier par trois.

triplet nm Didac Ensemble de trois éléments.

triplette nf Équipe de trois joueurs, aux boules, à la pétanque.

triplex nm **1** Appartement à trois niveaux. **2** (n déposé) Verre de sécurité.

triporteur nm Tricycle muni d'une caisse à l'avant pour les marchandises.

tripot nm Maison de jeu.

tripotée nf Pop **1** Volée de coups. **2** Grand nombre.

tripoter vt Pop Toucher, manier sans cesse. ■ vi Pop Se livrer à des opérations louches.

tripoux nmpl Plat auvergnat composé de tripes et de pieds de mouton.

triptyque nm **1** Triple panneau peint ou sculpté à deux volets repliables sur le panneau central. **2** Œuvre littéraire, musicale en trois parties. **3** Document douanier en trois feuillets. **4** Projet qui comporte trois parties.

trique nf Gros bâton court.

trirème. V. trière.

trisaïeul, eule nm Père, mère de l'arrière-grand-père, de l'arrière-grand-mère.

trisannuel, elle a **1** Qui a lieu tous les trois ans. **2** Qui dure trois ans.

trisomie nf Anomalie génétique due à la présence de trois chromosomes au lieu d'une paire. Loc Trisomie 21 : mongolisme.

trisomique a, n Mongolien.

trisser (se) vpr Pop Courir très vite.

triste a **1** Qui éprouve du chagrin, de la dépression, de la mélancolie. Ant. gai. **2** Qui dénote le chagrin, la peine. **3** Affligeant, pénible. Il a eu une triste fin. **4** (devant un nom) Méprisable. Un triste individu.

tristesse nf **1** Chagrin, mélancolie. **2** Caractère triste. La tristesse d'un paysage.

trisyllabique a De trois syllabes.

trithérapie nf Prescription conjointe de trois antiviraux dans le traitement du sida.

triticale nm Hybride du blé et du seigle.

tritium [-tjɔm] nm Isotope radioactif de l'hydrogène.

triton nm **1** Amphibien qui vit près des eaux stagnantes. **2** Mollusque à la coquille (conque) utilisée comme trompette de guerre.

triturateur nm Machine à triturer ; broyeur.

triturer vt **1** Broyer pour réduire en éléments plus petits. **2** Manier en tordant. Loc Fam Se triturer les méninges : se creuser la tête.

triumvir [trijɔm-] nm ANTIQ Membre d'un collège de trois magistrats.

triumvirat [trijɔm-] nm **1** ANTIQ Charge d'un triumvir. **2** Union de trois personnes pour exercer un pouvoir.

trivalent, ente a CHIM Qui a une valence triple.

trivial, ale, aux a **1** D'une simplicité très grande ; très courant. Notion triviale. **2** Grossier, malséant, vulgaire. Mot trivial.

trivialité nf **1** Litt Banalité. **2** Caractère choquant, vulgaire ; grossièreté.

troc nm Échange d'objets, sans l'intermédiaire de la monnaie.

trocart nm CHIR Instrument pour pratiquer des ponctions.

trochanter [-kɑ̃ter] nm ANAT Apophyse de la partie supérieure du fémur.

trochée nm Pied de la métrique grecque ou latine composé d'une longue et d'une brève.

troène nm Arbuste ornemental taillé en haie, à fleurs blanches odorantes.

troglodyte nm **1** Qui vit dans une grotte. **2** Passereau marchant la queue relevée.

trogne nf Fam Visage plein et rubicond.

trognon nm Partie centrale, non comestible, d'un fruit à pépins ou d'un légume. ■ a inv Fam Charmant, gentil.

troïka nf Traîneau russe tiré par trois chevaux.

trois a num **1** Deux plus un (3). **2** Troisième. Page trois. Loc Règle de trois : opération arithmétique permettant de calculer l'un des quatre termes d'une proportion dont on connaît les trois autres. ■ nm inv Le nombre, le chiffre ou le numéro trois.

trois-D nf Reproduction d'un objet en trois dimensions grâce à des images de synthèse créées informatiquement.

trois-huit nmpl Système de travail dans lequel trois équipes se relaient toutes les huit heures.

troisième *a num* Au rang, au degré trois. ■ *a, nm* Contenu trois fois dans un tout. ■ *nf* 1 Quatrième classe de l'enseignement secondaire. 2 Troisième vitesse.

trois-mâts *nm inv* Voilier à trois mâts.

trois-quarts *nm inv* 1 Manteau court. 2 Joueur de rugby situé entre les demis et l'arrière.

troll *nm* Lutin des légendes scandinaves.

trolleybus ou **trolley** *nm* Autobus électrique alimenté par une ligne aérienne.

trombe *nf* Cyclone caractérisé par une colonne de nuages tourbillonnante et aspirante. Loc *Trombe d'eau* : averse très violente. *En trombe* : très vite et brusquement.

trombidion *nm* Acarien dont les larves (aoûtats) piquent l'homme.

trombine *nf* Pop Visage, tête.

trombinoscope *nm* Fam Document rassemblant les portraits des membres d'un groupe.

tromblon *nm* Vieux fusil au canon évasé.

trombone *nm* 1 Agrafe servant à assembler des papiers. 2 Instrument à vent à embouchure et à pistons. Loc *Trombone à coulisse* : instrument à vent formé de deux tubes en U qui glissent l'un dans l'autre.

trompe *nf* 1 Appendice plus ou moins développé chez le tapir et l'éléphant ou chez certains insectes. 2 Instrument à vent, en cuivre et recourbé. Loc ANAT *Trompe d'Eustache* : conduit qui unit l'oreille au pharynx. *Trompe utérine* ou *trompe de Fallope* : conduit qui va de l'utérus à l'un des deux ovaires.

trompe-l'œil *nm inv* 1 Peinture donnant l'illusion d'un véritable relief. 2 Ce qui fait illusion.

tromper *vt* 1 Induire volontairement qqn en erreur. 2 Être infidèle en amour. 3 Mettre en défaut. *Tromper la vigilance de qqn.* 4 Faire diversion à. *Tromper son ennui.* ■ *vpr* 1 Commettre une erreur. 2 Prendre une chose pour une autre. *Vous vous trompez de numéro.*

tromperie *nf* Action de tromper.

trompette *nf* Instrument de musique à vent à embouchure, de la famille des cuivres. Loc *Nez en trompette* : relevé. ■ *nm* Trompettiste.

trompette-de-la-mort ou **trompette-des-morts** *nf* Champignon comestible noir. Syn. craterelle. *Des trompettes-de-la-mort.*

trompettiste *n* Joueur de trompette.

trompeur, euse, *a/n* Qui induit en erreur.

tronc *nm* 1 Partie de la tige des arbres, depuis les racines jusqu'aux branches. 2 Partie centrale du corps sur laquelle s'attachent la tête et les membres. 3 Partie la plus grosse d'un vaisseau ou d'un nerf d'où partent des branches. 4 Boîte pour recevoir les offrandes dans une église. 5 GEOM Solide compris entre la base et une section plane parallèle. *Tronc de cône.* Loc *Tronc commun* : partie commune dans une formation, un enseignement.

troncation *nf* LING Abrègement d'un mot.

tronche *nf* Pop Visage, tête.

tronçon *nm* 1 Morceau coupé d'un objet long. 2 Partie d'une route.

tronconique *a* En forme de tronc de cône.

tronçonner *vt* Couper, débiter en tronçons.

tronçonneuse *nf* Machine pour tronçonner le bois.

trône *nm* 1 Siège élevé où les souverains, le pape prennent place dans des cérémonies. 2 Litt Pouvoir souverain.

trôner *vi* 1 Être assis avec solennité à une place d'honneur. 2 Être placé bien en vue. *Ses diplômes trônaient sur la cheminée.*

tronquer *vt* Effectuer des suppressions importantes dans un texte.

trop *av* À un degré excessif, en quantité excessive. *Il est trop jeune. Il a trop de travail.* Loc *De trop, en trop* : au-delà du nécessaire. Litt *Par trop* : réellement trop.

trope *nm* RHET Figure de style ; emploi des mots hors de leur usage habituel.

trophée *nm* Objet qui témoigne d'une victoire, d'un succès.

tropical, ale,aux *a* 1 Des tropiques. 2 Très chaud. *Température tropicale.*

tropique *nm* Chacun des deux parallèles distants de l'équateur de 23° 27'. Loc *Tropique du Cancer* : de l'hémisphère Nord.

pique du Capricorne : de l'hémisphère Sud. ■ *pl* Région comprise entre les deux tropiques.

tropisme *nm* BIOL Mouvement par lequel un organisme s'oriente par rapport à une excitation extérieure.

tropopause *nf* Limite entre la troposphère et la stratosphère.

troposphère *nf* Partie de l'atmosphère située entre le sol et 10 km environ.

trop-perçu *nm* Somme perçue en trop. *Des trop-perçus.*

trop-plein *nm* 1 Ce qui excède la capacité d'un récipient. 2 Ce qui est en excès. *Un trop-plein d'énergie.* 3 Dispositif qui sert à évacuer un liquide en excès. *Des trop-pleins.*

troquer *vt* Échanger une chose contre une autre.

troquet *nm* Fam Petit café, bar.

trot *nm* Allure du cheval intermédiaire entre le pas et le galop.

trotskisme *nm* Doctrine politique de Trotski, selon laquelle la révolution doit être permanente et mondiale.

trotte *nf* Fam Distance assez longue à parcourir à pied.

trotter *vi* 1 Aller au trot. 2 Marcher à petits pas et rapidement. 3 Aller et venir. *Cette idée lui trotte dans la tête.*

trotteur *nm* Cheval dressé aux courses de trot.

trotteuse *nf* Petite aiguille d'une montre, qui marque les secondes.

trottiner *vi* Marcher à petits pas pressés.

trottinette *nf* Jouet d'enfant formé d'une planchette montée sur deux petites roues et munie d'une tige de direction.

trottoir *nm* Chemin surélevé, de chaque côté d'une rue, aménagé pour les piétons. Loc Fam *Faire le trottoir :* se prostituer.

trou *nm* 1 Ouverture naturelle ou artificielle dans le sol, dans un corps. 2 Déficit dans un compte ; somme manquante. 3 Fam Petite localité retirée. Loc *Trou d'air :* courant atmosphérique descendant qui fait perdre brusquement de l'altitude à un avion. *Trou noir :* astre dont le champ de gravitation est

si intense qu'aucun rayonnement ne peut s'en échapper. *Trou normand :* eau-de-vie prise au milieu d'un repas copieux. Pop *Être au trou :* en prison.

troubadour *nm* HIST Poète courtois des pays de langue d'oc au Moyen Âge.

trouble *a* 1 Qui manque de limpidité, de transparence. 2 Flou, qui n'est pas net. *Image trouble.* 3 Équivoque, louche, suspect. *Conduite trouble.* ■ *nm* 1 Confusion, agitation désordonnée. *Semer le trouble.* 2 Inquiétude, désarroi. *Laisser voir son trouble.* ■ *pl* 1 Désordre, anomalie dans le fonctionnement d'un organe. *Troubles respiratoires.* 2 Agitation politique ou sociale ; soulèvement.

trouble-fête *n inv* Importun qui interrompt une réjouissance.

troubler *vt* 1 Rendre trouble, moins limpide, moins transparent. 2 Interrompre, perturber le déroulement, le fonctionnement de. *Troubler le sommeil.* 3 Susciter l'inquiétude chez qqn ; intimider. 4 Interrompre le cours d'une action. *Troubler une réunion.* ■ *vpr* 1 Devenir trouble. 2 Perdre la maîtrise de soi ; se décontenancer.

trouée *nf* 1 Ouverture naturelle ou artificielle. 2 Rupture dans le front de l'ennemi.

trouer *vt* Percer, faire un trou, des trous dans qqch.

troufion *nm* Pop Simple soldat.

trouillard, arde *a, n* Fam Poltron, peureux.

trouille *nf* Pop Peur.

troupe *nf* 1 Groupe de personnes ou d'animaux. 2 Groupe de comédiens, d'artistes de théâtre, de music-hall, etc. 3 Unité régulière de soldats. Loc *Homme de troupe :* simple soldat.

troupeau *nm* 1 Troupe d'animaux domestiques de même espèce, élevés ensemble. 2 Groupe de personnes qui suit passivement qqn, qqch.

troupier *nm* Fam Militaire. ■ *am* Loc *Comique troupier :* comique grivois à base d'histoires de caserne.

trousse nf Petite sacoche à compartiments pour ranger des instruments, divers objets usuels. ■ pl Loc Fam *Aux trousses de :* à la poursuite de.

trousseau nm Linge, vêtements, donnés à une jeune fille qui se marie, à un enfant qui entre en pension. Loc *Trousseau de clefs :* clefs réunies par un anneau, un porte-clefs.

trousser vt Vx Retrousser. Loc *Trousser un compliment :* le faire avec rapidité et élégance. *Trousser une volaille :* lier près du corps ses ailes et ses cuisses pour la faire cuire.

trouvaille nf Découverte heureuse, opportune.

trouvé, ée a Loc *Tout trouvé :* trouvé avant d'avoir été recherché. *Enfant trouvé :* né de parents inconnus.

trouver vt 1 Rencontrer, découvrir qqn, qqch qu'on cherchait ou par hasard. *Vous le trouverez chez lui. Trouver un parapluie dans l'autobus.* 2 Découvrir, inventer. *Trouver la solution d'un problème.* 3 Disposer de. *Trouver le temps de faire qqch.* 4 Éprouver, ressentir. *Trouver une consolation dans l'amitié.* 5 Voir, constater tel état. *Je l'ai trouvé malade.* 6 Estimer, juger. *Il trouve ce livre passionnant.* ■ vpr 1 Être présent en un lieu, en une occasion. 2 Être situé. *Le livre se trouve sur le bureau.* 3 Être dans tel ou tel état. *Se trouver dans l'embarras.* Loc *Se trouver mal :* avoir un malaise. ■ v impers Loc *Il se trouve que :* il se révèle que.

trouvère nm HIST Jongleur et poète de langue d'oïl au Moyen Âge.

troyen, enne a, n De l'ancienne ville de Troie ou de Troyes.

truand, ande n Pop Malfaiteur, homme du milieu.

truander vi Pop Voler, escroquer.

trublion nm Fauteur de troubles.

truc nm 1 Fam Procédé habile permettant de réussir qqch. *Les trucs du métier.* 2 Procédé destiné à créer une illusion. 3 Fam Mot par lequel on désigne une chose sans la nommer.

trucage. V. truquage.

truchement nm Vx Interprète. Loc Litt *Par le truchement de :* par l'intermédiaire de.

trucider vt Fam Tuer.

trucmuche nm Fam Personne quelconque qu'on ne nomme pas.

truculent, ente a Haut en couleur, pittoresque.

truelle nf Outil pour appliquer le plâtre, le mortier.

truffe nf 1 Champignon comestible apprécié se développant dans le sol. 2 Confiserie au chocolat. 3 Nez du chien.

truffer vt 1 Garnir un mets de truffes. 2 Bourrer. *Il truffe ses discours de citations.*

trufficulture nf Production de truffes.

truffier, ère a Relatif aux truffes. ■ nf Terrain où poussent des truffes.

truie nf Femelle du porc.

truisme nm Vérité aussi évidente que banale.

truite nf Poisson comestible, voisin du saumon, mais plus petit.

truité, ée a Marqué de petites taches rougeâtres et noires.

trumeau nm Glace, panneau disposé au-dessus d'une cheminée ou entre deux fenêtres.

truquage ou **trucage** nm 1 Fait de truquer. 2 Procédé technique utilisé pour créer une illusion, au théâtre, au cinéma.

truquer vt Modifier frauduleusement. *Truquer un dossier.*

truqueur, euse n Qui truque, falsifie.

trust [trœst] nm Réunion de plusieurs entreprises exerçant un monopole sur un produit ou un secteur.

truster [trœste] vt Fam Accaparer, monopoliser.

trypanosome nm Parasite du sang, agent de diverses maladies, en particulier la maladie du sommeil.

trypsine nf BIOL Enzyme du pancréas.

tryptophane nm BIOL Acide aminé indispensable à l'organisme.

tsar nm Titre des empereurs de Russie et de Bulgarie.

tsarévitch nm Fils aîné du tsar de Russie.

tsarine nf Femme du tsar.

tsarisme nm HIST Régime politique de la Russie avant 1917.

tsé-tsé nf inv Loc Mouche tsé-tsé : mouche africaine qui propage la maladie du sommeil.

T.S.F. [teesef] nf Vx Radio.

T-shirt. V. tee-shirt.

tsigane ou **tzigane** a Qui concerne les Tsiganes. ■ nm Langue parlée par les Tsiganes.

tsunami nm Raz de marée sur les côtes du Pacifique.

t.t.c. Abrév de toutes taxes comprises.

tu pr pers Deuxième personne du singulier des deux genres, ayant la fonction de sujet.

tuba nm 1 Instrument à vent utilisé comme basse de trombones. 2 Tube respiratoire pour nager la tête sous l'eau.

tubage nm MED Introduction dans l'estomac, les bronches, d'un tube souple à des fins thérapeutiques.

tubaire a MED De la trompe d'Eustache ou de la trompe de Fallope.

tube nm 1 Conduit généralement rigide, à section circulaire et d'un petit diamètre. 2 Conduit naturel. Tube digestif. 3 Fam Chanson, disque à succès. 4 Emballage cylindrique. Tube d'aspirine. Loc Tube à essai : en verre, fermé à un bout, utilisé en chimie.

tubercule nm BOT Excroissance d'une racine, d'un rhizome où s'accumulent les réserves nutritives de la plante.

tuberculeux, euse a, n Atteint de tuberculose.

tuberculine nf Substance extraite de la culture de bacilles tuberculeux, provoquant chez les sujets déjà sensibilisés une cuti-réaction.

tuberculose nf Maladie infectieuse contagieuse due au bacille de Koch.

tubéreuse nf Plante vivace bulbeuse aux fleurs en grappes très parfumées.

tubérosité nf ANAT Éminence arrondie, protubérance.

tubulaire a 1 En forme de tube. Conduit tubulaire. 2 Formé de tubes.

tubulure nf 1 Orifice destiné à recevoir un tube. 2 Ensemble des tubes.

tue-mouche a inv Loc Papier tue-mouche : recouvert d'une substance gluante et nocive pour tuer les mouches.

tuer vt 1 Faire mourir de manière violente ; causer la mort de. 2 Fam Exténuer, éreinter physiquement ou moralement. Loc Tuer le temps : l'occuper pour ne pas s'ennuyer. ■ vpr 1 Se suicider. 2 Mourir dans un accident. 3 Ruiner sa santé. 4 Se donner beaucoup de peine à faire qqch.

tuerie nf Carnage, massacre.

tue-tête (à) av Loc Crier, chanter à tue-tête : de toutes ses forces.

tueur, euse n Qui tue ; assassin. ■ nm Chargé de l'abattage des animaux de boucherie.

tuf nm Roche poreuse volcanique ou calcaire.

tuffeau nm Variété de tuf calcaire.

tuile nf 1 Plaque de terre cuite servant à couvrir les toits. 2 Fam Événement imprévu et fâcheux. 3 Petit four aux amandes.

tuilerie nf Fabrique de tuiles.

tularémie nf Maladie épidémique du lapin et du lièvre, transmissible à l'homme.

tulipe nf Plante bulbeuse ornementale de couleur variable.

tulipier nm Arbre ornemental d'Amérique du Nord.

tulle nm Tissu léger et transparent.

tuméfaction nf Gonflement pathologique d'un organe ou d'un tissu.

tuméfier vt Causer une tuméfaction. ■ vpr S'enfler anormalement.

tumescent, ente a MED Qui gonfle, se boursoufle.

tumeur nf Prolifération pathologique des cellules d'un tissu organique.

tumoral, ale, aux a D'une tumeur.

tumulte nm Agitation bruyante et désordonnée.

tumultueux, euse a Agité, désordonné.

tumulus [-lys] nm Grand amas de terre ou de pierres, élevé jadis au-dessus des sépultures.

tuner [tynɛʀ] nm Récepteur radio dans une chaîne haute-fidélité.

tungstène [tõɛksten] *nm* Métal gris, lourd, utilisé pour les filaments des lampes.

tunicier *nm* ZOOL Animal marin, comme les ascidies, le plancton.

tunique *nf* **1** Vêtement de dessous à Rome. **2** Veste d'uniforme à col droit, serrée à la taille. **3** Vêtement couvrant le buste, porté par-dessus une jupe, un pantalon. **4** ANAT, BOT Enveloppe de certains organes.

tunisien, enne *a, n* De Tunisie.

tunisois, oise *a, n* De Tunis.

tunnel *nm* **1** Galerie souterraine livrant passage à une voie de communication. *Tunnel ferroviaire, routier.* **2** Abri de matière plastique utilisé pour la production de primeurs.

tunnelier *nm* Engin de travaux publics servant à creuser des tunnels.

tupi *nm* Langue amérindienne du Paraguay et du Brésil.

tupi-guarani [-gwa-] *nm inv* Famille de langues indiennes d'Amérique du Sud.

turban *nm* Coiffure faite d'une longue pièce d'étoffe enroulée autour de la tête.

turbidité *nf* **1** État d'un liquide trouble. **2** Teneur d'un cours d'eau en particules en suspension.

turbin *nm* Pop Travail.

turbine *nf* Moteur dont l'élément essentiel est une roue munie d'ailettes ou d'aubes et mise en rotation par un fluide.

turbo *nm* Abrév de *turbocompresseur* ou de *turbomoteur.* **Loc** *Moteur turbo :* suralimenté par un turbocompresseur.

turboalternateur *nm* Alternateur électrique mû par une turbine.

turbocompresseur *nm* Compresseur entraîné par une turbine.

turbomachine *nf* Toute machine agissant sur un fluide par l'intermédiaire d'une turbine.

turbomoteur *nm* Moteur à turbine.

turbopropulseur *nm* Turbine à gaz entraînant une ou plusieurs hélices.

turboréacteur *nm* Moteur à réaction à turbine à gaz.

turbot *nm* Poisson plat, comestible estimé.

turbotrain *nm* Train très rapide, dont la motrice est une turbine à gaz.

turbulence *nf* **1** Caractère turbulent. **2** Agitation, désordre bruyant.

turbulent, ente *a* Porté à faire du bruit, à s'agiter ; remuant.

turc, turque *a, n* De Turquie. **Loc** *Bain turc :* bain de vapeur. *Café turc :* café noir servi avec le marc. *Fort comme un Turc :* très fort. ■ *nm* Langue parlée en Turquie et en Asie centrale.

turcique *a* **Loc** ANAT *Selle turcique :* cavité où est logée l'hypophyse.

turcophone *a, n* De langue turque.

turf [tœrf] *nm* Sport des courses de chevaux.

turfiste [tœrfist] *n* Habitué des champs de courses.

turgescence *nf* MED Augmentation du volume d'un organe ; gonflement.

turkmène *a, n* Du Turkménistan. ■ *nm* Langue turque parlée au Turkménistan.

turlupiner *vt* Fam Tracasser, tourmenter.

turne *nf* Pop Chambre.

turnover [tœrnovœr] *nm* ÉCON Rotation de la main-d'œuvre dans une entreprise.

turpitude *nf* Litt Ignominie.

turquerie *nf* Œuvre artistique dans le goût turc.

turquoise *nf* Pierre fine bleue. ■ *a inv,* *nm* Couleur bleu vert.

tussilage *nm* Plante à propriétés pectorales.

tussor *nm* Étoffe de soie légère.

tutélaire *a* **1** DR Qui concerne la tutelle. **2** Litt Qui protège. *Ange tutélaire.*

tutelle *nf* **1** DR Mandat conféré à qqn de se charger de la personne et des biens d'un mineur ou d'un incapable majeur. **2** Contrôle d'une institution, du gouvernement sur une collectivité. *Autorité de tutelle.* **3** Litt Protection, soutien. *Une pesante tutelle.*

tuteur, tutrice *n* **1** DR Personne chargée d'une tutelle. **2** Qui protège ou soutient qqn. ■ *nm* Piquet destiné à soutenir une plante.

tutoiement *nm* Action de tutoyer.

tutorat *nm* Fonction de tuteur.

tutoyer *vt* 22 User de la deuxième personne du singulier en s'adressant à qqn.

tutti quanti [tutikwɑ̃ti] *av* Et toutes les autres personnes de cette espèce.

tutu *nm* Tenue de scène des danseuses de ballet, faite de jupes courtes de tulle.

tuyau [tɥijo] *nm* **1** Conduit cylindrique servant à l'écoulement d'un liquide, d'un gaz. **2** Fam Renseignement confidentiel.

tuyauter [tɥi-] *vt* Fam Fournir des renseignements à qqn.

tuyauterie [tɥi-] *nf* Tuyaux, canalisations d'une installation.

tuyère [tɥijɛʀ] *nf* Organe d'éjection des gaz d'un moteur à réaction.

T.V.A. [tevea] *nf* Taxe à la valeur ajoutée.

tweed [twid] *nm* Étoffe de laine cardée.

tweeter [twitœʀ] *nm* Haut-parleur d'aigus.

twin-set *nm* Ensemble constitué d'un cardigan et d'un pull-over assortis. *Des twin-sets.*

twist *nm* Danse en vogue dans les années 60.

tympan *nm* **1** ARCHI Espace triangulaire délimité par les corniches d'un fronton. **2** ANAT Cavité de l'oreille moyenne fermée par une membrane ; cette membrane elle-même.

type *nm* **1** Modèle idéal représentant les caractères essentiels d'une espèce déterminée ; catégorie spécifique. **2** Fam Individu quelconque. **3** Caractère d'imprimerie. ■ *a* Exemplaire. *L'avare type.*

typé, ée *a* Qui correspond parfaitement au modèle du genre.

typhique *a, n* Atteint du typhus ou de la fièvre typhoïde.

typhoïde *a, nf* Loc *Fièvre typhoïde* : maladie infectieuse contagieuse, caractérisée par une température élevée et les troubles digestifs.

typhon *nm* Cyclone des mers d'Extrême-Orient.

typhus *nm* Maladie infectieuse contagieuse, caractérisée par une fièvre élevée.

typique *a* Caractéristique. *Cas typique.*

typo *n* ou *nf* Abrév de *typographe* et de *typographie*.

typographe *n* Professionnel de la typographie (abrév fam : typo).

typographie *nf* Composition d'un texte à l'aide de caractères mobiles ; manière dont ce texte est imprimé (abrév fam : typo).

typologie *nf* Classification par types ; science des classifications.

tyran *nm* **1** Celui qui, à la tête d'un État, exerce un pouvoir absolu après un coup de force. **2** Qui exerce durement son autorité ou en abuse.

tyrannicide *n* Litt Qui a tué un tyran. ■ *nm* Meurtre d'un tyran.

tyrannie *nf* **1** Autorité exercée de manière absolue, oppressive. **2** Gouvernement despotique.

tyrannique *a* De la tyrannie, autoritaire.

tyranniser *vt* Traiter avec tyrannie.

tyrannosaure *nm* Reptile carnassier fossile.

tyrolien, enne *a, n* Du Tyrol. ■ *nf* Chant à sauts brusques en passant de la voix de poitrine à la voix de tête.

tyrosine *nf* BIOL Acide aminé fournissant la mélanine.

tzigane. V. tsigane.

U

u nm Vingt et unième lettre (voyelle) de l'alphabet.

ubac nm Côté exposé à l'ombre dans les montagnes. Ant. adret.

ubiquité [-kɥi-] nf Loc *Avoir le don d'ubiquité* : être partout à la fois.

ubuesque a Litt D'une absurdité énorme.

ukase ou **oukase** nm 1 HIST Édit du tsar. 2 Ordre impératif et arbitraire.

ukiyo-e nm inv BX-A Estampe japonaise.

ukrainien, enne a, n De l'Ukraine. ■ nm Langue slave parlée en Ukraine.

ukulélé [juku-] nm Petite guitare d'Hawaii.

ulcère nm Lésion de la peau ou d'une muqueuse qui ne se cicatrise pas et suppure.

ulcérer vt 12 1 MED Produire un ulcère. 2 Provoquer un profond ressentiment chez qqn.

ulcéreux, euse a Propre à l'ulcère. ■ n Atteint d'un ulcère gastro-intestinal.

uléma ou **ouléma** nm Docteur de la loi chez les musulmans.

U.L.M. [yɛlɛm] nm inv Engin volant ultraléger motorisé.

ultérieur, eure a Qui vient après, dans le temps. Syn. postérieur. Ant. antérieur.

ultérieurement av Plus tard.

ultimatum [-tɔm] nm 1 Proposition ultime adressée par un pays à un autre, et dont le rejet entraîne la guerre. 2 Mise en demeure impérative.

ultime a Litt Dernier, dans le temps.

ultra n, a Extrémiste.

ultramicroscope nm Microscope très puissant.

ultramoderne a Très moderne.

ultramontain, aine a, n HIST Partisan de l'extension maximale des pouvoirs du pape.

ultrason nm PHYS Vibration acoustique de fréquence très élevée, inaudible.

ultraviolet, ette a, nm PHYS Se dit de radiations invisibles dont la longueur d'onde est au-delà du violet.

ululement, ululer. V. hululement, hululer.

umlaut [umlawt] nm GRAM En allemand, modification du timbre d'une voyelle, indiquée par un tréma.

un, une a num 1 Nombre exprimant l'unité. 2 Premier. *Il était une heure.* Loc *Pas un* : aucun, nul. *Un à un, un par un* : à tour de rôle. ■ nm Chiffre, numéro qui indique l'unité. ■ nf Loc *La une* : la première page d'un journal. Fam *Ne faire ni une ni deux* : ne pas hésiter. ■ a Simple, qui n'admet pas de division. *La vérité est une.* ■ art indéf (pl : des) Désigne qqn, qqch de façon indéterminée. ■ pr indéf Une personne, une chose par rapport à une autre. Loc *L'un l'autre* : mutuellement.

unanime a Qui exprime un accord collectif. ■ pl Qui sont tous du même avis.

unanimisme nm 1 Accord général, consensus universel. 2 Doctrine littéraire qui insiste sur la psychologie collective.

unanimité nf Caractère unanime, accord complet des opinions.

unau nm Mammifère arboricole d'Amérique. Syn. paresseux. *Des unaus.*

underground [œndœœgrawnd] a inv Réalisé et diffusé en dehors des circuits commerciaux traditionnels, en parlant d'œuvres d'avant-garde.

unguéal, ale,aux [3ɛgal] a De l'ongle.

uni, ie a 1 Sans inégalité, parfaitement lisse. *Surface unie.* 2 D'une seule couleur. *Costume uni.* ■ nm Étoffe unie.

uniate a, n Se dit des Églises orientales qui reconnaissent l'autorité du pape, mais conservent leurs rites.

unicellulaire a BIOL Formé d'une seule cellule.

unicité nf Caractère unique.

unidimensionnel, elle a Qui a une seule dimension.

unidirectionnel, elle a Qui s'exerce dans une seule direction.

unième *a num* Seulement en composition après la dizaine, la centaine. *Trente et unième.*

unification *nf* Action d'unifier.

unifier *vt* 1 Rassembler pour faire un tout. 2 Donner une certaine unité à. *Unifier un parti politique.* ■ *vpr* Être amené à s'unir.

uniforme *a* 1 Qui conserve la même forme, le même aspect. *Plaine uniforme.* 2 Qui ressemble en tout point aux autres. *Des opinions uniformes.* ■ *nm* Costume imposé aux militaires, aux membres d'un groupe social déterminé.

uniformiser *vt* Rendre uniforme. ■ *vpr* Devenir uniforme.

uniformité *nf* Caractère uniforme.

unijambiste *n, a* Amputé d'une jambe.

unilatéral, ale, aux *a* 1 Qui se trouve, qui se fait d'un seul côté. *Stationnement unilatéral.* 2 Qui émane d'une seule des parties. *Décision unilatérale.*

unilingue *a* En une seule langue.

uninominal, ale, aux *a* Se dit d'un scrutin par lequel on élit un seul candidat.

union *nf* 1 Fait de constituer un tout. *Union de l'esprit et du corps.* 2 Entente entre des personnes, résultant d'intérêts communs ou de liens affectifs. 3 Association, groupement de partis, de syndicats. 4 Mariage. Loc *Union libre :* concubinage.

unipersonnel, elle *a* ÉCON Se dit d'une société qui a un seul actionnaire.

unique *a* 1 Seul de son espèce. *Fils unique.* 2 Incomparable, exceptionnel. *Fait unique dans l'histoire.* 3 Le même pour plusieurs choses. *Commandement unique.*

uniquement *av* Exclusivement, seulement.

unir *vt* 1 Joindre de façon à former un tout. *Unir un territoire à un autre.* 2 Établir une liaison entre. *Canal qui unit deux mers.* 3 Créer un lien d'affection, d'intérêt. *C'est l'amitié qui les unit.* 4 Marier. ■ *vpr* S'associer, se marier.

unisexe *a* Qui convient indifféremment aux hommes ou aux femmes (vêtement, coiffure).

unisson *nm* MUS Accord de plusieurs voix ou instruments qui émettent au même moment des sons de même hauteur. Loc *À l'unisson :* en complète harmonie.

unitaire *a* 1 Qui manifeste une unité syndicale ou politique. 2 De chaque unité. *Le prix unitaire des tuiles.*

unité *nf* 1 Chacun des éléments semblables composant un nombre. 2 Le nombre un. *Nombre supérieur à l'unité.* 3 Élément d'un ensemble : ce qui forme un tout. 4 INFORM Élément d'un ordinateur, qui remplit certaines fonctions. 5 Grandeur choisie pour mesurer les grandeurs de même espèce. *Le mètre est l'unité de longueur.* 6 Caractère de ce qui forme un tout cohérent. *Cette œuvre manque d'unité.* 7 Formation militaire. Loc *Unité de valeur :* élément de base de l'enseignement universitaire. *Unité de formation et de recherche :* département universitaire spécialisé. LITTER *Les trois unités :* dans le théâtre classique, règle d'un lieu, d'un temps et d'une action uniques.

univalent, ente *a* CHIM Syn de *monovalent.*

univers *nm* 1 (avec majusc) Ensemble de tous les corps célestes et de l'espace où ils se meuvent. 2 Le monde habité ; l'humanité. 3 Milieu, monde particulier. *L'univers de la folie.*

universaliser *vt* Rendre universel, généraliser.

universalisme *nm* Doctrine préconisant la recherche du consentement universel.

universalité *nf* Caractère universel.

universaux *nmpl* PHILO Concepts généraux communs à tous les hommes ou à toutes les langues.

universel, elle *a* 1 Qui se rapporte, qui s'étend à l'Univers, au monde entier, à l'humanité tout entière, à l'ensemble des choses considérées. 2 Qui a des connaissances dans tous les domaines. Loc *Suffrage universel :* droit de vote donné à tous les citoyens.

universitaire *a* De l'université ou des universités. ■ *n* Enseignant, dans une université.

université *nf* Établissement public d'enseignement supérieur.

univitellin, ine a BIOL Qualifie les jumeaux issus d'un même œuf (vrais jumeaux).

univoque a Qui a un seul sens. Ant. équivoque.

Untel, Unetelle n Personne que l'on ne veut pas nommer.

upérisation nf Stérilisation du lait à la chaleur.

uppercut [-kyt] nm En boxe, coup de poing donné de bas en haut au menton.

upsilon [-lɔn] nm Lettre de l'alphabet grec équivalent au u français.

uraète nm Grand aigle australien.

uranie nf Grand papillon aux couleurs vives.

uranium [-njɔm] nm Métal lourd, utilisé comme combustible nucléaire.

uranoscope nm Poisson méditerranéen appelé aussi *rascasse blanche.*

urbain, aine a De la ville. *Population urbaine.*

urbaniser vt Transformer un espace rural en zone urbaine. ■ vpr Devenir une ville.

urbanisme nm Science de l'aménagement des villes, des agglomérations.

urbanité nf Litt Politesse raffinée.

urdu [urdu] ou **ourdou** nm Langue officielle du Pakistan.

urée nf BIOL Déchet azoté des acides aminés présent dans le sang et les urines.

urémie nf Accumulation d'urée dans le sang.

uretère nm ANAT Chacun des deux canaux qui conduisent l'urine du rein à la vessie.

urètre nm ANAT Canal membraneux servant à l'évacuation de l'urine de la vessie.

urgence nf 1 Caractère urgent. 2 Cas nécessitant des soins à pratiquer sans délai. Loc *D'urgence :* immédiatement.

urgent, ente a Pressant, qui ne souffre aucun retard.

urgentiste n Médecin spécialisé dans les urgences.

urger vi Fam Devenir urgent ; presser.

uricémie nf Taux d'acide urique dans le sang.

urinaire a De l'urine. *Voies urinaires.*

urinal, aux nm Récipient permettant aux hommes alités d'uriner.

urine nf Liquide organique sécrété par les reins.

uriner vi, vt Évacuer l'urine.

urinoir nm Endroit, édicule aménagé pour uriner, à l'usage des hommes.

urique a Loc *Acide urique :* produit de la dégradation des acides nucléiques, éliminé par les urines.

urne nf 1 Vase qui contient les cendres d'un mort. 2 Boîte dans laquelle on dépose un bulletin de vote.

urogénital, ale, aux a ANAT Qui concerne l'appareil urinaire et l'appareil génital.

urographie nf Radiographie de l'appareil urinaire.

urologie nf Étude et thérapeutique des affections de l'appareil urinaire et de l'appareil génito-urinaire masculin.

urticaire nf Éruption subite de papules rouges causant de vives démangeaisons.

urticant, ante a Dont le contact produit des démangeaisons.

urubu nm Petit vautour d'Amérique.

uruguayen, enne a, n De l'Uruguay.

us [ys] nmpl Loc *Les us et coutumes :* les habitudes traditionnelles.

usage nm 1 Fait d'utiliser, de se servir d'un objet, d'un procédé, d'une faculté ; fonction, emploi. 2 Habitude traditionnelle, coutume. *Un usage qui se perd.*

usagé, ée a Qui a beaucoup servi ; usé.

usager nm Qui utilise un service public.

usé, ée a 1 Marqué par l'usure. *Chaussures usées.* 2 Affaibli. *Un homme usé.* 3 Rebattu, banal. *Plaisanterie usée.*

user vti Se servir de, avoir recours à. *User de persuasion, de fines savants.* ■ vt 1 Utiliser, consommer. *Cet appareil use peu d'électricité.* 2 Détériorer qqch à force de s'en servir. *Il use trois paires de chaussures par an.* 3 Diminuer, affaiblir. *User sa santé.* ■ vpr Se détériorer, se détruire progressivement, s'affaiblir.

usine nf Établissement industriel de transformation des matières premières en produits finis, ou de production de l'énergie.

usiner *vt* Façonner une pièce avec une machine-outil.

usité, ée *a* En usage dans la langue.

usnée *nf* Lichen très ramifié, appelé aussi *barbe-de-capucin*.

ustensile *nm* Objet, outil simple, d'usage quotidien. *Ustensile de cuisine.*

usuel, elle *a* Dont on se sert couramment. ■ *nm* Volume de consultation courante dans une bibliothèque.

usufruit *nm* DR Jouissance d'un bien dont la nue-propriété appartient à un autre.

usuraire *a* Supérieur au taux légal des prêts.

usure *nf* 1 Détérioration due à l'usage. 2 Affaiblissement des forces. 3 Intérêt supérieur au taux légal, exigé par un prêteur.

usurier, ère *n* Qui prête de l'argent avec usure.

usurpateur, trice *n, a* Qui s'arroge indûment un pouvoir souverain.

usurpation *nf* Action d'usurper.

usurper *vt* S'emparer indûment d'un bien, d'une dignité, d'un pouvoir auxquels on n'a pas droit.

ut *nm* MUS Syn de *do*.

utérin, ine *a* 1 Qui concerne l'utérus. 2 Né de la même mère mais de père différent.

utérus *nm* Chez la femme ou les femelles de mammifères supérieurs, organe de la gestation.

utile *a* Propre à satisfaire un besoin ; qui rend service. **Loc En temps utile :** au moment opportun.

utilisateur, trice *n* Qui utilise qqch.

utilisation *nf* Action, manière d'utiliser.

utiliser *vt* 1 Se servir de, employer. *Utiliser un produit.* 2 Tirer profit de qqn, de qqch.

utilitaire *a* 1 Qui vise l'utilité pratique. *Véhicule utilitaire.* 2 Qui s'attache à l'aspect matériel des choses. *Calcul utilitaire.* ■ *nm* Véhicule utilitaire (camion, bus, etc.).

utilitarisme *nm* Doctrine selon laquelle l'utilité est la source de toutes les valeurs.

utilité *nf* Caractère utile. ■ *pl* Petit rôle. Acteur qui joue les utilités.

utopie *nf* Idéologie, projet considéré comme chimérique.

utopique *a* Chimérique.

utopiste *a, n* Qui a des idées utopiques.

utriculaire *a* Plante carnivore d'eau douce.

utricule *nm* 1 ANAT Petite vésicule de l'oreille interne. 2 BOT Organe en forme de petite outre.

uval, ale, aux *a* Relatif au raisin.

V

v *nm* **1** Vingt-deuxième lettre (consonne) de l'alphabet. **2** V : chiffre romain qui vaut 5.

va ! *interj* Accompagne une approbation, un encouragement ou une menace. **Loc** *Va donc :* accompagne une injure. *Va pour :* j'accepte.

vacance *nf* État d'une charge vacante. ■ *pl* **1** Période de l'année pendant laquelle une activité donnée est interrompue. *Les vacances scolaires.* **2** Période de congé annuel des travailleurs.

vacancier, ère *n* Qui est en vacances dans un lieu de villégiature.

vacant, ante *a* **1** Qui n'est pas occupé ; libre. *Appartement vacant.* **2** Non occupé par un titulaire. *Poste, emploi vacant.*

vacarme *nm* Tapage, tumulte.

vacataire *n* Qui occupe un emploi sans en être titulaire.

vacation *nf* Temps pendant lequel qqn est affecté, à titre d'auxiliaire, à une tâche précise ; rémunération de cette activité.

vaccin [vaksɛ̃] *nm* Substance dont l'inoculation dans un organisme provoque une immunité à l'égard d'une maladie déterminée.

vaccinal, ale, aux *a* Du vaccin, de la vaccination. *Contre-indication vaccinale.*

vaccination *nf* Action de vacciner.

vaccine *nf* Maladie infectieuse des bovins et du cheval, due à un virus.

vacciner *vt* **1** Immuniser par un vaccin. **2** Fam Préserver qqn d'un désagrément, d'un danger. *Cet accident m'a vacciné contre l'imprudence.*

vaccinostyle *nm* MED Lancette servant à vacciner par scarification.

vache *nf* **1** Femelle de l'espèce bovine. **Loc** Fam *Manger de la vache enragée :* endurer de nombreuses privations. Fam *Période de vaches maigres :* de privations, de prospérité. Fam *Vache à lait :* qqn dont on tire profit. Fam *Vache sacrée :* personne inutile mais intouchable. *Vache à eau :* récipient en toile pour conserver l'eau. ■ *a, nf* Fam Méchant, impitoyable. **Loc** *La vache ! :* expression de dépit ou d'admiration. ■ *a* Pop Dur, pénible.

vachement *av* Pop Beaucoup, très.

vacher, ère *n* Qui s'occupe des vaches.

vacherie *nf* Pop Méchanceté.

vacherin *nm* **1** Fromage suisse au lait de vache, à pâte molle et onctueuse. **2** Gâteau fait de meringue et de crème glacée.

vachette *nf* Jeune vache ; son cuir.

vacillant *nf* ou **vacillement** *nm* Mouvement de ce qui vacille.

vaciller *vi* **1** Chanceler, perdre l'équilibre. **2** Trembler. *La flamme vacillait.* **3** Perdre sa fermeté. *Sa raison vacille.*

vacuité *nf* Fait d'être vide ; caractère vide.

vacuole *nf* BIOL Petite cavité du cytoplasme dans laquelle se trouvent diverses substances.

vade-mecum [vademekɔm] *nm inv* Lit Agenda qu'on garde sur soi.

vadrouille *nf* Fam Promenade sans but précis.

vadrouiller *vi* Fam Se promener sans but précis.

va-et-vient *nm inv* **1** Allées et venues incessantes. **2** Mouvement qui s'effectue régulièrement dans un sens, puis dans l'autre ; dispositif qui le permet. **3** Branchement électrique qui permet de commander un circuit à partir de deux interrupteurs.

vagabond, onde *a* Lit Qui change constamment. *Humeur vagabonde.* ■ *n* Sans domicile fixe.

vagabondage *nm* **1** Fait d'être un vagabond. **2** Lit Rêverie.

vagabonder *vi* **1** Se déplacer çà et là. **2** Lit Aller d'un sujet à un autre, sans suite (pensées, imagination).

vagin *nm* Conduit qui relie le col utérin à la vulve chez la femme.

vaginal, ale, aux *a* Du vagin.

vaginisme *nm* Contraction douloureuse des muscles du vagin.

vaginite *nf* Inflammation du vagin.

vagir *vi* Pousser des vagissements.

vagissement *nm* Cri d'un enfant nouveau-né ou du lièvre, du crocodile.

vagolytique a MED Qui inhibe le nerf pneumogastrique.

1. vague a nf 1 Soulèvement de la surface de l'eau dû au vent, aux courants. 2 Flux important. *Une vague de touristes.* Loc **La nouvelle vague :** la génération d'avant-garde. Fam **Faire des vagues :** provoquer des protestations.

2. vague a 1 Qui manque de précision, de netteté, mal défini. *Des explications trop vagues.* 2 Évasif. *Rester vague sur une question.* 3 Quelconque, insignifiant. *Il a un vague diplôme d'une école inconnue.* Loc **Nerf vague :** pneumogastrique. **Terrain vague :** ni planté ni construit, dans une ville ou à proximité. ■ nm Loc **Rester dans le vague :** rester évasif. *Vague à l'âme :* mélancolie.

vaguement av 1 De façon vague, peu distincte. 2 Faiblement. *Vaguement ému.*

vaguemestre nm Sous-officier chargé du service postal.

vaguer vi Litt Errer.

vahiné nf Femme tahitienne.

vaillance nf Litt Courage.

vaillant, ante a 1 Litt Brave. 2 En bonne santé. Loc **N'avoir plus un sou vaillant :** n'avoir pas d'argent.

vain, vaine a 1 Illusoire, vide. *Vain espoir.* 2 Sans effet. *Démarche vaine.* Loc **En vain :** inutilement.

vaincre vt 75 1 Remporter une victoire. 2 Surmonter, venir à bout de. *Vaincre l'obstination de qqn, sa propre colère.*

vainqueur nm Qui a remporté une victoire, qui a pris l'avantage sur qqn. ■ am Triomphant, victorieux. *Air vainqueur.*

vair nm Fourrure de l'écureuil de Russie.

1. vairon am Loc **Yeux vairons :** qui ne sont pas de la même couleur.

2. vairon nm Petit poisson de rivière.

vaisseau nm 1 Canal dans lequel circule le sang ou la lymphe. 2 BOT Élément conducteur de la sève. 3 Bâtiment de guerre. Loc **Vaisseau spatial :** engin spatial de grandes dimensions.

vaisselier nm Meuble pour ranger la vaisselle.

vaisselle nf Ensemble des récipients dont on se sert à table et qu'il faut nettoyer après le repas.

val nm Large vallée. Loc **Par monts et par vaux :** partout. *Des vals ou des vaux.*

valable a 1 Fondé, admissible, acceptable. *Cette excuse n'est pas valable.* 2 Abusiv Qui a les qualités, la compétence, la valeur requises. *Un interlocuteur valable.*

valaisan, anne a, n Du Valais.

valdinguer vi Pop Tomber violemment.

valdotain, aine a, n Du Val d'Aoste (Italie).

valence nf CHIM Nombre de liaisons chimiques engagées par un atome dans une combinaison chimique.

valériane nf Plante médicinale à fleurs roses, dite aussi *herbe aux chats.*

valet nm 1 Domestique masculin. 2 Homme servile. 3 Carte à jouer figurant un valet. Loc **Valet de nuit :** cintre sur pied sur lequel on dispose ses vêtements avant de se coucher.

valétudinaire a Vx Maladif.

valeur nf 1 Ce que vaut qqch. *Valeur d'un terrain.* 2 Mérite de qqn. *Avoir conscience de sa valeur.* 3 Titre négociable (action, lettre de change). 4 Importance, intérêt attaché à qqch. *Un conseil sans valeur.* 5 Mesure précise ou quantité approximative. *La valeur de deux cuillerées.* 6 MUS Durée d'une note. 7 Mesure conventionnelle. *La valeur d'une carte, d'un pion.* 8 Qualité d'une couleur, d'un mot. 9 Principe idéal de référence d'une collectivité. *Les valeurs morales.* Loc **Jugement de valeur :** qui énonce une appréciation.

valeureux, euse a Litt Brave, courageux.

validation nf Action de valider.

valide a 1 En bonne santé, capable de marcher. 2 Qui a les conditions requises pour avoir un effet ; valable. *Cet acte n'est pas valide.*

valider vt Rendre, déclarer valable.

validité nf Caractère valide, valable.

valise nf Bagage de forme rectangulaire. Loc **Faire ses valises :** se préparer à partir.

Valise diplomatique : paquet contenant le courrier diplomatique, dispensé du contrôle douanier.

vallée *nf* Dépression plus ou moins large creusée par un cours d'eau ou par un glacier.

valleuse *nf* GÉOGR Vallée sèche se terminant en abrupt sur la falaise.

vallon *nm* Petite vallée.

vallonné, ée *a* Qui présente des vallons.

vallonnement *nm* Relief vallonné.

valoir *vi* 44 1 Avoir une certaine qualité, un certain mérite, un certain intérêt. *Ce poète, cette poésie ne vaut rien.* 2 Avoir, être estimé un certain prix. *Tableau qui vaut très cher.* 3 Être égal en valeur ou en utilité à. *Cent centimes valent un franc.* Loc *À valoir :* versé en acompte. *Vaille que vaille :* tant bien que mal. *Faire valoir :* mettre en valeur, faire fructifier ; donner à considérer. *Valoir mieux :* être préférable. ■ *vt* 1 Procurer qqch à qqn. *Cela lui vaut des ennuis.* 2 Justifier. *Cela vaut le détour. Ça ne vaut pas la peine.* ■ *vpr* Avoir la même valeur.

valorisant, ante *a* Qui valorise qqn.

valoriser *vt* 1 Donner une valeur plus grande à qqch. 2 Augmenter le mérite, l'importance de qqn.

valse *nf* 1 Danse tournante à trois temps ; air de cette danse. 2 Fam Changement fréquent. *Valse des prix.*

valse-hésitation *nf* Attitude hésitante devant les responsabilités. *Des valses-hésitations.*

valser *vi* 1 Danser la valse. 2 Fam Changer fréquemment.

valve *nf* 1 Moitié de la coquille des mollusques, d'un fruit sec. 2 Appareil servant à réguler un liquide ou un gaz dans une canalisation ; soupape à clapet.

valvulaire *a* De la valvule. *Prothèse valvulaire.*

valvule *nf* Repli de la paroi du cœur ou d'un vaisseau, empêchant leur contenu de refluer.

vamp *nf* Fam Femme fatale.

vampire *nm* 1 Mort qui, selon certaines croyances, sort de son tombeau pour aller aspirer le sang des vivants. 2 Chauve-souris d'Amérique du Sud qui se repaît du sang des mammifères. 3 Celui qui s'enrichit sur le dos des autres.

vampirique *a* De vampire.

vampiriser *vt* Retirer à qqn sa volonté ; l'exploiter.

vampirisme *nm* 1 Croyance aux vampires. 2 Avidité de qqn qui exploite les autres.

van *nm* 1 Panier plat servant à vanner le grain. 2 Fourgon pour le transport des chevaux de course. 3 Minibus.

vanadium [-djɔm] *nm* Métal blanc, léger.

vanda *nf* Orchidée à fleurs splendides.

vandale *n* Qui détruit, qui détériore par bêtise ou malveillance.

vandalisme *nm* Comportement, acte d'un vandale.

vanesse *nf* Papillon diurne aux ailes de couleurs vives.

vanille *nf* Fruit du vanillier ; substance aromatique extraite de ce fruit.

vanillé, ée *a* Parfumé à la vanille.

vanillier *nm* Orchidée grimpante tropicale, cultivée pour son fruit, la vanille.

vanilline [-nilin] *nf* Principe odorant de la vanille.

vanité *nf* 1 Litt Caractère futile, vain. 2 Orgueil, désir de produire un certain effet sur les autres.

vaniteux, euse *a, n* Plein de vanité.

vanne *nf* 1 Dispositif permettant de régler l'écoulement d'un fluide. 2 Fam Plaisanterie désobligeante.

vanneau *nm* Oiseau de la taille d'un pigeon, avec une huppe noire.

vanner *vt* 1 Nettoyer les grains en les secouant dans un van. 2 Fam Causer une fatigue extrême.

vannerie *nf* Confection d'objets tressés avec des brins d'osier, de rotin ; objets ainsi faits.

vannier, ère *n* Qui fabrique de la vannerie.

vantail, aux *nm* Partie mobile d'une porte, d'une fenêtre.

vantard, arde *a, n* Qui se vante.

vantardise nf Caractère de vantard ; propos, acte de vantard.

vanter vt Louer exagérément. ■ vpr 1 Mentir par vanité. 2 Se glorifier, tirer vanité de. 3 Se faire fort de. Il se vante d'en venir à bout.

va-nu-pieds n inv Fam Qui vit misérablement.

vapes nfpl Loc Pop Être, tomber dans les vapes : être à demi-conscient ; s'évanouir.

vapeur nf 1 Exhalaison se dégageant de liquides, de corps humides. 2 Phase gazeuse d'un corps habituellement solide ou liquide. Vapeur d'essence. 3 Masse gazeuse se dégageant de l'eau en ébullition. ■ pl Vx Malaise passager. ■ nm Anc Bateau à vapeur.

vaporeux, euse a 1 Litt Estompé par une brume légère. Ciel vaporeux. 2 Fin, léger, flou et transparent. Robe vaporeuse.

vaporisateur nm Appareil servant à projeter un liquide en fines gouttelettes.

vaporiser vt 1 Projeter un liquide en fines gouttelettes. 2 Faire passer un liquide à l'état gazeux.

vaquer vi Interrompre ses activités pour quelque temps. ■ vti Se consacrer à une activité. Vaquer à ses occupations.

varan nm Reptile carnivore d'Asie et d'Afrique.

varangue nf MAR Pièce courbe fixée perpendiculairement à la quille d'un navire.

varappe nf Escalade de parois rocheuses.

varappeur, euse n Qui fait de la varappe.

varech [-ʀɛk] nm Algues rejetées par la mer et utilisées comme engrais.

vareuse nf 1 Veste de certains uniformes. 2 Veste ample.

variable a 1 Sujet à varier ; qui varie. Temps variable. 2 Qu'on peut faire varier. Hélice à pas variable. 3 GRAM Se dit d'un mot dont la terminaison varie. ■ nf MATH Quantité susceptible de changer de valeur.

variante nf 1 Version d'un texte différente de celle habituellement adoptée. 2 Forme différente ou modifiée d'une même chose. Les variantes d'une recette. Les variantes régionales d'un mot.

variateur nm Dispositif permettant de faire varier l'intensité d'un éclairage.

variation nf 1 Fait de varier ; changement qui en résulte. Variation de température. 2 MUS Composition sur un thème donné.

varice nf Dilatation permanente d'une veine des membres inférieurs.

varicelle nf Maladie infectieuse, caractérisée par une éruption de vésicules.

varié, ée a Qui présente de la diversité. Nourriture variée. ■ pl Se dit de choses différentes entre elles. Hors-d'œuvre variés.

varier vt Apporter divers changements à qqch ; rendre divers. ■ vi 1 Changer, se modifier. Son humeur varie. Les prix varient. 2 Changer d'opinion, de comportement.

variétal, ale, aux a BOT Qui concerne une variété de plante.

variété nf 1 Caractère varié ; diversité. 2 BIOL Unité de classification plus petite que l'espèce. ■ pl Spectacle combinant numéros musicaux et attractions diverses.

variole nf Maladie infectieuse grave, éruptive et contagieuse.

variomètre nm ELECTR Appareil de mesure des inductances.

variqueux, euse a MED Des varices.

varlope nf Long rabot à poignée.

varron nm Larve d'un insecte qui provoque des lésions de l'hypoderme des bovins.

vasculaire a ANAT Des vaisseaux sanguins.

vascularisation nf ANAT Disposition des vaisseaux dans un organe.

1. vase nf Mélange de terre et de matières organiques formant un dépôt au fond des eaux.

2. vase nm Récipient de forme et de matière variables. Loc Vase de nuit : pot de chambre. Vases communicants : récipients réunis les uns et dans lesquels le liquide se trouve toujours à la même hauteur.

vasectomie nf MED Section du canal excréteur de sperme, destinée à provoquer la stérilité masculine.

vaseline nf Graisse minérale utilisée en pharmacie.

vaseux, euse a 1 Formé de vase. 2 Fam Qui éprouve un malaise vague. 3 Fam Confus, embrouillé.

vasière nf Étendue côtière couverte de vase.

vasistas [-tas] nm Petite ouverture dans une porte ou une fenêtre, munie d'un vantail.

vasoconstricteur, trice a, nm Qui réduit le calibre des vaisseaux sanguins.

vasodilatateur, trice a, nm Qui augmente le calibre des vaisseaux sanguins.

vasomoteur, trice a, nm Qui modifie le calibre des vaisseaux sanguins.

vasopressine nf Hormone qui augmente la tonicité des vaisseaux sanguins.

vasouiller vi Fam S'empêtrer dans une explication, une action, etc.

vasque nf 1 Bassin en forme de coupe recevant l'eau d'une fontaine ornementale. 2 Coupe large et peu profonde, pour décorer une table.

vassal, ale,aux n HIST Lié à un suzerain par l'hommage et à qui on doit divers services. ■ a, n Dépendant d'un autre État, d'une autre personne.

vassaliser vt Mettre sous sa dépendance ; asservir.

vassalité nf 1 HIST État, condition de vassal. 2 Assujettissement, soumission.

vaste a 1 De très grande étendue ou de grandes dimensions. Un vaste domaine. 2 De grande ampleur, de grande portée. De vastes desseins.

va-t-en-guerre a inv, n Fam Belliciste.

vaticination nf Litt Discours prophétique délirant.

va-tout nm inv Loc Jouer son va-tout : jouer le tout pour le tout.

vauclusien, enne a, n Du Vaucluse. Loc Source vauclusienne : résurgence d'eaux d'infiltration.

vaudeville nm Comédie légère dont l'intrigue repose sur des quiproquos.

vaudevillesque a Qui tient du vaudeville.

vaudois, oise a, n 1 Membre d'une secte chrétienne du XIIᵉ s, n'admettant comme source de la foi que les Écritures. 2 Du canton de Vaud, en Suisse.

vaudou nm, a inv Culte animiste, mélange de sorcellerie, de magie et d'éléments du rituel chrétien, répandu aux Antilles.

vau-l'eau (à). V. à vau-l'eau.

vaurien, enne n Mauvais sujet, voyou. ■ nm (n déposé) Petit voilier gréé en sloop.

vautour nm 1 Grand oiseau à la tête dénudée, charognard. 2 Homme impitoyable ou rapace.

vautrer (se) vpr S'étaler, se rouler dans, sur qqch.

va-vite (à la) av Fam De façon hâtive.

veau nm 1 Petit de la vache, âgé de moins d'un an ; sa chair ; son cuir. 2 Fam Personne lourde et sans ressort. 3 Fam Voiture peu nerveuse. Loc Veau marin : phoque.

vecteur nm 1 MATH Segment orienté comportant une origine et une extrémité. 2 Engin, avion capable de transporter une arme vers un objectif. 3 Animal, plante qui transmet un virus, un parasite. 4 Ce qui véhicule une information, un message.

vectoriel, elle a MATH Des vecteurs.

vécu, e a Qui s'est passé ou aurait pu se passer réellement. Un roman vécu. ■ nm L'expérience vécue.

védique nm Sanskrit archaïque.

végétal, ale,aux a 1 Des plantes, des végétaux. Cellule végétale. 2 Qui provient des végétaux. Huile végétale. ■ nm Arbre, plante en général (surtout pl).

végétarien, enne a, n Qui pratique le végétarisme.

végétarisme nm Régime alimentaire excluant la viande.

végétatif, ive a 1 Relatif à la croissance, à la nutrition des plantes. 2 MED Qui concerne l'activité du système circulatoire, des viscères, du métabolisme. **3** Qui, par son inaction, rappelle la vie des plantes. *Vie végétative.*

végétation *nf* Ensemble des végétaux qui croissent en un lieu. ■ *pl* MED Excroissances charnues apparaissant sur les muqueuses et obstruant les fosses nasales.

végéter *vi* 12 1 Croître avec difficulté. *Une plante qui végète.* **2** Avoir une activité réduite, médiocre. *Cette affaire végète.*

véhémence *nf* Litt Impétuosité, violence.

véhément, ente *a* Litt Ardent, impétueux.

véhiculaire *a* Loc *Langue véhiculaire :* qui sert à la communication entre des communautés de langues différentes.

véhicule *nm* **1** Ce qui sert à communiquer. *La télévision est un véhicule de l'information.* **2** Moyen de transport par terre ou par air.

véhiculer *vt* **1** Servir de véhicule à qqch. *Les médias véhiculent l'information.* **2** Transporter par véhicule.

veille *nf* **1** Absence de sommeil. **2** Surveillance, garde effectuée pendant la nuit. **3** Jour qui en précède un autre. *La veille de Pâques.* Loc *À la veille de :* peu avant ; sur le point de.

veillée *nf* **1** Réunion familiale ou amicale le soir jusqu'au coucher. **2** Action de veiller un malade ou un mort. Loc *Veillée d'armes :* soirée qui précède une action difficile.

veiller *vi* **1** S'abstenir volontairement de dormir. **2** Être de garde pendant la nuit. ■ *vt* Rester la nuit auprès d'un malade, d'un mort. ■ *vti* **1** Prendre garde à qqch. *Veiller à ce qu'il n'arrive rien.* **2** Faire en sorte qu'il n'arrive rien de fâcheux à qqn. *Veiller sur ses enfants.*

veilleur *nm* Loc *Veilleur de nuit :* chargé de faire des rondes pour surveiller un établissement la nuit.

veilleuse *nf* **1** Lampe faible éclairant peu et qu'on laisse allumée pendant le sommeil. **2** Petit bec brûlant en permanence, dans une chaudière au gaz ou à mazout, un chauffe-eau, etc. ■ *pl* Feux de position d'une automobile.

veinard, arde *a, n* Fam Qui a de la chance.

veine *nf* **1** Vaisseau qui ramène le sang au cœur. **2** Filon de minerai. **3** Dessin long et étroit qui sinue dans les pierres dures, le bois.

4 Nervure saillante de certaines feuilles. **5** Inspiration. *Une œuvre de la même veine.* **6** Fam Heureux hasard, chance. Loc *Être en veine de :* être disposé à.

veiné, ée *a* Qui présente des veines apparentes. *Roche veinée.*

veiner *vt* Orner une surface en imitant les veines du bois ou du marbre.

veineux, euse *a* **1** Des veines. *Sang veineux.* **2** Qui présente de nombreuses veines. *Marbre veineux.*

veinosité *nf* Petite veine superficielle.

veinule *nf* Petite veine.

veinure *nf* Veines du bois, du marbre, etc.

vélaire *nf* PHON Phonème articulé à la hauteur du voile du palais.

velcro *nm inv* (n déposé) Système de fermeture de vêtements constitué par deux bandes dont les surfaces s'agrippent.

vêler *vi* Mettre bas (vache).

vélin *nm* **1** Peau de veau fournissant un très fin parchemin. **2** Papier très blanc et de qualité supérieure.

véliplanchiste *n* Qui pratique la planche à voile.

vélivole *a* Qui pratique le vol à voile.

velléitaire *a, n* Qui n'a que des velléités.

velléité *nf* Intention peu ferme, que ne suit aucune action.

vélo *nm* Fam Bicyclette.

véloce *a* Litt Rapide.

vélocipède *nm* Ancêtre de la bicyclette.

vélocité *nf* Litt Rapidité.

vélocross *nm* Vélo tout-terrain.

vélodrome *nm* Piste aménagée pour les courses cyclistes.

vélomoteur *nm* Motocyclette d'une cylindrée n'excédant pas 125 cm³.

velours *nm* **1** Étoffe dont l'endroit offre un poil court et serré et dont l'envers est ras. **2** Ce qui est doux au toucher.

velouté, ée *a* **1** Doux au toucher, au goût. **2** Qui a l'aspect du velours. ■ *nm* **1** Douceur, aspect de ce qui est velouté. **2** Potage onctueux.

velu, ue *a* Abondamment couvert de poils.

vélum [-lɔm] *nm* Grande pièce de toile abritant un espace ou simulant un plafond.

vélux *nm* (n déposé) Fenêtre de toit de la marque de ce nom.

venaison *nf* Chair du gros gibier.

vénal, ale, aux *a* Qui agit seulement pour de l'argent ; qui se laisse acheter. Loc *Valeur vénale* : valeur d'une marchandise estimée en argent.

venant *nm* Loc *À tout venant* : à n'importe qui, à tout propos.

vendange *nf* Fait de récolter le raisin mûr destiné à faire du vin ; période où se fait cette récolte.

vendanger *vt* 11 Récolter le raisin.

vendangeur, euse *n* Qui vendange. ■ *nf* Machine à vendanger.

vendéen, enne *a, n* De la Vendée.

vendémiaire *nm* Premier mois du calendrier républicain (septembre-octobre).

vendetta *nf* Coutume corse qui consiste, pour tous les membres d'une famille, à poursuivre la vengeance de l'un des leurs.

vendeur, euse *n* 1 Qui vend ou qui a vendu un bien quelconque (*nf venderesse* en droit). 2 Dont la profession est de vendre. *Vendeur de journaux.* 3 Employé(e) préposé(e) à la vente. ■ *a* 1 Qui vend une marchandise. *Pays vendeur.* 2 Qui fait vendre. *Argument vendeur.*

vendre *vt* 51 1 Échanger qqch contre de l'argent. 2 Exercer le commerce de. 3 Accorder, abandonner qqch pour de l'argent ou contre un avantage. *Vendre son suffrage.* 4 Trahir, dénoncer qqn par intérêt. ■ *vpr* 1 Être vendu. *Pays vendeur.* 2 Faire un commerce honteux de sa personne.

vendredi *nm* Cinquième jour de la semaine. Loc *Le vendredi saint* : le vendredi précédant Pâques, anniversaire de la mort de Jésus-Christ.

vendu, ue *a, n* Corrompu pour de l'argent.

venelle *nf* Litt Petite rue étroite.

vénéneux, euse *a* Se dit d'une plante qui renferme des substances toxiques.

vénérable *a* Digne de vénération, de respect. ■ *nm* Président d'une loge maçonnique.

vénération *nf* 1 Respect voué aux choses sacrées. 2 Profond respect éprouvé pour qqn.

vénérer *vt* 12 Avoir de la vénération, du respect, de l'admiration pour qqn, qqch.

vénerie *nf* Art de chasser avec des chiens courants.

vénérien, enne *a* Loc *Maladie vénérienne* : transmise par contact sexuel ; maladie sexuellement transmissible (M.S.T.).

vénézuélien, enne *a, n* Du Venezuela.

vengeance *nf* Action de se venger ; acte par lequel on se venge.

venger *vt* 11 Réparer un mal fait à qqn en châtiant son auteur. *Venger un affront. Venger un mort.* ■ *vpr* 1 Se faire justice en punissant qqn pour le mal qu'il a causé. *Se venger d'un ennemi.* 2 Réparer moralement un affront, un acte nuisible en châtiant son auteur. *Se venger d'une humiliation.*

vengeur, eresse *a, n* Qui venge.

véniel, elle *a* Sans gravité. *Faute vénielle.* Loc *Péché véniel* : péché léger, qui ne fait pas perdre la grâce divine.

venimeux, euse *a* 1 Se dit des animaux à venin. 2 Litt Haineux, malveillant.

venin *nm* 1 Substance toxique sécrétée par certains animaux et qu'ils injectent par piqûre ou morsure. 2 Litt Haine, malveillance.

venir *vi* 35 [aux *être*] 1 Gagner le lieu où se trouve qqn. 2 Arriver, se produire. *L'orage va venir brusquement.* 3 Provenir, découler de. *Son erreur vient de là. Ce mot vient du grec.* 4 Apparaître à qqn. *Un doute me vient.* 5 Suivi de l'infinitif, marque un passé récent. *Il vient de sortir.* Loc *En venir à* : en arriver à un point. *À venir* : futur.

vénitien, enne *a, n* De Venise. Loc *Store vénitien* : à lamelles mobiles.

vent *nm* 1 Mouvement naturel d'une masse d'air qui se déplace. *Vent du nord, du sud.* 2 Agitation de l'air due à une cause quelconque. *Sentir le vent du boulet.* 3 Gaz intestinal. 4 Tendance, mouvement. *Un vent de panique.* Loc *Instrument à vent* : instrument de musique qui résonne sous l'effet d'un air sous pression ou du souffle.

vente *nf* 1 Action de vendre. *Achat et vente de livres.* 2 Réunion au cours de laquelle certains biens sont vendus publiquement. *Salle*

des ventes. *Loc Vente de charité :* au bénéfice d'une œuvre. *Point de vente :* magasin.

venté, ée a Exposé au vent.

venteux, euse a Où le vent souffle souvent.

ventilateur nm Dispositif destiné à créer
un courant d'air pour refroidir ou pour aérer.

ventilation nf 1 Action de ventiler, d'aérer.
2 Répartition. *Ventilation des fonds disponibles.*

ventiler vt 1 Aérer en produisant un courant d'air. 2 Répartir, distribuer des objets, de
l'argent, des personnes selon différentes affec-
tations.

ventôse nm Sixième mois du calendrier républicain (février-mars).

ventouse nf 1 Petite cloche de verre qu'on
appliquait sur la peau après y avoir créé un
vide, de façon à provoquer une congestion superficielle. 2 Pièce concave de caoutchouc
qui adhère par pression sur les surfaces planes. 3 Organe de succion et de fixation de la
pieuvre, du ténia.

ventral, ale, aux a Du ventre ; situé sur le
ventre. *Parachute ventral.*

ventre nm 1 Partie antérieure et inférieure
du tronc renfermant les intestins. 2 Partie inférieure du corps de certains animaux. 3 Renflement, partie convexe. *Le ventre d'un vase. Loc
À plat ventre :* étendu par terre. *Ventre à
terre :* très rapidement.

ventrée nf Fam Grande quantité de nourriture.

ventricule nm ANAT Chacune des deux cavités de la partie inférieure du cœur. *Loc Ventricule cérébral :* chacune des quatre
cavités du cerveau.

ventrière nf Sangle sous le ventre du cheval.

ventriloque n, a Personne capable
d'émettre des sons sans remuer les lèvres.

ventripotent, ente a Fam Qui a un gros
ventre.

ventru, ue a 1 Qui a un gros ventre. 2 Renflé. *Vase ventru.*

venu, ue a *Loc Bien (mal) venu :* bien
(mal) à propos. *Être mal venu à, de :* ne pas
être moralement en droit de. ■ n *Loc Nou-*

veau venu, nouvelle venue : qui vient d'arriver. *Le premier venu :* pris au hasard. ■ nf
1 Arrivée. *J'ai appris sa venue. La venue des
premiers froids.* 2 Manière de se développer.
Arbre de belle venue.

vénus nf 1 Mollusque dont une espèce est
la praire. 2 Litt Femme d'une grande beauté.

vénusien, enne a, n De la planète Vénus.

vêpres nfpl Office catholique célébré
l'après-midi.

ver nm 1 Petit animal invertébré, de forme
allongée, au corps mou dépourvu de pattes.
2 Larve de certains insectes. *Ver à soie. Loc
Ver blanc :* larve du hanneton. *Ver luisant :*
luciole. *Ver de terre :* lombric. *Ver solitaire :* ténia.

véracité nf Litt Caractère véridique, dépourvu d'erreur ou de mensonge.

véranda nf Galerie ou balcon couvert et
clos par un vitrage.

verbal, ale, aux a 1 De vive voix ; oral.
Promesse verbale. 2 Propre à la parole. *Délire
verbal.* 3 GRAM Du verbe. *Forme verbale.*

verbaliser vi, vt 1 Dresser un procès-verbal. 2 Exprimer par le langage, par des mots.

verbalisme nm Excès de paroles ; paroles
vides.

verbe nm 1 Litt Parole. 2 GRAM Mot exprimant une action, un état et variant en personne, en nombre, en temps, en mode et en
voix.

verbeux, euse a Trop prolixe, diffus.

verbiage nm Abondance de paroles vides
de sens ; bavardage lassant.

verdâtre a Qui tire sur le vert.

verdelet, ette a *Loc Vin verdelet :* acidulé.

verdeur nf 1 Acidité d'un fruit vert, d'un vin
jeune. 2 Vigueur chez qqn qui n'est plus
jeune. 3 Crudité de langage.

verdict nm 1 Réponse du jury aux questions posées en cour d'assises sur la culpabilité
d'un accusé. 2 Avis, jugement quelconque.

verdir vt Rendre vert. ■ vi Devenir vert.

verdoiement nm Fait de verdoyer.

verdoyer vi 22 Être de couleur verte, se couvrir de verdure.

verdure nf **1** Couleur verte des végétaux ; herbe, feuillage vert. **2** Plante potagère verte (salade, etc.) ; crudités.

véreux, euse a **1** Qui contient des vers. **2** Malhonnête. *Avocat véreux.*

verge nf **1** Baguette tige tige en bois ou en métal. **2** Organe de la miction et de la copulation, chez l'homme et les mammifères mâles.

vergé, ée a Loc *Étoffe vergée :* qui a des fils plus gros ou plus foncés que le reste. *Papier vergé :* qui présente en filigrane des lignes parallèles rapprochées.

vergence nf PHYS Inverse de la distance focale d'un système optique centré.

vergeoise nf Sucre roux.

verger nm Terrain planté d'arbres fruitiers.

vergeté, ée a Marqué de petites raies (peau).

vergeture nf MED Petite strie cutanée sillonnant une peau distendue.

vergeure [-ʒyʀ] nf TECH Marque en filigrane laissée sur le papier vergé.

verglacé, ée a Couvert de verglas.

verglas nm Mince couche de glace qui se forme quand une pluie, dont la température est légèrement inférieure à 0° C, atteint le sol.

vergogne nf Loc *Sans vergogne :* sans scrupule ; effrontément.

vergue nf MAR Longue pièce de bois disposée en travers des mâts et servant à fixer les voiles.

véridique a Litt Qui dit la vérité. *Témoin véridique.* **2** Conforme à la vérité.

vérificateur, trice n Qui contrôle l'exactitude de qqch.

vérification nf Action de vérifier.

vérifier vt **1** Contrôler l'exactitude ou la véracité de. *Vérifier un calcul, les déclarations d'un témoin.* **2** Confirmer. *Vérifier un pronostic.*

vérin nm Appareil utilisé pour soulever des charges très pesantes.

vérisme nm École littéraire et artistique italienne de la fin du XIXᵉ s, inspirée par le naturalisme.

véritable a **1** Conforme à la vérité. **2** Vrai, réel (par oppos. à faux, imité). *De la soie véritable.* **3** Digne de son nom. *Une véritable œu-*

vre d'art. **4** Vrai (renforce l'exactitude d'une comparaison). *Cet exploit est un véritable tour de force.*

vérité nf **1** Caractère conforme à la réalité. **2** Proposition dont l'énoncé exprime la conformité d'une idée avec son objet. *Les vérités mathématiques.* **3** Conformité d'un récit, d'une relation avec un fait. *Trahir la vérité.* **4** Sincérité, bonne foi. Loc *Vérités premières :* banalités.

verjus nm Jus acide de raisins verts.

verlan nm Argot consistant à inverser les syllabes des mots.

vermeil, eille a Rouge vif. ■ nm Argent doré.

vermicelle nm Pâte à potage en fils très minces.

vermicide a, nm Qui détruit les vers parasites.

vermiculaire a Qui a l'aspect d'un ver.

vermiforme a Qui a la forme d'un ver.

vermifuge a Médicament qui provoque l'expulsion des vers intestinaux.

vermillon nm, a inv Couleur rouge vif tirant sur l'orangé.

vermine nf **1** Insectes nuisibles, parasites de l'homme et des animaux (poux, puces, punaises, etc.). **2** Litt Gens vils et nuisibles.

vermis nm ANAT Région centrale du cervelet.

vermisseau nm Petit ver.

vermoulu, ue a **1** Rongé par des larves d'insectes (bois). **2** Litt Usé, caduc. *Des institutions vermoulues.* **3** Fam Courbaturé.

vermouth [-mut] nm Apéritif à base de vin aromatisé avec des plantes amères et toniques.

vernaculaire a Loc *Langue vernaculaire :* propre à un pays, à une population.

vernalisation nf AGRIC Traitement des graines par le froid.

verni, ie a **1** Recouvert d'un vernis. *Bois verni.* **2** Fam Chanceux.

vernier nm Instrument de précision pour mesurer les longueurs.

vernir vt Recouvrir, enduire d'un vernis.

vernis nm 1 Enduit solide, lisse et brillant, destiné à protéger ou à décorer. 2 Apparence brillante mais superficielle. *Un vernis de science.*

vernissage nm 1 Action de vernir ou de vernisser. 2 Réception pour l'inauguration d'une exposition.

vernisser vt Recouvrir d'un vernis une poterie, une faïence, etc.

vérole nf Pop Syphilis. Loc Vx *Petite vérole* : variole.

véronique nf 1 Plante aux fleurs roses ou bleues. 2 Passe au cours de laquelle le torero, avec sa cape, amène le taureau près de lui.

verranne nf Fibre de verre, très utilisée dans les composites.

verrat nm Porc mâle non castré.

verre nm 1 Matière transparente, dure, cassante, fabriquée à partir de la fusion de sable mêlé de potasse ou de soude. 2 Plaque, lame de verre. 3 Lentille de verre, pour corriger la vue. 4 Récipient à boire, fait de verre ; son contenu. Loc *Laine de verre* : isolant de fibres de verre. *Papier de verre* : abrasif de poudre de verre.

verrerie nf 1 Fabrication du verre ; usine où on le fabrique. 2 Objets en verre.

verrier nm Qui fabrique du verre, des ouvrages de verre ou des vitraux.

verrière nf 1 Grand vitrage ou grande ouverture munie de vitraux.

verroterie nf Petites pièces de verre coloré ; pacotille.

verrou nm 1 Dispositif de fermeture constitué d'une barre métallique coulissant dans une gâche. 2 Pièce destinée à immobiliser la culasse d'une arme à feu. 3 Ce qui constitue un barrage, un obstacle. Loc *Être sous les verrous* : en prison.

verrouiller vt 1 Fermer au verrou. *Verrouiller une porte.* 2 Bloquer, barrer, interdire un passage. *Verrouiller une brèche.* 3 Empêcher une évolution. ■ vpr S'enfermer.

verrue nf Excroissance de la peau.

verruqueux, euse a Relatif aux verrues.

1. vers prép Marque la direction, le but ou l'approximation. *Vers l'ouest. Vers le soir.*

2. vers nm Suite de mots mesurée et cadencée selon certaines règles, et constituant une unité rythmique. Loc *Vers libres* : non soumis aux règles classiques de la versification.

versaillais, aise a, n 1 De Versailles. 2 HIST Du gouvernement de Versailles, qui réprima la Commune de Paris en 1871.

versant nm 1 Chacune des pentes d'une montagne. 2 Chacun des aspects différents d'une situation.

versatile a Qui change fréquemment d'opinion ; inconstant.

verse (à) av Abondamment (pluie). *Il pleut à verse.*

versé, ée a Qui a une grande connaissance, une grande expérience en matière de. *Il est très versé dans les sciences.*

versement nm Action de verser de l'argent ; somme versée.

verser vi 1 Tomber sur le côté, se coucher. *La voiture a versé dans le fossé.* 2 Tomber dans un défaut, un travers. *Verser dans la facilité.* ■ vt 1 Faire couler un liquide, une matière pulvérulente, etc., d'un récipient dans un autre. 2 Donner, apporter, remettre de l'argent à qqn. 3 Déposer, mettre. *Pièce à verser au dossier.* 4 Affecter qqn à un corps.

verset nm Petit paragraphe numéroté dans un livre sacré.

verseur, euse a Qui sert à verser. *Bec verseur.* ■ nf Cafetière à manche horizontal.

versicolore a Qui présente des couleurs variées.

versificateur, trice n Écrivain qui fait des vers sans inspiration.

versification nf Technique de la composition des vers.

versifier vi Faire des vers. ■ vt Mettre en vers.

version nf 1 Exercice scolaire consistant à traduire un texte d'une langue étrangère dans sa propre langue. Ant. thème. 2 Façon de raconter un fait ; relation. *Version tendancieuse.* 3 État d'un texte, d'une œuvre. *La première version d'un roman.* Loc *Version originale (V.O.)* : film avec la bande sonore originale, sans doublage.

vers-libriste n Poète qui compose des vers libres. *Des vers-libristes.*

verso nm Revers d'un feuillet. Ant. recto.

versoir nm Pièce de la charrue retournant sur le côté la terre détachée par le soc.

verste nf Anc Mesure russe de distance valant environ 1 000 mètres.

vert, verte a 1 De la couleur résultant de la combinaison du jaune et du bleu. 2 Qui n'est pas arrivé à maturité. Fruit vert. 3 Très pâle ; blême. Vert de peur. 4 Resté vigoureux, alerte. Vieillard vert. 5 Rude, sévère. Verte semonce. 6 De l'agriculture, du monde rural. L'Europe verte. 7 De l'écologie, de la défense de l'environnement. Loc Feu vert : signal qui indique la voie libre. Langue verte : argot. Roche verte : ophiolite. ■ nm 1 Couleur verte. 2 Matière colorante verte. 3 Écologiste. Loc Se mettre au vert : se reposer à la campagne.

vert-de-gris nm inv Carbonate de cuivre qui se forme sur les objets de ce métal exposés à l'air humide. ■ a inv verdâtre.

vertébral, ale,aux a Des vertèbres.

vertèbre nf Chacun des os dont la superposition forme la colonne vertébrale.

vertébré, ée a Qui a des vertèbres. ■ nm ZOOL Animal évolué, pourvu de vertèbres (poissons, reptiles, oiseaux, mammifères, amphibiens).

vertébrothérapie nf Traitement des douleurs dorsales par manipulation des vertèbres.

vertement av Avec vivacité, avec rudesse.

vertical, ale,aux a Perpendiculaire au plan horizontal ; droit, dressé. ■ nf Position verticale ; ligne verticale.

verticille nm BOT Groupe de feuilles, de pétales inséré sur une tige.

vertige nm 1 Sensation de perte d'équilibre éprouvée à la vue du vide. 2 Toute sensation d'étourdissement.

vertigineux, euse a 1 Qui donne le vertige. 2 Très grand. Des sommes vertigineux.

vertu nf 1 Litt Disposition à faire le bien. 2 Litt Chasteté féminine. 3 Qualité qui rend qqch propre à produire un certain effet. Les vertus sédatives du tilleul. Loc En vertu de : par le pouvoir de.

vertueux, euse a Qui manifeste des qualités morales ; inspiré par le bien.

vertugadin nm Anc Bourrelet porté par les femmes sous leur jupe pour la faire bouffer.

verve nf Brio, imagination, fantaisie, qui se manifeste dans la parole.

verveine nf Plante médicinale dont on tire une tisane sédative.

vesce [vɛs] nf Plante fourragère.

vésicant, ante a MED Qui cause des ampoules sur la peau.

vésiculaire a En forme de vésicule.

vésicule nf 1 ANAT Petit sac membraneux ou petite cavité glandulaire. 2 MED Boursouflure de la peau pleine de sérosité ou de pus.

vespasienne nf Urinoir public pour hommes.

vespéral, ale,aux a Litt Du soir.

vespertilion nm Chauve-souris insectivore.

vesse nf Pop Gaz intestinal malodorant.

vesse-de-loup nf Champignon (lycoperdon). Des vesses-de-loup.

vessie nf Réservoir abdominal dans lequel s'accumule l'urine, entre les mictions. Loc Vessie natatoire : poche abdominale chez certains poissons, intervenant dans leur équilibre.

vestale nf 1 Prêtresse de Vesta, à Rome. 2 Litt Femme très chaste.

veste nf Vêtement de dessus à manches, couvrant le buste et boutonné devant.

vestiaire nm Lieu où l'on dépose son manteau, son parapluie, etc., à l'entrée de certains lieux publics ; vêtements et objets déposés.

vestibule nm Pièce d'entrée d'une maison, d'un appartement, etc.

vestige nm Reste de ce qui a été détruit.

vestimentaire a Des vêtements.

veston nm Veste d'un costume d'homme.

vêtement nm Ce qui sert à vêtir le corps ; toute pièce de l'habillement, à l'exception des chaussures.

vétéran nm 1 Ancien combattant. 2 Qui a une longue pratique dans un métier, une activité.

vétérinaire a Qui concerne la médecine animale. ■ n Spécialiste de la médecine animale.

vétille nf Chose insignifiante ; bagatelle.

vêtir vt 32 Litt Habiller qqn. ■ vpr S'habiller.

vétiver [-vɛʀ] nm Plante indienne cultivée pour son parfum ; ce parfum.

veto [ve-] nm inv 1 Droit conféré à une autorité de s'opposer à la promulgation d'une loi, à l'adoption d'une résolution. 2 Opposition, refus. *Mettre son veto à une transaction.*

vétuste a Vieux, détérioré par le temps.

vétusté nf État vétuste.

veuf, veuve a, n Dont le conjoint est mort, et qui n'est pas remarié. ■ nf 1 Passereau africain au plumage noir et blanc. 2 Araignée noire, dont la piqûre est dangereuse.

veule [vøl] a Litt Sans vigueur morale, sans volonté ; mou et faible.

veulerie nf Litt Caractère veule.

veuvage nm Fait d'être veuf ou veuve.

vexant, ante a Contrariant, blessant. *Soupçons vexants.*

vexation nf Blessure d'amour-propre.

vexatoire a Qui vise à vexer, à humilier.

vexer vt Piquer, blesser qqn dans son amour-propre. ■ vpr Se froisser.

via prép En passant par tel lieu.

viabiliser vt Équiper un terrain des aménagements (voirie, adductions, etc.) propres à le rendre habitable.

viabilité nf 1 Aptitude à vivre. 2 Bon état d'une route. 3 État d'un terrain viabilisé.

viable a 1 Apte à vivre (fœtus, nouveau-né). 2 Qui peut durer, aboutir. *Projet viable.*

viaduc nm Pont très élevé permettant le franchissement d'une vallée par une voie ferrée ou par une route.

viager, ère a Dont on jouit sa vie durant. *Rente viagère.* ■ nm Rente à vie. Loc *En viager :* en échange d'une rente viagère.

viande nf Chair des animaux en tant qu'aliment. Loc *Viande rouge :* bœuf, cheval, mouton. *Viande blanche :* veau, lapin, volaille. *Viande noire :* gibier.

viatique nm 1 Litt Soutien, secours. 2 RELIG Sacrement de l'eucharistie administré à un chrétien en danger de mort.

vibrant, ante a 1 Qui produit des vibrations. *Lame vibrante.* 2 Qui retentit. *Voix vibrante.* 3 Émouvant. *Appel vibrant.*

vibraphone nm Instrument à percussion comportant des lamelles métalliques qu'on frappe avec de petits marteaux.

vibrateur nm Appareil produisant des vibrations.

vibratile a Susceptible de vibrer.

vibration nf 1 PHYS Oscillation périodique de tout ou partie d'un système. *Vibrations du diapason.* 2 Mouvement de ce qui vibre ; impression (sonore, visuelle) de tremblement. *Vibration de voix.*

vibrato nm Variation rapide du son émis par un instrument de musique ou par la voix.

vibratoire a Composé de vibrations.

vibrer vi 1 Produire des vibrations ; entrer en vibration. 2 Être animé d'un tremblement sonore. *Voix qui vibre.* 3 Réagir par un tremblement intérieur à une émotion intense. *Vibrer d'enthousiasme.*

vibreur nm Appareil constitué d'une lame mise en vibration par un courant électrique.

vibrion nm Bactérie mobile de forme incurvée.

vibrionner vi Fam S'agiter continuellement.

vibrisse nf 1 Poil de l'intérieur des narines. 2 Poil tactile de certains mammifères (chat).

vibromasseur nm Appareil électrique de massage par vibrations.

vicaire nm Prêtre qui assiste le curé d'une paroisse. Loc *Vicaire de Jésus-Christ :* le pape.

vicariat nm Fonction du vicaire.

vice nm 1 Penchant que la morale sociale réprouve (en matière sexuelle, notamment). 2 Défaut, imperfection graves. *Vice de construction.* Loc *Vice de forme :* défaut qui rend nul un acte juridique.

vice-amiral nm Officier général de marine inférieur à l'amiral. *Des vice-amiraux.*

vice-consul nm Qui tient lieu de consul. *Des vice-consuls.*

vicennal, ale, aux a Qui dure vingt ans.

vice-président, ente n Qui supplée le président. *Des vice-présidents, tes.*

vice-roi nm Gouverneur d'un royaume qui dépend d'un autre État. *Des vice-rois.*

vicésimal, ale, aux a MATH Qui a pour base le nombre vingt.

vice versa *av* Réciproquement, inversement.

vichy *nm* 1 Eau minérale de Vichy. 2 Toile de coton à carreaux.

vicié, ée *a* 1 Pollué. *Air vicié.* 2 Entaché d'erreur. *Raisonnement vicié.*

vicier *vt* 1 DR Rendre défectueux ou nul. 2 Gâter, corrompre, altérer.

vicieux, euse *a, n* 1 Qui comporte un défaut ; incorrect. *Locution vicieuse.* 2 Qui a de mauvais penchants. 3 Se dit d'un animal rétif, ombrageux. 4 Fait pour tromper. *Une balle vicieuse.* ■ *a, n* Qui a des goûts dépravés, pervers.

vicinal, ale, aux *a* Loc *Chemin vicinal :* qui relie des villages.

vicissitudes *nfpl* Événements heureux et, plus souvent, malheureux qui se succèdent dans la vie humaine.

vicomte *nm* Titre de noblesse inférieur à celui de comte.

vicomtesse *nf* Femme d'un vicomte.

victime *nf* 1 Qui subit un préjudice par la faute de qqn ou par sa propre faute. *Les victimes d'un escroc.* 2 Tué ou blessé dans une guerre, un accident, etc. 3 Être vivant offert en sacrifice à une divinité.

victoire *nf* 1 Succès remporté dans une guerre. 2 Avantage, succès remporté sur un concurrent. Loc *Victoire à la Pyrrhus :* trop chèrement acquise.

victoria *nf* 1 Plante aquatique ornementale aux larges feuilles flottantes. 2 Anc Voiture hippomobile découverte.

victorien, enne *a* Relatif à la reine Victoria.

victorieux, euse *a* 1 Qui a remporté une victoire. 2 Qui exprime la victoire.

victuailles *nfpl* Vivres, nourriture.

vidange *nf* 1 Opération consistant à vider pour nettoyer, curer. 2 Dispositif d'évacuation des eaux usées. *Vidange d'une machine à laver.* ■ *pl* Matières retirées d'une fosse d'aisances.

vidanger *vt* 11 Vider, faire la vidange de.

vide *a* 1 Qui ne contient rien. *Espace vide.* 2 Dépourvu de son contenu habituel. *Avoir l'estomac vide.* 3 Où il n'y a personne ; qui n'a

pas d'occupant. *Place, fauteuil vides.* 4 Qui n'a pas d'intérêt ; creux, insignifiant. *Mener une existence vide.* Loc *Vide de :* dépourvu de. ■ *nm* 1 Milieu où la densité de la matière est très faible. 2 Espace, étendue vide. *Se jeter dans le vide.* 3 Sentiment de manque, de privation. *Sa mort laisse un grand vide.* 4 Litt Néant. *Le vide des grandeurs humaines.* Loc *À vide :* sans rien contenir ; sans produire d'effet. *Passage à vide :* chute du dynamisme.

vidéaste *n* Réalisateur de films vidéo.

vide-greniers *nm inv* Braderie villageoise.

vidéo *a inv* Se dit des signaux servant à la transmission d'images, ainsi que des appareils, des installations de télévision qui utilisent ces signaux. *Caméras vidéo.* ■ *nf* Technique utilisant des signaux vidéo.

vidéocassette *nf* Cassette contenant une bande magnétique que l'on peut reproduire sur un téléviseur au moyen d'un magnétoscope.

vidéoclip *nm* Court-métrage vidéo illustrant une chanson.

vidéoclub [-klœb] *nm* Magasin de location et de vente de cassettes vidéo enregistrées.

vidéocommunication *nf* Communication par vidéo.

vidéoconférence *nf* Conférence à distance au moyen des télécommunications.

vidéodisque *nm* Disque sur lequel sont enregistrés des images et des sons qu'on peut reproduire sur un téléviseur au moyen d'un lecteur.

vidéogramme *nm* Dispositif permettant la conservation et la reproduction d'un programme audiovisuel.

vidéographie *nf* Transmission de textes qui sont visualisés sur un écran de télévision.

vidéolecteur *nm* Lecteur de vidéodisques.

vidéophone *nm* Appareil associant le téléphone et la télévision.

vide-ordures *nm inv* Conduit d'évacuation des ordures ménagères dans un immeuble.

vidéoprojecteur *nm* Projecteur vidéo.

vidéotex *nm* Procédé de transmission visuelle d'informations par télécommunication.

vidéothèque *nf* Collection de vidéocassettes.

vidéotransmission *nf* Diffusion par la vidéo.

vide-poches *nm inv* Coupe, boîte, corbeille, où on dépose de menus objets.

vide-pomme *nm* Ustensile pour ôter le cœur des pommes. *Des vide-pommes.*

vider *vt* 1 Rendre vide, en ôtant le contenu. 2 Boire le contenu. *Vider son verre.* 3 Évacuer d'un lieu. *Vider les eaux usées.* 4 Pop Renvoyer, congédier ; obliger à sortir. 5 Fam Épuiser. *Ce travail m'a vidé.* ■ *vpr* Devenir vide.

videur *nm* Dans un lieu public, personne chargée de mettre dehors les indésirables.

vidoir *nm* Trappe d'introduction des ordures dans un vide-ordures.

viduité *nf* DR État de veuf, de veuve.

vie *nf* 1 Phénomènes assurant l'évolution des organismes animaux et végétaux depuis la naissance jusqu'à la mort. 2 Existence humaine. *Donner la vie. Perdre la vie.* 3 Cours de l'existence, événements qui la remplissent. *Mener une vie tranquille.* 4 Biographie, histoire de qqn. 5 Durée de l'existence de qqn, de qqch. *Sa vie a été trop courte.* 6 Coût de la subsistance, de l'entretien. *La vie est de plus en plus chère.* 7 Vitalité, entrain. *Un enfant plein de vie.* 8 Animation. *La vie du quartier.*

vieil. V. vieux.

vieillard *nm* Homme âgé. ■ *pl* Personnes du troisième âge.

1. vieille. V. vieux.

2. vieille *nf* Syn de labre.

vieillerie *nf* 1 Objet ancien, usagé. 2 Idée rebattue ; conception surannée.

vieillesse *nf* 1 Période ultime de la vie ; fait d'être vieux. 2 Les personnes âgées.

vieilli, ie *a* 1 Marqué par l'âge. *Visage vieilli.* 2 Suranné, désuet, hors d'usage. *Idées vieillies.*

vieillir *vi* 1 Devenir vieux. *Il commence à vieillir.* 2 Perdre de sa force, de son actualité. *Ce roman a vieilli.* ■ *vt* Rendre vieux ; faire paraître plus vieux. *Cette coiffure la vieillit.*

vieillissement *nm* Fait de vieillir.

vieillot, otte *a* Démodé, suranné.

vielle *nf* Instrument de musique à cordes frottées par une roue qu'on fait tourner au moyen d'une manivelle.

vielleur ou **vielleux, euse** *n* Joueur de vielle.

viennois, oise *a, n* De Vienne.

viennoiserie *nf* Produits de boulangerie, en dehors du pain (croissants, brioches, etc).

vierge *a* 1 Qui n'a jamais eu de rapports sexuels. 2 Qui n'a jamais été utilisé ; intact. *Feuille de papier vierge.* 3 Qui n'a jamais été cultivé, exploité. *Sol vierge.* Loc *Forêt vierge* : forêt équatoriale impénétrable. *Cire vierge* : d'abeille. *Huile vierge* : extraite d'olives écrasées à froid. ■ *nf* Litt Fille qui n'a jamais eu de rapports sexuels.

vietnamien, enne *a, n* Du Viêt-nam. ■ *nm* Langue parlée au Viêt-nam.

vieux ou **vieil** (devant voyelle ou h muet), **vieille** *a* 1 Âgé. *Une vieille dame. Un vieil homme.* 2 Ancien, qui existe de longue date. *Une vieille maison de famille.* 3 Tel depuis longtemps. *Un vieil ami.* 4 Détérioré par le temps ; usagé. *Une vieille paire de chaussures.* Loc *Vieux jours* : vieillesse. *Vieux jeu* : démodé. *Vieux garçon, vieille fille* : célibataire qui n'est plus jeune. ■ *n* 1 Personne âgée. 2 Pop Père, mère, parents. *Ma vieille. Mes vieux.* Loc Fam *Un vieux de la vieille* : personne expérimentée. ■ *nm* Ce qui est vieux. Loc Fam *Coup de vieux* : vieillissement subit.

vif, vive *a* 1 Actif, alerte. *Enfant très vif.* 2 Aigu, intense. *Vif plaisir.* 3 Éclatant, brillant. *Bleu vif.* 4 Brusque, coléreux, emporté. *Un geste vif.* Loc *Brûlé vif* : vivant. *Plus mort que vif* : très effrayé. *Air vif* : vivifiant. *Eau vive* : qui court. *Haie vive* : en pleine végétation. *Chaux vive* : non mouillée. *De vive voix* : oralement. ■ *nm* DR Personne vivante. *Donation entre vifs.* Loc *Dans le vif du sujet* : en plein dans la question. *À vif* : dont la chair est à nu. *Sur le vif* : d'après nature.

vigie *nf* Marin placé en observation, sur un navire.

vigilance *nf* Attention, surveillance active.

vigilant, ante *a* Attentif.

1. vigile *nf* Veille de grande fête religieuse.

2. vigile nm Garde, dans des lieux publics, dans de grands ensembles d'habitation.

vigne nf **1** Arbrisseau cultivé pour son fruit, le raisin. **2** Terrain planté de vignes ; vignoble. Loc **Vigne vierge** : plante grimpante ornementale.

vigneau ou **vignot** nm Bigorneau.

vigneron, onne n Qui cultive la vigne et fait le vin.

vignette nf **1** Ornement sur la page de titre d'un livre ou au commencement et à la fin des chapitres. **2** Étiquette constatant le paiement de certains droits, ou sur un médicament servant au remboursement de la Sécurité sociale.

vignoble nm **1** Terre plantée de vignes. **2** Ensemble des vignes d'un pays, d'une région.

vigogne nf Lama recherché pour sa laine.

vigoureux, euse a **1** Plein de vigueur, de force. **2** Actif, puissant, intense.

vigueur nf **1** Force physique, énergie. **2** Fermeté morale ou psychologique. **3** Puissance. *Vigueur du style.* Loc **En vigueur** : en usage.

viguier nm HIST Juge dans le midi de la France, sous l'Ancien Régime.

V.I.H. Abrév de *virus d'immunodéficience humaine*, nom français de l'agent du sida.

vil, vile a Litt Bas, abject, méprisable. Loc **À vil prix** : à très bas prix.

vilain, aine a **1** Méprisable. *Une vilaine action.* **2** Laid. *De vilaines mains.* **3** Mauvais. *Vilain temps.* **4** Indocile, turbulent (enfant). **5** Dangereux, inquiétant. *Une vilaine blessure.* ■ **av** Loc **Il fait vilain** : il fait mauvais temps. ■ **nm** HIST Paysan libre au Moyen Âge. Loc **Du vilain** : des choses désagréables, des disputes, du scandale.

vilebrequin nm **1** Outil à main pour le perçage du bois. **2** Arbre coudé qui transforme le mouvement alternatif des pistons d'un moteur en mouvement rotatif.

vilenie nf Litt Action vile, basse.

vilipender vt Litt Dénoncer comme méprisable.

villa nf Maison individuelle avec un jardin.

village nm Petite agglomération rurale.

villageois, oise n Habitant d'un village. ■ a De village. *Fête villageoise.*

villanelle nf Poésie ou chanson pastorale ; danse qu'elle accompagnait.

ville nf Agglomération dont les habitants exercent des activités non agricoles (commerce, industrie, administration). Loc **Ville nouvelle** : créée de toutes pièces pour favoriser la décentralisation. *Ville ouverte* : non défendue en temps de guerre.

villégiature nf **1** Séjour de vacances à la campagne, au bord de la mer, etc. **2** Endroit de ce séjour.

villosité nf Didac État d'une surface velue.

vin nm **1** Boisson alcoolique obtenue par fermentation du jus de raisin. **2** Boisson alcoolique obtenue par fermentation d'un produit végétal. *Vin de palme.* Loc **Vin de table** : de consommation courante. *Vin d'honneur* : offert pour honorer qqn, qqch. *Tache de vin* : angiome.

vinage nm Addition d'alcool à un vin.

vinaigre nm Liquide riche en acide acétique obtenu par fermentation du vin ou d'autres liquides alcoolisés et employé comme condiment.

vinaigrer vt Assaisonner avec du vinaigre.

vinaigrette nf Sauce à base de vinaigre et d'huile.

vinaigrier nm **1** Flacon destiné à contenir du vinaigre. **2** Récipient servant à fabriquer du vinaigre.

vinaire a Qui concerne le vin.

vinasse nf Fam Mauvais vin.

vindicatif, ive a Enclin à la vengeance.

vindicte nf Loc **Désigner qqn à la vindicte publique** : l'accuser publiquement.

vineux, euse a **1** Qui a la couleur du vin. **2** Qui sent le vin. Loc **Vin vineux** : riche en alcool.

vingt a num **1** (prend un s quand il est précédé d'un numéral, reste invariable quand il est suivi d'un numéral ou au sens de *vingtième*) Deux foix dix (20). *Vingt mois. Vingtième. Page vingt.* ■ **nm** inv Nombre ou numéro vingt.

vingtaine nf Nombre de vingt ou environ.

vingt-deux a num Loc Pop **Vingt-deux !** : attention à un danger immédiat.

vingtième a num Au rang, au degré vingt. ■ a, nm Contenu vingt fois dans le tout.

vingt-quatre a num Loc *Vingt-quatre heures* : un jour plein.

vinicole a Relatif à la production du vin.

viniculture nf Ensemble des activités concernant le vin.

vinification nf Opération qui transforme le moût en vin.

vinifier vt Opérer la vinification de.

vinyle nm Matière plastique utilisée pour fabriquer les disques microsillons.

vinylique a Se dit des résines obtenues à partir de l'acétylène.

viol nm 1 Acte de violence par lequel une personne est contrainte à des relations sexuelles. 2 Action d'enfreindre. *Viol des lois.* Loc Litt *Viol des consciences* : fait de forcer leur secret.

violacé, ée a Qui tire sur le violet.

violacer vt 10 Rendre violet.

violateur, trice n Coupable d'un viol de domicile ou de loi, d'une sépulture.

violation nf Action de violer un domicile, une loi, une sépulture.

viole nf Instrument de musique à archet, ancêtre du violon et du violoncelle. Loc *Viole de gambe* : jouée tenue entre les genoux.

violemment av Avec violence.

violence nf 1 Force brutale exercée contre qqn. 2 Brutalité du caractère, de l'expression. 3 Intensité, force brutale d'un phénomène naturel, d'un sentiment, etc. ■ pl Actes violents.

violent, ente a, n Brutal, emporté, irascible. ■ a 1 D'une grande force, d'une grande intensité. *Une violente explosion.* 2 Qui nécessite de la force. *Un effort violent.* Loc *Mort violente* : causée par violence ou accident.

violenter vt Commettre un viol sur qqn.

violer vt 1 Enfreindre, agir contre. *Violer la loi.* 2 Pénétrer dans un lieu sacré ou interdit ; profaner. 3 Contraindre par la violence à un rapport sexuel.

violet, ette a, nm D'une couleur résultant d'un mélange de bleu et de rouge ; mauve.

violette nf Plante à fleurs violettes, au parfum pénétrant.

violeur, euse n Qui commet, qui a commis un viol sur qqn.

violine a D'une couleur violet pourpre.

violiste n Qui joue de la viole.

violon nm 1 Instrument de musique à quatre cordes et à archet. 2 Violoniste. 3 Fam Prison d'un poste de police. Loc *Violon d'Ingres* : activité d'amateur, en dehors de son métier.

violoncelle nm Instrument à cordes et à archet, plus grand que le violon.

violoncelliste n Qui joue du violoncelle.

violoneux nm Fam Mauvais violoniste.

violoniste n Qui joue du violon.

viorne nf Arbrisseau grimpant à fleurs blanches.

V.I.P. n inv Fam Personnage important.

vipère nf 1 Serpent venimeux à tête triangulaire. 2 Personne méchante, sournoise. Loc *Langue de vipère* : personne très médisante.

vipereau nm Petit d'une vipère.

vipérin, ine a De la vipère. ■ nf Couleuvre aquatique ressemblant à la vipère.

virage nm 1 Mouvement tournant d'un véhicule. 2 Portion courbe d'une route. 3 Changement d'orientation. *Virage politique.*

virago nf Fam Femme d'allure masculine.

viral, ale, aux a Dû à un virus.

vire nf Étroite corniche sur une paroi rocheuse.

virée nf Fam Promenade, court voyage.

virelai nm Poème du Moyen Âge, sur deux rimes et quatre strophes.

virement nm 1 Transfert de fonds d'un compte à un autre. 2 MAR Action de faire demi-tour.

virer vt 1 Faire passer d'un compte à un autre. *Virer une somme.* 2 Fam Renvoyer, congédier, expulser qqn ; enlever qqch d'un lieu. ■ vti Passer d'un autre état, à une autre couleur. *Virer à l'aigre, au bleu.* ■ vi 1 Tourner sur soi ou tourner en rond. 2 Changer de direction ; prendre un virage. 3 Changer de teinte. *Couleur qui vire.*

virevolte nf Tour et retour rapides sur soi-même.

virevolter vi Tourner rapidement sur soi.

virginal, ale,aux *a* **1** D'une vierge. **2** Litt Pur, immaculé.

virginité *nf* **1** État d'une personne vierge. **2** Litt Pureté.

viril, ile *a* **1** Propre aux humains adultes du sexe masculin. **2** Résolu, ferme, énergique.

viriliser *vt* Rendre viril.

virilisme *nm* MED Troubles apparaissant chez la femme souffrant d'une hypersécrétion d'hormones androgènes.

virilité *nf* **1** Caractéristiques physiques de l'homme adulte de sexe masculin. **2** Puissance sexuelle chez l'homme. **3** Litt Énergie, fermeté.

virole *nf* Petit cercle de métal.

virologie *nf* Étude des virus.

virose *nf* Maladie due à un virus.

virtualité *nf* Litt Caractère virtuel.

virtuel, elle *a* **1** Qui existe en puissance seulement, sans effet actuel ; potentiel. **2** INFORM Se dit d'un objet ou d'un environnement reproduit en trois-D.

virtuellement *av* **1** De façon virtuelle. **2** À peu de choses près, pratiquement.

virtuose *n, a* Doué d'une grande habileté dans un art, une activité et, en particulier, dans la technique musicale.

virtuosité *nf* Talent de virtuose.

virucide ou **virulicide** *a, nm* MED Qui détruit les virus.

virulence *nf* Caractère virulent.

virulent, ente *a* **1** MED Doué d'un pouvoir pathogène intense. **2** Âpre, dur, violent.

virus [-rys] *nm* **1** Microorganisme infectieux. **2** Goût, passion pour qqch. *Il a le virus du jazz.* **3** Programme conçu pour perturber le fonctionnement des ordinateurs.

vis [vis] *nf* Tige métallique cannelée en hélice destinée à s'enfoncer en tournant. **Loc Escalier à vis :** en colimaçon, tournant autour d'un noyau central. **Pas de vis :** spire d'une vis. **Vis sans fin :** qui entraîne une roue dentée.

visa *nm* **1** Formule, sceau qu'on appose sur un acte pour le valider, le légaliser. **2** Cachet apposé sur un passeport, valant autorisation de séjour.

visage *nm* **1** Face de l'être humain, partie antérieure de la tête. **2** Expression, mine, physionomie. *Visage ouvert, triste.* **3** Aspect de qqch. *Le vrai visage du pouvoir.*

visagisme *nm* Soins apportés au visage pour mettre en valeur sa beauté.

vis-à-vis [vizavi] *prép* En face de, en comparaison de, envers. ■ *nm inv* **1** Personne ou chose placée en face d'une autre. *J'ai demandé du feu à mon vis-à-vis.* **2** Petit fauteuil à deux places, en forme de S.

viscache [-kaʃ] *nf* Rongeur américain, proche du chinchilla.

viscéral, ale,aux *a* **1** Relatif aux viscères. **2** Qui vient du plus profond de soi. *Un attachement viscéral.*

viscère *nm* Chacun des organes contenus dans les cavités crânienne, thoracique et abdominale.

viscose *nf* Cellulose transformée, utilisée pour la préparation de la rayonne, de la fibranne et de la cellophane.

viscosité *nf* État visqueux.

visée *nf* **1** Action de diriger le regard, une arme, un instrument d'optique, un appareil photographique, etc., vers un point donné. **2** (surtout pl) But à atteindre, dessein, désir. *Avoir des visées sur qqch, qqn.*

1. viser *vt* **1** Regarder attentivement le but, la cible, en dirigeant sur eux une arme, un projectile. **2** Chercher à atteindre. **3** Concerner. *Ce reproche nous vise.* **4** Pop Regarder. ■ *vti* **1** Pointer une arme, un objet vers. *Il a visé au cœur.* **2** Chercher à atteindre, avoir en vue. *Cette équipe vise au succès, à remporter la victoire.* ■ *vi* Loc **Viser trop haut, trop bas :** avoir de trop grandes, de trop modestes ambitions.

2. viser *vt* Revêtir un acte, un passeport d'un cachet, d'un visa qui le rend valide.

viseur *nm* Dispositif optique de visée.

visibilité *nf* **1** Fait d'être visible. **2** Possibilité de voir plus ou moins loin. *La brume réduit la visibilité.*

visible a 1 Qu'on peut voir. *Éclipse visible à Paris.* 2 Évident, manifeste. *Il est visible qu'il a tort.* 3 Prêt à recevoir une visite. *Le directeur est-il visible ?*

visière nf Partie d'une casquette, d'un képi qui abrite le front et les yeux.

visioconférence ou **vidéoconférence** nf Téléconférence visuelle et auditive entre des participants éloignés.

vision nf 1 Perception du monde extérieur par les organes de la vue. 2 Façon de voir ; conception. *Une curieuse vision de l'esprit.* 3 Hallucination visuelle ; apparition surnaturelle.

visionnaire a, n 1 Qui a, qui croit avoir des visions surnaturelles. 2 Qui a l'intuition juste de l'avenir.

visionner vt Examiner un film, des diapositives, etc., du point de vue technique.

visionneuse nf Appareil permettant l'examen des films, des diapositives, des microfilms.

visite nf 1 Fait d'aller dans un lieu pour l'inspecter. 2 Fait d'examiner, de contrôler qqch. 3 Fait d'aller dans un lieu pour son propre plaisir. 4 Fait d'aller voir qqn chez lui. *Rendre visite à un ami.* 5 Consultation donnée par un médecin au domicile du patient ; examen médical sur le lieu du travail, à l'école. 6 Visiteur, visiteuse. *J'ai reçu une visite.*

visiter vt 1 Examiner complètement, en détail. 2 Parcourir, aller voir par curiosité, pour son plaisir. 3 Aller voir qqn chez lui.

visiteur, euse n 1 Qui visite un lieu pour son plaisir. 2 Qui rend visite à qqn chez lui. Loc *Visiteur de prison* : qui rencontre bénévolement des prisonniers. *Visiteur médical* : représentant d'un laboratoire pharmaceutique auprès des médecins.

vison nm Petit mammifère carnivore élevé pour sa fourrure ; cette fourrure.

visqueux, euse a 1 Poisseux, collant. *Liquide épais et visqueux.* 2 Dont la surface est gluante. *Peau visqueuse.*

visser vt 1 Fixer, assembler au moyen de vis. 2 Fermer, serrer une chose munie d'un pas de vis. *Visser le capuchon de son stylo.* 3 Fam Exercer sur qqn une contrainte sévère.

visualiser vt 1 Faire percevoir par la vue, par un moyen matériel. 2 Présenter des données sur un écran, en informatique.

visuel, elle a De la vue. Loc *Mémoire visuelle* : mémoire des images, des choses vues. ■ nm 1 INFORM Dispositif permettant de visualiser des données. 2 Aspect visuel d'une affiche, d'une publicité.

vital, ale, aux a 1 Indispensable à la vie. 2 Fondamental ; d'une importance capitale. *Question vitale.* Loc *Minimum vital* : nécessaire à la subsistance et à l'entretien de qqn, d'une famille.

vitalité nf Ardeur, dynamisme, vigueur.

vitamine nf Substance azotée indispensable à l'organisme en doses infinitésimales.

vitaminé, ée a Qui contient des vitamines.

vitaminique a Des vitamines.

vite av 1 Avec rapidité. *Marcher vite.* 2 Bientôt, sous peu. *Il sera vite guéri.*

vitellin, ine a Du vitellus.

vitellus nm BIOL Substances de réserve contenues dans l'ovule des animaux.

vitesse nf 1 Rapidité à se déplacer ou à agir. 2 Rapport d'une distance au temps mis pour la parcourir. 3 Chacune des combinaisons d'engrenages de la traction d'une voiture.

viticole a De la viticulture.

viticulteur, trice n Qui cultive la vigne.

viticulture nf Culture de la vigne.

vitivinicole a Qui concerne à la fois la viticulture et la viniculture.

vitrage nm 1 Châssis garni de vitres. 2 Rideau transparent appliqué contre ce châssis.

vitrail, aux nm Panneau fait de verres peints ou colorés dans la masse et assemblés au moyen de plomb.

vitre nf Plaque de verre dont on garnit une ouverture (porte, fenêtre, glace d'une voiture).

vitré, ée a Garni de vitres.

vitrerie nf 1 Fabrication, commerce et pose des vitres. 2 Ensemble de vitres, de vitraux.

vitreux, euse a Qui a l'aspect du verre. Loc *Œil, regard vitreux* : sans éclat, sans vie.

vitrier nm Qui vend, pose les vitres.

vitrification nf Action de vitrifier.

vocabulaire

vitrifier vt **1** Transformer en verre par fusion. **2** Recouvrir une surface d'un produit transparent et imperméable pour protéger.

vitrine nf **1** Devanture vitrée d'un magasin. **2** Meuble vitré où sont exposés des objets de collection. **3** Ce qui sert à présenter qqch sous un jour favorable.

vitriol nm Acide sulfurique concentré, très corrosif.

vitrioler vt Arroser qqn avec du vitriol dans un but criminel.

vitrocéramique nf Céramique obtenue par une technique identique à celle du verre.

vitrophanie nf Étiquette qui se colle sur une vitre et qu'on peut lire par transparence.

vitupérer a, vti **12** Litt Blâmer violemment. Vitupérer qqn ou (abusiv) contre qqn.

vivable a **1** Où on peut vivre. Un appartement vivable. **2** D'humeur accommodante.

1. vivace a Qui dure, tenace. Préjugés vivaces. **Loc Plante vivace :** qui vit plusieurs années.

2. vivace [vivatʃe] a inv MUS Vif, rapide.

vivacité nf **1** Fait d'être vif, d'avoir de l'allant. **2** Rapidité à comprendre, à réagir. **3** Intensité, éclat. Vivacité des couleurs.

vivandier, ère nf HIST Qui vendait aux soldats des vivres et des boissons.

vivant, ante a **1** Qui est en vie (par oppos. à mort). **2** Doué de vie (par oppos. à inanimé). La matière vivante. **3** Qui manifeste de la vitalité ; dynamique. **4** Où il y a de l'activité, de l'animation. Quartier très vivant. **5** Qui rappelle qqn de façon frappante. C'est le vivant portrait de son père. **6** Qui restitue la vie. Une description vivante. **7** Qui continue à vivre dans la mémoire. **Loc Langue vivante :** encore parlée. ■ nm Qui est en vie. **Loc Un bon vivant :** qui apprécie les plaisirs de la vie. **Du vivant de qqn :** pendant qu'il était en vie.

vivarium [-ʀjɔm] nm Établissement où on conserve de petits animaux dans leur milieu naturel.

vivat [viva] interj, nm Acclamation enthousiaste.

1. vive nf Poisson marin comestible, à la nageoire dorsale armée d'épines venimeuses.

2. vive !, vivent ! interj Pour acclamer. Vive la République ! Vive(nt) les vacances ! **Loc Qui vive ? :** Cri poussé par un factionnaire qui voit ou entend qqch de suspect.

vivement av **1** Avec emportement ou rapidité. **2** Intensément. Ressentir vivement une perte. ■ interj Marque une attente impatiente. Vivement les vacances !

viveur, euse n Qui fait la fête, qui ne songe qu'aux plaisirs.

vivier nm **1** Bassin dans lequel on élève poissons et crustacés. **2** Réserve de gens compétents.

vivifier vt Augmenter la vitalité, la vigueur de qqn.

vivipare a, nm ZOOL Animal qui donne naissance à des petits vivants. Ant. ovipare.

vivisection nf Opération pratiquée sur un animal vivant.

vivoter vi Fam **1** Vivre médiocrement, végéter. **2** Fonctionner au ralenti.

vivre vi **76 1** Être, rester en vie. **2** Exister, continuer d'exister dans les esprits. Sa mémoire vivra longtemps. **3** Jouir de la vie. Vivre pleinement. **4** Subvenir à ses propres besoins. Vivre largement. **5** Se nourrir ou tirer sa subsistance de. Vivre de pain et de lait, de son travail. **6** Passer sa vie à une époque, dans un lieu. Vivre loin de son pays. **7** Passer sa vie d'une certaine façon. Vivre seul. **8** Connaître les usages. Savoir vivre. Apprendre à vivre. ■ vt **1** Passer une période bonne ou mauvaise. Vivre des heures troublées. **2** Éprouver, ressentir profondément. Vivre une expérience exaltante. ■ nm **Loc Le vivre et le couvert :** la nourriture et un toit. ■ pl Aliments. Manquer de vivres.

vivrier, ère a Dont les produits sont destinés à l'alimentation. Cultures vivrières.

vizir nm HIST Ministre du sultan.

vlan ! interj Exprime un bruit, un coup brusque, violent.

V.O. [veo] nf Abrév de version originale.

vocable nm Mot, terme.

vocabulaire nm **1** Dictionnaire abrégé. **2** Ensemble des mots d'une langue. **3** Ensemble des termes que connaît qqn.

vocal, ale, aux a De la voix. Loc *Musique vocale* : musique pour le chant.

vocalique a Relatif aux voyelles.

vocalisation nf 1 Changement d'une consonne en voyelle. 2 MUS Action de vocaliser.

vocalise nf Exercice vocal consistant à exécuter une échelle de sons sur une voyelle. ■ vi MUS Exécuter des vocalises.

vocaliser vt Transformer une consonne en voyelle. ■ vi MUS Exécuter des vocalises.

vocalisme nm LING Système des voyelles d'une langue.

vocatif nm LING Dans les langues à déclinaison, cas de l'interpellation.

vocation nf 1 Vive inclination, penchant pour un état, une profession. 2 Ce à quoi qqch semble être destiné. *Région à vocation agricole.*

vocifération nf Cris de qqn qui vocifère.

vociférer vi, vt 12 Crier avec colère.

vodka nf Alcool de grain russe ou polonais.

vœu nm 1 Promesse par laquelle on s'engage envers Dieu. *Vœux de pauvreté des religieux.* 2 Litt Résolution fermement prise. *Faire vœu de ne plus fumer.* 3 Volonté, désir exprimé. *Le vœu de la nation.* Loc *Vœu pieux* : irréalisable. ■ pl 1 Engagement solennel dans l'état religieux. *Prononcer ses vœux.* 2 Souhait. *Faire des vœux pour sa réussite. Présenter ses vœux.*

vogue nf Succès passager auprès du public. Loc *En vogue* : à la mode.

voguer vi Litt Naviguer.

voici prép Indique ce qui est le plus proche, ce qui va arriver.

voie nf 1 Chemin pour aller d'un lieu à un autre ; route, rue. *Voies de communication.* 2 Rails sur lesquels circulent les trains. *Voie ferrée.* 3 Mode de transport. *Par voie aérienne.* 4 Partie d'une route pour une seule file de voiture. *Route à trois voies.* 5 Moyen employé. *Par la voie hiérarchique.* 6 ANAT Conduit assurant une fonction. *Voies urinaires.* Loc *Voie d'eau* : ouverture accidentelle dans la coque d'un navire. *Être en voie de* : sur le point de. *Voies de fait* : actes de violence contre qqn.

voilà prép Indique l'éloignement ou renvoie à ce qui vient d'être énoncé.

voilage nm Rideau léger et transparent.

1. voile nm 1 Pièce d'étoffe destinée à cacher qqch. 2 Coiffure féminine faite d'une pièce d'étoffe. *Voile de mariée.* 3 Tissu fin et léger. 4 Ce qui dissimule à la vue. *Un voile de fumée légère.* 5 PHOTO Obscurcissement d'une épreuve surexposée. 6 Gauchissement d'une pièce de bois, de métal. Loc *Prendre le voile* : entrer en religion. MED *Voile au poumon* : opacité anormale et homogène d'une partie du poumon. ANAT *Voile du palais* : séparation entre les fosses nasales et la cavité buccale.

2. voile nf 1 Pièce d'étoffe résistante destinée à recevoir l'action du vent et à assurer la propulsion d'un navire. 2 Sport consistant à naviguer en voilier.

voilé, ée a 1 Sans éclat, obscurci. *Ciel voilé. Regard voilé.* 2 Atténué, indirect. *Reproche voilé.* 3 Gauchi, déformé. *Roue voilée.*

voiler vt 1 Couvrir. *Voiler son visage.* 2 Cacher, dissimuler. *Voiler son trouble.* 3 Gauchir, déformer une roue, une planche. 4 Provoquer un voile sur une épreuve photographique. ■ vpr Se couvrir d'un voile. *Le ciel se voile.*

voilerie nf Atelier de fabrication ou de réparation des voiles de bateaux.

voilette nf Petit voile transparent fixé sur un chapeau de femme et qui s'abaisse sur le visage.

voilier nm Bateau à voiles.

voilure nf 1 Voiles d'un navire. 2 Surfaces assurant la sustentation d'un avion (ailes et empennage).

voir vt, vi 45 Percevoir avec les yeux, par la vue. *Je l'ai vu comme je vous vois. Je ne vois plus.* ■ vt 1 Regarder, visiter. *Nous avons vu ses exploits. Voir une exposition.* 2 Rencontrer qqn. *Aller voir un ami.* 3 Consulter. *Voir le médecin.* 4 Considérer attentivement, examiner, étudier. *Voir un dossier en détail.* 5 Avoir l'image mentale de. *Je vois la scène comme si j'y étais.* 6 Se faire une idée de, concevoir. *Ce n'est pas ma façon de voir. Je ne vois pas la difficulté.* Loc *Voir le jour* : naître. *N'avoir rien à voir avec, dans* : n'avoir aucun rapport avec. ■ vti Veiller à. *Voyez à faire le nécessaire.* ■ vpr 1 Percevoir sa propre image. 2 Être visible. *Cela se voit de loin.* 3 Se fréquenter. *Nous nous voyons souvent.* 4 Se trouver, se considérer comme. *Je me vois dans l'obligation de partir.*

ne me vois pas du tout dans ce rôle. **2** Prendre conscience d'être. *Se voir perdu.* **3** Arriver, se produire. *Cela se voit encore.*

voire av Litt Et même. *Il est économe, voire avare.* (La loc. *voire même* est pléonastique.)

voirie nf **1** Ensemble des voies de communication. **2** Administration chargée de ces voies. **3** Décharge où on jette les ordures.

voisé, ée a PHON Caractérisé par le voisement.

voisement nm PHON Vibration des cordes vocales dans la réalisation d'un son du langage.

voisin, ine a **1** Proche dans l'espace. *Maisons voisines.* **2** Peu éloigné dans le temps. *Date voisine de Noël.* **3** Analogue, comparable. *Expressions voisines.* ■ n Qui habite, qui se trouve à proximité d'un autre.

voisinage nm **1** Proximité de qqn, d'un lieu ; alentours. *Le voisinage de la forêt.* **2** Ensemble des voisins. **Loc** *Bon voisinage :* bonnes relations entre voisins.

voisiner vi Être voisin de.

voiture nf **1** Véhicule à roues, destiné au transport. **2** Automobile de tourisme. **3** Partie d'un train, d'un métro, destinée au transport des voyageurs.

voiturette nf Petite voiture que l'on peut conduire sans permis.

voiturier nm Qui range la voiture des clients d'un hôtel, d'un restaurant.

voix nf **1** Ensemble des sons émis par les êtres humains. **2** Cri de certains animaux. **3** Sons émis en chantant ; voix d'un chanteur. *Une voix juste. Voix de basse.* **4** Appel, avertissement intérieur. *La voix de la conscience.* **5** Avis exprimé par un vote. **6** GRAM Formes verbales selon la relation entre sujet et verbe (actif, passif).

1. vol nm **1** Locomotion aérienne des oiseaux, des insectes, de certains animaux. **2** Distance parcourue par un oiseau d'une seule traite. **3** Ensemble d'oiseaux volant en groupe. *Un vol de canards.* **4** Déplacement dans l'air d'un avion, d'un engin. **5** Trajet effectué par ce déplacement. **6** Mouvement rapide d'un objet dans l'air. *Attraper une balle*

au vol. **Loc** *Vol à voile :* pratiqué avec un planeur.

2. vol nm Action de s'approprier le bien d'autrui de façon illicite ; chose dérobée.

volage a Inconstant, infidèle en amour.

volaille nf **1** Ensemble des oiseaux de basse-cour. **2** Oiseau élevé en basse-cour ; sa viande. *Plumer une volaille.*

volailler, ère ou **volailleur, euse** n Marchand de volaille.

volant, ante a **1** Qui vole. *Poissons volants.* **2** Que l'on peut déplacer. *Pont volant.* **Loc** *Feuille volante :* feuille de papier détachée d'un bloc. ■ nm **1** Jeu de raquette dans lequel les joueurs se renvoient une balle garnie de plumes. **2** Organe circulaire qui permet de diriger un véhicule automobile. **3** TECH Roue pesante destinée à régulariser la vitesse de rotation de l'arbre dont elle est solidaire. **4** Bande d'étoffe cousue au bord d'un vêtement, d'un rideau.

volapük nm Langue artificielle (fin du XIXe s.).

volatil, ile a **1** CHIM Qui se transforme facilement en vapeur, en gaz. **2** Incertain, fluctuant. *Électorat volatil. Taux d'intérêt volatil.*

volatile nm Oiseau.

volatiliser vt **1** Faire passer un corps solide ou liquide à l'état gazeux. **2** Dérober, voler, faire disparaître. ■ vpr **1** Passer à l'état gazeux. **2** Disparaître. *Son argent s'est volatilisé.*

vol-au-vent nm inv Moule de pâte feuilletée garni de viande ou de poisson en sauce.

volcan nm Relief construit par des matériaux provenant des couches profondes de l'écorce terrestre. **Loc** *Être sur un volcan :* dans une situation dangereuse.

volcanique a **1** Relatif à un volcan. **2** Litt Ardent, fougueux.

volcanisme nm GEOL Ensemble des manifestations volcaniques.

volcanologie nf Étude des volcans.

volée nf **1** Action de voler, pour un oiseau ; envol, essor. **2** Bande d'oiseaux volant ensemble. *Volée de moineaux.* **3** Mouvement d'un projectile lancé avec force. *Volée de pierres.* **4** Série de coups donnés à qqn. *Une volée de* *coups de bâton.* **5** Partie d'un escalier entre deux paliers. **6** Frappe de la balle ou du ballon avant qu'ils aient touché terre. Loc *À la volée, à toute volée* : en lançant vigoureusement.

1. voler *vi* **1** Se mouvoir et se soutenir en l'air au moyen d'ailes. **2** Se déplacer par voie aérienne. *Voler de New York à Paris.* **3** Être lancé dans l'air. *Les flèches volaient.* **4** Aller à une grande vitesse. Loc *Voler en éclats* : être brisé, anéanti.

2. voler *vt* **1** S'approprier le bien d'autrui de façon illicite. **2** Prendre indûment. *Voler une idée.* **3** Manquer d'honnêteté à l'égard de qqn. *Marchand qui vole ses clients.*

volet *nm* **1** Panneau de bois, de métal, etc., destiné à clore une baie. **2** Partie mobile d'un objet pouvant se rabattre sur celle à laquelle elle est fixée. *Volets d'un triptyque.* **3** Partie d'un ensemble. *Le deuxième volet de l'enquête.* Loc *Trié sur le volet* : choisi avec soin.

voleter *vi* **19** Voler à petits coups d'ailes.

voleur, euse *n, a* Coupable d'un vol.

volière *nf* Grande cage à oiseaux.

volige *nf* Planche mince sur laquelle sont fixées les ardoises ou les tuiles d'une toiture.

volition *nf* PHILO Acte de volonté.

volley-ball [vɔlebol] ou **volley** *nm* Sport opposant deux équipes de six joueurs, qui se renvoient un ballon au-dessus d'un filet.

volleyer *vi* Au tennis, jouer à la volée.

volleyeur, euse *n* **1** Joueur, joueuse de volley-ball. **2** Au tennis, spécialiste de la volée.

volnay *nm* Bourgogne rouge très réputé.

volontaire *a* **1** Qui se fait délibérément. **2** Qui ne résulte pas d'une contrainte. *Contribution volontaire.* **3** Entêté, obstiné, persévérant. ■ *n* Qui s'offre à accomplir une mission.

volontairement *av* **1** Intentionnellement, exprès. **2** Sans être contraint.

volontariat *nm* Fait d'être volontaire.

volontarisme *nm* Attitude qui consiste à mettre tout en œuvre pour soumettre le réel à une volonté délibérée.

volonté *nf* **1** Faculté de se déterminer soi-même vis-à-vis d'une décision à prendre, d'une action. **2** Détermination, fermeté. *Avoir de la volonté.* **3** Décision prise, désir. *Imposer*

sa volonté. Loc *Les dernières volontés de qqn* : souhaits exprimés avant sa mort. Fam *Faire les quatre volontés de qqn* : lui passer tous ses caprices. *À volonté* : quand on veut ou autant qu'on veut.

volontiers *av* De bon gré ; avec plaisir.

volt *nm* Unité servant à mesurer la différence de potentiel entre deux points d'un conducteur électrique.

voltage *nm* Tension électrique.

voltaïque *a* Relatif à la pile de Volta.

voltaire *nm* Large fauteuil au dossier élevé.

voltamètre *nm* Appareil servant à faire une électrolyse.

volte *nf* Mouvement d'un cheval que son cavalier mène en rond.

volte-face *nf inv* **1** Action de se retourner pour faire face. **2** Brusque changement d'opinion.

voltige *nf* **1** Acrobatie au trapèze volant, sur un cheval ou avec un avion. **2** Façon de procéder exigeant une grande habileté.

voltiger *vi* **11** **1** Voler à fréquentes reprises, çà et là. **2** Flotter au gré du vent.

voltigeur *nm* **1** Acrobate qui fait des voltiges. **2** MILIT Fantassin d'élite.

voltmètre *nm* Appareil servant à mesurer les différences de potentiel.

volubile *a* **1** Qui parle beaucoup et rapidement. **2** BOT Qui s'enroule autour d'un support.

volubilis *nm* Plante ornementale à fleurs en forme d'entonnoir.

volubilité *nf* Abondance et rapidité de paroles.

volume *nm* **1** Livre broché ou relié. **2** Espace occupé par un corps ; grandeur qui mesure cet espace. **3** Encombrement d'un objet. **4** Masse d'eau que débite un cours d'eau. **5** Quantité globale. *Le volume des échanges.* **6** Intensité des sons produits par la voix, la musique.

volumétrie *nf* Mesure des volumes.

volumineux, euse *a* Dont l'encombrement est important.

volumique *a* Loc PHYS *Masse, poids volumique* : masse, poids par unité de volume.

volupté nf 1 Jouissance profonde, sensuelle ou intellectuelle. 2 Plaisir sexuel.

voluptueux, euse a, n Qui recherche la volupté sensuelle. ■ a Qui exprime ou procure la volupté.

volute nf 1 Ornement en spirale. 2 Ce qui est en forme de spirale. *Volutes de fumée.*

volvaire nf Champignon comestible à lamelles, à grande volve.

volve nf Membrane qui enveloppe le chapeau et le pied de divers champignons.

vomi nm Fam Vomissure.

vomique a Loc *Noix vomique* : graine vénéneuse du vomiquier, riche en strychnine.

vomiquier nm Arbre d'Asie donnant la noix vomique.

vomir vt 1 Rejeter brutalement par la bouche le contenu de l'estomac. 2 Projeter violemment à l'extérieur. *Volcan qui vomit des flammes.* 3 Proférer des paroles violentes. 4 Éprouver du dégoût pour qqn.

vomissement nm Action de vomir.

vomissure nf Matières vomies.

vomitif, ive a, nm MED Qui fait vomir.

vorace a 1 Qui mange avec avidité. 2 Avide d'argent.

voracité nf Avidité à manger, à gagner de l'argent.

vortex nm PHYS Tourbillon creux dans un fluide qui s'écoule.

vos. V. votre.

vosgien, enne a, n Des Vosges.

votant, ante n Qui a le droit de voter ou qui prend part à un vote.

vote nm Suffrage exprimé dans une élection, une délibération.

voter vi Donner son avis par un vote. ■ vt Approuver, décider par un vote. *Voter une loi.*

votif, ive a Offert à la suite d'un vœu et témoignant de son accomplissement.

votre, vos a poss Deuxième personne du pluriel ; de vous, à vous. *Votre maison. Vos biens.*

vôtre, vos a poss Litt Qui est à vous. *Considérez mes biens comme vôtres.* ■ pr poss Ce qui est à vous. Loc *À la vôtre* : à votre santé. *Vous y*

avez mis du vôtre : de la bonne volonté. ■ nmpl *Vos proches, vos parents.*

vouer vt 1 Consacrer son existence, son énergie à. *Vouer sa vie à la science.* 2 Porter à qqn un sentiment durable. *Vouer de l'amitié à qqn.* 3 Destiner à un sort déterminé. *Être voué à une déchéance certaine.* ■ vpr Se consacrer à qqch.

vouloir vt 47 1 Être fermement déterminé à, ou désireux de. *Il veut partir. Je veux qu'il vienne.* 2 Aspirer à obtenir qqch de qqn. *Vouloir la paix. Vouloir une explication de qqn.* 3 Pouvoir. *Ce bois ne veut pas brûler.* 4 Demander, exiger. *La loi veut que...* Loc *Vouloir dire* : signifier. *Vouloir bien* : accepter. ■ vti Accepter qqch, qqn. *Je ne veux pas de ton cadeau, de cet employé.* Loc Fam *En vouloir* : avoir une grande motivation et le désir de s'imposer. *En vouloir à qqn* : avoir de la rancune contre lui. ■ vpr Loc *S'en vouloir* : regretter de. ■ nm Loc Litt *Bon, mauvais vouloir* : bonnes, mauvaises dispositions.

voulu, ue a 1 Exigé, requis. *En temps voulu.* 2 Fait à dessein. *Ces erreurs sont voulues.*

vous pr pers Sujet ou complément de la 2e personne du pluriel, ou du singulier quand on vouvoie.

voussure nf 1 ARCHI Cintre, courbe d'une voûte. 2 Convexité excessive du thorax ou du rachis.

voûte nf 1 Ouvrage de maçonnerie cintré dont les pierres sont disposées de manière à s'appuyer les unes aux autres. 2 Partie supérieure incurvée. *Voûte d'une caverne.* Loc *Voûte du palais* : cloison supérieure de la bouche.

voûter vt Couvrir d'une voûte. ■ vpr Se courber.

vouvoiement nm Action de vouvoyer.

vouvoyer vt 22 Employer le pronom *vous* pour s'adresser à une seule personne.

vox populi nf Litt Opinion du plus grand nombre.

voyage nm 1 Fait d'aller dans un lieu assez éloigné de celui où on réside. 2 Allées et venues, trajet de qqn pour transporter qqch. Loc *Les gens du voyage* : les artistes de cirque.

voyager vi 11 1 Faire un voyage, des voyages. *Voyager en Italie.* 2 Être transporté. *Denrées qui ne peuvent voyager.*

voyageur, euse n Qui est en voyage ou qui voyage beaucoup. Loc **Voyageur de commerce :** qui se déplace pour le compte d'une maison de commerce. ■ a Loc **Pigeon voyageur :** dressé à porter des messages.

voyagiste nm Organisateur de voyages.

voyance nf Don de ceux qui prétendent voir l'avenir ou le passé.

voyant, ante a Qui attire l'œil. *Couleurs voyantes.* ■ a, n Qui jouit du sens de la vue (par oppos. à aveugle). ■ nf Qui prétend voir le futur ou le passé. ■ nm Signal lumineux d'avertissement sur un tableau de contrôle.

voyelle nf Son du langage produit par la voix qui résonne dans la cavité buccale ; lettre qui note un tel son.

voyeur, euse n 1 Qui se plaît à assister à des scènes érotiques. 2 Qui observe autrui, mû par une curiosité malsaine.

voyeurisme nm Comportement de voyeur.

voyou nm Individu louche, vivant en marge des lois ; membre du milieu.

vrac (en) av 1 Qui n'est pas emballé, conditionné. 2 Sans ordre.

vrai, vraie a 1 Conforme à la vérité. Ant. faux. 2 Qui est réellement ce dont il a les apparences. *Un vrai diamant.* 3 Réel et non pas imaginaire. *La vraie cause d'un événement.* 4 Qui seul convient. *Le vrai moyen de sortir d'embarras.* 5 Sincère. *Sentiments vrais.* ■ nm Loc **Être dans le vrai :** ne pas se tromper. Fam **Pour de vrai :** réellement. Loc **À vrai dire, à dire vrai :** pour parler sincèrement.

vrai-faux, vraie-fausse a 1 Se dit de faux papiers établis par une autorité compétente. 2 Fam Fallacieux, trompeur.

vraiment av Véritablement, effectivement.

vraisemblable a Qui a l'apparence de la vérité. Ant. invraisemblable.

vraisemblance nf Caractère vraisemblable.

vraquier nm Navire transportant des marchandises en vrac.

vrille nf 1 BOT Tige en hélice autour d'un support permettant à certaines plantes grimpantes de s'élever. 2 Mèche servant à faire de petits trous dans le bois. 3 Figure de voltige aérienne.

vrillé, ée a 1 BOT Qui a des vrilles. 2 Enroulé, tordu sur lui-même.

vrillette nf Coléoptère dont la larve creuse des galeries dans le bois.

vrombir vi Faire entendre un son vibrant résultant d'un mouvement de rotation rapide.

vrombissement nm Bruit de ce qui vrombit.

V.R.P. [veɛrpe] nm Abrév de *voyager, représentant (de commerce), placier.*

vu, vue a Loc **Ni vu ni connu :** à l'insu de tous. *C'est tout vu :* il n'y a pas à revenir là-dessus. *Être bien, mal vu :* jouir, ne pas jouir de la considération d'autrui. ■ nm Loc **Au vu et au su de tous :** ouvertement. *Sur le vu de :* après examen direct de. ■ prép Loc **Vu (que) :** étant donné (que).

vue nf 1 Sens dont l'organe est l'œil et par lequel nous percevons la lumière, les couleurs, les formes et les distances. 2 Manière, action de regarder, de voir. *Détourner la vue.* 3 Ce qu'on peut voir de qqpart. *Avoir une belle vue sur la mer.* 4 Dessin, tableau représentant un site. 5 Faculté de connaître par l'esprit ; idée, aperçu, conception. Loc **À première vue :** au premier coup d'œil. *À vue d'œil :* très rapidement. Fam **À vue de nez :** approximativement. *En vue :* de premier plan. **Seconde vue, double vue :** prétendue faculté de voir mentalement des choses absentes. *Vue de l'esprit :* conception théorique. *En vue de :* afin de. ■ pl Projets, buts.

vulcain nm Papillon noir marqué de taches blanches et rouges.

vulcanisation nf Addition de soufre au caoutchouc pour le rendre plus résistant.

vulgaire a 1 Litt Commun, répandu. *L'opinion vulgaire.* 2 (avant le n) Qui n'est réellement que cela. *Un vulgaire chat de gouttière.* 3 Grossier, inélégant. *Langage vulgaire.* Loc **Nom vulgaire d'une plante, d'un animal :** non courant, non scientifique.

vulgairement *av* **1** Dans le langage courant, communément. **2** De façon grossière.
vulgariser *vt* Mettre des connaissances à la portée de tous. *Vulgariser une science.*
vulgarisme *nm* Terme de la langue vulgaire.
vulgarité *nf* Caractère grossier, vulgaire.
vulgum pecus [vylgɔmpekys] *nm* Fam Commun des mortels, masse ignorante.
vulnérabilité *nf* Caractère vulnérable.
vulnérable *a* **1** Qui peut être blessé, atteint physiquement. **2** Qui résiste mal psychologiquement aux attaques.

vulnéraire *nf* Plante à fleurs jaune d'or. ■ *nm* Anc Substance guérissant les blessures.
vulpin *nm* Plante des prairies.
vulvaire *a* ANAT De la vulve. ■ *nf* Plante à odeur fétide.
vulve *nf* ANAT Organes génitaux externes, chez la femme et les femelles des mammifères.
vulvite *nf* Inflammation de la vulve.
vumètre *nm* Dispositif de contrôle d'un signal électroacoustique.

W

W nm Vingt-troisième lettre (consonne) de l'alphabet.

wagnérien, enne [va-] a De Wagner.

wagon [va-] nm Véhicule ferroviaire tracté, servant au transport des marchandises, des animaux.

wagon-citerne nm Wagon servant au transport des liquides. *Des wagons-citernes.*

wagon-lit nm Voiture de chemin de fer équipée de couchettes. *Des wagons-lits.*

wagonnet nm Petit wagon à caisse basculante.

wagon-restaurant nm Voiture de chemin de fer aménagée en restaurant. *Des wagons-restaurants.*

walkman [wokman] nm (n déposé) Baladeur.

walkyrie nf Divinité féminine de la mythologie scandinave.

wallaby [wa-] nm Petit kangourou.

wallon, onne [wa-] a, n De Wallonie. ■ nm Parler roman de Wallonie.

wallonisme nm Locution propre au wallon.

wapiti [wa-] nm Grand cerf d'Amérique du Nord.

warrant [wa-] nm Récépissé de marchandises déposées dans un magasin par un commerçant, lui permettant de les négocier.

warranter [wa-] vt Garantir par un warrant.

water-closet [watɛRklɔzɛt] nm ou **waters** [watɛR] nmpl Lieux d'aisances, cabinets. *Des water-closets (abrév : w.-c.).*

water-polo [watɛR-] nm Jeu de ballon qui se joue dans l'eau.

waterproof [watɛRpRuf] a inv Étanche.

watt [wat] nm Unité de puissance du flux énergétique.

wax [waks] nm Tissu de coton imprimé.

w.-c. [dublavese] ou [vese] nmpl Water-closets.

week-end [wikɛnd] nm Congé de fin de semaine. *Des week-ends.*

welter [welter] nm Syn de mi-moyen.

western [wɛstɛRn] nm Film d'aventures dont l'action se déroule dans l'Ouest des États-Unis au temps des pionniers.

wharf [waRf] nm MAR Long appontement perpendiculaire au rivage.

whig [wig] nm, a HIST Membre du parti libéral en Grande-Bretagne.

whisky [wiski] nm Eau-de-vie de grain fabriquée dans les pays anglo-saxons ; un verre de cette eau-de-vie.

whist [wist] nm Jeu de cartes, ancêtre du bridge.

white spirit [wajtspiRit] nm Solvant à peintures. *Des white spirits.*

wigwam [wigwam] nm Hutte des Indiens d'Amérique du Nord.

wilaya [vi-] nf Division administrative de l'Algérie.

williams [wi-] nf Poire juteuse et parfumée.

winch [winʃ] nm MAR Petit cabestan utilisé sur les yachts.

winchester [win-] nf Carabine à répétition.

wishbone [wiʃbon] nm Arceau servant à la manœuvre d'une voile.

wolfram [vɔ-] nm Minerai de tungstène.

wolof ou **ouolof** nm Langue du Sénégal.

X

x *nm* **1** Vingt-quatrième lettre (consonne) de l'alphabet. **2** X : chiffre romain qui vaut 10. **3** Objet formé de deux éléments croisés. **4** MATH Symbole utilisé pour désigner une inconnue. **5** Remplace le nom de qqn ou de qqch qu'on ne peut ou ne veut mentionner. *Loc Film classé X :* pornographique. *L'X :* l'École polytechnique. *Rayons X :* radiations électromagnétiques à faible longueur d'onde, très pénétrants.

xénarthre *nm* ZOOL Mammifère américain, tel que le tatou, le fourmilier, le paresseux.

xénon *nm* Gaz rare de l'air.

xénophobe *a, n* Hostile aux étrangers.

xérès ou **jerez** *nm* Vin blanc d'Espagne.

xérographie *nf* Procédé de reprographie.

xi ou **ksi** *nm* Lettre de l'alphabet grec, représentant *ks.*

xiphophore *nm* Petit poisson multicolore élevé en aquarium, à nageoire caudale pointue.

xylographie *nf* Gravure sur bois.

xylophage *a, nm* ZOOL Qui se nourrit de bois.

xylophène *nm* (n déposé) Produit contre les insectes xylophages.

xylophone *nm* Instrument de musique composé de lamelles de bois sur lesquelles on frappe avec des baguettes.

y

1. y *nm* I grec, vingt-cinquième lettre (voyelle) de l'alphabet. **Loc Chromosome Y :** présent seulement chez l'homme.

2. y *av* Dans cet endroit. *J'y reste. Vas-y.* **Loc Il y a :** il est, il existe. *Il y va de :* telle chose se trouve en cause. *Y être pour qqch, n'y être pour rien :* avoir, ne n'avoir pas, sa part de responsabilité. ■ *pr* À cela. *Je n'y comprends rien.*

yacht [jɔt] *nm* Navire de plaisance à voiles ou à moteur.

yacht-club [jɔtklœb] *nm* Société, club de yachting. *Des yacht-clubs.*

yachting [jɔtiŋ] *nm* Navigation de plaisance.

yack ou **yak** *nm* Bovin du Tibet.

yakusa *nm* Au Japon, membre de la mafia.

yang. V. yin.

yankee [jɔki] *n, a* Des États-Unis.

yaourt, yogourt ou **yoghourt** *nm* Lait caillé par l'effet d'un ferment lactique.

yaourtière *nf* Appareil pour fabriquer des yaourts.

yard [jaʀd] *nm* Unité de mesure de longueur anglo-saxonne, valant 0,914 m.

yatagan *nm* Sabre incurvé au tranchant en courbe rentrante, en usage autrefois en Turquie.

yearling [jœrliŋ] *nm* Poulain pur-sang âgé d'un an.

yéménite *a, n* Du Yémen.

yen [jɛn] *nm* Unité monétaire du Japon.

yeshiva *nf* École talmudique.

yeti *nm* Hominien légendaire de l'Himalaya.

yeuse *nf* Chêne vert.

yeux. V. œil.

yé-yé *a inv, n inv* Fam Style de musique en vogue vers 1960.

yiddish *nm, a inv* Langue germanique des communautés juives d'Europe centrale et orientale.

yin *nm* **Loc** *Le yin et le yang :* les deux principes fondamentaux, opposés et complémentaires, selon le taoïsme.

ylang-ylang ou **ilang-ilang** *nm* Arbre d'Asie tropicale. *Des ylangs-ylangs, des ilangs-ilangs.*

yod *nm* PHON Semi-voyelle [j], transcrite *i* ou *y.*

yoga *nm* Technique de maîtrise des fonctions corporelles originaire de l'Inde.

yoghourt, yogourt. V. yaourt.

yogi [-gi] *n* Qui pratique le yoga.

yole *nf* Embarcation légère propulsée à l'aviron.

yougoslave *a, n* De Yougoslavie.

youpi ou **youppie !** *interj* Marque l'enthousiasme.

youpin, ine *a, n* Pop Terme raciste et injurieux désignant un Juif.

yourte ou **iourte** *nf* Tente mongole.

1. youyou *nm* Petite embarcation.

2. youyou *nm* Cri modulé des femmes musulmanes lors de certaines cérémonies.

yo-yo *nm inv* (n déposé) Jouet formé d'une roulette à gorge qu'on fait monter et descendre le long d'un fil.

ypérite *nf* Gaz de combat.

yttrium [itʀijɔm] *nm* Métal du groupe des terres rares.

yuan *nm* Unité monétaire de la Chine.

yucca [juka] *nm* Plante ligneuse d'Amérique tropicale.

yuppie [jupi] *n* Fam Jeune cadre ambitieux.

Z

z nm Vingt-sixième et dernière lettre (consonne) de l'alphabet.

zaibatsu [-su] nm ÉCON Trust japonais.

zakouski nm Hors-d'œuvre variés russes.

zambien, enne a, n De Zambie.

zapper vi 1 Passer d'une chaîne de télévision à l'autre avec la télécommande. 2 Fam Changer d'occupation, d'opinion.

zapping [-piŋ] nm Action de zapper.

zazou n, a Fam Jeune excentrique, v. 1940.

zèbre nm 1 Mammifère à robe claire rayée. 2 Pop Individu, type.

zébrer vt 12 Marquer de raies, de rayures.

zébrure nf Raie, marque sur la peau ou une surface quelconque.

zébu nm Bœuf africain domestique, ayant une bosse graisseuse au niveau du garrot.

zef nm Pop Vent.

zélateur, trice n Litt Partisan ardent, zélé.

zèle nm Empressement, application pleine d'ardeur. **Loc** *Grève du zèle* : application à la lettre des consignes pour ralentir une activité.

zélé, ée a Plein de zèle.

zen nm Mouvement bouddhiste du Japon. ■ a inv Relatif au zen. *Cérémonie zen.*

zénith nm 1 Point sur la verticale d'un lieu rencontre la sphère céleste, au-dessus de l'horizon. 2 Litt Point culminant.

zéolite nf Minéral de certaines roches volcaniques, très utilisé dans l'industrie.

zéphyr nm Litt Vent tiède et léger.

zeppelin nm HIST Grand ballon dirigeable allemand, qui emportait des passagers.

zéro nm 1 Symbole numéral de valeur nulle, qui, placé à la droite d'un nombre, le multiplie par 10. 2 Valeur nulle dans une cotation ; quantité nulle. 3 Fam Personne nulle, sans valeur. ■ a Aucun. *Faire zéro faute.* 2 De valeur nulle. *Degré zéro.*

zeste nm Écorce de l'orange, du citron.

zêta nm Sixième lettre de l'alphabet grec, correspondant à dz.

zeugma nm RHÉT Coordination d'éléments qui ne sont pas sur le même plan syntaxique.

zézayer vi 20 Prononcer le son [z] pour [ʒ] et le son [s] pour [ʃ].

zibeline nf Mammifère au pelage noir ou brun ; sa fourrure.

zieuter vi, vt Pop Regarder.

zig ou **zigue** nm Pop Individu, type.

ziggourat nf ANTIQ Tour à étages élevée en Mésopotamie auprès du temple d'un dieu.

zigoto ou **zigoteau** nm Pop Individu, type.

zigouiller vt Pop Tuer.

zigzag nm Ligne brisée.

zigzaguer vi Décrire des zigzags.

zimbabwéen, enne a, n Du Zimbabwe.

zinc nm 1 Corps simple métallique, blanchâtre. 2 Fam Comptoir d'un café. 3 Fam Avion.

zingueur nm Ouvrier spécialisé dans les travaux de couverture en zinc.

zinnia nm Plante ornementale.

zinzin a Fam Bizarre, un peu fou. ■ nm Fam Organisme semi-public effectuant des placements en Bourse.

zinzolin, ine nm, a Rouge violacé.

zip nm (n déposé) Fermeture à glissière.

zircon nm Minéral très dur, employé en joaillerie.

zirconium [-njɔm] nm Métal proche du titane.

zizanie nf Discorde, désunion.

zizi nm Fam Pénis.

zodiac nm (n déposé) Type de canot pneumatique.

zodiaque nm Bande de la sphère céleste à l'intérieur de laquelle s'effectuent les mouvements apparents du Soleil, de la Lune et des planètes. **Loc** *Signes du zodiaque* : les douze parties du zodiaque (le Bélier, le Taureau, les Gémeaux, le Cancer, le Lion, la Vierge, la Balance, le Scorpion, le Sagittaire, le Capricorne, le Verseau, les Poissons).

zombie nm 1 Revenant, selon certaines croyances vaudou des Antilles. 2 Fam Personne apathique, sans volonté.

zona nm Affection virale caractérisée par une éruption de vésicules cutanées.

zonage nm ou **zonation** nf Découpage d'un espace en zones.

zonard, arde n, a Pop Jeune marginal, loubard.

zone nf **1** Étendue déterminée de terrain, portion de territoire. **2** Domaine. *Zone d'influence.* **3** Quartier misérable à la périphérie d'une ville. **4** GEOM Surface délimitée sur une sphère par deux plans parallèles coupant cette sphère. **5** GEOGR Chacune des divisions du globe terrestre déterminées par les cercles polaires et les tropiques et caractérisées par un climat particulier. Loc *De seconde zone* : médiocre.

zoner vt Effectuer le zonage ou la zonation de qqch. ■ vi Pop Vivre au jour le jour.

zoo nm Parc, jardin zoologique.

zoologie nf Étude des animaux.

zoologique a De la zoologie. Loc *Parc, jardin zoologique* : où sont montrés des animaux.

zoologiste ou **zoologue** n Spécialiste de zoologie.

zoom [zum] nm Objectif à distance focale variable d'un appareil de prise de vue ; effet ainsi obtenu.

zoomer vi Filmer avec un zoom.

zoomorphe a En forme d'animal.

zooplancton nm Plancton animal.

zootechnie nf Étude des conditions d'élevage des animaux domestiques, du cheptel.

zootechnique a De la zootechnie.

zoothèque nf Collection d'animaux naturalisés.

zorille nf Mammifère africain, proche de la mouffette.

zouave nm HIST Soldat d'infanterie coloniale.

zozo nm Fam Niais, naïf.

zozoter vi Fam Zézayer.

zut ! interj Fam Marque le mécontentement.

zydeco nm Musique populaire de Louisiane.

zygomatique nm, a Muscle de la pommette.

zygote nm BIOL Cellule directement issue de la fécondation.

zyzomys nm Rat d'Australie à queue blanche.

CONJUGAISON DES VERBES

Le renvoi au modèle de conjugaison est indiqué après l'entrée verbale pour tous les verbes qui présentent une ou plusieurs irrégularités dans leur flexion : **abattre** vt 77 se conjugue comme *battre* (p. 819). Le renvoi n'est pas indiqué pour les modèles réguliers que sont *aimer* (groupe 1) et *finir* (groupe 2).

INDICATIF		SUBJONCTIF

INDICATIF

présent

j'	aim	e
tu	aim	es
il	aim	e
ns	aim	ons
vs	aim	ez
ils	aim	ent

passé composé

j'	ai	aimé
tu	as	aimé
il	a	aimé
ns	avons	aimé
vs	avez	aimé
ils	ont	aimé

imparfait

j'	aim	ais
tu	aim	ais
il	aim	ait
ns	aim	ions
vs	aim	iez
ils	aim	aient

plus-que-parfait

j'	avais	aimé
tu	avais	aimé
il	avait	aimé
ns	avions	aimé
vs	aviez	aimé
ils	avaient	aimé

passé simple

j'	aim	ai
tu	aim	as
il	aim	a
ns	aim	âmes
vs	aim	âtes
ils	aim	èrent

passé antérieur

j'	eus	aimé
tu	eus	aimé
il	eut	aimé
ns	eûmes	aimé
vs	eûtes	aimé
ils	eurent	aimé

futur simple

j'	aim	erai
tu	aim	eras
il	aim	era
ns	aim	erons
vs	aim	erez
ils	aim	eront

futur antérieur

j'	aurai	aimé
tu	auras	aimé
il	aura	aimé
ns	aurons	aimé
vs	aurez	aimé
ils	auront	aimé

conditionnel présent

j'	aim	erais
tu	aim	erais
il	aim	erait
ns	aim	erions
vs	aim	eriez
ils	aim	eraient

conditionnel passé

j'	aurais	aimé
tu	aurais	aimé
il	aurait	aimé
ns	aurions	aimé
vs	auriez	aimé
ils	auraient	aimé

SUBJONCTIF

présent

(que)	j'	aim	e
(que)	tu	aim	es
(qu')	il	aim	e
(que)	ns	aim	ions
(que)	vs	aim	iez
(qu')	ils	aim	ent

imparfait

(que)	j'	aim	asse
(que)	tu	aim	asses
(qu')	il	aim	ât
(que)	ns	aim	assions
(que)	vs	aim	assiez
(qu')	ils	aim	assent

passé

(que)	j'	aie	aimé
(que)	tu	aies	aimé
(qu')	il	ait	aimé
(que)	ns	ayons	aimé
(que)	vs	ayez	aimé
(qu')	ils	aient	aimé

plus-que-parfait

(que)	j'	eusse	aimé
(que)	tu	eusses	aimé
(qu')	il	eût	aimé
(que)	ns	eussions	aimé
(que)	vs	eussiez	aimé
(qu')	ils	eussent	aimé

INFINITIF	PARTICIPE	IMPÉRATIF

INFINITIF

présent

aim er

passé

avoir aimé

PARTICIPE

présent

aim ant

passé

aimé, ée
ayant aimé

IMPÉRATIF

présent

aim	e
aim	ons
aim	ez

passé

aie	aimé
ayons	aimé
ayez	aimé

INDICATIF				SUBJONCTIF		

présent

je	fin	is
tu	fin	is
il	fin	it
ns	fin	issons
vs	fin	issez
ils	fin	issent

passé composé

j'	ai	fini
tu	as	fini
il	a	fini
ns	avons	fini
vs	avez	fini
ils	ont	fini

présent

(que)	je	fin	isse
(que)	tu	fin	isses
(qu')	il	fin	isse
(que)	ns	fin	issions
(que)	vs	fin	issiez
(qu')	ils	fin	issent

imparfait

je	fin	issais
tu	fin	issais
il	fin	issait
ns	fin	issions
vs	fin	issiez
ils	fin	issaient

plus-que-parfait

j'	avais	fini
tu	avais	fini
il	avait	fini
ns	avions	fini
vs	aviez	fini
ils	avaient	fini

imparfait

(que)	je	fin	isse
(que)	tu	fin	isses
(qu')	il	fin	ît
(que)	ns	fin	issions
(que)	vs	fin	issiez
(qu')	ils	fin	issent

passé simple

je	fin	is
tu	fin	is
il	fin	it
ns	fin	îmes
vs	fin	îtes
ils	fin	irent

passé antérieur

j'	eus	fini
tu	eus	fini
il	eut	fini
ns	eûmes	fini
vs	eûtes	fini
ils	eurent	fini

passé

(que)	j'	aie	fini
(que)	tu	aies	fini
(qu')	il	ait	fini
(que)	ns	ayons	fini
(que)	vs	ayez	fini
(qu')	ils	aient	fini

futur simple

je	fin	irai
tu	fin	iras
il	fin	ira
ns	fin	irons
vs	fin	irez
ils	fin	iront

futur antérieur

j'	aurai	fini
tu	auras	fini
il	aura	fini
ns	aurons	fini
vs	aurez	fini
ils	auront	fini

plus-que-parfait

(que)	j'	eusse	fini
(que)	tu	eusses	fini
(qu')	il	eût	fini
(que)	ns	eussions	fini
(que)	vs	eussiez	fini
(qu')	ils	eussent	fini

conditionnel présent

je	fin	irais
tu	fin	irais
il	fin	irait
ns	fin	irions
vs	fin	iriez
ils	fin	iraient

conditionnel passé

j'	aurais	fini
tu	aurais	fini
il	aurait	fini
ns	aurions	fini
vs	auriez	fini
ils	auraient	fini

INFINITIF	PARTICIPE	IMPÉRATIF

présent

fin ir

présent

fin issant

présent

fin	is
fin	issons
fin	issez

passé

avoir fini

passé

fini, ie
ayant fini

passé

aie	fini
ayons	fini
ayez	fini

INDICATIF							SUBJONCTIF			

présent

j'	offr	e
tu	offr	es
il	offr	e
ns	offr	ons
vs	offr	ez
ils	offr	ent

passé composé

j'	ai	offert
tu	as	offert
il	a	offert
ns	avons	offert
vs	avez	offert
ils	ont	offert

présent

(que)	j'	offr	e
(que)	tu	offr	es
(qu')	il	offr	e
(que)	ns	offr	ions
(que)	vs	offr	iez
(qu')	ils	offr	ent

imparfait

j'	offr	ais
tu	offr	ais
il	offr	ait
ns	offr	ions
vs	offr	iez
ils	offr	aient

plus-que-parfait

j'	avais	offert
tu	avais	offert
il	avait	offert
ns	avions	offert
vs	aviez	offert
ils	avaient	offert

imparfait

(que)	j'	offr	isse
(que)	tu	offr	isses
(qu')	il	offr	ît
(que)	ns	offr	issions
(que)	vs	offr	issiez
(qu')	ils	offr	issent

passé simple

j'	offr	is
tu	offr	is
il	offr	it
ns	offr	îmes
vs	offr	îtes
ils	offr	irent

passé antérieur

j'	eus	offert
tu	eus	offert
il	eut	offert
ns	eûmes	offert
vs	eûtes	offert
ils	eurent	offert

passé

(que)	j'	aie	offert
(que)	tu	aies	offert
(qu')	il	ait	offert
(que)	ns	ayons	offert
(que)	vs	ayez	offert
(qu')	ils	aient	offert

futur simple

j'	offr	irai
tu	offr	iras
il	offr	ira
ns	offr	irons
vs	offr	irez
ils	offr	iront

futur antérieur

j'	aurai	offert
tu	auras	offert
il	aura	offert
ns	aurons	offert
vs	aurez	offert
ils	auront	offert

plus-que-parfait

(que)	j'	eusse	offert
(que)	tu	eusses	offert
(qu')	il	eût	offert
(que)	ns	eussions	offert
(que)	vs	eussiez	offert
(qu')	ils	eussent	offert

conditionnel présent

j'	offr	irais
tu	offr	irais
il	offr	irait
ns	offr	irions
vs	offr	iriez
ils	offr	iraient

conditionnel passé

j'	aurais	offert
tu	aurais	offert
il	aurait	offert
ns	aurions	offert
vs	auriez	offert
ils	auraient	offert

INFINITIF	PARTICIPE	IMPÉRATIF

présent

offr ir

présent

offr ant

présent

offr	e
offr	ons
offr	ez

passé

avoir offert

passé

offert, te
ayant offert

passé

aie offert
ayons offert
ayez offert

INDICATIF						SUBJONCTIF			

INDICATIF

présent

je	reç	ois
tu	reç	ois
il	reç	oit
ns	rec	evons
vs	rec	evez
ils	reç	oivent

passé composé

j'	ai	reçu
tu	as	reçu
il	a	reçu
ns	avons	reçu
vs	avez	reçu
ils	ont	reçu

SUBJONCTIF

présent

(que)	je	reç	oive
(que)	tu	reç	oives
(qu')	il	reç	oive
(que)	ns	rec	evions
(que)	vs	rec	eviez
(qu')	ils	reç	oivent

imparfait

je	rec	evais
tu	rec	evais
il	rec	evait
ns	rec	evions
vs	rec	eviez
ils	rec	evaient

plus-que-parfait

j'	avais	reçu
tu	avais	reçu
il	avait	reçu
ns	avions	reçu
vs	aviez	reçu
ils	avaient	reçu

imparfait

(que)	je	reç	usse
(que)	tu	reç	usses
(qu')	il	reç	ût
(que)	ns	reç	ussions
(que)	vs	reç	ussiez
(qu')	ils	reç	ussent

passé simple

je	reç	us
tu	reç	us
il	reç	ut
ns	reç	ûmes
vs	reç	ûtes
ils	reç	urent

passé antérieur

j'	eus	reçu
tu	eus	reçu
il	eut	reçu
ns	eûmes	reçu
vs	eûtes	reçu
ils	eurent	reçu

passé

(que)	j'	aie	reçu
(que)	tu	aies	reçu
(qu')	il	ait	reçu
(que)	ns	ayons	reçu
(que)	vs	ayez	reçu
(qu')	ils	aient	reçu

futur simple

je	rec	evrai
tu	rec	evras
il	rec	evra
ns	rec	evrons
vs	rec	evrez
ils	rec	evront

futur antérieur

j'	aurai	reçu
tu	auras	reçu
il	aura	reçu
ns	aurons	reçu
vs	aurez	reçu
ils	auront	reçu

plus-que-parfait

(que)	j'	eusse	reçu
(que)	tu	eusses	reçu
(qu')	il	eût	reçu
(que)	ns	eussions	reçu
(que)	vs	eussiez	reçu
(qu')	ils	eussent	reçu

conditionnel présent

je	rec	evrais
tu	rec	evrais
il	rec	evrait
ns	rec	evrions
vs	rec	evriez
ils	rec	evraient

conditionnel passé

j'	aurais	reçu
tu	aurais	reçu
il	aurait	reçu
ns	aurions	reçu
vs	auriez	reçu
ils	auraient	reçu

INFINITIF	PARTICIPE	IMPÉRATIF

INFINITIF

présent

rec evoir

passé

avoir reçu

PARTICIPE

présent

rec evant

passé

reçu, e
ayant reçu

IMPÉRATIF

présent

reç	ois
rec	evons
rec	evez

passé

aie	reçu
ayons	reçu
ayez	reçu

INDICATIF		SUBJONCTIF

présent	**passé composé**	**présent**
je rend s	j' ai rendu	(que) je rend e
tu rend s	tu as rendu	(que) tu rend es
il rend	il a rendu	(qu') il rend e
ns rend ons	ns avons rendu	(que) ns rend ions
vs rend ez	vs avez rendu	(que) vs rend iez
ils rend ent	ils ont rendu	(qu') ils rend ent

imparfait	**plus-que-parfait**	**imparfait**
je rend ais	j' avais rendu	(que) je rend isse
tu rend ais	tu avais rendu	(que) tu rend isses
il rend ait	il avait rendu	(qu') il rend ît
ns rend ions	ns avions rendu	(que) ns rend issions
vs rend iez	vs aviez rendu	(que) vs rend issiez
ils rend aient	ils avaient rendu	(qu') ils rend issent

passé simple	**passé antérieur**	**passé**
je rend is	j' eus rendu	(que) j' aie rendu
tu rend is	tu eus rendu	(que) tu aies rendu
il rend it	il eut rendu	(qu') il ait rendu
ns rend îmes	ns eûmes rendu	(que) ns ayons rendu
vs rend îtes	vs eûtes rendu	(que) vs ayez rendu
ils rend irent	ils eurent rendu	(qu') ils aient rendu

futur simple	**futur antérieur**	**plus-que-parfait**
je rend rai	j' aurai rendu	(que) j' eusse rendu
tu rend ras	tu auras rendu	(que) tu eusses rendu
il rend ra	il aura rendu	(qu') il eût rendu
ns rend rons	ns aurons rendu	(que) ns eussions rendu
vs rend rez	vs aurez rendu	(que) vs eussiez rendu
ils rend ront	ils auront rendu	(qu') ils eussent rendu

conditionnel présent	**conditionnel passé**	
je rend rais	j' aurais rendu	
tu rend rais	tu aurais rendu	
il rend rait	il aurait rendu	
ns rend rions	ns aurions rendu	
vs rend riez	vs auriez rendu	
ils rend raient	ils auraient rendu	

INFINITIF	PARTICIPE	IMPÉRATIF

présent	**présent**	**présent**
rend re	rend ant	rend s
		rend ons
passé	**passé**	rend ez
avoir rendu	rendu, ue	
	ayant rendu	**passé**
		aie rendu
		ayons rendu
		ayez rendu

INDICATIF		SUBJONCTIF

présent

je	suis
tu	es
il	est
ns	sommes
vs	êtes
ils	sont

passé composé

j'	ai	été
tu	as	été
il	a	été
ns	avons	été
vs	avez	été
ils	ont	été

présent

(que)	je	sois
(que)	tu	sois
(qu')	il	soit
(que)	ns	soyons
(que)	vs	soyez
(qu')	ils	soient

imparfait

j'	étais
tu	étais
il	était
ns	étions
vs	étiez
ils	étaient

plus-que-parfait

j'	avais	été
tu	avais	été
il	avait	été
ns	avions	été
vs	aviez	été
ils	avaient	été

imparfait

(que)	je	fusse
(que)	tu	fusses
(qu')	il	fût
(que)	ns	fussions
(que)	vs	fussiez
(qu')	ils	fussent

passé simple

je	fus
tu	fus
il	fut
ns	fûmes
vs	fûtes
ils	furent

passé antérieur

j'	eus	été
tu	eus	été
il	eut	été
ns	eûmes	été
vs	eûtes	été
ils	eurent	été

passé

(que)	j'	aie	été
(que)	tu	aies	été
(qu')	il	ait	été
(que)	ns	ayons	été
(que)	vs	ayez	été
(qu')	ils	aient	été

futur simple

je	serai
tu	seras
il	sera
ns	serons
vs	serez
ils	seront

futur antérieur

j'	aurai	été
tu	auras	été
il	aura	été
ns	aurons	été
vs	aurez	été
ils	auront	été

plus-que-parfait

(que)	j'	eusse	été
(que)	tu	eusses	été
(qu')	il	eût	été
(que)	ns	eussions	été
(que)	vs	eussiez	été
(qu')	ils	eussent	été

conditionnel présent

je	serais
tu	serais
il	serait
ns	serions
vs	seriez
ils	seraient

conditionnel passé

j'	aurais	été
tu	aurais	été
il	aurait	été
ns	aurions	été
vs	auriez	été
ils	auraient	été

INFINITIF	PARTICIPE	IMPÉRATIF

présent

être

passé

avoir été

présent

étant

passé

été (invariable)
ayant été

présent

sois
soyons
soyez

passé

aie été
ayons été
ayez été

INDICATIF		SUBJONCTIF

présent	*passé composé*	*présent*
j' ai	j' ai eu	(que) j' aie
tu as	tu as eu	(que) tu aies
il a	il a eu	(qu') il ait
ns avons	ns avons eu	(que) ns ayons
vs avez	vs avez eu	(que) vs ayez
ils ont	ils ont eu	(qu') ils aient

imparfait	*plus-que-parfait*	*imparfait*
j' avais	j' avais eu	(que) j' eusse
tu avais	tu avais eu	(que) tu eusses
il avait	il avait eu	(qu') il eût
ns avions	ns avions eu	(que) ns eussions
vs aviez	vs aviez eu	(que) vs eussiez
ils avaient	ils avaient eu	(qu') ils eussent

passé simple	*passé antérieur*	*passé*
j' eus	j' eus eu	(que) j' aie eu
tu eus	tu eus eu	(que) tu aies eu
il eut	il eut eu	(qu') il ait eu
ns eûmes	ns eûmes eu	(que) ns ayons eu
vs eûtes	vs eûtes eu	(que) vs ayez eu
ils eurent	ils eurent eu	(qu') ils aient eu

futur simple	*futur antérieur*	*plus-que-parfait*
j' aurai	j' aurai eu	(que) j' eusse eu
tu auras	tu auras eu	(que) tu eusses eu
il aura	il aura eu	(qu') il eût eu
ns aurons	ns aurons eu	(que) ns eussions eu
vs aurez	vs aurez eu	(que) vs eussiez eu
ils auront	ils auront eu	(qu') ils eussent eu

conditionnel présent	*conditionnel passé*	
j' aurais	j' aurais eu	
tu aurais	tu aurais eu	
il aurait	il aurait eu	
ns aurions	ns aurions eu	
vs auriez	vs auriez eu	
ils auraient	ils auraient eu	

INFINITIF	PARTICIPE	IMPÉRATIF
présent	*présent*	*présent*
avoir	ayant	aie
		ayons
passé	*passé*	ayez
avoir eu	eu, eue	
	ayant eu	*passé*
		aie eu
		ayons eu
		ayez eu

INDICATIF		SUBJONCTIF

présent

je	vais			
tu	vas			
il	va			
ns	allons			
vs	allez			
ils	vont			

passé composé

je	suis	allé
tu	es	allé
il	est	allé
ns	sommes	allés
vs	êtes	allés
ils	sont	allés

présent

(que)	j'	aille
(que)	tu	ailles
(qu')	il	aille
(que)	ns	allions
(que)	vs	alliez
(qu')	ils	aillent

imparfait

j'	allais
tu	allais
il	allait
ns	allions
vs	alliez
ils	allaient

plus-que-parfait

j'	étais	allé
tu	étais	allé
il	était	allé
ns	étions	allés
vs	étiez	allés
ils	étaient	allés

imparfait

(que)	j'	allass e
(que)	tu	allass es
(qu')	il	all ât
(que)	ns	allass ions
(que)	vs	allass iez
(qu')	ils	allass ent

passé simple

j'	allai
tu	allas
il	alla
ns	allâmes
vs	allâtes
ils	allèrent

passé antérieur

je	fus	allé
tu	fus	allé
il	fut	allé
ns	fûmes	allés
vs	fûtes	allés
ils	furent	allés

passé

(que)	je	sois	allé
(que)	tu	sois	allé
(qu')	il	soit	allé
(que)	ns	soyons	allés
(que)	vs	soyez	allés
(qu')	ils	soient	allés

futur simple

j'	irai
tu	iras
il	ira
ns	irons
vs	irez
ils	iront

futur antérieur

je	serai	allé
tu	seras	allé
il	sera	allé
ns	serons	allés
vs	serez	allés
ils	seront	allés

plus-que-parfait

(que)	je	fusse	allé
(que)	tu	fusses	allé
(qu')	il	fût	allé
(que)	ns	fussions	allés
(que)	vs	fussiez	allés
(qu')	ils	fussent	allés

conditionnel présent

j'	irais
tu	irais
il	irait
ns	irions
vs	iriez
ils	iraient

conditionnel passé

je	serais	allé
tu	serais	allé
il	serait	allé
ns	serions	allés
vs	seriez	allés
ils	seraient	allés

INFINITIF	PARTICIPE	IMPÉRATIF

présent

all er

présent

all ant

présent

va
allons
allez

passé

être allé

passé

allé, ée
étant allé

passé

sois allé
soyons allés
soyez allés

INDICATIF		SUBJONCTIF

présent

		passé composé			*présent*		
je	fais	j'	ai	fait	(que)	je	fasse
tu	fais	tu	as	fait	(que)	tu	fasses
il	fait	il	a	fait	(qu')	il	fasse
ns	faisons	ns	avons	fait	(que)	ns	fassions
vs	faites	vs	avez	fait	(que)	vs	fassiez
ils	font	ils	ont	fait	(qu')	ils	fassent

imparfait

		plus-que-parfait			*imparfait*		
je	faisais	j'	avais	fait	(que)	je	fisse
tu	faisais	tu	avais	fait	(que)	tu	fisses
il	faisait	il	avait	fait	(qu')	il	fît
ns	faisions	ns	avions	fait	(que)	ns	fissions
vs	faisiez	vs	aviez	fait	(que)	vs	fissiez
ils	faisaient	ils	avaient	fait	(qu')	ils	fissent

passé simple

		passé antérieur			*passé*			
je	fis	j'	eus	fait	(que)	j'	aie	fait
tu	fis	tu	eus	fait	(que)	tu	aies	fait
il	fit	il	eut	fait	(qu')	il	ait	fait
ns	fîmes	ns	eûmes	fait	(que)	ns	ayons	fait
vs	fîtes	vs	eûtes	fait	(que)	vs	ayez	fait
ils	firent	ils	eurent	fait	(qu')	ils	aient	fait

futur simple

		futur antérieur			*plus-que-parfait*			
je	ferai	j'	aurai	fait	(que)	j'	eusse	fait
tu	feras	tu	auras	fait	(que)	tu	eusses	fait
il	fera	il	aura	fait	(qu')	il	eût	fait
ns	ferons	ns	aurons	fait	(que)	ns	eussions	fait
vs	ferez	vs	aurez	fait	(que)	vs	eussiez	fait
ils	feront	ils	auront	fait	(qu')	ils	eussent	fait

conditionnel présent

		conditionnel passé		
je	ferais	j'	aurais	fait
tu	ferais	tu	aurais	fait
il	ferait	il	aurait	fait
ns	ferions	ns	aurions	fait
vs	feriez	vs	auriez	fait
ils	feraient	ils	auraient	fait

INFINITIF	PARTICIPE	IMPÉRATIF

présent

faire

présent

fais ant

présent

fais
faisons
faites

passé

avoir fait

passé

fait, te
ayant fait

passé

aie fait
ayons fait
ayez fait

10 placer

1 je place, es, e, ez, ent,
ns plaçons
2 je plaçais, ais, ait, aient,
ns placions, iez
3 je plaçai, as, a, âmes, âtes
ils placèrent
4 je placerai...
5 je placerais...
6 q. je place...
7 q. je plaçasse...
8 place, plaçons, placez
9 plaçant, placé

11 manger

1 je mange, es, e, ez, ent,
ns mangeons
2 je mangeais, s, t, ent,
ns mangions, iez
3 je mangeai, as, a, âmes,
âtes
ils mangèrent
4 je mangerai...
5 je mangerais...
6 q. je mange...
7 q. je mangeasse...
8 mange, mangeons,
mangez
9 mangeant, mangé

12 céder

1 je cède, es, e, ent,
ns cédons, ez
2 je cédais...
3 je cédai...
4 je céderai...
5 je céderais...
6 q. je cède, es, e, ent
ns cédons, iez
7 q. ns cédions, iez
8 cède, cédons, cédez
9 cédant, cédé

13 assiéger

1 j'assiège, es, e, ent,
ns assiégeons, ez
2 j'assiégeais, eais, eait,
eaient
ns assiégions, iez
3 j'assiégeai...
4 j'assiégerai...
5 j'assiégerais...
6 q. j'assiège...
7 q. j'assiégeasse...
8 assiège, assiégeons,
assiégez
9 assiégeant, assiégé

14 répéter

1 je répète, es, e, ent,
ns répétons, ez
2 je répétais...
3 je répétai...
4 je répéterai...
5 je répéterais...
6 q. je répète, es, e, ent
q. ns répétions, iez
7 q. je répétasse...
8 répète, répétons, ez
9 répétant, répété

15 lever

1 je lève, es, e, ent,
ns levons, ez
2 je levais...
3 je levai...
4 je lèverai...
5 je lèverais...
6 q. je lève, es, e, ent
q. ns levions, iez
7 q. je levasse...
8 lève, levons, ez
9 levant, levé

16 geler

1 je gèle, es, e, ent,
ns gelons, ez
2 je gelais...
3 je gelai...
4 je gèlerai...
5 je gèlerais...
6 q. je gèle, es, e, ent
7 q. ns gelions, iez
8 gèle, gelons, gelez
9 gelant, gelé

17 acheter

1 j'achète, es, e, ent,
ns achetons, ez
2 j'achetais...
3 j'achetai...
4 j'achèterai...
5 j'achèterais...
6 q. j'achète, es, e, ent
q. ns achetions, iez
7 q. j'achetasse...
8 achète, achetons, ez
9 achetant, acheté

18 appeler

1 j'appelle, es, e, ent,
ns appelons, ez
2 j'appelais...
3 j'appelai...
4 j'appellerai...
5 j'appellerais...
6 q. j'appelle, es, e, ent
q. ns appelions, iez
7 q. j'appelasse...
8 appelle, appelons, ez
9 appelant, appelé

19 jeter

1 je jette, es, e, ent,
ns jetons, ez
2 je jetais...
3 je jetai...
4 je jetterai...
5 je jetterais...
6 q. je jette, es, e, ent
q. ns jetions, iez
7 q. je jetasse...
8 jette, jetons, jetez
9 jetant, jeté

20 payer

1 je paie, es, e, ent
ou je paye, es, e, ent,
ns payons, ez
2 je payais...
3 je payai...

Légende des temps :

1 **indicatif présent**
2 **indicatif imparfait**
3 **indicatif passé simple**
4 **indicatif futur**
5 **conditionnel présent**
6 **subjonctif présent**
7 **subjonctif imparfait**
8 **impératif**
9 **participes présent
et passé**

4 je paierai ou je payerai...
5 je paierais ou je payerais...
6 q. je paie, es, e, ent ou
   q. je paye, es, e, ent,
   ns payions, iez
8 q. je payasse...
9 payant, payé

21 essuyer

1 j'essuie, es, e, ent,
   ns essuyons, ez
2 j'essuyais...
3 j'essuyai...
4 j'essuierai...
5 j'essuierais...
6 q. j'essuie, es, e, ent
   q. ns essuyions, iez
7 q. j'essuyasse...
8 essuie, essuyons, ez
9 essuyant, essuyé

22 employer

1 j'emploie, es, e, ent,
   ns employons, ez
2 j'employais...
3 j'employai...
4 j'emploierai...
5 j'emploierais...
6 q. j'emploie, es, e, ent
   q. ns employions, iez
7 q. j'employasse...
8 emploie, employons, ez
9 employant, employé

23 envoyer

1 j'envoie, es, e, ent,
   ns envoyons, ez
2 j'envoyais...
3 j'envoyai...
4 j'enverrai...
5 j'enverrais...
6 q. j'envoie, es, e, ent
   q. ns envoyions, iez
7 q. j'envoyasse...
8 envoie, envoyons, ez
9 envoyant, envoyé

24 haïr

1 je hais, s, t,
   ns haïssons, ez, ent
2 je haïssais...

3 je hais, s, t
   ns haïmes, haïtes, haïrent
4 je haïrai...
5 je haïrais...
6 q. je haïsse, es, e...
7 q. je haïsse, es, t...
9 hais, haïssons, haïssez
   haïssant, haï

25 courir

1 je cours...
2 je courais...
3 je courus...
4 je courrai...
5 je courrais...
6 q. je coure...
7 q. je courusse...
8 cours, courons, courez
9 courant, couru

26 cueillir

1 je cueille, es, e,
   ns cueillons, ez, ent
2 je cueillais...
3 je cueillis...
4 je cueillerai...
5 je cueillerais...
6 q. je cueille...
7 q. je cueillisse...
8 cueille, cueillons,
   cueillez
9 cueillant, cueilli

27 assaillir

1 j'assaille, es, e,
   ns assaillons, ez, ent
2 j'assaillais...
3 j'assaillis...
4 j'assaillirai...
5 j'assaillirais...
6 q. j'assaille...
7 q. j'assaillisse...
8 assaille, ons, ez
9 assaillant, assailli

28 fuir

1 je fuis, s, t, ent,
   ns fuyons, ez
2 je fuyais...
3 je fuis...
4 je fuirai...
5 je fuirais...
6 q. je fuie, es, e, ent

q. ns fuyions, iez
7 q. je fuisse...
9 fuis, fuyons, fuyez
   fuyant, fui

29 partir

1 je pars, tu pars, il part,
   ns partons, tez, tent
2 je partais...
3 je partis...
4 je partirai...
5 je partirais...
6 q. je parte...
7 q. je partisse...
8 pars, partons, partez
9 partant, parti

30 bouillir

1 je bous, s, t,
   ns bouillons, ez, ent
2 je bouillais...
3 je bouillis...
4 je bouillirai...
5 je bouillirais...
6 q. je bouille...
7 q. je bouillisse...
8 bous, bouillons, bouillez
9 bouillant, bouilli

31 couvrir

1 je couvre, es, e,
   ns couvrons, ez, ent
2 je couvrais...
3 je couvris...
4 je couvrirai...
6 q. je couvre, es, e, ent
   q. ns couvrions, iez
7 q. je couvrisse...
8 couvre, ons, ez
9 couvrant, couvert

32 vêtir

1 je vêts, tu vêts, il vêt,
   ns vêtons, ez, ent
2 je vêtais...
3 je vêtis...
4 je vêtirai...
6 q. je vête...
7 q. je vêtisse...
8 vêts, vêtons, vêtez
9 vêtant, vêtu

1	indicatif présent
2	indicatif imparfait
3	indicatif passé simple
4	indicatif futur
5	conditionnel présent
6	subjonctif présent
7	subjonctif imparfait
8	impératif
9	participes présent et passé

33 mourir

1 je meurs, s, t, nent,
ns mourons, ez
2 je mourais...
3 je mourus...
4 je mourrai...
5 je mourrais...
6 q. je meure...
7 q. je mourusse...
8 meurs, mourons, mourez
9 mourant, mort

34 acquérir

1 j'acquiers, s, t, ent,
ns acquérons, ez
2 j'acquérais...
3 j'acquis...
4 j'acquerrai...
5 j'acquerrais...
6 q. j'acquière, es, e, ent
q. ns acquérions, ez
7 q. j'acquisse...
8 acquiers, acquérons, ez
9 acquérant, acquis

35 venir

1 je viens, s, t, nent,
nous venons, ez
2 je venais...
3 je vins...
4 je viendrai...
5 je viendrais...
6 q. je vienne, es, e, ent
q. ns venions, iez
7 q. je vinsse...
8 viens, venons, venez
9 venant, venu

36 gésir

● verbe défectif
1 je gis, tu gis, il gît,
ns gisons, ez, ent
2 je gisais...
9 gisant

37 ouïr

1 j'ois, s, t,
ns oyons, ez, ent
2 j'oyais...
3 j'ouïs...
4 j'ouïrai...
5 j'ouïrais...
6 q. j'oïe, es, e
q. ns oyions, iez, ent
7 q. j'ouïsse...
8 ois, oyons, oyez
9 oyant, ouï

38 pleuvoir

1 il pleut
2 il pleuvait
3 il plut
4 il pleuvra
5 il pleuvrait
6 qu'il pleuve
7 qu'il plût
8 (inusité)
9 pleuvant, plu

39 pourvoir

1 je pourvois, s, t, ent,
ns pourvoyons, ez
2 je pourvoyais...
3 je pourvus...
4 je pourvoirai...
5 je pourvoirais...
6 q. je pourvoie, es, e, ent
q. ns pourvoyions, iez
7 q. je pourvusse...
8 pourvois, pourvoyons, ez
9 pourvoyant, pourvu

40 asseoir

1 j'assieds, ds, d,
ns asseyons, ez, ent
ou j'assois, s, t, ent,
ns assoyons, ez
2 j'asseyais...
ou j'assoyais...

3 j'assis...
4 j'assiérai...
ou j'assoirai...
5 j'assiérais...
ou j'assoirais...
6 q. j'asseye, es, e
ou q. j'assoie, es, e
q. ns asseyions, iez, ent
ou q. ns assoyions, iez, ent
7 q. j'assisse...
8 assieds, asseyons, ez
ou assois, assoyons, ez
9 asseyant ou assoyant,
assis

41 prévoir

1 je prévois, s, t, ent,
ns prévoyons, ez
2 je prévoyais...
3 je prévis...
4 je prévoirai...
5 je prévoirais...
6 q. je prévoie, es, e, ent
q. ns prévoyions, iez
7 q. je prévisse...
8 prévois, prévoyons, ez
9 prévoyant, prévu

42 mouvoir

1 je meus, s, t, vent,
ns mouvons, ez
2 je mouvais...
3 je mus, s, t, mes, tes, rent
4 je mouvrai...
5 je mouvrais...
6 q. je meuve, es, e, ent
q. ns mouvions, iez
7 q. je musse...
8 meus, mouvons, ez
9 mouvant, mû

43 recevoir

1 je reçois, s, t, vent,
ns recevons, ez
2 je recevais...
3 je reçus...
4 je recevrai...
5 je recevrais...
6 q. je reçoive, es, e, ent
q. ns recevions, iez
7 q. je reçusse...
8 reçois, recevons, ez
9 recevant, reçu

44 valoir/prévaloir

1 je vaux, x, t,
ns valons, ez, ent
2 je valais...
3 je valus...
4 je vaudrai...
5 je vaudrais...
6 q. je vaille, es, e, ent,
(q. ns valions, iez
(q. je prévale, es, e,
ions, iez, ent)
7 q. je valusse...
8 vaux, valons, valez
9 valant, valu

45 voir

1 je vois, s, t, ent,
ns voyons, ez
2 je voyais...
3 je vis...
4 je verrai...
5 je verrais...
6 q. je voie, es, e, ent
q. ns voyions, iez
7 q. je visse...
8 vois, voyons, voyez
9 voyant, vu

46 savoir

1 je sais, s, t,
ns savons, ez, ent
2 je savais...
3 je sus...
4 je saurai...
5 je saurais...
6 q. je sache...
7 q. je susse...
8 sache, sachons, sachez
9 sachant, su

47 vouloir

1 je veux, x, t, veulent,
ns voulons, ez
2 je voulais...
3 je voulus...
4 je voudrai...
5 je voudrais...
6 q. je veuille, es, e, ent
q. ns voulions, iez
7 q. je voulusse...

8 veux (veuille), voulions,
voulez (veuillez)
9 voulant, voulu

48 pouvoir

1 je peux, x, t, peuvent,
ns pouvons, ez
2 je pouvais...
3 je pus...
4 je pourrai...
5 je pourrais...
6 q. je puisse...
7 q. je pusse...
8 (inusité)
9 pouvant, pu

49 falloir

1 il faut
2 il fallait
3 il fallut
4 il faudra
5 il faudrait
6 qu'il faille
7 qu'il fallût
8 (inusité)
9 le p. présent n'existe pas
fallu.

50 déchoir

1 je déchois, s, t, ent,
ns déchoyons, ez
2 je déchoyais...
3 je déchus...
4 je décherrai...
5 je décherrais...
6 q. je déchoie, es, e, ent
q. ns déchoyions, iez
7 q. je déchusse
8 déchois, déchoyons, ez
9 le p. présent de déchoir n'existe
pas (mais : échéant)
déchu

51 résoudre

1 je résous, s, t,
ns résolvons, ez, ent
2 je résolvais...
3 je résolus...
(absoudre et dissoudre
n'ont pas de passé simple)
4 je résoudrai...
5 je résoudrais...
6 q. je résolve...
7 q. je résolusse

8 résous, résolvons, ez
9 résolvant
résolu (mais : absous/oute,
dissous/oute)

52 boire

1 je bois, s, t, vent,
ns buvons, ez
2 je buvais...
3 je bus...
4 je boirai...
5 je boirais...
6 q. je boive, es, e, ent
ns buvions, iez
7 q. je busse...
8 bois, buvons, buvez
9 buvant, bu

53 clore

1 je clos, os, ôt,
ns closons, ez, ent
2 (inusité)
3 (inusité)
4 je clorai...
5 je clorais...
6 q. je close...
7 (inusité)
8 clos
9 closant, clos

54 conclure

1 je conclus, s, t,
ns concluons, ez, ent
2 je concluais...
3 je conclus...
4 je conclurai...
5 je conclurais...
6 q. je conclue...
7 q. je conclusse...
8 conclus, concluons, ez
9 concluant,
conclu (mais : inclus)

55 connaître

1 je connais, s,
ssons, ssez, ssent,
il connaît
2 je connaissais...
3 je connus...
4 je connaîtrai...
5 je connaîtrais...
6 q. je connaisse...
7 q. je connusse...
8 connais, ssons, ssez
9 connaissant, connu

1	indicatif présent
2	indicatif imparfait
3	indicatif passé simple
4	indicatif futur
5	conditionnel présent
6	subjonctif présent
7	subjonctif imparfait
8	impératif
9	participes présent et passé

56 coudre

1 je couds, ds, d,
ns cousons, ez, ent
2 je cousais...
3 je cousis...
4 je coudrai...
5 je coudrais...
6 q. je couse...
7 q. je cousisse...
8 couds, cousons, cousez
9 cousant, cousu

57 craindre

1 je crains, s, t
ns craignons, ez, ent
2 je craignais...
3 je craignis...
4 je craindrai...
5 je craindrais...
6 q. je craigne...
7 q. je craignisse...
8 crains, craignons, ez
9 craignant, craint

58 croire

1 je crois, s, t, ent
ns croyons, ez
2 je croyais...
3 je crus...
4 je croirai...
5 je croirais...
6 q. je croie...
7 q. je crusse...
8 crois, croyons, croyez
9 croyant, cru

59 croître

1 je croîs, s, t,
ns croissons, ez, ent
2 je croissais...
3 je crûs...
4 je croîtrai...
5 je croîtrais...
6 q. je croisse...
7 q. je crûsse...
8 croîs, croissons, ez
9 croissant, crû

60 médire

1 je médis, s, t, ent,
ns médisons, ez
(mais : vous dites,
vous redites)
2 je médisais...
3 je médis...
4 je médirai...
5 je médirais...
6 q. je médise, es, e, ent
q. ns médisions, iez
7 q. je médisse...
8 médis, médisons, ez
(mais : dites, redites)
9 médisant, médit

61 écrire

1 j'écris, s, t,
ns écrivons, ez, ent
2 j'écrivais...
3 j'écrivis...
4 j'écrirai...
5 j'écrirais...
6 q. j'écrive...
7 q. j'écrivisse...
8 écris, écrivons, ez
9 écrivant, écrit

62 joindre

1 je joins, s, t,
ns joignons, ez, ent
2 je joignais...
3 je joignis...
4 je joindrai...
5 je joindrais...
6 q. je joigne...
7 q. je joignisse...
8 joins, joignons, ez
9 joignant, joint

63 lire

1 je lis, s, t,
ns lisons, ez, ent
2 je lisais...
3 je lus...
4 je lirai...
5 je lirais...
6 q. je lise...
7 q. je lusse...
8 lis, lisons, lisez
9 lisant, lu

64 mettre

1 je mets, ts, t,
ns mettons, ez, ent
2 je mettais...
3 je mis...
4 je mettrai...
5 je mettrais...
6 q. je mette...
7 q. je misse...
8 mets, mettons, mettez
9 mettant, mis

65 moudre

1 je mouds, ds, d,
nous moulons, ez, ent
2 je moulais...
3 je moulus...
4 je moudrai...
5 je moudrais...
6 q. je moule...
7 q. je moulusse...
8 mouds, moulons, moulez
9 moulant, moulu

66 naître

1 je nais, nais, naît,
ns naissons, ez, ent
2 je naissais...
3 je naquis...
4 je naîtrai...
5 je naîtrais...
6 q. je naisse...
7 q. je naquisse...
8 nais, naissons, ez
9 naissant, né

67 conduire

1 je conduis...
2 je conduisais...
3 je conduisis...
4 je conduirai...

5 je conduirais...
6 q. je conduise...
7 q. je conduisisse...
8 conduis, sons, sez
9 conduisant,
conduit (mais : lui, nui)

68 plaire

1 je plais, s, il plaît
(mais : il tait)
ns plaisons, ez, ent
2 je plaisais...
3 je plus...
4 je plairai...
5 je plairais...
6 q. je plaise...
7 q. je plusse...
8 plais, plaisons, plaisez
9 plaisant, plu

69 peindre

1 je peins, s, t,
ns peignons, ez, ent
2 je peignais...
3 je peignis...
4 je peindrai...
5 je peindrais...
6 q. je peigne...
7 q. je peignisse...
8 peins, peignons, ez
9 peignant, peint

70 prendre

1 je prends, ds, d,
ns prenons, ez, ils prennent
2 je prenais...
3 je pris...
4 je prendrai...
5 je prendrais...
6 q. je prenne...
7 q. je prisse...
8 prends, prenons, ez
9 prenant, pris

71 attendre

1 j'attends, ds, d,
ns attendons, ez, ent
2 j'attendais...
3 j'attendis...
4 j'attendrai...
5 j'attendrais...
6 q. j'attende...
7 q. j'attendisse...

8 attends, ons, ez
9 attendant, attendu

72 rire

1 je ris, s, t,
ns rions, ez, ent
2 je riais, ais, ait, aient,
ns riions, riiez
3 je ris, s, t,
ns rîmes, rîtes, rirent
4 je rirai...
5 je rirais...
6 q. je ris, es, e, ent,
q. ns riions, riiez
7 q. je risse, isses, ît,
q. ns rissions, ssiez, ssent
8 ris, rions, riez
9 riant, ri

73 suivre

1 je suis, suis, suit,
ns suivons, ez, ent
2 je suivais...
3 je suivis...
4 je suivrai...
5 je suivrais...
6 q. je suive...
7 q. je suivisse...
8 suis, suivons, ez
9 suivant, suivi

74 traire

1 je trais, s, t, ent,
ns trayons, ez
2 je trayais...
3 (inusité)
4 je trairai...
5 je trairais...
6 q. je traie, es, e, ent
q. ns trayions, iez
7 (inusité)
8 trais, trayons, ez
9 trayant, trait

75 vaincre

1 je vaincs, cs, c,
ns vainquons, ez, ent
2 je vainquais...
3 je vainquis...
4 je vaincrai...
5 je vaincrais...
6 q. je vainque...
7 q. je vainquisse...

8 vaincs, vainquons, ez
9 vainquant, vaincu

76 vivre

1 je vis, s, t,
ns vivons, ez, ent
2 je vivais...
3 je vécus...
4 je vivrai...
5 je vivrais...
6 q. je vive...
7 q. je vécusse...
8 vis, vivons, ez
9 vivant, vécu

77 battre

1 je bats, ts, t
ns battons, tez, tent
2 je battais...
3 je battis...
4 je battrai...
5 je battrais...
6 q. je batte...
7 q. je battisse...
8 bats, battons, battez
9 battant, battu

78 rompre

1 je romps, ps, pt,
ns rompons, ez, ent
2 je rompais...
3 je rompis...
4 je romprai...
5 je romprais...
6 q. je rompe...
7 q. je rompisse...
8 romps, rompons, ez
9 rompant, rompu

79 suffire

1 je suffis, s, t,
ns suffisons, ez, ent
2 je suffisais...
3 je suffis...
4 je suffirai...
5 je suffirais...
6 q. je suffise...
7 q. je suffisse...
8 suffis, suffisons, ez
9 suffisant,
suffi (mais : confit,
déconfit, frit,
circoncis)

ACCORD DU PARTICIPE PASSÉ

	Accord avec le sujet du verbe	Accord avec le complément d'objet direct (COD) placé avant le verbe	Participe passé invariable
Participe passé conjugué avec l'auxiliaire ÊTRE	La renarde a été apprivoisée. Des renardeaux sont nés. Ils sont allés les voir.		
Participe passé conjugué avec l'auxiliaire AVOIR		La renarde qu'ils ont apprivoisée... L'avez-vous vue, cette renarde ? Quels noms as-tu choisis ?	■ COD après le verbe : Ils ont vu les renardeaux. ■ Pas de COD : Elles ont beaucoup marché. Elles en ont profité (de cette faveur). ■ COD = pronom neutre LE (L') : Nous le leur avons annoncé. ■ Verbes impersonnels : Quelles démarches il a fallu ! ■ Semi-auxiliaires : La robe que j'ai fait faire... ■ Participe passé suivi d'un verbe à l'infinitif : La maison que j'ai vu construire (construire une maison). Mais : Les renardeaux que j'ai vus téter (j'ai vu les renardeaux téter).
Participe passé des verbes pronominaux ■ Verbes essentiellement pronominaux ■ Verbes pronominaux de sens passif ou réciproque : ● si SE est COD ● si SE n'est pas COD	■ Elle s'est plainte du prix. Elles se sont enfuies. ■ La cuve s'est vidée lentement.	Ils se sont cachés. Elles se sont embrassées. La maison qu'il s'est trouvée... La balle, ils se la sont passée.	■ COD après le verbe : Ils se sont caché les yeux. ■ Pas de COD : Elles se sont souri. Nous nous sommes répondu.

PRÉFIXES ET SUFFIXES

acéto- du gr. « vinaigre ».
acro- du gr. « élevé, extrême ».
actino- du gr. « rayon ».
adéno- du gr. « glande ».
1. aéro- du gr. « air ».
2. aéro- de *aéroplane*.
afro- de *Afrique*.
-agogie, -agogue du gr. « qui conduit ».
agro- du gr. « champ ».
algo-, -algie du gr. « douleur ».
allo- du gr. « autre ».
ambi- du lat. « les deux, des deux côtés ».
ambly- du gr. « émoussé, obtus ».
amphi- du gr. « autour de, des deux côtés ».
amylo- du lat. « amidon ».
ana- du gr. « de bas en haut ».
andro- du gr. « homme, mâle ».
anémo- du gr. « vent ».
angio- du gr. « capsule, vaisseau ».
anglo- de *anglais*.
aniso- du gr. « inégal ».
anté- du lat. « avant ».
antho-, -anthe du gr. « fleur ».
anthropo-, -anthrope, -anthropique du gr. « homme ».
anti- du gr. « contre ».
api- du lat. « abeille ».
apo- du gr. « au loin, à l'écart ».
aqua-, aqui- du lat. « eau ».
archéo- du gr. « ancien ».
archi- du gr., marque la supériorité.
-archie, -arque du gr. « commander ».
artério- du gr. « artère ».
arthro-, -arthrie du gr. « articulation ».
astro- du gr. « astre ».
audio- du lat. « entendre ».
1. auto- du gr. « soi-même ».
2. auto- de *automobile*.
baro- du gr. « pesanteur ».
bary- du gr. « lourd ».
bathy- du gr. « profond ».
bi-, bis- du lat. « deux fois, double ».
biblio- du gr. « livre ».
bio- du gr. « vie ».
blasto-, -blaste du gr. « germe ».
brachy- du gr. « court, bref ».
brady- du gr. « lent ».
broncho- du gr. « bronches ».
bryo- du gr. « mousse ».

caco- du gr. « mauvais ».
calci- calco- du lat. « chaux ».
calli- du gr. « beauté ».
calori- du lat. « chaleur ».
carbo- du lat. « charbon ».
carcino- du gr. « cancer ».
cardio-, -carde, -cardie du gr. « cœur ».
carpo-, -carpe du gr. « jointure » ou « fruit ».
caryo- du gr. « noyau, noix ».
cata- du gr. « en dessous, en arrière ».
-cèle du gr. « tumeur ».
-cène du gr. « récent ».
centi- du lat. « centième ».
centro- du lat. « centre ».
céphalo-, -céphale du gr. « tête ».
chalco- du gr. « cuivre ».
chimio- de *chimie*.
chiro- du gr. « main ».
chloro- du gr. « vert ».
cholé- du gr. « bile ».
chondro- du gr. « cartilage ».
chromo-, chromato-, -chrome, -chromie du gr. « couleur ».
chrono-, -chrone du gr. « temps ».
chryso- du gr. « or ».
-cide du gr. « meurtre ».
1. ciné-, cinémo- du gr. « mouvement ».
2. ciné- de *cinéma*.
circum-, circon- du lat. « autour ».
-claste, -clase du gr. « brisé ».
cis- du lat. « en deçà ».
clino- du gr. « être couché, penché ».
cœno- ou céno- du gr. « commun ».
-cole du lat. « cultiver, habiter ».
colpo- du gr. « vagin ».
contra- du lat. « contre, en sens contraire ».
copro- du gr. « excrément ».
-coque, -coccie du gr. « grain ».
cortico- du lat. « écorce ».
cosmo-, -cosme du gr. « ordre, univers ».
cranio- du gr. « crâne ».
-crate, -cratie du gr. « force ».
cristallo- du gr. « cristal ».
cryo- du gr. « froid ».
crypto- du gr. « caché ».
-culteur du lat. « qui cultive ».
-culture du lat. « culture ».
cupri-, cupro- du lat. « cuivre ».
curvi- du lat. « courbe ».
cyano- du gr. « bleu sombre ».

1. cyclo- du gr. « cercle ».

2. cyclo- de *cycle*.

cyno- du gr. « chien ».

cysto-, -cyste du gr. « vessie ».

cyto-, -cyte du gr. « cavité, cellule ».

déca- du gr. « dix ».

déci- du gr. « dixième ».

démo-, -démie du gr. « peuple ».

dactylo-, -dactyle du gr. « doigt ».

dendro-, -dendron du gr. « arbre ».

dermato-, dermo-, -derme du gr. « peau ».

deuto-, deutéro- du gr. « deuxième ».

dextro-, -dextre du lat. « qui est à droite ».

di- du gr. « deux fois ».

diplo- du gr. « double ».

dodéca- du gr. « douze ».

dolicho- du gr. « long ».

doxo-, -doxie du gr. « opinion ».

dromo-, -drome, -dromie du gr. « course ».

dynamo-, -dynamie du gr. « force ».

-dyne, dyno- du gr. « force ».

dys- du gr. « difficulté, mauvais état ».

échino- du gr. « hérisson ».

1. éco-, -écie du gr. « maison ».

2. éco- de *écologie*.

-ectasie du gr. « dilatation ».

ecto- du gr. « au-dehors ».

-ectomie du gr. « ablation ».

-èdre, -édrie du gr. « face ».

électro- de *électricité*.

embryo- du gr. « embryon ».

-émie du gr. « sang ».

endo- du gr. « au-dedans ».

entéro-, -entère du gr. « intestin ».

entomo- du gr. « insecte ».

éo- du gr. « aurore ».

épi- du gr. « sur, dessus, à la surface de ».

équi- du lat. « égal ».

ergo-, -ergie du gr. « action, travail ».

érythro- du gr. « rouge ».

esthési-, -esthésie du gr. « sensibilité ».

ethno- du gr. « race ».

eu- du gr. « bien ».

euro- de *Europe*.

ex- du lat. « hors de ».

exo- du gr. « hors de ».

-fère du lat. « porter ».

fibro- de *fibre*.

-forme du lat. « forme ».

franco- de *français*.

-fuge du lat. « fuir » ou « faire fuir ».

gala-, galacto- du gr. « lait ».

galli-, gallo- du lat. « coq ».

gamo-, -game, -gamie du gr. « union ».

gastéro-, gastro-, -gastre du gr. « ventre ».

-genèse, -génésie du gr. « formation ».

géno-, -gène, -génie du gr. « origine ».

géo-, -gée du gr. « terre ».

germano- de *germanique*.

géronto- du gr. « vieillard ».

giga-, gigan- du gr. « géant ».

glosso-, glotto-, -glosse, -glotte du gr. « langue ».

gluco-, glyco- du gr. « doux ».

glypto- du gr. « gravé ».

gnatho-, -gnathe du gr. « mâchoire ».

-gnose, -gnosie du gr. « connaissance ».

gonio-, -gone du gr. « angle ».

-grade du lat. « marcher ».

-gramme du gr. « lettre, écriture ».

grapho-, -graphe, -graphie du gr. « écrire ».

gréco- de *grec*.

gymno- du gr. « nu ».

gynéco-, gyné-, -gyne du gr. « femme ».

gyro-, -gyre du gr. « cercle ».

halo- du gr. « sel ».

haplo- du gr. « simple ».

hecto- du gr. « cent ».

hélio-, -hélie du gr. « soleil ».

héma-, hémato-, hémo- du gr. « sang ».

hémi- du gr. « à moitié ».

hendéca- du gr. « onze ».

hépato- du gr. « foie ».

hepta- du gr. « sept ».

hétéro- du gr. « autre ».

hexa- du gr. « six ».

hidro- du gr. « sueur ».

hiéro- du gr. « sacré, saint ».

hippo- du gr. « cheval ».

hispano- de *hispanique*.

histio-, histo- du gr. « tissu ».

holo- du gr. « entier ».

homéo-, homo- du gr. « semblable ».

horo- du gr. « heure ».

hydro-, -hydre du gr. « eau ».

hygro- du gr. « humide ».

hyper- du gr. « au-dessus, au-delà ».

hypno- du gr. « sommeil ».

hypo- du gr. « au-dessous, en deçà ».

hystéro- du gr. « utérus ».

iatro-, -iatre, -iatrie du gr. « médecin ».

ichtyo- du gr. « poisson ».

icono- du gr. « image ».

-ide, -idé du gr. « apparence ».

idéo- du gr. « idée ».

idio- du gr. « qui appartient en propre à ».

igni- du lat. « feu ».

immuno- du lat. « exempt de, libre de ».

indo- de *Inde*.

infra- du lat. « au-dessous, plus bas ».

inter- du lat. « entre ».

intra-, intro- du lat. « à l'intérieur de ».

iso- du gr. « égal ».

judéo- du lat. « juif ».

juxta- du lat. « près de ».

kérato- du gr. « corne, cornée ».

kilo- du gr. « mille ».

kinési-, -kinésie du gr. « mouvement ».

lacti-, lacto- du latin « lait ».

lalo-, -lalie du gr. « parler ».

laryngo- du gr. « gorge, gosier ».

latéro-, -latère du lat. « côté ».

-lâtre, -lâtrie du gr. « adorer ».

lépido- du gr. « écaille ».

lepto- du gr. « mince ».

leuco- du gr. « blanc ».

limno- du gr. « lac ».

lipo- du gr. « graisse ».

litho-, -lithe, -lite du gr. « pierre ».

loco- du lat. « lieu ».

-logie, -logiste, -logue du gr. « théorie ».

logo- du gr. « parole, discours ».

longi- du lat. « long ».

-loque du lat. « parler ».

lyco- du gr. « loup ».

lyo- du gr. « dissoudre ».

lyso-, -lyse du gr. « dissolution, dissociation ».

-lyte, -lytique du gr. « qui peut être dissous ».

-machie du gr. « combat ».

macro- du gr. « long, grand ».

magnéto- du gr. « aimant ».

malaco- du gr. « mou ».

-mancie du gr. « divination ».

1. -mane du lat. « main ».

2. -mane, -manie du gr. « folie ».

mécano- du gr. « machine ».

médico- du lat. « médecin ».

médio- du lat. « moyen ».

méga-, mégalo-, -mégalie du gr. « grand ».

méla-, mélano- du gr. « noir ».

mélo- du gr. « chant ».

méro-, -mère, -mérie du gr. « partie ».

méso- du gr. « au milieu, médian ».

méta- du gr. « changement ».

métallo- du gr. « mine ».

métro-, -mètre, -métrie du gr. « mesure ».

micro- du gr. « petit ».

milli- du lat. « mille ».

mini- du lat. « moins ».

miso- du gr. « haïr ».

mnémo-, -mnésie du gr. « mémoire ».

mono- du gr. « seul ».

morpho-, -morphe, -morphisme du gr. « forme ».

moto- de *moteur* ou de *motocyclette*.

multi- du lat. « nombreux ».

myco-, -myce du gr. « champignon ».

myélo-, -myélite du gr. « moelle ».

myo- du gr. « muscle ».

myria-, myrio- du gr. « dizaine de mille ».

mytho-, -mythie du gr. « fable ».

mytilo- du lat. « moule ».

nano- du gr. « petit ».

narco- du gr. « engourdissement ».

-naute du gr. « navigateur ».

-nautique du lat. « relatif à la navigation ».

nécro- du gr. « mort ».

némato- du gr. « fil ».

néo- du gr. « nouveau ».

néphro- du gr. « rein ».

neuro-, névro- du gr. « nerf ».

nitro- du lat. « nitre ».

nivo- du lat. « neige ».

nomo-, -nome, -nomie du gr. « loi ».

noso-, -nose du gr. « maladie ».

nucléo- du lat. « noyau ».

nycto- du gr. « nuit ».

octa-, octi-, octo- du lat. « huit ».

-odie du gr. « chant ».

odo-, -ode du gr. « route ».

odonto- du gr. « dent ».

œno- du gr. « vin ».

-oïde, -oïdal du gr. « forme ».

oléi-, oléo- du lat. « huile ».

oligo- du gr. « peu nombreux ».

omni- du lat. « tout ».

oniro- du gr. « rêve ».

onto- du gr. « l'étant, l'être, ce qui est ».

oo- du gr. « œuf ».

-ope, -opie du gr. « vue ».

ophio- du gr. « serpent ».

ophtalmo-, -ophtalmie du gr. « œil ».

opo- du gr. « suc ».

-opsie du gr. « vue, vision ».

orchi-, orchido- du gr. « testicule ».

ornitho- du gr. « oiseau ».

oro- du gr. « montagne ».

ortho- du gr. « droit » ou « correct ».

ostéo-, -oste du gr. « os ».

ostréi- du lat. « huître ».

oti-, oto- du gr. « oreille ».

-oure du gr. « queue ».

ovo-, ovi- du lat. « œuf ».

paléo- du gr. « ancien ».

palin- du gr. « de nouveau ».

pan-, panto- du gr. « tout ».

1. para- du gr. « à côté de ».

2. para-, pare- du lat. « protéger ».

-pare, du lat. « engendrer ».

patho-, -pathie, -pathe du gr. « maladie ».

pédi-, -pède, -pédie du lat. « pied ».

1. pédo-, -pédie du gr. « enfant » ou « instruire ».

2. pédo- du gr. « sol ».

-pénie du gr. « manque ».

penta- du gr. « cinq ».

pepto-, -pepsie du gr. « digestion ».

péri- du gr. « autour ».

1. pétro- du gr. « pierre, roche ».

2. pétro- de *pétrole*.

-pexie du gr. « fixation ».

phago-, -phage, -phagie du gr. « manger ».

phallo- du gr. « phallus ».

philo-, -phile, -philie du gr. « aimer ».

phlébo- du gr. « veine ».

-phobe, -phobie du gr. « crainte ».

phono-, -phone, -phonie du gr. « voix, son ».

-phore du gr. « porter ».

1. photo- du gr. « lumière ».

2. photo- de *photographie*.

phyco-, -phycée du gr. « algue ».

phyllo-, -phylle du gr. « feuille ».

-physe du gr. « formation, production ».

physio- du gr. « nature ».

phyto-, -phyte du gr. « plante ».

picro- du gr. « amer ».

piézo- du gr. « presser ».

pisci- du lat. « poisson ».

pithéco-, -pithèque du gr. « singe ».

plasmo-, -plasme, -plasie, -plaste, -plastie du gr. « modeler ».

platy- du gr. « large ».

-plégie du gr. « frapper ».

pleuro- du gr. « côté ».

pluri- du lat. « plusieurs ».

pluvio- du lat. « pluie ».

pneumo- du gr. « poumon ».

pneumato- du gr. « souffle ».

podo-, -pode du gr. « pied ».

1. -pole du gr. « ville ».

2. -pole du gr. « vendre ».

poly- du gr. « nombreux ».

post- du lat. « après ».

potamo- du gr. « fleuve ».

pré- du lat. « en avant, devant ».

pro- du lat. « pour ».

procto- du gr. « anus ».

proto-, protéro- du gr. « premier ».

pseudo- du gr. « menteur ».

psycho-, -psychie du gr. « esprit ».

ptéro-, -ptère du gr. « aile ».

-pyge, -pygie du gr. « fesse ».

pyo- du gr. « pus ».

pyro- du gr. « feu ».

quinqua- du lat. « cinq ».

quint- du lat. « cinquième ».

1. radio- du lat. « rayon ».

2. radio- de *radiodiffusion* et de *radiographie*.

recti- du lat. « droit ».

rétro- du lat. « en arrière ».

rhéo- du gr. « couler ».

rhino- du gr. « nez ».

rhizo-, -rhize du gr. « racine ».

rhodo- du gr. « rose ».

rhombo- du gr. « toupie, losange ».

rhyncho-, -rhynque du gr. « groin, bec ».

-rostre du lat. « éperon, bec ».

-rragie du gr. « jaillir ».

-rrhée du gr. « couler ».

sacchari-, saccharo- du gr. « sucre ».

salpingo- du gr. « trompe ».

sapon- du lat. « savon ».

sapro- du gr. « pourri, putride ».

sarco- du gr. « chair ».

-saure, -saurien du gr. « lézard ».

saxi- du lat. « rocher, pierre ».

scato- du gr. « excrément ».

schizo- du gr. « fendre ».

scléro- du gr. « dur ».

-scope, -scopie du gr. « regarder, observer ».

séléno- du gr. « lune ».

sémio- séméio- du gr. « signe ».

séricì- du lat. « soie ».

servo- du lat. « esclave ».

1. sidéro- du lat. « astre ».

2. sidéro- du lat. « fer ».

simili- du lat. « semblable ».

sino- du lat. « Chine ».

sismo- séismo- du gr. « secousse ».

somato-, -some du gr. « corps ».

sono- du lat. « son ».

spectro- du lat. « image ».

spéléo- du gr. « caverne ».

spermato-, spermo-, -sperme du gr. « semence, graine ».

spléno- du gr. « rate ».

spondylo- du lat. « vertèbre ».

stéaro-, stéato- du gr. « graisse ».

stégo- du gr. « toit ».

sténo- du gr. « étroit ».

stéréo- du gr. « solide, cubique ».

stomato- du gr. « bouche ».

strati-, strato- du lat. « couche ».

strobo- du gr. « rotation ».

sulfo- du lat. « soufre ».

supra- du lat. « au-dessus ».

sylvi- du lat. « forêt ».

syn-, syl-, sym- du gr. « avec ».

syringo- du gr. « canal, tuyau ».

tachy- du gr. « rapide ».

tauto- du gr. « le même ».

taxi, taxo-, -taxie du gr. « arrangement ».

techno-, -technie du gr. « art, métier ».

1. télé- du gr. « au loin ».

2. télé- de *télévision*.

téléo-, télo-, -télie du gr. « fin, but ».

térato- du gr. « monstre ».

tétra- du gr. « quatre ».

thalasso- du gr. « mer ».

thanato- du gr. « mort ».

théo- du gr. « dieu ».

-thèque du gr. « loge, boîte ».

-thérapie du gr. « soin, cure ».

thermo-, -therme, -thermie du gr. « chaud ».

thio- du gr. « soufre ».

thrombo- du gr. « caillot ».

-thymie du gr. « cœur, affectivité ».

tomo-, -tome, -tomie du gr. « couper ».

-tonie du gr. « tension ».

topo-, -tope du gr. « lieu ».

toxo-, toxi-, toxico- du gr. « poison ».

tri- du lat. et du gr. « trois ».

tribo- du gr. « frotter ».

tricho- du gr. « poil, cheveu ».

tropo-, -trope, -tropie, -tropisme du gr. « tour, manège, direction ».

tropho-, -trophie du gr. « nourriture ».

tubi- du lat. « tube ».

turbo- du lat. « tourbillon, toupie ».

typho- du gr. « torpeur ».

typo-, -type, -typie du gr. « empreinte ».

tyro- du gr. « fromage ».

ultra- du lat. « au-delà de ».

unci- du lat. « crochet ».

ungui- du lat. « ongle ».

uni- du lat. « un ».

urano- du gr. « ciel ».

-urge, -urgie du gr. « travail ».

1. uro-, -urèse, -urie du gr. « urine ».

2. uro-, -oure, -ure du gr. « queue ».

-valent du lat. « valoir ».

vaso- du lat. « récipient » ou « canal ».

vermi- du lat. « ver ».

vibro- de *vibrer*.

vidéo- du lat. « je vois ».

vini- du lat. « vin ».

viti- du lat. « vigne ».

-vore du lat. « manger, avaler ».

xantho- du gr. « jaune ».

xéno-, -xène du gr. « étranger » et « étrange ».

xéro- du gr. « sec ».

xylo- du gr. « bois ».

zoo-, -zoaire, -zoïque du gr. « animal ».

zygo- du gr. « joug ».

zymo-, -zyme du gr. « levain, ferment ».

Imprimé en Italie par

LTV

LA TIPOGRAFICA VARESE
Società per Azioni
Varese
Dépôt légal n° 06382/10/2000
Collection 59 - Édition 04
28/0491/2